BIOLOGIE

BIOLOGIE

NEIL A. CAMPBELL

Adaptation et révision scientifique

RICHARD MATHIEU

Professeur de biologie
Cégep de Drummondville

ÉDITIONS
DU RENOUVEAU
PÉDAGOGIQUE

5757, RUE CYPIHOT, SAINT-LAURENT (QUÉBEC) H4S 1X4
TÉLÉPHONE : (514) 334-2690 TÉLÉCOPIEUR : (514) 334-4720

Supervision éditoriale:
Sylvie Chapleau

Révision linguistique:
Annie Desbiens,
Hélène Lecaudey

Traduction:
Serge Allard,
Jean-Pierre Artigau,
Marie-Claude Désorcy,
Jean-Luc Riendeau,
Raymond Roy

Correction d'épreuves:
Josée Guévin,
Hélène Lecaudey,
Dominique Stengelin

Couverture:

Photocomposition et montage:
Rive-Sud Typo Service inc.

Peinture de la couverture:

Envol de Bernaches du Canada aux abords
de la rivière Saint-François par un matin de
septembre.
Œuvre du peintre animalier Denis Nadeau,
de la région de Drummondville.

Cet ouvrage est une version française de la troisième édition de *Biology*, de
Neil A. Campbell, publiée et vendue à travers le monde avec l'autorisation de
The Benjamin/Cummings Publishing Company, Inc.

© 1993 by The Benjamin/Cummings Publishing Company, Inc.

Dépôt légal: 2e trimestre 1995
Bibliothèque nationale du Québec
Bibliothèque nationale du Canada

Imprimé au Canada
ISBN 2-7613-0653-8

4567890 ML 99
2592 ABCD LHM9

AVANT-PROPOS

La biologie est la science pure qui connaît le plus grand essor, comme l'attestent les innombrables articles scientifiques publiés chaque année. Ce manuel témoigne lui-même du foisonnement d'idées et de découvertes dans tous les grands domaines de la biologie. J'ai accepté de travailler à l'adaptation et à la révision scientifique de cet ouvrage parce qu'il m'a littéralement fasciné. De plus, le souci pédagogique de l'auteur est évident du début à la fin : il a organisé le manuel d'une façon qui permet une grande souplesse relativement au choix d'une séquence de thèmes et il fournit divers instruments d'apprentissage. Le contenu riche en information, soutenu par une iconographie abondante et d'une qualité exceptionnelle, a fini de me convaincre de la valeur de ce manuel. En lisant la « Présentation du manuel », vous obtiendrez plus de détails à propos de sa structure.

En effectuant mon travail d'adaptation, j'ai essayé de donner au manuel une couleur québécoise. C'est dans cette optique que j'ai choisi de présenter une scène familière sur la couverture. J'ai également ajouté trois entretiens avec des chercheurs québécois. En outre, j'ai utilisé des exemples d'espèces animales et végétales répertoriées au Québec à la place d'espèces vivant exclusivement aux États-Unis lorsque le texte se prêtait à ces substitutions. Enfin, j'ai ajouté ou modifié certaines figures afin qu'elles reflètent le paysage québécois.

Par ailleurs, j'ai veillé à assurer l'arrimage avec les autres disciplines scientifiques enseignées aux niveaux collégial et secondaire, notamment sur le plan de la terminologie. Cette préoccupation s'inscrit dans le contexte de l'approche programme qu'on implante actuellement dans le milieu collégial. Ainsi, vous trouverez en parallèle dans le texte les termes employés dans la nouvelle nomenclature pour la chimie en usage au secondaire et les termes de la nomenclature classique. L'élève pourra au besoin consulter l'appendice 6, qui présente les deux nomenclatures en vigueur au Québec, dans les domaines de la chimie inorganique et de la chimie organique. Vous constaterez également que les concepts appartenant à d'autres disciplines, telles la chimie, la géologie, les mathématiques et la physique, portent les mêmes noms et sont mesurés selon les mêmes unités que dans leur discipline d'origine. Par exemple, vous lirez *concentration molaire volumique* au lieu de *molarité*, comme en chimie, et *kilopascals* au lieu d'*atmosphères* et de *millimètres de mercure*, comme le veut la pratique en chimie et en physique. Cette uniformisation du langage et des unités devrait faciliter les transferts d'apprentissage entre les disciplines. L'ajout du tableau périodique des éléments (appendice 5) m'a semblé nécessaire ; il sera particulièrement utile pendant la lecture de la deuxième partie du manuel et les séances de laboratoire.

L'adaptation serait restée incomplète sans une révision linguistique poussée. Une grande quantité d'énergie a été dépensée pour rendre le texte facile à lire et à comprendre. Vous observerez, avec étonnement peut-être, l'usage soutenu de la majuscule dans les noms d'êtres vivants. Le choix de cette pratique repose sur un certain nombre de considérations. Premièrement, on note un retour à l'emploi de telles majuscules dans les ouvrages spécialisés écrits par des francophones sur divers domaines de la biologie. En outre, la majuscule facilite le repérage des noms d'organismes dans le texte. Une dernière considération, philosophique cette fois, m'amène à penser que la majuscule suggère le respect envers toutes les formes de vie. Ce respect est inspiré par le besoin de comprendre la nature des êtres vivants, leur fonctionnement et les relations qu'ils entretiennent entre eux et avec leur environnement.

Au cours de la révision scientifique, j'ai vérifié la pertinence et l'exactitude de toutes les informations, avec l'aide de nombreux collègues des niveaux d'enseignement collégial et universitaire et en fouillant dans la littérature scientifique des dernières années. J'ai actualisé la nomenclature biologique et précisé tous les noms d'espèces par leur nom latin, de manière à faciliter la recherche d'informations supplémentaires.

Aux instruments d'apprentissage présentés en fin de chapitre, j'ai ajouté la rubrique « Questions à court développement », afin de favoriser une évaluation plus poussée de certaines connaissances. Ces questions permettent généralement à l'élève d'atteindre des objectifs cognitifs de l'ordre de l'analyse, de la synthèse et de la critique, notamment lorsqu'on lui demande de dresser un schéma de concepts. Les questions à court développement complètent les rubriques « Auto-évaluation » et « Réflexion-application » ; ces trois rubriques sont généralement conçues de manière à éviter les chevauchements, de sorte qu'elles couvrent toute la matière du chapitre. Les enseignants qui privilégient l'apprentissage par objectif peuvent s'inspirer de ces questions pour formuler des objectifs ou des compétences à atteindre. Finalement, j'ai procédé à une mise à jour des lectures suggérées. La grande majorité des titres qui y figurent ont été publiés après 1990, et donnent par conséquent des informations de pointe.

J'ai accepté de travailler à l'adaptation et à la révision scientifique de cet ouvrage parce qu'il m'a littéralement fasciné. Je souhaite que vous ayez autant de plaisir que moi à découvrir les multiples facettes, tant du point de vue de l'information qu'il contient que de celui de l'approche pédagogique qui le soutient.

Je remercie du fond du cœur mes proches, Ginette Gauthier, Joelle, Olivier et Sara-Claude, qui m'ont laissé

le champ libre dans l'accomplissement de ce travail de recherche et dont j'ai senti l'encouragement pendant tout ce temps. Je tiens à remercier toute l'équipe des Éditions du Renouveau Pédagogique, et plus précisément Normand Cléroux, Sylvie Chapleau, Hélène Lecaudey et Annie Desbiens, pour l'assistance technique et professionnelle qu'ils m'ont apportée au cours de cette période de belle complicité. J'exprime ma profonde gratitude à mes collègues enseignants et techniciens du Département des sciences de la nature, qui ont toujours bien accueilli et répondu avec soin à mes nombreuses demandes. Je m'en voudrais de passer sous silence la précieuse collaboration de Paul-André Girouard, qui m'a beaucoup aidé dans la mise à jour de la nomenclature chimique et de la partie du manuel intitulée *La chimie de la vie*. Sans l'aide du personnel de la bibliothèque du cégep, je n'aurais pu réaliser une recherche de cette envergure; je remercie donc sincèrement Henriette Dion et sa formidable équipe. Merci à mes collègues du Centre d'aide en français qui se sont toujours empressées de répondre à mes questions souvent pointues. J'offre mes remerciements aux nombreux collègues des autres départements et services du Cégep de Drummondville qui m'ont offert leur appui de diverses façons. Je remercie également Guy Laurendeau pour m'avoir fait bénéficier de son expérience dans l'adaptation et la révision scientifique. Enfin, j'offre cet ouvrage à tous mes élèves qui, par la qualité de leurs interventions, ont su entretenir ma curiosité.

Richard Mathieu
Professeur de biologie
Cégep de Drummondville

Ce manuel poursuit deux grands objectifs: expliquer les notions de biologie avec clarté et précision au moyen de certains fils conducteurs: aider les élèves à se faire une idée positive et réaliste de la science et à la considérer comme une activité éminemment humaine.

Ce sont les fils conducteurs de ce manuel qui le distinguent d'une «encyclopédie de la biologie». Ainsi, le premier chapitre présente plusieurs thèmes qui reviendront ensuite tout au long du manuel, afin d'aider les élèves à faire une synthèse de leur étude des êtres vivants. Le thème de l'évolution est notre grand fil conducteur; il témoigne à la fois de l'unité et de la diversité des êtres vivants et intègre tous les autres thèmes du manuel. Par exemple, les trois premières parties comprennent des sections qui aideront les élèves à faire le lien entre, d'une part, la notion maîtresse d'évolution et, d'autre part, la biologie cellulaire et moléculaire.

Biologie met l'accent sur la démarche scientifique. Le chapitre 1 traite abondamment des pouvoirs et des limites de la science et présente la méthode hypothético-déductive; cette méthode est ensuite appliquée dans des études de cas tout au long du manuel. Les encadrés intitulés «Techniques» contribuent à démystifier la science en expliquant diverses expériences effectuées en laboratoire ou sur le terrain. Ce manuel compte également huit entretiens avec des chercheurs influents (voir la page x); ces entretiens donnent une note personnelle et montrent que la science est une activité sociale qui évolue grâce à la créativité d'hommes et de femmes, et non grâce à la collecte impersonnelle de faits.

La rubrique «Science, technologie et société» compte parmi les thèmes de *Biologie*. La biologie et ses applications ont de profondes répercussions sur la culture, c'est-à-dire sur notre conception de la nature, sur notre connaissance de l'environnement, ainsi que sur notre santé et notre qualité de vie. Les élèves doivent comprendre que les considérations d'ordre éthique ont leur place en science, et même en recherche fondamentale, et que le progrès technologique ne se fait pas sans susciter une réflexion sur nos valeurs et nos priorités. *Biologie* fait ressortir ces liens très étroits entre la science, la technologie et la société. Les épineux problèmes environnementaux y occupent notamment une grande place. Au terme de chaque chapitre figure une catégorie de questions intitulée «Science, technologie et société», qui incite les élèves à incorporer la biologie à leur conception du monde.

Les illustrations de *Biologie* facilitent l'apprentissage des notions difficiles à saisir. L'utilisation systématique et continue de codes-couleurs et d'icônes est un des moyens employés pour aider l'élève à s'y retrouver d'un chapitre à l'autre. Par exemple, les protéines sont toujours de couleur violette, et l'ATP apparaît toujours sur fond de «Soleil» jaune dans les illustrations. On a également apporté une grande attention à la coordination entre le texte et les figures. Les artistes, les recherchistes, les rédacteurs et l'auteur ont travaillé ensemble dès la première version du texte pour insérer les figures aux bons endroits dans le texte de chaque chapitre. En fait, l'élève constatera que l'étude des figures et de leur légende peut lui permettre de se faire une idée du chapitre qu'il s'apprête à voir ou de réviser le contenu du chapitre qu'il vient de terminer.

Si *Biologie* contient autant de pages, c'est en partie parce qu'il consacre beaucoup d'espace aux présentations méthodiques des sujets complexes; le contenu de ces présentations soigneusement espacées est judicieusement dosé, de sorte que l'ajout progressif de détails éclaircit les notions fondamentales au lieu de les obscurcir. Il est alors plus facile pour l'élève d'intégrer dans un cadre conceptuel général ce qu'il est en train d'apprendre. Ainsi, lorsque nous étudions des processus complexes comme la respiration cellulaire (chapitre 9) et la synthèse des protéines (chapitre 16), nous en faisons d'abord le survol pour donner à l'élève une idée globale du processus. Le texte et les figures expliquent ensuite en détail le processus pour en faire comprendre le fonctionnement. Grâce à des «diagrammes d'orientation» qui reconstituent en miniature et en détail l'illustration générale du survol, cette section d'explications détaillées demeure toujours en relation avec les principaux concepts présentés juste avant. Dans plusieurs chapitres, les explications détaillées sont suivies d'un résumé; ce résumé prend souvent la forme d'un diagramme exhaustif qui aide l'élève à reconstituer tout le processus à partir de ses composantes. Cette approche pédagogique ainsi que les autres caractéristiques de *Biologie* continuent d'évoluer à partir de l'expérience de l'auteur auprès d'élèves qui, comme lui, veulent s'y retrouver dans l'explosion actuelle des connaissances et qui, pour cela, doivent dégager les concepts clés de chaque domaine.

CONTENU ET ORGANISATION

Il existe assurément plusieurs bonnes façons d'organiser les principaux sujets dans un cours d'introduction à la biologie. Au fil des ans, l'auteur a lui-même réorganisé maintes fois son plan de cours, pour finalement constater qu'il existe différentes façons, toutes aussi valables les unes que les autres, d'ordonner la matière à couvrir. *Biologie* est assez souple; l'enseignant pourra probablement en adapter le contenu à son plan de cours. En fait, les huit parties sont indépendantes les unes des autres, ce qui permet à l'enseignant de les réarranger à sa guise, et la plupart des chapitres de chacune des parties peuvent eux

aussi être organisés en une séquence différente sans que cela nuise réellement à la continuité. Par exemple, l'enseignant qui intègre la physiologie végétale et animale pourra fusionner les chapitres des sixième et septième parties de façon à adapter *Biologie* à son propre plan de cours.

Le bref aperçu qui suit donnera au lecteur une idée de l'organisation de ce manuel et du contenu de chacune de ses parties.

Première partie : La chimie de la vie

Les enseignants constatent généralement qu'un grand nombre d'élèves ont eu de la difficulté à suivre le cours d'introduction à la biologie parce qu'ils ne possèdent pas assez de connaissances de base en chimie. Conçus pour aider ces élèves, les chapitres 2 à 4 présentent de façon très graduelle les notions de chimie qui sont essentielles pour réussir un cours de biologie. L'enseignant peut décider de faire étudier ces chapitres à la maison et éviter ainsi de consacrer de précieuses heures de cours aux concepts chimiques de base. Cependant, le chapitre 5 (Structure et fonction des macromolécules) et le chapitre 6 (Introduction au métabolisme) ont un contenu que même les élèves possédant une bonne base en chimie devraient voir. *Biologie* s'efforce de faire ressortir les liens qui unissent la chimie et la biologie et donne des exemples illustrant le fonctionnement moléculaire des êtres vivants. Quelques sections rattachent en outre la chimie de la vie à l'évolution.

Deuxième partie : La cellule

Les chapitres 7 à 11 montrent que l'étroite corrélation entre la structure et la fonction sert de fil conducteur pour étudier la cellule. Par exemple, chaque chapitre de cette partie revient sur l'importance des membranes dans la régulation du métabolisme. Cette partie présente également une analyse approfondie de la division cellulaire (au chapitre 11).

Troisième partie : Le gène

Les chapitres 12 à 19 abordent la génétique dans une perspective historique, depuis les découvertes de Gregor Mendel jusqu'aux manipulations génétiques. La troisième partie couvre abondamment la génétique humaine ; les sujets traités sont d'actualité et toujours pertinents aux concepts généraux présentés dans le reste du texte. Nous avons voulu rendre compte des progrès fascinants de la génétique moléculaire. Par exemple, le chapitre 19 (Les manipulations génétiques) présente un grand nombre de nouvelles techniques, comme la réaction en chaîne de la polymérase (PCR), et de nouvelles applications cliniques et commerciales. La troisième partie comporte également des sections traitant de l'importance de la génétique dans l'évolution.

Quatrième partie : Les mécanismes de l'évolution

Même si l'évolution constitue le principal fil conducteur de ce manuel, les chapitres 20 à 23 sont entièrement consacrés au mode d'évolution de la vie et à la façon dont les biologistes étudient l'évolution. Le chapitre 20 (« La "descendance modifiée" : l'évolution selon Darwin ») présente la théorie évolutionniste comme un exemple de la démarche scientifique à l'œuvre. Ce chapitre fournit également de nouveaux exemples de sélection naturelle. Le chapitre 22 permet de comparer diverses écoles de pensée relativement au mode d'apparition des nouvelles espèces. Encore d'actualité, la biologie évolutionniste donne matière à controverse quant au rythme et aux mécanismes de l'évolution, et les élèves pourront constater que certaines questions demeurent pendantes.

Cinquième partie : La diversité biologique à travers l'évolution

Les chapitres 24 à 30 examinent la diversité des êtres vivants dans le contexte de moments importants dans l'évolution, par exemple l'origine des procaryotes, l'évolution de la cellule eucaryote, la genèse des organismes pluricellulaires et la radiation adaptative chez les Plantes, les Mycètes et les Animaux. Pour aborder la diversité des êtres vivants, le thème évolutionniste de la cinquième partie va beaucoup plus loin que la simple présentation systématique des règnes du monde vivant. La cinquième partie étudie d'une manière assez approfondie l'importance écologique des Bactéries et Mycètes. Une section du chapitre 27, intitulée « Importance de la diversité des Végétaux », illustre bien l'intérêt marqué de ce manuel pour les questions touchant la science, la technologie et la société.

Sixième partie : Anatomie et physiologie végétales

Les chapitres 31 à 35 constituent une introduction à l'anatomie et à la physiologie des Plantes dans le contexte évolutionniste de l'adaptation aux environnements terrestres. La sixième partie insiste beaucoup sur les aspects moléculaires et cellulaires de la biologie végétale. Par exemple, le chapitre 34 (La reproduction et le développement des Végétaux) comprend des sections sur le développement de la forme, sur l'analyse clonale de l'extrémité des pousses et sur le fondement génétique du développement des fleurs. Le chapitre 35 (La régulation chez les Végétaux) traite des mécanismes cellulaires de l'activité hormonale et examine les voies de conversion et d'amplification des messages dans les cellules végétales.

Septième partie : Anatomie et physiologie animales

Les chapitres 36 à 45 sont centrés sur la relation entre les organismes et leur environnement. Ils présentent de façon comparative diverses adaptations qui ont eu lieu au sein du règne animal. L'Humain est un exemple important dans cette partie, où on le compare à des Invertébrés et à d'autres Vertébrés. Le chapitre 39 couvre clairement le difficile sujet de l'immunologie. Le chapitre 43 présente notamment certains progrès récents dans l'étude du développement animal.

Huitième partie : L'écologie

Les chapitres 46 à 50 forment un ensemble cohésif ; ils mettent en relief le point de vue évolutionniste et se

rattachent aux autres fils conducteurs du manuel. Le chapitre 46 aborde les environnements terrestres avec une grande efficacité et s'attarde assez longuement aux environnements marins. Dans l'esprit du thème « Science, technologie et société », tous les chapitres sur l'écologie poussent le plus loin possible leur étude des questions environnementales. Ils présentent également les différents points de vue qui alimentent certains des débats écologiques actuels, dans le but d'inciter les élèves à évaluer les arguments et les faits de façon critique. Le chapitre 50 (Le comportement animal) met l'accent sur l'écologie comportementale et place ainsi le comportement dans le contexte de l'évolution. Ce chapitre surplombe en quelque sorte tout le reste du livre, puisqu'il fait ressortir les liens qui rattachent l'écologie aux autres domaines de la biologie, aux autres sciences naturelles et à la culture générale de l'élève.

INSTRUMENTS D'APPRENTISSAGE INTÉGRÉS

Les instruments d'apprentissage qui figurent à la fin de chaque chapitre visent à renforcer les principaux concepts, le vocabulaire et les applications présentés dans le chapitre. La rubrique **Résumé du chapitre** passe en revue les principales sections du chapitre en indiquant les pages correspondantes. Les questions de la rubrique **Auto-évaluation** aident l'élève à évaluer sa compréhen-

sion du chapitre et lui demandent parfois d'appliquer ses connaissances ou de résoudre des problèmes. Les réponses aux questions d'Auto-évaluation figurent à l'Appendice un. La rubrique **Questions à court développement** permet une évaluation plus pointue de certaines connaissances. Quant à la rubrique **Réflexion-application**, elle incite l'élève à interpréter dans ses propres mots les notions présentées, à appliquer ses apprentissages à d'autres domaines, à développer un esprit critique face aux débats complexes concernant la biologie, à utiliser ses connaissances pratiques dans le contexte des problèmes biologiques, et à émettre lui-même des hypothèses vérifiables. Les questions de la rubrique **Science, technologie et société** amènent l'élève à s'interroger sur la place qu'occupe la biologie dans la culture et sur les conséquences de la biologie appliquée. Chaque chapitre se termine par la rubrique **Lectures suggérées**. L'élève trouvera également un glossaire des termes clés à la fin du manuel.

À titre de référence, l'Appendice deux présente une classification des êtres vivants et l'Appendice trois contient les équivalences du système international d'unités. Pour faciliter le travail de l'élève, l'Appendice quatre présente l'outil d'apprentissage appelé schématisation de concepts. L'appendice cinq présente le tableau périodique des éléments, un instrument utile dans l'étude de la biologie. Enfin, l'Appendice six permet aux élèves et aux professeurs de s'y retrouver dans les changements de la nomenclature employée en chimie.

ENTRETIENS

PREMIÈRE
PARTIE

LA CHIMIE DE LA VIE 20
Richard Mathieu rencontre
Michel Chrétien

DEUXIÈME
PARTIE

LA CELLULE 112
Richard Mathieu rencontre
Rosemonde Mandeville

TROISIÈME
PARTIE

LE GÈNE 240
Neil Campbell rencontre
David Suzuki

QUATRIÈME
PARTIE

LES MÉCANISMES
DE L'ÉVOLUTION 416
Neil Campbell rencontre
Ernst Mayr

CINQUIÈME PARTIE

LA DIVERSITÉ BIOLOGIQUE
À TRAVERS L'ÉVOLUTION 500

Neil Campbell rencontre
Stephen Jay Gould

SIXIÈME PARTIE

ANATOMIE ET PHYSIOLOGIE
VÉGÉTALES 670

Neil Campbell rencontre
Virginia Walbot

SEPTIÈME PARTIE

ANATOMIE ET PHYSIOLOGIE
ANIMALES 778

Richard Mathieu rencontre
Lise Thibodeau

HUITIÈME PARTIE

L'ÉCOLOGIE 1048

Neil Campbell rencontre
Ariel Lugo

1 Introduction : thèmes pour l'étude des êtres vivants 2

PREMIÈRE PARTIE
LA CHIMIE DE LA VIE 20

2 Atomes, molécules et liaisons chimiques 24

3 La singularité vitale de l'eau 40

4 Carbone et diversité moléculaire 53

5 Structure et fonction des macromolécules 64

6 Introduction au métabolisme 91

DEUXIÈME PARTIE
LA CELLULE 112

7 Exploration de la cellule 116

8 Structure et fonction des membranes 151

9 La respiration cellulaire 173

10 La photosynthèse 199

11 La reproduction cellulaire 221

TROISIÈME PARTIE
LE GÈNE 240

12 La méiose et les cycles de développement sexués 244

13 Mendel et le concept de gène 258

14 Les bases chromosomiques de l'hérédité 280

15 Les bases moléculaires de l'hérédité 300

16 Du gène à la protéine 316

17 La génétique des Virus et des Bactéries 344

18 Structure et expression du génome chez les eucaryotes 372

19 Les manipulations génétiques 390

QUATRIÈME PARTIE
LES MÉCANISMES DE L'ÉVOLUTION 416

20 La « descendance modifiée » : l'évolution selon Darwin 420

21 L'évolution des populations 438

22 L'origine des espèces 456

23 Macroévolution et systématique 474

CINQUIÈME PARTIE
LA DIVERSITÉ BIOLOGIQUE À TRAVERS L'ÉVOLUTION 500

24 La Terre primitive et l'origine de la vie 504

25 Les procaryotes et l'origine de la diversité métabolique 515

26 Les protistes et l'origine des eucaryotes 533

27 Les Végétaux et la colonisation de la terre ferme 559

28 Les Mycètes 583

29 Les Invertébrés et l'origine de la diversité animale 598

30 La généalogie des Vertébrés 635

SIXIÈME PARTIE
ANATOMIE ET PHYSIOLOGIE VÉGÉTALES 670

31 Anatomie et croissance des Végétaux 674

32 Le transport des nutriments chez les Végétaux 699

33 La nutrition chez les Végétaux 718

34 Reproduction et développement chez les Végétaux 734

35 La régulation chez les Végétaux 756

SEPTIÈME PARTIE
ANATOMIE ET PHYSIOLOGIE ANIMALES 778

36 Structure et fonction chez les Animaux : introduction 782

37 La nutrition chez les Animaux 794

38 Circulation et échanges gazeux 818

39 Les défenses de l'organisme 850

40 La régulation du milieu interne chez les Animaux 876

41 La régulation chimique chez les Animaux 907

42 La reproduction chez les Animaux 931

43 Le développement chez les Animaux 956

44 Régulation et systèmes nerveux chez les Animaux 982

45 Mécanismes sensoriels et moteurs chez les Animaux 1015

HUITIÈME PARTIE
L'ÉCOLOGIE 1048

46 L'écologie : distribution et adaptation des organismes 1052

47 L'écologie des populations 1083

48 L'écologie des communautés 1106

49 La dynamique des écosystèmes 1132

50 Le comportement animal 1158

1 INTRODUCTION : THÈMES POUR L'ÉTUDE DES ÊTRES VIVANTS 2

Hiérarchie de l'organisation biologique 3
Émergence 4
La cellule, unité fondamentale de la vie 8
L'information génétique 8
Corrélation entre la structure et la fonction 8
Interaction des organismes avec leur environnement 8
Unité dans la diversité 8
L'évolution : un fil conducteur en biologie 9
L'approche hypothéticodéductive de la méthode scientifique 12
Science, technologie et société 17

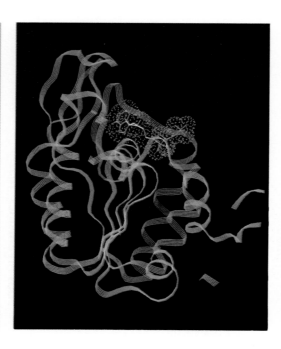

Structure et comportement des atomes 27
Particules élémentaires 27
Numéro atomique et masse atomique moyenne 27
Isotopes 28
Niveaux énergétiques 30
Orbitales électroniques 31
Configuration électronique et propriétés chimiques 31
Liaisons chimiques et molécules 31
Liaison covalente 33
Liaison ionique 35
Liaison hydrogène 36
Importance biologique des liaisons faibles 36
Réactions chimiques 36
La Terre primitive : un milieu chimiquement propice à l'apparition de la vie 37
Techniques : L'utilisation de traceurs radioactifs en biologie 29

PREMIÈRE PARTIE

LA CHIMIE DE LA VIE 20

Entretien avec Michel Chrétien 20

2 ATOMES, MOLÉCULES ET LIAISONS CHIMIQUES 24

Éléments et composés de la matière 24
Éléments essentiels à la vie 26

3 LA SINGULARITÉ VITALE DE L'EAU 40

Molécules d'eau et liaison hydrogène 40
Quelques propriétés extraordinaires de l'eau 40
L'eau liquide a un pouvoir de cohésion 41
L'eau a une chaleur spécifique élevée 41
L'eau a une chaleur de vaporisation élevée 43
L'eau se dilate quand elle gèle 43
L'eau : un solvant incomparable 44
Solutions aqueuses 45
Concentration des solutés 46
Acides, bases et pH 46
Précipitations acides : perturbation de l'environnement 48

4 CARBONE ET DIVERSITÉ MOLÉCULAIRE 53

Origine de la chimie organique 53
La souplesse du carbone dans l'architecture moléculaire 55
Variations dans les chaînes carbonées 55
Isomères 56
Groupements fonctionnels 58
Groupement hydroxyle 58
Groupement carbonyle 58
Groupement carboxyle 58
Groupement amine 59
Groupement thiol 61
Groupement phosphate 61
Les éléments chimiques de la vie 61

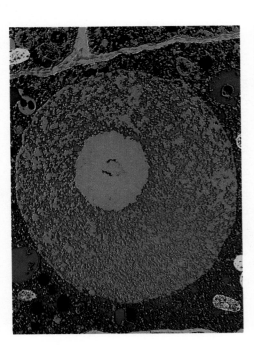

5 STRUCTURE ET FONCTION DES MACROMOLÉCULES 64

Macromolécules 64
  Macromolécules et diversité des êtres vivants 64
  Synthèse et dégradation des macromolécules 65
Glucides 66
  Monosaccharides 66
  Disaccharides 66
  Polysaccharides 66
Lipides 69
  Graisses 69
  Phosphoglycérolipides 71
  Stéroïdes 73
Protéines 73
  Acides aminés 73
  Chaînes polypeptidiques 74
  Conformation des protéines 74
  Niveaux d'organisation structurale des protéines 77
  Facteurs déterminant la conformation 79
Acides nucléiques 80
  Fonctions des acides nucléiques 81
  Nucléotides 81
  Polynucléotides 83
  La double hélice : une introduction 83
  ADN et protéines : reflets de l'évolution 83
Techniques : Modèles moléculaires et infographie 85

6 INTRODUCTION AU MÉTABOLISME 91

Aperçu du réseau métabolique cellulaire 91
Énergie : quelques principes de base 92
  Formes d'énergie 92
  Transformations énergétiques 92
  Les principes de la thermodynamique 93
  L'énergie libre détermine le sens des réactions chimiques 95
  L'énergie chimique et la vie 96
ATP et travail cellulaire 98
  Structure et hydrolyse de l'ATP 98
  Comment l'ATP produit du travail 99
  Régénération de l'ATP 99
  Déséquilibre métabolique 99
Enzymes 100
  Enzymes et abaissement de l'énergie d'activation 100
  Spécificité des enzymes 102
  Cycle catalytique des enzymes 102
  Facteurs influant sur l'activité enzymatique 104
Régulation du métabolisme 106
  Rétro-inhibition 106
  Organisation cellulaire et métabolisme 107
  L'émergence en rappel 107

DEUXIÈME PARTIE

LA CELLULE 112

Entretien avec Rosemonde Mandeville 112

7 EXPLORATION DE LA CELLULE 116

Techniques permettant l'étude de la cellule 115
  Microscopie 117
  Fractionnement cellulaire 121
Survol de l'organisation cellulaire 122
  Cellules procaryotes et eucaryotes 122
  Taille des cellules 123
  Importance de la compartimentation 123
Noyau 127
Ribosomes 128
Réseau intracellulaire de membranes 129
  Réticulum endoplasmique 129
  Appareil de Golgi 131
  Lysosomes 132
  Vacuoles 133
  Résumé des relations entre les membranes internes 134
Peroxysomes 135
Conversion de l'énergie par les mitochondries et les chloroplastes 135
  Mitochondries 136
  Chloroplastes 136
Cytosquelette 137
  Microtubules 139
  Microfilaments et mouvement 141
  Filaments intermédiaires 142
Surface cellulaire 143
  Paroi cellulaire 143
  Glycocalyx des cellules animales 144
  Jonctions intercellulaires 144
La cellule : une entité supérieure à la somme de ses parties 144

8 STRUCTURE ET FONCTION DES MEMBRANES 151

Modèles de la structure membranaire 151
  Deux générations de modèles de la membrane : la méthode scientifique à l'œuvre 151

Le modèle de la mosaïque fluide :
étude détaillée 153
Perméabilité sélective 157
Transport de substances
non macromoléculaires 158
Diffusion et transport passif 158
Osmose 160
Transport actif 164
Transport des ions et potentiel de membrane 164
Cotransport 166
Transport des macromolécules et des particules 166
Techniques : Cryofracture et cryodécapage 154

9 LA RESPIRATION CELLULAIRE 173

ATP et travail cellulaire : révision 174
Oxydoréduction et respiration 174
Introduction aux réactions
d'oxydoréduction 174
Respiration et fermentation : des réactions
séquentielles d'oxydoréduction 175
Caractéristiques générales de la respiration
cellulaire aérobie 179
Glycolyse 179
Cycle de Krebs 182
Chaîne de transport d'électrons et phosphorylation
oxydative 184
Chaîne de transport d'électrons 184
Couplage du flux d'électrons à la synthèse
de l'ATP : chimiosmose 186
Résumé de la respiration cellulaire 189
Fermentation 190
Comparaison entre le catabolisme aérobie et
le catabolisme anaérobie 192
Importance de la glycolyse dans l'évolution 192
Catabolisme des molécules non glycosidiques 193
Biosynthèse 193
Régulation de la respiration cellulaire 194

10 LA PHOTOSYNTHÈSE 199

Le chloroplaste : site de la photosynthèse 200
Aperçu de la photosynthèse 201
Scission de la molécule d'eau 202
Photosynthèse et oxydoréduction 203
Les deux phases de la photosynthèse 203
Réactions photochimiques 204
Nature de la lumière 204
Pigments photosynthétiques 204
Photo-oxydation de la chlorophylle 206
Photosystèmes 207
Transport cyclique d'électrons 208
Transport non cyclique d'électrons 209
Révision : comparaison de la chimiosmose dans
les chloroplastes et les mitochondries 210
Facteurs externes influant sur la photosynthèse 211
Fixation du carbone ou cycle de Calvin 212
Photorespiration 212
Plantes de type C_4 214
Plantes de type CAM 215
Le sort des produits de la photosynthèse 215
Techniques : Détermination du spectre d'absorption 206

11 LA REPRODUCTION CELLULAIRE 221

Reproduction bactérienne 222
Chromosomes eucaryotes : introduction 222
Caractéristiques générales du cycle cellulaire 224
Mécanisme de la division cellulaire 224
Structure et fonction du fuseau de division 224
Mécanisme de la cytocinèse 225
Régulation de la division cellulaire 229
Techniques : Culture cellulaire 234

TROISIÈME PARTIE

LE GÈNE 240

Entretien avec David Suzuki 240

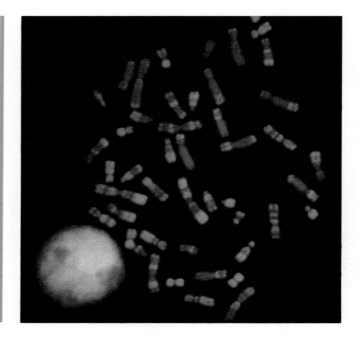

**12 LA MÉIOSE ET LES CYCLES
DE DÉVELOPPEMENT SEXUÉS** 244

Gènes, ADN et chromosomes : bref survol 244
Comparaison entre la reproduction asexuée
et la reproduction sexuée 245
Le cycle de développement d'un organisme sexué :
exemple de l'espèce humaine 246
Diversité des cycles de développement sexués 248
Méiose 251
Comparaison entre la mitose et la méiose 253
La reproduction sexuée, source de variation
génétique 253
Assortiment indépendant des chromosomes 253
Enjambement 254
Fécondation aléatoire 255
Variation génétique et évolution 255
Techniques : Préparation d'un caryotype 247

13 MENDEL ET LE CONCEPT DE GÈNE 258

Le modèle mendélien : la démarche scientifique à l'œuvre 258
Approche expérimentale de Mendel 259
Loi mendélienne de ségrégation 260
L'hérédité, jeu de hasard 263
Loi mendélienne d'assortiment indépendant des caractères 264
Généralisation des lois de la génétique mendélienne 267
Dominance incomplète 267
Qu'est-ce qu'un allèle dominant ? 268
Allèles multiples 269
Pléiotropie 269
Épistasie 269
Hérédité polygénique 270
Hérédité et environnement : l'influence du milieu sur le phénotype 270
L'hérédité mendélienne chez l'Humain 271
Lignages humains 272
Maladies héréditaires récessives 272
Maladies héréditaires dominantes 274
Dépistage et conseil génétique 274
Maladies plurifactorielles 276

14 LES BASES CHROMOSOMIQUES DE L'HÉRÉDITÉ 280

Théorie chromosomique de l'hérédité 280
Morgan et ses expériences sur la Drosophile 280
Gènes liés 283
Bases chromosomiques de la recombinaison 284
Recombinaison de gènes non liés : l'assortiment indépendant 284
Recombinaison de gènes liés : l'enjambement 285
Cartes génétiques établies à partir de données relatives aux enjambements 285
Chromosomes sexuels et hérédité liée au sexe 287
Bases chromosomiques du sexe chez l'Humain 288
Maladies liées au sexe chez l'Humain 289
Inactivation d'un chromosome X chez les femelles 289
Aberrations chromosomiques 290
Modifications du nombre de chromosomes 290
Modifications de la structure des chromosomes 292
Maladies humaines résultant d'aberrations chromosomiques 292
Empreinte des parents sur les gènes 295
Hérédité extranucléaire 296

15 LES BASES MOLÉCULAIRES DE L'HÉRÉDITÉ 300

À la recherche du matériel génétique : la démarche scientifique à l'œuvre 300
Preuve que l'ADN peut transformer des Bactéries 301
Preuve que l'ADN viral peut programmer des cellules 302
Preuves supplémentaires que l'ADN compose le matériel génétique des cellules 302
Découverte de la double hélice 303
Réplication de l'ADN : concept de base 306
Réplication de l'ADN : approfondissement 308
Point de départ : les origines de réplication 309
Élongation d'un nouveau brin d'ADN 309
Correction d'épreuve 312
Réparation de l'ADN 313

16 DU GÈNE À LA PROTÉINE 316

Preuve que les gènes régissent la production de protéines 316
Comment les gènes régissent le métabolisme 317
Un gène – un polypeptide 317
Synthèse des protéines : caractéristiques générales 317
Le code génétique 319
Signification évolutionniste de la quasi-universalité du code génétique 322
Transcription 322
Liaison de l'ARN polymérase et initiation de la transcription 323
Élongation du brin d'ADN 324
Terminaison de la transcription 324
Traduction 324
ARN de transfert 325
Aminoacyl-ARNT synthétases 326
Ribosomes 326
Fabrication d'un polypeptide 327
Polyribosomes 330
Du polypeptide à la protéine fonctionnelle 330
Ciblage des protéines 331
Synthèse des protéines chez les procaryotes et les eucaryotes : comparaison et révision 331
Maturation de l'ARN chez les eucaryotes 332
Modification des extrémités de l'ARN prémessager 332
Épissage de l'ARN 333
Les mutations et leurs conséquences sur les protéines 335
Catégories de mutations 336
Mutagenèse 336
Qu'est-ce qu'un gène ? 338
Techniques : Test de Ames 339

17 LA GÉNÉTIQUE DES VIRUS ET DES BACTÉRIES 344

La découverte des Virus 344
Structure et réplication des Virus : caractéristiques générales 345
Génomes viraux 345
Capsides et enveloppes 345
Réplication des Virus : l'infection virale 346
Virus bactériens 347
Cycle lytique 348
Lysogénisation 349
Virus animaux 350
Cycles de réplication des Virus animaux 350
Infections virales chez les Animaux 352

Virus et cancer 353
Virus végétaux et Viroïdes 354
Origine et évolution des Virus 354
Génomes bactériens : réplication et mutation 355
Recombinaison génétique et transfert de gènes chez les Bactéries 356
Transformation 356
Transduction 357
Conjugaison et plasmides 357
Transposons 361
Régulation de l'expression génique chez les procaryotes 362
Opérons : concept de base 363
Enzymes répressibles et enzymes inductibles : deux types de régulation génique 364
La CAP : exemple de régulation génique positive 366

18 STRUCTURE ET EXPRESSION DU GÉNOME CHEZ LES EUCARYOTES 372
Structure du génome à l'échelle microscopique 373
Nucléosomes, ou « colliers de perles » 373
Niveaux supérieurs de condensation de l'ADN 373
Structure du génome à l'échelle moléculaire 375
Séquences répétitives 375
Familles multigéniques 375
Structure d'un gène typique d'eucaryote : révision 376
Agencement des gènes régis en coordination 378
Flexibilité du génome 378
Amplification génique et perte sélective de gènes 378
Méthylation de l'ADN 378
Remaniements du génome 378
Régulation de l'expression génique 378
Régulation de l'expression génique 380
de la transcription 380
Régulation de l'expression génique au cours de la transcription 381
Régulation de l'expression génique après la transcription 381
Rôle des petites molécules dans la régulation de l'expression génique chez les eucaryotes 383
Les anneaux de Balbiani : preuve du rôle régulateur des hormones stéroïdes chez les Insectes 383
Action des hormones stéroïdes chez les Vertébrés 383
Expression génique et cancer 384

19 LES MANIPULATIONS GÉNÉTIQUES 390
Principales stratégies de manipulation et d'analyse des gènes 391
ADN recombiné et clonage de gènes 391
Synthèse et séquençage de l'ADN 399
Amplification de l'ADN par la réaction en chaîne de la polymérase (PCR) 399
Analyse des RFLP 402
Applications du génie génétique et des biotechnologies 404
Le génie génétique en recherche fondamentale 404

Le programme Génome Humain 405
Applications médicales des découvertes du génie génétique 405
Applications des manipulations génétiques en médecine légale 409
Applications des manipulations génétiques en agriculture 410
Questions de sécurité et d'éthique 412
Techniques : Électrophorèse sur gel de macromolécules 396
Techniques : Séquençage de l'ADN par la méthode Sanger 400
Techniques : Réaction en chaîne de la polymérase (PCR) 401
Techniques : Analyse des RFLP 402
Techniques : Arpentage chromosomique 406

QUATRIÈME PARTIE
LES MÉCANISMES DE L'ÉVOLUTION 416

Entretien avec Ernst Mayr 416

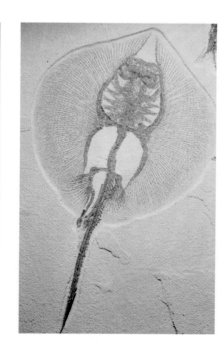

20 LA « DESCENDANCE MODIFIÉE » : L'ÉVOLUTION SELON DARWIN 420

Avant Darwin 420
Échelle de la nature et théologie naturelle 421
Cuvier et le catastrophisme 422
Le gradualisme en géologie 423
La théorie de l'évolution de Lamarck 423
Origine du darwinisme 424
Le voyage du *Beagle* 424
Darwin élabore sa théorie 425
Les deux volets du darwinisme 426
Ascendance commune 426
Sélection naturelle et adaptation 426
Les signes de l'évolution 430
Biogéographie 430
Archives géologiques 431
Taxinomie 431
Anatomie comparée 431
Embryologie comparée 432
Biologie moléculaire 433
Seulement une théorie ? 433

21 L'ÉVOLUTION DES POPULATIONS 438

Théorie synthétique de l'évolution 438
Génétique des populations 439
Patrimoine génétique d'une population
et microévolution 439
Loi de Hardy-Weinberg 439
Causes de la microévolution 442
Dérive génétique 442
Flux génétique 444
Mutation 444
Accouplement non aléatoire 444
Sélection naturelle 445
Fondements génétiques de la variation 445
Nature et étendue de la variation génétique
dans les populations et entre elles 445
Facteurs de la variation génétique 446
Maintien de la variation génétique 447
La variation génétique est-elle toujours
adaptative ? 449
Évolution adaptative 449
Valeur adaptative 450
Sur quoi la sélection agit-elle ? 450
Modes de sélection naturelle 451
Sélection sexuelle 451
L'évolution produit-elle des organismes
parfaits ? 452

22 L'ORIGINE DES ESPÈCES 456

Le problème de l'espèce 456
Les deux conceptions de l'espèce 457
Limites de la définition biologique
de l'espèce 458
Isolement reproductif 459
Isolement reproductif prézygotique 459
Isolement reproductif postzygotique 461
Introgression 461
Biogéographie de la spéciation 462
Spéciation allopatrique 462
Spéciation sympatrique 465
Mécanismes génétiques de la spéciation 467
Spéciation par divergence 467
Spéciation par oscillation 468
Quelle ampleur doit avoir le changement
génétique pour permettre la spéciation ? 469
Gradualisme et théorie de l'équilibre ponctué 469

**23 MACROÉVOLUTION ET
SYSTÉMATIQUE** 474

Les archives géologiques 474
Formation des fossiles 475
Limites des archives géologiques 475
Fossiles et temps géologiques 475
Mécanismes de la macroévolution 477
Origine des innovations évolutives 478
Difficultés inhérentes à l'interprétation
des tendances évolutives 481
Dérive des continents et biogéographie
de la macroévolution 484

Ponctuations dans l'histoire de la diversité
biologique 485
Systématique et reconstitution de
la phylogenèse 489
Taxinomie 489
Distinction entre homologie et analogie 490
Systématique moléculaire 491
Écoles de taxinomie 494
Faut-il une nouvelle théorie synthétique
de l'évolution ? 495
Techniques : Datation radioactive 479

CINQUIÈME PARTIE

**LA DIVERSITÉ BIOLOGIQUE
À TRAVERS L'ÉVOLUTION** 500
Entretien avec Stephen J. Gould 500

**24 LA TERRE PRIMITIVE ET L'ORIGINE
DE LA VIE** 504

Antiquité de la vie 505
Origine de la vie 506
Synthèse abiotique de monomères
organiques 507
Synthèse abiotique de polymères 508
Formation des protobiontes 508
Origine de l'information génétique 509
Autres points de vue 511
Règnes du vivant 512

**25 LES PROCARYOTES ET L'ORIGINE
DE LA DIVERSITÉ MÉTABOLIQUE** 515

Structure et fonction des procaryotes 516
Morphologie des procaryotes 516
Surface de la cellule 516
Mobilité des procaryotes 518

Présence de membranes internes chez certains
procaryotes 519
Génome procaryote 519
Croissance, reproduction et
échange génétique 520
Diversité métabolique 521
Diversité des procaryotes 522
Archéobactéries 523
Eubactéries 523
Origine de la diversité métabolique
des procaryotes 524
Origine de la glycolyse 524
Origine des chaînes de transport d'électrons
et de la chimiosmose 524
Origine de la photosynthèse 524
Cyanobactéries, révolution de l'oxygène
et origine de la respiration cellulaire 525
Importance des procaryotes 528
Procaryotes et cycles biogéochimiques 528
Bactéries symbiotiques 528
Bactéries et maladies 528
Exploitation des Bactéries 529
Techniques : Coloration de Gram 517

26 LES PROTISTES ET L'ORIGINE DES EUCARYOTES 533

Caractéristiques des Protistes 533
Origine des eucaryotes 534
Hypothèses sur l'origine des eucaryotes 535
Frontières du règne des Protistes 536
Protozoaires 537
Rhizopodes 537
Actinopodes 537
Foraminifères 538
Apicomplexes 538
Zoomastigophores 539
Ciliophores 539
Algues 539
Pyrrhophytes 542
Chrysophytes 542
Bacillariophytes 543
Euglénophytes 544
Chlorophytes 545
Adaptation des Algues marines au cours
de l'évolution 547
Phéophytes 549
Rhodophytes 549
Origine de la diversité chez les Algues 550
Protistes fongiformes 551
Myxomycètes 551
Acrasiomycètes 551
Oomycètes 552
Chytridiomycètes 553
Origine de l'organisation pluricellulaire 554

27 LES VÉGÉTAUX ET LA COLONISATION DE LA TERRE FERME 559

Introduction au règne végétal 559
Caractéristiques générales des Végétaux 559
Vue d'ensemble du cycle de développement
des Végétaux 560
Points saillants dans l'évolution
des Végétaux 560
Classification des Végétaux 560
Passage à la terre ferme 561
L'Algue verte, ancêtre probable
des Végétaux 561
Sous-règne des Invasculaires : embranchement
des Bryophytes 562
Adaptations terrestres des Vasculaires 563
Sous-règne des Vasculaires : les premières
Vasculaires 565
Embranchement des Ptéridophytes :
Vasculaires sans graines 566
Classe des Psilotinées 566
Classe des Lycopodinées 566
Classe des Équisétinées 567
Classe des Filicinées 567
Forêts du Carbonifère 568
Embranchement des Spermatophytes :
Vasculaires à graines 569
Gymnospermes 570
Classe des Conifères 571
Évolution des Gymnospermes 572
Angiospermes 572
Fleur 574
Fruit 575
Cycle de développement des Angiospermes 576
Évolution des Angiospermes 577
Relations entre les Angiospermes et
les Animaux 577
Angiospermes et agriculture 578
Importance de la diversité des Végétaux 579

28 LES MYCÈTES 583

Caractéristiques des Mycètes 583
Nutrition et habitat des Mycètes 583
Structure des Mycètes 584
Croissance et reproduction des Mycètes 585
Diversité des Mycètes 585
Embranchement des Zygomycètes 585
Embranchement des Ascomycètes 587
Embranchement des Basidiomycètes 588
Mode de vie de certains Mycètes 590
Moisissures 590
Levures 591
Lichens 592
Mycorhizes 593
Importance écologique des Mycètes 593
Mycètes saprophytes 593
Mycètes destructeurs 594
Mycètes pathogènes 594
Mycètes comestibles 594
Évolution des Mycètes 595

29 LES INVERTÉBRÉS ET L'ORIGINE DE LA DIVERSITÉ ANIMALE 598

Définition de l'organisme animal 598
Clés pour comprendre la phylogenèse animale 599
Principales ramifications du règne animal 599
Développement et symétrie corporelle 600
Protostomiens et Deutérostomiens 601

Parazoaires 603
Embranchement des Spongiaires 603
Eumétazoaires 604
Radiaires 604
Embranchement des Cnidaires 604
Embranchement des Cténaires 608
Artiozoaires : Acœlomates 608
Embranchement des Plathelminthes 608
Embranchement des Némertes 609
Artiozoaires : Pseudocœlomates 610
Embranchement des Rotifères 610
Embranchement des Némathelminthes 611
Artiozoaires : Protostomiens 611
Lophophoriens 627
Embranchement des Mollusques 612
Embranchement des Annélides 615
Embranchement des Arthropodes 618
Artiozoaires : Deutérostomiens 627
Embranchement des Échinodermes 627
Embranchement des Cordés 629
Origine et diversification des Animaux 630

30   LA GÉNÉALOGIE DES VERTÉBRÉS 635
Embranchement des Cordés 635
Caractéristiques des Cordés 635
Sous-embranchement des Procordés 636
Classe des Céphalocordés 636
Classe des Urocordés 637
Sous-embranchement des Vertébrés 637
Caractéristiques des Vertébrés 638
Classe des Agnathes 640
Classe des Placodermes 641
Classe des Chondrichthyens 641
Classe des Ostéichthyens 643
Classe des Amphibiens 645
Premiers Amphibiens 645
Amphibiens modernes 646
Classe des Reptiles 648
Caractéristiques des Reptiles 648
Âge des Reptiles 648
Reptiles contemporains 650
Classe des Oiseaux 651
Caractéristiques des Oiseaux 651
Origine des Oiseaux 653
Oiseaux modernes 653
Classe des Mammifères 653
Caractéristiques des Mammifères 653
Évolution des Mammifères 655
Monotrèmes 656
Marsupiaux 656
Placentaires 656
Ancêtres de l'Humain 657
Tendances évolutives des Primates 657
Primates modernes 657
Apparition du genre humain 660

SIXIÈME PARTIE

ANATOMIE ET PHYSIOLOGIE VÉGÉTALES 666

Entretien avec Virginia Walbot 666

31   ANATOMIE ET CROISSANCE DES VÉGÉTAUX 674
Introduction à la biologie végétale 674
Morphologie des Angiospermes : optique évolutionniste 676
Système racinaire 676
Système caulinaire 679
Cellules et tissus végétaux 681
Types de cellules végétales 682
Les trois catégories de tissus différenciés d'une Plante 685
Croissance des Végétaux 686
Croissance primaire 687
Croissance primaire des racines 687
Croissance primaire des pousses 689
Croissance secondaire 693
Croissance secondaire des tiges 693
Croissance secondaire des racines 694

32   LE TRANSPORT DES NUTRIMENTS CHEZ LES VÉGÉTAUX 699
Mécanismes de transport chez les Végétaux 699
Transport au niveau cellulaire 699
Transport radial dans les tissus et les organes 704
Transport vertical dans l'ensemble de la Plante 704
Absorption de l'eau et des minéraux par les racines 704
Montée de la sève brute dans le xylème 706
Poussée exercée par la pression racinaire sur la sève brute du xylème 706
Effet aspirant du mécanisme de transpiration-cohésion-tension sur la sève brute du xylème 706
Transport à distance de l'eau grâce au courant de masse engendré par l'énergie solaire 708

Régulation de la transpiration 708
Compromis entre la photosynthèse et la transpiration 708
Ouverture et fermeture des stomates 708
Adaptations évolutives réduisant la transpiration 710
Transport de la sève élaborée dans le phloème 712
Transport d'un organe source à un organe cible 712
Remplissage et vidange du phloème 713
Courant de masse de la sève élaborée dans le phloème 714
Techniques : Enregistrement du transport ionique membranaire 711

33 LA NUTRITION CHEZ LES VÉGÉTAUX 718

Besoins nutritifs des Végétaux 718
Composition chimique des Végétaux 718
Éléments essentiels 719
Carences en minéraux 720
Sol 722
Texture et composition des sols 722
Disponibilité de l'eau et des minéraux du sol 723
Exploitation du sol 724
Assimilation de l'azote par les Végétaux 725
Fixation de l'azote 726
Fixation symbiotique d'azote 726
Amélioration du rendement protéique des cultures 728
Adaptations nutritives propres à certains Végétaux 729
Plantes parasites 729
Plantes carnivores 730
Mycorhizes 730
Techniques : Identification des éléments essentiels par la culture hydroponique 720

34 REPRODUCTION ET DÉVELOPPEMENT CHEZ LES VÉGÉTAUX 734

Reproduction sexuée des Angiospermes 734
Le cycle de développement des Angiospermes : caractéristiques générales 735
Fleurs 736
Grain de pollen 738
Ovule 738
Pollinisation et fécondation 739
Graine 740
Fruit 741
Germination 742
Reproduction asexuée 744
Mécanismes naturels de multiplication végétative 744
Multiplication végétative en agriculture 744
Comparaison entre la reproduction asexuée : optique évolutionniste 747
Aspects cellulaires du développement des Végétaux 748
Développement des Végétaux : caractéristiques générales 748
Différenciation cellulaire 750

35 LA RÉGULATION CHEZ LES VÉGÉTAUX 756

À la recherche d'une hormone végétale : la démarche scientifique à l'œuvre 756
Fonctions des hormones végétales 757
Auxines 759
Cytokinines 761
Gibbérellines 761
Acide abscissique 763
Éthylène 764
Mouvements des Végétaux 765
Tropismes 765
Mouvements issus d'une variation de turgescence 766
Rythmes circadiens et horloge biologique 768
Photopériodisme 769
Régulation photopériodique de la floraison 769
Rôle de l'horloge biologique dans le photopériodisme 772
Circulation de l'information dans les cellules végétales 772

Champs morphogénétiques et information de positionnement 751
Mutations homéotiques au cours du développement des fleurs : à la recherche du fondement génétique des champs morphogénétiques 752

SEPTIÈME PARTIE

ANATOMIE ET PHYSIOLOGIE ANIMALES 778

Entretien avec Lise Thibodeau 778

36 STRUCTURE ET FONCTION CHEZ LES ANIMAUX : INTRODUCTION 782

Niveaux d'organisation structurale 782
Tissus animaux 783
Organes et systèmes 787
Taille, morphologie et milieu externe 787
Milieu interne de l'Animal 789

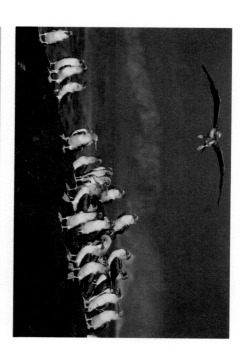

37 **LA NUTRITION CHEZ LES ANIMAUX** 794

Régimes alimentaires et types d'ingestion 794

Digestion : introduction à une étude comparée 795

Hydrolyse enzymatique 796

Digestion intracellulaire dans les vacuoles digestives 796

Digestion dans les cavités gastrovasculaires 797

Digestion dans le tube digestif 798

Système digestif des Mammifères 799

Cavité orale 798

Pharynx 800

Œsophage 800

Estomac 800

Intestin grêle 802

Gros intestin 806

Adaptations évolutives des systèmes digestifs chez les Vertébrés 807

Besoins nutritionnels 808

La nourriture, source d'énergie 808

La nourriture, source de matières premières 811

Nutriments essentiels 811

Techniques : Mesure de la vitesse du métabolisme 810

38 **CIRCULATION ET ÉCHANGES GAZEUX** 818

Transport interne chez les Invertébrés 819

Cavité gastrovasculaire 819

Systèmes circulatoires ouvert et clos 819

Circulation chez les Vertébrés 820

Systèmes circulatoires chez les Vertébrés : perspective évolutionniste 821

Cœur 822

Circulation sanguine 825

Échange capillaire 828

Système lymphatique 829

Sang mammalien 830

Plasma 830

Cellules sanguines 830

Coagulation 832

Maladies cardiovasculaires 832

Échanges gazeux chez les Animaux 835

Problèmes généraux d'échanges gazeux 835

Organes respiratoires : structure et fonction générales 836

Branchies : adaptations respiratoires des Animaux aquatiques 837

Trachées : adaptations respiratoires des Insectes 838

Poumons : adaptations respiratoires des Vertébrés terrestres 839

Techniques : Mesure de la pression artérielle 827

39 **LES DÉFENSES DE L'ORGANISME** 850

Mécanismes de défense non spécifiques 850

Peau et muqueuses 851

Phagocytes et lymphocytes T cytotoxiques 851

Protéines antimicrobiennes 852

Réaction inflammatoire 852

Système immunitaire et défenses spécifiques : quelques notions fondamentales 854

Caractéristiques fondamentales du système immunitaire 854

Comparaison entre immunité active et immunité passive 855

La défense double du système immunitaire : aperçu de la réponse humorale et de la réponse à médiation cellulaire 855

Fondement moléculaire de la spécificité antigène-anticorps 856

Sélection clonale : fondement cellulaire de la spécificité et de la diversité immunitaires 858

Fondement cellulaire de la mémoire immunitaire 859

Constitution de l'autotolérance 860

Réaction immunitaire humorale 860

Activation des lymphocytes B 860

Fonctionnement des anticorps 862

Anticorps monoclonaux 863

Réaction immunitaire à médiation cellulaire 863

Système du complément : une composante des défenses spécifiques et non spécifiques 866

Soi et non-soi : quelques applications 868

Groupes sanguins 868

Greffes de tissus et transplantations d'organes 869

Troubles du système immunitaire 869

Maladies auto-immunes 869

Allergies 869

Immunodéficience 870

Syndrome d'immunodéficience acquise (sida) 871

Immunité chez les Invertébrés 872

Techniques : Production d'anticorps monoclonaux à l'aide d'hybridomes 864

40 **LA RÉGULATION DU MILIEU INTERNE CHEZ LES ANIMAUX** 876

Osmorégulation 877

Osmolarité et osmorégulateurs 877

Problèmes d'osmorégulation dans divers milieux 877

Épithéliums de transport et osmorégulation 880

Systèmes excréteurs des Invertébrés 881

Protonéphridie : système à cellule-flamme des Vers plats 881

Métanéphridies des Vers de terre 882

Tubes de Malpighi des Insectes 882

Rein des Vertébrés 883

Anatomie du système excréteur 883

Structure du néphron 885

Physiologie générale du néphron 885

Propriétés de transport du tubule rénal 887

Comment le rein du Mammifère conserve l'eau 889

Régulation des reins 890

Physiologie comparée du rein 890

Déchets azotés 893

Ammoniac 893

Urée 893

Acide urique 894

Régulation de la température corporelle 894

41 LA RÉGULATION CHIMIQUE CHEZ LES ANIMAUX 907

Principaux messagers chimiques 907
Hormones 908
Phéromones 909
Régulateurs locaux 909
Mécanismes d'action hormonale à l'échelle cellulaire 910
Hormones stéroïdes et expression génique 911
Hormones dérivées d'acides aminés et seconds messagers 912
Hormones des Invertébrés 915
Système endocrinien des Vertébrés 917
Hypothalamus et hypophyse 917
Glande thyroïde 921
Glandes parathyroïdes 922
Pancréas 923
Glandes surrénales 925
Corticosurrénales 925
Gonades 926
Autres organes endocriniens 926
Glandes endocrines et système nerveux 927

42 LA REPRODUCTION CHEZ LES ANIMAUX 931

Modes de reproduction 931
Reproduction asexuée 931
Reproduction sexuée 932
Cycles reproducteurs et types de reproduction 932
Mécanismes de reproduction sexuée 934
Modes de fécondation et de développement 934
Diversité des systèmes reproducteurs 935
Reproduction chez les Mammifères 936
Anatomie du système reproducteur chez l'Humain 937
Régulation hormonale de la fonction de reproduction chez les Mammifères 940
Formation des gamètes (gamétogenèse) 945
Maturation sexuelle 947
Physiologie sexuelle de l'Humain 947
Conception, grossesse et naissance 947
Nouvelles techniques de procréation 953

43 LE DÉVELOPPEMENT CHEZ LES ANIMAUX 956

Processus de développement :
caractéristiques générales 956
Fécondation 957
Réaction acrosomiale 957
Réaction corticale 958
Activation de l'ovocyte 958
Premiers stades du développement embryonnaire 960
Segmentation 960
Gastrulation 961
Organogenèse 963
Embryologie des Amniotes 965
Développement de l'Oiseau 965
Développement des Mammifères 966
Mécanismes de développement 968
Polarité de l'embryon 968
Déterminants cytoplasmiques localisés 969
Développement en mosaïque et à régulation 971
Cartes des territoires présomptifs et analyse des lignées cellulaires 971
Mouvements morphogénétiques 971
Induction 974
Différenciation 974
Champs morphogénétiques 976

44 RÉGULATION ET SYSTÈMES NERVEUX CHEZ LES ANIMAUX 982

Cellules du système nerveux 983
Neurones 983
Cellules de soutien 985
Transmission de l'influx nerveux le long d'un neurone 986
Origine du potentiel de membrane 986
Potentiel d'action 989
Propagation du potentiel d'action 992
Vitesse de propagation du potentiel d'action 992
Communication entre les cellules : la synapse 993
Synapse électrique 993
Synapse chimique 994
Intégration des processus synaptiques 995
Neurotransmetteurs et récepteurs 997
Réseaux nerveux et ganglions 999
Systèmes nerveux des Invertébrés 999
Système nerveux des Vertébrés 1001
Système nerveux périphérique 1001
Système nerveux central 1002
Intégration et fonctions supérieures de l'encéphale 1008
Techniques : Mesure des potentiels de membrane 987

45 MÉCANISMES SENSORIELS ET MOTEURS CHEZ LES ANIMAUX 1015

Récepteurs sensoriels 1015
Sensation et perception 1015
Fonction générale des récepteurs sensoriels 1016
Types de récepteurs 1017
Vision 1019
Vision chez les Invertébrés 1019
Vision chez les Vertébrés 1021
Ouïe et équilibre 1027
Oreille des Mammifères 1027
Ouïe et équilibre chez les autres Vertébrés 1031

Production de chaleur et transfert de la chaleur entre les organismes et leur milieu 894
Ectothermes et endothermes 895
Thermorégulation chez les Mammifères terrestres 896
Adaptation de la thermorégulation chez les autres Animaux 897
Acclimatation à la température 902
Torpeur 902
Interaction entre les systèmes de régulation 903

Organes sensoriels de l'audition et de l'équilibre
chez les Invertébrés 1032
Goût et odorat 1032
Mouvement chez les Animaux : introduction 1035
Types de squelettes et leur rôle dans
le mouvement 1036
Hydrosquelette 1036
Exosquelette 1037
Endosquelette 1037
Muscles 1038
Structure et physiologie des muscles
squelettiques chez les Vertébrés 1039
Autres types de muscles 1044

HUITIÈME PARTIE

L'ÉCOLOGIE 1048

Entretien avec Ariel Lugo 1048

46 L'ÉCOLOGIE : DISTRIBUTION ET ADAPTATION DES ORGANISMES 1052

Champ de l'écologie 1053
Objets d'étude de l'écologie 1053
L'écologie, science expérimentale 1053
Écologie et évolution 1054
Biomes terrestres 1054
Forêt tropicale 1055
Savane 1056
Désert 1057
Forêt méditerranéenne 1058
Prairie tempérée 1058
Forêt décidue tempérée 1059
Taïga 1060
Toundra 1061
Biomes dulcicoles 1061
Étangs et lacs 1062
Cours d'eau 1064

Biomes marins 1065
Estuaires 1066
Zones intertidales 1066
Récifs de Corail 1067
Biome océanique pélagique 1067
Benthos 1068
Diversité écologique de la biosphère 1068
Facteurs abiotiques importants 1069
Climat et distribution des biomes 1070
Climats du monde 1071
Facteurs locaux et saisonniers agissant
sur le climat 1071
Réactions des organismes à la variation
écologique 1074
Homéostasie et allocation énergétique 1075
Réactions comportementales 1077
Réactions physiologiques 1077
Réactions morphologiques 1078
Adaptation et temps évolutif 1078

47 L'ÉCOLOGIE DES POPULATIONS 1083

Densité et distribution 1084
Mesure de la densité 1084
Modes de distribution 1084
Démographie 1086
Structure par âge et répartition par sexe 1087
Tables et courbes de survie 1088
Évolution des cycles biologiques 1089
Modèles d'accroissement démographique 1092
Accroissement démographique exponentiel 1092
Accroissement démographique logistique 1093
Régulation de la taille des populations 1097
Facteurs dépendant de la densité 1097
Facteurs indépendants de la densité 1099
Interaction des facteurs de régulation 1100
Cycles démographiques 1100
Accroissement de la population humaine 1100
*Techniques : Estimation par capture-recapture de la taille
d'une population 1085*

48 L'ÉCOLOGIE DES COMMUNAUTÉS 1106

Deux conceptions de la communauté 1106
Interactions des populations 1107
Coévolution 1108
Prédation 1109
Défenses des Végétaux
contre les herbivores 1109
Défenses des Animaux contre
les prédateurs 1110
Compétition interspécifique 1111
Interactions symbiotiques 1115
Structure des communautés : caractéristiques et
dynamique 1117
Caractéristiques des communautés 1117
Influence des interactions sur les caractéristiques
des communautés 1119
Succession écologique 1121
Causes de la succession 1121
Perturbations d'origine humaine 1123

Équilibre des communautés et diversité
spécifique 1123
Diversité et stabilité des communautés 1124
Aspects biogéographiques de la diversité 1124
Limites et aires de distribution 1124
Clines mondiaux et diversité spécifique 1125
Biogéographie insulaire 1126
Biologie de la conservation : leçons de l'écologie
des communautés et de la biogéographie 1127

49 LA DYNAMIQUE DES ÉCOSYSTÈMES 1132
Niveaux trophiques et réseaux alimentaires 1132
Flux de l'énergie 1133
Allocation énergétique mondiale 1134
Productivité primaire 1134
Transferts d'énergie et pyramides
écologiques 1137
Cycles biogéochimiques 1140
Cycle du carbone 1142
Cycle de l'azote 1143
Cycle du phosphore 1144
Variations du temps de recyclage
des nutriments 1144
Intrusion de l'être humain dans
les écosystèmes 1145
Destruction des habitats et crise de
la biodiversité 1145
Effets de la déforestation sur les cycles
biogéochimiques : la forêt expérimentale
de Hubbard Brook 1146
Effets de l'agriculture sur les cycles
des nutriments 1147
Accélération de l'eutropisation des lacs 1148
Présence de substances toxiques dans
les chaînes alimentaires 1149
Pollution de l'atmosphère 1149
Introduction d'espèces exotiques 1151
Impact des êtres vivants sur la biosphère 1152
*Techniques : Mesure de la productivité primaire brute
dans les habitats aquatiques* 1138

50 LE COMPORTEMENT ANIMAL 1158
Approche évolutionniste de l'écologie
comportementale 1159
Causes immédiates et causes ultimes 1159
Composantes innées du comportement 1159
Composantes stéréotypés 1162
Nature des déclencheurs 1165
Apprentissage et comportement 1165
Instinct et apprentissage 1165
Apprentissage et maturation 1166

Habituation 1166
Empreinte 1166
Apprentissage du chant chez les Oiseaux :
une étude sur l'empreinte 1167
Conditionnement classique 1169
Conditionnement opérant 1169
Apprentissage par l'observation 1169
Jeu 1169
Compréhension soudaine 1169
Mécanismes immédiats et ultimes
de l'apprentissage 1170
Rythmes comportementaux 1170
Mouvement 1171
Alimentation 1174
Interactions sociales 1175
Affrontement 1176
Hiérarchie sociale 1176
Territorialité 1177
Comportement lié à la reproduction 1177
Parade nuptiale 1178
Systèmes sexuels 1180
Communication 1180
Égocentrisme et altruisme 1182
Cognition animale 1184
Sociobiologie humaine 1185
*Techniques : La biologie moléculaire au service
de l'étude du comportement* 1181

Appendice un Réponses aux questions
d'auto-évaluation A-1

Appendice deux Les cinq règnes du monde
vivant A-4

Appendice trois Le système international
d'unités A-6

Appendice quatre La schématisation de concepts :
un outil d'apprentissage A-7

Appendice cinq Les éléments chimiques A-9

Appendice six Termes employés en chimie A-11

Glossaire G-1

Crédits pour les photographies C-1

Crédits pour les illustrations C-6

Index I-1

BIOLOGIE

1

1 INTRODUCTION : THÈMES POUR L'ÉTUDE DES ÊTRES VIVANTS

HIÉRARCHIE DE L'ORGANISATION BIOLOGIQUE

ÉMERGENCE

LA CELLULE, UNITÉ FONDAMENTALE DE LA VIE

INFORMATION GÉNÉTIQUE

CORRÉLATION ENTRE LA STRUCTURE ET LA FONCTION

INTERACTION DES ORGANISMES AVEC LEUR ENVIRONNEMENT

UNITÉ DANS LA DIVERSITÉ

L'ÉVOLUTION : UN FIL CONDUCTEUR EN BIOLOGIE

SCIENTIFIQUE

APPROCHE HYPOTHÉTICODÉDUCTIVE DE LA MÉTHODE SCIENTIFIQUE

SCIENCE, TECHNOLOGIE ET SOCIÉTÉ

L a biologie, l'étude des êtres vivants, captive l'esprit humain. Bien des gens, en effet, ont un Animal domestique, cultivent des Plantes, attirent des Oiseaux dans leur cour avec des petites maisons ou des mangeoires, fréquentent les zoos et les réserves naturelles. C'est ce que E. O. Wilson, biologiste à Harvard, appelle la *biophilie*, l'attrait inné pour les différentes formes de la vie.

La biologie est le prolongement scientifique de ce sentiment d'appartenance et de cette curiosité que l'être humain éprouve à l'égard de toutes les formes de vie. C'est une science pour les esprits audacieux. Elle nous amène dans des jungles, des déserts, des mers et d'autres environnements où diverses formes de vie entretiennent entre elles et avec leur milieu physique des liens étroits qui s'intègrent dans un réseau appelé écosystème. L'étude de la vie nous conduit dans des laboratoires pour observer de plus près les processus de fonctionnement des êtres vivants, c'est-à-dire des organismes. La biologie nous entraîne dans le monde microscopique de la cellule, unité fondamentale de tout organisme, ainsi que dans l'univers encore plus petit des molécules qui forment la cellule. Notre quête intellectuelle nous fait aussi remonter le temps, car la biologie s'intéresse non seulement à la vie contemporaine mais aussi à l'histoire des formes ancestrales, qui s'étend sur près de quatre milliards d'années. Le champ d'intérêt de la biologie est immense. Ce manuel a pour objectif de vous initier aux multiples facettes de cette science (figure 1.1). Un seul cours de biologie ne saurait couvrir adéquatement toute la matière de ce manuel, qui constitue aussi un ouvrage de référence.

Vous vous engagez dans l'étude de la biologie à son époque la plus passionnante. Les biologistes commencent à percer les plus captivants mystères de la vie grâce à des approches nouvelles et à des méthodes de recherche modernes. L'explosion des connaissances en biologie est à la fois stimulante et déconcertante par son ampleur. La majorité de tous les biologistes connus sont nos contemporains, et leur contribution à la littérature scientifique s'élève à environ 450 000 nouvelles publications par année. Chacun des nombreux domaines de la biologie change constamment, et il s'avère extrêmement difficile pour un biologiste professionnel de se tenir au courant dans plus d'un domaine. Comment un élève débutant peut-il espérer surnager dans ce déluge de données et de découvertes ? Le secret consiste à saisir les fils conducteurs, c'est-à-dire les thèmes qui unifient toute la biologie et qui s'appliqueront encore dans des dizaines d'années, lorsque la plupart des informations spécifiques présentées dans les ouvrages d'aujourd'hui seront désuètes. Dans le présent chapitre, nous exposerons quelques-uns des thèmes généraux et permanents de l'étude des êtres vivants.

(a)

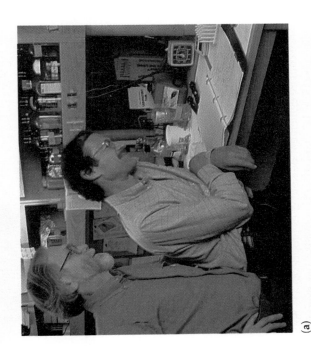

(c)

(b)

(d)

**Figure 1.1
Les biologistes étudient la vie sous ses formes macroscopiques et microscopiques, actuelles et anciennes.**
(a) Grâce à leurs recherches sur la vie aux niveaux cellulaire et moléculaire, Michael Bishop (à gauche) et Harold Varmus, récipiendaires du prix Nobel, ont fait des découvertes majeures dans le domaine du cancer. (b) Un bon biologiste possède une connaissance holistique des organismes qu'il étudie. Virginia Walbot utilise le maïs pour effectuer des expériences sur l'hérédité ; grâce à son sens aigu de l'observation, elle note les plus subtils changements des plants de son champ expérimental. (c) Les biologistes étudient aussi les êtres vivants à d'autres niveaux d'organisation, par exemple aux niveaux des communautés et des écosystèmes. Ariel Lugo (à droite) et William McDowell cherchent de quelle façon la végétation d'une forêt tropicale humide de Porto Rico obtient des nutriments minéraux à partir des nuages. (d) Les biologistes retracent également l'histoire des espèces vivantes à l'immense échelle du temps géologique. Le paléontologiste Stephen Jay Gould examine des Animaux fossilisés vieux de centaines de millions d'années. Vous en apprendrez davantage sur les travaux de plusieurs de ces chercheurs et d'autres encore dans les entretiens présentés au début de chaque partie du manuel.

HIÉRARCHIE DE L'ORGANISATION BIOLOGIQUE

Les êtres vivants se caractérisent par leur très grande organisation. Vous pouvez vous en rendre compte en observant le réseau complexe des nervures d'une feuille ou les motifs colorés qui ornent le plumage d'un Oiseau. En examinant minutieusement une nervure de feuille ou une plume d'Oiseau à l'aide d'un microscope, vous découvririez que l'organisation biologique existe aussi au-delà du visible.

L'organisation biologique repose sur une hiérarchie de niveaux structuraux, chacun des niveaux s'édifiant à partir du niveau inférieur. Ainsi, les *atomes*, unités structurales chimiques de la matière, s'agencent en *molécules* biologiques complexes telles que les protéines. Ces molécules forment des structures fonctionnelles minuscules appelées *organites* qui, à leur tour, deviennent les composantes des *cellules*. Certains *organismes* sont unicellulaires, mais d'autres, comme les Végétaux et les Animaux, se composent de nombreuses catégories de cellules spécialisées. Dans ces organismes pluricellulaires, les cellules

semblables se regroupent en *tissus*, et les arrangements particuliers de différents tissus forment les *organes*. Par exemple, les influx nerveux qui coordonnent vos mouvements sont transmis le long de cellules spécialisées appelées les neurones. Le tissu nerveux de votre cerveau se compose de milliards de neurones organisés en un réseau de communication d'une complexité impressionnante. Le cerveau, cependant, ne comprend pas seulement du tissu nerveux. Il renferme un grand nombre de tissus différents, dont une variété appelée tissu conjonctif qui forme son enveloppe protectrice. Le cerveau fait lui-même partie du *système* nerveux, tout comme la moelle épinière et les nombreux nerfs qui transmettent les messages entre celle-ci et les autres parties du corps. Outre le système nerveux, il existe plusieurs autres systèmes caractéristiques de l'espèce humaine et d'autres formes animales complexes. La figure 1.2 présente un autre exemple de cette anatomie hiérarchisée, à savoir les différents niveaux d'organisation structurale dans un bosquet de Trembles.

Dans la hiérarchie de l'organisation biologique, il y a des niveaux supérieurs à celui de l'organisme. Une *population* est un groupe d'organismes appartenant à la même espèce, dans une région et à un moment déterminés. Les diverses populations vivant ensemble forment une *communauté* biologique; et les interactions de la communauté, auxquelles participent les composantes non vivantes du milieu, comme le sol, la lumière et l'eau, constituent un *écosystème*. Un ensemble d'écosystèmes variés, dispersés sur une vaste étendue géographique, constitue un *biome*; ce dernier présente des conditions climatiques uniformes qui déterminent un type dominant de végétation. Finalement, la *biosphère* englobe tous les milieux où on retrouve de la vie; c'est-à-dire l'eau ainsi qu'une fraction du sol et l'air environnant la planète.

Pour étudier les êtres vivants, il faut découvrir les divers niveaux de l'organisation biologique, depuis l'architecture moléculaire jusqu'à la structure de la biosphère. Dans ce manuel, la présentation de l'information se conforme essentiellement à une telle organisation, de manière à couvrir toutes les sphères de la biologie, de la chimie de la vie jusqu'à l'étude de la biosphère. Nous verrons toutefois que les processus biologiques débordent cette hiérarchie, leurs causes et leurs effets chevauchant plusieurs niveaux d'organisation. Par exemple, lorsqu'un Crotale bondit de sa position enroulée et attrape une Souris, les mouvements coordonnés du prédateur résultent d'interactions complexes aux niveaux moléculaire, cellulaire, tissulaire et organique. Cependant, l'origine et les conséquences du comportement du Serpent concernent également la communauté biologique à laquelle le Serpent et sa proie appartiennent. Par exemple, le réflexe alimentaire se déclenche lorsque le Serpent sent la présence de la Souris et le localise, et cette prédation a un effet cumulatif important sur la population de Souris et de Crotales. La plupart des biologistes se spécialisent dans l'étude d'un certain niveau de la hiérarchie, mais ils élargissent leur perspective en établissant des liens entre leurs découvertes et les processus qui se produisent à des niveaux inférieurs ou supérieurs.

ÉMERGENCE

À chaque niveau de l'organisation biologique apparaissent de nouvelles propriétés qui n'existaient pas au niveau précédent. Ce phénomène appelé **émergence** résulte des interactions entre les composantes. Ainsi, une molécule possède des propriétés qu'aucun des atomes qui la composent ne présente, et une cellule est beaucoup plus qu'un simple paquet de molécules. De même, lorsqu'un traumatisme crânien perturbe l'organisation compliquée du cerveau humain, le cerveau cesse de fonctionner correctement même si toutes ses parties sont encore présentes. Autrement dit, un organisme représente une entité plus grande que la somme de ses parties.

À première vue, le thème de l'émergence semble soutenir la théorie appelée vitalisme, suivant laquelle la vie tient d'un phénomène surnaturel qui dépasse les lois de la physique et de la chimie. En réalité, l'apparition de nouvelles propriétés met simplement en évidence l'importance de l'organisation structurale. Dans le monde inanimé, un changement dans la structure d'une substance confère également de nouvelles propriétés à la nouvelle substance. Le diamant et le graphite, par exemple, possèdent des propriétés différentes parce que leurs atomes de carbone présentent un arrangement différent. Les phénomènes vitaux ne s'expliquent donc pas par une « force vitale » mystérieuse mais par des principes physicochimiques appliqués aux êtres vivants. L'apparition de nouvelles propriétés ne fait que refléter la nature hiérarchique de l'organisation structurale des êtres vivants, sans équivalent chez les objets inanimés.

La vie ne se réduit pas à une simple définition, car elle est associée à l'apparition de très nombreuses propriétés. Pourtant, n'importe quel enfant conçoit qu'un Chien, un Insecte ou un arbre sont vivants, et qu'un caillou ne l'est pas. Nous pouvons reconnaître la vie sans la définir, et nous la reconnaissons par les actions des êtres vivants. La figure 1.3 à la page 6 illustre quelques propriétés et processus associés à l'être vivant.

Quand ils s'efforcent de comprendre des processus biologiques, les scientifiques font face à un dilemme, car les propriétés des êtres vivants émergent d'une organisation complexe. La première facette de ce dilemme réside dans le fait qu'on ne peut pas expliquer totalement un niveau d'organisation supérieur en le réduisant à ses parties. Aussi, un Animal disséqué n'est plus fonctionnel, et une cellule démantelée en constituants chimiques n'a plus rien d'une cellule. L'autre facette du dilemme, c'est qu'il est vain d'essayer d'analyser une chose aussi complexe qu'un organisme ou une cellule sans les démanteler. Le réductionnisme, c'est-à-dire la fragmentation de systèmes complexes en des composantes plus simples et plus faciles à manipuler pour les étudier, constitue une stratégie efficace en biologie. Par exemple, c'est en étudiant la structure moléculaire d'une substance extraite de cellules, l'ADN, que James Watson et Francis Crick ont pu déduire, en 1953, de quelle façon cette molécule pouvait servir de base chimique à l'hérédité. Cependant, le rôle principal de l'ADN s'est clarifié seulement quand on a pu étudier ses interactions avec d'autres substances dans la cellule. La biologie apporte un contrepoids au réductionnisme pragmatique, car son objectif à long terme consiste à comprendre l'intégration fonctionnelle des différentes parties de la cellule et de l'être vivant.

Figure 1.2

Organisation structurale hiérarchique.

Cette série d'images nous fait passer du niveau moléculaire à celui de l'écosystème, où plusieurs espèces interagissent entre elles et bénéficient des facteurs physicochimiques en jeu. (**a**) La molécule de chlorophylle, représentée ici par infographie, se compose de nombreux atomes. Présente dans les feuilles des Végétaux, elle absorbe la lumière solaire, la source d'énergie employée pour la photosynthèse, un procédé servant à la fabrication de matière organique. (**b**) La photosynthèse requiert la participation de nombreuses autres molécules de l'organite cellulaire appelé chloroplaste (micrographie électronique). (**c**) De nombreux organites participent au fonctionnement de l'unité fondamentale de la vie appelée cellule. Dans les cellules de cette feuille, la couleur verte révèle les chloroplastes (micrographie photonique). (**d**) Chez les organismes pluricellulaires, les cellules s'organisent généralement en tissus, groupes de cellules similaires formant une unité fonctionnelle. La feuille sur cette micrographie (photographie au microscope) a été coupée obliquement, montrant deux tissus spécialisés différents. Le tissu situé à droite se compose de cellules photosynthétiques. Le tissu perforé, à gauche, correspond à l'épiderme, le revêtement externe de la feuille. Les pores de l'épiderme laissent entrer dans la feuille le dioxyde de carbone, une matière première transformée en glucide par photosynthèse (micrographie électronique à balayage). (**e**) La feuille de Tremble, un organe de la Plante, possède une organisation spécifique de différents tissus, dont le tissu photosynthétique, les épidermes et les tissus conducteurs qui transportent les nutriments des racines aux feuilles et vice versa. (**f**) Cette population de Trembles fait partie d'une communauté biologique qui comprend de nombreuses autres espèces végétales et animales. Cette communauté contribue à l'écosystème par ses interactions multiples avec la matière vivante et non vivante.

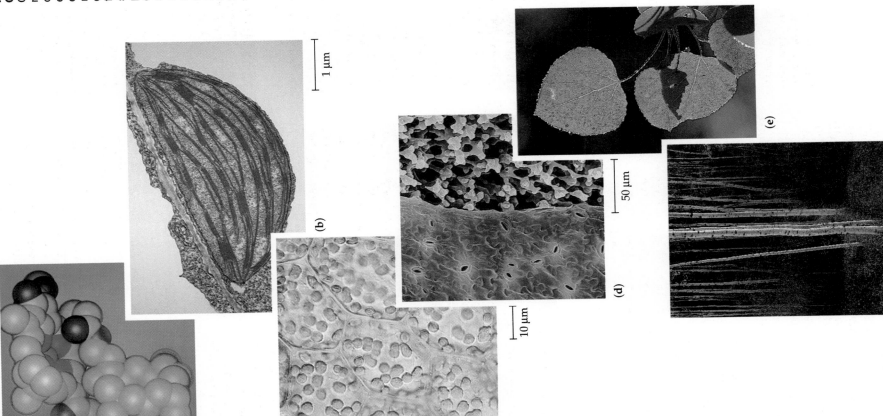

Figure 1.3
Quelques caractéristiques de la vie.
(a) Ordre : Toutes les caractéristiques d'un organisme proviennent d'une organisation complexe, d'ailleurs manifeste dans ce squelette d'une Éponge appelée Corbeille de fleurs de Vénus ou Euplectelle. **(b) Reproduction :** L'être vivant produit des êtres qui lui ressemblent. Un être vivant ne peut provenir que d'un autre être vivant, selon une théorie appelée biogenèse. Ici, un Macaque japonais fait la toilette de son petit. **(c) Croissance et développement :** L'information génétique contenue dans l'ADN détermine la croissance et le développement et contribue à la production d'un organisme caractéristique de son espèce. Sont illustrés ici des embryons de Grenouilles d'une espèce vivant au Costa Rica. **(d) Utilisation d'énergie :** L'être vivant consomme de l'énergie et la transforme pour accomplir plusieurs sortes de fonctions, dont le maintien de son organisation complexe. Lorsque l'Ours mange le Saumon, il utilise l'énergie emmagasinée dans les molécules du Poisson pour maintenir son propre métabolisme. **(e) Réponse aux facteurs de l'environnement :** La croissance des racines et des tiges de ce Figuier s'adapte aux contraintes de son environnement ; la Plante prend ici la forme de son substrat, en l'occurrence les ruines d'un temple en Inde. **(f) Homéostasie :** Les mécanismes de régulation d'un organisme maintiennent son milieu interne dans les limites vitales malgré les fluctuations de l'environnement externe. Cet équilibre s'appelle homéostasie. Par exemple, la régulation du volume sanguin circulant dans les grandes oreilles de ce Lièvre maintient la température interne de l'Animal dans les limites normales en régissant continuellement les pertes de chaleur. **(g) Évolution et adaptation :** Les êtres vivants évoluent grâce aux mutations. Une des conséquences de l'évolution est l'adaptation des organismes à leur environnement. La fourrure blanche du Renard arctique se confond avec la neige de l'environnement.

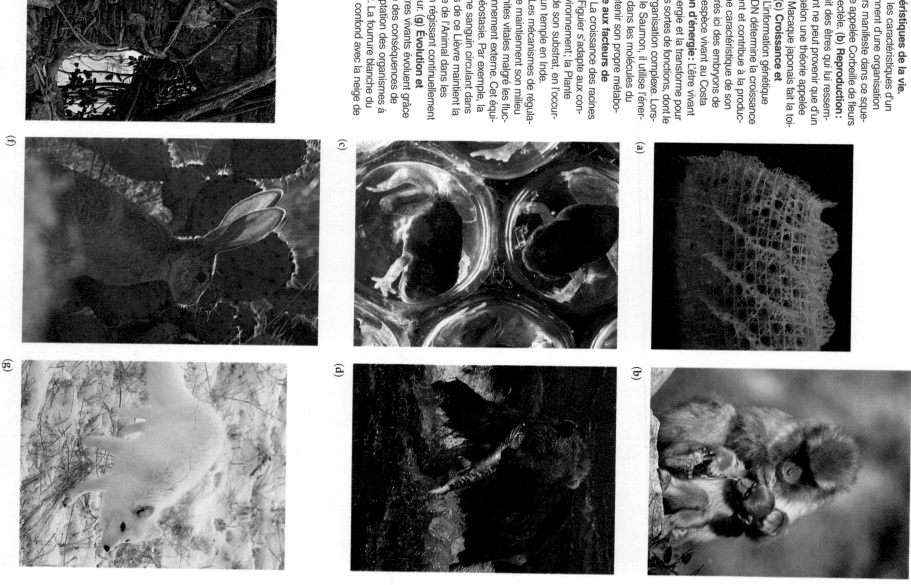

(e) (f) (g) (c) (a) (b) (d)

0,5 µm

5 µm

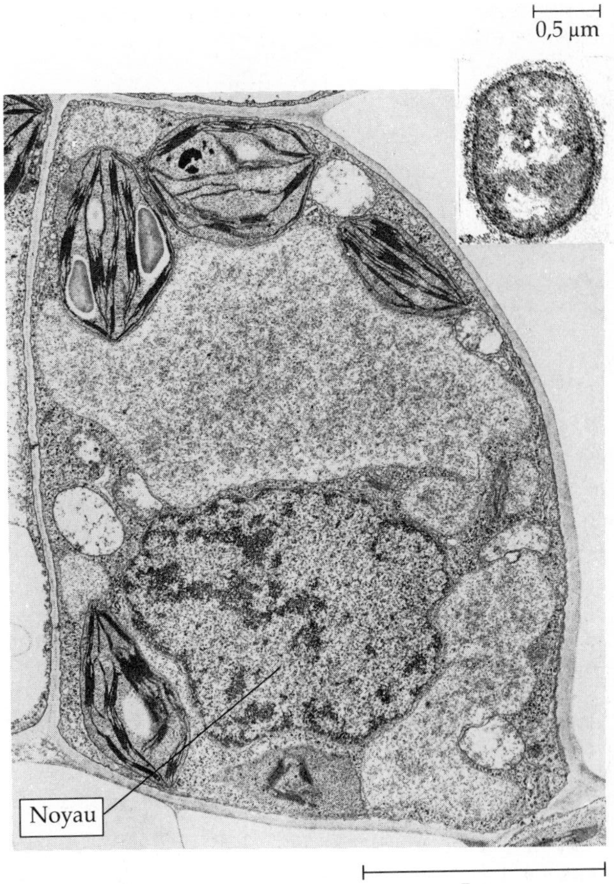

Figure 1.4
Deux variétés de cellules vues au microscope électronique.
La cellule eucaryote comprend de nombreuses structures différentes, les organites. Dans cette micrographie électronique d'une cellule végétale, seul le noyau, un organite relativement gros est indiqué. Dans le cytoplasme, à l'extérieur du noyau, se trouvent toute une variété d'organites. La cellule procaryote bactérienne (en mortaise) est beaucoup plus simple, car elle ne renferme pas la plupart des organites rencontrés dans la cellule eucaryote (micrographie électronique). Comparativement aux cellules eucaryotes, les cellules procaryotes sont généralement beaucoup plus petites.

Noyau

LA CELLULE, UNITÉ FONDAMENTALE DE LA VIE

La cellule occupe une place privilégiée dans la hiérarchie de l'organisation biologique, car elle se situe au plus bas échelon capable d'effectuer *toutes* les activités de la vie. Tous les organismes sont composés de cellules. La cellule peut exister seule, comme c'est le cas chez les nombreuses variétés d'organismes unicellulaires. Elle peut aussi être l'une des nombreuses constituantes d'un tissu chez un organisme végétal, animal ou tout autre organisme pluricellulaire. Dans les deux cas, la cellule représente l'unité structurale et fonctionnelle fondamentale d'un organisme.

C'est en 1665 que Robert Hooke, un scientifique anglais, identifia et décrivit pour la première fois les cellules en observant une fine coupe de liège (écorce de Chêne) à l'aide d'un microscope grossissant 30 fois (30×). Hooke ne se rendit pas compte de la portée de sa découverte, car il crut que les pores, ou «cellules», qu'il voyait caractérisaient exclusivement le liège. Un contemporain de Hooke, le Hollandais Antonie van Leeuwenhoek, fut le premier à décrire ce qu'on appelle aujourd'hui des organismes unicellulaires. Grâce aux microscopes qu'il fabriquait en polissant de fines lentilles capables de grossir jusqu'à 300 fois, Leeuwenhoek découvrit le monde des microorganismes en observant des gouttelettes d'eau provenant d'un étang, et il découvrit aussi les globules sanguins et les spermatozoïdes d'Animaux. Près de deux siècles plus tard, en 1839, les biologistes allemands Matthias Schleiden et Theodor Schwann purent enfin élaborer la théorie suivant laquelle les cellules sont les constituantes universelles des êtres vivants. Schleiden et Schwann résumèrent leurs propres observations au microscope et celles d'autres chercheurs pour conclure que tous les êtres vivants se composent de cellules, fournissant ainsi un exemple classique de raisonnement inductif, lequel consiste à faire une généralisation à partir de nombreuses observations concordantes. Cette généralisation constitue la base de ce que nous appelons maintenant la *théorie cellulaire*. Vingt ans plus tard, l'Allemand Rudolf Virchow ajouta à cette théorie en avançant que toute cellule provient d'une autre cellule. La capacité des cellules de se diviser pour former de nouvelles cellules est le fondement de la reproduction, de la croissance et de la réparation des organismes pluricellulaires, tels que les Humains.

Au cours de la seconde moitié du XXᵉ siècle, un instrument puissant, le microscope électronique, a permis de mettre en évidence la structure complexe des cellules. Toute cellule est entourée d'une membrane qui règle le passage des matériaux entre son milieu interne et son environnement. Chaque cellule, à une étape ou l'autre de son développement, contient de l'ADN, le matériel génétique qui dirige les nombreuses activités de la cellule.

Il existe deux catégories principales de cellules, les procaryotes et les eucaryotes, différentes sur le plan de leur organisation structurale (figure 1.4). Les cellules formant les microorganismes appelés Bactéries sont des procaryotes. Tous les autres êtres vivants figurent parmi les eucaryotes.

La cellule *eucaryote* se compose de nombreuses structures fonctionnelles différentes, les organites; certains organites possèdent une enveloppe membraneuse. La cellule eucaryote est plus complexe que la cellule procaryote,

celle-ci comportant peu d'organites. Dans le noyau de la cellule eucaryote, l'ADN, associé à des protéines, se présente sous forme de structures appelées chromosomes; le noyau représente le plus gros organite de la plupart des cellules. Un liquide épais, le cytoplasme, entoure le noyau et contient les divers organites responsables de la plupart des fonctions cellulaires. Certaines cellules eucaryotes, notamment chez les Végétaux, possèdent une paroi rigide à l'extérieur de leur membrane. Les cellules animales sont dépourvues de paroi.

Dans la cellule *procaryote*, plus simple, l'ADN ne se trouve pas dans un noyau séparé du cytoplasme; de plus, le procaryote est dépourvu de la plupart des organites cytoplasmiques typiques de la cellule eucaryote. Presque toutes les cellules procaryotes possèdent une paroi cellulaire externe rigide.

INFORMATION GÉNÉTIQUE

Pour s'organiser, la matière vivante a besoin d'information, c'est-à-dire que les cellules ont besoin d'instructions

Figure 1.5
Le matériel génétique : l'ADN. La molécule qui transmet les informations biologiques d'une génération à l'autre prend la forme tridimensionnelle d'une double hélice. Le long de l'axe de la molécule, les informations sont codées en séquences spécifiques de nucléotides, les unités structurales chimiques de l'ADN.

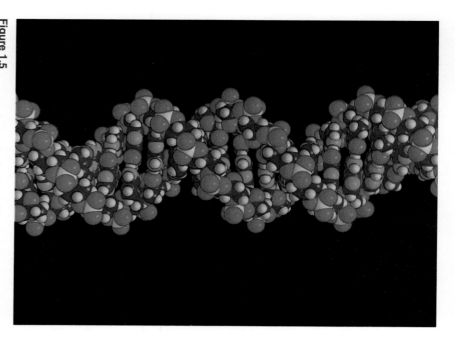

pour organiser de façon bien précise les structures et les processus auxquels elles participent. Ces instructions biologiques indispensables sont inscrites dans la molécule appelée *acide désoxyribonucléique*, ou *ADN*. L'ADN représente le support matériel des gènes, ces unités d'information transmises des parents à leur descendance (figure 1.5).

Chaque molécule d'ADN forme une longue chaîne constituée de quatre unités structurales chimiques appelées nucléotides. L'ADN transmet l'information d'une façon analogue à celle que nous utilisons en disposant les lettres de l'alphabet dans des séquences précises correspondant à des significations spécifiques. Le mot *rat*, par exemple, évoque l'image d'un Rongeur; en revanche, *art*, qui contient les mêmes lettres, possède un sens totalement différent. Les bibliothèques débordent de livres contenant des informations codées selon diverses séquences à partir de 26 lettres seulement. Nous pouvons considérer les quatre nucléotides comme l'alphabet de l'hérédité. Ainsi, des arrangements séquentiels spécifiques de ces lettres chimiques forment l'information codée des gènes. Si toute l'information génétique emmagasinée dans le noyau d'une seule cellule humaine était écrite en lettres de la même grosseur que celles que vous lisez actuellement, elle occuperait environ 700 manuels du même format que celui-ci. C'est ainsi que l'organisation structurale complexe d'un organisme se trouve inscrite dans un texte génétique sous forme d'innombrables informations codées. L'hérédité repose donc sur un mécanisme qui copie l'ADN pour en transmettre l'information à la descendance.

À de rares exceptions près, toutes les formes de vie emploient le même code génétique, c'est-à-dire qu'une séquence particulière de nucléotides porte la même information quel que soit l'organisme; la diversité des organismes résulte de programmes génétiques différents.

CORRÉLATION ENTRE LA STRUCTURE ET LA FONCTION

Structure et fonction vont de pair. Appliqué à la biologie, ce thème aide à comprendre la structure de la vie à tous ses niveaux, depuis la molécule jusqu'à l'organisme entier. L'analyse d'une structure biologique nous révèle des indices sur sa fonction et son mécanisme, et vice versa.

La forme aérodynamique de l'aile d'un Oiseau illustre bien cette relation structure-fonction (figure 1.6). Sous ses contours, l'Oiseau possède un squelette dont les caractéristiques structurales lui permettent de voler: ses os à structure lacunaire offrent résistance et légèreté. Pour illustrer ce rapport structure-fonction, au plan cellulaire cette fois, prenons l'exemple des neurones qui commandent les muscles sollicités pour le vol. Ce sont les longs prolongements des neurones qui transmettent aux muscles les influx nerveux et qui rendent ces cellules particulièrement bien adaptées à la communication. En guise d'exemple d'anatomie fonctionnelle au niveau intracellulaire, maintenant, examinons les mitochondries, organites typiques des eucaryotes. Les mitochondries constituent les centres de la respiration aérobie, ce processus chimique qui utilise l'oxygène pour capter l'énergie emmagasinée dans les glucides et les autres nutriments. La mitochondrie est entourée d'une membrane externe, mais elle possède également une membrane interne comportant de nombreux replis. Les molécules enchâssées dans la membrane interne accomplissent plusieurs étapes de la respiration aérobie; les replis augmentent la surface d'échange et permettent d'affecter un plus grand nombre de molécules au processus.

INTERACTION DES ORGANISMES AVEC LEUR ENVIRONNEMENT

La vie n'existe pas dans le néant. Chaque organisme interagit continuellement avec son environnement physicochimique et avec d'autres organismes. Par exemple, les racines d'un arbre absorbent l'eau et les minéraux du sol et ses feuilles captent le dioxyde de carbone de l'air. La lumière solaire absorbée par la chlorophylle, le pigment vert des feuilles, active la photosynthèse par laquelle l'eau et le dioxyde de carbone se transforment en sucre et en oxygène. L'arbre libère de l'oxygène dans l'air, et ses racines modifient le sol en brisant les roches en petites particules, en sécrétant de l'acide et en absorbant l'eau et les minéraux. Cette interaction influe aussi sur l'arbre et sur son environnement. L'arbre interagit aussi avec d'autres formes de vie, dont les microorganismes

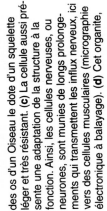

(c)

10 µm

Arborisation terminale d'un neurone

Fibres musculaires

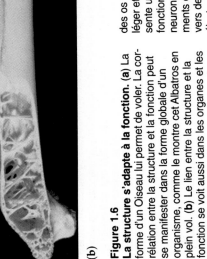

(a)

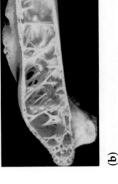

(b)

Mitochondrie

Replis de la membrane

0,5 µm

(d)

Figure 1.6

La structure s'adapte à la fonction. (a) La forme d'un Oiseau lui permet de voler. La corrélation entre la structure et la fonction peut se manifester dans la forme globale d'un organisme, comme le montre cet Albatros en plein vol. **(b)** Le lien entre la structure et la fonction se voit aussi dans les organes et les tissus. Par exemple, la structure lacunaire des os d'un Oiseau le dote d'un squelette léger et très résistant. **(c)** La cellule aussi présente une adaptation de la structure à la fonction. Ainsi, les cellules nerveuses, ou neurones, sont munies de longs prolongements qui transmettent les influx nerveux, ici vers des cellules musculaires (micrographie électronique à balayage). **(d)** Cet organite, appelé mitochondrie, possède une membrane interne comportant de nombreux replis. Cette organisation structurale permet à la mitochondrie d'augmenter sa surface d'échange et d'affecter un plus grand nombre de molécules à la respiration cellulaire. La fonction atteint ainsi un meilleur rendement (micrographie électronique).

du sol fixés à ses racines et les Animaux qui mangent ses feuilles et ses fruits.

Les nombreuses interactions entre les différents organismes et leur environnement forment la trame d'un écosystème. La dynamique d'un écosystème comprend deux grands processus. Le premier réside dans la circulation cyclique des nutriments. Par exemple, les minéraux absorbés par les Végétaux finissent par retourner au sol sous l'action des microorganismes qui décomposent les feuilles et les racines mortes ainsi que d'autres débris organiques. Le deuxième processus important dans un écosystème est la circulation de l'énergie solaire depuis les producteurs, c'est-à-dire les organismes capables de photosynthèse, jusqu'aux consommateurs, soit les organismes qui se nourrissent de Végétaux ou d'Animaux (figure 1.7, page 10). Le thème de l'interaction des organismes avec leur environnement est essentiel à la compréhension de la vie à tous les niveaux d'organisation.

UNITÉ DANS LA DIVERSITÉ

Les êtres vivants se distinguent par leur diversité. Les biologistes ont identifié et nommé environ 1,5 million d'espèces dont plus de 260 000 chez les Végétaux, près de 50 000 chez les Vertébrés (Animaux possédant une colonne vertébrale) et plus de 750 000 chez les Insectes. Des milliers d'espèces nouvellement identifiées s'ajoutent à la liste chaque année.

Comment se retrouver dans toute cette diversité biologique ? Afin de la rendre plus facile d'accès, on a imaginé des façons de regrouper les espèces semblables. Par exemple, nous pouvons parler d'Écureuils et de Pins sans distinguer les nombreuses espèces appartenant à ces groupes. La taxinomie, branche de la biologie consistant à identifier et à classifier les êtres vivants, regroupe ces derniers selon un modèle plus formel. Ce modèle comporte différentes catégories qui se subdivisent en allant du général au particulier (figure 1.8, page 11). Les cinq règnes constituent les divisions les plus générales de la classification : Monères, Protistes, Mycètes, Végétaux et Animaux (figure 1.9, page 12).

Le règne des Monères comprend les microorganismes appelés Bactéries. Ce règne se distingue des quatre autres par la structure cellulaire : tous les membres du règne des Monères sont des procaryotes, les plus simples des deux types de cellules (voir la figure 1.4). Les organismes constitués de cellules eucaryotes se répartissent parmi les autres règnes.

Le règne des Protistes comprend surtout des eucaryotes unicellulaires, comme les microorganismes appelés Protozoaires. Ce règne regroupe également certaines formes pluricellulaires telles que les Algues, qui semblent plus près des espèces unicellulaires que des Végétaux, des Mycètes ou des Animaux.

Les trois autres règnes, c'est-à-dire les Végétaux, les Mycètes et les Animaux, se composent d'eucaryotes pluricellulaires. Les Végétaux se caractérisent par la photosynthèse. Les Mycètes, eux, sont principalement des décomposeurs qui se procurent leurs nutriments en dégradant les molécules complexes d'organismes morts et de débris comme les feuilles mortes et les excréments. Quant aux Animaux, ils obtiennent leur nourriture par ingestion et digestion de proies végétales ou animales. Les Végétaux, les Mycètes et les Animaux se distinguent donc en partie par leur mode de nutrition. Chaque règne possède plusieurs autres caractéristiques uniques dont nous aborderons l'étude à la cinquième partie de ce manuel.

L'ÉVOLUTION : UN FIL CONDUCTEUR EN BIOLOGIE

S'il y a tant de diversité chez les êtres vivants, quel fil conducteur la biologie utilise-t-elle pour intégrer tous ces êtres dans un vaste ensemble ? Que peuvent-ils bien avoir en commun, par exemple, une Moisissure, un Érable et un Humain ? En fin de compte, beaucoup de choses ! Tous les êtres vivants possèdent l'ensemble des caractéristiques de la vie. Celles-ci figurent dans un code génétique presque universel et, donc, commun à presque tous les organismes. Plus nous approchons du niveau cellulaire, plus nous rencontrons de similitudes (figure 1.10, page 13). En fait, la parenté entre tous les êtres vivants, aussi mystérieuse soit-elle, est incontestable. Plus on s'élève au-dessus du niveau cellulaire, plus les êtres se différencient. La biologie s'applique à décrire cette diversité ; elle cherche en outre à comprendre l'adaptation des organismes à leurs modes de vie ainsi que les mécanismes qui la sous-tendent. Les biologistes ne voient pas la taxinomie comme un simple catalogage d'objets vivants en apparence sans relations.

La vie évolue depuis des milliards d'années. Tout comme l'être humain possède une histoire familiale, chaque espèce occupe l'extrémité d'un embranchement sur un arbre généalogique ; en remontant cette ramification, on remonte aussi dans le temps jusqu'aux espèces ancestrales (figure 1.11, page 13). Ainsi, des genres très semblables, comme le Cheval et le Zèbre, proviennent d'un ancêtre commun occupant un point de bifurcation relativement récent sur l'arbre généalogique. Puis, en remontant encore plus loin dans le temps, on s'aperçoit que le Cheval et le Zèbre sont également apparentés au Lapin, à l'Humain et à tous les autres Mammifères. Et les Mammifères, les Reptiles, les Oiseaux ainsi que tous les autres Vertébrés ont un ancêtre commun encore plus ancien. Encore plus loin dans le cours de l'évolution, il y a environ trois milliards d'années, seuls les procaryotes primitifs existaient sur la terre. Tous les êtres vivants ont des liens de parenté. L'évolution, c'est-à-dire le processus qui a transformé la vie sur terre depuis les tout débuts jusqu'à la diversité apparemment sans limites

d'aujourd'hui, constitue le fil conducteur de l'apparition et du développement des caractéristiques de la vie.

En 1859, Charles Darwin mit la biologie au premier plan en publiant De l'origine des espèces par voie de sélection naturelle ou la lutte pour l'existence dans la nature (figure 1.12, page 13). Dans son livre, Darwin visait deux objectifs. En premier lieu, il exposa de façon convaincante, à partir de nombreuses observations, que les espèces contemporaines constituaient l'aboutissement d'une succession d'ancêtres ayant subi des transformations progressives d'une génération à l'autre. Les preuves à l'appui de cette hypothèse se sont tellement accumulées depuis l'époque de Darwin que presque tous les biologistes considèrent aujourd'hui l'évolution comme une chronique extrêmement documentée de la vie. (Le chapitre 20 examine plus en détail les preuves rattachées à l'évolution.)

Comme second objectif, Darwin voulait présenter sa théorie expliquant l'évolution des êtres vivants. Le mécanisme proposé s'appelle sélection naturelle. Darwin déduisit le concept de sélection naturelle à partir d'observations qui n'étaient comme telles ni nouvelles, ni très

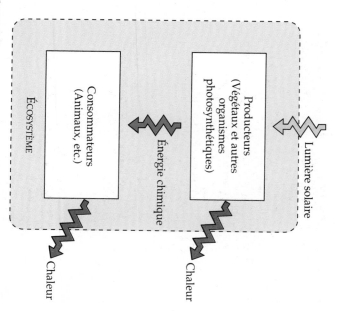

Figure 1.7
Circulation de l'énergie dans un écosystème. La vie suppose l'accomplissement de fonctions. Pour remplir ses fonctions, l'être vivant doit se procurer et utiliser de l'énergie. La plupart des écosystèmes fonctionnent grâce à l'énergie solaire. Les Végétaux et les autres organismes photosynthétiques convertissent l'énergie lumineuse en énergie chimique emmagasinée dans les sucres et autres molécules complexes. En dégradant ces molécules d'énergie chimique en produits plus simples, l'être vivant capte l'énergie dont il a besoin pour accomplir ses fonctions. Dans ce schéma montrant la circulation d'énergie dans un écosystème, les organismes photosynthétiques sont appelés producteurs, car tout l'écosystème dépend de leurs produits de photosynthèse. Les consommateurs (Animaux et autres) obtiennent leur énergie sous forme chimique en mangeant des Végétaux, en se nourrissant d'Animaux ou en décomposant les matières organiques telles que les feuilles et les Animaux morts. L'énergie qui entre dans un écosystème sous forme de lumière en ressort sous forme de chaleur dissipée dans l'environnement par les organismes lorsqu'ils effectuent un travail.

tion de certaines variations héréditaires chez la généra-tion suivante. C'est cette survie différentielle que Darwin appela « sélection naturelle » et considéra comme la cause de l'évolution.

Les résultats de la sélection naturelle se manifestent nettement dans les adaptations parfois raffinées des organismes aux contraintes de leur environnement (figure 1.13, page 14). On définit l'adaptation d'un organisme comme étant le produit d'un changement structural ou fonctionnel, génétiquement fixé. L'adaptation favorise la survie de l'organisme dans un environnement qui évolue. Remarquez cependant que la sélection naturelle ne crée pas les adaptations ; elle augmente plutôt la fréquence de certaines variations parmi celles qui apparaissent de façon aléatoire à chaque génération. Le camouflage des Mantes, à la figure 1.13, ne résulte pas du fait que ces Insectes ont changé au cours de leur vie dans le but de se confondre davantage avec leur environnement ; le camouflage s'explique plutôt par le fait que les individus naturellement mieux camouflés que la moyenne ont de meilleures chances de se reproduire et d'être de plus en plus représentés au fil des générations.

Darwin expliquait que la sélection naturelle, en raison de ses effets cumulatifs au fil de nombreuses générations, pouvait aboutir à la constitution de nouvelles espèces à partir d'espèces ancestrales. Un tel phénomène peut se produire lorsqu'une population se fragmente en plusieurs populations isolées dans des environnements différents. Ces populations composées initialement de la même espèce pourront à la longue devenir des populations d'espèces différentes étant donné qu'elles s'adapteront chacune de leur côté à un environnement différent. La transformation progressive d'une génération à l'autre explique à la fois l'unité et la diversité des êtres vivants. Les caractéristiques communes à deux espèces proviennent de leurs ancêtres communs, alors que les différences entre ces espèces résultent de la sélection naturelle qui a modifié les acquis ancestraux dans des contextes environnementaux différents. Le concept de l'évolution est un fil conducteur essentiel en biologie, et chacune des parties de ce manuel y revient.

APPROCHE HYPOTHÉTICODÉDUCTIVE DE LA MÉTHODE SCIENTIFIQUE

La biologie figure parmi les sciences de la nature. Après avoir mis en évidence les caractéristiques propres à l'étude des êtres vivants, examinons les mécanismes de la science.

Définissons d'abord la science. Le mot science vient du verbe latin *scire* qui signifie « savoir ». La science est une façon de connaître. Elle naît de notre curiosité à l'égard de nous-mêmes, du monde et de l'univers. Le désir de savoir semble au cœur de tout ce qui nous anime. Les scientifiques s'interrogent sur la nature et croient pouvoir trouver des réponses.

La démarche appelée **méthode scientifique** comporte une série d'étapes visant à répondre à des questions. Cependant, peu de scientifiques suivent cette démarche de façon rigoureuse ; la science est moins structurée qu'on l'imagine. En science comme dans toute activité

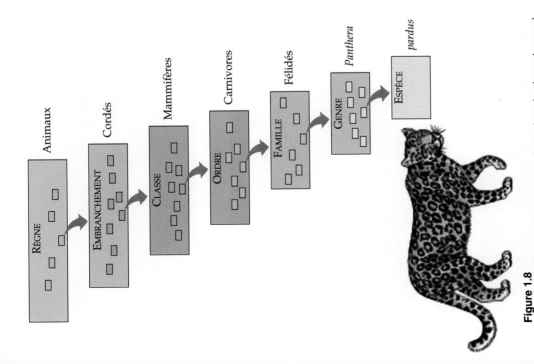

RÈGNE Animaux
EMBRANCHEMENT Cordés
CLASSE Mammifères
ORDRE Carnivores
FAMILLE Félidés
GENRE *Panthera*
ESPÈCE *pardus*

Figure 1.8
Classification des êtres vivants. La taxinomie classe les espèces en groupes subordonnés dans une hiérarchie. Les espèces très semblables figurent dans le même genre ; les genres qui présentent certaines similitudes se retrouvent dans une même famille et ainsi de suite. Chaque niveau supérieur de classification devient plus général que ceux qu'il inclut. Voici comment est classé le Léopard.

poussées. En fait, les pièces du puzzle étaient déjà connues d'autres scientifiques, mais c'est Darwin qui découvrit comment les agencer. Comme le mentionne Stephen Jay Gould, biologiste spécialiste de l'évolution (voir l'entretien au début de la cinquième partie), Darwin étaya la sélection naturelle par « deux faits indéniables et une conclusion incontournable » :

- Dans une population donnée, les individus diffèrent les uns des autres.

- Toute population peut produire une descendance beaucoup trop nombreuse par rapport à ce que l'environnement offre en matière de nourriture, d'espace et d'autres ressources. Cette surnatalité entraîne inévitablement une lutte pour la survie entre les différents membres de la population.

- Les individus possédant les caractéristiques les mieux adaptées au milieu de vie laissent généralement une progéniture beaucoup plus nombreuse que les autres. Cette reproduction sélective augmente la représenta-

Figure 1.9
Les cinq règnes. (a) Le règne des Monères comprend tous les organismes procaryotes. Les Bactéries appartiennent à ce règne. La micrographie photonique représente un mélange de Bactéries vivant dans les eaux d'égout. (b) Le règne des Protistes comprend les eucaryotes unicellulaires et les organismes pluricellulaires relativement simples qui leur sont apparentés. L'image montre divers Protistes peuplant l'eau d'un étang (micrographie photonique). (c) Le règne des Végétaux, représenté ici par des Jonquilles, comprend les eucaryotes pluricellulaires capables d'effectuer la photosynthèse. (d) Le règne des Mycètes se définit, en partie, par le mode de nutrition de ses individus, des organismes qui se procurent leurs nutriments en décomposant des matières organiques. On voit ici des Discomycètes du Costa Rica. (e) Le règne des Animaux comprend les eucaryotes pluricellulaires qui ingèrent d'autres organismes. La photographie montre des Pélicans roses du Kenya.

intellectuelle, la créativité, l'intuition et l'imagination donnent les meilleurs résultats. Les gens de science se distinguent peut-être par leur conviction que les phénomènes naturels, y compris les processus de la vie, ont des causes naturelles, et par leur obsession à en trouver les preuves ; ils sont généralement sceptiques. Au début de chaque partie de ce manuel, vous ferez connaissance avec

des scientifiques par la lecture d'entretiens et vous comprendrez un peu plus leur pensée et l'amour qu'ils portent à leur travail.

L'élément clé de la méthode scientifique réside dans *l'approche hypothéticodéductive.* La première partie de ce terme fait référence à *l'hypothèse,* c'est-à-dire à une proposition qu'on émet en vue d'expliquer un phénomène et

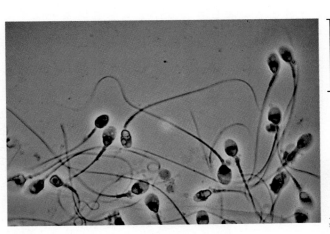

(a)

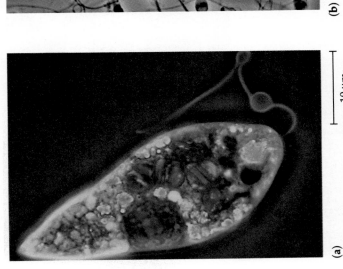

(b)

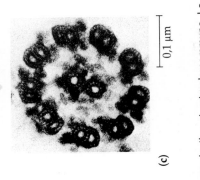

(c)

Figure 1.10
Exemple de similitude au sein de la diversité des êtres vivants : architecture d'un flagelle eucaryote. Des organismes eucaryotes aussi différents que des Protozoaires (règne des Protistes) et des Animaux possèdent des flagelles, organites ressemblant à un fouet et servant à la locomotion des cellules dans un liquide. Les micrographies photoniques montrent ici, à un grossissement similaire, **(a)** un organisme unicellulaire flagellé (Euglène) et **(b)** quelques spermatozoïdes humains. **(c)** La comparaison, en coupe transversale, des flagelles de divers eucaryotes révèle une organisation structurale commune. La présence de ressemblances aussi frappantes entre des composantes complexes contribue à démontrer que des organismes aussi différents que les Protozoaires et l'Humain sont, jusqu'à un certain point, apparentés.

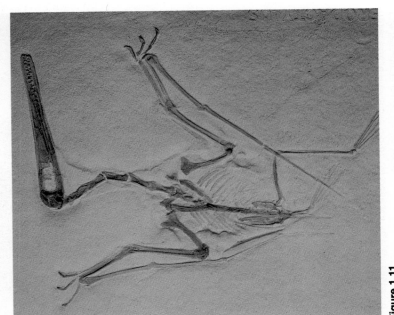

Figure 1.11
Les fossiles jouent le rôle d'archives de l'histoire de l'évolution. Ce reptile volant (ordre des Ptérosauriens) a vécu il y a plus de 135 millions d'années. Les fossiles sont en quelque sorte des archives qui nous aident à retracer l'histoire de l'évolution sur une planète en perpétuel changement. De nombreux autres types de preuves soutiennent la théorie évolutionniste (voir le chapitre 20).

Figure 1.12
Charles Robert Darwin (1809-1882). À l'âge de 31 ans, lorsqu'il posa pour ce portrait, Darwin avait déjà rassemblé les principaux éléments de sa théorie de l'évolution par sélection naturelle, mais il ne publia *De l'origine des espèces* que près de vingt ans plus tard. Le point de vue évolutionniste de la vie devint le concept clé de la biologie au vingtième siècle.

qu'on vérifie en la soumettant au contrôle de l'expérience. Le terme *déductive* renvoie au raisonnement déductif qui sert à vérifier les hypothèses. Déduction s'oppose à induction. Rappelez-vous que l'induction est un raisonnement qui consiste à rassembler une série d'observations spécifiques pour arriver à formuler une conclusion générale (du genre de « tous les organismes se composent de cellules »). Dans la déduction, le raisonnement se déroule en sens inverse, c'est-à-dire du général vers le particulier. À partir de prémisses générales, nous extrapolons les résultats spécifiques qui devraient être obtenus si les prémisses se révèlent vraies. Voici un exemple : si tous les organismes se composent de cellules (prémisse n° 1) et que les êtres humains sont des organismes (prémisse n° 2), alors les êtres humains se composent de cellules (prédiction concernant un cas particulier). Dans la démarche scientifique, la déduction consiste habituellement à prédire les résultats qu'une expérience donnera *si* l'hypothèse émise (prémisse) est correcte. On vérifie ensuite l'hypothèse en effectuant l'expérience pour voir si oui ou non les résultats prédits se produisent. Cette vérification déductive fait appel à la formulation logique des termes si ... *et* ... *alors*.

Nous allons analyser l'approche hypothéticodéductive à l'aide d'une étude rapportée dans la littérature scientifique. Pendant plusieurs années, David Reznick de l'Université de Californie à Riverside et John Endler de l'Université de Californie à Santa Barbara ont effectué des recherches sur les différences observées chez des populations de Guppies à la Trinité, une île des Petites Antilles (figure 1.14, page 15). Les Guppies (*Poecilia reticulata*), sont des petits Poissons d'eau douce qu'on retrouve dans bon nombre d'aquariums domestiques. À l'île de la Trinité, dans le fleuve Aripo et ses affluents, les Guppies vivent en populations relativement isolées les unes des autres. Dans certains cas, deux populations habitent le même cours d'eau, à moins de 100 m l'une de l'autre, mais elles sont séparées par une cascade qui empêche la migration entre les deux sites.

Lorsque Reznick et Endler ont comparé les populations de Guppies, ils ont constaté des différences quant à certains paramètres biologiques. Ces paramètres comprenaient la grosseur et l'âge moyens des Guppies à la maturité sexuelle, ainsi que le nombre moyen de petits à l'éclosion des œufs. Les chercheurs ont pu établir une corrélation entre certaines variations de ces paramètres biologiques et la nature des prédateurs vivant dans les différents sites. À certains endroits, le principal prédateur est un petit Poisson, le Fondule, qui s'attaque surtout aux jeunes Guppies. Dans d'autres endroits, un prédateur plus gros appelé Cichlidé-Brochet s'attaque davantage aux Guppies et dévore principalement les individus relativement gros et sexuellement matures. Les Guppies des populations exposées à ces Cichlidés-Brochets ont une progéniture plus nombreuse, se reproduisent plus jeunes et sont, en moyenne, plus petits à maturité que les Guppies qui coexistent avec des Fondules.

Quelle est la cause de ces différences biologiques entre ces populations de Guppies ? Il semble y avoir une corrélation avec le genre de prédateur, mais une corrélation n'implique pas nécessairement une relation de cause à effet. Une tout autre cause pourrait provoquer les varia-

(a)

(b)

(c)

Figure 1.13
L'adaptation évolutive résulte de la sélection naturelle.
Diverses formes de camouflage sont apparues chez des espèces variées d'insectes, les Mantes. **(a)** Cette Mante de Malaisie se confond avec une fleur. **(b)** Cette Mante forestière de l'île de la Trinité simule une feuille morte. **(c)** Cette Mante d'Amérique centrale ressemble à une feuille verte.

nombreuse, bref, à acquérir progressivement les caractéristiques biologiques typiques de populations naturelles de Guppies cœxistant avec les Fondules.

En 1976, Reznick et Endler ont recueilli des Guppies dans des endroits peuplés de Cichlidés-Brochets et les ont introduits dans des sites habités par des Fondules mais dépourvus de Guppies. Ces populations transplantées formaient les groupes expérimentaux que les chercheurs ont étudié pendant 11 ans, déterminant l'âge et la taille à maturité, le nombre de petits qui font éclosion et d'autres paramètres biologiques. Les scientifiques ont comparé ces mesures auprès de groupes témoins composés de Guppies demeurés dans les endroits originalement habités par les Cichlidés-Brochets. Pour s'assurer de tenir compte uniquement des différences héréditaires, Reznick et Endler ont recueilli leurs données après que les spécimens des groupes expérimentaux et témoins eurent été élevés pendant deux générations en aquarium, dans des environnements identiques (figure 1.15, page 16). Après 11 ans, c'est-à-dire après au moins une trentaine de générations, le poids moyen à maturité des Guppies des populations transplantées (expérimentales) avait augmenté d'environ 14 % en comparaison des populations témoins. D'autres paramètres biologiques avaient également changé dans le sens prévu par l'hypothèse n° 2.

Remarquez que sans comparaison avec un groupe témoin il aurait été impossible de dire si les changements subis par la population de Guppies étaient attribuables aux Fondules ou à un *autre* facteur. Ce procédé a fourni une base de comparaison ayant permis aux chercheurs de tirer des conclusions sur les effets de leurs manipulations expérimentales. Comme les groupes témoins et expérimentaux occupaient souvent des sections voisines du même cours d'eau, la principale variable étant probablement la présence de prédateurs différents. En outre, les chercheurs obtinrent des résultats semblables lorsque les populations de Guppies étaient élevées dans des ruisseaux artificiels identiques à l'exception du type de prédateur. Certaines variables sont plus faciles à contrôler que d'autres, mais, généralement, l'élément clé d'une expérimentation consiste à exercer les meilleurs contrôles possible.

De toutes les hypothèses vérifiées par Reznick et Endler (nous en avons examinées seulement deux), la sélection naturelle due à des prédateurs différents reste l'explication la plus plausible des différences observées entre les populations de Guppies. Lorsque les prédateurs tels que les Cichlidés-Brochets s'attaquent principalement à l'adulte reproducteur, il semble que le Guppy ait peu de chances de survivre assez longtemps pour se reproduire plusieurs fois. Dans ces conditions, les individus qui atteignent la maturité à un jeune âge et à une petite taille et qui produisent au moins une génération avant d'atteindre la grosseur que préfère leur prédateur devraient se reproduire davantage.

Les médias ont accordé beaucoup d'attention aux recherches de Reznick et Endler, car elles renseignent sur l'évolution qui a lieu dans un cadre naturel durant une période relativement courte (seulement 11 ans). Nous nous sommes attardés à l'expérience des Guppies parce que cette recherche présente également un bon exemple

Figure 1.14
David Reznick effectuant des expériences sur les Guppies à l'île de la Trinité.

tions observées chez ces populations de Guppies. Effectivement, Reznick et Endler ont vérifié l'hypothèse selon laquelle ces variations résultaient de différences dans la température de l'eau ou dans d'autres caractéristiques de l'environnement physique :

HYPOTHÈSE N° 1 : *Si* ce sont des différences dans les environnements physiques qui causent les variations observées chez ces populations de Guppies,

EXPÉRIENCE : *Et* que des spécimens de différentes populations de Guppies sauvages sont recueillis et élevés pendant plusieurs générations dans des environnements identiques, en aquarium, sans prédateurs,

RÉSULTAT PRÉVU : *Alors* les populations de laboratoire devraient finir par présenter les mêmes variations dans leurs caractéristiques.

Lorsque les chercheurs ont effectué cette expérience, les différences persistèrent pendant plusieurs générations. Ce résultat élimine l'hypothèse n° 1 et indique également que les différences biologiques sont héréditaires. En supposant que la sélection naturelle pouvait conduire à des différences génétiques entre populations, Reznick et Endler ont vérifié l'hypothèse suivante :

HYPOTHÈSE N° 2 : *Si* les préférences alimentaires de différents prédateurs entraînent l'apparition, par sélection naturelle, de caractéristiques biologiques divergentes dans des populations de Guppies,

EXPÉRIENCE : *Et* que les Guppies sont éloignés des Cichlidés-Brochets (prédateurs voraces de Guppies matures) et transférés dans un site dépourvu de Guppies et habités par des Fondules (prédateurs moins voraces de jeunes Guppies),

RÉSULTAT PRÉVU : *Alors* les populations de Guppies nouvellement introduites devraient avoir tendance, d'une génération à l'autre, à atteindre la maturité plus tard, à devenir plus gros et à avoir une progéniture moins

Figure 1.15
Preuves expérimentales de la sélection naturelle à l'œuvre. David Reznick et ses collègues ont transféré des Guppies dans de nouveaux sites où ils étaient exposés à des prédateurs différents. (a) Cette photographie permet de comparer la taille des prédateurs, les Cichlidés-Brochets (en haut) et les Fondules (au milieu), à celle des Guppies mâles et femelles (en bas). (b) Les spécimens témoins étaient des populations de Guppies originaires des sites où le principal prédateur, le Cichlidé-Brochet, se nourrit surtout de gros Guppies. Les spécimens expérimentaux, eux, étaient des Guppies retirés des lieux fréquentés par les Cichlidés-Brochets et introduits dans des cours d'eau peuplés de Fondules mais dépourvus de Guppies. Les Fondules s'attaquent surtout aux petits Guppies immatures. Après seulement 11 ans, les Guppies introduits ont considérablement évolué. Ils atteignaient la maturité sexuelle à un âge plus avancé et à une masse plus élevée que les témoins. Les histogrammes présentés ici permettent de comparer les données relatives aux spécimens de Guppies retirés des sites d'expérimentation et élevés pendant deux générations dans des aquariums de laboratoire. En s'appuyant sur l'approche hypothéticodéductive, les scientifiques ont conclu qu'une prédation sélective peut causer l'évolution de caractères biologiques importants chez les Guppies, un exemple de sélection naturelle à l'œuvre.

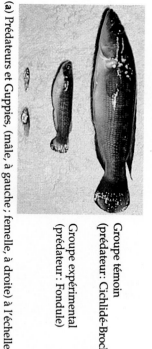

(a) Prédateurs et Guppies, (mâle, à gauche ; femelle, à droite) à l'échelle

Groupe témoin (prédateur : Cichlidé-Brochet)

Groupe expérimental (prédateur : Fondule)

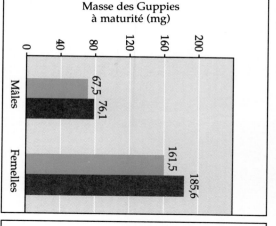
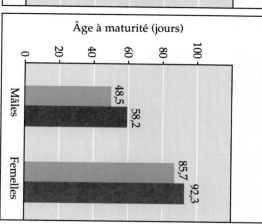

(b) Résultats expérimentaux

Masse des Guppies à maturité (mg)

	Mâles	Femelles
Groupe témoin	67,5	161,5
Groupe expérimental	76,1	185,6

Âge à maturité (jours)

	Mâles	Femelles
Groupe témoin	48,5	85,7
Groupe expérimental	58,2	92,3

du rôle clé de l'approche hypothéticodéductive dans la méthode scientifique.

Faisons maintenant un retour sur les hypothèses et dégageons-en cinq points importants :

• *Les hypothèses constituent des énoncés plausibles.* Une hypothèse, rappelez-vous, est une tentative d'explication d'un phénomène observé. Les deux hypothèses de Reznick et Endler sont plausibles. L'hypothèse supposant que les variations entre les populations de Guppies soient attribuables à la température de l'air environnant ne serait pas plausible ; la température moyenne varie très peu d'un jour à l'autre à cette latitude, et cette variation s'avère trop faible pour influer significativement sur la température de l'eau.

• *Les hypothèses font appel au vécu face à des situations connues.* Même s'il faut prendre en considération toute hypothèse pouvant expliquer un phénomène observé, il vaut mieux vérifier d'abord celles qui semblent les plus raisonnables. Les écologistes, au cours de leur formation, apprennent l'importance des relations prédateur-proie dans la dynamique des populations. Reznick et Endler ont certainement puisé dans ces acquis avant d'énoncer l'hypothèse n° 2.

• *Chaque fois qu'il est possible, il faut émettre plusieurs hypothèses.* Proposer des explications de rechange pour répondre à une question constitue une bonne approche scientifique. Si nous travaillons avec une seule hypothèse, en particulier celle que nous privilégions, notre recherche peut se transformer en une quête de preuves pour soutenir cette hypothèse.

• *Les hypothèses doivent pouvoir se vérifier au moyen de l'approche hypothéticodéductive.* La formulation des hypothèses doit permettre de faire des prédictions vérifiables au moyen d'expériences ou d'une observation plus poussée. « Une force surnaturelle restreint la taille de certaines populations de Guppies rendus à maturité » n'est pas une hypothèse vérifiable et par conséquent ne se prête pas à la démarche scientifique. La nécessité d'émettre des hypothèses vérifiables limite la portée des questions auxquelles la science peut répondre. En fait, la science se préoccupe seulement de ce qui se perçoit directement ou indirectement par les sens.

• *On peut infirmer des hypothèses, mais jamais les confirmer avec une certitude absolue.* On peut infirmer une hypothèse à l'aide d'expériences, surtout quand on peut répéter celles-ci en obtenant les mêmes résultats. Ainsi, Reznick et Endler ont rejeté l'hypothèse n° 1 puisque, dans des environnements identiques, les différences ont persisté pendant plusieurs générations. Par ailleurs, certaines hypothèses s'avèrent fausses mais permettent de faire des prédictions justes. Considérons l'hypothèse suivante : « La nuit et le jour sont dus à l'orbite décrite par le soleil autour de la terre dans le sens est-ouest. » Cette hypothèse suppose que le soleil se lèvera chaque matin à l'est, traversera le ciel et se couchera à l'ouest, ce qui correspond exactement à nos observations. (Cependant, cette hypothèse de « l'univers géocentrique » s'élimine elle-même par les nombreuses autres

prédictions qu'elle suscite.) En fait, il arrive que l'explication correcte ne fasse même pas partie des nombreuses hypothèses énoncées pour répondre à une question donnée. Même les hypothèses les plus minutieusement vérifiées sont admises conditionnellement, en attendant une recherche plus poussée.

La science possède une autre qualité importante : celle de s'autocorriger progressivement. En effet, les scientifiques se succèdent dans l'étude d'un même problème et ajoutent leurs propres résultats aux connaissances déjà acquises. Il leur arrive souvent de vérifier les conclusions obtenues par d'autres en essayant de reproduire leurs observations et leurs expériences. La relation entre les personnes travaillant sur une même question tient à la fois de la collaboration et de la compétition. Autant les scientifiques s'échangent l'information par le biais de publications, de colloques, de congrès et de communications privées, autant leurs travaux sont soumis aux examens minutieux des autres. La science progresse grâce à l'ardeur intellectuelle et aux nouvelles idées.

Pour beaucoup de gens, la science va de pair avec la *découverte*, plus précisément la découverte de faits nouveaux. Mais la science ne consiste pas vraiment à accumuler des faits : un annuaire téléphonique est un catalogue de faits mais il présente peu de choses communes avec la science. Certes la science exige d'abord des observations et des résultats expérimentaux, mais son avancement dépend avant tout d'idées nouvelles qui permettent d'expliquer un ensemble d'observations jusque-là sans relations apparentes. Les idées les plus enthousiasmantes en science sont celles qui expliquent le plus de phénomènes à la fois. Des savants comme Newton, Darwin et Einstein doivent leur renommée non pas à leur capacité d'accumuler beaucoup de faits, mais à leur capacité de formuler des hypothèses générales qui expliquent beaucoup de faits très synthétisantes. Ces idées, plus générales que des hypothèses, s'appellent des **théories**. À cause de leur grande portée, les théories ne deviennent universellement acceptées que si elles reposent sur un important faisceau de preuves. La « sélection naturelle » possède les qualités d'une théorie, car son application s'étend à un grand nombre de situations. Sa validité a été étayée par un très grand nombre d'observations et d'expérimentations, comme celles de Reznick et Endler.

Ce manuel ne porte pas seulement sur les connaissances actuelles en biologie. Il vise également un apprentissage important, qui se fait par l'exemple et la pratique : celui des mécanismes de la méthode scientifique. Le pouvoir de l'approche hypothéticodéductive est un des fils conducteurs de ce manuel, et vous aurez l'occasion de lire plusieurs autres exemples illustrant la manière dont les biologistes ont appliqué cette approche à leurs recherches. Cependant, votre apprentissage de la science se fera surtout à partir de votre propre expérience en laboratoire et sur le terrain. La pratique de l'approche hypothéticodéductive vous aidera de plus à développer un esprit critique.

SCIENCE, TECHNOLOGIE ET SOCIÉTÉ

Il existe une relation d'interdépendance entre la science et la technologie. Vous venez d'apprendre que la science est une démarche qui fait habituellement appel à l'approche hypothéticodéductive et qui permet aux esprits curieux de trouver réponse à leurs questions concernant la nature. La technologie, en particulier les nouveaux instruments (les microscopes électroniques, par exemple), augmente notre capacité d'observation et de mesure et permet aux scientifiques de travailler sur des questions auparavant inaccessibles. La science dépend donc de la technologie. Inversement, la technologie repose sur la science, puisque c'est cette dernière qui génère les nouvelles connaissances susceptibles de donner lieu à des inventions. Dans ce sens, nous pouvons concevoir la technologie comme l'ensemble des découvertes scientifiques appliquées au développement de biens et de services. La découverte par Watson et Crick de la structure de l'ADN représente un événement scientifique. Cette découverte capitale a catalysé une foule d'activités scientifiques qui ont conduit à une connaissance de plus en plus poussée de la chimie de l'ADN et du code génétique. Cette connaissance a fini par rendre possible la manipulation de l'ADN, et les spécialistes en génie génétique ont pu transplanter des gènes étrangers dans des microorganismes afin de produire des substances aussi importantes que l'insuline humaine. Les biotechnologies sont en train de révolutionner l'industrie pharmaceutique.

L'essor de la technologie représente un couteau à deux tranchants. D'une part, la technologie a peu à peu amélioré notre niveau de vie, d'abord avec l'agriculture dans l'Antiquité, puis avec la révolution industrielle et finalement, de nos jours, avec ses progrès dans les domaines de l'électronique, de l'information et, surtout, de la santé. D'autre part, cependant, la technologie a permis à la population humaine de décupler au cours des trois derniers siècles et d'avoir accès à des biens de consommation de plus en plus nombreux. Il en résulte des conséquences environnementales monstrueuses. Précipitations acides, déforestation, réchauffement de la planète, accidents nucléaires, trous dans la couche d'ozone, déchets toxiques et espèces en voie de disparition ne constituent que quelques exemples des répercussions de l'application croissante de la technologie. La science peut nous aider à déceler ces problèmes et même nous éclairer sur le choix de la ligne de conduite la moins dommageable. Mais les solutions à ces problèmes relèvent autant de la politique, de l'économique, de la culture et des valeurs que de la science et de la technologie.

L'objectif de la science doit demeurer l'approfondissement des connaissances sur la nature. La technologie, pour le meilleur et pour le pire, découle de notre désir naturel de savoir. Les scientifiques ne devraient pas se distancier de la technologie mais plutôt essayer d'influencer la façon dont la technologie appliquera les découvertes de la science. Ils ont de plus la responsabilité de sensibiliser les politiciens, les dirigeants des gouvernements et entreprises ainsi que les citoyens au mode de fonctionnement de la science, de même qu'aux bienfaits et aux risques potentiels de certaines technologies. La relation fondamentale entre la science, la technologie et la société rend indispensable l'étude de la vie sous toutes ses formes.

*   *   *

*   *

RÉSUMÉ DU CHAPITRE

D'une certaine façon, la biologie est la plus exigeante des sciences, d'une part à cause de la complexité des êtres vivants et d'autre part parce que la biologie est une science multidisciplinaire requérant des connaissances en chimie, en physique et en mathématiques. Si vous étudiez en biologie ou dans une option professionnelle faisant appel à des notions de biologie, vous avez la possibilité d'acquérir une certaine polyvalence. Si vous étudiez en sciences physiques ou en génie, vous découvrirez dans l'étude des êtres vivants de nombreuses et passionnantes applications aux notions déjà acquises dans vos autres cours. Si vous n'étudiez pas en sciences,

mais que vous suivez un cours de biologie pour compléter votre programme de culture générale, vous avez choisi un cours qui vous donnera un aperçu de nombreuses disciplines scientifiques.

Peu importe ce qui vous amène à la biologie, vous trouverez que l'étude de la vie est stimulante et enrichissante. Les thèmes présentés dans ce chapitre ont pour but de vous fournir un cadre conceptuel vous permettant de créer des liens dans la masse d'informations que vous allez intégrer en biologie, et de vous encourager à poser vous-même des questions importantes.

Hiérarchie de l'organisation biologique (p. 3-4)

1. Les êtres vivants se caractérisent par leur grande organisation.

2. Une hiérarchie de niveaux structuraux constitue l'organisation biologique : atome-molécule-organite-cellule-tissu-organe-système-organisme-population-communauté-écosystème-biome-biosphère.

3. Les processus biologiques chevauchent plusieurs niveaux simultanément.

Émergence (p. 4-6)

1. À chaque niveau structural supérieur apparaissent de nouvelles propriétés, caractérisant la vie ; un organisme représente une entité plus grande que la somme de ses parties.

2. De l'ordre découlent toutes les autres caractéristiques de la vie : la reproduction, la croissance et le développement, l'utilisation d'énergie, la réponse aux facteurs de l'environnement, l'homéostasie, l'évolution et l'adaptation.

La cellule, unité fondamentale de la vie (p. 7)

1. La cellule occupe une place privilégiée dans la hiérarchie de l'organisation biologique en raison de sa capacité à effectuer toutes les activités de la vie.

2. La théorie cellulaire dit que tout être vivant a une base cellulaire et que toute cellule provient d'une autre cellule.

3. Toute cellule comporte une membrane périphérique qui règle le passage des matériaux entre son milieu interne et son environnement. De plus, cette membrane retient le cytoplasme baignant les organites cellulaires.

4. Il y a deux catégories de cellules : les procaryotes et les eucaryotes. L'absence de noyau et de plusieurs organites caractérisent les procaryotes. Les eucaryotes possèdent ces structures.

Information génétique (p. 7-8)

1. La molécule d'ADN contient les instructions nécessaires à la structure et au fonctionnement de tout être vivant.

2. L'ADN représente une longue chaîne constituée à partir de quatre unités structurales différentes, les nucléotides.

3. La diversité des organismes résulte de programmes génétiques différents.

Corrélation entre la structure et la fonction (p. 8)

L'analyse d'une structure biologique nous révèle des indices sur sa fonction et son mécanisme, et vice versa.

Interaction des organismes avec leur environnement (p. 8-9)

Chaque organisme, dans son environnement, interagit continuellement avec d'autres organismes et avec des facteurs physicochimiques.

Unité dans la diversité (p. 9-10)

1. La taxinomie identifie et ordonne les êtres vivants selon une classification comportant plusieurs rangs.

2. Au sommet de la classification figurent les cinq règnes : Monères, Protistes, Mycètes, Végétaux, Animaux.

3. La parenté entre les êtres vivants est incontestable. Tous les êtres vivants possèdent l'ensemble des caractéristiques de la vie, inscrites dans un code génétique presque universel ; tous présentent beaucoup de similitudes au niveau cellulaire.

L'évolution : un fil conducteur en biologie (p. 10-11)

1. L'évolution a transformé la vie depuis ses débuts.

2. Darwin explique l'évolution par le biais de la sélection naturelle. Cette théorie avance que les individus possédant les caractères les mieux adaptés à leur environnement laissent généralement une progéniture plus nombreuse.

3. L'adaptation d'un organisme résulte d'un changement structural ou fonctionnel, génétiquement fixé, qui favorise la survie dans un environnement en évolution.

4. La sélection naturelle, en raison de ses effets cumulatifs au fil des générations, finit par faire apparaître de nouvelles espèces à partir d'espèces ancestrales.

Approche hypothéticodéductive de la méthode scientifique (p. 11-17)

1. L'approche hypothéticodéductive comporte deux volets : l'hypothèse et le raisonnement déductif. L'hypothèse consiste en une proposition qui tente d'expliquer un phénomène et qu'on soumet à l'expérimentation. L'utilisation du raisonnement déductif sert à vérifier l'hypothèse. Dans la déduction, le raisonnement se déroule du général au particulier, contrairement au déroulement de l'induction.

2. L'élément clé d'une expérimentation consiste à exercer les meilleurs contrôles possible. Dans une expérience contrôlée, on compare les résultats d'un groupe expérimental à ceux d'un groupe témoin. Les deux groupes subissent le même traitement, sauf en ce qui concerne la variable mesurée par l'expérience.

3. Les hypothèses sont des énoncés plausibles ; elles font appel au vécu face à des situations connues ; plusieurs hypothèses valent mieux qu'une seule pour expliquer un même phénomène ; elles doivent pouvoir se vérifier au moyen de l'approche hypothéticodéductive ; on peut les infirmer mais jamais les confirmer avec une certitude absolue.

4. Une théorie est un concept plus général qu'une hypothèse, en ce sens qu'elle représente un ensemble d'idées expliquant plusieurs phénomènes.

Science, technologie et société (p. 17-18)

1. L'approfondissement des connaissances sur la nature demeure l'objectif de la science. Notre désir de connaître a engendré la technologie avec ses conséquences heureuses et malheureuses. Les scientifiques devraient influencer la technologie dans son application des découvertes scientifiques.

AUTO-ÉVALUATION

1. Placez en ordre décroissant de complexité les niveaux suivants d'organisation des êtres vivants : (1) cellule ; (2) communauté ; (3) organe ; (4) organisme ; (5) population ; (6) système ; (7) tissu.
   - a) 6, 2, 5, 1, 7, 3, 4.
   - b) 1, 7, 3, 6, 4, 5, 2.
   - c) 2, 5, 4, 6, 3, 7, 1.
   - d) 5, 3, 4, 7, 6, 3, 1.
   - e) 2, 6, 4, 5, 3, 7, 1.

2. Des océanographes découvrent un «objet» mystérieux dans le golfe du Saint-Laurent et s'interrogent sur la nature de l'objet en question. Avant d'être considéré comme un être vivant, à quel(s) critère(s) cet «objet» devrait-il répondre?
   - a) La possession d'une structure complexe uniquement.
   - b) La faculté de se mouvoir.
   - c) La capacité de se reproduire, de croître et de se développer, d'évoluer et de s'adapter.
   - d) La possession d'une organisation structurale complexe et la capacité d'utiliser l'énergie disponible.
   - e) La capacité de réagir aux facteurs de l'environnement et de rechercher un équilibre interne, ainsi que les critères énoncés en c et d.

3. Dans la hiérarchie structurale du monde vivant, trouvez le premier niveau où se manifestent toutes les caractéristiques de la vie.
   - a) Molécule.
   - b) Organite.
   - c) Cellule.
   - d) Système.
   - e) Écosystème.

4. Complétez l'énoncé correctement. Les cellules procaryotes :
   - a) ne possèdent pas d'enveloppe nucléaire.
   - b) possèdent beaucoup d'organites cellulaires différents, comme les eucaryotes.
   - c) ne peuvent évoluer.
   - d) ne démontrent pas de complexité structurale.
   - e) possèdent un noyau.

5. Trouvez les énoncés vrais concernant l'information génétique.
   - a) L'ADN contient l'information biologique.
   - b) Les gènes sont les unités d'information transmises des parents à leur progéniture.
   - c) Chaque forme de vie possède son propre code génétique.
   - d) Chaque molécule d'ADN représente une longue chaîne constituée de quatre sortes de nucléotides.
   - e) Des arrangements séquentiels spécifiques de ces nucléotides codent avec précision les informations dans un gène.

6. Nommez cette branche de la biologie qui sert à identifier et ordonner les êtres vivants.
   - a) Biophilie.
   - b) Taxinomie.
   - c) Évolution.
   - d) Hiérarchie structurale.
   - e) Génétique.

7. On ne peut contester les liens de parenté entre un Chat et ses parasites :
   - a) parce que leur association se perpétue d'une génération à l'autre.
   - b) parce que ces êtres vivants possèdent l'ensemble des caractéristiques de la vie.
   - c) parce que ces êtres vivants possèdent le même code génétique.
   - d) parce qu'ils présentent beaucoup de similitudes au niveau cellulaire.
   - e) b, c, et d font partie de la réponse.

8. Trouvez l'énoncé vrai. Selon la théorie darwinienne de la sélection naturelle :
   - a) les organismes les mieux adaptés à leur environnement ont de meilleures chances de se perpétuer.
   - b) les organismes ayant la plus grande taille, au sein d'une population, ont de meilleures chances de survie.
   - c) le besoin crée l'organe.
   - d) tous les organismes peuvent transmettre leurs gènes à leur descendance.
   - e) les nouvelles adaptations des organismes deviennent immuables.

9. Pour tirer profit de leurs expérimentations, Reznick et Endler ont procédé comme suit :
   - a) Ils n'ont vérifié qu'une seule hypothèse.
   - b) Ils ont analysé une seule variable à la fois, dans un groupe expérimental et dans un groupe témoin.
   - c) Ils ont utilisé plusieurs groupes expérimentaux.
   - d) Ils se sont basés uniquement sur l'approche inductive.
   - e) Ils ont travaillé davantage au niveau des individus qu'à celui des populations.

10. Trouvez les énoncés qui caractérisent les hypothèses.
   - a) Une seule observation ne peut générer d'hypothèse.
   - b) Plusieurs hypothèses valent mieux qu'une seule.
   - c) Une hypothèse explique toujours plusieurs phénomènes.
   - d) Une hypothèse doit être vérifiable au moyen de l'approche hypothéticodéductive.
   - e) On ne peut jamais infirmer totalement une hypothèse.

QUESTIONS À COURT DÉVELOPPEMENT

1. Expliquez l'énoncé suivant : «Un organisme représente une entité plus grande que la somme de ses parties».
2. a) Énoncez la théorie cellulaire.
   b) Qu'est-ce qui confère à la cellule son individualité?
3. Décrivez, à l'aide d'un exemple, l'interaction des organismes avec leur environnement.
4. Darwin étaya sa théorie de la sélection naturelle à l'aide de «deux faits indéniables et d'une conclusion incontournable». De quoi s'agit-il?

RÉFLEXION-APPLICATION

Les amateurs de pêche à Sainte-Anne-de-la-Pérade, près de Trois-Rivières, affirment capturer de plus en plus de spécimens aveugles chez le Poulamon atlantique. On vous engage, comme biologiste, afin d'étudier le phénomène. Utilisez cette mise en situation pour appliquer les différentes étapes de la méthode scientifique.

ENTRETIEN AVEC MICHEL CHRÉTIEN

La biologie et la chimie sont des sciences complémentaires. Même nos pensées, nos perceptions et nos émotions sont fondées sur des réactions chimiques qui se produisent dans le cerveau. En fait, toute la régulation nerveuse et hormonale repose sur un ensemble de réactions chimiques qui, à l'aide d'un type de protéines appelées enzymes, donnent des substances biologiquement actives à partir de substrats.

Michel Chrétien a fait ses études de médecine à l'Université de Montréal. Il a par la suite obtenu une maîtrise en sciences de l'Université McGill à Montréal, puis il s'est spécialisé en endocrinologie à l'Université Harvard de Boston. En complément à cette formation déjà impressionnante, il a étudié trois années dans le domaine de la chimie à l'Université de Californie à Berkeley. Ensuite, il a travaillé comme chercheur à l'Institut de Recherches Cliniques de Montréal (IRCM), un organisme consacré à la recherche fondamentale et clinique dans le domaine biomédical, dont il a été directeur pendant dix ans (1984-1994). Michel Chrétien a très bien su allier les domaines de la biologie et de la chimie au cours de sa carrière de chercheur. Sa polyvalence lui a permis de proposer un modèle avant-gardiste de biosynthèse des hormones et d'isoler la première endorphine humaine, une petite hormone aux propriétés analgésiques produite par le système neuro-endocrinien. Au cours de cet entretien, Michel Chrétien nous explique comment sa motivation, sa persévérance et son intérêt pour la physiologie humaine et cellulaire l'ont conduit à l'étude du comportement des molécules.

Comment êtes-vous arrivé au domaine des sciences et, plus particulièrement, à celui de la recherche?

J'ai eu la chance de faire mes études classiques au Séminaire de Joliette, dirigé par les Clercs de Saint-Viateur, qui m'ont enseigné les sciences et les arts. J'y ai connu de professeurs de physique, de mathématiques, de chimie et de biologie qui étaient des pédagogues raffinés et compétents dans leur matière; ils m'ont fait mieux comprendre les sciences et m'ont permis de les aimer suffisamment pour choisir d'y faire carrière. J'aimais toutes les sciences et je ne savais trop laquelle choisir. Heureusement que le hasard s'en est mêlé, car j'étais incapable, à 19 ans, de choisir entre la médecine et la chimie. J'ai fait deux demandes d'admission, avec l'espoir que les doyens règlent le problème pour moi. Mais j'ai été admis dans les deux facultés! J'ai attendu jusqu'à la dernière limite avant d'opter finalement pour la médecine, à cause de l'aspect humain qu'elle comporte et en me disant qu'il y avait tout de même de la chimie en médecine. En troisième année de médecine, il fallait choisir une spécialité et,

comme la médecine est une science très vaste, j'étais encore aux prises avec le problème du choix. Je suis allé consulter mon professeur de biochimie, qui m'a aidé à réaliser que la recherche m'intéressait. Puis il m'a dit: «Si tu veux faire de la recherche, trouve un laboratoire où il se fait une recherche intense. Il y a justement un professeur qui vient d'arriver à l'université et qui travaille à l'hôpital Hôtel-Dieu, le Dr Jacques Genest. Il semble avoir le vent dans les voiles.» J'ai posé ma candidature auprès du Dr Genest. Au départ, je ne remplissais pas ses critères de sélection, concernant notamment le rendement académique. Mais au cours de l'entrevue, il a dû sentir toute la motivation qui m'animait, et il a pris le risque de me choisir. J'ai donc commencé à me familiariser avec la recherche tout en complétant ma résidence en médecine.

Quel a été le fil conducteur de votre formation par la suite?

Lorsque j'étudiais en médecine, j'ai lu dans un ouvrage de biochimie qu'on finirait un jour par expliquer toute la biologie de la

cellule par des réactions chimiques. J'ai toujours voulu comprendre ce qui se passait au niveau cellulaire et c'est pour cette raison que la chimie m'intéressait autant. À mes débuts comme chercheur, j'ai eu la chance de travailler avec un chimiste, le Dr Roger Boucher, qui passait ses journées dans le laboratoire. Il m'a donné encore plus de goût pour la recherche. Avec le temps, j'ai cru sentir que les Drs Boucher et Genest aimaient ce que je faisais, et je leur ai fait part de mon intention de continuer dans ce domaine et d'aller me perfectionner aux États-Unis dans les meilleurs centres possibles. Avec l'aide du Dr Genest, je suis entré à Harvard et là, à nouveau, j'ai fait moitié recherche moitié médecine clinique, pendant deux ans. Ce milieu très performant, animé d'un foisonnement intellectuel incroyable, a encore accentué mon goût pour la recherche. J'ai alors consulté plusieurs personnes à Harvard. Soit dit en passant, un aspect qui m'a beaucoup aidé dans ma carrière, c'est que je n'ai jamais hésité à cogner aux portes de personnes connues dans le milieu de la recherche pour leur demander conseil. Je me suis même déplacé jusqu'à New York et Washington pour décrire ce que j'avais fait et dire ce que je voulais faire. Et, de fil en aiguille, quelqu'un m'a suggéré d'aller à l'Université de Californie à Berkeley rencontrer un chercheur, le Dr Choh Hao Li, qui était l'autorité mondiale sur la chimie des hormones et qui pouvait répondre à mes besoins de formation. Mon admission à Berkeley m'a conduit à compléter trois ans de chimie, une formation qui constituait pour moi un placement à long terme. J'étais le seul médecin parmi un groupe de chimistes, et j'apprenais par osmose.

La recherche demande-t-elle absolument une formation pluridisciplinaire?

Pluridisciplinaire et longue! La formation d'un chercheur demande beaucoup de sacrifices et de temps, à moins d'être un génie. Mais la satisfaction intellectuelle que l'on ressent à faire de la recherche est hors de prix! De sorte que ce n'est plus un travail: on a du plaisir à pratiquer ce métier.

Qu'avez-vous découvert au début de votre carrière de chercheur?

Mes recherches m'ont conduit par hasard à des résultats inédits concernant le modèle

de la biosynthèse des hormones. Le modèle que je proposais allait à l'encontre des dogmes de l'époque. Cette situation ne m'effrayait pas du tout, car plus un modèle soulevait la controverse, plus il m'intéressait ! En autant qu'il repose sur une logique solide. Or, ce modèle était d'une logique implacable ! Voici de quoi il s'agissait : pour la première fois en biologie, on se rendait compte que des hormones étaient fabriquées à partir de précurseurs de masse moléculaire élevée. Et qu'il existait une possibilité que des enzymes spécifiques viennent cliver les précurseurs en produits actifs. L'idée, ou le dogme, qui prévalait à l'époque voulait qu'un gène code pour une seule protéine active. Ce que j'ai découvert suggérait qu'un gène donnait une protéine qui pouvait être coupée en morceaux pour donner plusieurs produits actifs. Au départ, mes collègues n'ont pas accepté ce modèle, pourtant d'une logique sans faille. À partir de ce modèle, j'ai vérifié deux hypothèses. Dans la première, je me demandais si des enzymes clivent les protéines en produits actifs. Dans la deuxième, j'ai voulu vérifier si certains des produits actifs obtenus en laboratoire ne pouvaient pas être des artéfacts de purification, c'est-à-dire des sous-produits créés par accident au cours du processus expérimental. La deuxième hypothèse était facile à réfuter, même s'il m'a fallu un an pour y arriver ! J'ai fait la preuve par des expériences répétées que les produits n'étaient pas des artéfacts de purification. Il me restait à vérifier la première hypothèse. On soupçonnait déjà à l'époque qu'il existait au maximum 100 000 gènes. L'idée selon laquelle une molécule pouvait en engendrer plusieurs nous semblait très intéressante, en ce sens qu'elle permettait à un processus d'augmenter son efficacité, c'est-à-dire de se dérouler avec un minimum d'énergie. J'étais convaincu que, grâce à la chimie, nous parviendrions tôt ou tard à en faire la démonstration.

Quel projet avez-vous entrepris par la suite ?

Je suis revenu au Québec, où très peu de mes confrères médecins avaient eu la chance d'acquérir une formation en chimie. En 1967, il ne se faisait pas de recherche en chimie des protéines à Montréal, et j'ai dû tout initier dans ce domaine. Ma formation d'appoint en chimie m'aura permis de bâtir mon laboratoire à partir de protocoles expérimentaux et d'instruments sophistiqués comme ceux que j'utilisais à Berkeley. De plus, le Dr Choh Hao Li m'a inculqué l'autonomie en recherche. Ça m'a beaucoup servi par la suite, et c'est d'ailleurs ce que j'essaie de transmettre à mes étudiants. Dans la réalisation de mon laboratoire de recherche, j'ai donc dû débuter à zéro, y compris la formation des techniciens. J'ai dû remiser mon stéthoscope pendant une année, afin de bien démarrer le laboratoire.

Et qu'est-il advenu du modèle que vous aviez mis de l'avant ?

La chance m'a favorisé, car il est toujours valide. En effet, une nouvelle technique révolutionnaire nous a permis de le confirmer il y a trois ans. Eh oui ! Il a fallu tout ce temps-là pour découvrir les enzymes inhérentes au modèle que je proposais au début de ma carrière. Entre-temps, pendant les années 1970, j'ai réuni une équipe formidable autour du Dr Nabil Seidah et de Mme Suzanne Benjannet, et nous avons appliqué le modèle aux neuropeptides (courtes chaînes d'acides aminés), qui utilisent le même mécanisme de biosynthèse. C'est ainsi que nous avons mis la main sur l'endorphine humaine. Plus récemment, nous avons noté sa relation avec les neurotrophines qui assurent la survie et la différenciation neuronales et avec d'autres facteurs de croissance cellulaire qui sont impliqués dans le cancer et l'athérosclérose. Ainsi, une petite hypothèse, basée sur l'étude d'une seule hormone en 1967, aura des applications majeures dans la chimie du cerveau et, même, dans le domaine du sida, puisque les glycoprotéines gp160/120 de l'enveloppe du Rétrovirus ont besoin des enzymes proposées dans notre modèle pour rendre celui-ci virulent. Il y a une anecdote intéressante à propos du modèle. En juillet 1967, quand j'ai publié la théorie des prohormones, un chercheur de Chicago arrivait à une conclusion identique même s'il travaillait sur l'insuline, au moyen de méthodes expérimentales complètement différentes. Nous ne nous connaissions pas du tout. Nous avons continué à travailler chacun de notre côté dans le même domaine depuis ce temps-là et, 25 ans plus tard, nous avons trouvé les enzymes en même temps !

Ce fut une longue incubation !

C'était inévitable. La technologie de cette période ne permettait pas d'obtenir des résultats plus rapidement. Ce n'est qu'avec la mise au point de la technique PCR (réaction en chaîne de la polymérase) que nous avons pu obtenir les messagers en des concentrations suffisantes pour nous permettre de dénicher ces enzymes-là, qui existaient en trop petites quantités pour qu'on puisse les identifier avec les méthodes classiques. Le modèle que j'ai proposé est au centre des grands phénomènes de la biologie et il est maintenant reconnu, à mon grand bonheur, comme une plaque tournante en neurobiologie, en endocrinologie et dans presque toute la biologie, parce qu'il décrit le développement des facteurs de croissance. Pensons au cancer, à l'artériosclérose, à la chimie du cerveau, et à certaines maladies virales comme le sida : dans tous ces cas, les enzymes que nous cherchions sont impliquées. Au moment où je devrais songer à la préretraite, ces derniers développements me mettent dans une situation totalement différente. Ici, à l'IRCM, j'ai formé un grand nombre de chimistes, et mon équipe compte beaucoup. Maintenant qu'il s'ouvre plusieurs avenues ayant des applications médicales, et bien, ils ont peut-être besoin de moi.

Comment en êtes-vous venu à vous intéresser aux endorphines et que sont-elles exactement ?

Les endorphines sont des neuromédiateurs polypeptidiques produits par le système nerveux central et ayant un effet analgésique. J'ai travaillé sur les endorphines en 1976, tout à fait par hasard, puisque les

Entretien avec Michel Chrétien 21

molécules sur lesquelles portait ma recherche contenaient une endorphine. En effet, je travaillais à l'époque sur les lipotropines, ces neuropeptides qui servent de précurseurs aux neuropeptides. Ces hormones n'attiraient pas beaucoup l'attention ; elles étaient peu connues et considérées comme peu importantes. Nous avons réussi à isoler la première endorphine humaine, pendant que d'autres chercheurs dans le monde s'appliquaient à découvrir les endorphines chez certaines espèces animales. Je me suis donc empressé de publier afin de soutenir la compétition à court terme.

Parlez-moi des différents projets de recherche que vous avez conçus autour des endorphines.

Au départ, dans les années 1970, j'ai essayé de trouver le mode de biosynthèse des endorphines. Ce fut une période très productive au cours de laquelle notre équipe a beaucoup publié. Nous avons clairement démontré que le mode de biosynthèse correspondait au modèle que nous avions décrit dix ans plus tôt, c'est-à-dire que les enzymes se situaient à la croisée des chemins de la biosynthèse des hormones, à la croisée des chemins de la biosynthèse des neuropeptides. Nous savions, à ce moment-là, qu'il y avait lieu de continuer la recherche sur la biosynthèse des endorphines et de faire un projet de recherche majeur sur la caractérisation de leurs enzymes. Cependant, par prudence, nous avons maintenu les autres projets en cours afin de publier régulièrement pour obtenir des fonds de recherche, car nous savions qu'il faudrait de longues années d'efforts avant d'atteindre notre objectif. Ce que les évènements ont d'ailleurs confirmé par la suite : même en utilisant les meilleures méthodes expérimentales, nous nous sommes retrouvés devant rien, sans résultat satisfaisant. Nous nous sommes remis à la tâche en changeant de méthode, pour obtenir trois ans plus tard d'autres résultats complètement négatifs. Nous avons recommencé à nouveau et, trois ans plus tard, nous avons enfin obtenu ce que nous cherchions, grâce aux méthodes de génie génétique que le D' Seidah a mis au point à son retour d'une année sabbatique à l'Institut Pasteur de Paris.

Pour poursuivre de telles recherches, il faut croire en ce que l'on fait et avoir de la détermination...

Beaucoup ! Dans un essai de Konrad Lorenz, intitulé *Les huit péchés capitaux de notre civilisation*, il y a un passage que j'ai retenu et qui m'a beaucoup encouragé. Lorenz y affirme qu'une hypothèse de travail reste bonne aussi longtemps qu'aucune expérience ne vient la réfuter. Je m'en remets aussi à Thomas Edison, qui a dit un jour qu'une expérience, même négative, a toujours un bon côté, parce

qu'elle nous montre comment ne pas procéder la fois suivante ! Winston Churchill a aussi dit un jour : « *Success is going from failure to failure with renewed enthusiasm* » [Le succès consiste à aller d'échec en échec avec un enthousiasme toujours renouvelé.] Je trouve ces réflexions stimulantes et je me sers de ces mots d'encouragement auprès de mes collègues et de mes étudiants. Elles montrent que des personnages illustres ont connu des problèmes avant nous, dans divers domaines, et qu'ils ont persévéré jusqu'au succès. Si on ne trouve pas, si on fait fausse route, mais qu'on a persévéré, on peut au moins se dire qu'on a mis l'effort nécessaire et ne pas en faire un problème de conscience par la suite. Si on trouve à force de persévérance, c'est encore mieux. C'est ce que j'ai vécu au cours de la recherche sur les endorphines. Il fallait vraiment trouver les enzymes responsables de leur biosynthèse.

Comment avez-vous réagi, vous et vos collègues, à une découverte aussi importante, surtout après y avoir travaillé aussi longtemps ?

Nous avons ouvert du champagne ! Puis nous nous sommes retroussé les manches en nous disant que nous avions du travail à profusion. Nous avions résolu une énigme qui nous tracassait depuis fort longtemps. C'était un événement plutôt exceptionnel, et nous ne pouvions nous imaginer à ce moment tout l'impact de cette découverte. Par exemple, concernant les neurosciences, on pouvait expliquer comment les cellules du cerveau fabriquaient des centaines de milliers de molécules différentes à partir d'un nombre limité de gènes.

Vos recherches sur les endorphines et leurs récepteurs, ont-elles permis de mieux comprendre des phénomènes comme la toxicomanie et certaines maladies du système nerveux ?

Bien sûr, les résultats des recherches sur les endorphines ont amené de nombreux chercheurs à s'intéresser aux neuropeptides et à leurs récepteurs, et cela a conduit à toute une série d'hypothèses et d'expériences. Avant notre découverte des endorphines, les Américains Pert et Snider ainsi que le Suédois Térénius avaient trouvé dans le cerveau, au tout début des années 1970, des récepteurs de substances opiacées comme la morphine. Après la découverte des enképhalines par l'Écossais Kosterlitz et la nôtre sur l'endorphine humaine, tout le monde disait : « Enfin, on a trouvé la morphine naturelle. » Le patron de Candace Pert y est même allé d'audace en écrivant « How can the body be addictive to oneself ? » [Comment le corps développe-t-il ses propres dépendances ?]

Il existe deux systèmes d'endorphines : le système central et le système périphéri-

que. Le système périphérique d'endorphines est régulé par l'adénohypophyse, qui sécrète vers le bas du corps et non vers les hémisphères cérébraux, situés au-dessus. Le système central d'endorphines est régulé par le cerveau, qui garde pour lui-

même toute sa production d'endorphines. Les gens qui font du jogging stimulent leur adénohypophyse, de sorte que la production d'endorphines s'en va en périphérie et non au cerveau. On sait maintenant que l'euphorie du joggeur ne vient pas de là, car on a fait des expériences au cours desquelles on injectait jusqu'à 10 mg d'endorphine à des volontaires, et ils n'ont ressenti aucune euphorie par la suite. Donc, cette sensation provient d'ailleurs. On peut alors avancer l'hypothèse que le processus à l'origine de cette sensation se déroule entièrement dans le cerveau. Mais, pour le moment, on ne peut démontrer une relation de cause à effet mettant à contribution le système central d'endorphines. Techniquement, il faudrait prélever des échantillons de liquide céphalo-rachidien dans le cerveau, au bon moment et au bon endroit, pour en faire l'analyse. Vous comprendrez facilement l'impossibilité, d'un point de vue éthique et pratique, de procéder à de telles expériences.

Le lien que l'on peut établir entre les maladies cérébrales et la recherche sur les endorphines est le suivant : il est certain que le fonctionnement normal ou anormal du cerveau est lié aux neuropeptides, à cause de leur nombre, de leur variété et de leur distribution. Les enzymes qui agissent sur les neuropeptides ont également un rôle à jouer, puisqu'elles activent leurs précurseurs. Nous avons par conséquent fourni des outils aux neuroscientifiques pour les aider dans leur compréhension des maladies mentales, par exemple. Nous continuons à leur offrir du soutien dans la recherche d'inhibiteurs et d'activateurs de ces enzymes, dans ce que j'ai appelé,

devant l'Académie des Sciences de France, la « nouvelle chimie du cerveau ».

Pensez-vous qu'un jour nous pourrons expliquer tout le comportement humain sur une base moléculaire ?

On pourra en expliquer une grande partie, mais je ne crois pas qu'on expliquera tout de cette façon. Je partage l'opinion du grand neurobiologiste Herbert Jasper, qui laissait entendre qu'on arriverait certainement à expliquer de plus en plus le fonctionnement du cerveau, mais que le cerveau constitue un univers tellement complexe qu'il est impensable qu'on puisse un jour le comprendre parfaitement.

Intégrer l'esprit et le corps a-t-il une incidence sur la santé ?

Il est difficile de répondre à cette question, que je considère toutefois importante. J'ai été sceptique pendant longtemps, mais il semble bien que oui. En fait, vous me demandez si les neurones « parlent » aux lymphocytes du système immunitaire. Bien qu'on soupçonne une certaine communication entre les deux, elle reste pour le moment un mystère.

Quels projets de recherche vous mobilisent présentement ?

Nos découvertes sur les endorphines nous ont conduit à notre dernier rejeton, un projet concernant le Virus du sida. Parmi les projets en cours, c'est le plus avancé, car il est beaucoup plus facile d'étudier la prolifération d'un Virus que de travailler sur la croissance cellulaire. Nous cherchons à développer des voies thérapeutiques nouvelles. Nous ne savons pas ce que les résultats vont donner à court terme, mais nous sommes très confiants et très enthousiastes à propos de ce projet. Sur d'autres projets, nous travaillons en collaboration avec divers spécialistes des neurosciences auxquels nous suggérons des instruments de travail, des façons de procéder qui pourraient faciliter leurs recherches.

Que pensez-vous de la recherche qui se fait présentement au Québec ?

Il se fait de la très bonne recherche au Canada et au Québec, compte tenu des moyens financiers dont nous disposons. À ce propos, nous devons une fière chandelle au Dr Jacques Genest, le fondateur de l'IRCM, qui a su convaincre les divers paliers de gouvernement, dès les années 1950, d'investir dans la recherche biomédicale. Grâce à lui et aux incitatifs fiscaux offerts par un gouvernement plus avant-gardiste, je pense que le Québec a une longueur d'avance sur les autres provinces canadiennes dans le domaine de la recherche biomédicale. Ainsi, l'industrie pharmaceutique s'est développée à Montréal et dans sa banlieue, et l'arrimage se fait très bien entre cette industrie et la recherche biomédicale. De façon générale, je suis très optimiste pour l'avenir de la recherche partout dans le monde, parce que c'est une activité qu'une société évoluée ne peut ignorer. Les arts et les sciences marquent une société ; par exemple, presque tout le monde a entendu parler de Pasteur, alors que peu de gens connaissent les hommes politiques contemporains de Pasteur.

Quelles qualités un chercheur doit-il posséder pour réussir dans son domaine ?

Motivation et persévérance, car le métier de chercheur est parfois frustrant. Optimisme et humilité. La motivation est sans doute la plus importante qualité d'un chercheur. Les génies sans motivation n'ont jamais fait parler d'eux, parce qu'ils n'ont rien conçu.

Quel message adresseriez-vous aux jeunes qui envisagent une carrière dans les sciences ?

Avec de la motivation, on peut réaliser des projets ambitieux. Et, soyez rassurés, les programmes d'études en sciences vous permettent d'acquérir un ensemble de connaissances générales, c'est-à-dire une culture, qui ne peut faire autrement que vous ouvrir des portes. Même si vous ne réussissez pas dans la recherche ou un autre domaine scientifique, la formation scientifique peut vous permettre de décrocher des postes très utiles, où vous vous sentirez très valorisés, dans des secteurs comme l'enseignement, l'administration, l'industrie... Bref, choisir les sciences représente un très bon investissement pour vous et pour la société.

Entretien avec Michel Chrétien 23

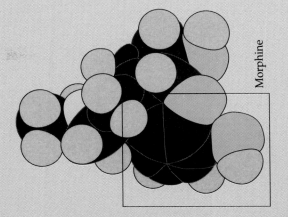

Morphine

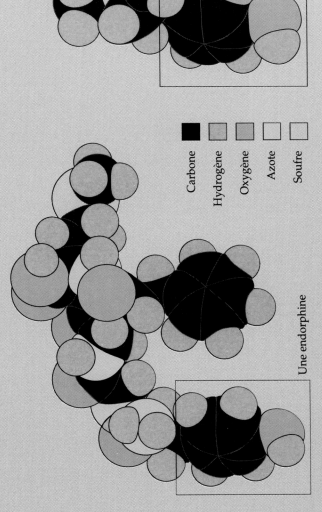

Une endorphine

Carbone
Hydrogène
Oxygène
Azote
Soufre

Ces dessins permettent de comparer une endorphine avec la morphine, une substance opiacée. Les récepteurs situés à la surface de la membrane des cellules cérébrales reconnaissent et confondent les portions encadrées de ces molécules compétitrices. Vous pouvez constater que la morphine est à peu près identique à une endorphine, une substance chimique naturelle du cerveau possédant des propriétés analgésiques.

2 ATOMES, MOLÉCULES ET LIAISONS CHIMIQUES

ÉLÉMENTS ET COMPOSÉS DE LA MATIÈRE
STRUCTURE ET COMPORTEMENT DES ATOMES
LIAISONS CHIMIQUES ET MOLÉCULES
RÉACTIONS CHIMIQUES
LA TERRE PRIMITIVE: UN MILIEU CHIMIQUEMENT PROPICE À L'APPARITION DE LA VIE

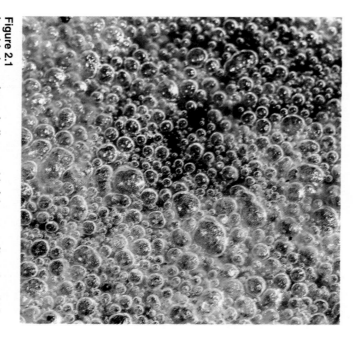

Figure 2.1
La chimie: science indispensable à la compréhension de la vie. Ces Algues d'eau douce produisent des sucres et d'autres nutriments par réarrangement des atomes de dioxyde de carbone et d'eau au cours d'un processus appelé photosynthèse. Cette transformation chimique tire son énergie de la lumière solaire. Les bulles d'oxygène s'échappant des Algues sont des sous-produits de la photosynthèse. L'Humain et les autres Animaux dépendent de la photosynthèse pour leur nourriture et leur oxygène. Dans ce chapitre, vous apprendrez quelques concepts de base en chimie, essentiels à la compréhension de la photosynthèse et de nombreux autres processus biologiques.

La vie résulte de l'effet cumulatif des interactions entre les nombreuses substances chimiques qui constituent les cellules d'un organisme (figure 2.1).

En guise d'étape préliminaire à l'étude de la vie, nous allons dissocier la cellule en ses composantes chimiques pour en étudier la structure et le comportement. Puis, nous verrons comment les molécules s'assemblent et interagissent les unes avec les autres. Quand notre étude passera des molécules aux cellules, nous franchirons la frontière floue qui délimite le non-vivant du vivant. La vie naît de l'organisation intégrée de l'organisme entier. Pour comprendre un processus biologique, cependant, nous devons souvent le réduire à des étapes plus simples qu'il n'est possible d'étudier à des niveaux d'organisation inférieurs. Comme nous l'avons vu au chapitre 1, cette approche réductionniste est très productive. Par exemple, c'est en étudiant des molécules d'ADN extraites de cellules que les scientifiques ont approfondi leur connaissance du mécanisme chimique de l'hérédité. Après avoir appris comment fonctionnent les diverses composantes d'un processus biologique, nous chercherons à comprendre leurs interactions.

Un des thèmes de ce manuel est l'organisation de la vie en une hiérarchie de niveaux structuraux, où chaque niveau présente des propriétés d'ordre supérieur qui n'existaient pas au niveau précédent (figure 2.2). Dans les chapitres qui viennent, nous verrons comment cette émergence se manifeste aux niveaux les plus inférieurs de l'organisation biologique: l'agencement des atomes en molécules fait apparaître des propriétés que les atomes à eux seuls n'ont pas, et les interactions de ces molécules au sein de la cellule suscitent d'autres propriétés encore que les molécules à elles seules n'ont pas. Le présent chapitre constitue une introduction aux lois chimiques générales qui s'appliquent à la matière vivante.

ÉLÉMENTS ET COMPOSÉS DE LA MATIÈRE

La chimie est l'étude de la **matière,** c'est-à-dire de tout ce qui occupe un espace et possède une masse. La matière existe sous toutes sortes de formes, chacune possédant ses propres caractéristiques: la pierre, le métal, le bois, le verre, vous et moi, en constituent quelques exemples. Les philosophes grecs de l'Antiquité posèrent comme hypothèse l'existence de quatre constituants de base, ou éléments, pour expliquer la grande diversité de la matière.

Pour les Grecs, l'air, l'eau, le feu et la terre constituaient les éléments de la matière, des substances supposément

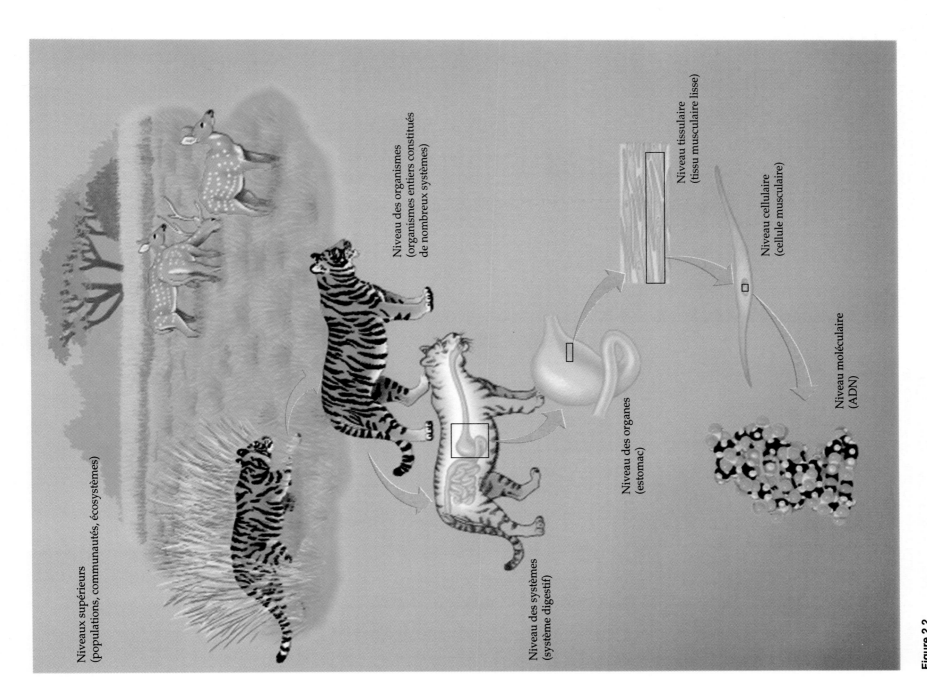

Niveaux supérieurs
(populations, communautés, écosystèmes)

Niveau des organismes
(organismes entiers constitués
de nombreux systèmes)

Niveau des systèmes
(système digestif)

Niveau des organes
(estomac)

Niveau tissulaire
(tissu musculaire lisse)

Niveau cellulaire
(cellule musculaire)

Niveau moléculaire
(ADN)

Figure 2.2
Intégration de certains niveaux d'organisation structurale.

pures et irréductibles à d'autres formes de matière. Selon ces philosophes, toutes les autres substances s'obtenaient en mélangeant deux ou plusieurs de ces éléments en diverses proportions. Les philosophes grecs n'ont peut-être pas proposé les bons éléments, mais leur idée de base s'avérait correcte.

Un **élément** est une substance impossible à décomposer en d'autres substances plus simples au cours de réactions chimiques. De nos jours, les chimistes connaissent 92 éléments naturels, dont l'or, le cuivre, le carbone et l'oxygène. À cette liste s'ajoutent maintenant des éléments synthétiques. On assigne à chaque élément un symbole, le plus souvent constitué d'une ou des premières lettres de son nom. Quelques symboles dérivent de noms latins ou allemands. Par exemple, le symbole du sodium est Na, du mot latin *natrium*, alors que le symbole du tungstène est W, du mot allemand *wolfram*.

Deux ou plusieurs éléments peuvent se combiner dans des proportions définies pour produire un **composé**. Le sel de table, par exemple, est en fait du chlorure de sodium (NaCl), un composé formé des éléments sodium (Na) et chlore (Cl). Le sodium pur est un métal et le chlore pur est un gaz toxique, utilisé comme arme chimique au cours de la Première Guerre mondiale. Une fois combinés chimiquement, le sodium et le chlore forment un composé comestible. Il s'agit là d'un exemple simple qui illustre bien l'émergence : un composé possède des caractéristiques que n'ont pas ses éléments pris individuellement (figure 2.3).

Éléments essentiels à la vie

Environ 25 des 92 éléments naturels sont essentiels à la vie. Cependant, quatre de ces 25 éléments, soit le carbone (C), l'oxygène (O), l'hydrogène (H) et l'azote (N), représentent à eux seuls 96 % de la composition de la matière vivante. Le phosphore (P), le soufre (S), le calcium (Ca), le potassium (K) et quelques autres éléments constituent quant à eux presque tout le reste de la matière d'un organisme (4 %). Les éléments entrant dans la composition du corps humain figurent au tableau 2.1 avec leur pourcentage de la masse corporelle. Nous pouvons voir à la figure 2.4 l'effet d'une carence d'un élément essentiel comme l'azote chez des Végétaux.

L'organisme a besoin de certains des 25 éléments qui le composent en quantités infimes. Même s'ils constituent une partie minuscule du corps humain, ces éléments ne revêtent pas moins d'importance que les autres, car ils sont essentiels à une bonne santé. Certains de ces élé-

ments, comme le fer (Fe), se révèlent nécessaires à toutes les formes de vie ; d'autres le sont pour quelques espèces seulement. Par exemple, chez les Vertébrés (Animaux dotés d'une colonne vertébrale), l'iode (I) est un constituant essentiel de plusieurs hormones produites par la glande thyroïde. Un apport quotidien de seulement 0,15 mg d'iode suffit au bon fonctionnement de la thyroïde humaine, alors qu'un régime alimentaire carencé en iode fait augmenter le volume de cette glande et entraîne une déformation appelée goitre. Dans les régions où il est consommé, le sel iodé a diminué l'incidence du goitre.

STRUCTURE ET COMPORTEMENT DES ATOMES

Les unités élémentaires de la matière s'appellent **atomes**. Chaque élément est formé du type d'atome qui lui est propre. Nous utilisons une même abréviation pour symboliser à la fois un élément et les atomes qui le constituent ; ainsi, C représente aussi bien l'élément carbone qu'un seul atome de carbone. Dans un élément, un

Figure 2.3
Apparition de nouvelles propriétés lors de la formation d'un composé. Le sodium métallique se combine au chlore, un gaz toxique, pour former un composé comestible, le chlorure de sodium ou sel de table.

Sodium

+

Chlore

↓

Chlorure de sodium

Tableau 2.1 Éléments naturels entrant dans la composition du corps humain

Symbole chimique	Élément	Numéro atomique	Pourcentage de la masse corporelle
O	Oxygène	8	65,0
C	Carbone	6	18,5
H	Hydrogène	1	9,5
N	Azote	7	3,5
Ca	Calcium	20	1,5
P	Phosphore	15	1,0
K	Potassium	19	0,4
S	Soufre	16	0,3
Na	Sodium	11	0,2
Cl	Chlore	17	0,2
Mg	Magnésium	12	0,1

Autres éléments à l'état de trace (moins de 0,01 %) : bore (B), chrome (Cr), cobalt (Co), cuivre (Cu), fluor (F), iode (I), fer (Fe), manganèse (Mn), molybdène (Mo), sélénium (Se), silicium (Si), étain (Sn), vanadium (V) et zinc (Zn).

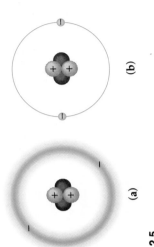

Figure 2.4

Carence en azote dans le Maïs. Dans cette expérience contrôlée, les plants de gauche croissent dans un sol fertilisé avec des composés contenant de l'azote, un élément essentiel. À droite, les plants poussent dans un sol déficient en azote. Même si cette culture appauvrie est récoltable, elle produira moins ; en outre, le Maïs récolté constituera un aliment chimiquement carencé pour le bétail ou les consommateurs humains.

atome est la plus petite unité conservant les propriétés de l'élément.

Particules élémentaires

L'atome représente la plus petite unité de matière possédant les propriétés physiques et chimiques de l'élément qu'il constitue. Cependant, ce minuscule morceau de matière se compose de parties encore plus petites, appelées particules élémentaires. Les physiciens ont scindé l'atome en plus d'une centaine de types de particules, mais seulement trois ont suffisamment de stabilité pour que nous nous y attardions : les **neutrons**, les **protons** et les **électrons**. Les neutrons et les protons sont comprimés au centre de l'atome pour former un **noyau** dense. Les électrons, eux, gravitent autour de ce noyau à une vitesse proche de celle de la lumière (figure 2.5).

Les électrons et les protons portent une charge électrique. Chaque électron possède une charge négative, et chaque proton une charge positive. Les neutrons, comme leur nom l'indique, portent une charge électrique neutre. Le noyau d'un atome est donc positif, puisqu'il contient des neutrons et des protons. C'est l'attraction entre la charge négative des électrons et la charge positive du noyau et la charge négative des électrons qui retient autour du noyau les électrons se déplaçant très rapidement.

Le neutron et le proton ont une masse presque identique, soit environ $1,67 \times 10^{-27}$ kg.

Dans le calcul de la masse totale d'un atome, on peut laisser tomber celle des électrons, car leur masse ne représente qu'environ $1/2000$ de celle d'un proton ou d'un neutron (tableau 2.2).

(a)

(b)

Figure 2.5

Deux modèles simplifiés d'un atome d'hélium (He). Le noyau de l'hélium se compose de deux neutrons (gris foncé) et de deux protons (gris clair). **(a)** Le noyau s'entoure d'un nuage de charges négatives (bleu) dû au mouvement très rapide de deux électrons. **(b)** Le cercle indique la distance moyenne entre les électrons et le noyau, bien que cette distance ne soit pas dessinée à l'échelle par rapport à la grosseur du noyau. (Notre modèle de l'atome se précisera peu à peu au cours de ce chapitre.)

Numéro atomique et masse atomique moyenne

Les atomes des divers éléments diffèrent par leur nombre de particules élémentaires. Tous les atomes d'un élément donné possèdent le même nombre de protons dans leur noyau. Ce nombre, particulier à cet élément, s'appelle le **numéro atomique** et il s'écrit au moyen d'un indice à la gauche du symbole de l'élément. L'abréviation $_2$He, par exemple, indique que chaque atome de l'élément hélium a deux protons dans son noyau. À moins d'indication contraire, un atome est électriquement neutre, c'est-à-dire que ses protons sont contrebalancés par un nombre égal d'électrons. En conséquence, le numéro atomique nous indique le nombre de protons et le nombre d'électrons dans un atome neutre.

Nous pouvons par ailleurs déduire le nombre de neutrons à partir de la **masse atomique moyenne**, c'est-à-dire de la somme des protons et des neutrons contenus dans le noyau de chaque isotope d'un élément. (Les isotopes représentent les différentes formes atomiques d'un élément ; vous en saurez davantage sur les isotopes à la section suivante.) La masse atomique moyenne s'écrit au moyen d'un exposant (appelé nombre de masse) à la gauche du symbole de l'élément. Par exemple, nous pouvons utiliser l'abréviation $_2^4$He pour désigner un atome d'hélium. Comme le numéro atomique indique le nombre de protons, nous pouvons déterminer la quantité de neutrons en soustrayant le numéro atomique du nombre de masse : un atome de $_2^4$He possède deux neutrons. Un atome de sodium ($_{11}^{23}$Na) possède 11 protons, 11 électrons et 12 neutrons. L'atome le plus simple est l'hydrogène, $_1^1$H, qui ne possède aucun neutron ; il contient un seul

Tableau 2.2 Propriétés des particules élémentaires

Particule	Masse atomique relative	Charge
Neutron	1	0
Proton	1	+1
Électron	$1/2000$	−1

proton autour duquel gravite un seul électron. La masse atomique moyenne s'exprime en unités de masse atomique, représentées par le symbole u*. Si nous exprimons la même valeur en grammes, plutôt qu'en unités de masse atomique, nous parlerons de la masse molaire atomique.

Essentiellement toute la masse d'un atome se concentre dans son noyau, car la contribution des électrons à la masse est négligeable. Comme les protons et les neutrons possèdent chacun une masse très près de 1 u, la masse atomique moyenne nous indique, à peu de chose près, la masse de l'atome en entier. Ainsi, la masse atomique moyenne de l'hélium ($^4_2$He) est de 4 u (4,003 exactement).

Isotopes

Tous les atomes d'un élément donné possèdent le même nombre de protons, mais certains atomes du même élément ont plus de neutrons que d'autres et, par conséquent, pèsent plus lourd. Ces formes atomiques différentes représentent les **isotopes** de l'élément. Dans la nature, un élément se présente sous la forme d'un mélange de ses isotopes. Par exemple, considérons les trois isotopes de l'élément carbone, dont le numéro atomique est 6. L'isotope le plus commun est le carbone 12, $^{12}_6$C, qui constitue environ 99 % du carbone naturel. La majeure partie du 1 % de carbone bone qui reste consiste en atomes de l'isotope $^{13}_6$C, avec ses sept neutrons ; il existe dans l'environnement en très petites quantités. Remarquez que chacun des trois isotopes de carbone possède six protons ; sinon, il ne s'agirait pas de carbone.

Le ^{12}C et le ^{13}C sont tous les deux des isotopes stables, ce qui signifie que leur noyau n'a pas tendance à perdre des particules. Par contre, l'isotope ^{14}C est instable, ou radioactif. Un **radio-isotope** est un isotope dont le noyau se désintègre spontanément et émet ainsi des particules et de l'énergie. La perte de particules nucléaires transforme l'atome en un atome d'un autre élément. Par exemple, le carbone radioactif se désintègre en azote.

Les radio-isotopes possèdent de nombreuses applications pratiques en biologie. Au chapitre 23, vous apprendrez comment les chercheurs utilisent la quantité de radioactivité contenue dans les fossiles pour dater ces restes d'anciens êtres vivants. Les radio-isotopes servent également de traceurs pour suivre le cheminement des atomes dans le métabolisme, c'est-à-dire dans l'ensemble des processus biochimiques d'un organisme (voir l'encadré de la page 29). Les cellules utilisent ces atomes radioactifs de la même façon qu'elles utilisent les atomes non radioactifs du même élément, à la différence qu'on peut facilement détecter les traceurs radioactifs. Les traceurs radioactifs constituent aujourd'hui un moyen diagnostique important en médecine. Par exemple, on peut maintenant dépister certaines affections rénales en injectant dans le sang des petites doses de substances contenant des radio-isotopes pour ensuite mesurer la quantité de traceur excrétée dans l'urine. La tomographie par émission de positrons (TEP) (figure 2.6) représente un autre exemple d'application de la radioactivité en médecine.

Les radio-isotopes sont très utiles en recherche biologique et en médecine. Toutefois, le rayonnement émis lors de leur désintégration comporte des risques parce qu'il porte atteinte aux molécules cellulaires. La gravité des lésions dépend du type et de la quantité de radiations qu'un organisme absorbe (figure 2.7, page 30). Les retombées radioactives causées par des accidents nucléaires constituent l'une des plus sérieuses menaces environnementales. En 1986, lors de l'accident à la centrale nucléaire de Tchernobyl, en Ukraine, d'immenses nuages de matières radioactives se sont formés dans l'atmosphère et ont entraîné une contamination disséminée par le vent.

Niveaux énergétiques

Dans le modèle simplifié de l'atome à la figure 2.5, la grosseur du noyau se trouve disproportionnée au volume de l'atome complet. Si le noyau avait la grosseur d'une balle de golf, les électrons se déplaceraient autour à une distance moyenne d'environ 1 km. Les atomes se composent en grande partie d'espace vide.

Lorsque deux atomes s'approchent trop l'un de l'autre, leurs deux noyaux demeurent trop éloignés pour interagir. Parmi les trois sortes de particules élémentaires dont nous avons parlé plus tôt, seuls les électrons participent directement aux réactions chimiques entre les atomes.

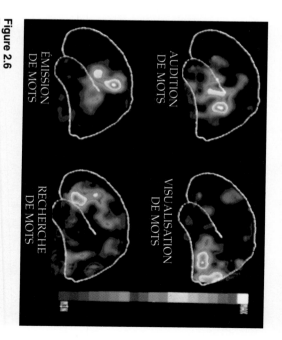

AUDITION DE MOTS

ÉMISSION DE MOTS

VISUALISATION DE MOTS

RECHERCHE DE MOTS

Figure 2.6
Tomographie par émission de positrons (TEP) : application de la radioactivité à l'étude du fonctionnement cérébral. La tomographie par émission de positrons révèle les sites d'intense activité chimique dans l'organisme. Tout d'abord, on injecte dans le sang d'une personne un sucre marqué d'isotopes radioactifs qui émettent des particules appelées positrons. Ces positrons se heurtent aux électrons provenant des réactions chimiques de l'organisme. Un instrument appelé tomodensitomètre détecte l'énergie dégagée par ces collisions et localise les « points chauds » métaboliques, c'est-à-dire les régions d'un organe les plus actives chimiquement à ce moment. Les tomographies montrées ici révèlent l'activité localisée du cerveau dans quatre circonstances différentes reliées au langage. Les médecins utilisent la tomographie pour diagnostiquer les troubles cérébraux et cardiaques ainsi que certaines formes de cancer.

---

* Certains auteurs utilisent le dalton comme unité de mesure de la masse atomique. Le dalton équivaut à la masse approximative du neutron ou du proton, c'est-à-dire à 1.

Techniques : L'utilisation de traceurs radioactifs en biologie

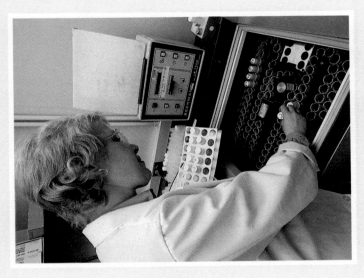

(a)

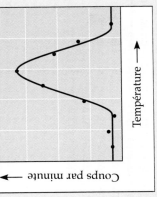

(b)

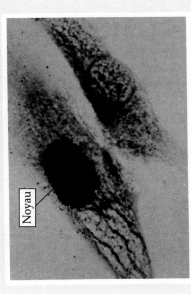

(c)

Les radio-isotopes comptent parmi les outils de recherche les plus importants en biologie. Ces isotopes servent d'« espions » à l'intérieur d'un organisme. La technique consiste à marquer une substance chimique avec un radio-isotope dans le but de suivre les étapes d'un processus métabolique ou de localiser la substance marquée dans l'organisme. Habituellement, l'organisme ne distingue pas les isotopes radioactifs des isotopes stables d'un même élément ; par conséquent, il assimile et transforme normalement la substance marquée.

Dans les expériences décrites ici, on vise à déterminer comment la température modifie la vitesse de réplication de l'ADN dans une population de cellules animales en cours de division. On veut aussi repérer l'ADN nouvellement synthétisé dans les cellules. Pour commencer, on cultive des cellules dans un milieu artificiel qui contient, entre autres, les constituants chimiques que les cellules utilisent pour fabriquer du nouvel ADN. On a marqué un de ces constituants avec ³H, un isotope radioactif de l'hydrogène qui permettra de suivre l'incorporation du constituant dans le nouvel ADN.

Après un certain temps, on tue des échantillons de cellules cultivées à différentes températures en présence du traceur radioactif, et on précipite leur ADN sur des papiers filtres. On place ensuite ces papiers dans des flacons renfermant un liquide qui contient du sulfure de zinc (ZnS) ou de l'iodure de sodium (NaI). Ces substances scintillent chaque fois qu'elles sont excitées par les radiations provenant de la désintégration du traceur radioactif dans l'ADN. La fréquence des scintillations, proportionnelle à la quantité de matière radioactive présente, se mesure en coups par minute ; pour faire le comptage, on place les flacons dans un compteur de scintillations (figure a). Pour déterminer l'effet de la température sur la vitesse de synthèse de l'ADN, on trace le graphique des deux coordonnées : les coups par minute des différents échantillons d'ADN, en fonction de la température à laquelle on a cultivé les cellules (figure b).

On peut également utiliser une technique appelée autoradiographie pour localiser l'ADN marqué radioactivement dans les cellules. Tout d'abord, on débarrasse les cellules de toute matière radioactive non incorporée à l'ADN. On doit ensuite fixer les cellules, c'est-à-dire les préparer de façon qu'elles ne se détériorent pas. Une fois la fixation effectuée, on place les cellules en coupes fines sur des lames de verre, on les recouvre d'une couche d'émulsion photographique, et on les laisse dans l'obscurité pendant quelque temps. Partout où se trouve de l'ADN dans les cellules, le rayonnement émis par le traceur radioactif impressionne les émulsions photographiques. Il s'agit alors de développer les émulsions et d'examiner les lames au microscope (figure c). Les grains noirs de l'émulsion impressionnée apparaissent dans le noyau des cellules, le site contenant la majeure partie de l'ADN. Le noyau de la cellule de gauche a été marqué radioactivement.

Noyau

25 µm

Figure 2.7
Forêt endommagée par irradiation. Pour cette expérience effectuée au Brookhaven National Laboratory à Long Island dans l'État de New York, on a placé une substance radioactive dans une boîte au sommet d'un poteau afin d'évaluer l'effet des radiations sur la flore environnante. Le cercle d'arbres morts qui s'est formé autour de la source radioactive témoigne clairement des dangers des radiations.

Chaque électron possède sa propre quantité d'énergie. L'énergie est la capacité de produire du travail. L'**énergie potentielle** est l'énergie que la matière emmagasine grâce à sa structure interne ou à sa position par rapport à d'autres objets. Par exemple, l'eau contenue dans un réservoir situé sur une colline possède de l'énergie potentielle en raison de sa hauteur. Lorsque les vannes du réservoir s'ouvrent pour laisser couler l'eau, l'énergie emmagasinée dans l'eau se libère et sert à produire du travail, par exemple à faire fonctionner une turbine. Une fois son énergie potentielle utilisée, l'eau, maintenant située au pied de la colline, contient moins d'énergie que dans le réservoir. La matière manifeste une tendance naturelle à se débarrasser de son énergie potentielle. Pour rétablir l'énergie potentielle contenue dans le réservoir, il faut produire du travail qui fera remonter l'eau malgré la force de gravitation.

Les électrons d'un atome possèdent eux aussi de l'énergie potentielle à cause de leur position par rapport au noyau. Les électrons chargés négativement subissent l'attraction du noyau chargé positivement ; plus les électrons se trouvent loin du noyau, plus leur énergie potentielle est élevée. Contrairement au changement d'énergie potentielle qui s'effectue graduellement quand l'eau s'écoule vers le bas, les changements d'énergie potentielle des électrons s'effectuent par étapes, de façon discontinue.

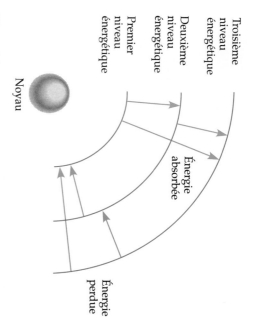

Troisième niveau énergétique

Deuxième niveau énergétique

Premier niveau énergétique

Noyau

Énergie absorbée

Énergie perdue

Figure 2.8
Niveaux énergétiques des électrons. Les électrons occupent seulement certains niveaux déterminés d'énergie potentielle. Un électron peut changer de niveau uniquement si l'énergie gagnée ou perdue correspond exactement à la différence d'énergie entre les deux niveaux. Les flèches indiquent quelques-uns des changements de niveaux d'énergie potentielle possibles pour les électrons. Les niveaux énergétiques s'appellent également couches électroniques.

Ainsi, un électron possédant une certaine énergie potentielle peut se comparer à une balle dans un escalier. La balle possède différentes quantités d'énergie potentielle selon la marche sur laquelle elle se trouve (figure 2.8). Ce concept d'énergie potentielle revêt une importance particulière dans notre étude des différents niveaux d'organisation des êtres vivants. L'énergie potentielle explique la capacité de réagir des atomes et des molécules, de même que leur capacité de libérer de l'énergie.

Les différents états d'énergie potentielle des électrons d'un atome s'appellent **niveaux énergétiques** ou **couches électroniques**. La première couche est la plus près du noyau, et ses électrons possèdent l'énergie la plus faible. Les électrons de la deuxième couche ont plus d'énergie, ceux de la troisième couche, encore plus, et ainsi de suite. Un électron peut passer d'une couche à l'autre mais seulement en absorbant ou en perdant une quantité d'énergie égale à la différence d'énergie potentielle entre l'ancienne et la nouvelle couche. Pour se déplacer vers une couche plus éloignée du noyau, l'électron doit absorber de l'énergie. Par exemple, la lumière peut exciter un électron et lui donner l'énergie nécessaire pour passer à un niveau énergétique supérieur. En fait, il s'agit là de la première étape de la photosynthèse, durant laquelle les végétaux captent l'énergie lumineuse. Pour occuper une couche plus près du noyau, un électron doit perdre de l'énergie, habituellement en la libérant en l'environnement sous forme de chaleur.

Orbitales électroniques

Au début du siècle, on percevait les couches électroniques des atomes comme des trajectoires concentriques décrites par les électrons en orbite autour du noyau, un peu comme les planètes autour du Soleil (voir la figure 2.5). L'atome n'est toutefois pas si simple. En fait, on ne peut pas connaître la trajectoire exacte d'un électron. Par contre,

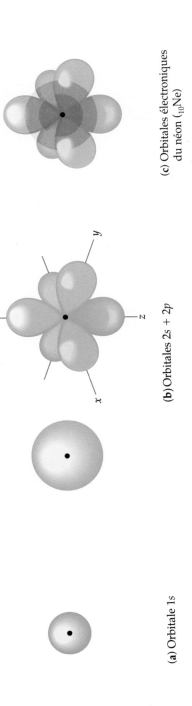

(a) Orbitale 1s

(b) Orbitales 2s + 2p

(c) Orbitales électroniques du néon ($_{10}$Ne)

Figure 2.9
Orbitales électroniques. Ces formes tridimensionnelles représentent les volumes d'espace dans lesquels les électrons en mouvement constant ont le plus de chances de se trouver. Chaque orbitale contient deux électrons au maximum. **(a)** La première couche électronique possède une orbitale sphérique (s) appelée 1s. Seule cette orbitale existe dans l'hydrogène, et dans l'hélium, qui en contient deux. **(b)** La deuxième couche et toutes les couches suivantes possèdent chacune une orbitale s plus grande (2s) ainsi que trois orbitales en forme d'haltères appelées orbitales 2p. Ces trois orbitales 2p se trouvent à angle droit les uns des autres le long des axes imaginaires x, y et z de l'atome. La troisième couche électronique et toutes les couches suivantes peuvent loger des électrons additionnels dans des orbitales de formes plus complexes. **(c)** Pour symboliser les nuages électroniques de l'élément néon qui possède au total dix électrons, nous superposons l'orbitale 1s de la première couche ainsi que l'orbitale 2s et les trois orbitales 2p de la deuxième couche.

on peut déterminer le volume d'espace dans lequel un électron passe la majeure partie de son temps. L'espace tridimensionnel où l'électron passe 90 % du temps s'appelle une **orbitale.** Contrairement à l'orbite planétaire, une orbitale ne correspond pas à une trajectoire déterminée. L'orbitale électronique est un concept statistique, c'est-à-dire qu'elle représente la portion d'espace où un électron a le plus de chances de se trouver (figure 2.9).

Une même orbitale ne peut recevoir plus de deux électrons. La première couche électronique possède une seule orbitale et peut par conséquent loger un maximum de deux électrons. On appelle cette orbitale unique, de forme sphérique, orbitale 1s. L'unique électron d'un atome d'hydrogène occupe l'orbitale 1s, tout comme les deux électrons d'un atome d'hélium. Les électrons, comme toute la matière, tendent vers l'état d'énergie potentielle le plus faible, ce qu'ils trouvent dans la première couche. Dans un atome possédant plus de deux électrons, la première couche est complète, de sorte que les couches plus élevées doivent être utilisées.

La deuxième couche électronique peut loger huit électrons, soit deux dans chacune de ses quatre orbitales. Les électrons possèdent alors à peu près tous la même énergie, mais ils se déplacent dans des espaces différents. Parmi les quatre orbitales de la deuxième couche se trouve l'orbitale 2s, de forme sphérique comme l'orbitale 1s mais de diamètre légèrement supérieur. Les trois autres orbitales, en forme d'haltère, s'appellent orbitales 2p; chacune des orbitales 2p s'oriente à angle droit par rapport aux deux autres.

Configuration électronique et propriétés chimiques

Le comportement chimique d'un atome dépend de sa configuration électronique, c'est-à-dire de la répartition des électrons dans ses couches électroniques. En com-

mençant avec l'hydrogène, l'atome le plus simple, nous pouvons élaborer les atomes des autres éléments en ajoutant un proton et un électron à la fois (de même qu'un nombre approprié de neutrons). La figure 2.10 (page 32) présente une version abrégée de ce qu'on appelle le tableau périodique et nous permet de visualiser la configuration électronique des 18 premiers éléments, de l'hydrogène ($_1$H) à l'argon ($_{18}$Ar). Ces 18 éléments figurent sur trois lignes, appelées périodes. Les éléments qui se trouvent sur la même période comportent le même nombre de couches électroniques : une seule couche pour l'hydrogène et l'hélium, deux couches pour les éléments de la période suivante (du lithium au néon) et trois couches pour les éléments de la troisième période. Remarquez que ces trois périodes correspondent au remplissage successif des trois premières couches électroniques. Il faut surtout se rappeler que les propriétés chimiques d'un atome dépendent principalement du nombre d'électrons qu'il possède dans sa couche *périphérique*. La couche électronique périphérique représente le **dernier niveau énergétique**; les électrons situés sur cette couche sont les **électrons de valence.**

Un atome comportant un dernier niveau énergétique complet ne réagira pas spontanément en présence d'autres atomes. Dans la toute dernière colonne de notre tableau périodique abrégé se trouvent l'hélium, le néon et l'argon; il s'agit des trois seuls éléments affichant ici un dernier niveau énergétique complet. On qualifie ces éléments d'inertes en raison de leur stabilité chimique. Tous les autres atomes de la figure 2.10 possèdent un dernier niveau énergétique incomplet et, donc, la capacité de réagir chimiquement. Les atomes qui contiennent le même nombre d'électrons dans leur dernier niveau énergétique présentent un comportement chimique semblable. Par exemple, le fluor (F) et le chlore (Cl) possèdent tous les deux sept électrons de valence et peuvent chacun se combiner avec un atome de sodium (Na) pour former des composés. Remarquez que le

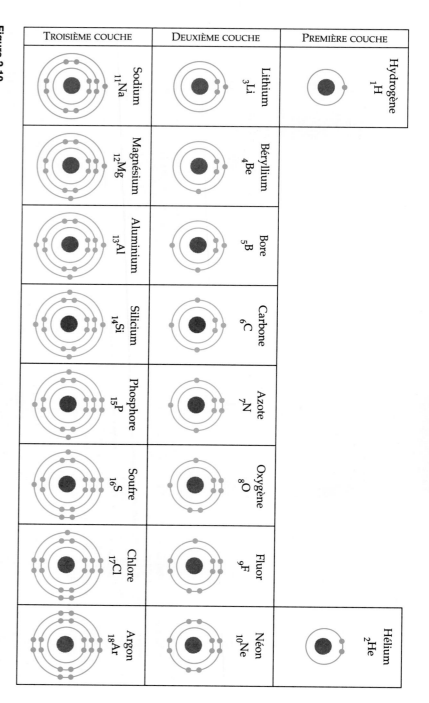

Première couche	Deuxième couche	Troisième couche
Hydrogène $_1$H	Lithium $_3$Li	Sodium $_{11}$Na
Hélium $_2$He	Béryllium $_4$Be	Magnésium $_{12}$Mg
	Bore $_5$B	Aluminium $_{13}$Al
	Carbone $_6$C	Silicium $_{14}$Si
	Azote $_7$N	Phosphore $_{15}$P
	Oxygène $_8$O	Soufre $_{16}$S
	Fluor $_9$F	Chlore $_{17}$Cl
	Néon $_{10}$Ne	Argon $_{18}$Ar

Figure 2.10

Configuration électronique des 18 premiers éléments. Le nombre d'électrons dans chacun des niveaux énergétiques (couches électroniques) est schématisé par des points sur des anneaux concentriques. (Ces anneaux symboliques ne rendent toutefois pas l'aspect tridimensionnel du mouvement des électrons.) Les éléments figurent sur trois rangées, chacune représentant le remplissage d'une couche électronique. À mesure que des électrons s'ajoutent, ils occupent le plus faible niveau énergétique disponible. L'unique électron de

l'hydrogène ainsi que les deux électrons de l'hélium se trouvent au premier niveau. L'élément suivant, le lithium, possède trois électrons : deux de ses électrons remplissent le premier niveau énergétique, alors que le troisième occupe le deuxième niveau et non un niveau plus éloigné du noyau. Ce comportement des électrons illustre la tendance générale de la matière à exister dans son état d'énergie potentielle la plus faible. Le dernier niveau énergétique occupé par des électrons confère à l'atome sa réactivité. Parmi les 18 éléments montrés ici, seuls

l'hélium, le néon et l'argon possèdent un dernier niveau énergétique complet ; ces éléments sont dits inertes parce qu'ils ne réagissent pas. Tous les autres éléments de cette figure ont un dernier niveau énergétique incomplet et peuvent réagir chimiquement. Les éléments possédant le même nombre d'électrons de valence, comme le fluor et le chlore, présentent des propriétés chimiques semblables et se trouvent dans la même colonne du tableau périodique.

dernier niveau énergétique de l'atome de sodium est également incomplet.

LIAISONS CHIMIQUES ET MOLÉCULES

Maintenant que nous avons examiné la structure des atomes, montons un peu plus haut dans la hiérarchie de l'organisation des êtres vivants et voyons de quelle façon les atomes se combinent pour former des molécules. Les atomes ayant un dernier niveau énergétique incomplet réagissent avec certains autres atomes de telle sorte que chaque atome complète son dernier niveau énergétique. Pour ce faire, les atomes doivent soit mettre en commun des électrons de valence, soit les transférer complètement. Après ces interactions, les atomes restent habituellement proches l'un de l'autre, retenus par des forces d'attraction appelées **liaisons chimiques**. Les liaisons chimiques les plus fortes sont la liaison covalente et la liaison ionique entre atomes ou ions. Nous allons également examiner un autre type de liaison, la liaison hydrogène, une liaison intermoléculaire qui joue un rôle important dans la chimie de la vie.

Liaison covalente

Une **liaison covalente** existe quand deux atomes partagent une ou plusieurs paires d'électrons de valence. Par exemple, voyons ce qui arrive lorsque deux atomes d'hydrogène s'approchent l'un de l'autre (figure 2.11). Rappelez-vous que l'hydrogène possède un électron de valence dans la première couche, mais que cette couche peut en contenir deux. Lorsque les deux atomes d'hydrogène se rapprochent assez pour que leurs orbitales 1s se chevauchent, ils mettent chacun en commun leur unique électron. Chaque atome d'hydrogène possède alors deux électrons se déplaçant dans son orbitale 1s, et le dernier niveau énergétique est complet. Dans ce cas, nous avons une molécule d'hydrogène constituée de deux atomes d'hydrogène retenus par une liaison covalente. Le symbole utilisé pour désigner cette molécule d'hydrogène est H—H, le tiret représentant la liaison covalente, c'est-à-dire la paire d'électrons mis en commun. Cette forme de notation représentant les atomes et leurs liaisons s'appelle **formule développée**. Nous pouvons l'abréger davantage en écrivant H$_2$, la **formule moléculaire** indiquant simple-

ment que la molécule consiste en deux atomes d'hydrogène (figure 2.12a).

Avec six électrons dans la deuxième couche électronique (qui peut en contenir huit), l'oxygène a besoin de deux électrons supplémentaires pour compléter son dernier niveau énergétique. Pour former une molécule, deux atomes d'oxygène doivent chacun mettre en commun deux électrons de valence (figure 2.12 b). Les atomes s'unissent alors par une **liaison covalente double**. La formule développée de cette molécule est O=O, et sa formule moléculaire, O_2. L'azote possède cinq électrons de valence; il lui en manque donc trois pour compléter son dernier niveau énergétique. Deux atomes d'azote s'unissent par une liaison covalente triple; autrement dit, ils mettent chacun trois électrons de valence en commun pour former une molécule N_2, ou N≡N.

Remarquez que chaque atome qui met en commun des électrons possède une capacité de liaison, c'est-à-dire qu'il doit former un certain nombre de liaisons covalentes pour compléter son dernier niveau énergétique. Le **nombre d'oxydation** d'un atome détermine sa capacité de liaison. Il représente le nombre d'électrons qu'un atome doit perdre (signe +) ou gagner (signe –) ou mettre en commun pour compléter son dernier niveau énergétique. Le nombre d'oxydation de l'hydrogène est +1. Cette valeur de +1 signifie que l'électron a plutôt tendance à s'éloigner du noyau de l'hydrogène et à se rapprocher d'un autre atome; l'électron éloigne, par le fait même, sa charge négative du noyau de l'hydrogène. Dans ce cas, le proton du noyau, de charge positive, prédomine au sein de l'hydrogène, d'où le +1 correspondant au nombre d'oxydation de l'hydrogène. Le nombre d'oxydation de l'oxygène est –2, ceux de l'azote, ±3, +5, +4, +2 et ceux du carbone, ±4, 2.

Les molécules examinées jusqu'à maintenant (H_2, O_2 et N_2) constituent des éléments purs et non des composés. (Rappelez-vous qu'un composé correspond à une combinaison de deux ou plusieurs éléments différents.) L'eau, par exemple, est un composé de formule moléculaire H_2O; il faut deux atomes d'hydrogène pour combler le nombre d'oxydation d'un atome d'oxygène. La figure 2.12c montre la structure d'une molécule d'eau.

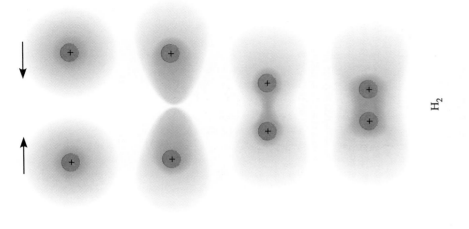

H_2

Figure 2.11
Formation d'une molécule d'hydrogène. Un atome d'hydrogène, avec un seul électron dans le premier niveau énergétique, peut réagir chimiquement. Ici, deux atomes d'hydrogène réagissent pour former une molécule d'hydrogène. Les nuages électroniques de l'atome se chevauchent puis s'unissent en une seule orbitale. Il en résulte une liaison covalente, c'est-à-dire une paire d'électrons mis en commun. Cette mise en commun complète l'orbitale 1s de chacun des partenaires. Les noyaux des atomes sont mutuellement attirés par la région dense du nuage électronique entre les noyaux. La longueur de la liaison est déterminée par l'équilibre entre deux forces opposées: l'attraction entre les noyaux et les électrons, et la répulsion entre les deux noyaux chargés positivement.

Figure 2.12
Liaison covalente. La liaison covalente entre deux atomes est une liaison formée par une ou plusieurs paires d'électrons mis en commun. Le nombre d'électrons requis pour compléter la dernière couche électronique d'un atome détermine le nombre de liaisons que cet atome peut former. **(a)** Si deux atomes d'hydrogène libres se rencontrent, ils formeront une liaison covalente simple. **(b)** Deux atomes d'oxygène forment une molécule en mettant chacun deux électrons de valence en commun; les atomes s'unissent alors par liaison covalente double. **(c)** Deux atomes d'hydrogène peuvent s'unir à un atome d'oxygène par des liaisons covalentes pour donner une molécule d'eau. **(d)** Quatre atomes d'hydrogène comblent le nombre d'oxydation d'un atome de carbone pour former le méthane.

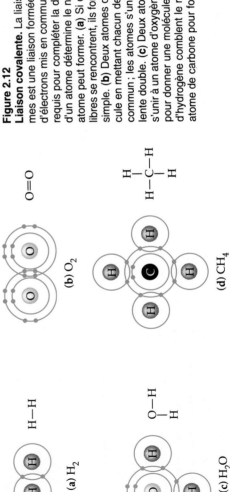

H—H

(a) H_2

O=O

(b) O_2

O—H
|
H

(c) H_2O

H—C—H
(avec H en haut et en bas)

(d) CH_4

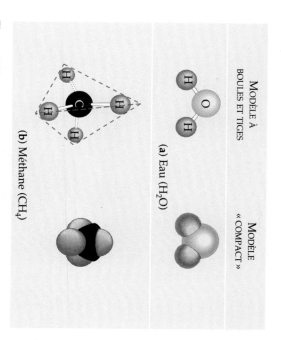

(a) Eau (H₂O)

(b) Méthane (CH₄)

Figure 2.13
Forme des molécules d'eau et de méthane. Cette figure montre deux modèles représentant la forme tridimensionnelle des molécules. Le modèle illustré par des boules et des tiges met en évidence les angles de liaison des molécules. Le modèle « compact » représente plus fidèlement la forme d'une molécule. **(a)** Les deux liaisons covalentes de l'eau forment un angle de 104,5°. **(b)** Dans le méthane, les quatre liaisons covalentes du carbone pointent vers les sommets d'un tétraèdre imaginaire représenté par un trait pointillé rose. Chaque liaison covalente forme un angle de 109,5° avec l'autre.

Cette molécule revêt tellement d'importance pour la vie que nous consacrerons tout le prochain chapitre à sa structure et à ses propriétés.

Le méthane constitue un autre exemple de composé ; il fait partie des composantes du gaz naturel et possède la formule moléculaire CH_4 (figure 2.12d). Le carbone ($_6C$) possède quatre électrons de valence, de sorte que son nombre d'oxydation est −4. Il faut quatre atomes d'hydrogène, de +1 chacun, pour compléter le dernier niveau énergétique de l'atome de carbone. Nous connaissons maintenant les nombres d'oxydation des quatre éléments les plus abondants chez les êtres vivants. Ces nombres d'oxydation nous précisent que l'hydrogène forme une liaison, l'oxygène en forme deux, l'azote trois (le plus souvent) et le carbone quatre (le plus souvent).

Importance biologique de la géométrie moléculaire
Une molécule possède une grosseur et une forme caractéristiques (figure 2.13). La molécule d'eau, par exemple, prend la forme d'un angle presque droit, ses deux liaisons covalentes formant un angle de 104,5°. La molécule de méthane a la forme d'un tétraèdre, une pyramide à base triangulaire. Le noyau de l'atome de carbone se trouve au centre, et ses quatre liaisons covalentes pointent vers les noyaux d'hydrogène situés aux sommets du tétraèdre. Les molécules plus volumineuses ont des formes plus complexes. La géométrie moléculaire présente beaucoup d'intérêt pour les biologistes, car elle détermine la façon dont la plupart des molécules se reconnaissent et réagissent les unes avec les autres.

Liaisons covalentes polaires et non polaires La tendance d'un atome à attirer vers lui les électrons d'une liaison chimique s'appelle **électronégativité.**

Plus un atome est électronégatif, plus il attirera fortement vers lui les électrons mis en commun. Dans une liaison covalente entre deux atomes du même élément, la partie est nulle ; comme les deux atomes possèdent une électronégativité égale, les électrons ne se déplaceront pas plus vers un atome que vers l'autre. Dans une telle **liaison covalente non polaire,** les électrons se répartissent également. La liaison covalente de H_2 est non polaire, ainsi que la liaison double de O_2. Les liaisons du méthane (CH_4) sont également non polaires ; les composantes représentent des éléments différents, mais l'électronégativité du carbone et de l'hydrogène ne diffère pas de façon substantielle. Ce n'est pas toujours le cas dans un composé où les liaisons covalentes unissent les atomes d'éléments différents. Si un atome est plus électronégatif que l'autre dans une liaison covalente, les électrons de la liaison passeront plus de temps du côté de cet atome. Il s'agit alors d'une **liaison covalente polaire.** Dans une molécule d'eau, les liaisons covalentes entre l'oxygène et l'hydrogène sont polaires. L'oxygène figure parmi les éléments les plus électronégatifs ; il attire les électrons beaucoup plus fortement que ne le fait l'hydrogène. Dans une liaison covalente entre l'oxygène et l'hydrogène, les électrons passent donc plus de temps autour de l'atome d'oxygène qu'autour de l'atome d'hydrogène. Comme les électrons possèdent une charge négative, la répartition inégale des électrons dans l'eau confère à l'atome d'oxygène une charge partielle négative et à chacun des atomes d'hydrogène, une charge partielle positive (figure 2.14). (Rappelez-vous les nombres d'oxydation de l'oxygène [−2] et de l'hydrogène [+1].)

Liaison ionique
Dans certains cas, deux atomes exercent des attractions tellement inégales sur les électrons périphériques que l'atome le plus électronégatif arrache complètement un électron à l'autre atome. Cela se produit, par exemple, lorsqu'un atome de sodium ($_{11}Na$) rencontre un atome de chlore ($_{17}Cl$) (figure 2.15). L'atome de sodium possède un total de 11 électrons, dont un seul électron de valence. L'atome de chlore, lui, possède en tout 17 électrons, dont sept électrons de valence. Lorsque ces deux atomes se rencontrent, l'unique électron de valence du sodium va rejoindre l'atome de chlore, et les deux atomes ont des

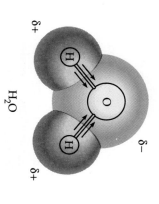

H_2O

δ⁻

δ⁺   δ⁺

Figure 2.14
Liaisons covalentes polaires dans une molécule d'eau. L'oxygène, beaucoup plus électronégatif que l'hydrogène, attire vers lui les électrons mis en commun dans la liaison. Cette répartition inégale des électrons confère à l'oxygène une charge partielle négative et à l'hydrogène une charge partielle positive. La lettre grecque delta (δ) indique la présence d'une charge partielle.

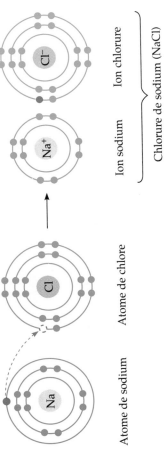

Figure 2.15
Transfert d'électron et liaison ionique.
Le sodium (Na) cède son seul électron de valence au chlore (Cl) ; les deux atomes ont alors des couches électroniques saturées. Le transfert d'électron laisse à l'atome de sodium une charge nette de +1 et donne à l'atome de chlore une charge nette de –1. L'attraction qui relie maintenant les atomes de charges opposées, ou ions, réalise une liaison ionique. Un ion peut se lier non seulement à l'atome avec lequel il a réagi, mais aussi à tout autre ion de charge opposée.

Atome de sodium   Atome de chlore   Ion sodium   Ion chlorure

Na   Cl   Na$^+$ Cl$^-$

Chlorure de sodium (NaCl)

couches électroniques complètes. (Comme le sodium n'a plus d'électron dans sa troisième couche, la deuxième couche deviendra son dernier niveau énergétique.)

Le transfert d'un électron entre les deux atomes déplace une unité de charge négative du sodium vers le chlore. Le sodium se retrouve donc avec 11 protons mais seulement 10 électrons, ce qui lui donne une charge électrique nette de +1. À l'inverse, l'atome de chlore se retrouve avec un électron de plus ; il possède maintenant 17 protons et 18 électrons, ce qui lui confère une charge électrique nette de –1. Un atome chargé (ou une molécule chargée) s'appelle un **ion.** Lorsque la charge est positive, comme pour le sodium de notre exemple, l'ion s'appelle **cation.** Lorsque la charge est négative, l'ion se nomme **anion.** Le chlore de notre exemple constitue un anion. En raison de leurs charges opposées, les cations et les anions s'attirent l'un l'autre dans ce qui s'appelle une **liaison ionique.**

Les composés ioniques portent le nom de sels. Nous connaissons déjà le chlorure de sodium (NaCl), c'est-à-dire le sel de table. À l'état normal, les sels ont souvent l'aspect de cristaux de taille et de forme diverses. Ces cristaux sont des agrégats d'un grand nombre de cations et d'anions unis par attraction électrique et assemblés en réseaux tridimensionnels (figure 2.16).

Les sels ne possèdent pas tous un nombre égal de cations et d'anions. Par exemple, le chlorure de magnésium ($MgCl_2$), un composé ionique, comprend deux ions chlorure pour chaque ion magnésium. Le magnésium ($_{12}Mg$) doit perdre ses deux électrons de valence pour avoir un dernier niveau énergétique complet. Un seul atome de magnésium va donc céder ses deux électrons de valence à deux atomes de chlore (qui ont besoin d'un électron chacun pour compléter leur couche périphérique). Après avoir perdu deux électrons, l'atome de magnésium devient un cation, car il a maintenant une charge de +2 (Mg^{2+}).

Le terme *ion* s'emploie également pour désigner des molécules covalentes entières qui portent une charge électrique. Dans le chlorure d'ammonium (NH_4Cl), par exemple, l'anion est un simple ion chlorure (Cl^-), mais le cation est l'ammonium (NH_4^+), un composé d'azote lié par covalence à quatre atomes d'hydrogène. L'ion ammonium possède une charge électrique de +1 parce qu'il lui manque un électron.

Il n'existe pas de frontière bien définie entre les composés covalents et les composés ioniques. En fait, certains composés passent une partie du temps dans un état de covalence polaire et le reste du temps sous forme d'ions.

De façon générale, lorsque la différence d'électronégativité entre deux atomes dépasse la valeur de 1,7 (ce qu'on apprend en consultant le tableau périodique), la majorité des liaisons possèdent un caractère ionique ; si la différence d'électronégativité se situe sous la valeur de 0,7, la plupart des liaisons présentent un caractère covalent non polaire ; entre ces deux valeurs apparaît la majorité des liaisons covalentes polaires.

Liaison hydrogène

La **liaison hydrogène** constitue un autre type de liaison chimique importante pour la vie. Une liaison hydrogène se forme lorsqu'un atome d'hydrogène déjà lié par covalence à un atome électronégatif subit l'attraction d'un autre atome électronégatif (figure 2.17, page 36). Dans les cellules, les atomes électronégatifs qui participent à des liaisons hydrogène sont le plus souvent l'oxygène et l'azote. Vous avez vu de quelle façon les liaisons covalentes polaires de la molécule d'eau confèrent une charge partielle négative à l'atome d'oxygène et une charge partielle positive aux deux atomes d'hydrogène.

Cl$^-$

Na$^+$

Figure 2.16
Cristal de chlorure de sodium. Les ions sodium (Na$^+$) et les ions chlorure (Cl$^-$) demeurent ensemble en raison des liaisons ioniques.

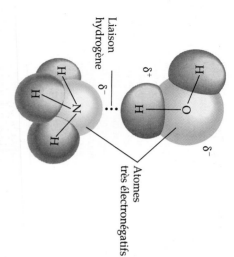

Figure 2.17
Liaison hydrogène. Un atome d'hydrogène (δ^+) lié à un atome d'oxygène (δ^-) se trouve faiblement attiré vers un autre atome, l'azote (δ^-). Dans cette figure, la liaison hydrogène unit un des atomes d'hydrogène d'une molécule d'eau (H_2O) à l'atome d'azote d'une molécule d'ammoniac (NH_3).

Liaison hydrogène — δ^- ··· δ^+ — Atomes très électronégatifs — δ^-

Il se produit un peu la même chose dans le cas de la molécule d'ammoniac (NH_3), où l'atome d'azote électronégatif porte une charge partielle négative parce qu'il attire vers lui les électrons mis en commun avec les atomes d'hydrogène. Si une molécule d'eau et une molécule d'ammoniac s'approchent l'une de l'autre, une faible attraction s'exercera entre l'atome d'azote chargé négativement et un des atomes d'hydrogène chargé positivement de la molécule d'eau adjacente. Cette attraction est une liaison hydrogène.

Importance biologique des liaisons faibles

Les liaisons hydrogène (liaisons intermoléculaires) sont environ vingt fois plus faibles (plus faciles à briser) que les liaisons covalentes (liaisons interatomiques). Toutefois, les liaisons intermoléculaires, justement à cause de leur fragilité, jouent un rôle important aussi, en particulier dans la chimie de la cellule où les propriétés de la vie découlent des interactions moléculaires. Les liaisons faibles permettent de brefs contacts entre les molécules; les molécules s'associent, réagissent l'une à l'autre, puis se séparent. On en trouve un exemple dans le fonctionnement du système nerveux. Quand une cellule cérébrale stimule une cellule voisine, elle libère des molécules messagères qui se lient aux récepteurs spécifiques situés à la surface de la cellule réceptrice. Les molécules messagères utilisent des liaisons faibles pour s'amarrer aux récepteurs juste le temps qu'il faut pour que la cellule réceptrice déclenche une brève réponse. Si les molécules messagères se liaient au moyen de liaisons covalentes plus fortes, la cellule réceptrice continuerait à réagir longtemps après la transmission du message. (Imaginez, par exemple, si votre cerveau percevait le son d'une cloche longtemps après que les cellules nerveuses aient transmis au cerveau l'information reçue par les oreilles!)

Des liaisons hydrogène se forment non seulement entre des molécules mais aussi entre différentes régions d'une même grosse molécule, par exemple une protéine ou un acide nucléique (ADN, ARN). Ces liaisons sont faibles individuellement, mais leur effet cumulatif renforce la forme tridimensionnelle des grosses molécules. Le chapitre 5 nous en apprendra davantage sur le rôle des liaisons faibles.

RÉACTIONS CHIMIQUES

La formation et la rupture des liaisons chimiques provoquent des changements dans la composition de la matière et donnent lieu à des **réactions chimiques**. La réaction entre l'hydrogène et l'oxygène pour former l'eau en constitue un exemple:

$$2\,H_2 + O_2 \rightarrow 2\,H_2O$$

Cette réaction rompt les liaisons covalentes de H_2 et de O_2, et forme ainsi les nouvelles liaisons de la molécule d'eau. Pour écrire une réaction chimique, on utilise une flèche qui indique la transformation des substances de départ, appelées **réactifs**, en une ou plusieurs substances nouvelles, les **produits**. Les coefficients représentent le nombre de moles participantes. Une **mole** est une quantité d'une substance donnée, que ce soit un élément ou un composé, dont la masse est la somme (exprimée en grammes) des masses molaires atomiques de cette substance. Le 2 devant H_2 signifie que la réaction commence avec deux moles de dihydrogène. Vous en saurez davantage sur la mole au chapitre 3. Remarquez que tous les atomes des réactifs doivent se retrouver dans les produits. Il y a conservation de la matière dans une réaction chimique: les réactions ne peuvent ni créer ni détruire la matière mais seulement la réarranger de diverses façons.

Voici maintenant la réaction globale de la photosynthèse, un autre exemple de réaction chimique:

$$6\,CO_2 + 6\,H_2O \rightarrow C_6H_{12}O_6 + 6\,O_2$$

Rappelez-vous que la photosynthèse se produit dans le chloroplaste des cellules d'une feuille (voir la figure 1.2). Les matières premières sont le dioxyde de carbone (CO_2), puisé dans l'air, et l'eau (H_2O), absorbée du sol. À l'intérieur des chloroplastes, la lumière solaire fournit l'énergie nécessaire à la conversion de ces substances en glucose ($C_6H_{12}O_6$) et en dioxygène (O_2); les feuilles libèrent le dioxygène dans l'air. Même si la photosynthèse s'effectue au moyen de nombreuses réactions chimiques, on retrouve à la fin le même nombre et la même sorte d'atomes qu'au début. Les réactions ont réarrangé la matière mais elles l'ont également conservée.

La majorité des réactions sont réversibles, c'est-à-dire que les produits d'une réaction donnée deviennent les réactifs de la réaction inverse. Par exemple, les moles de dihydrogène et de diazote se combinent pour former des moles d'ammoniac, mais les moles d'ammoniac peuvent aussi se décomposer pour redonner des moles de dihydrogène et de diazote:

$$3\,H_2 + N_2 \rightleftharpoons 2\,NH_3$$

La double flèche indique la réversibilité de la réaction. La concentration des réactifs constitue un des facteurs qui influent sur la vitesse de réaction. Plus la concentration des molécules de réactifs est élevée, plus les molécules se heurteront souvent les unes aux autres et augmenteront leurs chances de réagir pour former des

produits. Ce raisonnement s'applique également aux produits, d'où la réaction inverse. Au bout du compte, les deux réactions s'effectuent à la même vitesse, et les concentrations de produits et de réactifs demeurent constantes ; ceci constitue l'**équilibre chimique**. L'équilibre est dynamique ; les réactions se poursuivent mais n'entraînent aucun effet net sur les concentrations des réactifs et des produits. L'équilibre ne signifie pas que les concentrations des réactifs et des produits s'équivalent, mais plutôt qu'elles atteignent la stabilité. Dans la réaction précédente, mettant en jeu l'ammoniac, l'équilibre apparaît lorsque la décomposition de l'ammoniac s'effectue à la même vitesse que sa formation.

LA TERRE PRIMITIVE : UN MILIEU CHIMIQUEMENT PROPICE À L'APPARITION DE LA VIE

Les réactions chimiques et les processus physiques qui ont eu lieu sur la Terre primitive ont créé un environnement propice à l'apparition de la vie. Puis, une fois apparue, la vie a transformé la chimie de la planète. L'histoire biologique est indissociable de l'histoire géologique.

La formation de la planète Terre et l'apparition de la vie relèvent d'une histoire encore plus ancienne. La Terre fait partie des neuf planètes en orbite autour du Soleil, lequel représente une des milliards d'étoiles de la Voie lactée, qui est à son tour une des milliards de galaxies de l'Univers. L'étoile la plus proche de notre Soleil, Proxima Centauri, se trouve à une distance de quatre années-lumière, c'est-à-dire à 38×10^{12} km environ ; nous l'apercevons grâce à la lumière émise il y a quatre ans. Certaines étoiles se trouvent tellement loin que, même si elles se sont éteintes il y a des millions d'années, nous en apercevons encore aujourd'hui la lumière dans le ciel. Certaines nouvelles étoiles ne sont pas encore visibles parce que leur lumière n'a pas encore atteint la Terre. La contemplation des étoiles nous ramène très loin dans le passé.

L'Univers n'a pas toujours été aussi étendu. En s'appuyant sur plusieurs preuves, la plupart des astronomes pensent maintenant que toute la matière a d'abord été concentrée en une masse unique qui explosa dans un « big bang ». Selon eux, cette déflagration aurait eu lieu il y a dix à vingt milliards d'années, et l'Univers serait en continuelle expansion depuis.

Certaines étoiles connaissent une fin tragique en explosant ; les astronomes appellent cette explosion une supernova (figure 2.18). Notre Soleil représente une étoile de deuxième (ou peut-être même de troisième) génération, née il y a cinq milliards d'années environ à partir de résidus d'explosion d'étoiles anciennes. Comparativement à l'Univers dans son ensemble, notre système solaire est relativement riche en éléments lourds, ces mêmes éléments qui se sont formés par la fusion d'atomes plus petits dans le creuset des étoiles ancestrales. La majeure partie de la matière tourbillonnante composant le nuage de poussière discoïde qui a formé notre système solaire s'est condensée au centre de ce système : le Soleil était né. En périphérie, la matière a continué à graviter en plusieurs anneaux autour du Soleil naissant. La Terre et les autres planètes se sont formées, il y a 4,6 milliards

Figure 2.18
Supernova 1987a. Les réactions thermonucléaires des étoiles convertissent l'hydrogène et l'hélium en éléments chimiques plus lourds. Lorsqu'une étoile a utilisé tout son hydrogène, sa source d'énergie nucléaire, elle peut se contracter puis exploser. Les astronomes observent parfois de telles explosions, qui se manifestent par l'apparition dans le ciel d'objets brillants appelés supernovas. La supernova montrée ici a été découverte en 1987. La mort violente de telles étoiles disperse la matière, dont des éléments lourds, dans le cosmos. Notre système solaire a pris forme à partir de tels débris.

d'années environ, à partir de noyaux qui ont concentré par gravité la poussière et la glace.

La plupart des géologues pensent que la Terre a d'abord été une planète froide et que la matière qui la composait a par la suite subi une fusion sous l'effet de la chaleur produite par la désintégration radioactive, l'impact des météorites et la densification de la matière. La matière en fusion s'est alors séparée en couches de masse variable. La majeure partie du nickel et du fer s'est enfoncée au centre et a formé le noyau de la Terre. La matière de moindre masse volumique s'est concentrée dans un manteau et celle de masse volumique encore plus faible s'est solidifiée en une croûte mince. Les continents d'aujourd'hui sont fixés à des plaques de la croûte, qui flottent sur un manteau flexible (voir le chapitre 23).

La première atmosphère, probablement composée en majeure partie de dihydrogène (H_2) chaud, s'est diffusée dans l'espace, car l'attraction de la Terre n'était pas assez forte pour retenir des molécules aussi petites. Les volcans ont craché des gaz qui ont alors formé une nouvelle atmosphère. En s'appuyant sur l'analyse des gaz qui s'échappent des volcans modernes, les scientifiques croient que cette deuxième atmosphère primitive comprenait surtout de la vapeur d'eau (H_2O), du monoxyde de carbone (CO), du dioxyde de carbone (CO_2), du diazote (N_2), du méthane (CH_4) et de l'ammoniac (NH_3). Les pluies torrentielles qui sont tombées sur la Terre lorsque celle-ci s'est suffisamment refroidie pour que l'eau de l'atmosphère se condense ont formé les premiers océans. Outre l'atmosphère très différente de celle d'aujourd'hui,

la foudre, l'activité volcanique et les rayons ultraviolets avaient beaucoup plus d'intensité à cette époque. C'est dans ce monde que naquit la vie.

* * *

Dans les chapitres suivants, nous verrons comment les conditions chimiques de la Terre ont évolué et engendré la vie. Au prochain chapitre, par exemple, nous examinerons en quoi les propriétés de l'eau sont propices à la vie.

RÉSUMÉ DU CHAPITRE

Un organisme résulte des nombreuses interactions chimiques qui ont lieu dans ses cellules.

Éléments et composés de la matière (p. 24-26)

1. Les éléments constituent les composantes fondamentales de la matière; on ne peut les décomposer en substances plus simples.

2. Un composé contient un ou plusieurs éléments différents en proportions définies et possède des propriétés nouvelles, d'ordre supérieur et très différentes de celles de ses éléments constitutifs.

3. Le carbone, l'oxygène, l'hydrogène et l'azote constituent 96 % de la matière vivante. Les 4 % qui restent se composent d'éléments présents en très faibles quantités.

Structure et comportement des atomes (p. 26-32)

1. L'atome constitue la plus petite partie d'un élément.

2. Un atome se compose de trois types de particules élémentaires : les neutrons, de charge nulle, et les protons, chargés positivement, sont fortement comprimés dans un noyau; les électrons chargés négativement se déplacent rapidement autour de ce noyau.

3. Le nombre de protons contenu dans un atome correspond au numéro atomique. Dans un atome électriquement neutre, le nombre d'électrons équivaut au nombre de protons.

4. La masse atomique moyenne d'un élément indique la somme des protons et des neutrons de tous ses atomes, dont on fait la moyenne, ainsi que la masse approximative d'un atome en unités de masse atomique (u).

5. La plupart des éléments se composent de deux ou plusieurs isotopes, différents par leur nombre de neutrons et leur masse. Certains isotopes sont instables; ils émettent des particules et de l'énergie. Malgré sa grande utilité en science et en médecine, la radioactivité peut porter atteinte aux organismes.

6. La configuration des électrons détermine le comportement chimique d'un atome, c'est-à-dire sa façon de réagir avec d'autres atomes.

7. Les électrons se déplacent dans des orbitales, espaces tridimensionnels situés à l'intérieur des couches électroniques (niveaux énergétiques) entourant le noyau.

8. Les propriétés chimiques d'un atome dépendent du nombre d'électrons qu'il possède dans son dernier niveau énergétique. Un atome est chimiquement stable lorsque son dernier niveau énergétique est complet; dans le cas contraire, il est instable (réactif).

Liaisons chimiques et molécules (p. 32-36)

1. Les liaisons chimiques se forment lorsque des atomes ayant un dernier niveau énergétique incomplet entrent en interaction pour le compléter.

2. Il se forme une liaison covalente lorsque deux atomes mettent en commun leur(s) paire(s) d'électrons de valence.

3. Les molécules consistent en deux ou plusieurs atomes liés.

4. La formule développée permet d'indiquer les atomes et les liaisons d'une molécule. La formule moléculaire indique seulement le nombre et le type d'atomes.

5. Les molécules présentent des formes et des grosseurs caractéristiques qui conditionnent leur fonctionnement dans les systèmes biologiques.

6. Une liaison covalente non polaire se forme entre deux atomes lorsque l'électronégativité de ces atomes est égale. Dans une liaison covalente polaire, l'atome le plus électronégatif attire vers lui les électrons de la liaison.

7. Une liaison ionique se forme lorsque deux atomes possèdent une électronégativité tellement différente qu'un des atomes arrache littéralement à l'autre un ou plusieurs électrons. L'atome receveur devient un anion, c'est-à-dire un ion chargé négativement, alors que le donneur devient un cation, c'est-à-dire un ion chargé positivement. Les cations et les anions s'attirent mutuellement dans une liaison ionique.

8. La liaison hydrogène est une liaison relativement faible entre, d'une part, un atome d'hydrogène de charge partielle positive et porté par une molécule polaire et, d'autre part, un atome de charge partielle négative et porté par une autre molécule polaire.

9. Les liaisons hydrogène et d'autres liaisons faibles servent à lier certaines molécules et contribuent à stabiliser la forme des grosses molécules biologiques.

Réactions chimiques (p. 36-37)

1. Les réactions chimiques brisent ou forment des liaisons chimiques pour transformer des réactifs en produits. Au cours des réactions, il y a conservation de la matière.

2. La plupart des réactions chimiques sont réversibles. L'équilibre chimique existe lorsque la vitesse de la réaction directe égale celle de la réaction inverse.

La Terre primitive : un milieu chimiquement propice à l'apparition de la vie (p. 37-38)

Les réactions chimiques et les processus physiques qui ont eu lieu sur la Terre primitive ont créé un environnement propice à l'apparition de la vie.

AUTO-ÉVALUATION

1. Un élément est à un(e) _____ ce qu'un tissu est à un(e) _____.

   a) atome ; organisme   d) atome ; organe

   b) composé ; organe   e) composé ; organite

   c) molécule ; cellule

2. Comment s'appelle la plus petite partie d'un élément qui en conserve toutes les propriétés ?

   a) Un atome.   d) Un positron.

   b) Un proton.   e) Un électron.

   c) Un neutron.

3. En comparaison du ^{31}P, le radio-isotope ^{32}P possède :

   a) un numéro atomique   d) un électron de plus.
   différent.

   b) un neutron de plus.   e) une charge différente.

   c) un proton de plus.

4. Qu'est-ce que les quatre éléments les plus abondants chez les êtres vivants — carbone, oxygène, hydrogène et azote — possèdent en commun ?
a) Ils possèdent tous le même nombre d'électrons de valence.
b) Chaque élément présente un seul isotope.
c) Ce sont tous des éléments relativement légers, figurant dans le haut du tableau périodique.
d) Ils possèdent tous une électronégativité à peu près égale.
e) Il s'agit d'éléments produits seulement par des êtres vivants.

5. Le numéro atomique du soufre est 16. Le soufre se combine à l'hydrogène par une liaison covalente pour former un composé, le sulfure d'hydrogène. En vous basant sur la configuration électronique du soufre, déterminez la formule moléculaire du composé.
a) HS. b) HS$_2$. c) H$_2$S. d) H$_3$S$_2$. e) H$_4$S.

6. En vous rappelant les états d'oxydation du carbone, de l'oxygène, de l'hydrogène et de l'azote, déterminez laquelle des molécules suivantes existera le plus vraisemblablement.

a) $O = C — H$

b)
```
    H   H
    |   |
H—C—H—C=O
    |
    H
```

c)
```
        H   H
        |   |
H — O — C — C = O
            |
            H
```

d)
```
    O
    ‖
H — N = H
```

7. Quelle est l'orientation la plus vraisemblable pour deux molécules d'eau voisines ? Expliquez votre réponse.

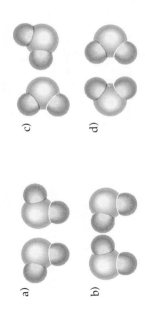

a)   b)   c)   d)

8. Laquelle de ces affirmations concerne *tous* les atomes anioniques ?
a) L'atome a plus d'électrons que de protons.
b) L'atome a plus de protons que d'électrons.
c) L'atome possède moins de protons qu'un atome neutre du même élément.
d) L'atome possède plus de neutrons que de protons.
e) La charge nette est -1.

9. Quels coefficients faut-il placer devant les produits de cette réaction pour l'équilibrer ?

$$C_6H_{12}O_6 \rightarrow ?\ C_2H_6O + ?\ CO_2$$

a) 1 ; 2. d) 1 ; 1.
b) 2 ; 2. e) 3 ; 1.
c) 1 ; 3.

10. Laquelle des affirmations suivantes décrit correctement *toute* réaction chimique au point d'équilibre ?
a) La concentration des produits égale la concentration des réactifs.
b) La vitesse de la réaction est égale dans les deux sens.

c) Les réactions directe et inverse ont cessé toutes les deux.
d) La réaction est maintenant irréversible.
e) Il ne reste plus de réactifs.

QUESTIONS À COURT DÉVELOPPEMENT

1. Expliquez les conditions entourant le passage de l'électron d'un niveau énergétique inférieur à un niveau énergétique supérieur.

2. Expliquez les différences entre les liaisons covalente polaire, covalente non polaire, ionique et hydrogène.

3. Dites à quoi servent les liaisons hydrogène chez les êtres vivants et donnez un exemple.

4. Décrivez brièvement les conditions physicochimiques qui existaient sur la Terre à l'origine de la vie.

RÉFLEXION-APPLICATION

Au chapitre 1, nous avons vu que le vitalisme est la croyance selon laquelle la vie témoigne de forces surnaturelles qui ne s'expliquent pas au moyen de principes physicochimiques. Au cours du présent chapitre, nous avons vu des exemples simples de matière organisée possédant des propriétés supérieures par rapport au niveau d'organisation précédent. Au chapitre 1, nous avons découvert que des propriétés nouvelles d'ordre supérieur apparaissent chaque fois qu'on monte un échelon de l'organisation structurale. Utilisez ces arguments pour invalider la thèse du vitalisme.

SCIENCE, TECHNOLOGIE ET SOCIÉTÉ

1. En recherche biochimique, les isotopes servent à marquer des substances dont on peut alors suivre l'évolution dans l'organisme. Expliquez pourquoi cette capacité des isotopes radioactifs d'infiltrer les processus chimiques de la cellule aggrave la menace posée par les contaminants radioactifs dans l'air, le sol et l'eau.

2. Un jour, alors qu'il attendait dans un aéroport, l'auteur de ce manuel entendit par hasard cette déclaration: « Il faut être paranoïaque et mal informé pour s'inquiéter de la contamination de l'environnement par les déchets chimiques de l'industrie et de l'agriculture. Après tout, ces substances sont constituées des mêmes atomes déjà présents dans l'environnement. » Comment pourriez-vous réfuter cet argument ?

LECTURES SUGGÉRÉES

Brazier, J. L. et J. L. Guinamant, « Les isotopes stables », *La Recherche*, n° 253, avril 1993. (Diagnostic d'un ulcère par simple analyse isotopique de l'air expiré.)

Eid, H., *La chimie par le concret*, Montréal, Lidec, Tome 1, 1986. (Un volume d'introduction à la chimie pour les élèves du collégial.)

Guillemot, H., « Voyage au centre du proton », *Science et Vie*, n° 908, mai 1993. (Quand l'infiniment petit cache un océan de particules.)

Klein, E., « L'atome, de Démocrite à Niels Bohr », *Science et Vie*, n° 908, mai 1993. (Les grandes étapes de l'histoire de l'atome.)

McQuarrie, D. A. et P. A. Rock, *Chimie générale*, 3e éd., Bruxelles, De Boeck Université, 1992. (Tour d'horizon des notions fondamentales de chimie.)

Snyder, S. et D. Bredt, « Les fonctions biologiques du monoxyde d'azote », *Pour la Science*, n° 177, juillet 1992. (Participation de cette molécule instable à des fonctions vitales, comme neurotransmetteur.)

Van den Bergh, S. et J. Hesser, « Comment s'est formée la Voie Lactée », *Pour la Science*, n° 185, mars 1993. (Notre Galaxie est issue de l'effondrement d'un nuage de gaz, d'explosions stellaires et de la capture de fragments de nuages galactiques.)

Zewail, A., « La naissance des molécules », *Pour la Science*, n° 160, février 1991. (Exploration, à l'aide de lasers, des mécanismes « intimes » des réactions chimiques.)

MOLÉCULES D'EAU ET LIAISON HYDROGÈNE

QUELQUES PROPRIÉTÉS EXTRAORDINAIRES DE L'EAU

SOLUTIONS AQUEUSES

PRÉCIPITATIONS ACIDES: PERTURBATION DE L'ENVIRONNEMENT

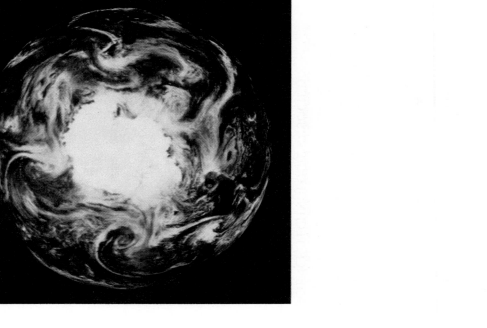

Figure 3.1
L'eau: un composé extraordinaire. C'est en grande partie grâce au comportement particulier de l'eau que l'environnement terrestre est propice à la vie. Sur cette photo du pôle sud de la Terre, nous pouvons constater une des singularités de l'eau: elle existe simultanément à l'état solide, à l'état liquide et à l'état gazeux. Sur Terre, aucune autre substance ne se trouve naturellement à ces trois états de la matière. La photographie représente un collage de 21 clichés distincts pris depuis la sonde spatiale *Galiléo* au cours de son périple autour de la Terre, en 1990. Dans ce chapitre, vous prendrez connaissance des propriétés particulières de l'eau et vous étudierez la façon dont elle assure le maintien de la vie sur Terre.

S i nous pouvions parcourir l'Univers à la recherche d'êtres vivants, il vaudrait mieux chercher là où il y a de l'eau. Tous les organismes avec lesquels nous sommes familiers se composent principalement d'eau et vivent dans un monde où l'eau régit le climat et de nombreux autres aspects de l'environnement. Sur Terre, l'eau constitue le support biologique, c'est-à-dire la substance qui rend possible la vie telle que nous la connaissons.

La vie a débuté dans l'eau et y a évolué pendant trois milliards d'années avant de s'étendre à la terre ferme. La vie moderne, même terrestre, demeure tributaire de l'eau. La majorité des cellules baignent dans l'eau; en fait, les cellules contiennent environ 70 à 95 % d'eau. L'eau recouvre également les trois quarts de la surface de la Terre. L'eau est la seule substance courante qui existe dans l'environnement naturel aux trois états physiques de la matière: solide, liquide et gazeux (figure 3.1).

Nous verrons tout au long de ce chapitre jusqu'à quel point l'eau transforme notre planète en un environnement accueillant pour la vie. L'eau est si répandue qu'on oublie facilement son caractère exceptionnel et ses qualités extraordinaires; le comportement unique de l'eau provient de sa structure et des interactions entre ses molécules.

MOLÉCULES D'EAU ET LIAISON HYDROGÈNE

Comme nous l'avons vu au chapitre 2, la molécule d'eau se compose de deux atomes d'hydrogène liés à un atome d'oxygène. Ces atomes sont unis par des liaisons covalentes selon un agencement angulaire (voir la figure 2.14). Les liaisons covalentes entre l'oxygène et l'hydrogène sont polaires, l'oxygène attirant vers lui les électrons mis en commun. Globalement, la molécule d'eau est électriquement neutre. Toutefois, les zones occupées par les atomes d'hydrogène possèdent une charge partielle positive en raison de la répartition inégale des électrons dans la molécule, alors que le côté opposé de la molécule porte une charge partielle négative associée à l'atome d'oxygène. La polarité de ses liaisons et sa forme asymétrique confèrent à la molécule d'eau des charges opposées à chacun de ses pôles; il s'agit d'une **molécule polaire.**

Les propriétés singulières de l'eau résultent de l'attraction entre ses molécules polaires: un atome d'hydrogène positif d'une molécule subit l'attraction de l'atome d'oxygène négatif porté par la molécule voisine. Il s'établit ainsi des liaisons hydrogène entre les molécules (figure 3.2). Chaque molécule d'eau peut former une liaison hydrogène avec un maximum de quatre molécules

voisines. Les qualités extraordinaires de l'eau proviennent de cette liaison hydrogène qui agence les molécules en un niveau supérieur d'organisation structurale.

QUELQUES PROPRIÉTÉS EXTRAORDINAIRES DE L'EAU

Dans cette section, nous allons nous pencher sur les qualités de l'eau qui contribuent à maintenir l'environnement propice à la vie.

L'eau liquide a un pouvoir de cohésion

Lorsque l'eau est à l'état liquide, ses liaisons hydrogène présentent une grande fragilité; elles se forment, se brisent et se reforment à une fréquence très élevée. Chaque liaison hydrogène ne dure que 10^{-12} seconde environ, mais les molécules d'eau forment constamment de nouvelles liaisons entre elles; la plupart des autres liquides ne présentent pas cette particularité. L'ensemble des liaisons hydrogène représente une force qui maintient ensemble les molécules d'eau, un phénomène appelé **cohésion.**

La cohésion aide l'eau à résister à la gravitation quand elle se déplace dans les Plantes (figure 3.3). L'eau peut ainsi atteindre les feuilles d'une Plante en montant dans des vaisseaux microscopiques depuis les racines. L'eau qui s'évapore d'une feuille est remplacée par l'eau des vaisseaux parcourant les nervures de la feuille. Grâce à la force des liaisons hydrogène, les molécules qui sortent des nervures attirent les molécules situées plus bas. Cette traction vers le haut se transmet tout le long du vaisseau jusqu'à la racine. L'**adhérence**, attraction mutuelle entre des molécules de substances différentes, joue aussi un rôle. L'adhérence de l'eau à la paroi des vaisseaux aide en effet à contrer l'action de la gravitation.

La **tension superficielle**, une force résultant de la cohésion, restreint au minimum le nombre de molécules à la surface d'un liquide. Cette tension s'explique par le fait que les molécules de surface subissent exclusivement des attractions les poussant vers l'intérieur du liquide; cela produit une sorte de pellicule invisible qui occupe la plus petite surface possible. La tension superficielle provoque la formation de gouttes d'eau sphériques ayant le rapport surface/volume le plus faible. Ces gouttes permettent la formation d'un maximum de liaisons hydrogène (figure 3.4a).

L'eau possède une plus grande tension superficielle que la plupart des autres liquides. Nous pouvons observer la tension superficielle de l'eau en remplissant un verre un peu plus qu'à ras bord; la tension superficielle donne au volume d'eau excédentaire la forme d'un dôme qui retient l'eau. Dans un exemple mieux adapté à la biologie, pensons à cet Insecte appelé Patineur d'eau qui répartit sa masse sur une surface assez grande pour pouvoir marcher sur l'eau sans en briser la surface (figure 3.4b).

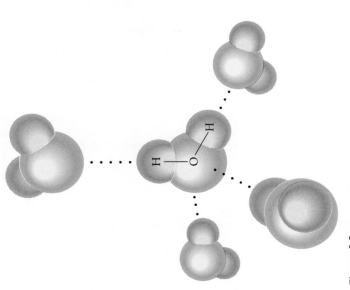

Figure 3.2
Liaisons hydrogène entre des molécules d'eau. Les zones chargées d'une molécule d'eau sont attirées par les zones de charge opposée des molécules voisines. (L'atome d'oxygène porte une charge partielle négative; les atomes d'hydrogène portent une charge partielle positive.) Chaque molécule peut former une liaison hydrogène avec au plus quatre autres molécules d'eau. En tout temps, dans l'eau à 37 °C (température du corps humain), environ 15 % des molécules forment quatre liaisons intermoléculaires dans des groupements éphémères.

s'accompagne de l'absorption ou de la libération d'une quantité relativement grande de chaleur. Pour comprendre cette qualité de l'eau, nous devons d'abord examiner brièvement les notions de chaleur et de température.

Température et chaleur Tout ce qui se déplace possède de l'**énergie cinétique**, l'énergie du mouvement. Les atomes et les molécules ont de l'énergie cinétique car ils sont continuellement en mouvement, bien que ce mouvement ne suive aucune direction particulière. Plus une molécule se déplace rapidement, plus son énergie cinétique est grande. La **température** mesure l'énergie cinétique *moyenne* des molécules d'un corps quelconque et exprime la tendance relative de la chaleur à s'échapper de ce corps. La **chaleur** représente un transfert énergétique entre deux corps de températures différentes. Lorsque la vitesse moyenne des molécules augmente, un thermomètre enregistre une hausse de température. La chaleur et la température sont reliées, mais il ne s'agit pas de la même chose. Un nageur qui traverse la Manche possède une température plus élevée que celle de l'eau, mais l'océan contient beaucoup plus de chaleur en raison de son volume.

Chaque fois que deux corps de températures différentes s'approchent l'un de l'autre, la chaleur du corps le plus chaud se transmet au corps le plus froid jusqu'à ce que les deux atteignent la même température. Les molécules du corps froid accélèrent leur vitesse au détriment de l'énergie cinétique du corps chaud. Ainsi, un glaçon

L'eau a une chaleur spécifique élevée

L'eau stabilise les températures de l'atmosphère en absorbant la chaleur de l'air plus chaud et en libérant sa propre chaleur dans l'air plus froid. L'eau forme un réservoir thermique efficace en raison de sa chaleur spécifique élevée: un léger changement dans sa propre température

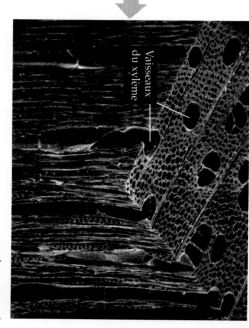

Figure 3.3
Transport de l'eau dans les Végétaux.
La vaporisation qui se produit à la surface des feuilles fait monter l'eau des racines dans les conduits microscopiques appelés vaisseaux du xylème, ici situés dans le tronc d'un Érable. Le xylème est un tissu spécialisé dans le transport de la sève brute, principalement composée d'eau et de sels minéraux. La cohésion due aux liaisons hydrogène contribue au maintien de la colonne d'eau dans un vaisseau. L'adhérence de l'eau à la paroi du vaisseau contribue également à contrer l'action de la gravitation (micrographie électronique à balayage).

100 µm

---

refroidit une boisson non pas en y ajoutant du froid mais en absorbant la chaleur de la boisson (voilà pourquoi il fond).

Tout au long de ce manuel, nous utiliserons les degrés **Celsius** (°C) pour indiquer la température. Au niveau de la mer et à une pression atmosphérique de 101,3 kPa, l'eau gèle à 0 °C et bout à 100 °C. La température du corps humain tourne autour de 37 °C et une température ambiante confortable varie de 20 à 25 °C.

Par ailleurs, l'unité utilisée pour quantifier toute énergie sera le **joule** (J). Dans les domaines de la médecine et de la diététique, par exemple, l'usage de la calorie prend encore beaucoup de place. La calorie correspondait à la quantité de chaleur nécessaire pour élever de 1 °C la température de 1 g d'eau. Une calorie équivaut à 4,184 J, dans un environnement à 15 °C environ.

La **chaleur spécifique** d'une substance représente le nombre de joules requis pour élever de 1 °C la température de 1 g de cette substance. La chaleur spécifique de l'eau correspond à 4,184 joules par gramme par degré Celsius, dont l'abréviation est 4,184 J/g/°C. En comparaison de la plupart des autres substances, l'eau possède une chaleur spécifique exceptionnellement élevée. Par exemple, l'éthanol, contenu dans les boissons alcoolisées, possède une chaleur spécifique de 2,51 J/g/°C.

L'eau stabilise la température En raison de la chaleur spécifique élevée de l'eau, le climat varie moins lorsque l'eau absorbe ou perd une certaine quantité de chaleur. Ainsi, en se réchauffant de quelques degrés seulement, une grande étendue d'eau peut absorber et emmagasiner une énorme quantité de chaleur solaire durant le jour et

---

(a)

(b)

Figure 3.4
Tension superficielle de l'eau. L'eau possède une tension superficielle exceptionnellement élevée grâce à la force globale de ses liaisons hydrogène. (a) C'est la tension superficielle qui fait perler l'eau sur cette toile d'Araignée. (b) Bien que sa masse volumique dépasse celle de l'eau, le Patineur d'eau peut marcher sur un étang sans rompre la surface de l'eau.

au cours de l'été. La nuit et au cours de l'hiver, l'eau qui se refroidit graduellement peut réchauffer l'air. Voilà pourquoi les régions côtières possèdent généralement des climats plus doux que les régions intérieures. La chaleur spécifique élevée de l'eau explique également la grande stabilité de la température des océans, créant ainsi un environnement favorable pour la vie marine. En raison de sa chaleur spécifique élevée, l'eau qui recouvre la majeure partie de la surface de la Terre maintient la température dans les limites compatibles avec la vie. De même, comme les organismes se composent principalement d'eau, ils résistent à des changements de leur température plus facilement que s'ils étaient formés d'un liquide possédant une chaleur spécifique plus faible.

La chaleur spécifique élevée de l'eau, comme bon nombre des propriétés de cette substance, résulte des liaisons hydrogène. Il doit y avoir absorption de chaleur pour que les liaisons hydrogène se brisent, et il se produit un dégagement de chaleur lorsque les liaisons hydrogène se forment. Une quantité de chaleur de 1 J ne provoque qu'un changement relativement petit de la température de l'eau. Ce phénomène s'explique par le fait qu'une bonne partie de l'énergie thermique sert à rompre les liaisons hydrogène avant que le reste fournisse aux molécules d'eau l'énergie nécessaire au mouvement. Et lorsque la température de l'eau baisse légèrement, beaucoup d'autres liaisons hydrogène se forment, libérant une quantité considérable d'énergie sous forme de chaleur.

L'eau a une chaleur de vaporisation élevée

Dans n'importe quel liquide, les molécules se tiennent ensemble parce qu'elles s'attirent les unes les autres. Les molécules qui se déplacent assez rapidement pour vaincre cette attraction peuvent s'échapper du liquide et se mélanger à l'air sous forme de gaz. Ce passage de l'état liquide à l'état gazeux s'appelle la vaporisation. La vitesse du mouvement moléculaire varie. Rappelez-vous que la température constitue une mesure de l'énergie cinétique *moyenne* des molécules. Même à faible température, il y a des molécules assez rapides pour s'échapper dans l'air. Il se produit une vaporisation à toutes les températures; un verre d'eau, par exemple, finira par se vaporiser à la température ambiante. Si on chauffe un liquide, l'énergie cinétique moyenne des molécules augmente et le liquide se vaporise plus rapidement.

La **chaleur de vaporisation** est la quantité de chaleur que 1 g de liquide doit absorber, à température constante, pour passer de l'état liquide à l'état gazeux. En comparaison de la plupart des autres liquides, l'eau possède une chaleur de vaporisation élevée. La vaporisation d'un gramme d'eau exige 2,26 kJ de chaleur, presque le double de la quantité nécessaire pour vaporiser un gramme d'alcool ou d'ammoniac. La chaleur de vaporisation élevée de l'eau résulte des liaisons hydrogène qui retiennent les molécules et rendent leur sortie de l'état liquide plus difficile. Il faut une quantité de chaleur relativement élevée pour que l'eau se vaporise, car les liaisons hydrogène doivent d'abord se briser.

La chaleur de vaporisation élevée de l'eau contribue à tempérer le climat de la Terre. Une quantité considé-

rable de chaleur solaire absorbée par les mers tropicales est utilisée durant la vaporisation de l'eau de surface. Puis, lorsqu'il se déplace vers les pôles, l'air tropical humide libère de la chaleur de l'air et se condense pour former de la pluie.

Au cours de la vaporisation d'une substance, la surface du liquide résiduel refroidit. Ce **refroidissement par vaporisation** se produit parce que les molécules les plus « chaudes », celles qui possèdent l'énergie cinétique la plus grande, sont les plus susceptibles de s'échapper sous forme de gaz.

Le refroidissement de l'eau par vaporisation contribue à la stabilité de la température dans les lacs et les étangs. Ce refroidissement constitue également un mécanisme qui empêche la surchauffe des organismes terrestres. Par exemple, la vaporisation de l'eau des feuilles d'une Plante empêche les tissus des feuilles de devenir trop chauds au soleil. De même, lors d'une chaude journée ou après un exercice intense, la vaporisation de la sueur se trouvant sur la peau d'une personne refroidit la surface du corps et aide à prévenir l'hyperthermie (figure 3.5).

L'eau se dilate quand elle gèle

La glace flotte. L'eau est une des rares substances qui possède une masse volumique moindre à l'état solide qu'à l'état liquide. Alors que d'autres substances se contractent en se solidifiant, l'eau se dilate. Ce comportement singulier résulte, encore une fois, des liaisons hydrogène. À des températures supérieures à 4 °C, l'eau se comporte comme les autres liquides : elle se dilate lorsqu'elle se réchauffe et se contracte lorsqu'elle refroidit. L'eau commence à geler lorsque ses molécules ne se déplacent plus avec suffisamment de vigueur pour briser leurs liaisons hydrogène. Lorsque la température atteint 0 °C, l'eau forme un réseau cristallin, chaque molécule d'eau demeurant liée à ses voisines (figure 3.6). Les liaisons hydrogène gardent les molécules assez éloignées les unes des autres; de cette façon, la masse volumique de la glace est inférieure d'environ 10 % (10 % moins de molécules pour un même volume) à celle de l'eau liquide à 4 °C. Lorsque la glace absorbe suffisamment de chaleur pour que sa température passe au-dessus de 0 °C, les liaisons hydrogène entre les molécules se rompent. Alors que le cristal s'affaisse, la glace fond et les molécules se rapprochent les unes des autres. L'eau atteint sa masse volumique maximale à 4 °C et commence alors à se dilater, encore une fois en raison de la vitesse accrue de ses molécules.

Ainsi donc, la glace flotte parce que l'eau se dilate quand elle gèle. La flottabilité de la glace contribue grandement à rendre l'environnement propice à la vie (figure 3.7). Si la glace coulait au fond, les étangs, les lacs et même les océans gèleraient complètement, et la vie telle que nous la connaissons n'existerait pas sur Terre. Au cours de l'été, seuls les quelques centimètres à la surface de l'océan dégèleraient. Au lieu de cela, lorsqu'une étendue d'eau profonde refroidit, la glace qui flotte isole l'eau liquide au-dessous. En empêchant celle-ci de geler, la glace favorise l'existence de la vie sous la surface.

La congélation de l'eau et la fusion (fonte) de la glace aident également à rendre les changements de saison

Figure 3.6
Structure de la glace. Chaque molécule d'eau s'associe par liaisons hydrogène à quatre voisines pour former un cristal tridimensionnel poreux. Dans la glace, les molécules sont moins nombreuses que dans un volume égal d'eau liquide, parce que les liaisons hydrogène plutôt stables gardent les molécules éloignées les unes des autres sous la forme d'un cristal relativement volumineux. En d'autres mots, la glace possède une masse volumique inférieure à celle de l'eau liquide.

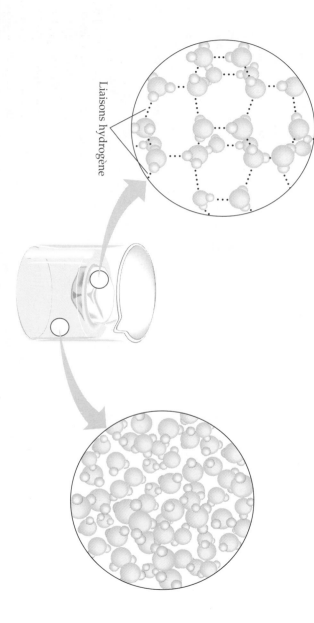

Liaisons hydrogène

moins brusques ; les organismes peuvent ainsi s'adapter graduellement au changement de climat. Répétons que l'eau libère de la chaleur dès que des liaisons hydrogène se forment et absorbe cette énergie dès que les liaisons hydrogène se brisent. Lorsque l'eau se solidifie en glace ou en neige, la chaleur dégagée réchauffe l'air environnant à mesure que les liaisons hydrogène assemblent les molécules en réseau cristallin. Ce processus contribue à réchauffer partiellement les températures automnales, ralentissant ainsi l'arrivée de la saison froide. Au cours du dégel printanier, la glace absorbe la chaleur qui rompt les liaisons hydrogène, ralentissant cette fois l'arrivée de la saison chaude.

L'eau : un solvant incomparable

Si on met un cube de sucre dans un verre d'eau, il se dissoudra graduellement. Le verre finira par contenir un mélange uniforme de sucre et d'eau ; la concentration du sucre dissous sera la même dans tout le mélange. Un liquide formé d'un mélange homogène de deux ou plusieurs substances s'appelle une **solution.** L'agent dissolvant d'une solution s'appelle le **solvant,** et la substance dissoute, le **soluté.** Dans l'exemple précédent, l'eau constitue le solvant et le sucre, le soluté. Une **solution aqueuse** est une solution qui contient de l'eau comme solvant.

Au Moyen Âge, les alchimistes essayèrent de trouver un solvant universel, qui pourrait tout dissoudre. Ils se rendirent compte de l'efficacité sans égale de l'eau. Cependant, l'eau n'est pas un solvant universel ; autrement, on ne pourrait l'entreposer dans aucun récipient, pas même dans nos cellules. Reste que l'eau constitue un solvant très efficace grâce à la polarité de ses molécules.

Supposons, par exemple, qu'on place dans l'eau un cristal de chlorure de sodium, un composé ionique

(figure 3.8). À la surface du cristal, les ions sodium et chlorure sont exposés au solvant. Ces ions ainsi que les molécules d'eau s'attirent mutuellement : le pôle négatif de l'atome d'oxygène des molécules d'eau adhère aux cations sodium, tandis que les pôles positifs des atomes d'hydrogène des molécules d'eau subissent l'attraction des anions chlorure. L'eau entoure chacun des ions, séparant le sodium du chlorure. À partir de la surface, l'eau pénètre à l'intérieur du cristal de sel et finit par dissoudre tous les ions. Résultat : une solution de deux solutés, les ions sodium et chlorure, mélangés de façon homogène

Figure 3.5
Refroidissement par vaporisation. À cause de la chaleur de vaporisation élevée de l'eau, la vaporisation de la sueur refroidit la surface du corps.

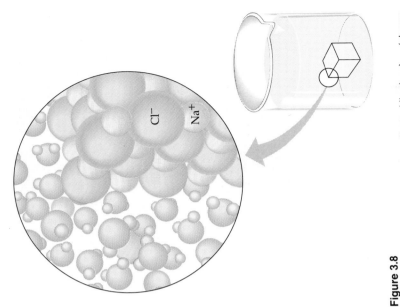

Figure 3.7
La flottabilité de la glace rend l'environnement propice à la vie. La glace flottant à la surface devient une barrière qui protège de l'air plus froid l'eau liquide située au-dessous. Voici des Morues polaires nageant sous la glace dans l'Arctique.

Figure 3.8
Cristal de sel se dissolvant dans l'eau. L'hydrogène (charge partielle positive) des molécules d'eau subit l'attraction d'un anion chlorure, alors que l'oxygène (charge partielle négative) s'attache au cation sodium.

avec l'eau, le solvant. D'autres composés ioniques se dissolvent également dans l'eau. L'eau de mer, par exemple, contient une grande variété d'ions en solution, de la même façon que les cellules vivantes.

Un composé n'a pas besoin d'être ionique pour se dissoudre dans l'eau ; les composés polaires peuvent eux aussi se dissoudre dans l'eau. C'est le cas de l'ammoniac (NH_3) : comme l'eau, il possède des charges partielles positive et négative en raison d'une répartition inégale d'électrons (voir la figure 2.17). L'ammoniac se dissout dans l'eau parce que les molécules d'eau polaires peuvent se disposer autour des molécules d'ammoniac polaires et former des liaisons hydrogène. Les sucres se dissolvent aussi dans l'eau parce qu'il s'agit de molécules polaires. En fait, de nombreux types de composés polaires se dissolvent (en même temps que des ions) dans l'eau des liquides biologiques tels que le sang, la sève des Végétaux et le liquide intracellulaire.

Qu'elle soit ionique ou polaire, une substance ayant une affinité pour l'eau est dite **hydrophile.** On utilise ce terme même si la substance ne se dissout pas, dans certains cas à cause de la grosseur de ses molécules. Prenons l'exemple de la cellulose. La cellulose est un composé constitué de molécules géantes qui, grâce à leurs nombreuses régions chargées positivement et négativement, adhèrent à l'eau mais ne se dissolvent pas.

Évidemment, il existe des substances qui ne se dissolvent pas dans l'eau et n'ont aucune affinité pour elle. Ces substances qu'on dit **hydrophobes** semblent en fait repousser l'eau. Elles ne sont ni ioniques, ni polaires. Par exemple, l'huile végétale et l'eau ne se mélangent pas. Le comportement hydrophobe des molécules d'huile résulte de la prédominance des liaisons covalentes non polaires, en particulier des liaisons entre le carbone et l'hydrogène, qui se répartissent les électrons à peu près également. Certaines molécules hydrophobes apparentées aux huiles constituent des ingrédients importants des membranes cellulaires. (Imaginez ce qui arriverait à une cellule si sa membrane plasmique se dissolvait.)

Le tableau 3.1 résume les propriétés extraordinaires de l'eau. Après avoir étudié ces qualités, préparez-vous à en

apprendre davantage sur les solutions aqueuses et leur importance en biologie.

SOLUTIONS AQUEUSES

La plupart des réactions chimiques qui se produisent chez les êtres vivants mettent en jeu des solutés dissous dans l'eau. Pour comprendre la chimie de la vie, il est important de connaître les propriétés des solutions aqueuses. Nous allons nous pencher sur deux aspects quantitatifs des solutions : la concentration des solutés et le pH.

Concentration des solutés

Supposons que nous voulions préparer une solution aqueuse de sucre granulé qui aurait une concentration précise (un certain nombre de molécules de soluté dans un certain volume de solution). Comme il est peu commode de compter ou de peser des molécules individuellement, les scientifiques mesurent habituellement les substances en unités appelées moles (mol). Pour obtenir la valeur d'une **mole** d'une substance, on prend sa **masse moléculaire** et on l'exprime en grammes plutôt qu'en unités de masse atomique. Par exemple, une mole de saccharose (sucre granulé) correspond à 342 g. Pour obtenir cette valeur, on part de la formule moléculaire du saccharose ($C_{12}H_{22}O_{11}$). On convertit en grammes les unités de masse atomique de chaque atome, et on multiplie cette valeur en grammes par le nombre d'atomes. Ainsi, dans la formule $C_{12}H_{22}O_{11}$, le carbone représente 144 g (12 × 12 g),

Tableau 3.1 Résumé des propriétés extraordinaires de l'eau

Propriété	Explication	Exemple d'un avantage pour les êtres vivants
Cohésion et tension superficielle élevée ; adhérence	Les liaisons hydrogène retiennent les molécules ensemble et les font adhérer aux surfaces hydrophiles.	Les feuilles font monter l'eau des racines dans des vaisseaux microscopiques.
Chaleur spécifique élevée	Les liaisons hydrogène absorbent de la chaleur quand elles se brisent et libèrent de la chaleur quand elles se forment, ce qui réduit au minimum les changements de température.	L'eau stabilise les températures de l'air et de la mer, et aide les organismes, constitués en grande partie d'eau, à résister aux changements de température.
Chaleur de vaporisation élevée	Les liaisons hydrogène doivent se briser pour que l'eau se vaporise.	La vaporisation de l'eau refroidit la surface des Végétaux et des Animaux.
Dilatation lors du passage de l'état liquide à l'état solide	Les molécules d'eau dans un cristal de glace sont relativement espacées à cause des liaisons hydrogène.	La glace qui flotte isole l'eau se trouvant sous elle et empêche les océans et les lacs de geler complètement.
Efficacité comme solvant	Les extrémités chargées des molécules d'eau subissent l'attraction des ions et des composés polaires.	Les solutions aqueuses contenues dans les êtres vivants se composent de diverses substances dissoutes.

l'hydrogène $\underline{22}$ g (22 × 1 g) et l'oxygène $\underline{176}$ g (11 × 16 g). En additionnant les valeurs (soulignées) en grammes représentant chaque élément de la formule, on obtient les 342 g d'une mole de saccharose.

Il vaut mieux mesurer la quantité d'un produit chimique en moles car une mole d'une substance possède exactement le même nombre de molécules qu'une mole d'une autre substance. Le nombre de molécules dans une mole, appelé **nombre d'Avogadro**, est de 6,02 × 10²³. Une mole de sucre granulé contient 6,02 × 10²³ molécules de saccharose et pèse 342 g. Une mole d'éthanol (C₂H₆O) contient également 6,02 × 10²³ molécules, mais ne pèse que 46 g parce que ses molécules sont plus petites que celles du saccharose. Les mesures en moles permettent également aux scientifiques de combiner des substances dans des proportions définies de molécules.

Imaginons la préparation de 1 L d'une solution formée de 1 mol de saccharose dissous dans l'eau. Pour obtenir cette concentration, nous pesons 342 g de saccharose puis nous ajoutons graduellement de l'eau, tout en agitant, jusqu'à la dissolution complète du sucre. Nous ajoutons par la suite suffisamment d'eau pour amener le volume total de la solution à un litre. À ce stade, la concentration molaire volumique de la solution de saccharose est de 1 mol/L. La **concentration molaire volumique (c)**, c'est-à-dire le nombre de moles de soluté par litre de solution, est l'unité de concentration la plus souvent utilisée pour les solutions aqueuses.

Acides, bases et pH

Dissociation des molécules d'eau   À l'occasion, un atome d'hydrogène partagé entre deux molécules d'eau dans une liaison hydrogène se déplace d'une molécule vers l'autre (figure 3.9). Lorsque cela se produit, l'atome d'hydrogène abandonne son électron, et ce qui est transféré, c'est un seul **proton** portant une charge de +1, que nous identifierons désormais par H⁺. La molécule d'eau qui a perdu un proton devient

alors un **ion hydroxyde** (OH⁻), avec une charge de −1. Le proton se lie à la seconde molécule d'eau, formant ainsi un **ion hydronium** (H₃O⁺), parfois nommé oxonium. Nous pouvons représenter la réaction chimique de la façon suivante :

$$H_2O + H_2O \rightleftharpoons H_3O^+ + OH^-$$

$$\text{hydronium} \quad \text{hydroxyde}$$
$$\text{Ion} \quad \quad \text{Ion}$$

Techniquement, c'est bien ce qui se produit ; par commodité, il vaut mieux se représenter ce processus comme la dissociation d'une molécule d'eau en un proton et en un ion hydroxyde :

$$H_2O \rightleftharpoons H^+ + OH^-$$
$$\text{Proton} \quad \text{Ion}$$
$$\text{hydroxyde}$$

Comme l'indique la flèche double, il s'agit d'une réaction réversible. Celle-ci atteint un état d'équilibre dynamique lorsque l'eau se dissocie à la même vitesse qu'elle se reforme à partir de H⁺ et de OH⁻. Au point d'équilibre, la concentration de molécules d'eau excède énormément la concentration de H⁺ et de OH⁻. En fait, dans l'eau pure, seulement une molécule d'eau sur 554 millions se dissocie. Bien que la dissociation de l'eau soit réversible et rare sur le plan statistique, elle joue un rôle crucial dans la chimie de la vie. Les protons et les ions hydroxyde possèdent une grande réactivité. Des changements mineurs dans leurs concentrations peuvent perturber les protéines et les autres molécules complexes d'une cellule.

Acides et bases   Comme la dissociation de l'eau produit un H⁺ pour chaque OH⁻, les concentrations molaires volumiques de ces ions sont égales dans l'eau pure. La concentration de chaque ion équivaut à 10⁻⁷ mol/L (à 25 °C).

Remarque : D'ici la fin de ce manuel, vous verrez tantôt l'expression « concentration molaire volumique », tantôt uniquement le mot « concentration ». Sachez qu'en

tant, cela suffit pour déplacer l'équilibre des H⁺ et des OH⁻ du point de neutralité.

Échelle de pH Dans les solutions aqueuses, le produit des concentrations molaires volumiques de H⁺ et de OH⁻ est toujours 10^{-14}. Ce produit peut s'écrire

$$[H^+][OH^-] = 10^{-14} \text{ (mol/L)}^2$$

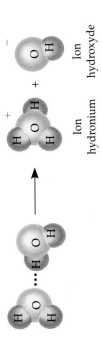

Ion hydronium + Ion hydroxyde

Figure 3.9
Formation des ions hydronium et hydroxyde. Le proton d'un atome d'hydrogène se déplace d'une molécule d'eau vers une autre, ce qui forme un ion hydronium et un ion hydroxyde.

voyant ce mot, il faut toujours penser en termes de «concentration molaire volumique»; l'abrègement de l'expression n'a pour but que d'alléger la lecture.

Qu'est-ce qui peut provoquer un déséquilibre entre les concentrations de H⁺ et de OH⁻ dans une solution aqueuse? La présence d'un acide ou d'une base produit cet effet. **Un acide** est un composé qui augmente la concentration de protons (H⁺) dans une solution. Par exemple, quand on ajoute du chlorure d'hydrogène (HCl) à de l'eau, les protons se dissocient des ions chlorure :

$$HCl \rightarrow H^+ + Cl^-$$

On a alors deux sources de H⁺ dans la solution (la dissociation de l'eau étant l'autre), et il en résulte un plus grand nombre de H⁺ que de OH⁻. Il s'agit d'une solution dite acide.

Un composé qui accepte des protons s'appelle une **base**. L'ammoniac (NH₃), par exemple, agit comme une base en se liant à un proton de la solution pour former un ion ammonium (NH₄⁺) :

$$NH_3 + H^+ \rightleftharpoons NH_4^+$$

Une base réduit la concentration de H⁺. On qualifie de basiques les solutions ayant une concentration de OH⁻ plus élevée que celle de H⁺. Une solution est dite neutre lorsque les concentrations molaires volumiques de H⁺ et de OH⁻ s'équivalent.

Remarquez qu'on a utilisé une flèche simple dans les réactions avec HCl, comme on le fait dans la suivante :

$$NaOH \rightarrow Na^+ + OH^-$$

Cela s'explique par le fait que ces composés se dissocient complètement lorsqu'on les mélange à l'eau. Le chlorure d'hydrogène est un acide fort et l'hydroxyde de sodium (NaOH) une base forte, parce qu'ils se dissocient complètement. En revanche, l'ammoniac constitue une base faible. Les flèches doubles dans la réaction de l'ammoniac indiquent que la liaison et la libération du proton sont réversibles et que le rapport entre NH₄⁺ et NH₃ est constant lorsque la réaction atteint l'équilibre. Il existe également des acides faibles qui se dissocient de façon réversible, c'est-à-dire qui cèdent et reprennent des protons. L'acide carbonique en constitue un exemple :

$$H_2CO_3 \rightleftharpoons HCO_3^- + H^+$$

Acide carbonique / Ion hydrogénocarbonate / Proton

Cependant, l'équilibre favorise tellement la réaction vers la gauche que lorsqu'on ajoute de l'acide carbonique à de l'eau seulement 1 % de ses molécules se dissocient. Pour-

où les crochets indiquent la concentration molaire volumique de la substance qu'ils renferment. Dans une solution neutre à la température ambiante (25 °C), [H⁺] = 10^{-7} mol/L et [OH⁻] = 10^{-7} mol/L, de telle sorte que le produit est 10^{-14} (mol/L)². Si on ajoute assez d'acide à la solution pour porter [H⁺] à 10^{-5} mol/L, alors [OH⁻] diminue d'une quantité équivalente, jusqu'à 10^{-9} mol/L ($10^{-5} \times 10^{-9} = 10^{-14}$). Un acide ne fait pas qu'ajouter des protons à une solution. Il se trouve également à enlever des ions hydroxyde en raison de la tendance de H⁺ à se combiner avec OH⁻ pour former de l'eau. Une base produit l'effet opposé: elle augmente la concentration molaire volumique de OH⁻, et réduit aussi la concentration de H⁺ par formation d'eau. Si on ajoute assez de base à une solution pour porter la concentration de OH⁻ à 10^{-4} mol/L, la concentration molaire volumique de H⁺ diminue jusqu'à 10^{-10} mol/L. Chaque fois que nous connaissons la concentration molaire volumique de H⁺ ou de OH⁻ dans une solution, nous pouvons déduire la concentration de l'autre ion.

Étant donné que les concentrations de H⁺ et de OH⁻ peuvent varier d'un facteur excédant parfois 10^{12}, les scientifiques ont élaboré une façon plus commode d'exprimer cette variation: l'**échelle de pH**, qui s'étend de 0 à 14. L'échelle de pH réduit l'éventail des concentrations molaires volumiques de H⁺ et de OH⁻ au moyen d'un outil mathématique courant: les logarithmes. Le pH d'une solution se définit comme le logarithme négatif (base 10) de la concentration de protons :

$$pH = -\log [H^+]$$

Par ailleurs, on peut transformer le logarithme en exposant ([H⁺] = 10^{-pH}). Comme un exposant ne comporte jamais d'unité, toutes les valeurs de pH apparaîtront sans unité.

Pour une solution neutre, rappelons-le, [H⁺] est 10^{-7} mol/L, ce qui donne

$$pH = -\log 10^{-7} = -(-7) = 7$$

Remarquez que le pH *diminue* à mesure que la concentration molaire volumique de H⁺ *augmente*. Remarquez également que même si l'échelle de pH se base sur la concentration de H⁺, elle concerne également la concentration de OH⁻. Une solution de pH 10 possède une concentration de protons de 10^{-10} et une concentration d'ions hydroxyde de 10^{-4} (figure 3.10).

Le pH d'une solution neutre égale 7, le milieu de l'échelle. Un pH inférieur à 7 désigne une solution acide: plus la valeur est faible, plus la solution est acide. Le pH des solutions basiques excède 7. Les valeurs de pH inférieures à 0 ou supérieures à 14 se rencontrent rarement; le pH de la plupart des liquides biologiques se situe entre 6 et 8. Il existe cependant quelques exceptions, comme le

suc gastrique de l'estomac humain, très acide, qui a un pH d'environ 1,5.

Il faut vous rappeler que chaque unité de pH représente une différence d'un facteur de dix entre les concentrations molaires volumiques de H^+ et de OH^-. C'est cette propriété logarithmique qui permet de condenser l'échelle de pH. Ainsi, une solution de pH 3 n'est pas deux fois plus acide qu'une solution de pH 6 mais mille fois plus. Lorsque le pH d'une solution change légèrement, les concentrations de H^+ et de OH^- dans la solution changent donc de façon substantielle.

Solutions tampons Le pH interne de la plupart des cellules vivantes se situe autour de 7. Le moindre changement du pH cellulaire peut s'avérer dommageable, car les processus chimiques de la cellule sont très sensibles aux variations des concentrations de protons et d'ions hydroxyde.

C'est grâce aux solutions biologiques résistent aux changements de pH causés par l'ajout d'un acide ou d'une base. Une solution tampon est un mélange de substances qui réduisent au minimum les changements dans les concentrations de H^+ et de OH^-. Les solutions tampons dans le sang humain, par exemple, maintiennent normalement son pH à environ 7,4 (7,35 à 7,45). Une baisse de pH (acidose) ou une augmentation de pH (alcalose) constituent un danger, et une personne ne peut survivre plus de quelques minutes si le pH du sang chute à 7 ou grimpe à 7,8. En temps normal, le pouvoir tampon du sang empêche de telles variations dans le pH.

Les solutions tampons **que** les liquides

Les solutions tampons fonctionnent de la façon suivante: elles acceptent des protons quand la solution en renferme trop et en donnent quand elle n'en contient plus assez. La plupart des solutions tampons se composent d'un acide faible et de son sel. L'acide carbonique (H_2CO_3) et son sel, l'ion hydrogénocarbonate (HCO_3^-), constituent une des solut'ons tampons qui contribuent à la stabilité du pH dans le sang et dans de nombreux autres liquides biologiques. (Une ancienne nomenclature donnait le nom de bicarbonate à l'ion hydrogénocarbonate.) L'acide carbonique, comme nous l'avons mentionné précédemment, se dissocie pour produire un ion hydrogénocarbonate (HCO_3^-) et un proton (H^+):

$$H_2CO_3 \rightleftharpoons HCO_3^- + H^+$$

H_2CO_3		HCO_3^-	+	H^+
Donneur		Accepteur		Proton
de H^+		de H^+		
(acide)		(base)		

Réaction à une hausse de pH
Réaction à une baisse de pH

L'équilibre chimique entre l'acide carbonique et l'ion hydrogénocarbonate agit comme un régulateur de pH. La réaction se déplace vers la gauche ou la droite lorsque d'autres processus dans la solution ajoutent ou enlèvent des protons. Si la concentration de H^+ dans le sang se met à baisser (c'est-à-dire si le pH augmente), l'acide carbonique se dissocie et libère des protons. Mais, lorsque la concentration de H^+ dans le sang augmente (diminution de pH), l'ion hydrogénocarbonate joue le rôle d'une base et enlève les protons en excès dans la solution. En fait, la

solution tampon acide carbonique-hydrogénocarbonate se compose d'un acide et d'une base à l'état d'équilibre. La plupart des autres solutions tampons sont aussi des paires acide-base.

PRÉCIPITATIONS ACIDES: PERTURBATION DE L'ENVIRONNEMENT

Le problème des précipitations acides a attiré l'attention du public sur la sensibilité des êtres vivants au pH. La pluie non contaminée possède un pH de 5,6 environ, légèrement acide, en raison de la formation d'acide carbonique à partir de dioxyde de carbone et d'eau. Le terme *précipitation acide* s'applique à une précipitation de pH plus acide que 5,6. Certaines questions se posent à ce sujet. D'où viennent les précipitations acides? Quels effets entraînent-elles sur la santé de l'environnement? Qu'est-ce qu'on peut faire pour atténuer le problème?

Les précipitations acides viennent principalement de la présence de polluants atmosphériques tels les oxydes de soufre, qui comptent pour environ deux tiers des contaminants, et les oxydes d'azote, qui représentent l'autre tiers. Ces composés gazeux réagissent avec l'humidité de l'air pour former des acides qui tombent sur la Terre avec la pluie, la grêle et la neige. Les combustibles fossiles utilisés par les industries et les automobiles constituent une source importante de ces polluants. Le problème des précipitations acides provenant de la pollution atmosphérique remonte aussi loin que la révolution industrielle. Il a toutefois empiré au cours des vingt dernières années. En 1985, avant l'imposition de restrictions plus sévères, les émanations produites aux États-Unis ajoutaient annuellement plus de 40 millions de tonnes métriques d'oxydes de soufre et d'oxydes d'azote à l'atmosphère. Pendant ce temps, le Canada contribuait à la pollution de l'air avec des émissions d'environ 6 millions de tonnes par année. En dotant les usines de cheminées plus hautes dans le but de disperser les émanations industrielles et de réduire ainsi la pollution locale, on a contribué à l'augmentation des précipitations acides. À cause des vents dominants en provenance de l'ouest et du sud-ouest, ces cheminées ne font que déplacer le problème: les précipitations acides tombent à des centaines, voire des milliers de kilomètres des centres industriels, souvent dans des régions auparavant intactes, au Québec entre autres (figure 3.11).

Dans la majeure partie de la vallée du Saint-Laurent, la moyenne pondérée du pH des précipitations se situait entre 4,3 et 4,5 environ pour la période 1982-1983. On enregistre les précipitations les plus acides dans les régions de Rouyn-Noranda, Montréal, Québec et Jonquière. Parmi les records tristement célèbres, une pluie de pH 1,5 dans la partie ouest de la Virginie et une autre de pH 2,4 à Pitlochry en Écosse.

Des expériences et des observations ont permis de confirmer les effets néfastes des précipitations acides sur les écosystèmes terrestres et aquatiques. Les précipitations acides abaissent le pH des sols, ce qui entrave la solubilité des minéraux. Certains nutriments minéraux nécessaires aux végétaux sont lessivés du sol, alors que d'autres minéraux, comme l'aluminium, atteignent des concentrations toxiques parce que l'acidification aug-

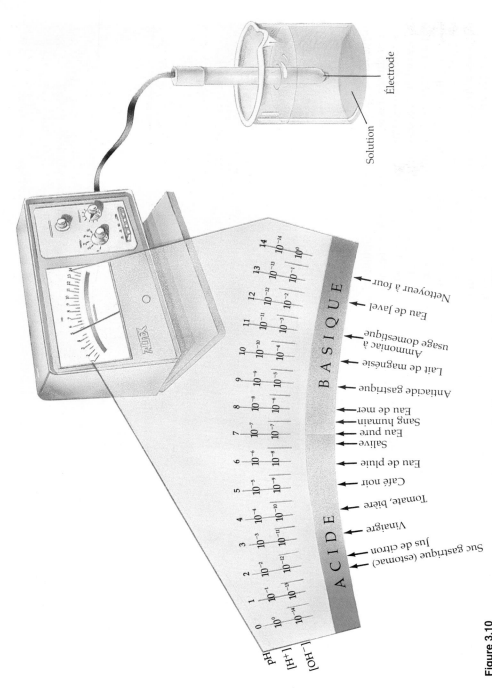

Figure 3.10
Le pH approximatif de quelques solutions aqueuses. Pour mesurer le pH, on utilise habituellement un appareil de mesure (pH-mètre) branché à une électrode de verre plongée dans la solution.

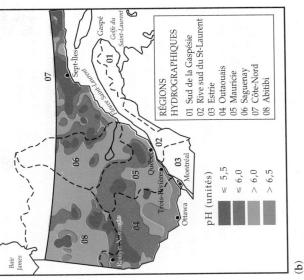

(b)

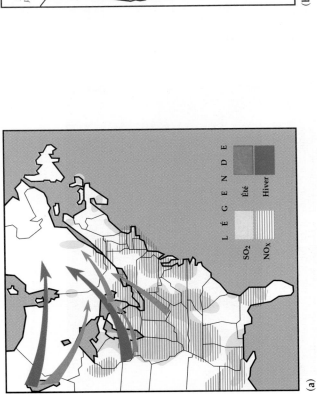

(a)

Figure 3.11
Précipitations acides au Québec. (a) Origine des contaminants et trajectoire des vents dominants. **(b)** Variabilité du pH dans les lacs du Québec méridional. On considère un lac comme acide lorsque son pH se situe au-dessous de 5,5.

mente leur solubilité. Les effets des précipitations acides sur la chimie des sols ont contribué à la dégénérescence des forêts européennes (figure 3.12). Les précipitations acides ont aussi abaissé le pH des lacs et des étangs dans certaines régions. L'accumulation de minéraux lessivés du sol par les précipitations acides contamine davantage les habitats d'eau douce. De nombreuses espèces de Poissons, d'Amphibiens et d'Invertébrés aquatiques s'en trouvent perturbées (figure 3.13). Plus de la moitié des lacs en altitude de la partie ouest des Adirondacks ont à l'heure actuelle un pH plus acide que 5. Les Poissons ont complètement disparus de presque tous ces lacs. Plusieurs milliers de lacs du Québec et de l'Ontario connaissent le même sort. Par contre, à la hauteur de Drummondville, la rivière Saint-François, bien que soumise à des précipitations acides, conserve ses eaux à pH 7 environ. Cette région a la chance de faire partie du 23 % des écosystèmes aquatiques canadiens qui présentent un potentiel élevé de neutralisation de l'acidité. Le lit de la rivière se compose en effet de roche calcaire, laquelle constitue une fois dissoute une des meilleures solutions tampons.

Les précipitations acides peuvent être réduites au moyen de réglementations industrielles et de systèmes antipollution. Ainsi, les études ont montré que les émissions d'oxydes de soufre ont diminué d'environ 30 % depuis 1985. Seuls les efforts conjugués des dirigeants d'entreprise, des citoyens, des consommateurs et des politiciens qui se préoccupent de la qualité de l'environnement assureront d'autres améliorations dans ce domaine.

Dans ce chapitre, nous avons vu à quel point les propriétés de l'eau, une substance si banale et pourtant si extraordinaire, sont vitales. Nous avons également vu comment la perturbation des réserves d'eau, causée par un changement du pH de la pluie par exemple, peut nuire à l'environnement. Dans le prochain chapitre, nous allons explorer un autre facteur qui rend l'environnement propice à la vie : le rôle du carbone dans la chimie de la vie.

* * *

Figure 3.12
Effets des précipitations acides sur une forêt. La pluie et la neige transportent les produits acides de la combustion du charbon et du pétrole ont causé la mort de cette forêt sur les monts Métallifères en Allemagne.

Figure 3.13
Effet des précipitations acides sur la vie aquatique. La colonne vertébrale courbée et les branchies atrophiées de cette Salamandre constituent des exemples de difformités chez les Animaux qui se développent dans une eau à pH 5. Ce degré d'acidité est courant dans les lacs et les étangs contaminés par des précipitations acides.

RÉSUMÉ DU CHAPITRE

1. L'eau est le support de la vie. Elle existe en abondance dans l'environnement et constitue la majeure partie de toutes les cellules.

2. De la structure de l'eau découlent ses propriétés extraordinaires.

Molécules d'eau et liaison hydrogène (p. 40-41)

1. L'eau est une molécule polaire. Il se forme une liaison hydrogène lorsque l'oxygène d'une molécule d'eau subit l'attraction de l'hydrogène d'une molécule adjacente.

2. Les propriétés extraordinaires de l'eau résident dans la liaison hydrogène entre ses molécules.

Quelques propriétés extraordinaires de l'eau (p. 41-45)

1. La formation continue de liaisons hydrogène confère à l'eau un pouvoir de cohésion. Cette propriété permet à l'eau de remonter les vaisseaux microscopiques des Végétaux pour se rendre aux feuilles.

2. Les liaisons hydrogène entre les molécules à la surface de l'eau liquide expliquent la tension superficielle de l'eau.

3. La température mesure l'énergie cinétique moyenne des molécules d'un corps et exprime la tendance relative de la chaleur à s'échapper de ce corps. La chaleur représente un transfert énergétique entre deux corps de température différente.

4. Les liaisons hydrogène confèrent à l'eau une chaleur spécifique élevée. Il y a absorption de chaleur lorsque les liaisons hydrogène se brisent, et libération de chaleur lorsque les liaisons se forment. Ce processus maintient les variations de température dans des limites compatibles avec la vie.

5. Le refroidissement par vaporisation se fait grâce à la chaleur de vaporisation élevée de l'eau. Les molécules d'eau doivent posséder une énergie cinétique relativement élevée pour vaincre les liaisons hydrogène. Le passage à l'état gazeux (vapeur) de ces molécules d'eau refroidit une surface.

6. La glace possède une masse volumique inférieure à celle de l'eau liquide. À l'état solide, l'eau se dilate en un cristal caractéristique ; les liaisons hydrogène s'allongent et les molécules d'eau perdent leur mobilité. La flottabilité de la glace permet à la vie d'exister sous les surfaces gelées des lacs, des rivières et des océans polaires.

7. L'eau constitue un solvant incomparable, d'une grande efficacité, car sa polarité lui confère une affinité avec les substances chargées et les substances polaires. Lorsque les ions ou les molécules de ces substances sont entourés de molécules d'eau, ils se dissolvent et s'appellent solutés. Les substances hydrophiles possèdent une affinité pour l'eau, alors que les substances hydrophobes la repoussent.

Solutions aqueuses (p. 45-48)

1. Pour obtenir la valeur d'une mole d'une substance, on prend sa masse moléculaire et on l'exprime en grammes. La concentration molaire volumique est le nombre de moles de soluté par litre de solution.

2. L'eau peut se dissocier en ions H^+ et OH^-. La réaction est réversible et, en état d'équilibre, $[H^+] = [OH^-] = 10^{-7}$ mol/L (pour l'eau pure à 25 °C).

3. La concentration molaire volumique de H^+ se mesure en unités de pH au moyen de la formule suivante : $pH = -\log [H^+]$. Chaque unité de pH représente ainsi une augmentation ou une diminution de dix fois la concentration de H^+.

4. Dans les solutions aqueuses, les acides cèdent des ions H^+ alors que les bases en acceptent.

5. Dans une solution neutre, $[H^+] = [OH^-] = 10^{-7}$ mol/L, et le pH = 7. Dans une solution acide, $[H^+]$ est supérieure à $[OH^-]$, et le pH est plus petit que 7. Dans une solution basique, $[H^+]$ est inférieure à $[OH^-]$, et le pH est plus grand que 7.

6. $[H^+]$ a un effet crucial sur la chimie de la vie car elle influe sur la structure et la fonction des molécules biologiques. Le pH interne de la majorité des cellules doit demeurer autour de 7.

7. Les solutions tampons se trouvant dans les liquides biologiques aident ces derniers à résister aux changements de pH. Une solution tampon se compose d'une paire acide-base qui se combine de façon réversible avec les protons.

Précipitations acides : perturbation de l'environnement (p. 48-50)

Les précipitations acides se produisent lorsque l'eau dans l'atmosphère réagit avec les oxydes de soufre et les oxydes d'azote qui proviennent de la dégradation des combustibles fossiles. Les acides qui se forment font baisser le pH de la pluie et de la neige au-dessous de 5,6, ce qui peut perturber gravement l'environnement.

AUTO-ÉVALUATION

1. Les eaux du golfe du Saint-Laurent tempèrent le climat des Îles-de-la-Madeleine :
   a) parce qu'elles emmagasinent une grande quantité d'énergie solaire lors des hausses de température.
   b) parce qu'en refroidissant graduellement, elles libèrent de la chaleur dans l'air environnant.
   c) parce que la chaleur spécifique élevée de l'eau contribue à régulariser la température de l'air.
   d) parce que la cohésion et l'adhérence des molécules d'eau en milieu salin représentent une énergie plus grande qu'en eau douce.
   e) Les énoncés a, b et c complètent correctement la phrase.

2. La température de l'air augmente souvent légèrement lorsque les nuages commencent à laisser tomber de la pluie ou de la neige. Quel comportement de l'eau explique *le plus directement* ce phénomène ?
   a) La diminution constante de la masse volumique de l'eau lorsqu'elle se condense.
   b) Les réactions de l'eau avec les autres composés atmosphériques.
   c) La libération de chaleur par formation de liaisons hydrogène.
   d) La libération de chaleur par rupture de liaisons hydrogène.
   e) La tension superficielle élevée de l'eau.

3. Lorsque deux corps se touchent, la chaleur s'écoule toujours :
   a) du corps ayant le plus de chaleur vers celui qui en a le moins.
   b) du corps dont la température est plus élevée vers celui dont la température est plus faible.
   c) vers le corps de masse volumique plus faible.
   d) du corps contenant plus d'eau vers celui qui en a le moins.
   e) du corps le plus gros vers le plus petit.

4. On immerge la base d'une tige de Céleri dans un colorant rouge dissous dans l'eau. Deux heures plus tard, les nervures des feuilles se colorent en rouge. À quelle propriété de l'eau attribue-t-on ce résultat ?

a) À sa capacité d'adhérence.
b) À sa tension superficielle élevée.
c) À sa chaleur spécifique élevée.
d) Aux variations de sa masse volumique.
e) À sa valeur unique comme solvant.

5. Lorsque l'eau se vaporise, les liaisons qui se rompent sont :

a) des liaisons ioniques.
b) des liaisons entre les molécules d'eau.
c) des liaisons intramoléculaires.
d) des liaisons covalentes polaires.
e) des liaisons covalentes non polaires.

6. Nous savons avec certitude qu'une mole de saccharose et une mole de vitamine C ont :

a) des masses molaires égales.
b) des masses en grammes égales.
c) le même nombre de molécules.
d) le même nombre d'atomes.
e) le même volume.

7. Combien de grammes d'acide acétique (C₂H₄O₂) utiliseriez-vous pour préparer 10 L d'une solution aqueuse à 0,1 mol/L? *(Note : Les masses molaires atomiques égalent approximativement 12 g pour le carbone, 1 g pour l'hydrogène et 16 g pour l'oxygène.)*

a) 10 g.
b) 0,1 g.
c) 6 g.
d) 60 g.
e) 0,6 g.

8. Les précipitations acides ont abaissé le pH d'un lac à 4,0. Quelle est la concentration en protons dans le lac ?

a) 4,0 mol/L.
b) 10⁻¹⁰ mol/L.
c) 10⁻⁴ mol/L.
d) 10⁴ mol/L.
e) 4 %.

9. Quelle est la concentration en *ions hydroxyde* dans le lac de la question 8 ?

a) 10⁻⁷ mol/L.
b) 10⁻⁴ mol/L.
c) 10⁻¹⁰ mol/L.
d) 10⁻¹⁴ mol/L.
e) 10 mol/L.

10. Laquelle des substances suivantes constitue un exemple de matériau hydrophobe ?

a) Le papier.
b) Le sel.
c) La cire.
d) Le sucre.
e) Les pâtes alimentaires.

QUESTIONS À COURT DÉVELOPPEMENT

1. Démontrez l'importance de la liaison hydrogène en ce qui concerne les différentes propriétés de l'eau.

2. Associez un exemple à chacune des propriétés de l'eau et montrez comment cette propriété est utile aux êtres vivants.

3. Expliquez le fonctionnement d'une des solutions tampons présentes chez l'Humain.

4. Décrivez brièvement le phénomène des précipitations acides au Québec, en précisant les facteurs physicochimiques à l'origine de ces précipitations et leurs conséquences.

RÉFLEXION-APPLICATION

1. Expliquez comment le halètement d'un Chien contribue à la régulation de la température de son corps.

2. L'adhérence et la cohésion contribuent à l'ascension de l'eau dans des tubes capillaires fabriqués d'un matériau hydrophile, comme le verre. Ce phénomène s'appelle capillarité (voir la figure). Les molécules d'eau adhèrent au verre et « grimpent », en entraînant d'autres molécules d'eau grâce à la cohésion. Expliquez pourquoi l'eau monte plus haut par capillarité dans un tube de diamètre plus petit que dans un tube de diamètre plus grand.

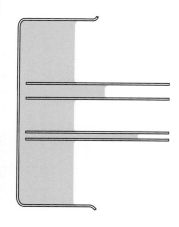

SCIENCE, TECHNOLOGIE ET SOCIÉTÉ

1. Expliquez les obstacles politiques à la réduction des précipitations acides.

2. L'agriculture, l'industrie et les populations urbaines se disputent les ressources en eau en faisant jouer leurs influences politiques. Si vous étiez responsable des ressources en eau dans une région aride, quelles seraient vos priorités dans l'attribution des réserves d'eau ? Comment défendriez-vous votre position ?

LECTURES SUGGÉRÉES

Eagland, D., « La structure de l'eau », *La Recherche*, n° 221, mai 1990. (Malgré la simplicité structurale de l'eau, celle-ci n'ont pas encore dévoilé tous ses secrets.)

Gavaud, J., « Les Eaux de la vie », Science et Vie, hors-série n° 184, septembre 1993. (Les structures subtiles des molécules d'eau leur procurent des fonctions multiples.)

Hilbron, J. et M. Still, *Rapport sur l'état de l'environnement. Perspective canadienne sur la pollution atmosphérique*, Environnement Canada, 1990, 86 pages. (Une bonne ressource documentaire facile d'accès.)

Québec, ministère de l'Environnement, *État de l'environnement au Québec*, Montréal, Guérin, 1992. (Le chapitre 2 traite des précipitations acides. Un ouvrage de référence riche en informations et en données nous permettant de suivre l'évolution environnementale du Québec.)

Rawn, J. D., *Traité de biochimie*, Bruxelles, DeBoeck-Wesmael, 1990. (Le chapitre 2 comporte un exposé sur l'eau.)

Zumdahl, S. S. *Chimie des solutions*, Montréal, CEC, 1988. (Un manuel destiné à l'enseignement de la chimie au collégial.)

4 | CARBONE ET DIVERSITÉ MOLÉCULAIRE

ORIGINE DE LA CHIMIE ORGANIQUE

LA SOUPLESSE DU CARBONE DANS L'ARCHITECTURE MOLÉCULAIRE

VARIATIONS DANS LES CHAÎNES CARBONÉES

GROUPEMENTS FONCTIONNELS

LES ÉLÉMENTS CHIMIQUES DE LA VIE

D epuis l'apparition des premières cellules jusqu'à celle des êtres vivants incroyablement variés de notre époque, le carbone a joué un rôle déterminant dans l'évolution de la vie sur la Terre. La diversité biologique reflète la diversité moléculaire ; et la capacité du carbone de former des molécules volumineuses, complexes et variées est sans égal parmi les éléments chimiques. Dans ce chapitre, vous étudierez les fondements de l'architecture moléculaire qui font du carbone un élément si important pour la vie.

ORIGINE DE LA CHIMIE ORGANIQUE

Bien que 70 à 95 % d'une cellule soient constitués d'eau, le reste renferme principalement des composés du carbone. Les protéines, l'ADN, les glucides et les autres molécules qui caractérisent la matière vivante contiennent tous des atomes de carbone. Ceux-ci sont liés les uns aux autres et unis à des atomes d'autres éléments. L'hydrogène (H), l'oxygène (O), l'azote (N), le soufre (S) et le phosphore (P) font également partie des composés du carbone (C), mais c'est à celui-ci qu'on doit l'infinie variété des molécules organiques.

Les substances qui contiennent du carbone s'appellent *composés organiques* (à l'exception de certains carbures et composés tels que le dioxyde de carbone [CO_2] et les trioxocarbonates). La branche de la chimie qui se spécialise dans l'étude de ces composés se nomme **chimie organique.** Les composés organiques varient de la molécule simple à la molécule gigantesque possédant des milliers d'atomes et une masse moléculaire supérieure à 100 000 u (figure 4.1). Les pourcentages des principaux éléments de la vie — C, O, H, N, S et P — sont à peu près uniformes d'un individu à l'autre, et même d'une espèce à l'autre. Toutefois, les atomes des molécules organiques peuvent s'agencer de si nombreuses façons que le caractère unique de chaque organisme s'en trouve garanti. C'est grâce à ses différents nombres (états) d'oxydation que le carbone peut élaborer une variété inépuisable de molécules organiques.

Pendant des siècles, les Humains ont tiré profit des êtres vivants qui pouvaient leur fournir des substances précieuses. Pensons par exemple au vin, à la nourriture, aux médicaments ou aux fibres textiles. La chimie organique tire son origine des tentatives de purification et d'amélioration du rendement de ces produits (figure 4.2). Au début du XIXᵉ siècle, les chimistes avaient appris à fabriquer en laboratoire de nombreux composés simples en combinant les éléments dans les bonnes conditions. Toutefois, la synthèse artificielle de molécules complexes extraites de la matière vivante semblait infaisable. C'est à cette époque que le chimiste suédois Jöns Jacob Berzelius fit pour la première fois une distinction importante. Il

Figure 4.1

L'insuline : une protéine relativement petite. L'insuline, représentée ici par infographie, fait partie des protéines, une des classes de molécules organiques. Plus précisément, l'insuline fait partie des protéines régulatrices appelées hormones (voir le chapitre 41). En comparaison des molécules étudiées jusqu'ici, l'insuline semble énorme avec ses centaines d'atomes unis par des liaisons covalentes. Si on la compare aux autres protéines, cependant, l'insuline est relativement petite. C'est grâce à la capacité des atomes de carbone (représentés ici en blanc) de se lier à de nombreux atomes, y compris d'autres atomes de carbone, que des molécules aussi complexes que l'insuline existent. Dans ce chapitre, nous ferons ressortir l'importance du carbone dans la chimie des êtres vivants.

Figure 4.2
Applications de la chimie organique dans un laboratoire du XIXᵉ siècle. En travaillant avec ses étudiants au Tuskegee Institute en Alabama, George Washington Carver (deuxième à gauche) découvrit plus d'une centaine d'usages pour les huiles et les autres composés organiques extraits de l'Arachide.

différencia les composés organiques, que seuls les êtres vivants pouvaient vraisemblablement produire, des composés inorganiques du monde inanimé. À ses débuts, la chimie organique s'appuyait sur le **vitalisme**, doctrine suivant laquelle les phénomènes de la vie témoignent d'une force vitale et ne se réduisent pas aux lois physico-chimiques (voir le chapitre 1).

Les chimistes commencèrent à discréditer le vitalisme lorsqu'ils apprirent à synthétiser des composés organiques dans leurs laboratoires. En 1828, Friedrich Wöhler, un chimiste allemand qui avait étudié auprès de Berzelius, essaya de fabriquer un sel inorganique, le cyanate d'ammonium, en mélangeant des solutions d'ions ammonium (NH_4^+) et cyanate (CNO^-). Wöhler s'aperçut avec stupéfaction qu'il avait fabriqué de l'urée, un composé organique présent dans l'urine des Animaux, plutôt que le produit attendu. Wöhler remit en question le vitalisme lorsqu'il écrivit : « Il faut que je vous dise que je suis capable de faire de l'urée sans le secours d'un rein ni d'aucun animal, pas plus d'un homme que d'un chien. » Or, un des ingrédients utilisés dans la synthèse de Wöhler, le cyanate, avait été extrait de sang animal ; les vitalistes ne tinrent donc pas compte de la découverte de Wöhler. Quelques années plus tard, Hermann Kolbe, un étudiant de Wöhler, synthétisa l'acide acétique (un composé organique) à partir de substances inorganiques elles-mêmes préparées directement à partir d'éléments purs.

Ces découvertes ébranlèrent les bases du vitalisme, qui s'écroula finalement quelques décennies plus tard, les chimistes réussissant à synthétiser en laboratoire des composés organiques de plus en plus complexes. En 1953, Stanley Miller, un étudiant au programme d'études supérieures à l'Université de Chicago, fit à son tour avan-

Figure 4.3
Synthèse abiotique de composés organiques, effectuée lors d'une simulation des conditions existant sur la « Terre primitive ». On voit ici Stanley Miller qui reproduit son expérience de 1953. Au moyen d'une simulation en laboratoire, il démontre que les conditions environnementales de la Terre primitive et inanimée ont facilité la synthèse de certaines molécules organiques. Miller utilisa des décharges électriques (simulant des éclairs) pour déclencher des réactions dans une « atmosphère » primitive composée de H_2O, de H_2, de NH_3 (ammoniac) et de CH_4 (méthane). Ces substances font partie des gaz crachés dans l'atmosphère par les volcans. À partir de ces ingrédients, l'appareil de Miller produisit divers composés organiques qui jouent un rôle clé dans les cellules. Il se peut qu'un tel processus chimique ait présidé à la mise en place des conditions propices à l'apparition de la vie sur Terre, une hypothèse que nous allons étudier plus en détail au chapitre 24.

cer les choses. Il contribua à situer la synthèse abiotique (sans recours aux êtres vivants) des composés du carbone dans le contexte de l'évolution. À l'aide d'une simulation en laboratoire des conditions chimiques qui existaient au tout début sur la Terre, Miller démontra que la synthèse spontanée de composés organiques pouvait constituer une des premières étapes de l'origine de la vie (figure 4.3).

Les pionniers de la chimie organique contribuèrent à faire passer le courant de pensée dominant du vitalisme au **mécanisme.** Le mécanisme est une théorie suivant laquelle tous les phénomènes naturels, y compris les processus de la vie, sont gouvernés par des lois physiques et chimiques. Les composés organiques qui existent tels quels dans la nature proviennent d'êtres vivants ; ils présentent une diversité et une complexité incomparablement

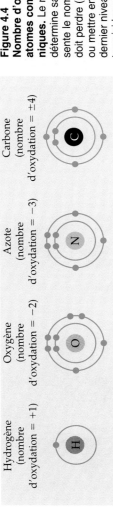

| Hydrogène (nombre d'oxydation = +1) | Oxygène (nombre d'oxydation = −2) | Azote (nombre d'oxydation = −3) | Carbone (nombre d'oxydation = ±4) |

Figure 4.4
Nombre d'oxydation des principaux atomes composant les molécules organiques. Le nombre d'oxydation d'un atome détermine sa capacité de liaison. Il représente le nombre d'électrons qu'un atome doit perdre (signe +) ou gagner (signe −) ou mettre en commun pour compléter son dernier niveau énergétique. Nous présentons ici les nombres d'oxydation les plus stables des principaux atomes composant les molécules organiques.

supérieures à celles des composés inorganiques. Toutefois, qu'elles soient organiques ou non, les molécules obéissent toutes aux mêmes lois chimiques.

LA SOUPLESSE DU CARBONE DANS L'ARCHITECTURE MOLÉCULAIRE

Comme nous l'avons appris au chapitre 2, la clé des propriétés chimiques d'un atome réside dans sa configuration électronique. La configuration des électrons détermine le type et le nombre de liaisons qu'un atome formera avec d'autres atomes. Le carbone possède au total six électrons : deux dans la première couche électronique et quatre dans la seconde. Avec quatre électrons de valence dans une couche qui peut en contenir huit, le carbone a peu tendance à gagner ou à perdre des électrons pour former des liaisons ioniques, car il faudrait qu'il accepte ou cède quatre électrons. Afin de compléter son dernier niveau énergétique, l'atome de carbone va plutôt mettre en commun des électrons avec d'autres atomes pour former quatre liaisons covalentes. Chaque atome de carbone se comporte donc comme un point d'intersection à partir duquel une molécule peut se ramifier dans quatre directions. La possibilité de former quatre liaisons dénote la souplesse du carbone qui rend possible l'existence de grosses molécules complexes.

Grâce à sa configuration électronique, le carbone peut également former des liaisons covalentes avec plusieurs éléments différents. La figure 4.4 résume les configurations électroniques et les nombres d'oxydation des quatre principales composantes atomiques des molécules organiques : le carbone et ses associés les plus fréquents, à savoir l'oxygène, l'hydrogène et l'azote. Nous pouvons considérer les nombres d'oxydation comme les règles de formation des liaisons covalentes en chimie organique, c'est-à-dire les codes de construction qui régissent l'architecture des molécules organiques.

Au chapitre 2, nous avons appris que si un atome de carbone forme quatre liaisons covalentes ces liaisons pointent vers les angles d'un tétraèdre imaginaire (voir la figure 2.13b). Dans le méthane (CH$_4$), les angles de liaisons sont de 109,5°, et ils devraient être approximativement les mêmes dans toute molécule où un atome de carbone forme quatre liaisons simples. Par exemple, l'éthane (C$_2$H$_6$) prend la forme de deux tétraèdres réunis par leur sommet respectif (figure 4.5). Par commodité, on écrit les formules développées comme si les molécules étaient planes. Il ne faut toutefois pas oublier que les molécules ont trois dimensions et que la géométrie d'une molécule organique peut déterminer sa fonction dans une cellule.

Voici deux exemples qui illustrent les règles de formation de la liaison covalente dans les composés de carbone. Le premier exemple concerne la molécule de dioxyde de carbone (CO$_2$). Celle-ci comporte un seul atome de carbone lié à deux atomes d'oxygène par des liaisons covalentes doubles. La formule développée du CO$_2$ est O=C=O. Dans une formule développée, chaque trait représente une paire d'électrons mis en commun. Remarquez que l'atome de carbone du CO$_2$ participe au total à quatre liaisons covalentes, c'est-à-dire à deux liaisons avec chaque atome d'oxygène. Cet agencement complète le dernier niveau énergétique de chaque atome de la molécule. Le dioxyde de carbone est une molécule tellement simple qu'on la considère généralement comme une molécule inorganique, même si elle renferme du carbone. Qualifier le CO$_2$ d'organique ou d'inorganique relève de l'arbitraire ; son importance pour le monde vivant demeure en revanche incontestable. Puisé dans l'air par les Végétaux et transformé en sucre et en d'autres aliments au cours de la photosynthèse, le CO$_2$ constitue la source de carbone de toutes les molécules organiques constituant les organismes.

Notre deuxième exemple concerne l'urée, CO(NH$_2$)$_2$, une autre molécule relativement simple. Elle provient de l'urine et Wöhler la synthétisa au début du XIXe siècle. La formule développée de l'urée est :

O=C
  H—N—H
  |
  N—H
  H

Encore une fois, chaque atome possède le bon nombre de liaisons covalentes. Ici, l'atome de carbone participe à des liaisons simples et doubles.

L'urée et le dioxyde de carbone sont tous les deux des molécules simples dotées d'un seul atome de carbone. Mais un atome de carbone peut également utiliser un ou plusieurs de ses électrons de valence pour former des liaisons covalentes avec d'autres atomes de carbone. Les atomes peuvent ainsi former des chaînes d'une variété apparemment illimitée.

VARIATIONS DANS LES CHAÎNES CARBONÉES

Les chaînes carbonées forment le squelette des molécules organiques. Elles varient en longueur et peuvent être droites, ramifiées ou cycliques, c'est-à-dire fermées (figure 4.6). Certaines chaînes portent des liaisons doubles.

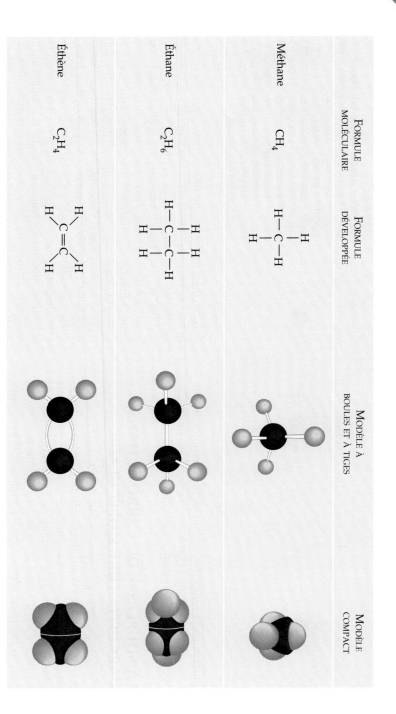

FORMULE MOLÉCULAIRE	FORMULE DÉVELOPPÉE	MODÈLE À BOULES ET À TIGES	MODÈLE COMPACT
Méthane CH_4			
Éthane C_2H_6			
Éthène C_2H_4			

Figure 4.5
Géométrie de trois molécules organiques simples. Chaque fois qu'un atome de carbone forme quatre liaisons simples, celles-ci se trouvent orientées vers les angles d'un tétraèdre imaginaire. Lorsque deux atomes de carbone s'unissent par une liaison double, toutes les liaisons autour de ces atomes se situent dans un même plan.

dont le nombre et la position varient. Cette variation dans les chaînes carbonées contribue de façon importante à la complexité et à la diversité moléculaires qui caractérisent la matière vivante. De plus, les atomes d'autres éléments peuvent se lier aux chaînes sur les positions libres.

Toutes les molécules illustrées aux figures 4.5 et 4.6 sont des **hydrocarbures**, c'est-à-dire des molécules organiques formées de carbone et d'hydrogène seulement. Les atomes d'hydrogène se lient au squelette carboné partout où des électrons sont disponibles pour former des liaisons covalentes. Les hydrocarbures sont les principales composantes du pétrole, qu'on appelle combustible fossile parce qu'il provient de restes partiellement décomposés d'organismes ayant vécu il y a des millions d'années. Les hydrocarbures ne sont pas très abondants dans les êtres vivants, mais certaines parties des graisses se trouvant dans les cellules comportent seulement du carbone et de l'hydrogène (figure 4.7). Ni le pétrole ni les graisses ne se mêlent de façon homogène avec l'eau ; ce sont des composés hydrophobes, parce que les liaisons entre les atomes de carbone et d'hydrogène sont des liaisons non polaires (voir le chapitre 2).

Isomères

Les **isomères** illustrent bien les variations qui existent dans l'architecture des molécules organiques. Les isomères sont des composés possédant la même formule moléculaire, mais présentant des propriétés différentes parce qu'ils n'ont pas la même structure. Comparez, par exemple, les butanes de la figure 4.6b. Ils possèdent

tous les deux la formule moléculaire C_4H_{10}, mais diffèrent dans l'organisation de leur chaîne carbonée. Le butane a une chaîne droite alors que l'isobutane a une chaîne ramifiée. Il existe deux sortes d'isomères : les isomères de structure et les **stéréo-isomères**, dont font partie les isomères géométriques et les isomères optiques (figure 4.8).

Dans les **isomères de structure**, l'ordre d'enchaînement des atomes diffère, comme dans l'exemple des deux butanes. Le nombre d'isomères possibles augmente énormément à mesure que les chaînes carbonées s'allongent. Il y a seulement deux butanes, mais il existe 18 isomères de C_8H_{18} et 366 319 isomères de structure possibles de $C_{20}H_{42}$. Les isomères de structure peuvent également différer par la position de leurs liaisons doubles.

Dans les **isomères géométriques**, on retrouve le même ensemble de liaisons ; cependant, certains atomes (ou groupes d'atomes) se situent à une position différente. Généralement, la position de ces atomes change par rapport à une double liaison ou par rapport à un cycle. Lorsque les atomes (ou groupes d'atomes) en question se trouvent du même côté de la double liaison ou du cycle, l'isomère prend la forme *cis*. Lorsque les atomes se situent à l'opposé, l'isomère prend la forme *trans*. L'existence des isomères géométriques est due à la rigidité des liaisons doubles et des liaisons des chaînes carbonées cycliques ; ces liaisons, à la différence des liaisons simples, ne permettent pas aux atomes qu'elles relient d'effectuer des rotations libres autour de l'axe de liaison. Cette légère différence de géométrie peut influer de façon spectaculaire sur l'activité biologique des molécules orga-

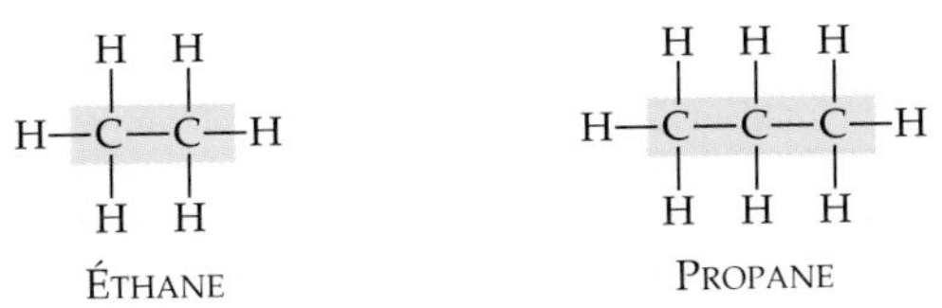

(a) La longueur des chaînes carbonées varie.

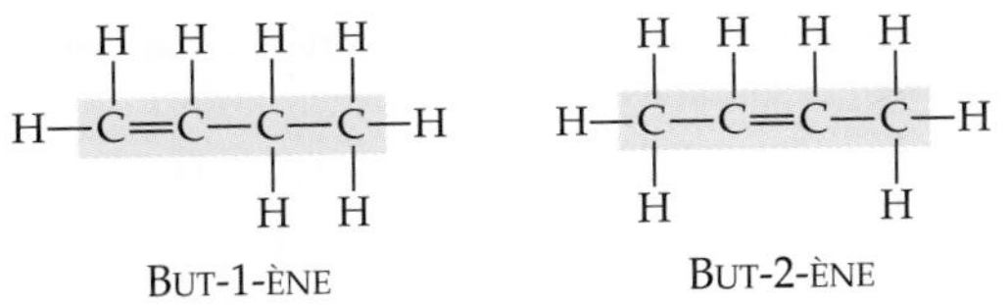

ÉTHANE

PROPANE

BUTANE

ISOBUTANE

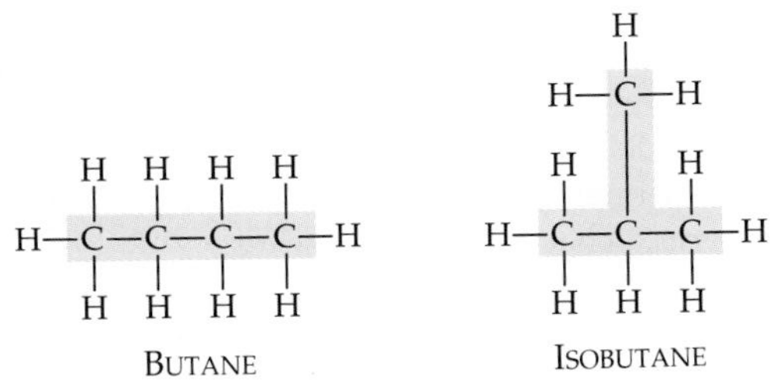

(b) Les chaînes carbonées peuvent être ramifiées ou non.

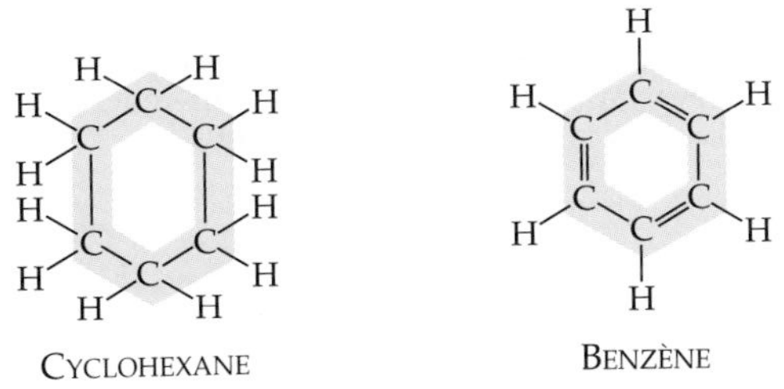

BUT-1-ÈNE

BUT-2-ÈNE

(c) Les chaînes carbonées peuvent porter des liaisons doubles dont la position varie.

CYCLOHEXANE

BENZÈNE

(d) Certaines chaînes carbonées sont arrangées en anneaux (chaînes cycliques).

Figure 4.6
Variations dans les chaînes carbonées. Les hydrocarbures, des molécules organiques formées seulement de carbone et d'hydrogène, illustrent la diversité des chaînes carbonées des molécules organiques.

niques. Par exemple, le processus complexe de la vision fonctionne grâce à la conversion, sous l'effet de la lumière, des isomères géométriques (cis vers trans) du rétinal ; ce dernier entre dans la composition de la rhodopsine, une molécule présente dans les bâtonnets rétiniens.

Les **isomères optiques** sont des molécules qui forment l'image en miroir l'une de l'autre. Dans la formule développée illustrée à la figure 4.8c, l'atome de carbone central s'appelle *atome de carbone asymétrique* parce qu'il s'attache à quatre atomes ou groupes d'atomes différents. Les quatre groupes peuvent s'arranger de deux façons différentes dans l'espace entourant l'atome de carbone asymétrique. Chacune de ces façons donne l'image inversée de l'autre, un peu comme le font nos deux mains. Les cellules pos-

sèdent la capacité de distinguer les isomères optiques. Généralement, un des isomères est biologiquement actif, et l'autre inactif. Ce concept revêt une grande importance dans l'industrie pharmaceutique, car les deux isomères optiques d'un médicament peuvent posséder des propriétés différentes ; un des isomères peut même produire des effets nocifs. C'est probablement ce qui est arrivé dans le cas de la thalidomide, le sédatif responsable de nombreuses anomalies congénitales au début des années 1960. Ce médicament comprenait un mélange de deux isomères optiques, et on a démontré par la suite qu'un des deux cause des malformations chez le Rat. Les organismes sont sensibles aux plus légères variations de l'architecture moléculaire ; ce qui confirme que les

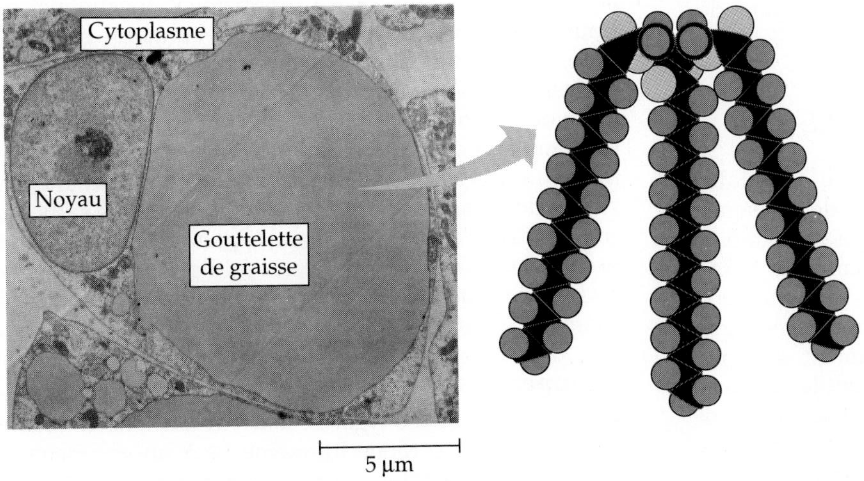

Figure 4.7
Rôle des hydrocarbures dans les graisses.
Les Humains et autres Mammifères emmagasinent des graisses dans les cellules spécialisées appelées cellules adipeuses. Les cellules adipeuses hébergent une « gouttelette » qui peut accumuler une énorme quantité de molécules de graisse (micrographie électronique). On voit ici un modèle compact d'une molécule de graisse (noir = carbone ; gris = hydrogène ; rose = oxygène). Trois chaînes d'hydrocarbures se lient à une molécule contenant de l'oxygène en plus du carbone et de l'hydrogène. Les liaisons de l'hydrocarbure sont non polaires, ce qui explique le comportement hydrophobe des graisses. Les hydrocarbures se caractérisent également par leur capacité de stocker une quantité d'énergie relativement élevée. Le carburant pour voitures se compose d'hydrocarbures, et les chaînes d'hydrocarbures des molécules de graisse servent de source d'énergie au corps humain.

Cytoplasme

Noyau

Gouttelette de graisse

5 μm

(a) **Isomères de structure** : ces composés diffèrent par l'ordre d'enchaînement des atomes.

(b) **Isomères géométriques** : ces composés présentent le même agencement de liaisons, mais une disposition différente des H et des OH dans l'espace autour de la liaison double.

(c) **Isomères optiques** : ces composés montrent une disposition spatiale inversée autour d'un carbone asymétrique ; il en résulte des molécules qui sont l'image inversée l'une de l'autre, comme la main gauche et la main droite. Les isomères optiques ne peuvent pas se superposer.

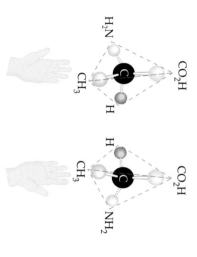

Figure 4.8
Différentes sortes d'isomères. Les composés appelés isomères possèdent la même formule moléculaire mais présentent des propriétés différentes ; ils constituent une source de diversité dans les molécules organiques.

molécules acquièrent leurs propriétés en fonction de l'arrangement spécifique de leurs atomes.

GROUPEMENTS FONCTIONNELS

Les propriétés particulières d'une molécule organique reposent non seulement sur l'arrangement de son squelette carboné, mais aussi sur les composantes moléculaires qui s'y rattachent. Nous allons maintenant examiner certains groupements d'atomes fréquemment rattachés aux chaînes de carbone des molécules organiques. Ces groupes d'atomes se nomment **groupements fonctionnels** parce qu'ils constituent les régions des molécules organiques qui participent le plus aux réactions chimiques. Les groupements fonctionnels dont nous traiterons sont tous hydrophiles. Ils augmentent donc la solubilité dans l'eau des composés organiques.

Chaque groupement fonctionnel se comporte de la même façon d'une molécule organique à l'autre ; cependant, le nombre et l'arrangement des groupements contribuent à conférer à chaque molécule ses propriétés caractéristiques. Examinons les différences entre l'œstradiol et la testostérone, lesquels sont l'hormone sexuelle femelle et l'hormone sexuelle mâle chez les Humains et d'autres Vertébrés (figure 4.9). Ces hormones sont des stéroïdes, c'est-à-dire des molécules dont le squelette de carbone a la forme de quatre cycles accolés. Elles ne diffèrent que par la présence de certains groupements fonctionnels. Toutefois, cela suffit pour modifier leurs effets sur de nombreuses cellules cibles dans tout le corps, et contribuer ainsi à l'apparition des caractères sexuels propres à chacun des deux sexes.

Voici les six groupements fonctionnels les plus importants dans la chimie de la vie : les groupements hydroxyle, carbonyle, carboxyle, amine, thiol et phosphate (tableau 4.1).

Groupement hydroxyle

Dans le **groupement hydroxyle**, un atome d'hydrogène se lie à un atome d'oxygène lui-même fixé à la chaîne carbonée de la molécule organique. Dans une formule développée, on abrège le groupement hydroxyle en omettant la liaison covalente entre l'oxygène et l'hydrogène, on écrit —OH ou HO—. (Il ne faut pas confondre cette représentation avec l'ion hydroxyde [OH⁻] des bases comme l'hydroxyde de sodium.) Le groupement hydroxyle est polaire en raison de la présence de l'oxygène électronégatif qui attire vers lui les électrons de la liaison. En conséquence, les molécules d'eau subissent l'attraction du groupement hydroxyle, ce qui aide à la dissolution des composés organiques comportant de tels groupements. Les sucres, par exemple, doivent leur solubilité dans l'eau à la présence de groupements hydroxyle. Les substances contenant des groupements hydroxyle font partie de la classe fonctionnelle des **alcools**, et leur nom se termine par – ol.

Groupement carbonyle

Le **groupement carbonyle** (—CO) se compose d'un atome de carbone lié à un atome d'oxygène par une liaison double. Lorsque ce groupement fonctionnel se trouve entre un atome de carbone et un atome d'hydrogène, à l'extrémité d'une chaîne carbonée, il fait partie de la classe fonctionnelle des **aldéhydes**. Lorsqu'il se trouve entre deux atomes de carbone, il fait partie de la classe fonctionnelle des **cétones**. Pour que le groupement se trouve ainsi placé entre deux atomes de carbone, la chaîne doit comporter au moins trois atomes de carbone, comme dans l'acétone, la cétone la plus simple. L'acétone possède des propriétés différentes du propanal, un aldéhyde à trois atomes de carbone (l'acétone et le propanal sont des isomères).

Groupement carboxyle

Lorsqu'un atome d'oxygène est lié par une liaison double à un atome de carbone lui-même lié à un groupement hydroxyle, l'ensemble s'appelle **groupement carboxyle** (—COOH). Les composés comportant des groupements carboxyle sont des **acides carboxyliques** ou acides

ŒSTRADIOL

TESTOSTÉRONE

Figure 4.9
Comparaison entre les hormones sexuelles femelle (œstradiol) et mâle (testostérone). Les deux molécules ne diffèrent que par l'agencement des groupements fonctionnels avec le même squelette de carbone. (On a simplifié la représentation en omettant les atomes d'hydrogène et les atomes de carbone situés aux angles de chacun des cycles accolés.) Cette légère variation dans l'architecture moléculaire aboutit à la différenciation anatomique et physiologique des femelles et des mâles chez les Vertébrés. Comparez, par exemple, le plumage de ces Canards branchus femelle (à gauche) et mâle (à droite).

organiques. Le plus simple de ces acides ne contient qu'un atome de carbone et s'appelle acide formique, la substance que certaines Fourmis injectent en mordant (figure 4.10). Un autre petit acide carboxylique, l'acide acétique, qui porte deux atomes de carbone, donne au vinaigre ce goût aigre qui caractérise généralement les acides.

Pourquoi un groupement carboxyle présente-t-il des propriétés acides? Parce que ce groupement a tendance à s'ioniser de façon réversible en perdant un proton (H^+). Ce phénomène confère à l'acide carboxylique un caractère d'acide relativement fort par rapport à un alcool, par exemple. Pour illustrer cette caractéristique, prenons le cas de l'acide acétique :

Acide acétique   Ion acétate stabilisé par résonance   Proton (H^+)

La recherche de stabilité au moyen d'une réaction demandant le moins d'énergie possible favorise ici la dissociation de l'acide. En effet, la formation d'un ion et d'un proton augmente l'espace alloué au déplacement d'un doublet d'électrons. Le besoin énergétique du système s'en trouve diminué, et sa stabilité accrue. Un système privilégie normalement tout ce qui maintient ou accentue cette stabilité, et ainsi permet-il la *résonance*. La résonance se traduit par le déplacement d'un doublet d'électrons, rendant ceux-ci moins disponibles. Donc, la résonance stabilise l'ion, ce qui favorise la dissociation de l'acide. Si l'oxygène doublement lié et le groupement hydroxyle sont attachés à des atomes de carbone *séparés*, le groupement —OH a moins tendance à se dissocier.

Groupement amine

Le **groupement amine** ($-NH_2$) est formé d'un atome d'azote lié à deux atomes d'hydrogène et à la chaîne carbonée. Les composés organiques portant ce groupement fonctionnel s'appellent **amines.** La glycine en constitue un exemple, illustré au tableau 4.1. Étant donné que la glycine porte *également* un groupement carboxyle, elle est à la fois une amine et un acide carboxylique, d'où son appellation *acide aminé.* Les acides aminés constituent la base moléculaire des protéines. (Au prochain chapitre, vous apprendrez comment la cellule unit les acides aminés

Figure 4.10
Une mini-usine d'acide formique. Les fourmis des bois produisent et sécrètent de l'acide formique :

Elles appartiennent à la sous-famille des Formicinés qui constituent environ 10 % de toutes les Fourmis du monde. Elles utilisent l'acide formique comme moyen de défense.

Tableau 4.1 Groupements fonctionnels très importants dans la chimie de la vie

Groupement fonctionnel	Formule*	Classe fonctionnelle	Exemple
Hydroxyle	R—OH	Alcools	Éthanol (dans les boissons alcoolisées)
Carbonyle	R—C(=O)—H	Aldéhydes	Propanal
	R—C(=O)—R	Cétones	Acétone (propanone)
Carboxyle	(non ionisé) R—C(=O)OH / (ionisé) R—C(=O)O⁻	Acides carboxyliques	Acide acétique** (l'acide du vinaigre)
Amine	(non ionisé) R—N(H)(H) / (ionisé) R—N⁺(H)(H)(H)	Amines	Glycine** (un acide aminé)
Thiol	R—SH	Thiols	Éthanethiol
Phosphate	R—O—P(=O)(O⁻)—O⁻	Phosphates organiques	Glycérophosphate

*La lettre R symbolise la chaîne carbonée à laquelle le groupement fonctionnel est fixé.
**Les formes ionisées des groupements carboxyle et amine prédominent dans les cellules. Cependant, l'acide acétique et la glycine figurent ici sous leur forme non ionisée.

pour former les protéines.) La plupart des molécules organiques de la cellule possèdent deux ou plusieurs groupements fonctionnels attachés aux chaînes carbonées.

Le groupement amine se comporte comme une base ; l'atome d'azote porte une paire d'électrons libres pouvant servir à lier un atome d'hydrogène, qui est ainsi retiré de la solution dans laquelle la réaction se produit.

$$—N(H)(H) + H^+ \rightleftharpoons —N^+(H)(H)—H$$

Ce processus donne au groupement amine une charge de +1, son état le plus fréquent dans la cellule.

Groupement thiol

Le soufre fait partie de la même famille que l'oxygène dans la classification périodique ; ces deux éléments possèdent six électrons de valence et forment deux liaisons covalentes. Le groupement fonctionnel organique appelé **groupement thiol** (— SH), constitué d'un atome de soufre lié à un atome d'hydrogène, ressemble par sa forme au groupement hydroxyle (voir le tableau 4.1). Au prochain chapitre, nous verrons comment le groupement thiol contribue à stabiliser la structure complexe de nombreuses protéines.

Groupement phosphate

Le phosphate est un anion formé par la dissociation d'un acide inorganique appelé acide phosphorique (H_3PO_4). La perte de protons occasionnée par la dissociation laisse le phosphate avec une charge négative. Les molécules organiques contenant des **groupements phosphate** possèdent un ion phosphate attaché à la chaîne carbonée grâce à une liaison covalente avec un de ses atomes d'oxygène (voir le tableau 4.1). Une des fonctions des groupements phosphate consiste à transférer l'énergie entre les molécules organiques. Au chapitre 6, vous apprendrez comment les cellules régissent le transfert des groupements phosphate pour accomplir un travail, par exemple la contraction des cellules musculaires.

LES ÉLÉMENTS CHIMIQUES DE LA VIE

La matière vivante, comme vous le savez maintenant, se compose principalement de carbone, d'oxygène, d'hydrogène et d'azote avec, en plus petites quantités, du soufre et du phosphore. Ces éléments ont une caractéristique en commun : la formation de liaisons covalentes fortes, une qualité essentielle pour l'architecture des molécules organiques complexes. Parmi tous ces éléments, le carbone est le « virtuose » de la liaison covalente. Son comportement chimique en fait un élément de base doté de propriétés exceptionnelles pour l'architecture moléculaire : il peut former quatre liaisons covalentes, s'unir à d'autres atomes de carbone pour former des chaînes moléculaires complexes et se lier à plusieurs autres éléments. Grâce aux innombrables possibilités qu'offre le carbone, les molécules organiques sont très diversifiées et possèdent chacune des propriétés spéciales selon l'arrangement unique de leur chaîne carbonée et du ou des groupements fonctionnels qui y sont rattachés. Toute la diversité des organismes repose sur cette variation au niveau moléculaire.

Maintenant que vous avez examiné quelques-uns des principes fondamentaux de la chimie organique, nous pouvons aborder le chapitre 5, où nous explorerons la structure et les fonctions des macromolécules fabriquées par les cellules : les glucides, les lipides, les protéines et les acides nucléiques.

RÉSUMÉ DU CHAPITRE

Le carbone est sans égal en ce qui concerne la capacité de former les grosses molécules complexes et variées qui caractérisent la matière vivante.

Origine de la chimie organique (p. 53-55)

1. La chimie organique tire son origine du vitalisme, une théorie selon laquelle seuls les organismes peuvent produire des composés organiques, parce que la synthèse de ceux-ci nécessite une force vitale qui dépasse les lois physicochimiques.

2. Le vitalisme fut remis en question lorsque les chimistes réussirent au fil du temps à synthétiser des composés organiques à partir de composés inorganiques. La chimie organique reçut alors une nouvelle définition : chimie des composés du carbone.

La souplesse du carbone dans l'architecture moléculaire (p. 55)

La possibilité de former quatre liaisons permet au carbone de constituer des molécules complexes et diverses.

Variations dans les chaînes carbonées (p. 55-58)

1. Les chaînes carbonées forment le squelette des molécules organiques. Ces chaînes varient par leur longueur et leur forme et possèdent des sites aptes à former des liaisons avec des atomes d'autres éléments.

2. Les hydrocarbures se composent uniquement de carbone et d'hydrogène.

3. La capacité du carbone de se lier de multiples façons permet la formation d'isomères. Les isomères sont des molécules possédant la même formule moléculaire mais présentant une architecture et des propriétés différentes. Les trois sortes d'isomères sont les isomères de structure, les isomères géométriques et les isomères optiques.

Groupements fonctionnels (p. 58-61)

1. Les groupements fonctionnels sont des groupes spécifiques d'atomes qui se lient par covalence à une chaîne carbonée et qui donnent à une molécule organique ses propriétés chimiques particulières.

2. Le groupement hydroxyle, présent dans les alcools, a une liaison covalente polaire qui facilite la dissolution des alcools dans l'eau.

3. Lorsque le groupement carbonyle se trouve entre un atome de carbone et un atome d'hydrogène, à l'extrémité d'une chaîne carbonée, il appartient à la classe fonctionnelle des aldéhydes. Lorsqu'il est situé entre deux atomes de carbone, il fait partie de la classe fonctionnelle des cétones.

4. Le groupement carboxyle est présent dans les acides carboxyliques ou acides organiques. Ces acides ont une tendance réversible à donner un ion et un proton.

5. Le groupement amine peut accepter un H^+ ; il se comporte donc comme une base. Les acides aminés, éléments fondamentaux des protéines, contiennent à la fois les groupements amine et carboxyle.

6. Le groupement thiol contribue à stabiliser la structure de certaines protéines.

7. Le groupement phosphate peut se lier au squelette carboné par l'intermédiaire d'un de ses atomes d'oxygène et il possède un rôle important dans le transfert de l'énergie cellulaire.

Les éléments chimiques de la vie (p. 61)

1. La matière vivante se compose principalement de carbone, d'oxygène, d'hydrogène et d'azote, ainsi que d'un peu de soufre et de phosphore.

2. La diversité biologique réside, à l'échelle moléculaire, dans la capacité du carbone de produire une gamme impression-nante de molécules de formes et de propriétés chimiques particulières.

AUTO-ÉVALUATION

1. Quelle est la définition moderne de la chimie organique ?
   a) Étude des composés qui ne peuvent être élaborés que par des cellules.
   b) Étude des composés du carbone.
   c) Étude des forces vitales.
   d) Étude des composés naturels (par opposition aux com-posés de synthèse).
   e) Étude des hydrocarbures.

2. Choisissez la paire de termes qui complète cette phrase : « L'hydroxyle est _____ ce que _____ est à l'aldéhyde. »
   a) au carbonyle ; la cétone
   b) à l'oxygène ; le carbone
   c) à l'alcool ; le carbonyle
   d) à l'amine ; le carboxyle
   e) à l'alcool ; la cétone

3. Lequel de ces hydrocarbures porte une liaison double dans sa chaîne carbonée ?
   a) C_3H_8.
   b) C_2H_6.
   c) CH_4.
   d) C_2H_4.
   e) C_2H_2.

4. L'essence consommée par une automobile est un combusti-ble fossile constitué surtout :
   a) d'aldéhydes.
   b) d'acides aminés.
   c) d'alcools.
   d) d'hydrocarbures.
   e) de thiols.

5. Choisissez l'expression qui décrit correctement ces deux molécules de sucre.

[structures chimiques]

   a) Isomères de structure.
   b) Isomères géométriques.
   c) Stéréo-isomères.
   d) Isotopes du carbone.
   e) Isomères optiques.

6. Repérez l'atome de carbone asymétrique dans cette molécule :

[structure chimique avec atomes étiquetés a, b, c, d, e]

7. Quels sont les groupements fonctionnels présents dans cette molécule ?

[structure chimique]

   a) Carboxyle.
   b) Aldéhyde.
   c) Hydroxyle.
   d) Amine.
   e) Thiol.

8. Un chimiste organicien classerait la molécule de la question 7 comme :
   a) une cétone.
   b) un aldéhyde.
   c) un hydrocarbure.
   d) un acide aminé.
   e) un thiol.

9. À quel groupement fonctionnel doit-on principalement le comportement basique de certaines molécules organiques ?
   a) Hydroxyle.
   b) Carbonyle.
   c) Carboxyle.
   d) Amine.
   e) Phosphate.

10. En ce qui concerne les acides aminés, trouvez l'énoncé *faux* parmi les suivants.
    a) Ils constituent la structure de base des acides nucléiques.
    b) On peut les utiliser dans des solutions tampons.
    c) Les formes ionisées prédominent dans les cellules.
    d) Leur nom provient des groupements fonctionnels qu'ils portent.
    e) Leur structure de base comporte au moins deux atomes de carbone.

QUESTIONS À COURT DÉVELOPPEMENT

1. Dressez un schéma de concepts (voir l'appendice 4 à la fin du manuel) ou un tableau concernant l'isomérie.

2. Parmi les figures 5.4, 5.14 et 5.17,
   a) repérez au moins une molécule organique constituée d'une chaîne carbonée : linéaire ; ramifiée ; cyclique.
   b) repérez deux isomères dont vous préciserez le type.
   c) identifiez chacun des groupements fonctionnels ainsi que la molécule porteuse.

RÉFLEXION-APPLICATION

1. Dessinez une molécule organique comportant les six grou-pements fonctionnels décrits dans ce chapitre.

2. À l'aide de ce que vous avez appris sur la structure des molécules organiques, ajoutez de nouveaux arguments (par rapport au chapitre 2) contre le vitalisme.

SCIENCE, TECHNOLOGIE ET SOCIÉTÉ

La Direction générale de la protection de la santé (Santé Canada) s'occupe de surveiller les essais concernant les nou-

veaux additifs alimentaires et les nouveaux médicaments. Ce rôle soulève constamment la controverse. Certaines personnes soutiennent que la DGPS ne devrait approuver aucun additif alimentaire ou médicament tant qu'il reste des doutes sur leur innocuité. Dans leur argumentation, elles citent la tragédie de la thalidomide et l'usage de certaines substances cancérogènes par l'industrie alimentaire. D'autres personnes, au contraire, voudraient que la DGPS diminue ses exigences à l'égard des médicaments susceptibles d'aider les individus souffrant de maladies mortelles comme le sida. Exposez votre point de vue sur cette question.

LECTURES SUGGÉRÉES

Hegstrom, R. A. et D. K. Kondepudi, « L'Univers asymétrique », *Pour la Science*, n° 149, mars 1990. (Importance des molécules « gauches » et des molécules « droites » dans l'évolution.)

Huot, R. et G. Y. Roy, *Chimie organique 1*, Québec, Éditions Carcajou, 1992. (Manuel conçu pour un premier cours de chimie organique au collégial.)

Ruthen, R., « Complexité et organisation », *Pour la Science*, n° 185, mars 1993. (Forces poussant les êtres vivants vers une complexité croissante à partir de molécules organiques primitives.)

Vollhardt, K. P. C., *Traité de chimie organique*, Bruxelles, DeBoeck-Wesmael, 1990. (Les chapitres 2, 8, 11, 15, 16, 17 et 21.)

Chapitre 4 : Carbone et diversité moléculaire **63**

MACROMOLÉCULES

GLUCIDES

LIPIDES

PROTÉINES

ACIDES NUCLÉIQUES

ADN ET PROTÉINES : REFLETS DE L'ÉVOLUTION

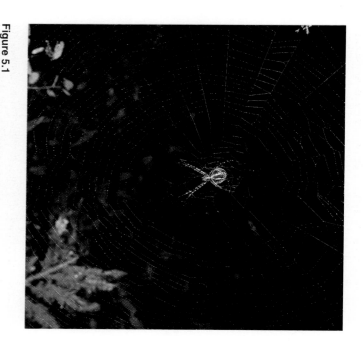

Figure 5.1
Les diverses fonctions des macromolécules. Les Araignées, comme cette Araignée de la famille des Théridiidés, tissent leur toile avec de la soie, une protéine spécialisée. Dans ce chapitre, vous apprendrez comment la structure des protéines et des autres molécules biologiques détermine leurs fonctions.

MACROMOLÉCULES

Près l'étude de l'eau et celle des molécules organiques les plus simples, nous accédons à un autre niveau de la hiérarchie de l'organisation biologique. Nous verrons en effet comment les petites molécules organiques s'assemblent dans les cellules pour former de plus grosses molécules que les biologistes appellent **macromolécules.** Ces molécules géantes, parfois constituées de milliers d'atomes, se divisent en quatre classes : les glucides, les lipides, les protéines et les acides nucléiques (figure 5.1).

Compte tenu de la taille et de la complexité des macromolécules, il est remarquable que les chercheurs en biologie moléculaire et en chimie aient réussi à déterminer la structure détaillée d'un si grand nombre d'entre elles (figure 5.2). La compréhension de l'architecture d'une macromolécule aide à saisir le fonctionnement de la molécule dans la cellule. En biologie moléculaire, comme dans l'étude de la vie à tous les niveaux, la structure et la fonction sont indissociables.

Les cellules élaborent des macromolécules en liant des molécules organiques relativement petites pour former des chaînes appelées polymères. Un **polymère** est une grosse molécule constituée d'un grand nombre d'unités structurales de base identiques ou semblables qui sont rattachées le long d'une chaîne pouvant se déployer de différentes façons dans l'espace. Les molécules organiques ou groupes de molécules organiques qui servent d'unités structurales de base s'appellent **monomères.**

Macromolécules et diversité des êtres vivants

La diversité structurale des macromolécules va de pair avec la diversité des êtres vivants. Chaque cellule possède des milliers de macromolécules différentes, dont un grand nombre varie d'un tissu à un autre chez le même organisme. Les différences qui existent entre frères et sœurs témoignent de variations des macromolécules, particulièrement de l'ADN et des protéines. Les différences moléculaires sont plus importantes entre les individus sans lien de parenté, et encore plus grandes entre les espèces. La diversité des macromolécules dans le monde vivant est considérable ; elle tend vers l'infini.

D'où provient cette diversité macromoléculaire ? Les macromolécules ne s'élaborent pourtant qu'à partir de 40 à 50 monomères courants et quelques autres plus rares. Élaborer une variété illimitée de polymères à partir d'un nombre aussi limité de monomères, c'est comme former des centaines de milliers de mots à partir des 26 lettres de

L'agencement moléculaire unique d'un organisme résulte donc des possibilités de combinaison infinies des polymères. Les monomères entrant dans la composition des polymères sont par contre universels. Ainsi, les protéines de votre corps et celles d'une Carotte ou d'une Vache s'assemblent à partir des 20 mêmes acides aminés ; c'est le nombre de types d'acides aminés, le nombre d'acides aminés de chaque type ainsi que la position des acides aminés dans les chaînes qui varient d'une protéine à l'autre. Certaines protéines ne diffèrent que par la position des acides aminés, d'autres seulement par leur nombre, d'autres encore par le type d'acides aminés et leur position. La vie s'articule autour de cette logique moléculaire : de petites molécules organiques communes à tous les organismes s'agencent en macromolécules distinctes.

Synthèse et dégradation des macromolécules

Les classes de macromolécules diffèrent par la nature de leurs monomères, mais les mécanismes chimiques que les cellules utilisent pour synthétiser et dégrader les macromolécules sont fondamentalement toujours les mêmes. Les monomères se lient au cours d'une **réaction de condensation.** L'effet global de cette réaction est l'ajout d'un monomère à la chaîne et l'élimination d'une molécule d'eau. Chaque fois que deux monomères s'unissent, chacun fournit une partie de la molécule d'eau éliminée : un des monomères perd un groupement hydroxyle (OH) et l'autre perd un atome d'hydrogène (H). Les deux monomères, ayant chacun perdu un atome ou un groupement covalent, se lient maintenant l'un à l'autre par covalence (figure 5.3a). La cellule doit fournir de l'énergie pour former ces nouvelles liaisons, et le processus ne peut se produire qu'avec l'aide d'enzymes, des protéines spécialisées qui accroissent la vitesse des réactions chimiques dans les cellules. Vous apprendrez le fonctionnement des enzymes au chapitre 6.

Les macromolécules se scindent en monomères par **hydrolyse,** le processus contraire de la réaction de condensation. Le terme hydrolyse signifie « décomposer à l'aide de l'eau ». L'addition de molécules d'eau brise les liaisons entre les monomères, comme on peut le voir à la figure 5.3b. Le processus de la digestion constitue un exemple d'hydrolyse. La majeure partie de la matière organique qui se trouve dans nos aliments se compose de polymères beaucoup trop volumineux pour entrer dans nos cellules. Dans le tube digestif, diverses enzymes accélèrent l'hydrolyse des macromolécules. Les monomères libérés sont ensuite absorbés dans la circulation sanguine, qui les distribuera dans toutes les cellules du corps.

Maintenant que vous savez que les macromolécules sont des polymères élaborés grâce à l'assemblage des monomères au cours d'une réaction de condensation, vous pouvez entreprendre l'étude de la structure et des fonctions spécifiques des quatre principales classes de composés organiques présents dans les cellules : les glucides, les lipides, les protéines et les acides nucléiques. De cette étude se dégagera encore une fois la notion d'émergence : les macromolécules ont des propriétés que leurs monomères à eux seuls ne possèdent pas.

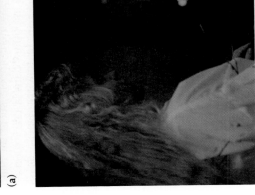

Figure 5.2
Construction de modèles pour l'étude de la structure fonctionnelle des macromolécules. (a) Linus Pauling pose à côté d'un modèle de protéine. Dans les années 1950, Pauling a découvert plusieurs des principes de base de la structure des protéines. **(b)** De nos jours, les scientifiques utilisent des ordinateurs pour construire des modèles moléculaires. Malgré l'amélioration des méthodes de travail, le but demeure le même : établir la corrélation entre la structure des macromolécules et leurs fonctions.

l'alphabet : tout réside dans l'arrangement, c'est-à-dire dans la façon de combiner en séquence linéaire les unités structurales de base. L'arrangement des lettres de l'alphabet est toutefois loin de valoir celui des monomères, car la plupart des polymères sont beaucoup plus longs que les mots les plus longs. Les protéines, par exemple, sont fabriquées à partir de 20 acides aminés différents arrangés en chaînes qui comportent habituellement plus de 100 acides aminés.

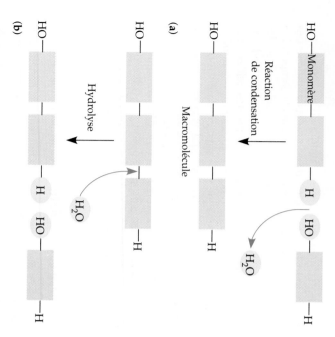

Figure 5.3
Synthèse et dégradation des macromolécules. (a) Les monomères se lient au cours d'une réaction de condensation. L'effet global est l'élimination d'une molécule d'eau. **(b)** L'hydrolyse, au contraire, brise les liaisons entre les monomères par addition de molécules d'eau.

GLUCIDES

La classe des **glucides**, ou sucres, comprend les monosaccharides (un seul monomère), les disaccharides (deux monomères) et les polysaccharides (polymères).

Monosaccharides

Les **monosaccharides** possèdent habituellement des formules moléculaires constituées de multiples de CH_2O (figure 5.4). Le glucose ($C_6H_{12}O_6$), le monosaccharide le plus commun, joue un rôle capital dans la chimie des êtres vivants. Les monosaccharides se présentent en chaînes de trois à sept atomes de carbones ; les trioses possèdent trois atomes de carbone, les pentoses cinq, les hexoses six, dont le glucose et ses isomères (fructose et galactose). (Remarquez que la plupart des noms désignant des glucides se terminent par *-ose*.)

Dans la structure d'un monosaccharide, un groupement hydroxyle se rattache à tous les atomes de carbone, sauf à celui qui est lié à un groupement carbonyle. L'arrangement spatial autour d'un atome de carbone asymétrique contribue également à la diversité des monosaccharides. (Au chapitre 4, nous avons vu qu'un atome de carbone asymétrique est lié par covalence à quatre partenaires différents.) Le glucose et le galactose, par exemple, ne diffèrent que par la disposition des groupements autour d'un atome de carbone asymétrique (voir la figure 5.4). Cette petite différence entre le glucose et le galactose suffit pour qu'ils aient chacun une forme distinctive. Or, on sait que la forme constitue un des principaux moyens par lequel les molécules d'une cellule se reconnaissent et interagissent les unes avec les autres.

En solution aqueuse, les molécules de glucose, comme la majorité des monosaccharides, se présentent sous forme linéaire et cyclique (figure 5.5). Toutefois, par souci de commodité, nous représenterons le glucose uniquement sous sa forme cyclique à partir d'ici.

Les monosaccharides, particulièrement le glucose, sont des nutriments essentiels pour les cellules. Au cours du processus appelé *respiration cellulaire*, les cellules utilisent l'énergie emmagasinée dans les molécules de glucose. Les monosaccharides ne constituent pas seulement une source d'énergie importante pour le travail cellulaire ; leur squelette carboné sert également de matière première pour la synthèse d'autres petites molécules organiques, dont les acides aminés et les acides gras. Lorsque leur énergie ou leur atome de carbone ne servent pas immédiatement au travail cellulaire, les monosaccharides s'incorporent à titre de monomères dans des disaccharides ou des polysaccharides.

Disaccharides

Les **disaccharides** se forment quand deux monosaccharides s'unissent de façon covalente par **liaison glycosidique** (figure 5.6). Par exemple, le maltose est un disaccharide formé par la liaison de deux molécules de glucose. Le maltose, également appelé sucre de malt, constitue un ingrédient important dans la fabrication de la bière. Le lactose, présent dans le lait, est aussi un disaccharide ; il se compose d'une molécule de glucose liée à une molécule de galactose. Le saccharose, mieux connu sous le nom de sucre granulé, est le disaccharide le plus répandu. Ses deux monomères sont le glucose et le fructose. Les Végétaux effectuent généralement le transport des glucides sous forme de saccharose.

Polysaccharides

Les **polysaccharides** sont des macromolécules, des polymères résultant de la condensation de quelques centaines à quelques milliers de monosaccharides. Certains polysaccharides jouent le rôle de substances de réserve glucidique et sont hydrolysés selon les besoins des cellules en glucides. D'autres polysaccharides servent de matériaux de construction pour les structures qui protègent la cellule ou l'organisme entier.

Polysaccharides de réserve   L'**amidon**, un polysaccharide de réserve glucidique des Végétaux, est une macromolécule formée entièrement de glucose (figure 5.7). Les monomères y sont réunis de la même façon que ceux du maltose (voir la figure 5.6a). L'angle de liaison entre les molécules de glucose donne une forme hélicoïdale à la macromolécule. L'amidon se compose de deux formes de chaînes de glucose : l'amylose, constituée d'une chaîne non ramifiée, et l'amylopectine, faite d'une chaîne ramifiée.

Les Végétaux emmagasinent l'amidon sous forme de granules dans des structures cellulaires appelées plastes, tels les chloroplastes (figure 5.8a). En synthétisant l'amidon, les Végétaux peuvent se faire des réserves de glucose, une source d'énergie cellulaire importante. La cellule peut par la suite puiser dans ses réserves au moyen de l'hydrolyse, qui brise les liaisons entre les monomères de glucose. La plupart des Animaux, y compris les Humains, possèdent également des enzymes qui

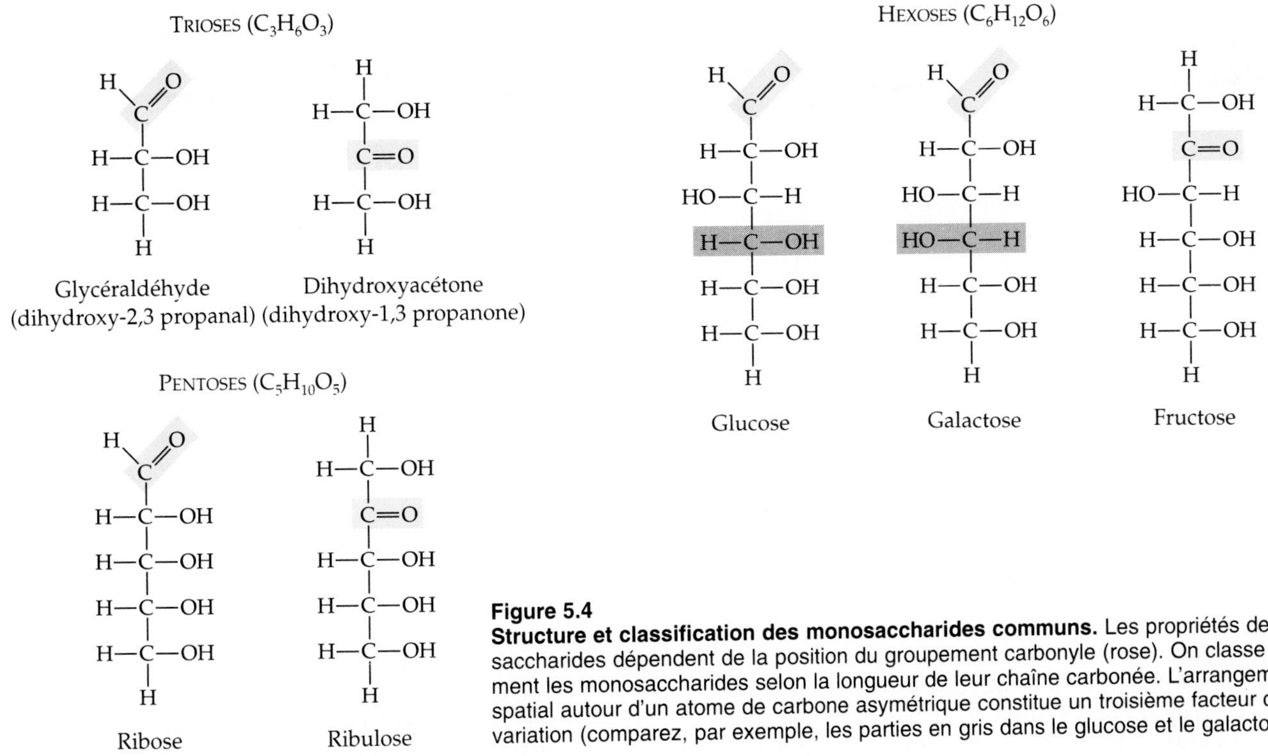

TRIOSES ($C_3H_6O_3$)

Glycéraldéhyde
(dihydroxy-2,3 propanal)

Dihydroxyacétone
(dihydroxy-1,3 propanone)

PENTOSES ($C_5H_{10}O_5$)

Ribose

Ribulose

HEXOSES ($C_6H_{12}O_6$)

Glucose

Galactose

Fructose

Figure 5.4
Structure et classification des monosaccharides communs. Les propriétés des mono-saccharides dépendent de la position du groupement carbonyle (rose). On classe égale-ment les monosaccharides selon la longueur de leur chaîne carbonée. L'arrangement spatial autour d'un atome de carbone asymétrique constitue un troisième facteur de variation (comparez, par exemple, les parties en gris dans le glucose et le galactose).

peuvent hydrolyser l'amidon et libérer ainsi du glucose qui servira de nutriment aux cellules. La Pomme de terre et les céréales — telles le Blé, le Maïs, le Riz et les autres Graminées — constituent les principales sources d'ami-don dans le régime alimentaire des Humains.

Les Animaux emmagasinent un polysaccharide appelé **glycogène**, un polymère du glucose qui est davan-tage ramifié que l'amylopectine des Végétaux (voir la figure 5.7). Les Humains et les autres Vertébrés emmaga-sinent le glycogène surtout dans les cellules du foie et des muscles; ils hydrolysent ce glycogène pour libérer du

glucose lorsque les besoins en glucose augmentent (voir la figure 5.8b). Cependant, cette énergie de réserve ne peut pas soutenir longtemps un Animal. La réserve de glycogène des Humains, par exemple, s'épuise en un jour environ si aucun aliment ne vient le réapprovisionner.

Polysaccharides structuraux Les organismes fabri-quent des matériaux solides à partir de polysaccharides structuraux. Par exemple, l'un de ceux-ci, le polysaccha-ride appelé **cellulose**, est un constituant important de la robuste paroi des cellules végétales et le composé

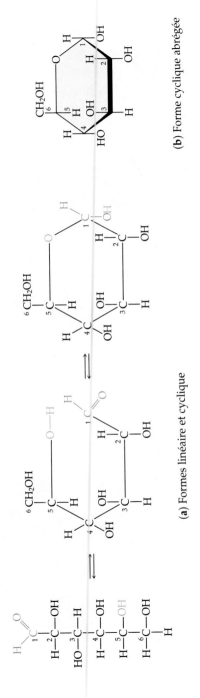

(a) Formes linéaire et cyclique

(b) Forme cyclique abrégée

Figure 5.5
Représentations linéaire et cyclique du glucose. (a) L'équilibre chimique entre les structures linéaire et cyclique favorise gran-dement la formation cyclique. Pour former le cycle du glucose, le premier atome de

carbone se lie à l'oxygène attaché au cin-quième atome de carbone. **(b)** Dans la représentation abrégée, la partie en gras du cycle indique que la molécule est à l'horizontale et que ce côté est orienté vers

vous ; ainsi, vous pouvez voir que les com-posantes attachées au cycle par des traits verticaux se situent au-dessus et en des-sous du plan du cycle.

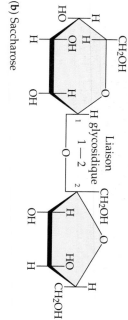

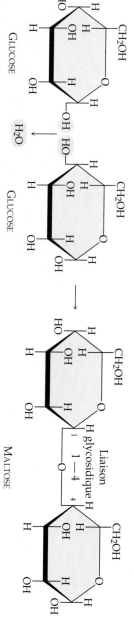

(a) Réaction de condensation du maltose

GLUCOSE   GLUCOSE

CH_2OH CH_2OH

H_2O

Liaison glycosidique 1 — 2

CH_2OH CH_2OH

(b) Saccharose

MALTOSE

CH_2OH CH_2OH

Liaison glycosidique 1 — 4

Figure 5.6
Exemples de disaccharides. (a) La combinaison de deux molécules de glucose forme une molécule de maltose. Remarquez que la liaison glycosidique unit le premier atome de carbone d'un glucose au quatrième atome du second glucose. L'union des deux monomères de glucose en d'autres positions donnerait des disaccharides différents. **(b)** Le saccharose est un disaccharide formé de glucose et de fructose. (Remarquez que le fructose forme un cycle à cinq côtés plutôt qu'à six.)

organique le plus abondant sur Terre. Comme l'amidon, la cellulose est un polymère du glucose ; toutefois, le cycle de glucose de la cellulose n'est pas le même que celui de l'amidon. Lorsque la chaîne carbonée du glucose forme un cycle, le groupement hydroxyle fixé au premier atome de carbone, à l'endroit où le cycle se ferme, se trouve fixé dans l'une ou l'autre des deux positions possibles : il peut se placer soit en dessous, soit au-dessus du plan du cycle. Ces deux formes cycliques du glucose se nomment respectivement alpha (α) et bêta (β),

(figure 5.9a). Dans l'amidon, tous les monomères présentent la configuration α (figure 5.9b). Dans la cellulose, par contre, tous les monomères prennent la configuration β (figure 5.9c). Cette variation de la géométrie des liaisons entre les monomères confère à l'amidon et à la cellulose deux formes tridimensionnelles distinctes et, par conséquent, des propriétés très différentes.

Dans la paroi d'une cellule végétale, de nombreuses molécules de cellulose parallèles, retenues ensemble par des liaisons hydrogène entre les groupements hydroxyles

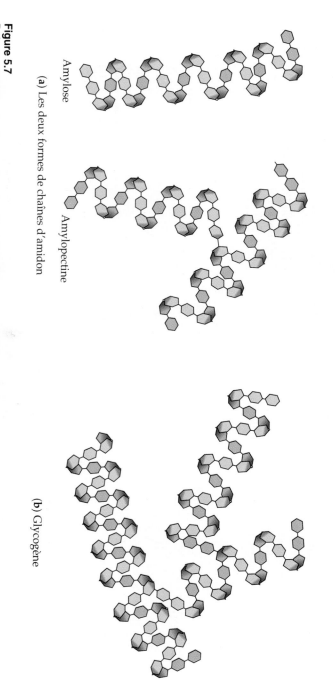

Amylose

Amylopectine

(a) Les deux formes de chaînes d'amidon

(b) Glycogène

Figure 5.7
Polysaccharides de réserve. Les exemples ci-dessus sont constitués entièrement de molécules de glucose, représentées ici par des hexagones. L'amidon et le glycogène ont une forme hélicoïdale. **(a)** L'amylose (chaîne non ramifiée) et l'amylopectine (chaîne ramifiée) composent l'amidon. **(b)** Le glycogène est plus ramifié que l'amylopectine.

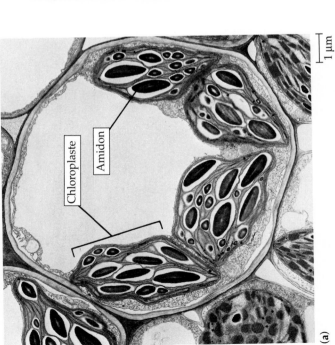

Figure 5.8

Accumulations de polysaccharides de réserve. (a) Les ovales sombres représentent des granules d'amidon dans les chloroplastes d'une cellule végétale (micrographie électronique). **(b)** Les Humains et les Animaux emmagasinent le glycogène sous forme d'amas de granules dans les cellules du foie et des muscles. L'hydrolyse libère le glucose de la réserve (micrographie électronique d'une portion de cellule hépatique).

des monomères de glucose, s'associent en unités appelées microfibrilles (figure 5.10). Plusieurs microfibrilles entrelacées forment une fibrille de cellulose, et plusieurs fibrilles peuvent s'entortiller en des fils solides. Cette rigidité de la cellulose permet à une Plante de limiter l'effet de la gravitation et de se déployer dans l'espace.

Les enzymes qui digèrent l'amidon en hydrolysant les liaisons α sont incapables d'hydrolyser les liaisons β de la cellulose. En fait, peu d'organismes sont dotés d'enzymes capables de digérer la cellulose. Les Humains n'en possèdent pas ; les fibrilles de cellulose contenues dans notre nourriture passent tout droit dans le tube digestif et sont éliminées avec les matières fécales. Cependant, les fibrilles de cellulose amollissent les selles et leur donnent du volume, améliorant ainsi l'efficacité des contractions intestinales. La cellulose ne constitue donc pas un nutriment pour les Humains, mais son rôle important nous oblige à l'intégrer à notre régime alimentaire. La plupart des fruits frais, des légumes et des céréales sont riches en cellulose, c'est-à-dire en fibres.

Certaines Bactéries et d'autres microorganismes peuvent dégrader la cellulose en glucose. Les Ruminants (par exemple, les Bovidés et les Cervidés) hébergent, dans un des compartiments de leur estomac, des Bactéries qui digèrent la cellulose. Dans ce compartiment stomacal appelé panse, les Bactéries hydrolysent la cellulose du foin et de l'herbe et libèrent ainsi les molécules de glucose qui deviennent des nutriments pour le Ruminant. De la même façon, le Termite, incapable de digérer la cellulose,

héberge dans son intestin des organismes unicellulaires qui transforment la cellulose du bois en substances assimilables. Certaines Moisissures (Champignons microscopiques) peuvent aussi digérer la cellulose ; elles accomplissent ainsi une fonction essentielle à la circulation de la matière dans les écosystèmes : la décomposition (voir les chapitres 28 et 49).

La **chitine,** le glucide utilisé par les Arthropodes (Insectes, Araignées, Crustacés et autres) pour construire leur exosquelette, constitue un autre polysaccharide structural important (figure 5.11). Un exosquelette est une enveloppe rigide qui recouvre les parties molles d'un Animal. La chitine pure ressemble à du cuir, mais elle durcit lorsqu'elle est imprégnée d'un sel, le carbonate de calcium (CaCO$_3$). On trouve également la chitine dans de nombreux Champignons, qui utilisent ce polysaccharide comme matériau de construction pour leur paroi cellulaire au lieu de la cellulose. Le monomère de chitine, un sucre aminé, est une molécule de glucose avec une chaîne latérale contenant de l'azote :

Figure 5.9

Comparaison entre la structure de l'amidon et celle de la cellulose. (a) Le glucose présente l'une ou l'autre de deux structures cycliques, désignées par α et β, qui diffèrent par la position du groupement hydroxyle attaché au premier atome de carbone. (b) La forme cyclique α est le monomère de l'amidon. (c) La cellulose consiste en monomères de glucose de configuration β.

(a) Structures cycliques α et β du glucose

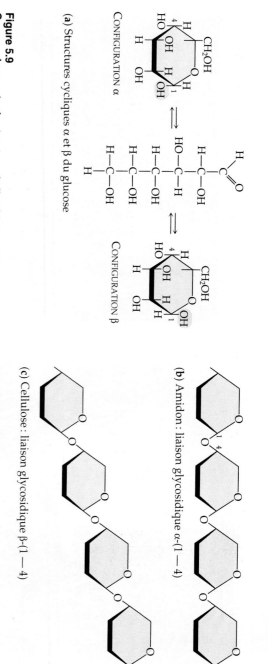

CONFIGURATION α ⇌ ⇌ CONFIGURATION β

(b) Amidon : liaison glycosidique α-(1 — 4)

(c) Cellulose : liaison glycosidique β-(1 — 4)

LIPIDES

Les **lipides** sont des composés chimiquement hétérogènes regroupés en raison d'une caractéristique commune importante : ils ont peu ou pas d'affinité pour l'eau. Le comportement hydrophobe des lipides repose sur leur structure moléculaire. Malgré la présence de quelques liaisons polaires associées à l'oxygène, les lipides sont en majeure partie constitués de liaisons non polaires carbone-hydrogène. Les graisses, les phosphoglycérolipides et les stéroïdes constituent trois familles importantes de lipides.

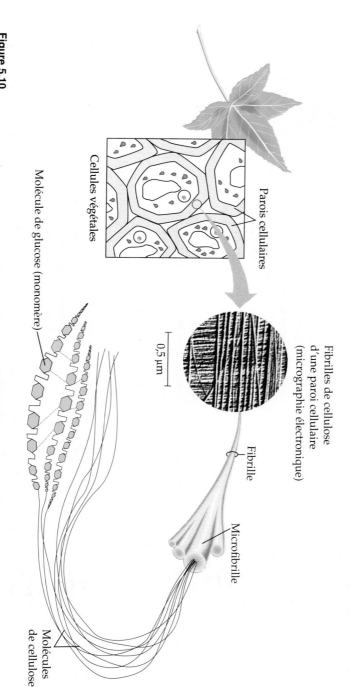

Molécule de glucose (monomère)

Cellules végétales

Parois cellulaires

0,5 μm

Fibrilles de cellulose
d'une paroi cellulaire
(micrographie électronique)

Fibrille

Microfibrille

Molécules
de cellulose

Figure 5.10

Cellulose et paroi des cellules végétales. La cellulose est une molécule linéaire non ramifiée. Les molécules de cellulose parallèles restent liées ensemble par des liaisons hydrogène (lignes pointillées) entre les groupements hydroxyle qui se font face. Environ 80 molécules de cellulose s'associent pour former une microfibrille, et plusieurs microfibrilles s'entrecroisent pour former une fibrille de cellulose (micrographie électronique).

odeur que les Chiens policiers flairent au cours d'une recherche. Les acides gras les plus importants contiennent de 12 à 22 atomes de carbone. À une extrémité de l'acide gras se trouve une «tête» constituée d'un groupement carboxyle, le groupement fonctionnel qui confère à ces molécules le nom d'*acides*. Ce groupement carboxyle est attaché à une «queue» de carbone et d'hydrogène (chaîne hydrocarbonée). Ce sont les liaisons C — H non polaires de la queue d'un acide gras qui expliquent l'insolubilité des graisses dans l'eau (voir le chapitre 4), les molécules d'eau effectuant des liaisons hydrogène entre elles et repoussant les graisses. Pensons à un exemple bien connu de ce phénomène : dans une vinaigrette, l'huile végétale se sépare de la solution aqueuse de vinaigre.

Un acide gras peut se lier à une molécule de glycérol par une liaison *ester*, formée par réaction de condensation entre un groupement hydroxyle et un groupement carboxyle.

$$R—O—C—R$$
$$\overset{\displaystyle O}{\overset{\|}{}}$$

Comme le glycérol possède trois groupements hydroxyle, il lui en reste encore deux, qui peuvent aussi se lier chacun à un acide gras. Lorsque le glycérol est ainsi *estérifié* par trois acides gras, la substance produite est une graisse, ou **triacylglycérol**. (On employait il y a quelques années le terme triglycéride pour désigner une graisse ; dans ce manuel, nous allons privilégier la nouvelle nomenclature.) Les trois acides gras d'une graisse peuvent être identiques (figure 5.12b), mais ils peuvent aussi être de deux ou trois types différents.

La longueur de la chaîne hydrocarbonée ainsi que le nombre et la position des liaisons doubles varient selon les acides gras. En nutrition, on utilise souvent les expressions *gras saturés* et *gras insaturés*. Ces expressions font référence à la structure des chaînes hydrocarbonées (les queues) des acides gras. S'il n'y a pas de liaisons doubles entre les atomes de carbone constituant la queue, on a alors un maximum d'atomes d'hydrogène liés au squelette carboné, et on se trouve en présence d'un **acide gras saturé** (parce que la chaîne est saturée en hydrogène) (figure 5.13a). Dans un **acide gras insaturé**, il y a une ou plusieurs liaisons doubles formées par l'élimination d'atomes d'hydrogène de la chaîne. L'acide gras adopte une configuration angulaire partout où il se forme une liaison double (figure 5.13b).

La plupart des graisses animales, comme le gras de bacon, le saindoux et le beurre, sont saturées et se solidifient à la température ambiante. En revanche, les graisses végétales sont généralement insaturées. Habituellement liquides à la température ambiante, les graisses végétales sont plutôt appelées huiles, par exemple huile de Maïs, huile d'Arachide et huile d'Olive. Dans une huile, les angles formés par les liaisons doubles empêchent les molécules de s'agglomérer pour former un solide à la température ambiante. L'expression «huile végétale hydrogénée», souvent mentionnée sur les étiquettes des aliments, signifie que les graisses insaturées ont été converties synthétiquement en graisses saturées par addition d'hydrogène. Le beurre d'Arachide, la margarine et de

Figure 5.11
Chitine. La chitine, un polysaccharide structural, constitue l'exosquelette des Arthropodes. Cette Cigale mue ; elle se dépouille de son vieil exosquelette et apparaît dans sa forme adulte. La chitine ressemble à la cellulose au point de vue structural, sauf que son monomère est un sucre aminé (un sucre contenant de l'azote).

Graisses

Les **graisses** sont des macromolécules formées d'une petite molécule de glycérol liée avec un à trois acides gras, molécules de taille variable mais généralement plus volumineuses que le glycérol (figure 5.12a). Le glycérol est un alcool à trois atomes de carbone dont chacun porte un groupement hydroxyle. L'**acide gras**, lui, possède une chaîne carbonée plus ou moins longue ; par exemple, l'acide acétique (CH$_3$COOH), qui entre dans la composition du vinaigre, représente l'acide gras le plus court. Il fait toutefois exception à la règle, puisqu'il est très soluble dans l'eau.

Parmi les petits acides gras, on compte l'acide butyrique (C$_3$H$_7$COOH), la substance qui produit l'odeur corporelle et celle du beurre qui rancit.

$$\begin{array}{c} H \\ | \\ H—C—C \\ | \quad \backslash\!\backslash O \\ H \quad \diagdown OH \end{array}$$

Acide acétique (ou acide éthanoïque)

$$\begin{array}{c} H \quad H \quad H \\ | \quad | \quad | \\ H—C—C—C—C \\ | \quad | \quad | \quad \backslash\!\backslash O \\ H \quad H \quad H \quad \diagdown OH \end{array}$$

Acide butyrique (ou acide butanoïque)

Les glandes sébacées, situées dans la peau, sécrètent des graisses et des huiles qui contiennent de l'acide butyrique en concentration variable selon l'individu. C'est cette

Figure 5.12
Structure d'une graisse, ou triacylgly-cérol. La graisse se compose d'une molécule de glycérol et de trois molécules d'acides gras. (a) Le retrait d'une molécule d'eau s'effectue chaque fois qu'un acide gras se lie au glycérol. (b) La substance obtenue est une graisse, comme celle de la figure.

(b)

Liaison ester

(a)

GLYCÉROL

H₂O

HO

ACIDE GRAS
(ACIDE PALMITIQUE)

TRIACYLGLYCÉROL

(a) Acide gras saturé : acide stéarique

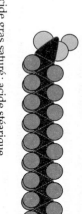

(b) Acide gras insaturé : acide oléique

Figure 5.13
Comparaison entre graisses saturées et insaturées. (a) Les acides gras saturés, comme l'acide stéarique, possèdent sur leur chaîne carbonée le maximum d'atomes d'hydrogène. La plupart des graisses animales, celles du beurre par exemple, sont saturées. Elles se solidifient à la tem-

pérature ambiante. (b) Les acides gras insaturés, comme l'acide oléique, possèdent une ou plusieurs liaisons doubles entre les atomes de carbone. Pour chaque liaison double qui se forme, deux atomes d'hydrogène doivent être enlevés. La chaîne d'acide gras forme un angle partout

où il y a une liaison double. La plupart des graisses végétales sont insaturées ; on les appelle huiles parce qu'elles deviennent liquides à la température ambiante. Les angles formés par les liaisons doubles empêchent les graisses de s'agglomérer en masse solide.

72 *Première partie : La chimie de la vie*

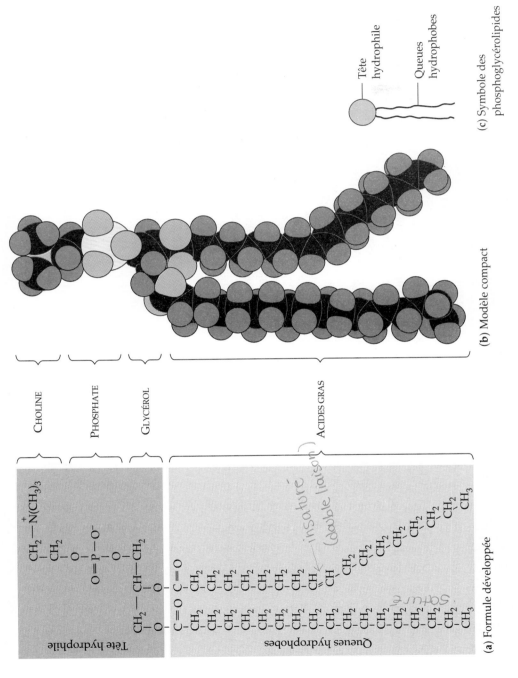

PHOSPHATIDYLCHOLINE

CHOLINE

PHOSPHATE

GLYCÉROL

ACIDES GRAS

$CH_2 — \overset{+}{N}(CH_3)_3$

CH_2

O

$O=P—O^-$

O

$CH_2—CH—CH_2$

O O

$C=O$ $C=O$

insaturé (double liaison)

saturé

Tête hydrophile

Queues hydrophobes

(a) Formule développée

(b) Modèle compact

Tête hydrophile

Queues hydrophobes

(c) Symbole des phosphoglycérolipides

Figure 5.14
Structure d'un phosphoglycérolipide. La diversité des phosphoglycérolipides réside dans les acides gras liés aux deux premiers atomes de carbone du glycérol ainsi que dans les groupements liés au phosphate du troisième atome de carbone du glycérol. **(a)**, **(b)** Voici un phosphoglycérolipide particulier, la phosphatidylcholine, communément appelée lécithine. **(c)** Ce symbole des phosphoglycérolipides sera utilisé tout au long du manuel.

nombreux autres produits sont hydrogénés pour empêcher les lipides de se séparer et de devenir liquide (de prendre la forme d'huile).

Un régime alimentaire riche en graisses saturées est un des facteurs qui contribuent à une maladie cardiovasculaire appelée athérosclérose. Dans cette affection, des dépôts lipidiques se forment sur le revêtement interne des vaisseaux sanguins, entravant la circulation et réduisant l'élasticité des vaisseaux (voir le chapitre 38).

De nos jours, les graisses ont une réputation tellement négative que l'on pourrait se demander si elles ont un rôle utile. La fonction principale des graisses consiste à emmagasiner de l'énergie. Les hydrocarbures des graisses ressemblent aux molécules d'essence et sont tout aussi riches en énergie. Un gramme de graisse emmagasine une quantité d'énergie plus de deux fois supérieure à celle d'un gramme d'un glucide comme l'amidon. En

raison de leur relative immobilité, les Végétaux peuvent très bien fonctionner avec de volumineuses réserves énergétiques sous forme d'amidon, logées principalement dans les feuilles et les racines. (Les huiles végétales se concentrent dans les graines.) Les Animaux, par contre, doivent transporter leur bagage d'énergie avec eux, de sorte qu'il est avantageux pour eux d'avoir une réserve d'énergie plus compacte: les graisses. Les Humains et les autres Mammifères emmagasinent leurs réserves d'énergie dans les cellules adipeuses, qui se gonflent ou rétrécissent selon que la graisse y est emmagasinée ou en est retirée (voir la figure 4.7). En plus d'emmagasiner de l'énergie, le tissu adipeux souscutané (sous la peau) sert d'amortisseur pour protéger les organes vitaux (les reins par exemple) et procure une isolation thermique. Cette couche sous-cutanée est particulièrement épaisse chez les Baleines, les Phoques et autres Animaux marins.

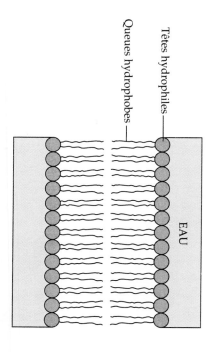

Têtes hydrophiles

Queues hydrophobes

EAU

Figure 5.15
Double couche de phosphoglycérolipides. Ces doubles couches constituent la structure principale des membranes biologiques. Les têtes hydrophiles (sphériques) des phosphoglycérolipides sont en contact avec l'eau. Le schéma montre une coupe transversale d'une double couche.

Phosphoglycérolipides

Les **phosphoglycérolipides** ressemblent aux graisses sur le plan structural, à la différence qu'ils possèdent deux acides gras au lieu de trois (figure 5.14). Dans une molécule de phosphoglycérolipide, le troisième atome de carbone du glycérol est lié à un groupement phosphate porteur de charges négatives. Des petites molécules additionnelles, habituellement chargées ou polaires, peuvent se lier à ce groupement phosphate pour former divers phosphoglycérolipides.

Les phosphoglycérolipides manifestent un comportement ambivalent à l'égard de l'eau. Leurs queues formées d'hydrocarbures sont hydrophobes ; elles n'attirent pas l'eau. Par contre, le groupement phosphate et les molécules polaires qu'ils portent forment une tête hydrophile miscible avec l'eau.

À cause de leur structure, les phosphoglycérolipides sont vraiment faits pour accomplir leur fonction de constituants principaux des membranes cellulaires. À la surface d'une cellule, les phosphoglycérolipides sont disposés en une double couche (figure 5.15) ; les acides gras hydrophobes se font face, alors que les têtes hydrophiles, complètement à l'opposé, entrent en contact avec les solutions aqueuses de part et d'autre de la membrane cellulaire. La double couche de phosphoglycérolipides forme une frontière entre la cellule et son environnement externe. La notion d'émergence apparaît une fois de plus : l'organisation chimique de cette double couche donne aux phosphoglycérolipides des propriétés qu'ils n'ont pas individuellement. (Nous allons étudier la structure et les fonctions des membranes en détail au chapitre 8.)

Stéroïdes

Les **stéroïdes** sont des lipides caractérisés par un squelette carboné formé de quatre cycles accolés (figure 5.16). Les groupements fonctionnels attachés à cet ensemble de cycles varient d'un type de stéroïde à l'autre. Le **cholestérol**, une composante courante des membranes cel-

lulaires animales, est un stéroïde important. Il constitue également le précurseur à partir duquel la plupart des autres stéroïdes sont synthétisés. Par exemple, de nombreuses hormones, notamment les hormones sexuelles des Vertébrés, sont des stéroïdes provenant du cholestérol (voir la figure 4.9). Cependant, une concentration élevée de cholestérol dans le sang peut causer l'athérosclérose.

En plus des graisses, des phosphoglycérolipides et des stéroïdes, il existe d'autres familles de lipides, dont les cires et certains pigments végétaux et animaux.

PROTÉINES

Les **protéines** représentent environ 50 % de la masse sèche de la plupart des cellules et jouent un rôle dans presque toutes les fonctions des cellules. Les protéines ont plusieurs fonctions : elles soutiennent les tissus, emmagasinent et transportent des substances, transmettent des messages d'un point à un autre de l'organisme, produisent le mouvement et défendent l'organisme contre les substances étrangères. De plus, des protéines particulières appelées enzymes accélèrent de façon sélective la vitesse des réactions chimiques dans les cellules. L'être humain possède des dizaines de milliers de protéines de différentes sortes, chacune ayant une structure et une fonction spécifiques. Le tableau 5.1 résume quelques-unes de ces fonctions.

Sur le plan de la structure, les protéines sont les molécules les plus complexes que l'on connaisse. Tout comme leurs fonctions, leur structure varie considérablement ; chaque type de protéines possède une forme tridimensionnelle unique. Mais, pour diversifiées qu'elles soient, les protéines sont toutes des polymères élaborés à partir de la même série d'acides aminés, les monomères universels des protéines.

Acides aminés

Les **acides aminés** sont des molécules organiques portant deux groupements : un carboxyle et un amine (voir le

Figure 5.16
Cholestérol : un stéroïde. Le cholestérol est le précurseur à partir duquel d'autres stéroïdes, comme les hormones sexuelles, sont synthétisés. Les différences entre stéroïdes résident dans les groupements fonctionnels qui se fixent à leurs quatre cycles accolés (illustrés en couleur).

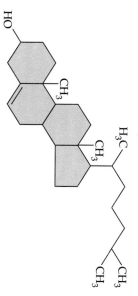

HO

H₃C

CH₃

CH₃

CH₃

CH₃

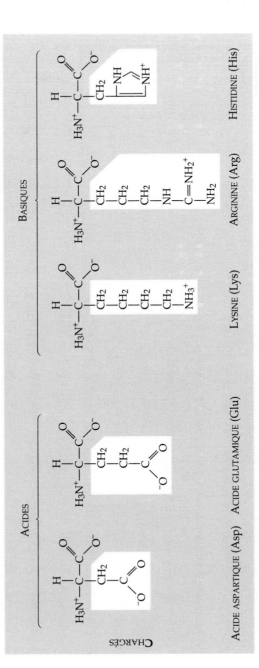

Figure 5.17
Les 20 acides aminés des protéines. Voici les acides aminés regroupés en fonction des propriétés de leur chaîne latérale (radicaux R), illustrée en blanc. Les acides aminés apparaissent ici dans leur forme ionique dominante au pH intracellulaire de 7 environ. Les trois lettres qui servent d'abréviation pour les acides aminés figurent entre parenthèses.

Tableau 5.1 Résumé des fonctions des protéines

Fonction	Exemples
Soutien	Le collagène et l'élastine composent la structure fibreuse des tissus conjonctifs animaux, tels que les tendons et les ligaments. La kératine est la protéine des cheveux, des ongles, des cornes, des plumes, des aiguillons et des autres appendices cutanés.
Mise en réserve d'acides aminés	L'ovalbumine est la protéine du blanc d'œuf, utilisée comme source d'acides aminés par l'embryon en voie de développement. La caséine, protéine du lait, constitue la principale source d'acides aminés pour les petits Mammifères durant la période postnatale. Les Végétaux emmagasinent des protéines dans les graines.
Transport de substances	L'hémoglobine, la protéine sanguine contenant du fer, transporte l'oxygène des poumons vers les différentes parties du corps. D'autres protéines transportent des ions ou des molécules à travers les membranes cellulaires.
Régulation hormonale	Une petite protéine, l'insuline, une hormone sécrétée par le pancréas, contribue à la régulation de la concentration de glucose dans le sang.
Réception de substances	Les protéines réceptrices intégrées à la membrane d'une cellule nerveuse détectent les signaux chimiques transmis par d'autres cellules nerveuses.
Mouvement	L'actine et la myosine sont des protéines contractiles servant au mouvement des muscles. D'autres protéines contractiles servent à faire onduler les cils et les flagelles qui propulsent de nombreuses cellules.
Immunité humorale	Les anticorps, ces protéines spécifiques du plasma sanguin, combattent les Bactéries et les Virus.
Catalyse	Les enzymes, ces protéines qui accélèrent la vitesse des réactions chimiques, interviennent dans toute synthèse ou dégradation de substances ; ainsi, les enzymes digestives hydrolysent les macromolécules présentes dans les aliments.

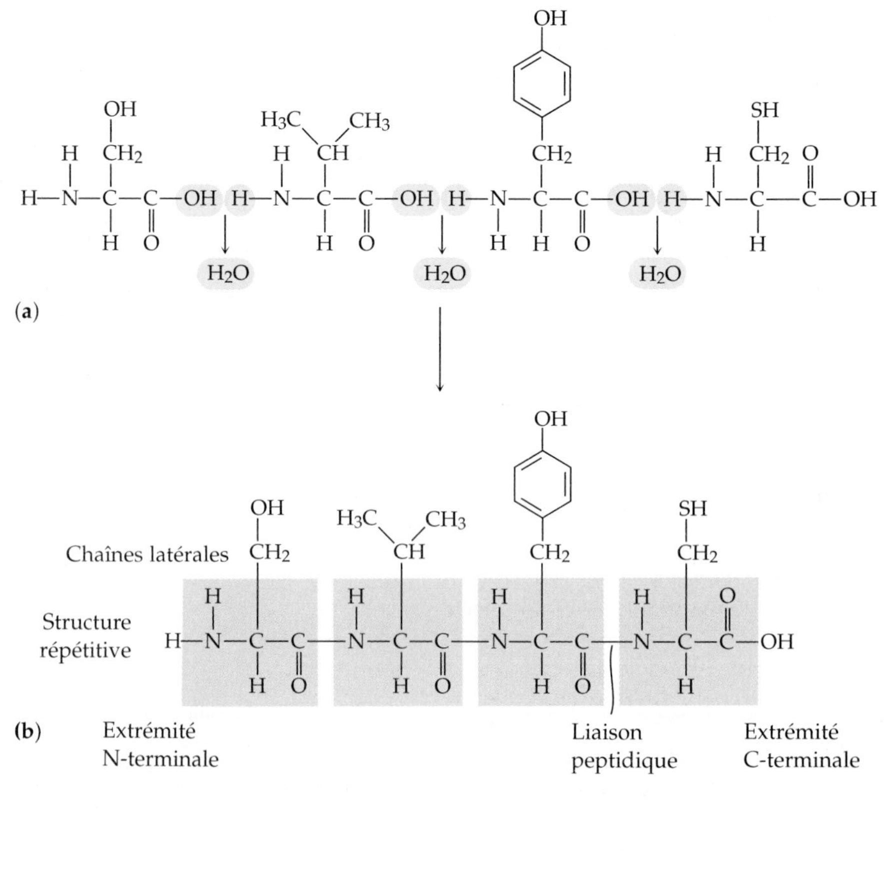

(a)

(b)

Figure 5.18
Chaînes polypeptidiques. (a) Les liaisons peptidiques formées par réaction de condensation unissent le groupement carboxyle d'un acide aminé au groupement amine de l'autre. **(b)** Le polypeptide possède une structure répétitive (violet) complétée par les chaînes latérales des acides aminés.

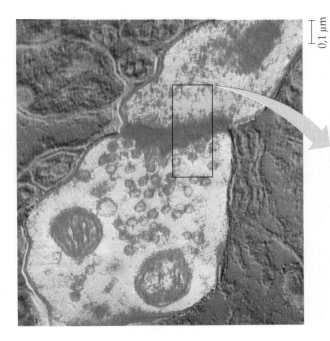

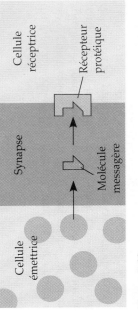

Figure 5.19
Récepteurs protéiques du cerveau. Une cellule cérébrale envoie un message en libérant une substance chimique qui s'ajuste parfaitement à un récepteur protéique spécifique de la cellule cible. Sur cette micrographie, la cellule émettrice, à gauche, contient de nombreuses vésicules. Un message est émis lorsque ces vésicules libèrent des molécules spécifiques dans la synapse, l'étroite zone de contact entre la cellule nerveuse émettrice et sa voisine. (Sur cette micrographie électronique teintée artificiellement, la synapse apparaît en rouge foncé.) Les molécules messagères franchissent la synapse et stimulent la cellule réceptrice. Sur le diagramme, nous voyons une version très simplifiée de la communication chimique qui s'établit entre deux cellules. La molécule messagère et le récepteur protéique sont montrés ici comme de simples blocs de forme spécifique ; les molécules réelles présentent des géométries beaucoup plus complexes.

chapitre 4). Les cellules élaborent leurs protéines à partir de 20 types d'acides aminés. Il existe de nombreux autres acides aminés qui remplissent des fonctions importantes dans les organismes, mais ils ne sont pas incorporés dans les protéines.

La plupart des acides aminés comportent un atome de carbone asymétrique, appelé carbone alpha (α), sur lequel se fixent un ou plusieurs groupements fonctionnels. Chaque acide aminé porte un atome d'hydrogène, un groupement carboxyle et un groupement amine liés au carbone α ; les 20 types d'acides aminés qui forment les protéines ne se différencient que par la partie attachée au carbone α au moyen de la quatrième liaison (figure 5.17). Cette partie variable de l'acide aminé est symbolisée par la lettre R. Le radical R, également appelé **chaîne latérale,** peut aussi bien se présenter sous la forme d'un simple atome d'hydrogène, comme dans la glycine, que sous la forme d'une chaîne carbonée portant divers groupements fonctionnels, comme dans la glutamine. Les propriétés physiques et chimiques de la chaîne latérale déterminent les caractéristiques particulières d'un acide aminé.

La figure 5.17 groupe les acides aminés selon les propriétés de leur chaîne latérale. Le premier groupe comprend les acides aminés portant une chaîne latérale non polaire et hydrophobe. Le deuxième groupe comprend les acides aminés qui ont une chaîne latérale polaire, donc hydrophile. Dans le troisième groupe figurent les acides aminés « acides ». Ceux-ci portent une chaîne latérale de charge généralement négative, car le groupement carboxyle de cette chaîne a tendance à se dissocier et à libérer un proton (H⁺) au pH intracellulaire de 7 environ. Les acides aminés « basiques » portent une chaîne latérale de charge généralement positive. (Remarque : les groupements carboxyle et amine de *tous* les acides aminés sont liés à l'atome de carbone α, et les termes *acide* et *basique* font ici référence uniquement à la nature des chaînes latérales.) Les chaînes latérales acides et basiques sont hydrophiles en raison de leur caractère ionique.

Maintenant que nous avons examiné les acides aminés, voyons comment ils se lient pour former des polymères.

Chaînes polypeptidiques

Lorsque deux acides aminés sont placés de telle sorte que le groupement carboxyle de l'un se trouve à côté du groupement amine de l'autre, une réaction de condensation peut les unir. À l'aide d'une enzyme, cette réaction produit une liaison covalente appelée **liaison peptidique** (figure 5.18).

Une **chaîne polypeptidique** est un polymère constitué de nombreux acides aminés réunis par des liaisons peptidiques. À une extrémité de la chaîne se trouve un groupement amine libre, alors qu'à l'autre extrémité figure un groupement carboxyle libre. Ainsi, la chaîne a une polarité, une extrémité N-terminale (N pour l'azote du groupement amine) et une extrémité C-terminale (C pour le carbone du groupement carboxyle). La structure répétitive des atomes le long de la chaîne principale (—N—C—N—C—N—C—C—) porte les chaînes latérales des acides aminés. La longueur d'une chaîne polypeptidique varie de quelques monomères à plus d'un millier. Chaque polypeptide spécifique possède une séquence linéaire unique d'acides aminés.

Conformation des protéines

Une protéine se compose d'une ou de plusieurs chaînes polypeptidiques adoptant une forme tridimensionnelle définie, c'est-à-dire une certaine **conformation.** La fonction d'une protéine repose sur sa conformation unique ainsi que sur sa capacité de reconnaître une autre molécule et de s'y lier. Par exemple, une protéine hormonale se lie à un récepteur cellulaire ; un anticorps se lie à une substance étrangère particulière qui a envahi l'organisme ; une enzyme spécifique reconnaît son substrat (substance sur laquelle l'enzyme travaille) et s'y lie. Le traitement de l'information dans le cerveau humain dépend également de la capacité des protéines de se lier sélectivement à

Figure 5.20
Conformation native d'une protéine. La chaîne polypeptidique se replie en une forme spécifique. La protéine de l'illustration est une enzyme appelée lysozyme. On a ici simplifié sa structure pour ne montrer que la conformation de la chaîne polypeptidique. Les lignes jaunes symbolisent un des types de liaison chimique intramoléculaire qui stabilisent la conformation.

d'autres molécules. Par exemple, une cellule nerveuse envoie un message à une autre en libérant des molécules spécifiques (neuromédiateurs) qui possèdent une forme particulière. À la surface de la cellule cible se trouvent des récepteurs protéiques qui ont une conformation complémentaire à celle des molécules messagères, à la manière d'une serrure et d'une clé (figure 5.19). La chimie du cerveau et d'autres fonctions biochimiques des organismes dépendent de protéines dotées de conformations uniques leur permettent de s'associer spécifiquement avec d'autres molécules.

Lorsqu'une cellule synthétise un polypeptide, la chaîne polypeptidique se replie spontanément pour adopter la conformation fonctionnelle de cette protéine, sa conformation native (figure 5.20). Au cours de ce processus, la conformation de la protéine est renforcée par une variété de liaisons chimiques entre les parties de la chaîne (voir la figure 5.25).

Niveaux d'organisation structurale des protéines

La conformation d'une protéine comporte quatre niveaux d'organisation structurale : primaire, secondaire, tertiaire et quaternaire.

Structure primaire La **structure primaire** d'une protéine correspond à sa séquence unique d'acides aminés. À titre d'exemple, nous allons examiner le lysozyme, une enzyme antibactérienne présente notamment dans les larmes et la salive. Le lysozyme est une protéine relativement petite, formée d'une chaîne de seulement 129 acides aminés (figure 5.21). Chacune des 129 positions de la chaîne est occupée par un des 20 acides aminés. La structure primaire ressemble à l'ordre des lettres dans un mot. Si l'arrangement des 129 acides aminés d'une telle chaîne était laissé au hasard, il pourrait se faire de 20^{129} façons. Cependant, la structure primaire d'une protéine n'est pas

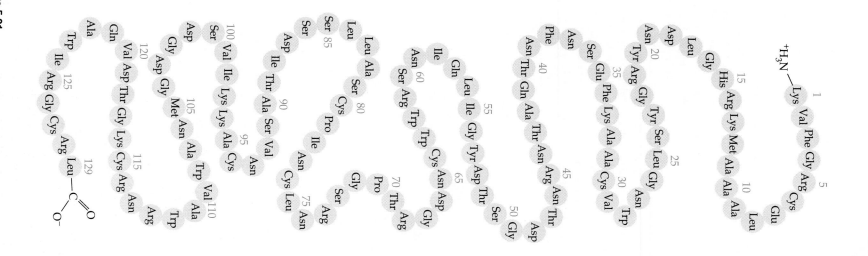

Figure 5.21
Structure primaire d'une protéine. Voici la séquence d'acides aminés (ou structure primaire) particulière à l'enzyme appelée lysozyme. Les abréviations de trois lettres correspondent aux noms des acides aminés. (La chaîne est dessinée de façon à rendre visible sur la page la séquence entière. La figure 5.20 montre la forme réelle du lysozyme.)

Figure 5.22
L'anémie à hématies falciformes est causée par la substitution d'un seul acide aminé dans l'hémoglobine. (a) Les globules rouges, ces cellules ayant la forme d'un disque biconcave, transportent l'oxygène des poumons vers les autres organes du corps. Chaque cellule contient des millions de molécules d'hémoglobine, la protéine qui transporte l'oxygène (micrographie photonique). (b) Un léger changement dans la structure primaire de l'hémoglobine, soit la substitution d'un acide aminé (acide glutamique) par un autre (valine), provoque l'anémie à hématies falciformes. Les molécules d'hémoglobine anormales ont tendance à s'associer et à se cristalliser, déformant ainsi les cellules (micrographie photonique). On utilise le terme « falciformes » parce que certaines des cellules déformées ont la forme d'une faucille (du latin *falcicula*). Une personne atteinte d'anémie à hématies falciformes a des crises lorsque les cellules déformées obstruent les capillaires et gênent la circulation sanguine. Des transfusions sanguines peuvent soulager les symptômes, mais aucun traitement ne guérit cette maladie. L'anémie à hématies falciformes cause la mort d'environ 100 000 personnes annuellement aux États-Unis. (c) La substitution héréditaire qui cause l'anémie à hématies falciformes se produit au 6e acide aminé d'une chaîne polypeptidique contenant 146 acides aminés. L'hémoglobine compte quatre chaînes polypeptidiques.

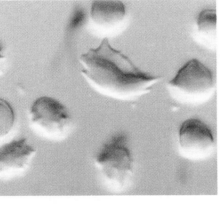

(a)

10 µm

(b)

Hémoglobine normale

Val	His	Leu	Thr	Pro	Glu	Glu	Lys
1	2	3	4	5	6	7	8 ... 146

Hémoglobine de l'hématie falciforme

Val	His	Leu	Thr	Pro	Val	Glu	Lys

(c)

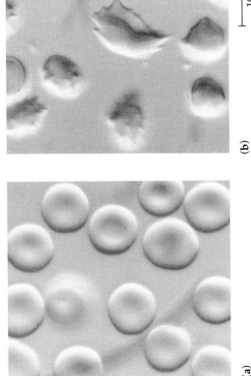

---

déterminée par la liaison aléatoire des acides aminés mais par l'information génétique.

Le moindre changement dans la structure primaire peut modifier la conformation d'une protéine et entraîner sa capacité de fonctionner. Par exemple, l'anémie à hématies falciformes est un trouble sanguin héréditaire causé par la substitution d'un seul acide aminé (le 6e) dans la structure primaire de l'hémoglobine. L'hémoglobine est la protéine qui transporte l'oxygène dans les globules rouges (figure 5.22). Nous verrons plus en détail l'hérédité de l'anémie à hématies falciformes au chapitre 13 ainsi que son importance dans l'évolution au chapitre 21.

Les spécialistes de la biologie moléculaire ont établi la structure primaire de centaines de protéines. Vers la fin des années 1940, Frederick Sanger, pionnier dans ce domaine avec ses collègues à l'Université de Cambridge en Angleterre, détermina la séquence des acides aminés dans l'insuline (une hormone). Son approche consistait à utiliser des enzymes protéolytiques et d'autres catalyseurs qui scindent les polypeptides à des endroits spécifiques ; il recueillait les fragments par chromatographie, une technique de séparation des molécules organiques. Sanger utilisa des méthodes chimiques pour

déterminer la séquence des acides aminés dans ces petits fragments. Puis, parmi les morceaux obtenus par hydrolyse au moyen de divers agents, il chercha des fragments qui se chevauchaient. Par exemple, examinons les séquences des deux fragments suivants :

Cys-Ser-Leu-Tyr-Gln-Leu
Tyr-Gln-Leu-Glu-Asn

À partir de fragments qui se chevauchant ainsi, nous pouvons déduire que le polypeptide intact contient, dans sa structure primaire, le segment suivant :

Cys-Ser-Leu-Tyr-Gln-Leu-Glu-Asn

Tout comme nous pourrions reconstituer une phrase à partir d'un ensemble de fragments contenant des séquences de lettres qui se chevauchent, Sanger et ses coéquipiers furent capables, après des années d'effort, de reconstituer la structure primaire complète de l'insuline. Depuis ce temps, on a automatisé la plupart des techniques utilisées pour établir la séquence d'un polypeptide. Reste que c'est l'analyse de Sanger qui démontra pour la première fois un principe fondamental en biologie moléculaire : chaque type de protéine possède une structure primaire unique, une séquence d'acides aminés précise.

Structure secondaire   Dans la plupart des protéines, certains segments de la chaîne polypeptidique sont enroulés ou repliés de façon répétitive et forment ainsi des motifs qui contribuent à la conformation globale de la protéine. L'ensemble de ces motifs constitue la **structure secondaire** et provient de liaisons hydrogène situées à intervalles réguliers le long de la chaîne polypeptidique (figure 5.23). L'atome d'hydrogène faiblement positif qui se trouve attaché à l'atome d'azote a une affinité pour l'atome d'oxygène légèrement négatif de la liaison peptidique voisine. Individuellement, ces liaisons hydrogène sont faibles. Toutefois, comme elles se répètent souvent sur une zone relativement longue de la chaîne polypeptidique, elles peuvent conférer une forme particulière à cette section de la protéine. L'**hélice alpha** (α), un enroulement délicat maintenu en place par des liaisons hydrogène à toutes les quatre liaisons peptidiques, est un exemple de structure secondaire. En 1951, Linus Pauling et Robert Corey ont décrit pour la première fois l'hélice α alors qu'ils travaillaient sur la structure des protéines au

California Institute of Technology. À la figure 5.23, les régions du lysozyme comportant l'hélice α ressortent bien ; on y a par ailleurs grossi une hélice α pour montrer les liaisons hydrogène. Le lysozyme est assez représentatif d'une protéine globulaire car il possède quelques parties en hélice α séparées par des régions non hélicoïdales. À titre de comparaison, certaines protéines fibreuses, comme l'α-kératine, la protéine structurale des cheveux, présentent des hélices α sur la majeure partie de leur longueur.

Le **feuillet plissé bêta** (β) représente une autre sorte de structure secondaire, dans laquelle la chaîne polypeptidique se plisse en accordéon. Les liaisons hydrogène entre les feuillets parallèles maintiennent la structure. Les feuillets β constituent la partie dense de nombreuses protéines globulaires ; le lysozyme possède d'ailleurs une telle structure secondaire (voir la figure 5.23). Les feuillets β prédominent dans certaines protéines fibreuses comme la fibroïne, la protéine structurale de la soie

Figure 5.23
Structure secondaire d'une protéine. Le lysozyme possède deux types de structures secondaires, l'hélice α et le feuillet plissé β. Ces deux formes dépendent des liaisons hydrogène le long de la chaîne polypeptidique. Les radicaux R des acides aminés sont omis ici.

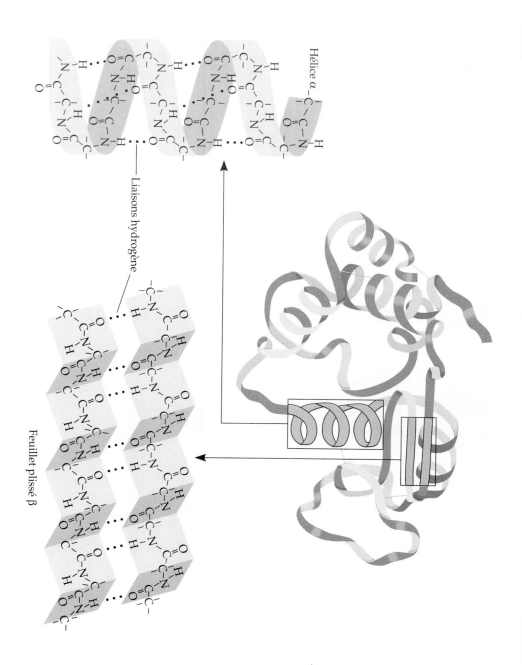

Hélice α

Liaisons hydrogène

Feuillet plissé β

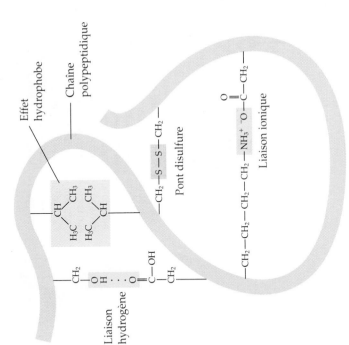

Effet
hydrophobe

Chaîne
polypeptidique

Liaison
hydrogène

Pont disulfure

Liaison ionique

Figure 5.25

Structure tertiaire d'une protéine. Les liaisons hydrogène, les liaisons ioniques et l'effet hydrophobe sont des liaisons faibles entre les chaînes latérales qui maintiennent collectivement la protéine dans une conformation spécifique. Les ponts disulfure covalents entre les chaînes latérales de paires de monomères de cystéine sont beaucoup plus forts.

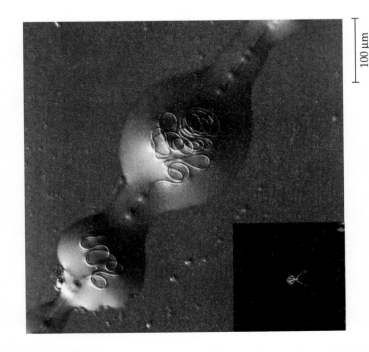

100 μm

Figure 5.24

La soie : une protéine structurale. Cette Araignée de la famille des Théridiidés (en mortaise) sécrète la soie (fibroïne) à l'aide de glandes abdominales. Sécrétée sous forme de liquide, la protéine se solidifie au contact de l'air. La soie doit sa solidité à sa structure secondaire. Les polypeptides sont plissés en accordéon dans la configuration β. Les fils de soie qui partent du centre de la toile se composent de soie sèche ; leur solidité maintient la forme de base de la toile. Les fils élastiques qui forment les anneaux concentriques sont appelés fils de capture ; ils s'étirent et se contractent au gré du vent, de la pluie et des Insectes qui se prennent au vol dans la toile. La micrographie nous aide à comprendre cette élasticité. Un fil de capture se compose d'une fibre de soie enroulée recouverte d'un enduit collant. Une force appliquée sur le fil fait se dérouler la fibre de soie, qui absorbe le choc avant de s'enrouler de nouveau.

Structure tertiaire La **structure tertiaire** d'une protéine correspond à l'ensemble des contorsions irrégulières dues aux liaisons entre les chaînes latérales (radicaux R) des acides aminés (voir la figure 5.17). (Rappelez-vous que la structure secondaire, elle, provient des liaisons hydrogène formées à intervalles réguliers le long même de la chaîne polypeptidique.) L'**effet hydrophobe** contribue à la structure tertiaire. Lorsqu'un polypeptide adopte sa conformation native, les acides aminés portant une chaîne latérale hydrophobe (non polaire) se rassemblent au cœur de la protéine, s'éloignant ainsi de l'eau. Malgré la non-polarité de ces chaînes, les nuages d'électrons de deux chaînes voisines interagissent dans leur mouvement, de manière à faire apparaître des charges partielles de signes contraires. Cette situation crée une attraction appelée force de London, qui constitue l'essence de l'effet hydrophobe. Les liaisons hydrogène entre certaines chaînes latérales sont également importantes, ainsi que les liaisons ioniques entre les chaînes latérales chargées positivement et négativement. Toutes ces interactions sont

faibles, mais leur effet cumulatif aide à doter la protéine d'une forme stable.

La conformation d'une protéine peut être stabilisée davantage par des liaisons covalentes fortes appelées **ponts disulfure**. Un pont disulfure se forme quand deux monomères de cystéine (acide aminé soufré, c'est-à-dire portant un groupement thiol [—SH] dans sa chaîne latérale) se rapprochent l'un de l'autre à cause du repliement de la protéine. Le soufre d'un monomère de cystéine se lie alors au soufre de l'autre, et ce pont disulfure assure la cohésion de certaines parties de la protéine. (Les lignes jaunes des figures 5.20 et 5.23 représentent des ponts disulfure.) Remarquez que tous ces types de liaisons peuvent se former dans une même protéine, tel que le montre l'exemple fictif de la figure 5.25.

Structure quaternaire. Comme nous l'avons mentionné précédemment, certaines protéines se composent de deux ou plusieurs chaînes polypeptidiques assemblées pour former une macromolécule fonctionnelle. Chaque

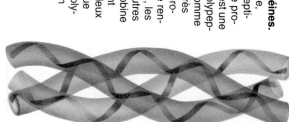

(a) Collagène

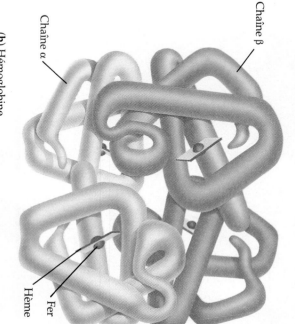

Chaîne β

Chaîne α

Fer

Hème

(b) Hémoglobine

Figure 5.26
Structure quaternaire de deux protéines.
À ce niveau d'organisation structurale, deux ou plusieurs sous-unités polypeptidiques interagissent pour former une protéine fonctionnelle. **(a)** Le collagène est une protéine fibreuse comportant trois polypeptides hélicoïdaux qui s'entrelacent comme un câble pour former une structure très résistante. Représentant 40 % des protéines du corps humain, le collagène renforce le tissu conjonctif dans la peau, les os, les ligaments, les tendons et d'autres parties de notre corps. **(b)** L'hémoglobine est une protéine globulaire possédant quatre sous-unités de deux sortes (deux chaînes α et deux chaînes β). Chaque sous-unité a une composante non polypeptidique, appelée hème, portant un atome de fer qui se lie à l'oxygène.

chaîne polypeptidique est une **sous-unité** de la protéine. La **structure quaternaire** d'une protéine correspond à l'interaction entre ses sous-unités. Le collagène, par exemple, est une protéine fibreuse qui possède des sous-unités enroulées en une triple «superhélice» (figure 5.26a). Cette organisation du collagène, semblable à celle d'un câble, confère aux longues fibres une résistance

exceptionnelle. Et la fonction du collagène consiste justement à soutenir le tissu conjonctif, comme les tendons et les ligaments. L'hémoglobine constitue un exemple de protéine globulaire à structure quaternaire (figure 5.26b). Elle comporte deux sortes de chaînes polypeptidiques, et la molécule d'hémoglobine possède deux chaînes de chaque sorte.

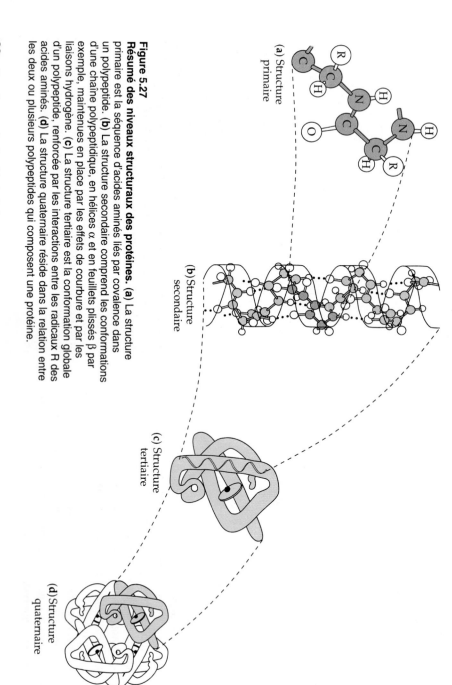

(a) Structure primaire

(b) Structure secondaire

(c) Structure tertiaire

(d) Structure quaternaire

Figure 5.27
Résumé des niveaux structuraux des protéines. (a) La structure primaire est la séquence d'acides aminés liés par covalence dans un polypeptide. **(b)** La structure secondaire comprend les conformations d'une chaîne polypeptidique, en hélices α et en feuillets plissés β par exemple, maintenues en place par les effets de courbure et par les liaisons hydrogène. **(c)** La structure tertiaire est la conformation globale d'un polypeptide, renforcée par les interactions entre les radicaux R des acides aminés. **(d)** La structure quaternaire réside dans la relation entre les deux ou plusieurs polypeptides qui composent une protéine.

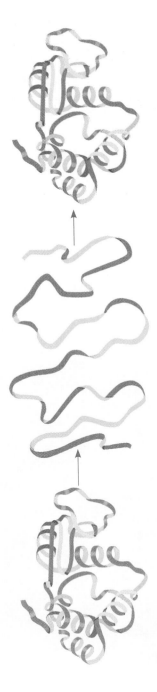

Figure 5.28
Dénaturation-renaturation d'une protéine. Des températures élevées ou divers traitements chimiques dénaturent une protéine et lui font perdre sa conformation ainsi que sa capacité de fonctionner. Si la protéine dénaturée reste dissoute, elle peut reprendre sa forme lorsque le milieu revient à la normale.

Nous avons jusqu'ici examiné les quatre niveaux d'organisation structurale des protéines. Mais c'est le produit final, c'est-à-dire la macromolécule dotée d'une conformation unique, qui remplit les fonctions biologiques de la cellule (figure 5.27).

Facteurs déterminant la conformation

Étant donné que sa conformation unique confère à chaque protéine une fonction spécifique, quels sont les facteurs qui déterminent la conformation ? Comme nous l'avons vu, une chaîne polypeptidique d'une séquence donnée d'acides aminés prend spontanément une forme tridimensionnelle ; cette forme se maintient grâce aux interactions qui réalisent des structures secondaire et tertiaire. Cette conformation native apparaît normalement lors de la synthèse de la protéine dans la cellule. Si le pH, la concentration en sels, la température ou d'autres aspects de son environnement sont altérés, la protéine peut se dérouler et perdre sa conformation native ; elle subit alors une **dénaturation** (figure 5.28). Déformée, la protéine dénaturée devient biologiquement inactive. La plupart des protéines se dénaturent si on les transfère d'un milieu aqueux à un solvant organique, tels que l'éther ou le chloroforme — la protéine se retourne comme un gant, ses régions hydrophobes changeant de place avec ses régions hydrophiles. Parmi les autres agents de dénaturation figurent les substances chimiques qui brisent les liaisons hydrogène, les liaisons ioniques et les ponts disulfure dont dépend la forme d'une protéine. La dénaturation peut également résulter d'une chaleur excessive, qui agite les chaînes polypeptidiques suffisamment pour vaincre les interactions faibles stabilisant la conformation. Ainsi, le blanc d'œuf devient opaque pendant la cuisson, car les protéines dénaturées par la chaleur sont insolubles et se solidifient.

Une protéine dénaturée, mais non coagulée, peut reprendre sa forme originale lorsqu'on la replace dans son environnement normal. Nous pouvons en conclure que l'information conduisant à l'adoption d'une forme spécifique est intrinsèque à la structure primaire de la protéine. En d'autres mots, c'est la séquence des acides aminés qui détermine la conformation, c'est-à-dire les

endroits où se formeront des hélices α, des feuillets plissés β, des ponts disulfure et ainsi de suite (figure 5.29).

ACIDES NUCLÉIQUES

La structure primaire détermine la conformation d'une protéine, mais qu'est-ce qui détermine la structure primaire ? Comme nous l'avons mentionné précédemment, la séquence d'acides aminés est programmée par l'information génétique. Un **gène** représente une unité d'information chargée d'une ou de plusieurs fonctions. Les gènes se composent d'ADN, une macromolécule appartenant à la classe de composés appelés **acides nucléiques**.

Fonctions des acides nucléiques

Il existe deux acides nucléiques : l'**acide désoxyribonucléique (ADN)** et l'**acide ribonucléique (ARN)**. Ces molécules permettent aux organismes de reproduire leur équipement complexe d'une génération à l'autre. Uniques en leur genre, l'ADN fournit les directives pour sa propre réplication ; cette « reproduction moléculaire » est à la base de la continuité de la vie.

L'ADN constitue le matériel héréditaire que les organismes se transmettent au fil des générations. Très longue, la molécule d'ADN porte des milliers de gènes. Chaque gène occupe une position spécifique le long de la molécule. Lorsqu'une cellule se divise, son ADN est copié et transmis à la génération suivante. Les instructions qui programment toutes les activités de la cellule sont encodées dans la structure de l'ADN. Cependant, l'ADN ne participe pas directement aux opérations de la cellule ; seules les protéines exécutent les programmes dictés par l'ADN. Par exemple, c'est l'hémoglobine et non l'ADN qui transporte l'oxygène dans le sang ; l'ADN, lui, spécifie la structure de l'hémoglobine.

L'ARN, l'autre sorte d'acide nucléique, sert d'intermédiaire dans la circulation de l'information génétique de l'ADN aux protéines. Bien que chaque gène d'une molécule d'ADN emmagasine les instructions codées pour la synthèse d'une protéine spécifique, il ne fabrique pas réellement la protéine. Le gène dirige plutôt la synthèse

Figure 5.29
Repliement d'une protéine. Au cours de sa synthèse dans la cellule, la protéine commence par s'assembler dans sa conformation native (ici, nous commençons avec une chaîne polypeptidique complétée). Les étapes par lesquelles une protéine se replie sont ici hypothétiques ; les chercheurs en biologie moléculaire ne font que commencer à apprendre les « règles » qui transforment une structure primaire spécifique en une structure tertiaire.

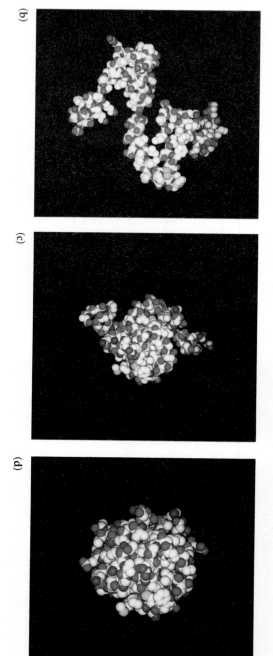

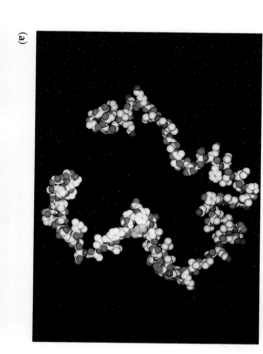

d'un type d'ARN appelé ARN messager (ARNm). La molécule d'ARNm interagit avec la machinerie de la synthèse protéique pour diriger la production d'un polypeptide. Nous pouvons résumer cette circulation d'information génétique de la façon suivante : ADN → ARN → protéine. Les sites de la synthèse protéique sont des structures cellulaires appelées ribosomes. Dans une cellule eucaryote, les ribosomes baignent dans le cytoplasme, alors que l'ADN se trouve dans le noyau. C'est donc du noyau au cytoplasme que l'ARN messager transmet les instructions génétiques relatives à l'élaboration des protéines (figure 5.30). Les cellules procaryotes, elles, sont dépourvues de noyau, mais elles utilisent également l'ARN pour envoyer un message de l'ADN aux ribosomes qui traduisent l'information codée en séquences d'acides aminés.

Nucléotides

Les acides nucléiques sont des polymères formés de monomères appelés **nucléotides.** Chaque nucléotide se compose de trois parties : une base azotée liée à un pen-tose (glucide à cinq atomes de carbone), lui-même uni à un groupement phosphate (figure 5.31a, page 87).

Il existe deux familles de bases azotées : les pyrimidines et les purines. Les **pyrimidines** ont un cycle contenant quatre atomes de carbone et deux d'azote. (L'azote tend à s'associer aux protons de la solution, ce qui explique l'appellation *base azotée*.) Les membres de la famille des pyrimidines sont les bases azotées appelées cytosine (C), thymine (T) et uracile (U). Les **purines,** elles, se composent d'un double cycle contenant cinq atomes de carbone et quatre d'azote. Les purines sont l'adénine (A) et la guanine (G). Les différentes pyrimidines et purines se distinguent par les groupements fonctionnels attachés aux cycles. À la figure 5.31, vous remarquerez que la thymine ne se trouve que dans l'ADN et l'uracile, uniquement dans l'ARN.

Le pentose lié à la base azotée des nucléotides de l'ARN est le **ribose,** alors que le pentose lié à la base azotée des nucléotides de l'ADN est le **désoxyribose.** Il n'existe qu'une seule différence entre ces deux pentoses : le désoxyribose contient un atome d'oxygène de moins

TECHNIQUES : MODÈLES MOLÉCULAIRES ET INFOGRAPHIE

La structure tridimensionnelle d'une macromolécule biologique nous fournit des renseignements précieux sur sa fonction moléculaire. La détermination de la structure de macromolécules aussi complexes que les protéines, qui comportent des milliers d'atomes, est une tâche énorme. Pauling, Watson et Crick, ainsi que les autres pionniers de la biologie moléculaire ont construit des modèles en bois, en fil métallique et en plastique. De nos jours, les ordinateurs nous permettent de construire des modèles beaucoup plus rapidement (voir la figure 5.2).

Sur les illustrations ci-dessous (gracieuseté du Département de biochimie de l'Université de Californie, Riverside), nous pouvons suivre le développement d'un modèle informatisé de la structure d'une enzyme appelée ribonucléase, qui se présente liée à une molécule d'acide nucléique. La première étape consiste à cristalliser la protéine ; dans le cas présent, la protéine est combinée à un court brin d'acide nucléique. Puis, au moyen d'une technique appelée cristallographie par diffraction de rayons X, un instrument dirige un faisceau de rayons X dans le cristal. Les atomes régulièrement espacés du cristal diffractent (dévient) alors les rayons X selon une disposition ordonnée (figure a). Les rayons X déviés impressionnent une pellicule photographique, produisant un ensemble de points (figure b). À partir de ces figures de diffraction, des programmes d'ordinateurs dressent des cartes de densité électronique pour des coupes transversales successives de la protéine (figure c).

En combinant l'information fournie par les cartes de densité électronique avec l'information fournie par la structure primaire de la protéine, on peut tracer le graphique de chaque atome. Finalement, des logiciels graphiques produisent une image montrant la position de chaque atome dans la molécule (figure d). Le scientifique peut faire tourner l'image sur l'écran afin de voir la molécule sous divers angles — il peut même la voir de l'*intérieur*. Les ordinateurs ont donc élargi notre façon de visualiser une molécule tout en nous laissant la possibilité de manipuler le modèle.

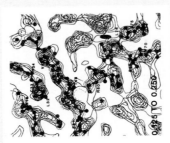

(c) Carte de densité électronique

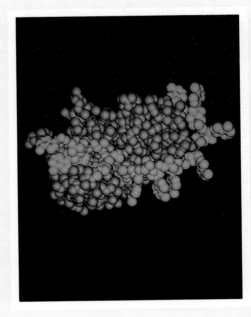

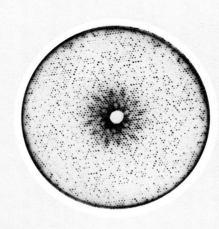

(d) Modèle par infographie de la ribonucléase (violet) liée à un court brin d'acide nucléique (vert)

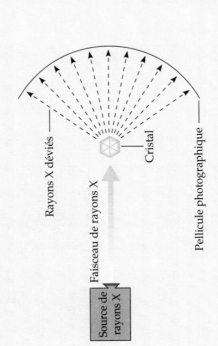

Faisceau de rayons X

Rayons X déviés

Cristal

Source de rayons X

Pellicule photographique

(a) Cristallographie par diffraction de rayons X

(b) Figure de diffraction des rayons X provenant d'une protéine cristallisée

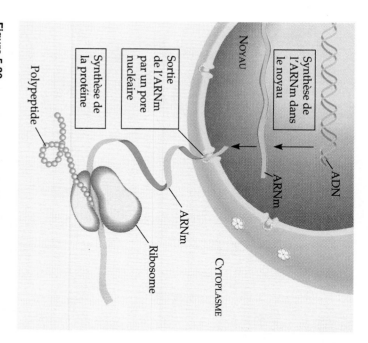

Figure 5.30
Schéma de la synthèse protéique dirigée par l'ADN. Dans une cellule eucaryote, l'ADN nucléaire code la production de protéines. Des enzymes lisent le code et fabriquent l'ARN messager (ARNm), qui se déplace vers les ribosomes distribués dans le cytoplasme. Lorsqu'un ribosome (très grossi sur ce dessin) rencontre l'ARNm, le message génétique provenant du noyau est traduit pour former un polypeptide d'une séquence spécifique d'acides aminés.

que le ribose. Jusqu'ici, nous avons construit un **nucléoside**, c'est-à-dire une molécule contenant une base azotée associée à un pentose. Pour faire un nucléotide, nous devons attacher un groupement phosphate au cinquième atome de carbone du pentose. La molécule devient alors un nucléoside monophosphate, mieux connu sous le nom de nucléotide.

Polynucléotides

Un acide nucléique est un **polynucléotide**, et ce terme traduit bien la composition de cette macromolécule. Dans un polynucléotide, les monomères se lient par des liaisons covalentes appelées **liaisons phosphodiester.** Ces liaisons unissent le phosphate d'un nucléotide avec le pentose du nucléotide suivant, et contribuent à former un squelette dont la séquence se répète : pentose-phosphate-pentose-phosphate (figure 5.31b). Tout le long de ce squelette pentose-phosphate se trouvent des chaînes latérales constituées de bases azotées. Contrairement au squelette principal phosphate-pentose, la séquence des bases azotées le long du polynucléotide d'ADN est unique à chaque gène. Et comme les gènes comprennent généralement des centaines de nucléotides, le nombre de séquences possibles est pratiquement illimité. L'information d'un gène se trouve encodée dans sa séquence spécifique de bases. Par exemple, la séquence génétique AGGTAACTT signifie une chose, alors que la séquence

CGCTTTAAC a une toute autre signification (évidemment, les gènes réels portent des séquences beaucoup plus longues). C'est cet ordre linéaire des quatre bases encodé dans un gène qui spécifie la séquence linéaire des acides aminés d'une protéine, donc sa structure primaire. Cette dernière détermine à son tour la fonction de la protéine dans une cellule.

La double hélice : introduction

Les molécules d'ADN des cellules se composent en fait de deux chaînes de polynucléotides enroulées en spirale autour d'un axe imaginaire pour former une **double hélice**. James Watson et Francis Crick, au cours de leurs travaux de recherche à l'Université de Cambridge, ont été les premiers, en 1953, à proposer la double hélice comme structure tridimensionnelle de l'ADN (figure 5.32). Les deux squelettes pentose-phosphate se trouvent sur les bordures extérieures de l'hélice, alors que les bases azotées se font face à l'intérieur de l'hélice et s'apparient par des liaisons hydrogène. Les deux chaînes de polynucléotides, appelées brins, demeurent attachées ensemble grâce aux liaisons hydrogène. Individuellement, ces liaisons sont faibles, mais elles possèdent une force collective semblable à celle des dents d'une fermeture éclair.

La majorité des molécules d'ADN sont très longues — plusieurs millimètres — et possèdent des milliers ou même des millions de paires de bases reliant les deux chaînes. Une longue molécule d'ADN représente à elle seule un grand nombre de gènes, dont chacun occupe un segment particulier de la double hélice.

Dans la double hélice, chacune des bases azotées a un complément exclusif : l'adénine (A) forme toujours une paire avec la thymine (T), et la guanine (G) forme toujours une paire avec la cytosine (C). Ainsi, quand nous lisons la séquence de bases le long d'un brin de la double hélice, nous pouvons déduire la séquence des bases le long de l'autre brin. Par exemple, si une partie d'un brin possède la séquence de bases AGGTCCG, alors la règle d'appariement des bases (A-T et G-C) nous dit que la partie correspondante de l'autre brin doit avoir la séquence TCCAGGC. Les deux brins de la double hélice sont complémentaires, chacun représentant la contrepartie prévisible de l'autre. C'est cette caractéristique de l'ADN qui permet la reproduction précise des gènes responsables de l'hérédité. Lorsqu'une cellule s'apprête à se diviser, les deux brins de chaque gène se séparent. Chaque brin sert alors de gabarit pour ordonner les nucléotides d'un nouveau brin complémentaire. La molécule d'ADN est à ce point essentielle à la vie que nous consacrerons les chapitres 15 et 16 à sa structure et à ses fonctions.

ADN ET PROTÉINES : REFLETS DE L'ÉVOLUTION

Les gènes (ADN) et leurs produits (protéines) nous documentent sur le bagage héréditaire d'un organisme. Les séquences linéaires de nucléotides dans les molécules d'ADN se transmettent des parents aux descendants, et l'ADN détermine les séquences d'acides aminés des protéines. Entre enfants de mêmes parents, l'ADN et les protéines se ressemblent davantage qu'entre individus sans

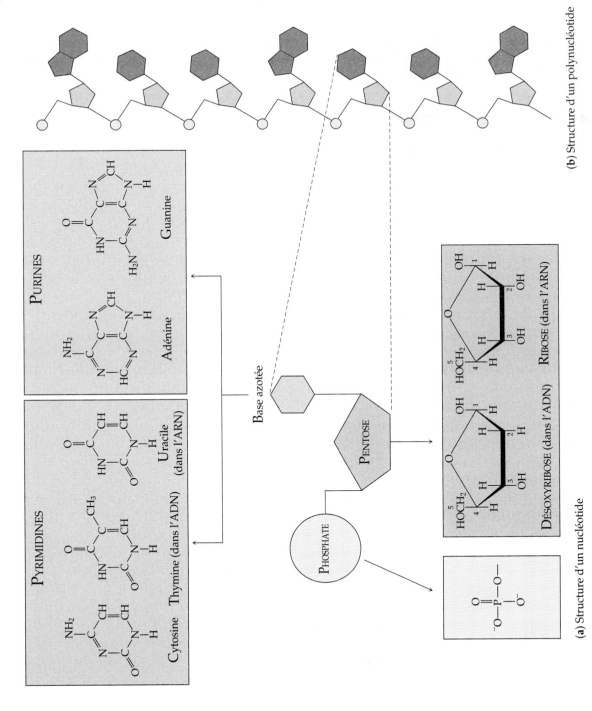

PYRIMIDINES

Cytosine Thymine (dans l'ADN) Uracile (dans l'ARN)

PURINES

Adénine Guanine

PHOSPHATE

PENTOSE

Base azotée

DÉSOXYRIBOSE (dans l'ADN)

RIBOSE (dans l'ARN)

(a) Structure d'un nucléotide

Figure 5.31
Structure des nucléotides et des poly-nucléotides. (a) Les nucléotides, c'est-à-dire les monomères des acides nucléiques, sont eux-mêmes constitués de trois composantes moléculaires plus petites : une base azotée purique ou pyrimidique, un pentose (ribose ou désoxyribose) et un groupement

(b) Structure d'un polynucléotide

phosphate. **(b)** Dans les polynucléotides, le groupement phosphate de chaque nucléotide est lié au pentose du nucléotide suivant. Le polymère est donc constitué d'un squelette régulier formé d'une succession de pentoses et de groupements phosphate, le pentose portant l'une des bases azotées

comme chaîne latérale. Dans un polynucléotide d'ARN, le ribose se lie à l'uracile et non à la thymine, exclusive à l'ADN. Par contre, chacune des trois autres bases azotées se lie autant au pentose de l'ADN qu'à celui de l'ARN.

lien de parenté. Si la vision évolutionniste de la vie est valide, on devrait en principe pouvoir appliquer ce concept de « généalogie moléculaire » aux relations qui existent *entre* les espèces. Ainsi, quand deux espèces semblent apparentées en raison de leur anatomie et selon les données fournies par des fossiles, a-t-on raison de s'attendre à ce que leur ADN et leurs protéines se ressemblent davantage que celles de deux espèces plus éloignées ? La réponse est oui. Au tableau 5.2, par exemple, on compare les Humains et huit autres Vertébrés quant à la chaîne β de l'hémoglobine. Dans cette chaîne de 146 acides aminés, les Humains et les Gorilles ne dif-

fèrent que par un seul acide aminé. Les espèces plus éloignées ont des chaînes moins semblables. La biologie moléculaire offre aux chercheurs un nouvel outil pour évaluer la filiation évolutive entre les espèces.

*   *   *

Nous avons terminé notre survol des macromolécules, mais non l'étude de la chimie des êtres vivants. Au chapitre 6, le dernier de cette partie, nous verrons les principes fondamentaux du métabolisme et nous découvrirons alors la dynamique des interactions moléculaires dans les cellules.

RÉSUMÉ DU CHAPITRE

1. Les cellules peuvent assembler de petites molécules organiques pour former des macromolécules plus volumineuses qui occupent un niveau plus élevé dans la hiérarchie de l'organisation biologique.

2. Les glucides, les lipides, les protéines et les acides nucléiques constituent les quatre principales classes de composés organiques dans les cellules.

Macromolécules (p. 64-66)

1. Les macromolécules sont des polymères, c'est-à-dire des chaînes de sous-unités moléculaires identiques ou semblables appelées monomères. Chaque organisme est unique en raison de l'arrangement spécifique de ces monomères dans les polymères, en dépit du nombre limité de monomères communs à tous.

2. Les monomères de chacune des quatre classes de macromolécules forment de plus grosses molécules au moyen de la réaction de condensation, une réaction chimique au cours de laquelle un des monomères cède un groupement hydroxyle tandis que l'autre cède un atome d'hydrogène, ce qui forme une molécule d'eau.

3. La réaction inverse, appelée hydrolyse, dissocie les polymères en monomères. C'est par hydrolyse que les macromolécules des aliments se dégradent en monomères suffisamment petits pour entrer dans nos cellules.

Glucides (p. 66-69)

1. Les glucides sont les sucres et leurs dérivés.

2. Les monosaccharides sont les glucides les plus simples. La cellule peut les utiliser comme source d'énergie, les convertir en d'autres sortes de molécules organiques, ou les prendre comme monomères pour former des polymères.

3. Les disaccharides se composent de deux monomères de monosaccharides unis par une liaison glycosidique.

4. Les polysaccharides peuvent contenir des milliers de monomères de monosaccharides unis par des liaisons glycosidiques. L'amidon des Végétaux et le glycogène des Animaux sont tous les deux des macromolécules formant des réserves de glucose. La cellulose est un important polysaccharide structural de la paroi des cellules végétales.

Lipides (p. 70-74)

1. Sur le plan structural, les lipides sont les macromolécules qui diffèrent le plus les unes des autres, mais ils ont tous la propriété d'être totalement ou partiellement hydrophobes.

2. Les graisses, également appelées triacylglycérols, sont des molécules de mise en réserve hautement énergétiques et compactes. Elles proviennent de l'association d'une molécule de glycérol à trois molécules d'acides gras.

3. Les acides gras saturés possèdent le nombre maximal d'atomes d'hydrogène parce que tous leurs atomes de carbone sont associés par des liaisons simples. Les acides gras insaturés (présents dans les huiles) possèdent une ou plusieurs liaisons doubles dans leur chaîne carbonée.

4. Dans les phosphoglycérolipides, le troisième atome de carbone du glycérol porte un groupement phosphate (et non

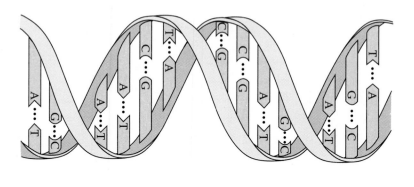

Figure 5.32
Double hélice. La molécule d'ADN est habituellement constituée de deux brins ; les squelettes pentose-phosphate forment les bordures extérieures de l'hélice (les parties bleutées), à la manière des montants d'un escalier en spirale. À l'intérieur se trouvent les paires de bases azotées, qui maintiennent les deux brins par des liaisons hydrogène, un peu comme les barreaux d'une échelle. Pour illustrer la complémentarité entre les bases, chaque base possède ici une forme symbolique ; ainsi, on peut voir que l'adénine (A) ne peut former une paire qu'avec la thymine (T), et que la guanine (G) ne s'apparie qu'avec la cytosine (C).

Tableau 5.2 Filiation évolutive et ressemblances dans une chaîne polypeptidique de l'hémoglobine

Espèce	Nombre d'acides aminés différents dans la chaîne β de l'hémoglobine, en comparaison avec l'hémoglobine humaine (longueur totale de la chaîne : 146 acides aminés)
Chaîne β humaine	0
Gorille	1
Gibbon	2
Singe Rhésus	8
Souris	27
Kangourou gris	38
Poulet	45
Grenouille	67
Lamproie (Poisson sans mâchoire)	125

une molécule d'acide gras) qui est chargé négativement et qui peut se lier à une autre molécule plus petite. Cette liaison entraîne une polarité et confère un comportement hydrophile à cette partie de la molécule. À cause de leur structure, les phosphoglycérolipides sont parfaitement adaptés à leur fonction : servir de constituant principal des membranes cellulaires.

5. Les stéroïdes, tels que le cholestérol et les hormones sexuelles, font également partie des lipides.

Protéines (p. 74-83)

1. Les protéines sont des polymères élaborés à partir de 20 acides aminés différents. Elles constituent les macromolécules les plus complexes et assurent une multitude de fonctions.

2. Un acide aminé est composé d'un atome de carbone central associé par liaison simple à un atome d'hydrogène, à un groupement carboxyle, à un groupement amine et à une chaîne latérale variable. Cette chaîne latérale confère des propriétés uniques à chaque acide aminé.

3. Les groupements carboxyle et amine d'acides aminés adjacents s'unissent par liaison peptidique. Les acides aminés ainsi liés peuvent former de longs polymères.

4. La conformation d'une protéine comprend quatre niveaux d'organisation structurale. La structure primaire constitue le premier niveau et correspond à la séquence spécifique des acides aminés dans la protéine.

5. La structure secondaire correspond à la configuration de la structure primaire, c'est-à-dire aux motifs adoptés par certains segments de la chaîne polypeptidique (par exemple, motifs en hélice α et en feuillet plissé β). La structure secondaire est maintenue par les liaisons hydrogène qui produisent ces motifs.

6. La structure tertiaire comprend les contorsions additionnelles que la macromolécule subit en raison des liaisons hydrogène, des liaisons ioniques, des ponts disulfure et de l'effet hydrophobe entre les chaînes latérales.

7. Lorsqu'une protéine contient plus d'une chaîne polypeptidique, l'arrangement spécifique de ses chaînes (appelées sous-unités) constitue le quatrième niveau d'organisation structurale.

8. La fonction d'une protéine repose sur sa conformation, laquelle est sensible aux conditions physicochimiques du milieu comme le pH, la concentration en sels et la température. La modification de ces conditions peut provoquer la dénaturation de la protéine, c'est-à-dire une déformation qui la rend incapable de remplir sa fonction biologique.

9. En fin de compte, la forme d'une protéine est déterminée par sa structure primaire.

Acides nucléiques (p. 83-86)

1. Les acides nucléiques sont des polymères de nucléotides. Les nucléotides sont des monomères complexes contenant un pentose (glucide à cinq atomes de carbone) lié par covalence à un groupement phosphate et à l'une des bases azotées.

2. Lors de la formation d'un polynucléotide, le pentose de chaque nucléotide se lie au phosphate du nucléotide voisin par liaison phosphodiester, formant un squelette pentose-phosphate sur lequel se fixent les bases azotées.

3. Les deux sortes d'acides nucléiques, soit l'acide désoxyribonucléique (ADN) et l'acide ribonucléique (ARN), se distinguent par le type de pentose qu'ils contiennent (désoxyribose ou ribose).

4. Les cinq bases azotées appartiennent à deux familles : les pyrimidines et les purines. Les pyrimidines sont la cytosine (C), la thymine (T) et l'uracile (U) ; les purines sont l'adénine (A) et la guanine (G). La thymine ne se trouve que dans l'ADN, et l'uracile dans l'ARN.

5. L'ADN est une macromolécule hélicoïdale à double brin, c'est-à-dire à deux chaînes de polynucléotides. Les bases azotées (A, T, C, G) de chaque chaîne sont tournées vers l'intérieur et se font face. Comme A effectue toujours des liaisons hydrogène avec T et C avec G, la séquence des nucléotides des deux brins est complémentaire, et un brin peut servir de gabarit pour la formation de l'autre. Cette caractéristique unique de l'ADN constitue le mécanisme assurant la continuité de la vie.

ADN et protéines : reflets de l'évolution (p. 86-87)

La comparaison des différentes macromolécules permet aux biologistes d'étudier les filiations évolutives entre ces espèces.

AUTO-ÉVALUATION

1. Lequel des termes de cette liste inclut tous les autres ?
   a) Monosaccharide.
   b) Disaccharide.
   c) Amidon.
   d) Glucide.
   e) Polysaccharide.

2. La formule moléculaire du glucose est $C_6H_{12}O_6$. Trouvez la formule moléculaire d'un polymère de dix molécules de glucose obtenu par une réaction de condensation ?
   a) $C_{60}H_{120}O_{60}$.
   b) $C_6H_{12}O_6$.
   c) $C_{60}H_{102}O_{51}$.
   d) $C_{60}H_{100}O_{50}$.
   e) $C_{60}H_{111}O_{51}$.

3. Il existe deux formes cycliques de glucose (alpha et bêta) :
   a) parce que les deux formes représentent deux isomères structuraux du glucose.
   b) parce qu'il existe deux formules moléculaires pour le glucose.
   c) parce que différents atomes de carbone de la structure linéaire se joignent pour former les cycles.
   d) parce que lorsque les cycles se ferment, les groupements hydroxyle se trouvant au point de fermeture peuvent s'immobiliser dans l'une ou l'autre de deux positions possibles.
   e) parce que l'une existe dans le monde animal et l'autre dans le monde végétal.

4. Choisissez la paire de termes ou d'expressions qui complète adéquatement cette phrase :
   Les nucléotides sont aux _____ ce que les _____ sont aux protéines.
   a) acides nucléiques ; acides aminés
   b) acides aminés ; polypeptides
   c) liaisons glycosidiques ; liaisons polypeptidiques
   d) gènes ; enzymes
   e) polymères ; polypeptides

5. Lequel des énoncés suivants au sujet des graisses *insaturées* est correct ?
   a) Elles sont plus répandues chez les Animaux que chez les Végétaux.
   b) Elles possèdent des liaisons doubles dans les chaînes carbonées de leurs acides gras.
   c) Elles se solidifient généralement à la température ambiante.
   d) Elles contiennent plus d'hydrogène que les graisses saturées portant le même nombre d'atomes de carbone.
   e) Elles possèdent moins de molécules d'acides gras par molécule de graisse.

6. Les hormones sexuelles humaines sont classées parmi les :
   a) protéines.
   b) glucides.
   c) acides aminés.
   d) triacylglycérols.
   e) lipides.

7. Pour posséder une structure quaternaire, une protéine *doit* :
   a) avoir quatre acides aminés.
   b) être constituée de deux ou plusieurs sous-unités poly-peptidiques.
   c) contenir quatre chaînes carbonées.
   d) posséder au moins quatre ponts disulfure.
   e) présenter des conformations différentes.

8. Qu'est-ce qu'une protéine perd lorsqu'elle se dénature ?
   a) Sa structure primaire.
   b) Sa forme tridimensionnelle.
   c) Ses liens peptidiques.
   d) Sa séquence d'acides aminés.
   e) Sa polarité.

9. Quel terme de la liste suivante inclut tous les autres ?
   a) Base azotée.   d) Purine.
   b) Nucléoside.   e) Pyrimidine.
   c) Polynucléotide.

10. Trouvez le brin complémentaire de cette petite portion d'ADN : —GATTCAAGATTT—.
   a) —CTAAGTTCTAAA—.
   b) —GATTCAAGATTT—.
   c) —CUAAGUUCUAAA—.
   d) —AGCCTGGAGCCC—.
   e) —TCGGACCTCGGG—.

QUESTIONS À COURT DÉVELOPPEMENT

1. À l'aide d'un exemple approprié, relevez cinq fonctions des protéines.
2. Donnez deux fonctions pour chacune des autres classes de macromolécules.
3. En quoi consistent les structures primaire, secondaire et tertiaire d'une protéine ?
4. Démontrez au moyen de trois arguments l'importance des liaisons hydrogène dans la constitution des macromolécules.
5. Prouvez que la diversité de la vie repose sur la nature des macromolécules qui lui servent de support.

RÉFLEXION-APPLICATION

1. La majorité des acides aminés peuvent exister sous deux formes :

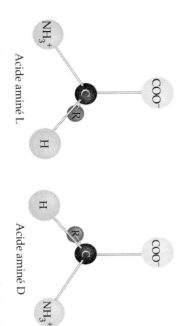

Acide aminé L

Acide aminé D

   a) En vous servant de ce que vous avez appris au chapitre 4, expliquez la différence structurale entre ces deux molécules.
   b) Lorsqu'un chimiste organicien synthétise des acides aminés, il produit un mélange de ces deux formes ; c'est probablement ce qui s'est produit lorsque les premiers acides aminés se sont formés par synthèse abiotique dans la « soupe primitive » de notre planète. Cependant, à quelques exceptions près, seule la forme L des acides aminés se retrouve dans les protéines. Ce phénomène constitue un exemple de préférence pour une configuration moléculaire chez les êtres vivants. Quels sont les avantages possibles pour les êtres vivants de se limiter à l'utilisation exclusive de l'une des deux formes d'acides aminés ? Émettez des hypothèses sur la signification de cette préférence en relation avec l'évolution.

2. Un polypeptide particulièrement petit compte neuf acides aminés. En utilisant trois enzymes différentes pour hydrolyser le polypeptide à divers endroits, nous obtenons les cinq fragments suivants (N désigne l'extrémité aminée de la chaîne) : Ala-Leu–Asp-Tyr-Val-Leu ; Tyr-Val-Leu ; N-Gly-Pro-Leu ; Asp-Tyr-Val-Leu ; N-Gly-Pro-Leu-Ala-Leu. Déterminez la structure primaire de ce polypeptide.

3. Concevez une protéine tridimensionnelle contenant un seul polypeptide. Pour réaliser ce montage, utilisez du matériel de bricolage (crayons, bandes de papier, ficelle, ruban adhésif).

SCIENCE, TECHNOLOGIE ET SOCIÉTÉ

1. Certains athlètes amateurs et professionnels prennent des stéroïdes anabolisants pour accroître leur volume musculaire et acquérir de la force. On a largement démontré les risques que cette pratique comporte pour la santé. Mises à part ces considérations, quelle est votre opinion sur l'usage de substances chimiques pour améliorer la performance d'un athlète ? L'athlète qui prend des stéroïdes anabolisants triche-t-il, ou cette habitude fait-elle simplement partie de la préparation requise pour réussir dans un sport de compétition ? Défendez votre point de vue.

2. Les spécialistes de la biologie moléculaire ont appris à greffer certains gènes d'une espèce à l'ADN d'une espèce différente. Par exemple, on peut transférer le gène qui détient le message correspondant à l'insuline d'une culture humaine à une cellule bactérienne, et produire ainsi une culture bactérienne qui fabrique de l'insuline humaine utilisée pour traiter le diabète. Certains critiques pensent que nous ne devrions pas manipuler Dame Nature et prétendent que les chercheurs de ce domaine se prennent pour Dieu. Selon vous, qu'est-ce qui détermine si une technologie donnée est acceptable ?

LECTURES SUGGÉRÉES

Audigié, C. et F. Zonszain, *Biochimie structurale*, Paris, Doin, Biosciences et techniques, 1991. (Les chapitres 4 à 7 inclusivement).

Combes, C., « Empreintes sur ADN », *Pour la Science*, n° 174, avril 1992. (Ces empreintes nous permettent de reconstituer nos origines.)

Denis, E., « Une nouvelle technologie : l'ingénierie des protéines », *Québec Science*, octobre 1992. (La recherche actuelle au Québec ; les applications du génie protéique et la synthèse des protéines.)

Joyce, G., « L'évolution moléculaire dirigée », *Pour la Science*, n° 184, février 1993. (Les biochimistes transposent l'évolution darwinienne au monde des molécules ; ils obtiennent des macromolécules aux fonctions prédéterminées.)

Morange, M., « Les molécules chaperons », *La Recherche*, n° 259, novembre 1993. (L'intervention de molécules particulières auprès des protéines cellulaires leur donne une forme active.)

Rawn, J. D., *Traité de biochimie*, Bruxelles, DeBoeck-Wesmael, 1990. (Les chapitres 3, 4, 5, 9 et 22.)

Richards, F. M., « Les mécanismes de repliement des protéines », *Pour la Science*, n° 161, mars 1991. (On expose comment se replient les protéines globulaires hydrosolubles ayant moins de 300 acides aminés.)

Sharon, N. et H. Lis, « Sucres et reconnaissance cellulaire », *Pour la Science*, n° 185, mars 1993. (Le rôle des glucides dans la reconnaissance et l'interaction des cellules.)

Vollhardt, K. P. C., *Traité de chimie organique*, Bruxelles, DeBoeck-Wesmael, 1990. (Les chapitres 17, 23 et 27.)

Vollrath, F., « Les araignées, leurs toiles et leurs soies », *Pour la Science*, n° 175, mai 1992. (Qu'est-ce que les spécialistes des matériaux apprennent des Araignées ?)

CARACTÉRISTIQUES GÉNÉRALES DU RÉSEAU MÉTABOLIQUE CELLULAIRE

ÉNERGIE : QUELQUES PRINCIPES DE BASE

L'ÉNERGIE CHIMIQUE ET LA VIE

ATP ET TRAVAIL CELLULAIRE

ENZYMES

RÉGULATION DU MÉTABOLISME

L'ÉMERGENCE EN RAPPEL

La cellule est une industrie chimique en miniature, où des milliers de réactions de synthèse ou de dégradation se produisent dans un espace microscopique. L'ensemble de ces réactions, que l'on nomme *métabolisme*, résulte des interactions spécifiques entre les molécules dans l'environnement ordonné de la cellule. Les glucides se transforment en acides aminés, et vice versa. De petites molécules s'unissent pour former des polymères que la cellule peut par la suite hydrolyser selon ses besoins. De nombreuses cellules exportent des produits chimiques à la demande d'autres parties de l'organisme. Le processus chimique appelé *respiration cellulaire* assure le fonctionnement de la cellule en extrayant l'énergie emmagasinée dans les glucides et d'autres sources d'énergie. La cellule utilise cette énergie pour accomplir ses différentes fonctions (figure 6.1). Et, toujours, les innombrables réactions qui ont lieu dans la cellule sont coordonnées avec précision. Par sa complexité, son efficacité, son intégration et sa sensibilité aux moindres changements, la cellule présente une organisation et une activité chimiques sans égales.

CARACTÉRISTIQUES GÉNÉRALES DU RÉSEAU MÉTABOLIQUE CELLULAIRE

Le **métabolisme** (du grec *metabolê* «changement») correspond à l'ensemble des réactions biochimiques d'un organisme. Nous pouvons nous imaginer le métabolisme d'une cellule comme une carte routière complexe qui représente les milliers de réactions se produisant dans cette cellule (figure 6.2). Ces réactions forment un réseau de voies métaboliques très ramifiées le long desquelles les molécules se transforment au cours d'une série d'étapes. La cellule fait passer la matière par les voies métaboliques à l'aide d'enzymes qui accélèrent, de façon sélective, chacune des étapes du réseau de réactions. À la manière des feux rouges, verts et jaunes qui dirigent la circulation et préviennent les embouteillages, les mécanismes de régulation enzymatique équilibrent les besoins et les apports métaboliques, évitant les carences et les excès de substances chimiques.

Dans l'ensemble, le rôle du métabolisme consiste à gérer les ressources énergétiques et matérielles de la cellule. Certaines voies métaboliques libèrent de l'énergie en décomposant des molécules complexes en composés plus simples. Ces processus de dégradation s'appellent **voies cataboliques.** La respiration cellulaire est une des principales voies cataboliques ; elle décompose le glucose et

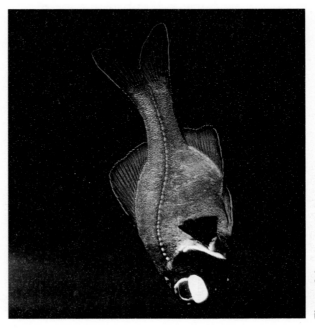

Figure 6.1
«Lampes de poche» alimentées par le métabolisme. Certains organismes peuvent utiliser l'énergie tirée des aliments pour générer de la lumière, un processus appelé bioluminescence. Ce Poisson lumineux (*Photoblepharon palpebratus*) habite les profondeurs sombres de la mer. Il utilise un organe bioluminescent sous-oculaire pour éclairer son chemin, attirer des proies et signaler sa présence à d'éventuels partenaires sexuels. La lumière que produit ce Poisson provient en fait de Bactéries bioluminescentes qui vivent dans ses organes sous-oculaires. Ces Bactéries utilisent des réactions chimiques pour convertir l'énergie emmagasinée dans leur nourriture en énergie lumineuse. Ce phénomène découle du métabolisme du Poisson. Le métabolisme comprend tous les changements chimiques qui se produisent dans un organisme. Les aspects généraux du métabolisme que vous apprendrez dans ce chapitre vous aideront à comprendre le fonctionnement des organismes.

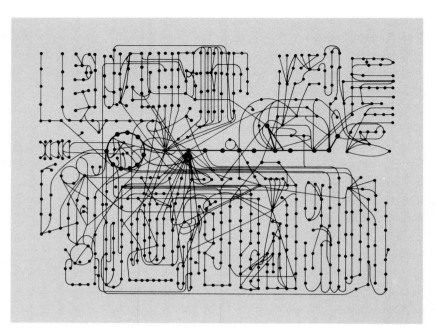

Figure 6.2
Aperçu du réseau métabolique cellulaire. Ce diagramme très schématique esquisse seulement quelques centaines des milliers de réactions qui se produisent dans une cellule. Les points représentent les molécules, tandis que les lignes correspondent aux réactions chimiques qui les transforment. Les réactions se produisent durant une série d'étapes appelées voies métaboliques, chaque étape étant catalysée par une enzyme spécifique.

d'autres sources d'énergie organiques en dioxyde de carbone et en eau. L'énergie ainsi libérée des molécules organiques peut alors servir à produire du travail dans la cellule. La bioluminescence illustrée à la figure 6.1 est un exemple d'utilisation d'énergie. Il y a aussi les **voies anaboliques**, qui font l'inverse des voies cataboliques : elles consomment de l'énergie pour élaborer des molécules complexes à partir de précurseurs plus simples. La synthèse d'une protéine à partir d'acides aminés constitue un exemple d'anabolisme. Les voies métaboliques sont reliées de telle façon que l'énergie libérée par les réactions cataboliques peut servir aux réactions anaboliques. Cette interaction entre le catabolisme et l'anabolisme s'appelle *couplage énergétique*.

Dans ce chapitre, nous ne nous attarderons pas à suivre telle ou telle voie métabolique ; nous nous concentrerons plutôt sur les mécanismes communs à ces voies. Comme l'énergie joue un rôle fondamental dans tous les processus métaboliques, il est essentiel d'approfondir la notion d'énergie pour comprendre le fonctionnement de la cellule. Au cours de notre étude, nous utiliserons plusieurs exemples du domaine de la physique. Vous ne devez toutefois pas oublier que les principes démontrés par ces exemples s'appliquent aussi à la **bioénergétique**, c'est-à-dire à l'étude des transformations de l'énergie dans les cellules. La notion d'énergie est aussi importante en biologie qu'en chimie et en physique.

ÉNERGIE : QUELQUES PRINCIPES DE BASE

La matière et l'énergie représentent les deux concepts les plus fondamentaux en science. Au chapitre 2, nous avons présenté ces concepts et défini la matière comme toute substance possédant une masse et occupant un espace. L'énergie est, par contre, plus abstraite. Elle ne se décrit et ne se mesure que par son interaction avec la matière. Vous ne pouvez pas voir l'énergie qui vous permet de tourner les pages de ce manuel, mais le mouvement de la matière qui résulte de cette énergie est bien évident. Rappelez-vous que l'**énergie** est la capacité de produire un travail, c'est-à-dire d'imprimer un mouvement à la matière pour vaincre des forces opposées comme la gravitation et la friction. Autrement dit, l'énergie est la capacité de changer la disposition d'une portion de matière.

Formes d'énergie

Comme nous l'avons mentionné aux chapitres 2 et 3, tout ce qui est en mouvement, que ce soit un atome, une molécule ou une structure complexe comme un muscle, possède une **énergie cinétique**. Un corps au repos qui n'effectue pas de travail peut lui aussi posséder de l'énergie. Cette énergie emmagasinée, ou **énergie potentielle**, est l'énergie que possède la matière en raison de sa position ou de sa structure. L'énergie chimique constitue une forme d'énergie potentielle particulièrement importante pour les biologistes ; elle est emmagasinée dans les molécules en raison de la structure des atomes liés ensemble.

Transformations énergétiques

L'énergie peut se transformer, c'est-à-dire passer d'une forme à une autre. Examinez, par exemple, la scène du terrain de jeu à la figure 6.3. Les fillettes placées au sommet de la glissoire ont transformé leur énergie cinétique en énergie potentielle en grimpant l'échelle jusqu'en haut. L'énergie emmagasinée se transformera de nouveau en énergie cinétique lorsqu'elles glisseront. C'est une autre source d'énergie potentielle, l'énergie chimique, qui a d'abord permis aux fillettes de grimper.

L'énergie chimique est produite lorsque des réactions chimiques provoquent un réarrangement moléculaire qui transforme en énergie cinétique l'énergie potentielle emmagasinée dans les molécules. Cette transformation a lieu, par exemple, dans le moteur d'une automobile

Les scientifiques utilisent le terme *système* pour désigner la portion de matière étudiée. Pour faire référence au reste de l'univers, c'est-à-dire à tout ce qui est extérieur au système, ils parlent de son *environnement*. Un système fermé, comme un liquide dans une bouteille thermos, est isolé de son environnement. Un système ouvert peut au contraire effectuer des échanges d'énergie avec son environnement. Les organismes sont des systèmes ouverts. Ils absorbent l'énergie lumineuse ou l'énergie chimique sous la forme de molécules organiques, dégagent de la chaleur et éliminent dans leur environnement des déchets métaboliques tels que le dioxyde de carbone.

Selon le **premier principe de la thermodynamique,** *il n'y a pas de création ou de destruction d'énergie ; il y a seulement des échanges ou des transformations d'énergie.* Ce premier principe porte aussi le nom de *conservation de l'énergie*. Les centrales électriques ne fabriquent pas d'énergie ; elles ne font que la transformer en une forme utilisable. De même, la Plante verte qui transforme la lumière en énergie chimique joue le rôle de convertisseur d'énergie, et non de producteur.

Selon le **deuxième principe de la thermodynamique,** *tout échange ou transformation d'énergie dans un système ouvert augmente sa tendance spontanée vers le désordre, ou* **entropie.** Dans de nombreux cas, l'augmentation de l'entropie se manifeste par la désintégration de la structure organisée d'un système. Pensez, par exemple, à la dégradation d'un édifice laissé sans entretien (figure 6.4).

Dans la plupart des transformations énergétiques, au moins une partie de l'énergie se convertit en chaleur. Ainsi, seulement 25 % de l'énergie chimique emmagasinée dans le réservoir d'essence d'une voiture se transforme en mouvement ; le reste de l'énergie (75 %) se perd en chaleur qui se disperse rapidement dans l'environnement. De la même façon, les enfants de la figure 6.3 convertissent seulement une fraction de l'énergie des aliments en énergie cinétique pour grimper ; le reste se convertit en chaleur. En accomplissant leurs différentes tâches, les cellules convertissent inévitablement une partie de l'énergie en chaleur. (La chaleur ainsi produite peut rendre inconfortable une pièce bondée.)

Dans les machines et les organismes, même l'énergie qui accomplit un travail utile se convertit éventuellement en chaleur. L'énergie organisée d'une automobile en mouvement se transforme en chaleur lorsque la friction des freins et des pneus immobilise l'auto. Le sort de toute l'énergie chimique que l'enfant utilise pour monter à l'échelle d'une glissoire est la conversion en chaleur : la dégradation métabolique des aliments génère de la chaleur au cours de l'action de grimper ; la fraction d'énergie potentielle gravitationnelle emmagasinée sous forme d'énergie temporairement emmagasinée se convertit en chaleur pendant la descente ; la friction entre l'enfant et la glissoire réchauffe l'air environnant.

La conversion d'autres formes d'énergie en chaleur ne viole pas le premier principe de la thermodynamique. L'énergie est en effet conservée, car la chaleur constitue elle aussi une forme d'énergie, bien qu'il s'agisse là de son état le plus désordonné. En combinant le premier et le deuxième principe de la thermodynamique, nous pouvons conclure que la quantité d'énergie de l'Univers

Figure 6.3
Énergie cinétique et potentielle. Dans cette scène de terrain de jeu, les enfants possèdent davantage d'énergie potentielle au sommet de la glissoire (à cause de la gravitation) qu'au bas de la glissoire. Ils transforment l'énergie cinétique en énergie potentielle lorsqu'ils grimpent vers le haut de la glissoire ; au cours de leur descente, ils transforment de nouveau l'énergie emmagasinée en énergie cinétique.

lorsque l'oxygène participe à la combustion des hydrocarbures de l'essence ; la chaleur de combustion devient l'énergie qui pousse les pistons. L'énergie chimique fait fonctionner les êtres vivants d'une façon similaire. La respiration cellulaire et d'autres voies cataboliques libèrent l'énergie emmagasinée dans les glucides et autres molécules complexes, et affectent cette énergie aux différentes fonctions cellulaires. Les fillettes qui ont grimpé sur la glissoire ont transformé une certaine quantité d'énergie : l'énergie emmagasinée dans les molécules organiques de leurs aliments s'est transformée en énergie cinétique pour leurs mouvements. L'énergie chimique emmagasinée dans ces molécules organiques provenait quant à elle de l'énergie lumineuse transformée par les Plantes au cours de la photosynthèse.

Que les transformations d'énergie se fassent dans un moteur ou dans un être vivant, elles obéissent toutes à deux principes fondamentaux.

Principes de la thermodynamique

L'étude du travail effectué par un système et de la chaleur qu'il échange avec son environnement porte le nom de **thermodynamique.**

Figure 6.4

Entropie. L'entropie est une mesure du désordre. Plus un système est désordonné, plus son entropie est élevée. Laissé à lui-même, tout système augmente son entropie et diminue son ordre. **(a)** Sans investissement d'énergie dans l'entretien et les réparations, les maisons se détériorent. **(b)** Les colorants en solution dans l'eau diffusent spontanément et se répartissent au hasard dans le solvant. Ils ne peuvent conserver leur concentration initiale. **(c)** Les cellules des organismes ne maintiennent un ordre qu'en augmentant le désordre énergétique de leur environnement, résultat des nombreux échanges de matière et d'énergie. Après la mort d'une cellule comme cette Paramécie, son entropie augmente (microscopie photonique).

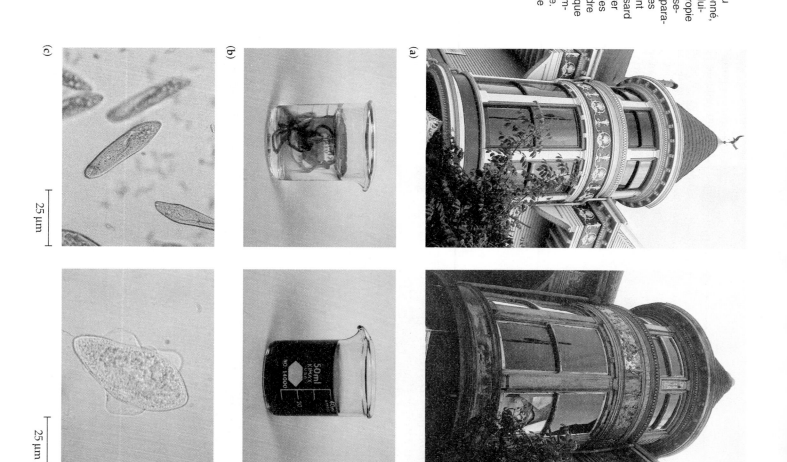

(a)

(b)

(c)

25 μm

25 μm

reste constante, mais que la qualité de l'énergie varie. Dans un sens, la chaleur constitue la catégorie la moins utile d'énergie, puisqu'un grand nombre de systèmes ne peuvent pas exploiter ce mouvement moléculaire aléatoire pour effectuer un travail. Un système peut utiliser la chaleur pour accomplir un travail seulement si une différence de température provoque l'écoulement de la chaleur d'un endroit plus chaud vers un endroit plus froid (voir le chapitre 3). Si la température reste uniforme dans tout le système, comme dans le cas d'une cellule, alors la seule utilité de l'énergie thermique est de réchauffer une portion de matière, un organisme, par exemple.

Un organisme reçoit des formes organisées de matière et d'énergie de son environnement et les remplace par des formes moins ordonnées. Par exemple, un Animal obtient de l'amidon, des protéines et d'autres molécules complexes de la nourriture qu'il mange; en retour, il libère du dioxyde de carbone et de l'eau, des molécules

relativement petites et simples, qui emmagasinent moins d'énergie chimique que les aliments consommés. La perte d'énergie chimique est compensée par la chaleur générée au cours du métabolisme. À une plus grande échelle, l'énergie entre dans un écosystème sous forme de lumière et en ressort sous forme de chaleur.

Comment concilier le deuxième principe de la thermodynamique, qui suppose l'augmentation incessante de l'entropie de l'Univers, avec la nature hautement organisée des êtres vivants? Il faut se rappeler que les organismes sont des systèmes ouverts qui échangent de l'énergie et de la matière avec leur environnement. Les cellules créent des structures ordonnées à partir de matériaux moins organisés. Par exemple, les acides aminés s'agencent en une séquence spécifique d'une chaîne polypeptidique. Les organismes complexes évoluent à partir d'ancêtres plus simples (figure 6.5). Toutefois, le caractère très ordonné de la matière vivante ne va pas à l'encontre du deuxième principe de la thermodynamique, car l'entropie d'un système donné, par exemple un organisme, peut diminuer, pourvu que l'entropie totale de l'*Univers* — le système et son environnement — augmente. Par conséquent, les organismes sont des îlots de faible entropie dans un univers de plus en plus désordonné. Remarquez qu'il existe de toute façon une entropie, même si on la qualifie de « faible », chez les êtres vivants. En outre, ces derniers dépensent une énergie considérable pour combattre les effets de cette tendance spontanée au désordre, dans le but de sauvegarder leur organisation et leur équilibre internes.

L'énergie libre détermine le sens des réactions chimiques

Comment prédire ce qui peut et ce qui ne peut pas se produire dans la nature? Comment distinguer le possible de l'impossible? Nous savons par expérience que certains événements se produisent spontanément et d'autres pas. Par exemple, nous savons que l'eau coule vers le bas, que les corps de charges opposées s'attirent, qu'un cube de glace fond à la température ambiante et qu'un cube de sucre se dissout dans l'eau. Mais il est difficile d'expliquer *pourquoi* ces processus se produisent spontanément.

Commençons par définir un processus spontané comme un changement se produisant sans influence extérieure. Un changement spontané peut être exploité pour effectuer un travail. L'écoulement de l'eau a la capacité de faire tourner une turbine dans une centrale, par exemple. Un processus incapable de s'effectuer par lui-même n'est pas spontané; il ne se produira qu'avec l'apport d'une source énergétique externe. L'eau monte seulement lorsqu'un moulin à vent ou une machine quelconque la pompe pour vaincre la gravitation; une cellule doit dépenser de l'énergie pour synthétiser une protéine à partir d'acides aminés.

Lorsqu'un processus spontané s'effectue dans un système, la stabilité de ce système augmente. Les systèmes instables tendent à devenir plus stables. Une masse d'eau en hauteur, par exemple dans un réservoir, est moins stable que la même masse d'eau au niveau de la mer. Un système de particules chargées est moins stable lorsque les charges opposées sont séparées que lorsqu'elles sont

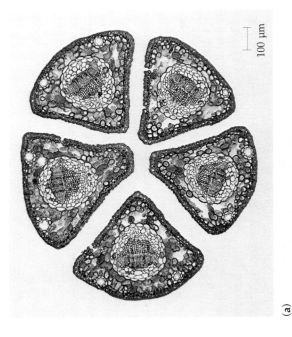

100 µm

(a)

(b)

Figure 6.5
L'évolution vient-elle en contradiction avec les principes de la thermodynamique? (a) L'ordre caractérise la vie. Cette coupe transversale d'aiguilles de Pin en témoigne (microscopie photonique). Les organismes diminuent leur entropie lorsqu'ils ordonnent des matières premières, comme les monomères organiques, en macromolécules et qu'ils organisent ensuite ces macromolécules en structures cellulaires. **(b)** À certains moments, l'ordre biologique a augmenté sur la grande échelle du temps géologique. Cette Fougère fossilisée représente une catégorie de Végétaux complexes qui ont évolué à partir d'ancêtres plus simples. Une interprétation évolutionniste de la taxinomie des fossiles n'infirme pas le deuxième principe de la thermodynamique. Selon ce principe, il faut seulement que les processus augmentent l'entropie de l'Univers. Les systèmes ouverts peuvent augmenter leur ordre aux dépens de l'ordre de leur environnement, mais aussi au prix d'une énorme dépense énergétique.

ensemble. Mais, dans des situations moins familières comment prédire quels changements mènent à une plus grande stabilité dans un système? Quels changements sont spontanés? Le concept d'entropie nous enseigne qu'un processus se produit spontanément seulement s'il augmente le désordre dans la nature. Ce principe est utile en théorie, mais il ne nous fournit pas un critère pratique applicable aux systèmes biologiques, parce qu'il nécessite la mesure des changements dans l'environnement. Il nous faut un critère de spontanéité basé sur le système seulement. Ce critère est appelé énergie libre. Le concept d'énergie libre n'est pas facile à saisir, mais il permet de comprendre de nombreux problèmes biologiques.

L'**énergie libre** est la partie de l'énergie d'un système qui peut produire du travail à température et pression constantes. Comme les systèmes biologiques (la cellule, par exemple) opèrent à température et pression constantes, on peut prévoir le sens et le degré de spontanéité des réactions chimiques qui s'y déroulent en mesurant leur énergie libre. Une réaction chimique spontanée est une réaction qui se produit sans influence extérieure, c'est-à-dire que l'énergie de la réaction provient de la réaction même et non d'ailleurs.

La lettre G symbolise la quantité d'énergie libre d'un système (G, en l'honneur de J. W. Gibbs, un physicien américain du XIXe siècle qui fait partie des fondateurs de la thermodynamique). G possède deux composantes: l'énergie totale (potentielle) d'un système (symbolisée par H) et son entropie (symbolisée par S). La relation entre ces facteurs s'établit de la façon suivante:

$$G = H - TS$$

T représente la température absolue (en K = °C + 273). Remarquez que la température accroît l'entropie dans cette équation. Cela est tout à fait logique puisque, comme nous l'avons appris précédemment, la température représente l'énergie cinétique moyenne des molécules d'un corps et exprime la tendance relative de la chaleur à s'échapper de ce corps, c'est-à-dire sa tendance à réduire l'ordre.

Dans une réaction chimique, on a d'une part les réactifs et d'autre part les produits. Considérons d'abord les réactifs. L'énergie de toutes les liaisons chimiques présentes dans les réactifs constitue l'enthalpie des réactifs ($H_{réactifs}$). Cette énergie ne sert pas entièrement à fabriquer des produits, car une certaine partie est perdue, le plus souvent sous forme de chaleur, pendant la réaction. Ces pertes constituent l'entropie des réactifs ($S_{réactifs}$). La différence entre l'enthalpie et l'entropie des réactifs représente l'énergie libre des réactifs ($G_{réactifs}$). Considérons maintenant les produits de la réaction. Les liaisons chimiques formées dans les produits déterminent l'enthalpie des produits ($H_{produits}$). Toute cette énergie ne pourra servir à une nouvelle réaction, à cause des pertes attribuables à l'entropie des produits ($S_{produits}$). La différence entre l'enthalpie et l'entropie des produits est leur énergie libre ($G_{produits}$). Afin de déterminer l'énergie libre de la réaction chimique (ΔG), nous devons établir la différence entre celle des réactifs et celle des produits ($G_{réactifs} - G_{produits}$). Pour obtenir la valeur de ΔG, il faut donc trouver l'enthalpie de la réaction:

$$\Delta H = H_{réactifs} - H_{produits}$$

et l'entropie de la réaction:

$$\Delta S = S_{réactifs} - S_{produits}$$

Le calcul de l'énergie libre de la réaction chimique se fait ensuite à l'aide de l'équation suivante:

$$\Delta G = \Delta H - T\Delta S$$

Plus simplement, cette équation représente l'énergie disponible pour produire du travail ou, si l'on préfère, l'énergie potentielle moins la chaleur perdue. Gibbs démontra qu'à température et pression constantes, tous les systèmes évoluent vers une diminution de l'énergie libre. La recherche de stabilité caractérise toute matière, ce qui corrobore la démonstration de Gibbs. En effet, les réactifs instables tendent à se transformer en produits plus stables. Plus l'énergie des réactifs est grande, plus leur tendance au désordre est grande, d'où leur instabilité. Considérons l'énergie libre, ΔG dans l'équation précédente, comme une mesure de la stabilité d'un système, ou de sa tendance à évoluer vers un état plus stable. Les systèmes riches en énergie, comme les ressorts étirés ou les charges électriques séparées, sont instables. Les systèmes hautement ordonnés, comme les molécules complexes, le sont également. En conséquence, les systèmes qui ont tendance à évoluer spontanément vers un état plus stable sont ceux qui possèdent une énergie totale (ΔH) élevée, une entropie (ΔS) faible, ou les deux.

Quand le terme ΔG d'une réaction chimique est négatif, le système est instable et la réaction se déroule spontanément, comme dans l'exemple suivant:

$$Saccharose + H_2O \rightarrow Glucose + Fructose$$
$$\Delta G° = -29,3 \text{ kJ mol}^{-1}$$

Quand la valeur ΔG d'une réaction chimique est positive, cela dénote une certaine stabilité, et la réaction a besoin d'un supplément d'énergie pour se produire, comme dans l'exemple suivant:

$$Glucose + H_3PO_4 \rightarrow Glucose\ 6\text{-phosphate} + H_2O$$
$$\Delta G° = +13,8 \text{ kJ mol}^{-1}$$

La figure 6.6 résume les rapports entre stabilité, énergie libre, changement spontané et travail. Nous pouvons maintenant appliquer ce que nous avons appris au métabolisme, c'est-à-dire à l'ensemble des changements biochimiques chez les êtres vivants.

ΔG° fait référence à des valeurs obtenues dans les conditions standard suivantes: température de 298 K, pH de 7, pression de 101,3 kPa, pour une concentration molaire volumique de soluté de 1 mol L⁻¹. Toutes les valeurs de ΔG rencontrées d'ici la fin de ce manuel répondront à ces conditions standard.

L'ÉNERGIE CHIMIQUE ET LA VIE

En se basant sur les changements d'énergie libre qu'elles entraînent, on peut classer les réactions chimiques en réactions exergoniques (signifiant «énergie vers l'extérieur» ou en réactions endergoniques («énergie vers l'intérieur»). Une **réaction exergonique** s'accompagne d'une libération nette d'énergie libre; comme le mélange chimique perd de l'énergie libre, ΔG est alors négatif. En d'autres mots, les réactions exergoniques se produisent spontanément, car elles n'ont pas besoin

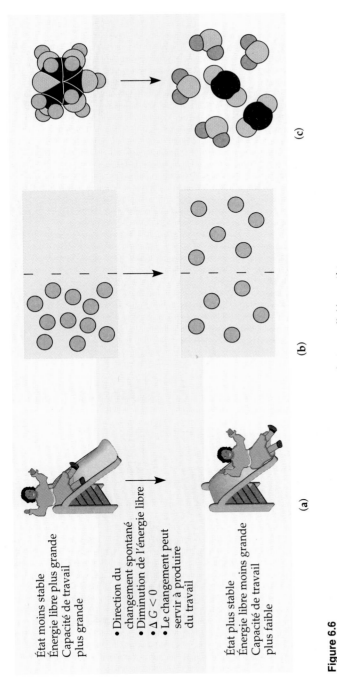

État moins stable
Énergie libre plus grande
Capacité de travail plus grande

• Direction du changement spontané
• Diminution de l'énergie libre
• $\Delta G < 0$
• Le changement peut servir à produire du travail

État plus stable
Énergie libre moins grande
Capacité de travail plus faible

(a) (b) (c)

Figure 6.6

Relation entre stabilité, énergie libre, changement spontané et travail. Un système instable renferme beaucoup d'énergie libre, tend à changer spontanément vers un état plus stable, et on peut utiliser cette diminution d'énergie pour produire du travail. (**a**) Ici, l'énergie libre est proportionnelle à l'altitude atteinte par la fillette. (**b**) Le concept d'énergie libre s'applique également à l'échelle moléculaire : il s'agit ici du mouvement physique des molécules appelé diffusion. Une membrane sépare deux compartiments aqueux. Les molécules d'un soluté se répartissent inégalement de part et d'autre de la membrane. Cet état ordonné est instable, c'est-à-dire riche en énergie libre. Si les molécules du soluté peuvent traverser la membrane, il y aura un mouvement net (diffusion) des molécules jusqu'à ce qu'elles atteignent des concentrations égales dans les deux compartiments. La diffusion est un processus spontané qui régit l'entrée et la sortie de certaines substances dans une cellule. Par exemple, l'oxygène dissous pourra s'introduire dans une cellule s'il est initialement plus concentré à l'extérieur de la cellule. (**c**) Les réactions chimiques aussi mettent en jeu l'énergie libre. Le glucide du haut a une moins grande stabilité que les molécules plus simples qui le composent. En dégradant des molécules organiques complexes comme les glucides dans le processus de respiration cellulaire, une cellule peut utiliser l'énergie libre emmagasinée dans ces molécules pour produire du travail.

d'une énergie extérieure pour avoir lieu. Dans une réaction exergonique, la grandeur de ΔG correspond à la quantité maximale de travail que la réaction peut produire. Nous pouvons prendre la respiration cellulaire comme exemple :

$$C_6H_{12}O_6 + 6\,O_2 \rightarrow 6\,CO_2 + 6\,H_2O$$
$$\Delta G = -2871\ \text{kJ/mol}$$

Pour chaque mole de glucose décomposée par la respiration, 2871 kJ d'énergie sont libérés pour produire du travail. Comme l'énergie se conserve et que les produits de la respiration représentent 2871 kJ d'énergie libre en moins, par rapport aux réactifs, cela signifie que cette énergie a servi à produire du travail, qu'elle a participé à une autre réaction.

Une **réaction endergonique** absorbe l'énergie libre de son environnement. Étant donné que ce genre de réaction emmagasine plus d'énergie libre qu'il n'en libère, ΔG est alors positif. Les réactions endergoniques ne sont pas spontanées, et la grandeur de ΔG correspond à la quantité minimale d'énergie nécessitée par la réaction. Si une réaction chimique est exergonique dans une direction, elle sera obligatoirement endergonique dans la direction

inverse. Par exemple, si ΔG égale -2871 kJ/mol pour la respiration cellulaire, ΔG égalera $+2871$ kJ/mol pour la photosynthèse qui produit le glucose à partir du dioxyde de carbone et de l'eau. La production de glucose dans les cellules des feuilles d'une Plante est très endergonique et s'effectue grâce à l'absorption d'énergie lumineuse.

Il existe une relation importante entre l'énergie libre et l'équilibre chimique. Comme nous l'avons vu au chapitre 2, la plupart des réactions chimiques sont réversibles et s'effectuent jusqu'à ce que les réactions directe et inverse se produisent à la même vitesse. On dit alors que la réaction a atteint un équilibre chimique ; dans cet état, les concentrations des réactifs et des produits ne changent plus. L'énergie libre du mélange de réactifs et de produits diminue lorsque la réaction tend vers l'équilibre, alors qu'elle augmente lorsque la réaction s'éloigne de son point d'équilibre. Pour une réaction à l'équilibre, ΔG égale 0, car il n'y a aucun changement net dans le système ; cette réaction ne produit aucun travail. Une réaction est spontanée et exergonique lorsqu'elle tend vers l'équilibre. Lorsqu'elle s'éloigne de l'équilibre, elle n'est pas spontanée et constitue un processus endergonique qui peut se produire seulement avec une source d'énergie extérieure.

Figure 6.7

ATP. Cette figure montre **(a)** la structure de l'ATP et **(b)** son hydrolyse, qui produit l'ADP et un phosphate inorganique. Dans la cellule, la plupart des groupements hydroxyle des groupements phosphate sont ionisés (—O⁻). Le symbole du « soleil », source d'énergie », utilisé dans cette figure pour mettre l'ATP en évidence, réapparaîtra souvent d'ici la fin de ce manuel.

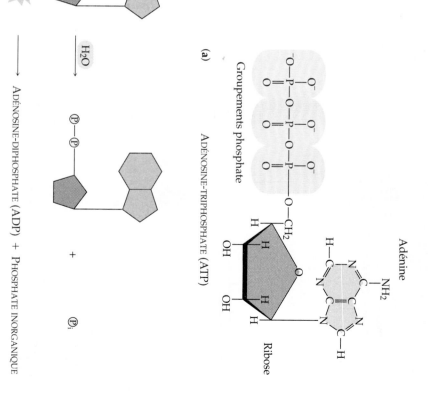

(a) ADÉNOSINE-TRIPHOSPHATE (ATP)

Adénine

Groupements phosphate

Ribose

(b)

ATP + H₂O ⟶ ADÉNOSINE-DIPHOSPHATE (ADP) + PHOSPHATE INORGANIQUE

Une des stratégies importantes du métabolisme cellulaire consiste à amorcer les réactions endergoniques en les couplant à des réactions exergoniques au moyen d'un intermédiaire énergétique appelé ATP.

ATP ET TRAVAIL CELLULAIRE

Une cellule produit trois principales sortes de travail :

1. *du travail mécanique*, comme le battement des cils, la contraction des cellules musculaires, la circulation du cytoplasme dans les cellules et le mouvement des chromosomes au cours de la reproduction cellulaire ;

2. *du travail de transport*, comme le passage transmembranaire de substances dans le sens inverse du mouvement spontané ;

3. *du travail chimique*, c'est-à-dire l'amorçage de réactions endergoniques qui ne se produiraient pas spontanément, comme la synthèse de polymères à partir de monomères.

Dans la majorité des cas, la source d'énergie directe qui permet à la cellule de produire du travail est une molécule appelée adénosine-triphosphate, ou ATP.

Structure et hydrolyse de l'ATP

L'ATP (**adénosine-triphosphate**) est un nucléoside triphosphate formé d'une adénine liée à un ribose qui, lui, est attaché à une chaîne de trois groupements phos-

phate (figure 6.7a). La queue triphosphatée de l'ATP est instable, et les liaisons entre les groupements phosphate peuvent être rompues par hydrolyse. Lorsque l'eau hydrolyse la liaison du phosphate terminal, une molécule de phosphate inorganique (symbolisé par Ⓟᵢ) est libérée et l'ATP devient alors l'adénosine-diphosphate, ou ADP (figure 6.7b). Il s'agit d'une réaction exergonique ; en laboratoire, elle dégage 30,5 kJ d'énergie par mole d'ATP hydrolysée :

$$ATP + H_2O \rightarrow ADP + Ⓟᵢ; \quad \Delta G = -30,5 \text{ kJ/mol}$$

Toutefois, pour la même réaction à l'intérieur d'une cellule, on estime que la valeur de ΔG se situe entre −42 kJ et −50 kJ environ. Les liaisons phosphate de l'ATP sont relativement faibles et instables, d'où la facilité à en extraire l'énergie. Les produits de l'hydrolyse (ADP et Ⓟᵢ) ont plus de stabilité que l'ATP. Lorsque le changement d'un système s'effectue dans le sens d'une plus grande stabilité, il s'agit d'un changement exergonique. En conséquence, la libération d'énergie au cours de l'hydrolyse de l'ATP provient du changement chimique vers un état plus stable, et non des liaisons phosphate elles-mêmes. Pourquoi les liaisons phosphate sont-elles si fragiles ? Si nous examinons de nouveau la molécule d'ATP à la figure 6.7a, nous pouvons voir que les trois groupements phosphate portent une charge négative. Comme ces trois charges de même signe sont rapprochées les unes des autres, il se produit une répulsion qui contribue à l'instabilité de la molécule d'ATP.

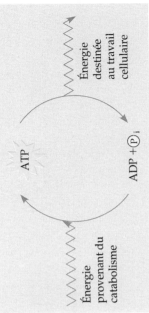

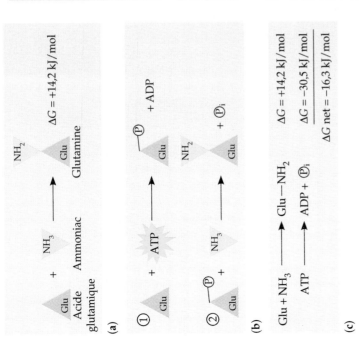

Figure 6.8
Couplage d'énergie par transfert de phosphate. Dans cet exemple, l'hydrolyse de l'ATP sert à activer une réaction endergonique, soit la conversion de l'acide glutamique (Glu) en un autre acide aminé, la glutamine (Glu — NH₂ ou Gln). **(a)** Sans l'aide de l'ATP, la conversion n'est pas spontanée. En effet, l'acide glutamique emmagasine plus d'énergie qu'il n'en libère, d'où sa valeur de ΔG positive. **(b)** Telle qu'elle se produit dans la cellule, la synthèse de la glutamine est une réaction en deux étapes activée par l'ATP. La formation d'un intermédiaire phosphorylé relie les deux étapes. ① Durant la première étape, l'ATP effectue la phosphorylation de l'acide glutamique en lui transférant son groupement phosphate (c'est-à-dire en lui cédant un groupement phosphate). ② Durant la deuxième étape, l'ammoniac délogé le groupement phosphate de l'intermédiaire phosphorylé pour former la glutamine. **(c)** Nous pouvons calculer le changement d'énergie libre pour la réaction globale en additionnant le ΔG de chacune des deux étapes de la réaction. Comme le processus global est exergonique (ΔG négatif), il se produit spontanément.

Comment l'ATP produit du travail

Quand on hydrolyse l'ATP en éprouvette, le dégagement d'énergie libre qui en résulte ne fait que réchauffer l'eau dans l'éprouvette. La cellule utilise l'énergie libre plus efficacement et d'une manière plus rentable. Avec l'aide d'enzymes spécifiques, la cellule applique directement l'énergie dégagée par l'hydrolyse de l'ATP à des processus endergoniques ; pour ce faire, un groupement phosphate de l'ATP est transféré à une autre molécule, qu'on dit alors phosphorylée. Ce transfert nécessite la formation d'un **intermédiaire phosphorylé** qui, étant moins stable, est plus réactif que la molécule originale (figure 6.8). Presque tout le travail cellulaire repose sur la capacité de l'ATP d'activer des molécules par transfert de groupements phosphate. Par exemple, l'ATP assure le mouvement des muscles en transférant des groupements phosphate aux protéines contractiles.

Figure 6.9
Le cycle de l'ATP. L'énergie libérée par les réactions de dégradation (catabolisme) dans la cellule sert à la phosphorylation de l'ADP, c'est-à-dire à la régénération de l'ATP. L'énergie emmagasinée dans l'ATP assure la majeure partie du travail cellulaire.

Régénération de l'ATP

Un organisme au travail utilise continuellement de l'ATP ; heureusement, l'ATP est une ressource renouvelable qui peut être régénérée par l'addition d'un phosphate à l'ADP (figure 6.9). Le cycle de l'ATP s'effectue à un rythme ahurissant. Une cellule musculaire au travail, par exemple, renouvelle la totalité de son ATP environ une fois par minute. Cela représente 10 millions de molécules d'ATP utilisées et régénérées par seconde par cellule. Si l'ATP ne pouvait pas être régénérée par phosphorylation d'ADP, les Humains utiliseraient chaque jour une quantité d'ATP équivalente à leur masse corporelle.

Puisqu'un processus réversible ne peut libérer de l'énergie dans les deux sens, la régénération de l'ATP à partir de l'ADP est nécessairement endergonique :

$$\text{ADP} + \text{P}_i \rightarrow \text{ATP} \qquad \Delta G = +30,5 \text{ kJ/mol}$$

Ce sont les voies cataboliques (exergoniques), notamment la respiration cellulaire, qui fournissent l'énergie nécessaire pour la fabrication de l'ATP, un processus endergonique. Les Végétaux, de même que certains Monères et certains Protistes capables de photosynthèse, peuvent également utiliser l'énergie lumineuse pour produire l'ATP.

La respiration cellulaire s'effectue par étapes à l'aide d'enzymes qui dégradent le glucose et d'autres molécules organiques complexes. Ce processus est extrêmement exergonique, et l'énergie qu'il libère sert à la phosphorylation de l'ADP pour régénérer l'ATP. Le cycle de l'ATP sert de distributeur d'énergie entre les voies cataboliques et anaboliques.

Déséquilibre métabolique

Les réactions chimiques de la respiration cellulaire et des autres voies cataboliques sont réversibles et atteindraient l'équilibre si elles se produisaient isolément dans une éprouvette. Comme les systèmes chimiques à l'état d'équilibre ont un ΔG nul et ne peuvent produire aucun travail, certaines des réactions réversibles de la respiration cellulaire doivent s'effectuer dans un seul sens, au détriment de l'équilibre. Pour que ce déséquilibre se maintienne, les produits d'une réaction ne s'accumulent pas ; ils deviennent plutôt des réactifs dans

l'étape suivante de la voie métabolique (figure 6.10). Le processus global de la respiration cellulaire s'effectue grâce à l'énorme différence d'énergie libre entre le glucose initial, en haut de la pente énergétique, et le dioxyde de carbone et l'eau, au terme du processus. Tant que la cellule reçoit un apport constant de glucose ou d'autres sources d'énergie et qu'elle peut rejeter le CO_2 dans son environnement, elle continue à fabriquer de l'ATP. Nous constatons encore une fois à quel point il est important de considérer l'être vivant comme un système ouvert.

ENZYMES

Les principes de la thermodynamique nous renseignent sur la spontanéité des réactions chimiques, mais non sur leur vitesse. Une réaction spontanée peut se produire lentement au point d'être imperceptible. Par exemple, une solution de saccharose dissous dans de l'eau stérile demeurera pendant des années à la température ambiante sans présenter d'hydrolyse appréciable. Cependant, si nous ajoutons à la solution une petite quantité de l'enzyme appelée *saccharase*, tout le saccharose peut alors être hydrolysé en quelques secondes. En présence de l'enzyme, l'hydrolyse du saccharose (sucre granulé) en glucose et en fructose est exergonique et se produit spontanément avec libération d'énergie libre ($\Delta G = -29{,}3$ kJ/mol). Les **enzymes** sont des catalyseurs, des agents chimiques

qui changent la vitesse d'une réaction sans que la réaction n'agisse sur eux. En l'absence d'enzymes, le réseau métabolique deviendrait complètement paralysé; à l'échelle moléculaire, le parcours exigerait des milliers d'années. Voyons maintenant comment une enzyme intervient dans la vitesse d'une réaction.

Enzymes et abaissement de l'énergie d'activation

Lors d'une réaction chimique, des liaisons se rompent et se forment grâce à des échanges d'énergie entre le mélange de molécules de réactifs. Les molécules de réactifs doivent absorber de l'énergie pour que leurs liaisons se brisent, et il y a libération d'énergie lorsque les liaisons des molécules de produits se forment (figure 6.11).

L'investissement d'énergie nécessaire pour déclencher une réaction, c'est-à-dire l'énergie requise pour briser les liaisons dans les molécules de réactifs, s'appelle **énergie libre d'activation**, ou **énergie d'activation**, symbolisé par $\Delta G^{\ddagger}$. Cette énergie est habituellement fournie par l'environnement sous la forme de chaleur absorbée par les molécules de réactifs. S'il s'agit d'une réaction exergonique, $\Delta G^{\ddagger}$ rapporte des dividendes puisque l'énergie libérée par la formation des nouvelles liaisons est plus grande que l'énergie investie pour briser les anciennes liaisons. La figure 6.12 illustre ces changements d'énergie pour la réaction hypothétique suivante:

Figure 6.10
Modèle hydraulique illustrant le principe de fonctionnement de la respiration cellulaire.

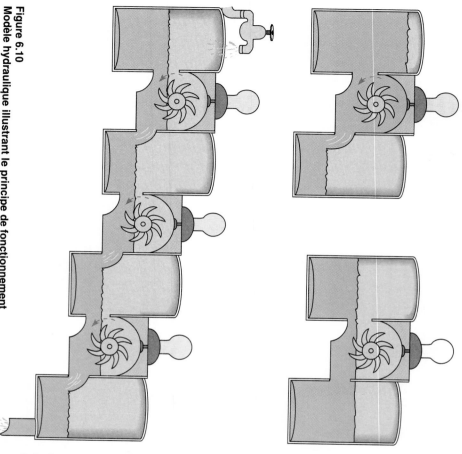

(a) L'eau génère de l'énergie électrique pendant qu'elle coule. Toutefois, comme il s'agit d'un système fermé où il n'y a pas d'apport d'eau ni de possibilité d'échappement pour l'eau, les niveaux d'eau des deux contenants deviennent égaux, la turbine cesse de tourner et la lumière s'éteint. Si les différentes réactions de la respiration cellulaire se faisaient en système fermé, elles atteindraient également l'équilibre, et l'activité cellulaire cesserait.

(b) Un apport d'eau, suivi d'un échappement d'eau, génère de l'énergie électrique à chaque dénivellation entre les contenants. Dans la respiration cellulaire, il y a une série de dénivellations d'énergie libre entre le glucose, produit de départ, et les déchets métaboliques de la fin. Le processus global reste en déséquilibre aussi longtemps que l'organisme vit: la cellule reçoit continuellement du glucose, le produit de chaque réaction devient le réactif de la suivante et les déchets métaboliques sont éliminés de la cellule.

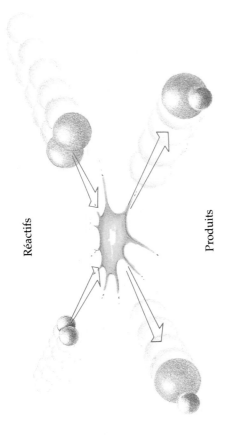

Figure 6.11
Réaction chimique : rupture et formation de liaisons. Dans cette illustration, deux molécules différentes réagissent pour former deux molécules de produit identiques. La réaction se produira seulement si les réactifs se heurtent avec suffisamment d'énergie pour rompre les liaisons qui unissent leurs atomes. La formation de nouvelles liaisons libère de l'énergie.

$$A — B + C — D \rightarrow A — C + B — D$$
$$\text{Réactifs} \qquad \text{Produits}$$

Les liaisons des réactifs se rompent seulement si les molécules ont absorbé suffisamment d'énergie pour devenir instables (rappelez-vous que les systèmes riches en énergie libre sont intrinsèquement instables et que les systèmes instables sont réactifs). L'énergie d'activation correspond à la courbe ascendante du graphique, laquelle indique que l'énergie libre des réactifs augmente. L'absorption d'énergie thermique augmente la vitesse moléculaire des réactifs, de sorte que les collisions ont lieu de plus en plus souvent. De plus, l'agitation thermique des atomes qui constituent les molécules rend les liaisons plus fragiles et plus faciles à rompre. Au sommet, les réactifs atteignent un état instable appelé *état de transition*. La réaction est alors imminente. Pendant que les molécules se stabilisent en formant de nouvelles liaisons, la réaction dégage de l'énergie dans l'environnement. Cette phase de la réaction correspond à la portion descendante de la courbe et indique une perte d'énergie libre par les molécules. La différence d'énergie libre des produits et des réactifs représente le ΔG pour la réaction globale ; la valeur de ΔG est négative lors d'une réaction exergonique.

Comme le montre la figure 6.12, les réactifs doivent franchir l'état de transition pour que la réaction se produise, même quand il s'agit d'une réaction exergonique. Pour certaines réactions, ΔG‡ est si faible que l'énergie thermique qui existe à la température ambiante suffit pour mener les réactifs à l'état de transition. Dans la plupart des cas, cependant, l'énergie d'activation est élevée

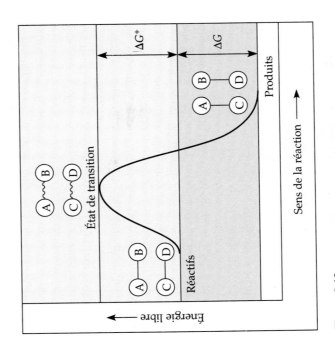

Figure 6.12
Profil énergétique d'une réaction. Au cours de cette réaction hypothétique, les réactifs A — B et C — D doivent absorber suffisamment d'énergie de l'environnement pour acquérir l'énergie d'activation (ΔG‡) et atteindre l'état de transition. Les liaisons peuvent alors se rompre ; lorsqu'elles le font, de nouvelles liaisons se forment et de l'énergie est libérée. Dans une réaction exergonique (ΔG négatif) comme celle-ci, les produits possèdent moins d'énergie libre que les réactifs.

Chapitre 6 : Introduction au métabolisme **101**

et les molécules ont besoin de chaleur pour que la réaction se produise à une vitesse perceptible. Par exemple, les bougies d'un moteur d'automobile chauffent le mélange essence-oxygène de façon que les molécules atteignent l'état de transition et réagissent; c'est à ce moment seulement que se produit la libération explosive d'énergie qui pousse les pistons. Sans la chaleur d'une étincelle, les hydrocarbures de l'essence sont trop stables pour réagir avec l'oxygène.

La barrière créée par l'énergie d'activation est essentielle à la vie. Sans cette barrière, les protéines, l'ADN et les autres molécules complexes de la cellule, riches en énergie libre, pourraient se décomposer spontanément; les principes de la thermodynamique favorisent leur dégradation. Toutefois, peu de ces molécules peuvent franchir l'énergie de transition aux températures caractéristiques des cellules. Cette particularité permet aux êtres vivants de les conserver ou d'en contrôler l'utilisation au moyen de catalyseurs.

Les enzymes, des protéines pour la plupart, jouent le rôle de catalyseurs biologiques (certaines molécules d'ARN, les ribozymes, peuvent aussi catalyser des réactions biochimiques). Une enzyme augmente la vitesse d'une réaction en abaissant l'énergie d'activation, de sorte que les réactifs franchissent plus facilement et plus rapidement l'état de transition, même à des températures normales (figure 6.13). Une enzyme ne change pas le ΔG d'une réaction. Elle ne fait qu'accélérer une réaction qui, de toute façon, finirait par se produire. Le rôle des enzymes peut sembler banal; pourtant, il permet à la cellule d'avoir un métabolisme dynamique. Comme les enzymes sélectionnent les réactions qu'elles catalysent, elles déterminent également, sous le contrôle de la cellule, les processus chimiques qui se déroulent en tout temps dans la cellule.

Spécificité des enzymes

Le réactif sur lequel une enzyme agit est le **substrat** de cette enzyme. L'enzyme se lie à son substrat (ou à ses substrats, lorsqu'il y a deux ou plusieurs réactifs) et, pendant que les deux sont réunis, l'action catalytique de l'enzyme convertit le substrat en produit de la réaction. Nous pouvons résumer ce processus de la façon suivante:

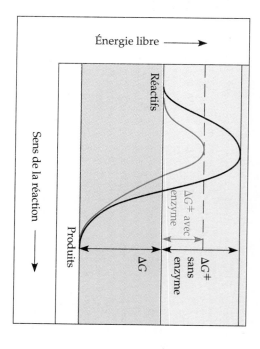

Figure 6.13
Les enzymes diminuent l'énergie d'activation. Sans modifier le changement d'énergie libre (ΔG), une enzyme augmente la vitesse de la réaction en réduisant l'énergie d'activation nécessaire pour atteindre l'état de transition. La courbe noire montre le cours de la réaction sans enzyme; la courbe rouge illustre la même réaction catalysée par une enzyme.

Par exemple, l'enzyme appelée saccharase (le nom de nombreuses enzymes se termine par *-ase*) scinde le saccharose (un disaccharide) en ses deux monosaccharides, le glucose et le fructose:

$$\text{Enzyme}$$
$$\text{Substrat} \longrightarrow \text{Produit}$$

$$\text{Saccharase}$$
$$\text{Saccharose} \longrightarrow \text{Glucose} + \text{Fructose}$$

Une enzyme peut reconnaître son substrat même parmi des composés très apparentés, comme les isomères, de sorte que chaque enzyme catalyse une réaction spécifique. Par exemple, la saccharase n'agit que sur le saccharose et ignore les autres disaccharides, comme le maltose. Comment explique-t-on cette reconnaissance moléculaire? Rappelez-vous que la plupart des enzymes sont des protéines, et que les protéines sont des macromolécules possédant des conformations tridimensionnelles uniques. Ce sont ces conformations qui déterminent la spécificité des enzymes.

En fait, seule une petite partie de la molécule d'enzyme se lie au substrat. Cette partie, appelée **site actif**, consiste habituellement en une poche ou un sillon à la surface de l'enzyme (figure 6.14). En général, le site actif comprend seulement quelques-uns des acides aminés qui composent l'enzyme, et le reste de l'enzyme supporte la configuration du site actif.

La spécificité d'une enzyme réside dans le fait que la forme de son site actif correspond exactement à la forme du substrat. Le site actif, cependant, n'est pas un réceptacle rigide dans lequel s'emboîte le substrat. Lorsque le substrat entre dans le site actif, il provoque une légère modification structurale de l'enzyme, de sorte que le site actif épouse encore mieux le contour du substrat. Cet **ajustement induit** se compare à une poignée de mains. Le site actif s'ajuste sur mesure au substrat et positionne adéquatement ses acides aminés pour catalyser la réaction.

Cycle catalytique des enzymes

Dans une réaction enzymatique, le substrat se lie au site actif pour former un complexe enzyme-substrat (figure 6.15). Dans la majorité des cas, le substrat est retenu dans le site actif par des interactions faibles, comme des liaisons hydrogène et des liaisons ioniques.

Énergie libre

Réactifs

Sens de la réaction

ΔG‡ avec enzyme

ΔG‡ sans enzyme

ΔG

Produits

Figure 6.14
Ajustement induit entre une enzyme et son substrat. (a) Le site actif de cette enzyme, une hexokinase, prend la forme d'un sillon à la surface de la protéine.
(b) En pénétrant dans le site actif, le substrat, qui est ici le glucose (rouge), induit une légère transformation structurale de la protéine, et le site actif s'ajuste alors à lui.

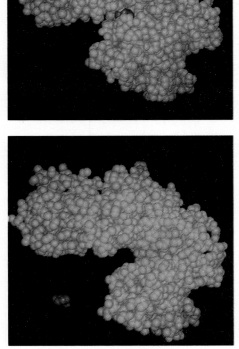

(a)

(b)

Les chaînes latérales (radicaux R) de quelques-uns des acides aminés constituant le site actif catalysent la transformation du substrat en produit, et ce dernier quitte alors le site actif. L'enzyme est donc libre d'accepter une autre molécule de substrat dans son site actif. Le cycle en entier se produit tellement rapidement qu'une seule molécule d'enzyme transforme habituellement un millier de molécules de substrat par seconde. Certaines enzymes sont encore plus rapides (on observe couramment, dans des conditions standard, des réactions enzymatiques dont la vitesse est de 10^6 à 10^{12} fois plus rapide que les mêmes réactions sans enzyme). De plus, les enzymes demeurent inchangées après une réaction. Par conséquent, de très petites quantités d'enzymes peuvent avoir des répercussions énormes sur le métabolisme en raison de leur grand pouvoir catalytique.

Les enzymes utilisent des mécanismes variés pour abaisser l'énergie d'activation et accélérer une réaction. Ainsi, dans une réaction à plusieurs réactifs, le site actif fournit un gabarit qui aide les réactifs à se positionner de façon propice. À mesure que le site actif épouse étroitement les contours des réactifs, l'enzyme exerce une pression sur les molécules de réactifs, étirant et déformant les liaisons chimiques importantes; ces liaisons deviennent

Figure 6.15
Le cycle catalytique d'une enzyme. Dans cet exemple, la saccharase catalyse l'hydrolyse du saccharose en glucose et en fructose.
① Lorsque le site actif d'une enzyme est inoccupé et que le substrat est disponible, le cycle débute: ② Un complexe enzyme-substrat se forme quand le substrat entre dans le site actif et s'y lie par des liaisons faibles. Le site actif change de forme pour épouser plus étroitement le contour du substrat (ajustement induit). ③ Le substrat se transforme en produits dans le site actif. ④ L'enzyme libère les produits et ① son site actif redevient disponible pour une autre molécule de substrat. La majorité des réactions métaboliques sont réversibles, et une enzyme peut catalyser les réactions directe et inverse. Ce sont principalement les concentrations relatives des réactifs et des produits qui déterminent quelle réaction l'emporte; autrement dit, l'enzyme catalyse la réaction dans le sens de l'équilibre.

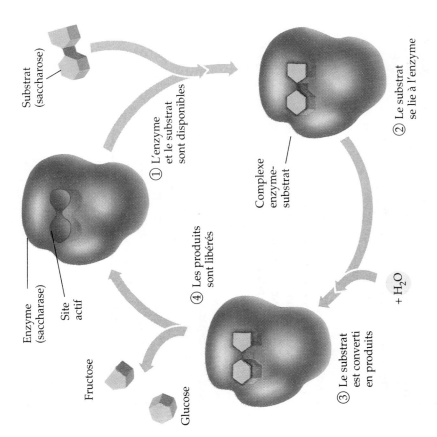

Substrat (saccharose)

① L'enzyme et le substrat sont disponibles

② Le substrat se lie à l'enzyme

Complexe enzyme-substrat

Enzyme (saccharase)

Site actif

④ Les produits sont libérés

+ H₂O

Fructose

Glucose

③ Le substrat est converti en produits

alors plus faciles à rompre et les réactifs exigent une moins grande quantité d'énergie libre pour atteindre l'état de transition.

Le site actif peut également fournir un microenvironnement propice à un type particulier de réaction. Par exemple, si le site actif se compose d'acides aminés portant un radical acide, il constitue une zone de faible pH, ce qui ajoute à la spécificité de l'enzyme pour un substrat compatible. Pour favoriser la catalyse, le site actif peut aussi participer directement à la réaction chimique. Parfois, il arrive même que des liaisons covalentes de courte durée se forment entre le substrat et le radical d'un acide aminé de l'enzyme. Toutefois, les étapes subséquentes de la réaction brisent ces liaisons, de sorte que le site actif retrouve son état original après la réaction.

Facteurs influant sur l'activité enzymatique

Divers facteurs influent sur l'activité enzymatique. La concentration molaire volumique du substrat, celle de l'enzyme, la température, le pH ainsi que certaines substances chimiques figurent au nombre de ces facteurs.

Concentration molaire volumique du substrat et de l'enzyme La vitesse à laquelle une concentration donnée d'enzyme convertit le substrat en produit dépend en partie de la concentration molaire volumique initiale du substrat: plus il y a de molécules de substrat, plus elles occupent les sites actifs des molécules d'enzyme. Toutefois, la réaction finit par atteindre une vitesse maximale, au moment où la concentration du substrat devient suffisamment élevée pour que tous les sites actifs des molécules d'enzyme soient occupés. À une telle concentration de substrat, on dit que l'enzyme est saturée. La vitesse de la réaction correspond alors à la vitesse à laquelle le site actif peut convertir le substrat en produit. Lors d'une saturation enzymatique, la seule façon d'augmenter l'action catalytique est d'accroître le nombre d'enzymes; et c'est la cellule qui détermine s'il y a lieu de le faire. Si la concentration en substrat demeure constante, la vitesse de la transformation du substrat en produit sera proportionnelle au nombre de molécules d'enzyme.

Conditions de température et de pH Comme nous l'avons vu au chapitre 5, la structure tridimensionnelle des protéines (et donc des enzymes) est sensible à l'environnement. Pour chaque enzyme, il existe des conditions optimales qui maximisent l'activité enzymatique en favorisant la conformation la plus active de la molécule d'enzyme.

La température constitue un facteur environnemental important pour l'activité d'une enzyme (figure 6.16a). Jusqu'à un certain point, la vitesse d'une réaction enzymatique augmente avec la température, en partie parce que les substrats heurtent les sites actifs plus fréquemment lorsque les molécules se déplacent plus rapidement. Mais, à partir d'une certaine température, la vitesse de la réaction enzymatique chutera brusquement si la température augmente davantage; l'agitation thermique de la molécule d'enzyme rompt les liaisons hydrogène, les liaisons ioniques et les autres interactions faibles qui stabilisent sa conformation active, si bien que l'enzyme se dénature, comme toute protéine. Pour chaque type

d'enzyme, il existe une température optimale à laquelle la vitesse de réaction est maximale. Cette température permet le nombre maximal de collisions moléculaires sans dénaturer l'enzyme. La plupart des enzymes humaines possèdent des températures optimales situées entre 36,1 °C et 37,8 °C (intervalle de la température corporelle normale chez l'Humain). À titre de comparaison, les Bactéries vivant dans des sources d'eau chaude contiennent des enzymes dont les températures optimales sont de 70 °C ou plus.

Le pH représente un autre facteur environnemental qui influe sur la forme des protéines. Tout comme pour la température, il existe une activité maximale pour chaque enzyme un pH optimal qui assure une activité maximale (figure 6.16b). Les valeurs de pH optimales pour la majorité des enzymes se situent entre 6 et 8, mais il y a des exceptions. Par exemple, la pepsine, une enzyme digestive de l'estomac, présente un fonctionnement optimal lorsque le pH se situe entre 1 et 2. Un environnement aussi acide dénature la plupart des enzymes, mais la conformation active de la pepsine est adaptée à l'environnement acide de l'estomac. En revanche, la trypsine, une enzyme digestive résidant dans l'environnement alcalin de l'intestin, fonctionne de façon optimale à un pH de 8.

Les enzymes sont également sensibles aux concentrations de sels. La majorité des enzymes ne peuvent tolérer les solutions extrêmement salines parce que les ions inorganiques interfèrent avec les liaisons ioniques dans la protéine. Encore une fois, il y a des exceptions. Certaines Algues et Bactéries vivent dans des étangs où la concentration de sel est beaucoup plus élevée que celle de l'eau de mer; leurs enzymes et autres protéines sont actives

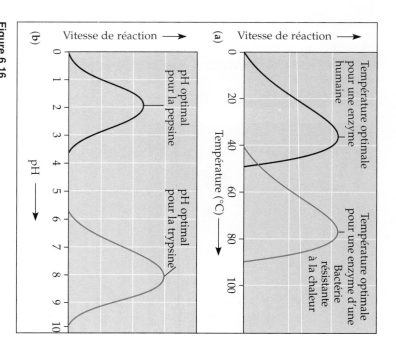

Figure 6.16
Incidence de la température et du pH sur les enzymes. Il existe pour chaque enzyme **(a)** une température optimale et **(b)** un pH optimal qui favorisent sa conformation active.

(a) Vitesse de réaction — Température (°C) — 0 20 40 60 80 100 — Température optimale pour une enzyme humaine — Température optimale pour une enzyme d'une Bactérie résistante à la chaleur

(b) Vitesse de réaction — pH — 0 1 2 3 4 5 6 7 8 9 10 — pH optimal pour la pepsine — pH optimal pour la trypsine

Certains inhibiteurs ressemblent à la molécule normale de substrat et entrent en compétition avec elle pour occuper le site actif. Ces imitateurs, appelés **inhibiteurs compétitifs**, réduisent la productivité des enzymes en empêchant l'accès du substrat aux sites actifs. Si l'inhibition est réversible, elle peut être contrée par une augmentation de la concentration de substrat ; de cette façon, quand des sites actifs se libèrent, les molécules de substrat sont plus nombreuses que les molécules d'inhibiteur et ont donc plus de chances d'occuper les sites actifs.

Les **inhibiteurs non compétitifs**, eux, entravent les réactions enzymatiques en se liant à une partie de l'enzyme éloignée du site actif. Comme cette interaction déforme la molécule d'enzyme, le site actif n'est plus réceptif au substrat ou encore l'enzyme catalyse avec moins d'efficacité.

Les inhibiteurs enzymatiques peuvent agir comme des poisons métaboliques. Certains pesticides, notamment le DDT et le parathion, sont des inhibiteurs enzymatiques du système nerveux chez bon nombre d'insectes. Un grand nombre d'antibiotiques sont des inhibiteurs enzymatiques spécifiques chez les Bactéries non résistantes. La pénicilline, par exemple, bloque le site actif d'une enzyme que de nombreuses Bactéries utilisent pour fabriquer leur paroi cellulaire. Ces exemples d'inhibiteurs enzymatiques jouant le rôle de poisons métaboliques peuvent donner l'impression que l'inhibition enzymatique est généralement anormale et dommageable. En fait, l'inhibition et l'activation sélectives des enzymes par des molécules naturellement présentes dans la cellule constituent des mécanismes de régulation métabolique essentiels.

Régulation allostérique Beaucoup d'enzymes possèdent un ou plusieurs sites de liaisons pour des molécules appelées *régulateurs* de la fonction enzymatique. Lorsqu'un régulateur stimule l'activité enzymatique, on le nomme *activateur*. Lorsque le régulateur diminue l'activité enzymatique, on le nomme *inhibiteur*. Les régulateurs se lient à un **site allostérique**, un site récepteur spécifique situé dans une partie de la molécule d'enzyme éloignée du site actif. La plupart des enzymes possédant des sites allostériques sont des protéines élaborées à partir de deux ou plusieurs chaînes polypeptidiques, ou sous-unités. Chaque sous-unité possède son propre site actif, et les sites allostériques se trouvent habituellement aux points de jonction entre les sous-unités. (figure 6.18a). Le complexe entier oscille entre deux conformations : l'une catalytiquement active et l'autre inactive. La liaison d'un activateur à un site allostérique stabilise la conformation active, alors que la liaison d'un inhibiteur allostérique stabilise la forme inactive de l'enzyme (figure 6.18b). Les points de contact entre les sous-unités d'une enzyme allostérique s'articulent de façon telle que s'il se produit un changement dans la conformation d'une sous-unité ce changement se transmet à toutes les autres sous-unités. Grâce à cette interaction entre les sous-unités, la fixation d'une seule molécule d'activateur ou d'inhibiteur à un site allostérique modifiera les sites actifs de toutes les sous-unités.

Comme les régulateurs allostériques se lient à une enzyme au moyen de liaisons faibles, l'activité de l'enzyme change à chaque instant à cause de la concentration

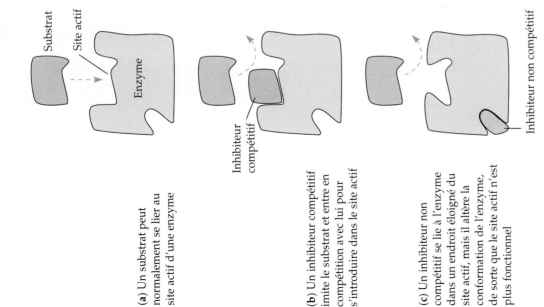

(a) Un substrat peut normalement se lier au site actif d'une enzyme

Substrat
Site actif
Enzyme

(b) Un inhibiteur compétitif imite le substrat et entre en compétition avec lui pour s'introduire dans le site actif

Inhibiteur compétitif

(c) Un inhibiteur non compétitif se lie à l'enzyme dans un endroit éloigné du site actif, mais il altère la conformation de l'enzyme, de sorte que le site actif n'est plus fonctionnel

Inhibiteur non compétitif

Figure 6.17
Inhibition enzymatique.

dans des conditions qui dénatureraient les protéines des autres organismes.

Cofacteurs Pour accomplir leur fonction catalytique, beaucoup d'enzymes ont besoin de l'aide de substances non protéiques. Ces auxiliaires, appelés **cofacteurs,** peuvent se lier fortement au site actif de façon permanente, ou ils peuvent se lier faiblement et de façon réversible en même temps que le substrat. Les cofacteurs de certaines enzymes sont inorganiques, par exemple les atomes de métaux comme le zinc, le fer et le cuivre. Quand le cofacteur d'une enzyme est une molécule organique, on l'appelle plus spécifiquement **coenzyme.** La plupart des vitamines sont des coenzymes ou des précurseurs de coenzymes. Les cofacteurs fonctionnent de diverses façons, mais ils sont tous essentiels à la catalyse.

Inhibiteurs enzymatiques Certaines substances chimiques inhibent de façon sélective l'action d'enzymes spécifiques (figure 6.17). Si l'inhibiteur se lie à l'enzyme au moyen de liaisons covalentes, l'inhibition est habituellement irréversible. L'inactivation est toutefois réversible si l'inhibiteur se lie à l'enzyme au moyen de liaisons faibles.

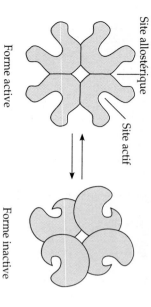

Site allostérique

Site actif

Forme active

Forme inactive

(a) Changements de conformation d'enzymes allostériques

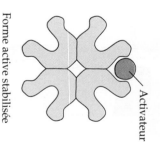

Activateur

Inhibiteur

Forme active stabilisée
par une molécule
d'activateur allostérique

Forme inactive stabilisée
par une molécule
d'inhibiteur allostérique

(b) Régulation allostérique

Substrat

Forme active stabilisée
par une molécule de substrat

(c) Coopérativité

Figure 6.18
Régulation allostérique et coopérativité. (a) La majorité des enzymes allostériques se composent de deux ou plusieurs sous-unités, chacune de ces sous-unités ayant son propre site actif. L'enzyme oscille entre deux conformations, l'une active et l'autre inactive. À l'écart des sites actifs se trouvent des sites allostériques ; les sites allostériques sont des récepteurs spécifiques pour les régulateurs de l'enzyme, lesquels peuvent être des activateurs ou des inhibiteurs. **(b)** Ici, nous voyons les effets opposés d'un inhibiteur et d'un activateur allostériques sur la conformation des quatre sous-unités d'une enzyme. **(c)** De façon similaire, en raison d'un phénomène appelé coopérativité, l'ajustement induit d'un des sites actifs par un substrat déclenche la conformation active de toutes les autres sous-unités de l'enzyme.

fluctuante des régulateurs. Dans certains cas, un inhibiteur et un activateur se ressemblent tellement qu'ils entrent en compétition pour le même site allostérique. Par exemple, une enzyme qui catalyse une étape d'une voie catabolique, comme la respiration cellulaire, peut posséder un site allostérique qui s'ajuste à la fois à l'ATP et à l'ADP. L'enzyme est inhibée par l'ATP et activée par l'ADP. Cette régulation semble logique puisqu'une des principales fonctions du catabolisme consiste à régénérer l'ATP à partir de l'ADP. Si la production d'ATP est inférieure à la demande, l'ADP s'accumule et active les enzymes clés qui accélèrent la vitesse du catabolisme. En revanche, si l'apport en ATP excède la demande, le catabolisme ralentit étant donné que le nombre de molécules d'ATP surpasse celui des molécules d'ADP en compétition pour des sites allostériques. De cette façon, les enzymes allostériques se comportent comme des valves qui contrôlent la vitesse des réactions dans les voies métaboliques.

Coopérativité   Grâce à un mécanisme qui ressemble à l'activation allostérique, les molécules de substrat elles-mêmes peuvent stimuler le pouvoir catalytique d'une enzyme (figure 6.18c). Rappelez-vous que la liaison d'un substrat à une enzyme incite le site actif à épouser encore plus étroitement le contour du substrat (ajustement induit). Si une enzyme possède deux ou plusieurs sous-

unités, l'ajustement induit qu'une molécule de substrat provoque dans une des sous-unités déclenchera l'ajustement induit de toutes les autres sous-unités de l'enzyme. Ce mécanisme, appelé **coopérativité**, accroît la réponse des enzymes au substrat : une molécule de substrat amorce une enzyme afin qu'elle accepte simultanément d'autres molécules de substrat.

Nous allons maintenant voir comment la régulation des enzymes contribue à la régulation du métabolisme de la cellule.

RÉGULATION DU MÉTABOLISME

Si toutes les voies métaboliques d'une cellule s'ouvraient simultanément, il en résulterait un désordre chimique incroyable. Par exemple, une substance serait synthétisée par une voie et aussitôt dégradée par une autre. En réalité, le fonctionnement de chaque voie métabolique est rigoureusement réglé ; c'est la régulation de l'activité enzymatique qui assure l'ouverture et la fermeture des différentes voies.

Rétro-inhibition

La **rétro-inhibition** est un des principaux mécanismes de régulation métabolique. Elle a lieu lorsqu'une voie métabolique se ferme parce que son produit final est un inhibiteur

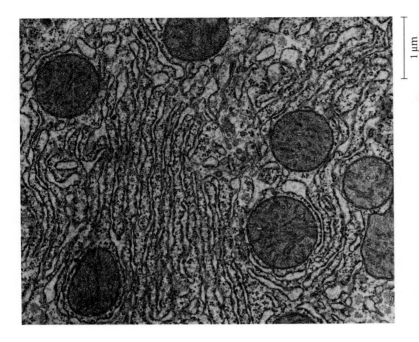

Figure 6.20
Organisation cellulaire et métabolisme. Des membranes séparent la cellule en divers compartiments métaboliques, les organites. La plupart des organites hébergent une équipe d'enzymes qui exécutent des fonctions bien définies (micrographie électronique).

1 µm

Organisation cellulaire et métabolisme

La cellule n'est pas un paquet de substances chimiques se déplaçant au hasard. Elle possède une structure complexe qui assure l'organisation spatiotemporelle des voies métaboliques (figure 6.20). Ainsi, des membranes divisent la cellule en de nombreux compartiments, chacun possédant son propre environnement chimique interne et son propre mélange d'enzymes. Par exemple, les enzymes de la respiration cellulaire sont situées dans des organites appelés mitochondries. Si ces enzymes étaient diluées dans tout le volume de la cellule plutôt que dans les seules mitochondries, la respiration cellulaire serait absolument inefficace. Cet exemple met en évidence, une fois de plus, la corrélation entre la structure et la fonction, ce qui nous ramène au thème de l'émergence.

L'ÉMERGENCE EN RAPPEL

Rappelez-vous que la vie s'organise en une hiérarchie de niveaux structuraux. À chaque niveau d'organisation, de nouvelles propriétés émergent, s'ajoutant à celles des niveaux inférieurs. Dans les chapitres de cette partie, nous avons analysé la chimie des êtres vivants en utilisant la stratégie du réductionnisme. Mais nous avons également commencé à acquérir une vision plus intégrée

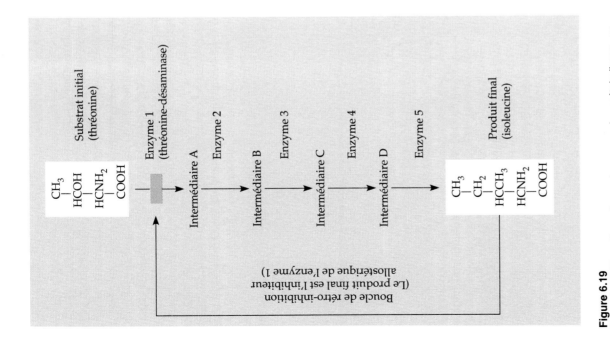

Figure 6.19
Rétro-inhibition. Dans de nombreuses voies métaboliques, ce sont les produits finals de la séquence métabolique qui mettent fin aux toutes premières réactions de la séquence, car ces produits sont des inhibiteurs allostériques de la première enzyme de la voie. Dans le cas présent, l'isoleucine inhibe l'enzyme 1, laquelle utilise la thréonine comme substrat pour commencer la synthèse de l'isoleucine.

Substrat initial (thréonine)

CH₃ — HCOH — HCNH₂ — COOH

Enzyme 1 (thréonine-désaminase)

Intermédiaire A
Enzyme 2
Intermédiaire B
Enzyme 3
Intermédiaire C
Enzyme 4
Intermédiaire D
Enzyme 5

Produit final (isoleucine)

CH₃ — CH₂ — HCCH₃ — HCNH₂ — COOH

Boucle de rétro-inhibition (Le produit final est l'inhibiteur allostérique de l'enzyme 1)

d'une enzyme de cette voie. Voici un exemple précis qui vous aidera à saisir la logique de ce mécanisme de régulation. La cellule utilise une voie composée de cinq étapes pour synthétiser l'isoleucine, un acide aminé, à partir de la thréonine, un autre acide aminé (figure 6.19). En s'accumulant, l'isoleucine, le produit final de la voie, met fin à sa propre synthèse. Cela se produit parce que l'isoleucine est un inhibiteur allostérique de l'enzyme qui catalyse la toute première étape de la voie, celle dont la thréonine est le substrat. La rétro-inhibition empêche ainsi la cellule de gaspiller ses ressources chimiques en synthétisant plus d'isoleucine que nécessaire.

de la vie en mettant en évidence l'émergence des nouvelles propriétés associée à l'accroissement de l'ordre.

Nous avons vu que le comportement particulier de l'eau, tellement essentiel à la vie sur Terre, résulte des interactions des molécules d'eau, elles-mêmes constituées par un assemblage ordonné d'atomes d'hydrogène et d'oxygène. Nous avons réduit la complexité et la diversité des composés organiques aux caractéristiques chimiques du carbone ; mais nous avons également observé que les propriétés uniques des composés organiques résultent de l'arrangement structural de leur squelette carboné et des groupements fonctionnels qui y sont attachés. Nous avons appris que les petites molécules organiques peuvent s'unir pour former des molécules géantes ; mais nous avons également découvert qu'une macromolécule ne se comporte pas comme un simple

assemblage de monomères. La structure et la fonction uniques d'une protéine, par exemple, découlent de la hiérarchie de ses structures primaire, secondaire, tertiaire et quaternaire. Et dans ce chapitre nous avons vu le métabolisme, cette chimie organisée caractéristique de la vie, repose sur l'interaction concertée de milliers de molécules différentes.

Nous avons terminé notre revue d'ensemble du métabolisme par une courte introduction à l'organisation interne de la cellule. Nous avons ainsi établi un lien avec la deuxième partie, où nous étudierons la structure et les fonctions de la cellule. Nous maintenons l'équilibre entre notre besoin de réduire la vie à un ensemble de processus plus simples et l'ultime satisfaction d'aborder ces processus dans leur contexte intégré.

RÉSUMÉ DU CHAPITRE

Le métabolisme est la somme de toutes les réactions biochimiques qui se produisent dans les cellules d'un organisme.

Caractéristiques générales du réseau métabolique cellulaire (p. 91-92)

1. Le métabolisme gère les ressources matérielles et énergétiques de la cellule. Avec l'aide des enzymes, le métabolisme se déroule par étapes dans des voies étroitement liées.

2. Les voies cataboliques, comme celle de la respiration cellulaire, dégradent des molécules complexes en composés plus simples ; les processus cataboliques libèrent de l'énergie. Les voies anaboliques élaborent des molécules complexes à partir de molécules plus simples ; les processus anaboliques consomment de l'énergie, habituellement fournie par les processus cataboliques.

Énergie : quelques principes de base (p. 92-96)

1. L'énergie est la capacité de produire du travail en imprimant un mouvement à la matière pour vaincre une force opposée.

2. L'énergie cinétique, énergie du mouvement, effectue son travail en transférant le mouvement d'un corps à un autre.

3. L'énergie potentielle est l'énergie emmagasinée en raison de la position ou de la structure de la matière. L'énergie chimique est l'énergie potentielle emmagasinée dans la structure moléculaire.

4. L'énergie peut se transformer, c'est-à-dire passer d'une forme à une autre, selon les principes de la thermodynamique.

5. Selon le premier principe de la thermodynamique, celui de la conservation de l'énergie, l'énergie ne peut pas être créée ni détruite.

6. Selon le second principe de la thermodynamique, chaque changement de forme de l'énergie entraîne une augmentation de l'entropie (S), ou désordre, de l'univers. Chaque fois que la matière devient plus ordonnée, elle devient plus instable et sa tendance au désordre augmente.

7. L'énergie libre est la partie de l'énergie d'un système (une cellule, par exemple) qui peut produire du travail à température et pression constantes. L'énergie libre (G) est directement proportionnelle à l'énergie totale (H) et inversement proportionnelle à l'entropie (S) : $\Delta G = \Delta H - T\Delta S$.

8. Tout changement spontané dans un système s'accompagne d'une diminution de l'énergie libre ($-\Delta G$).

L'énergie chimique et la vie (p. 96-97)

1. Une réaction chimique spontanée est une réaction exergonique ($-\Delta G$), où les produits possèdent moins d'énergie libre que les réactifs. Les réactions endergoniques ne sont pas spontanées et ne se produisent qu'avec un apport d'énergie de l'environnement ($+\Delta G$).

2. Dans le métabolisme, les réactions exergoniques servent à amorcer les réactions endergoniques.

3. Une réaction tend spontanément vers l'équilibre (ΔG négatif). Pour éloigner une réaction de son point d'équilibre, une cellule doit fournir de l'énergie libre.

ATP et travail cellulaire (p. 97-99)

1. L'ATP (adénosine-triphosphate) est le principal transporteur d'énergie dans les cellules. L'hydrolyse d'une de ses liaisons phosphate faibles donne de l'ADP (adénosine-diphosphate) et du phosphate inorganique. Il s'agit d'une réaction exergonique qui libère de l'énergie libre.

2. L'ATP active les réactions endergoniques dans la cellule grâce au transfert d'un groupement phosphate à des réactifs spécifiques. Les intermédiaires ainsi phosphorylés sont plus réactifs que les molécules originales dont ils sont issus. De cette façon, les cellules peuvent produire du travail, comme le mouvement, le transport membranaire et l'anabolisme.

3. La régénération de l'ATP à partir de l'ADP et du phosphate inorganique est une réaction endergonique, principalement activée par la respiration cellulaire et les réactions photochimiques dans la photosynthèse.

4. L'élimination des produits métaboliques finals empêche le métabolisme d'atteindre l'équilibre.

Enzymes (p. 99-105)

1. Les enzymes, en majeure partie des protéines, sont des catalyseurs biologiques, c'est-à-dire des agents qui changent la vitesse d'une réaction tout en demeurant intacts.

2. Pour qu'une réaction se produise, les réactifs doivent absorber suffisamment d'énergie pour rompre les liaisons existantes. Cette énergie libre d'activation ($\Delta G^{\ddagger}$), habituellement fournie sous forme de chaleur par l'environnement,

fait atteindre aux réactifs l'état de transition instable nécessaire pour que la réaction se produise. Les macromolécules biologiques se décomposeraient spontanément si elles n'avaient pas besoin d'une énergie d'activation élevée.

3. Pour que les molécules atteignent l'état de transition et soient capables de réagir au cours du métabolisme, les enzymes abaissent l'énergie d'activation, ce qui permet aux liaisons de se rompre aux températures corporelles modérées caractéristiques de la plupart des organismes.

4. Chaque type d'enzyme possède un site actif de conformation unique qui lui permet de se combiner spécifiquement avec un substrat particulier. Un substrat est une molécule de réactif sur laquelle une enzyme agit.

5. Le site actif d'une enzyme peut abaisser l'énergie d'activation de diverses façons : en fournissant un gabarit qui incite le substrat à se positionner de façon propice ; en se liant au substrat de façon à en fragiliser les liaisons importantes ; en créant des microenvironnements propices.

6. Comme toutes les protéines, les enzymes sont très sensibles aux conditions environnementales qui influent sur les liaisons chimiques faibles dont dépend leur structure tridimensionnelle. Pour chaque enzyme, il existe des conditions optimales de température, de pH et de concentration de sel. De plus, l'activité enzymatique dépend de la concentration du catalyseur et de celle du substrat.

7. Les cofacteurs sont des ions ou des molécules non protéiques nécessaires au fonctionnement de certaines enzymes. Si le cofacteur est organique, on l'appelle coenzyme.

8. Les inhibiteurs enzymatiques réduisent sélectivement la fonction enzymatique, soit de façon réversible, c'est-à-dire en formant des liaisons faibles, soit de façon irréversible, c'est-à-dire en formant des liaisons covalentes.

9. Un inhibiteur compétitif ressemble au substrat sur le plan de la structure et peut se lier au site actif à sa place. Un inhibiteur non compétitif se lie à un site de l'enzyme autre que le site actif, perturbant ainsi la conformation et la fonction du site actif.

10. Certaines enzymes changent de conformation lorsque des molécules régulatrices (soit des activateurs, soit des inhibiteurs) se lient à des sites allostériques spécifiques. Les sites allostériques sont habituellement situés entre les sous-unités des enzymes complexes. Grâce à un mécanisme appelé coopérativité, l'ajustement induit par la liaison d'un substrat déclenche l'ajustement induit de toutes les autres sous-unités de l'enzyme.

Régulation du métabolisme (p. 105-106)

1. Un des principaux mécanismes de régulation métabolique est la rétro-inhibition, au cours de laquelle le produit final d'une voie métabolique inhibe la première enzyme de cette voie. De cette façon, la cellule conserve ses ressources en produisant certaines molécules seulement lorsqu'elles sont en faible concentration.

2. Des membranes divisent la cellule en compartiments métaboliques. Les enzymes peuvent être incorporées aux membranes ou dissoutes en concentrations relativement élevées dans les organites.

L'émergence en rappel (p. 106)

Dans la première partie de ce manuel, nous avons vu que l'organisation structurale hiérarchisée conduit à l'émergence de propriétés nouvelles, inconcevables à des niveaux inférieurs. L'organisation est la clé de la chimie de la vie.

AUTO-ÉVALUATION

1. Choisissez la paire de termes qui complète adéquatement la phrase. Le catabolisme est à l'anabolisme ce que _____ est _____.

a) la réaction exergonique ; à la réaction spontanée
b) la réaction exergonique ; à la réaction endergonique
c) l'énergie libre ; à l'entropie
d) le travail ; à l'énergie
e) l'entropie ; au désordre

2. La plupart des cellules ne peuvent utiliser la chaleur pour produire du travail :

a) parce que la chaleur n'est pas une forme d'énergie.
b) parce que les cellules ne possèdent pas beaucoup de chaleur ; elles sont relativement froides.
c) parce que la température est habituellement uniforme dans toute la cellule.
d) parce qu'il n'existe pas de mécanisme qui puisse utiliser la chaleur pour produire du travail.
e) parce que la chaleur dénature les enzymes.

3. Selon le premier principe de la thermodynamique :

a) la matière ne peut être ni créée ni détruite.
b) l'énergie est conservée dans tous les processus.
c) tous les processus augmentent l'entropie de l'Univers.
d) les systèmes riches en énergie sont instables.
e) l'Univers perd constamment de l'énergie à cause de la friction.

4. Lequel des processus métaboliques suivants peut se produire sans un apport *net* d'énergie provenant d'un autre processus ?

a) $ADP + \text{(P)}_i \rightarrow ATP + H_2O$.
b) $C_6H_{12}O_6 + 6\,O_2 \rightarrow 6\,CO_2 + 6\,H_2O$.
c) $6\,CO_2 + 6\,H_2O \rightarrow C_6H_{12}O_6 + 6\,O_2$
d) acides aminés → protéine.
e) glucose + fructose → saccharose.

5. Quelle molécule se lie au site actif d'une enzyme ?

a) Un activateur allostérique.
b) Un inhibiteur allostérique.
c) Un inhibiteur non compétitif.
d) Un inhibiteur compétitif.
e) Un rétro-inhibiteur.

6. Si une solution enzymatique est saturée de substrat, la façon la plus efficace d'augmenter le rendement de la réaction serait :

a) d'augmenter la concentration molaire volumique d'enzyme.
b) de chauffer la solution à 90 °C.
c) d'augmenter la concentration molaire volumique de substrat.
d) d'ajouter un inhibiteur allostérique.
e) d'ajouter un inhibiteur non compétitif.

7. Une enzyme accélère une réaction métabolique en :

a) modifiant le changement global d'énergie libre pour la réaction.
b) provoquant une réaction endergonique spontanée.
c) abaissant l'énergie libre d'activation.
d) éloignant la réaction de son point d'équilibre.
e) stabilisant la molécule de substrat.

8. Certaines Bactéries vivent dans des sources d'eau chaude :

a) parce qu'elles sont capables de maintenir une température interne plus basse que celle de l'eau environnante.

b) parce que la température élevée active le métabolisme sans l'aide de catalyseurs;

c) parce que leurs enzymes possèdent des températures optimales élevées.

d) parce que leurs enzymes sont insensibles aux variations de température.

e) parce qu'elles utilisent d'autres molécules que des protéines comme catalyseurs principaux.

9. Chez les Bactéries, quel processus métabolique est directement inhibé par la pénicilline, un antibiotique ?

a) La respiration cellulaire.

b) L'hydrolyse de l'ATP.

c) La synthèse de graisses.

d) La synthèse des composantes chimiques de la paroi cellulaire.

e) La réplication de l'ADN, le matériel génétique.

10. Dans la voie métabolique ramifiée suivante, les flèches pointillées accompagnées d'un signe moins symbolisent l'inhibition d'une étape métabolique par un produit final :

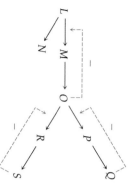

Quelle réaction aura lieu si Q et S sont présents en concentration élevée dans la cellule ?

a) $L \rightarrow M$.

b) $M \rightarrow O$.

c) $L \rightarrow N$.

d) $O \rightarrow P$.

e) $R \rightarrow S$.

QUESTIONS À COURT DÉVELOPPEMENT

1. Relevez les caractéristiques qui font des protéines de bons catalyseurs.

2. Décrivez le déroulement d'une réaction enzymatique.

3. a) Nommez les composantes de l'ATP.

b) Identifiez la composante la plus instable de l'ATP et expliquez son instabilité.

c) Expliquez comment l'ATP fournit de l'énergie.

RÉFLEXION-APPLICATION

1. Une certaine enzyme possède une température optimale de 37 °C et commence à se dénaturer à 45 °C. Au cours de la dénaturation, l'entropie augmente (la protéine perd une bonne partie de son organisation). La protéine accroît également son contenu énergétique (elle doit absorber de l'énergie de l'environnement pour briser les nombreuses liaisons faibles qui renforcent sa conformation native). Ainsi, pour la dénaturation, ΔS et ΔH sont tous les deux positifs. À l'aide de l'équation de l'énergie libre ($\Delta G = \Delta H - T\Delta S$), expliquez pourquoi la dénaturation devient spontanée à une certaine température.

2. Dans trois éprouvettes, on mélange la saccharase avec son substrat, le saccharose. Chaque éprouvette contient au départ la même concentration molaire volumique d'enzyme tandis que la concentration de saccharose varie d'une éprouvette à l'autre. Voici un graphique de la vitesse de réaction versus la concentration molaire volumique de saccharose.

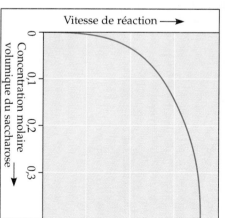

Expliquez l'allure de la courbe sur le graphique.

3. Les cristaux de glace, comme ce flocon de neige, ont des structures très ordonnées. Lorsque l'eau liquide gèle et forme de la glace, l'ordre augmente, c'est-à-dire que l'entropie diminue. Pour le passage de l'eau de l'état liquide à l'état solide :

$$\Delta H = -6025 \text{ J/mol}$$
$$\Delta S = -22.2 \text{ J/mol}$$

En utilisant l'équation de l'énergie libre, démontrez en termes de ΔG que l'eau cristallisera spontanément à −10 °C (263 K) mais pas à +10 °C (283 K).

SCIENCE, TECHNOLOGIE ET SOCIÉTÉ

1. Les biologistes entendent parfois ce genre d'argument : «Les évolutionnistes prétendent que la complexité des organismes s'est accrue au cours de l'histoire des êtres vivants. Une telle

évolution vers un ordre biologique supérieur contredit le deuxième principe de la thermodynamique, qui ne peut être transgressé. Par conséquent, l'évolution biologique n'est pas un concept scientifiquement valable. » Comment réfuteriez-vous cet argument ?

2. Au début des années 70, les États-Unis et le Canada ont dû reconsidérer sérieusement leur consommation d'énergie, car les pays exportateurs de pétrole commençaient à réduire systématiquement leur production dans le but de contrôler les prix. L'expression « crise de l'énergie » venait d'entrer dans notre vocabulaire de tous les jours. Certains lecteurs du journal La Presse émettaient alors des opinions dans le sens suivant : « S'il ne peut y avoir destruction d'énergie, comment peut-il y avoir crise de l'énergie ? Il nous suffit de mettre au point des méthodes intelligentes de recyclage de notre énergie. » Comment expliqueriez-vous la réalité scientifique à ces personnes ?

LECTURES SUGGÉRÉES

Gerlach, W. L. et C. Robaglia, « Les ribozymes », *La Recherche*, n° 247, octobre 1992. (La découverte des ARN catalytiques et leur utilisation possible en génie génétique et dans la lutte antivirale.)

Granner, D. K., P. A. Mayes, R. K. Murray et V. W. Rodwell, *Le Précis de biochimie de Harper*, 7e éd., Québec, Paris, PUL-Eska, 1989. (Les chapitres 7 à 10 traitent des enzymes, et le chapitre 11 de la bioénergétique.)

May, R. M., « Le chaos en biologie », *La Recherche*, n° 232, mai 1991. (En écologie ou en physiologie, des processus chaotiques apparaissent de plus en plus vraisemblables.)

Percheron, F., R. Perlès et M. J. Foglietti, *Biochimie structurale et métabolique*, 3e éd., Paris, Masson, 1991. (Le chapitre 2 parle de la bioénergétique et le chapitre 4 traite substantiellement des enzymes.)

Rawn, J. D., *Traité de Biochimie*, Bruxelles, De Boeck-Wesmael, 1990. (Le chapitre 7 nous initie aux enzymes ; les chapitres 10 et 11 approfondissent la bioénergétique.)

Stryer, L., *La Biochimie*, Paris, Flammarion, 1992. (Une introduction aux enzymes et au métabolisme dans les chapitres 6 et 11.)

ENTRETIEN AVEC ROSEMONDE MANDEVILLE

Rosemonde Mandeville est oncologue (spécialiste dans le domaine de la cancérologie), chercheuse et professeure à l'Institut Armand-Frappier de l'Université du Québec et professeure à l'Université de Montréal. Après avoir complété ses études en médecine à l'Université d'Alexandrie en Égypte, elle a obtenu une maîtrise en pathologie de l'Université de Montréal et un doctorat en microbiologie médicale de l'Université du Manitoba. Deux stages postdoctoraux en immunologie complètent cet impressionnant tableau. Rosemonde Mandeville a en outre publié un ouvrage intitulé Le cancer du sein: le comprendre pour le prévenir et le guérir (Éditions La Presse, 1988). Au cours de l'entretien qu'elle m'a accordé, elle manifeste toute la passion qui caractérise les meilleurs chercheurs et professeurs.

La cellule constitue l'unité fonctionnelle de la vie. Nous sommes la projection macroscopique de notre univers microscopique. Ainsi vont nos cellules, ainsi va notre santé! Lorsque l'équilibre généré par les structures et les fonctions cellulaires se rompt, alors survient la maladie. L'une des maladies les plus redoutables est sans conteste le cancer.

Vous travaillez principalement comme chercheuse, bien que vous soyez également diplômée en médecine. Qu'est-ce qui vous a conduit à préférer la recherche à la pratique de la médecine?

J'ai toujours voulu comprendre le corps humain, comment on traite ses maladies et comment le garder en santé. J'ai été très déçue par les études en médecine, parce que je pensais qu'en en sortant j'aurais toutes les réponses à mes questions. Mais je suis restée avec mes questions sans réponse. J'ai beaucoup appris qu'il y avait beaucoup de mythes en médecine... et c'est ça qui m'a conduit à la recherche! Ça a été un long détour, mais je ne regrette rien! La recherche m'a permis de comprendre le fonctionnement du corps humain et elle m'a ouvert beaucoup de portes. Elle m'en ouvre encore aujourd'hui.

Quelles qualités essentielles un chercheur doit-il posséder?

Un chercheur, à mon avis, doit d'abord être curieux de nature. Comme deuxième prérequis, il doit avoir les compétences nécessaires, le savoir-faire en quelque sorte. Être passionné et très optimiste. La recherche représente un domaine très ardu, la compétition y est souvent féroce. Il faut aussi et surtout être innovateur, avoir l'esprit ouvert et saisir les opportunités, comme le font les entrepreneurs. La recherche est une entreprise qui exige des résultats applicables. Je suis une personne comme ça, et la recherche, c'est vraiment ma vie.

Vous avez collaboré avec le Dr Hans Selye, reconnu mondialement pour ses recherches sur les mécanismes du stress. Qu'avez-vous découvert au cours de cette période?

J'ai découvert la recherche. Hans Selye était mon mentor, la personne qui m'a ouvert les portes du savoir. C'est lui qui m'a montré ce que je voulais devenir dans la vie, ce qu'est la recherche. Il m'a appris la rigueur scientifique, qui sert de base aux chercheurs.

Vous avez investi beaucoup d'énergie dans la recherche sur le cancer. Voulez-vous préciser en quoi ont consisté vos recherches dans ce domaine?

J'ai commencé par étudier les défenses immunitaires chez les patients cancéreux. C'était mon deuxième stage postdoctoral, ici, à l'Institut Armand-Frappier. Il y avait une banque de données concernant de nombreux patients, ce qui m'a permis d'étudier comment le corps se défend vis-à-vis du cancer. À ce moment-là, j'ai commencé à regarder les défenses immunitaires, à produire des anticorps monoclonaux contre le cancer du sein, et j'ai toujours travaillé dans ce domaine-là par la suite. Bien sûr, comme le stress était omniprésent dans mon premier contact avec la recherche, je n'ai jamais oublié cette dimension, et je continue à me préoccuper du côté psychologique de la maladie. Cet aspect m'intéresse énormément. Je viens justement de terminer une étude sur le stress psychologique, le sentiment de maîtrise et l'immunité après un diagnostic de tumeur au sein.

Ce qui m'a poussée vers le domaine de la cancérologie, c'était le besoin de comprendre les mécanismes de défense contre le cancer, de trouver de nouveaux moyens de le soigner et aussi, et c'est plutôt nouveau dans ce domaine, de développer une approche préventive. Je parle de prévention depuis une dizaine d'années.

des implications de nos observations. De cette façon, je pense aussi contribuer à faire avancer la science.

À quel projet travaillez-vous en ce moment ?

J'étudie présentement l'influence des champs magnétiques sur le développe-ment des cancers, un projet subventionné conjointement par un consortium canadien (Santé Canada, Hydro-Québec, Hydro-Ontario) et le National Institutes of Health (l'agence américaine la plus prestigieuse). Cette recherche unique au monde constitue un apport majeur à la compréhension d'un domaine tout à fait nouveau qui s'appelle le biomagnétisme.

Que ressentez-vous au moment de la publication des articles dévoilant les résultats de vos recherches ?

C'est difficile à décrire comme sensation. On hésite beaucoup à publier, on prend cent ans, on écrit, on recommence... À vrai dire, je ressens une grande satisfaction quand je sais que le papier a été accepté. Une sensation de... c'est comme avoir un enfant ! Quand on voit la publication, on vit une grande émotion. Et une satisfaction inouïe par la suite si le papier a eu un impact. Je viens par exemple de publier un article à propos des effets du tamoxifène sur le développement du cancer de l'endo-mètre utérin. Le tamoxifène possède des propriétés anti-estrogéniques et sert au traitement du cancer du sein ; cependant, on a découvert récemment qu'il augmen-tait le risque de cancer de l'endomètre ! Quand je vois le nombre de personnes qui demandent des tirés à part, je constate l'intérêt que cet article suscite. J'ai été atta-quée publiquement parce que je m'oppose à l'usage de cette drogue comme moyen de prévention du cancer du sein. Imaginez le

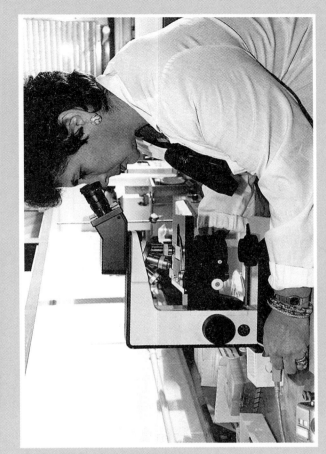

Maintenant, de plus en plus de personnes croient à la prévention du cancer, y com-pris un certain nombre de médecins.

Il se fait dans le monde beaucoup de recherches concernant le cancer du sein. Pourquoi avez-vous choisi ce type de cancer ?

J'ai choisi le cancer du sein parce qu'il y avait encore beaucoup de chemin à faire pour comprendre les risques de dévelop-per cette maladie, parvenir à en faire le diagnostic précoce [dès son apparition] et réussir à la guérir. Malgré toutes les recher-ches faites jusqu'à présent et malgré le diagnostic de plus en plus précoce de ce cancer, le taux de guérison demeure le même. Il y avait donc quelque chose à faire, et c'était surtout au niveau de la détection précoce et de la prévention. Alors, je me suis mise à la tâche ! Je me suis intéressée aux facteurs de risque.

tante qui va permettre de déceler très tôt les complications dans le développement de la maladie. Une compagnie américaine travaille à la mise au point du test avant sa mise en marché. C'est un des résultats de ce test qui illustre la page couverture de mon livre ; il s'agit d'une scintigraphie qui permet la détection des ganglions atteints bien avant l'intervention chirurgicale. C'est une grande découverte, à mon avis, dans le domaine du cancer du sein. Par ailleurs, une chose pour moi reste plus importante que les découvertes : je fais beaucoup de vulgarisation scientifique à propos du can-cer du sein. Nous venons de terminer une étude qui permet de conclure qu'une femme bien informée est moins stressée et peut affronter son diagnostic de cancer du sein beaucoup plus facilement. Cette étude ne représente pas une découverte majeure, mais je veux sortir du laboratoire et parler

En général, vos découvertes sont-elles le résultat d'un long processus ?

Très long et très ardu ! À l'Institut Armand-Frappier, par exemple, nous avons déve-loppé des anticorps monoclonaux contre le cancer du sein. Il a fallu les sélectionner, puis les tester pendant plusieurs années avant de passer à l'application clinique. On les utilise à Vienne, en Autriche, depuis cinq ans, et c'est intéressant comme appro-che avant-gardiste. Le chercheur qui fait un travail de pionnier a besoin de beaucoup d'efforts et de patience pour arriver aux résultats espérés.

Vous avez fait une découverte particulière dans le domaine du cancer du sein. De quoi s'agit-il ?

Concrètement, j'ai mis au point un test très intéressant pour la détection précoce des métastases ganglionnaires. J'en suis très fière, parce que c'est une découverte impor-

marché que représentent les femmes de 45 ans et plus, qui seraient susceptibles d'utiliser le tamoxifène jusqu'à leur mort! Mes prises de position dérangent, mais je suis incapable de laisser passer une chose comme celle-là. Prescrire à des femmes en santé un médicament qui risque de causer une forme de cancer pour en prévenir une autre, c'est aller à l'encontre des principes fondamentaux en santé publique!

La publication de votre livre sur le cancer du sein vous a-t-elle procuré la même satisfaction?

La publication de mon livre m'a donné encore plus de satisfaction que celle de mes articles scientifiques. Je ne pensais jamais recevoir autant en écrivant ce livre. Je n'ai pas fait d'argent, mais ça m'a permis un retour aux sources. Dans mon laboratoire, je ne vois pas de patientes, je vois plutôt des prélèvements sanguins et des biopsies. Je ne vois pas l'être humain derrière la maladie. Ce contact-là me manquait énormément. Depuis la publication du livre, je suis invitée à donner des conférences et je rencontre à ces occasions beaucoup de patientes atteintes de cancer, ce qui est très important pour moi. D'autres me téléphonent, m'écrivent ou même viennent me voir, ici à l'Institut, non pas pour une consultation, mais pour me parler, pour me dire: « Votre livre m'a aidée à surmonter tel problème... Votre livre m'a sauvé la vie! » Je trouve cela extraordinaire, certainement plus extraordinaire que de donner une conférence à des pairs qui se montrent blasés d'entendre parler du cancer du sein. Depuis la parution de mon ouvrage, je parcours le Québec en entier pour donner des conférences au nom de la Société canadienne du cancer. Je suis très touchée de constater que les gens, parfois de vastes auditoires, sont intéressés par ce que j'ai à dire.

Quels sont les facteurs à l'origine du cancer du sein?

Comme la majorité des cancers, le cancer du sein est multifactoriel, c'est-à-dire provoqué par plusieurs facteurs. Le facteur le plus important, c'est l'âge. Pourquoi? Parce qu'avec l'âge, et on pense à la ménopause, les risques de perturbations hormonales sont très grands. Comme le sein est une glande régulée par les hormones, plus les femmes prennent de l'âge, plus le risque devient grand. Si on regarde de plus près les femmes à risque, on constate une forte susceptibilité familiale, et c'est la deuxième facteur. Il y a beaucoup à faire pour trouver l'origine de cette susceptibilité. Au cours des dernières années, on a pu identifier sur le chromosome 17 un gène de la susceptibilité au cancer du sein qui causerait 5 % des cas. Le troisième facteur est relatif au terrain lui-même. Plus il existe de problèmes au niveau du sein, plus les ris-

ques sont importants. Je pense aux femmes qui ont des tumeurs bénignes sévères (hyperplasiques) pouvant être récurrentes. D'autres facteurs de risques peuvent encore s'ajouter, par exemple l'obésité, la mauvaise qualité de l'alimentation, le stress, etc. Mais ces facteurs ont toutefois moins d'importance.

Peut-on établir un profil-type de la personne susceptible de développer un cancer?

Chaque type de cancer s'associe à un profil différent. Par exemple, dans le cancer du sein, il s'agit d'une femme de plus de cinquante ans, qui a vécu une première grossesse tardivement, c'est-à-dire après 35 ans; d'une Nord-Américaine dont l'alimentation comporte beaucoup de gras, qui a des seins à problèmes, qui ne fait pas d'exercice; d'une femme habituellement instruite et à l'aise financièrement. Dans le cancer du col utérin, le profil est complètement différent. Il s'agit en général d'une femme jeune qui a eu de nombreux partenaires sexuels, ou dont le conjoint en a eu beaucoup, et qui a eu plusieurs MTS, etc. Dans le cancer du poumon, il s'agit d'une personne qui a commencé à fumer très jeune ou qui vit depuis longtemps avec un fumeur, etc. Bref, si on veut établir un profil de la personne à risque, on doit tenir compte du type de cancer étudié.

Peut-on établir un profil-type de la personne qui réussit à s'en tirer?

Conjointement avec les Drs Lise Fillion et Louise Lemyre de l'Université Laval à Québec, nous avons effectué une étude auprès d'un groupe de 70 femmes de la région de Montréal qui ont reçu un diagnostic de cancer du sein à un stade précoce de la maladie. Nous avons étudié leur profil psychologique afin de déterminer l'impact du diagnostic de cancer sur l'état de stress psychologique et la fonction

immunitaire. Nous nous sommes basées sur des variables cognitives. Par exemple, nous leur demandions ce qu'elles pensaient et ce qu'elles savaient de leur maladie. Nous avons observé que la façon dont elles percevaient l'impact de la maladie sur leur vie jouait un rôle important au niveau de leur stress psychologique. Plus elles étaient pessimistes sur leur sort, plus elles vivaient un grand stress et plus ce stress diminuait leurs défenses immunitaires.

Deux conclusions qui ressortent de cette étude ont une application clinique très importante. D'abord, ne pas savoir est plus stressant que savoir, surtout si on est en attente d'un diagnostic. Ensuite, plus la personne est informée sur le cancer qui la frappe, moins elle est stressée. Donc, si la femme sait qu'elle a un cancer du sein et connaît le stade d'évolution de sa maladie, son stress est diminué. Le support social constitue une autre variable intéressante dans l'étude. Plus la femme est entourée et aimée, plus elle accepte sa maladie de façon positive, plus son stress diminue et plus ses défenses immunitaires restent intactes. La dimension psychologique joue un rôle crucial dans le processus de guérison. L'espoir de guérir est très important, c'est le message que je véhicule tout le temps. Personne ne peut prédire à coup sûr le temps qui reste à vivre au patient.

Alors pourquoi mettre l'accent là-dessus? L'exploration de la dimension psychologique du traitement du cancer du sein est très nouvelle et avant-gardiste. Il faut absolument prendre conscience de son pouvoir de guérison et faire son deuil à propos de la santé pour amorcer le processus de guérison. Faire le deuil, c'est admettre: « Oui j'ai le cancer, mais je vais m'en sortir! » Et cette étape-là reste très difficile à franchir. Aux personnes atteintes qui me demandent combien de temps elles vont vivre, je réponds aussitôt: « Tu vas vivre si tu veux vivre! » Ça ne veut pas dire de ne pas administrer de médicaments. Un médicament qui pourrait être efficace doit être administré. Je dis oui à la chimiothérapie, mais je dis aussi à la personne: « Si tu veux que ce traitement fonctionne, tu devrais faire de l'imagerie mentale afin d'aider ton corps à accepter le traitement et entrevoir ta guérison. » Ça peut être la clé de la guérison.

Peut-on s'en sortir sans chimiothérapie ou radiothérapie?

Non, je ne pense pas. Les cas de guérison miraculeuse sont très très rares parmi les millions d'individus atteints d'un cancer. Quand il y a une lésion ou une tumeur, il faut la tuer ou l'enlever avant d'aller voir du côté des médecines alternatives.

Pensez-vous que les découvertes au niveau cellulaire nous permettront un jour de vaincre le cancer?

Vouloir vaincre le cancer est un projet très ambitieux! À mon avis, on ne réussira

jamais à vaincre complètement le cancer. Par contre, toutes les techniques mises au point grâce à la biologie moléculaire et cellulaire nous permettront de diagnostiquer précocement, de soigner plus efficacement et, surtout... surtout, de prévenir. Je pense que la prévention prendra de plus en plus de place dans les années à venir.

Vous êtes professeure à l'Institut Armand-Frappier. À qui s'adresse votre enseignement?

J'enseigne au niveau de la maîtrise et du doctorat. Je supervise aussi des stagiaires au niveau des stages postdoctoraux. J'enseigne la recherche comme telle, et mes projets de recherche constituent la partie laboratoire de cet enseignement. J'enseigne aussi l'immunologie et la pathologie aux étudiants en médecine de l'Université de Montréal.

L'enseignement représente-t-il pour vous un défi au même titre que la recherche?

Enseigner, que ce soit par des conférences ou à travers un projet de recherche, c'est avant tout ouvrir des horizons, et ce rôle-là est très important. On peut lire sur la porte de mon laboratoire: « Le premier pas vers la solution d'un problème, c'est de le voir clairement. » Poser la bonne question est primordial à mon avis. Et c'est ça que j'enseigne à mes étudiants. Je leur dis souvent qu'ils peuvent oublier tout ce que je leur enseigne, sauf le fait que poser la bonne question au bon moment est la clé de la solution. Enseigner, c'est passer le flambeau et donner le feu sacré pour la recherche. Je parle de sciences aux jeunes des cégeps en démystifiant ce qu'est un chercheur. J'ai d'ailleurs pris part au concours « Science on tourne » pendant deux années de suite à titre de juge et de présidente d'honneur. Pour moi, enseigner c'est prendre part à la vie quotidienne des gens, apporter tout ce que tu sais, à tous les niveaux et en utilisant tous les médias possibles.

À compétences égales, est-ce plus difficile pour une femme de percer dans le domaine de la recherche?

Absolument! Même à compétences supérieures on a des problèmes! Il existe des préjugés envers les femmes en recherche. Il y en a peut-être moins que lorsque j'ai commencé, il y a quinze ans. À cette époque, c'était rare de voir dans un congrès une femme en charge d'un comité ou animatrice d'un débat. Je pense que les femmes s'affirment de plus en plus. Maintenant, les femmes ont un plus grand rayonnement, et elles l'ont grandement mérité. Les femmes de ma génération ont dû souffrir beaucoup pour arriver à percer.

J'espère que nous avons ouvert le chemin pour nos filles et nos petites-filles et que nous deviendrons des modèles pour elles. Nous avons travaillé sans répit pour en arriver là. Nous sommes avant tout des femmes, des femmes professionnelles, avec une approche différente de celle des hommes. Cela ne veut pas dire que nous sommes meilleures ou pires. Nous sommes différentes, et la reconnaissance de cette différence est importante.

Que dites-vous aux femmes qui se destinent à une carrière scientifique?

Mon message est très clair: n'ayez pas peur. Les femmes ont besoin d'encouragement, de support. Il faut qu'il y ait des ressources pour les conseiller, comme l'Association des femmes d'affaires du Québec, dont je fais partie. À chaque année, nous faisons un concours de la relève qui vise à répondre aux besoins des femmes, jeunes ou moins jeunes, qui voudraient faire carrière dans un domaine scientifique. Par exemple, nous donnons la chance à des femmes qui voudraient faire carrière en biologie de suivre un stage en laboratoire pour leur permettre de voir si elles aimeront ou non ce genre de travail. C'est une façon de contribuer à l'avancement des femmes dans le domaine des sciences. Nous essayons de leur montrer que faire de la recherche, ce n'est pas ennuyeux, mais plutôt extraordinaire! Être une scientifique, ce n'est pas facile, mais ça peut être une expérience des plus enrichissantes.

Avez-vous quelques conseils pour les jeunes qui fréquentent les collèges et les universités?

Je prépare actuellement un ouvrage de références sur la santé. J'y ai consacré un chapitre aux jeunes dans lequel je leur dis: « Trouvez des moyens diversifiés d'occuper votre temps. Impliquez-vous dans n'importe quoi, comme bénévole ou autrement, mais de façon positive et constructive. Donnez de votre temps et, surtout, ayez de la passion pour ce que vous faites. » Il faut être passionné ou ne pas être!

Entretien avec Rosemonde Mandeville 115

TECHNIQUES PERMETTANT L'ÉTUDE DE LA CELLULE

SURVOL DE L'ORGANISATION CELLULAIRE

NOYAU

RIBOSOMES

RÉSEAU INTRACELLULAIRE DE MEMBRANES

PEROXYSOMES

CONVERSION DE L'ÉNERGIE PAR LES MITOCHONDRIES ET LES CHLOROPLASTES

CYTOSQUELETTE

SURFACE CELLULAIRE

LA CELLULE : UNE ENTITÉ SUPÉRIEURE À LA SOMME DE SES PARTIES

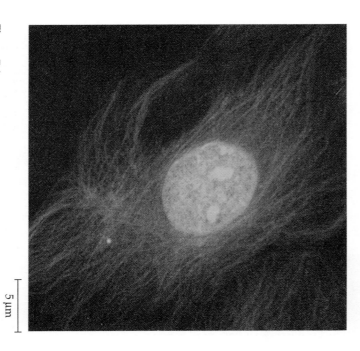

5 μm

Figure 7.1
À structures ordonnées, fonctions ordonnées. Ce fibroblaste, une cellule animale, peut se déformer et se déplacer. La mobilité cellulaire nécessite l'interaction précise de nombreuses structures, dont le cytosquelette qu'on voit ici autour du noyau (micrographie photonique). Tout au long de notre étude de la cellule, nous ferons le lien entre les fonctions de la cellule et son organisation structurale.

L
a cellule est à la biologie ce que l'atome est à la chimie : tous les organismes se composent de cellules. Dans la hiérarchie de l'organisation biologique, la cellule représente le premier niveau capable de vie. D'ailleurs, bien des êtres vivants ne sont constitués que d'une seule cellule. Les organismes supérieurs, dont les Végétaux et les Animaux, comportent plusieurs sortes de cellules spécialisées, organisées en groupements complexes comme les tissus et les organes. Cependant, même lorsqu'elles s'unissent à d'autres pour atteindre un niveau d'organisation supérieur, *les cellules demeurent toujours les unités fondamentales de la structure et du fonctionnement des organismes.* Au moment même où vous lisez cette phrase, des cellules musculaires se contractent pour mouvoir vos yeux ; quand vous déciderez de tourner la page, vos neurones transmettront cette décision de votre cerveau jusqu'aux cellules musculaires de votre main. *Tout ce que réalise un organisme, il le doit d'abord et avant tout à son activité cellulaire.* Dans le présent chapitre, nous vous invitons à explorer le monde microscopique de la cellule.

Notre parcours de la cellule mettra en évidence plusieurs des thèmes précisés au chapitre d'introduction. Nous verrons que la vie à l'échelon cellulaire naît d'un ordre structural, supportant ainsi le thème de l'émergence. Par exemple, le mouvement d'une cellule animale repose sur l'interaction complexe des composants du cytosquelette (figure 7.1). En relation avec l'émergence, nous évoquerons le thème de la corrélation entre la structure et la fonction dans la cellule. Puisque tout processus ordonné se fonde sur une structure ordonnée, l'analyse de l'anatomie cellulaire nous fournit des indices sur le fonctionnement cellulaire. Les cellules sont des unités excitables qui captent les fluctuations du milieu et y réagissent, comme le suggère le thème de l'interaction des organismes avec leur milieu. Elles constituent des systèmes ouverts qui échangent sans cesse des matières et de l'énergie avec leur milieu. Et ne perdez pas de vue le thème biologique qui englobe tous les autres : l'évolution. Bien que toutes les cellules proviennent de cellules antérieures et soient dans une certaine mesure apparentées, elles ont subi diverses modifications au cours de la longue histoire de la vie sur la Terre. Par exemple, un organisme unicellulaire d'eau douce et un organisme unicellulaire marin présentent des différences au niveau cellulaire nées de l'adaptation à des milieux dissemblables. L'évolution crée la relation entre la structure et la fonction que nous observons dans les cellules.

Comment les biologistes parviennent-ils à scruter et à disséquer une entité si minuscule, et par ailleurs si complexe, pour en découvrir les processus internes ? Avant d'explorer à fond la cellule, répondons d'abord à cette question.

TECHNIQUES PERMETTANT L'ÉTUDE DE LA CELLULE

L'évolution de la science est souvent tributaire de l'invention d'instruments qui permettent à l'être humain d'aller au-delà des limites de ses sens. Ainsi, la découverte et l'étude de la cellule auraient été impossibles sans l'invention et le perfectionnement des microscopes au XVIIᵉ siècle. Encore aujourd'hui, on ne peut étudier la cellule sans utiliser toutes sortes de microscopes.

Microscopie

Les microscopes qu'utilisaient les scientifiques de la Renaissance, tout comme ceux de votre laboratoire, sont des **microscopes photoniques (MP)**. On les appelle ainsi parce que leur source d'éclairage est en général la lumière visible, qui se quantifie en photons. Dans ces instruments, la lumière traverse la préparation (l'échantillon), puis des lentilles de verre. Les lentilles réfractent (dévient) la lumière de façon à grossir l'image projetée dans l'œil.

Le grossissement et le pouvoir de résolution sont deux facteurs importants en microscopie. Le **grossissement** représente le rapport entre les dimensions apparentes de l'image et les dimensions réelles de l'objet. Le **pouvoir de résolution** est une mesure de la clarté de l'image ; plus précisément, il correspond à la distance en deçà de laquelle deux points n'apparaissent plus comme distincts. Par exemple, là où l'œil nu voit une seule étoile dans le ciel, le télescope permet d'apercevoir des étoiles jumelles.

Comme celui de l'œil humain, le pouvoir de résolution des télescopes et des microscopes a ses limites. On peut fabriquer des microscopes photoniques qui grossissent les objets tant qu'on veut, mais leur pouvoir de résolution s'arrêtera toujours à 0,2 μm, soit la taille d'une petite Bactérie ou d'une mitochondrie (figure 7.2). On ne peut pas dépasser cette limite de résolution, car elle est fixée par la longueur d'onde de la lumière visible utilisée pour éclairer la préparation. Les microscopes photoniques grossissent efficacement jusqu'à 1500 fois la taille de l'objet ; au-delà, les images deviennent brouillées. Les perfectionnements apportés à la microscopie photonique depuis le début du siècle ont consisté à améliorer le contraste, c'est-à-dire à mieux faire ressortir des détails déjà distinguables (tableau 7.1).

Découverte par Robert Hooke en 1665 (figure 7.3), la cellule ne révélera pas sa structure fine avant le milieu du XXᵉ siècle. En effet, la plupart des structures cellulaires, ou **organites**, sont invisibles au microscope photonique. La biologie cellulaire a fait un pas de géant dans les années 1950 grâce à l'invention du microscope électronique. Au lieu d'utiliser la lumière visible, le **microscope électronique** fait passer un faisceau d'électrons à travers la préparation (figure 7.4). Le pouvoir de résolution est inversement proportionnel à la longueur d'onde du rayonnement utilisé, et la longueur d'onde des faisceaux d'électrons est de beaucoup inférieure à celle de la lumière visible. Les microscopes électroniques modernes atteignent une limite de résolution d'environ 0,2 nm, soit 1000 fois plus grande que celle du microscope photonique. Les biologistes utilisent l'expression

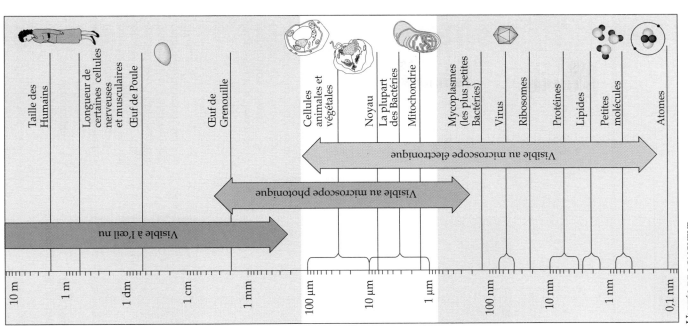

UNITÉS DE LONGUEUR

$1\ dm\ (décimètre) = 10^{-1}\ m$
$1\ cm\ (centimètre) = 10^{-2}\ m$
$1\ mm\ (millimètre) = 10^{-3}\ m$
$1\ \mu m\ (micromètre) = 10^{-6}\ m$
$1\ nm\ (nanomètre) = 10^{-9}\ m$

Figure 7.2
Dimensions comparées des cellules. La plupart des cellules mesurent entre 1 et 100 μm de diamètre, et ne sont par conséquent visibles qu'au microscope. Notez qu'étant donné l'écart entre les dimensions représentées, l'échelle est logarithmique : de haut en bas de l'échelle, chaque mesure indiquée à gauche de la graduation est de 10 fois inférieure à la précédente.

Tableau 7.1 Comparaison entre différentes techniques de microscopie photonique

Technique de microscopie	Micrographies photoniques de cellules épithéliales de la muqueuse buccale	Technique de microscopie
Microscopie à fond clair (échantillon non coloré) : la lumière passe directement à travers l'échantillon ; si la cellule n'est ni naturellement pigmentée ni artificiellement colorée, le contraste est faible.	 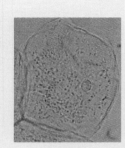	**Microscopie en contraste de phase :** cette technique accentue le contraste dans les cellules non colorées en amplifiant les variations de la masse volumique à l'intérieur de l'échantillon ; elle s'avère particulièrement utile pour l'examen des cellules vivantes non pigmentées.
Microscopie à fond clair (échantillon coloré) : l'utilisation de divers colorants accentue le contraste, mais la plupart des techniques de coloration nécessitent que la cellule soit fixée (rendue inerte par un fixateur).	 	**Microscopie à interférence – contraste de Nomarski :** cette technique amplifie les différences de masse volumique au sein de l'objet, en tirant parti de ses propriétés optiques.
Microscopie à fond noir : la lumière traverse l'échantillon obliquement, et seule la lumière diffusée par les particules est visible.	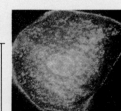 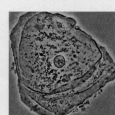	**Microscopie confocale :** cette technique effectue une « coupe optique » à l'aide de lasers et d'instruments d'optique spéciaux. Seules les régions peu profondes, toutes situées au même foyer, sont visibles. Les régions situées au-dessus et au-dessous du plan focal choisi apparaissent noires plutôt que troubles.

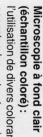 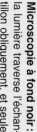 50 μm 50 μm

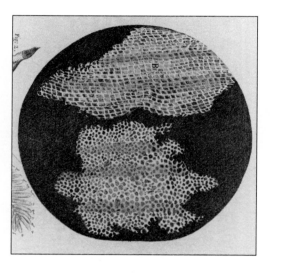

Figure 7.3 En 1665, Robert Hooke dessina la surface d'une coupe de liège qu'il observait au microscope photonique ; il baptisa « cellules » les espaces du réseau.

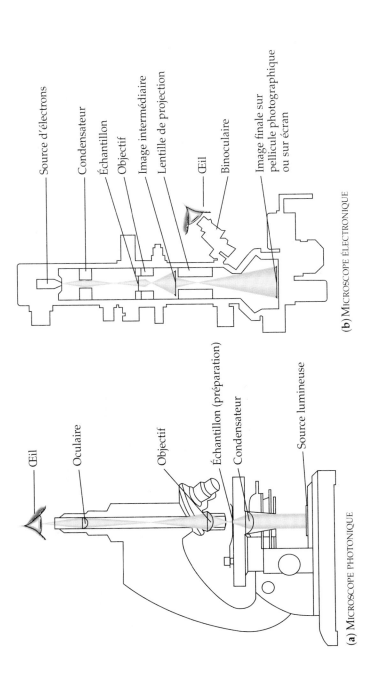

(a) MICROSCOPE PHOTONIQUE

Source d'électrons
Condensateur
Échantillon
Objectif
Image intermédiaire
Lentille de projection
Œil
Binoculaire
Image finale sur pellicule photographique ou sur écran

(b) MICROSCOPE ÉLECTRONIQUE

Figure 7.4
Comparaison entre le microscope photonique et le microscope électronique à transmission. (a) En microscopie photonique, un condensateur de verre concentre la lumière sur l'échantillon ; ensuite, un objectif et un oculaire grossissent l'image et la projettent dans l'œil ou sur une pellicule photographique. **(b)** En microscopie électronique, un faisceau d'électrons (partie supérieure du microscope) remplace la lumière, et des électroaimants se substituent aux lentilles de verre. Un condensateur concentre le faisceau d'électrons sur l'échantillon ; les lentilles de l'objectif et une lentille de projection grossissent l'image, qui apparaît sur écran ou sur pellicule photographique.

Figure 7.5
Micrographies électroniques. (a) Cette micrographie, obtenue à l'aide d'un microscope électronique à transmission (MET), révèle l'ultrastructure superficielle d'une cellule de trachée de Lapin en coupe fine. La portion supérieure montre des organites mobiles appelés cils. Le battement des cils qui tapissent la trachée propulse les débris inhalés jusque dans le pharynx (gorge). **(b)** Le microscope électronique à balayage (MEB) produit une image tridimensionnelle de la même ultrastructure.

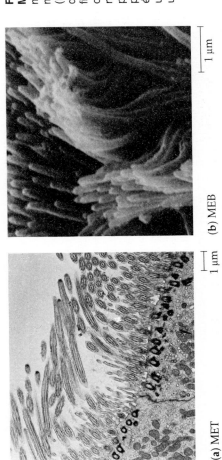

1 μm

(a) MET

1 μm

(b) MEB

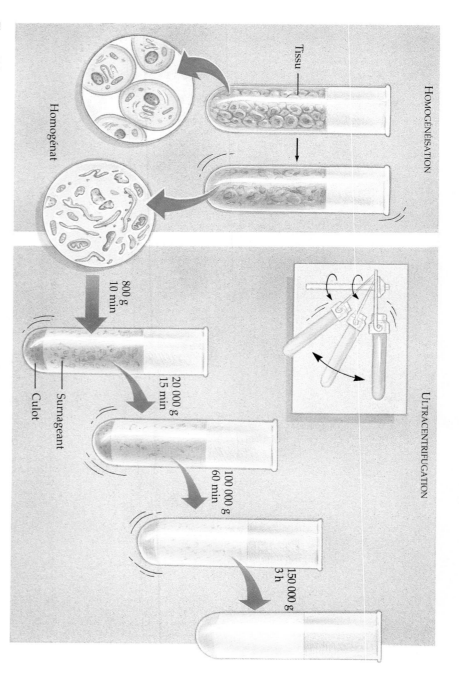

Figure 7.6
Fractionnement cellulaire. Avant de procéder au fractionnement proprement dit, on effectue l'homogénéisation, c'est-à-dire la désintégration d'un tissu et de ses cellules, à l'aide d'un mélangeur de cuisine ou d'ultrasons. On obtient ainsi un homogénat, une « soupe » composée d'organites, de fragments de membrane et de molécules. Ensuite, on centrifuge l'homogénat à des vitesses croissantes afin d'isoler les constituants de taille, de masse volumique et de forme différentes. Une centrifugation lente et brève provoque la sédimentation des plus gros constituants de l'homogénat ; on peut remettre le culot en suspension si on désire l'étudier. La fraction non sédimentée, ou surnageant, est décantée et centrifugée à nouveau, plus rapidement qu'à l'étape précédente. On recommence le processus en augmentant la vitesse et la durée des centrifugations, jusqu'à ce que les très petits organites, voire les grosses molécules, sédimentent. En associant des fractions cellulaires à des processus métaboliques, on peut relier les fonctions aux organites.

ultrastructure cellulaire pour désigner l'anatomie de la cellule que le microscope électronique permet d'observer.

On trouve deux sortes de microscope électronique : le **microscope électronique à transmission (MET)** et le **microscope électronique à balayage (MEB)**. Le premier envoie un faisceau d'électrons à travers une coupe mince de l'échantillon, un peu comme le microscope photonique fait passer la lumière à travers une lame. Au lieu de comporter des lentilles de verre, opaques aux électrons, le microscope électronique à transmission fonctionne au moyen d'électroaimants qui mettent au point et grossissent l'image en déviant la trajectoire des électrons chargés. L'image est finalement projetée sur un écran ou sur une pellicule photographique. Pour accentuer le contraste, on « colore » des coupes très minces des cellules fixées ; cette coloration se fait au moyen d'atomes de métaux lourds qui s'attachent à certains endroits des cellules (figure 7.5a).

Les biologistes privilégient le microscope électronique à balayage pour l'examen détaillé de la surface d'un échantillon (figure 7.5b). Le faisceau d'électrons balaie la surface de l'échantillon, qu'on aura habituellement recouvert d'une mince pellicule d'or moulante. Le faisceau excite les électrons de la pellicule d'or, qui émet alors des électrons secondaires. Ces derniers forment à l'écran une image tridimensionnelle de l'échantillon. Le microscope électronique à balayage se distingue par sa grande profondeur de champ.

Les microscopes électroniques révèlent nombre d'organites qui échappent au microscope photonique. Toutefois, non seulement les méthodes chimiques et physiques de préparation des échantillons utilisées en microscopie électronique tuent-elles les cellules, mais elles peuvent aussi y introduire des artéfacts, c'est-à-dire des caractères structuraux inexistants dans les cellules intactes. C'est pourquoi la microscopie photonique convient mieux à l'étude de la cellule.

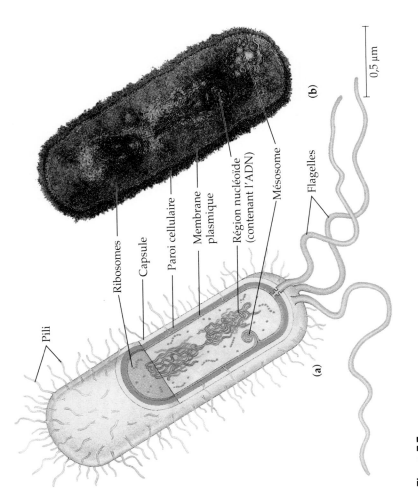

0,5 μm

(b)

Pili

Ribosomes

Capsule

Paroi cellulaire

Membrane plasmique

Région nucléoïde (contenant l'ADN)

Mésosome

Flagelles

(a)

Figure 7.7
La cellule procaryote. Les procaryotes comprennent les Bactéries et les Cyanobactéries. **(a)** Bactérie en forme de bâtonnet typique. Dénuée d'organites membraneux, la cellule procaryote est beaucoup plus simple que la cellule eucaryote. L'ADN se trouve dans la région nucléoïde, et aucune membrane ne le sépare du reste de la cellule. La cellule procaryote comprend un grand nombre de ribosomes, sites de la synthèse protéique. La membrane plasmique de certains procaryotes forme des invaginations appelées mésosomes. La membrane plasmique est elle-même entourée d'une paroi cellulaire relativement rigide et, souvent, d'une capsule gélatineuse. Des flagelles (organites locomoteurs) ou des pili (structures de fixation) émergent de la surface de certaines Bactéries. **(b)** Micrographie électronique d'une coupe mince de la bactérie *Bacillus coagulans* (MET).

Les microscopes de tout genre sont les principaux outils de la **cytologie**, l'étude de la cellule sous tous ses aspects. Cependant, la simple description des divers organites renseigne peu sur leur fonction. La biologie cellulaire moderne s'est par conséquent développée en intégrant la cytologie et la biochimie, c'est-à-dire l'étude du métabolisme et de ses produits. La technique biochimique appelée fractionnement cellulaire a permis d'élargir nos connaissances dans le domaine de la biologie cellulaire.

Fractionnement cellulaire

Le **fractionnement cellulaire** consiste à décomposer les cellules de manière à isoler les principaux organites et à en étudier les fonctions respectives (figure 7.6). La **centrifugeuse,** un instrument capable de tourner à différentes vitesses, sert au fractionnement. Les appareils les plus puissants, appelés **ultracentrifugeuses,** peuvent effectuer jusqu'à 80 000 révolutions par minute et appliquer aux particules des forces jusqu'à 500 000 fois plus grandes que celle de la gravitation.

La première étape du fractionnement est l'homogénéisation, qui désintègre les cellules. On cherche géné-

ralement à briser les cellules sans trop endommager les organites. La centrifugation de l'homogénat donne un culot (une fraction sédimentée) et un surnageant (une fraction non sédimentée). On recueille le culot pour analyse et on décante le surnageant, après quoi on le centrifuge à nouveau. On recommence le procédé en augmentant chaque fois la vitesse de centrifugation, et on recueille des constituants cellulaires de plus en plus petits (voir la figure 7.6).

Le fractionnement permet d'isoler des constituants cellulaires en grande quantité en vue d'étudier leur composition et leur métabolisme. Grâce à cette technique, les biologistes ont réussi à associer les diverses fonctions cellulaires aux différents organites, une tâche qui aurait été infiniment plus ardue avec des cellules intactes. Ainsi, en recueillant par centrifugation une fraction cellulaire contenant des enzymes de la respiration cellulaire et des mitochondries (un type d'organite), les cytologistes ont pu déterminer que la mitochondrie est le site de la respiration cellulaire. Cette déduction a stimulé la recherche sur l'architecture mitochondriale, laquelle, à son tour, a permis d'éclaircir le processus de la respiration cellulaire. La cytologie et la biochimie se complètent

avantageusement, car elles concourent toutes les deux à préciser le lien entre la structure et la fonction cellulaires.

SURVOL DE L'ORGANISATION CELLULAIRE

Cellules procaryotes et eucaryotes

Tous les organismes contemporains se composent soit de cellules procaryotes, soit de cellules eucaryotes. Les cellules procaryotes sont exclusives au règne des Monères, qui comprend les Bactéries, dont font partie les Cyanobactéries (autrefois appelées Algues bleu-vert). Les cellules eucaryotes, elles, composent les organismes des quatre autres règnes: les Protistes, les Végétaux, les Mycètes et les Animaux (voir le chapitre 1). La ligne de démarcation entre les procaryotes et les eucaryotes est la plus franche des divisions au sein de la diversité du vivant.

Ces deux catégories de cellules présentent des différences marquées sur le plan de l'organisation interne. L'une de ces différences se manifeste d'ailleurs dans leurs noms. La **cellule procaryote** n'a pas de noyau véritable (figure 7.7), d'où le mot *procaryote*, qui vient du grec *pro* « avant » et *karion* « noyau ». Son matériel génétique (ADN) est concentré dans une région dite nucléoïde qu'aucune membrane ne sépare du reste de la cellule.

Quant à la **cellule eucaryote** (du grec *eu* « vrai » et *karion*), elle renferme un noyau véritable contenu dans une enveloppe nucléaire constituée de deux membranes. Toute la région comprise entre cette enveloppe nucléaire et la membrane qui entoure la cellule s'appelle **cytoplasme.** Celui-ci se compose d'une matière semi-liquide, le **cytosol,** dans laquelle baignent des organites aux formes et aux fonctions spécialisées. Le cytosol comprend environ 85 % d'eau, des glucides, des lipides, des protéines et diverses sortes d'ARN, le tout conférant au cytosol une certaine viscosité. La plupart des organites contenus dans

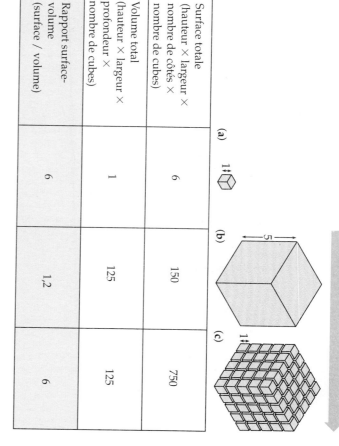

La surface augmente tandis que le volume reste constant

	(a)	(b)	(c)
Surface totale (hauteur × largeur × nombre de côtés × nombre de cubes)	6	150	750
Volume total (hauteur × largeur × profondeur × nombre de cubes)	1	125	125
Rapport surface-volume (surface / volume)	6	1,2	6

Figure 7.8
Pourquoi la plupart des cellules sont-elles microscopiques? Les cellules sont ici représentées par des cubes. **(a)** De façon arbitraire, disons que le côté de cette petite cellule mesure 1 unité de longueur. On peut calculer la surface (en unités carrées), le volume (en unités cubes) et le rapport surface-volume de la cellule. **(b)** Cette cellule dont le côté mesure 5 unités de longueur a un rapport surface-volume moindre que celui de la petite cellule. Le nombre d'échanges chimiques qui pourraient s'effectuer entre le milieu extracellulaire et une cellule de cette taille ne suffirait pas à subvenir aux besoins de la cellule; en effet, la majeure partie du cytoplasme se trouve relativement loin de la membrane plasmique (l'enveloppe de la cellule). **(c)** Si l'on divise la grande cellule en plusieurs petites cellules, on donne à chaque compartiment un rapport surface-volume qui permet à chacune des cellules d'obtenir ses nutriments et d'expulser ses déchets. Cette relation entre la surface et le volume explique pourquoi la plupart des cellules sont microscopiques, et pourquoi les cellules des grands organismes ne sont pas *plus grandes* que celles des petits organismes, mais simplement *plus nombreuses.*

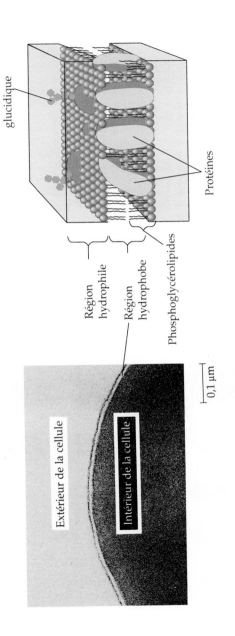

Chaîne latérale glucidique

Protéines

Région hydrophile
Région hydrophobe

Phosphoglycérolipides

Extérieur de la cellule

Intérieur de la cellule

0,1 µm

Figure 7.9
Membrane plasmique. (a) Moyennant un grossissement suffisant, la membrane plasmique apparaît au microscope électronique sous forme de deux traits sombres séparés par une bande claire. Il s'agit ici de la membrane plasmique d'un globule rouge (MET). **(b)** La membrane plasmique et les membranes internes d'une cellule comportent diverses protéines spécialisées incrustées dans une double couche de phosphoglycérolipides. Les fonctions des différentes membranes dépendent des phospho glycérolipides et des protéines qui les composent. Des glucides s'attachent également à la face externe de la membrane plasmique.

la cellule eucaryote n'existent pas dans la cellule procaryote. La présence ou l'absence d'un noyau véritable est donc loin de constituer la seule différence structurale entre les deux types de cellules. Aux chapitres 17 et 25, nous décrirons la cellule procaryote en détail. Au chapitre 26, nous présenterons, dans le contexte de l'évolution, les relations possibles entre les deux types de cellules. La majeure partie du texte qui suit concerne les eucaryotes.

Taille des cellules

La taille, comme d'autres caractéristiques générales de la structure cellulaire, est liée à la fonction. Pour accomplir ses fonctions métaboliques, la cellule ne doit être ni trop petite ni trop grande. Les plus petites cellules connues appartiennent au règne des Bactéries et font partie du genre *Mycoplasma*; leur diamètre varie entre 0,1 et 1,0 µm (voir la figure 7.2). Il s'agit peut-être là du plus petit format qui puisse contenir suffisamment d'ADN pour programmer le métabolisme et suffisamment d'enzymes et d'équipement cellulaire pour accomplir les activités nécessaires au maintien de la vie et à la reproduction. La plupart des Bactéries mesurent de 1 à 10 µm de diamètre et sont donc environ dix fois plus grosses que les Mycoplasmes. Les cellules eucaryotes, elles, ont typiquement un diamètre dix fois plus grand que celui des Bactéries : 10 à 100 µm.

Toujours à cause des nécessités du métabolisme, la cellule ne peut pas non plus avoir une taille trop grande. Lorsqu'un objet d'une forme donnée grossit, son volume augmente plus que sa surface. Entre deux objets de même forme, le plus petit est celui qui présente le plus grand rapport surface-volume.

L'enveloppe extérieure d'une cellule s'appelle **membrane plasmique**. Cette membrane est une sorte de douanier sélectif qui dirige les échanges de substances

chimiques entre la cellule et l'environnement. La membrane laisse passer suffisamment d'oxygène, de nutriments et de déchets pour desservir le volume entier de la cellule. Il y a une limite à la quantité d'une substance donnée qui peut traverser 1 µm² de membrane par seconde. Ainsi, plus la surface (µm²) est grande par rapport au volume, plus les échanges satisfont les besoins cellulaires. Donc, la plupart des cellules sont microscopiques parce qu'il s'agit là de la seule façon de posséder suffisamment de surface par rapport à leur volume pour combler leurs besoins.

Importance de la compartimentation

Malgré leur taille le plus souvent microscopique, les cellules eucaryotes ont des besoins immenses, qui commandent une organisation structurale particulière. Voilà pourquoi elles possèdent des membranes internes qui, à la manière de cloisons, divisent la cellule en compartiments. Ces membranes participent aussi directement au métabolisme cellulaire; beaucoup d'enzymes se trouvent d'ailleurs enchâssées dans les membranes internes. Étant donné que chaque compartiment cellulaire forme une sorte de microenvironnement, des processus incompatibles peuvent se dérouler simultanément dans la cellule.

Bref, les diverses membranes occupent une place fondamentale dans l'organisation complexe de la cellule. En général, les membranes biologiques se composent d'une double couche de phosphoglycérolipides et d'autres lipides associés à diverses protéines (figure 7.9; voir aussi le chapitre 5). Toutefois, qu'il s'agisse de la membrane plasmique ou de la membrane d'un organite cytoplasmique, chaque membrane présente une composition lipidique et protéique conforme à ses fonctions spécifiques. Par exemple, plusieurs enzymes de la respiration

Figure 7.10
Cellule animale. Ce schéma représente les caractéristiques structurales les plus répandues dans les cellules animales. La cellule renferme divers constituants, appelés organites (« petits organes »). Le plus volumineux des organites de la cellule animale est généralement le noyau, qui contient, sous forme d'ADN, les gènes parentaux. Avec ses protéines associées, l'ADN s'organise en structures appelées chromosomes ; entre les périodes de division cellulaire, les chromosomes n'apparaissent pas comme des structures distinctes mais comme un amas diffus appelé chromatine. Le noyau contient aussi un ou plusieurs nucléoles ; leur fonction consiste à produire les ribosomes, sites de la synthèse protéique. Le noyau se trouve dans une enveloppe composée de deux membranes.

La majeure partie des activités métaboliques de la cellule se déroule dans le cytoplasme, lequel occupe toute la région comprise entre le noyau et la membrane plasmique entourant la cellule. Le cytoplasme contient une grande quantité d'organites spécialisées en suspension dans un milieu semi-liquide appelé cytosol. Un peu partout dans le cytoplasme s'étend le réticulum endoplasmique (RE), un labyrinthe de sacs et de tubules aplatis dont le contenu est séparé du cytosol par des membranes. Le réticulum endoplasmique se présente sous deux formes : rugueux (parsemé de ribosomes) et lisse. Les ribosomes attachés aux membranes du réticulum endoplasmique rugueux produisent de nombreuses protéines. Le réticulum endoplasmique joue également un rôle capital dans l'élaboration des autres membranes de la cellule. L'appareil de Golgi, un autre organite membraneux du cytoplasme, se compose d'un empilement de saccules aplatis qui synthétisent, modifient, stockent, trient et sécrètent les produits cellulaires.

Les autres organites entourés de membranes sont : les lysosomes, qui contiennent des enzymes digestives hydrolysant les macromolécules ; les peroxysomes, un groupe d'organites divers contenant des enzymes spécialisées dans l'accomplissement de processus métaboliques précis ; et les vacuoles, qui remplissent diverses fonctions reliées au stockage et au métabolisme. Les mitochondries sont les organites qui produisent de l'ATP à partir de sources d'énergie organiques comme les glucides au cours de la respiration cellulaire.

La cellule contient enfin des structures dénuées de membranes, dont les microtubules et les microfilaments. La charpente formée par ces structures, appelée cytosquelette, confère forme et mobilité à la cellule. La cellule représentée ci-haut porte un flagelle, un organite locomoteur composé de microtubules. Les centrioles, situés près du noyau, se composent eux aussi de microtubules. Ils jouent un rôle important dans la division cellulaire et dans la formation des flagelles.

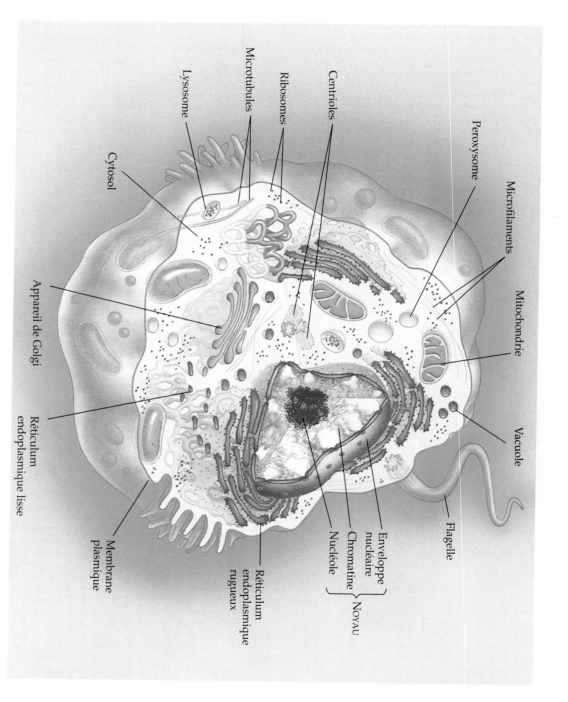

Microfilaments

Lysosome

Microtubules

Ribosomes

Centrioles

Peroxysome

Cytosol

Appareil de Golgi

Réticulum endoplasmique lisse

Mitochondrie

Vacuole

Flagelle

Membrane plasmique

Réticulum endoplasmique rugueux

Nucléole

Chromatine

Enveloppe nucléaire

Noyau

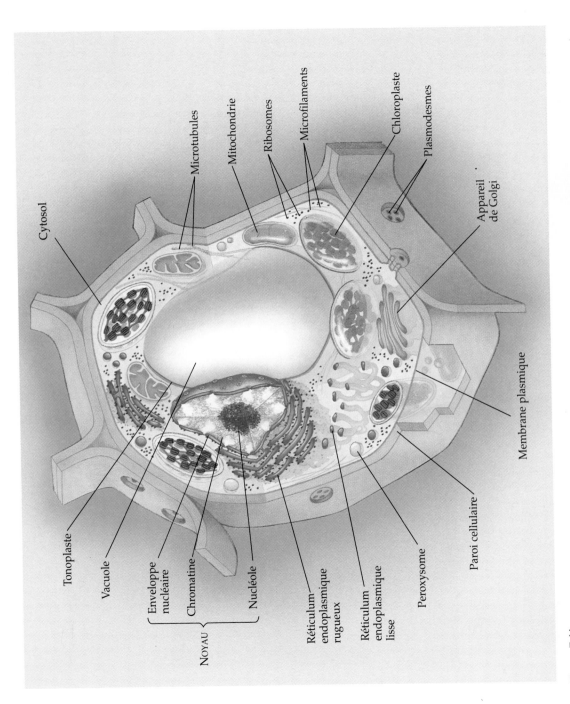

Labels (clockwise): Cytosol · Microtubules · Mitochondrie · Ribosomes · Microfilaments · Chloroplaste · Plasmodesmes · Appareil de Golgi · Membrane plasmique · Paroi cellulaire · Peroxysome · Réticulum endoplasmique lisse · Nucléole · Chromatine · Enveloppe nucléaire · Vacuole · Tonoplaste · Réticulum endoplasmique rugueux · Noyau

Figure 7.11

Cellule végétale. Ce schéma montre une cellule végétale. Comme la cellule animale, elle s'entoure d'une membrane plasmique et contient un noyau, des ribosomes, du réticulum endoplasmique, un appareil de Golgi, des mitochondries, des peroxysomes, des microfilaments et des microtubules. Contrairement à la cellule animale, cependant, la cellule végétale renferme des organites

appelés plastes. Le chloroplaste est un plaste important : il accomplit la photosynthèse, c'est-à-dire qu'il convertit l'énergie solaire en énergie chimique et l'emmagasine sous forme de glucides et d'autres molécules organiques. Beaucoup de cellules végétales, et particulièrement les cellules matures, contiennent une seule vacuole centrale. Ce volumineux organite renferme

des substances chimiques, décompose des macromolécules et, en grossissant, joue un rôle important dans la croissance de la Plante. La membrane de la vacuole se nomme tonoplaste. Finalement, dans une cellule végétale, la membrane plasmique s'entoure d'une épaisse paroi cellulaire qui soutient la forme de la cellule et sert d'amortisseur.

cellulaire sont fixées aux membranes internes des mitochondries. Par conséquent, l'étude des cellules se ramène dans une large mesure à l'étude des membranes et des compartiments fonctionnels (organites) qu'elles délimitent. Les membranes jouent un rôle si important

dans le fonctionnement cellulaire qu'elles font l'objet du chapitre 8.

Avant de poursuivre, examinez les figures 7.10 et 7.11. Elles présentent les divers organites des cellules eucaryotes et vous serviront de plan pour l'exploration que nous

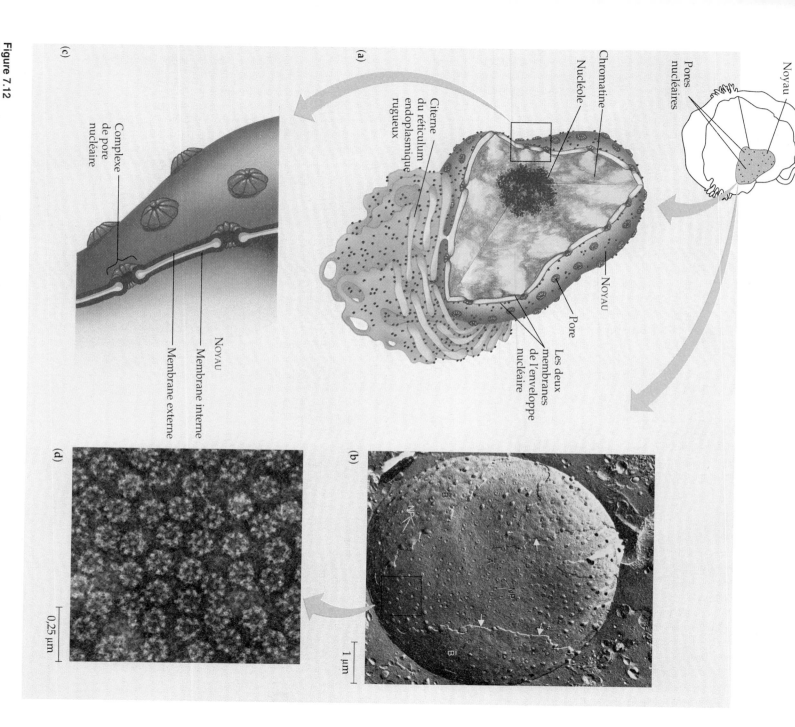

Figure 7.12
Noyau et enveloppe nucléaire. (a) À l'intérieur du noyau, le matériel génétique se trouve dispersé dans la chromatine. On voit aussi une masse sombre plus dense, le nucléole, site de la synthèse des ribosomes. L'enveloppe nucléaire, formée de deux membranes séparées par un espace étroit, est percée de pores. **(b)** Cette micrographie électronique, réalisée après cryodécapage de l'échantillon, montre les nombreux pores nucléaires de l'enveloppe (MET). **(c)** Enveloppe nucléaire. **(d)** Cette micrographie électronique de la face externe de l'enveloppe nucléaire permet de voir que chaque pore s'entoure d'un anneau fait de huit particules protéiques (MET).

(a)

Pores nucléaires

Noyau

Chromatine

Nucléole

Citerne du réticulum endoplasmique rugueux

NOYAU

Pore

Les deux membranes de l'enveloppe nucléaire

(b)

1 μm

(c)

Complexe de pore nucléaire

NOYAU

Membrane externe

Membrane interne

(d)

0,25 μm

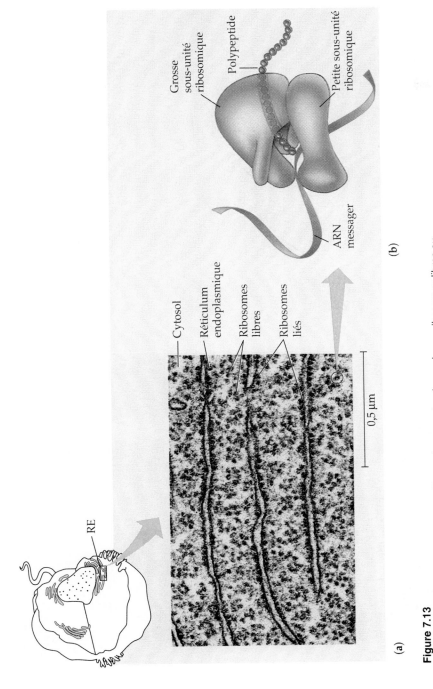

(a)

- Cytosol
- Réticulum endoplasmique
- Ribosomes libres
- Ribosomes liés
- RE

0,5 μm

(b)

- Grosse sous-unité ribosomique
- Polypeptide
- Petite sous-unité ribosomique
- ARN messager

Figure 7.13
Ribosomes. (a) Cette micrographie électronique montre de nombreux ribosomes libres ou liés au réticulum endoplasmique dans une cellule du pancréas (MET). Le pancréas est une glande spécialisée qui assure la sécrétion de certaines protéines, dont les hormones appelées insuline et glucagon dans la circulation sanguine ainsi que les enzymes digestives dans l'intestin. Les ribosomes liés au réticulum endoplasmique (RE) produisent les protéines de sécrétion, tandis que les ribosomes libres synthétisent les protéines qui restent dissoutes dans le cytosol. Les ribosomes libres et liés sont identiques et interchangeables. **(b)** On considère généralement le ribosome comme le plus petit organite. Dénué de membrane, il se compose de deux sous-unités qui ne se réunissent pour synthétiser des protéines qu'au moment où elles s'attachent à une molécule d'ARN messager.

sommes sur le point d'entreprendre. Vous remarquerez que ces figures opposent la cellule animale et la cellule végétale. Les différences entre ces cellules, quoique non négligeables, sont bien moins nombreuses que celles qui séparent les cellules eucaryotes des procaryotes.

Pour commencer notre visite détaillée de la cellule, nous nous arrêterons dans un des organites entourés d'une membrane, le noyau.

NOYAU

Le **noyau** contient la plupart des gènes qui régissent la cellule (les autres se trouvent dans les mitochondries et les chloroplastes). Avec un diamètre moyen de 5 μm, le noyau constitue généralement l'organite le plus visible d'une cellule eucaryote (figures 7.12a et 7.12b à la page 126). Le noyau est entouré de l'**enveloppe nucléaire**, qui sépare son contenu du cytoplasme.

L'enveloppe nucléaire comprend deux membranes séparées par un espace d'environ 20 à 40 nm. La face interne de la membrane interne est étroitement associée à une couche de protéines qui soutient la forme du noyau et qui, croit-on, préserve l'organisation du matériel génétique. L'enveloppe nucléaire comporte des pores dont l'orifice libre mesure de 9 à 10 nm de diamètre (figures 7.11c et 7.11d). À l'embouchure de ces pores, les deux membranes de l'enveloppe nucléaire se rejoignent. Le complexe de pore nucléaire, c'est-à-dire l'orifice et les protéines qui le bordent, présente un diamètre d'environ 100 à 120 nm ; il intervient dans la régulation des transferts de matières entre le noyau et le cytoplasme.

À l'intérieur du noyau se trouvent les **chromosomes** composés d'ADN et de protéines. En dehors des périodes de division cellulaire, les chromosomes sont trop effilés et entremêlés pour qu'on puisse les distinguer individuellement. Au microscope photonique comme au microscope électronique, leur enchevêtrement apparaît comme une masse de matière colorée qu'on appelle **chromatine**. Les chromosomes deviennent distincts seulement lorsqu'ils se condensent et s'épaississent, au moment où le noyau se prépare à la division. Chaque espèce eucaryote possède un nombre caractéristique de chromosomes. La cellule humaine, par exemple, contient 46 chromosomes dans son noyau, exception faite des cellules sexuelles (l'ovule et le spermatozoïde), qui en contiennent seulement 23.

Entre les périodes de division cellulaire, la structure intranucléaire la plus visible est le **nucléole**, lieu de synthèse des ribosomes. Le noyau comprend parfois plus d'un nucléole ; le nombre de nucléoles varie suivant les espèces et les phases du cycle cellulaire. Le nucléole a une forme plus ou moins sphérique ; au microscope électronique, il ressemble à une masse de granules et de fibres fortement colorés. Cette masse renferme des segments de chromosomes porteurs de multiples copies des gènes de la synthèse des ribosomes, ainsi qu'une quantité considérable d'ARN et de protéines représentent des ribosomes à différentes étapes de leur synthèse ; ces segments du nucléole portent le nom d'**organisateurs nucléolaires.** Une cellule en croissance peut produire environ 10 000 ribosomes par minute.

Le noyau régit la synthèse protéique dans le cytoplasme par l'intermédiaire d'un messager moléculaire, l'ARN messager. L'**ARN messager (ARNm)** est synthétisé dans le noyau selon les directives fournies par l'ADN, puis il sort du noyau par les pores pour apporter les messages génétiques dans le cytoplasme. Là, l'ARNm s'attache à des ribosomes, qui traduisent le message génétique pour élaborer la structure primaire d'une protéine (voir la figure 5.30). Nous décrivons ce processus en détail au chapitre 16.

RIBOSOMES

Les **ribosomes** sont les organites qui assemblent les protéines conformément au code génétique. Ils se comptent par milliers dans une cellule bactérienne et par millions dans une cellule hépatique humaine. Les cellules qui présentent une synthèse protéique intense se démarquent par leur grand nombre de ribosomes, ce qui constitue un autre exemple de la corrélation entre la structure et la fonction. De plus, ces cellules renferment de volumineux nucléoles, sites de la synthèse des ribosomes.

Il existe deux sortes de ribosomes (figure 7.13) : les ribosomes *libres*, en suspension dans le cytosol, et les ribosomes *liés*, fixés sur le réseau membraneux formant le réticulum endoplasmique. Les ribosomes libres produisent surtout des protéines qui agissent à l'intérieur du cytosol, et ils sont particulièrement abondants dans les cellules en pleine croissance. Les ribosomes liés, quant à eux, synthétisent des protéines destinées à des organites membraneux ou à l'exportation. Les cellules spécialisées dans la sécrétion de protéines, par exemple les cellules du pancréas et des autres glandes sécrétrices d'enzymes digestives, comportent pour la plupart une forte proportion de ribosomes liés. Liés ou libres, les ribosomes sont structuralement identiques et interchangeables, et la cellule peut adapter leur nombre relatif aux besoins du métabolisme.

Chaque ribosome comprend deux sous-unités. Chez les eucaryotes, les sous-unités ribosomiques sont construites dans le nucléole à partir d'ARN produit dans le nucléole, d'ARN produit ailleurs dans le noyau et de protéines importées du cytoplasme. Les sous-unités ne se réunissent pour former un ribosome actif qu'au moment où elles s'attachent à l'ARN messager, après leur exportation dans le cytoplasme. Le ribosome joue un rôle capital

dans la traduction du message génétique (transporté du noyau au cytoplasme par l'ARNm) et l'élaboration de la structure primaire (séquence d'acides aminés) d'une chaîne polypeptidique. Au chapitre 16, nous fournirons de plus amples détails sur la relation entre l'anatomie et la fonction du ribosome.

Les ribosomes des procaryotes sont plus petits que ceux des eucaryotes, et ils n'ont pas tout à fait la même composition moléculaire. Étant donné l'extrême importance des ribosomes, ces différences témoignent de la profonde dichotomie entre eucaryotes et procaryotes. Elles se répercutent également dans le domaine clinique : certains médicaments paralysent les ribosomes des eucaryotes sans toutefois empêcher les ribosomes des procaryotes de produire des protéines. Ces médicaments peuvent donc servir d'antibiotiques pour combattre les infections bactériennes.

Les antibiotiques n'agissent pas tous à la même étape de la synthèse des protéines. La streptomycine bloque notamment l'initiation de la synthèse des protéines, alors que l'érythromycine empêche la lecture de l'ARNm par une des sous-unités ribosomiques. La tétracycline bloque l'arrivée des acides aminés en se fixant à une sous-unité ribosomique de la Bactérie. Le chloramphénicol, lui, empêche la formation de liaisons entre les acides aminés des polypeptides. On peut modifier la structure de base de tous les antibiotiques, afin d'en créer de nouveaux et de contrer les phénomènes de résistance bactérienne.

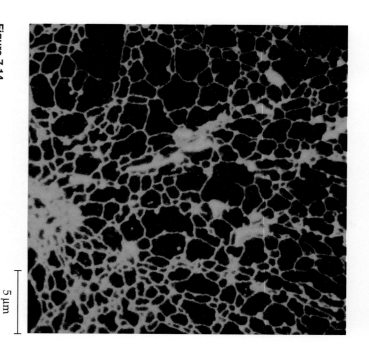

Figure 7.14
Réticulum endoplasmique (RE). Cette microphotographie photonique montre une partie d'une cellule rénale qu'on a traitée au moyen d'un colorant fluorescent afin de faire ressortir le réticulum endoplasmique (en vert). Le traitement au colorant donne un aperçu de l'étendue du réticulum endoplasmique, qui se ramifie dans presque tout le cytoplasme.

5 μm

bolique d'une membrane peuvent changer à plusieurs reprises au cours de la vie d'une cellule. Le réseau intracellulaire de membranes se compose de l'enveloppe nucléaire, du réticulum endoplasmique, de l'appareil de Golgi, des lysosomes, des peroxysomes, de divers types de vacuoles et de la membrane plasmique (qui n'est pas une membrane interne comme celle des autres organites membraneux, mais qui est tout de même liée au réticulum endoplasmique et aux autres membranes internes). Comme nous avons déjà décrit l'enveloppe nucléaire, nous nous pencherons ici sur le réticulum endoplasmique et les autres membranes internes auxquelles il donne naissance.

Réticulum endoplasmique

Le **réticulum endoplasmique (RE)** forme un labyrinthe membraneux si étendu qu'il représente plus de la moitié de toute la substance membraneuse dans beaucoup de cellules eucaryotes (figure 7.14). (Le terme *endoplasmique* signifie « à l'intérieur » du *cytoplasme*, et le terme *réticulum* vient d'un mot latin qui signifie « réseau ».) Le réticulum endoplasmique comprend un réseau de tubules et de sacs membraneux appelés **citernes.** La membrane du réticulum endoplasmique isole du cytosol le contenu des citernes. Et comme elle est en continuité avec l'enveloppe nucléaire, le contenu des citernes communique avec l'espace situé entre les deux membranes de l'enveloppe nucléaire (figure 7.15).

Le réticulum endoplasmique se divise en deux régions qui présentent certaines différences moléculaires et fonctionnelles : le **réticulum endoplasmique rugueux** et le **réticulum endoplasmique lisse.** Le réticulum endoplasmique rugueux doit son aspect granulaire aux ribosomes qui parsèment la face cytoplasmique de sa membrane. On trouve aussi des ribosomes sur la face cytoplasmique de la membrane externe de l'enveloppe nucléaire, laquelle s'unit au réticulum endoplasmique rugueux. Le réticulum endoplasmique lisse ne porte pas de ribosomes sur sa face cytoplasmique.

Fonctions du réticulum endoplasmique lisse Le réticulum endoplasmique lisse participe à divers processus métaboliques, dont la synthèse des lipides, le métabolisme des glucides, ainsi que la détoxication des médicaments, des drogues et des poisons.

Les enzymes du réticulum endoplasmique lisse jouent en effet un rôle important dans la synthèse des graisses, des phosphoglycérolipides, des stéroïdes et d'autres lipides (voir le chapitre 5). Parmi les stéroïdes produits par le réticulum endoplasmique lisse, on compte les hormones sexuelles des Vertébrés et les diverses hormones stéroïdes sécrétées par les glandes surrénales. Les cellules qui synthétisent et sécrètent ces hormones, dans les testicules et les ovaires, par exemple, sont riches en réticulum endoplasmique lisse, une caractéristique structurale conforme à leur fonction.

Le réticulum endoplasmique lisse joue également un rôle dans le métabolisme des glucides. Les cellules hépatiques nous fournissent un bon exemple de ce rôle. Les cellules hépatiques emmagasinent les glucides sous la forme d'un polysaccharide appelé glycogène (voir la

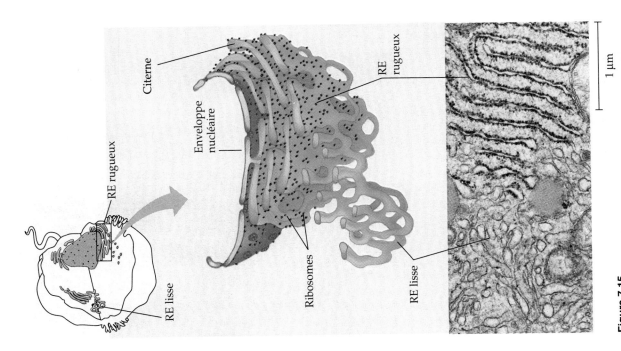

Figure 7.15
Détail de la structure du réticulum endoplasmique. Le réticulum endoplasmique (RE) est un réseau membraneux de tubules et de sacs aplatis appelés citernes. La membrane du réticulum endoplasmique est en continuité avec l'enveloppe nucléaire, ce qui permet des échanges entre les fluides intermembranaires. Cette micrographie électronique permet de distinguer le réticulum endoplasmique rugueux (ou granulaire), parsemé de ribosomes sur sa face cytoplasmique, et le réticulum endoplasmique lisse (MET).

Citerne

Enveloppe nucléaire

RE rugueux

Ribosomes

RE lisse

RE rugueux

RE lisse

1 µm

RÉSEAU INTRACELLULAIRE DE MEMBRANES

Les membranes de la cellule eucaryote constituent le **réseau intracellulaire de membranes.** Ces membranes sont liées de deux façons : ou bien elles sont en continuité les unes avec les autres, ou bien elles s'échangent des portions par l'intermédiaire de vésicules mobiles (sacs membraneux). Toutes les membranes n'ont pas pour autant la même structure et la même fonction. En effet, l'épaisseur, la composition moléculaire et l'activité méta-

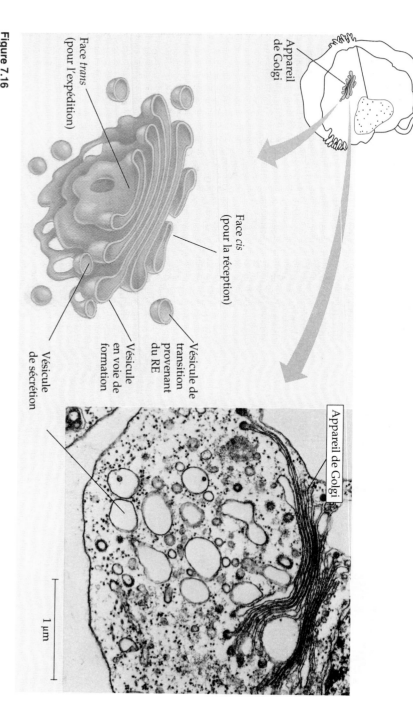

Figure 7.16
Appareil de Golgi. L'appareil de Golgi forme un empilement de saccules membraneux aplatis. Il reçoit les vésicules de transition provenant du réticulum endoplasmique, modifie les matières qu'elles contiennent et les emmagasine pour exportation ultérieure vers la membrane plasmique ou d'autres destinations. Remarquez les vésicules qui commencent à se former aux extrémités de l'appareil, ainsi que les vésicules (de Golgi) libres nouvellement apparues. L'appareil de Golgi présente une polarité structurale et fonctionnelle : il comporte une face *cis*, qui reçoit les vésicules, et une face *trans*, qui les redistribue (à droite, MET).

Appareil de Golgi

Face *trans* (pour l'expédition)

Face *cis* (pour la réception)

Vésicule de transition provenant du RE

Vésicule en voie de formation

Vésicule de sécrétion

Appareil de Golgi

1 µm

figure 5.8). L'hydrolyse du glycogène entraîne la libération de glucose par les cellules hépatiques, un mécanisme important pour la régulation de la glycémie (concentration sanguine de glucose). Toutefois, le premier produit de l'hydrolyse du glycogène est le glucose-1-phosphate, une forme ionique qui ne peut pas sortir tel quel de la cellule et entrer dans le sang. Pour permettre au glucose de sortir de la cellule et d'élever la glycémie, il faut qu'une enzyme accolée à la membrane du réticulum endoplasmique lisse déloge le phosphate du glucose.

Grâce à ses enzymes, le réticulum endoplasmique lisse contribue également à détoxiquer les médicaments, les drogues et les poisons, particulièrement dans les cellules hépatiques. La détoxication consiste à neutraliser la toxicité de certaines substances. Elle se fait habituellement par l'ajout de groupements hydroxyle, qui augmentent la solubilité des substances toxiques et facilitent leur élimination. Le sédatif appelé phénobarbital et d'autres barbituriques font partie des médicaments métabolisés de cette façon par le réticulum endoplasmique lisse des cellules hépatiques. En fait, la consommation de barbituriques, d'alcool et de beaucoup d'autres substances entraîne une prolifération du réticulum endoplasmique lisse et de ses enzymes de détoxication. À cause de cette prolifération, l'organisme acquiert une plus grande tolérance aux substances en question ; autrement dit, le sujet doit ingérer des doses croissantes pour obtenir les mêmes effets. Et comme certaines des enzymes de détoxication ont un spectre d'action relativement étendu, la prolifération du réticulum endoplasmique lisse consécutive à la consommation d'une substance peut aussi accroître la tolérance à d'autres substances. La consommation excessive de barbituriques, par exemple, peut diminuer l'efficacité de certains antibiotiques et d'autres médicaments.

Enfin, mentionnons que le réticulum endoplasmique lisse remplit une autre fonction spécialisée dans les cellules musculaires. Sa membrane extrait des ions calcium du cytosol et les accumule dans les citernes. Quand un influx nerveux stimule une cellule musculaire, le calcium retraverse la membrane du réticulum endoplasmique, pénètre dans le cytosol et déclenche la contraction musculaire.

Fonctions du réticulum endoplasmique rugueux Le réticulum endoplasmique rugueux produit des protéines que beaucoup de cellules spécialisées sécrètent (voir la figure 7.13). Certains globules blancs des Vertébrés, par exemple, sécrètent des anticorps (protéines spécifiques).

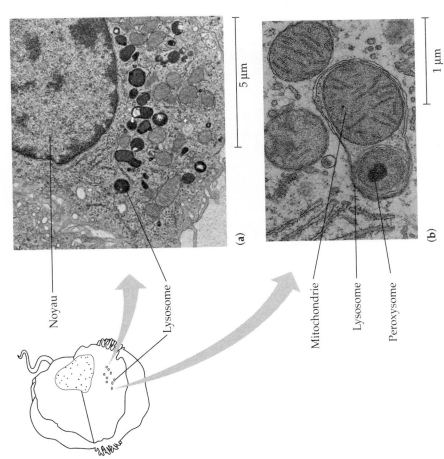

Figure 7.17
Lysosomes. (a) Les lysosomes de ce globule blanc du Rat sont très sombres parce que le colorant utilisé réagit avec l'un des produits de digestion contenus dans les lysosomes (MET). Ce genre de globule blanc englobe les agresseurs bactériens ou viraux et les détruit dans ses lysosomes. **(b)** Dans le cytoplasme de cette cellule hépatique, on peut voir un lysosome autophagique qui a englobé deux organites défectueux, en l'occurrence une mitochondrie et un peroxysome (MET).

Noyau

Lysosome

(a)

5 µm

Mitochondrie

Lysosome

Peroxysome

(b)

1 µm

Les protéines destinées à devenir des produits de sécrétion sont synthétisées par les ribosomes attachés au réticulum endoplasmique rugueux. Lorsqu'un ribosome synthétise une chaîne polypeptidique, celle-ci pénètre la membrane du réticulum endoplasmique, vraisemblablement par un pore. En entrant dans la citerne, la protéine se replie et prend sa configuration native. Puis, avec l'aide d'enzymes enchâssées dans la membrane du réticulum endoplasmique, elle s'unit à un petit polysaccharide par covalence pour devenir une **glycoprotéine**, comme la plupart des protéines sécrétées.

Une fois les protéines de sécrétion formées, la membrane du réticulum endoplasmique les isole des protéines produites par les ribosomes libres qui, elles, resteront dans le cytosol. Les protéines de sécrétion quittent le réticulum endoplasmique emballées dans des **vésicules de transition** qui se détachent d'une région spécialisée appelée **réticulum endoplasmique de transition.**

En plus de participer à la production de protéines de sécrétion, le réticulum endoplasmique rugueux synthétise lui-même ses membranes en jumelant des protéines et des phosphoglycérolipides. Certaines protéines, nouvellement formées par les ribosomes, s'insèrent dans la membrane du réticulum endoplasmique et s'y ancrent par leurs parties hydrophobes. Le réticulum endoplasmique produit également ses propres phosphoglycérolipides ; des enzymes attachées à sa membrane assemblent les phosphoglycérolipides à partir de matériaux extraits du cytosol. Ainsi, grâce à l'agencement

de protéines adéquates et de phosphoglycérolipides, le réticulum endoplasmique fait proliférer sa membrane ; ce nouveau matériel peut aussi être transféré, sous la forme de vésicules de transition, à d'autres organites comportant des membranes.

Appareil de Golgi

À leur sortie du réticulum endoplasmique, beaucoup de vésicules de transition se dirigent vers l'**appareil de Golgi**. On peut comparer l'appareil de Golgi à un centre de fabrication, d'affinage, d'entreposage, de triage et d'expédition. Les produits du réticulum endoplasmique y sont modifiés légèrement et activés, entreposés, puis envoyés vers différentes destinations. Comme vous l'aurez peut-être deviné, l'appareil de Golgi est particulièrement étendu dans les cellules spécialisées dans la sécrétion.

Composé de saccules aplatis, l'appareil de Golgi ressemble à une pile de pains pita (figure 7.16). L'appareil de Golgi d'une cellule peut contenir plusieurs empilements reliés en réseau. Chacun des saccules s'entoure d'une membrane qui sépare son contenu du cytosol. Les *vésicules de sécrétion*, concentrées au voisinage de l'appareil de Golgi, véhiculent des matières entre l'appareil de Golgi et d'autres structures cellulaires.

L'appareil de Golgi présente généralement une nette polarité : les membranes des saccules situés aux extrémités opposées d'un empilement n'ont ni la même épaisseur ni

Chapitre 7 : Exploration de la cellule **131**

Figure 7.18
Formation et fonction des lysosomes.

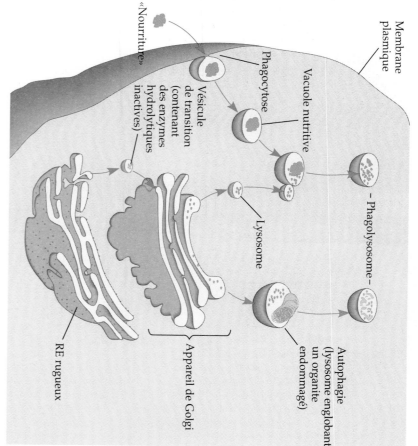

Les lysosomes digèrent les matières absorbées par la cellule et recyclent les déchets intracellulaires. Durant la phagocytose, la cellule enferme la «nourriture» dans une vacuole formée par invagination de la membrane plasmique. Cette vacuole nutritive (ou phagosome) fusionne avec un lysosome (ce qui forme un phagolysosome), et les enzymes hydrolytiques digèrent le contenu. Après l'hydrolyse des macromolécules, les divers monomères traversent la membrane lysosomiale et entrent dans le cytosol, où ils servent de nutriments pour la cellule. L'autophagie est un processus de recyclage des constituants moléculaires des organites. Le réticulum endoplasmique et l'appareil de Golgi concourent à produire des lysosomes contenant des enzymes actives, bien que certains lysosomes se détachent directement de régions spécialisées du réticulum endoplasmique sans passer dans l'appareil de Golgi.

Labels de la figure: Membrane plasmique — Phagolysosome — Vacuole nutritive — Phagocytose — «Nourriture» — Vésicule de transition (contenant des enzymes hydrolytiques inactives) — Lysosome — Autophagie (lysosome englobant un organite endommagé) — Appareil de Golgi — RE rugueux

la même composition moléculaire. Les deux pôles d'un emplacement s'appellent **face cis** et **face trans**; ils ont respectivement pour fonction de recevoir et d'expédier les matières. La face *cis* est habituellement convexe et située près du réticulum endoplasmique; elle reçoit ses vésicules de transition. Après s'être détachées du réticulum endoplasmique, les vésicules de transition incorporent leur membrane et leur contenu à la face *cis* en fusionnant avec la membrane du saccule. La face *trans*, généralement concave, donne naissance à des vésicules de sécrétion qui s'acheminent vers d'autres sites.

En général, les produits des vésicules de transition du réticulum subissent une modification au cours de leur transit entre la face *cis* et la face *trans* de l'appareil de Golgi. Les protéines et les phospholipides des membranes formant ces vésicules peuvent également subir une transformation. La partie glucidique des glycoprotéines, en particulier, est modifiée par diverses enzymes de l'appareil de Golgi. Au moment où ils s'ajoutent aux protéines, dans le réticulum endoplasmique, les polysaccharides des glycoprotéines sont identiques. L'appareil de Golgi, toutefois, déloge certains monomères de ces polysaccharides et les remplace par d'autres, produisant ainsi des polysaccharides différents. En plus de faire ce travail de finition, l'appareil de Golgi fabrique lui-même certaines macromolécules. Beaucoup de polysaccharides sécrétés par les cellules sont des produits de l'appareil de Golgi, par exemple l'acide hyaluronique, une substance collante qui concourt à l'adhérence entre les cellules animales. Les produits de l'appareil de Golgi destinés à la sécrétion quittent la face *trans* dans la lumière (cavité) des vésicu-

les de sécrétion, qui fusionneront ultérieurement avec la membrane plasmique.

L'appareil de Golgi élabore et affine ses produits par étapes; ces étapes correspondent aux différents saccules compris entre la face *cis* et la face *trans*, qui renferment chacun des enzymes particulières. Ce sont les vésicules qui s'occupent de faire passer les produits par les saccules successifs.

Fonction de triage de l'appareil de Golgi Avant d'émettre des vésicules de sécrétion par sa face *trans*, l'appareil de Golgi doit trier ses produits et déterminer leur destination. Il se pourrait que ce triage soit facilité par une sorte d'apposition d'étiquettes moléculaires comme des groupements phosphate et des polysaccharides spécifiques. On croit aussi que les vésicules de sécrétion provenant de l'appareil de Golgi portent des molécules externes qui reconnaissent les sites récepteurs spécifiques à la surface des organites.

Lysosomes

Un **lysosome** est un sac membraneux rempli d'enzymes hydrolytiques qui digèrent les protéines, les polysaccharides, les lipides et les acides nucléiques (figure 7.17); il s'agit d'un organite animal et non végétal. Ses enzymes ont une efficacité maximale en milieu acide, à pH 5 environ. Pour maintenir ce faible pH lysosomial, la membrane lysosomiale extrait des protons du cytosol et les envoie dans la lumière du lysosome. Si un lysosome fuit ou se désagrège, ses enzymes deviennent inactives dans le milieu neutre du cytosol. Néanmoins, une fuite excessive

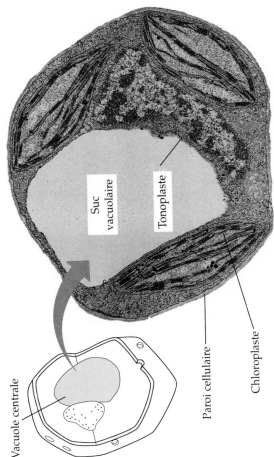

Figure 7.19

Vacuole de la cellule végétale. La vacuole centrale occupe 80 % ou plus du volume d'une cellule végétale mature et en constitue habituellement le plus grand compartiment. Le cytoplasme est généralement confiné dans une zone étroite entre la vacuole et la membrane plasmique. La membrane entourant la vacuole, le tonoplaste, sépare le cytosol du suc vacuolaire contenu dans la vacuole. Comme toutes les membranes cellulaires, le tonoplaste transporte les solutés de manière sélective ; par conséquent, le suc vacuolaire n'a pas la même composition que le cytosol. La vacuole sert au stockage, à l'élimination des déchets, à l'hydrolyse, à la protection et à la croissance (MET).

Vacuole centrale

Suc vacuolaire

Tonoplaste

Paroi cellulaire

Chloroplaste

5 µm

---

d'enzymes, par plusieurs lysosomes à la fois, peut détruire une cellule. Voilà un autre exemple démontrant l'importance de la compartimentation de la cellule. Le lysosome met la cellule à l'abri des dommages que causeraient les enzymes hydrolytiques si elles circulaient librement dans le cytosol.

Les enzymes hydrolytiques et la membrane du lysosome sont produites par le réticulum endoplasmique rugueux, puis transférées séparément dans l'appareil de Golgi où leur traitement se poursuit. Il semble que les lysosomes se forment par bourgeonnement à la face *trans* de l'appareil de Golgi. Les protéines de la face interne de la membrane du lysosome ainsi que les enzymes digestives elles-mêmes échappent à l'autodestruction grâce à leur conformation tridimensionnelle, qui protège leurs liaisons contre l'activité enzymatique.

La fonction de digestion intracellulaire des lysosomes entre en jeu dans diverses circonstances. Les Amibes et beaucoup d'autres Protozoaires se nourrissent en englobant de petits organismes et d'autres particules alimentaires, un processus appelé **phagocytose.** La vacuole nutritive (ou phagosome) ainsi formée fusionne avec un lysosome cytoplasmique, qui en digère le contenu grâce à ses enzymes (figure 7.18). L'organite constitué par la fusion d'une vacuole nutritive avec un lysosome s'appelle un phagolysosome. La phagocytose s'observe aussi dans certaines cellules humaines, notamment chez les globules blancs qui englobent les Bactéries et les substances étrangères.

Le lysosome a aussi pour fonction de recycler la matière organique intracellulaire, un processus appelé autophagie. Pour effectuer ce recyclage, le lysosome englobe un organite ou un peu de cytosol (voir la figure 7.17b). Puis, à l'aide de ses enzymes, il décompose la matière organique ingérée en monomères qui peuvent alors retourner dans le cytosol pour être réutilisés. Grâce à l'autophagie, la cellule se renouvelle sans cesse. Une cellule hépatique humaine, par exemple, recycle la moitié de ses macromolécules chaque semaine.

La destruction programmée des cellules par leurs propres lysosomes est une étape importante dans le développement de nombreux organismes. Lors de la métamorphose du têtard en adulte, par exemple, des lysosomes détruisent les cellules de la queue. De même, les mains de l'embryon humain demeurent palmées jusqu'à ce que les lysosomes digèrent les tissus qui relient les doigts.

Lysosomes et maladies humaines Les maladies de surcharge comprennent un groupe de troubles héréditaires qui perturbent le métabolisme lysosomial. Les maladies de surcharge se caractérisent par l'absence d'une des enzymes hydrolytiques actives normalement présentes dans les lysosomes. Chez la personne atteinte d'une maladie de surcharge, les lysosomes s'engorgent de substrats non utilisables, ce qui nuit aux autres fonctions cellulaires. La glycogénose, par exemple, se caractérise par l'absence d'une enzyme lysosomiale nécessaire à la décomposition du glycogène et entraîne une accumulation de ce polysaccharide dans le foie. Dans la maladie de Tay-Sachs, une lipase (enzyme digérant les lipides) est absente ou inactive, et l'accumulation de lipides dans les cellules entrave le fonctionnement du cerveau. Heureusement, les maladies de surcharge sont rares. La recherche indique qu'on pourra un jour les traiter en injectant dans le sang les enzymes manquantes ; marquées par des molécules spécifiques, ces enzymes pourront s'incorporer aux cellules et fusionner avec les lysosomes. On pourra peut-être aussi traiter ces maladies directement en introduisant les gènes (ADN) de l'enzyme manquante dans les cellules appropriées (voir le chapitre 19).

Vacuoles

Les vacuoles et les vésicules sont toutes deux des sacs intracellulaires contenus dans une membrane. Plus grosses que les vésicules, les vacuoles ont diverses fonctions. Nous avons déjà traité des **vacuoles nutritives,** ou

Figure 7.20
Relations entre les membranes. Bien que chaque membrane présente une composition moléculaire et une fonction uniques, les organites membraneux sont reliés entre eux soit par contact direct, soit par transfert de vésicules. Le transfert de vésicules s'effectue comme suit : des vésicules se forment par bourgeonnement sur la membrane d'un organite et vont fusionner avec la membrane d'un autre organite ou avec la membrane plasmique. Dans ce schéma, la lumière du réticulum endoplasmique et ses dérivés sont de la même couleur (bleu) que l'*extérieur de la cellule*, pour indiquer que ces régions sont reliées.

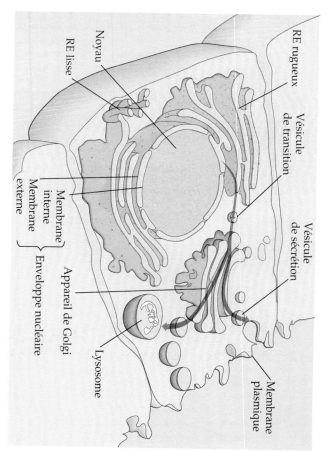

RE rugueux
RE lisse
Noyau
Vésicule de transition
Vésicule de sécrétion
Membrane interne
Membrane externe
Enveloppe nucléaire
Appareil de Golgi
Lysosome
Membrane plasmique

phagosomes, formées lors de la phagocytose, et des **phagolysosomes** formés par la fusion d'un lysosome et d'une vacuole nutritive (voir la figure 7.18). Mais les fonctions des vacuoles ne s'arrêtent pas là. Beaucoup de Protistes d'eau douce possèdent des **vacuoles contractiles** qui expulsent l'excès d'eau de la cellule. Les cellules végétales matures contiennent généralement une grande **vacuole centrale** entourée d'une membrane, le **tonoplaste** (figure 7.19).

La vacuole de la cellule végétale est un compartiment polyvalent. Tout d'abord, elle sert à emmagasiner des composés organiques. Par exemple, dans les cellules nutritives des graines produites par une Plante, la vacuole renferme des réserves de protéines. La vacuole constitue aussi le principal réservoir d'ions inorganiques tels que les ions potassium et chlorure dans une cellule végétale. Contrairement à la cellule animale, la cellule végétale ne renferme généralement pas de lysosomes spécialisés ; c'est la vacuole qui fait office de compartiment lysosomial. En effet, la vacuole de la cellule végétale contient des enzymes hydrolytiques qui dégradent les macromolécules emmagasinées et recyclent les constituants moléculaires provenant des organites. Dans beaucoup de cellules végétales, la vacuole sert aussi à l'isolement des sous-produits du métabolisme qui deviendraient nocifs s'ils s'accumulaient dans le cytoplasme. Certaines vacuoles contiennent des pigments, tels les pigments rouges et bleus qui attirent les Insectes pollinisateurs vers les pétales des fleurs. Les vacuoles peuvent aussi protéger la Plante contre les prédateurs, car elles renferment parfois des composés toxiques ou désagréables au goût. La vacuole joue un rôle primordial dans la croissance de la cellule végétale. En absorbant de l'eau, elle provoque l'allongement de la cellule, qui s'agrandit alors tout en s'épargnant la production de nouveau cytoplasme. Et comme le cytoplasme se trouve refoulé entre la membrane plasmique et le tonoplaste, le rapport entre la surface membranaire et le volume cytoplasmique reste élevé, même dans une cellule végétale de grande dimension.

La grande vacuole d'une cellule végétale naît de la fusion de petites vacuoles, elles-mêmes dérivées du réticulum endoplasmique et de l'appareil de Golgi.

Résumé des relations entre les membranes

Par l'intermédiaire des vésicules de transport ou, dans certains cas, par contact direct, tous les consti-

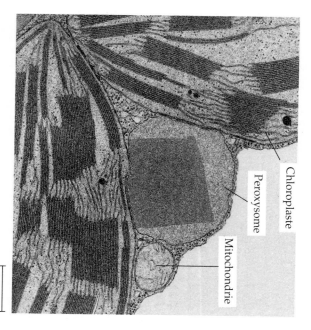

Chloroplaste
Peroxysome
Mitochondrie
0,5 μm

Figure 7.21
Peroxysomes. Les peroxysomes mesurent entre 0,15 et 1,2 μm environ. Ils ont généralement une forme sphérique. Ils présentent souvent une matrice granulaire ou cristalline formée, croit-on, par un amas d'enzymes. Ce peroxysome appartient à une cellule de feuille. Notez que le peroxysome est étroitement associé à des mitochondries et à des chloroplastes, avec lesquels il coopère pour l'accomplissement de certaines fonctions métaboliques (MET).

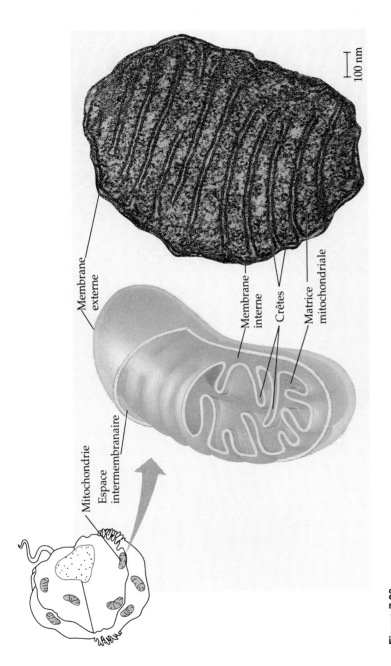

Figure 7.22
Mitochondrie. La double membrane de la mitochondrie apparaît clairement sur cette illustration et sur cette micrographie électronique (MET). Les crêtes sont formées par les replis de la membrane interne. L'illustration en trois dimensions fait ressortir les deux compartiments que les membranes délimitent : l'espace intermembranaire et la matrice mitochondriale.

tuants membraneux de la cellule sont liés. L'enveloppe nucléaire constitue un prolongement du réticulum endoplasmique rugueux, qui est lui-même rattaché au réticulum endoplasmique lisse. La membrane produite par le réticulum endoplasmique, sous la forme de vésicules de transition, s'achemine vers l'appareil de Golgi. À son tour, l'appareil de Golgi émet des vésicules de sécrétion qui donnent naissance aux lysosomes et au tonoplaste de la vacuole végétale. Même la membrane plasmique croît par fusion de vésicules formées dans le réticulum endoplasmique et l'appareil de Golgi (figure 7.20) (La fusion des vésicules de sécrétion avec la membrane plasmique libère aussi des produits cellulaires, telles des protéines, à l'extérieur de la cellule.) Au cours du trajet qui mène les vésicules du réticulum endoplasmique vers l'appareil de Golgi puis vers d'autres destinations, leur membrane change de composition moléculaire et de fonction métabolique.

PEROXYSOMES

Les **peroxysomes** sont des compartiments métaboliques spécialisés délimités par une membrane simple (figure 7.21). Ils contiennent des enzymes qui transfèrent l'hydrogène de divers substrats à l'oxygène. Ils doivent leur nom au sous-produit de ce transfert, le peroxyde d'hydrogène (ou dioxyde de dihydrogène, H_2O_2). Les peroxysomes ont diverses fonctions. Certains utilisent l'oxygène pour décomposer les lipides en petites molécules qui serviront de sources d'énergie pour la res-

piration cellulaire dans les mitochondries. Les peroxysomes des cellules hépatiques détoxiquent l'alcool et d'autres composés nocifs en transférant l'hydrogène de ces substances à l'oxygène libre. Le peroxyde d'hydrogène formé par le métabolisme du peroxysome est lui-même toxique, mais l'organite contient une enzyme qui le convertit en eau. Renfermant à la fois les enzymes qui produisent le peroxyde d'hydrogène et l'enzyme qui l'élimine, le peroxysome est un autre exemple éloquent de l'adéquation entre structure et fonction dans la cellule.

Dans les graines en germination, les tissus riches en lipides contiennent des peroxysomes spécialisés. Ces organites renferment des enzymes qui déclenchent la conversion des lipides en glucides, un processus qui fournit de l'énergie au jeune plant jusqu'à ce qu'il soit en mesure de produire lui-même ses glucides par photosynthèse.

Contrairement aux lysosomes, les peroxysomes ne proviennent pas des organites membraneux du cytoplasme. Ils se forment en incorporant des protéines et des lipides produits dans le cytosol, et ils se multiplient par scissiparité (division en deux parties égales) quand ils atteignent une certaine taille.

CONVERSION DE L'ÉNERGIE PAR LES MITOCHONDRIES ET LES CHLOROPLASTES

Les mitochondries et les chloroplastes sont des organites qui convertissent l'énergie en des formes utilisables par la

Mitochondries

On trouve des **mitochondries** dans presque toutes les cellules eucaryotes. Certaines cellules ne contiennent qu'une seule grosse mitochondrie, mais la plupart des cellules en comportent des centaines, voire des milliers. Le nombre de mitochondries dépend généralement de l'activité métabolique de la cellule. Les mitochondries mesurent de 1 à 10 μm de longueur environ.

L'enveloppe qui entoure la mitochondrie contient deux membranes; chacune de ces membranes se compose d'une double couche de phospholipides dans laquelle s'enchâsse un assemblage unique de protéines (figure 7.22). La membrane externe est lisse, mais la membrane interne est repliée sur elle-même et forme des **crêtes**. Les membranes mitochondriales divisent la mitochondrie en deux compartiments: l'espace intermembranaire, situé entre la membrane interne et la membrane externe, et la **matrice mitochondriale,** située dans l'espace délimité par la membrane interne. Plusieurs des étapes métaboliques de la respiration cellulaire se déroulent dans la matrice, où diverses enzymes sont concentrées. D'autres protéines nécessaires à la respiration cellulaire, dont l'enzyme qui produit l'ATP, sont intégrées à la membrane interne. Les crêtes de la membrane mitochondriale interne multiplient la surface consacrée à la respiration cellulaire, un autre exemple de corrélation entre la structure et la fonction.

Chloroplastes

Le chloroplaste est un membre spécialisé d'une famille d'organites végétaux appelés **plastes**. Les *amyloplastes* (aussi appelés leucoplastes) sont des plastes incolores qui renferment de l'amidon, particulièrement dans les racines et les tubercules. Les *chromoplastes*, eux, élaborent les pigments qui donnent aux fruits et aux fleurs leurs teintes orangées et jaunes. Quant aux **chloroplastes,** ils contiennent le pigment vert appelé chlorophylle ainsi que d'autres pigments, des enzymes, de l'ADN, de

cellule. Les mitochondries sont le site de la respiration cellulaire, ce processus catabolique complexe qui, à l'aide d'oxygène, produit de l'ATP en extrayant l'énergie des glucides, des lipides et d'autres substances. Les chloroplastes, propres aux Végétaux et à certains Protistes, convertissent l'énergie solaire en énergie chimique; avec la lumière qu'ils absorbent, ils alimentent la synthèse de composés organiques à partir de dioxyde de carbone et d'eau. Rappelez-vous que la cellule est un système ouvert: les mitochondries et les chloroplastes exploitent l'énergie provenant du milieu où vit la cellule.

Les protéines membranaires des mitochondries et des chloroplastes proviennent des ribosomes qu'ils contiennent et des ribosomes libres du cytosol, et non pas du réticulum endoplasmique rugueux. En plus de posséder des ribosomes, les mitochondries et les chloroplastes renferment une petite quantité d'ADN qui programme la synthèse de certaines de leurs protéines. (Néanmoins, la plupart de leurs protéines se forment dans le cytosol et sont programmées par l'ARN messager provenant des gènes du noyau.) Les mitochondries et les chloroplastes sont des organites semi-autonomes qui croissent et se reproduisent à l'intérieur de la cellule. Nous aborderons leur fonctionnement aux chapitres 9 et 10, et leur évolution au chapitre 26.

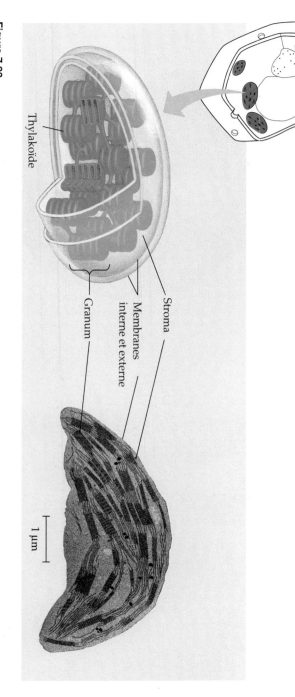

Figure 7.23
Chloroplaste. Le chloroplaste est le site de la photosynthèse. Comme dans le cas de la mitochondrie, l'enveloppe qui l'entoure se compose de deux membranes séparées par un espace intermembranaire étroit. La membrane interne retient un liquide, le stroma, dans lequel baigne un troisième compartiment possédant sa propre membrane, le thylakoïde. Les empilements de thylakoïdes se nomment grana. Les thylakoïdes d'un granum communiquent avec les autres grana au moyen du prolongement de certains thylakoïdes à travers le stroma (MET).

Thylakoïde

Granum

Stroma

Membranes interne et externe

1 μm

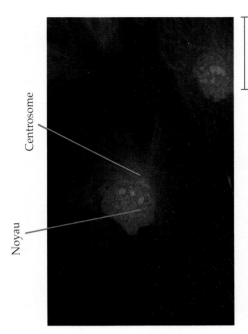

Figure 7.25
Centrosome (centre organisateur des microtubules). Un colorant fluorescent révèle les microtubules (en vert) qui rayonnent du centrosome situé juste à côté du noyau (en orangé). Ces cellules sont des fibroblastes humains, et elles produisent les fibres extracellulaires du cartilage et d'autres tissus conjonctifs (MP).

nous verrons comment cette compartimentation permet au chloroplaste de convertir l'énergie lumineuse en énergie chimique pendant la photosynthèse.

CYTOSQUELETTE

On appelle **cytosquelette** le réseau de fibres qui parcourt le cytoplasme. Sa fonction consiste à apporter un soutien mécanique à la cellule et à lui conserver sa forme (figure 7.24 ; voir aussi la figure 7.1). Cette fonction revêt une importance particulière pour la cellule animale dépourvue de paroi : en s'ancrant au cytosquelette, les organites et certaines enzymes cytoplasmiques restent en place. Par ailleurs, le cytosquelette permet à la cellule de changer de forme ; comme un échafaudage, il peut se démonter dans une partie de la cellule et se remonter ailleurs. Le cytosquelette joue aussi un rôle dans la mobilité, qu'il s'agisse du mouvement de la cellule entière ou de celui d'organites à l'intérieur de la cellule. Les fibres du cytosquelette constituent non seulement l'«ossature» de la cellule, mais aussi sa «musculature». Certains composants du cytosquelette agitent des cils et des flagelles ou permettent aux cellules musculaires de se contracter. Le cytosquelette sert également à prolonger des **pseudopodes** («faux pieds») de l'Amibe (un Protozoaire) et à produire le courant cytoplasmique (la cyclose) dans plusieurs grosses cellules végétales. Le cytosquelette fournit les «monorails» sur lesquels voyagent les vésicules, et ses constituants contractiles manipulent la membrane plasmique pour former les vacuoles nutritives au cours de la phagocytose.

Le cytosquelette comprend au moins trois sortes de fibres (tableau 7.2). Des plus épaisses aux plus minces, il s'agit des **microtubules,** des **filaments intermédiaires** et des **microfilaments** (aussi appelés filaments d'actine).

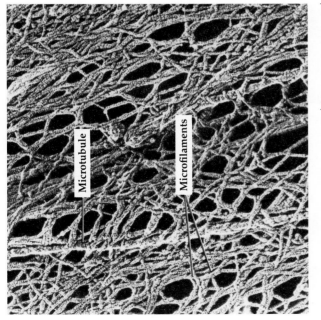

Figure 7.24
Cytosquelette. Le cytosquelette soutient la cellule, ancre certains organites, dirige les mouvements de quelques autres et, dans certains cas, permet à la cellule entière de changer de forme ou de se déplacer. Cette micrographie électronique, réalisée après ombrage de l'échantillon, montre des microtubules et des microfilaments. Les troisièmes constituants du cytosquelette, les filaments intermédiaires, n'apparaissent pas ici.

l'ARN, des ribosomes et d'autres molécules nécessaires à la photosynthèse ; de ce fait, les chloroplastes ont une certaine autonomie, comme les mitochondries, et peuvent synthétiser des protéines. Les chloroplastes sont biconvexes, mesurent environ 2 μm sur 5 μm et se trouvent dans les feuilles et dans les autres organes verts des Végétaux, de même que chez les Algues (figure 7.23).

Les chloroplastes, les amyloplastes et les chromoplastes naissent des *protoplastes* présents dans les cellules non spécialisées. Au cours de la croissance de la Plante, le sort des protoplastes dépend de la situation des cellules et du milieu dans lequel elles vivent. Par exemple, un protoplaste ne devient un chloroplaste que s'il est exposé à la lumière. (Remarquez que les chloroplastes peuvent aussi provenir de la division de chloroplastes existants.) Dans certaines conditions, les plastes matures changent d'identité. Lorsqu'un fruit mûrit, par exemple, les chloroplastes de ses tissus verts se transforment en chromoplastes non photosynthétiques qui produisent la couleur caractéristique du fruit à maturité.

Le contenu d'un chloroplaste est isolé du cytosol par deux membranes séparées par un espace intermembranaire très mince. À l'intérieur du chloroplaste se trouve un autre réseau membraneux organisé en sacs aplatis, les **thylakoïdes.** Dans certaines régions du chloroplaste, les thylakoïdes sont empilés comme des jetons de poker et forment des structures appelées **grana** (granum au singulier). Le liquide où baignent les thylakoïdes s'appelle **stroma.** Par conséquent, la membrane des thylakoïdes divise l'intérieur du chloroplaste en deux compartiments : l'espace intrathylakoïdien et le stroma. Au chapitre 10,

Tableau 7.2 Structure et fonction du cytosquelette

Propriétés		Microtubules	Microfilaments	Filaments intermédiaires
Structurales		Tubes ; paroi formée de 13 colonnes de tubuline (α et β)	Deux brins d'actine entortillés	Diverses protéines fibreuses organisées en superhélice comme un câble
		25 nm de diamètre dont 15 nm pour la lumière	7 nm de diamètre	8 à 12 nm de diamètre
Fonctionnelles		Mobilité cellulaire (dans les cils et les flagelles)	Contraction musculaire	Fixation de certains organites
		Mouvements des chromosomes	Cyclose	Maintien de la forme cellulaire
		Mouvements des organites	Mobilité cellulaire (dans les pseudopodes)	
		Maintien de la forme cellulaire	Formation du sillon de division cellulaire	
			Maintien et changement de la forme cellulaire	

Source : Adapté de W. M. Becker et D. W. Deamer, *The World of the Cell,* 2e éd., Redwood City, Californie, Benjamin/Cummings, 1991, p. 555.

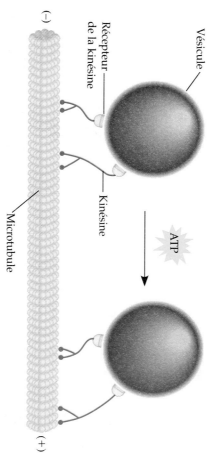

Figure 7.26
Molécules motrices et cytosquelette.
Les molécules motrices sont des protéines qui convertissent l'énergie chimique en mouvement. L'une d'entre elles, la kinésine, fait glisser des organites le long des microtubules, du pôle négatif au pôle positif de ces derniers. On voit ici des molécules de kinésine qui font glisser une vésicule : chaque molécule s'attache à un récepteur situé à la surface de la vésicule, et ses prolongements mobiles « marchent » sur le microtubule. Le mouvement de la kinésine et des autres molécules motrices est alimenté par l'hydrolyse de l'ATP.

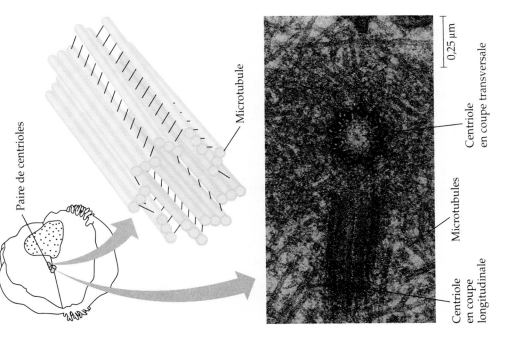

Paire de centrioles

Microtubule

0,25 µm

Centriole
en coupe transversale

Microtubules

Centriole
en coupe
longitudinale

Figure 7.28
Centrioles. Une cellule animale contient une paire de centrioles à l'intérieur de son centrosome, la région voisine du noyau où les microtubules se forment. Les centrioles, mesurant chacun environ 0,2 à 0,25 µm de diamètre, sont disposés à angle droit l'un par rapport à l'autre ; chaque centriole se compose de neuf triplets de microtubules (MET).

charpente cellulaire. En outre, des faisceaux de microtubules stratégiquement placés près de la membrane plasmique maintiennent la forme de la cellule.

Tout en façonnant et en soutenant la cellule, les microtubules servent de rails sur lesquels les organites peuvent se déplacer. Par exemple, ce sont probablement des microtubules qui guident les vésicules de sécrétion de l'appareil de Golgi vers la membrane plasmique. Des protéines spécialisées joueraient alors le rôle de **molécules motrices** dans le déplacement des vésicules et des autres organites le long des microtubules (figure 7.26). La figure 7.27 montre des granules de pigment se déplaçant le long de microtubules. Enfin, les microtubules participent à la séparation des chromosomes pendant la division cellulaire, un sujet que nous traiterons au chapitre 11.

Le centrosome d'une cellule animale contient une paire de centrioles à **centrioles**. Chaque centriole comprend neuf triplets de microtubules disposés en cercle (figure 7.28). Lorsqu'une cellule se divise, les centrioles se dédoublent. Bien qu'ils concourent probablement à l'assemblage des

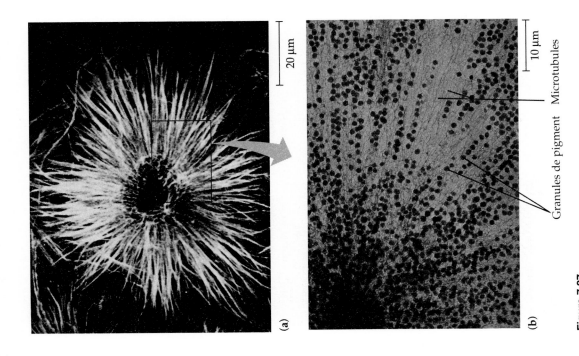

20 µm

Microtubules

10 µm

Granules de pigment

Figure 7.27
Microtubules. (a) Les microtubules, colorés au moyen d'une substance fluorescente, rayonnent du centrosome dans cette cellule cutanée d'un Poisson (MP confocale). **(b)** La micrographie électronique révèle des granules de pigment qui vont et viennent le long des microtubules. Quand le pigment se condense près du centre des cellules, la peau du Poisson est claire et tachetée. Mais quand les granules se répartissent le long du cytosquelette et remplissent les cellules, la peau du Poisson s'assombrit. Ce processus d'adaptation permet au Poisson de se fondre avec son environnement et d'échapper à ses prédateurs (MET).

Microtubules

Les microtubules sont des tubes rectilignes mesurant environ 25 nm de diamètre et de 200 nm à 25 µm de longueur. Leur paroi se compose d'une protéine globulaire, la tubuline, dont il existe deux formes, tubuline α et tubuline β. Les microtubules peuvent s'allonger en ajoutant de la tubuline à une de leurs extrémités. Ils peuvent aussi se démonter ; la tubuline libre peut alors former d'autres microtubules ailleurs dans la cellule.

On trouve des microtubules dans le cytoplasme de toutes les cellules eucaryotes. Dans bien des cas, ils rayonnent d'un **centrosome** (aussi appelé **centre organisateur des microtubules**), une masse située près du noyau (figure 7.25). Ils servent alors de poutres dans la

microtubules, ils ne sont pas essentiels à cette fonction chez tous les eucaryotes. Par exemple, les centrosomes des cellules appartenant au règne des Végétaux ne possèdent pas de centrioles.

Cils et flagelles Les **flagelles** et les **cils** situés à la surface de certaines cellules et servant d'appendices locomoteurs sont formés par un arrangement spécialisé de microtubules. Beaucoup d'organismes unicellulaires (règne des Protistes) se propulsent dans l'eau au moyen de cils ou de flagelles ; de même, les spermatozoïdes des Animaux, ainsi que les gamètes des Algues et de certains Végétaux sont flagellés. Les cils et flagelles ne servent pas seulement à propulser des cellules. Dans la cellule ciliée ou flagellée qui ne se déplace pas, les cils et les flagelles servent à créer un courant de liquide à la surface du tissu dont fait partie la cellule. Par exemple, les cils des cellules qui tapissent la trachée expulsent des poumons le mucus chargé de débris (voir la figure 7.4).

Lorsqu'une cellule porte des cils, ceux-ci sont généralement très abondants (figure 7.29). Ils mesurent environ 0,2 à 0,25 µm de diamètre et 2 à 20 µm de long. Les flagelles ont le même diamètre, mais ils mesurent de 10 à 200 µm de long ; une cellule en porte habituellement un seul.

Flagelles et cils ne battent pas de la même façon. Le mouvement d'un flagelle est ondulatoire, et il propulse la cellule dans l'axe du flagelle. Le mouvement ciliaire, en revanche, ressemble à celui d'un aviron : il fait alterner un battement de propulsion et un battement de récupération ; l'ensemble des battements de propulsion poussent la cellule perpendiculairement à l'axe du cil (figure 7.30).

Bien que les cils et les flagelles diffèrent par leur longueur, leur nombre et leurs battements, ils présentent la même ultrastructure. Recouverts par un prolongement de la membrane plasmique, neuf doublets de microtubules forment un cylindre autour de deux microtubules non jumelés ; ces derniers sécrètent la gaine protéique centrale dont ils se servent pour contrôler le mouvement des doublets (figure 7.31). Les microtubules de chaque doublet adhèrent l'un à l'autre. Cette disposition de type « 9 + 2 » s'observe dans presque tous les cils et flagelles eucaryotes. Les doublets périphériques sont reliés au centre du cil ou du flagelle par des fibres protéiques formant les ponts radiaires qui se terminent près de la gaine protéique centrale. En coupe transversale, on constate que chaque doublet périphérique porte, sur un côté, une paire de bras latéraux orientés vers le doublet adjacent.

L'assemblage de microtubules d'un cil ou d'un flagelle est ancré à la cellule par un **corpuscule basal** structuralement identique à un centriole. (Du reste, les corpuscules basaux peuvent se convertir en centrioles, et vice versa.) Le corpuscule basal sert probablement de gabarit pour l'édification des microtubules au début de la croissance du cil ou du flagelle. Mais une fois la construction du cil

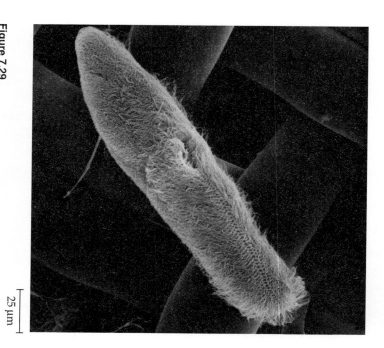

Figure 7.29
Cils. D'innombrables cils recouvrent cette Paramécie, un Protiste mobile. Les cils se meuvent au rythme d'environ 40 à 60 battements par seconde (MEB).

25 µm

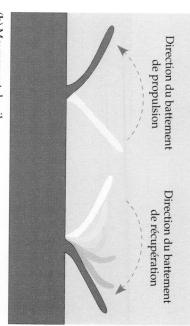

(a) Mouvement du flagelle

Sens du déplacement

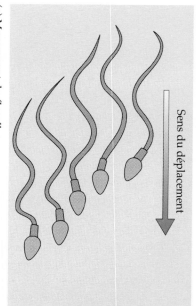

(b) Mouvement du cil

Direction du battement de propulsion

Direction du battement de récupération

Figure 7.30
Comparaison entre le battement des flagelles et celui des cils.
(a) Le flagelle ondule, poussant la cellule dans son axe. La propulsion du spermatozoïde illustre bien la locomotion flagellaire.
(b) Le cil bat d'avant en arrière, faisant alterner un battement de propulsion et un battement de récupération. Ces mouvements entraînent les cellules mobiles ou créent un courant de liquide à la surface des cellules fixes. Les déplacements sont perpendiculaires à l'axe du cil.

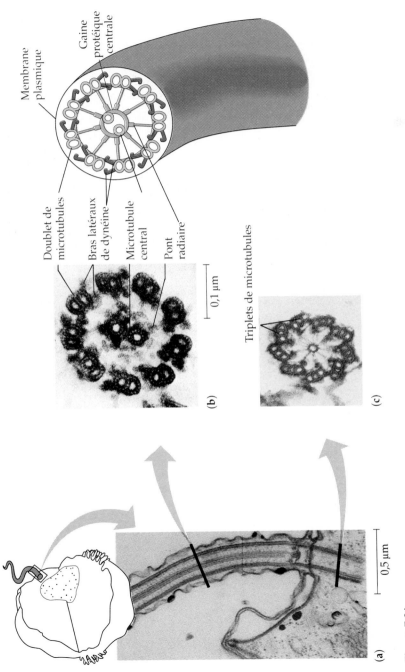

Membrane
plasmique

Gaine
protéique
centrale

Doublet de
microtubules

Bras latéraux
de dynéine

Microtubule
central

Pont
radiaire

0,1 µm

(b)

Triplets de microtubules

(c)

0,5 µm

(a)

Figure 7.31
**Ultrastructure du flagelle et du cil euca-
ryotes.** (a) Cette micrographie électronique
d'un cil en coupe longitudinale montre les
microtubules s'étendant dans l'axe de la
structure (MET). (b) Une coupe transversale
d'un cil montre la disposition de type « 9 + 2 »

des microtubules (MET). (c) Le corpuscule
basal ancrant le cil ou le flagelle à la cellule
(structurellement identique à un centriole) est
un cylindre de neuf triplets de microtubules.
Les neuf doublets s'enfoncent dans le

corpuscule basal, et chacun s'unit à un
microtubule pour former le cylindre de neuf
triplets. Les deux microtubules centraux se
terminent au-dessus du corpuscule basal
(MET).

ou du flagelle amorcée, les sous-unités de tubuline s'ajoutent aux extrémités des microtubules et non plus au
niveau du corpuscule basal.

Les bras latéraux tendus entre les doublets de microtubules jouent un rôle important dans les mouvements
de flexion des cils et des flagelles (voir la figure 7.31). Les
bras latéraux se composent d'une très grosse protéine
appelée **dynéine**, l'une des molécules motrices de la cellule (la *kinésine* représentée à la figure 7.26 en est une
autre). Un bras latéral de dynéine accomplit un cycle
complexe de mouvements causé par des changements de
conformation de la protéine; l'énergie nécessaire à ces
changements provient de l'ATP (voir le chapitre 6). Les
glissements de la dynéine évoquent les mouvements
d'un Chat qui grimpe à un arbre. L'Animal enfonce les
griffes de ses pattes antérieure gauche et postérieure
droite dans l'écorce et se hisse plus haut; en même
temps, les deux autres pattes lâchent prise et progressent
au-delà des points d'appui, et ainsi de suite. De même,
les bras latéraux de dynéine d'un doublet s'attachent à
un doublet adjacent et grimpent, si bien que les doublets
glissent l'un contre l'autre. Ensuite, les bras latéraux se
détachent et se rattachent un peu plus haut (figure 7.32a).

Pour que le cil fléchisse, la « marche » de la dynéine
de tous les doublets doit être synchronisée. En effet, les
neufs doublets ne bougent pas tous en même temps;
environ la moitié des doublets glissent successivement,

du plan longitudinal médian du cylindre vers la périphérie. La cohérence du mouvement proviendrait d'un
mécanisme d'activation-inhibition régi par les protéines
constituant les ponts radiaires (semblables aux rayons
d'une roue) et la gaine centrale. Chaque doublet avance
vers son pôle positif, jusqu'à l'étirement limite des
ponts radiaires qui ancrent les doublets de microtubules
au centre de l'organite. On remarque alors un plus
grand déplacement des microtubules externes, entraînant la flexion de l'organite entier à partir de la base
(figures 7.32b et 7.32c). Les battements des cils et des flagelles illustrent une fois encore la corrélation entre la
structure et la fonction.

Microfilaments et mouvement

Les microfilaments, de forme cylindrique et d'environ
7 nm de diamètre, offrent une certaine rigidité. Ils se
composent de molécules d'**actine**, une protéine globulaire, qui s'unissent pour former des chaînes. Une hélice
de deux chaînes d'actine compose chaque microfilament.

Les microfilaments sont surtout connus pour leur
rôle dans la contraction musculaire. Des milliers de
microfilaments d'actine sont disposés en parallèle le
long de la cellule musculaire, en alternance avec des
filaments plus épais composés d'une protéine appelée
myosine (figure 7.33a). La contraction de la cellule
résulte du glissement des microfilaments d'actine contre

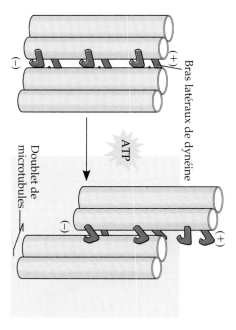

(a) «Marche» de la dynéine dans des doublets de microtubules in vitro

Bras latéraux de dynéine

Doublet de microtubules

ATP

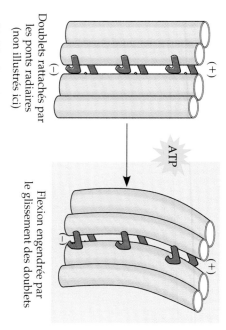

(b) «Marche» de la dynéine dans un cil ou un flagelle

Doublets rattachés par les ponts radiaires (non illustrés ici)

Flexion engendrée par le glissement des doublets

ATP

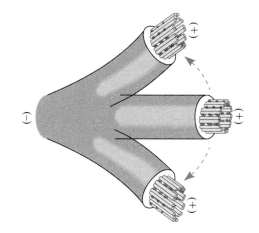

(c) Flexion du cil ou du flagelle

Figure 7.32
Rôle de la dynéine dans le mouvement des cils et des flagelles. (a) Dans une solution contenant de l'ATP comme source d'énergie, la propulsion et la traction des bras latéraux de dynéine fait glisser l'un contre l'autre les doublets de microtubules du cil. **(b)** Dans un cil ou un flagelle, les ponts radiaires limitent le déplacement linéaire des microtubules. Ces ponts entravent la «marche» de la dynéine, ce qui déforme les microtubules, ce qui fait fléchir le cil ou le flagelle entier **(c)**.

les microfilaments de myosine. Les molécules motrices sont celles de la myosine: elles possèdent des «bras» qui rejoignent les filaments d'actine sous l'impulsion de l'ATP. (Nous décrirons la contraction musculaire en de plus amples détails au chapitre 45.)

Aussi concentrés et ordonnés qu'ils soient dans les cellules musculaires, les microfilaments semblent néanmoins présents dans toutes les cellules eucaryotes. Avec le reste du cytosquelette, ils remplissent une fonction de soutien. Par exemple, des faisceaux de microfilaments forment le cœur des microvillosités, de fines expansions cytoplasmiques qui accroissent la surface d'échange des cellules spécialisées dans le transport des matières à travers la membrane plasmique. À ce titre, mentionnons les cellules de la muqueuse de l'intestin grêle, dont les microfilaments participent à l'absorption des nutriments (figure 7.33b).

Dans certaines parties de la cellule, des microfilaments d'actine sont associés à la myosine, reproduisant en miniature la disposition qu'ils présentent dans les cellules musculaires. Ces agrégats d'actine et de myosine sont à l'origine des contractions cellulaires localisées. Quand une cellule animale se divise, par exemple, la contraction d'une ceinture de microfilaments à l'équateur de la cellule accentue le sillon de division. En outre, chez certaines cellules mobiles, les microfilaments interviennent dans l'élongation et la rétraction des pseudopodes

qui permettent à la cellule entière de se déplacer sur une surface. Dans les cellules végétales, les microfilaments concourent à la **cyclose**, un phénomène par lequel tout le cytoplasme circule sans cesse dans l'espace séparant la vacuole et la membrane plasmique. Ce mouvement, particulièrement répandu dans les grosses cellules végétales, accélère la distribution des matières à l'intérieur de la cellule et d'une cellule à l'autre.

Filaments intermédiaires

Les filaments intermédiaires doivent leur nom à leur diamètre qui, avec ses 8 à 12 nm, est supérieur à celui des microfilaments mais inférieur à celui des microtubules. Les filaments intermédiaires comprennent divers éléments cytosquelettiques, dont la composition protéique varie d'un type de cellule à l'autre. À l'opposé, les microtubules et les filaments ont tous le même diamètre et la même composition dans toutes les cellules eucaryotes.

Les filaments intermédiaires sont aussi plus stables que les microfilaments et les microtubules, lesquels subissent des montages et des démontages successifs dans diverses parties de la cellule. Les traitements chimiques qui séparent les microfilaments et les microtubules du cytoplasme laissent un réseau intact de filaments intermédiaires. De telles expériences laissent croire que les filaments intermédiaires sont essentiels au maintien de la

cellule et à l'ancrage de certains organites. Par exemple, le noyau siège généralement dans une cage formée de filaments intermédiaires, maintenue en place par des ramifications des filaments qui s'étendent jusque dans le cytoplasme. Dans les cas où la forme de la cellule conditionne sa fonction, les filaments intermédiaires maintiennent cette forme. Ainsi, les axones (les prolongements du neurone qui conduisent les influx nerveux) sont renforcés par un genre de filaments intermédiaires, aptes à supporter la tension, constituent l'armature du cytosquelette entier.

SURFACE CELLULAIRE

Maintenant que nous avons sondé l'intérieur de la cellule pour en découvrir les différents organites, nous terminerons notre exploration de la cellule en étudiant les structures importantes qui se trouvent à sa surface. Bien que la membrane plasmique soit généralement considérée comme la frontière de la cellule vivante, plusieurs types de cellules synthétisent et sécrètent une enveloppe quelconque autour d'elle.

Paroi cellulaire

La **paroi cellulaire** fait partie des caractéristiques distinctives de la cellule végétale. Elle protège la cellule, maintient sa forme et prévient une absorption excessive d'eau (voir le chapitre 8). À l'échelle de la Plante, la paroi résistante des cellules s'oppose à la gravitation et garde l'organisme à la verticale. Les Monères, les Mycètes et certains Protistes possèdent également une paroi cellulaire, mais nous n'en traiterons qu'à la cinquième partie de ce manuel.

Mesurant de 0,1 à plusieurs micromètres, la paroi cellulaire végétale est beaucoup plus épaisse que la membrane plasmique. À quelques variantes près, d'une espèce à l'autre et d'un type de cellule à l'autre dans une même Plante, la paroi cellulaire présente une composition assez uniforme : elle est constituée de fibres de cellulose enchâssées dans une matrice amorphe faite d'autres polysaccharides et de protéines (voir la figure 5.10).

La cellule végétale immature commence par sécréter une paroi relativement mince et flexible, la **paroi primaire**, à l'aide des microtubules et des vésicules de sécrétion de l'appareil de Golgi (figure 7.34). Entre les parois primaires de cellules adjacentes, on trouve la **lamelle moyenne,** une mince couche riche en polysaccharides adhésifs appelés pectines. La lamelle moyenne, fabriquée par la cellule mère à la fin de la division cellulaire, colle les cellules filles les unes aux autres. (D'ailleurs, on utilise de la pectine pour épaissir les confitures et les gelées.) Arrivée à maturité, la cellule durcit sa paroi. Pour ce faire, certaines cellules sécrètent simplement des substances raffermissantes dans la paroi primaire. D'autres ajoutent une **paroi secondaire** entre la membrane plasmique et la paroi primaire. La paroi secondaire, souvent élaborée par apposition de couches successives, a une matrice résistante et durable qui fournit protection et soutien à la cellule. Le bois, par exemple, se compose principalement de parois secondaires.

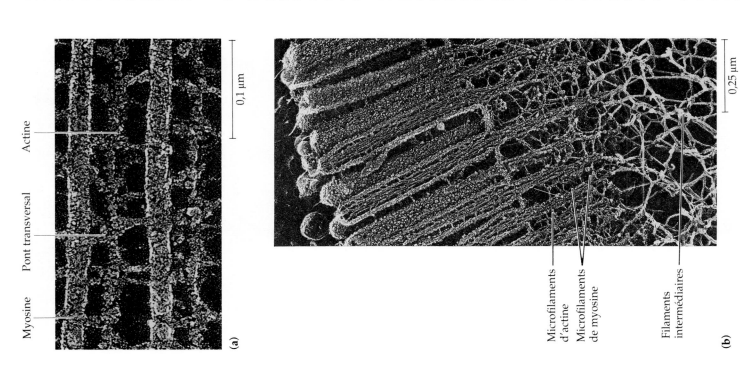

Myosine   Pont transversal   Actine

0,1 µm

(a)

Microfilaments d'actine
Microfilaments de myosine

Filaments intermédiaires

0,25 µm

(b)

Figure 7.33
Fonctions des microfilaments. (a) Dans les cellules musculaires, les filaments d'actine alternent avec des filaments plus épais formés de myosine, une molécule motrice. Les ponts transversaux de la myosine interagissent avec l'actine et font glisser les deux types de filaments l'un contre l'autre. L'action conjuguée de très nombreux filaments cause la contraction de la cellule entière (MET). **(b)** Les microvillosités, ces expansions cytoplasmiques renforcées par des faisceaux de microfilaments, accroissent la surface de cette cellule intestinale. L'actine est associée à des filaments de myosine à la base des microvillosités, et la structure entière se trouve ancrée à un réseau de filaments intermédiaires (MET).

Glycocalyx des cellules animales

Les cellules animales sont dépourvues de paroi, mais beaucoup d'entre elles montrent en surface une couche duveteuse et légèrement adhésive, le **glycocalyx**. Le glycocalyx comprend tous les glucides rattachés par liaisons covalentes tant aux protéines (glycoprotéines) qu'aux lipides (glycolipides) de la membrane plasmique; à ces glucides s'ajoutent des glycoprotéines sécrétées par la cellule et qui demeurent près de la surface cellulaire. Le glycocalyx intervient de diverses façons dans la vie cellulaire. Il renforce la surface cellulaire. Il favorise l'adhérence entre les cellules, une propriété particulièrement importante au cours du développement embryonnaire. En outre, certains de ses constituants jouent le rôle d'«étiquettes» qui procurent une identité aux cellules, par exemple aux globules rouges (système ABO), et permettent la reconnaissance intercellulaire, comme lors de la rencontre du spermatozoïde et de l'ovule ou de la réponse immunitaire. Certains constituants du glycocalyx font office de récepteurs membranaires. On ne connaît pas toutes les fonctions du glycocalyx, mais vous aurez constaté qu'il s'agit d'autre chose qu'un simple enduit! Souvent, l'adhérence que le glycocalyx confère aux cellules animales est augmentée par les jonctions cellulaires situées entre les membranes des cellules adjacentes.

Jonctions intercellulaires

Les nombreuses cellules d'un individu animal ou végétal s'intègrent pour former un organisme fonctionnel. Les cellules végétales adjacentes adhèrent les unes aux autres, interagissent et communiquent directement par l'intermédiaire de canaux traversant les parois cellulaires, les **plasmodesmes**. Ces derniers relient les membranes plasmiques et les contenus cytoplasmiques de cellules accolées (voir la figure 7.34).

L'eau et les petits solutés peuvent diffuser librement d'une cellule à l'autre, la cyclose favorisant leur circulation. Dans le règne animal, on trouve trois principaux types de jonctions intercellulaires: les jonctions serrées, les desmosomes et les jonctions ouvertes (représentées et décrites en détail à la figure 7.35).

LA CELLULE: UNE ENTITÉ SUPÉRIEURE À LA SOMME DE SES PARTIES

L'exploration de la cellule nous a fourni de nombreuses occasions de souligner la relation entre la structure et la fonction. Le tableau 7.3, à la page 146, présente un résumé des structures et des fonctions cellulaires. Toutefois, même si on doit compartimenter la cellule dans le but de l'étudier, vous devez vous rappeler que tous les organites travaillent en coopération avec un ou plusieurs autres organites. Pour mieux comprendre la profondeur de cette intégration cellulaire, examinez la scène microscopique reproduite à la figure 7.36. La grosse cellule est un macrophage. Elle défend l'organisme contre les infections en englobant les Bactéries (les petites cellules vertes). Le macrophage rampe sur une surface et lance ses prolongements en direction des Bactéries, un mouvement rendu possible par l'interaction des filaments d'actine et des autres éléments du cytosquelette. À l'intérieur des macrophages, les Bactéries sont détruites

(Nous traiterons du développement de la paroi cellulaire en de plus amples détails au chapitre 34.)

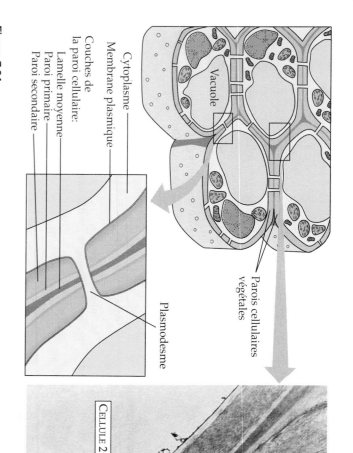

Figure 7.34
Paroi cellulaire végétale. Les cellules immatures commencent par élaborer leur paroi primaire. Au terme de leur croissance, elles ajoutent une paroi secondaire, plus résistante, à l'intérieur de la paroi primaire. Une lamelle moyenne adhésive cimente les cellules adjacentes. Les parois ne sont pas étanches : des canaux percés à travers les parois, appelés plasmodesmes, établissent une continuité entre les cytoplasmes de cellules voisines (MET).

Cytoplasme
Membrane plasmique
Couches de la paroi cellulaire:
Lamelle moyenne
Paroi primaire
Paroi secondaire
Vacuole
Parois cellulaires végétales
Plasmodesme

Paroi primaire
Trois couches de paroi secondaire
Lamelle moyenne
CELLULE 1
CELLULE 2
1 μm

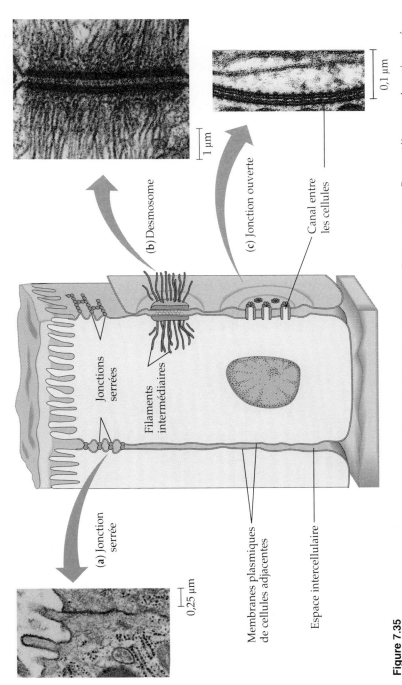

(a) Jonction serrée

0,25 μm

(b) Desmosome

1 μm

(c) Jonction ouverte

0,1 μm

Canal entre les cellules

Jonctions serrées

Filaments intermédiaires

Membranes plasmiques de cellules adjacentes

Espace intercellulaire

Figure 7.35
Jonctions intercellulaires animales.
Les jonctions intercellulaires abondent tout particulièrement dans le tissu épithélial qui recouvre la face interne des organes. Ici, nous prenons l'exemple des cellules épithéliales de l'intestin pour décrire trois types de jonctions intercellulaires ; chez toutes ces cellules, la structure convient bien à la fonction. **(a)** Jonctions serrées. Les jonctions serrées forment une ceinture ininterrompue autour de la cellule. Ainsi, les membranes des cellules adjacentes s'accolent, ce qui empêche le liquide extracellulaire de traver-

ser la couche de cellules épithéliales. Par exemple, les jonctions serrées de l'épithélium intestinal forment une barrière entre le contenu de l'intestin et le liquide extracellulaire (MET). **(b)** Desmosomes. Comme des rivets, les desmosomes ajoutent une grande résistance au tissu épithélial. Des filaments intermédiaires formés de kératine, la protéine résistante qui compose aussi les cheveux et les ongles, contribuent à bien ancrer la jonction (MET). **(c)** Jonctions ouvertes. Les jonctions ouvertes forment des canaux pour relier le cytoplasme de cellules adja-

centes. Des protéines membranaires spéciales entourent ces pores, dont le diamètre est assez grand pour laisser passer les sels, les glucides, les acides aminés et d'autres petites molécules (MET). Dans le tissu musculaire du cœur, le flux des ions à travers les jonctions ouvertes coordonne les contractions des cellules (voir le chapitre 38). Les jonctions ouvertes sont particulièrement nombreuses chez les embryons animaux, dont le développement nécessite une communication chimique entre les cellules (voir le chapitre 43).

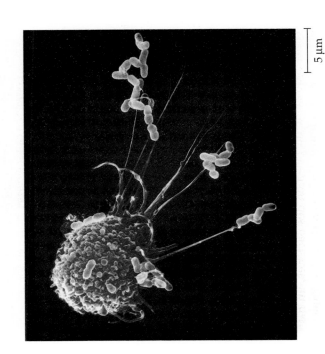

5 μm

Figure 7.36
Les fonctions cellulaires émergent de la coopération entre les organites. La capacité de ce macrophage (en orangé) de reconnaître, d'emprisonner et de détruire les Bactéries (en vert) est le fruit de la coordination entre toutes les parties de la cellule. Le cytosquelette, les lysosomes et la membrane plasmique font partie des constituants cellulaires qui interviennent dans la phagocytose. (MEB, coloriée).

Tableau 7.3 Résumé des structures et des fonctions de la cellule eucaryote

Fonctions générales	Structures	Fonctions spécifiques
Échanges avec l'environnement	Membrane plasmique	Protection Participation à l'homéostasie grâce à la perméabilité sélective Formation de vacuoles nutritives
Contrôle général de la cellule	Noyau Chromosomes Nucléole	Site de l'ADN qui programme la synthèse des protéines Production des ribosomes
Fabrication des macromolécules	Ribosomes	Site de la synthèse des protéines
	Réticulum endoplasmique rugueux	Assemblage des glycoprotéines et enrobage des protéines de sécrétion Production de membranes internes et de vésicules membraneuses
	Réticulum endoplasmique lisse	Synthèse des lipides Dans les cellules musculaires, entreposage et libération des ions calcium Dans les cellules hépatiques, métabolisme des glucides Dans les cellules hépatiques, détoxication Production de membranes internes et de vésicules membraneuses
Entretien	Appareil de Golgi	Modification, entreposage, triage et distribution des substances chimiques produites par la cellule Production de vésicules membraneuses
	Vacuole centrale (chez les Végétaux)	Entreposage de lipides (cellule végétale) Dégradation de macromolécules, entreposage de nutriments et de déchets, protection, croissance
	Lysosomes	Digestion de la nourriture, des substances étrangères et des organites endommagés
	Peroxysomes	Participation au métabolisme des lipides et des glucides Élimination du peroxyde d'hydrogène Détoxication de certaines substances
Transformation de l'énergie	Mitochondries	Respiration cellulaire et synthèse de l'ATP
	Chloroplastes (chez les Végétaux et certains Protistes)	Conversion de l'énergie lumineuse en énergie chimique
Soutien, mouvement et communication intercellulaire	Cytosquelette	Maintien ou changement de la forme cellulaire Ancrage de certains organites Mouvement cellulaire Mouvement des chromosomes et de certains organites
	Paroi cellulaire (chez les Végétaux, les Mycètes et certains Protistes)	Maintien de la forme de la cellule et soutien mécanique Protection
	Glycocalyx (chez les Animaux)	Protection superficielle Adhérence des cellules dans les tissus Reconnaissance intercellulaire Réception de substances
	Jonctions intercellulaires	Communication entre les cellules Union des cellules dans les tissus

par des lysosomes. Ceux-ci sont produits par le réticulum endoplasmique et l'appareil de Golgi. Les enzymes digestives des lysosomes et les protéines du cytosquelette, elles, sont fabriquées par des ribosomes. Et la synthèse des protéines est programmée par les messages génétiques que l'ADN envoie du noyau. Tous ces processus requièrent de l'énergie, que les mitochondries fournissent sous forme d'ATP. Les fonctions cellulaires naissent de l'ordre cellulaire: la cellule est une entité supérieure à la somme de ses parties.

RÉSUMÉ DU CHAPITRE

1. La cellule est l'unité structurale et fonctionnelle des êtres vivants.
2. La cellule est un système ouvert qui a besoin d'échanger des matières et de l'énergie avec son milieu. Elle peut percevoir les variations de son milieu et y réagir.
3. L'évolution crée la relation entre la structure et la fonction.

Techniques permettant l'étude de la cellule (p. 117-122)

1. La plupart des organites sont invisibles au microscope photonique. La microscopie électronique et le fractionnement des cellules ont fait faire un pas de géant à la biologie cellulaire.
2. La cytologie est l'étude de la cellule sous tous ses aspects. Elle fait appel aux connaissances de la biochimie.

Survol de l'organisation cellulaire (p. 122-127)

1. La cellule procaryote ne contient pas de noyau véritable et d'organites enveloppés dans des membranes. Les Bactéries (règne des Monères) sont des procaryotes. Tous les autres organismes se composent de cellules eucaryotes; le cytoplasme de ces cellules renferme un noyau entouré d'une membrane et des organites spécialisés, membraneux ou non, en suspension.
2. La nécessité d'un rapport favorable entre la surface membranaire et le volume cellulaire impose une limite supérieure à la taille des cellules.
3. Les cellules eucaryotes sont entourées d'une membrane plasmique et divisées en compartiments par un réseau complexe de membranes internes. Ces membranes créent des microenvironnements qui conviennent expressément aux processus métaboliques qui s'y déroulent; certains de ces processus sont catalysés par des enzymes encastrées dans les membranes.
4. Toutes les membranes se composent de phosphoglycérolipides et de protéines. Chaque membrane présente une composition moléculaire propre à ses fonctions.

Noyau (p. 127-128)

1. La caractéristique distinctive de la cellule eucaryote est le noyau, contenu dans une enveloppe nucléaire à deux membranes. L'enveloppe nucléaire maintient la forme du noyau et, par ses pores, permet des échanges de macromolécules entre le noyau et le cytoplasme.
2. Le noyau contient le matériel génétique, l'ADN, organisé chez chaque espèce eucaryote en un nombre caractéristique de chromosomes. Des régions spécialisées des chromosomes, les organisateurs nucléolaires, forment un ou plusieurs nucléoles, où sont synthétisées les sous-unités ribosomiques. Les sous-unités ribosomiques, de même que l'ARNm produit ailleurs sur les chromosomes, entrent dans le cytoplasme et s'unissent pour synthétiser les protéines.

Ribosomes (p. 128)

1. Les ribosomes se composent de deux sous-unités, construites dans le nucléole à partir d'ARN et de protéines.
2. Une fois entrés dans le cytoplasme, les sous-unités ribosomiques s'unissent à l'ARNm et forment des ribosomes capables de synthétiser des protéines. Les ribosomes sont en suspension dans le cytoplasme (ribosomes libres) ou fixés sur le réticulum endoplasmique (ribosomes liés).

Réseau intracellulaire de membranes (p. 129-135)

1. Les membranes de la cellule eucaryote sont liées: elles sont en continuité les unes avec les autres, ou elles s'échangent des segments par l'intermédiaire de vésicules.
2. Le réseau intracellulaire de membranes se compose de l'enveloppe nucléaire, du réticulum endoplasmique, de l'appareil de Golgi, des lysosomes, des peroxysomes, des vacuoles et de la membrane plasmique.
3. Le réticulum endoplasmique (RE) forme un réseau de compartiments délimités par des membranes et appelés citernes. Le réticulum endoplasmique lisse ne porte pas de ribosomes; il synthétise des lipides, métabolise les glucides, emmagasine le calcium dans les cellules musculaires, détoxique les médicaments, les drogues et les poisons dans les cellules hépatiques, et produit des membranes internes et des vésicules membraneuses.
4. Le réticulum endoplasmique rugueux, portant les ribosomes, est en continuité avec l'enveloppe nucléaire; il synthétise des membranes, assemble des glycoprotéines et enrobe des protéines de sécrétion. Les protéines membranaires et les protéines de sécrétion sont transférées à d'autres parties de la cellule par des vésicules de transition qui se détachent du réticulum endoplasmique de transition.
5. L'appareil de Golgi est formé d'empilements de sacs membraneux qui modifient, entreposent, trient et exportent les produits du réticulum endoplasmique. Un côté de l'appareil de Golgi, la face *cis*, reçoit les vésicules apportant les protéines de sécrétion du réticulum endoplasmique de transition. Dans l'appareil de Golgi, les protéines sont modifiées chimiquement et triées avant que la face *trans* les libère à l'intérieur de vésicules de sécrétion.
6. Un lysosome consiste en un sac membraneux rempli d'enzymes hydrolytiques qui ont été formées dans le réticulum endoplasmique rugueux et traitées dans l'appareil de Golgi. L'acidité du lysosome favorise l'action des enzymes qui recyclent les monomères des macromolécules de la cellule et digèrent les substances phagocytées, y compris les organites non fonctionnels.
7. Les anomalies génétiques qui déterminent l'absence d'une ou de plusieurs enzymes lysosomiales causent diverses maladies de surcharge. Ces troubles se caractérisent par une accumulation de substances non digérées qui entravent le fonctionnement des cellules.
8. Les vacuoles sont des sacs membraneux. Il y a les vacuoles nutritives issues de la phagocytose, les vacuoles contractiles qui expulsent l'excès d'eau de la cellule et la vacuole centrale des cellules végétales. Cette dernière résulte de la fusion de petites vacuoles provenant du réticulum endoplasmique et de l'appareil de Golgi. Cet organite extrêmement polyvalent sert au stockage de nutriments et de déchets, à la décomposition des macromolécules, à la croissance cellulaire et à la protection. La membrane de la vacuole centrale s'appelle tonoplaste.
9. Le réseau intracellulaire de membranes est un assemblage dynamique de constituants qui compartimentent la cellule et facilitent ses diverses fonctions.

Peroxysomes (p. 135)

Les peroxysomes accomplissent certains processus métaboliques dans les lipides et les glucides. Ils contiennent une enzyme qui convertit en eau le peroxyde d'hydrogène, un sous-produit du métabolisme. Certains peroxysomes détoxiquent des substances tandis que d'autres contribuent à l'entreposage de lipides (cellule végétale).

Conversion de l'énergie par les mitochondries et les chloroplastes (p. 135-137)

1. En tant que systèmes ouverts, les cellules obtiennent leur énergie de leur milieu. Dans les cellules eucaryotes, les

1. ...mitochondries et les chloroplastes convertissent l'énergie tirée du milieu en des formes que les cellules peuvent utiliser.

2. Les mitochondries et les chloroplastes sont entourés de membranes. La petite quantité d'ADN qu'ils contiennent programme la synthèse de certaines de leurs protéines.

3. Les mitochondries sont les sites de la respiration cellulaire dans les cellules eucaryotes. En consommant de l'oxygène, ces organites libèrent l'énergie des combustibles chimiques tels que les glucides et les graisses, et ils l'utilisent pour refaire les réserves cellulaires d'ATP.

4. Les mitochondries comportent une membrane externe lisse et une membrane interne qui forme des replis appelés crêtes. Quelques-unes des réactions métaboliques de la respiration cellulaire se déroulent dans l'espace délimité par la membrane interne, appelée matrice mitochondriale. Les enzymes enchâssées dans la membrane interne interviennent dans la respiration cellulaire.

5. Les plastes regroupent les chloroplastes, les chromoplastes et les amyloplastes. Les chloroplastes contiennent de la chlorophylle et d'autres pigments photosynthétiques. Les chloroplastes sont enveloppés de deux membranes délimitant le liquide appelé stroma, où baignent les sacs aplatis appelés thylakoïdes. Ces derniers forment des empilements appelés grana.

Cytosquelette (p. 137-143)

1. Le cytosquelette est un réseau intégré de fibres qui, dans le cytoplasme, dirigent la circulation cellulaire, ancrent les organites, soutiennent la cellule, maintiennent sa forme et permettent ses mouvements. Le cytosquelette se compose de microtubules, de microfilaments et de filaments intermédiaires.

2. Les microtubules sont des tubes composés de protéines globulaires appelées tubulines. Dans beaucoup de cellules animales, les microtubules rayonnent du centrosome (centre organisateur des microtubules), une région située près du noyau et qui comporte deux centrioles. Les microtubules soutiennent la cellule, maintiennent sa forme, guident les mouvements des organites et participent à la séparation des chromosomes pendant la division cellulaire.

3. Les cils et les flagelles sont des appendices mobiles formés de microtubules. Les microtubules se trouvent ancrés au corpuscule basal, un organite structurellement identique à un centriole. Les cils et les flagelles se meuvent grâce à l'action des bras latéraux de dynéine, qui font glisser les doublets de microtubules les uns sur les autres.

4. Les microfilaments, plus fins que les microtubules, sont des cylindres résistants composés d'une protéine appelée actine. La contraction des cellules musculaires provient de l'interaction des microfilaments et de la myosine. Les microfilaments interviennent aussi dans la division cellulaire, dans les mouvements amiboïdes, dans la cyclose (cellules végétales) et dans le soutien des prolongements cellulaires tels que les microvillosités.

5. En plus des microtubules et des microfilaments, la plupart des cellules contiennent divers filaments intermédiaires qui concourent à maintenir leur forme et à ancrer leurs organites.

Surface cellulaire (p. 143-144)

1. Les Végétaux, les Monères, les Mycètes et certains Protistes possèdent une paroi cellulaire entourant la membrane plasmique et renforçant leur structure. La paroi cellulaire végétale se compose de fibres de cellulose dispersées entre d'autres polysaccharides et des protéines.

2. Bon nombre de cellules animales se revêtent de glycocalyx, une couche duveteuse et adhésive constituée de glycoprotéines et de glycolipides. Le glycocalyx offre une protection superficielle et permet l'adhérence des cellules dans les tissus, la reconnaissance intercellulaire et la réception de substances.

3. Divers types de jonctions intercellulaires unissent les cellules animales et végétales. Chez les Végétaux, les parois cellulaires adjacentes communiquent entre elles par les plasmodesmes, des canaux cytoplasmiques. Chez les Animaux, le contact entre les cellules se fait au moyen de desmosomes, de jonctions serrées et de jonctions ouvertes.

La cellule : une entité supérieure à la somme de ses parties (p. 144-146)

Les organites ne fonctionnent pas isolément, ils coopèrent les uns avec les autres. À l'échelle cellulaire, la vie résulte de cette interaction complexe. Les fonctions cellulaires naissent de l'ordre cellulaire.

AUTO-ÉVALUATION

1. Trouvez l'énoncé vrai parmi les suivants.
   a) Plus un Animal possède une grande taille, plus son rapport surface-volume diminue.
   b) Plus un Animal possède une grande taille, plus son rapport surface-volume augmente.
   c) Le rapport surface-volume d'un Animal demeure le même toute sa vie.
   d) Le rapport surface-volume d'un Animal est directement proportionnel à son rapport surface-volume cellulaire.
   e) Le rapport surface-volume d'un Animal est identique à son rapport surface-volume cellulaire.

2. Les ribosomes liés :
   a) possèdent leur propre membrane.
   b) sont structurellement différents des ribosomes libres.
   c) synthétisent des protéines membranaires et des protéines de sécrétion.
   d) se trouvent généralement sur la face cytoplasmique de la membrane plasmique.
   e) sont concentrés dans les citernes du réticulum endoplasmique.

3. Lequel des organites suivants se présente sans membrane ?
   a) Enveloppe nucléaire.
   b) Chloroplaste.
   c) Centriole.
   d) Appareil de Golgi.
   e) Réticulum endoplasmique.

4. Si on fournit des acides aminés marqués radioactivement à des cellules pancréatiques, celles-ci les incorporent à des protéines nouvellement synthétisées. Le procédé permet de repérer les protéines nouvellement synthétisées et de suivre leur cheminement dans la cellule. Un chercheur veut suivre le cheminement d'une enzyme sécrétée par les cellules pancréatiques. Lequel des cheminements suivants est-il le plus susceptible d'observer ?
   a) Réticulum endoplasmique → appareil de Golgi → noyau.
   b) Appareil de Golgi → réticulum endoplasmique → lysosome.
   c) Noyau → réticulum endoplasmique → appareil de Golgi.
   d) Réticulum endoplasmique → appareil de Golgi → vésicules de sécrétion fusionnant avec la membrane plasmique.
   e) Réticulum endoplasmique → lysosomes → vésicules de transition fusionnant avec la membrane plasmique.

5. Nommez les structures apparaissant dans les micrographies électroniques suivantes et décrivez leurs fonctions.

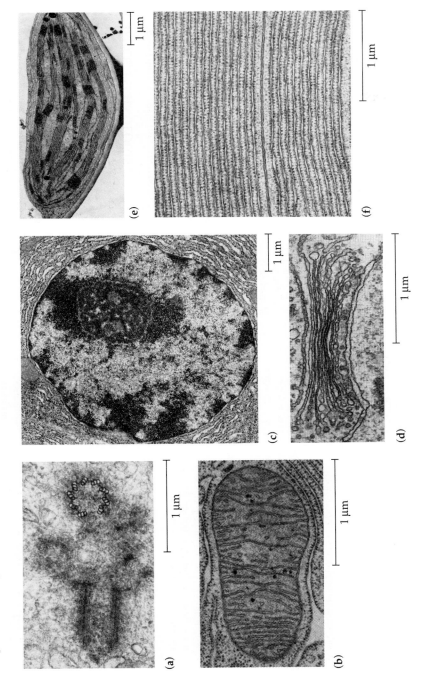

(a)

(b)

(c)

(d)

(e)

(f)

6. Lequel des organites suivants se trouve dans les cellules végétales *et* dans les cellules animales ?
   a) Chloroplaste.
   b) Paroi cellulaire composée de cellulose.
   c) Tonoplaste.
   d) Mitochondrie.
   e) Centriole.

7. Lequel des constituants cellulaires suivants se trouve dans les cellules procaryotes ?
   a) Mitochondrie.
   b) Ribosome.
   c) Enveloppe nucléaire.
   d) Chloroplaste.
   e) Réticulum endoplasmique.

8. Quel est l'ordre des constituants de la paroi cellulaire, en allant de la membrane plasmique d'une cellule végétale vers l'extérieur ?
   a) Paroi primaire – paroi secondaire – lamelle moyenne.
   b) Lamelle moyenne – paroi secondaire – paroi primaire.
   c) Paroi primaire – lamelle moyenne – paroi secondaire.
   d) Paroi secondaire – lamelle moyenne – paroi primaire.
   e) Paroi secondaire – paroi primaire – lamelle moyenne.

9. Laquelle des cellules suivantes convient le mieux à l'étude des lysosomes ?
   a) Cellule musculaire.
   b) Neurone.
   c) Globule blanc.
   d) Cellule de feuille.
   e) Bactérie.

10. Laquelle des associations suivantes est erronée ?
    a) Nucléole – production des ribosomes.
    b) Lysosome – digestion intracellulaire.
    c) Ribosome – synthèse des protéines.
    d) Appareil de Golgi – sécrétion de produits cellulaires.
    e) Microtubules – contraction musculaire.

QUESTIONS À COURT DÉVELOPPEMENT

1. Trouvez les différences structurales entre une cellule animale et une cellule végétale.

2. Démontrez, à l'aide d'un exemple, que la structure correspond à la fonction.

3. Dressez un schéma (de concepts ou autre) qui montre le développement d'une enzyme digestive, depuis la conception jusqu'à la sécrétion.

4. L'une des différences entre procaryotes et eucaryotes réside dans l'absence, chez les premiers, d'organites membraneux. Expliquez pourquoi les Humains ne pourraient se constituer uniquement de cellules procaryotes.

5. Expliquez comment le mouvement s'effectue au niveau cellulaire.

6. Décrivez l'importance du glycocalyx pour une cellule animale.

RÉFLEXION-APPLICATION

1. Une anomalie génétique humaine se traduit par l'incapacité de synthétiser la dynéine. Elle cause des troubles respiratoires et, chez le mâle, la stérilité. Du point de vue de l'ultrastructure, quel lien existe-t-il entre ces deux symptômes ?

2. Lors de la contraction d'un muscle, toute la masse musculaire semble se contracter simultanément. Pourtant, seulement un faible pourcentage des cellules du muscle entrent

directement en contact avec une terminaison nerveuse stimulatrice. Expliquez ce phénomène.

3. Vous avez une connaissance approfondie de la cellule et vous œuvrez dans le domaine de la recherche en biologie cellulaire. On vous confie la tâche de trouver une substance qui bloquera la progression de certaines tumeurs malignes. En vous référant aux structures et aux fonctions cellulaires, élaborez une stratégie d'intervention cellulaire pour atteindre votre but. Quelles caractéristiques votre substance devrait-elle posséder?

SCIENCE, TECHNOLOGIE ET SOCIÉTÉ

1. Une ville comporte un certain nombre de composantes auxquelles on attribue diverses fonctions. Trouvez, par analogie, la correspondance entre les structures fonctionnelles de la ville et celles d'une cellule animale.

2. La vie en soi n'a pas de forme. Il s'agit de la même entité partout où elle se manifeste; le monde animal (incluant l'Humain), le monde végétal, le monde cellulaire expriment la vie. Notre société, par ses lois, protège la vie des Humains et de certaines catégories animales. Très peu de lois protègent la vie végétale ou cellulaire. À votre avis, n'y a-t-il pas ici une contradiction fondamentale? Tentez de trouver le pourquoi de cette situation de fait.

LECTURES SUGGÉRÉES

Alberts, B. et coll., *Biologie moléculaire de la cellule*, 2ᵉ éd., Paris, Flammarion, 1990. (Les chapitres 4, 7 à 10 et 12 renforcent notre exploration cellulaire.)

Darnell, J., H. Lodish et D. Baltimore, *Biologie moléculaire de la cellule*, 2ᵉ éd., Bruxelles, De Boeck-Wesmael, 1993. (Le chapitre 4 traite en détail les structures fonctionnelles de la cellule.)

De Duve, C., *Une visite guidée de la cellule vivante*, Bruxelles, De Boeck-Wesmael, 1987. (Exploration captivante et très bien illustrée de la cellule vivante.)

Duchesneau, G., «Comment est née la théorie cellulaire», *La Recherche*, n° 237, novembre 1991. (Comment Theodor Schwann a-t-il déterminé l'unité élémentaire de la vie?)

Ford, B. J., «La naissance de la microscopie», *La Recherche*, n° 249, décembre 1992. (L'avenir des microscopes à une seule lentille, découverts au XVIIᵉ siècle.)

Glover, D., C. Gonzalez et J. Raff, «Un architecte des cellules: Le centrosome», *Pour la Science*, n° 190, août 1993. (En dirigeant l'assemblage du squelette cellulaire, le centrosome commande la division, la mobilité et la forme des cellules.)

Lengeler, J. W., «La nage des bactéries», *La Recherche*, n° 217, janvier 1990. (Une cascade de réactions chimiques depuis l'environnement jusqu'au flagelle.)

Lichtman, J., «La microscopie confocale», *Pour la Science*, n° 204, octobre 1994. (Technique permettant de voir clairement des coupes successives de tissus vivants sans les détruire.)

Lüttge, U., M. Kluge et G. Bauer, *Botanique*, Paris, Tec & Doc-Lavoisier, 1992. (Les chapitres 3 à 10 concernent notre étude de la cellule.)

Maillet, M., *Biologie cellulaire*, 6ᵉ éd., Paris, Masson, 1992. (Cet ouvrage présente une vue d'ensemble de la structure cellulaire procaryote et eucaryote.)

Schaffar, L. et A. Esterle, «La perception cellulaire de la pesanteur», *La Recherche*, n° 237, novembre 1991. (Mécanismes de perception et de réponse à la gravitation.)

Smith, B. et D. Chouchan, «Quels microscopes pour demain?», *La Recherche*, n° 238, décembre 1991. (Une réalisation imminente: voir la matière vivante à l'échelle atomique et suivre l'évolution des processus biologiques en trois dimensions.)

Stossel, T., «Comment les cellules se déplacent», *Pour la Science*, n° 205, novembre 1994. (Mise en évidence du rôle des microfilaments d'actine dans la mobilité cellulaire.)

Van Gansen, P., *Biologie générale*, 2ᵉ éd., Paris, Masson, 1989. (Les chapitres 3, 10, 12, ainsi que 14 à 16 contiennent les informations pertinentes.)

MODÈLES DE LA STRUCTURE MEMBRANAIRE

PERMÉABILITÉ SÉLECTIVE

TRANSPORT DES SUBSTANCES NON MACROMOLÉCULAIRES

TRANSPORT DES MACROMOLÉCULES ET DES PARTICULES

L a membrane plasmique est la frontière de la vie, la ligne de démarcation entre la cellule et son environnement. Épaisse de 8 nm environ, la membrane plasmique détermine ce qui entre dans la cellule et ce qui en sort. Comme toutes les membranes biologiques, la membrane plasmique présente une **perméabilité sélective**; autrement dit, elle se laisse traverser par certaines substances plus facilement que par d'autres. La vie telle que nous la connaissons aurait sans doute été impossible sans la formation, à l'ère prébiotique, d'une membrane qui pouvait délimiter une solution différente de la solution environnante tout en permettant l'absorption sélective de nutriments et l'élimination de déchets (figure 8.1).

Le présent chapitre porte sur les membranes et sur leur capacité de régir le passage des substances. Nous nous pencherons principalement sur la membrane plasmique, celle qui enveloppe la cellule. Néanmoins, les principes généraux du passage des substances à travers la membrane plasmique valent aussi pour les différentes membranes internes qui cloisonnent la cellule eucaryote. Nous n'avons pas manqué de le mentionner jusqu'à présent, la structure correspond à la fonction dans la cellule. Pour comprendre le fonctionnement des membranes, nous allons donc commencer par examiner leur architecture.

MODÈLES DE LA STRUCTURE MEMBRANAIRE

Les membranes se composent principalement de lipides et de protéines et, accessoirement, de glucides. À l'heure actuelle, le modèle de la mosaïque fluide est celui qui, de l'avis général, décrit le mieux la disposition des molécules dans les membranes. L'historique détaillé que nous ferons de ce modèle nous donnera un exemple du travail scientifique ; nous verrons comment les chercheurs se servent des idées existantes pour bâtir des hypothèses de travail et les traduire en modèles.

Deux générations de modèles de la membrane : la méthode scientifique à l'œuvre

Les scientifiques commencèrent à élaborer des modèles moléculaires de la membrane bien avant que le microscope électronique ne permette de l'observer. En 1895, Charles Overton observa que les substances liposolubles pénètrent dans les cellules beaucoup plus rapidement que les substances non liposolubles ; il en déduisit que les membranes se composaient de lipides. Vingt ans plus tard, l'analyse de membranes isolées à partir de globules rouges démontra qu'elles étaient formées de lipides et de protéines.

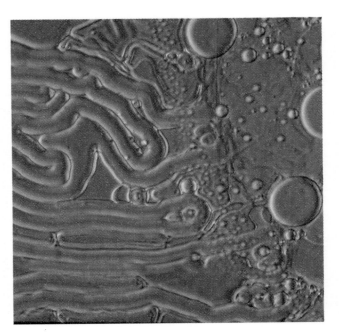

Figure 8.1
La formation spontanée des membranes : une étape clé de l'origine de la vie. Lorsque les phospholipides sont mêlés avec de l'eau, ils forment spontanément une pellicule. Sous l'effet de l'agitation, la pellicule se brise et constitue des sphères (MP). Même ces membranes rudimentaires exercent un certain contrôle sur le passage des substances entre l'intérieur des sphères et le milieu aqueux où elles baignent. Les phosphoglycérolipides faisaient probablement partie des molécules organiques prébiotiques. Leur assemblage spontané prépara l'apparition de cellules primitives qui pouvaient conserver un milieu interne différent du milieu externe. Dans le présent chapitre, vous apprendrez comment, grâce à leur structure, les membranes cellulaires régissent le passage des molécules.

Les **phosphoglycérolipides** sont les lipides les plus abondants dans la plupart des membranes. Leur capacité de former des membranes se trouve inscrite dans leur structure moléculaire même. Rappelons-nous qu'un phosphoglycérolipide comprend une partie hydrophile et une partie hydrophobe (voir la figure 5.14), comme d'autres types de lipides membranaires.

En 1917, I. Langmuir fabriqua des membranes artificielles en mélangeant à de l'eau des phosphoglycérolipides dissous dans du benzène (un solvant organique). Après vaporisation du benzène, les phosphoglycérolipides formèrent une pellicule à la surface de l'eau, ne laissant immergées que leurs têtes hydrophiles (figure 8.2). Huit ans plus tard, deux scientifiques néerlandais, E. Gorter et F. Grendel, supposèrent que les membranes cellulaires étaient composées d'une double couche de phosphoglycérolipides. Selon Gorter et Grendel, cette double couche pouvait constituer une limite stable entre deux compartiments aqueux, car la disposition des molécules abritait de l'eau les queues hydrophobes tout en y exposant les têtes hydrophiles. Gorter et Grendel mesurèrent la quantité de phosphoglycérolipides dans des membranes de globules rouges, et ils s'aperçurent qu'elle suffisait exactement à former deux couches autour des cellules.

Si l'on suppose que la double couche de phosphoglycérolipides forme la trame de la membrane, où situer les protéines? Bien que les têtes des phosphoglycérolipides soient hydrophiles, la surface d'une membrane artificielle composée d'une double couche de phosphoglycérolipides absorbe moins l'eau que la surface d'une membrane biologique véritable. Cette différence s'expliquerait si les deux faces de la membrane étaient couvertes de protéines qui, en règle générale, absorbent l'eau. En 1935, H. Davson et J. Danielli s'appuyèrent sur cette hypothèse pour élaborer un modèle moléculaire qui représentait la membrane comme une double couche de phosphoglycérolipides prise en sandwich entre deux couches de protéines globulaires (figure 8.3a).

Les biologistes durent attendre l'avènement des microscopes électroniques, dans les années 1950, pour voir enfin les membranes (figure 8.4). Ils constatèrent alors que la membrane plasmique ne mesurait que 7 à 8 nm d'épais et qu'elle s'avérait donc un peu trop mince pour correspondre au sandwich moléculaire conceptualisé par Davson et Danielli. Cependant, en remplaçant les protéines globulaires par des couches continues de protéines en feuillets plissés β, Davson et Danielli parvinrent à faire correspondre leur modèle à l'épaisseur observée de la membrane (voir le chapitre 5).

Dans les micrographies électroniques de cellules colorées avec des atomes de métaux lourds, la membrane plasmique présente trois épaisseurs, soit deux lisières sombres (opaques aux électrons) séparées par une bande claire (perméable aux électrons). On interpréta cette configuration comme une preuve de plus à l'appui du modèle de Davson et Danielli. Les premiers utilisateurs du microscope électronique supposaient pour la plupart que les atomes de métaux lourds adhéraient aux protéines et aux têtes hydrophiles des phosphoglycérolipides, mais ne se fixaient pas au centre hydrophobe de la sandwich. Dans les années 1960, le modèle de la sandwich de Davson et Danielli était devenu le modèle privilégié non seulement de la membrane plasmique, mais aussi de toutes les membranes internes de la cellule. À la fin de cette décennie, cependant, plusieurs biologistes cellulaires remettaient en question deux aspects de ce modèle.

Premièrement, certains scientifiques réfutèrent le concept de l'uniformité des membranes cellulaires. Par exemple, la microscopie électronique révéla que la membrane plasmique mesure de 7 à 8 nm d'épais et comprend trois couches, tandis que la membrane interne de la mitochondrie n'a que 6 nm d'épais et présente l'aspect d'une rangée de billes. Il s'avéra aussi que la membrane mitochondriale et la membrane plasmique ne contenaient ni la même proportion de protéines ni les mêmes lipides. Il devenait clair que la composition chimique et la structure des membranes variaient suivant leurs fonctions.

Deuxièmement, les scientifiques contestèrent la position que Davson et Danielli avaient donnée aux protéines. Contrairement aux protéines dissoutes dans le cytosol, les protéines membranaires ne sont pas très solubles dans l'eau. Elles comportent en effet une partie hydrophobe et une partie hydrophile, comme leurs voisins membranaires, les phosphoglycérolipides. Si les protéines étaient étalées à la surface de la membrane comme le supposaient Davson et Danielli, leurs parties hydrophobes se trouveraient en milieu aqueux, et elles sépareraient de l'eau les têtes hydrophiles des phosphoglycérolipides.

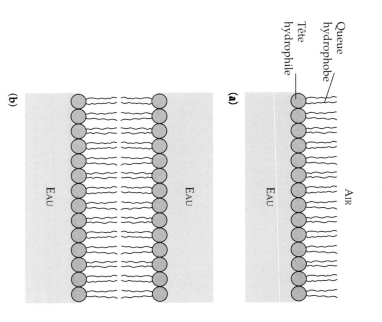

Figure 8.2
Membranes artificielles. (a) On peut former une couche simple de phosphoglycérolipides à la surface de l'eau. Les têtes hydrophiles des phosphoglycérolipides demeurent dans l'eau, tandis que leurs queues hydrophobes en émergent. **(b)** Une double couche de phosphoglycérolipides forme une limite stable entre deux compartiments aqueux. Les parties hydrophiles des molécules restent en contact avec l'eau, tandis que leurs parties hydrophobes en sont protégées.

Queue hydrophobe

Tête hydrophile

AIR

EAU

(a)

EAU

EAU

(b)

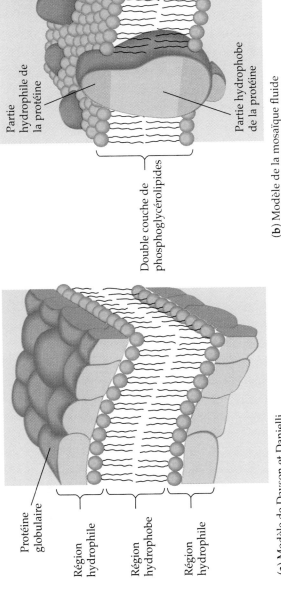

Protéine
globulaire

Région hydrophile

Région hydrophobe

Région hydrophile

(a) Modèle de Davson et Danielli

Figure 8.3
Évolution des modèles de la membrane.
(a) Le modèle de Davson et Danielli, proposé en 1935, montrait une double couche de phosphoglycérolipides prise en sandwich

Partie hydrophile de la protéine

Partie hydrophobe de la protéine

Double couche de phosphoglycérolipides

(b) Modèle de la mosaïque fluide

entre deux couches de protéines. À quelques modifications près, le modèle fut adopté jusqu'en 1970 environ. **(b)** Le modèle de la mosaïque fluide suppose que

les protéines se trouvent dispersées et immergées dans une double couche fluide de phosphoglycérolipides. C'est le modèle qui a cours à l'heure actuelle.

En 1972, S. J. Singer et G. Nicolson révisèrent le modèle. Ils avancèrent que les protéines membranaires sont dispersées et individuellement insérées dans la double couche de phosphoglycérolipides et que seules leurs parties hydrophiles en émergent suffisamment pour entrer en contact avec l'eau. Selon Singer et Nicolson, une telle disposition maximise le contact des parties hydrophiles des protéines et des phosphoglycérolipides avec l'eau tout en fournissant aux parties hydrophobes un milieu exempt d'eau. D'après ce modèle, la membrane est une mosaïque constituée d'une double couche fluide de phosphoglycérolipides

dans laquelle flottent des molécules protéiques, d'où l'expression **modèle de la mosaïque fluide** (voir la figure 8.3b).

Une technique de préparation des cellules, le cryodécapage, a fini de convaincre les chercheurs que les protéines se trouvent insérées dans la double couche de phosphoglycérolipides et non étendues uniformément à sa surface (voir l'encadré de la page 154). Le cryodécapage permet de séparer les deux couches de la membrane et de les examiner au microscope électronique. On voit alors que l'intérieur de la double couche a un aspect granuleux et que les particules protéiques sont parsemées dans une matrice lisse. Les protéines pénètrent dans l'intérieur hydrophobe de la membrane, contrairement à ce que supposaient Davson et Danielli.

L'évolution des connaissances sur la structure membranaire illustre bien la démarche scientifique. Les chercheurs proposent des modèles pour organiser et expliquer les données existantes. L'adoption d'un nouveau modèle n'annule pas la valeur du modèle antérieur. Les modèles n'appellent pas l'expérimentation, et rares sont ceux qui n'en sortent pas modifiés. Comme son prédécesseur, qui a vécu 35 ans, le modèle de la mosaïque fluide sera peut-être un jour révisé à la lumière d'observations et d'expériences nouvelles. Pour l'instant, toutefois, il demeure le modèle le plus acceptable de la structure des membranes.

Modèle de la mosaïque fluide : étude détaillée

Fluidité des membranes Les membranes ne sont pas des couches statiques de molécules rigidement maintenues en place. Les constituants d'une membrane tiennent ensemble grâce aux attractions hydrophobes, plus faibles que les liaisons covalentes (voir le chapitre 5). La plupart des lipides et certaines des protéines peuvent dériver latéralement dans le plan de la membrane

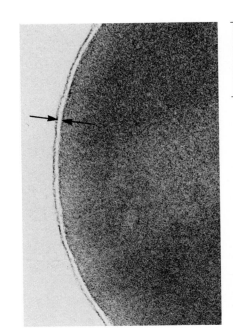

0,1 μm

Figure 8.4
Membrane plasmique d'un globule rouge. En coupe transversale au microscope électronique à transmission, la membrane plasmique paraît formée de deux bandes sombres (flèches) séparées par une région claire.

Tout d'abord, on congèle l'échantillon dans l'azote liquide (−196 °C), afin d'immobiliser instantanément les organites cellulaires. Puis, on fractionne la cellule au moyen d'une lame réfrigérée. La lame n'opère pas une coupe franche dans la cellule congelée : elle la rompt suivant un plan de fracture déterminé par les zones de moindre résistance. Le plan de fracture suit souvent l'intérieur hydrophobe de la membrane, et il divise la double couche de lipides en son milieu, donnant un feuillet I (interne) et un feuillet E (externe). On peut accentuer la topographie de la surface fracturée en utilisant le cryodécapage, un procédé qui consiste à faire sublimer la glace (la faire passer directement de la phase solide à la phase gazeuse). Les protéines membranaires ne se divisent pas ; elles restent prises dans l'un des deux feuillets de phosphoglycérolipides.

On pulvérise ensuite un fin nuage de platine obliquement sur la surface fracturée de la cellule. Le platine s'accumule alors sur les parties en relief de la cellule fracturée et forme des « ombres ». Une pellicule de carbone est ensuite ajoutée pour renforcer la couche de platine.

On détruit l'échantillon original à l'aide d'acides et d'enzymes, si bien qu'il ne reste qu'une réplique de platine et de carbone de la surface fracturée. C'est donc la réplique, et non la membrane elle-même, qu'on examine au microscope électronique.

Une micrographie électronique des feuillets I et E, en surimpression, complète le dessin montrant la face inférieure de chacune des couches de la membrane. Remarquez les particules protéiques.

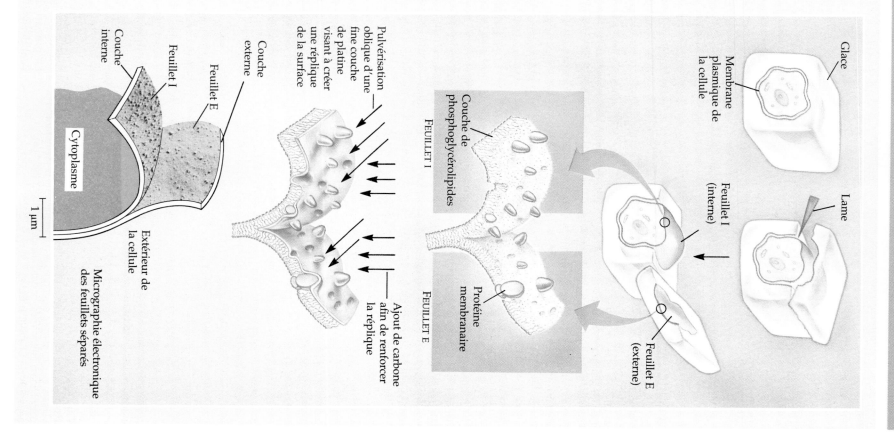

Glace

Membrane plasmique de la cellule

Lame

Feuillet I (interne)

Feuillet E (externe)

Pulvérisation oblique d'une fine couche de platine visant à créer une réplique de la surface

Ajout de carbone afin de renforcer la réplique

FEUILLET I

FEUILLET E

Couche de phosphoglycérolipides

Protéine membranaire

Couche interne

Feuillet I

Feuillet E

Couche externe

Cytoplasme

1 μm

Extérieur de la cellule

Micrographie électronique des feuillets séparés

(figure 8.5a). Toutefois, il arrive rarement qu'une molécule culbute et passe d'une couche de phosphoglycérolipides à l'autre ; ce déplacement exigerait en effet que la partie hydrophile de la molécule traverse le centre hydrophobe de la membrane.

Les mouvements latéraux des phosphoglycérolipides s'effectuent rapidement, à la vitesse moyenne d'environ 2 µm par seconde. Beaucoup plus grosses que les lipides, les protéines se déplacent plus lentement. On l'a déjà démontré par des expériences qui consistaient à réunir une cellule d'Humain et une cellule de Souris. La cellule hybride ainsi composée avait une membrane continue ; les constituants provenant de chaque espèce formaient une partie précise de la membrane. Les protéines membranaires des deux espèces n'ont pas tardé à se mêler, ce qui prouvait que les protéines avaient dérivé (figure 8.6). Toutefois, plusieurs protéines membranaires ne peuvent se déplacer beaucoup, car elles sont rattachées au cytosquelette.

Une membrane reste fluide tant que la température se situe au-delà d'un point de fusion qui varie selon sa composition lipidique. La membrane résiste mieux à la solidification si elle comporte beaucoup de phosphoglycérolipides portant des queues hydrocarbonées insaturées (voir le chapitre 5). Comme des inflexions marquent l'emplacement des liaisons doubles, les hydrocarbures insaturés ne s'entassent pas autant que les hydrocarbures saturés (figure 8.5b).

Le cholestérol entre dans la composition de la membrane plasmique des cellules eucaryotes animales, dans des pourcentages divers (15 à 50 % des lipides totaux) selon les cellules et les tissus. Inséré entre les molécules de phosphoglycérolipides, le cholestérol a des effets complexes sur la fluidité membranaire (figure 8.5c). À des températures relativement élevées (par exemple à 37 °C la température corporelle moyenne des Humains), ce stéroïde restreint partiellement le mouvement des phosphoglycérolipides et diminue donc la fluidité membranaire. Mais comme le cholestérol entrave par ailleurs l'entassement des phosphoglycérolipides, il abaisse également le point de fusion des membranes. Ainsi, le cholestérol permet à la membrane de conserver sa fluidité en dépit des variations normales de température.

Les membranes doivent rester fluides pour bien fonctionner. Lorsqu'une membrane se solidifie, sa perméabilité change et certaines de ses enzymes peuvent devenir inactives. En renouvelant peu ou beaucoup les protéines dans la membrane plasmique des globules rouges, et il en reste sans doute bien d'autres à répertorier.

La figure 8.7 montre qu'il existe deux grandes classes de protéines membranaires. Insérées dans la membrane, les **protéines intramembranaires** la pénètrent assez profondément pour que leurs parties hydrophobes se trouvent entourées par les parties hydrocarbonées des lipides. Certaines protéines intramembranaires ne traversent pas la membrane de part en part, mais la plupart le font. Ces protéines transmembranaires comportent une partie hydrophobe entre leurs extrémités hydrophiles exposées aux solutions aqueuses de part et

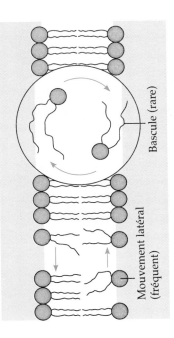

Mouvement latéral (fréquent)

Bascule (rare)

(a)

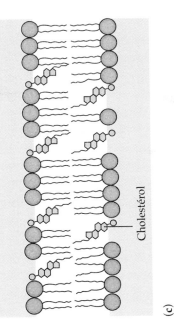

MEMBRANE VISQUEUSE

Queues hydrocarbonées saturées

MEMBRANE FLUIDE

Queues hydrocarbonées insaturées avec inflexions

(b)

Cholestérol

(c)

Figure 8.5
Fluidité des membranes. (a) Les lipides se déplacent latéralement dans une membrane ; les bascules d'une couche à l'autre se produisent rarement. **(b)** Les phosphoglycérolipides présentent des inflexions insaturées des phosphoglycérolipides qui empêchent les molécules de s'entasser et qui conservent ainsi la fluidité de la membrane. **(c)** Le cholestérol réduit la fluidité membranaire à température modérée, mais il empêche la solidification à basse température.

composition lipidique, une cellule peut en modifier quelque peu la composition lipidique de manière à s'adapter aux variations de la température. Chez les Végétaux qui tolèrent le froid extrême, tel le Blé d'hiver, le pourcentage de phosphoglycérolipides insaturés augmente à l'automne, une adaptation qui empêche les membranes de se solidifier pendant l'hiver.

Multiplicité des structures et des fonctions membranaires Une membrane est un assemblage de protéines diverses insérées dans la matrice fluide de la double couche lipidique (figure 8.7). La double couche lipidique forme la trame de la membrane, mais ce sont les protéines qui déterminent la plupart de ses fonctions (figure 8.8). La membrane plasmique et les membranes des différents organites possèdent toutes leur propre ensemble de protéines. Par exemple, on a compté plus de 50 types de

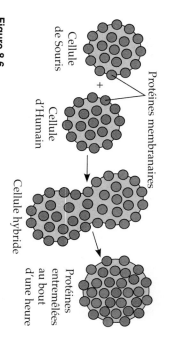

Protéines membranaires

Cellule de Souris

Cellule d'Humain

Cellule hybride

Protéines entremêlées au bout d'une heure

Figure 8.6
Observations à l'appui du déplacement des protéines membranaires. Quand on fusionne expérimentalement une cellule d'Humain et une cellule de Souris, les protéines membranaires des deux espèces s'entremêlent complètement en moins d'une heure.

d'autre de la membrane. Les **protéines périphériques,** elles, ne pénètrent pas du tout dans la membrane; elles constituent des appendices rattachés à la surface membranaire, souvent à la partie saillante de protéines intramembranaires. Sur le feuillet interne de la membrane plasmique, des filaments du cytosquelette aident à maintenir en place certaines protéines périphériques et les protéines intramembranaires associées.

Le feuillet interne et le feuillet externe des membranes sont bien distincts. En effet, ils ne présentent pas la même composition lipidique et l'orientation des protéines y diffère. En outre, seul le feuillet externe de la membrane plasmique contient des glycoprotéines. Cette répartition inégale des protéines est déterminée durant la formation de la membrane par le réticulum endoplas-

mique (figure 8.9). Ainsi, le feuillet externe de la membrane plasmique est structuralement équivalent au feuillet interne du réticulum endoplasmique et des autres organites membraneux.

Glucides membranaires et reconnaissance intercellulaire La reconnaissance intercellulaire, c'est-à-dire la capacité des cellules de se distinguer entre elles, revêt une importance capitale dans le fonctionnement d'un organisme. Chez l'embryon animal, par exemple, la reconnaissance intercellulaire permet aux cellules de même type de se regrouper en tissus. Elle détermine aussi le rejet des cellules étrangères (y compris celles des organes greffés) par le système immunitaire, un important mécanisme de défense chez les Vertébrés (voir le chapitre 39). Les cellules se reconnaissent entre elles au moyen des molécules, notamment des glucides, qui se trouvent à la surface de leur membrane plasmique.

Les glucides membranaires sont généralement de petits glucides ramifiés comptant moins de 15 monomères. Alors que certains glucides membranaires s'unissent aux lipides (glycolipides) par des liaisons covalentes, la plupart se lient à des protéines (glycoprotéines), également par covalence.

Les glucides associés au feuillet externe de la membrane plasmique varient entre les espèces, entre les individus d'une même espèce, voire entre les types de cellules d'un même organisme. Étant donné la diversité de ces glucides et de leur position sur le feuillet externe de la cellule, on les considère comme les marqueurs permettant de distinguer les cellules, notamment celles des différents groupes sanguins.

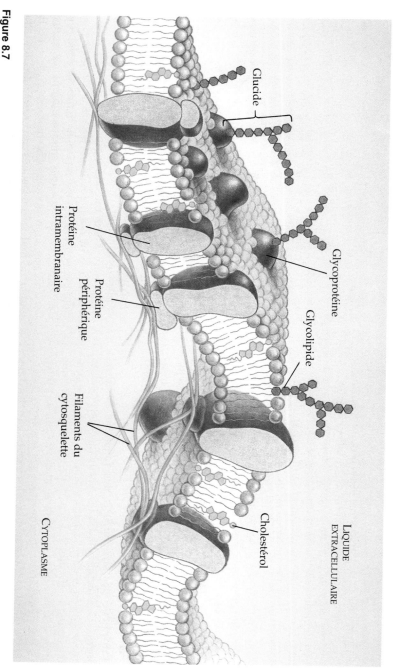

Glucide

Protéine intramembranaire

Protéine périphérique

Glycoprotéine

Glycolipide

Cholestérol

Filaments du cytosquelette

LIQUIDE EXTRACELLULAIRE

CYTOPLASME

Figure 8.7
Structure détaillée de la membrane plasmique d'une cellule animale.

La membrane biologique est un merveilleux exemple de structure supramoléculaire dont les propriétés dépassent celles des molécules constituantes.

Tout le reste de ce chapitre traite de l'une des plus importantes propriétés de la membrane : la perméabilité sélective qui permet l'existence de la cellule en tant que système ouvert. Vous aurez encore une fois l'occasion de constater la corrélation entre la structure et la fonction. Le modèle de la mosaïque fluide vous aidera à comprendre le passage des substances à travers les membranes. *Les notions concernant le transport membranaire revêtent une importance primordiale pour la compréhension du fonctionnement des êtres vivants.*

PERMÉABILITÉ SÉLECTIVE

Comme nous l'avons déjà indiqué, les membranes biologiques possèdent une perméabilité sélective. Bien que la circulation soit intense aux abords de la membrane, les substances ne traversent pas cette barrière sans restriction. En effet, la cellule a la capacité d'admettre de nombreuses variétés de petites molécules et de refuser son accès à d'autres. Qui plus est, toutes les substances ne traversent pas la membrane à la même vitesse.

Perméabilité de la double couche lipidique Le centre hydrophobe de la membrane entrave le passage des ions et des molécules polaires, qui sont hydrophiles. On peut déterminer la facilité avec laquelle les substances franchissent cette barrière en mesurant la vitesse de leur passage à travers une double couche artificielle de phospholiglycérolipides comme celle que nous montrons à la figure 8.2b. Les molécules hydrophobes, comme les hydrocarbures et l'oxygène, se dissolvent dans la membrane et la traversent aisément. De deux molécules également solubles dans les lipides, c'est la plus petite des deux qui traversera la membrane le plus rapidement. De même, les très petites molécules polaires mais neutres traversent la membrane synthétique rapidement. Ainsi, les molécules d'eau et de dioxyde de carbone ont une assez petite taille pour passer entre les phosphoglycérolipides de la membrane. En revanche, la double couche lipidique ne se laisse pas facilement traverser par les grosses molécules polaires neutres, tels le glucose et les autres monosaccharides. Enfin, la double couche lipidique se montre relativement imperméable à tous les ions, comme H^+ et Na^+. Les atomes et les molécules chargés, avec leur revêtement aqueux, ont bien du mal à pénétrer la couche hydrophobe de la membrane (chapitre 3).

Contrairement aux doubles couches lipidiques artificielles, toutefois, la membrane plasmique renferme des protéines, et leur présence influe grandement sur la perméabilité membranaire.

Protéines de transport Les membranes biologiques, contrairement aux membranes artificielles, se laissent traverser par certains ions et certaines molécules polaires. Ces substances hydrophiles évitent le contact avec la double couche lipidique en passant par des **protéines de transport** enchâssées dans la membrane (figure 8.8). Les protéines de transport appartiennent à l'une des trois

---

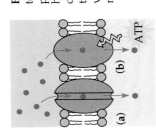

Protéines de transport **(a)** Une protéine qui traverse la membrane de part en part peut constituer un canal hydrophile où ne passe qu'un type de soluté. **(b)** Certaines protéines de transport hydrolysent l'ATP pour véhiculer des substances à travers la membrane.

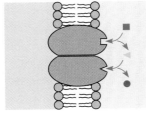

Enzymes Une protéine intramembranaire peut être une enzyme dont le site actif se trouve exposé aux substances de la solution adjacente. Dans certains cas, la membrane comporte un alignement ordonné d'enzymes qui accomplissent en séquence les étapes d'un processus métabolique.

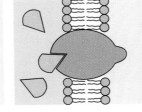

Protéines réceptrices Sur une protéine intramembranaire, la partie en contact avec l'extérieur de la cellule peut porter un site de liaison dont la forme épouse celle d'un messager chimique telle une hormone. Si la protéine réceptrice traverse la membrane de part en part, le signal externe peut induire un changement de conformation à la suite duquel la partie cytoplasmique de la protéine déclenche une cascade de changements chimiques dans la cellule.

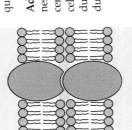

Adhérence intercellulaire Les protéines intramembranaires de cellules adjacentes peuvent se lier et unir ces deux cellules. Ce genre d'association se produit d'ailleurs fréquemment au cours du développement embryonnaire.

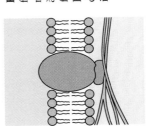

Fixation au cytosquelette Des microfilaments d'actine ou d'autres éléments du cytosquelette peuvent se lier à des protéines membranaires. Cette fonction joue un rôle important dans le maintien de la forme cellulaire et dans la stabilité de certaines protéines intramembranaires.

Figure 8.8
Quelques fonctions des protéines membranaires. Une protéine peut cumuler plusieurs fonctions.

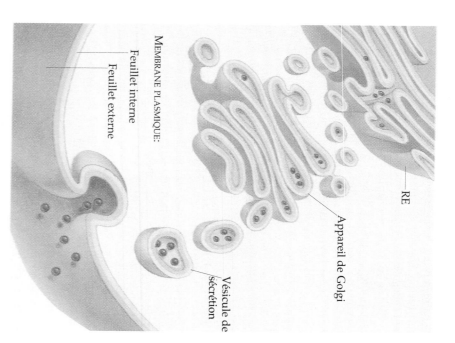

MEMBRANE PLASMIQUE:

Feuillet interne

Feuillet externe

Appareil de Golgi

Vésicule de sécrétion

RE

Figure 8.9

Disposition de la membrane plasmique. Le feuillet interne et le feuillet externe de la membrane plasmique sont bien distincts. Cette disposition est déterminée lors de la synthèse de la membrane par le réticulum endoplasmique (RE) et lors de sa modification par l'appareil de Golgi. Dans l'illustration ci-dessus, les deux feuillets de la membrane portent des couleurs différentes pour bien montrer que le feuillet qui tapisse la lumière (cavité) du réticulum endoplasmique, de l'appareil de Golgi et des vésicules (en gris taupe) est structurellement équivalent au feuillet externe de la membrane plasmique. L'autre feuillet (en bleu gris) fait face au cytoplasme, depuis le moment où il est fabriqué dans le réticulum endoplasmique jusqu'au moment où celle-ci s'incorpore à la membrane plasmique par la fusion d'une vésicule de sécrétion.

catégories suivantes: les protéines de type *uniport* (ou uniporteurs) transportent une molécule ou un ion d'une seule substance dans une direction; les protéines de types *symport* (ou symporteurs) transportent deux substances de nature différente dans la même direction; les protéines de type *antiport* (ou antiporteurs) transportent deux substances de nature différente dans des directions opposées (figure 8.10). Certaines de ces protéines de transport comportent un canal que certaines substances empruntent, tel un tunnel hydrophile, pour traverser la membrane. D'autres se lient à leurs passagers et les portent physiquement d'un côté à l'autre de la membrane. Par ailleurs, les protéines de transport sont généralement très sélectives: la plupart ne véhiculent qu'une substance et toujours la même, tandis que certaines substances transportent une ou plusieurs substances fortement apparentées. Par exemple, le glucose que le sang apporte au foie humain entre très rapidement dans les cellules hépatiques, grâce à des protéines de transport spécifiques insérées dans la

membrane plasmique. Ces protéines sont si spécifiques qu'elles rejettent même le fructose, un isomère du glucose. Les protéines affectées au transport des acides aminés semblent moins sélectives; en effet, elles véhiculent plus d'une sorte d'acide aminé si les acides aminés ont une structure très semblable.

Les canaux protéiques jouent un rôle important dans la perméabilité membranaire. Certains types de canaux protéiques se font et se défont à un rythme effarant, selon les stimulations chimiques (par exemple une hormone) ou électriques (par exemple une baisse de tension) atteignant la membrane; ainsi, la mosaïque fluide permet à des protéines de se déplacer et de se regrouper temporairement (pendant 1 ms environ) pour former ainsi un ou plusieurs canaux. Ce phénomène se manifeste notamment lors des changements de perméabilité membranaire à l'eau et à certaines substances hydrosolubles. D'autres types de canaux protéiques spécifiques ajoutent à la sélectivité de la membrane selon la nature des protéines qui forment le canal. Au moment opportun dans ce manuel, nous préciserons les types de canaux protéiques qui participent à la physiologie des êtres vivants, comme les canaux ioniques à ouverture contrôlée par la tension ou par une substance chimique particulière.

La perméabilité sélective de la membrane repose sur les propriétés chimiques de la double couche lipidique et sur les protéines de transport spécifiques enchâssées dans la membrane. Qu'est-ce qui fait qu'à un moment donné une substance entre dans la cellule ou en sort? La section qui suit expose les connaissances actuelles sur ces questions.

TRANSPORT DE SUBSTANCES NON MACROMOLÉCULAIRES

En règle générale, font partie des «substances non macromoléculaires» toutes les substances non moléculaires, *à l'exception*: des polysaccharides, des diacylglycérols et des triacylglycérols, des chaînes polypeptidiques de plus de trois acides aminés, des nucléotides et des polynucléotides.

Il se produit un va-et-vient constant d'ions et de molécules relativement petites à travers la membrane plasmique. Une cellule musculaire humaine, par exemple, procède à de nombreux échanges chimiques avec le liquide extracellulaire. Les monosaccharides, les acides aminés et les autres nutriments entrent dans la cellule, et les sous-produits du métabolisme en sortent. La cellule admet de l'oxygène et expulse du dioxyde de carbone. Enfin, elle équilibre ses concentrations en ions inorganiques, tels le Na$^+$, le K$^+$, le Ca^{++} et le Cl$^-$, en leur faisant traverser la membrane plasmique dans un sens ou dans l'autre.

Diffusion et transport passif

Nous avons vu, au chapitre 3, que les molécules en mouvement possèdent une énergie cinétique moyenne, mesurée par la température. La **diffusion**, cette tendance qu'ont les substances (ions ou molécules) à se répartir

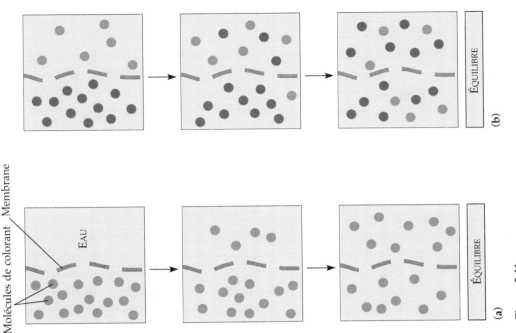

(a)

ÉQUILIBRE

EAU

ÉQUILIBRE

Molécules de colorant   Membrane

(b)

ÉQUILIBRE

Figure 8.11
Diffusion d'un soluté. (a) Une substance diffuse de la zone la plus concentrée vers la zone la moins concentrée en cette substance. Ici, les molécules d'un colorant dissous dans l'eau diffusent à travers une membrane jusqu'à ce qu'un équilibre dynamique soit atteint. **(b)** Dans ce cas-ci, des solutions colorées différemment se trouvent séparées par une membrane perméable aux deux colorants. Les molécules de chaque colorant diffusent suivant leur gradient de concentration. Le colorant vert diffuse vers la gauche, même si la concentration totale de solutés était initialement plus grande qu'à droite.

moins concentrée en cette substance. En d'autres termes, toute substance diffuse suivant un **gradient de concentration.** Ce phénomène ne nécessite aucune énergie métabolique (ATP); la diffusion se produit spontanément parce qu'elle diminue l'énergie libre (voir le chapitre 6). Rappelez-vous que, dans l'Univers, l'entropie (ou le désordre) a tendance à augmenter. La diffusion d'un soluté dans l'eau accroît l'entropie, car elle défait l'ordre représenté par des concentrations distinctes du soluté. Remarquez aussi que chaque substance diffuse suivant son *propre* gradient de concentration, sans égard aux différences de concentration des autres substances (figure 8.11b).

La plus grande partie des échanges transmembranaires se fait par diffusion. Chaque fois qu'une substance présente une plus grande concentration d'un côté de la

---

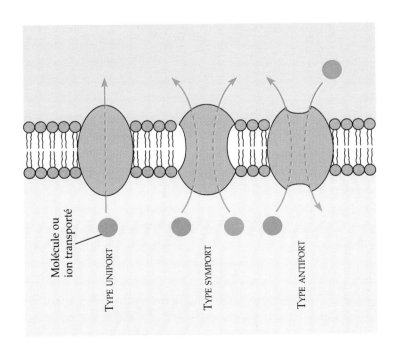

Molécule ou ion transporté

TYPE UNIPORT

TYPE SYMPORT

TYPE ANTIPORT

Figure 8.10
Trois types de protéines de transport. La protéine de type uniport transporte un seul soluté à travers la membrane. La protéine de type symport, elle, déplace deux solutés différents simultanément et dans la même direction; le transport ne peut s'effectuer que si les *deux* solutés se lient à la protéine. Par exemple, la membrane plasmique de nombreuses cellules animales contient des symporteurs qui transportent un ion sodium et une molécule de glucose de la solution extracellulaire vers l'intérieur de la cellule. S'il n'y a pas d'ion sodium à l'extérieur de la cellule, le symporteur est incapable de transporter le glucose. Quant à la protéine de type antiport, elle transporte un soluté vers l'intérieur de la cellule et un autre vers l'extérieur. Par exemple, il existe un antiporteur qui amène les ions potassium dans la cellule et en expulse les ions sodium.

uniformément dans un milieu, découle de cette propriété. Lorsque la diffusion s'effectue librement, sans l'aide d'une protéine de transport, on parle de *diffusion simple.* Lorsqu'une protéine de transport intervient dans la diffusion, il s'agit de *diffusion facilitée.* Les déplacements des ions et des molécules se font de façon aléatoire, mais la diffusion d'un ensemble de substances peut s'effectuer dans une direction précise. Imaginez par exemple qu'une membrane sépare de l'eau pure d'une solution aqueuse de colorant. Supposez aussi que cette membrane est perméable aux molécules de colorant (figure 8.11a). Les molécules de colorant errent toutes au hasard, mais elles présentent un mouvement *net* du côté de l'eau pure. Elles continuent de se répartir de part et d'autre de la membrane jusqu'à ce qu'elles atteignent une concentration égale dans les deux solutions. Il existe alors un équilibre dynamique et, à chaque seconde, le nombre de molécules de colorant qui traversent la membrane vers la gauche est égal au nombre de molécules de colorant qui traversent la membrane vers la droite.

Nous pouvons maintenant énoncer une règle simple : en l'absence d'autres forces, une substance (ion ou molécule) diffuse de la zone de la zone la plus concentrée vers la zone la

---

membrane que de l'autre, elle a tendance à diffuser à travers la membrane suivant son gradient de concentration (à condition que la membrane soit perméable à cette substance). L'absorption de l'oxygène en vue de la respiration cellulaire constitue un important exemple de la diffusion simple. L'oxygène dissous diffuse vers l'intérieur de la cellule. La diffusion simple se poursuit tant que la respiration cellulaire consomme l'oxygène, car le gradient de concentration favorise le mouvement dans cette direction.

La diffusion d'une substance à travers une membrane biologique constitue un mode de **transport passif**, parce que le phénomène ne nécessite pas de dépense d'énergie de la part de la cellule. (Le gradient de concentration lui-même représente de l'énergie potentielle et alimente la diffusion.) Rappelez-vous, cependant, que la perméabilité sélective influe sur la vitesse de diffusion des différentes molécules. L'eau, composante vitale des cellules, diffuse librement à travers les membranes, selon un processus appelé *osmose*.

Osmose

Si deux solutions présentent des concentrations inégales de solutés, la solution la plus concentrée est dite **hypertonique** ; la solution la moins concentrée est dite **hypotonique**. Il s'agit ici de deux termes relatifs qu'on utilise uniquement à des fins de comparaison. Par exemple, l'eau du robinet est hypertonique par rapport à l'eau distillée, mais hypotonique par rapport à l'eau de mer. En d'autres termes, l'eau du robinet contient une plus forte concentration de solutés que l'eau distillée, mais une plus faible concentration de solutés que l'eau de mer. Les solutions qui contiennent une concentration égale de solutés sont dites **isotoniques.**

Imaginez un récipient en forme de U dans lequel une membrane à perméabilité sélective sépare deux solutions de glucose de concentrations différentes (figure 8.12). La membrane synthétique de cet exemple est perméable à l'eau mais imperméable au glucose. L'eau diffuse à travers la membrane, de la solution hypotonique vers la solution hypertonique. Les concentrations de glucose de part et d'autre de la membrane tendent à s'égaliser à mesure qu'une solution perd de l'eau au profit de l'autre. En même temps, le volume de la solution la plus concentrée au départ augmente, et celui de la solution la plus diluée diminue, par suite du transport de l'eau.

La diffusion de l'eau à travers une membrane à perméabilité sélective représente un cas particulier de transport passif appelé **osmose.** Pendant l'osmose, l'eau diffuse-t-elle suivant son gradient de concentration ? Logiquement, la solution contenant la plus forte concentration de soluté (de glucose, dans ce cas-ci) devrait contenir la plus faible concentration de solvant (d'eau). Mais ce n'est pas si simple. Dans une solution diluée (comme la plupart des liquides biologiques), la présence de solutés ne modifie pas notablement la concentration d'eau. Les ions et les molécules de soluté occupent effectivement de l'espace, mais les molécules d'eau s'agglutinent autour des ions et des molécules hydrophiles du soluté, et l'eau devient plus compacte (voir le chapitre 3). Cette eau liée n'est pas libre de traverser la

membrane (figure 8.13). En réalité, l'osmose ne provient pas d'une différence dans la concentration totale d'eau, mais d'une différence dans la concentration du soluté. L'effet, néanmoins, demeure le même : *l'eau tend à diffuser à travers une membrane d'une solution hypotonique vers une solution hypertonique.*

La direction de l'osmose dépend uniquement de la différence dans la concentration *totale* du soluté de part et d'autre d'une membrane, et non de la nature du soluté. Quand une membrane sépare des solutions isotoniques, l'eau la traverse à la même vitesse dans les deux directions ; autrement dit, il n'y a pas de flux osmotique net de l'eau entre des solutions isotoniques.

On peut mesurer la tendance des solutions à gagner de l'eau par osmose au moyen d'instruments appelés osmomètres. Dans l'un de ces instruments, une membrane perméable à l'eau mais imperméable au soluté sépare de l'eau pure d'une solution (figure 8.14). Ordinairement, l'osmose fait augmenter le volume de la solution. Or, on peut contrer la tendance de la solution à gagner de

La diffusion d'une substance à travers une membrane biologique constitue un mode de transport passif, parce que le phénomène ne nécessite pas de dépense d'énergie de la part de la cellule. (Le gradient de concentration lui-même représente de l'énergie potentielle et alimente la diffusion.) Rappelez-vous, cependant, que la perméabilité sélective influe sur la vitesse de diffusion des différentes molécules. L'eau, composante vitale des cellules, diffuse librement à travers les membranes, selon un processus appelé *osmose.*

sont séparées par une membrane perméable au solvant (l'eau) mais imperméable au soluté (le glucose). La forme en U du récipient facilite l'observation des changements de volume. L'eau diffuse de la solution hypotonique vers la solution hypertonique. Idéalement, l'osmose (la diffusion de l'eau à travers une membrane à perméabilité sélective) devrait se poursuivre jusqu'à ce que les concentrations soient égales de part et d'autre de la membrane, c'est-à-dire que les deux solutions deviennent isotoniques. Cela se produirait probablement si l'expérience avait lieu en apesanteur, à bord d'une navette spatiale par exemple. Mais ici sur la Terre, à bord d'une navette spatiale qui subit l'attraction terrestre, le devient de plus en plus lourd ; sa masse finit par repousser l'eau à travers la membrane, assez rapidement pour maintenir un déséquilibre entre les concentrations de glucose de part et d'autre de la membrane.

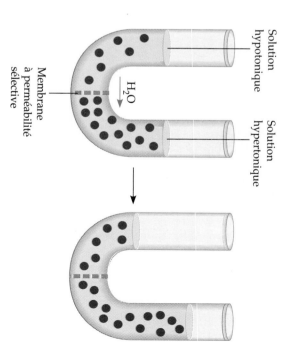

Figure 8.12
Osmose. Deux solutions de glucose de concentrations différentes

Solution
hypotonique

Solution
hypertonique

Membrane
à perméabilité
sélective

H₂O

Figure 8.13
Effet du soluté sur la diffusion de l'eau.
Les ions et les molécules de soluté ne
réduisent pas la concentration totale d'eau
(le nombre de molécules d'eau par unité de
volume), mais elles réduisent la proportion
de molécules d'eau libres de se déplacer.
Les molécules d'eau agglutinées autour
des ions et des molécules de soluté ne sont
pas libres de diffuser à travers la membrane.
L'eau passe par osmose d'une solution
hypotonique vers une solution hypertonique,
parce que la solution hypotonique contient
une plus forte concentration de molécules
d'eau libres.

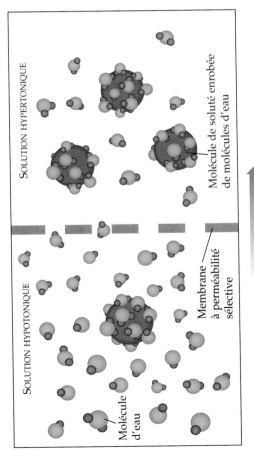

SOLUTION HYPOTONIQUE   SOLUTION HYPERTONIQUE

↑

Diffusion nette de l'eau

Molécule
d'eau

Membrane
à perméabilité
sélective

Molécule de soluté enrobée
de molécules d'eau

---

l'eau en lui appliquant une pression à l'aide d'un piston. Pour maintenir le volume de la solution, on applique juste assez de pression pour annuler la tendance de l'eau à entrer dans la solution par osmose. Par conséquent, le piston et la solution exercent l'un contre l'autre une pression égale, appelée pression osmotique de la solution. La **pression osmotique** est donc une mesure de la tendance des solutions à gagner de l'eau lorsqu'elles se trouvent séparées de l'eau pure par une membrane à perméabilité sélective. La pression osmotique de l'eau pure est de 0. Si les deux compartiments d'un osmomètre contenaient de l'eau pure, on n'aurait pas à appliquer de pression sur le piston. La pression osmotique d'une solution est proportionnelle à sa concentration. Plus la concentration est grande, plus la pression osmotique est grande aussi, et plus forte est la tendance de la solution à accaparer l'eau d'un réservoir d'eau pure. Et si une membrane sépare deux solutions, l'eau passe de la solution ayant la pression osmotique la plus faible vers la solution ayant la pression osmotique la plus forte. Cela revient à dire que l'eau passe d'une solution hypotonique à une solution hypertonique.

La diffusion de l'eau à travers les membranes cellulaires ainsi que l'équilibre hydrique entre la cellule et son milieu sont essentiels aux organismes. Appliquons maintenant aux cellules ce que nous venons d'apprendre à propos de l'osmose.

Équilibre hydrique dans les cellules dénuées de paroi Si l'on immerge une cellule animale dans un milieu isotonique, il n'y a pas de diffusion nette de l'eau à travers la membrane. L'eau traverse bien la membrane, mais elle le fait autant dans un sens que dans l'autre. Dans un milieu isotonique, le volume d'une cellule animale reste stable (figure 8.15). Dans une solution très hypertonique, cependant, la cellule animale perd de l'eau, devient crénelée (ratatinée) et meurt. C'est l'une des raisons pour lesquelles l'augmentation de la salinité d'un lac (causée par des déversements de neige usée par exemple) peut tuer les animaux qui y vivent. Une entrée excessive d'eau s'avère aussi dommageable pour une cellule animale qu'une perte importante. Si l'on place la cellule animale dans une solution très hypotonique, l'eau entre

---

plus vite dans la cellule qu'elle n'en sort : la cellule s'enfle et se lyse (éclate) comme un ballon trop gonflé.

Une cellule dénuée de paroi rigide ne peut tolérer ni entrées ni sorties d'eau excessives. Le problème de l'équilibre hydrique ne se pose pas si une telle cellule vit dans un milieu isotonique. Ainsi, beaucoup d'Invertébrés marins sont isotoniques par rapport à l'eau de mer, et les cellules de la plupart des Animaux terrestres baignent dans un liquide isotonique par rapport à elles. Quant aux organismes dépourvus de paroi cellulaire mais vivant dans un milieu hypertonique ou hypotonique, ils doivent posséder des adaptations qui leur permettent d'effectuer l'**osmorégulation**, c'est-à-dire la régulation de l'équilibre hydrique. Par exemple, le Protiste appelé Paramécie vit dans des eaux stagnantes hypotoniques. L'eau a tendance à entrer continuellement dans la cellule, mais la membrane plasmique de la Paramécie est beaucoup moins

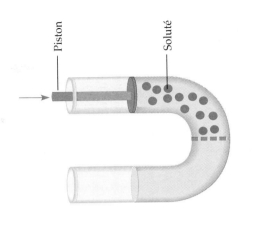

Piston

Soluté

Figure 8.15
Équilibre hydrique dans les cellules.
Suivant que les cellules possèdent ou non une paroi cellulaire, elles réagissent différemment aux variations de concentration des solutés dans leur milieu. La cellule animale est dépourvue de paroi cellulaire. À moins de posséder des adaptations spéciales qui contrent le gain ou la perte d'eau par osmose, la cellule animale se porte mieux dans un milieu isotonique. La cellule végétale, munie d'une paroi cellulaire, est ferme et, en règle générale, saine dans un milieu hypotonique. L'entrée de l'eau dans la cellule végétale est contrée par la pression de la paroi élastique contre la membrane plasmique et le cytoplasme. (Les flèches indiquent la diffusion *nette* de l'eau juste après l'immersion des cellules dans les solutions.)

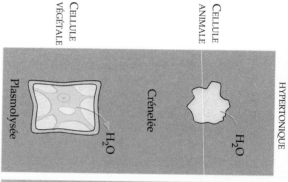
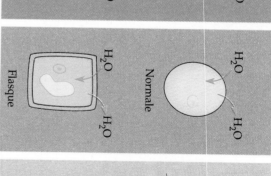
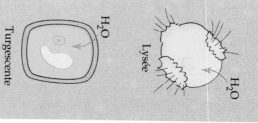

SOLUTION TRÈS HYPERTONIQUE — SOLUTION ISOTONIQUE — SOLUTION TRÈS HYPOTONIQUE

CELLULE ANIMALE : Crénelée — Normale — Lysée (H_2O)

CELLULE VÉGÉTALE : Plasmolysée — Flasque — Turgescente (H_2O)

perméable à l'eau que celle de la plupart des autres cellules. En outre, la Paramécie possède une vacuole contractile, un organite qui expulse l'eau à mesure qu'elle entre par osmose (figure 8.16). Nous étudierons d'autres mécanismes d'osmorégulation au chapitre 40.

Équilibre hydrique dans les cellules pourvues d'une paroi Les cellules des Végétaux, des Monères, des Mycètes et de certains Protistes sont entourées d'une paroi. Dans certaines conditions, la paroi contribue grandement au maintien de l'équilibre hydrique entre la cellule et son milieu. Cependant, si la cellule baigne dans un milieu hypertonique, sa paroi n'est pas d'une grande utilité : la cellule perd de l'eau et rétrécit, comme le ferait une cellule animale dans les mêmes conditions (voir la figure 8.15). À mesure que la cellule se ratatine, sa membrane plasmique s'écarte de la paroi cellulaire. Ce phénomène, appelé **plasmolyse**, est généralement fatal. Les Bactéries et les Mycètes subissent le même sort en milieu hypertonique.

Lorsqu'une cellule végétale se trouve dans une solution hypotonique (dans de l'eau de pluie par exemple), la paroi concourt à l'équilibre hydrique. Comme la cellule animale, la cellule végétale gagnera de l'eau par osmose et s'enflera. La paroi élastique se distendra jusqu'à un certain point, après quoi elle exercera sur la cellule une pression qui empêchera l'eau d'entrer. Quand la paroi exerce une pression égale et opposée à la pression osmotique de la cellule, les entrées et les sorties d'eau s'effectuent au même débit, et il y a un équilibre dynamique. La cellule est alors **turgescente** (très ferme). La turgescence constitue l'état idéal pour la plupart des Végétaux ; elle apporte d'ailleurs un soutien mécanique essentiel aux Plantes non ligneuses qui ornent nos intérieurs. Pour présenter cet état de turgescence, les cellules doivent être hypertoniques par rapport à la solution située à l'extérieur de leur membrane plasmique. Si une cellule végétale baigne dans un milieu isotonique, il n'y a pas de diffusion nette de l'eau vers l'intérieur, et la cellule devient flasque. Une Plante dont les cellules sont flasques flétrit (figure 8.17).

Diffusion facilitée Comme nous l'avons mentionné précédemment, beaucoup de molécules polaires et d'ions refoulés par la double couche lipidique arrivent à diffuser suivant leur gradient de concentration, en se liant à des protéines de transport disséminées dans la membrane. On appelle ce phénomène **diffusion facilitée**. Notez que lors de la diffusion simple d'une substance par un canal protéique, la substance ne se lie pas à une des protéines du canal, alors que la diffusion facilitée comporte une liaison entre la substance et une protéine de transport.

Une protéine de transport possède plusieurs des propriétés d'une enzyme (voir le chapitre 6). De la même manière qu'une enzyme est spécifique à son substrat, une protéine de transport est faite sur mesure pour le soluté qu'elle véhicule ; elle présente un site de liaison analogue au site actif d'une enzyme. À l'instar des enzymes, les protéines de transport peuvent devenir saturées : une membrane plasmique ne contient qu'un certain nombre de molécules de chaque type de protéine de transport, et quand ces molécules sont toutes occupées, le transport atteint sa vitesse maximale. Comme les enzymes, les protéines de transport peuvent être inhibées par des molécules qui ressemblent à leur « substrat » normal. Ces imposteurs se lient à elles et entrent en compétition avec le soluté normalement transporté. Contrairement aux enzymes, cependant, les protéines de transport ne catalysent pas de réactions chimiques. Leur fonction consiste plutôt à catalyser un processus physique : le transport d'une molécule à travers une membrane qui serait autrement imperméable à cette molécule.

Les cytologistes ne savent pas encore exactement comment les protéines membranaires facilitent la diffusion. Il est peu probable que la protéine se comporte comme un traversier, c'est-à-dire qu'elle prenne son passager d'un côté de la membrane, franchisse toute l'épaisseur de la membrane et dépose son passager de l'autre côté. La protéine de transport ne fonctionne probablement pas à la façon d'une porte tournante, pivotant dans la membrane pour transporter une molécule ou un ion à chaque rotation. Ces deux hypo-

50 µm

Vacuole pleine

(a)

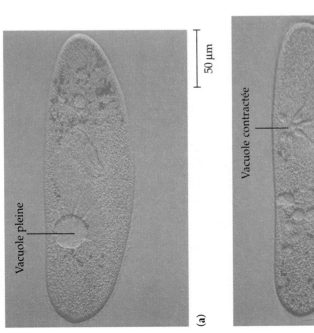

Vacuole contractée

50 µm

(b)

Figure 8.16
Adaptations évolutives permettant l'osmorégulation chez la Paramécie. La Paramécie fait partie des Protistes dulcicoles. L'eau stagnante (hypotonique) dans laquelle baigne la Paramécie tend à s'infiltrer par osmose. La cellule étant dénuée de paroi, qu'est-ce qui lui évite d'éclater ? La Paramécie a acquis des adaptations qui lui permettent de contrer l'entrée d'eau causée par l'osmose. Sa membrane plasmique est moins perméable à l'eau que celle de la plupart des autres organismes. Cette adaptation ne fait toutefois que ralentir l'entrée de l'eau. La vacuole contractile annule les effets de l'osmose en expulsant l'eau de la cellule. **(a)** Un réseau de canaux parcourant le cytoplasme achemine l'eau dans la vacuole contractile. **(b)** Quand la vacuole et les canaux sont pleins, ils se contractent et expulsent l'eau de la cellule (MP).

thèses sont peu plausibles, car les mécanismes en jeu mettraient les parties hydrophiles de la protéine en contact avec l'intérieur hydrophobe de la membrane. Il existe par ailleurs un modèle plus conforme aux connaissances actuelles à propos de la structure membranaire. D'après ce modèle, la protéine reste en place dans la membrane et transborde les substances en subissant un changement de forme subtil qui transfère le site de liaison d'un côté de la membrane à l'autre (figure 8.18). Il se peut que le changement de forme soit déclenché par la liaison et la libération de la substance transportée.

Certaines maladies héréditaires se traduisent par une anomalie d'un mécanisme de transport ou par l'absence d'un transporteur spécifique. La cystinurie, par exemple, est une maladie humaine caractérisée par une anomalie du mécanisme de transport de la cystine (substance faite de deux molécules de cystéine, un acide aminé, unies par

un pont disulfure) dans les cellules rénales. En temps normal, les cellules rénales réabsorbent ces molécules avec les autres acides aminés de l'urine et les renvoient dans le sang ; chez une personne atteinte de cystinurie, les acides aminés s'accumulent dans les reins, cristallisent et forment des calculs douloureux. Au Québec, la cystinurie touche une personne sur 3400 ; par ailleurs, un Québécois sur 2400 vit avec une maladie héréditaire liée au transport rénal d'une ou plusieurs sortes d'acides aminés.

Figure 8.17
Plante aux cellules turgescentes et Plante aux cellules flasques. (a) L'apparence d'une Plante comme cette Impatiente reflète l'état osmotique de ses cellules. Les Plantes non ligneuses ont besoin de cellules turgescentes pour que leurs tiges et leurs feuilles puissent résister à la gravitation. Quand on arrose adéquatement une Plante d'intérieur, ses cellules restent turgescentes car elles baignent dans une solution hypotonique que les racines absorbent du sol. **(b)** Un arrosage insuffisant cause la flétrissure, le signe visible de la flaccidité des cellules. Si la plasmolyse n'a pas encore eu lieu, on peut revigorer une Plante flétrie en l'arrosant ; la turgescence de ses cellules se rétablira. Une fertilisation exagérée du sol peut aussi entraîner la flétrissure. En effet, les engrais augmentent la concentration de solutés dans le sol. En quantités excessives, ces solutés rendent la solution du sol hypertonique par rapport aux liquides contenus dans les racines ; la Plante perd alors de l'eau par osmose.

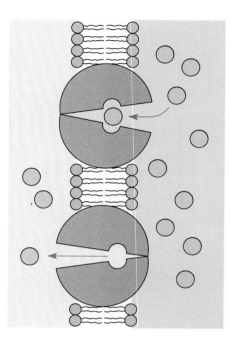

Figure 8.18
Modèle de la diffusion facilitée. La protéine de transport, ici un uniporteur (en violet), oscille entre deux conformations ; en changeant de forme, elle déplace un soluté à travers la membrane. La protéine peut transporter le soluté dans une direction ou dans l'autre, la diffusion nette s'effectuant suivant le gradient de concentration du soluté.

En dépit de l'intervention d'une protéine de transport, on considère la diffusion facilitée comme un mode de transport passif, car le soluté suit son gradient de concentration. La diffusion facilitée accélère le transport d'un soluté en ouvrant un corridor spécifique dans la membrane, mais elle ne modifie pas la direction du déplacement. Parmi les substances transportées par diffusion facilitée, on compte le glucose, les acides aminés, certains ions et le pyruvate (une substance organique importante pour la respiration cellulaire et le métabolisme en général).

Transport actif

Il existe des protéines de transport qui peuvent surmonter la force exprimée par le gradient de concentration du soluté et le porter du côté de la membrane où il est le moins concentré vers le côté où il est le plus concentré. Ce transport équivaut à pousser une charge vers le haut d'une pente, et il nécessite un travail. Pour pousser une substance à travers une membrane à l'encontre de la force résultante du gradient de concentration, *la cellule doit dépenser de l'énergie métabolique*. Par conséquent, cette forme de transport membranaire s'appelle **transport actif**.

Le transport actif joue un rôle clé dans le maintien de concentrations intracellulaires différentes des concentrations extracellulaires. La cellule animale, par exemple, possède une concentration d'ions potassium beaucoup plus élevée que celle du milieu environnant, et une concentration d'ions sodium beaucoup plus faible. La membrane plasmique, avec l'aide de l'ATP et des antiporteurs, maintient ces fortes différences de gradients en expulsant le sodium de la cellule et en y introduisant du potassium.

Le transport actif relève de protéines spécifiques enchâssées dans la membrane. Ces protéines présentent plusieurs des propriétés enzymatiques des protéines qui interviennent dans la diffusion facilitée, mais elles doivent utiliser l'énergie cellulaire pour déplacer les ions et les molécules contre la force résultante de leur gradient de concentration. Comme pour d'autres formes de travail cellulaire, c'est l'ATP qui fournit l'énergie nécessaire au transport actif, en cédant son groupement phosphate terminal à la protéine de transport. Ce transfert induit un changement de conformation, de telle sorte que le soluté lié à la protéine se voit transporté de l'autre côté de la membrane. Il semble que la **pompe à sodium et à potassium** (aussi appelée pompe à Na^+-K^+), qui échange du sodium (Na^+) contre du potassium (K^+) à travers les membranes des cellules animales, fonctionne de cette façon (figure 8.19). Pour son fonctionnement, la pompe à sodium et à potassium exige environ le tiers de la puissance énergétique totale de la cellule ; voilà qui prouve, d'une certaine manière, l'importance de cette pompe. Au chapitre 44, nous verrons comment la pompe à sodium et à potassium contribue à la transmission des influx dans les neurones. La membrane plasmique comporte d'autres pompes ioniques. En plus de la pompe à Na^+-K^+, elle possède, à titre d'exemple, des pompes à H^+, à H^+-K^+, à Ca^{++}. Dans la littérature scientifique, vous lirez parfois des appellations différentes de ces pompes ioniques ; par exemple, on utilise le terme Na^+-K^+ ATPase, signifiant que la pompe comporte une enzyme hydrolysant l'ATP.

Transport des ions et potentiel de membrane

Toutes les membranes plasmiques déterminent une différence de potentiel électrique entre le milieu extracellulaire et le cytoplasme. Cette différence de potentiel représente l'énergie électrique potentielle qui naît de la séparation de charges opposées (voir le chapitre 6). Le cytoplasme porte une charge négative par rapport au liquide extracellulaire, car les anions et les cations sont inégalement répartis entre les deux milieux. La différence de potentiel électrique existant de part et d'autre d'une membrane, appelé **potentiel de membrane**, varie entre –50 et –200 mV (millivolts) selon le moment et le type de cellule. (Le signe moins indique que l'intérieur de la cellule est négatif par rapport à l'extérieur.)

Le potentiel de membrane se comporte comme une pile, et il influe sur le passage de toutes les substances chargées à travers la membrane, favorisant l'entrée des cations et la sortie des anions. En résumé, deux forces président au transport passif des ions à travers les membranes : le gradient de concentration des ions et l'effet du potentiel de membrane sur eux. La figure 8.20 représente l'interaction de ces forces.

Étant donné le potentiel de membrane, il est inexact de dire qu'un ion diffuse toujours suivant son gradient de concentration. Un ion diffuse plutôt suivant son **gradient électrochimique**, un gradient qui combine l'influence de la force électrique (le potentiel de membrane) et celle de la force chimique (le gradient de concentration). Les solutés non chargés, quant à eux, subissent uniquement l'influence du gradient de concentration.

Plusieurs facteurs contribuent au potentiel de membrane d'une cellule. Au pH cellulaire, la plupart des protéines et des autres macromolécules portent une charge négative. Ces gros anions se trouvent emprisonnés dans la cellule et contribuent faiblement à son potentiel de membrane. Les protéines membranaires qui transportent des ions, elles, ont un effet plus marqué. Tel est le cas de la pompe à sodium et à potassium. La figure 8.19 montre

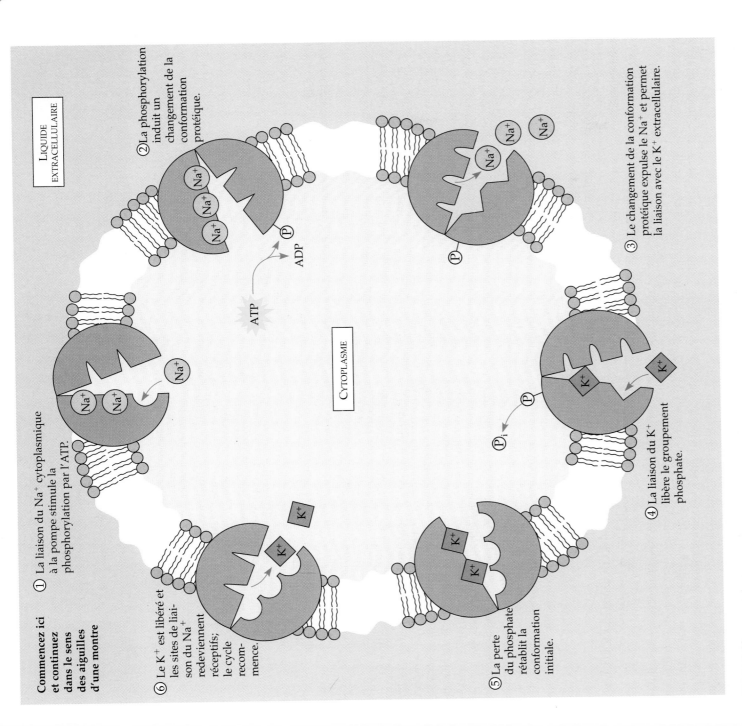

Commencez ici et continuez dans le sens des aiguilles d'une montre

① La liaison du Na⁺ cytoplasmique à la pompe stimule la phosphorylation par l'ATP.

② La phosphorylation induit un changement de la conformation protéique.

③ Le changement de la conformation protéique expulse le Na⁺ et permet la liaison avec le K⁺ extracellulaire.

④ La liaison du K⁺ libère le groupement phosphate.

⑤ La perte du phosphate rétablit la conformation initiale.

⑥ Le K⁺ est libéré et les sites de liaison du Na⁺ redeviennent réceptifs; le cycle recommence.

CYTOPLASME

ATP

ADP

Figure 8.19
Un cas particulier de transport actif: la pompe à sodium et à potassium. La pompe à sodium et à potassium transporte des ions contre la force résultante d'un gradient de concentration. La concentration extracellulaire de Na⁺ est plus grande que sa concentration intracellulaire, contrairement aux concentrations de K⁺. Oscillant entre deux conformations au cours de son cycle, la pompe protéique expulse trois ions Na⁺, chaque fois qu'elle fait entrer deux ions K⁺. L'ATP alimente les changements de conformation en phosphorylant une protéine de transport (c'est-à-dire en lui cédant un groupement phosphate). Les deux conformations se distinguent par leur affinité pour le Na⁺ et le K⁺ ainsi que par l'orientation des sites de liaison. Avant la phosphorylation, les sites de liaison font face au cytoplasme, et seuls les sites de liaison du Na⁺ sont réceptifs. La liaison du sodium induit le transfert du phosphate de l'ATP à la pompe, déclenchant le changement de conformation. La pompe ayant une nouvelle conformation, les sites de liaison se trouvent maintenant du côté extracellulaire de la membrane, et la pompe protéique (de type antiport) a désormais plus d'affinité pour le K⁺ que pour le Na⁺. La liaison du potassium entraîne la libération du phosphate, qui devient inorganique (Pᵢ), et la pompe retrouve sa conformation initiale. Étant donné que la pompe se comporte aussi comme une enzyme qui retire le phosphate de l'ATP, on l'appelle parfois Na⁺-K⁺ ATPase. La pompe est en réalité un agrégat de quatre protéines, représentées sous forme d'une protéine articulée unique dans la figure.

Chapitre 8 : Structure et fonction des membranes **165**

que la pompe n'échange pas un ion Na+ contre un ion K+, mais qu'elle rejette trois ions Na+ chaque fois qu'elle amène deux ions K+. Chaque cycle de cette pompe transfère une charge positive du cytoplasme vers le liquide extracellulaire, un processus qui emmagasine l'énergie sous forme de potentiel électrique. Une protéine de transport qui engendre un potentiel électrique de part et d'autre d'une membrane se nomme **pompe électrogène.** Il semble que la pompe à sodium et à potassium soit la principale pompe électrogène des cellules animales. Chez les Végétaux, les Bactéries et les Mycètes, la principale pompe électrogène est une pompe à protons qui transporte activement des protons hors de la cellule. Son action transfère des charges positives du cytoplasme vers la solution extracellulaire (figure 8.21). Les pompes à protons figurent également parmi les caractéristiques fondamentales des membranes des mitochondries et des chloroplastes.

En générant un potentiel électrique de part et d'autre des membranes, les pompes électrogènes créent une réserve d'énergie qui pourra servir au travail cellulaire, notamment à une forme de transport membranaire appelée cotransport.

Cotransport

Une pompe alimentée par l'ATP et transportant activement un certain soluté peut amorcer indirectement le transport passif de quelques autres solutés par un mécanisme appelé **cotransport.** Une substance qui a diffusé à travers une membrane peut produire du travail en diffusant en sens inverse, tout comme l'eau aspirée vers le haut d'une pente peut produire du travail en redescendant. Une protéine de transport spécialisée, distincte de la pompe, peut coupler la diffusion «descendante» de cette substance au transport «ascendant» d'une seconde substance se déplaçant contre la force de son gradient de concentration. Par exemple, la cellule végétale utilise le gradient électrochimique engendré par sa pompe à pro-

tons (transport actif) pour alimenter le transport (passif) des acides aminés, de certains glucides et de quelques autres nutriments vers l'intérieur de la cellule (figure 8.22).

Une protéine de transport spécifique, de type symport, couple le retour des protons au transport du saccharose dans la cellule. La protéine peut importer le saccharose dans la cellule contre la force du gradient de concentration de celui-ci, mais seulement si le saccharose voyage en compagnie d'un proton. Ce mécanisme permet aux Végétaux d'acheminer le saccharose produit par photosynthèse vers des cellules spécialisées situées dans les nervures des feuilles. Un tissu conducteur distribue ensuite le saccharose, depuis les nervures jusqu'aux organes non photosynthétiques de la Plante tels que les racines.

TRANSPORT DES MACROMOLÉCULES ET DES PARTICULES

Comme nous venons de le voir, l'eau et les petits solutés se déplacent vers l'intérieur ou l'extérieur de la cellule en traversant la double couche lipidique de la membrane ou en «montant à bord» de protéines de transport. Les particules et les macromolécules, telles que les protéines et les polysaccharides, franchissent la membrane différemment. (Certains auteurs utilisent l'expression «transport en vrac» pour désigner le passage de ces substances.) Au cours du processus appelé **exocytose,** la cellule sécrète des macromolécules par fusion de vésicules de sécrétion avec la membrane plasmique. Au cours du processus inverse, appelé **endocytose,** la cellule laisse entrer des macromolécules par l'entremise de vésicules formées à même la membrane plasmique (figure 8.23). Un troisième processus, la **phagocytose,** permet l'entrée de particules au moyen de pseudopodes. Les particules transportées ainsi sont beaucoup plus grosses que les macromolécules destinées à l'endocytose. En outre, les vésicules endocytaires, issues de l'invagination d'une très petite zone de la membrane plasmique, atteignent un diamètre de 0,1 μm

Figure 8.20
Effet du potentiel de membrane sur le transport des ions.

Dans ce système artificiel, une membrane sépare de l'eau distillée d'une solution de chlorure de potassium (KCl).

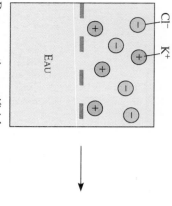

Si la diffusion des ions n'est influencée que par leur gradient de concentration, alors le K+ et le Cl− diffusent à travers la membrane jusqu'à ce que la concentration de chaque ion devienne égale de part et d'autre de la membrane.

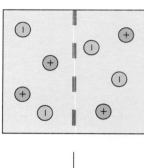

L'utilisation d'une pile pour créer un potentiel de membrane rend un côté de la membrane négatif et l'autre positif. Le K+ et le Cl− se répartissent à nouveau de part et d'autre de la membrane, en diffusant sous l'impulsion de cette nouvelle force. L'équilibre dynamique réapparaît, à la différence que le K+ est cette fois plus concentré du côté négatif de la membrane, tandis que le Cl− est plus concentré du côté positif.

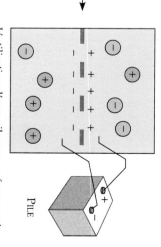

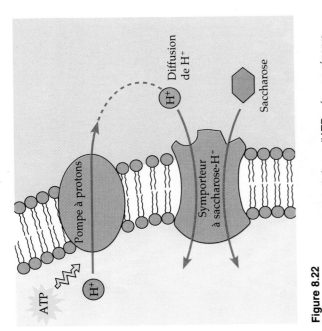

Figure 8.21
Pompe électrogène. La pompe à protons est un exemple de protéine membranaire qui crée une réserve d'énergie en engendrant un potentiel électrique (suite à une séparation des charges) de part et d'autre de la membrane. Activée par l'ATP, la pompe véhicule des charges positives sous forme de protons. Le potentiel électrique et le gradient de H⁺ constituent une double source d'énergie, que la cellule peut utiliser pour alimenter d'autres processus, telle l'absorption du glucose et d'autres nutriments. La pompe à protons est la principale pompe électrogène des Végétaux, des Mycètes et des Bactéries, et elle sert aussi à emmagasiner de l'énergie dans les chloroplastes et les mitochondries.

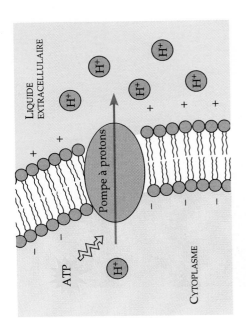

Figure 8.22
Cotransport. Une pompe activée par l'ATP crée une réserve d'énergie en concentrant une substance (H⁺ dans ce cas-ci) dans le liquide extracellulaire. En même temps que des protéines de transport spécifiques ramènent la substance dans le cytoplasme, elles transportent d'autres substances contre la force résultante de leur gradient de concentration. Ci-haut, la pompe à protons de la membrane favorise indirectement l'accumulation de saccharose dans une cellule végétale, avec l'aide d'un symporteur à saccharose-H⁺.

environ, tandis que les vacuoles phagocytaires ont un diamètre de 1 à 2 μm. Par ailleurs, les prolongements cellulaires (pseudopodes) émis autour de la particule phagocytée font intervenir de nombreux microfilaments d'actine, ce qui ne se produit pas lors de l'endocytose. Pour toutes ces raisons, les cytologistes considèrent maintenant la phagocytose comme un phénomène complètement différent de l'endocytose.

L'exocytose, l'endocytose et la phagocytose représentent des modes de transport actif; ils nécessitent donc de l'ATP. Certaines expériences ont démontré que des inhibiteurs de la synthèse ou de l'utilisation de l'ATP bloquent le transport membranaire des macromolécules et des particules.

Durant l'exocytose, le cytosquelette transporte vers la membrane plasmique une vésicule de transport s'étant détachée du réticulum endoplasmique ou de l'appareil de Golgi. Lorsque la membrane de la vésicule et la membrane plasmique entrent en contact, les molécules de lipides des deux doubles couches se réarrangent. Les deux membranes fusionnent et deviennent continues, et le contenu de la vésicule se déverse à l'extérieur de la cellule. Beaucoup de cellules sécrétrices exportent leurs produits au moyen de l'exocytose (figure 8.24). Par exemple, les cellules pancréatiques qui produisent l'insuline sécrètent cette hormone dans la circulation sanguine par exocytose. De même, les neurones utilisent l'exocytose pour libérer les signaux chimiques qui stimulent d'autres neurones ou des cellules musculaires. Les cellules végétales aussi utilisent l'exocytose; lorsqu'elles élaborent leur paroi, des vésicules de sécrétion transportent des glucides vers l'extérieur de la membrane plasmique.

Dans l'endocytose, un segment de la membrane plasmique s'invagine et forme une poche. La poche s'approfondit, se détache de la membrane plasmique puis forme dans le cytoplasme une vésicule remplie de matière provenant de l'extérieur de la cellule. Il existe deux formes d'endocytose : la pinocytose (du grec *pinein* « boire ») et l'endocytose par récepteur interposé. Dans la **pinocytose,** la cellule absorbe des gouttelettes de liquide extracellulaire contenues dans de minuscules vésicules (figure 8.25b). Comme tous les solutés dissous dans les gouttelettes sont englobés sans discrimination, la pinocytose ne constitue pas une forme de transport spécifique. L'**endocytose par récepteur interposé,** en revanche, est très spécifique (figure 8.25c). Au sein de la membrane se trouvent des protéines dont les sites récepteurs spécifiques font face au liquide extracellulaire. Les protéines réceptrices sont généralement regroupées dans certaines régions de la membrane appelées *puits tapissés* (de protéines réceptrices du feuillet externe). Le feuillet interne d'un puits tapissé est recouvert d'une couche pelucheuse de **clathrine,** une protéine fibreuse. Les substances extracellulaires qui se lient aux récepteurs se nomment **ligands**; il s'agit d'un terme générique désignant toute molécule qui se lie spécifiquement à un site récepteur d'une autre molécule. Parmi les ligands figurent des lipoprotéines de faible masse volumique, des glycoprotéines, des immunoglobulines et certaines hormones. Quand des ligands appropriés se lient aux sites récepteurs, ils sont emportés dans la cellule par une **vésicule enrobée,** résultant de l'invagination d'un puits tapissé.

L'endocytose par récepteur interposé permet à la cellule d'acquérir des quantités appréciables de substances particulières, même si ces substances ne sont pas très concentrées dans le liquide extracellulaire. Par exemple, les cellules animales utilisent ce processus pour importer le cholestérol dont elles ont besoin afin de synthétiser d'autres stéroïdes et des membranes. L'hypercholestérolémie familiale, une maladie humaine héréditaire qui se caractérise par une très forte concentration sanguine de cholestérol, provient de l'absence des récepteurs auxquels se lie le cholestérol. Incapable de pénétrer dans les cellules, le cholestérol s'accumule dans le sang, et il contribue à l'athérosclérose (la formation de dépôts lipidiques sur les parois des vaisseaux sanguins).

Comme nous l'avons mentionné au chapitre 7, la cellule procède à la phagocytose (du grec *phagein* «manger») en lançant ses pseudopodes autour d'une particule et en l'enveloppant dans un sac membraneux assez volumineux pour porter le nom de vacuole (figure 8.25a). La vacuole fusionne ensuite avec un lysosome rempli d'enzymes hydrolytiques qui digère la particule.

Non seulement les vésicules transportent-elles des substances entre la cellule et son milieu, mais encore fournissent-elles à la membrane plasmique un mécanisme de renouvellement. L'endocytose et l'exocytose ont lieu de façon incessante dans la plupart des cellules eucaryotes; pourtant, la quantité de membrane plasmique des cellules matures varie peu à long terme. Il semble bien que l'ajout de membrane consécutif à l'exocytose compense la perte résultant de l'endocytose. Les chercheurs ont observé une application spécialisée de cette dynamique membranaire chez les cellules qui se déplacent au moyen de pseudopodes (figure 8.26).

* * *

Notre étude des membranes et du transport membranaire a révélé la nécessité du travail cellulaire et de l'éner-

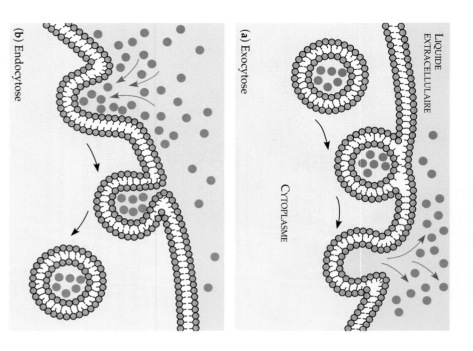

Figure 8.23
Exocytose et endocytose. (a) Dans l'exocytose, les vésicules fusionnent avec la membrane plasmique et déversent leur contenu à l'extérieur de la cellule. **(b)** Dans l'endocytose, des vésicules formées par invagination de la membrane plasmique transportent des substances extracellulaires à l'intérieur de la cellule.

(a) Exocytose

LIQUIDE EXTRACELLULAIRE

CYTOPLASME

(b) Endocytose

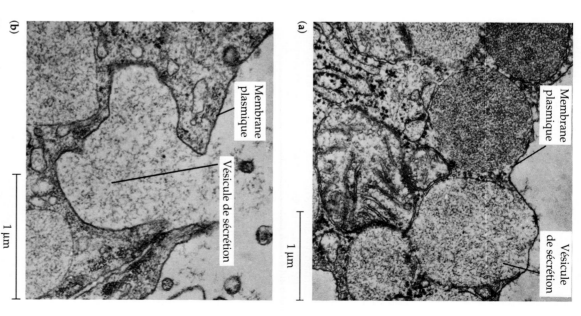

Figure 8.24
Exocytose dans une glande lacrymale. Ces micrographies électroniques montrent deux cellules à des stades différents de la sécrétion. **(a)** Une vésicule de sécrétion fusionne avec la membrane plasmique (MET). **(b)** Elle libère ensuite son contenu à l'extérieur de la cellule (MET).

(a) Membrane plasmique — Vésicule de sécrétion — 1 µm

(b) Membrane plasmique — Vésicule de sécrétion — 1 µm

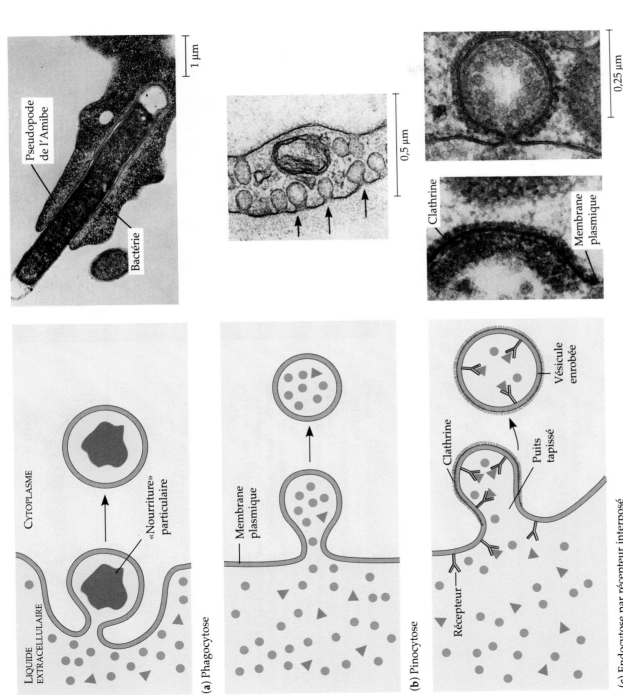

(a) Phagocytose

(b) Pinocytose

(c) Endocytose par récepteur interposé

Figure 8.25
Pénétration de particules et de macromolécules dans les cellules animales.
(a) Dans la phagocytose, des pseudopodes encerclent une particule et l'enveloppent dans une vacuole. La micrographie électronique montre une Amibe ingérant une Bactérie (MET). **(b)** Dans la pinocytose, des gouttelettes de liquide extracellulaire sont incorporées à la cellule dans de petites vésicules. La micrographie électronique montre des vésicules (flèches) en cours de formation dans une cellule de l'épithélium d'un capillaire, un petit vaisseau sanguin (MET). **(c)** Dans l'endocytose par récepteur interposé, des puits tapissés forment des vésicules lorsque certaines molécules se lient aux récepteurs situés sur la surface de la cellule. Une protéine fibreuse appelée clathrine renforce la face cytoplasmique des puits tapissés. Les micrographies électroniques montrent deux stades successifs de l'endocytose par récepteur interposé (MET). Après que les vésicules ont libéré leur contenu, les récepteurs retournent à la membrane plasmique.

gie. Nous avons vu par exemple que le transport actif est alimenté par l'ATP et que le cytosquelette achemine les vésicules dans la cellule. Dans les deux chapitres qui suivent, nous montrerons en de plus amples détails comment les cellules obtiennent et extraient l'énergie chimique nécessaire à leur fonctionnement. Les membranes seront encore à l'honneur dans ces chapitres, car elles jouent un rôle capital dans la fonction des mitochondries et des chloroplastes.

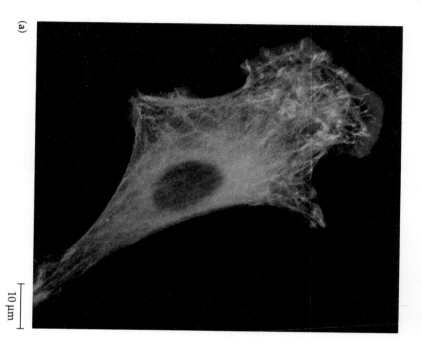

(a)

10 µm

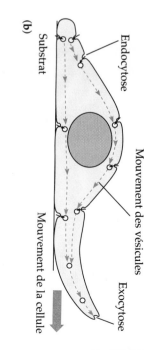

(b)

Substrat

Endocytose

Exocytose

Mouvement des vésicules

Mouvement de la cellule

Figure 8.26
Rôle du cycle de l'endocytose et de l'exocytose dans la mobilité cellulaire. (a) Cette cellule de Mammifère, appelée fibroblaste, peut ramper le long d'un substrat en projetant une de ses extrémités et en rétractant l'autre. Dans cette micrographie photonique, des colorants fluorescents font ressortir le cytosquelette. **(b)** Le cycle de l'endocytose et de l'exocytose contribue à la locomotion cellulaire. L'endocytose a lieu partout sauf à l'extrémité projetée de la cellule, qui oriente le déplacement. Cette extrémité devient plutôt le siège de l'exocytose, ce processus qui ajoute les portions de membrane nécessaires au prolongement d'une partie de la cellule, c'est-à-dire à son déplacement. Il en résulte un transfert net de membrane de l'extrémité rétractée vers l'extrémité en mouvement. Le cytosquelette dirige les vésicules et les fait avancer. Les mitochondries fournissent l'ATP nécessaire aux moteurs moléculaires du cytosquelette. La mobilité cellulaire, comme d'autres fonctions cellulaires, repose sur la coopération de nombreux constituants.

RÉSUMÉ DU CHAPITRE

Toutes les cellules sont séparées de leur milieu par une membrane plasmique qui régit l'entrée et la sortie de substances. La membrane plasmique et les membranes internes délimitant les organites présentent une perméabilité sélective.

Modèles de la structure membranaire (p. 151-157)

1. Dans un modèle proposé en 1935 et accepté pendant longtemps, Davson et Danielli présentaient la membrane plasmique comme une double couche lipidique prise en sandwich entre deux couches de protéines. Ce modèle parut ultérieurement confirmé par les micrographies électroniques, qui révélèrent que la membrane plasmique comportait trois épaisseurs.

2. En 1972, Singer et Nicolson proposèrent le modèle de la mosaïque fluide, selon lequel la membrane se compose d'une double couche fluide de phosphoglycérolipides dans laquelle flottent latéralement des protéines dispersées et individuellement insérées. Ce modèle est conforme à toutes les propriétés connues des membranes cellulaires et aux données fournies par les micrographies électroniques réalisées après cryodécapage de membranes.

3. La disposition particulière des molécules et la fluidité sont essentielles au fonctionnement dynamique des membranes.

4. Les feuillets interne et externe des membranes se distinguent par leur composition lipidique ainsi que par l'orientation des protéines et des glucides qui s'y trouvent enchâssés.

5. Les protéines sont soit insérées dans la double couche lipidique (protéines intramembranaires), soit rattachées à sa surface (protéines périphériques).

6. Les glucides reliés aux protéines et aux lipides jouent un rôle important dans la reconnaissance intercellulaire.

Perméabilité sélective (p. 157-158)

1. La cellule échange des nutriments, des déchets, des gaz respiratoires et des ions inorganiques avec son milieu. Le passage de ces substances est régi par la membrane plasmique.

2. La perméabilité sélective de la membrane plasmique résulte de sa structure. Les substances hydrophobes traversent rapidement la membrane plasmique, car elles se dissolvent dans la double couche lipidique. Grâce à leur taille, les petites molécules polaires, comme H$_2$O et CO$_2$, franchissent aussi la double couche lipidique. Les grosses molécules polaires et les ions passent à travers la membrane grâce à des protéines de transport spécifiques, de type uniport, symport ou antiport.

3. Des canaux protéiques, les pores, jouent un rôle important dans la perméabilité membranaire.

Transport des substances non macromoléculaires (p. 158-166)

1. La diffusion est le mouvement spontané qu'une substance effectue suivant son gradient de concentration. La diffusion d'une substance à travers une membrane est un mode de transport passif qui n'oblige pas la cellule à dépenser de l'énergie métabolique (ATP).

2. Lorsque la diffusion s'effectue librement, sans l'aide d'une protéine de transport, on parle de diffusion simple. Lorsqu'une protéine de transport intervient dans la diffusion, il s'agit de diffusion facilitée.

3. En l'absence d'autres forces, une substance (ion ou molécule) diffuse suivant son gradient de concentration, c'est-à-dire de la zone la plus concentrée vers la zone la moins concentrée en cette substance.

4. L'osmose est la diffusion simple de l'eau à travers une membrane à perméabilité sélective. L'eau passe du milieu où les solutés sont les moins concentrés (solution hypotonique) au milieu où les solutés sont les plus concentrés (solution hypertonique). Il n'y a pas de flux osmotique net à travers une membrane séparant des solutions également concentrées (isotoniques). La pression osmotique d'une solution est proportionnelle à sa concentration en solutés.

5. Les cellules dépourvues de paroi (celles des Animaux et de certains Protistes) sont isotoniques par rapport à leur milieu, sinon elles possèdent des adaptations les rendant aptes à l'osmorégulation.

6. Les cellules des Végétaux, des Monères, des Mycètes et de certains Protistes sont entourées d'une paroi qui leur évite d'éclater en milieu hypotonique. Ces cellules sont turgescentes en milieu hypotonique et flasques en milieu isotonique; en milieu hypertonique, elles entrent en plasmolyse.

7. Dans la diffusion facilitée, des protéines de transport traversant une membrane rent leur mouvement de substances à travers une membrane suivant leur gradient de concentration. Les protéines de transport sont spécifiques, c'est-à-dire qu'elles transportent une ou plusieurs substances bien précises.

8. Le transport actif pompe des substances contre la force résultante de leur gradient de concentration et dépense de ce fait de l'énergie. L'énergie, généralement sous forme d'ATP, est utilisée par des protéines de transport spécifiques.

9. Les solutés non chargés diffusent uniquement suivant leur gradient de concentration. Les ions, cependant, ont à la fois un gradient de concentration (chimique) et un gradient électrique (potentiel électrique). Ces deux gradients constituent le gradient électrochimique, qui détermine la direction de la diffusion des ions.

10. Le potentiel électrique existant à travers la membrane plasmique, appelé potentiel de membrane, résulte de la répartition inégale des ions de part et d'autre de la membrane. Toutes les cellules présentent un potentiel de membrane. Les pompes électrogènes telles que la pompe à sodium et à potassium et la pompe à protons sont des protéines de transport qui engendrent un potentiel électrique à travers une membrane.

11. Des protéines membranaires spéciales peuvent cotransporter deux solutés, couplant la diffusion «descendante» de l'un au transport «ascendant» de l'autre.

Transport des macromolécules et des particules (p. 166-170)

1. Les macromolécules sortent de la cellule par exocytose et y entrent par endocytose. Les particules entrent dans la cellule par phagocytose. Les trois processus font intervenir des segments entiers de membrane plutôt que des molécules membranaires dispersées.

2. Dans l'exocytose, des vésicules intracellulaires migrent vers la membrane plasmique, fusionnent avec elle et libèrent leur contenu à l'extérieur de la cellule.

3. L'endocytose fait le contraire de l'exocytose. Il existe deux formes d'endocytose. La pinocytose est le transport de gouttelettes de liquide extracellulaire, avec tous les solutés qu'elles contiennent. L'endocytose par récepteur interposé est le transport de substances spécifiques après leur liaison à des protéines réceptrices situées dans des puits tapissés de la membrane.

4. La phagocytose permet l'entrée de particules ou de cellules entières, grâce à la formation de pseudopodes.

AUTO-ÉVALUATION

1. Qu'est-ce qui distingue les diverses membranes d'une cellule eucaryote?
   a) Elles ne contiennent pas toutes des phosphoglycérolipides.
   b) Elles ne contiennent pas toutes les mêmes protéines.
   c) Elles ne sont pas toutes à perméabilité sélective.
   d) Elles ne se composent pas toutes de molécules comportant des régions hydrophiles et hydrophobes.
   e) Leur feuillet interne porte soit des constituants hydrophobes, soit des constituants hydrophiles.

2. Selon le modèle de la mosaïque fluide, les protéines membranaires sont:
   a) répandues en une couche ininterrompue sur les faces interne et externe de la membrane.
   b) restreintes au centre hydrophobe de la membrane.
   c) insérées dans une double couche lipidique.
   d) orientées au hasard dans la membrane, sans polarité précise.
   e) libres de se détacher de la membrane fluide et de se dissoudre dans la solution extracellulaire.

3. Lorsqu'on sépare la membrane plasmique en ses deux feuillets au moyen du cryodécapage, les proéminences révélées par les micrographies électroniques sont les répliques de:
   a) protéines intramembranaires.
   b) protéines périphériques.
   c) phosphoglycérolipides.
   d) molécules de cholestérol.
   e) molécules de clathrine.

4. Lequel des facteurs suivants tend à augmenter la fluidité membranaire?
   a) Une forte proportion de phosphoglycérolipides insaturés.
   b) Une faible température.
   c) Une teneur en protéines relativement élevée dans la membrane.
   d) Une proportion de gros glycolipides supérieure à la proportion de lipides de faible masse molaire volumique.
   e) Un fort potentiel de membrane.

5. La pompe à sodium et à potassium est une pompe électrogène, car:
   a) elle hydrolyse l'ATP.
   b) elle expulse des charges positives de la cellule et y introduit des charges négatives.
   c) elle expulse trois charges positives de la cellule chaque fois qu'elle y introduit deux charges positives.
   d) elle expulse du H^+ de la cellule en même temps que du Na^+.
   e) elle introduit des électrons dans la cellule.

6. Les cellules végétales sont turgescentes lorsqu'elles baignent dans une solution:
   a) hypotonique par rapport à elles.
   b) hypertonique par rapport à elles.
   c) isotonique par rapport à elles.
   d) isotonique par rapport à l'eau de mer.
   e) où la concentration d'eau est plus faible que dans la cellule.

Questions 7 À 10

Une cellule artificielle enveloppée par une membrane à perméabilité sélective et renfermant une solution aqueuse est immergée dans un bécher contenant une solution différente.

CELLULE	MILIEU EXTRACELLULAIRE
0,03 mol/L de saccharose	0,01 mol/L de saccharose
0,02 mol/L de glucose	0,01 mol/L de glucose
	0,01 mol/L de fructose

La membrane est perméable à l'eau ainsi qu'au glucose et au fructose (des monosaccharides), mais elle est complètement imperméable au saccharose (un disaccharide).

7. Pour quel(s) soluté(s) y aura-t-il une diffusion nette dans la cellule ?

8. Pour quel(s) soluté(s) y aura-t-il une diffusion nette hors de la cellule ?

9. Dans quelle direction s'effectuera le flux osmotique net de l'eau ?

10. Quel changement se produit quand on place la cellule artificielle dans le bécher ?

a) La cellule devient flasque.

b) La cellule devient turgescente.

c) L'entropie du système (la cellule et la solution extracellulaire) diminue.

d) L'énergie libre emmagasinée dans le système augmente.

e) Les changements b et d se produisent.

QUESTIONS À COURT DÉVELOPPEMENT

1. La diffusion d'un soluté s'effectue selon quels paramètres ?

2. Définissez « diffusion facilitée » et comparez les protéines de transport avec les enzymes.

3. Distinguez clairement transport passif, transport actif et cotransport.

4. Comment la cellule établit-elle son potentiel de membrane ?

5. Décrivez brièvement le transport des macromolécules et des particules.

RÉFLEXION-APPLICATION

1. Des chercheurs réalisent une expérience en vue d'étudier le mécanisme de l'absorption du saccharose dans les cellules végétales. Ils immergent des cellules dans une solution de saccharose dont ils mesurent le pH au moyen d'un pH-mètre. Les mesures indiquent que l'absorption du saccharose élève le pH de la solution extracellulaire. Les chercheurs constatent que la variation du pH est proportionnelle à la concentration initiale de saccharose dans la solution extracellulaire. Ils s'aperçoivent aussi qu'un poison métabolique qui inhibe la régénération de l'ATP dans les cellules inhibe également le changement du pH dans la solution extracellulaire. Expliquez ces résultats.

2. Dans une variante de l'expérience précédente, les chercheurs comparent les taux d'absorption du saccharose dans des solutions de concentrations différentes en saccharose. Expliquez la forme de la courbe en vous référant aux phénomènes qui se produisent dans les membranes des cellules végétales.

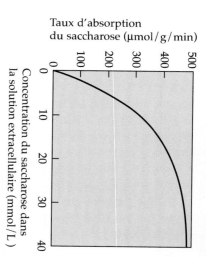

Taux d'absorption du saccharose (μmol/g/min)

Concentration du saccharose dans la solution extracellulaire (mmol/L)

3. Les cellules des graines emmagasinent des huiles sous forme de gouttelettes entourées de membranes. Contrairement aux membranes que vous avez étudiées dans le chapitre, celles-ci se composent probablement d'une couche unique de phosphoglycérolipides. Dessinez un modèle de la membrane entourant une gouttelette d'huile et expliquez pourquoi sa composition est plus stable que celle d'une double couche.

SCIENCE, TECHNOLOGIE ET SOCIÉTÉ

Un comité d'étude du gouvernement américain a recommandé que tous les citoyens de plus de 20 ans subissent une mesure du cholestérol sanguin et que les personnes présentant une cholestérolémie élevée suivent une diète ou un traitement médicamenteux. Il en coûterait annuellement de 10 à 50 milliards de dollars aux États-Unis pour dépister et traiter l'hypercholestérolémie dans leur population. Or, des recherches révèlent que le traitement médicamenteux n'est efficace que chez un nombre relativement faible de gens, soit ceux atteints de troubles comme l'hypercholestérolémie familiale. Pensez-vous qu'il vaut la peine de consacrer autant de travail et d'argent au dépistage et au traitement systématiques alors qu'on ne peut espérer aider que 1 % ou 2 % de la population seulement ? Justifiez votre réponse. Auriez-vous la même opinion à propos du dépistage systématique si on prescrivait une diète plutôt que des médicaments aux personnes atteintes d'hypercholestérolémie ?

LECTURES SUGGÉRÉES

Alberts, B. et coll., *Biologie moléculaire de la cellule*, 2ᵉ éd., Paris, Flammarion, 1990. (Description des structures fonctionnelles de la membrane plasmique au chapitre 6.)

Darnell, J., H. Lodish et D. Baltimore, *Biologie moléculaire de la cellule*, 2ᵉ éd., Bruxelles, De Boeck-Wesmael, 1993. (Le chapitre 13 traite en détail des structures fonctionnelles de la membrane plasmique et le chapitre 14 parle du transport membranaire.)

Fruchart, J. C., « Le transport du cholestérol et sa fixation dans les artères », *Pour la Science*, n° 175, mai 1992. (Un article en relation avec les lipoprotéines et l'endocytose par récepteur interposé.)

Lienhard, N. et coll., « L'absorption du glucose par les cellules », *Pour la Science*, n° 173, mars 1992. (Un article sur la structure et le mode d'action du transporteur du glucose.)

Linder, M. et A. Gilman, « Les protéines G », *Pour la Science*, n° 179, septembre 1992. (Structure et rôle des protéines G membranaires dans les mécanismes de transmission des signaux intracellulaires.)

Maillet, M., *Biologie cellulaire*, 6ᵉ éd., Paris, Masson, 1992. (Cet ouvrage présente la membrane plasmique et les transports membranaires au chapitre 2.)

Michalet, Y. et coll., « La physique des liposomes », *La Recherche*, n° 269, octobre 1994. (Intérêt des physiciens pour les liposomes comme modèle d'étude des membranes fluides.)

Rawn, J. D., *Traité de Biochimie*, Bruxelles, De Boeck-Wesmael, 1990. (Le chapitre 9 nous initie à la structure de la membrane plasmique et au transport membranaire figure au chapitre 31.)

Van Gansen, P., *Biologie générale*, 2ᵉ éd., Paris, Masson, 1989. (Le chapitre 11 traite des biomembranes.)

ATP ET TRAVAIL CELLULAIRE : RÉVISION

OXYDORÉDUCTION ET RESPIRATION

CARACTÉRISTIQUES GÉNÉRALES DE LA RESPIRATION
CELLULAIRE AÉROBIE

GLYCOLYSE

CYCLE DE KREBS

CHAÎNE DE TRANSPORT D'ÉLECTRONS ET
PHOSPHORYLATION OXYDATIVE

RÉSUMÉ DE LA RESPIRATION CELLULAIRE

FERMENTATION

COMPARAISON ENTRE LE CATABOLISME AÉROBIE
ET LE CATABOLISME ANAÉROBIE

IMPORTANCE DE LA GLYCOLYSE DANS L'ÉVOLUTION

CATABOLISME DES MOLÉCULES NON GLYCOSIDIQUES

BIOSYNTHÈSE

RÉGULATION DE LA RESPIRATION CELLULAIRE

V ivre, c'est travailler. La cellule assemble de petites molécules organiques en polymères tels que les protéines et l'ADN. Elle transporte des substances à travers des membranes. Elle se déplace ou change de forme. Elle croît et se reproduit. Ne serait-ce que pour conserver sa structure complexe, la cellule doit travailler, car l'ordre est fondamentalement précaire. Nous l'avons maintes fois mentionné, la cellule n'est pas un système clos et autonome. Pour accomplir ses nombreuses tâches, elle a besoin de puiser de l'énergie à des sources extérieures (figure 9.1). L'énergie entre dans la lumière solaire, la source d'énergie des Végétaux et des autres organismes photosynthétiques (figure 9.2). Les Animaux se procurent leur combustible en dévorant des Végétaux ou d'autres organismes animaux. Tous les organismes utilisent les molécules organiques contenues dans leur nourriture non seulement pour obtenir de l'énergie mais aussi pour croître et se régénérer.

Comment la cellule extrait-elle l'énergie emmagasinée dans les nutriments ? À l'aide d'enzymes, elle procède à la dégradation de molécules organiques complexes contenant beaucoup d'énergie potentielle en produits plus simples contenant moins d'énergie. Une partie de l'énergie tirée des réserves chimiques sert à accomplir du travail, et le reste se dissipe sous forme de chaleur. Comme vous l'avez appris au chapitre 6, on appelle voies cataboliques les voies métaboliques qui libèrent l'énergie emmagasinée en dégradant des molécules complexes. L'une de ces voies cataboliques, la **fermentation,** s'occupe de dégrader partiellement le glucose en l'absence d'oxygène et de chaîne de transport d'électrons. Cependant, la **respiration cellulaire aérobie** constitue la voie catabolique la plus répandue et la plus efficace ; ses réactifs sont l'oxygène et les combustibles organiques, et elle utilise une chaîne de transport d'électrons. Quant à la **respiration cellulaire anaérobie,** plus marginale que la précédente, elle s'effectue en l'absence d'oxygène mais nécessite une chaîne de transport d'électrons.

Les mitochondries renferment la majeure partie du matériel métabolique nécessaire à la respiration aérobie d'une cellule eucaryote. Le principe de la respiration cellulaire aérobie ressemble à celui de la combustion de l'essence dans un moteur. Les combustibles de la respiration sont les nutriments, et les produits d'échappement sont le dioxyde de carbone et l'eau. Le processus peut se résumer comme suit :

$$\text{Composés organiques} + \text{Oxygène} \rightarrow \text{Dioxyde de carbone} + \text{Eau} + \text{Énergie}$$

Figure 9.1
Combustible alimentant le travail cellulaire. Les organismes sont des systèmes ouverts qui s'approvisionnent à des sources d'énergie externes. Les Animaux comme cette Sauterelle du désert obtiennent leur énergie sous forme chimique en dévorant d'autres organismes. Une fois les aliments digérés, le glucose et d'autres molécules organiques sont apportés aux cellules, où ils servent de combustibles pour la respiration cellulaire. Dans le présent chapitre, vous apprendrez comment la respiration cellulaire et la fermentation exploitent cette énergie chimique pour produire l'ATP qui alimentera le travail cellulaire.

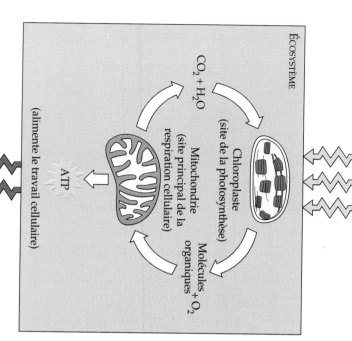

Figure 9.2
Flux de l'énergie et recyclage chimique dans les écosystèmes. Les mitochondries des cellules eucaryotes utilisent les produits organiques et l'oxygène issus de la photosynthèse pour la production d'énergie aérobie. La respiration extrait l'énergie emmagasinée dans les molécules organiques pour produire de l'ATP, la substance qui alimente la majeure partie du travail cellulaire. Et les déchets de la respiration, le dioxyde de carbone et l'eau, sont justement les matières premières de la photosynthèse dans les chloroplastes. On voit donc que les substances chimiques nécessaires à la vie se recyclent. L'énergie, elle ne se recycle pas : elle entre dans un écosystème sous forme de lumière solaire et en sort sous forme de chaleur.

Bien que les glucides, les lipides et les protéines puissent, après traitement, servir de combustibles, il est d'usage de présenter les étapes de la respiration cellulaire aérobie en décrivant la dégradation du glucose ($C_6H_{12}O_6$) :

$$C_6H_{12}O_6 + 6\,O_2 \rightarrow 6\,CO_2 + 6\,H_2O + \text{Énergie (ATP et chaleur)}$$

La dégradation du glucose est exergonique, c'est-à-dire qu'elle correspond à une variation d'énergie libre de −2871 kJ par mole de glucose dégradée ($\Delta G = -2871$ kJ/mol ; rappelez-vous qu'un ΔG négatif indique que les produits de la réaction chimique renferment moins d'énergie que les réactifs).

Les voies cataboliques, comme la respiration cellulaire et la fermentation, produisent l'ATP nécessaire au mouvement des flagelles, au transport actif des solutés, à la contraction muscu-laire, à la polymérisation des monomères, à...

laire, bref, à tous les processus vitaux. Il s'agit de processus complexes dont l'étude demande quelque effort. Cependant, ne perdez jamais de vue l'objectif de ce chapitre : montrer comment les cellules utilisent l'énergie emmagasinée dans les molécules des nutriments pour produire de l'ATP.

ATP ET TRAVAIL CELLULAIRE : RÉVISION

La molécule appelée adénosine triphosphate, plus souvent désignée par son sigle ATP, représente le pilier de l'énergétique cellulaire. Vous avez appris au chapitre 6 que le triphosphate de l'ATP est l'équivalent chimique d'un ressort comprimé ; l'entassement des trois groupements phosphate négativement chargés constitue une disposition instable et riche en énergie potentielle (les charges semblables se repoussent). Le « ressort chimique » tend à se relâcher en perdant le groupement phosphate terminal (voir la figure 6.7). La cellule puise à cette source d'énergie en transférant, à l'aide d'enzymes, des groupements phosphate de l'ATP à d'autres composés, qui deviennent alors phosphorylés. La phosphorylation amorce dans une molécule un changement qui produit du travail ; au cours de ce travail, la molécule perd son groupement phosphate (figure 9.3). Le prix du travail cellulaire est donc la conversion de l'ATP en ADP et en phosphate inorganique (P_i). Afin de continuer de travailler, la cellule doit refaire ses réserves d'ATP à partir d'ADP et de phosphate inorganique. Pour comprendre comment la respiration cellulaire et la fermentation alimentent la synthèse de l'ATP, nous devons aborder deux processus chimiques fondamentaux : l'oxydation et la réduction.

OXYDORÉDUCTION ET RESPIRATION

Qu'arrive-t-il exactement lorsque la respiration cellulaire et la fermentation dégradent le glucose ou d'autres combustibles organiques ? Et pourquoi ces voies métaboliques fournissent-elles de l'énergie ? Les réponses résident dans le transfert d'électrons qui survient pendant les réactions chimiques appelées oxydation et réduction. Le transfert des électrons libère l'énergie emmagasinée dans les molécules de nutriments, et cette énergie sert à synthétiser de l'ATP.

Introduction aux réactions d'oxydoréduction

Dans beaucoup de réactions chimiques, un ou plusieurs électrons (e^-) passent d'un réactif à un autre. Ces transferts d'électrons sont appelés réactions d'oxydoréduction, **réactions rédox** en abrégé. Pendant une réaction d'oxydoréduction, la perte d'électrons correspond à l'**oxydation**, et le gain d'électrons correspond à la **réduction***. Considérons par exemple la réaction qui forme du sel de table à partir de sodium et de chlore :

---

* En toute logique, on peut se demander pourquoi l'ajout d'électrons s'appelle réduction. Le terme fait référence aux effets électriques de l'ajout d'électrons. Quand des électrons (charge négative) s'ajoutent à un cation, ils réduisent la quantité de charges positives du cation.

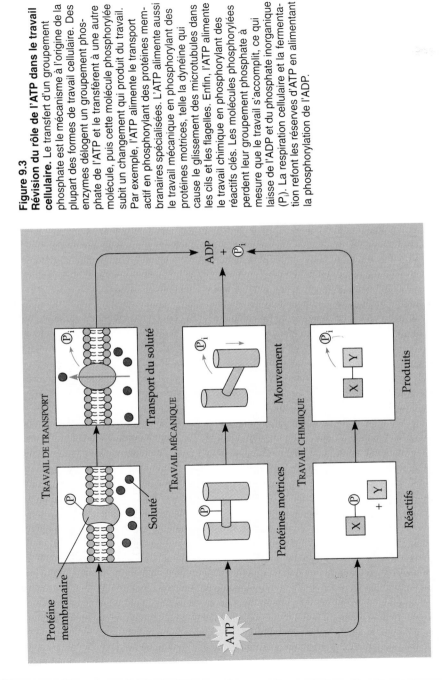

Figure 9.3

Révision du rôle de l'ATP dans le travail cellulaire. Le transfert d'un groupement phosphate est le mécanisme à l'origine de la plupart des formes de travail cellulaire. Des enzymes délogent un groupement phosphate de l'ATP et le transfèrent à une autre molécule, puis cette molécule phosphorylée subit un changement qui produit du travail. Par exemple, l'ATP alimente le transport actif en phosphorylant des protéines membranaires spécialisées. L'ATP alimente aussi le travail mécanique en phosphorylant des protéines motrices, telle la dynéine qui cause le glissement des microtubules dans les cils et les flagelles. Enfin, l'ATP alimente le travail chimique en phosphorylant des réactifs clés. Les molécules phosphorylées perdent leur groupement phosphate à mesure que le travail s'accomplit, ce qui laisse de l'ADP et du phosphate inorganique ($\mathbb{P}_i$). La respiration cellulaire et la fermentation refont les réserves d'ATP en alimentant la phosphorylation de l'ADP.

Nous pouvons généraliser comme suit les réactions d'oxydoréduction :

$$\overset{\overset{\text{Oxydation}}{\longrightarrow}}{Na + Cl} \to \underset{\underset{\text{Réduction}}{\longleftarrow}}{Na^+ + Cl^-}$$

Dans la réaction hypothétique ci-dessus, la substance X, le donneur d'électrons, s'appelle **agent réducteur** : elle réduit Y. La substance Y, l'accepteur d'électrons, est **l'agent oxydant** : elle oxyde X. Comme un transfert d'électrons nécessite à la fois un donneur et un accepteur, l'oxydation et la réduction vont toujours de pair.

$$\overset{\overset{\text{Oxydation}}{\longrightarrow}}{Xe^- + Y} \to \underset{\underset{\text{Réduction}}{\longleftarrow}}{X + Ye^-}$$

Les réactions d'oxydoréduction n'impliquent pas toutes le transfert complet des électrons d'une substance à une autre ; certaines ne font que modifier le *degré* de la mise en commun d'électrons dans des liaisons covalentes. La réaction par laquelle le méthane et l'oxygène produisent du dioxyde de carbone et de l'eau, représentée à la figure 9.4, en est un exemple. Comme nous l'expliquions au chapitre 2, les atomes liés mettent en commun les électrons covalents du méthane, car le carbone et l'hydrogène ont une affinité presque égale pour les électrons ; ils possèdent à peu près la même électronégativité l'un et l'autre. Mais quand le méthane réagit avec l'oxygène et forme du dioxyde de carbone, les électrons passent des atomes de carbone à l'oxygène, qui pos-

sède une forte électronégativité. Le méthane est alors oxydé. Les deux atomes de la molécule d'oxygène mettent aussi en commun leurs électrons de façon égale. Mais quand l'oxygène réagit avec l'hydrogène du méthane pour former de l'eau, les électrons des liaisons covalentes se rapprochent de l'oxygène ; la molécule d'oxygène est réduite. Étant donné sa forte électronégativité, l'oxygène figure parmi les agents oxydants les plus puissants.

Il faut de l'énergie pour séparer un électron d'un atome, tout comme il faut de l'énergie pour pousser un ballon vers le haut d'une pente. Plus l'atome est électronégatif (plus il attire les électrons), plus il faut d'énergie pour en éloigner l'électron, tout comme il faut un surcroît d'énergie pour pousser un ballon vers le haut d'une pente abrupte. Un électron *perd* de l'énergie potentielle quand il va d'un atome faiblement électronégatif *vers* un atome fortement électronégatif, tout comme un ballon perd de l'énergie potentielle quand il roule vers le bas d'une pente. Une réaction d'oxydoréduction qui rapproche les électrons de l'oxygène, telle la combustion du méthane, libère de l'énergie chimique pouvant servir à produire du travail.

Respiration et fermentation : des réactions séquentielles d'oxydoréduction

L'oxydation du méthane par l'oxygène constitue la principale réaction de combustion se produisant dans les brûleurs d'une cuisinière à gaz. La combustion de l'essence dans un moteur d'automobile représente aussi une réaction d'oxydoréduction, et l'énergie qu'elle libère actionne

Figure 9.4
Réaction d'oxydoréduction : combustion du méthane. Pendant la réaction, les électrons mis en commun par covalence s'éloignent des atomes de carbone et d'hydrogène et se rapprochent de l'oxygène, qui possède une forte électronégativité. Cette réaction libère de l'énergie, car les électrons perdent de l'énergie potentielle en se rapprochant des atomes électronégatifs.

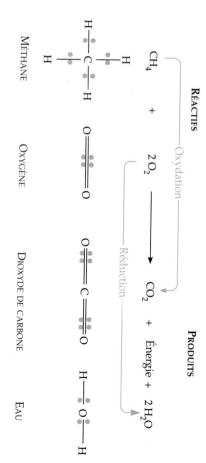

les pistons. Mais les réactions d'oxydoréduction qui nous intéressent ici sont la respiration cellulaire et la fermentation, c'est-à-dire l'oxydation du glucose et d'autres molécules combustibles provenant des aliments. Considérons encore l'équation de la respiration cellulaire aérobie, cette fois sous l'angle de l'oxydoréduction :

$$C_6H_{12}O_6 + 6 O_2 \rightarrow 6 CO_2 + 6 H_2O$$

Comme dans la combustion du méthane et de l'essence, il y a oxydation du combustible (le glucose) et réduction de l'oxygène, et les électrons perdent de l'énergie potentielle par la même occasion.

En général, les molécules organiques riches en hydrogène sont d'excellents combustibles. L'équation de la respiration aérobie indique que l'hydrogène est transféré du glucose à l'oxygène. Cependant, l'équation ne rend pas compte d'un fait important : la libération d'énergie a lieu parce que le degré de covalence des électrons change quand l'hydrogène est transféré à l'oxygène. En oxydant le glucose, la respiration aérobie extrait l'énergie emmagasinée et la rend disponible pour la synthèse de l'ATP.

Les principaux nutriments énergétiques, les glucides et les lipides, sont des réservoirs d'électrons associés à l'hydrogène. Seule la barrière de l'énergie d'activation réprime le raz-de-marée d'électrons (voir le chapitre 6). Sans cette barrière, une substance nutritive comme le glucose se combinerait spontanément à l'oxygène. Lorsqu'on fournit l'énergie d'activation en déclenchant la combustion, chaque mole de glucose (environ 180 g) brûle dans l'air en libérant 2871 kJ de chaleur. La température corporelle n'est pas assez élevée pour amorcer seule la combustion du glucose ; voilà pourquoi des enzymes se chargent d'abattre la barrière de l'énergie d'activation afin que le glucose soit oxydé lentement.

Il est difficile d'exploiter l'énergie de façon efficace et productive quand elle se libère en bloc d'un combustible. L'explosion d'un réservoir d'essence, par exemple, ne fera guère avancer une voiture. La respiration cellulaire aérobie n'oxyde pas le glucose en une seule étape explosive qui transférerait d'un seul coup tout l'hydrogène du combustible à l'oxygène. Elle se produit autrement : le glucose et les autres combustibles organi-

ques subissent leur dégradation en une série d'étapes, toutes catalysées par une enzyme (voir le chapitre 6).

Aux étapes clés, les atomes d'hydrogène sont arrachés au glucose, mais ils ne joignent pas directement l'oxygène. Généralement, ils doivent d'abord passer par une coenzyme (voir le chapitre 6) appelée nicotinamide adénine dinucléotide, ou **NAD+**, qui joue par le fait même le rôle d'agent oxydant.

Comment le NAD+ capte-t-il les électrons du glucose et des autres molécules combustibles ? Des enzymes appelées déshydrogénases retirent une paire d'atomes d'hydrogène du substrat, qu'il s'agisse d'un glucide ou d'un autre combustible. On peut dire aussi que les déshydrogénases retirent deux électrons et deux protons (deux atomes d'hydrogène). Elles apportent ensuite les *deux* électrons et *un* proton au NAD+ (figure 9.5). L'autre proton (H+) est libéré dans la solution environnante :

$$H-\overset{|}{\underset{|}{C}}-OH + NAD^+ \xrightarrow{\text{Déshydrogénase}} \overset{|}{C}=O + NADH + H^+$$

Tandis que la forme oxydée, le NAD+, a une charge positive, la forme réduite, le NADH, est électriquement neutre. En recevant deux électrons négativement chargés mais un seul proton positivement chargé, le NAD+ se fait neutraliser. L'appellation NADH donnée à la forme réduite indique l'ajout d'hydrogène au cours de la réaction. Comme le NAD+ gagne des électrons, il représente un accepteur d'électrons (un agent oxydant). Le NAD+ est le plus polyvalent des accepteurs d'électrons dans la respiration cellulaire et la fermentation, et il intervient dans plusieurs étapes des étapes d'oxydoréduction de la dégradation des glucides.

Les électrons perdent très peu de leur énergie potentielle quand les déshydrogénases les transfèrent des nutriments au NAD+. Par conséquent, chaque mole de NADH + H+ formée pendant la respiration aérobie représente une réserve d'énergie qui pourra servir à produire de l'ATP quand les électrons auront fini de « descendre » la pente énergétique menant du NADH + H+ à l'oxygène.

Comment les électrons extraits des nutriments et mis en réserve dans le NADH rejoignent-ils enfin l'oxygène ? Pour mieux faire comprendre les réactions d'oxydoréduction complexes de la respiration cellulaire aérobie,

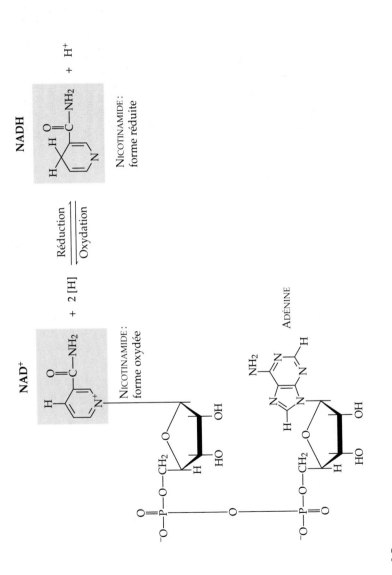

Figure 9.5
Réduction du NAD⁺. Le nom « nicotinamide adénine dinucléotide » décrit la structure de la molécule : deux nucléotides reliés. Le transfert enzymatique de deux électrons et d'un proton du substrat au NAD⁺ réduit ce dernier en NADH. La plupart des électrons retirés des nutriments sont d'abord transférés au NAD⁺.

NADH

NICOTINAMIDE :
forme réduite

$$\text{NAD}^+ \quad + \quad 2\,[\text{H}] \quad \xrightarrow[\text{Oxydation}]{\text{Réduction}} \quad \text{NADH} \quad + \quad \text{H}^+$$

NICOTINAMIDE :
forme oxydée

ADÉNINE

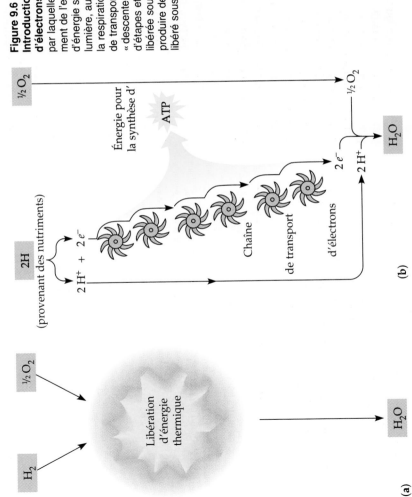

Figure 9.6
Introduction à la chaîne de transport d'électrons. (a) La réaction exergonique par laquelle l'hydrogène et l'oxygène forment de l'eau libère une grande quantité d'énergie sous forme de chaleur et de lumière, autrement dit d'explosion. **(b)** Dans la respiration cellulaire aérobie, une chaîne de transport d'électrons décompose la « descente » des électrons en une série d'étapes et stocke une partie de l'énergie libérée sous une forme qui peut servir à produire de l'ATP (le reste de l'énergie est libéré sous forme de chaleur).

½ O₂

Énergie pour la synthèse d'ATP

2H
(provenant des nutriments)

2 e⁻

2 H⁺

Chaîne de transport d'électrons

2 e⁻

2 H⁺

½ O₂

H₂O

(b)

½ O₂

H₂

Libération d'énergie thermique

H₂O

(a)

Figure 9.7
Aperçu de la respiration cellulaire aérobie. Dans une cellule eucaryote, la glycolyse a lieu à l'extérieur de la mitochondrie, dans le cytosol. Le cycle de Krebs et les réactions de la chaîne de transport d'électrons se produisent à l'intérieur de la mitochondrie. Pendant la glycolyse, chaque mole de glucose est transformée en deux moles d'un composé appelé pyruvate. Le pyruvate traverse la double membrane de la mitochondrie et entre dans sa matrice, où le cycle de Krebs le dégrade en dioxyde de carbone. Le NADH + H+ transfère les électrons provenant de la glycolyse et du cycle de Krebs à la chaîne de transport d'électrons, qui se trouve insérée dans la membrane des crêtes mitochondriales. La chaîne de transport d'électrons convertit l'énergie chimique en une forme qui peut alimenter la phosphorylation oxydative, laquelle produit la majeure partie de l'ATP engendrée par la respiration cellulaire, en utilisant l'énergie des H+ issus du NADH + H+. La phosphorylation au niveau du substrat produit directement une petite quantité d'ATP au cours de la glycolyse et du cycle de Krebs.

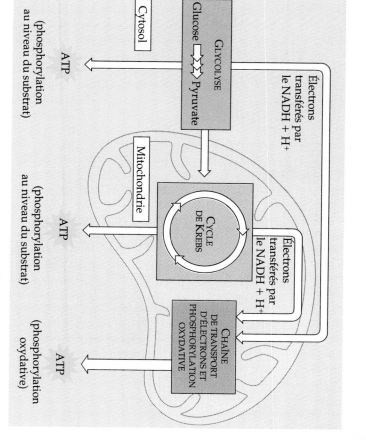

Cytosol

GLYCOLYSE

Glucose → Pyruvate

Électrons transférés par le NADH + H+

(phosphorylation au niveau du substrat) ATP

Mitochondrie

CYCLE DE KREBS

Électrons transférés par le NADH + H+

(phosphorylation au niveau du substrat) ATP

CHAÎNE DE TRANSPORT D'ÉLECTRONS ET PHOSPHORYLATION OXYDATIVE

(phosphorylation oxydative) ATP

faisons l'analogie avec une réaction beaucoup plus simple, celle qui produit de l'eau à partir d'hydrogène et d'oxygène (figure 9.6a). Mélangez les deux gaz, fournissez-leur l'énergie d'activation sous la forme d'une étincelle, et ils se combinent de manière explosive. L'explosion correspond à la libération d'énergie survenant quand les électrons de l'hydrogène se rapprochent de l'oxygène électronégatif. La respiration cellulaire aérobie rapproche elle aussi l'hydrogène et l'oxygène en formant de l'eau, mais à deux importantes différences près. Premièrement, l'hydrogène qui réagit avec l'oxygène dérive de molécules organiques. Deuxièmement, la respiration aérobie utilise une **chaîne de transport d'électrons** pour décomposer la «descente» des électrons vers l'oxygène en une série d'étapes libératrices d'énergie (figure 9.6b). La chaîne de transport d'électrons se compose de plusieurs molécules, des protéines pour la plupart, insérées dans la membrane interne des mitochondries. Le NADH apporte au «sommet» de la chaîne les électrons retirés des nutriments. Au «bas» de la chaîne, l'oxygène capture ces électrons en même temps que les noyaux d'hydrogène, ce qui forme de l'eau.

Le transfert d'électrons du NADH + H+ à l'oxygène est exergonique, puisqu'il entraîne une variation d'énergie libre de −222 kJ/mol environ. Mais cette énergie ne se libère pas tout d'un bloc en une seule étape: les électrons descendent la chaîne d'un transporteur à l'autre, en perdant une petite quantité d'énergie à chaque étape, jusqu'à ce qu'ils atteignent l'oxygène, le dernier accepteur d'électrons. Les électrons restent toujours en mouvement, car chaque transporteur a plus d'affinité pour eux que celui qui se trouve en amont. Tout au bas de la chaîne se trouve l'oxygène, qui a une très grande affinité pour les électrons. Les électrons retirés des nutriments par le NAD+ dévalent donc la pente énergétique de la chaîne de transport jusqu'à ce qu'ils atteignent une position stable dans l'atome d'oxygène électronégatif.

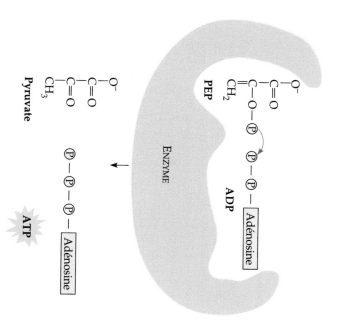

Figure 9.8
Phosphorylation au niveau du substrat. Une partie de l'ATP est produite grâce au transfert enzymatique direct d'un groupement phosphate d'un substrat à l'ADP. Le donneur de phosphate, par exemple le phosphoénolpyruvate (PEP), se forme au cours de la glycolyse.

PEP

ADP — Adénosine

ENZYME

Pyruvate

ATP — Adénosine

Dans les quatre sections qui suivent, vous étudierez la formation du NADH + H+ et le fonctionnement de la chaîne de transport d'électrons. Retenez pour l'instant que cette chaîne convertit l'énergie chimique emmagasinée dans les nutriments afin qu'elle puisse servir à fabriquer de l'ATP.

CARACTÉRISTIQUES GÉNÉRALES DE LA RESPIRATION CELLULAIRE AÉROBIE

Maintenant que nous avons exposé les mécanismes d'oxydoréduction fondamentaux, penchons-nous sur le processus entier de la respiration cellulaire aérobie, qui comprend trois stades métaboliques, schématisés à la figure 9.7:

1. La glycolyse (représentée en bleu-vert tout au long du chapitre).
2. Le cycle de Krebs (représenté en saumon).
3. La chaîne de transport d'électrons et la phosphorylation oxydative (représentées en violet).

Les deux premiers stades, la glycolyse et le cycle de Krebs, sont les voies cataboliques qui dégradent le glucose et les autres combustibles organiques. La **glycolyse,** qui a lieu dans le cytosol, commence la dégradation en scindant une mole de glucose en deux moles d'un composé appelé pyruvate. Le **cycle de Krebs,** qui se déroule dans la matrice mitochondriale, termine le travail en dégradant un dérivé du pyruvate en dioxyde de carbone.

Le dioxyde de carbone produit par la respiration représente donc des fragments de molécules organiques oxydées. Quelques-unes des étapes de la glycolyse et du cycle de Krebs sont des réactions d'oxydoréduction qui transfèrent des électrons du substrat au NAD$^+$, en formant du NADH + H$^+$. Le troisième stade de la respiration, la chaîne de transport d'électrons, accepte les électrons provenant des produits des deux premiers stades (par l'entremise du NADH + H$^+$), et elle les transmet d'une molécule à une autre. À la fin de la chaîne, les électrons se combinent à des protons et à de l'oxygène moléculaire, et ils forment de l'eau. L'énergie libérée à chaque maillon de la chaîne est emmagasinée sous une forme que la mitochondrie peut utiliser pour produire de l'ATP. Ce mode de synthèse de l'ATP s'appelle **phosphorylation oxydative,** car il est alimenté par le transfert exergonique d'électrons des nutriments à l'oxygène.

Le transport des électrons et la phosphorylation oxydative ont lieu dans la membrane interne de la mitochondrie (voir la figure 7.21). Près de 90 % de l'ATP engendrée par la respiration aérobie provient de la phosphorylation oxydative. Une quantité moindre se forme directement lors de certaines réactions de la glycolyse et du cycle de Krebs, grâce à un mécanisme appelé **phosphorylation au niveau du substrat.** Dans ce mode de synthèse de l'ATP, une enzyme transfère un groupement phosphate d'un substrat à l'ADP (figure 9.8).

La respiration change les grosses coupures de l'énergie du glucose en petite monnaie, l'ATP, plus commode à écouler pour la cellule. Pour chaque mole de glucose dégradée en dioxyde de carbone et en eau au cours de la respiration aérobie, on estime que la cellule produit de 36 à 38 moles d'ATP.

Entreprenons maintenant une étude plus approfondie de la glycolyse, du cycle de Krebs et de la chaîne de transport d'électrons.

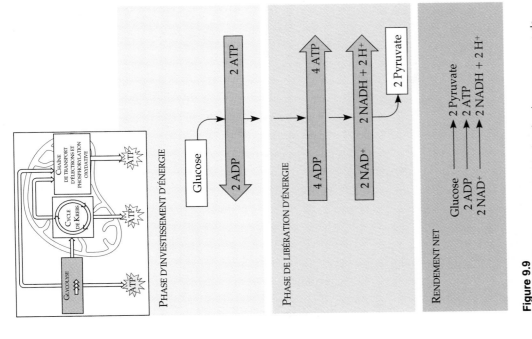

PHASE D'INVESTISSEMENT D'ÉNERGIE

Glucose

2 ADP → 2 ATP

PHASE DE LIBÉRATION D'ÉNERGIE

4 ADP → 4 ATP

2 NAD$^+$ → 2 NADH + 2 H$^+$

2 Pyruvate

RENDEMENT NET

Glucose → 2 Pyruvate
2 ADP → 2 ATP
2 NAD$^+$ → 2 NADH + 2 H$^+$

Figure 9.9
Aperçu de la glycolyse aérobie. La glycolyse consomme de l'ATP pendant la phase d'investissement d'énergie, mais cette dépense est largement compensée lors de la phase de libération d'énergie, qui produit de l'ATP et du NADH + H$^+$.

GLYCOLYSE

Le mot *glycolyse* signifie « dégradation du glucose ». Au cours de cette voie catabolique, le glucose, un glucide à six atomes de carbone, se scinde en deux glucides à trois atomes de carbone. Ces petits glucides se font ensuite oxyder, et les atomes restants se réarrangent en deux molécules de pyruvate.

La glycolyse a lieu dans le cytosol, à l'extérieur des mitochondries. On peut la diviser en deux phases totalisant dix étapes, comme le montre la figure 9.9. Chacune de ces dix étapes (schématisées dans la figure 9.10) est catalysée par une enzyme spécifique. La phase d'investissement d'énergie comprend les cinq premières étapes, et la phase de libération d'énergie englobe les cinq dernières. Pendant la phase d'investissement d'énergie, la cellule doit en fait dépenser de l'ATP pour phosphoryler les molécules combustibles. Mais la cellule récolte les dividendes de son investissement durant la phase de libération d'énergie, alors que la phosphorylation au niveau du substrat produit de l'ATP et que l'oxydation réduit le NAD$^+$ en NADH + H$^+$. Le rendement net de la

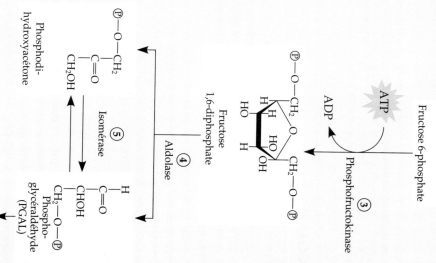

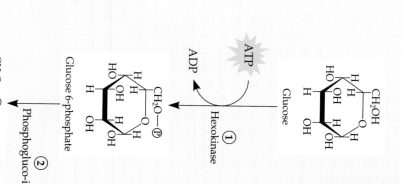

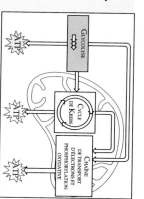

Figure 9.10
Les dix étapes de la glycolyse.

PHASE D'INVESTISSEMENT D'ÉNERGIE

Étape 1 Le glucose entre dans la cellule par diffusion facilitée ; puis il est phosphorylé par l'enzyme appelée hexokinase, qui lui adjoint un groupement phosphate provenant de l'ATP. La charge électrique du groupement phosphate emprisonne le glucide dans la cellule, car la membrane plasmique ne laisse pas passer facilement les ions et les molécules chargées. En outre, la phosphorylation accroît la réactivité chimique du glucose. Dans ce diagramme, les flèches couplées (⇥) représentent le transfert d'un groupement phosphate ou d'une paire d'électrons d'un réactif à un autre.

Étape 2 Le glucose 6-phosphate (groupement phosphate lié au sixième atome de carbone de la chaîne) est transformé en son isomère, le fructose 6-phosphate.

Étape 3 À nouveau, il y a investissement d'ATP dans la glycolyse. Une enzyme transfère un groupement phosphate de l'ATP au glucide. Jusque-là, le bilan de l'ATP indique un déficit de deux moles (*Rappel : Même si nous expliquons les changements chimiques sur des molécules, gardez à l'esprit que chaque coefficient représente la substance en moles*). Le glucide porte maintenant un groupement phosphate de chaque côté, et il est prêt à se faire scinder.

Étape 4 La réaction survenant à cette étape est celle dont la glycolyse tire son nom. Une enzyme coupe le fructose 1,6-diphosphate (un groupement phosphate lié au premier atome de carbone et l'autre au sixième atome de carbone de la chaîne) en deux substances différentes à trois atomes de carbone : le phosphoglycéraldéhyde (PGAL) et le phosphodihydroxyacétone. Ces deux trioses sont des isomères.

Étape 5 Une autre enzyme catalyse la conversion réversible entre les deux trioses ; réalisée isolément dans une éprouvette, la réaction atteint l'équilibre. Cela ne se produit pas dans la cellule, car l'enzyme qui intervient par la suite ne prend que le PGAL comme substrat : elle n'accepte pas le phosphodihydroxyacétone. L'équilibre entre les deux substances penche vers le PGAL, qui est éliminé à mesure qu'il se forme. *Le résultat net des étapes 4 et 5 est donc le clivage d'une mole de glucide à six atomes de carbone en deux moles de PGAL qui participeront aux étapes ultérieures de la glycolyse.*

PHASE DE LIBÉRATION D'ÉNERGIE

Étape 6 Une enzyme catalyse deux réactions successives pendant la liaison du PGAL à son site actif. D'abord, le transfert d'électrons et de H^+ au NAD^+ oxyde le glucide, ce qui forme du $NADH + H^+$. Nous voyons ici dans son contexte métabolique le type de réaction d'oxydoréduction décrit plus tôt. Cette réaction est fortement exergonique ($\Delta G = -43$ kJ/mol), et l'enzyme capitalise en attachant un groupement phosphate au substrat oxydé. Ce phosphate provient du phosphate inorganique, toujours présent dans le cytosol. Notez que toutes les substances de la phase de libération d'énergie portent le coefficient 2 ; en effet, le glucose a été scindé en deux glucides à trois atomes de carbone.

Étape 7 La glycolyse produit enfin de l'ATP. Le groupement phosphate ajouté à l'étape précédente rejoint l'ADP. Pour chaque mole de glucose qui entre dans la glycolyse, l'étape 7 produit deux moles d'ATP, car chaque produit formé après la scission du glucide (étape 4) est doublé. Bien entendu, la cellule a investi deux moles d'ATP pour préparer le glucide à la scission. Le bilan de l'ATP revient maintenant à zéro. À la fin de l'étape 7, le glucose se trouve converti en deux moles de 3-phosphoglycérate. Il ne s'agit pas là d'un glucide. Le groupement carbonyle qui caractérise les glucides a été oxydé en un groupement carboxyle, le signe distinctif des acides organiques. Le glucide a été oxydé à l'étape 6, et l'énergie rendue disponible par cette oxydation a servi à produire de l'ATP.

Étape 8 Une enzyme déplace le groupement phosphate restant. Cette étape prépare le substrat à la réaction suivante.

Étape 9 Une enzyme forme une double liaison dans le substrat en extrayant une molécule d'eau pour former du phosphoénolpyruvate, ou PEP. Cette réaction réarrange les électrons du substrat de façon telle que la liaison phosphate restante devient très instable, ce qui prépare le substrat à la réaction suivante.

Étape 10 La dernière réaction de la glycolyse produit de l'ATP en transférant le groupement phosphate du PEP à l'ADP. Comme cette étape se produit deux fois pour chaque mole de glucose, le bilan de l'ATP indique un gain net de deux moles d'ATP. Les étapes 7 et 10 produisent chacune deux moles d'ATP pour un crédit total de quatre, mais une dette de deux moles d'ATP court depuis les étapes 1 et 3. La glycolyse a remboursé l'investissement d'ATP avec un intérêt de 100 %. Une quantité supplémentaire d'énergie a été emmagasinée dans le $NADH + H^+$ à l'étape 6, et elle peut servir à produire de l'ATP par phosphorylation oxydative (en présence d'oxygène). Pendant ce temps, une mole de glucose a été scindée et oxydée en deux moles de pyruvate, le produit final de la glycolyse.

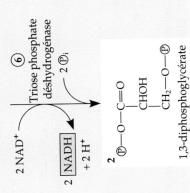

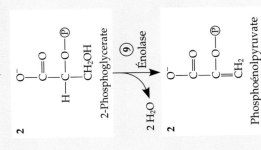

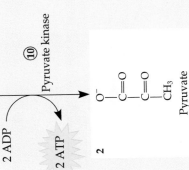

(respiration cellulaire aérobie) ou en l'absence d'oxygène (respiration cellulaire anaérobie et fermentation). En présence d'oxygène, toutefois, l'énergie emmagasinée dans le NADH + H⁺ peut être convertie en ATP, à la suite de la phosphorylation oxydative alimentée par la chaîne de transport d'électrons.

À présent, étudiez les étapes de la glycolyse à l'aide de la figure 9.10 avant d'aborder le cycle de Krebs.

CYCLE DE KREBS

La glycolyse libère moins du quart de l'énergie chimique emmagasinée dans le glucose ; le reste de l'énergie reste stocké dans les deux moles de pyruvate. En présence d'oxygène, le pyruvate entre dans la mitochondrie, où les enzymes du cycle de Krebs terminent l'oxydation du combustible organique.

Après son entrée dans la mitochondrie, chaque mole de pyruvate (la glycolyse en produit deux) se fait d'abord convertir en une mole d'un composé appelé **acétyl-CoA** (figure 9.11). Cette étape, la charnière entre la glycolyse et le cycle de Krebs, est catalysée par un complexe multienzymatique. Premièrement, le groupement carboxyle du pyruvate, qui possède peu d'énergie chimique, est éliminé et libéré sous la forme d'une molécule de dioxyde de carbone. (La respiration aérobie dégage pour la première fois du dioxyde de carbone.) Ensuite, le fragment restant, à deux atomes de carbone, se fait oxyder et forme un composé appelé acétate (la forme ionisée de l'acide acétique). Une enzyme transfère les électrons extraits au NAD⁺, ce qui emmagasine l'énergie sous forme de NADH + H⁺. Enfin, la coenzyme A, un composé contenant

un atome de soufre, qui s'unit au fragment acétyle par une liaison instable. Cela active le groupement acétyle en vue de la première réaction du cycle de Krebs.

glycolyse est de deux moles d'ATP et de deux moles de NADH + H⁺ par mole de glucose. Notez que tout le carbone initialement contenu dans le glucose se retrouve dans les deux moles de pyruvate ; il n'y a pas de libération de dioxyde de carbone pendant la glycolyse. Notez aussi que la glycolyse se produit en présence d'oxygène

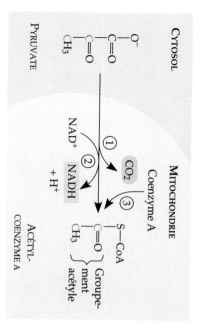

CYTOSOL

MITOCHONDRIE

Coenzyme A

PYRUVATE

ACÉTYL-
COENZYME A

Figure 9.11
Formation de l'acétyl-CoA. Une protéine intégrée à la membrane mitochondriale transporte le pyruvate du cytosol vers l'intérieur de la mitochondrie. Ensuite : (1) Le groupement carboxyle du pyruvate, déjà pleinement oxydé, est retranché sous la forme d'une molécule de dioxyde de carbone, qui diffuse hors de la cellule. (2) Le fragment restant à deux atomes de carbone se fait oxyder pendant que le NAD⁺ se fait réduire en NADH + H⁺. (3) Enfin, le groupement acétyle à deux atomes de carbone est attaché à la coenzyme A (CoA). Cette coenzyme comprend un atome de soufre, qui s'unit au fragment acétyle par une liaison instable. Cela active le groupement acétyle en vue de la première réaction du cycle de Krebs.

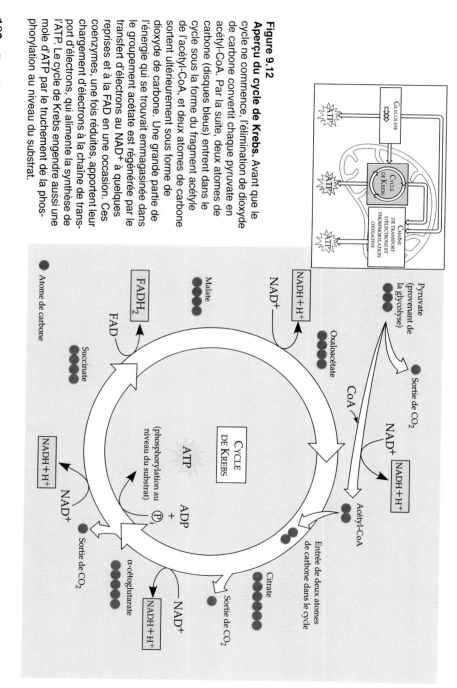

Figure 9.12
Aperçu du cycle de Krebs. Avant que le cycle ne commence, l'élimination de dioxyde de carbone convertit chaque pyruvate en acétyl-CoA. Par la suite, deux atomes de carbone (disques bleus) entrent dans le cycle sous la forme du fragment acétyle de l'acétyl-CoA, et deux atomes de carbone sortent ultérieurement sous forme de dioxyde de carbone. Une grande partie de l'énergie qui se trouvait emmagasinée dans le groupement acétate est régénérée par le transfert d'électrons au NAD⁺ à quelques reprises et à la FAD en une occasion. Ces coenzymes, une fois réduites, apportent leur chargement d'électrons à la chaîne de transport d'électrons, qui alimente la synthèse d'ATP. Le cycle de Krebs engendre aussi une mole d'ATP par le truchement de la phosphorylation au niveau du substrat.

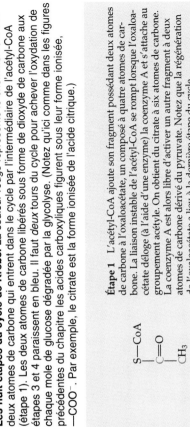
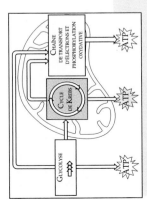

Figure 9.13
Les huit étapes du cycle de Krebs. La couleur rouge représente le cheminement des deux atomes de carbone qui entrent dans le cycle par l'intermédiaire de l'acétyl-CoA (étape 1). Les deux atomes de carbone libérés sous forme de dioxyde de carbone aux étapes 3 et 4 paraissent en bleu. Il faut *deux* tours du cycle pour achever l'oxydation de chaque mole de glucose dégradée par la glycolyse. (Notez qu'ici comme dans les figures précédentes du chapitre les acides carboxyliques figurent sous leur forme ionisée, —COO⁻. Par exemple, le citrate est la forme ionisée de l'acide citrique.)

Étape 1 L'acétyl-CoA ajoute son fragment possédant deux atomes de carbone à l'oxaloacétate, un composé à quatre atomes de carbone. La liaison instable de l'acétyl-CoA se rompt lorsque l'oxaloacétate déloge (à l'aide d'une enzyme) la coenzyme A et s'attache au groupement acétyle. On obtient du citrate à six atomes de carbone. La coenzyme A est alors libre d'activer un autre fragment à deux atomes de carbone dérivé du pyruvate. Notez que la régénération de l'oxaloacétate a lieu à la dernière étape du cycle.

Étape 2 Une mole d'eau disparaît et une autre s'ajoute. Le résultat net est la conversion du citrate en son isomère, l'isocitrate.

Étape 3 Le substrat perd une mole de CO_2 et le composé restant à cinq atomes de carbone est oxydé, ce qui réduit le NAD⁺ en NADH + H⁺.

Étape 4 Cette étape est catalysée par un complexe multienzymatique très semblable à celui qui convertit le pyruvate en acétyl-CoA. Une mole de CO_2 est perdue ; le composé restant à quatre atomes de carbone se fait oxyder par le transfert d'électrons au NAD⁺, ce qui forme du NADH + H⁺, puis il se lie à la coenzyme A par une liaison instable.

Étape 5 Une phosphorylation au niveau du substrat se produit à cette étape. Un groupement phosphate déloge la coenzyme A et est ensuite transféré à la guanosine diphosphate (GDP) pour former la guanosine triphosphate (GTP). La GTP ressemble à l'ATP qui se forme quand la GTP cède un groupement phosphate à l'ADP.

Étape 6 Pendant une autre étape d'oxydation, deux atomes d'hydrogène rejoignent la FAD qui devient FADH₂.

Étape 7 L'ajout de H_2O modifie les liaisons du substrat.

Étape 8 La dernière étape d'oxydation produit une autre mole de NADH + H⁺ et régénère l'oxaloacétate, qui accepte un fragment à deux atomes de carbone de l'acétyl-CoA. Et le cycle recommence.

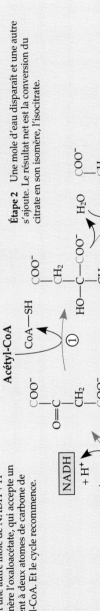
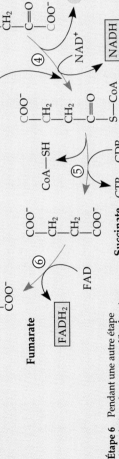
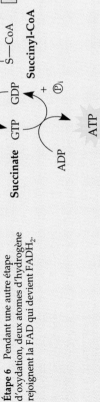

Acétyl-CoA

Oxaloacétate

Citrate

Isocitrate

α-cétoglutarate

Succinyl-CoA

Succinate

Fumarate

Malate

CYCLE DE KREBS

du soufre, s'unit à l'acétyle par une liaison qui rend le groupement acétyle très réactif. Le produit du complexe multienzymatique, l'acétyl-CoA, peut maintenant faire entrer son acétate dans le cycle de Krebs, où son oxydation se poursuivra.

On utilise l'expression «cycle de Krebs» en l'honneur de Hans Krebs, le scientifique britannique d'origine allemande qui a décrit cette voie métabolique dans les années 1930. Le cycle de Krebs comprend huit étapes, toutes catalysées par une enzyme spécifique dans la matrice mitochondriale. La figure 9.12 résume le cycle, tandis que la figure 9.13 fournit de plus amples explications sur ses huit étapes. Afin d'alléger la présentation du cycle, nous ne donnons pas le nom de chacune des enzymes ni les coefficients représentant le nombre de moles impliquées. Nous ferons donc entrer une seule mole de pyruvate dans le cycle de Krebs tout en sachant que la glycolyse en produit deux; lors de la synthèse de la respiration cellulaire aérobie, à la figure 9.20, nous considérerons les deux moles de pyruvate simultanément.

À chaque tour du cycle de Krebs, deux atomes de carbone entrent sous la forme relativement réduite de l'acétate, et deux autres atomes de carbone sortent sous la forme complètement oxydée du dioxyde de carbone (voir la figure 9.12). L'acétate entre dans le cycle lorsqu'une enzyme le lie à l'oxaloacétate, ce qui forme du citrate. Les étapes subséquentes dégradent le citrate en oxaloacétate, et libèrent un «gaz d'échappement», le dioxyde de carbone. C'est la régénération de l'oxaloacétate qui fait que tout ce processus forme un cycle.

La majeure partie de l'énergie fournie par les étapes d'oxydation du cycle de Krebs est entreposée dans le $NADH + H^+$. Pour chaque mole d'acétate qui entre dans le cycle, trois moles de NAD^+ se font réduire en moles de $NADH + H^+$. Lors d'une des étapes d'oxydation, les électrons ne sont pas transférés au NAD^+ mais à un autre accepteur d'électrons, la FAD (flavine adénine dinucléotide, un composé analogue au NAD^+). La forme réduite, $FADH_2$, donne ses électrons à la chaîne de transport d'électrons, tout comme le fait le $NADH + H^+$. À l'instar de la glycolyse, le cycle de Krebs comprend une étape qui forme directement une mole d'ATP par phosphorylation au niveau du substrat. Mais la majeure partie de l'ATP produite par la respiration résulte de la phosphorylation oxydative, lorsque le $NADH + H^+$ et la $FADH_2$ engendrés par le cycle de Krebs transmettent les électrons extraits des nutriments à la chaîne de transport d'électrons.

CHAÎNE DE TRANSPORT D'ÉLECTRONS ET PHOSPHORYLATION OXYDATIVE

Le principal objectif de ce chapitre est d'expliquer comment les cellules extraient l'énergie des nutriments pour former de l'ATP. Or, les stades de la respiration cellulaire aérobie que nous avons étudiés jusqu'à maintenant, la glycolyse et le cycle de Krebs, ne produisent chacun que deux moles d'ATP par mole de glucose au moyen de la phosphorylation au niveau du substrat. Il revient donc au $NADH + H^+$ et à la $FADH_2$ de libérer la majeure partie de l'énergie extraite du glucose. Ces transporteurs d'électrons relient la glycolyse et le cycle de Krebs à la machinerie de la phosphorylation oxyda-tive, laquelle alimente la synthèse de l'ATP avec l'énergie libérée par la chaîne de transport d'électrons. Dans la présente section, nous étudierons d'abord le fonctionnement de la chaîne de transport d'électrons, puis nous verrons comment la mitochondrie couple la synthèse de l'ATP à la descente énergétique des électrons le long de la chaîne.

Chaîne de transport d'électrons

Comme nous l'avons expliqué précédemment, la chaîne de transport d'électrons est un ensemble de molécules enchâssées dans la membrane interne de la mitochondrie. Grâce à ses crêtes, cette membrane possède une surface accrue qui permet à chaque mitochondrie de contenir des milliers d'exemplaires de la chaîne (figure 9.14). La chaîne comprend surtout des protéines intimement liées à des groupements prosthétiques, c'est-à-dire à des composants non protéiques, essentiels aux fonctions catalytiques de certaines enzymes. Pendant le transport des électrons dans la chaîne, ces groupements prosthétiques oscillent entre l'état réduit et l'état oxydé, suivant qu'ils acceptent ou cèdent des électrons.

La figure 9.15 représente les transferts successifs d'électrons le long de la chaîne. Les électrons extraits des nutriments au cours de la glycolyse et du cycle de Krebs sont transférés par le $NADH + H^+$ à la première molécule de la chaîne; celle-ci est une flavoprotéine, ainsi nommée parce qu'elle possède un groupement prosthétique appelé flavinemononucléotide (désigné par les lettres FMN dans la figure 9.15). Au cours de la réaction d'oxydoréduction suivante, la flavoprotéine retrouve sa forme oxydée en donnant des électrons à une protéine contenant du soufre et du fer fermement liés (Fe•S dans la figure 9.15). À son tour, cette protéine transmet les électrons à un composé appelé ubiquinone (Q dans la figure 9.15). Il s'agit du seul élément de la chaîne qui ne soit pas une protéine.

Entre l'ubiquinone et l'oxygène, la plupart des transporteurs d'électrons sont des protéines appelées **cytochromes** (Cyt). Leur groupement prosthétique, nommé

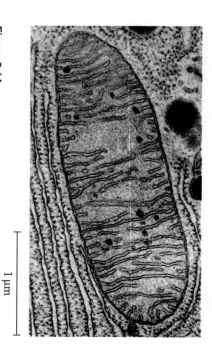

1 µm

Figure 9.14
Retour sur la structure de la mitochondrie. Chaque mitochondrie contient des milliers d'exemplaires de la chaîne de transport d'électrons, qui convertit l'énergie libérée par l'oxydation des nutriments en une forme pouvant servir à produire de l'ATP. Les chaînes se trouvent enchâssées dans la membrane mitochondriale interne, dont les nombreuses crêtes accroissent la surface. Les crêtes pénètrent dans la matrice, site du cycle de Krebs (MET).

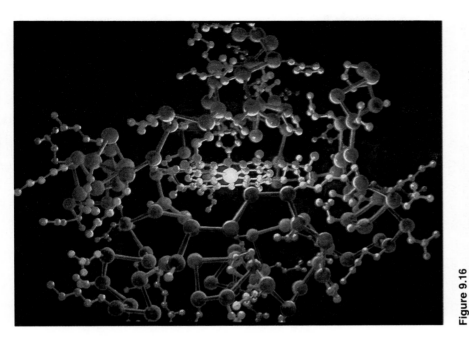

Figure 9.16
Structure d'un cytochrome. Les cytochromes participent au transport des électrons des nutriments à l'oxygène. Au centre de ces protéines se trouve un groupement prosthétique (non protéique) appelé groupement hème, coloré en orangé dans l'illustration. L'atome brillant au centre du groupement hème est un atome de fer. Il alterne entre l'état réduit et l'état oxydé suivant qu'il gagne ou perd les électrons transmis dans la chaîne de transport. Chaque cytochrome se distingue des autres par la protéine liée au groupement hème.

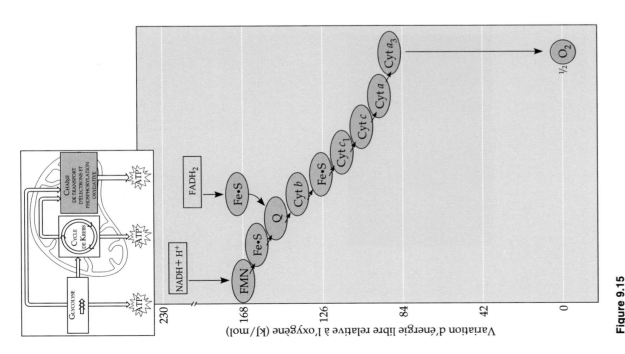

Figure 9.15
Chaîne de transport d'électrons. Chaque élément de la chaîne oscille entre l'état réduit et l'état oxydé. Un élément de la chaîne devient réduit lorsqu'il accepte des électrons de son voisin d'amont (qui a moins d'affinité pour les électrons). Chaque élément de la chaîne retrouve sa forme oxydée en cédant des électrons à son voisin d'aval (qui a plus d'affinité pour les électrons). Au bas de la chaîne se trouve l'oxygène, *fortement électronégatif*. Du NADH + H$^+$ à l'oxygène, la diminution globale de l'énergie est d'environ 220 kJ/mol, mais cette chute s'effectue graduellement en une série d'étapes.

l'atome d'oxygène est désigné par le symbole $^1/_2 O_2$ pour souligner que la chaîne de transport d'électrons réduit l'oxygène moléculaire, O_2, et non pas des atomes d'oxygène pris individuellement. Pour deux moles de NADH + H$^+$, une mole d'oxygène est réduite en deux moles d'eau.)

La FADH$_2$, l'autre coenzyme réduite du cycle de Krebs, apporte elle aussi des électrons à la chaîne de transport. La figure 9.15 montre que le niveau d'énergie auquel la FADH$_2$ donne ses électrons à la chaîne est inférieur à celui du NADH + H$^+$. Par conséquent, la chaîne de transport d'électrons fournit environ 33 % moins d'énergie à la synthèse de l'ATP quand le donneur d'électrons est la FADH$_2$ au lieu du NADH + H$^+$.

La chaîne de transport d'électrons ne produit pas d'ATP directement. Sa fonction consiste à faire passer les électrons des nutriments à l'oxygène en une série d'étapes qui libèrent l'énergie de manière contrôlée. Alors, comment la mitochondrie couple-t-elle ce processus à la synthèse de l'ATP? Par un mécanisme appelé chimiosmose.

groupement hème, se compose de quatre anneaux organiques entourant un atome de fer. Il ressemble au groupement prosthétique de l'hémoglobine, la protéine rouge du sang qui transporte l'oxygène. Cependant, l'atome de fer des cytochromes transporte des électrons et non pas de l'oxygène. La chaîne de transport d'électrons comprend divers cytochromes portant tous un groupement hème. Le dernier cytochrome de la chaîne, le cytochrome a_3, cède ses électrons à l'oxygène, qui recueille également une paire de protons dans le milieu aqueux pour former de l'eau. (Dans la figure 9.15,

Couplage du flux d'électrons à la synthèse de l'ATP : chimiosmose

La membrane interne de la mitochondrie renferme de nombreux exemplaires d'un complexe protéique appelé **ATP synthétase**, l'enzyme qui fabrique réellement l'ATP. L'ATP synthétase ressemble à une pompe ionique qui fonctionne à rebours. Comme vous l'avez appris au chapitre 8, les pompes ioniques utilisent l'ATP comme source d'énergie pour transporter des ions contre la force résultante de leur gradient. Inversement, l'ATP synthétase utilise l'énergie d'un gradient existant pour synthétiser l'ATP. Le gradient électrochimique qui actionne la phosphorylation oxydative provient de protons ; autrement dit, la source d'énergie de l'ATP synthétase réside dans la différence des concentrations de H+ de part et d'autre de la membrane mitochondriale. On peut aussi considérer ce gradient comme une différence de pH, puisque le pH est une mesure de la concentration de H+ (voir le chapitre 3). À ce gradient de concentration s'ajoute la force du gradient électrique ; on sait que les protons subissent l'attraction des charges négatives accumulées du côté interne de la membrane.

Comment la membrane mitochondriale crée-t-elle et maintient-elle un gradient de H+ ? Par la chaîne de trans-port d'électrons. En effet, la chaîne est un convertisseur d'énergie qu'utilise le flux exergonique d'électrons pour véhiculer les H+ à travers la membrane, de la matrice vers l'espace intermembranaire (figure 9.17). Les H+ ont ensuite tendance à refluer à travers la membrane, suivant le gradient électrochimique. Or, les ATP synthétases constituent les seuls segments membranaires perméables aux H+. Les protons empruntent donc un canal aménagé dans une ATP synthétase, et le complexe protéique se comporte comme un moulin qui produit une phosphorylation de l'ADP au moyen du transfert exergonique des H+. Bref, un gradient électrochimique de H+ couple les réactions d'oxydoréduction de la chaîne de transport d'électrons à la synthèse de l'ATP. Ce mécanisme de couplage s'appelle **chimiosmose**, un terme qui exprime bien la relation entre les réactions chimiques et le transport membranaire. Nous avons déjà employé le terme *osmose* pour désigner la pression osmotique (la poussée de l'eau) ; le terme chimiosmose renvoie à la poussée de H+ à travers une membrane.

Si vous avez suivi jusqu'ici nos explications sur la chimiosmose, vous devriez avoir au moins deux questions à l'esprit. Comment la chaîne de transport d'électrons véhicule-t-elle les protons ? Et comment l'ATP synthétase utilise-t-elle le reflux des protons pour attacher un phos-

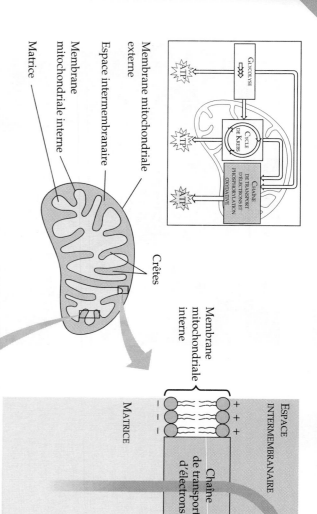

Figure 9.17
Couplage chimiosmotique et phosphorylation oxydative.
(a) Un gradient de protons couple le transport des électrons à la synthèse de l'ATP. La chaîne de transport d'électrons utilise le transfert exergonique d'électrons des nutriments à l'oxygène comme source d'énergie pour faire passer des protons à travers la membrane mitochondriale interne, créant ainsi un gradient de H+. L'expulsion des protons emmagasine l'énergie en un gradient électrochimique de H+, qui tend à faire refluer les H+ vers la matrice. Or, la seule partie membranaire perméable au H+ est le complexe protéique appelé ATP synthétase. Les ions passent donc, suivant leur gradient électrochimique, par un canal formé dans l'ATP synthétase ; celle-ci synthétise l'ATP en s'alimentant à ce transport exergonique. **(b)** Dans cette micrographie électronique de crêtes mitochondriales, les « perles » rattachées à la membrane sont les ATP synthétases (MET).

Membrane mitochondriale externe

Espace intermembranaire

Membrane mitochondriale interne

Matrice

Crêtes

ESPACE INTERMEMBRANAIRE

MATRICE

Membrane mitochondriale interne

Chaîne de transport d'électrons

ATP synthétase

ADP + $\mathbb{P}_i$

H+

Forte concentration de H+

Faible concentration de H+

ATP

(b)

Espace intermembranaire

Matrice

ATP synthétase

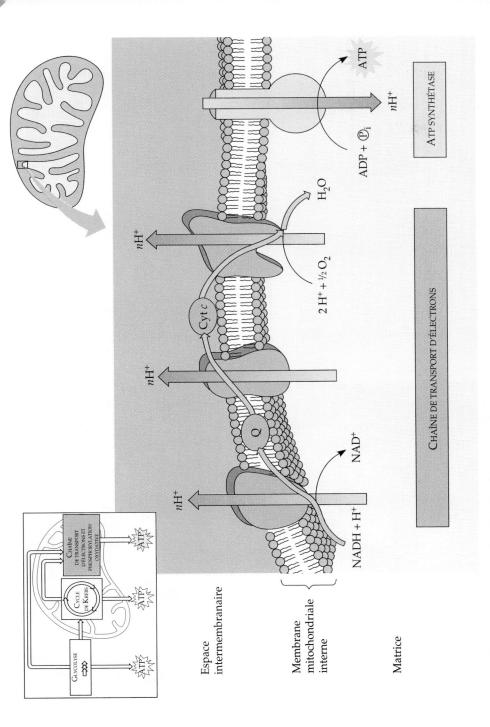

Espace
intermembranaire

Membrane
mitochondriale
interne

Matrice

CHAÎNE DE TRANSPORT D'ÉLECTRONS

ATP SYNTHÉTASE

nH⁺ ... → ATP

ADP + P_i

nH⁺

Cyt c

2 H⁺ + ½ O₂ → H₂O

Q

NAD⁺

NADH + H⁺

GLYCOLYSE → CYCLE DE KREBS → CHAÎNE DE TRANSPORT D'ÉLECTRONS ET PHOSPHORYLATION OXYDATIVE → ATP

Figure 9.18
Détails de la chimiosmose dans la mitochondrie. La chaîne de transport d'électrons fonctionne comme un convertisseur d'énergie : elle transforme l'énergie chimique en un gradient électrochimique de H⁺. Cette fonction repose sur l'organisation structurale de la membrane mitochondriale interne. La plupart des transporteurs d'électrons de la chaîne de transport se trouvent réunis en trois complexes asymétriques orientés de façon précise dans la membrane. Les électrons sont relayés entre ces complexes par deux transporteurs mobiles, l'ubiquinone (Q) et le cytochrome c, qui se déplacent rapidement dans le plan de la membrane. Dans le diagramme, les flèches orangées représentent le trajet des électrons du NADH + H⁺ à l'oxygène. Chaque fois qu'un complexe de la chaîne accepte puis cède des électrons, les protons sont prélevés dans la matrice et transportés dans l'espace intermembranaire. Fonctionnant globalement comme une pompe à protons, la chaîne de transport d'électrons peut créer dans l'espace intermembranaire une concentration de H⁺ 100 fois plus grande que celle de la matrice. Toutefois, on ne connaît pas encore le nombre exact de protons transportés à partir du NADH + H⁺ (d'où le coefficient n apposé au H⁺ dans le diagramme). Le circuit des H⁺ se termine quand, suivant leur gradient électrochimique, ils traversent une ATP synthétase, laquelle utilise l'énergie du flux de protons pour produire de l'ATP. Voilà donc le mécanisme de la phosphorylation oxydative, à l'origine d'environ 90 % de la récolte d'ATP issue de la respiration cellulaire.

phate inorganique à l'ADP? Les chercheurs possèdent quelques éléments de réponse pour la première question. Il semble que certains composants de la chaîne de transport véhiculent de l'hydrogène (H⁺ avec e^-) tandis que d'autres ne transportent que des électrons. Par conséquent, à certaines étapes de la chaîne, les transporteurs réservés uniquement aux électrons provoquent la libération de H⁺ dans la solution environnante. Les transporteurs d'électrons sont disposés dans la membrane de façon telle que le H⁺ soit prélevé dans la matrice mitochondriale puis déposé dans l'espace intermembranaire (figure 9.18). Le gradient électrochimique de H⁺ ainsi

créé se nomme **force protonmotrice**, une expression qui souligne la capacité du gradient électrochimique de produire du travail. Cette force renvoie les H⁺ à travers la membrane au moyen des canaux spécifiques fournis par les ATP synthétases. Quant à la seconde question, la science ne lui a pas encore trouvé de réponse. Il se pourrait que les protons participent directement à la réaction ou encore qu'ils entraînent dans l'ATP synthétase un changement de conformation facilitant la phosphorylation. La recherche a révélé les grandes lignes de la chimiosmose, mais bien des détails de ce mécanisme restent obscurs.

L'étude des effets des poisons métaboliques a considérablement étayé le modèle chimiosmotique. Divers poisons mortels inhibent la respiration cellulaire en perturbant la chimiosmose. Certains d'entre eux entravent le flux des électrons dans la chaîne de transport. Le cyanure, par exemple, interrompt le passage des électrons du cytochrome a_3 à l'oxygène ; en obstruant ainsi la chaîne, il empêche le transport des protons et la synthèse de l'ATP. D'autres poisons appelés agents découplants, comme le dicoumarol et le 2,4-dinitrophénol, court-circuitent le courant de protons en augmentant la perméabilité de la double couche lipidique aux protons. La chaîne de transport d'électrons travaille à toute vapeur, la consommation d'oxygène augmente, mais la diffusion des H+ annihile le gradient de protons et, par

conséquent, la synthèse de l'ATP ; l'énergie libérée par la chaîne de transport d'électrons est transformée en chaleur. Le 2,4-dinitrophénol (DNP) peut causer la mort chez les Animaux en les rendant incapables de dissiper l'excès de chaleur produit par la « surchauffe » qui a lieu dans les mitochondries. Par ailleurs, certains organismes possèdent des mécanismes naturels qui augmentent leur chaleur en découplant occasionnellement le transport d'électrons de la synthèse de l'ATP (figure 9.19).

En résumé, la chimiosmose constitue un mécanisme de couplage de l'énergie. Grâce à l'arrangement particulier des protéines membranaires, ce mécanisme utilise les réactions chimiques exergoniques pour emmagasiner l'énergie sous forme d'un gradient électrochimique de H+. Celui-ci alimente ensuite d'autres formes de travail,

1 µm

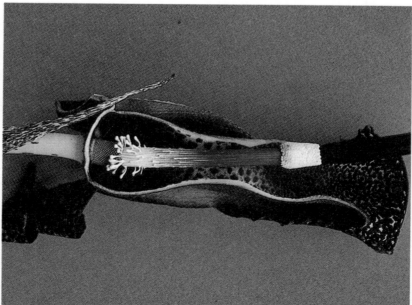

Figure 9.19
Deux adaptations évolutives permettant la production de chaleur métabolique. (a) La plupart des Chauves-souris, y compris ces Chauves-souris blanches du Costa Rica, présentent des périodes quotidiennes de torpeur alternant avec des périodes d'alimentation active. En période de torpeur, le métabolisme ralentit et la température corporelle baisse. À la fin de la période, une adaptation respiratoire réchauffe l'Animal. On trouve entre les omoplates de ces Chauves-souris du tissu adipeux brun. **(b)** Le tissu adipeux brun est le tissu qui renferme le plus grand nombre de mitochondries par cellule, comme le montre cette micrographie électronique (MET). Dans ce tissu, les membranes mitochondriales internes contiennent une protéine spéciale qui sert de conduit aux H+. Cette protéine court-circuite le courant habituel des protons ; plutôt que de diffuser à travers l'ATP synthétase, les protons rentrent dans la mitochondrie. Par conséquent, l'énergie libérée par l'oxydation des lipides produit de la chaleur au lieu d'ATP. **(c)** Une autre adaptation mitochondriale a donné à certains Végétaux des tissus thermogènes. Cette Plante, *Sauromatum guttatum*, réchauffe certaines parties de ses fleurs. La Plante se fait polliniser par les Mouches qui, apparemment, confondent les fleurs avec de la viande faisandée. (La photo montre une fleur en coupe longitudinale.) La chaleur disperse les gaz malodorants émis par les fleurs. Dans les mitochondries qui produisent la chaleur, les électrons extraits du combustible organique au cours de la respiration contournent la chaîne de transport et suivent une voie qui ne conduit pas les protons à travers la membrane mitochondriale. L'énergie de la chaîne de transport d'électrons se trouve ainsi transformée en chaleur.

dont la synthèse de l'ATP. Le modèle chimiosmotique fait bien ressortir la relation étroite entre structure et fonction. La chimiosmose s'effectue dans les mitochondries mais aussi dans les chloroplastes, où elle sert à produire de l'ATP pendant la photosynthèse. Dans les chloroplastes, cependant, les électrons entrent dans la chaîne de transport sous l'impulsion de la lumière. Les Bactéries, qui ne possèdent ni mitochondries ni chloroplastes, créent des gradients électrochimiques de H⁺ à travers leur membrane plasmique. Ensuite, au moyen de la force protonmotrice, elles produisent de l'ATP, transportent activement des nutriments et des déchets à travers leur membrane et, même, se déplacent en remuant leurs flagelles. En fait sous l'angle de l'évolution, la mitochondrie comme le chloroplaste (deux organites convertisseurs d'énergie des eucaryotes) proviennent probablement des Bactéries (voir le chapitre 22). En 1961, à la suite d'expériences sur les Bactéries, le biochimiste britannique Peter Mitchell présenta la chimiosmose comme un mécanisme de couplage de l'énergie. Près de 20 ans plus tard, une fois que de nombreux scientifiques eurent attesté l'importance capitale de la chimiosmose pour les conversions d'énergie dans les Bactéries, les mitochondries et les chloroplastes, Mitchell reçut le prix Nobel.

RÉSUMÉ DE LA RESPIRATION CELLULAIRE

Maintenant que nous avons décortiqué la respiration cellulaire, faisons un bilan du profit net en ATP réalisé chaque fois qu'une mole de glucose se fait oxyder en six moles de dioxyde de carbone. Les trois principaux services de l'entreprise métabolique de la respiration cellulaire aérobie sont la glycolyse, le cycle de Krebs et la chaîne de transport d'électrons qui alimente la phosphorylation oxydative. La figure 9.20, dans la foulée de l'aperçu donné à la figure 9.7, présente un bilan détaillé du rendement en ATP par mole de glucose oxydée. Comptons d'abord les quelques moles d'ATP produites directement par phosphorylation au niveau du substrat, au cours de la glycolyse et du cycle de Krebs. (Ces chiffres apparaissent aux deux extrémités de la ligne jaune des résultats dans la figure 9.20.) À ce nombre ajoutons les moles d'ATP apparues lorsque la chimiosmose couple le transport d'électrons à la phosphorylation oxydative. Chaque NADH + H⁺ qui transfère une paire d'électrons du nutriment à la chaîne de transport d'électrons contribue suffisamment à la force protonmotrice pour produire un maximum d'environ trois moles d'ATP. (Le rendement net moyen par NADH + H⁺ se situe probablement entre

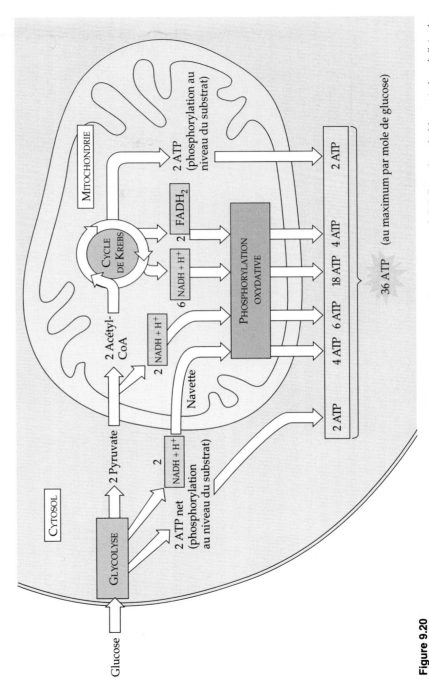

Figure 9.20
Rendement maximal en ATP de la respiration aérobie dans une cellule eucaryote. Le rendement maximal de la respiration cellulaire aérobie est de 36 moles d'ATP par mole de glucose. Nous expliquons dans le

texte pourquoi ce nombre constitue une estimation, généreuse de surcroît. Nous obtenons ce résultat en calculant trois moles d'ATP par mole de NADH + H⁺, mais les mesures ramènent plutôt cette proportion

à 2,7. Il serait probablement plus réaliste de chiffrer le rendement maximal de la respiration cellulaire aérobie à 32 moles d'ATP par mole de glucose.

deux et trois moles d'ATP; nous arrondissons à trois pour simplifier notre comptabilité.) Le cycle de Krebs fournit aussi des électrons à la chaîne de transport d'électrons par l'intermédiaire de la $FADH_2$, mais chaque mole de ce transporteur d'électrons ne vaut au maximum que deux moles d'ATP. (N'oubliez pas que la $FADH_2$, comme le montre la figure 9.15, ne donne pas ses électrons au sommet de la chaîne de transport.) Dans la plupart des cellules eucaryotes, le $NADH + H^+$ produit par la glycolyse dans le cytosol a aussi un rendement inférieur par paire d'électrons. La membrane mitochondriale ne laisse pas passer le $NADH + H^+$, tant et si bien que le $NADH + H^+$ du cytosol se trouve isolé de la machinerie de la phosphorylation oxydative. Des «navettes» doivent transférer les électrons qu'il porte jusqu'à des accepteurs d'électrons situés à l'intérieur de la mitochondrie. Le système de navette le plus répandu adjoint les électrons non pas au NAD^+ mais à la FAD, ce qui réduit leur potentiel.

Si l'on soustrait le débit de deux moles d'ATP inscrit pendant les étapes préparatoires de la glycolyse, et si l'on double le nombre de moles après l'étape de la scission du glucose, on obtient un total de 36 moles d'ATP.

Les procaryotes capables de respiration cellulaire aérobie, comme *Escherichia coli*, n'ont pas à déprécier la valeur du $NADH + H^+$ issu de la glycolyse, car aucune membrane ne sépare chez eux la glycolyse de la chaîne de transport d'électrons; les éléments de la chaîne de transport d'électrons sont intégrés à la membrane plasmique, qui joue dans la chimiosmose le même rôle que la membrane mitochondriale interne des eucaryotes. Pour ces organismes, la ligne des résultats de la respiration indique un maximum de 38 moles d'ATP.

Notre comptabilité ne fournit qu'une estimation du rendement maximal de la respiration en ATP. Avant que le modèle chimiosmotique ne fasse l'unanimité, la plupart des biochimistes croyaient que le transport d'électrons et la phosphorylation oxydative étaient couplés par un transfert direct de liaisons phosphate analogue à la phosphorylation au niveau du substrat. Si tel avait été le mécanisme, il aurait donné un nombre précis de moles d'ATP par paire d'électrons entrée dans la chaîne de transport. D'après l'hypothèse chimiosmotique, toutefois, le transport d'électrons et la synthèse de l'ATP sont reliés plus lâchement, c'est-à-dire par un gradient de protons. Par conséquent, le rendement en ATP de la respiration n'est pas immuable: il varie en fonction de la perméabilité de la membrane mitochondriale aux protons et en fonction de l'emploi de la force protonmotrice à des fins autres que la phosphorylation oxydative. Par exemple, la force protonmotrice alimente dans la mitochondrie le symport du pyruvate cytoplasmique. Par ailleurs, en arrondissant à trois le nombre de moles d'ATP produites par mole de $NADH + H^+$, nous avons exagéré le rendement en ATP de la respiration d'environ 10 %.

Nous pouvons maintenant évaluer grossièrement l'efficacité de la respiration cellulaire aérobie, c'est-à-dire le pourcentage de l'énergie chimique enfermée dans le glucose qui a servi à produire de l'ATP. Rappelez-vous que l'oxydation complète d'une mole de glucose libère 2871 kJ d'énergie ($\Delta G = -2871$ kJ/mol). Étant donné les conditions chimiques de la cellule, la phosphorylation de l'ADP emprisonne environ 50 kJ/mol dans les liaisons d'une mole d'ATP. Par conséquent, l'efficacité de la respiration aérobie est de 50 fois 36 (rendement maximal en ATP par mole de glucose) divisé par 2871, soit environ 63 %. Même si nous avons surestimé son rendement de 10 % ou de 20 %, la respiration cellulaire aérobie demeure un processus fort efficace. (En comparaison, la voiture la plus efficace convertit en mouvement environ 25 % de l'énergie emmagasinée dans l'essence.) Le reste de l'énergie du glucose se perd sous forme de chaleur. Nous utilisons une partie de cette chaleur pour conserver notre température corporelle (qui, à 37 °C, est relativement élevée), et nous dissipons le reste par la transpiration et d'autres mécanismes de refroidissement (que nous étudierons en détail au chapitre 40).

Comme la majeure partie de l'ATP produite par la respiration cellulaire aérobie provient de la phosphorylation oxydative, notre estimation du rendement en ATP de la respiration est conditionnelle à un apport suffisant d'oxygène. Sans l'oxygène qui, avec sa forte électronégativité, attire les électrons vers le bas de la chaîne, la phosphorylation oxydative cesse. Cependant, beaucoup de cellules se passent d'oxygène pour oxyder leurs nutriments; au lieu de produire leur ATP au moyen de la respiration anaérobie, elles utilisent la fermentation.

FERMENTATION

Comment les nutriments peuvent-ils se faire oxyder sans oxygène? Rappelez-vous que l'oxydation correspond au transfert d'électrons à *n'importe quel* accepteur, et non pas seulement à l'oxygène. La glycolyse oxyde une mole de glucose en deux moles de pyruvate. L'agent oxydant de la glycolyse est le NAD^+, et *non* l'oxygène (voir l'étape 6 à la figure 9.10). Dans la glycolyse, l'oxydation du glucose est exergonique; au cours d'une fermentation, elle utilise une partie de l'énergie libérée pour produire seulement deux moles d'ATP (net) par phosphorylation au niveau du substrat.

Comme nous l'avons mentionné au début du chapitre, la fermentation constitue un catabolisme anaérobie des nutriments organiques qui ne fait pas appel à une chaîne de transport d'électrons ni à la phosphorylation oxydative. Cela explique le faible rendement de la glycolyse. La fermentation engendre de l'ATP par phosphorylation au niveau du substrat tant qu'il se trouve suffisamment de NAD^+ pour accepter les électrons pendant l'étape d'oxydation de la glycolyse. Sans un mécanisme de recyclage du $NADH + H^+$ en NAD^+, la glycolyse épuiserait vite la réserve cellulaire de NAD^+ et elle s'arrêterait, faute d'un agent oxydant. Chez les organismes aérobies, le $NADH + H^+$ est recyclé en NAD^+ par le transfert des électrons à la chaîne de transport. Chez les anaérobies, les électrons du $NADH + H^+$ sont transférés au pyruvate, le produit final de la glycolyse.

La fermentation englobe la glycolyse ainsi que des réactions qui régénèrent le NAD^+ en transférant des électrons du $NADH + H^+$ au pyruvate ou à des dérivés du pyruvate. Il existe plusieurs types de fermentation, dont la fermentation alcoolique et la fermentation lactique, et ils se distinguent par les produits formés à partir du pyruvate (figure 9.21).

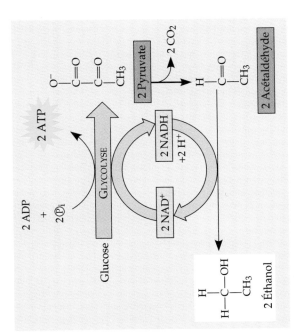

(a) Fermentation alcoolique

2 ADP
+
2℗ᵢ

GLYCOLYSE

2 ATP

Glucose

2 NADH
+2 H⁺

2 NAD⁺

2 Pyruvate → 2 CO₂

$$O^-$$
$$C=O$$
$$C=O$$
$$CH_3$$
2 Pyruvate

H—C=O
CH₃
2 Acétaldéhyde

H
H—C—OH
CH₃
2 Éthanol

Figure 9.21
Fermentation. Le pyruvate, produit final de la glycolyse, sert d'accepteur d'électrons pour l'oxydation du NADH + H⁺ en NAD⁺. Le NAD⁺ peut ensuite servir de nouveau à l'oxydation du glucose pendant la glycolyse qui, par phosphorylation au niveau du substrat, a un rendement net de deux moles d'ATP. Deux des principaux produits de la fermentation sont : **(a)** l'éthanol ; **(b)** le lactate.

(b) Fermentation lactique

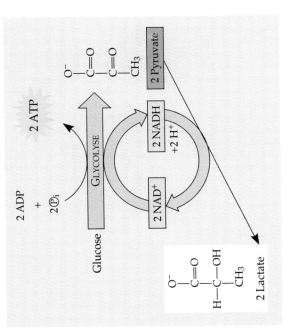

2 ADP
+
2℗ᵢ

GLYCOLYSE

2 ATP

Glucose

2 NADH
+2 H⁺

2 NAD⁺

$$O^-$$
$$C=O$$
$$C=O$$
$$CH_3$$
2 Pyruvate

O⁻
C=O
H—C—OH
CH₃
2 Lactate

Figure 9.22
Applications commerciales de la fermentation alcoolique.
Les étapes fondamentales de la fabrication du vin n'ont pas changé **(a)** de l'Antiquité **(b)** à aujourd'hui. Les Levures convertissent en alcool une partie des glucides contenus dans le jus de raisin, à condition qu'on les cultive en l'absence d'oxygène. Des soupapes laissent échapper le dioxyde de carbone du moût sans admettre d'air. Pour fabriquer un mousseux comme le champagne, on laisse du dioxyde de carbone dissous dans le vin.

Dans la **fermentation alcoolique**, le pyruvate se convertit en éthanol selon deux étapes. La première enlève du dioxyde de carbone au pyruvate, qui devient de l'acétaldéhyde, un composé à deux atomes de carbone. Au cours de la seconde étape, le NADH + H⁺ réduit l'acétaldéhyde en éthanol, régénérant ainsi le NAD⁺ nécessaire à la glycolyse. Dans l'industrie de la bière, on déclenche la fermentation alcoolique au moyen de Levures, des microorganismes appartenant au règne des Mycètes (figure 9.22). Beaucoup de Bactéries réalisent aussi la fermentation alcoolique.

Au cours de la **fermentation lactique**, le pyruvate se fait réduire directement par le NADH + H⁺, ce qui forme du lactate sans libérer de dioxyde de carbone. (Le lactate est la forme ionisée de l'acide lactique.) Dans l'industrie laitière, la fermentation lactique par des Mycètes et des Bactéries donne des fromages et du yogourt. L'acétone et le méthanol figurent parmi les sous-produits d'autres types de fermentation microbienne utilisées dans l'industrie.

Les cellules musculaires humaines produisent de l'ATP par fermentation lactique lorsque l'oxygène se fait rare, notamment pendant les premières minutes d'un exercice exigeant, quand le glucose se fait dégrader plus rapidement que l'oxygène ne parvient aux muscles. Les cellules passent alors de la respiration aérobie à la fermentation. Le lactate qui s'accumule dans les muscles peut causer de la fatigue et de la douleur, mais la circulation le transporte graduellement au foie, qui le convertit en pyruvate.

Tableau 9.1 Comparaison des processus cataboliques

	Respiration aérobie	Respiration anaérobie	Fermentation
Condition environnementale	Aérobie	Anaérobie	Anaérobie
Chaîne de transport d'électrons	Oui	Oui	Non
Dernier accepteur d'électrons	Oxygène libre (O_2)	Généralement une substance inorganique (comme NO_3^-, SO_4^{2-} ou CO_3^{2-}), mais pas l'oxygène libre (O_2)	Molécule organique comme le lactate ou l'éthanol
Type de phosphorylation servant à produire l'ATP	Oxydative principalement; au niveau du substrat accessoirement	Oxydative principalement; au niveau du substrat accessoirement	Au niveau du substrat

COMPARAISON ENTRE LE CATABOLISME AÉROBIE ET LE CATABOLISME ANAÉROBIE

Il existe en réalité trois grands processus d'extraction de l'énergie chimique des molécules de nutriments: la respiration aérobie, la respiration anaérobie et la fermentation.

Dans les trois cas, le glucose ou d'autres substrats riches en énergie se font oxyder et leurs électrons rejoignent le NAD^+, qui est réduit en $NADH + H^+$. Par la suite, toutefois, chaque processus réserve un sort différent aux électrons (Tableau 9.1).

Les organismes végétaux et animaux qui produisent de l'ATP au moyen de la **respiration aérobie** sont des **aérobies stricts**. Cela signifie qu'ils peuvent survivre uniquement dans un milieu où il y a de l'oxygène. Le dernier accepteur d'électrons dans la respiration aérobie est l'oxygène, et il se fait réduire par les électrons qui descendent du $NADH + H^+$ jusqu'à lui dans la chaîne de transport.

La **respiration anaérobie** est le propre de rares groupes de Bactéries vivant dans les profondeurs du sol, dans les eaux stagnantes et dans d'autres milieux anaérobies. Leur métabolisme ne nécessite pas d'oxygène. En fait, l'oxygène s'avère toxique pour ces organismes, appelés **anaérobies stricts**. Pendant la respiration anaérobie, les électrons retirés des substrats entrent dans une chaîne de transport qui engendre un gradient de protons en vue de la synthèse de l'ATP. Toutefois, le dernier accepteur d'électrons n'est pas l'oxygène, mais une substance comme le sulfate (tétraoxosulfate) ou le nitrate (trioxonitrate).

Étant donné que le mot *respiration* désigne également la ventilation pulmonaire, l'expression *respiration anaérobie* peut sembler pléonastique et l'expression *respiration aérobie*, contradictoire. Mais, depuis quelques années, on a étendu le concept de respiration cellulaire à tous les processus cataboliques qui produisent de l'ATP à l'issue d'une chaîne de transport d'électrons, que le dernier accepteur d'électrons soit l'oxygène ou une autre substance.

La fermentation, nous l'avons dit, produit de l'ATP sans que n'intervienne une chaîne de transport d'élec-trons. Elle ne nécessite pas d'oxygène, l'ATP provient exclusivement de la phosphorylation au niveau du substrat, et le dernier accepteur d'électrons est une molécule organique (le pyruvate ou un dérivé). Parmi les Bactéries anaérobies strictes, on en trouve qui ne possèdent pas de chaînes de transport d'électrons et qui ne produisent d'ATP que par fermentation.

Les **anaérobies facultatifs**, telles les Levures et de nombreuses Bactéries, peuvent fabriquer de l'ATP par fermentation ou par respiration aérobie, suivant qu'ils trouvent ou non de l'oxygène dans leur milieu. À l'échelon cellulaire, les cellules musculaires humaines se comportent comme des anaérobies facultatifs. Chez un anaérobie facultatif, le pyruvate représente un carrefour dans l'oxydation du glucose (figure 9.23). En aérobiose, le pyruvate se fait convertir en acétyl-CoA, et l'oxydation prend la voie du cycle de Krebs. En anaérobiose, le pyruvate sert plutôt d'accepteur d'électrons pour le recyclage du NAD^+, et l'oxydation prend alors la voie de la fermentation.

Notez que la fermentation se passe non seulement de la chaîne de transport d'électrons mais aussi du cycle de Krebs. Sans oxygène, l'énergie encore emmagasinée dans le pyruvate ne peut être mise à la disposition de la cellule. La récolte de l'énergie enfermée dans le glucose est donc beaucoup moins abondante sans l'oxygène. De fait, la respiration aérobie fournit 18 fois plus d'ATP par mole de glucose que la fermentation (soit 36 moles d'ATP contre 2).

IMPORTANCE DE LA GLYCOLYSE DANS L'ÉVOLUTION

La glycolyse est commune à la fermentation et à la respiration cellulaire, et cette similitude s'explique par l'évolution. Les plus anciens fossiles de Bactéries datent de 3,5 milliards d'années environ, mais l'oxygène ne s'est probablement accumulé en quantités appréciables dans l'atmosphère terrestre qu'il y a 2,5 milliards d'années. (D'après la paléontologie, les Cyanobactéries, qui émettent de l'oxygène à la suite de la photosynthèse, étaient

son énergie des lipides, des protéines, du saccharose et d'autres disaccharides, ainsi que de l'amidon, un polysaccharide. La respiration cellulaire peut produire de l'ATP à partir de toutes ces molécules (figure 9.24).

Dans le système digestif, l'amidon se fait hydrolyser en glucose, que les cellules dégradent ensuite au cours de la glycolyse et du cycle de Krebs. Le glycogène, le polysaccharide emmagasiné dans les cellules hépatiques et musculaires animales, peut aussi, entre les repas, se faire hydrolyser en glucose. La digestion des disaccharides, dont le saccharose, fournit du glucose ainsi que d'autres monosaccharides que des enzymes peuvent convertir. On voit donc que le glucose subissant la glycolyse peut provenir de divers glucides.

Les protéines peuvent aussi servir de combustible pour la respiration cellulaire, mais elles doivent d'abord être dégradées en leurs acides aminés constituants. Beaucoup de ces acides aminés, bien entendu, servent à fabriquer de nouvelles protéines. Mais les acides aminés en excès se font convertir par des enzymes en produits intermédiaires de la glycolyse et du cycle de Krebs. Leur point d'entrée dans la respiration dépend de leur structure. Il peut s'agir du pyruvate, de l'acétyl-CoA et du α-cétoglutarate, un produit intermédiaire du cycle de Krebs. Avant d'entrer dans la glycolyse ou dans le cycle de Krebs, cependant, les acides aminés doivent perdre leur groupement amine, un processus appelé **désamination**. Le résidu azoté est ensuite excrété sous forme d'ammoniac, d'urée ou d'autres substances (voir le chapitre 40).

Enfin, le catabolisme peut extraire de l'énergie stockée dans les lipides provenant des aliments ou des cellules adipeuses de l'organisme. Une fois les lipides digérés, le glycérol est converti en phosphoglycéraldéhyde (PGAL), un produit intermédiaire de la glycolyse. Mais l'essentiel de l'énergie d'un lipide se trouve dans les acides gras. Une séquence métabolique appelée **bêta-oxydation** dégrade les acides gras en fragments à deux atomes de carbone, qui entrent dans le cycle de Krebs sous forme d'acétyl-CoA. Les lipides font d'excellents combustibles. Un gramme de lipides oxydé par la respiration produit deux fois plus d'ATP qu'un gramme de glucides. Malheureusement, cela signifie aussi qu'une personne à la diète doit s'armer de patience : comme les lipides contiennent énormément de kilojoules par gramme, la graisse corporelle met du temps à « fondre ».

BIOSYNTHÈSE

Les cellules ont besoin d'énergie, mais aussi de matière. Les molécules organiques de la nourriture ne sont pas toutes destinées à l'oxydation et à la synthèse de l'ATP. En effet, la nourriture doit fournir aux cellules non seulement des kilojoules, mais aussi les chaînes carbonées nécessaires à la fabrication de molécules structurales. Certains monomères organiques issus de la digestion peuvent être utilisés directement. Par exemple, les acides aminés provenant de l'hydrolyse des protéines alimentaires peuvent être incorporés aux protéines de l'organisme. Mais il arrive fréquemment que l'organisme ait besoin de molécules précises que la nourriture ne lui fournit pas. Les produits intermédiaires de la glycolyse et du cycle de Krebs peuvent alors être détournés vers

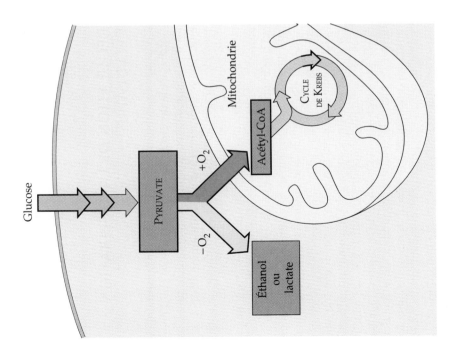

Figure 9.23
Le pyruvate au carrefour de deux voies cataboliques. La fermentation et la respiration cellulaire comportent toutes deux le processus de glycolyse. Le produit final de la glycolyse, le pyruvate, représente un carrefour dans l'oxydation du glucose. Dans une cellule capable à la fois de respiration et de fermentation, le pyruvate prend une voie ou l'autre, selon la présence ou l'absence d'oxygène.

déjà apparues à cette époque.) Par conséquent, les premiers procaryotes ont dû produire leur ATP par un catabolisme anaérobie. En outre, la glycolyse constitue la voie métabolique la plus répandue, ce qui laisse croire qu'elle est apparue très tôt dans l'histoire de la vie. Le fait qu'elle se déroule dans le cytoplasme suggère également qu'elle date de très longtemps ; elle ne nécessite aucun des organites membraneux de la cellule eucaryote, qui est apparue près de deux milliards d'années après la cellule procaryote. (Nous nous pencherons sur l'évolution du métabolisme aux chapitres 24 et 25.) Héritage métabolique des premières cellules, la glycolyse demeure chez les organismes modernes, qu'il s'agisse d'êtres anaérobies ou aérobies.

CATABOLISME DES MOLÉCULES NON GLYCOSIDIQUES

Jusqu'ici, le seul combustible de la respiration cellulaire et de la fermentation que nous avons considéré est le glucose. Pourtant, les molécules libres de glucose ne représentent pas une portion abondante du régime alimentaire animal. L'Humain, en particulier, tire la majeure partie de

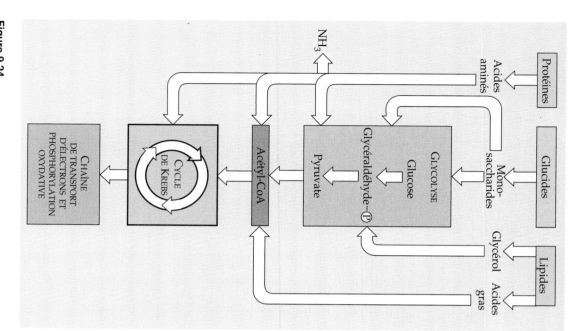

Figure 9.24
Catabolisme des divers nutriments. Les glucides, les lipides et les protéines peuvent tous servir de combustibles pour la respiration cellulaire. Leurs monomères entrent dans la glycolyse ou dans le cycle de Krebs en divers points. La glycolyse et le cycle de Krebs sont des entonnoirs cataboliques à travers lesquels les électrons provenant de tous les nutriments amorcent leur descente exergonique vers l'oxygène.

les voies anaboliques et servir de précurseurs à la synthèse des molécules nécessaires. L'organisme humain, par exemple, peut synthétiser environ 10 des 20 acides aminés en modifiant des composés détournés du cycle de Krebs. De même, il peut fabriquer du glucose à partir du pyruvate, et des acides gras à partir de l'acétyl-CoA. Il va sans dire que ces voies anaboliques, ou biosynthétiques, ne produisent pas d'ATP mais, au contraire, en consomment.

Enfin, la glycolyse et le cycle de Krebs permettent à nos cellules de convertir certaines molécules au besoin. Ainsi, les glucides et les protéines peuvent être convertis en lipides au moyen de produits intermédiaires de la glycolyse et du cycle de Krebs. Si notre apport alimentaire dépasse nos besoins, nous engraissons, même si notre régime ne comporte pas de matières grasses. Le métabolisme est un processus complexe, polyvalent et adaptable.

RÉGULATION DE LA RESPIRATION CELLULAIRE

L'économie métabolique obéit aux lois fondamentales de l'offre et de la demande. La cellule ne gaspille pas d'énergie à produire davantage d'une substance qu'il ne lui en faut. S'il y a un surplus d'un acide aminé donné, par exemple, la voie anabolique qui le synthétise se ferme. Cette régulation repose principalement sur un mécanisme de rétro-inhibition : le produit final de la voie anabolique inhibe l'enzyme qui catalyse la première étape de cette voie (voir le chapitre 6). L'organisme évite ainsi de consacrer des produits intermédiaires à des usages non essentiels.

La cellule gère aussi son catabolisme. Si elle travaille dur et que sa concentration en ATP commence à diminuer, la respiration s'accélère. Quand il y a amplement d'ATP pour satisfaire la demande, la respiration ralentit, ce qui permet à la cellule d'économiser de précieuses molécules organiques en vue d'autres fonctions. Ici encore, la régulation porte principalement sur l'activité d'enzymes intervenant en des points stratégiques de la voie catabolique. L'une de ces enzymes est la phosphofructokinase, celle qui catalyse l'étape 3 de la glycolyse (voir la figure 9.10). Cette étape est la première à diriger irréversiblement un substrat vers la voie glycolytique. En contrôlant le débit de cette étape, la cellule peut accélérer ou ralentir le processus catabolique entier ; par conséquent, la phosphofructokinase détermine la vitesse de la respiration cellulaire (figure 9.25).

La phosphofructokinase est une enzyme allostérique qui possède des sites récepteurs pour des inhibiteurs et des activateurs spécifiques ; l'ATP l'inhibe, alors que l'ADP l'active. Lorsque l'ATP s'accumule, l'inhibition de l'enzyme ralentit la glycolyse. Et quand la cellule consomme davantage d'ATP qu'elle n'en produit, l'accumulation de l'ADP réactive l'enzyme. En outre, la phosphofructokinase est sensible au citrate, le premier produit du cycle de Krebs. Si le citrate s'accumule dans les mitochondries, une certaine quantité passe dans le cytosol et inhibe la phosphofructokinase. Ce mécanisme contribue à synchroniser la glycolyse et le cycle de Krebs. À mesure que le citrate s'accumule, la glycolyse ralentit, et l'apport d'acétate au cycle de Krebs diminue. Si, au contraire, la consommation de citrate augmente, à la suite d'un accroissement de la demande d'ATP ou à cause de l'utilisation de produits intermédiaires du cycle de Krebs à des fins anaboliques, la glycolyse accélère et s'adapte à la demande. Outre la phosphofructokinase, d'autres enzymes intervenant en des points clés de la glycolyse et du cycle de Krebs subissent une régulation qui favorise d'autant l'équilibre métabolique. Le métabolisme cellulaire est un processus économique, efficace et souple.

Nous avons étudié la respiration cellulaire et la fermentation à l'échelle moléculaire, et peut-être avez-vous perdu de vue le rôle qu'elles jouent dans la vie des organismes. Pourtant, en extrayant l'énergie enfermée dans

les nutriments pour produire de l'ATP, les cellules alimentent le travail qui se manifeste dans toutes les activités de l'organisme. Sans production d'ATP dans chacune de nos cellules et, plus précisément, dans nos mitochondries, nous serions incapables de marcher, de penser, de voir, bref, de vivre.

*   *   *

L'énergie qui nous tient en vie est *libérée* et non pas *produite* par la respiration cellulaire. Nos cellules extraient l'énergie que la photosynthèse a préalablement stockée dans notre nourriture. Dans le chapitre suivant, vous apprendrez comment la photosynthèse capte la lumière et la convertit en énergie chimique.

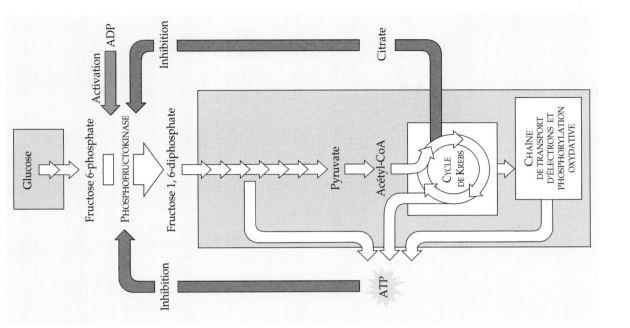

Figure 9.25
Régulation de la respiration cellulaire. Des enzymes allostériques intervenant en certains points de la voie respiratoire réagissent à des inhibiteurs et à des activateurs et déterminent ainsi la vitesse de la glycolyse et du cycle de Krebs. La phosphofructokinase, l'enzyme qui catalyse l'étape 3 de la glycolyse, est l'une de ces enzymes clés. L'ADP l'active mais l'ATP et le citrate l'inhibent.

RÉSUMÉ DU CHAPITRE

1. L'énergie qu'utilisent la plupart des organismes vivant sur la Terre provient originellement du Soleil. Les organismes photosynthétiques utilisent l'énergie solaire pour produire, à partir de dioxyde de carbone et d'eau, des molécules organiques disponibles pour les consommateurs.

2. Dans les cellules eucaryotes, la respiration cellulaire a lieu dans les mitochondries. À partir du glucose ou d'un autre combustible organique et au moyen de l'oxygène, la respiration produit de l'eau, du dioxyde de carbone et de l'énergie sous forme d'ATP et de chaleur.

ATP et travail cellulaire : révision (p. 174)

1. L'ATP alimente le travail cellulaire en transférant des groupements phosphate à divers substrats, ce qui les prépare à subir d'autres changements.

2. Pour continuer de travailler, une cellule doit régénérer l'ATP. La respiration cellulaire et la fermentation fournissent l'énergie qui alimente la phosphorylation endergonique de l'ADP.

Oxydoréduction et respiration (p. 174-177)

1. Les molécules de nutriments renferment de l'énergie en raison de l'arrangement de leurs électrons. La cellule extrait cette énergie au moyen des réactions d'oxydoréduction. Au cours de ces réactions, une substance (l'agent réducteur) cède quelques-uns ou la totalité de ses électrons à une autre substance (l'agent oxydant). La substance qui reçoit des électrons est réduite ; celle qui perd des électrons est oxydée.

2. Au cours de la respiration cellulaire aérobie, le glucose ($C_6H_{12}O_6$) se fait oxyder en dioxyde de carbone (CO_2), et

l'oxygène (O_2) se fait réduire en eau (H_2O). Les électrons perdent de l'énergie potentielle pendant leur transfert des composés organiques à l'eau, et cette énergie alimente la synthèse de l'ATP.

3. Généralement, les électrons extraits des nutriments rejoignent d'abord le NAD^+, qui se fait alors réduire en NADH + H^+.

4. Le NADH + H^+ cède ces électrons à la chaîne de transport d'électrons. La chaîne amène ensuite les électrons à l'oxygène en une série d'étapes qui libèrent de l'énergie. La phosphorylation oxydative produit l'ATP au moyen de cette énergie.

Caractéristiques générales de la respiration cellulaire aérobie (p. 179)

1. La respiration cellulaire aérobie comprend trois stades métaboliques: la glycolyse (dans le cytosol), le cycle de Krebs (dans la matrice mitochondriale) et la chaîne de transport d'électrons (dans la membrane mitochondriale interne). La glycolyse et le cycle de Krebs fournissent des électrons à la chaîne de transport (par l'intermédiaire du NADH + H^+), et la chaîne de transport alimente la phosphorylation oxydative.

2. En présence d'oxygène, le pyruvate passe dans la mitochondrie, où le cycle de Krebs finit de l'oxyder en dioxyde de carbone.

Glycolyse (p. 179-182)

1. Au cours de la glycolyse, une mole de glucose (un glucide à six atomes de carbone) se fait oxyder en deux moles de pyruvate (un composé à trois atomes de carbone). Cette voie a un rendement net de deux moles d'ATP, produites par phosphorylation oxydative au niveau du substrat, et de deux moles de NADH + H^+.

Cycle de Krebs (p. 182-184)

1. La charnière entre la glycolyse et le cycle de Krebs est la conversion du pyruvate en acétyl-CoA dans la matrice mitochondriale.

2. L'acétyl-CoA s'unit à une molécule à quatre atomes de carbone, l'oxaloacétate, et il forme du citrate, une molécule à six atomes de carbone. Par la suite, le citrate se fait dégrader en oxaloacétate en une série d'étapes déterminant un tour de cycle. Pendant ce tour de cycle, certaines réactions libèrent du dioxyde de carbone et la phosphorylation au niveau du substrat forme une mole d'ATP, de plus, trois moles de NAD^+ et une mole de FAD (un autre accepteur d'électrons) captent les électrons transférés.

Chaîne de transport d'électrons et phosphorylation oxydative (p. 184-189)

1. La majeure partie de l'ATP produite au moyen de l'énergie emmagasinée dans le glucose provient de la phosphorylation oxydative. Au cours de ce processus, le NADH + H^+ et la $FADH_2$ donnent leurs électrons à un système de transporteurs intégrés dans la membrane mitochondriale interne.

2. La chaîne de transport d'électrons représente une série de composés de plus en plus électronégatifs, dont un groupe de cytochromes, des protéines contenant un groupement hème. La chaîne reçoit les électrons du NADH + H^+ et de la $FADH_2$. À la fin de la chaîne, les électrons sont cédés à l'oxygène, qui se trouve ainsi réduit en eau.

3. Le mécanisme de la chimiosmose couple le transport des électrons à la synthèse de l'ATP. En raison de la disposition des transporteurs d'électrons, certains des transferts de la chaîne font passer le H^+ de la matrice à l'espace intermembranaire. L'énergie se trouve ainsi emmagasinée dans un gradient électrochimique appelé force protonmotrice. Les protons rentrent dans la matrice via l'ATP synthétase, et ce passage exergonique alimente la phosphorylation endergonique de l'ADP.

Résumé de la respiration cellulaire (p. 189-190)

Chez les eucaryotes, l'oxydation complète d'une mole de glucose en dioxyde de carbone produit un maximum théorique de 36 moles d'ATP. Le rendement réel est généralement inférieur.

Fermentation (p. 190-191)

1. La fermentation est le catabolisme anaérobie des nutriments organiques. Elle fournit les deux moles d'ATP produites par la glycolyse, grâce à la phosphorylation au niveau du substrat.

2. Les électrons du NADH + H^+ sont transférés au produit final de la glycolyse, le pyruvate ou un de ses dérivés. La fermentation alcoolique convertit le pyruvate en éthanol, un composé à deux atomes de carbone, et libère du dioxyde de carbone. La fermentation lactique se produit dans les muscles à la suite d'un exercice exigeant.

Comparaison entre le catabolisme aérobie et le catabolisme anaérobie (p. 192)

1. Les trois principaux processus métaboliques se distinguent par le dernier accepteur des électrons extraits lors de l'oxydation du glucose. Le dernier accepteur d'électrons est l'oxygène dans la respiration aérobie, le sulfate ou le nitrate dans la respiration anaérobie et le pyruvate dans la fermentation. La respiration aérobie et la respiration anaérobie produisent de l'ATP au moyen de chaînes de transport d'électrons et de la phosphorylation oxydative.

2. Les Levures et certaines Bactéries sont des anaérobies facultatifs: elles produisent de l'ATP par respiration aérobie ou par fermentation, suivant qu'il y a ou non de l'oxygène dans leur milieu.

Importance de la glycolyse dans l'évolution (p. 192-193)

La glycolyse, qui dégrade le glucose en pyruvate, est une voie catabolique commune à la fermentation et à la respiration cellulaire. Elle se produit chez presque tous les organismes; elle est probablement apparue chez les procaryotes primitifs, avant que l'atmosphère ne contienne de l'oxygène.

Catabolisme des molécules non glycosidiques (p. 193)

La respiration cellulaire peut puiser dans les lipides, les protéines et les glucides pour produire de l'ATP. Par conséquent, la glycolyse et le cycle de Krebs font converger les électrons provenant de tous les nutriments dans la chaîne de transport d'électrons, qui alimente la synthèse de l'ATP.

Biosynthèse (p. 193-194)

1. La nourriture fournit non seulement de l'énergie mais aussi les chaînes carbonées dont les cellules ont besoin pour élaborer les molécules destinées à la croissance et à la régénération.

2. Les précurseurs organiques nécessaires à l'anabolisme proviennent soit de la digestion directement, soit de la glycolyse et du cycle de Krebs.

Régulation de la respiration cellulaire (p. 194-195)

La respiration cellulaire est régie par des enzymes allostériques intervenant en des points clés de la glycolyse et du cycle de Krebs. Cette régulation réalise un équilibre de tous les instants entre le catabolisme et l'anabolisme.

AUTO-ÉVALUATION

1. La source d'énergie qui alimente directement la synthèse de l'ATP pendant la phosphorylation oxydative est:

a) l'oxydation du glucose et d'autres composés organiques.

b) le flux endergonique des électrons dans la chaîne de transport d'électrons.

c) l'affinité de l'oxygène pour les électrons.

d) une différence dans la concentration de H^+ de part et d'autre de la membrane mitochondriale interne.

e) le transfert du phosphate des produits intermédiaires du cycle de Krebs à l'ATP.

2. Quel est l'agent oxydant dans la réaction suivante ?

phosphoénolpyruvate + NAD^+ → pyruvate + NADH + H^+

a) L'oxygène.

b) Le NAD^+.

c) Le NADH + H^+.

d) Le phosphoénolpyruvate.

e) Le pyruvate.

3. Quelle voie métabolique est commune à la fermentation et à la respiration aérobie ?

a) Le cycle de Krebs.

b) La chaîne de transport d'électrons.

c) La glycolyse.

d) La synthèse de l'acétyl-CoA à partir du pyruvate.

e) La réduction du pyruvate en lactate.

4. Dans une cellule eucaryote, la majeure partie des enzymes du cycle de Krebs se trouvent dans :

a) La membrane plasmique.

b) Le cytosol.

c) La membrane mitochondriale interne.

d) La matrice mitochondriale.

e) L'espace intermembranaire.

5. Quel est le *dernier* accepteur dans la chaîne de transport d'électrons de la respiration cellulaire aérobie ?

a) L'oxygène.

b) L'eau.

c) Le NAD^+.

d) Le pyruvate.

e) L'ADP.

6. Lequel des changements suivants se produit lorsque les électrons descendent dans la chaîne de transport d'électrons à l'intérieur des mitochondries ?

a) Le pH de la matrice augmente.

b) L'ATP synthétase transporte activement des protons.

c) Les électrons gagnent de l'énergie libre.

d) Les cytochromes de la chaîne phosphorylent l'ADP en ATP.

e) Le NAD^+ est oxydé.

7. Que se passe-t-il lorsqu'un poison métabolique inhibe spécifiquement l'ATP synthétase mitochondriale ?

a) La différence de pH s'atténue de part et d'autre de la membrane mitochondriale.

b) La différence de pH s'accentue de part et d'autre de la membrane mitochondriale.

c) La synthèse de l'ATP augmente.

d) La consommation d'oxygène cesse.

e) La chaîne de transport d'électrons s'interrompt.

8. La majeure partie de l'ATP produite au cours de la respiration cellulaire provient de :

a) la glycolyse.

b) la phosphorylation oxydative.

c) la phosphorylation au niveau du substrat.

d) la synthèse directe d'ATP par le cycle de Krebs.

e) le transfert de phosphate du fructose 6-phosphate à l'ADP.

9. Lequel des énoncés suivants décrit une véritable distinction entre la fermentation et la respiration cellulaire ?

a) Seule la respiration cellulaire oxyde le glucose.

b) Le NADH + H^+ est oxydé par la chaîne de transport d'électrons pendant la respiration cellulaire seulement.

c) La fermentation est une voie catabolique, ce qui n'est pas le cas de la respiration cellulaire.

d) La phosphorylation au niveau du substrat se produit au cours de la fermentation seulement.

e) Le NAD^+ sert d'agent oxydant dans la respiration cellulaire seulement.

10. La glycolyse est :

a) stimulée par l'ATP.

b) stimulée par l'ADP.

c) inhibée par l'ADP.

d) stimulée par le citrate.

e) inhibée par l'oxygène.

QUESTIONS À COURT DÉVELOPPEMENT

1. Consultez les figures 9.10, 9.11, 9.13, 9.18 et 9.20 afin de répondre aux questions de ce numéro.

Dans des conditions aérobies et optimales, supposons que 4 moles de glucose participent à la respiration cellulaire.

a) Établissez un bilan énergétique (en ATP) cumulatif, du tout début du processus jusqu'à la fin de chacune des étapes identifiées ci-dessous. Votre bilan tiendra compte de l'énergie produite par la phosphorylation oxydative chaque fois que vous verrez apparaître les coenzymes appropriées.

Bilan cumulatif

Glycolyse

Étape 3 _____

Étape 6 _____

Étape 10 _____

Cycle de Krebs

Étape 3 _____

Étape 5 _____

Étape 6 _____

Étape 8 _____

b) Combien de moles d'O_2 serviront à l'oxydation complète des 4 moles de glucose initiales ?

c) Si on introduit une grande quantité d'un inhibiteur de l'enzyme participant à l'étape 5 de la glycolyse, combien de moles d'ATP obtiendrons-nous à la fin de l'étape 8 du cycle de Krebs, pour les 4 moles de glucose initiales ?

2. Expliquez le mécanisme de la synthèse chimiosmotique de l'ATP.

3. La chaîne de transport d'électrons comporte plusieurs intermédiaires. Ne serait-il pas plus économique de transférer directement les électrons du NADH + H^+ à l'O_2 ? Expliquez.

4. Le métabolisme, grâce à sa polyvalence, s'adapte à diverses conditions. Expliquez cette affirmation.

RÉFLEXION-APPLICATION

1. Louis Pasteur, le grand microbiologiste et chimiste français du XIXᵉ siècle, a étudié le métabolisme des Levures, des anaérobies facultatifs. Pasteur observa que les Levures consommaient le sucre beaucoup plus rapidement en anaérobiose qu'en aérobiose. Expliquez cette observation, appelée effet Pasteur.

2. Le trématol est un poison métabolique produit par l'Eupatoire rugueuse, Plante répandue dans les forêts d'Amérique du Nord.

Il arrive parfois que les vaches qui s'aventurent en terrain boisé ingèrent des plants d'Eupatoire rugueuse. Le lait de ces vaches contient une forte concentration de trématol, qui peut causer des intoxications chez l'Humain. Au début du XIXᵉ siècle, la maladie du lait a tué des milliers de colons du Midwest américain. Aujourd'hui, on connaît la nature biochimique de la maladie. Le trématol inhibe une enzyme qui contribue, dans le foie, à la conversion du lactate en d'autres composés. La maladie se manifeste d'abord par des vomissements, puis par une paralysie intestinale pouvant entraîner la mort. Pourquoi l'exercice physique intensifie-t-il les symptômes de la maladie du lait ? Pourquoi le pH san-

guin diminue-t-il chez une personne atteinte de la maladie du lait ?

3. En préparant un repas, vous vous infligez une coupure. Vous rincez la blessure à l'eau froide et vous épongez. Avant de mettre un pansement, vous appliquez une solution de povidone-iode (Betadine) contenant 1 % d'iode libre pour désinfecter la plaie. L'iode vient halogéner la tyrosine, un acide aminé présent dans la majorité des protéines ; cette réaction inactive les protéines. Servez-vous des notions acquises au cours de ce chapitre et de celui qui porte sur le transport membranaire (chapitre 8) pour expliquer l'effet antimicrobien de l'iode.

SCIENCE, TECHNOLOGIE ET SOCIÉTÉ

Presque toutes les sociétés humaines produisent des boissons alcoolisées comme la bière et le vin au moyen de la fermentation. Le procédé remonte aux origines de l'agriculture. Selon vous, comment a-t-on découvert cet usage de la fermentation ? Pourquoi le vin constituait-il une boisson plus utile que le jus de raisin dont il provenait, particulièrement pour une société préindustrielle ?

LECTURES SUGGÉRÉES

Alberts, B. et coll., *Biologie moléculaire de la cellule*, 2ᵉ éd., Paris, Flammarion, 1990. (Le chapitre 9 traite la conversion de l'énergie.)

Comtat, M. et M. Gilis, « Des biocapteurs pour contrôler la vinification », *La Recherche*, n° 264, avril 1994. (Biocapteurs électrochimiques pour mieux suivre la fermentation.)

Darnell, J., H. Lodish et D. Baltimore, *Biologie moléculaire de la cellule*, 2ᵉ éd., Bruxelles, De Boeck-Wesmael, 1993. (Le chapitre 15 détaille la conversion de l'énergie.)

Deby, C., « La biochimie de l'oxygène », *La recherche*, n° 228, janvier 1991. (Comment expliquer le caractère tantôt vital tantôt pathogène de l'oxygène ?)

Granner, D. K. et coll., *Le Précis de biochimie de Harper*, 7ᵉ éd., Québec, Paris, PUL-Eska, 1989. (Les chapitres 12, 13, 17 et 18 concernent la respiration cellulaire.)

Lüttge, U., M. Kluge et G. Bauer, *Botanique : Traité fondamental*, Paris, Tec & Doc Lavoisier, 1992. (Le chapitre 7 étudie les mitochondries et la respiration cellulaire.)

Pelmont, J., *Bactéries et environnement-adaptations physiologiques*, Grenoble, PUG, 1993. (Le chapitre 24 traite en profondeur de la vie bactérienne avec ou sans air.)

Percheron, F. et coll., *Biochimie structurale et métabolique*, 3ᵉ éd., Paris, Masson, 1991. (Le chapitre 5 traite des coenzymes et des groupes prosthétiques.)

Rawn, J. D., *Traité de Biochimie*, Bruxelles, De Boeck-Wesmael, 1990. (Les chapitres 12 à 14 approfondissent la respiration cellulaire.)

Van Gansen, P., *Biologie générale*, 2ᵉ éd., Paris, Masson, 1989. (Le chapitre 15 aborde les centrales énergétiques des eucaryotes.)

LE CHLOROPLASTE : SITE DE LA PHOTOSYNTHÈSE

APERÇU DE LA PHOTOSYNTHÈSE

RÉACTIONS PHOTOCHIMIQUES

FACTEURS EXTERNES INFLUANT SUR LA PHOTOSYNTHÈSE

FIXATION DU CARBONE OU CYCLE DE CALVIN

PHOTORESPIRATION

PLANTES DE TYPE C₄

PLANTES DE TYPE CAM

LE SORT DES PRODUITS DE LA PHOTOSYNTHÈSE

L a vie sur la Terre existe grâce à l'énergie solaire. Les chloroplastes des Végétaux captent l'énergie lumineuse qui a parcouru les 160 millions de kilomètres environ qui nous séparent du Soleil. Ensuite, ils la convertissent en énergie chimique et ils l'emmagasinent dans des glucides et d'autres molécules organiques, qu'ils forment à partir de dioxyde de carbone et d'eau (figure 10.1). Ce processus s'appelle **photosynthèse.**

La photosynthèse nourrit presque tous les êtres vivants, directement ou indirectement. Un organisme se procure les composés organiques nécessaires à la production d'ATP et de chaînes carbonées par **autotrophie** ou par **hétérotrophie.** De prime abord, le terme *autotrophe* (du grec *autos* « soi-même », et *trophê* « nourriture ») semble contredire le principe suivant lequel les cellules constituent des systèmes ouverts qui tirent leurs ressources de leur milieu. Toutefois, les autotrophes ne sont pas autosuffisants dans la mesure où ils ne mangent ni ne décomposent d'autres organismes. Ils élaborent leurs molécules organiques à partir de matières premières inorganiques. Les Végétaux sont autotrophes : les seuls « nutriments » dont ils ont besoin sont le dioxyde de carbone de l'air ainsi que l'eau et les minéraux du sol. Plus précisément, les Végétaux sont **photoautotrophes,** c'est-à-dire qu'ils utilisent la lumière comme source d'énergie pour synthétiser des glucides, des lipides et des protéines. La photosynthèse s'observe aussi chez les Algues et certains autres Protistes (voir le chapitre 1), et chez quelques procaryotes (figure 10.2). Dans le présent chapitre, nous nous attarderons à la photosynthèse chez les Végétaux ; nous traiterons des particularités de la photosynthèse chez les Algues et les Bactéries dans la cinquième partie de ce manuel. Une forme beaucoup plus rare d'autotrophie existe chez les Bactéries **chimioautotrophes.** Ces organismes produisent leurs composés organiques sans l'aide de la lumière : ils obtiennent leur énergie en oxydant des substances inorganiques comme le soufre et l'ammoniac. (Nous aborderons ce type de nutrition autotrophe au chapitre 25.)

Incapables de produire eux-mêmes leur nourriture, les hétérotrophes se nourrissent de composés synthétisés par d'autres organismes (le préfixe grec *heteros* signifie « autre »). Ainsi, les Animaux consomment d'autres êtres vivants. Mais la nutrition hétérotrophe peut prendre des formes plus subtiles. Certains hétérotrophes ne tuent pas leurs proies mais ingèrent et décomposent des résidus organiques : carcasses, matières fécales, feuilles mortes ; on les appelle donc des décomposeurs. La plupart des Mycètes et de nombreuses Bactéries sont des décomposeurs. Presque tous les hétérotrophes, l'Humain y compris, ont absolument besoin des photoautotrophes, non

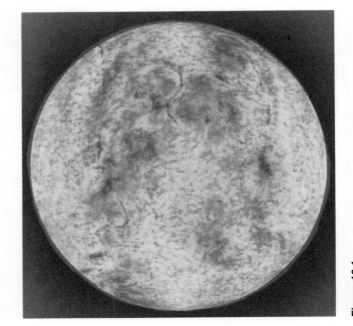

Figure 10.1
Le Soleil, source d'énergie de la biosphère. La photosynthèse constitue le fondement métabolique de la plupart des écosystèmes : elle convertit l'énergie solaire en énergie chimique emmagasinée dans des molécules organiques. Le présent chapitre retrace ce flux de l'énergie solaire jusqu'à la matière organique.

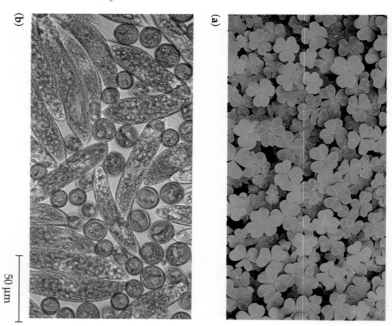

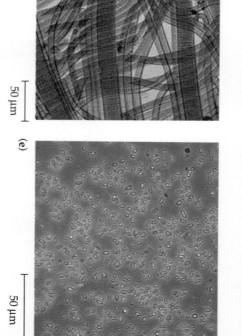

50 μm

50 μm

50 μm

Figure 10.2
Photoautotrophes. Les photoautotrophes utilisent l'énergie lumineuse pour synthétiser des molécules organiques à partir de dioxyde de carbone et (généralement) d'eau. Ils assurent ainsi leur nutrition et celle de tous les êtres vivants. **(a)** En milieu terrestre, les Végétaux vasculaires comme cette Oxalide sont les principaux producteurs de nourriture. Dans les océans, les étangs, les lacs et les autres milieux aquatiques, les organismes photosynthétiques comprennent: **(b)** des Protistes unicellulaires comme les Euglènes; **(c)** des Algues pluricellulaires, telle cette Algue brune, et certains procaryotes, dont **(d)** les Cyanobactéries et **(e)** les Bactéries pourpres sulfureuses (b, d, e: MP).

seulement pour se nourrir mais également pour respirer, car l'oxygène est un sous-produit de la photosynthèse. Par conséquent, la nourriture que nous ingérons et l'oxygène que nous respirons proviennent du chloroplaste.

LE CHLOROPLASTE: SITE DE LA PHOTOSYNTHÈSE

Toutes les parties vertes d'une Plante, y compris les tiges vertes et les fruits non encore mûrs, comprennent des chloroplastes, mais ce sont généralement les feuilles qui en renferment le plus (figure 10.3). On compte environ un demi-million de chloroplastes par millimètre carré de feuille. La couleur de la feuille vient de la **chlorophylle**, le pigment vert contenu dans les chloroplastes. La chlorophylle absorbe l'énergie lumineuse qui alimente la synthèse des molécules nutritives. Les chloroplastes abondent tout particulièrement dans le **mésophylle**, le

tissu interne de la feuille. Le dioxyde de carbone entre dans la feuille et l'oxygène en sort par des pores microscopiques appelés **stomates** (du grec *stoma* «bouche»). L'eau absorbée par les racines, elle, se rend aux feuilles par les nervures. Les nervures servent également à transporter les glucides jusqu'aux parties non photosynthétiques de la Plante.

La cellule du mésophylle typique contient de 30 à 40 chloroplastes biconvexes mesurant 2 à 4 μm sur 4 à 7 μm (figure 10.4a). L'enveloppe extérieure du chloroplaste se compose de deux membranes. À l'intérieur du chloroplaste se trouve un liquide dense, le stroma, où baignent des sacs membraneux aplatis appelés thylakoïdes. La membrane des thylakoïdes délimite un compartiment appelé espace intrathylakoïdien (voir le chapitre 7). Ici et là, les thylakoïdes forment des empilements denses appelés grana (granum au singulier). La chlorophylle se trouve dans les membranes des thylakoïdes. Les étapes de la photosynthèse qui convertissent l'énergie lumineuse en

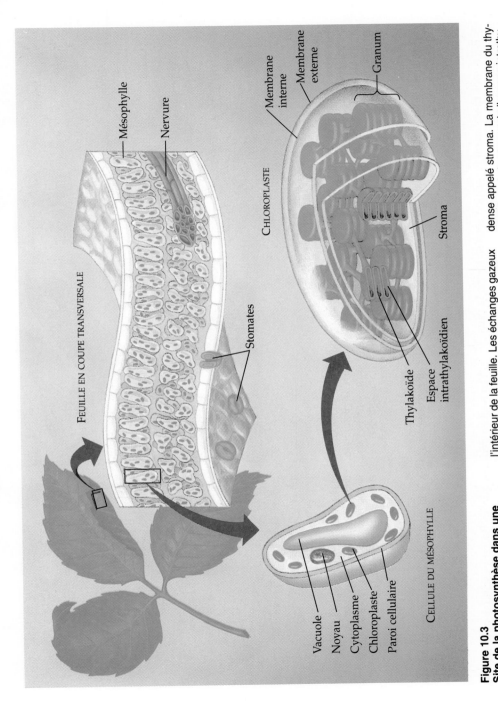

Figure 10.3
Site de la photosynthèse dans une Plante. Les feuilles sont les principaux organes de la photosynthèse chez les Végétaux. Les chloroplastes se trouvent principalement dans le mésophylle, le tissu vert situé à

l'intérieur de la feuille. Les échanges gazeux entre le mésophylle et l'atmosphère s'effectuent par des pores microscopiques appelés stomates. Le chloroplaste est entouré d'une double membrane et il contient un liquide

dense appelé stroma. La membrane du thylakoïde isole le stroma de l'espace intrathylakoïdien. Les thylakoïdes forment des empilements appelés grana.

énergie chimique se déroulent dans les thylakoïdes, mais les étapes qui mettent cette énergie à profit pour convertir le dioxyde de carbone en glucides ont lieu dans le stroma.

Les procaryotes photosynthétiques n'ont pas de chloroplastes, mais ils n'en possèdent pas moins des membranes qui fonctionnent à la manière des membranes des thylakoïdes. La chlorophylle des Bactéries photosynthétiques se trouve intégrée à la membrane plasmique ou aux membranes des nombreuses vésicules de la cellule (figure 10.4b). Les membranes photosynthétiques des Cyanobactéries forment généralement des empilements parallèles de sacs aplatis semblables aux thylakoïdes (figure 10.4c).

Comment les chloroplastes convertissent-ils l'énergie lumineuse en énergie chimique? Les scientifiques ont cherché pendant des siècles la réponse à cette question. Au début du XIXe siècle, on connaissait l'équation générale de la photosynthèse : en présence de lumière, les parties vertes des Végétaux produisent des matières organiques et de l'oxygène à partir de dioxyde de carbone et d'eau. Cet énoncé simple décrivait le résultat de la photosynthèse mais restait muet sur ses mécanismes. Ce n'est qu'au XXe siècle que les scientifiques ont commencé à comprendre comment les Végétaux captent la lumière du Soleil et la convertissent en énergie chimique.

Aujourd'hui encore, certaines étapes de la photosynthèse échappent aux explications de la science.

APERÇU DE LA PHOTOSYNTHÈSE

Nous pouvons résumer la photosynthèse par l'équation suivante :

$$\text{Énergie}$$
$$6\,CO_2 + 12\,H_2O + \text{lumineuse} \rightarrow C_6H_{12}O_6 + 6\,O_2 + 6\,H_2O$$

La formule $C_6H_{12}O_6$ est celle du glucose*. On trouve de l'eau des deux côtés de l'équation, car la photosynthèse consomme 12 moles d'eau et en produit 6. Simplifions l'équation en indiquant la consommation nette d'eau :

$$6\,CO_2 + 6\,H_2O + \text{Énergie lumineuse} \rightarrow C_6H_{12}O_6 + 6\,O_2$$

Cette équation simplifiée révèle que le changement chimique réalisé pendant la photosynthèse est l'inverse de celui qui a lieu pendant la respiration cellulaire. La cellule

---

* Les principaux produits de la photosynthèse sont en réalité d'autres glucides. Nous n'utilisons le glucose que pour simplifier la relation entre photosynthèse et respiration.

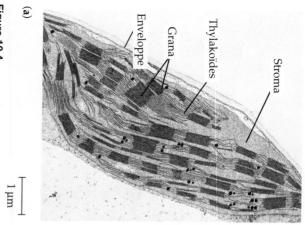

(a)

Thylakoïdes
Grana
Enveloppe
Stroma

1 µm

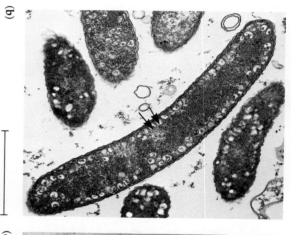

(b)

1 µm

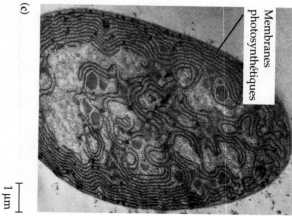

(c)

Membranes photosynthétiques

1 µm

Figure 10.4
Membranes photosynthétiques. (a) Cette micrographie électronique d'un chloroplaste montre les grana, les empilements de thylakoïdes où s'effectue la conversion de l'énergie lumineuse en énergie chimique (MET). **(b)** Chez cette Bactérie photosynthétique, *Rhodospirillum rubrum*, la chlorophylle se trouve intégrée dans les membranes de vésicules (flèches) (MET). **(c)** Certaines Cyanobactéries ressemblent à des chloroplastes, car leurs membranes photosynthétiques sont empilées, comme les membranes des grana. Nous voyons ici *Anabæna azollæ* (MET).

végétale est le siège de ces deux processus métaboliques. Cependant, nous verrons sous peu que la photosynthèse représente bien davantage qu'une respiration cellulaire à rebours.

Récrivons maintenant l'équation sous sa forme la plus simple :

$$CO_2 + H_2O \rightarrow CH_2O + O_2$$

Nous employons ici la formule CH_2O pour symboliser les glucides en général. À l'aide de la formule sous sa plus simple expression, suivons la trace des éléments chimiques (C, H et O) depuis les réactifs jusqu'aux produits de la photosynthèse.

Scission de la molécule d'eau

Le mécanisme de la photosynthèse commença à livrer ses secrets lorsque les scientifiques découvrirent que l'oxygène libéré par les Végétaux dérive de l'eau et non du dioxyde de carbone. En effet, le chloroplaste scinde la molécule d'eau en hydrogène et en oxygène. Avant cette découverte, l'hypothèse la plus répandue voulait que la photosynthèse scinde la molécule de dioxyde de carbone puis ajoute l'eau au carbone :

$$\text{Étape 1 : } CO_2 \rightarrow C + O_2$$
$$\text{Étape 2 : } C + H_2O \rightarrow CH_2O$$

Dans les années 1930, C. B. van Niel, de l'Université Stanford, remit ce modèle en question. Van Niel étudiait la photosynthèse chez les Bactéries qui produisent leurs glucides à partir de dioxyde de carbone, mais qui ne libèrent pas d'oxygène. Van Niel avança que, chez les Bactéries à tout le moins, la molécule de dioxyde de carbone n'est pas scindée en carbone et en oxygène. Certaines Bactéries que van Niel étudiait utilisaient du sulfure

d'hydrogène (H_2S) à la place de l'eau et rejetaient du soufre :

$$CO_2 + 2 H_2S \rightarrow CH_2O + H_2O + 2 S$$

Van Niel en déduisit que les Bactéries scindaient le sulfure d'hydrogène et formaient un glucide avec l'hydrogène. Il conclut que tous les organismes photosynthétiques ont besoin d'une source d'hydrogène, mais que cette source varie :

$$\text{En général : } CO_2 + 2 H_2X \rightarrow CH_2O + H_2O + 2 X$$
$$\text{Bactéries sulfureuses : } CO_2 + 2 H_2S \rightarrow CH_2O + H_2O + 2 S$$
$$\text{Plantes : } CO_2 + 2 H_2O \rightarrow CH_2O + H_2O + O_2$$

Sur sa lancée, van Niel supposa que les Végétaux scindent la molécule d'eau pour se procurer de l'hydrogène, ce qui les amène à rejeter de l'oxygène.

Près de 20 ans plus tard, des scientifiques confirmèrent l'hypothèse de van Niel. Ils commencèrent par fournir à des Plantes de l'eau marquée à l'oxygène 18 (^{18}O), un isotope lourd, et du dioxyde de carbone non marqué (voir le chapitre 2). Les Plantes émirent de l'oxygène 18, qui ne pouvait provenir que de l'eau marquée. Dans un deuxième temps, les scientifiques fournirent aux Plantes de l'eau non marquée ($H_2\ ^{16}O$) et du dioxyde de carbone marqué ($C^{18}O_2$). Cette fois, les Plantes libérèrent de l'oxygène non marqué (^{16}O). Ces expériences sont résumées dans les équations suivantes, où les atomes d'oxygène marqués apparaissent en rouge :

$$\text{Expérience 1 : } CO_2 + 2 H_2O \rightarrow CH_2O + H_2O + O_2$$
$$\text{Expérience 2 : } CO_2 + 2 H_2O \rightarrow CH_2O + H_2O + O_2$$

Le principal résultat du brassage d'atomes réalisé pendant la photosynthèse est l'extraction de l'hydrogène de l'eau et son incorporation au glucide. Le résidu de la

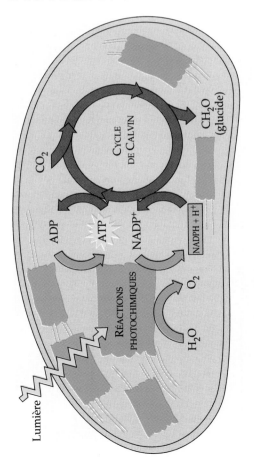

Figure 10.5
Aperçu de la photosynthèse : intégration des réactions photochimiques et des réactions du cycle de Calvin. Les réactions photochimiques utilisent l'énergie solaire pour produire de l'ATP et du NADPH + H⁺, qui servent respectivement de source d'énergie chimique et de potentiel réducteur dans le cycle de Calvin. Le dioxyde de carbone sert à produire des molécules organiques au cours du cycle de Calvin. Les réactions photochimiques se déroulent dans la membrane des thylakoïdes concentrés dans les grana, tandis que le cycle de Calvin a lieu dans le stroma. Ce diagramme réapparaîtra, sous forme réduite, dans plusieurs figures de ce chapitre pour vous indiquer si les phénomènes décrits relèvent des réactions photochimiques ou du cycle de Calvin.

photosynthèse, l'oxygène « remplace » l'oxygène atmosphérique consommé pendant la respiration cellulaire.

Photosynthèse et oxydoréduction

Comparons brièvement la photosynthèse et la respiration. Pendant la respiration, l'énergie est libérée du glucose quand des transporteurs amènent vers l'oxygène les électrons associés à l'hydrogène, ce qui libère de l'eau comme sous-produit. Les électrons perdent de l'énergie potentielle à mesure que l'oxygène électronégatif les attire vers le bas de la chaîne de transport, et les mitochondries utilisent cette énergie pour synthétiser de l'ATP. La photosynthèse, qui est aussi un processus d'oxydoréduction, inverse le flux d'électrons. La molécule d'eau se fait scinder, et les électrons sont transférés, avec des protons, de l'eau au dioxyde de carbone, ce qui réduit ce dernier en glucide. Cependant, dans la photosynthèse, les électrons doivent gagner de l'énergie potentielle en passant de l'eau au glucide. Cette énergie provient de la lumière.

Les deux phases de la photosynthèse

L'équation de la photosynthèse, sous des apparences de simplicité, représente un processus fort complexe. De fait, la photosynthèse comprend deux phases. Ces deux mêmes phases sont les **réactions photochimiques** et le **cycle de Calvin**, aussi nommé phase de la fixation du carbone (figure 10.5).

Les réactions photochimiques incluent les étapes de la photosynthèse qui convertissent l'énergie solaire en énergie chimique. La lumière absorbée par la chlorophylle déclenche un transfert d'électrons et de protons de l'eau vers un accepteur appelé **NADP⁺** (nicotinamide adénine dinucléotide phosphate), qui stocke temporairement les électrons riches en énergie. La molécule d'eau se trouve ainsi scindée ; par conséquent, ce sont les réactions photochimiques qui rejettent de l'oxygène. L'accepteur d'électrons des réactions photochimiques, le NADP⁺, est cousin germain du NAD⁺, l'agent oxydant de la respiration cellulaire ; la molécule de NADP⁺ ne se distingue de la molécule de NAD⁺ que par un groupement phosphate supplémentaire. Les réactions photochimiques utilisent l'énergie solaire pour réduire le NADP⁺ en NADPH + H⁺ en lui ajoutant une paire d'électrons et deux protons (H⁺). De plus, les réactions photochimiques produisent de l'ATP, car elles alimentent l'ajout d'un groupement phosphate à l'ADP, un processus appelé **photophosphorylation**. Par conséquent, la conversion initiale de l'énergie lumineuse en énergie chimique donne deux composés : le NADPH + H⁺, une source d'électrons riches en énergie, et l'ATP, la devise énergétique des cellules. Soulignons que le glucide n'est produit qu'au cours de la deuxième phase de la photosynthèse, le cycle de Calvin.

Le cycle de Calvin, comme son nom l'indique, a été décrit par Melvin Calvin et ses collègues à la fin des années 1940. Le cycle commence par l'incorporation de dioxyde de carbone atmosphérique aux molécules organiques déjà présentes dans le chloroplaste. On appelle cette étape **fixation du carbone.** Le carbone fixé se fait ensuite réduire en glucide par l'ajout d'électrons et de protons. Le potentiel réducteur provient du NADPH + H⁺, qui a acquis des électrons riches en énergie pendant les réactions photochimiques. Pour convertir le dioxyde de carbone en glucide, le cycle de Calvin a aussi besoin d'énergie chimique sous forme d'ATP, également produite pendant les réactions photochimiques. C'est donc le cycle de Calvin qui élabore le glucide, mais seulement avec l'aide du NADPH + H⁺ et de l'ATP produits au cours des réactions photochimiques. Les étapes métaboliques du cycle de Calvin sont parfois appelées réactions obscures, car aucune ne nécessite *directement* de la lumière. Chez la plupart des Végétaux, néanmoins, le cycle de Calvin se déroule pendant le jour, car il s'agit du seul moment où les réactions photochimiques peuvent régénérer le NADPH + H⁺ et l'ATP utilisés par la réduction du dioxyde de carbone en glucide. Essentiellement, le chloroplaste produit des glucides à l'aide de l'énergie lumineuse en coordonnant les deux phases de la photosynthèse.

Comme le montre la figure 10.5, les réactions photochimiques se déroulent dans les thylakoïdes du chloroplaste, tandis que le cycle de Calvin a lieu dans le stroma. En heurtant la membrane des thylakoïdes, les molécules

Figure 10.6
Le spectre électromagnétique. La lumière visible et les autres formes d'énergie électromagnétique se propagent dans l'espace sous forme d'ondes de longueur variable. Les différentes longueurs d'onde de la lumière visible se traduisent pour nous en couleurs. Le violet et le bleu ont les plus courtes longueurs d'onde, tandis que l'orangé et le rouge ont les plus longues. L'œil humain ne peut pas voir la lumière ultraviolette (UV) et la lumière infrarouge, mais certaines espèces animales peuvent les détecter. La lumière blanche consiste en un mélange de longueurs d'onde. Elle peut être décomposée par un prisme qui dévie les différentes longueurs d'onde du constituant. La lumière visible alimente la photosynthèse.

de NADP+ et d'ADP captent respectivement des électrons et du phosphate, puis elles transfèrent ce chargement riche en énergie au cycle de Calvin. La figure 10.5 présente les deux phases de la photosynthèse comme des engrenages métaboliques qui captent des ingrédients et relâchent des produits. Poussons plus loin notre étude de la photosynthèse et voyons le détail de ses deux phases, en commençant par les réactions photochimiques.

RÉACTIONS PHOTOCHIMIQUES

Les chloroplastes sont des usines chimiques qui fonctionnent à l'énergie solaire. Leurs thylakoïdes transforment l'énergie lumineuse en l'énergie chimique de l'ATP et du NADPH + H+. Pour mieux comprendre cette conversion, il faut connaître quelques importantes propriétés de la lumière.

Nature de la lumière

La lumière constitue une forme d'énergie appelée **énergie électromagnétique**, ou rayonnement. L'énergie électromagnétique se propage en ondes rythmiques semblables à celles que crée la chute d'un caillou dans une mare. Les ondes électromagnétiques, cependant, sont des perturbations de champs électriques et magnétiques et non des perturbations d'un milieu matériel.

La distance qui sépare les crêtes des ondes électromagnétiques correspond à la **longueur d'onde.** Les longueurs d'onde varient de 10^{-5} à 10^{-3} nm (pour les rayons gamma) à plus de 1 km (pour certaines ondes radio). Les longueurs d'onde comprises dans cette étendue forment le **spectre électromagnétique** (figure 10.6). Le segment de ce spectre qui a le plus d'importance pour les organismes est l'étroite bande des longueurs d'onde comprises entre 380 et 720 nm. Ces rayonnements forment la **lumière visible**, car l'œil humain les interprète comme des couleurs.

Le modèle ondulatoire explique plusieurs des propriétés de la lumière, mais, à certains égards, la lumière se comporte plutôt comme un ensemble de quanta d'énergie discrets appelés **photons.** Les photons ne sont pas des objets tangibles, mais ils agissent comme tels en ce sens que chacun d'entre eux possède une quantité déterminée d'énergie. La quantité d'énergie est inversement proportionnelle à la longueur d'onde de la lumière: plus la longueur d'onde est courte, plus les photons possèdent d'énergie. Par conséquent, un photon de lumière violette renferme près de deux fois plus d'énergie qu'un photon de lumière rouge.

Le Soleil émet le spectre complet de l'énergie électromagnétique, mais l'atmosphère se comporte comme un filtre: elle laisse passer la lumière visible et bloque une fraction substantielle des autres rayonnements. La lumière visible est justement le rayonnement qui alimente la photosynthèse. Le bleu et le rouge, les deux longueurs d'onde que la chlorophylle absorbe le mieux, sont les couleurs les plus favorables aux réactions photochimiques.

Pigments photosynthétiques

Lorsque la lumière rencontre la matière, celle-ci peut la réfléchir, la transmettre ou l'absorber (figure 10.7). Les substances qui absorbent la lumière visible s'appellent **pigments.** Chaque pigment absorbe une gamme de longueurs d'onde différente et la fait ainsi disparaître. Si on illumine un pigment avec de la lumière blanche, la couleur que nous voyons est celle que le pigment réfléchit ou transmet le plus. (Si un pigment absorbe toutes les longueurs d'onde, il paraît noir.) Les feuilles nous paraissent vertes parce que la chlorophylle absorbe la lumière rouge et la lumière bleue en même temps qu'elle réfléchit et transmet la lumière verte. On peut mesurer à quel point un pigment absorbe diverses longueurs d'onde en plaçant une solution du pigment dans un **spectrophotomètre** (voir l'encadré de la page 206). Le graphique qui représente la capacité d'absorption du pigment en fonction de la longueur d'onde se nomme **spectre d'absorption.**

La figure 10.8a montre le spectre d'absorption de la **chlorophylle a.** Le spectre d'absorption révèle la capacité de différentes longueurs d'onde d'activer la photosynthèse. Nous l'avons déjà mentionné, la lumière bleue et la lumière rouge sont les plus favorables à la photosynthèse,

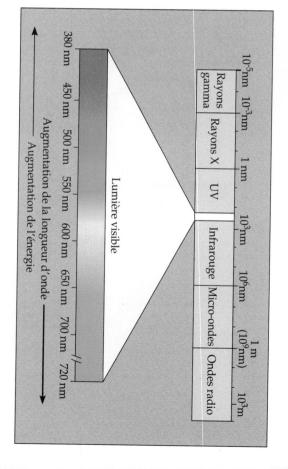

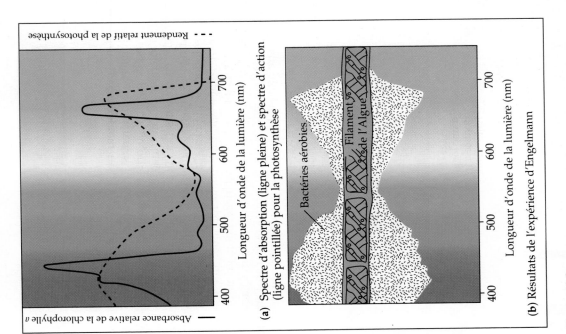

Rendement relatif de la photosynthèse ---

Absorbance relative de la chlorophylle *a* ——

Longueur d'onde de la lumière (nm)

400 500 600 700

(a) Spectre d'absorption (ligne pleine) et spectre d'action (ligne pointillée) pour la photosynthèse

Bactéries aérobies

Filament d'Algue

Longueur d'onde de la lumière (nm)

400 500 600 700

(b) Résultats de l'expérience d'Engelmann

Figure 10.8
Spectre d'absorption et spectre d'action pour la photosynthèse. (a) La ligne pointillée correspond au spectre d'action, qui indique la capacité de différentes longueurs d'onde d'alimenter la photosynthèse. Les pics du spectre d'absorption de la chlorophylle *a* (ligne pleine) sont plus aigus que les pics du spectre d'action ; le creux qui sépare les pics du spectre d'absorption est plus large et plus profond que le creux qui sépare les pics du spectre d'action. Cela s'explique en partie par le fait que la chlorophylle *b* et les caroténoïdes absorbent aussi la lumière ; ces pigments accessoires élargissent le spectre des couleurs qui peuvent servir à la photosynthèse. **(b)** En 1833, le botaniste allemand Thomas Engelmann réalisa une expérience ingénieuse pour déterminer quelles longueurs d'onde de la lumière favorisaient le plus la photosynthèse. Engelmann dirigea sur une Algue filamenteuse une lumière qu'il avait fait passer dans un prisme, exposant ainsi différents segments de l'organisme à différentes longueurs d'onde. Engelmann utilisa des Bactéries aérobies, qui ont besoin d'oxygène, pour repérer les segments de l'Algue qui libéraient le plus d'oxygène. Les Bactéries s'agglutinèrent plus densément autour des parties de l'Algue exposées à la lumière rouge et à la lumière bleue.

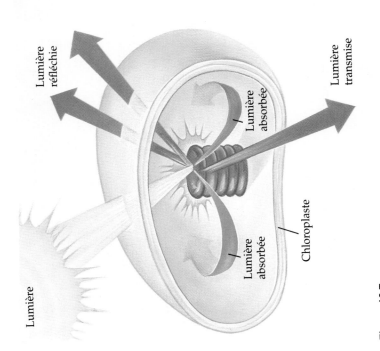

Lumière

Lumière réfléchie

Lumière absorbée

Lumière absorbée

Lumière transmise

Chloroplaste

Figure 10.7
Interactions de la lumière et de la matière. Les pigments des chloroplastes absorbent principalement la lumière rouge et la lumière bleue, les couleurs les plus favorables à la photosynthèse. Les pigments réfléchissent ou transmettent la majeure partie de la lumière verte, d'où la couleur verte des feuilles.

tandis que la lumière verte est la moins propice. Le **spectre d'action** (figure 10.8a) indique l'efficacité des différentes longueurs d'onde précisément que le spectre d'absorption. Pour établir le spectre d'action, on illumine des chloroplastes avec de la lumière de différentes couleurs et on porte sur un graphique la mesure du rendement de la photosynthèse, par exemple la quantité d'oxygène libérée ou la consommation de dioxyde de carbone, en fonction de la longueur d'onde (figure 10.8b).

Nous pouvons constater que le spectre d'action pour la photosynthèse ne coïncide pas exactement avec le spectre d'absorption de la chlorophylle *a*. Le spectre d'absorption sous-estime l'efficacité de certaines longueurs d'onde pour la photosynthèse. En effet, la chlorophylle *a* n'est pas le seul pigment à participer à la photosynthèse dans les chloroplastes. Bien qu'elle soit la seule puisse déclencher les réactions photochimiques, d'autres pigments peuvent absorber la lumière et lui transférer l'énergie. L'un de ces pigments accessoires se nomme **chlorophylle *b***. La chlorophylle *a* et la chlorophylle *b* sont presque identiques (figure 10.9), mais la légère différence structurale qui les distingue suffit à leur donner des spectres d'absorption différents et, par le fait même, des couleurs distinctes. La chlorophylle *a* est bleu-vert, tandis que la chlorophylle *b* est jaune-vert. Le chloroplaste renferme aussi une famille de pigments accessoires appelés **caroténoïdes**, dont la couleur varie du jaune à l'orangé. Les caroténoïdes sont intégrés à la membrane des thylakoïdes, en compagnie des deux types de chlorophylle. Les caroténoïdes absorbent certaines longueurs d'onde que la chlorophylle n'absorbe pas, élargissant ainsi le

spectre des couleurs qui peuvent alimenter la photosynthèse. Si un photon frappe un pigment accessoire (un caroténoïde ou la chlorophylle *b*), l'énergie est transférée à la chlorophylle *a*, qui se comporte alors comme si elle avait elle-même absorbé le photon.

Un spectrophotomètre mesure les proportions de lumière de différentes longueurs d'onde qu'une solution de pigment absorbe et transmet. Un prisme logé à l'intérieur de l'instrument décompose la lumière blanche en couleurs (longueurs d'onde). Une par une, on dirige les différentes couleurs de la lumière à travers la solution de pigment. La lumière transmise par la solution de pigment frappe un tube photoélectrique, qui convertit l'énergie lumineuse en électricité. Enfin, un ampèremètre mesure l'intensité du courant électrique. Chaque fois que la longueur d'onde de la lumière change, l'ampèremètre indique la proportion de lumière transmise à tra-

vers la solution ou, au contraire, la proportion de lumière absorbée. Le graphique qui représente l'absorption en fonction des longueurs d'onde s'appelle spectre d'absorption. Le spectre d'absorption de la chlorophylle *a*, le type de chlorophylle le plus important dans la photosynthèse, présente deux pics, l'un pour la lumière bleue et l'autre pour la lumière rouge ; le bleu et le rouge sont donc les couleurs que la chlorophylle *a* absorbe le mieux (voir la figure 10.8a). Le spectre d'absorption comporte un creux dans la partie du vert, car la chlorophylle *a* transmet cette couleur.

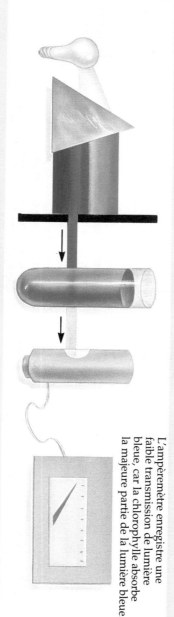

Lumière blanche

Passage de la lumière d'une longueur d'onde donnée à travers une fente mobile

Solution de chlorophylle

Tube photoélectrique

L'ampèremètre enregistre une forte transmission de lumière verte, car la chlorophylle absorbe très peu le vert.

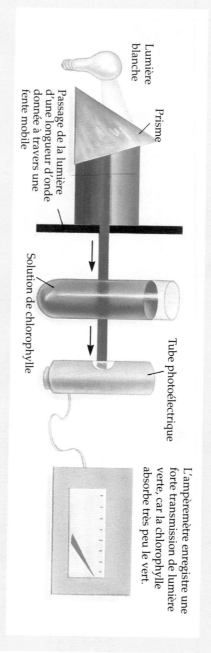

Lumière blanche

Prisme

L'ampèremètre enregistre une faible transmission de lumière bleue, car la chlorophylle absorbe la majeure partie de la lumière bleue.

Photo-oxydation de la chlorophylle

Quand une molécule de chlorophylle absorbe un photon, un des électrons de la molécule passe à une orbitale où il possède davantage d'énergie potentielle (voir le chapitre 2). Lorsque l'électron se trouve dans son orbitale normale, la molécule de pigment est à l'**état fondamental**. Après que l'absorption d'un photon a propulsé l'électron à un niveau énergétique supérieur, la molécule de pigment se trouve à l'**état excité**. Les seuls photons absorbés sont ceux dont l'énergie équivaut exactement à la différence d'énergie entre l'état fondamental et l'état excité ; cette différence d'énergie varie d'un atome et d'une molécule à l'autre. Par conséquent, un composé donné

absorbe seulement les photons correspondant à des longueurs d'onde précises ; c'est pourquoi chaque pigment a son propre spectre d'absorption.

Lorsqu'une molécule de pigment absorbe l'énergie d'un photon, un de ses électrons passe de l'état fondamental à l'état excité ; ce changement d'état représente de l'énergie potentielle. Or, l'électron ne peut rester longtemps à l'état excité parce que cet état est instable comme tous les états fortement énergétiques. Quand les pigments absorbent la lumière, leurs électrons reviennent généralement à l'état fondamental en 10^{-9} seconde, et libèrent leur excédent d'énergie sous forme de chaleur. Certains pigments, dont la chlorophylle, émettent de la

laboratoire que dans la nature. Dans la membrane des thylakoïdes, une molécule voisine appelée **accepteur primaire d'électrons** piège un électron qui a absorbé un photon (figure 10.10b). Une réaction d'oxydoréduction s'ensuit : la chlorophylle se fait oxyder par l'absorption de l'énergie lumineuse (photo-oxydation) et l'accepteur d'électrons se fait réduire. La chlorophylle isolée émet de la fluorescence parce qu'il n'y a pas d'accepteur pour empêcher les électrons excités de retomber aussitôt à l'état fondamental. Le transfert des électrons de la chlorophylle à l'accepteur primaire constitue la première étape des réactions photochimiques. Les étapes subséquentes utilisent l'énergie stockée dans les électrons excités pour alimenter la synthèse de l'ATP et du NADPH + H+.

Photosystèmes

Dans la membrane des thylakoïdes, la chlorophylle a, la chlorophylle b et les caroténoïdes se trouvent arrangés en différents amas de plusieurs centaines de molécules. Parmi les nombreuses molécules de chlorophylle a de chaque amas, seule une paire précise de molécules peut déclencher les réactions photochimiques en cédant ses électrons excités à l'accepteur primaire. L'emplacement de ces molécules spécialisées de chlorophylle a dans les amas de pigments se nomme **centre réactionnel**. Les autres molécules de chlorophylle a ainsi que les molécules de chlorophylle b et de caroténoïdes forment une antenne de captation qui absorbe les photons et transmet l'énergie de molécule en molécule jusqu'au centre réactionnel (figure 10.11). Dans cette antenne, les pigments sont tellement à l'étroit qu'un électron de valence excité par un photon peut facilement passer d'une molécule de pigment au dernier niveau énergétique d'une molécule de pigment adjacente, et ainsi de suite jusqu'au centre réactionnel. Tout l'appareil, constitué par l'antenne, la chlorophylle du centre réactionnel et l'accepteur primaire d'électrons, s'appelle **photosystème**. Les photosystèmes sont les unités photoréceptrices de la membrane des thylakoïdes.

La membrane des thylakoïdes comprend deux types de photosystèmes : le **photosystème I** et le **photosystème II** (numérotés dans l'ordre de leur découverte). Le centre réactionnel du photosystème I se compose d'une paire de molécules de chlorophylle a appelée P_{700} ; ce pigment doit son appellation au fait qu'il absorbe la lumière ayant une longueur d'onde de 700 nm, située dans la partie rouge du spectre. Le centre réactionnel du photosystème II, lui, consiste en une paire de molécules de chlorophylle a appelée P_{680} ; le spectre d'absorption de ce pigment culmine à 680 nm, dans la partie rouge du spectre également. En fait, les pigments P_{700} et P_{680} sont des molécules de chlorophylle a identiques mais associées à des protéines différentes ; la distribution de leurs électrons et leurs spectres d'absorption différent donc légèrement. Du reste, la structure de ces deux molécules n'est probablement pas différente de celle des nombreuses molécules de chlorophylle a de l'antenne. Le P_{700} et le P_{680} ne se démarquent que par leur position dans la membrane des thylakoïdes ; ils sont liés à des protéines particulières et se trouvent très proches de leurs accepteurs primaires respectifs. La photosynthèse, comme toute fonction ordonnée, repose sur une structure ordonnée.

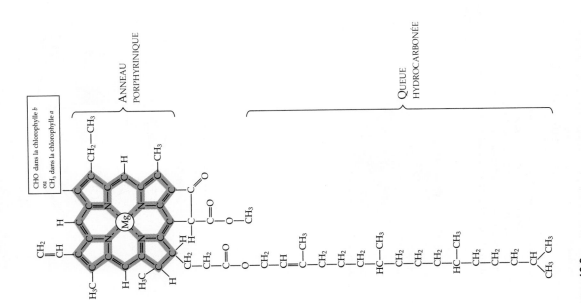

Figure 10.9
Structure de la chlorophylle. La chlorophylle a, le pigment qui participe directement aux réactions photochimiques de la photosynthèse, a une tête formée d'un anneau porphyrinique entourant un atome de magnésium. À la porphyrine s'attache une queue hydrophobe, qui ancre le pigment dans la membrane des thylakoïdes. La chlorophylle b ne se distingue de la chlorophylle a que par un des groupements fonctionnels liés à la porphyrine. Le cœur de la structure chlorophyllienne, formant un relais de liaisons doubles conjuguées (alternance de liaisons simple et double), absorbe la lumière. Un photon fournit une énergie suffisante pour déplacer un électron d'une double liaison.

lumière en plus de la chaleur après avoir absorbé des photons. L'électron accède à un niveau énergétique supérieur et, lors de son retour à l'état fondamental, il émet un photon. On appelle **fluorescence** cette émission de lumière. Le rayonnement fluorescent a une plus grande longueur d'onde et, par le fait même, moins d'énergie que la lumière qui a excité le pigment. La différence d'énergie entre le photon qui entre et celui qui sort se dissipe sous forme de chaleur.

Si on illumine une solution pure de chlorophylle, elle émet de la fluorescence dans la partie rouge du spectre ainsi que de la chaleur (figure 10.10a). Toutefois, l'illumination de la chlorophylle n'a pas le même résultat en

(a)

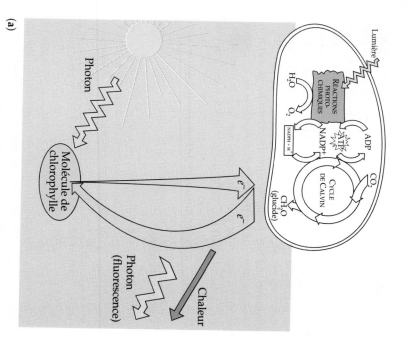

Figure 10.11
Réception de la lumière dans un photosystème. Les photosystèmes sont les unités photoréceptrices de la membrane des thylakoïdes. Chaque photosystème comprend une antenne, un centre réactionnel et un accepteur primaire d'électrons. L'antenne comporte quelques centaines de molécules de pigment, dont divers types de chlorophylle et les caroténoïdes. Quand un photon frappe une molécule de pigment, l'énergie passe de molécule en molécule jusqu'au centre réactionnel, formé d'une paire de molécules spécialisées de chlorophylle a située à proximité de l'accepteur primaire d'électrons. (Ce diagramme simplifie la structure du centre réactionnel et exagère la distance entre le centre réactionnel et l'accepteur primaire.)

(b)

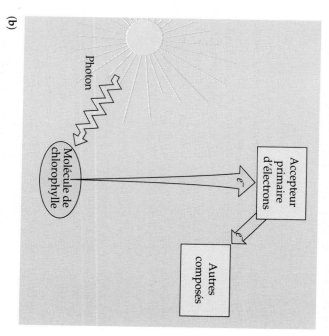

Figure 10.10
Excitation de la chlorophylle. (a) L'absorption d'un photon fait passer la molécule de chlorophylle de l'état fondamental à l'état excité. Le photon propulse un électron vers une orbitale où il renferme davantage d'énergie potentielle. Si on illumine de la chlorophylle isolée, son électron excité retombe immédiatement à l'état fondamental, libérant son excédent d'énergie sous forme de chaleur et de fluorescence (lumière). **(b)** Dans un chloroplaste in vivo, la chlorophylle illuminée cède son électron excité à une molécule voisine, l'accepteur primaire d'électrons ; à son tour, cette molécule transmet l'électron à d'autres molécules.

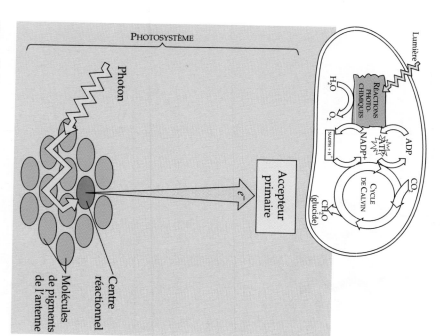

Transport cyclique d'électrons

Au cours des réactions photochimiques, le transport d'électrons peut se faire selon deux trajets : cyclique ou non cyclique. Le **transport cyclique d'électrons** est le trajet le plus simple (figure 10.12). Il ne fait intervenir que le photosystème I et n'engendre que de l'ATP ; il ne produit ni NADPH + H⁺ ni oxygène. Cette voie est dite cyclique parce que les électrons excités qui quittent la chlorophylle au centre réactionnel finissent par y revenir. Une série de réactions d'oxydoréduction fait passer et repasser les électrons dans une chaîne de transport située à l'intérieur de la membrane des thylakoïdes ; cette chaîne de transport d'électrons ressemble à celle de la membrane mitochondriale. À chaque réaction d'oxydoréduction survenant dans la chaîne de transport, les électrons perdent de l'énergie potentielle, pour retrouver finalement leur état fondamental dans le P₇₀₀.

À mesure que les électrons excités perdent de l'énergie en retournant au P₇₀₀ via la chaîne de transport, la

membrane des thylakoïdes exploite cette perte énergétique que des électrons pour actionner la synthèse de l'ATP. Le processus s'apparente à la phosphorylation oxydative qui a lieu dans la mitochondrie. Comme dans la mitochondrie, le mécanisme de couplage est la chimiosmose. La chaîne de transport d'électrons achemine des protons à travers la membrane des thylakoïdes vers le stroma, ce qui crée une force protonmotrice (voir le chapitre 9). Une ATP synthétase analogue à l'ATP synthétase mitochondriale se sert de cette force protonmotrice pour produire de l'ATP. On emploie le terme photophosphorylation pour désigner la synthèse de l'ATP dans les chloroplastes, car elle est amorcée par l'énergie lumineuse. Plus précisément, la production d'ATP au cours du transport cyclique d'électrons s'appelle **photophosphorylation cyclique.**

Soulignons encore une fois que le transport cyclique d'électrons ne fait intervenir qu'un seul photosystème pour élaborer de l'ATP et qu'il ne produit ni NADPH + H⁺ ni oxygène. L'autre trajet des électrons au cours des réactions photochimiques engendre à la fois de l'ATP et du NADPH + H⁺, et il libère de l'oxygène en scindant la molécule d'eau.

Transport non cyclique d'électrons

Le **transport non cyclique d'électrons,** au cours duquel les électrons passent continuellement de l'eau au NADP⁺, fait intervenir les deux photosystèmes (figure 10.13). Comme dans le transport cyclique, la lumière excite les électrons du P₇₀₀, le centre réactionnel du photosystème I. Cependant, les électrons ne retournent pas au centre réactionnel : ils sont mis en réserve dans le

NADPH + H⁺. Le NADPH + H⁺ jouera ultérieurement le rôle de donneur d'électrons et de protons, quand le cycle de Calvin réduira le dioxyde de carbone en glucide.

La chlorophylle oxydée devient elle-même un agent oxydant très puissant ; les « trous » laissés par ses électrons doivent être comblés. C'est ici que le photosystème II entre en jeu : il remplace les électrons du centre réactionnel du photosystème I. Quand l'antenne du photosystème II absorbe la lumière, l'énergie atteint le P₆₈₀, la chlorophylle *a* spécialisée du centre réactionnel. L'accepteur primaire d'électrons du photosystème II piège les électrons éjectés du P₆₈₀ et les transfère à une chaîne de transport, celle-là même qui participe au transport cyclique d'électrons. Les électrons dévalent la chaîne, perdant de l'énergie potentielle en cours de route, jusqu'à ce qu'ils atteignent le P₇₀₀ et remplissent les vides laissés quand le photosystème I a réduit le NADP⁺. À mesure que les électrons dérivent du photosystème II au photosystème I, la chaîne de transport achemine des protons à travers la membrane des thylakoïdes. La force protonmotrice peut alors actionner la synthèse d'ATP. La production d'ATP au cours du transport non cyclique d'électrons est appelée **photophosphorylation non cyclique.** Soulignons cependant que la synthèse de l'ATP se fait de la même façon que dans la photophosphorylation cyclique.

Jusqu'ici, le transport non cyclique d'électrons a produit du NADPH + H⁺ et de l'ATP et il a remplacé les électrons perdus dans le centre réactionnel du photosystème I. Or, le P₆₈₀, la chlorophylle du centre réactionnel du photosystème II, a maintenant des vides à combler, et le

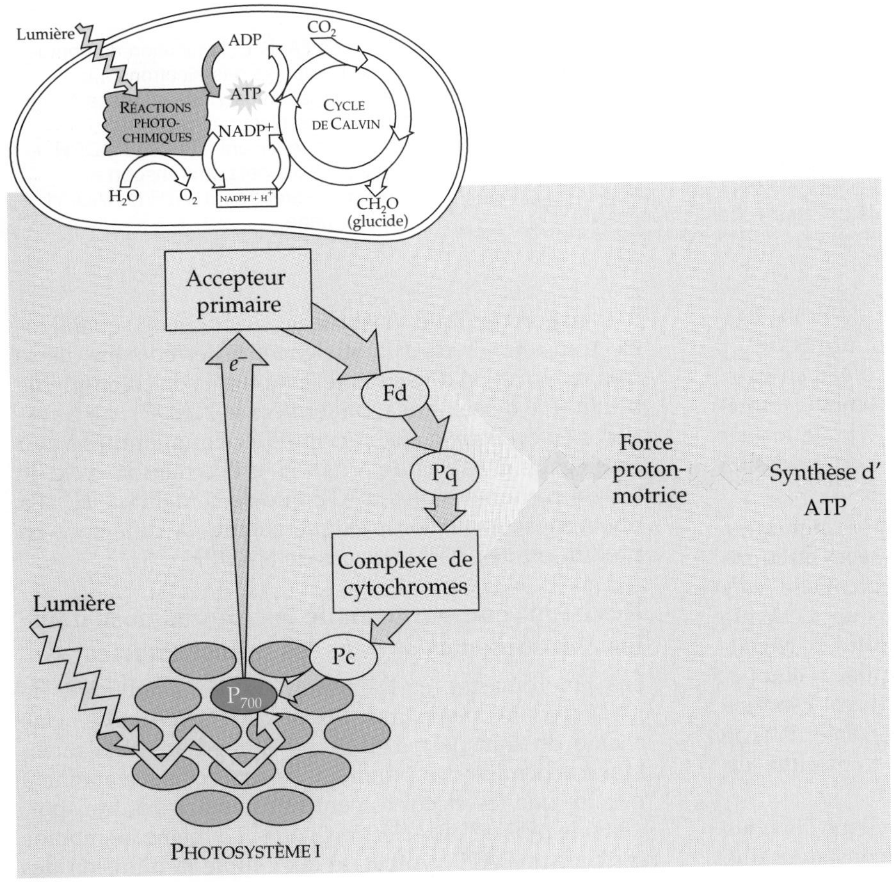

Figure 10.12
Transport cyclique d'électrons. Quand les pigments de l'antenne du photosystème I absorbent la lumière, l'énergie atteint le P₇₀₀, la chlorophylle a spécialisée du centre réactionnel. Les électrons du P₇₀₀ se trouvent alors propulsés à l'état excité, c'est-à-dire à un niveau énergétique supérieur, où l'accepteur primaire vient les capter. Celui-ci donne les électrons à une chaîne qui comprend une protéine contenant du fer (la ferrédoxine, Fd), un transporteur d'électrons appelé plastoquinone (Pq), un complexe de deux cytochromes semblables à ceux des mitochondries et, enfin, une protéine contenant du cuivre appelée plastocyanine (Pc). Le cycle est bouclé quand la plastocyanine redonne les électrons au P₇₀₀, la chlorophylle du centre réactionnel. Les flèches dorées représentent ce transport cyclique d'électrons. À chaque étape de la chaîne de transport, les électrons perdent de l'énergie potentielle. La chaîne de transport utilise l'énergie libérée pour acheminer des protons à travers la membrane des thylakoïdes. La force protonmotrice actionne ensuite une enzyme qui phosphoryle l'ADP.

Figure 10.13
Transport non cyclique d'électrons.
Quand la lumière atteint les deux photo-systèmes, il s'établit un courant continuel d'électrons entre l'eau et le NADP$^+$. (Bien que chaque photon n'excite qu'un seul élec-tron, les flèches or représentent le trajet de deux électrons, le nombre nécessaire à la réduction du NADP$^+$.) Les électrons

les électrons de substitution proviendront de l'eau. Une enzyme extrait les électrons de l'eau et les fournit au P$_{680}$. Le retrait des électrons scinde la molécule d'eau en deux protons et un atome d'oxygène, lequel se combine immé-diatement avec un autre atome d'oxygène pour former de l'oxygène moléculaire (O$_2$). C'est l'étape de la scission de la molécule d'eau qui libère de l'oxygène.

Résumons maintenant les réactions photochimiques. Le transport non cyclique d'électrons pousse les électrons de l'eau, où ils possèdent peu d'énergie potentielle, vers le NADPH + H$^+$, où ils renferment beaucoup d'énergie potentielle. Le courant d'électrons que la lumière engen-dre produit en outre de l'ATP. Par conséquent, l'équipe-ment de la membrane des thylakoïdes convertit l'énergie lumineuse en l'énergie chimique emmagasinée dans le NADPH + H$^+$ et dans l'ATP. L'oxygène constitue un sous-produit des réactions photochimiques.

À quoi sert la photophosphorylation cyclique ? Si nous comparons les figures 10.12 et 10.13, nous constatons que

éjectés du P$_{680}$ se font remplacer par des électrons retirés de l'eau, un processus d'oxydoréduction qui libère de l'oxygène. Un complexe enzymatique catalyse le trans-fert d'électrons de l'eau au P$_{680}$. Les élec-trons excités du P$_{680}$ descendent une chaîne de transport d'électrons jusqu'au P$_{700}$, four-nissant ainsi l'énergie nécessaire à la

le transport cyclique constitue un court-circuit ; quand les électrons éjectés du P$_{700}$ atteignent la ferrédoxine, ils se font renvoyer en direction de la molécule de chlorophylle plutôt que de se faire aiguiller vers le NADP$^+$. Le trans-port non cyclique d'électrons produit des quantités à peu près égales d'ATP et de NADPH + H$^+$, mais le cycle de Calvin consomme plus d'ATP que de NADPH + H$^+$. La photophosphorylation cyclique comble la différence en produisant de l'ATP mais pas de NADPH + H$^+$.

synthèse de l'ATP. L'illumination du photo-système I propulse des électrons à un niveau énergétique supérieur ; grâce à une réductase, ces électrons rejoignent le NADP$^+$ et le réduisent alors en NADPH + H$^+$. Les produits nets du transport non cyclique d'électrons sont l'ATP, le NADPH + H$^+$ et l'oxygène.

Révision : comparaison de la chimiosmose dans les chloroplastes et dans les mitochondries
Les chloroplastes et les mitochondries produisent de l'ATP par le même mécanisme : la chimiosmose. Une chaîne de transport d'électrons située dans une mem-brane achemine des protons à travers cette membrane à mesure que les électrons sont transférés à des transpor-teurs de plus en plus électronégatifs. La même membrane contient une ATP synthétase qui couple la diffusion des

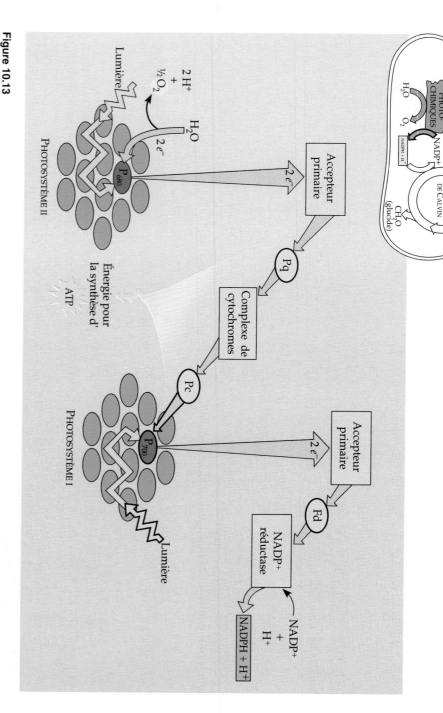

protons à la phosphorylation de l'ADP. Certaines des transporteurs d'électrons, dont les quinones et les cytochromes, se ressemblent beaucoup dans les chloroplastes et dans les mitochondries, et les ATP synthétases de ces deux organites sont également proches parentes. Il existe cependant des différences importantes entre la phosphorylation oxydative dans les mitochondries et la photophosphorylation dans les chloroplastes. Dans les mitochondries, les électrons riches en énergie véhiculés par la chaîne de transport proviennent de l'oxydation de molécules de nutriments. Les chloroplastes, eux, n'ont pas besoin d'oxyder des nutriments pour produire de l'ATP ; leurs photosystèmes captent l'énergie lumineuse et l'utilisent pour acheminer les électrons au sommet de la chaîne de transport. Autrement dit, les mitochondries transfèrent l'énergie chimique des molécules nutritives à l'ATP, tandis que les chloroplastes transforment l'énergie lumineuse en énergie chimique. Il s'agit là d'une distinction importante.

Une autre différence découle de l'orientation de la chimiosmose dans le chloroplaste et la mitochondrie (figure 10.14). La membrane interne de la mitochondrie achemine les protons de la matrice vers l'espace intermembranaire, qui sert alors de réservoir de protons en vue de la synthèse de l'ATP. Dans le chloroplaste, la membrane des thylakoïdes achemine les protons du stroma vers l'espace intrathylakoïdien, qui sert de réservoir de protons. La membrane synthétise l'ATP à mesure que les protons diffusent de l'espace intrathylakoïdien vers le stroma à travers les ATP synthétases, dont les têtes catalytiques se trouvent du côté du stroma. Par conséquent, l'ATP se forme dans le stroma, où elle alimente la synthèse d'un glucide pendant le cycle de Calvin.

Le gradient de protons, ou de pH, établi à travers la membrane des thylakoïdes est substantiel. Lorsque les chloroplastes reçoivent de la lumière, le pH tombe à 5 environ dans l'espace intrathylakoïdien, tandis qu'il passe à 8 environ dans le stroma. Autrement dit, les protons sont 1000 fois moins concentrés dans le stroma que dans l'espace intrathylakoïdien. En laboratoire, on abolit le gradient de pH en faisant l'obscurité, mais on peut le rétablir rapidement en allumant les lumières. Voilà un argument de plus en faveur du modèle chimiosmotique (voir le chapitre 9). Mais la plus convaincante des preuves à l'appui du modèle chimiosmotique nous vient des expériences menées dans les années 1960 par André Jagendorf et ses collègues. Ces chercheurs entraînèrent la synthèse de l'ATP dans l'obscurité en créant artificiellement un gradient de pH à travers la membrane des thylakoïdes (figure 10.15). Ils ont ainsi démontré que les photosystèmes et la chaîne de transport d'électrons de la photophosphorylation servent à produire une force protonmotrice qui alimente la synthèse de l'ATP.

Il faudra bien des recherches encore pour déterminer précisément l'organisation de la membrane du thylakoïde. La figure 10.16 présente un modèle hypothétique fondé sur des études réalisées dans plusieurs laboratoires. Remarquez que le transfert des protons par la membrane du thylakoïde repose sur la disposition asymétrique des transporteurs d'électrons qui acceptent et libèrent les protons. Remarquez aussi que le NADPH + H+, comme l'ATP, est produit du côté du stroma, où le cycle de Calvin

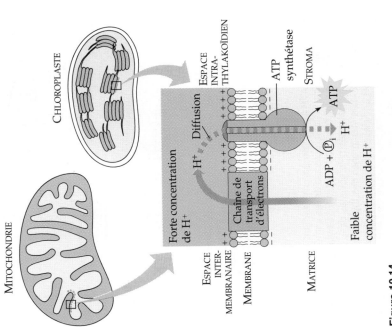

Figure 10.14
Comparaison de la chimiosmose dans la mitochondrie et le chloroplaste. La membrane interne de la mitochondrie transfère les protons (H+) de la matrice à l'espace intermembranaire (représenté en brun). L'ATP est synthétisée dans la matrice, à mesure que les protons diffusent à travers les ATP synthétases. Dans le chloroplaste, la membrane des thylakoïdes prélève des protons dans le stroma et les déverse dans l'espace intrathylakoïdien. À mesure que les protons traversent les ATP synthétases et rentrent dans le stroma, l'ADP est phosphorylée.

synthétise les glucides. Le cycle de Calvin utilise l'ATP et le NADPH + H+ produits par les réactions photochimiques pour réduire le dioxyde de carbone en glucide.

FACTEURS EXTERNES INFLUANT SUR LA PHOTOSYNTHÈSE

En milieu naturel, certains facteurs environnementaux influent sur l'intensité de la photosynthèse. Il suffit de revenir à l'équation originale pour en dégager quelques-uns.

$$6\ CO_2 + 12\ H_2O + \text{Énergie lumineuse} \rightarrow C_6H_{12}O_6 + 6\ O_2 + 6\ H_2O$$

La concentration molaire volumique du CO2 dans l'air ne limite pas la photosynthèse, malgré la tendance actuelle à l'effet de serre. In vitro, toutefois, une augmentation graduelle du CO2, jusqu'à cinq fois la teneur normale, entraîne un accroissement graduel de la photosynthèse. Par ailleurs, la disponibilité de l'eau intervient régulièrement et à toute latitude dans le processus de photosynthèse. Pensons à l'humidité, à la sécheresse et aux saisons, qui peuvent limiter ou augmenter l'apport en eau et du même coup restreindre ou accroître la photosynthèse. La lumière, pour sa part, exerce son influence

de diverses manières. L'intensité de la photosynthèse augmente proportionnellement à l'intensité de l'éclairement, puis atteint un maximum qui varie selon les espèces. Les Plantes ont besoin d'une durée minimale d'éclairement diurne, sinon elles doivent vivre sur leurs réserves ; en deçà de cette durée minimale, certaines Plantes peuvent entrer en dormance. In vitro, un éclairement ininterrompu de plusieurs jours ralentit la photosynthèse, car les produits de synthèse viennent à engorger les chloroplastes. En milieu naturel, la composition de la lumière blanche reste constante jour après jour, et ce facteur n'influe pas comme tel sur l'activité photosynthétique durant l'année. In vitro, cependant, une Plante verte réagit davantage à certaines longueurs d'onde, dont celles correspondant à la lumière bleue et à la lumière rouge. Elle fournit un meilleur rendement avec la lumière blanche qui regroupe l'ensemble des longueurs d'onde du spectre visible. Il existe un lien étroit entre la lumière et la température ambiante. Plus cette dernière augmente, plus elle favorise la photosynthèse, jusqu'à la température extrême du fonctionnement des enzymes. La valeur nutritive du milieu exerce également une influence ; s'il s'appauvrit jusqu'à ralentir la croissance de la Plante ou à modifier la structure des chloroplastes, la photosynthèse décroît d'autant.

FIXATION DU CARBONE OU CYCLE DE CALVIN

Le cycle de Calvin a ceci de semblable au cycle de Krebs qu'il régénère une matière initiale. Le carbone entre dans le cycle de Calvin sous la forme de dioxyde de carbone, et il en sort sous forme de glucide. Le cycle con-

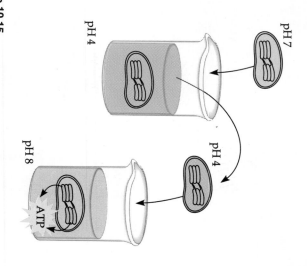

pH 7

pH 4

pH 4

pH 8

ATP

Figure 10.15
Synthèse de l'ATP alimentée par un gradient expérimental.
On acidifie d'abord les chloroplastes en les immergeant dans une solution de pH 4. Une fois que l'espace intrathylakoïdien a atteint un pH de 4, on transfère les chloroplastes dans une solution basique de pH 8. Les membranes des thylakoïdes exploitent le gradient de pH artificiellement créé entre l'espace intra-thylakoïdien et le stroma pour produire de l'ATP dans l'obscurité.

somme de l'ATP comme source d'énergie et utilise du NADPH + H$^+$ comme potentiel réducteur pour ajouter des électrons riches en énergie afin de produire le glucide (figure 10.17).

Le glucide produit directement par le cycle de Calvin n'est pas du glucose mais un glucide à trois atomes de carbone appelé **phosphoglycéraldéhyde (PGAL)**. Pour synthétiser une mole de ce glucide, le cycle doit fixer trois moles de dioxyde de carbone et, partant, se dérouler trois fois. (Rappelez-vous que la fixation du carbone correspond à l'incorporation de dioxyde de carbone à une matière organique.) En étudiant les étapes du cycle, ne perdez pas de vue que vous suivez le parcours de trois moles de dioxyde de carbone.

Le cycle de Calvin attache chaque mole de dioxyde de carbone à une mole d'un glucide à cinq atomes de carbone appelé ribulose diphosphate (RuDP en abrégé). L'enzyme qui catalyse cette première étape est la **RuDP carboxylase**, la protéine la plus abondante dans les chloroplastes et, probablement, sur la Terre. La réaction donne un intermédiaire à six atomes de carbone, si instable qu'il se scinde aussitôt en deux moles de carbone, c'est-à-dire en deux moles de 3-phosphoglycérate.

À l'étape suivante, chaque molécule de 3-phosphoglycérate reçoit un groupement phosphate supplémentaire pris à l'ATP par une enzyme, ce qui forme du 1,3-diphosphoglycérate. Ensuite, une paire d'électrons donnée par le NADPH + H$^+$ réduit le 1,3-diphosphoglycérate en PGAL. Plus précisément, les électrons du NADPH + H$^+$ réduisent le groupement carboxyle du 1,3-diphosphoglycérate, qui devient alors le groupement carbonyle du PGAL ; ce groupement renferme davantage d'énergie potentielle. Le PGAL est un glucide à trois atomes de carbone, le même que la glycolyse forme en scindant le glucose.

La figure 10.17 montre qu'on obtient *six* moles de PGAL pour *trois* moles de dioxyde de carbone. Le cycle a commencé avec un capital de glucide valant 15 moles de carbone, c'est-à-dire avec trois moles de ribulose diphosphate à cinq atomes de carbone. Maintenant, on compte 18 moles de carbone sous la forme de six moles de PGAL. Cependant, une seule de ces moles de PGAL compte pour un gain net de glucide. En effet, une mole sort du cycle pour être utilisée par la cellule végétale, mais les cinq autres doivent aller régénérer les trois moles de ribulose diphosphate. Au cours d'une série complexe de réactions, les dernières étapes du cycle réarrangent les chaînes de carbone des cinq moles de PGAL en trois moles de ribulose diphosphate. Pour ce faire, le cycle dépense trois autres moles d'ATP. Le ribulose diphosphate est alors de nouveau prêt à recevoir du dioxyde de carbone. Le cycle recommence.

Pour synthétiser une mole nette de PGAL, le cycle de Calvin consomme neuf moles d'ATP et six moles de NADPH + H$^+$. Les réactions photochimiques régénèrent l'ATP et le NADPH + H$^+$. Le PGAL issu du cycle de Calvin devient la matière première de voies métaboliques qui synthétisent d'autres composés organiques, dont une variété de glucides.

PHOTORESPIRATION

Un processus appelé **photorespiration** diminue le rendement de la photosynthèse. La photorespiration a lieu parce que le site actif de la RuDP carboxylase, l'enzyme

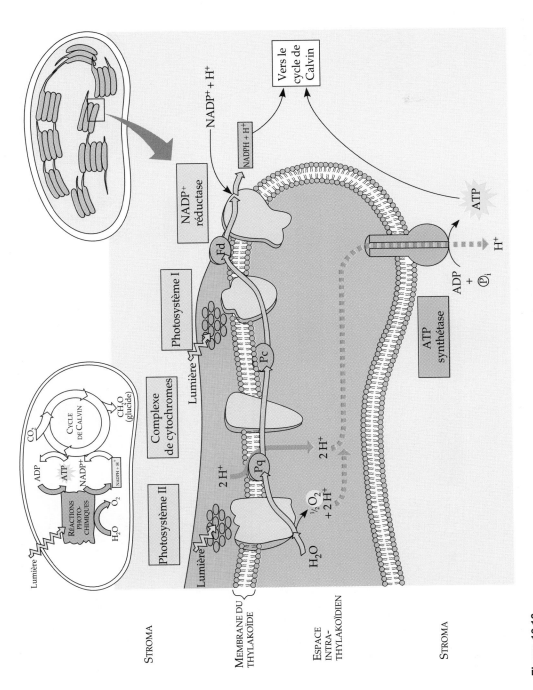

Figure 10.16
Modèle hypothétique de l'organisation de la membrane des thylakoïdes. Les transporteurs d'électrons se trouvent placés d'un façon telle que les électrons passent d'un côté de la membrane à l'autre. (Les flèches or représentent le trajet des électrons.) À mesure que les électrons circulent à travers la membrane, les protons extraits du stroma sont déposés dans l'espace intrathy-lakoïdien. Au moins trois des étapes des réactions photochimiques contribuent au gradient de protons. Premièrement, le photosystème II scinde la molécule d'eau du côté de l'espace intrathylakoïdien. Deuxièmement, quand la plastoquinone (Pq), un transporteur mobile, transfère les électrons au complexe de cytochromes, des protons sont importés dans l'espace intrathylakoïdien. Troisième-ment, le $NADP^+$ capte un proton dans le stroma lors de sa réduction en $NADPH + H^+$. La diffusion des protons de l'espace intrathylakoïdien vers le stroma (suivant le gradient de concentration) alimente l'ATP synthétase. Déclenchées par la lumière, ces réactions emmagasinent l'énergie chimique dans le $NADPH + H^+$ et dans l'ATP, qui apportent l'énergie au cycle de Calvin.

qui fixe le carbone au cours du cycle de Calvin, peut accepter de l'oxygène à la place du dioxyde de carbone. Comme les deux gaz se disputent la même enzyme, une diminution de la concentration de dioxyde de carbone dans les lacunes de la feuille favorise la photorespiration. Le cas échéant, la RuDP carboxylase ajoute de l'oxygène et non du dioxyde de carbone au ribulose diphosphate. Le produit se scinde en une molécule à trois atomes de carbone, qui reste dans le cycle de Calvin, et en un composé à deux atomes de carbone, qui sort du cycle. Ce composé, le glycolate, sort même du chloroplaste et entre dans un peroxysome (voir le chapitre 7). La voie métabolique se poursuit dans le peroxysome puis dans une mitochondrie, où elle dégrade le glycolate et libère du dioxyde de carbone. Le processus dans son ensemble s'appelle photorespiration. Le radical *respiration* se rapporte à la consommation d'oxygène et à la production de

dioxyde de carbone. Quant au préfixe *photo*, il indique que le processus se déroule généralement en présence de lumière, quand la photosynthèse réduit la concentration de dioxyde de carbone et augmente la concentration d'oxygène dans les lacunes de la feuille. Contrairement à la respiration cellulaire que vous avez étudiée au chapitre 9, la photorespiration n'engendre pas d'ATP. Qui plus est, elle réduit le rendement de la photosynthèse en soutirant de la matière organique au cycle de Calvin.

Comment expliquer l'existence d'un processus métabolique qui semble nuisible pour la Plante? Certains croient que la photorespiration est un vestige métabolique conservé par l'évolution depuis les temps reculés où l'atmosphère contenait moins d'oxygène et plus de dioxyde de carbone qu'aujourd'hui. Selon cette hypothèse, il importait peu que le site actif de la RuDP carboxylase distingue le dioxyde de carbone de l'oxygène

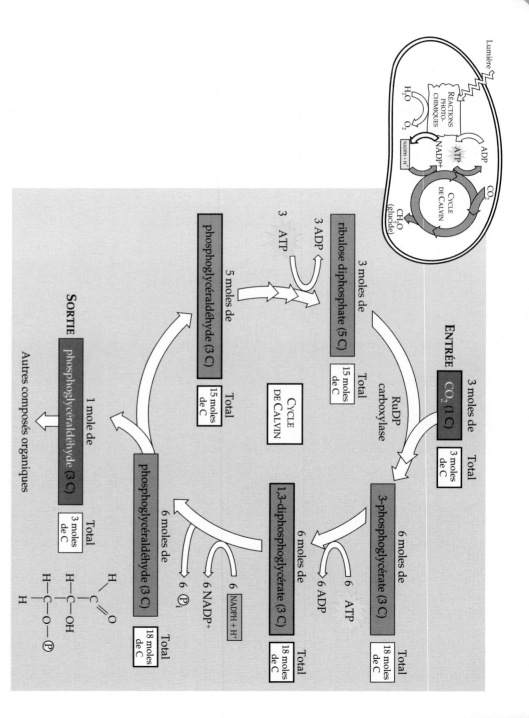

Figure 10.17
Cycle de Calvin. À partir de trois moles de dioxyde de carbone, le cycle de Calvin a un rendement net d'une mole de PGAL, un glucide à trois atomes de carbone. Pour synthétiser une mole de PGAL, le cycle consomme neuf moles d'ATP et six moles de NADPH + H⁺. Cette représentation simplifiée du cycle ne montre pas les produits intermédiaires ni les enzymes qui participent à la conversion du PGAL en ribulose diphosphate (RuDP).

quand l'enzyme est apparue dans l'atmosphère primitive. Les tenants de cette hypothèse supposent que la RuDP carboxylase moderne a gardé un peu de son affinité ancestrale pour l'oxygène, qui est si concentré dans l'atmosphère actuelle qu'une certaine part de photorespiration demeure inévitable.

On ignore si la photorespiration comporte quelque avantage pour les Végétaux. On sait en revanche qu'elle rejette jusqu'à 50 % du carbone fixé par le cycle de Calvin chez des Végétaux qui, tel le Soja (Soya), revêtent une importance économique. En tant qu'hétérotrophes qui dépendent de la fixation du carbone dans les chloroplastes pour se nourrir, nous sommes naturellement portés à considérer la photorespiration comme un gaspillage. De fait, si nous pouvions réduire la photorespiration chez certaines espèces végétales sans influer sur la productivité de la photosynthèse, les rendements agricoles et les ressources alimentaires augmenteraient.

La chaleur, la sécheresse et l'ensoleillement favorisent la photorespiration. Quand ces conditions se trouvent réunies, les stomates se ferment (voir la figure 10.3). Il s'agit là d'une adaptation qui prévient la déshydratation en ralentissant la perte d'eau par les feuilles. Or, la photosynthèse a tôt fait d'épuiser le dioxyde de carbone contenu dans les lacunes des feuilles et d'y augmenter la concentration d'oxygène ; alors, la RuDP carboxylase accepte l'oxygène et la photorespiration s'amorce. On observe chez certaines espèces des modes de fixation du carbone qui réduisent la photorespiration au minimum, même dans les climats arides. Les deux plus importantes de ces adaptations sont la photosynthèse en C₄ et le métabolisme acide crassulacéen (CAM).

PLANTES DE TYPE C₄

L'adaptation évolutive appelée photosynthèse en C₄ favorise la fixation du dioxyde de carbone dans les conditions où la photorespiration fait perdre de la matière organique à la plupart des Végétaux. Rappelez-vous que la majorité des Plantes utilisent le cycle de Calvin pour fixer le carbone. Ces Plantes s'appellent **Plantes de type C₃** parce que le premier produit intermédiaire stable formé par la fixation du carbone est le 3-phosphoglycérate, un composé à trois atomes de carbone. Par ailleurs, plusieurs

milliers d'espèces végétales réparties entre une vingtaine de familles font précéder le cycle de Calvin de réactions qui forment des composés à quatre atomes de carbone avec le dioxyde de carbone; ces Plantes sont appelées **Plantes de type C₄**. On trouve parmi elles la Canne à sucre et le Maïs, de la famille des Graminées.

Le mécanisme de la photosynthèse en C₄ s'explique par l'anatomie particulière des feuilles où il s'effectue (figure 10.18a). On trouve deux types de cellules photosynthétiques chez les Plantes de type C₄: les cellules de la gaine fasciculaire et les cellules du mésophylle. Les **cellules de la gaine fasciculaire** sont entassées autour des nervures; ces cellules possèdent des chloroplastes dépourvus de grana mais dotés de toutes les enzymes du cycle de Calvin. Entre ces cellules et la surface de la feuille se trouvent les **cellules du mésophylle**, plus espacées, qui comprennent des chloroplastes pourvus de grana et d'enzymes du cycle de Calvin. Le cycle de Calvin a lieu seulement dans les chloroplastes des cellules de la gaine fasciculaire. Toutefois, il est précédé dans le mésophylle par l'incorporation de dioxyde de carbone à des composés organiques (figure 10.18b). D'abord, l'enzyme appelée **PEP carboxylase** ajoute le dioxyde de carbone au phosphoénolpyruvate (PEP), ce qui forme de l'oxaloacétate, un composé à quatre atomes de carbone. Contrairement à celui de la RuDP carboxylase, le site actif de la PEP carboxylase n'a aucune affinité pour l'oxygène. Par conséquent, la PEP carboxylase fixe le dioxyde de carbone efficacement quand la RuDP carboxylase en est incapable, c'est-à-dire par temps chaud et sec; dans ces conditions les stomates se ferment partiellement et font diminuer la concentration de dioxyde de carbone et augmenter la concentration d'oxygène dans la feuille. Ces changements de concentration entraînent la photorespiration de la RuDP carboxylase. Les cellules foliaires des Plantes du type C₄ court-circuitent la photorespiration. Après la fixation du dioxyde de carbone par la PEP carboxylase, les cellules du mésophylle convertissent l'oxaloacétate en un autre composé à quatre atomes de carbone, le malate chez certaines espèces et l'aspartate chez d'autres. Les cellules du mésophylle exportent ensuite le malate vers les cellules de la gaine fasciculaire par l'intermédiaire des plasmodesmes (voir la figure 7.33). Dans les cellules de la gaine fasciculaire, le malate libère le dioxyde de carbone, que la RuDP carboxylase et le cycle de Calvin incorporent à de la matière organique. En fait, les cellules du mésophylle fournissent le dioxyde de carbone aux cellules de la gaine fasciculaire, ce qui maintient sa concentration à un niveau tel que la RuDP carboxylase puisse l'accepter lui et non l'oxygène. De cette manière, la photosynthèse en C₄ réduit au minimum la photorespiration et favorise la production du glucide. Cette adaptation est particulièrement avantageuse dans les régions chaudes et très ensoleillées, les milieux mêmes où les Plantes de type C₄ sont apparues et où elles prospèrent de nos jours. L'organisation spatiale de la photosynthèse chez une Plante de type C₄ est une adaptation qui illustre clairement le corrélation entre structure et fonction.

PLANTES DE TYPE CAM

Une seconde adaptation photosynthétique à l'aridité est apparue chez les Plantes succulentes (les Plantes riches en suc, une réserve d'eau), de nombreux Cactus, les Ananas, les Euphorbiacées et des membres de plusieurs autres familles végétales. Ces Plantes ouvrent leurs stomates pendant la nuit et les ferment pendant le jour, à l'inverse de ce que font les autres Plantes. La fermeture des stomates pendant le jour protège les Plantes désertiques contre la déshydratation, mais elle empêche l'entrée de dioxyde de carbone dans les feuilles. C'est donc pendant la nuit, quand leurs stomates se trouvent ouverts, que ces Plantes absorbent du dioxyde de carbone et en font une variété d'acides organiques. Ce mode de fixation du carbone s'appelle CAM (pour *crassulacean acid metabolism*), d'après la famille des Crassulacées, chez qui on a découvert le processus. Les cellules du mésophylle des **Plantes de type CAM** emmagasinent les acides organiques dans des vacuoles jusqu'au matin, moment où leurs stomates se ferment. Durant le jour, lorsque les réactions photochimiques fournissent de l'ATP et du NADPH + H⁺ au cycle de Calvin, les acides organiques élaborés la nuit précédente libèrent le dioxyde de carbone qui sert alors à former le glucide dans les chloroplastes. Les Plantes de type CAM et les Plantes de type C₄ ont ceci de commun qu'elles élaborent des intermédiaires organiques avec le dioxyde de carbone avant le début du cycle de Calvin. Cependant, la fixation du carbone est physiquement séparée du cycle de Calvin dans les Plantes de type C₄, tandis que, dans les Plantes de type CAM, les deux étapes n'ont pas lieu simultanément mais se passent dans le même type de cellule (figure 10.19). Rappelez-vous que les Plantes de type C₄ et les Plantes de type CAM finissent toutes par utiliser le cycle de Calvin pour produire un glucide à partir de dioxyde de carbone.

LE SORT DES PRODUITS DE LA PHOTOSYNTHÈSE

Dans ce chapitre, nous avons expliqué la photosynthèse, de l'étape des photons à celle de la synthèse de la nourriture (figure 10.20). Les réactions photochimiques captent l'énergie solaire et l'exploitent pour produire de l'ATP et pour transférer des électrons de l'eau au NADP⁺. Le cycle de Calvin utilise l'ATP et le NADPH + H⁺ pour élaborer un glucide à partir de dioxyde de carbone. L'énergie entrée dans les chloroplastes sous forme de lumière solaire se trouve emmagasinée sous forme d'énergie chimique dans des composés organiques.

Le glucide formé dans les chloroplastes fournit à la Plante entière l'énergie chimique et les chaînes carbonées nécessaires à la synthèse des principales molécules organiques des cellules. Environ 50 % de la matière organique issue de la photosynthèse sert de combustible à la respiration cellulaire, dans les mitochondries. Dans certains cas, la photorespiration «gaspille» des produits de la photosynthèse.

Techniquement, les cellules vertes sont les seules parties autotrophes de la Plante. Le reste de la Plante se nourrit des molécules organiques qui lui parviennent des feuilles par les nervures. Chez la plupart des Plantes, le glucide quitte les feuilles sous la forme de saccharose, un disaccharide. Une fois rendu aux cellules

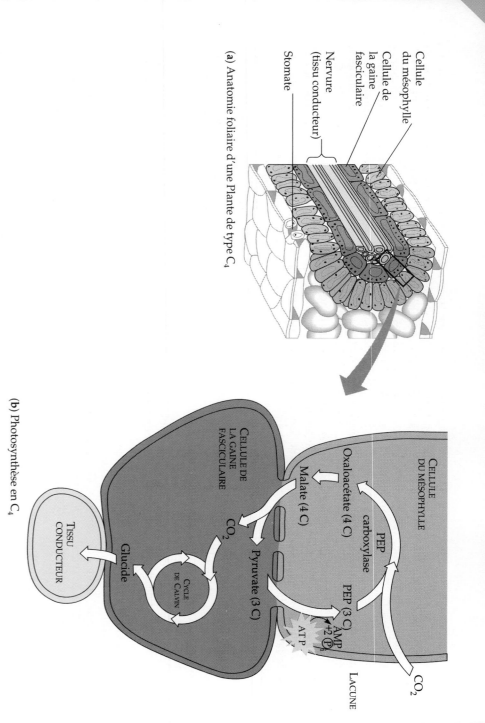

(a) Anatomie foliaire d'une Plante de type C₄

Stomate

Nervure (tissu conducteur)

Cellule de la gaine fasciculaire

Cellule du mésophylle

(b) Photosynthèse en C₄

CO₂

CELLULE DU MÉSOPHYLLE

PEP carboxylase

Oxaloacétate (4 C)

Malate (4 C)

PEP (3 C)

Pyruvate (3 C)

AMP +2 Pᵢ

ATP

LACUNE

CELLULE DE LA GAINE FASCICULAIRE

CO₂

CYCLE DE CALVIN

Glucide

TISSU CONDUCTEUR

Figure 10.18
Anatomie et voies de la photosynthèse en C₄. **(a)** Les feuilles d'une Plante de type C₄ contiennent deux types de cellules photosynthétiques : les cellules de la gaine fasciculaire, autour des nervures, et les cellules du mésophylle, autour de la gaine fasciculaire. **(b)** L'enzyme appelée PEP carboxylase fixe le dioxyde de carbone dans les cellules du mésophylle. Un composé à quatre atomes de carbone, le malate dans ce cas-ci, passe dans les plasmodesmes et apporte le dioxyde de carbone dans les

cellules de la gaine fasciculaire, où siègent les enzymes du cycle de Calvin. En fait, le mésophylle fournit le dioxyde de carbone à la gaine fasciculaire. La transformation du pyruvate en PEP nécessite l'énergie de liaison de deux groupements phosphate de l'ATP ; la photosynthèse en C₄ consomme plus d'énergie que la photosynthèse en C₃. Étant donné ce coût énergétique, les Plantes de type C₄ sont désavantagées en climat tempéré ; elles prospèrent cependant dans un milieu chaud et sec. L'aridité entraîne la

fermeture des stomates, ce qui réduit les pertes d'eau mais aussi la diffusion du dioxyde de carbone dans la feuille. Cette fermeture des stomates accroît la photorespiration chez les Plantes de type C₃. Chez les Plantes de type C₄, au contraire, le mésophylle favorise le maintien, dans la gaine fasciculaire, d'une concentration de dioxyde de carbone qui permet la photosynthèse au détriment de la photorespiration.

non photosynthétiques, le saccharose est utilisé dans la respiration cellulaire et dans une multitude de voies anaboliques qui synthétisent des protéines, des lipides et d'autres produits. Une quantité considérable de molécules de saccharose se lient pour former le polysaccharide appelé cellulose, particulièrement dans les cellules en cours de croissance et de maturation. La cellulose est la molécule organique la plus abondante dans une Plante, et sans doute sur la planète.

En 24 heures, la plupart des Plantes fabriquent plus de matière organique qu'elles n'en ont besoin pour la respiration et la biosynthèse. Elles emmagasinent le surplus en synthétisant de l'amidon et en le stockant dans

les chloroplastes eux-mêmes ainsi que dans les racines, les tubercules et les fruits. N'oublions pas que les molécules nutritives produites par la photosynthèse nourrissent non seulement les Plantes elles-mêmes mais aussi les hétérotrophes, comme nous, qui dévorent les feuilles, les racines, les tiges, les fruits, voire les Plantes entières.

À l'échelle planétaire, la productivité des organites minuscules que sont les chloroplastes défie l'imagination ; on estime en effet que les chloroplastes produit environ 160 milliards de tonnes de glucides par année ! Aucun autre processus chimique se déroulant sur la Terre n'a un rendement équivalent.

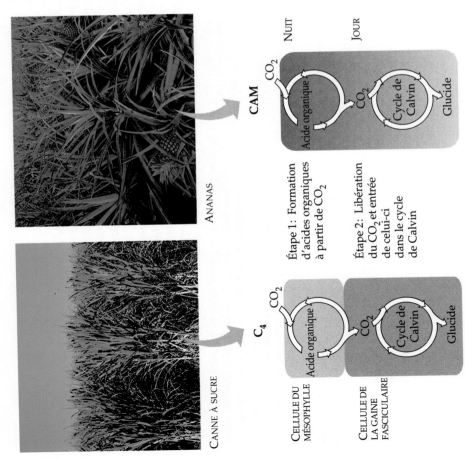

Figure 10.19

Comparaison entre la photosynthèse en C₄ et le métabolisme acide crassulacéen (CAM). Dans les deux cas, le dioxyde de carbone se fait transférer au cycle de Calvin après avoir servi à fabriquer des acides organiques. Chez les Plantes de type C₄ comme la Canne à sucre, ces deux étapes se déroulent dans des types de cellules distincts. Chez les Plantes de type CAM comme l'Ananas, les deux étapes n'ont pas lieu en même temps mais s'effectuent dans le même type cellulaire : la fixation du carbone se produit la nuit, et le cycle de Calvin a lieu le jour. La photosynthèse en C₄ et le métabolisme acide crassulacéen représentent deux solutions évolutives au problème posé par la poursuite de la photosynthèse quand les stomates sont partiellement ou complètement fermés, en milieu aride.

ANANAS

CANNE À SUCRE

C₄

CELLULE DU MÉSOPHYLLE

CELLULE DE LA GAINE FASCICULAIRE

CO_2

Acide organique

CO_2

Cycle de Calvin

Glucide

CAM

NUIT

JOUR

CO_2

Acide organique

CO_2

Cycle de Calvin

Glucide

Étape 1 : Formation d'acides organiques à partir de CO_2

Étape 2 : Libération du CO_2 et entrée de celui-ci dans le cycle de Calvin

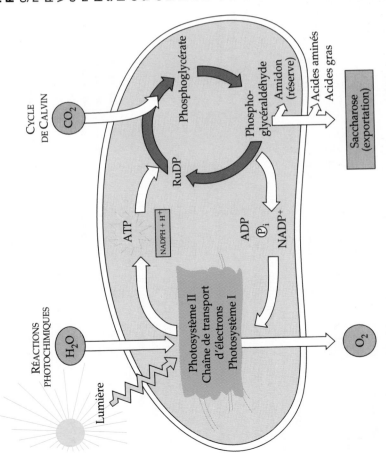

Figure 10.20

Résumé de la photosynthèse. Ce diagramme présente les principaux produits et réactifs de la photosynthèse dans le chloroplaste. Les réactions photochimiques convertissent l'énergie lumineuse en énergie chimique de l'ATP et du NADPH + H⁺. Les molécules de pigments et de protéines qui participent aux réactions photochimiques se trouvent dans la membrane des thylakoïdes ; elles comprennent les molécules des deux photosystèmes et une chaîne de transport d'électrons. Les réactions photochimiques scindent la molécule d'eau et libèrent de l'oxygène dans l'atmosphère. Le cycle de Calvin, qui se déroule dans le stroma du chloroplaste, utilise l'ATP et le NADPH + H⁺ pour convertir le dioxyde de carbone en glucide (le diagramme montre trois composés clés du cycle). Le produit direct du cycle de Calvin est le phosphoglycéraldéhyde, un composé à trois atomes de carbone. Des enzymes agissant dans le chloroplaste et dans le cytoplasme convertissent cette petite molécule en divers autres composés organiques. Le cycle de Calvin renvoie de l'ADP, du phosphate inorganique et du NADP⁺ aux réactions photochimiques. La bonne marche de l'opération repose sur l'intégrité structurale du chloroplaste et de ses membranes.

CYCLE DE CALVIN

CO_2

Phosphoglycérate

RuDP

Phospho-glycéraldéhyde

Amidon (réserve)

Acides aminés

Acides gras

Saccharose (exportation)

ATP

NADPH + H⁺

ADP

℗ᵢ

NADP⁺

RÉACTIONS PHOTOCHIMIQUES

H_2O

Lumière

Photosystème II
Chaîne de transport d'électrons
Photosystème I

O_2

RÉSUMÉ DU CHAPITRE

1. Les autotrophes se nourrissent à partir de molécules inorganiques. Au moyen de l'énergie lumineuse, les photoautotrophes synthétisent des molécules organiques à partir de dioxyde de carbone et d'eau.

2. Les hétérotrophes doivent ingérer d'autres organismes ou les résidus d'autres organismes pour se procurer de l'énergie et obtenir les chaînes carbonées de leurs molécules constituantes.

Le chloroplaste : site de la photosynthèse (p. 200-201)

1. Chez les eucaryotes autotrophes, la photosynthèse a lieu à l'intérieur des chloroplastes. Ces organites contiennent des thylakoïdes, des sacs membraneux qui forment ici et là des empilements appelés grana. La membrane du thylakoïde isole l'espace intrathylakoïdien du stroma.

2. Tous les chloroplastes contiennent de la chlorophylle. Ce pigment vert qui se trouve dans la membrane des thylakoïdes absorbe l'énergie lumineuse déclenchant la photosynthèse.

3. Les chloroplastes sont particulièrement abondants dans les cellules du mésophylle, à l'intérieur de la feuille. Le dioxyde de carbone entre par les stomates et atteint le mésophylle ; l'oxygène produit diffuse ensuite du mésophylle puis quitte la feuille par les stomates.

4. La conversion du dioxyde de carbone en glucide se produit dans le stroma.

Aperçu de la photosynthèse (p. 201-204)

1. L'équation suivante résume le processus complexe de la photosynthèse :

$$6\ CO_2 + 12\ H_2O + \text{lumineuse} \xrightarrow{\text{Énergie}} C_6H_{12}O_6 + 6\ O_2 + 6\ H_2O$$

2. Le chloroplaste scinde la molécule d'eau en hydrogène et en oxygène, et il incorpore les électrons de l'hydrogène dans les liaisons de molécules de glucide. La photosynthèse est donc un processus d'oxydoréduction au cours duquel l'eau est oxydée et le dioxyde de carbone réduit.

3. La photosynthèse comporte deux phases associées : les réactions photochimiques et le cycle de Calvin. Les réactions photochimiques, qui se déroulent dans les grana, produisent de l'ATP et scindent la molécule d'eau ; elles libèrent de l'oxygène et forment du NADPH + H⁺ en transférant des électrons de l'eau au NADP⁺.

4. Le cycle de Calvin a lieu dans le stroma ; utilisant l'ATP comme source d'énergie et le NADPH + H⁺ comme potentiel réducteur, il forme un glucide à partir de dioxyde de carbone.

Réactions photochimiques (p. 204-211)

1. La lumière est un rayonnement électromagnétique qui se propage sous forme d'ondes. L'ensemble des longueurs d'ondes constitue le spectre électromagnétique. La partie de ce spectre que nous détectons constitue la lumière visible, et les différentes longueurs d'onde qu'elle comprend correspondent aux couleurs.

2. La lumière est émise sous forme de particules appelées photons. Chaque photon possède une quantité déterminée d'énergie inversement proportionnelle à la longueur d'onde de la lumière.

3. Un pigment est une substance qui absorbe des longueurs d'onde précises de la lumière. On peut établir le spectre d'absorption d'un pigment au moyen d'un spectrophotomètre. Le spectre d'action de la photosynthèse et le spectre d'absorption de la chlorophylle a ne coïncident pas exactement. Les pigments accessoires, la chlorophylle b et divers caroténoïdes, ont une structure moléculaire qui leur permet d'absorber différentes longueurs d'onde de la lumière et de transmettre leur énergie à la chlorophylle a.

4. Une molécule de pigment passe de l'état fondamental à l'état excité lorsqu'un photon propulse un de ses électrons à un niveau énergétique supérieur. Dans les pigments isolés, l'électron revient immédiatement à l'état fondamental, ce qui libère l'énergie sous forme de lumière (fluorescence), de chaleur ou des deux.

5. Les pigments des chloroplastes se trouvent dans la membrane des thylakoïdes, près de molécules appelées accepteurs primaires d'électrons. Ces molécules captent les électrons excités avant qu'ils ne retournent à l'état fondamental. L'énergie mise en réserve par cette réaction d'oxydoréduction alimente la synthèse de l'ATP et du NADPH + H⁺.

6. Les pigments accessoires forment dans le chloroplaste un amas de quelques centaines de molécules appelé antenne. L'antenne entoure deux molécules de chlorophylle a, le centre réactionnel. À la suite de l'absorption d'un photon, les différentes molécules de l'antenne peuvent transmettre leur excitation à la chlorophylle a, qui cède alors un électron à un accepteur primaire situé à proximité. L'antenne, le centre réactionnel, et l'accepteur primaire d'électrons forment le photosystème, l'unité photoréceptrice intégrée dans la membrane des thylakoïdes.

7. Il y a deux types de photosystèmes. Le centre réactionnel du photosystème I comprend le pigment P_{700}, alors que celui du photosystème II contient le P_{680}. Le P_{700} et le P_{680} sont des molécules de chlorophylle a qui possèdent des spectres d'absorption différents.

8. Le transport des électrons excités peut se faire de façon cyclique ou non cyclique. Au cours du transport cyclique, le P_{700} cède les électrons à une chaîne de transport située dans la membrane des thylakoïdes. Une série de réactions d'oxydoréduction ramènent les électrons à l'état fondamental dans le P_{700}, ce qui engendre une force protonmotrice à travers la membrane des thylakoïdes. Le passage des protons à travers une ATP synthétase actionne la synthèse chimiosmotique d'ATP à partir d'ADP.

9. Le transport non cyclique d'électrons fait intervenir les deux photosystèmes ; il produit du NADPH + H⁺ et de l'oxygène en plus de l'ATP. Le NADP⁺ capte les électrons émis par le P_{700} dans le photosystème I et les emmagasine sous forme de NADPH + H⁺. Les électrons émis par le photosystème I remplacent ceux que le P_{700} a perdus. Ces électrons transitent entre les deux photosystèmes en empruntant une chaîne de transport qui alimente la synthèse de l'ATP. Les vides du P_{680} se font combler par des électrons provenant de l'eau, qui est scindée en protons et en oxygène.

Facteurs externes influant sur la photosynthèse (p. 211-212)

En milieu naturel, la disponibilité de l'eau, l'intensité et la durée de l'éclairement, la température et les substances nutritives du milieu exercent une influence directe sur l'activité photosynthétique.

Fixation du carbone ou cycle de Calvin (p. 212)

Le cycle de Calvin est une voie métabolique qui se déroule dans le stroma. Une enzyme appelée RuDP carboxylase combine le dioxyde de carbone au ribulose diphosphate (RuDP), un glucide à cinq atomes de carbone. Ensuite, à l'aide des électrons du NADPH + H⁺ et de l'énergie four-

nie par l'hydrolyse de l'ATP, une série de réactions synthétisent le phosphoglycéraldéhyde (PGAL), un glucide à trois atomes de carbone. La majeure partie du PGAL reste dans le cycle pour régénérer le ribulose diphosphate. Le reste du PGAL sort du cycle et est converti en molécules organiques essentielles.

Photorespiration (p. 212-214)

Par temps chaud et sec, les Plantes ferment leurs stomates afin d'éviter les pertes d'eau. L'oxygène provenant des réactions photochimiques s'accumule. Quand il se substitue au dioxyde de carbone dans le site actif de la RuDP carboxylase, un produit intermédiaire se forme et sort du cycle ; ce produit se fait oxyder en dioxyde de carbone et en eau dans les peroxysomes et les mitochondries. Ce processus, appelé photorespiration, consomme du combustible organique sans produire d'ATP.

Plantes de type C₃ (p. 214-215)

1. La plupart des Plantes sont de type C₃ ; ce terme fait référence aux trois atomes de carbone présents dans le premier produit intermédiaire stable du cycle de Calvin.

2. Les Plantes de type C₄ sont adaptées à la chaleur et à la sécheresse. Elles empêchent la photorespiration en faisant précéder le cycle de Calvin d'une série de réactions qui fixent le dioxyde de carbone dans un composé à quatre atomes de carbone. Ce processus se déroule dans des cellules spécialisées du mésophylle. Le composé à quatre atomes de carbone (le malate chez certaines Plantes) est exporté vers les cellules photosynthétiques de la gaine fasciculaire, où il libère du dioxyde de carbone en vue du cycle de Calvin.

Plantes de type CAM (p. 215)

En milieu chaud et sec, certaines Plantes fixent le carbone par un processus appelé métabolisme acide crassulacéen (CAM). Ces Plantes ouvrent leurs stomates pendant la nuit et fixent le dioxyde de carbone dans des acides organiques qu'elles emmagasinent dans la vacuole des cellules du mésophylle. Pendant le jour, les stomates se ferment pour limiter les pertes d'eau, et le dioxyde de carbone est libéré des acides organiques en vue du cycle de Calvin.

Le sort des produits de la photosynthèse (p. 215-217)

1. Les nervures apportent le saccharose produit dans les cellules vertes jusqu'aux parties non photosynthétiques de la Plante. Les mitochondries dégradent environ 50 % des glucides issus de la photosynthèse. Le reste se fait en grande partie convertir en une variété de molécules, dont la cellulose.

2. L'excès de matière organique est transformé en amidon, en lipides et en protéines, puis emmagasiné dans les feuilles, les racines, les tubercules et les fruits. Les hétérotrophes consomment une grande partie de cette matière organique.

AUTO-ÉVALUATION

1. Les réactions photochimiques de la photosynthèse fournissent au cycle de Calvin :
   a) de l'énergie lumineuse.
   b) du dioxyde de carbone.
   c) de l'eau.
   d) de l'ATP et du NADPH + H⁺.
   e) un glucide.

2. Dans quel ordre s'effectue le transport des électrons pendant la photosynthèse?
   a) NADPH + H⁺ → O₂ → CO₂.
   b) H₂O → NADPH + H⁺ → Cycle de Calvin.
   c) NADPH + H⁺ → Chlorophylle → Cycle de Calvin.
   d) H₂O → Photosystème I → Photosystème II.
   e) NADPH + H⁺ → Chaîne de transport d'électrons → O₂.

3. Laquelle des conclusions suivantes *ne* découle *pas* de l'étude du spectre d'absorption de la chlorophylle *a* et du spectre d'action de la photosynthèse?
   a) Les longueurs d'onde ne sont pas toutes aussi favorables à la photosynthèse.
   b) Des pigments accessoires élargissent le spectre des longueurs d'onde de la lumière qui déclenchent la photosynthèse.
   c) La partie rouge et la partie bleue du spectre sont les plus favorables à la photosynthèse.
   d) La chlorophylle doit sa couleur à l'absorption de la lumière verte.
   e) Le spectre d'absorption de la chlorophylle *a* comprend deux pics.

4. Les *deux* photosystèmes du chloroplaste doivent interagir pour :
   a) la synthèse de l'ATP.
   b) la réduction du NADP⁺.
   c) la photophosphorylation cyclique.
   d) l'oxydation du centre réactionnel du photosystème I.
   e) l'établissement de la force protonmotrice.

5. D'un point de vue mécanique, la photophosphorylation ressemble :
   a) à la phosphorylation au niveau du substrat pendant la glycolyse.
   b) à la phosphorylation oxydative pendant la respiration cellulaire.
   c) au cycle de Calvin.
   d) à la fixation du carbone.
   e) à la réduction du NADP⁺.

6. Quelle est la ressemblance entre les adaptations photosynthétiques des Plantes de type C₄ et celles des Plantes de type CAM?
   a) Les stomates des deux groupes de Plantes se ferment généralement pendant le jour.
   b) Les deux groupes de Plantes produisent un glucide sans le cycle de Calvin.
   c) Chez les deux groupes de Plantes, une enzyme autre que la RuDP carboxylase catalyse la première étape de la fixation du carbone.
   d) Les deux groupes de Plantes produisent la majeure partie de leur glucide dans l'obscurité.
   e) Ni les Plantes de type C₄ ni les Plantes de type CAM n'ont de grana dans leurs chloroplastes.

7. Le transport d'électrons à l'intérieur du chloroplaste apporte des protons :
   a) dans le stroma.
   b) dans l'espace intermembranaire de l'enveloppe du chloroplaste.
   c) dans l'espace intrathylakoïdien.
   d) du photosystème I au photosystème II.
   e) à l'extérieur du chloroplaste.

8. Le stade de la photosynthèse qui produit le glucide est :
   a) le cycle de Calvin.
   b) le photosystème I.
   c) le photosystème II.
   d) les réactions photochimiques.
   e) la scission de la molécule d'eau.

9. Pour chaque mole de dioxyde de carbone fixée, combien la photosynthèse libère-t-elle de moles d'oxygène ?
   a) 1.
   b) 2.
   c) 3.
   d) 6.
   e) 12.

10. Lequel des énoncés suivants exprime une véritable distinction entre les autotrophes et les hétérotrophes ?
   a) Seuls les hétérotrophes ont besoin de tirer des composés chimiques de leur milieu.
   b) La respiration cellulaire est propre aux hétérotrophes.
   c) Seuls les hétérotrophes ont des mitochondries.
   d) Les autotrophes, contrairement aux hétérotrophes, se nourrissent à partir de substances entièrement inorganiques.
   e) Seuls les hétérotrophes ont besoin d'oxygène.

QUESTIONS À COURT DÉVELOPPEMENT

1. Décrivez la structure fine de l'appareil photosynthétique.

2. Expliquez le fonctionnement d'une antenne et d'un photosystème.

3. Expliquez la synthèse chimiosmotique de l'ATP en rapport avec la photophosphorylation.

4. Faites un schéma de concepts présentant les événements clés de la photosynthèse.

5. Comment les facteurs environnementaux influent-ils sur la photosynthèse ? Nommez quatre facteurs et précisez leurs effets.

RÉFLEXION-APPLICATION

1. Le graphique suivant représente l'état des stomates d'un plant de Haricot au cours d'une période de 24 heures. La ligne pointillée correspond à la fermeture partielle des stomates pendant un après-midi chaud et sec. Quel effet ce phénomène a-t-il sur les concentrations de dioxyde de carbone et d'oxygène à l'intérieur de la feuille ? Quel effet a-t-il sur la photosynthèse et la photorespiration ? Quels effets aurait-il chez une Plante de type C₄ ? Qu'est-ce qui distinguerait le comportement des stomates d'une Plante de type CAM du comportement représenté par ce graphique ?

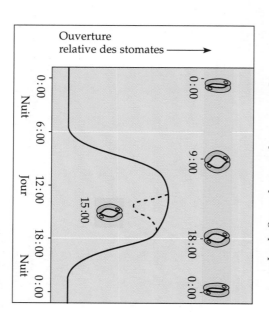

Ouverture relative des stomates →

Nuit   0:00   6:00   Jour   12:00   18:00   Nuit   0:00

0:00   9:00   15:00   18:00   0:00

2. Comparez les mécanismes de la photosynthèse et ceux de la respiration cellulaire. En quoi le modèle chimiosmotique a-t-il unifié la théorie relative aux mécanismes des deux processus ?

3. On peut déterminer en éprouvette la vitesse de la photosynthèse des Plantes aquatiques en recueillant et en mesurant l'oxygène qui s'échappe de l'eau. Si on ajoute à l'eau de l'hydrogénocarbonate de sodium (NaHCO₃), la source de dioxyde de carbone des Plantes aquatiques, la vitesse de la production d'oxygène augmente. Sachant que le dioxyde de carbone est fixé par le cycle de Calvin et que l'oxygène est émis par les réactions photochimiques, comment une augmentation de l'apport de dioxyde de carbone peut-il accroître la vitesse de la production d'oxygène ?

SCIENCE, TECHNOLOGIE ET SOCIÉTÉ

Les forêts tropicales humides ne couvrent que 3 % environ de la surface terrestre, mais on estime qu'elles sont à l'origine de plus de 20 % de la photosynthèse. Il semble logique de croire que le feuillage luxuriant de la jungle produit de grandes quantités d'oxygène et réduit l'effet de serre en consommant du dioxyde de carbone. Or, de nombreux experts pensent aujourd'hui que la contribution *nette* des forêts tropicales humides à la production d'oxygène ou au ralentissement du réchauffement planétaire est faible, voire nulle. Expliquez ce point de vue en vous fondant sur les connaissances que vous venez d'acquérir au sujet de la photosynthèse et de la respiration cellulaire. Qu'arrive-t-il à la forêt tropicale humide quand il est mangé par des herbivores ou quand il meurt ?

LECTURES SUGGÉRÉES

Alberts, B. et coll., *Biologie moléculaire de la cellule*, 2e éd., Paris, Flammarion, 1990. (Le chapitre 9 traite de la conversion de l'énergie dans le chloroplaste.)

Bazzaz, F. et E. Fajer, « La croissance des plantes et le dioxyde de carbone », *Pour la Science*, n° 173, mars 1992. (On y étudie l'effet d'une augmentation du CO₂ atmosphérique sur la photosynthèse et la croissance des Plantes.)

Chène, P., A. G. Day et A. R. Fersht, « Bricolage génétique et photosynthèse », *La Recherche*, n° 246, septembre 1992. (On s'applique en génie génétique à produire une RuDP carboxylase plus efficace.)

Darnell, J., H. Lodish et D. Baltimore, *Biologie moléculaire de la cellule*, 2e éd., Bruxelles, De Boeck-Wesmael, 1993. (Le chapitre 17 détaille la photosynthèse.)

Govindjee et W. Coleman, « La production d'oxygène par les plantes », *Pour la Science*, n° 150, avril 1990. (On y expose la photosynthèse végétale et bactérienne selon un cycle biochimique à quatre temps.)

Lafon, J. P., C. Tharaud-Prayer et G. Lévy, *Biologie des plantes cultivées*, tome 1, Paris, Tec & Doc Lavoisier, 1988. (Le chapitre 4 de la troisième partie du volume traite de photosynthèse et de photorespiration.)

Lefèvre, A., « La main verte des photons », *Science & vie*, hors-série, n° 186, mars 1994. (On y décrit la photosynthèse et on précise des temps de réaction.)

Lüttge, U., M. Kluge et G. Bauer, *Botanique : Traité fondamental*, Paris, Tec & Doc Lavoisier, 1992. (Le chapitre 8 étudie les plastes et la photosynthèse.)

Mathis, P. et A. W. Rutherford, « La production d'oxygène par les plantes », *La recherche*, n° 261, janvier 1994. (Pour mieux comprendre la photosynthèse à l'aide de la spectroscopie.)

Rawn, J. D., *Traité de Biochimie*, Bruxelles, De Boeck-Wesmael, 1990. (Le chapitre 18 approfondit la photosynthèse.)

REPRODUCTION BACTÉRIENNE

CHROMOSOMES EUCARYOTES : INTRODUCTION

CARACTÉRISTIQUES GÉNÉRALES DU CYCLE CELLULAIRE

MÉCANISME DE LA DIVISION CELLULAIRE

RÉGULATION DE LA DIVISION CELLULAIRE

DIVISION CELLULAIRE ANORMALE : LES CELLULES TUMORALES

S eule la vie peut engendrer la vie. La reproduction est le phénomène qui distingue le plus nettement le vivant du non-vivant. La capacité de se reproduire a, comme toutes les fonctions biologiques, des fondements cellulaires. Rudolf Virchow, un médecin allemand, l'a formulé comme suit en 1855 : « L'existence d'une cellule suppose obligatoirement la préexistence d'une autre cellule, de la même manière que l'Animal ne peut naître que d'un Animal et la Plante, d'une Plante. » Virchow résuma sa pensée en un axiome, *Omnis cellula e cellula*, qui signifie « Toutes les cellules proviennent de cellules ». La perpétuation de la vie repose sur la reproduction des cellules, ou **division cellulaire** (figure 11.1).

Chez les organismes unicellulaires, la reproduction se ramène à la division d'une cellule en deux autres cellules. L'Amibe produit de cette manière deux cellules filles en tout point identiques à elle-même (figure 11.2a). Cependant, la croissance et le développement des organismes pluricellulaires comme l'Humain reposent également sur la division d'une cellule unique, le zygote (gamète mâle et gamète femelle fusionnés) (figure 11.2b). Et même quand l'organisme a atteint la maturité, la division cellulaire se poursuit pour remplacer les cellules détruites par l'usure normale et par les lésions. Ainsi, la division des cellules de la moelle osseuse produit sans cesse de nouveaux globules sanguins (figure 11.2c).

Une entité aussi complexe que la cellule ne se reproduit pas par simple segmentation ; la cellule n'est pas une bulle de savon qui grossit puis se scinde en deux. La division cellulaire nécessite la distribution d'un matériel génétique identique, l'ADN, aux deux cellules filles. L'information génétique dont une cellule hérite est son **génome,** qui se compose d'au moins une très longue molécule d'ADN. Le long de chaque molécule d'ADN se trouvent des centaines ou des milliers de gènes, les unités héréditaires qui déterminent les caractères d'un organisme (nous préciserons notre définition du gène au chapitre 16). Chez les eucaryotes, les enroulements et les repliements des molécules d'ADN forment les chromosomes, que l'on peut apercevoir au microscope photonique juste avant et pendant la division cellulaire (voir la figure 11.1). La propriété la plus remarquable de la division cellulaire est la fidélité de la transmission du génome d'une génération de cellules à la suivante. Une cellule en voie de division copie tous ses gènes, les répartit également aux extrémités opposées, puis se sépare en deux cellules filles.

Dans le présent chapitre, vous apprendrez comment les cellules donnent naissance à des cellules filles génétiquement équivalentes. Avant de nous attaquer à la

5 μm

Figure 11.1
Toute cellule provient d'une cellule ancestrale. En une chaîne ininterrompue menant des Bactéries des océans primordiaux aux organismes diversifiés du temps présent, la vie s'est perpétuée sur la Terre au moyen de la division cellulaire. Toutes cellules proviennent de la division d'une cellule parentale. La micrographie montre la division d'une cellule épithéliale de Rat-Kangourou. Les chromosomes de cette cellule, colorés avec une substance fluorescente jaune, se sont répliqués, et les deux jeux de chromosomes identiques se dirigent chacun de leur côté vers les pôles de la cellule (MP). Par la suite, le cytoplasme se divisera, et on trouvera deux cellules là où il n'y en avait qu'une. Dans le présent chapitre, vous étudierez la division cellulaire, le fondement de la reproduction biologique. (Photo reproduite avec l'aimable autorisation de J. M. Murray, University of Pennsylvania Medical School.)

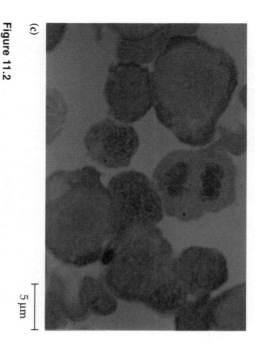

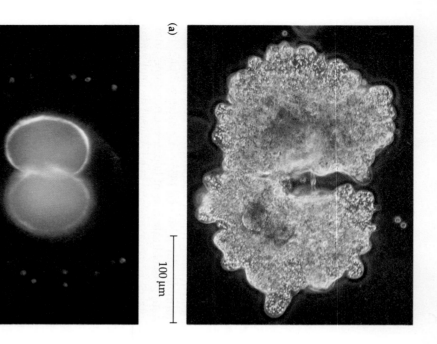

(a)

100 µm

(b)

100 µm

(c)

5 µm

Figure 11.2
Fonctions de la division cellulaire. (a) L'Amibe, un eucaryote unicellulaire, se divise en deux cellules semblables et autonomes. Ici, la division cellulaire équivaut à la reproduction de l'individu (MP). (b) Chez les organismes pluricellulaires, la division des cellules embryonnaires détermine la croissance et le développement. Cette micrographie à fond noir montre un embryon de Dollar des sables (embranchement des Échinodermes) peu après la division du zygote en deux cellules. (c) Chez un organisme mature, la division cellulaire se poursuit pour assurer la régénération des tissus. Ces cellules de moelle osseuse en voie de division donnent naissance à des globules sanguins (MP).

division des cellules eucaryotes, jetons un coup d'œil sur la division des cellules procaryotes.

REPRODUCTION BACTÉRIENNE

La reproduction des Bactéries (c'est-à-dire des procaryotes) fait appel à un mode de division cellulaire appelé **scissiparité** (ou fissiparité). La plupart des gènes bactériens sont portés par un chromosome unique composé d'une molécule circulaire d'ADN associée à des protéines. (Comme nous le verrons plus loin, les chromosomes des eucaryotes présentent une organisation très différente). Bien que les Bactéries soient plus petites et plus simples que les cellules eucaryotes, le problème posé par la réplication fidèle de leur génome et par la distribution équitable des copies aux deux cellules filles demeure colossal. Considérons par exemple le chromosome de la Bactérie *Escherichia coli* ; quand on le déplie complètement, ce chromosome est environ 500 fois plus long que la cellule elle-même. On devine bien qu'un tel chromosome doit être maintes fois replié à l'intérieur de la cellule.

Une fois que la Bactérie a répliqué son chromosome en préparation de la division, les deux exemplaires du chromosome s'attachent à la membrane plasmique. La membrane croît entre les deux sites de fixation et finit par les séparer (figure 11.3). Lorsque la Bactérie a doublé sa taille initiale, sa membrane plasmique s'invagine et une paroi cellulaire se forme entre les deux chromosomes ; cette cloison divise la cellule mère en deux cellules filles. Chacune reçoit un génome complet. (Nous reviendrons en de plus amples détails sur la reproduction bactérienne aux chapitres 17 et 25.)

CHROMOSOMES EUCARYOTES : INTRODUCTION

Le génome des eucaryotes est beaucoup plus volumineux que celui des procaryotes. Pourtant, les dizaines de milliers de gènes d'une cellule eucaryote typique doivent tous se répliquer, après quoi le mécanisme de la division cellulaire doit attribuer un génome complet à chacune des deux cellules filles. Si la réplication et la distribution d'un nombre aussi élevé de gènes réussissent, c'est parce que les gènes se trouvent regroupés dans de nombreux chromosomes (figure 11.4a). Chaque espèce possède dans le noyau de ses cellules un nombre caractéristique de chromosomes. Ainsi, chez l'Humain, les cellules somatiques (toutes les cellules de l'organisme sauf les cellules reproductrices) contiennent 46 chromosomes, alors que les cellules reproductrices (les spermatozoïdes et les ovules) en contiennent deux fois moins, c'est-à-dire 23.

Chaque chromosome comprend une très longue molécule d'ADN représentant des milliers de gènes. L'ADN est associé à diverses protéines qui maintiennent la structure du chromosome et concourent à la régulation de l'activité des gènes. Le complexe de protéines et d'ADN, appelé **chromatine**, prend la forme d'une fibre longue et mince qui, maintes fois repliée et enroulée, constitue le chromosome (nous traiterons au chapitre 18 des détails et de l'importance de la condensation de l'ADN). En prépa-

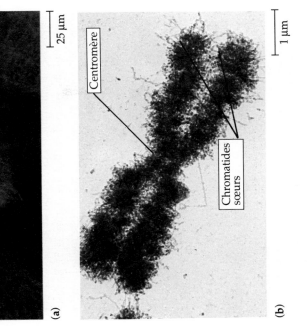

(a)

25 μm

Centromère

Chromatides
sœurs

1 μm

(b)

Figure 11.4
Chromosomes d'une cellule eucaryote. (a) Une cellule épithéliale de Rat-Kangourou se prépare à la division, et un enchevêtrement de chromosomes filamenteux (en orangé) apparaît à l'intérieur du noyau (MP). Les chromosomes (du grec *khrôma* « couleur » et *sôma* « corps ») doivent leur nom au fait qu'ils absorbent certains colorants utilisés en microscopie. Avant de se diviser, une cellule doit copier chacun de ses chromosomes et donner un jeu complet de chromosomes à chaque cellule fille. **(b)** Quand une cellule se prépare à la division, chaque chromosome se réplique et forme deux chromatides sœurs génétiquement identiques rattachées par leur centromère. Cette micrographie électronique montre un chromosome humain après réplication. Le chromosome semble pelucheux parce qu'il se compose d'une très longue fibre de chromatine maintes fois enroulée et très condensée. La fibre de chromatine est constituée d'une molécule d'acide nucléique (ADN) et de protéines. (Micrographie reproduite avec l'aimable autorisation de J. M. Murray, University of Pennsylvania Medical School.)

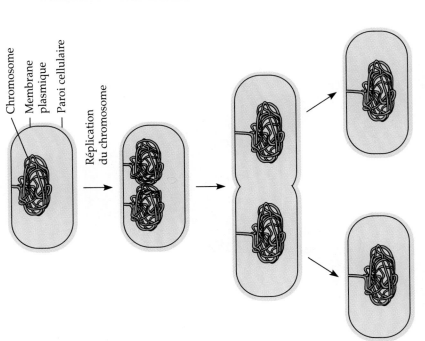

Chromosome
Membrane
plasmique
Paroi cellulaire

Réplication
du chromosome

Figure 11.3
Division de la cellule bactérienne. Au cours de la division cellulaire des procaryotes, appelée scissiparité, un mécanisme de fixation à la membrane assure la distribution des exemplaires du chromosome aux deux cellules filles. Pendant sa réplication, le chromosome bactérien se trouve attaché à la membrane plasmique ; par la suite, les exemplaires du chromosome se fixent à la membrane en des points distincts. La croissance de la cellule éloigne graduellement les chromosomes l'un de l'autre. Enfin, la membrane plasmique s'invagine et divise la cellule en deux, en même temps qu'une nouvelle paroi se forme entre les cellules filles.

ration de la division, la cellule copie son génome entier en répliquant chaque chromosome. À la fin de la réplication, chaque chromosome se compose de deux **chromatides sœurs** qui portent chacune le même assemblage de gènes (figure 11.4b). Une région spécialisée du chromosome, le **centromère,** unit les deux chromatides. Puis, au cours de la **mitose,** les chromatides sœurs se séparent et vont former un jeu chromosomique complet à chaque extrémité de la cellule. Généralement, la mitose, la division du noyau, est immédiatement suivie de la **cytocinèse,** la division du cytoplasme. Là où il n'y avait qu'une cellule, il s'en trouve désormais deux, chacune étant l'équivalent génétique de la cellule mère.

Suivons le cycle biologique humain au fil des générations pour voir ce qu'il advient du nombre de chromosomes. Vous avez reçu 46 chromosomes, 23 de votre père et 23 de votre mère. Ces chromosomes se sont assemblés dans le noyau d'une cellule unique après qu'un sperma-

tozoïde de votre père ait fusionné avec un ovule de votre mère pour former un ovule fécondé, ou zygote. La mitose a produit les milliards de cellules somatiques qui composent aujourd'hui votre organisme ; le même processus continue d'engendrer de nouvelles cellules pour remplacer vos spermatozoïdes, quant à eux, sont produits par une variante de la division cellulaire, la **méiose** ; la méiose produit des cellules filles non identiques et qui contiennent deux fois moins de chromosomes que la cellule mère. La méiose se produit uniquement dans les organes reproducteurs. Chez l'Humain, à la puberté, la méiose fait passer le nombre de chromosomes de 46 à 23. La fécondation ramène le nombre de chromosomes à 46, quantité que la mitose conserve dans chaque cellule somatique du nouvel individu. Au chapitre 12, nous examinerons de plus près le rôle de la méiose dans la reproduction et l'hérédité. Pour l'heure, penchons-nous sur la mitose.

CARACTÉRISTIQUES GÉNÉRALES DU CYCLE CELLULAIRE

La mitose ne constitue qu'une étape du cycle de la division cellulaire, ou **cycle cellulaire** (figure 11.5). En fait, la **phase M** (pour « mitose »), au cours de laquelle la mitose et la cytocinèse divisent matériellement le noyau et le cytoplasme, est la période la plus courte du cycle cellulaire. Les divisions mitotiques successives alternent avec l'**interphase**, une étape beaucoup plus longue qui représente généralement 90 % de la durée du cycle cellulaire. Pendant l'interphase, la cellule croît et copie ses chromosomes en préparation de la division cellulaire. L'interphase se subdivise en trois périodes de croissance appelées, dans l'ordre, la **phase G₁** (G pour *gap* ou intervalle sans synthèse d'ADN), la **phase S** et la **phase G₂**. Durant ces trois phases, la cellule croît en synthétisant des protéines et en produisant des organites cytoplasmiques. La réplication des chromosomes n'a toutefois lieu que pendant la phase S (pour « synthèse de l'ADN »). En somme, la cellule croît (G₁), copie ses chromosomes tout en continuant de croître (S), finit de se préparer pour la division cellulaire sans cesser de croître (G₂) et, enfin, se divise (M). Les cellules filles peuvent ensuite répéter le cycle.

Maintenant que nous avons décomposé le cycle cellulaire en ses quatre phases, examinons de plus près le mécanisme de la division cellulaire, après quoi nous étudierons la régulation du cycle cellulaire.

MÉCANISME DE LA DIVISION CELLULAIRE

Les films en accéléré montrant des cellules en cours de division révèlent que la mitose et la cytocinèse représentent un ensemble de changements ininterrompus. Pour les besoins de la description, toutefois, on subdivise la mitose en cinq phases : la **prophase**, la **prométaphase**, la **métaphase**, l'**anaphase** et la **télophase**. La figure 11.6

Étudiez la figure 11.6 avant de poursuivre votre lecture.

(p. 226-227) montre les détails de ces phases dans une cellule animale.

Structure et fonction du fuseau de division

Plusieurs évènements de la mitose reposent sur une structure appelée **fuseau de division**, qui commence à se former dans le cytoplasme pendant la prophase. Le fuseau de division est un ensemble de fibres constituées de microtubules associés à des protéines (figure 11.7a). Comme les microtubules du cytosquelette se désorganisent pendant la formation du fuseau de division, on croit qu'ils lui fournissent ses matériaux. Les microtubules du fuseau allongent en incorporant des sous-unités de tubuline (voir le tableau 7.2). Un certain nombre de microtubules parallèles forment des faisceaux, appelés fibres du fuseau, visibles au microscope photonique.

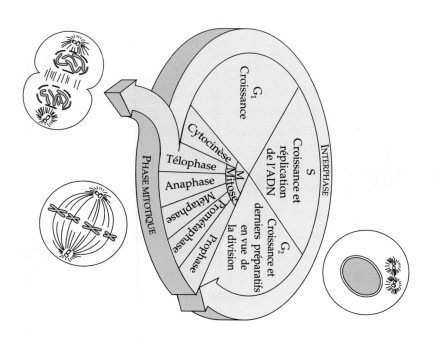

Figure 11.5
Cycle cellulaire. Dans une cellule en voie de division, la phase mitotique (M) alterne avec l'interphase, ou période de croissance. La première partie de l'interphase s'appelle G₁. Elle précède la phase S, au cours de laquelle se produit la réplication des chromosomes. Puis vient la dernière partie de l'interphase, la phase G₂. Après l'interphase, la mitose divise le noyau et ses chromosomes. Enfin, la cytocinèse divise le cytoplasme, produisant deux cellules filles. La figure 11.6 décrit les stades de la mitose.

INTERPHASE

G₁ Croissance

S Croissance et réplication de l'ADN

G₂ Croissance et derniers préparatifs en vue de la division

M Mitose

Cytocinèse

Télophase

Anaphase

Métaphase

Prométaphase

Prophase

PHASE MITOTIQUE

L'assemblage des microtubules du fuseau commence dans le centrosome, ou centre organisateur des microtubules (voir le chapitre 7). Les microtubules sont polaires : ils ont une extrémité + et une extrémité –. Un microtubule allonge ou raccourcit à la suite de l'ajout ou du retrait de sous-unités de tubuline à son extrémité + seulement. L'extrémité + des microtubules du fuseau est l'extrémité éloignée du centrosome. Dans les cellules animales, on trouve une paire de centrioles au cœur du centrosome ; ces structures ne sont toutefois pas essentielles à la division cellulaire, puisque les centrosomes des cellules appartenant au règne des Végétaux n'en contiennent pas. Et si l'on détruit les centrioles de cellules animales au moyen d'un faisceau laser, on n'empêche ni la formation ni le fonctionnement du fuseau pendant la mitose. Le matériel péricentriolaire (assemblage lâche de microtubules) serait donc à l'origine de la formation du fuseau chez les cellules animales et végétales. Lorsqu'ils existent, les centrioles joueraient par conséquent un rôle accessoire dans l'élaboration du fuseau ou celle des cils et flagelles.

Pendant l'interphase, le centrosome se réplique et forme deux centrosomes situés tout à côté du noyau (voir la figure 11.6). Les deux centrosomes s'éloignent l'un de l'autre pendant la prophase et la prométaphase, et les microtubules du fuseau rayonnent de ces deux points en allongeant par leurs extrémités +. À la fin de la prométaphase, les deux centrosomes se trouvent aux pôles de la cellule, et certaines fibres du fuseau s'attachent aux chromosomes en des régions spécialisées des centromères appelées **kinétochores** (figure 11.7b). Chacune des deux chromatides sœurs d'un chromosome possède un kinétochore.

Il peut arriver qu'une fibre du fuseau s'attache à un kinétochore, puis que le chromosome commence à migrer vers le pôle d'origine de la fibre. Toutefois, ce mouvement est contré dès qu'une fibre provenant de l'autre pôle s'attache au second kinétochore du chromosome. Il se produit alors une partie de souque à la corde qui finit à égalité. Le chromosome se déplace dans une direction, puis dans l'autre ; il va et vient un moment puis s'arrête finalement à l'équateur de la cellule. Il semble que les microtubules d'une fibre restent attachés à un kinétochore seulement lorsqu'une force provenant de l'extrémité opposée de la cellule s'exerce sur le chromosome. Si seuls les microtubules d'un pôle s'attachent à un chromosome, ils perdent prise. La fixation à un kinétochore se stabilise seulement quand les microtubules du pôle opposé s'accrochent à l'autre kinétochore. Ce système d'équilibrage égalise le nombre de microtubules attachés aux deux kinétochores d'un chromosome et amène le chromosome à l'équateur de la cellule.

À la métaphase, tous les chromosomes répliqués s'alignent à l'équateur de la cellule, c'est-à-dire sur la *plaque équatoriale*. De 15 à 35 microtubules, appelés microtubules kinétochoriens, sont attachés à chaque kinétochore. De nombreux autres microtubules, appelés microtubules polaires, rayonnent de chaque centrosome vers la plaque équatoriale sans s'attacher à des chromosomes. Certains de ces microtubules sont trop courts pour atteindre la plaque équatoriale, mais d'autres la dépassent et chevauchent des microtubules libres issus de l'autre pôle.

Étudions maintenant la corrélation structure-fonction du fuseau pendant la mitose.

L'anaphase débute quand les centromères du chromosome se séparent et que les chromatides sœurs, désormais indépendantes, se déplacent vers les pôles de la cellule. Quel rôle jouent les microtubules kinétochoriens dans cette migration ? On serait porté à croire que les microtubules tirent le chromosome vers un pôle en se dépolymérisant (en perdant des sous-unités de tubuline) par leur extrémité proche du centrosome. Mais rappelez-vous que c'est à l'extrémité + du microtubule (l'extrémité rattachée à un kinétochore) que l'ajout ou le retrait de tubuline doit s'effectuer. On a expérimentalement démontré que les microtubules kinétochoriens raccourcissent pendant l'anaphase en se dépolymérisant par leur extrémité kinétochorienne (figure 11.8). Le kinétochore s'accroche de quelque manière à ce qui reste des microtubules, devant la zone de dépolymérisation, et le chromosome avance vers le pôle. On ne connaît pas encore le mécanisme exact de cette interaction entre les kinétochores et les microtubules. Cependant, les chercheurs viennent de découvrir de la dynéine dans les kinétochores. Vous avez appris au chapitre 7 que la dynéine est la protéine qui permet le mouvement des microtubules dans les flagelles. Il se peut donc que la dynéine du kinétochore fasse « marcher » les chromosomes le long des microtubules en raccourcissement.

À quoi servent les microtubules polaires ? Ceux qui se chevauchent à l'équateur de la cellule font allonger la cellule entière dans l'axe polaire durant l'anaphase. Les microtubules chevauchant glissent les uns contre les autres en direction des pôles (figure 11.9). Une hypothèse veut que ce glissement ressemble à celui des microtubules adjacents dans un flagelle (voir le chapitre 7). Selon cette hypothèse, des moteurs moléculaires peut-être semblables aux bras latéraux de dynéine dans les flagelles font glisser les fibres polaires les unes sur les autres, grâce à l'énergie fournie par l'ATP.

À la fin de l'anaphase, deux jeux de chromosomes identiques se trouvent aux extrémités opposées de la cellule mère, qui s'est allongée dans l'axe de ses pôles. Les noyaux apparaissent pendant la télophase. Au cours de cette phase, la cytocinèse divise le cytoplasme.

Mécanisme de la cytocinèse

Dans les cellules animales, la cytocinèse débute pendant la télophase, avec l'apparition du **sillon de division**, une invagination de la surface cellulaire à l'endroit occupé précédemment par la plaque équatoriale (figure 11.10). Sur la face cytoplasmique du sillon, on trouve un **anneau contractile** fait de microfilaments d'actine, la protéine qui participe à la contraction musculaire et à bien d'autres mouvements cellulaires (voir le chapitre 7). À mesure que les microfilaments de l'anneau se contractent et font diminuer le diamètre de celui-ci, le sillon de division se creuse, jusqu'à ce que la cellule mère se segmente. Le dernier pont entre les deux cellules filles, contenant ce qui reste du fuseau de division, se rompt enfin, ce qui donne deux nouvelles cellules complètes et séparées.

Dans les cellules végétales, dotées de parois, la cytocinèse prend une tout autre tournure. Au lieu du sillon de division, une structure appelée **plaque cellulaire** se

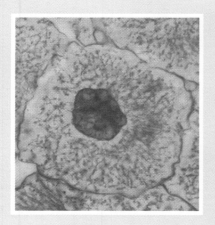

Figure 11.6
Phases de la mitose dans une cellule animale. Les micrographies photoniques montrent des cellules d'un embryon de la classe des Poissons. Les diagrammes, très schématiques, présentent des détails invisibles dans les micrographies. Pour simplifier les diagrammes, seulement quatre chromosomes apparaissent. Dans les cellules végétales, il n'y a pas de centrioles, et le mécanisme de la cytocinèse s'effectue différemment (voir les figures 11.11 et 11.12). Une cellule en voie de division ne passe pas abruptement d'une phase de la mitose à la suivante, comme le suggèrent ces micrographies statiques. La division cellulaire se déroule en une suite ininterrompue de changements.

PHASE G₂ DE L'INTERPHASE

À la fin de l'interphase, le noyau est bien défini et entouré de l'enveloppe nucléaire. Il contient un ou plusieurs nucléoles. À côté du noyau se trouvent les centrosomes (centres organisateurs des microtubules), formés au début de l'interphase à la suite de la réplication d'un centrosome unique. (Dans les cellules animales, chaque centrosome contient une paire de centrioles.) Les microtubules rayonnent des centrosomes en une formation étoilée appelée **aster**. La réplication des chromosomes a déjà eu lieu à la phase S, mais les chromosomes demeurent indistincts car ils sont sous la forme de fibres de chromatine diffuses.

Centrosomes (avec centrioles)

Aster

Nucléole

Chromatine

Membrane plasmique

Enveloppe nucléaire

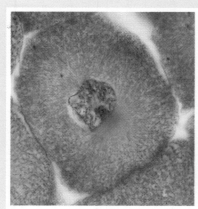

PROPHASE

Le noyau et le cytoplasme subissent tous deux des changements pendant la prophase. Dans le noyau, les nucléoles disparaissent. Les fibres de chromatine s'enroulent et se replient pour former des chromosomes visibles au microscope photonique. Chaque chromosome répliqué prend la forme de deux chromatides identiques réunies par le centromère. Dans le cytoplasme, le fuseau de division se forme; il se compose de microtubules et de protéines s'étirant entre les deux centrosomes. Pendant la prophase, les centrosomes s'éloignent l'un de l'autre, apparemment propulsés à la surface du noyau par l'élongation des faisceaux de microtubules qui les relient.

Fuseau de division en voie de formation

Paire de centrioles

Centromère

Chromosome composé de deux chromatides sœurs

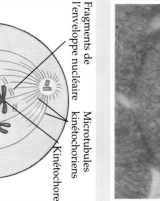
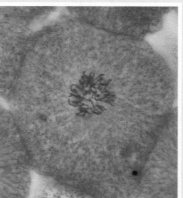

PROMÉTAPHASE

L'enveloppe nucléaire se fragmente. Les microtubules du fuseau peuvent alors envahir le contenu du noyau et interagir avec les chromosomes, qui n'ont pas cessé de se condenser. Les faisceaux de microtubules, appelés fibres du fuseau, s'étendent des pôles vers l'équateur. Cacune des deux chromatides du chromosome possède une structure spécialisée appelée kinétochore, située dans la région du centromère. Les microtubules qui s'attachent aux kinétochores se nomment microtubules kinétochoriens. Ils agitent les chromosomes. De nombreux autres microtubules, appelés microtubules polaires, rayonnent des pôles vers l'équateur sans s'attacher à des chromosomes.

Fragments de l'enveloppe nucléaire

Microtubules kinétochoriens

Kinétochore

Micro- tubules polaires

Aster (pôle)

Chromosome avec ses deux chromatides

226 *Deuxième partie: La cellule*

25 µm

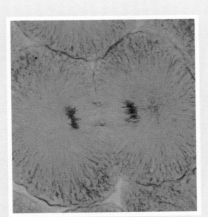

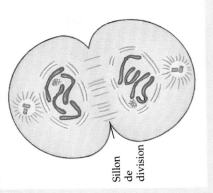

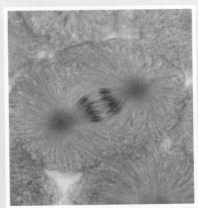

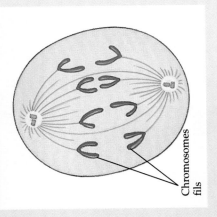

Chromosomes
fils

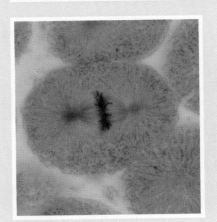

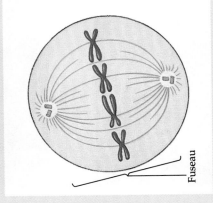

Sillon
de
division

MÉTAPHASE

Les centrosomes se trouvent aux pôles de la cellule. Les chromosomes s'alignent sur la plaque équatoriale qui, comme son nom l'indique, est à égale distance des deux pôles du fuseau. Tous les centromères y sont alignés. Chacun des kinétochores des chromatides sœurs fait face à un pôle différent. Par conséquent, les chromatides d'un chromosome sont attachées à des microtubules kinétochoriens provenant des extrémités opposées de la cellule mère. Étant donné sa forme, l'ensemble formé par les microtubules polaires et par les microtubules kinétochoriens s'appelle fuseau.

Fuseau

ANAPHASE

L'anaphase commence quand le centromère dédoublé de chaque chromosome se sépare en deux, libérant ainsi les chromatides sœurs. Chaque chromatide devient ainsi un chromosome à part entière, conduit par le fuseau vers les pôles de la cellule. Comme les kinétochores kinétochoriens exercent une traction sur les centromères, ceux-ci prennent les devants et traînent le reste du chromosome vers les pôles (à la vitesse d'environ 1 µm/s). Les microtubules kinétochoriens raccourcissent à mesure que les chromosomes se rapprochent des pôles. En même temps, les pôles s'éloignent l'un de l'autre. À la fin de l'anaphase, les deux pôles possèdent des jeux équivalents et complets de chromosomes.

TÉLOPHASE ET CYTOCINÈSE

Pendant la télophase, les microtubules polaires allongent encore la cellule, et les noyaux fils commencent à se former aux pôles. Les enveloppes nucléaires se constituent à partir des fragments de l'enveloppe nucléaire de la cellule mère et de portions de membrane fournies par le réticulum endoplasmique. Les nucléoles réapparaissent et chaque chromosome perd son organisation spatiale compacte et redevient la chromatine initiale. La mitose, c'est-à-dire la division d'un noyau en deux noyaux génétiquement identiques, vient de se terminer. La cytocinèse, ou division du cytoplasme, est déjà bien amorcée en général, de sorte que deux cellules filles distinctes apparaissent peu de temps après la mitose. Dans les cellules animales, la cytocinèse est associée à la formation d'un sillon de division, qui étrangle la cellule et la sépare en deux.

Chapitre 11 : La reproduction cellulaire **227**

Figure 11.7

Fuseau de division. (a) Cette micrographie électronique montre le fuseau de division pendant la métaphase (MET). Les chromosomes, alignés sur la plaque équatoriale, sont attachés aux microtubules kinétochoriens du fuseau qui rayonnent des pôles de la cellule. Les microtubules polaires, non rattachés à des chromosomes, se chevauchent à la plaque équatoriale. **(b)** Les kinétochores des deux chromatides d'un chromosome font face aux extrémités opposées de la cellule. De nombreux microtubules kinétochoriens sont attachés à chacun des deux kinétochores du centromère dédoublé. Un faisceau de microtubules constitue une fibre du fuseau (MET).

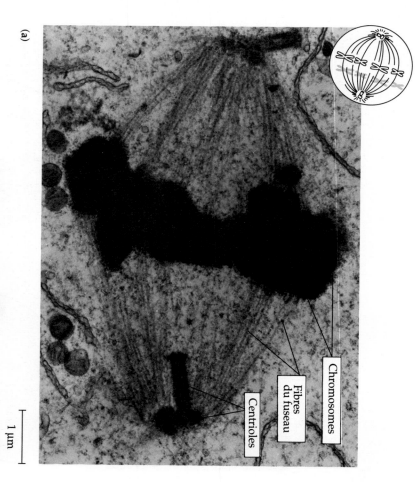

(a)

1 μm

Centrioles

Fibres du fuseau

Chromosomes

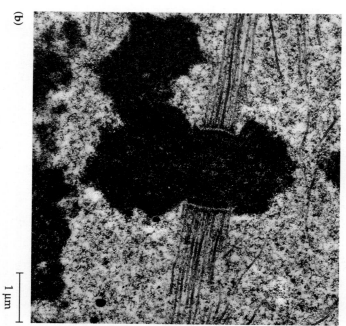

(b)

1 μm

constitue pendant la télophase à l'équateur de la cellule mère (figure 11.11). La plaque cellulaire se forme quand des vésicules dérivées de l'appareil de Golgi avancent sur des microtubules jusqu'au milieu de la cellule et y fusionnent. La fusion des vésicules donne deux membranes, qui finissent par s'unir latéralement avec la membrane plasmique existante. Le résultat : deux cellules filles possédant chacune leur membrane plasmique. Une nouvelle paroi cellulaire s'élabore entre les deux membranes de la

plaque cellulaire, selon le mécanisme décrit au chapitre 7. La figure 11.12 montre les étapes de la division cellulaire dans une cellule végétale.

Bien des détails de la mitose font encore l'objet de controverses que seules les expériences futures permettront de trancher. Presque tous les cytologistes *admettent* cependant que la chorégraphie complexe de la mitose représente un progrès évolutif qui a résolu chez les eucaryotes le problème de la perpétuation de génomes volumineux. (figure 11.13)

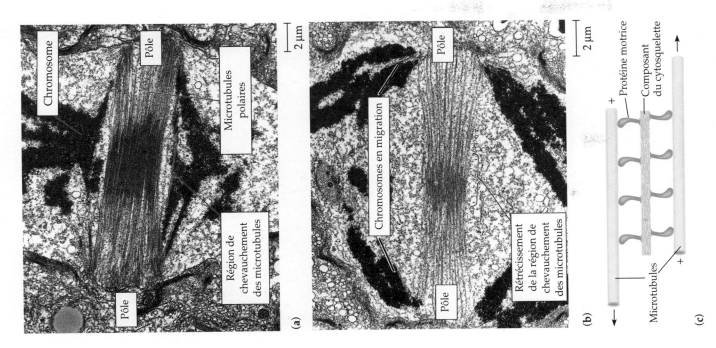

(a)

Chromosome

Pôle

Microtubules polaires

Région de chevauchement des microtubules

Pôle

2 µm

(b)

Pôle

Chromosomes en migration

Rétrécissement de la région de chevauchement des microtubules

Pôle

2 µm

(c)

Protéine motrice

Composant du cytosquelette

+

Microtubules

+

Figure 11.9
Mécanisme de l'élongation cellulaire pendant l'anaphase.
(a) Pendant la métaphase et le début de l'anaphase, les microtubules polaires se chevauchent à la plaque équatoriale (MET). **(b)** À mesure que l'anaphase progresse, les deux pôles de la cellule s'éloignent : la cellule entière allonge (MET). Ce changement de forme s'accompagne d'une diminution du degré de chevauchement des microtubules. On croit que le glissement des microtubules éloigne les deux pôles l'un de l'autre. **(c)** Une hypothèse veut que des protéines motrices reliant les microtubules à d'autres composantes du cytosquelette soient à l'origine du glissement.

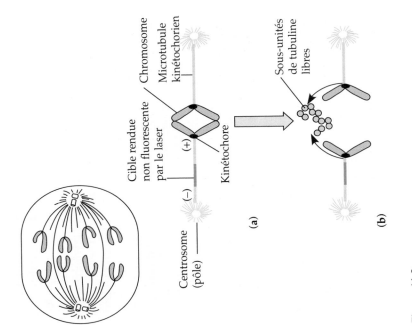

Centrosome (pôle)

Cible rendue non fluorescente par le laser

(+)

(–)

Chromosome

Microtubule kinétochorien

Kinétochore

(a)

Sous-unités de tubuline libres

(b)

Figure 11.8
Vérification d'une hypothèse relative à la séparation des chromosomes pendant l'anaphase. (a) Dans cette expérience, on marque les microtubules kinétochoriens avec un colorant fluorescent. Au début de l'anaphase, on dirige un faisceau laser sur les microtubules à mi-chemin environ entre le pôle et le kinétochore, afin d'éliminer la fluorescence dans cette zone cible. Ce traitement permet de suivre les variations de la longueur des microtubules de part et d'autre de la zone cible. **(b)** À mesure que l'anaphase progresse, les chromosomes se rapprochent des pôles, et le segment de microtubule situé du côté du kinétochore raccourcit. Le segment de microtubule situé du côté du centrosome, lui, reste de la même longueur. Cette expérience confirme l'hypothèse voulant qu'un chromosome se déplace le long de microtubules qui se dépolymérisent par leurs extrémités kinétochoriennes.

RÉGULATION DE LA DIVISION CELLULAIRE

Pour que les différentes parties d'une Plante ou d'un Animal croissent, se développent et se régénèrent normalement, la division cellulaire doit absolument se dérouler au moment opportun et au rythme approprié. Les modalités de la division cellulaire varient suivant le type de cellule. Les cellules épithéliales humaines, par exemple, se divisent fréquemment ; les cellules hépatiques, tout en conservant la faculté de se reproduire, se divisent seulement lorsque les circonstances l'exigent, en cas de lésion notamment ; certaines cellules, tels les neurones et les cellules musculaires, ne se divisent pas chez l'adulte.

Grâce à la culture cellulaire, les biologistes ont découvert bon nombre de facteurs physicochimiques qui stimulent ou inhibent la division cellulaire (voir l'encadré de

Figure 11.10
Cytocinèse dans une cellule animale. Cette micrographie électronique révèle le sillon de division se formant à la surface d'une cellule animale (MEB). Des microfilaments forment un anneau sur la face interne de la membrane plasmique, au niveau du sillon. Ces microfilaments se composent de protéines contractiles qui creusent le sillon de division jusqu'à ce que la cellule se scinde en deux.

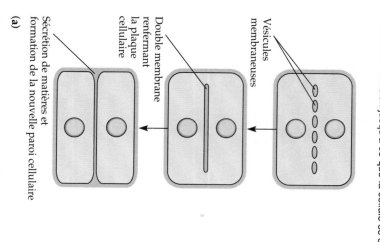

Vésicules membraneuses

Double membrane renfermant la plaque cellulaire

Sécrétion de matières et formation de la nouvelle paroi cellulaire

(a)

Figure 11.11
Cytocinèse par formation d'une plaque cellulaire dans une cellule végétale. Au cours de la télophase, des noyaux se forment aux deux pôles de la cellule. Pendant ce temps, **(a)** des vésicules membraneuses fusionnent et forment une double membrane qui renferme la plaque cellulaire, à l'équateur ; des matières sécrétées dans l'espace compris entre les deux feuillets de la membrane forment une nouvelle paroi cellulaire. **(b)** Cette micrographie électronique montre une plaque cellulaire en voie de formation dans une cellule située à l'extrémité de la racine d'un plant de Soja (Soya) (MET).

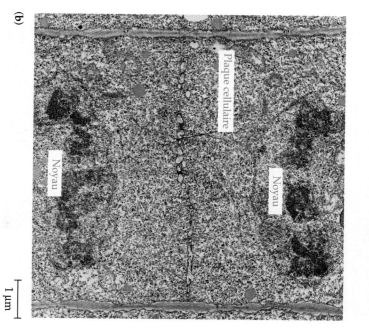

Noyau

Plaque cellulaire

Noyau

(b)

1 μm

---

la page 234). Par exemple, les cellules ne se divisent pas s'il manque un nutriment essentiel dans le milieu de culture. Les poisons qui inhibent la synthèse des protéines interrompent également la division cellulaire. Même quand toutes les autres conditions sont favorables, certaines cellules mammaliennes se diviseront seulement si le milieu de culture contient des substances régulatrices appelées **facteurs de croissance.** Les fibroblastes, notamment, ont besoin pour se diviser du facteur de croissance dérivé des plaquettes, ou PDGF (*platelet-derived growth factor*). La membrane plasmique des fibroblastes possède des récepteurs du PDGF, et la liaison de ce facteur de croissance à la cellule stimule la division. Cette régulation se réalise non seulement dans des conditions artificielles mais aussi *in vivo*. Ainsi, les plaquettes sanguines se fragmentent et libèrent du PDGF aux environs d'une lésion. La division des fibroblastes se trouve ainsi stimulée dans la région, ce qui favorise la cicatrisation. On croit que chaque type de cellule réagit spécifiquement à tel ou tel facteur de croissance ou à une combinaison de facteurs.

La densité de la population cellulaire joue également un rôle dans la régulation de la division (figure 11.14). Normalement, les cellules mises en culture se divisent jusqu'à ce qu'elles forment une couche simple dans le récipient, après quoi elles cessent de se diviser. Si on retire quelques cellules, celles qui bordent le vide recommencent à se diviser jusqu'à ce qu'elles comblent l'espace. L'entassement inhibe la division cellulaire, un phénomène appelé **inhibition de contact.** Les cellules d'une population se font concurrence pour les nutriments et les

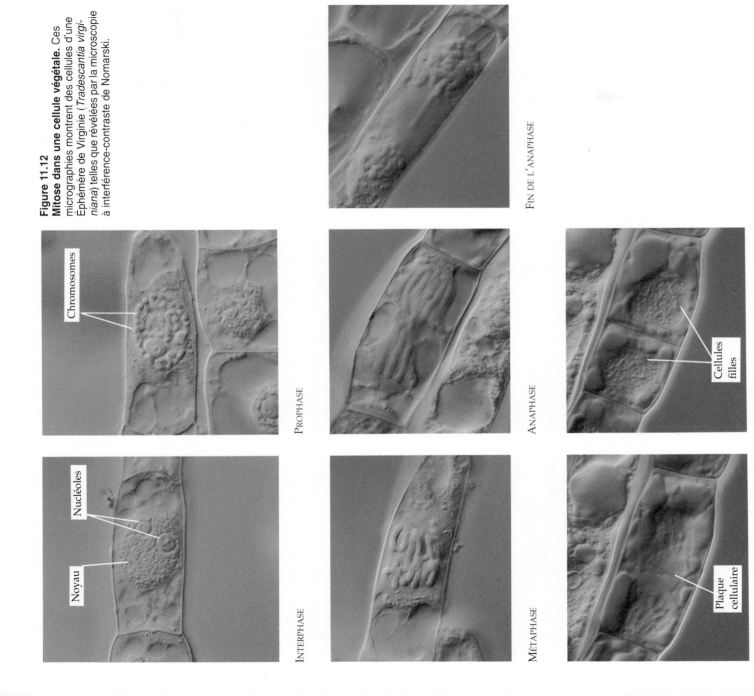

Figure 11.12
Mitose dans une cellule végétale. Ces micrographies montrent des cellules d'une Éphémère de Virginie (*Tradescantia virginiana*) telles que révélées par la microscopie à interférence-contraste de Nomarski.

INTERPHASE

Noyau

Nucléoles

PROPHASE

Chromosomes

MÉTAPHASE

ANAPHASE

Cellules filles

TÉLOPHASE

Plaque cellulaire

CYTOCINÈSE

FIN DE L'ANAPHASE

⊢ 10 µm

facteurs de croissance. Lorsque la population atteint une certaine densité, il semble que la quantité de substances essentielles impartie à chaque cellule ne suffise plus à alimenter la croissance de la population. Ce mécanisme de régulation s'effectue probablement dans les tissus autant que dans les cultures, ce qui maintient les populations cellulaires à une densité optimale. L'inhibition de

contact est liée à la nécessité pour les cellules d'adhérer à un substrat, qu'il s'agisse de l'intérieur d'un récipient de culture ou de la matrice extracellulaire d'un tissu. Les cellules cessent normalement de se diviser si elles perdent leur point d'ancrage. Les cellules cancéreuses, dont nous traiterons plus loin, ne subissent pas l'inhibition de contact.

La phase G$_1$ du cycle cellulaire revêt une importance cruciale dans la régulation de la division cellulaire. Vers la fin de cette phase, juste avant que ne débute la synthèse de l'ADN (la phase S) la cellule doit franchir une étape capitale, le **point de restriction (R)**. Il s'agit du moment décisif en ce qui concerne la poursuite ou l'arrêt du cycle. Si les composantes des milieux interne et externe sont favorables à la cellule, celle-ci poursuit le cycle en répliquant son ADN et en se divisant. Dans le cas contraire, la cellule entre dans un état de « repos » appelé **phase G$_0$**. La plupart des cellules de l'organisme se trouvent en phase G$_0$. Les plus spécialisées, les neurones et les cellules musculaires par exemple, ne se diviseront jamais plus. D'autres, telles les cellules hépatiques, peuvent réintégrer le cycle cellulaire sous l'effet de stimulations environnementales comme la libération de facteurs de croissance à la suite d'une lésion.

Pour les cellules qui prolifèrent activement dans des conditions favorables, la taille apparaît comme le principal critère de la poursuite ou de l'arrêt du cycle cellulaire. La cellule doit en effet atteindre une certaine taille pendant la phase G$_1$ pour que

Figure 11.13
Évolution de la mitose. La mitose est propre aux eucaryotes. Les procaryotes (les Bactéries) possèdent un très petit génome et se reproduisent par scissiparité. Quand les eucaryotes sont apparus, avec leur volumineux génome, la scissiparité a évolué vers la mitose. Les chercheurs qui s'intéressent à ce problème évolutif ont observé ce qu'ils croient être des mécanismes de division cellulaire intermédiaires entre la scissiparité et la mitose. La figure montre deux de ces variantes de la division cellulaire, ainsi que la scissiparité et la mitose.

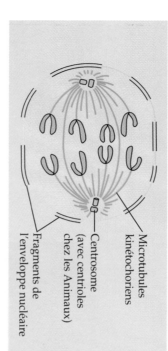

Microtubules kinétochoriens
Centrosome (avec centrioles chez les Animaux)
Fragments de l'enveloppe nucléaire

Chez la plupart des autres eucaryotes, dont les Végétaux et les Animaux, le fuseau se forme à l'extérieur du noyau, et l'enveloppe nucléaire se rompt durant la mitose. Des microtubules séparent les chromosomes, et l'enveloppe nucléaire se reconstitue.

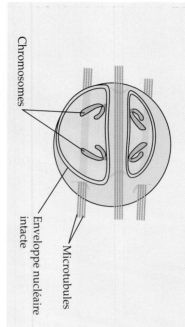

Microtubules kinétochoriens
Enveloppe nucléaire intacte

Chez d'autres Algues unicellulaires, appelées Diatomées, l'enveloppe nucléaire reste également intacte pendant la division cellulaire. Cependant, les microtubules forment un fuseau à l'intérieur du noyau. Ils séparent les chromosomes, et le noyau se divise en deux noyaux fils.

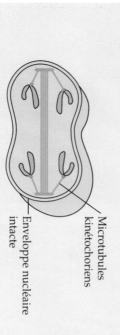

Chromosomes
Enveloppe nucléaire intacte
Microtubules

Les nombreux chromosomes d'une cellule eucaryote sont contenus dans un noyau. Chez les Algues unicellulaires appelées Dinoflagellés, l'enveloppe nucléaire reste intacte pendant la division cellulaire. Par endroits, des faisceaux de microtubules parallèles font pression sur l'enveloppe, qui se creuse en une série de canaux. Les microtubules ne s'attachent pas aux chromosomes. Les chromosomes adhèrent à l'enveloppe nucléaire au bord des canaux, de la même manière que le chromosome bactérien se fixe à la membrane plasmique. Les microtubules déterminent le plan de fission du noyau, qui se divise par la suite selon le modèle de la scissiparité bactérienne.

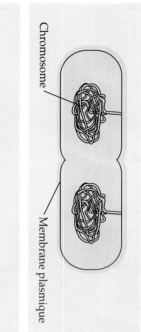

Chromosome
Membrane plasmique

Au cours de la scissiparité chez les Bactéries, les chromosomes fils sont attachés à la membrane plasmique. L'élongation de la cellule les sépare.

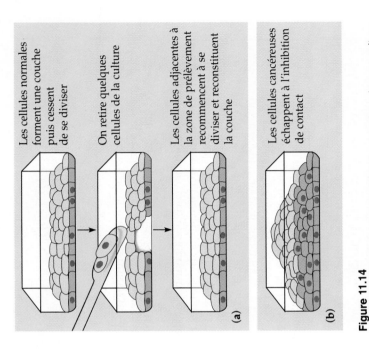

Les cellules normales forment une couche puis cessent de se diviser

On retire quelques cellules de la culture

Les cellules adjacentes à la zone de prélèvement recommencent à se diviser et reconstituent la couche

Les cellules cancéreuses échappent à l'inhibition de contact

(a)

(b)

Figure 11.14
Inhibition de contact. (a) Les cellules normales mises en culture se multiplient jusqu'à ce qu'elles aient formé une couche simple. La quantité de nutriments, de facteurs de croissance et de substrat limite la densité de la population cellulaire. Si on retire quelques cellules de la culture, celles qui bordent le vide recommencent à se diviser et comblent l'espace. **(b)** Les cellules cancéreuses, en revanche, continuent généralement de se diviser même après qu'elles ont formé une couche. (La taille des cellules apparaissant dans cette figure est exagérée.)

la synthèse de l'ADN puisse commencer. Comment la cellule « perçoit-elle » sa taille ? Il semble que le principal indicateur soit le rapport entre le volume cytoplasmique et la taille du génome. Pendant que la cellule croît par ajout de cytoplasme, la quantité d'ADN présente dans le noyau reste constante. La cellule peut passer le point de restriction et répliquer son ADN une fois que le rapport entre cytoplasme et génome atteint une valeur critique. S'il n'existait pas de mécanisme de régulation fondé sur la taille cellulaire, les cellules filles pourraient vraisemblablement rapetisser à chaque cycle cellulaire.

Le point de restriction est un point de non-retour. Le déclenchement de la phase S programme la cellule pour la phase G_2 et la phase M, peu importe les conditions externes comme l'apport de nutriments. Cela ne signifie pas que la cellule échappe à tout contrôle. La réalisation de chaque étape semble conditionnelle à la réussite de l'étape précédente. Par exemple, les chromosomes ne se condensent pas tant que la réplication n'a pas eu lieu, la membrane nucléaire ne se rompt pas tant que les chromosomes ne se sont pas condensés, le fuseau ne sépare pas les chromatides sœurs tant que les chromosomes n'ont pas rejoint la plaque équatoriale, et la cytocinèse ne se produit pas tant que les chromosomes n'ont pas atteint les pôles de la cellule. Les cytologistes ne font que commencer à découvrir les « interrupteurs » qui commandent cet enchaînement précis.

Les chercheurs ont néanmoins découvert le régulateur qui permet à la cellule de passer de la fin de l'interphase (G_2) à la mitose. Il s'agit d'un complexe protéique appelé **MPF** (pour *maturation promoting factor*). La quantité de MPF présente dans la cellule fluctue de manière cyclique en concordance avec le cycle cellulaire. Le MPF apparaît à la fin de l'interphase, atteint sa concentration maximale pendant la mitose, puis disparaît à la fin de la mitose. Lorsque le MPF atteint une certaine concentration critique dans une cellule en phase G_2, la prophase commence et la cellule s'engage dans la division. Une forte concentration de MPF est nécessaire à la poursuite des phases de la mitose, tandis que la fin de la mitose et la transition à la phase G_1 de l'interphase suivante. Comme la plupart des percées scientifiques, la découverte du MPF a soulevé bon nombre de questions. Comment le MPF produit-il les changements qui surviennent pendant la mitose ? Qu'est-ce qui cause la fluctuation cyclique de la concentration de MPF ? Tâchons de répondre à ces questions.

Le MPF déclenche la mitose au moyen de son action enzymatique. Le MPF appartient à une famille d'enzymes appelées protéines-kinases. Une **protéine-kinase** active des protéines, y compris d'autres enzymes, en catalysant le transfert d'un groupement phosphate de l'ATP à chaque protéine cible. Certaines de ces cibles sont *elles-mêmes* des protéines-kinases qui phosphorylent d'autres protéines en une cascade d'étapes d'activation (figure 11.15). Ce mécanisme permet à un interrupteur principal, le MPF dans le cas du cycle cellulaire, de causer différents changements dans la cellule. Par exemple, l'activation du MPF provoque la phosphorylation de certaines protéines de la chromatine, ce qui entraîne la condensation des chromosomes pendant la prophase. Au cours de la prométaphase, l'enveloppe nucléaire se frag-

mente à la suite de la phosphorylation de certaines de ses protéines membranaires. On croit que le MPF actif est nécessaire à l'accomplissement de la mitose dans son ensemble.

Examinons de plus près la structure du MPF, pour comprendre la variation rythmique de sa concentration au cours du cycle cellulaire. Le MPF actif se compose de deux protéines, la *cdc2* et la **cycline**. La *cdc2* est la protéine-kinase, l'enzyme qui fait passer le cycle de l'interphase à la phase M. Or, la *cdc2* ne devient active que si elle se lie à la cycline. La concentration de *cdc2* demeure constante pendant tout le cycle cellulaire, mais celle de la cycline fluctue de façon rythmique (d'où le nom *cycline*). La concentration molaire volumique de cycline augmente régulièrement pendant le cycle cellulaire, et ce jusqu'à la fin de la mitose, lorsqu'une enzyme la détruit. Puis, pendant l'interphase suivante, la concentration de cycline recommence à s'élever. La quantité de MPF actif varie suivant l'augmentation et la diminution de la concentration de cycline (figure 11.16). Pendant l'interphase, la cycline nouvellement synthétisée se lie à la *cdc2* pour former du MPF actif, et la mitose commence. Ce faisant, la cycline signe son arrêt de mort, car l'une des

Techniques : Culture cellulaire

On peut prélever et cultiver en milieu artificiel une grande variété de cellules animales et végétales. Les cytologistes peuvent ainsi étudier le cycle cellulaire et beaucoup d'autres activités cellulaires dans des conditions contrôlées.

L'expérience représentée ci-contre a pour but de déterminer l'effet d'un facteur de croissance particulier sur la division des fibroblastes humains. Les fibroblastes sont les cellules du tissu conjonctif qui sécrètent le collagène. Cette protéine compose les fibres extracellulaires qui soutiennent nos tissus et nos organes (voir le chapitre 5 et la figure 36.4). Les fibroblastes étudiés ici proviennent d'un petit échantillon de tissu prélevé par biopsie. L'isolement de ces cellules s'effectue en deux étapes. Premièrement, on dissèque l'échantillon de tissu pour en retirer des fragments de tissu conjonctif. Deuxièmement, on ajoute des enzymes aux fragments pour dégrader les fibres de collagène et les autres constituants de la matrice extracellulaire ; on obtient ainsi une suspension de fibroblastes libres. On place les fibroblastes isolés dans un récipient de culture, en l'occurrence un flacon plat couché. Les cellules adhèrent au verre de la paroi et baignent dans un milieu de culture de composition connue. Il est essentiel de stériliser les récipients et les milieux de culture avant l'utilisation, afin d'éliminer les microorganismes qui pourraient contaminer les cultures. Le milieu de culture est un mélange complexe de glucose, d'acides aminés, de sels et d'antibiotiques (une précaution supplémentaire contre la croissance bactérienne). Les cultures sont incubées à une température optimale, soit 37 °C pour les fibroblastes humains.

Dans notre expérience, certains récipients contiennent seulement le milieu fondamental décrit plus haut, tandis que d'autres renferment en plus une protéine appelée facteur de croissance dérivé des plaquettes (PDGF). Chez les Vertébrés, les plaquettes sanguines libèrent ce facteur de croissance au siège d'une lésion, ce qui stimule la prolifération des fibroblastes avoisinants. Il s'agit là d'une étape importante de la cicatrisation. Notre expérience confirme que le PDGF stimule la division cellulaire de fibroblastes en culture.

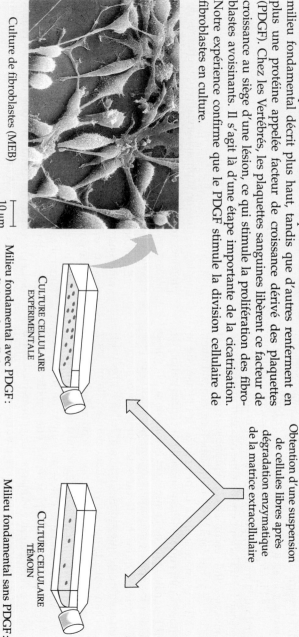

Culture de fibroblastes (MEB)

10 μm

DISSECTION

Obtention d'une suspension de cellules libres après dégradation enzymatique de la matrice extracellulaire

CULTURE CELLULAIRE EXPÉRIMENTALE

Milieu fondamental avec PDGF : division des cellules

CULTURE CELLULAIRE TÉMOIN

Milieu fondamental sans PDGF : absence de division cellulaire

internes et externes agissant sur la division. La quantité de nutriments et de facteurs de croissance disponibles, la densité de la population cellulaire et le stade de développement de la cellule influent sur la durée de la phase G_1 et déterminent si la cellule passera le point de restriction et se divisera. Une cellule qui ne franchit pas le point de restriction ne poursuit pas le cycle cellulaire,

enzymes activées par le MPF est précisément celle qui élimine la cycline. La dégradation de la cycline cause à son tour la baisse de la concentration de MPF actif à la fin de la mitose.

Résumons donc la régulation du cycle cellulaire. La phase G_1 est la plus variable, tant du point de vue de la durée que du point de vue des facteurs de régulation

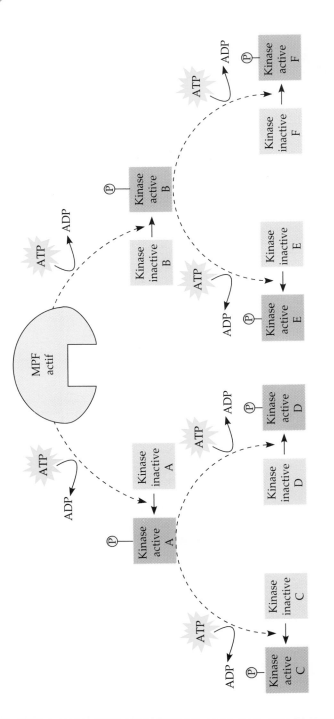

Figure 11.15
MPF et cascade enzymatique. Le MPF déclenche la mitose. Il contient une protéine-kinase (*cdc2*) qui active d'autres protéines en les phosphorylant (avec un groupement phosphate pris à l'ATP). Certaines des protéines activées par le MPF sont elles-mêmes des protéines-kinases, et elles activent à leur tour d'autres protéines-kinases. Diverses kinases activent aussi des protéines qui participent directement au mécanisme de la mitose. Cette réaction en chaîne accroît et diversifie les effets du MPF sur la cellule entière.

temporairement ou définitivement, et devient une cellule en phase G$_0$. Si toutes les conditions s'avèrent favorables à la division cellulaire, la cellule franchira le point de restriction quand le rapport entre volume et génome aura atteint une certaine valeur. La cellule est alors « condamnée » à se diviser. Elle réplique ses chromosomes pendant la phase S et continue de croître pendant la phase G$_2$, dernière période de l'interphase. Le passage de l'interphase à la mitose (phase M) nécessite une concentration critique de MPF, l'horloge moléculaire qui synchronise les étapes de la reproduction cellulaire. Le cycle cellulaire comprend donc un point de non-retour (point de restriction) et un mécanisme de régulation qui orchestre la division une fois que la cellule s'est engagée sur la voie de la reproduction.

DIVISION CELLULAIRE ANORMALE : LES CELLULES TUMORALES

Les cellules tumorales n'obéissent pas aux mécanismes de régulation de l'organisme. Elles se divisent d'une manière excessive et anarchique et certaines envahissent d'autres tissus. Si on ne les détruit pas, elles peuvent tuer l'organisme.

L'étude de cellules tumorales en culture a révélé que les facteurs de régulation qui font normalement cesser la croissance n'ont aucun effet sur elles. Plus particulièrement, les cellules tumorales en culture sont insensibles à l'inhibition de contact (voir la figure 11.14b). Elles continuent de se multiplier même quand elles se touchent déjà, et elles s'empilent jusqu'à ce qu'elles aient épuisé les nutriments du milieu de culture.

Les autres caractéristiques des cellules tumorales relèvent d'une perturbation du cycle cellulaire. Ainsi, le point de restriction de la phase G$_1$ ne signifie rien pour les cellules tumorales ; si elles décident de ne plus se diviser, elles le feront un peu n'importe quand. En outre, les cellules tumorales en culture peuvent continuer de se diviser indéfiniment si elles reçoivent continuellement des nutriments. En ce sens, on les dit « immortelles ». À preuve, il en existe aux États-Unis, une lignée, qui se reproduit en culture depuis 1951. En comparaison, presque toutes les cellules mammaliennes normales en culture se divisent pendant 20 à 50 générations ; après quoi, le tissu vieillit et meurt.

Le comportement des cellules tumorales peut avoir des conséquences catastrophiques. Le problème commence avec la **transformation** d'une première cellule, c'est-à-dire son passage de l'état normal à l'état prolifératif. Normalement, le système de défense de l'organisme, le système immunitaire, détruit la rebelle. (Nous traiterons du système immunitaire au chapitre 39.) Mais si la cellule anormale réussit de quelque manière à échapper au système immunitaire, elle peut proliférer au point de former une **tumeur** (ou néoplasme), une masse anormale de cellules logée à l'intérieur d'un tissu (figure 11.17). Si les cellules demeurent localisées, on appelle la masse **tumeur bénigne.** Généralement, les tumeurs bénignes ne causent pas de troubles graves et on peut en faire l'ablation complète au cours d'une intervention chirurgicale. Par contre, les cellules d'une **tumeur maligne** se propagent à d'autres parties de l'organisme. On dit d'une personne qui a une tumeur maligne qu'elle est atteinte du cancer.

La division anarchique ne constitue pas la seule anomalie des cellules des tumeurs malignes. Ces cellules

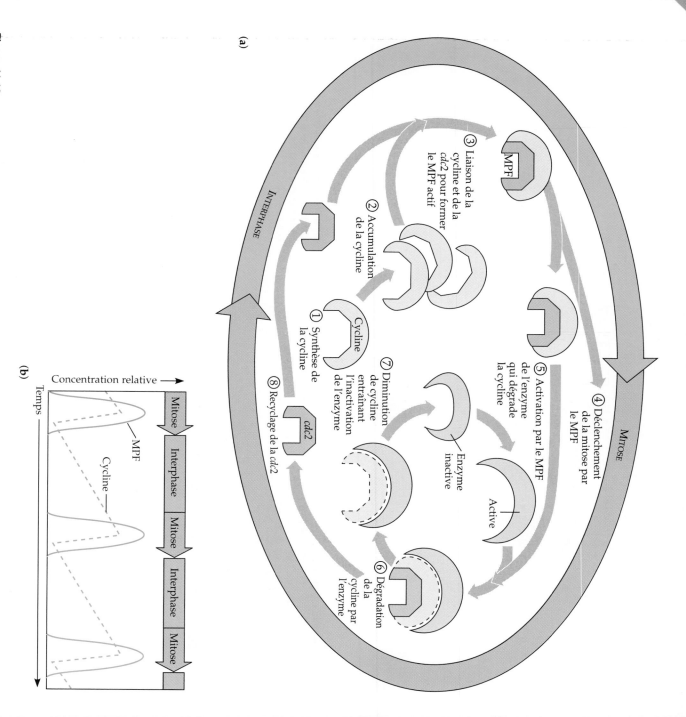

(a)

(b)

Concentration relative →

Mitose | Interphase | Mitose | Interphase | Mitose

MPF

Cycline

Temps →

Figure 11.16
Horloge mitotique. (a) Au cours d'un cycle qui synchronise les événements clés de la division cellulaire, l'activité du MPF, qui déclenche la mitose, fluctue suivant les variations rythmiques de la concentration de cycline. ① La cycline est synthétisée tout au long du cycle cellulaire et ② s'accumule au début de l'interphase. ③ La cycline s'associe à une autre protéine, la *cdc2*, pour former le MPF actif. ④ Le MPF agit globalement comme une protéine-kinase et active de nombreuses protéines qui facilitent la mitose. ⑤ L'une des protéines activées par le MPF est une enzyme qui ⑥ fait cesser l'activité du MPF en dégradant la cycline. ⑦ Comme l'enzyme qui dégrade la cycline ne devient active qu'en présence de MPF, elle cesse de fonctionner après avoir détruit la cycline. ⑧ La *cdc2* du MPF est recyclée, et on revient à l'étape ①; la synthèse de nouvelle cycline produit un autre pic dans l'activité du MPF. **(b)** Le graphique compare les pics de l'activité du MPF à la concentration de cycline.

peuvent également contenir un nombre inhabituel de chromosomes. Leur métabolisme peut être perturbé, de sorte que leur fonctionnement devient totalement désordonné. Leur surface présentant des changements atypiques, elles perdent leurs liens avec les cellules adjacentes et avec le substrat extracellulaire. Elles peuvent alors se répandre dans les tissus voisins de la tumeur. En outre, les cellules cancéreuses peuvent se séparer de la tumeur et entrer dans les vaisseaux sanguins et lymphatiques. Elles envahissent ainsi d'autres

Figure 11.17
Croissance et métastase d'une tumeur maligne du sein.
Les cellules d'une tumeur maligne (cancéreuse) croissent anarchiquement ; elles peuvent se propager aux tissus adjacents et, par l'intermédiaire du système circulatoire, à d'autres parties de l'organisme. La dissémination de cellules cancéreuses à l'extérieur du foyer primitif s'appelle métastase.

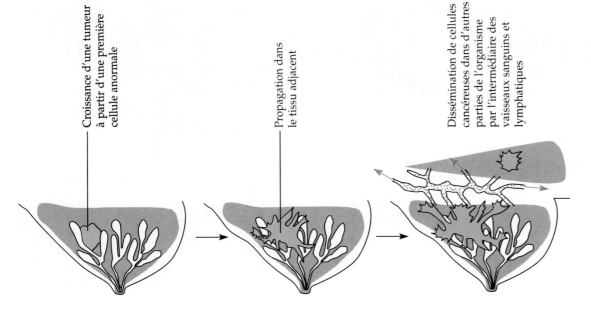

Croissance d'une tumeur à partir d'une première cellule anormale

Propagation dans le tissu adjacent

Dissémination de cellules cancéreuses dans d'autres parties de l'organisme par l'intermédiaire des vaisseaux sanguins et lymphatiques

parties du corps, y prolifèrent et forment d'autres tumeurs. Cette propagation de cellules cancéreuses s'appelle **métastase.** (Les tumeurs secondaires sont aussi appelées métastases.) Généralement, on traite les métastases au moyen de radiations et de substances cytotoxiques, particulièrement nocives pour les cellules en voie de division.

Les chercheurs commencent à comprendre par quelles modifications génétiques une cellule normale se transforme en cellule tumorale. (Nous nous pencherons sur le rôle de l'ADN dans le cancer au chapitre 18.) Néanmoins, on sait encore peu de choses sur la façon dont les changements du génome causent les diverses anomalies des cellules tumorales. Comment pourrait-il en être autrement, puisque nos connaissances sur le fonctionnement normal des cellules restent fort lacunaires ? La cellule, l'unité structurale et fonctionnelle des êtres vivants, recèle suffisamment de secrets pour occuper la recherche pendant bien des années.

*   *   *

Avec ce chapitre sur la reproduction cellulaire, nous avons fait le lien entre la cellule et le sujet de la partie suivante, les gènes et leur rôle dans l'hérédité.

RÉSUMÉ DU CHAPITRE

1. La perpétuation de la vie, qu'il s'agisse d'organismes unicellulaires ou pluricellulaires, repose sur la division cellulaire. La division cellulaire assure le développement, la croissance et la régénération.

2. La capacité de réplication de l'ADN est essentielle à la production de cellules filles génétiquement équivalentes.

Reproduction bactérienne (p. 222)

La cellule procaryote se reproduit par scissiparité, c'est-à-dire qu'elle se divise en deux après réplication de son unique chromosome.

Chromosomes eucaryotes : introduction (p. 222-224)

1. La division de la cellule eucaryote se compose de la mitose (division du noyau) et de la cytocinèse (division du cytoplasme).

2. Le regroupement des gènes en chromosomes permet à la cellule eucaryote de copier et de distribuer un génome très volumineux.

3. Les chromosomes se composent de chromatine, un complexe filamenteux d'ADN et de protéines qui se condense pendant la mitose.

4. Au cours de la réplication, chaque chromosome forme deux chromatides sœurs identiques réunies par leur centromère. Les chromatides se séparent pendant la mitose et deviennent alors les chromosomes des cellules filles.

Caractéristiques générales du cycle cellulaire (p. 224)

1. Le cycle cellulaire est l'enchaînement des événements qui marquent la vie des cellules en voie de division. La phase M du cycle cellulaire comprend la mitose et la cytocinèse.

2. Entre les divisions, la cellule se trouve en interphase. Il s'agit d'une période de croissance active composée des phases G_1, S et G_2. La réplication de l'ADN a lieu pendant la phase S (synthèse).

Mécanisme de la division cellulaire (p. 224-228)

1. La phase M est un enchaînement dynamique de changements que l'on répartit traditionnellement en cinq phases : la prophase, la prométaphase, la métaphase, l'anaphase et la télophase.

2. Le fuseau de division est un complexe de microtubules qui orchestre le mouvement des chromosomes pendant la

mitose. Durant la prophase, le fuseau commence à se former à partir du centrosome, une région située près du noyau et associée aux centrioles dans les cellules animales.

3. Le fuseau comprend des microtubules kinétochoriens, qui s'attachent aux kinétochores des chromatides et déplacent les chromosomes vers l'équateur de la cellule pendant la prométaphase.

4. L'alignement des chromosomes sur la plaque équatoriale caractérise la métaphase.

5. Pendant l'anaphase, les chromatides sœurs se séparent et deviennent des chromosomes indépendants qui se dirigent vers les pôles de la cellule. Les microtubules kinétochoriens raccourcissent par leur extrémité kinétochorienne, et les chromosomes avancent le long des microtubules. En même temps, le glissement des microtubules polaires les uns sur les autres allonge la cellule entière dans l'axe des pôles.

6. Pendant la télophase, des noyaux fils se forment aux extrémités opposées de la cellule en voie de division. Dans la plupart des cas, la mitose est suivie de la cytocinèse; celle-ci comporte la formation d'un sillon de division dans les cellules animales et la formation d'une plaque cellulaire dans les cellules végétales.

Régulation de la division cellulaire (p. 229-235)

1. Le moment, le rythme et le site de la division cellulaire dans un organisme sont des facteurs déterminants pour la croissance, le développement et la régénération.

2. La culture cellulaire représente un moyen efficace d'étudier le cycle cellulaire. Elle a permis aux cytologistes de découvrir les nutriments, les facteurs de croissance et les autres éléments nécessaires à la division cellulaire.

3. Le point de restriction, vers la fin de la phase G_1, constitue un moment critique du cycle cellulaire. À ce point, soit que la cellule entre en « repos » (G_0), soit qu'elle entreprenne la synthèse de l'ADN (S) et la division (M). Pour que la cellule franchisse le point de restriction, le rapport entre volume et génome doit avoir atteint une certaine valeur critique; d'autres conditions propres au milieu et au développement de la cellule doivent aussi être réunies.

4. Un complexe protéique appelé MPF déclenche la mitose et active d'autres protéines nécessaires à la division cellulaire. La cycline, un des composants du MPF, subit des variations rythmiques de concentration qui concourent à orchestrer les évènements du cycle cellulaire. La cycline doit s'associer à une autre protéine, la $cdc2$, pour former du MPF actif.

Division cellulaire anormale: les cellules tumorales (p. 235-237)

1. Les cellules tumorales échappent aux mécanismes de régulation normaux et elles se divisent anarchiquement.

2. Les tumeurs malignes sont celles qui se propagent aux tissus environnants ou qui exportent des cellules cancéreuses à d'autres parties du corps par l'intermédiaire du système circulatoire. Ce dernier processus s'appelle métastase.

AUTO-ÉVALUATION

1. La reproduction bactérienne *ne* fait *pas* intervenir:
   a) la réplication de l'ADN.
   b) la scissiparité.
   c) la mitose.
   d) la synthèse d'une nouvelle paroi cellulaire.
   e) l'élongation de la cellule mère.

2. Vous observez au microscope la formation d'une plaque cellulaire à l'équateur d'une cellule; vous voyez aussi des noyaux qui se reconstituent aux pôles de la cellule. Il s'agit vraisemblablement d'une:
   a) cellule animale pendant la cytocinèse.
   b) cellule végétale pendant la cytocinèse.
   c) cellule animale pendant la phase S.
   d) cellule bactérienne pendant la métaphase.
   e) cellule végétale pendant la métaphase.

3. Pendant quelle phase l'ADN se réplique-t-il?
   a) La phase G_0.
   b) La phase G_1.
   c) La phase G_2.
   d) La phase S.
   e) La phase M.

4. Une cellule spécialisée qui ne se divise plus se trouve généralement arrêtée en phase:
   a) S.
   b) G_1.
   c) G_2.
   d) M.
   e) G_0.

5. Au cours de la mitose, la cytocinèse chevauche généralement quelle phase?
   a) L'interphase.
   b) La prophase.
   c) La métaphase.
   d) L'anaphase.
   e) La télophase.

6. Pendant quelle phase un chromosome atteint-il son élongation maximale?
   a) La prométaphase.
   b) La prophase.
   c) La télophase.
   d) L'anaphase.
   e) La métaphase.

7. Une cellule contient deux fois moins d'ADN qu'une autre cellule en mitose active. La première cellule se trouve donc en:
   a) phase G_1.
   b) phase G_2.
   c) prophase.
   d) métaphase.
   e) anaphase.

8. Qu'est-ce qui cause la diminution de la concentration de MPF actif à la fin de la mitose?
   a) La dégradation de la protéine $cdc2$.
   b) L'inactivation des kinases.
   c) La dégradation de la cycline.
   d) La synthèse de l'ADN.
   e) L'augmentation du rapport volume/génome.

9. Laquelle des caractéristiques suivantes distingue les cellules tumorales des cellules normales?
   a) Les cellules tumorales ne synthétisent pas d'ADN.
   b) Le cycle cellulaire des cellules tumorales est bloqué à la phase S.
   c) Les cellules tumorales continuent de se diviser même si elles sont entassées.
   d) Les cellules tumorales fonctionnent mal parce qu'elles subissent une inhibition de contact.
   e) Les cellules tumorales sont toujours en phase M.

10. La micrographie photonique ci-dessous montre des cellules en voie de division, situées à l'extrémité d'une racine

d'Oignon. Trouvez une cellule en interphase, en prophase, en métaphase et en anaphase.

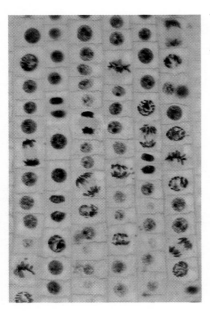

25 μm

QUESTIONS À COURT DÉVELOPPEMENT

1. Décrivez les principaux événements de chaque phase de la mitose.

2. Expliquez comment les chromosomes en viennent à se positionner adéquatement pour s'aligner sur la plaque équatoriale.

3. Expliquez, en dressant un schéma de concepts, le mécanisme de « l'horloge mitotique ».

4. On dit d'une cellule mère se reproduisant par mitose qu'elle est immortelle. En vous servant des notions acquises au cours de ce chapitre, confirmez ou réfutez cette affirmation.

RÉFLEXION-APPLICATION

1. On étend sur une lame des cellules provenant d'une culture, on les fixe, on les colore et on les examine au microscope. On observe 100 cellules : neuf sont en prophase, cinq en métaphase, deux en anaphase, quatre en télophase ; les 80 autres sont en interphase. Répondez aux questions suivantes.

   a) Sachant que l'indice mitotique représente le pourcentage de cellules en phase M dans une population, trouvez l'indice mitotique de cette culture cellulaire.

   b) La durée d'une phase du cycle cellulaire correspond approximativement à la fraction de cellules se trouvant dans cette phase multipliée par la durée totale du cycle et par un facteur de correction. Ce dernier vaut environ 0,7 pour des cellules en phase G_1, 1,05 en phase S et 1,4 lors de la mitose. La durée moyenne du cycle cellulaire dans cette culture est de 20 heures. Quelle est la durée de l'interphase ? De la métaphase ?

   c) On mesure la quantité moyenne d'ADN dans les cellules de la culture. Parmi les cellules en interphase, 50 % contiennent 10 ng (1 nanogramme = 10^{-9} g) d'ADN ; 20 % contiennent 20 ng d'ADN ; les 30 % restants contiennent entre 10 et 20 ng d'ADN. En vous fondant sur ces données, déterminez la durée des phases G_1, S et G_2.

2. Vingt-quatre heures environ après la fécondation d'un ovule humain par un spermatozoïde, le zygote (l'ovule fécondé) se divise pour la première fois. Les deux cellules filles restent généralement accolées, et leurs divisions successives produisent un embryon pluricellulaire. Il peut arriver, cependant, que les deux cellules filles formées par la première division du zygote se séparent. Chacune de ces cellules forme ensuite un embryon complet, et non pas une moitié d'embryon ni un embryon anormal. En vous fondant sur les connaissances

que vous avez acquises dans ce chapitre, expliquez pourquoi les jumeaux monozygotes ont de bonnes chances d'être identiques du point de vue génétique.

SCIENCE, TECHNOLOGIE ET SOCIÉTÉ

1. Imaginez que le gouvernement fédéral vous a accordé une subvention de recherche de 125 000 $ puisée à même les fonds réservés à la recherche sur le cancer. Or, vous ne travaillez aucunement sur le cancer. Votre recherche est de nature fondamentale : vous cultivez des cellules d'embryons de Souris et vous mesurez les concentrations de protéines clés au cours du cycle cellulaire normal. Un ami qui ne fait pas le rapport entre votre travail et la recherche sur le cancer vous accuse de dilapider l'argent des contribuables. Que lui direz-vous pour le persuader que vous faites bon usage de l'argent reçu ? Le souci que manifeste le public envers l'utilisation des fonds de recherche menace-t-il la recherche fondamentale ?

2. Une société de biotechnologie a réussi à extraire de la vanille naturelle de cellules en culture. La vanille extraite des gousses du Vanillier coûte environ 800 $ le kilogramme. La vanilline, un parfum synthétique utilisé dans beaucoup de préparations commerciales, coûte environ 5 $ le kilogramme, mais elle est dépourvue des composés présents à l'état de traces qui donnent à la vanille naturelle sa saveur complexe. La vanille produite par culture cellulaire coûte environ 130 $ le kilogramme, ce qui en fait un produit avantageux du point de vue économique. Connaissez-vous d'autres produits que l'on pourrait obtenir au moyen de la culture cellulaire ? Quels seraient les avantages et les inconvénients d'un tel mode de production ?

LECTURES SUGGÉRÉES

Alberts, B. et coll., *Biologie moléculaire de la cellule*, 2e éd., Paris, Flammarion, 1990. (Le chapitre 11 analyse la croissance et la division cellulaire.)

Darnell, J., H. Lodish et D. Baltimore, *Biologie moléculaire de la cellule*, 2e éd., Bruxelles, De Boeck-Wesmael, 1993. (Le chapitre 5 traite de la division cellulaire ; le chapitre 21 explique en détail le rôle des microtubules dans la mitose.)

Debuire, B. et P. May, « Une protéine pivot de la cancérisation », *La Recherche*, n° 234, juillet-août 1991. (Une protéine [p[53]] interfère avec une protéine-kinase du cycle cellulaire.)

Green, H., « Les applications médicales des cultures cellulaires », *Pour la Science*, n° 171, janvier 1992. (Les cultures d'épiderme humain facilitent le traitement de brûlures et de lésions.)

Lantieri, M.-F., « Myc, le gène de la vie et de la mort », *Science & vie*, n° 904, janvier 1993. (Découverte d'un gène détenant un pouvoir de vie ou de mort sur la cellule et se trouvant à l'origine de cancers.)

Liotta, L., « La formation des métastases cancéreuses », *Pour la Science*, n° 174, avril 1992. (Cet article cherche à élucider les mécanismes d'invasion des cellules tumorales.)

Maillet, M., *Biologie cellulaire*, 6e éd., Paris, Masson, 1992. (Cet ouvrage présente au chapitre 5 une étude détaillée du cycle et de la division cellulaires.)

Marieb, E. N., *Anatomie et physiologie humaines*, Saint-Laurent, ERPI, 1993. (Une partie du chapitre 3 traite du cycle cellulaire, de sa régulation et de la mitose.)

Murray, A. et M. Kirschner, « Le contrôle du cycle cellulaire », *Pour la Science*, n° 163, mai 1991. (Cet article explique pourquoi le principal régulateur du cycle cellulaire est une protéine commune à la plupart des organismes.)

Poupon, M.-F. et V. Ling, « L'évolution des tumeurs malignes », *Pour la Science*, n° 149, mars 1990. (Découverte d'un mécanisme génétique permettant aux cellules tumorales de s'adapter et de résister aux agressions.)

Roission, P., « La division cellulaire expliquée », *Science & Vie*, n° 912, septembre 1993. (Cet article explique comment la cellule reçoit l'ordre de se diviser.)

ENTRETIEN AVEC DAVID SUZUKI

Lorsque je me suis présenté à la douane canadienne de l'aéroport de Vancouver en allant réaliser cette entrevue, l'agent m'a demandé ce que je venais faire au Canada. J'ai expliqué que je devais rencontrer David Suzuki pour l'interviewer. L'agent m'a alors dit : « Oh! Ici, au Canada, tout le monde connaît David Suzuki! » Professeur de génétique à l'Université de Colombie-Britannique, David Suzuki anime « The Nature of Things », une des émissions télévisées les plus regardées au Canada. Il est aussi auteur et co-auteur de nombreux articles de recherche et ouvrages, dont le fameux manuel de génétique intitulé Introduction à l'analyse génétique (ERPI, 1991), et Genethics : The Ethics of Engineering Life (Harvard University Press, 1989). Dans cette entrevue, le Pr Suzuki nous parle des responsabilités particulières qui incombent aux chercheurs et à ceux qui enseignent les sciences.

Comment votre intérêt pour la biologie et la génétique est-il apparu ?

C'est mon père qui a été la plus grande source d'inspiration et le meilleur modèle pour moi. Son influence remonte à mes souvenirs les plus anciens, où il est surtout question de camping et de pêche. Mon père n'a jamais été attiré par la réussite matérielle, et mon grand-père le considérait un peu comme un rêveur. Mais c'est certainement à lui que je dois mon grand amour de la nature. Quand j'avais environ neuf ans, ma mère m'a confectionné un filet à papillons à l'aide d'une pièce de tissu à moustiquaire et j'ai commencé à collectionner des insectes, ce qui est resté un de mes principaux passe-temps pendant de nombreuses années. Mais mon grand amour de la nature m'est venu de la pêche, et je voulais devenir ichtyologiste. Un jour, j'ai rencontré un des plus grands naturalistes du Musée royal de l'Ontario, qui m'a dit : « Écoute, c'est un passe-temps formidable, mais n'essaie surtout pas d'en faire une profession. » Je repense souvent à lui ; voilà un homme qui, à mes yeux, avait un des plus beaux métiers du monde, conservateur dans un musée, et qui essayait de me

dissuader d'exercer la profession de mon choix, me conseillant plutôt de m'orienter par exemple vers la médecine pour gagner ma vie. C'était regrettable. J'encourage toujours les jeunes à aller vers un travail qu'ils aiment vraiment, parce qu'ils le feront longtemps. J'ai fréquenté le Collège Amherst et je me destinais en principe à des études de médecine. Or, en troisième année, j'ai pris un cours de génétique parce qu'il était obligatoire pour les étudiants au baccalauréat avec spécialisation. Lorsque j'ai vu toute la précision et toute la grâce avec lesquelles la génétique permettait de saisir le monde, j'en suis tombé éperdument amoureux. Je pense que j'ai tout de suite aimé travailler avec des Drosophiles parce que les insectes m'avaient toujours passionné lorsque j'étais enfant.

Vous avez écrit sur l'influence que votre expérience de professeur au niveau du baccalauréat a exercé sur votre propre cheminement. Pouvez-vous nous citer un exemple ?

Dans les cours de base, il ne se passe pas une année sans qu'un étudiant me pose une question à laquelle je n'avais jamais pensé.

Et cette expérience vous a amené à vous intéresser à l'éthique en science ?

Elle a déclenché chez moi toute une réflexion. Je suis passé par l'université juste

On se trouve vraiment pris au dépourvu. On se rend compte que les étudiants qui commencent le programme n'ont pas tous les préjugés et idées reçues, et il leur arrive donc de poser des questions qui nous font regarder les choses sous un autre angle.

L'histoire de Martin Greenall est particulièrement révélatrice. Martin est probablement le meilleur élève que j'aie jamais eu en génétique à l'Université de Colombie-Britannique. Le soir, il organisait des conférences pour les étudiants que cela intéressait, et il m'avait demandé de venir leur parler des perspectives du génie génétique. À cette époque, pendant les années soixante, c'était très facile : il suffisait de parler du clonage et de tous ces sujets futuristes pour que les étudiants ouvrent de grands yeux et soient très impressionnés. Mais à la fin de ma présentation, Martin s'est levé pour dire : « Vous vous inquiétez de l'utilisation abusive de la science ; vous connaissez l'histoire du nazisme, entre autres. Et le dossier de la génétique n'est pas très reluisant. Alors pourquoi continuez-vous de travailler dans un domaine qui donnera probablement lieu à des applications abusives ? » Ma réponse a été plutôt désinvolte : « Je ne fais rien à voir avec l'application de la science, je recherche la vérité, c'est tout. » C'est l'explication que fournissent généralement la plupart de mes confrères. Mais Martin est revenu à la charge en déclarant : « Essayons d'imaginer la connaissance comme un lac, un bassin d'information auquel tout le monde apporte sa contribution, de sorte que son niveau monte. Vous ne pouvez pas savoir si vous, professeur Suzuki, qui étudiez la recombinaison génétique chez les Drosophiles, pouvez apporter à ce bassin de connaissances quelque chose qui suscitera telle ou telle application. Vous ne pouvez pas vous dérober à vos responsabilités sous prétexte que vous ne faites que chercher la vérité. Ce que vous faites, c'est que vous ajoutez à l'ensemble de la connaissance. » Cela a été une grande révélation pour moi. Cet étudiant au baccalauréat me disait qu'en participant à cette entreprise qu'est la science, on assume une responsabilité plus vaste.

après le lancement du vaisseau spatial soviétique Spoutnik, en 1957. Au cours des quelques années qui ont suivi, une vague de peur a déferlé sur le monde occidental parce qu'on s'était aperçu que l'Union soviétique était très puissante et très avancée en mathématiques et en sciences. À cause de cela, les États-Unis ont mis sur pied la NASA et ont entrepris un immense programme de formation en science. J'ai alors reçu une généreuse bourse d'études à l'Université de Chicago. Comme étudiants diplômés, on nous apprenait à penser que rien ne saurait résister à l'esprit investigateur de la science, et qu'elle était en mesure d'apporter d'énormes avantages. J'y croyais, et c'est ce que j'enseignais à mes étudiants. C'est seulement quand Martin m'a interrogé sur l'autre aspect des responsabilités que j'ai été obligé de me poser des questions. C'est plutôt facile de considérer le clonage d'Humains et de dire : « Oh non, c'est dangereux. » Mais quand je me suis demandé quelle part de responsabilité m'incombait en tant que généticien étudiant les Drosophiles, cela a déclenché une longue période de réflexion personnelle.

Cependant, c'est seulement lorsque je me suis mis sérieusement à faire des émissions de télévision pour une audience d'envergure nationale, au milieu des années soixante, que ma façon de voir les choses a vraiment changé. J'ai commencé à faire de la télévision pour sensibiliser le public et l'encourager à donner son appui à la science, parce que la science a toujours été très mal financée au Canada. Je me disais que si le public pouvait comprendre l'importance de la science, il accorderait alors plus de moyens financiers à la communauté scientifique. Mais en travaillant pour un média comme la télévision, je me suis aperçu que les profanes avaient de la science un point de vue radicalement différent. Que la science soit bien financée ou non, cela leur importait peu. Les questions qui les préoccupaient étaient autres : De quelle façon votre travail touchera-t-il mes enfants ? Aura-t-il une influence sur ma propre qualité de vie ? Quelqu'un se servira-t-il de ce qu'il a appris à mon sujet pour gagner de l'argent ? J'ai constaté que le public se posait beaucoup de questions auxquelles moi, en tant que scientifique, je devais faire face. Alors que Martin avait soulevé la question de ma responsabilité comme scientifique actif, c'est en travaillant dans les médias que j'ai découvert qu'un ensemble plus large de conditions et de questions se posaient.

Votre célébrité comme animateur de télévision suscite quelles réactions chez vos confrères scientifiques ?

Lorsque j'ai commencé à travailler à la télévision, j'ai reçu énormément de critiques. Il ne faut pas oublier que cela se passait dans les années soixante. Les cheveux m'arri-

vaient aux épaules, et je portais un bandeau. Mes collègues étaient scandalisés par ce « hippie » qui parlait en tant qu'homme de science, et qui allait même jusqu'à critiquer la communauté scientifique. Très peu d'entre eux venaient me le dire en face, mais j'en entendais parler par mes étudiants qui allaient à des soirées et finissaient par devoir me défendre. Les gens ont toujours cru que je gagnais beaucoup d'argent, mais tous ceux qui connaissent le financement de la télévision au Canada savent que ce n'est pas le cas. J'ai toujours fait en sorte de gagner seulement ce que serait mon salaire à l'université. Ce que je reçois en plus, je le consacre à mes causes, qui sont les droits civils et les questions d'environnement. Donc, bien sûr, il y a beaucoup de ressentiment, mais comme je ne passe pas beaucoup de temps dans le milieu scientifique, je n'en entends pas beaucoup parler.

Le grand public a-t-il une image idéaliste de la science ?

Je crois qu'il y a des idées fausses même dans la communauté scientifique. Les gens qui travaillent dans les sciences sont des êtres humains et, en tant que tels, ils sont sujets à tout le répertoire des faiblesses humaines. Il y a, bien sûr, des esprits nobles qui cherchent à améliorer le sort de l'humanité ; il y a aussi des gens cupides et égoïstes, et toutes les variantes possibles. À l'heure actuelle, dans le milieu scientifique, et particulièrement dans le domaine de la génétique qui est le mien, il existe des pressions énormes suscitées par les retombées économiques possibles de la biotechnologie. Les pressions économiques et politiques peuvent engendrer toutes sortes de résultats terribles, et la communauté scientifique doit y faire face.

On exerce donc de la pression sur les gens qui font de la recherche fondamentale pour que leurs travaux laissent espérer quelque application pratique ?

Oui. Au Canada, comme les subventions nous ont tant fait défaut, l'État a énormément d'influence sur le choix des priorités scientifiques. Prenons l'exemple d'un chercheur qui étudie la biologie moléculaire de base de la division cellulaire à un moment où on accorde soudainement la priorité à la recherche sur le cancer. Bien sûr, le chercheur se dit tout de suite : « Eh bien, je travaille sur le cancer, puisque j'étudie le mécanisme de la division des cellules ». C'est ainsi que tout le monde se met à réécrire ses demandes de subvention dans une certaine perspective. Ce qui est tragique, c'est que peu de scientifiques se lèvent pour dire : « La nature même de la science, c'est que nous ne savons pas où nos travaux nous mèneront. Si nous le savions, bon Dieu, nous aurions déjà toutes les réponses ! »

Regardez l'histoire de la science. Je pense entre autres à Barbara McClintock. Lorsque j'étais au doctorat dans les années soixante, elle était une généticienne très éminente : elle avait déjà présidé la Genetics Society of America et était membre de la National Academy of Sciences. Nous étudiions ses travaux sur les gènes sauteurs du Maïs. Et nous disions toujours : « Voilà un phénomène propre au Maïs et qui n'a rien à voir avec les grands sujets de l'heure de la génétique, mais nous devons l'étudier dans le cadre de ce cours parce que Barbara McClintock est une chercheuse très éminente. » Aujourd'hui, trente ans plus tard, ses idées sont à la base de nombreuses manipulations génétiques et on lui a attribué, tardivement, un prix

Nobel. À l'époque, personne n'a jamais pensé que ses travaux seraient un jour au cœur de la génétique. Si elle avait essayé d'obtenir une subvention il y a trente ans, je ne pense pas qu'on lui aurait accordé une forte priorité. C'est donc trahir la science que de dire : « Oui, nous ferons de la recherche qui sera orientée vers une mission ou un objectif. Donnez-nous l'argent et nous nous chargeons du reste. » Il faut aller là où nos meilleurs esprits trouvent qu'il y a un problème intéressant à résoudre, en misant sur le fait (l'histoire le confirme) que les bons chercheurs font des découvertes qui finissent par devenir très importantes et utiles.

Vous avez parlé du travestissement possible de la science, et en particulier de la génétique. Pouvez-vous nous donner des exemples ?

Tous les êtres humains, y compris les scientifiques, ont des préjugés que déterminent très tôt leur culture et leur milieu socio-économiques. Et nous acceptons très facilement les idées qui semblent confirmer nos propres préjugés. Dans *The Mismeasure of Man*, Stephen Jay Gould cite un bon exemple. Plus tôt au cours de ce siècle, on présumait que les femmes étaient incapables d'effectuer certains types de calculs. On supposait que la capacité de faire ces calculs résidait dans certaines parties du cerveau et, bien entendu, lorsqu'ils examinaient ces parties du cerveau, les chercheurs arrivaient à la conclusion qu'elles étaient plus petites chez les femmes que chez les hommes. Gould a vérifié ces données, souvent sur les mêmes crânes, et il a démontré qu'il n'existait en fait aucune différence statistique entre les parties du cerveau des hommes et des femmes. Les préjugés de ses prédécesseurs se reflétaient dans leur collecte et leur interprétation des données. Tout étudiant devrait en tirer une importante leçon.

L'un des dangers qui existent aujourd'hui, c'est qu'on n'enseigne pas aux étudiants l'histoire des sciences ; on considère que c'est superflu. On pense que les grands chercheurs d'aujourd'hui sont plus intelligents que ceux d'autrefois. On suppose toujours que quelqu'un qui est mort ne pouvait pas être aussi futé que nous le sommes aujourd'hui. Durant mes études supérieures en 1961, on croyait que l'ADN se composait de courts morceaux à peu près de la taille d'un gène, reliés ensemble de façon linéaire par des liens protéiques. Quand je raconte cela à mes étudiants, ça les fait mourir de rire parce qu'ils savent que l'ADN constitue une molécule unique dans le chromosome. Mais je leur dis : « Vous avez raison, ça a l'air stupide de nos jours. Eh bien, vous n'allez pas me croire, mais les idées qui vous semblent excellentes aujourd'hui feront éclater de rire vos étudiants dans vingt ans. » Et ils ne me croient pas. Nous oublions l'histoire et nous pensons que nous avons la vérité, ce qui veut dire que nous allons répéter les mêmes erreurs. Regardez toutes les grandes affirmations qui ont été formulées au début du siècle et qui ont alimenté tout le mouvement de l'eugénisme. En redécouvrant les lois de Mendel et en étudiant la recombinaison génétique et les mutations, on croyait tenir les leviers de la vie ; on pensait que cette science puissante nous permettrait enfin de comprendre l'hérédité humaine et d'en prendre le contrôle. On supposait à cette époque que l'alcoolisme, la syphilis, etc., étaient héréditaires et qu'on pourrait les éliminer.

On entend encore les mêmes sortes d'allégations. Et avec le projet Génome humain, on a encore l'impression que presque tous les aspects de la nature humaine sont déterminés de façon biologique. Je trouve cela affreux, car les gens trouvent toutes sortes de corrélations et ils supposent qu'elles représentent des liens de cause à effet. Pas plus tard que l'année dernière, on a annoncé la découverte de deux allèles du gène de l'alcool-déshydrogénase. Cette découverte montrait que 80 % des alcooliques avaient une des deux formes de ce gène et que 80 % des non-alcooliques avaient l'autre forme. Il s'agit ici d'une *corrélation*. Les scientifiques eux-mêmes, aussi bien que les médias, ont immédiatement supposé qu'on avait trouvé le gène causant l'alcoolisme. Il me semble qu'il y a là un danger auquel nous allons nous trouver confrontés encore de nombreuses fois. Pensons-y un peu. Supposons que j'effectue une autopsie sur 100 personnes décédées du cancer du poumon, et que je découvre que 90 % d'entre elles présentent des taches brunes sur les dents et sur les doigts jaunis. C'est une corrélation. Mais il serait absolument faux de conclure que les taches brunes sur les dents et les doigts jaunis sont la *cause* du cancer du poumon. C'est pourtant exactement ce qui s'est produit avec l'allèle de l'alcool-déshydrogénase.

En ce qui touche au projet Génome humain, qui permettra de séquencer des morceaux d'ADN de plus en plus grands et d'avoir une description complète de fragments d'ADN, il fera bien sûr dire : « Regardons les maladies cardiaques, ou bien les accidents cérébrovasculaires, ou bien encore telle ou telle forme de cancer, et voyons si nous pouvons établir une corrélation avec certains motifs ou certaines séquences de fragments d'ADN. » Je ne doute pas qu'on trouvera des corrélations. Bien sûr, il y a un long pas à franchir entre la découverte d'une corrélation et la mise au point d'un traitement ; cependant, avec les puissants ordinateurs qui existent actuellement, on commencera à chercher d'autres corrélations : avec l'alcoolisme, avec les assistés sociaux, avec les criminels. On en découvrira alors certainement, et vous pouvez être certain qu'on supposera aussitôt qu'il s'agit de relations de cause à effet. Les allégations de déterminisme biologique continueront d'alimenter toutes nos idées préconçues.

Pensez-vous qu'il y a d'autres questions d'ordre éthique reliées au projet Génome humain ?

On accorde beaucoup d'intérêt aux maladies dites ethniques. Cela a commencé avec les travaux de recherche sur l'anémie à hematies falciformes, la maladie de Tay-Sachs et la fibrose kystique, qui tendent à être associées à certains groupes ethniques. En principe, ce raisonnement semble valable : si vous pouvez démontrer que la maladie de Tay-Sachs touche surtout les Juifs ashkénazes et que vous pouvez centrer les efforts de diagnostic prénatal sur ce groupe, vous pourrez éviter l'apparition d'une maladie héréditaire terrible. Le problème, évidemment, c'est que ces renseignements peuvent servir de bien des façons. Par exemple, les employeurs peuvent s'en servir comme prétexte pour refuser d'embaucher les transmetteurs de certains gènes. J'ai été particulièrement frappé par un article intitulé « Ethnic Weapons » dans le numéro de décembre 1990 de la revue *Military Review*. L'auteur, un Suédois nommé Carl Larson, spécialiste de la génétique humaine, faisait remarquer que les allèles existaient en différentes proportions, suivant les groupes ethniques. Par exemple, nous autres Asiatiques ne produisons pas l'enzyme permettant de digérer le lactose. Si nous consommons de grandes quantités de lait, nous sommes donc sujets à de fortes diarrhées ; c'est une déficience de nature ethnique. Larson expliquait que si l'on pouvait cataloguer un certain nombre de ces différences, on pourrait concevoir une arme dotée d'une spécificité ethnique absolue. Une telle arme représenterait un instrument très puissant pour cibler et éviter celui qui voudrait choisir sa cible et éviter de toucher ses propres troupes en même

temps que l'ennemi. Je ne crois pas être exagérément pessimiste en pensant que les armes ethniques intéressent grandement les militaires. Si l'on considère l'histoire militaire, on constate que les esprits militaires seraient prêts à se servir de n'importe quoi pour faire la guerre, et je crois que les biologistes devraient y réfléchir très, très sérieusement. Encore une fois, ce sont des choses auxquelles les scientifiques n'aiment pas penser.

Les possibilités de thérapie génique soulèvent-elles aussi des questions d'ordre éthique ?

Il y a toujours des questions d'ordre éthique. Lorsque nous avons rédigé *Genethics*, je me disais que nous devions vraiment déclarer un moratoire sur toute expérience chez des Humains jusqu'à ce qu'il y ait une discussion publique très approfondie sur ces questions. Or, on est déjà engagé dans la thérapie génique. On n'est plus au stade des hypothèses : on s'en sert déjà. On l'utilise chez les gens atteints d'alymphocytose (déficit immunitaire congénital en lymphocytes B et T), et je suis certain qu'on y aura recours pour certaines autres carences héréditaires. Dans *Genethics*, nous disions que nous prévoyions l'avènement de la manipulation des cellules somatiques, mais que la manipulation des cellules germinales (gamètes et cellules productrices de gamètes) devrait faire l'objet d'une interdiction absolue. Ainsi, les effets de la manipulation se limiteraient à une seule génération. Si vous commencez à manipuler la lignée germinale, alors vous transmettez les conséquences de votre geste aux générations futures. Et je crois qu'en cela nous devons être extrêmement prudents. Mais aujourd'hui cette distinction entre les cellules germinales et somatiques est aussi laissée dans le vague.

Croyez-vous qu'on insiste suffisamment sur les questions d'éthique dans les cours de science ?

Absolument pas. On considère toujours que c'est superflu, ou bien, si on y est obligé, peut-être en parle-t-on un peu pendant quelques cours. Mais les scientifiques le font avec beaucoup de réticence, car les cours ne leur laissent jamais assez de temps pour couvrir ne serait-ce que l'essentiel. Lorsque je suis devenu professeur, j'ai été très déçu de constater qu'on m'avait enseigné une histoire des sciences qui vénérait le scientifique-héros, l'intelligence pure qui fait de grandes découvertes. De la science, j'avais appris une version qui ne concordait tout simplement pas avec la réalité qui m'entourait. Je pense que nous nuisons beaucoup à nos étudiants en perpétuant une vision mythique de la science et en ne leur montrant pas les énormes abus qui en ont résulté. Et, bien

entendu, nous rendons aussi un très mauvais service à la société.

Vous avez défendu ce que vous appelez une « nouvelle mythologie » pour tenter de résoudre les inévitables conflits entre la science et les valeurs humaines. Quelle est cette « nouvelle mythologie » ?

Un bon ami d'Albert Einstein lui a un jour demandé : « Pensez-vous que la science peut expliquer absolument tout dans l'Univers ? » Ce à quoi Einstein a répondu que c'était possible, mais que la réponse resterait dénuée de tout sens. Un physicien pourrait décrire effectivement une symphonie de Beethoven en expliquant qu'il s'agit simplement de variations de la pression exercée par une onde, mais cela ne dirait rien de ce qu'est vraiment l'œuvre de Beethoven. Ce qu'Einstein a voulu dire, c'est qu'une simple description passe à côté du sens profond des choses. Si les gens qui travaillent au projet Génome humain pensent que la cartographie des trois milliards de lettres du génome leur permettra de comprendre soudainement la nature de l'être humain, ils se trompent. Ils auront un jeu d'instructions linéaires, mais il ne faut pas oublier que ce plan détaillé devient effectif seulement dans un monde à quatre dimensions, et nous savons très peu de choses à ce sujet.

À la fin des années quatre-vingts, un groupe d'éminents scientifiques a signé une déclaration disant en substance que nous, scientifiques, avons éprouvé du respect et de l'admiration lorsque nous avons observé les planètes et que nous devons maintenant en venir à considérer la Terre avec respect, comme un lieu sacré dont on doit prendre grand soin. Ce document m'a beaucoup étonné. Ces scientifiques voulaient dire que sans ces sentiments de respect et d'admiration, la science passe à côté de quelque chose et devient inévitablement destructrice. Selon la pensée traditionnelle, le scientifique observe les objets de loin. Nous essayons d'être objectifs et impartiaux de peur que les émotions que nous pourrions ressentir envers notre sujet d'étude viennent influer sur notre observation. Le problème, c'est qu'en prenant nos distances par rapport à la nature, nous ne lui accordons plus aucune importance.

Cela m'est apparu de façon très frappante alors que je militais contre l'exploitation forestière des îles de la Reine-Charlotte, en Colombie-Britannique. Pendant que nous étions sur place en train de filmer, un professeur du département de botanique de l'Université de Colombie-Britannique a rencontré notre équipe par hasard ; il avait acquis une réputation mondiale avec ses recherches sur un groupement végétal qui n'existe que dans ces îles et nulle part ailleurs. Lorsqu'il a appris ce que nous faisions, il a déclaré que j'avais perdu toute

crédibilité en m'engageant dans la lutte contre l'exploitation forestière, qui était un débat de nature sociale. Il pensait que je ne méritais pas le titre de professeur. Bien sûr, en entendant cela je me suis mis très en colère, mais j'étais surtout profondément attristé. Voilà un homme qui, sans aucun doute, aimait beaucoup les Végétaux – c'est pour cette raison qu'il était devenu botaniste –, qui avait bâti sa réputation grâce à eux, et qui pourtant n'aurait pas levé le petit doigt pour les sauver parce qu'il ne voulait pas ternir sa crédibilité. Je pense que c'est là un des grands problèmes auxquels nous, scientifiques, avons à faire face : au nom de l'objectivité qui nous impose la distanciation, nous avons perdu le sens de l'engagement.

Pensons aux peuples autochtones du monde entier ; ils n'auraient jamais l'idée de se distancier de la nature. Ils vivent en rapport intime avec leur milieu, et à cause de cette sorte de symbiose, ils en sont venus à comprendre qu'ils sont apparentés à tous les êtres vivants. Ils parlent des

Grenouilles et des Baleines comme de leurs frères et sœurs, et c'est réellement leur sentiment. Et voilà que E. O. Wilson dit que nous devons apprendre à connaître les membres de notre famille, les autres Animaux et les Plantes avec qui nous partageons cet Univers, qui nous sont apparentés, qui ont le même ADN que nous. Je trouve intéressante la constatation suivante : par leur sens de l'engagement total et par leur symbiose avec le monde, les peuples autochtones éprouvent à l'égard des autres êtres vivants un émerveillement, un respect et un sentiment de parenté que certains des meilleurs écologistes et autres scientifiques commencent à peine à percevoir. Nous devons commencer à montrer plus de considération pour le point de vue des autochtones, et comprendre à quel point ces deux différentes voies de la connaissance peuvent s'enrichir mutuellement.

12 | LA MÉIOSE ET LES CYCLES DE DÉVELOPPEMENT SEXUÉS

GÈNES, ADN ET CHROMOSOMES : BREF SURVOL

COMPARAISON ENTRE LA REPRODUCTION ASEXUÉE ET LA REPRODUCTION SEXUÉE

LE CYCLE DE DÉVELOPPEMENT D'UN ORGANISME SEXUÉ : EXEMPLE DE L'ESPÈCE HUMAINE

DIVERSITÉ DES CYCLES DE DÉVELOPPEMENT SEXUÉS

MÉIOSE

COMPARAISON ENTRE LA MITOSE ET LA MÉIOSE

LA REPRODUCTION SEXUÉE, SOURCE DE VARIATION GÉNÉTIQUE

VARIATION GÉNÉTIQUE ET ÉVOLUTION

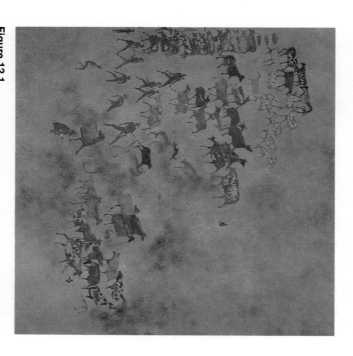

Figure 12.1
Les éleveurs de l'Afrique antique. Il y a environ 5000 ans, l'auteur de cette peinture rupestre a représenté les habitants du nord de l'Afrique et leurs différentes races de bétail. Il existe des milliers de peintures de ce genre qui témoignent d'une connaissance précise de la variation des caractéristiques physiques chez les Animaux domestiques. Les premiers agriculteurs ont propagé certaines variations en sélectionnant leur bétail et leurs cultures. La présente partie du manuel vous initiera à la génétique, cette science qui est l'expression moderne de la curiosité humaine et de l'intérêt pragmatique suscités par l'hérédité et la variation.

L es organismes se caractérisent avant tout par leur capacité de se reproduire. Un être vivant n'engendre que des êtres semblables. Seuls les Chênes rouges peuvent produire des Chênes rouges, et seuls les Goglus peuvent donner naissance à des Goglus. De plus, les individus engendrés ressemblent davantage à leurs parents qu'aux autres représentants de leur espèce avec lesquels ils ont moins de liens de parenté. Ce mode de transmission des caractères d'une génération à la suivante est appelé **hérédité** (du latin *heres* « héritier »). Bien que l'hérédité entraîne des ressemblances, elle réalise également des **variations** : chaque descendant possède des caractères individuels qui font que son apparence diffère quelque peu de celle de ses parents et de ses frères et sœurs. Ce phénomène est exploité depuis des millénaires, c'est-à-dire depuis que les Humains cultivent des Plantes et élèvent des Animaux (figure 12.1). Les ressemblances et les différences entre Humains suscitent la curiosité depuis tout aussi longtemps. Ce n'est toutefois qu'au XXᵉ siècle, lorsque la génétique est apparue, que les biologistes ont commencé à percer les mystères de l'hérédité et de la variation entre les individus et entre les populations. La présente partie de ce manuel traite de la **génétique**, l'étude scientifique de l'hérédité et de la variation. Nous allons voir comment les biologistes arrivent à résoudre des questions restées sans réponse pendant des siècles, et à quel point les découvertes de la génétique font avancer les autres domaines de la biologie (physiologie, biologie de l'évolution, écologie et sciences du comportement). Nous constaterons aussi que la génétique moderne est en train de révolutionner l'industrie pharmaceutique et d'autres champs d'application. Enfin, nous verrons que tous ces progrès scientifiques retentissent sur la société et soulèvent des questions philosophiques et éthiques nouvelles.

GÈNES, ADN ET CHROMOSOMES : BREF SURVOL

Les amis de ma fille aînée lui disent souvent qu'elle a les yeux bleus de son père... mais j'ai encore les miens ! Au sens strict, les parents ne donnent pas à leurs enfants leurs taches de rousseur, leurs yeux, leurs cheveux ou d'autres traits. Alors, qu'est-ce qui se transmet exactement ? Ce que les parents transmettent à leur progéniture, c'est de l'information codée dans des unités héréditaires appelées **gènes**. Le génome humain comporte des dizaines de milliers de gènes transmis héréditairement par la mère et le père. C'est ce lien génétique entre les parents et leurs enfants qui explique la ressemblance entre membres d'une même famille. Dans l'ensemble des gènes de ma

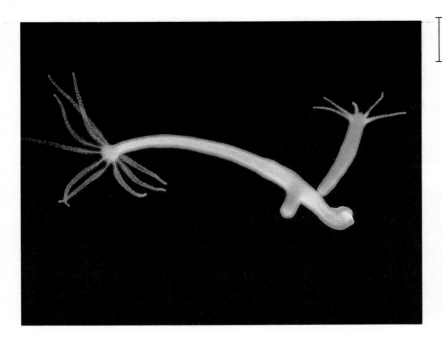

1 mm

Figure 12.2
La reproduction asexuée de l'Hydre. Cet Animal pluricellulaire à la structure relativement simple se reproduit par bourgeonnement. Le bourgeon, masse compacte de cellules qui se divisent par mitose, se transforme en une petite Hydre qui finit par se détacher du parent (MP).

fille aînée, par exemple, il y a un gène des yeux bleus qu'elle a hérité de son père et un autre qui provient de sa mère (aux yeux bruns). Les gènes déterminent l'apparition des caractères spécifiques d'un être, depuis la conception jusqu'à l'âge adulte.

Les gènes sont constitués d'ADN. Vous avez appris dans les chapitres 1 et 5 que l'ADN est un polymère de quatre sortes de monomères appelés nucléotides. L'information héréditaire réside dans les séquences de nucléotides particulières à chaque gène, tout comme l'information écrite se transmet par les séquences de lettres qui forment des mots. Notre cerveau traduit les mots et les phrases en idées et en images mentales ; par exemple, l'objet que vous imaginez lorsque vous lisez le mot « pomme » ne ressemble en rien au mot lui-même. De façon analogue, les cellules traduisent les « phrases » génétiques en taches de rousseur et en d'autres caractères qui n'ont aucune ressemblance avec les gènes eux-mêmes. La plupart des gènes programment les cellules pour qu'elles synthétisent des enzymes ou d'autres protéines spécifiques, et c'est sous l'action de ces protéines que s'expriment les caractères héréditaires d'un organisme.

Du point de vue chimique, l'hérédité relève d'un mécanisme précis : la réplication de la molécule d'ADN permet la reproduction du matériel génétique, lequel se transmettra des parents aux enfants. Les cellules qui transportent ces gènes sont les spermatozoïdes et les ovules (œufs non fécondés). Lorsqu'un spermatozoïde s'unit à un ovule, les gènes des deux parents se combinent dans le noyau de l'œuf fécondé. La programmation héréditaire inscrite dans l'ADN contribue à l'organisation structurale hiérarchique, un des fils conducteurs en biologie.

L'ADN héréditaire de la cellule eucaryote se répartit dans les chromosomes, situés à l'intérieur du noyau. Chaque espèce vivante possède un nombre de chromosomes qui lui est propre. Par exemple, les Humains ont 46 chromosomes (sauf dans leurs cellules reproductrices). En phase G_1 du cycle cellulaire (voir le chapitre 11), chaque chromosome est constitué d'une seule molécule d'ADN qui est beaucoup plus longue que le chromosome lui-même. Associé à diverses protéines, l'ADN est replié et enroulé de façon très complexe ; la double hélice qu'il forme constitue la structure du chromosome. Un seul chromosome représente des centaines ou des milliers de gènes selon l'espèce, chacun de ceux-ci correspondant à un segment précis de la molécule d'ADN. L'emplacement exact d'un gène sur un chromosome se nomme **locus** du gène.

Du point de vue physique, le mécanisme de l'hérédité (c'est-à-dire la transmission des gènes des parents aux enfants) s'explique par le comportement des chromosomes. Notre patrimoine génétique comprend tous les gènes qui se trouvaient sur les chromosomes que nous ont transmis nos parents. Dans le présent chapitre, nous allons justement commencer notre étude de la génétique par l'examen de la transmission des chromosomes des parents à leurs enfants au moyen de la reproduction sexuée.

COMPARAISON ENTRE LA REPRODUCTION ASEXUÉE ET LA REPRODUCTION SEXUÉE

Dans la **reproduction asexuée**, un seul individu est l'unique parent et transmet tous ses gènes à ses descendants.

Par exemple, les organismes unicellulaires peuvent se reproduire de façon asexuée par le processus de division cellulaire appelé mitose ; lors de cette division, il y a réplication de l'ADN, qui se répartit ensuite également entre les deux cellules filles (voir le chapitre 11). Les descendants constituent donc des répliques quasi parfaites de l'organisme parent. Certains organismes pluricellulaires sont eux aussi capables de reproduction asexuée. Ainsi, l'Hydre, qui appartient au même embranchement que la Méduse, peut se multiplier par bourgeonnement (figure 12.2). Le nouvel individu prend d'abord la forme d'une masse de cellules en voie de division qui prolifèrent sur le côté du parent. Puis, cette masse devient une petite Hydre, le bourgeon, qui finit par se détacher du parent pour mener une existence indépendante. Comme les cellules du bourgeon viennent d'une mitose qui s'est effectuée à même le parent, la petite Hydre est en quelque sorte un « morceau » du parent et lui est génétiquement presque identique. Toute différence génétique pouvant exister entre les deux serait due à des modifications relativement rares de l'ADN, les **mutations**, dont nous parlerons au chapitre 16. Un individu qui se reproduit par voie asexuée donne naissance à un **clone**, c'est-à-dire à un groupe d'organismes génétiquement semblables.

La **reproduction sexuée** crée habituellement une plus grande variation que la reproduction asexuée ; les individus

Figure 12.3

Deux familles. Les photographies de la rangée du haut représentent deux couples de parents, mais elles sont placées au hasard. Chacun de ces couples a deux enfants, dont les photographies se trouvent dans la rangée du bas, elles aussi disposées au hasard. (Toutes ces personnes ont été

photographiées à peu près au même âge; il s'agit ici de leurs photographies de finissants de la cinquième année du secondaire). Pouvez-vous dire qui sont les parents de chacun des enfants ? (Les réponses se trouvent au bas de la page.*) Le dicton « tel père, tel fils » s'applique à la ressemblance

existant entre membres d'une même famille, mais remarquez ici que chaque enfant présente une apparence unique qui diffère de celle de ses parents et de celle de son frère ou de sa sœur. Cette variation génétique est une conséquence importante de la reproduction sexuée.

LE CYCLE DE DÉVELOPPEMENT D'UN ORGANISME SEXUÉ : EXEMPLE DE L'ESPÈCE HUMAINE

On appelle **cycle de développement** la suite d'étapes qui se déroulent depuis la conception d'un organisme jusqu'à

engendrés reçoivent de leurs deux parents une combinaison de gènes qui leur est unique. Contrairement à ce qui arrive dans un clone, les individus nés de la reproduction sexuée sont génétiquement différents de leurs frères et sœurs, et aussi de chacun de leurs parents (figure 12.3). Par quel mécanisme se produit cette variation génétique ? Pour le découvrir, examinons l'activité des chromosomes pendant le cycle de développement des organismes sexués.

l'apparition de ses propres enfants. Dans la présente section, nous suivrons le comportement des chromosomes pendant tout le cycle de développement humain. Chez l'Humain, chaque **cellule somatique** (toute cellule autre qu'un spermatozoïde ou un ovule) possède 46 chromosomes (voir le chapitre 11). À l'aide d'un microscope photonique, on peut distinguer les différents chromosomes; leur taille et la position de leur centromère varient, ainsi que leur séquence de bandes claires ou sombres (qui deviennent visibles si l'on ajoute certains colorants).

En regardant attentivement une micrographie des 46 chromosomes humains, on constate qu'il y en a qui se ressemblent. Cela devient évident quand on les regroupe par paires en ordre décroissant. L'image obtenue se nomme **caryotype** (voir l'encadré de la page 247). Les chromosomes d'une même paire ont la même longueur, présentent le même arrangement de bandes et ont leur centromère situé au même endroit; on les appelle **chromosomes homologues** ou homologues. Les deux chromosomes de chaque paire portent des gènes qui déterminent les mêmes caractères héréditaires. Par exemple, si un gène

TECHNIQUES : PRÉPARATION D'UN CARYOTYPE

Grâce au caryotype, ou présentation ordonnée des chromosomes d'un individu, on peut déceler certaines anomalies chromosomiques. Dans les laboratoires médicaux, on prépare souvent les caryotypes à partir de lymphocytes (un type de globules blancs).

On traite d'abord les lymphocytes avec une substance qui stimule la mitose, puis on les cultive pendant plusieurs jours. On les met ensuite en présence d'une substance qui arrête le cycle mitotique à la métaphase, phase durant laquelle les chromosomes, qui comportent deux chromatides sœurs associées, sont très condensés. La métaphase représente le meilleur moment pour identifier les chromosomes au microscope. Les dessins ci-dessous montrent les autres étapes de la préparation

d'un caryotype à partir de lymphocytes. La micrographie de l'étape 6 montre le caryotype d'un homme normal, qui comporte un chromosome X et un Y (la femme possède deux chromosomes X). On ajoute un colorant qui révèle les motifs formés par les bandes ; ces motifs aident à identifier les différents chromosomes ou segments chromosomiques. On peut se servir du caryotype pour savoir si le nombre de chromosomes est anormal, ou pour détecter la présence de chromosomes défectueux associés à des affections congénitales comme le syndrome de Down. Le chapitre 14 donne plus de détails sur les causes et les effets des anomalies chromosomiques.

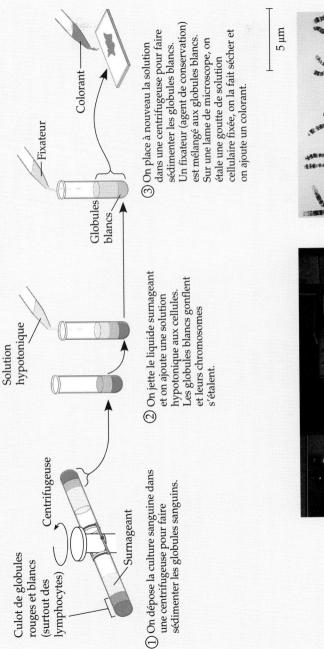

Culot de globules rouges et blancs (surtout des lymphocytes)

Centrifugeuse

Surnageant

① On dépose la culture sanguine dans une centrifugeuse pour faire sédimenter les globules sanguins.

Solution hypotonique

② On jette le liquide surnageant et on ajoute une solution hypotonique aux cellules. Les globules blancs gonflent et leurs chromosomes s'étalent.

Fixateur

Globules blancs

Colorant

③ On place à nouveau la solution dans une centrifugeuse pour faire sédimenter les globules blancs. Un fixateur (agent de conservation) est mélangé aux globules blancs. Sur une lame de microscope, on étale une goutte de solution cellulaire fixée, on la fait sécher et on ajoute un colorant.

④ On place la lame sous un microscope et on photographie les chromosomes.

⑤ La photographie est soumise à un ordinateur, qui aide l'opérateur à regrouper les chromosomes par paires selon leur taille, leur forme et la position de leur centromère.

5 µm

⑥ L'image qui en résulte constitue le caryotype.

déterminant la couleur des yeux occupe un certain locus sur un chromosome donné, alors l'homologue de ce chromosome portera lui aussi, au même locus, un gène pour la couleur des yeux.

Dans les cellules somatiques humaines, la règle des chromosomes homologues connaît une exception importante : les deux chromosomes distincts que l'on appelle X et Y. La femelle de l'espèce humaine possède une paire de chromosomes X homologues (XX), tandis que le mâle a un chromosome X et un Y (XY). Comme ce sont les chromosomes X et Y qui déterminent le sexe de l'individu, on les nomme **chromosomes sexuels**. Les autres chromosomes sont appelés **autosomes**.

La présence de paires de chromosomes dans notre caryotype est le résultat de notre origine sexuée. Chacun de nos parents nous transmet un chromosome de chaque paire. Ainsi, les 46 chromosomes de nos cellules somatiques constituent en fait deux jeux de 23 chromosomes, soit un jeu maternel et un jeu paternel.

Le nombre de chromosomes présents dans les cellules reproductrices (spermatozoïdes et ovules) diffère de celui des cellules somatiques. Contrairement aux cellules somatiques qui possèdent 46 chromosomes, chacune des cellules reproductrices, ou **gamètes**, n'a que 23 chromosomes : un jeu de 22 autosomes et un chromosome sexuel, soit X, soit Y. On appelle **cellule haploïde** une cellule qui n'a qu'un seul jeu de chromosomes. Chez l'Humain, le nombre haploïde (abrégé n) est 23.

C'est grâce aux rapports sexuels qu'un spermatozoïde haploïde venant du père peut rejoindre un ovule haploïde de la mère et fusionner avec lui. Cette union des gamètes se nomme **fécondation** ou **syngamie**. L'œuf fécondé qui en résulte, le **zygote**, contient deux jeux haploïdes de chromosomes dont les gènes représentent les lignées paternelle et maternelle. Le zygote et toutes les autres cellules qui possèdent deux jeux de chromosomes sont des **cellules diploïdes**. Chez les Humains, le nombre diploïde (abrégé $2n$) est 46.

Pendant que l'être humain se développe pour atteindre la maturité sexuelle et l'âge adulte, les gènes du zygote se transmettent avec précision à toutes les cellules somatiques de l'organisme par mitose. Les cellules somatiques sont donc diploïdes, tout comme le zygote dont elles proviennent.

Les seules cellules de l'organisme humain ne provenant pas de la mitose sont les gamètes, qui se développent dans les gonades (ovaires chez les femelles et testicules chez les mâles). Imaginez ce qui se passerait si les gamètes se formaient par mitose : ils seraient diploïdes, comme les cellules somatiques. À la fécondation suivante, le nombre de chromosomes doublerait, passant de 46 à 92, et ce nombre doublerait à nouveau à chaque génération. C'est pourquoi les organismes à reproduction sexuée passent par un processus qui réduit de moitié le nombre de chromosomes des gamètes, ce qui permet de conserver le nombre de chromosomes de l'espèce après la fécondation. Ce processus constitue une forme de division cellulaire que l'on nomme **méiose** et qui se produit seulement dans les ovaires et les testicules. Pendant la méiose, le nombre de chromosomes est réduit de moitié, alors qu'il demeure constant pendant la mitose. C'est pour cette raison que les spermatozoïdes et les ovules humains possèdent un nombre haploïde de 23 chromosomes. La fécondation se solde par un retour au nombre diploïde, et le cycle de développement de l'espèce humaine se poursuit ainsi d'une génération à l'autre (figure 12.4).

La méiose et la fécondation sont des phénomènes propres à la reproduction sexuée. Le cycle de développement de *tous* les organismes à reproduction sexuée suit la même alternance entre les phases diploïde et haploïde, bien qu'il existe des différences selon les espèces à l'intérieur de ce cycle.

DIVERSITÉ DES CYCLES DE DÉVELOPPEMENT SEXUÉS

Bien que l'alternance de la méiose et de la fécondation soit commune à tous les organismes à reproduction sexuée, le moment où ces deux processus ont lieu dans le cycle de développement varie d'une espèce à l'autre (figure 12.5). Selon le moment où la méiose et la fécondation se produisent, on distingue trois principales formes de cycles de développement. Celui de l'Humain et de la plupart des Animaux illustre une première forme. Dans ce cycle, les gamètes sont les seules cellules haploïdes. La

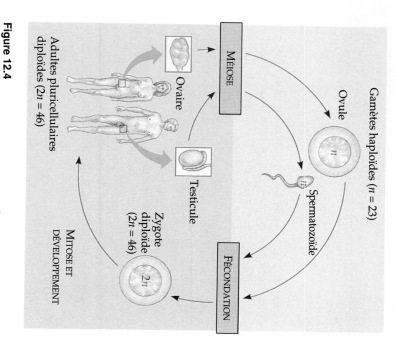

Figure 12.4
Le cycle de développement humain. À chaque génération, la fécondation double le nombre de chromosomes, mais la méiose compense ce phénomène en réduisant ce nombre de moitié lors de la formation des gamètes. Chez l'Humain, chaque cellule haploïde a 23 chromosomes (n = 23) ; le zygote diploïde et toutes les cellules somatiques qui en découlent en possèdent 46 ($2n$ = 46). Cette figure est illustrée à l'aide d'un « code de couleur » que nous utiliserons pour tous les cycles de développement présentés dans ce manuel. Le fond bleu-vert correspond à la phase haploïde du cycle de développement, alors que le fond de couleur ocre représente la phase diploïde.

Gamètes haploïdes (n = 23)

Ovule

Spermatozoïde

MÉIOSE

Ovaire

Testicule

FÉCONDATION

Zygote diploïde ($2n$ = 46)

MITOSE ET DÉVELOPPEMENT

Adultes pluricellulaires diploïdes ($2n$ = 46)

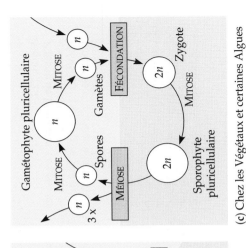

(a) Chez les Animaux

Figure 12.5
Trois cycles de développement sexués où la méiose et la fécondation se produisent à des moments différents. Ces trois cycles ont en commun l'alternance de la méiose et de la fécondation, deux processus essentiels qui réalisent une variation génétique d'une génération à l'autre. Notez que la méiose produit quatre cellules filles.

(b) Chez la plupart des Mycètes et certaines Algues

(c) Chez les Végétaux et certaines Algues

☐ HAPLOÏDE
☐ DIPLOÏDE

méiose a lieu lors de la formation des gamètes, qui ne se divisent plus jusqu'à la fécondation. L'union des gamètes produit un zygote diploïde qui se divise par mitose et donne naissance à un organisme pluricellulaire diploïde.

La deuxième forme de cycle de développement existe chez de nombreux Mycètes et quelques Protistes (y compris certaines Algues). La méiose intervient immédiatement après la fusion des gamètes, puis la mitose crée un organisme adulte pluricellulaire et haploïde. Plus tard, l'organisme haploïde produira des gamètes par mitose, et non par méiose. Le zygote représente le

seul stade diploïde. (Remarquez que la division par mitose est possible tant pour des cellules haploïdes que diploïdes, suivant le genre de cycle de développement, mais que seules les cellules diploïdes peuvent subir une méiose).

Chez les Végétaux et certaines espèces d'Algues, on observe une troisième forme de cycle de développement appelée **alternance de générations**. Dans ce cycle, il y a deux stades pluricellulaires, l'un diploïde et l'autre haploïde. Le stade pluricellulaire diploïde se nomme **sporophyte**. Chez le sporophyte, la méiose produit des

cellules reproductrices appelées spores, d'où le nom de sporophyte. (**b**) Si une spore libérée par la Dryoptéride tombe dans un milieu propice, elle se développera et deviendra un minuscule gamétophyte en forme de cœur ; ce gamétophyte représente le stade pluricel-

lulaire haploïde du cycle de développement. Le gamétophyte est ainsi nommé parce qu'il produit des gamètes haploïdes qui s'unissent pour former un zygote diploïde. Le zygote donne un nouveau sporophyte et l'alternance de générations haploïde et diploïde de la Dryoptéride se poursuit.

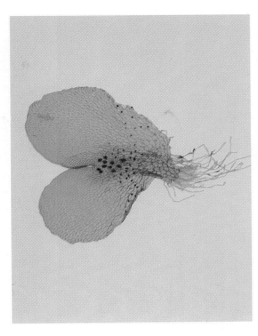

(b) Gamétophyte

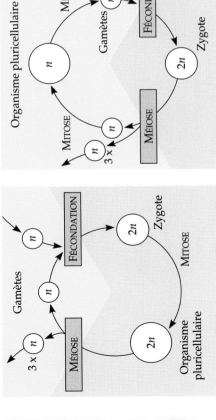

(a) Sporophyte

Figure 12.6
Alternance de générations chez une Fougère. (a) Les Fougères sont des sporophytes, c'est-à-dire qu'elles représentent le stade pluricellulaire diploïde du cycle de développement. Les organes réniformes situés sous la fronde (feuille) de cette Dryoptéride renferment des compartiments dans lesquels le

processus de méiose donne naissance à des

Figure 12.7
Phases de la méiose. Les dessins ci-dessous illustrent la méiose d'une cellule animale dont le nombre diploïde est 4. On y fait ressortir la réduction du nombre de chromosomes. La figure 11.6 explique en détail la formation du fuseau et les autres propriétés communes à la mitose et à la méiose.

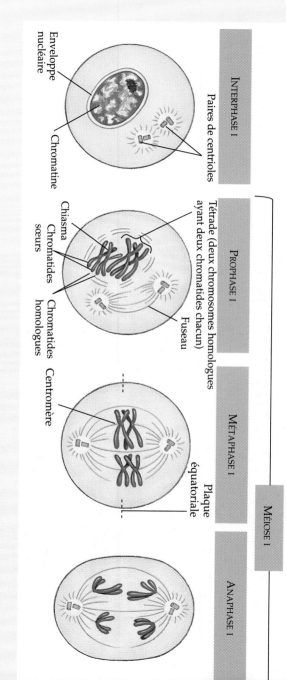

INTERPHASE I   PROPHASE I   MÉTAPHASE I   ANAPHASE I

MÉIOSE I

Enveloppe nucléaire — Paires de centrioles — Chromatine — Tétrade (deux chromosomes homologues ayant deux chromatides chacun) — Chiasma — Chromatides sœurs — Fuseau — Chromatides homologues — Centromère — Plaque équatoriale

INTERPHASE I

La méiose est précédée d'une interphase, pendant laquelle se produit la réplication de chaque chromosome. Ce processus ressemble à la réplication chromosomique qui a lieu avant la mitose. Chaque chromosome se retrouve sous la forme de deux chromatides sœurs génétiquement identiques liées par leur centromère. La paire de centrioles (dans une cellule animale) se dédouble également pour former les deux paires représentées ici.

PROPHASE I

Pendant la prophase I, on constate certaines différences importantes entre la méiose et la mitose. La prophase de la méiose I est plus longue et plus complexe que celle de la mitose. Les chromosomes commencent à se condenser et se fixent à l'enveloppe nucléaire par leurs extrémités. Pendant la synapse (processus d'appariement), les chromosomes homologues, chacun formé de deux chromatides, se regroupent par paires. Chaque paire de chromosomes devient alors visible au microscope sous la forme d'une tétrade (complexe de quatre chromatides). On remarque que les chromatides homologues se croisent en plusieurs endroits sur leur longueur (les chromatides homologues, par opposition aux chromatides sœurs, qui font partie du même chromosome). Ces croisements de chromatides homologues, qui lient les deux chromosomes, sont appelés chiasmas. (Nous étudierons leur signification génétique plus loin dans ce chapitre.) À ce stade, les chromosomes continuent d'épaissir et se détachent de l'enveloppe nucléaire.

Pendant que la prophase I se poursuit, la cellule se prépare à la division du noyau d'une façon semblable à ce que nous avons observé pendant la mitose. Les paires de centrioles s'éloignent l'une de l'autre et le fuseau de microtubules se forme entre elles. L'enveloppe nucléaire et les nucléoles se dispersent. Enfin, les chromosomes commencent à migrer vers la plaque équatoriale, qui se trouve à mi-chemin entre les deux pôles du fuseau. La prophase I, qui peut prendre plusieurs jours ou même plus longtemps, représente habituellement plus de 90 % de la durée de la méiose.

MÉTAPHASE I

Les paires de chromosomes homologues sont maintenant alignées sur la plaque équatoriale. Les fibres du fuseau qui partent d'un des pôles de la cellule se fixent sur un chromosome de chaque paire, alors que les fibres venant du pôle opposé se lient à l'autre chromosome de la paire.

cellules haploïdes appelées **spores.** Contrairement au gamète, la spore donne naissance à un individu pluricellulaire sans fusionner avec une autre cellule. Cette spore se divise par mitose pour créer un organisme haploïde pluricellulaire nommé **gamétophyte.** Le gamétophyte forme des gamètes par mitose. La fécondation engendre un zygote diploïde qui devient le sporophyte de la génération suivante. Dans ce genre de cycle de développement, le sporophyte et le gamétophyte se reproduisent tour à tour (figure 12.6).

Dans chacun de ces trois genres de cycles de développement, la méiose et la fécondation ont lieu à des

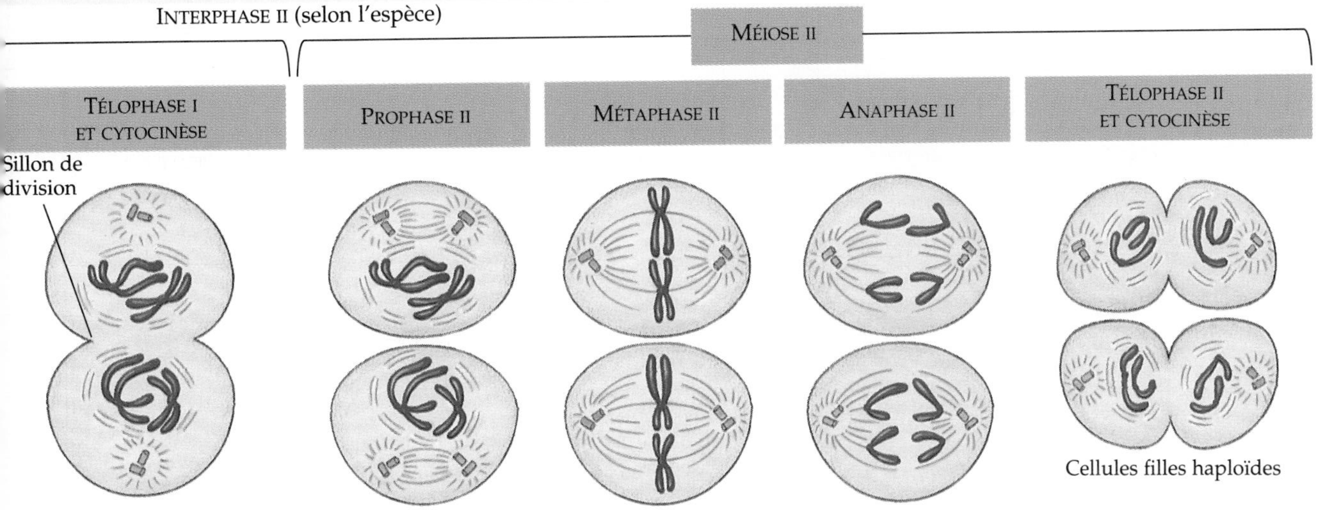

INTERPHASE II (selon l'espèce)

MÉIOSE II

| TÉLOPHASE I ET CYTOCINÈSE | PROPHASE II | MÉTAPHASE II | ANAPHASE II | TÉLOPHASE II ET CYTOCINÈSE |

Sillon de division

Cellules filles haploïdes

ANAPHASE I

Comme pendant la mitose, les fibres du fuseau déplacent les chromosomes en direction des pôles. Cependant, les chromatides sœurs restent liées par leur centromère et se dirigent ensemble vers le même pôle. Les chromosomes homologues de chaque paire s'en vont vers les pôles opposés. Il s'agit là d'une différence avec ce qui se produit pendant la mitose. Lors de la mitose, les chromosomes s'alignent un par un sur la plaque équatoriale et non par paires, et le fuseau sépare les chromatides sœurs de chaque chromosome.

TÉLOPHASE I ET CYTOCINÈSE

Les fibres du fuseau continuent d'éloigner les paires de chromosomes homologues jusqu'à ce que chaque homologue ait rejoint son pôle respectif. À chaque pôle se trouve maintenant un ensemble haploïde de chromosomes, mais chaque chromosome possède encore ses deux chromatides sœurs. Habituellement, la cytocinèse (division du cytoplasme) a lieu en même temps que la télophase I, ce qui produit deux cellules filles. Dans les cellules animales, il se forme un sillon de division ; dans les cellules végétales, c'est une plaque cellulaire qui apparaît. Chez certaines espèces, l'enveloppe nucléaire et le nucléole se reforment et il s'écoule un certain intervalle, appelé intercinèse (ou interphase II), avant la méiose II. Chez d'autres espèces, les cellules filles de la télophase I se préparent immédiatement à la deuxième division méiotique. Qu'il y ait ou non intercinèse, il ne se produit aucune autre réplication du matériel génétique.

PROPHASE II

Un nouveau fuseau se forme et les chromosomes se déplacent vers la plaque équatoriale.

MÉTAPHASE II

Les chromosomes s'alignent sur la plaque équatoriale comme pendant la mitose ; les centromères joignant les chromatides sœurs de chaque chromosome se tournent chacun vers un pôle de la cellule.

ANAPHASE II

Les centromères des chromatides sœurs se séparent enfin, et les chromatides sœurs, devenues des chromosomes indépendants, se déplacent vers les pôles opposés de la cellule.

TÉLOPHASE II ET CYTOCINÈSE

Les noyaux commencent à se former aux deux pôles de la cellule et la cytocinèse a lieu. Il y a maintenant quatre cellules filles, chacune possédant un nombre haploïde de chromosomes.

MÉIOSE

Plusieurs des étapes de la méiose ressemblent beaucoup aux étapes correspondantes de la mitose. Avant la méiose, tout comme avant la mitose, il se produit une réplication des chromosomes. Cependant, cette réplication est suivie

moments différents. Toutefois, le processus fondamental reste le même : à chaque cycle se produit une réduction de moitié ($2n \rightarrow n$) puis un appariement des chromosomes homologues ($n \rightarrow 2n$), ce qui crée une variation génétique à la génération suivante. Examinons de plus près la méiose pour comprendre comment cette variation se produit.

Figure 12.8
Comparaison entre la mitose et la méiose chez les Animaux.

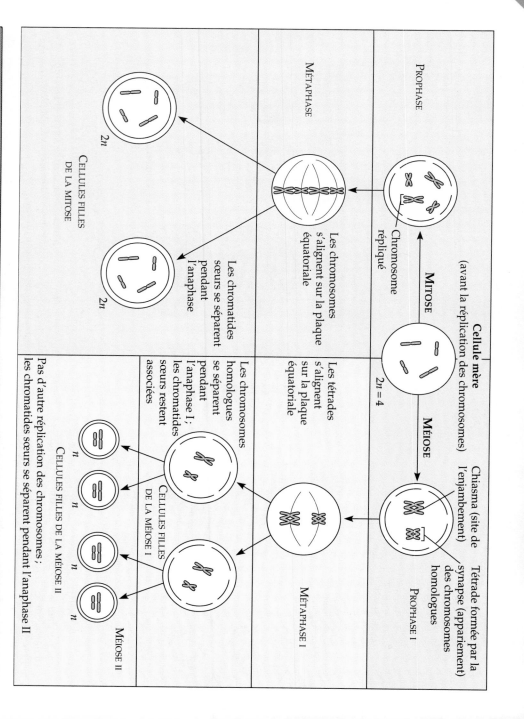

Cellule mère
(avant la réplication des chromosomes)

PROPHASE

Chromosome répliqué

Chiasma (site de l'enjambement)

Tétrade formée par la synapse (appariement) des chromosomes homologues

MÉTAPHASE

Les chromosomes s'alignent sur la plaque équatoriale

MITOSE

MÉIOSE

$2n = 4$

PROPHASE I

Les tétrades s'alignent sur la plaque équatoriale

MÉTAPHASE I

Les chromosomes homologues se séparent pendant l'anaphase I ; les chromatides sœurs restent associées

Les chromatides sœurs se séparent pendant l'anaphase

2n

2n

CELLULES FILLES DE LA MITOSE

MÉTAPHASE II

Pas d'autre réplication des chromosomes ; les chromatides sœurs se séparent pendant l'anaphase II

CELLULES FILLES DE LA MÉIOSE I

MÉIOSE II

n n n n

CELLULES FILLES DE LA MÉIOSE II

RÉSUMÉ

Élément de comparaison	Mitose	Méiose
Réplication de l'ADN	Se déroule pendant l'interphase, avant le début de la division nucléaire.	Se déroule pendant l'interphase, avant le début de la division nucléaire.
Nombre de divisions	Une seule division comprenant une prophase, une prométaphase, une métaphase, une anaphase et une télophase.	Deux divisions, chacune comprenant une prophase, une métaphase, une anaphase et une télophase; pas de réplication de l'ADN entre les deux divisions nucléaires. Pendant la méiose I, les chromosomes homologues s'apparient en synapse (s'accolent sur leur longueur) et forment ainsi des tétrades (groupes de quatre chromatides). Ce phénomène est propre à la méiose.
Nombre de cellules filles et composition génétique	Deux cellules filles, chacune étant diploïde (2n) et génétiquement presque identique à la cellule mère.	Quatre cellules filles, chacune contenant la moitié du nombre de chromosomes présents dans la cellule mère (haploïde, ou n) ; ne sont pas génétiquement identiques à la cellule mère.
Rôle dans l'organisme animal	Développement d'un adulte pluricellulaire à partir du zygote ; production de cellules pour la croissance et la régénération des tissus.	Production des gamètes ; réduction de moitié du nombre de chromosomes et réalisation d'une diversité génétique dans les gamètes.

de *deux* divisions cellulaires consécutives appelées méiose I et méiose II. Ces divisions produisent quatre cellules filles différentes (comparativement à deux cellules filles identiques dans la mitose), qui possèdent chacune la moitié du nombre de chromosomes de la cellule mère. Les illustrations et le texte de la figure 12.7 décrivent de façon assez précise les deux divisions méiotiques dans une cellule animale dont le nombre diploïde est 4. Examinez attentivement la figure 12.7 avant de passer à la section suivante.

COMPARAISON ENTRE LA MITOSE ET LA MÉIOSE

Maintenant que nous avons suivi le cheminement des chromosomes pendant la méiose (figure 12.7), résumons les différences essentielles qui existent entre la méiose et la mitose. Le nombre de chromosomes est réduit de moitié pendant la méiose, mais pas pendant la mitose. Du point de vue génétique, cette différence entraîne des conséquences importantes : la mitose produit des cellules filles génétiquement identiques à la cellule mère, alors que la méiose donne naissance à des cellules qui diffèrent génétiquement de leur cellule mère.

La figure 12.8 compare les étapes clés de la mitose et de la méiose. Bien que la méiose comporte deux divisions nucléaires, les trois événements caractéristiques de la méiose ont tous lieu pendant la première division, ou méiose I :

1. Pendant la prophase I de la méiose, les chromosomes répliqués s'apparient avec leurs homologues, un processus nommé **synapse**. Les quatre chromatides alors accolées sont visibles au microscope photonique sous forme de tétrades. Le microscope photonique permet aussi de voir les chevauchements (souvent en forme de X) nommés **chiasmas**. Ces derniers représentent le croisement des chromatides homologues, c'est-à-dire qui font partie de deux chromosomes distincts mais homologues. Les chiasmas correspondent au site d'une recombinaison génétique appelée enjambement, et dont nous parlerons plus loin. Pendant la mitose, il ne se produit ni synapse, ni chiasma.

2. À la métaphase I de la méiose, ce sont les paires de chromosomes homologues, et non les chromosomes individuels, qui s'alignent sur la plaque équatoriale.

3. À l'anaphase I de la méiose, les centromères ne se divisent pas et les chromatides sœurs ne se séparent pas comme ils le font durant la mitose. Au lieu de cela, les chromatides sœurs de chaque chromosome migrent vers le même pôle cellulaire. *La méiose I a pour effet de séparer les paires de chromosomes homologues et non les chromatides sœurs des chromosomes.*

Les chromatides sœurs se séparent au cours de la seconde division méiotique (méiose II), dont le mécanisme est presque identique à celui de la mitose. Cependant, les chromosomes ne subissent pas de réplication entre la méiose I et la méiose II. La méiose se solde donc par une réduction de moitié du nombre de chromosomes présents dans chaque cellule.

LA REPRODUCTION SEXUÉE, SOURCE DE VARIATION GÉNÉTIQUE

Comment peut-on expliquer la variation génétique illustrée à la figure 12.3 ? Chez les espèces à reproduction sexuée, la variation génétique qui se manifeste à chaque génération provient en majeure partie de l'activité des chromosomes pendant la méiose et la fécondation. Examinons donc trois phénomènes qui contribuent à la diversité génétique des organismes sexués : l'assortiment indépendant des chromosomes, l'enjambement et la fécondation aléatoire.

Assortiment indépendant des chromosomes

La figure 12.9 illustre l'un des mécanismes par lesquels la reproduction sexuée réalise une variation génétique.

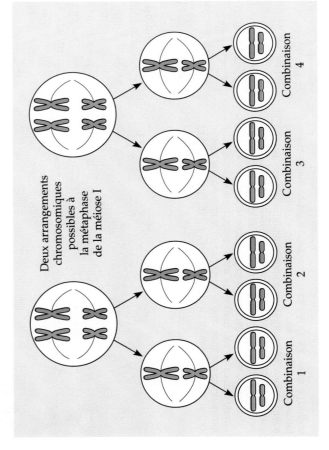

Figure 12.9
Deux arrangements chromosomiques possibles sur la plaque équatoriale pendant la méiose I. Cette figure illustre les conséquences de la méiose pour un organisme hypothétique qui aurait un nombre diploïde de 4 (2n = 4). L'origine des chromosomes est représentée par un code de couleurs (bleu pour les chromosomes venant d'un parent, rouge pour ceux de l'autre parent). La façon dont chaque paire de chromosomes homologues se positionne au cours de la métaphase de la méiose I est le fruit du hasard, comme lorsqu'on joue à pile ou face avec une pièce de monnaie. La disposition des chromosomes à la métaphase I détermine quels chromosomes se retrouveront ensemble dans les cellules filles haploïdes.

Deux arrangements chromosomiques possibles à la métaphase de la méiose I

Combinaison 1

Combinaison 2

Combinaison 3

Combinaison 4

Nous y avons utilisé deux couleurs différentes pour représenter les chromosomes afin de pouvoir suivre leur cheminement jusqu'aux gamètes. Dans la cellule diploïde, les deux couleurs permettent de distinguer les chromosomes hérités de la mère et ceux venant du père. À la métaphase de la méiose I, toutes les paires de chromosomes homologues, qui comportent un chromosome maternel et un chromosome paternel, se trouvent sur la plaque équatoriale. L'orientation de chaque paire par rapport aux deux pôles de la cellule est le fruit du hasard ; il y a deux possibilités. Après la méiose I, il y a donc une chance sur deux qu'une cellule fille donnée reçoive le chromosome maternel d'une certaine paire d'homologues, et une chance sur deux qu'elle renferme le chromosome paternel de cette paire.

Étant donné que chaque paire de chromosomes se positionne indépendamment des autres paires lors de la métaphase I (comme quand on joue à pile ou face), la première division méiotique produit un assortiment indépendant des chromosomes maternels et paternels dans les cellules filles. Chacun des gamètes représente une des possibilités de combinaison des chromosomes maternels et paternels. Le nombre de combinaisons possibles pour des gamètes formés par méiose à partir de deux paires de chromosomes homologues ($2n = 4$, $n = 2$) est de quatre, comme le montre la figure 12.9. Pour $n = 3$, il existe huit combinaisons chromosomiques possibles dans les gamètes. De façon générale, lorsque la méiose assortit au hasard les chromosomes dans les gamètes, le nombre de combinaisons chromosomiques possibles est de 2^n, où n représente le nombre haploïde.

Chez l'Humain, le nombre haploïde (n) est 23. Le nombre de combinaisons possibles des chromosomes maternels et paternels dans les gamètes est donc de 2^{23}, soit environ huit millions (précisément 8 388 608).

Enjambement

Comme l'assortiment des chromosomes durant la méiose se fait de façon indépendante, chacun de nous possède des gamètes qui contiennent différentes combinaisons des chromosomes hérités de nos deux parents. D'après ce que nous avons vu jusqu'ici, vous pourriez penser que chaque chromosome pris individuellement dans un gamète a une origine exclusivement paternelle ou maternelle, c'est-à-dire qu'il contient de l'ADN venant de la mère ou du père, mais non des deux. Mais tel n'est pas le cas. En raison du mécanisme appelé **enjambement** ou « crossing-over », les chromosomes individuels portent une combinaison de gènes hérités des deux parents. L'enjambement se produit pendant la prophase de la méiose I. Souvenez-vous que pendant la prophase I, les chromosomes homologues se groupent par paires (voir la figure 12.7). On pense qu'un ensemble de protéines appelé **complexe synaptonémique** rapproche les deux chromosomes un peu comme une fermeture à glissière rapproche les deux côtés d'un vêtement, mais le mécanisme exact de la synapse n'est pas encore connu. L'appariement se fait avec précision, les deux homologues étant accolés l'un contre l'autre gène par gène.

L'enjambement se produit lorsque deux chromatides homologues échangent des segments (figure 12.10). Chez l'Humain, il se crée en moyenne deux ou trois de ces

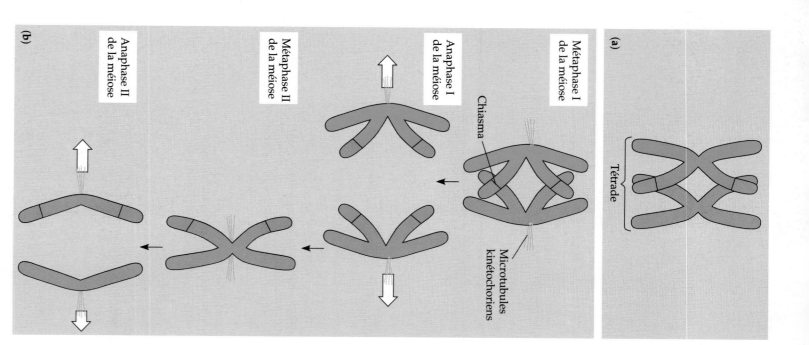

(a)

Métaphase I de la méiose

Tétrade

Anaphase I de la méiose

Chiasma

Microtubules kinétochoriens

Métaphase II de la méiose

Anaphase II de la méiose

(b)

Figure 12.10
Enjambement. (a) Pendant la synapse (appariement des homologues au cours de la prophase de la méiose I), les chromatides des chromosomes homologues échangent des segments équivalents. L'enjambement se produit habituellement à plus d'un endroit (deux dans ce diagramme simplifié). **(b)** Si on suit un de ces chromosomes pendant la méiose, on constate que l'enjambement est une importante source de variation génétique. Grâce à ce mécanisme, chacun des chromosomes pris individuellement possède une certaine combinaison de l'ADN qui venait à l'origine de deux parents différents.

Figure 12.11
Les variations héréditaires, matière première de la sélection naturelle. Voici quelques-unes des variations de coloration existant dans une population de Coccinelles asiatiques (*Propylæa quatuordecimpunctata*).

enjambements par paire de chromosomes. Les sites de ces échanges génétiques sont les chiasmas, visibles sur ces micrographie. Nous parlerons plus en détail du mécanisme de l'enjambement au chapitre 14. Pour le moment, constatons seulement que l'enjambement est une importante source de variation génétique dans les cycles de développement sexués : il permet de combiner dans un même chromosome l'ADN hérité de deux parents.

Fécondation aléatoire

La nature aléatoire de la fécondation ajoute encore à la variation génétique qui découle de la méiose. Un ovule humain, qui renferme une des quelque huit millions de combinaisons chromosomiques possibles, sera fécondé par un spermatozoïde, qui représente lui aussi une combinaison parmi quelque huit millions de possibilités *différentes*. Donc, même si l'on ne tient pas compte des enjambements, un zygote engendré par n'importe quel couple de parents possédera une combinaison chromosomique diploïde parmi les 64 billions (8 millions × 8 millions) de possibilités (le chiffre exact est 70 368 744 177 664). Rien d'étonnant que les frères et sœurs diffèrent autant ! Chacun de nous est unique.

Jusqu'ici, nous avons vu qu'il existe trois sources de variabilité génétique dans une population d'organismes qui se reproduisent par voie sexuée :

- l'assortiment indépendant des paires de chromosomes homologues pendant la méiose I;
- l'enjambement des chromosomes homologues pendant la prophase de la méiose I;
- la fécondation aléatoire d'un ovule par un spermatozoïde.

Ces trois mécanismes recombinent les différents gènes portés par les individus d'une population. Cependant,

comme nous le verrons plus loin, ce sont en fin de compte les mutations qui créent la diversité génétique d'une population.

VARIATION GÉNÉTIQUE ET ÉVOLUTION

Maintenant que nous avons vu comment la reproduction sexuée contribue à la variation génétique d'une population, il nous faut établir le lien entre ces notions et l'évolution. Darwin a reconnu l'importance de la variation héréditaire dans le mécanisme évolutif qu'il appelait sélection naturelle (figure 12.11). Au chapitre 1, nous avons appris qu'une population évolue en fonction des différences qui existent dans le succès reproductif des individus. En moyenne, ce sont les organismes les mieux adaptés au milieu qui laissent le plus de descendants et qui se trouvent ainsi à perpétuer leurs gènes. Cette sélection naturelle permet l'adaptation, c'est-à-dire l'accumulation des variations héréditaires favorisées par le milieu. Lorsque le milieu de vie d'une population change ou que celle-ci se déplace, la survie de la population est possible si chaque génération comprend au moins quelques individus capables de faire face aux nouvelles conditions de façon efficace. Il arrive que de nouvelles variations héréditaires s'avèrent plus avantageuses que celles qui existaient dans l'ancien milieu. La reproduction sexuée et les mutations constituent les deux sources de cette variation, et nous avons étudié l'aspect de la reproduction dans le présent chapitre.

Darwin avait compris que l'évolution était l'aboutissement des variations héréditaires, mais il ne pouvait expliquer de façon satisfaisante et précise pourquoi les enfants ressemblaient à leurs parents sans leur être identiques.

Chapitre 12 : La méiose et les cycles de développement sexués   **255**

Un contemporain de Darwin, Gregor Mendel, a publié une théorie de l'hérédité qui expliquait en partie la variation génétique, mais, ironie du sort, ses découvertes n'ont eu aucune influence sur le monde de la biologie avant 1900, soit plus de 15 ans après la mort de Darwin (1809-1882) et la sienne (1822-1884). Au chapitre suivant, nous allons voir comment Mendel a découvert les principales lois de l'hérédité.

RÉSUMÉ DU CHAPITRE

La génétique est l'étude de l'hérédité, des variations individuelles dans une population et des variations entre les populations.

Gènes, ADN et chromosomes : bref survol (p. 244-245)

Le matériel génétique est constitué d'ADN organisé en gènes, chaque gène occupant un locus spécifique sur un chromosome.

Comparaison entre la reproduction asexuée et la reproduction sexuée (p. 245-246)

1. Dans la reproduction asexuée, un seul parent engendre par mitose une descendance génétiquement identique.

2. Dans la reproduction sexuée, deux jeux de chromosomes distincts, portés par les gamètes venant de deux parents différents, se combinent pour produire des descendants génétiquement différents.

Le cycle de développement d'un organisme sexué : exemple de l'espèce humaine (p. 246-248)

1. Les cellules somatiques humaines normales contiennent 46 chromosomes, dont 23 venant du père et 23 de la mère.

2. Chacun des 22 autosomes du jeu de chromosomes maternel a un homologue qui lui correspond dans le jeu de chromosomes paternel. La vingt-troisième paire, celle qui contient les chromosomes sexuels, détermine si la personne est de sexe féminin (XX) ou masculin (XY).

3. Pendant la fécondation, les jeux de chromosomes haploïdes (n) des gamètes maternel et paternel se combinent pour former un zygote unicellulaire diploïde (2n). Le zygote devient un individu pluricellulaire par mitose.

4. À la maturité sexuelle, les ovaires et les testicules (gonades) produisent des gamètes haploïdes par méiose.

5. Toutes les espèces à reproduction sexuée connaissent une alternance des états diploïde et haploïde lors de la fécondation et de la méiose.

Diversité des cycles de développement sexués (p. 248-251)

On distingue trois sortes de cycles de développement sexués, selon le moment où s'effectue la méiose par rapport à la fécondation. Un premier cycle caractérise les organismes pluricellulaires diploïdes comme la plupart des Animaux ; un second cycle distingue les pluricellulaires haploïdes tels la plupart des Mycètes et certaines Algues ; un troisième cycle, typique des Végétaux, se démarque par une alternance de générations successives tantôt haploïdes, tantôt diploïdes.

Méiose (p. 251-253)

La méiose comporte deux divisions cellulaires, la méiose I et la méiose II. Elle donne quatre cellules filles renfermant chacune la moitié du nombre de chromosomes présents dans la cellule mère. Pendant la méiose, les chromosomes passent d'un nombre diploïde à un nombre haploïde.

Comparaison entre la mitose et la méiose (p. 253)

1. La méiose se distingue de la mitose par une suite d'événements caractéristiques qui surviennent pendant la méiose I.

2. Pendant la prophase I de la méiose, les chromosomes homologues répliqués, qui contiennent deux chromatides chacun, s'associent par synapse. Cette union permet l'échange de matériel génétique par l'enjambement de segments des chromatides homologues (chromatides de chromosomes mais homologues). Les sites d'enjambement apparaissent sous la forme de chiasmas.

3. Les chromosomes appariés s'alignent sur la plaque équatoriale puis, à l'anaphase I, les deux chromosomes de chaque paire d'homologues sont tirés vers les deux pôles de la cellule. Ce phénomène réduit de moitié le nombre de chromosomes contenus dans les cellules filles.

4. Les chromatides sœurs se séparent pendant la méiose II, ce qui produit quatre cellules filles haploïdes.

La reproduction sexuée, source de variation génétique (p. 253-255)

Les mécanismes sexuels qui contribuent à la variation génétique d'une population sont l'assortiment indépendant des chromosomes, l'enjambement et la fécondation aléatoire.

Variation génétique et évolution (p. 255-256)

Les variations héréditaires des individus d'une population constituent la matière première de l'évolution. Ces variations proviennent de deux mécanismes qui sont la reproduction sexuée et les mutations.

AUTO-ÉVALUATION

1. Une cellule humaine qui contient 22 autosomes et un chromosome Y est :
   a) une cellule somatique d'un homme (sexe masculin).
   b) un zygote.
   c) une cellule somatique d'une femme.
   d) un spermatozoïde.
   e) un ovule.

2. Les chromosomes homologues se dirigent vers les pôles opposés d'une cellule en cours de division pendant :
   a) la mitose.
   b) l'anaphase I de la méiose.
   c) la méiose II.
   d) la métaphase I.
   e) la télophase I.

3. En quoi la méiose II ressemble-t-elle à la mitose ?
   a) Les chromosomes homologues forment une synapse.
   b) L'ADN subit une réplication avant la division.
   c) Les cellules filles sont diploïdes.
   d) Les chromatides sœurs se séparent pendant l'anaphase.
   e) Le nombre de chromosomes est réduit.

4. On mesure la quantité d'ADN présente dans une cellule diploïde à la phase G_1 du cycle cellulaire (voir le chapitre 11). Si cette quantité est de X, alors quelle est la quantité d'ADN présente dans la même cellule pendant la métaphase de la méiose I ?
   a) 0,25 X.
   b) 0,5 X.
   c) X.

d) 2X.
e) 4X.

5. Si l'on continuait de suivre la lignée cellulaire de la question 4, quelle serait la quantité d'ADN présente à la métaphase de la méiose II ?
   a) 0,25X.
   b) 0,5X.
   c) X.
   d) 2X.
   e) 4X.

6. L'enjambement se produit pendant quelle phase ?
   a) La prophase I.
   b) L'anaphase I.
   c) L'interphase.
   d) La prophase II.
   e) La télophase II.

7. Combien de combinaisons différentes les chromosomes maternels et paternels peuvent-ils former dans les gamètes produits par un organisme dont le nombre diploïde est 8 $(2n = 8)$?
   a) 2.
   b) 4.
   c) 8.
   d) 16.
   e) 32.

8. Chez les Végétaux, quel est le résultat immédiat de la méiose ?
   a) Des spores.
   b) Des gamètes.
   c) Un zygote.
   d) Un sporophyte.
   e) Un gamétophyte.

9. Les cellules somatiques de l'organisme adulte sont haploïdes chez de nombreux :
   a) Vertébrés.
   b) Invertébrés.
   c) Mycètes.
   d) Sporophytes.
   e) Protistes.

10. Les énoncés suivants désignent le nombre de chromosomes avant et après un certain processus. Quel énoncé correspond à la fécondation ?
    a) $2n \rightarrow n$.
    b) $n \rightarrow 2n$.
    c) $2n \rightarrow 2n$.
    d) $n \rightarrow n$.
    e) $n \rightarrow n/2$.

QUESTIONS À COURT DÉVELOPPEMENT

1. Faites un croquis du cycle de développement humain.
2. Identifiez les événements clés des phases suivantes de la méiose : interphase I, prophase I, métaphase I, télophase I, métaphase II et anaphase II.

3. En quoi la méiose diffère-t-elle de la mitose ?
4. Démontrez que la reproduction sexuée contribue à la diversité génétique dans une population.

RÉFLEXION-APPLICATION

1. Chez le Dindon domestique, il arrive qu'un œuf non fécondé donne naissance à un dindonneau diploïde viable, par un mécanisme nommé parthénogénèse. Quelle variante de la méiose pourrait produire un organisme diploïde en l'absence de fécondation ?

2. De nombreuses espèces peuvent se reproduire autant par voie sexuée que par voie asexuée. Habituellement, dans un environnement favorable et stable, elles se reproduisent de façon asexuée. C'est généralement lorsqu'il survient dans le milieu un changement défavorable à la population existante que les organismes commencent à se reproduire par voie sexuée. En vous basant sur ce que vous savez de la sélection naturelle, élaborez une hypothèse sur l'effet de ce passage de la reproduction asexuée à la reproduction sexuée dans l'évolution.

SCIENCE, TECHNOLOGIE ET SOCIÉTÉ

1. Supposez qu'on vous demande, à titre de biologiste, de témoigner comme expert au procès d'un présumé coupable de meurtres en série. L'analyse génétique d'échantillons de sang et de tissus permet d'établir un lien entre l'accusé et les crimes. L'avocat de la défense demande que *toutes* les preuves de nature génétique soient exclues, déclarant que les crimes auraient pu être commis par un autre individu ayant la même combinaison de gènes et de chromosomes que son client. Que répondriez-vous à un tel argument? En quoi les critères de preuve et de certitude sont-ils différents au laboratoire et au tribunal ?

2. Des études sur les caractéristiques humaines montrent que les variations qui se manifestent dans la population humaine sont presque entièrement dues à des différences existant à l'intérieur même des groupes raciaux. Seules quelques variations proviennent de différences *entre* les races. Si ces conclusions sont exactes, le concept de « race » est-il fondé ? Dans quelle mesure une meilleure connaissance de la biologie pourrait-elle nous permettre d'atténuer les conflits raciaux et de mieux préciser la diversité de l'espèce humaine ?

LECTURES SUGGÉRÉES

Alberts, B. et coll., *Biologie moléculaire de la cellule*, 2e éd., Paris, Flammarion, 1990, (Description de la méiose au chapitre 14.)

Darnell, J., H. Lodish et D. Baltimore, *Biologie moléculaire de la cellule*, 2e éd., Bruxelles, De Boeck-Wesmael, 1993. (Détails de la division cellulaire au chapitre 5.)

Lemieux, R., « La carte française du génome », *Québec Science*, vol. 32, n° 3, novembre 1993. (Une cartographie des chromosomes humains.)

Rossignol, J. L., *Génétique*, 4e éd., Paris, Masson, 1992. (Mécanismes de transmission des gènes à travers la reproduction sexuée au chapitre 5.)

Van Gansen, P., *Biologie générale*, 2e éd. Paris, Masson, 1989. (Reproduction asexuée et sexuée au chapitre 19.)

LE MODÈLE MENDÉLIEN : LA DÉMARCHE SCIENTIFIQUE À L'ŒUVRE

GÉNÉRALISATION DES LOIS DE LA GÉNÉTIQUE MENDÉLIENNE

L'HÉRÉDITÉ MENDÉLIENNE CHEZ L'HUMAIN

Figure 13.1
Gregor Mendel (1822 - 1884). À partir des expériences qu'il avait réalisées sur des Pois, Mendel a élaboré un modèle de l'hérédité qui devait devenir la base de la génétique moderne. Les documents qu'il a publiés sur ces expériences révèlent l'esprit d'un grand scientifique. Ce chapitre expose les expériences et les conclusions de Mendel et relie ces concepts à l'hérédité humaine.

N ous pouvons avoir les yeux bleus, bruns, verts, gris ou noisette ; nos cheveux peuvent être de différentes teintes de blond, de brun, de roux ou de noir ; les Perroquets peuvent avoir des plumes vertes, bleues ou jaunes, avec des marques noires ou grises. D'où vient toute cette gamme de couleurs chez les êtres vivants ? Ou, en termes plus généraux, quelle est la base génétique de la variation parmi les individus d'une population ? Ou encore, selon quels mécanismes les variations sont-elles transmises des parents à leurs enfants ?

Avant les travaux de Mendel, on concevait l'hérédité comme un mélange du matériel génétique apporté par les deux parents. Selon cette hypothèse de l'« hérédité par mélange », le croisement d'un Perroquet bleu avec un Perroquet jaune donnerait des rejetons verts ; de plus, une fois ce mélange effectué, la séparation du matériel héréditaire des deux parents deviendrait impossible, à l'instar des couleurs d'un mélange de peinture. Si l'hypothèse de l'hérédité par mélange se vérifiait, une population de Perroquets bleus et jaunes s'accouplant librement finirait par comporter uniquement des Perroquets verts au bout d'un certain nombre de générations. Or, les éleveurs de Perroquets obtiennent des résultats qui contredisent cette prévision. L'hérédité par mélange n'explique pas davantage d'autres phénomènes héréditaires, par exemple les caractères qui sautent une génération.

L'« hérédité particulaire » est un modèle de l'hérédité qui mène au concept de gène. Selon ce modèle, les parents transmettent des unités héréditaires discontinues, les gènes, qui restent distincts chez leurs descendants. L'ensemble des gènes d'un organisme ressemble plus à un seau de billes qu'à un pot de peinture. Tout comme des billes, les gènes peuvent être triés et transmis d'une génération à l'autre sans effet de dilution.

La génétique moderne est née dans le jardin d'une abbaye, lorsqu'un moine nommé Gregor Mendel a mis en évidence une forme d'hérédité particulaire (figure 13.1). Dans le présent chapitre, vous allez voir comment Mendel a conçu sa théorie, et comment on peut appliquer son modèle aux variations chez les Humains.

LE MODÈLE MENDÉLIEN : LA DÉMARCHE SCIENTIFIQUE À L'ŒUVRE

Gregor Mendel découvrit les principaux mécanismes de l'hérédité en reproduisant des Pois (*Pisum sativum*) dans le cadre d'expériences soigneusement planifiées. Au fur et à mesure que nous suivrons ses travaux, nous retrouverons les éléments clés de la démarche scientifique que nous avons exposés au chapitre 1.

Johann Mendel (qui prit le nom de Gregor à son entrée dans l'ordre des Augustins) a grandi sur la petite ferme de ses parents, dans une région de l'Autriche qui fait aujourd'hui partie de la République tchèque. Les cultures et les vergers tenaient une place très importante dans cette région agricole et, comme les autres enfants, Mendel reçut une formation générale doublée d'une formation en agriculture. Plus tard, en dépit d'une santé délicate et de difficultés financières, il mena d'excellentes études à l'Institut de philosophie d'Olmütz.

Mendel entra au monastère des Augustins en 1843. Après trois années de cours en théologie, il fut nommé enseignant intérimaire dans une école, mais échoua à l'examen de titularisation. Un administrateur envoya alors Mendel à l'Université de Vienne, où il poursuivit ses études de 1851 à 1853. Ces années se révélèrent décisives pour l'avenir de Mendel en tant que scientifique. En effet, deux de ses professeurs, Doppler et Unger, exercèrent une forte influence sur lui. Doppler, un physicien, poussait ses étudiants à aborder les sciences par l'expérimentation, et c'est lui qui montra à Mendel comment utiliser les mathématiques pour expliquer des phénomènes naturels. Unger, un botaniste, suscita l'intérêt de Mendel pour les causes des variations chez les Plantes. Ces influences se manifestent dans les expériences que Mendel devait mener plus tard sur les Pois.

Après ses études universitaires, Mendel fut nommé professeur à l'École moderne de Brünn, où plusieurs de ses collègues partageaient sa passion pour la recherche scientifique. Au monastère où il vivait, régnait également une atmosphère intellectuellement stimulante, car plusieurs de ses confrères enseignaient à l'université et faisaient de la recherche. Par ailleurs, la culture des Plantes, y compris celle des Pois, relevait d'une longue tradition de ce monastère. Il n'y avait donc rien de vraiment exceptionnel au fait que Mendel commence, vers 1857, à faire reproduire des Pois dans le jardin de l'abbaye en vue d'étudier l'hérédité. Par contre, la nouvelle approche adoptée par Mendel pour aborder de vieilles questions sur l'hérédité révélait un caractère tout à fait extraordinaire.

Approche expérimentale de Mendel

Mendel a probablement choisi de travailler sur les Pois parce qu'il en existe de nombreuses variétés. Par exemple, une variété possède des fleurs violettes alors qu'une autre présente des fleurs blanches. Les généticiens appellent **caractère** une propriété héréditaire, telle que la couleur des fleurs, qui varie d'un individu à l'autre.

En travaillant sur les Pois, Mendel était aussi en mesure de déterminer de façon absolue l'identité des Plantes qu'il croisait. Les pétales de la fleur de Pois emprisonnent presque complètement les parties mâle et femelle (étamines et pistil); normalement, les Plantes s'autofécondent lorsque des grains de pollen libérés par les étamines tombent sur le pistil. Pour réaliser une pollinisation croisée (fécondation entre Plantes différentes), Mendel retirait les étamines immatures d'une Plante avant qu'elles ne produisent du pollen, puis il saupoudrait du pollen d'une autre Plante sur la fleur ainsi castrée (figure 13.2). Quelle que soit la méthode choisie, Mendel était

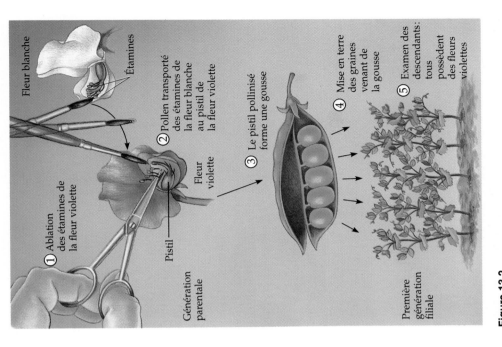

① Ablation des étamines de la fleur violette

② Pollen transporté des étamines de la fleur blanche au pistil de la fleur violette

Fleur blanche

Étamines

Pistil

Fleur violette

Génération parentale

③ Le pistil pollinisé forme une gousse

④ Mise en terre des graines venant de la gousse

⑤ Examen des descendants: tous possèdent des fleurs violettes

Première génération filiale

Figure 13.2
Croisement génétique. Pour hybrider des variétés de Pois, Mendel déposait du pollen à l'aide d'un pinceau. Ici, le caractère étudié est la couleur des fleurs, et les deux variétés possèdent l'une des fleurs violettes, l'autre des fleurs blanches. Les graines sont formées dans l'organe femelle, ou pistil, qui devient le fruit (gousse). La germination de ces graines produit la première génération d'hybrides, qui ont tous des fleurs violettes. On obtient le même résultat en effectuant un croisement réciproque, c'est-à-dire lorsqu'on dépose du pollen de fleurs violettes sur des fleurs blanches.

toujours assuré de connaître les parents des nouvelles semences.

Mendel prit soin de limiter son étude à l'hérédité de variations discontinues, c'est-à-dire de caractères s'exprimant uniquement sous l'une de deux formes. Par exemple, ses Plantes possédaient des fleurs soit violettes, soit blanches, et il n'existait pas d'intermédiaire entre ces deux variétés. Si au contraire Mendel avait étudié des caractères qui varient de façon continue entre les individus (comme la masse des graines), il n'aurait pas découvert le concept particulier de l'hérédité.

Mendel s'assura également que chacune des variétés choisies pour commencer ses expériences appartenait à une **lignée pure** ; en d'autres termes, une Plante qui n'engendre que des descendants de la même variété après une autofécondation. Par exemple, une Plante à fleurs violettes provient d'une lignée pure si les graines

qu'elle produit par autofécondation donnent toutes des Plantes à fleurs violettes.

D'ordinaire, dans une expérience de croisement, Mendel effectuait une pollinisation croisée entre deux variétés de Pois de lignée pure ayant au moins un caractère qui se manifestait différemment ; par exemple, en ce qui concerne le caractère *couleur* des fleurs, il provoquait la pollinisation entre des Pois à fleurs violettes et des Pois à fleurs blanches (voir la figure 13.2). Ce croisement entre deux variétés est appelé **hybridation**. Plus précisément, il s'agit ici d'un **croisement monohybride**, qui permet de suivre l'hérédité d'un seul caractère, tel que la couleur des fleurs. On nomme **génération P** (parentale) les parents de lignée pure, et on appelle **génération F₁** (première génération filiale) les hybrides qui en sont issus. En permettant l'autofécondation de ces hybrides F₁, on obtient une **génération F₂** (deuxième génération filiale). En règle générale, Mendel suivait les caractères pendant au moins ces trois générations (P, F₁ et F₂). Si Mendel avait mis fin à l'expérience après la génération F₁, le mécanisme de base de l'hérédité lui aurait échappé. C'est principalement l'analyse des Plantes de la F₂ qui lui a permis de découvrir les deux principes fondamentaux de l'hérédité, aujourd'hui connus sous le nom de loi de ségrégation et loi d'assortiment indépendant des caractères.

Loi mendélienne de ségrégation

Si le modèle de l'hérédité par mélange s'avérait exact, les hybrides de la F₁ issus d'un croisement entre des Pois à fleurs violettes et des Pois à fleurs blanches présenteraient des fleurs d'une couleur intermédiaire entre les deux variétés de la génération P, soit un ton violet pâle. Remarquez à la figure 13.2 que l'expérience a donné un résultat entièrement différent : les descendants de la F₁ possèdent des fleurs de la même couleur que celles de leurs parents à fleurs violettes. Qu'est-il advenu du caractère fleur blanche chez les hybrides ? Si ce caractère avait été perdu, les Plantes de la F₁ auraient produit uniquement des descendants à fleurs violettes à la génération F₂. Or, lorsque Mendel a procédé à l'autofécondation des Plantes de la F₁, puis a semé leurs graines, le caractère fleurs blanches est réapparu à la génération F₂. Mendel se servait de très grands échantillons et notait ses résultats de façon précise : 705 Plantes de la F₂ avaient des fleurs violettes, et 224 avaient des fleurs blanches. Ces chiffres correspondent à une proportion de trois Plantes à fleurs violettes pour une Plante à fleurs blanches (figure 13.3). Mendel en déduisit que le facteur héréditaire pour les fleurs blanches ne disparaissait pas chez les Plantes de la F₁, et que la couleur des fleurs de ces hybrides dépendait uniquement du facteur des fleurs violettes. Suivant la terminologie employée par Mendel, les fleurs violettes constituent un caractère dominant et les fleurs blanches représentent un caractère récessif. L'apparition de Plantes à fleurs blanches à la génération F₂ prouvait que le facteur héréditaire causant ce caractère récessif n'avait aucunement été dilué du fait de sa coexistence avec le facteur des fleurs violettes chez les hybrides de la F₁.

Mendel observa le même schéma d'hérédité pour six autres caractères, chacun offrant deux variantes opposées (tableau 13.1). Par exemple, les graines des Pois de la

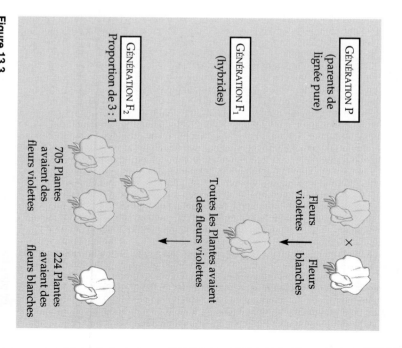

Figure 13.3
Mendel a étudié les caractères héréditaires sur trois générations. Lorsque Mendel permettait l'autofécondation des hybrides de la F₁, ou lorsqu'il les pollinisait à partir d'autres hybrides d'une F₁, la génération F₂ présentait les deux variantes selon une proportion de 3:1. Le symbole x désigne un croisement génétique, ou fécondation.

GÉNÉRATION P (parents de lignée pure)

Fleurs violettes × Fleurs blanches

GÉNÉRATION F₁ (hybrides)

Toutes les Plantes avaient des fleurs violettes

GÉNÉRATION F₂
Proportion de 3:1

705 Plantes avaient des fleurs violettes

224 Plantes avaient des fleurs blanches

génération parentale présentaient une forme soit lisse et arrondie, soit ridée. Après un croisement monohybride pour la forme des graines, tous les hybrides de la F₁ produisirent des graines rondes ; il s'agissait donc du caractère dominant. À la génération F₂, 75 % des graines étaient rondes et 25 % ridées, ce qui correspond à la proportion typique de 3:1. Comment Mendel expliquait-il les résultats observés à la suite de chacun des croisements monohybrides qu'il effectuait ? Il élabora une série d'hypothèses que nous expliquons par quatre notions interdépendantes. (Nous remplacerons ici certains termes utilisés par Mendel par des expressions modernes ; à titre d'exemple, nous parlerons de « gène » au lieu de « facteur héréditaire ».)

1. *Les variations des caractères héréditaires s'expliquent par les formes différentes que peuvent avoir les gènes.* Par exemple, il existe deux variantes pour la couleur des fleurs du Pois, l'une pour les fleurs violettes et l'autre pour les fleurs blanches. Ces deux formes possibles d'un même gène sont maintenant appelées **allèles**. De nos jours, nous pouvons relier cette notion aux chromosomes et à l'ADN. Comme nous l'avons vu au chapitre 12, chaque gène occupe un locus précis sur un chromosome particulier. Cependant, l'ADN qui se trouve sur ce locus peut présenter certaines variations dans l'information qu'il renferme. Les allèles des fleurs violettes et des fleurs blanches représentent

Tableau 13.1 Résultats des croisements de F₁ effectués par Mendel pour sept caractères du Pois

Caractère	Allèle dominant		Allèle récessif	Génération F₂ Dominants : récessifs	Proportion
Couleur des fleurs	Violette	×	Blanche	705 : 224	3,15 : 1
Position des fleurs	Axiale	×	Terminale	651 : 207	3,14 : 1
Couleur des graines	Jaune	×	Verte	6022 : 2001	3,01 : 1
Forme des graines	Ronde	×	Ridée	5474 : 1850	2,96 : 1
Forme des gousses	Gonflée	×	Monoliforme	882 : 299	2,95 : 1
Couleur des gousses	Verte	×	Jaune	428 : 152	2,82 : 1
Longueur de la tige	Longue	×	Naine	787 : 277	2,84 : 1

deux variantes possibles de l'ADN situé sur le locus du gène de la couleur des fleurs, sur l'un des chromosomes d'un Pois.

2. *Pour chaque caractère, tout organisme hérite de deux gènes, un de chaque parent.* Mendel a tiré cette conclusion sans connaître le rôle des chromosomes, mais notre étude des chromosomes au chapitre 12 nous permet de mieux comprendre son idée. Il faut se rappeler ici que tout organisme diploïde possède des paires de chromosomes homologues, et que chacun des deux chromosomes d'une paire provient de chacun des deux parents. Par conséquent, chaque locus se trouve en deux fois dans une cellule diploïde. Les deux loci homologues peuvent porter le même allèle, comme dans le cas des Plantes de lignée pure de la génération P de Mendel. Ou bien les deux allèles diffèrent, comme chez les hybrides de la F₁. Dans l'exemple de la couleur des fleurs, les hybrides ont hérité

d'un allèle pour les fleurs violettes venant d'un parent, et d'un allèle pour les fleurs blanches issu de l'autre parent.

3. *Si les deux allèles diffèrent, l'un d'eux, l'allèle dominant, s'exprime pleinement dans l'apparence de l'organisme ; l'autre, l'allèle récessif, n'a pas d'effet notable sur l'apparence de l'organisme.* Selon cette hypothèse, les Plantes de la F₁ de Mendel présentaient des fleurs violettes parce que l'allèle correspondant à cette variante est dominant et que l'allèle des fleurs blanches est récessif.

4. *Il y a ségrégation des deux gènes de chaque caractère au cours de la formation des gamètes.* Par conséquent, les gamètes mâle et femelle reçoivent chacun, pour un gène, une seule des deux copies qui existaient dans les cellules somatiques de l'organisme. En ce qui a trait aux chromosomes, la ségrégation correspond à la réduction de leur nombre pendant la méiose I (passage du nombre diploïde au nombre haploïde).

Remarquez que si un organisme possède deux fois le même allèle pour un caractère donné (il est de lignée pure pour ce caractère), il n'y aura alors qu'une seule copie de cet allèle dans tous les gamètes. Mais s'il possède deux allèles différents, comme dans le cas des hybrides de la F₁, alors 50 % des gamètes recevront l'allèle dominant et les autres recevront l'allèle récessif. C'est de cette dernière hypothèse, le *partage des allèles entre des gamètes distincts*, que vient le nom de la **loi de ségrégation** de Mendel.

Nous pouvons mettre à l'épreuve l'hypothèse de ségrégation de Mendel en vérifiant si elle peut expliquer la proportion de 3:1 qu'il a observée chez la génération F₂ de ses nombreux croisements monohybrides. Selon cette hypothèse, les hybrides de la F₁ produiront deux catégories de gamètes. Lorsque les allèles se sépareront, la moitié des gamètes recevront un allèle de fleurs violettes, alors que l'autre moitié aura un allèle à fleurs blanches. Pendant l'autofécondation, ces deux catégories de gamètes s'uniront au hasard. Un gamète femelle possédant un allèle de fleurs violettes a autant de chances d'être fécondé par un gamète mâle ayant un allèle de fleurs violettes que par un gamète mâle ayant un allèle de fleurs blanches. Comme il en va de même dans le cas d'un gamète femelle possédant un allèle de fleurs blanches, les gamètes mâles et femelles forment quatre combinaisons aussi probables l'une que l'autre. La figure 13.4 illustre ces combinaisons au moyen d'un diagramme appelé *grille de Punnett*, qui permet de prédire facilement les résultats de croisements génétiques. Remarquez que les lettres majuscules désignent un allèle dominant ; dans cet exemple, V est l'allèle des fleurs violettes.

De quelle couleur seront les Plantes de la F₂ ? Un quart d'entre elles posséderont deux allèles correspondant à des fleurs violettes ; de toute évidence, ces Plantes présenteront donc des fleurs violettes. Mais la moitié des individus de la F₂ auront hérité d'un allèle pour les fleurs violettes et d'un allèle pour les fleurs blanches ; tout comme les Plantes de la F₁, ces descendants auront des fleurs violettes, puisqu'ils possèdent l'allèle dominant. Enfin, un quart des Plantes de la F₂ auront hérité de deux allèles de fleurs blanches et exprimeront le caractère récessif. Le modèle de Mendel explique donc exactement la proportion de 3:1 observée à la génération F₂.

Quelques termes de génétique utiles Si un organisme possède une paire d'allèles identiques pour un caractère donné, on dit qu'il est **homozygote** pour ce caractère. Un Pois de lignée pure pour des fleurs violettes (VV) en constitue un exemple. Les Pois à fleurs blanches sont homozygotes pour l'allèle récessif (vv). Si nous croisons des homozygotes dominants et des homozygotes récessifs, ainsi que nous l'avons fait pour la génération P à la figure 13.4, tous les individus de la génération suivante auront une combinaison d'allèles différents, soit Vv pour les hybrides de la F₁ dans notre expérience sur la couleur des fleurs. Les organismes qui possèdent deux allèles différents pour un caractère donné sont appelés **hétérozygotes** pour ce caractère. Contrairement aux homozygotes, les hétérozygotes ne représentent pas une lignée pure, parce que leurs gamètes possèdent soit l'un, soit l'autre de ces deux allèles. Nous avons vu comment une Plante Vv de la génération F₁ qui s'autoféconde produit à la fois des descendants à fleurs violettes et des descendants à fleurs blanches.

Les phénomènes de dominance et de récessivité font que l'apparence d'un organisme ne révèle pas toujours sa combinaison allélique. Il est donc nécessaire d'établir la distinction entre son apparence, que l'on nomme

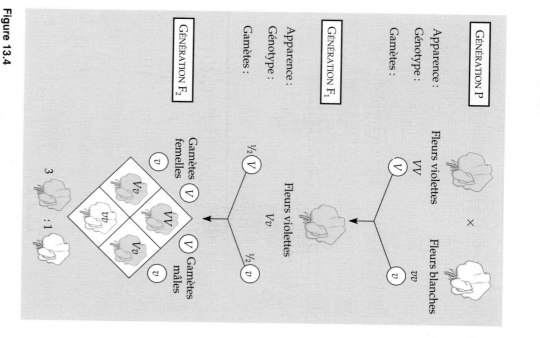

Figure 13.4
Loi mendélienne de ségrégation. Ce diagramme reprend de façon plus détaillée le modèle d'hérédité monohybride illustré à la figure 13.3. Le gène de la couleur des fleurs existe sous deux formes, ou allèles. L'allèle pour les fleurs violettes (v) est dominant, et l'allèle pour les fleurs blanches (v) est récessif. Chaque Plante possède deux gènes déterminant la couleur des fleurs, un gène venant de chaque parent. Chacune des Plantes de lignée pure de la génération parentale possède des allèles identiques, soit VV (parents à fleurs violettes), soit vv (parents à fleurs blanches). Les gamètes, représentés par des cercles, ne contiennent qu'un gène pour la couleur des fleurs. L'union des gamètes parentaux produit des hybrides de la F₁, qui possèdent des allèles différents, soit la combinaison Vv. Comme l'allèle des fleurs violettes est dominant, tous ces hybrides présentent des fleurs violettes. Lorsque ces Plantes forment des gamètes, les deux allèles se séparent ; la moitié des gamètes reçoivent l'allèle V et les autres l'allèle v. De la combinaison de ces gamètes au hasard résulte la proportion de 3:1 que Mendel a observée à la génération F₂. L'illustration figurant au bas de la figure est une grille de Punnett, qui s'avère très utile lorsqu'on cherche à montrer toutes les combinaisons alléliques possibles d'une génération.

GÉNÉRATION P
Apparence : Fleurs violettes × Fleurs blanches
Génotype : VV   vv
Gamètes : V   v

GÉNÉRATION F₁
Apparence : Fleurs violettes
Génotype : Vv
Gamètes : ½ V   ½ v

GÉNÉRATION F₂
Apparence :
Génotype :
Gamètes :
Gamètes femelles : V   v
Gamètes mâles : V   v
VV   Vv
Vv   vv
3 : 1

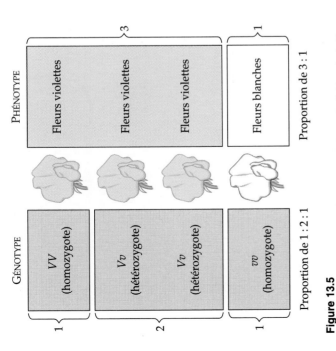

Figure 13.5
Génotype et phénotype. Si l'on regroupe les individus de la F₂ issus d'un croisement monohybride selon leur phénotype (apparence), on obtient la proportion typique de 3:1. Du point de vue du génotype, cependant, il existe deux catégories de Plantes à fleurs violettes : *VV* (homozygotes) et *Vv* (hétérozygotes). Remarquez qu'un génotype *Vv* peut être créé de deux façons, selon le type de gamète (mâle ou femelle) qui fournit l'allèle dominant. Remarquez également que la proportion des génotypes est de 1*VV* :2*Vv* :1*vv*.

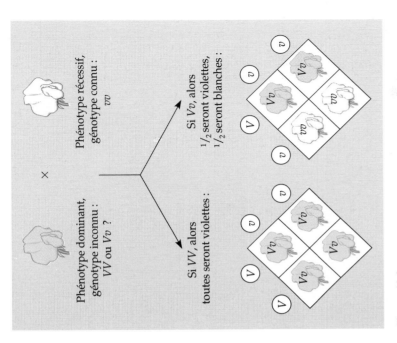

Figure 13.6
Croisement de contrôle. Le but d'un croisement de contrôle est de révéler le génotype d'un organisme qui présente un caractère dominant, comme les fleurs violettes chez le Pois. Cet organisme peut être soit hétérozygote, soit homozygote pour l'allèle dominant. La méthode la plus efficace pour déterminer le génotype de cet organisme consiste à le croiser avec un organisme exprimant le caractère récessif. Étant donné que l'on connaît le génotype du parent à fleurs blanches (il est homozygote puisqu'il exprime ce caractère), les phénotypes de la génération suivante nous permettront de déterminer le génotype du parent à fleurs violettes.

phénotype, et sa constitution génétique, appelée **génotype.** Dans le cas de la couleur des fleurs du Pois, les Plantes *VV* et *Vv* possèdent le même phénotype (fleurs violettes) mais leur génotype diffère. Nous reprenons ces notions à la figure 13.5. (Le phénotype inclut les caractères tant physiologiques que physiques.)

Croisement de contrôle Supposons que nous ayons un Pois aux fleurs violettes. Comment pouvons-nous savoir s'il est homozygote ou hétérozygote, puisque les génotypes *VV* et *Vv* produisent le même phénotype ? Si nous croisons cette Plante avec une autre aux fleurs blanches, l'apparence de leurs descendants nous permettra de connaître le génotype du parent à fleurs violettes. Nous connaissons le génotype de la Plante à fleurs blanches : comme l'allèle est récessif, la Plante ne peut être qu'homozygote. Si tous les individus issus du croisement ont des fleurs violettes, alors l'autre parent est aussi homozygote, puisqu'un croisement *VV* × *vv* ne peut produire que des individus *Vv*. Mais si à la génération suivante nous trouvons le phénotype à fleurs violettes et l'autre à fleurs blanches, alors le parent à fleurs violettes est hétérozygote. Les descendants issus d'un croisement *Vv* × *vv* présenteront une proportion des phénotypes *Vv* et *vv* de 1:1 (figure 13.6). On appelle **croisement de contrôle** (*testcross*) ce croisement d'un homozygote récessif et d'un individu ayant un phénotype dominant, mais dont on ne connaît pas le génotype. Ce croisement a été inventé par Mendel et il demeure un outil essentiel pour les généticiens.

L'hérédité, jeu de hasard

La loi de ségrégation représente un exemple concret des lois de la probabilité qui s'appliquent quand on joue à pile ou face, aux dés ou aux cartes. Il est essentiel de posséder une compréhension élémentaire de ces lois du hasard avant de se livrer à l'analyse génétique.

L'échelle des probabilités s'étend de 0 à 1. Un événement qui se produira certainement a une probabilité de 1, alors qu'un événement dont on est sûr qu'il ne se produira pas a une probabilité de 0. Si on lance une pièce qui a deux côtés face, la probabilité qu'elle tombe sur face est de 1, et la probabilité qu'elle tombe sur pile est de 0. Avec une pièce normale, la probabilité d'obtenir face est de $\frac{1}{2}$ et la probabilité d'avoir pile est de $\frac{1}{2}$. Si on lance un dé à six faces, la probabilité d'obtenir un 3 est de $\frac{1}{6}$, et la chance de tirer une reine de pique dans un jeu de cartes est de $\frac{1}{52}$. La somme des probabilités de tous les résultats possibles d'un événement est toujours 1. Dans le cas d'un dé, la chance d'obtenir un résultat autre que 3 est de $\frac{5}{6}$. Dans un jeu de cartes, la chance de tirer une carte autre que la reine de pique est de $\frac{51}{52}$.

Le jeu de pile ou face nous permet de mieux comprendre les probabilités. À chaque lancer, la probabilité de

tomber sur face est de $\frac{1}{2}$. Le résultat de n'importe quel lancer est indépendant de ce qui s'est passé lors des essais précédents. On appelle événements indépendants des événements tels que les lancers successifs d'une pièce de monnaie. (Ce terme s'applique aussi à des lancers simultanés de plusieurs pièces.) Il est parfaitement possible que cinq lancers successifs d'une pièce normale donnent cinq faces de suite. Avant le sixième essai, un observateur pourrait prédire : « Le prochain résultat sera face, parce que nous avons déjà obtenu un grand nombre de faces ». Cependant, au sixième lancer, la probabilité que le résultat soit à nouveau face est encore de $\frac{1}{2}$.

Il existe deux règles de probabilité élémentaires particulièrement utiles dans les jeux de hasard et la résolution des problèmes de génétique : il s'agit de la règle de la multiplication et de la règle de l'addition.

Règle de la multiplication Si nous lançons deux pièces de monnaie simultanément, le résultat obtenu pour chaque pièce ne dépend pas de celui de l'autre pièce. Quelle est la probabilité que les deux pièces tombent sur le côté face ? Comment connaître les chances pour que deux ou plusieurs événements indépendants se produisent ensemble selon une combinaison donnée ? Il suffit de calculer la probabilité de chacun des événements indépendants, puis de multiplier ces chiffres entre eux. Selon cette règle de la multiplication, la probabilité que les deux pièces tombent sur face est de $\frac{1}{2} \times \frac{1}{2} = \frac{1}{4}$. Un croisement mendélien entre individus de la F₁ est analogue à ce jeu de hasard. Si la couleur des fleurs représente le caractère héréditaire, le génotype d'une Plante de la F₁ est *Vv*. Quelles sont les chances pour qu'une Plante de la F₂ ait des fleurs blanches ? Pour que cela se produise, il faut que les gamètes mâle et femelle portent tous deux l'allèle *v* ; nous pouvons donc nous servir de la règle de la multiplication. Dans une Plante hétérozygote, la ségrégation est comparable au lancer d'une pièce de monnaie. La probabilité qu'un gamète mâle possède l'allèle *v* est de $\frac{1}{2}$; la probabilité qu'un gamète femelle présente l'allèle *v* est aussi de $\frac{1}{2}$. Par conséquent, la probabilité que deux allèles *v* se retrouvent ensemble lors de la fécondation sera de $\frac{1}{2} \times \frac{1}{2} = \frac{1}{4}$; ce résultat équivaut à la probabilité que deux pièces lancées de façon indépendante tombent sur face (figure 13.7).

Règle de l'addition Quelles sont les chances pour qu'une Plante de la F₂ soit hétérozygote ? La figure 13.7 montre que les gamètes de la F₁ peuvent se combiner de deux façons pour produire un individu hétérozygote. L'allèle dominant peut venir du gamète femelle et l'allèle récessif du gamète mâle, et vice-versa. Selon la règle de l'addition, la probabilité d'un événement qui peut se produire de deux ou plusieurs façons est la *somme* des probabilités individuelles de chacune de ces façons. En nous servant de cette règle, nous pouvons calculer la probabilité qu'un individu de la F₂ soit hétérozygote : $\frac{1}{4} + \frac{1}{4} = \frac{1}{2}$.

Nature statistique de l'hérédité Si nous semons une graine de la génération F₂ qui apparaît à la figure 13.4, nous ne pouvons pas prévoir avec certitude si la Plante aura des fleurs blanches, pas plus que nous ne pouvons savoir si le lancer de deux pièces donnera deux faces. En revanche, nous pouvons affirmer que la Plante aura une chance sur quatre de produire des fleurs blanches. En d'autres termes, dans un grand échantillon de Plantes de la F₂, un quart (25 %) auront des fleurs blanches. Habituellement, plus l'échantillon est grand, plus les résultats s'approchent de nos prévisions. Le fait que Mendel ait compté un si grand nombre d'individus issus de ses croisements semble indiquer qu'il comprenait cet aspect statistique de l'hérédité. En étudiant la découverte de la deuxième loi de l'hérédité de Mendel, nous allons voir à quel point il avait l'intuition des règles du hasard.

Loi mendélienne d'assortiment indépendant des caractères

Mendel a découvert la loi de ségrégation en effectuant des croisements monohybrides, c'est-à-dire à partir de variétés parentales qui différaient par un seul caractère, comme la couleur des fleurs. Que se passerait-il si l'on croisait des variétés parentales présentant *deux* caractères différents (**croisement dihybride**) ? Par exemple, la

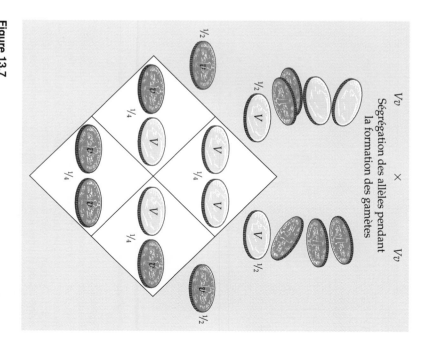

Figure 13.7
La ségrégation et la fécondation sont des événements aléatoires. Lorsqu'un individu hétérozygote (*Vv*) produit des gamètes, la ségrégation des allèles ressemble au lancer d'une pièce de monnaie. Le gamète femelle a 50 % de chances de recevoir l'allèle dominant et 50 % de chances de recevoir l'allèle récessif. La même probabilité s'applique au gamète mâle. Tout comme le lancer de deux pièces distinctes, la ségrégation qui survient pendant la formation des gamètes mâle et femelle représente deux événements indépendants. Pour calculer la probabilité que les deux gamètes à la fois portent l'allèle dominant, on multiplie les probabilités de chacun des gamètes : $\frac{1}{2} \times \frac{1}{2} = \frac{1}{4}$. De même, si l'on connaît le génotype des parents, on peut prédire la probabilité de n'importe quel génotype chez leurs descendants.

Vv × Vv

Ségrégation des allèles pendant la formation des gamètes

(a) Hypothèse: assortiment dépendant   **(b)** Hypothèse: assortiment indépendant

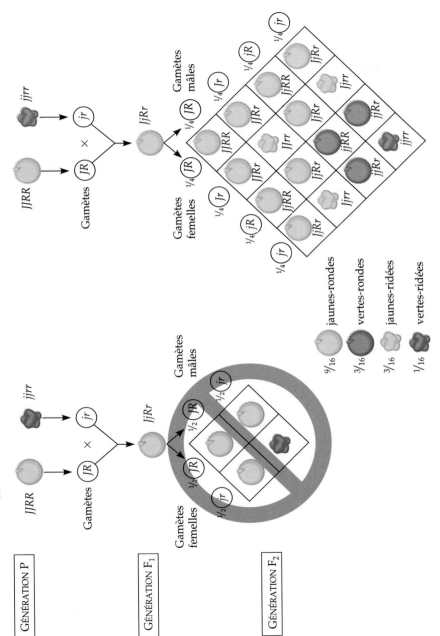

GÉNÉRATION P

GÉNÉRATION F₁

GÉNÉRATION F₂

9/16 jaunes-rondes

3/16 vertes-rondes

3/16 jaunes-ridées

1/16 vertes-ridées

Figure 13.8
Comparaison des deux hypothèses de ségrégation dans le cas d'un croisement dihybride. Un croisement effectué entre des parents de lignée pure qui diffèrent par deux caractères produit des hybrides de la F₁ qui sont hétérozygotes pour les deux caractères. Dans cet exemple, les deux caractères choisis sont la couleur et la forme des graines. La couleur jaune (*J*) et la forme ronde (*R*) sont des caractères dominants. **(a)** Si la ségrégation des caractères se fait de façon dépendante (simultanée), les hybrides de la F₁ ne peuvent former que des gamètes des deux types qu'ils ont reçus de leurs parents, et les individus de la F₂ montreront une proportion phénotypique

de 3:1. **(b)** Si les deux caractères subissent une ségrégation indépendante, la génération F₁ produira quatre types de gamètes et le rapport entre les phénotypes de la génération F₂ sera de 9:3:3:1. Les résultats obtenus par Mendel confirment cette deuxième hypothèse, dite de l'assortiment indépendant.

couleur et la forme des graines constituaient deux des sept caractères étudiés par Mendel. Les graines peuvent être soit jaunes, soit vertes. Elles peuvent aussi présenter une forme ronde ou ridée. Les croisements monohybrides avaient montré à Mendel que l'allèle des graines jaunes est dominant, et que celui des graines vertes est récessif. En ce qui concerne la forme des graines, l'allèle pour les graines rondes est dominant et l'allèle pour les graines ridées est récessif. Dans un croisement monohybride effectué entre une Plante à graines jaunes-rondes et une Plante à graines jaunes-ridées, l'hérédité de chacun des caractères représente une combinaison mendélienne simple, soit une proportion de 3:1 à la génération F₂. Mais que se passe-t-il si nous croisons deux variétés de Pois qui diffèrent par ces *deux* caractères, soit un parent à graines jaunes-rondes (*JJRR*) et un parent à graines vertes-ridées (*jjrr*)? Ces deux caractères (couleur et forme des graines) sont-ils transmis des parents aux descendants comme une unité? Autrement dit, les allèles *J* et *R* restent-ils toujours associés d'une génération à la suivante? Ou bien la couleur et la forme des

graines sont-elles transmises indépendamment l'une de l'autre? La figure 13.8 illustre la manière dont un croisement dihybride permet de déterminer laquelle de ces deux hypothèses est juste.

À la génération F₁ de ce croisement dihybride, le génotype est *JjRr*, et la Plante présente les deux phénotypes dominants, soit des graines jaunes et rondes. L'étape clé de cette expérience consiste à observer ce qui se passe lorsque les Plantes de la F₁ s'autofécondent et produisent la génération F₂. Si les hybrides transmettent leurs allèles selon une combinaison identique à celle qui venait de la génération P, il n'y aura alors que deux catégories de gamètes, *JR* et *jr*. Cette hypothèse nous amène à prédire que la proportion des phénotypes de la génération F₂ sera de 3:1, comme dans un croisement monohybride (figure 13.8a).

D'après l'autre hypothèse, les deux paires d'allèles subissent une ségrégation indépendante l'une de l'autre. En d'autres termes, les gènes peuvent se trouver regroupés dans les gamètes selon n'importe quelle combinaison allélique, dans la mesure où chaque gamète reçoit un

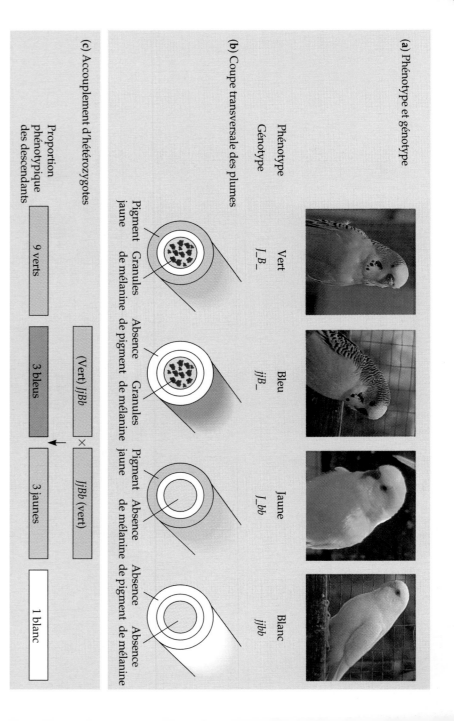

(a) Phénotype et génotype

Phénotype	Vert	Bleu	Jaune	Blanc
Génotype	J_B_	jjB_	J_bb	jjbb

(b) Coupe transversale des plumes

Pigment jaune — Granules de mélanine de pigment de mélanine jaune · Absence de pigment jaune — Granules de mélanine · Pigment jaune — Absence de mélanine de pigment de mélanine · Absence de pigment jaune — Absence de mélanine de pigment de mélanine

(c) Accouplement d'hétérozygotes

(Vert) JjBb × JjBb (vert)

Proportion phénotypique des descendants

9 verts	3 bleus	3 jaunes	1 blanc

Figure 13.9
Assortiment indépendant et variations de la couleur des plumes chez les Perruches. (a) Deux gènes différents et non liés (*situés sur des chromosomes différents*) déterminent la couleur du plumage de ces Perruches. Un gène détermine la pigmentation de la région externe de la plume, et l'autre fixe la pigmentation du centre. Il existe deux allèles de chaque gène. Pour la partie extérieure, l'allèle de la couleur jaune est dominant (J) et l'allèle pour l'absence de couleur est récessif (j). Pour le centre de la plume, l'allèle dominant (B) détermine la présence d'un pigment nommé mélanine, et l'allèle pour l'absence de mélanine est récessif (b). Ces diverses combinaisons produisent les quatre phénotypes représentés ici. (Les espaces vides laissés dans les génotypes indiquent que les états homozygote dominant et hétérozygote donnent le même phénotype.) (b) Des coupes des plumes montrent les bases anatomiques et chimiques des quatre phénotypes. Les individus issus d'un croisement dihybride entre des Perruches vertes de lignée pure (JJBB) et des Perruches blanches (jjbb) sont verts et hétérozygotes pour les deux gènes (JjBb). (c) Lorsque ces dihybrides de la F1 s'accouplent, les quatre phénotypes possibles se retrouvent dans la génération F2 selon une proportion de 9:3:3:1. Une grille de Punnett représentant les résultats de ce croisement permet de calculer les proportions en regroupant les génotypes qui produisent le même phénotype.

gène pour chaque caractère. Dans cet exemple, nous aurions quatre catégories de gamètes produites en quantités égales: JR, Jr, jR et jr. Si on met quatre catégories de gamètes mâles en présence de quatre catégories de gamètes femelles, les allèles formeront 16 (4 × 4) combinaisons de probabilité égale dans la génération F2, ainsi que le montre la figure 13.8b. Ces combinaisons produisent quatre catégories de phénotypes selon une proportion de 9:3:3:1 (neuf graines jaunes-rondes, trois graines vertes-rondes, trois graines jaunes-ridées, une graine verte-ridée). Lorsque Mendel a réalisé cette expérience, il a dénombré les individus appartenant à la F2 et obtenu un rapport de 315:108:101:32, soit approximativement 9:3:3:1.

Ces résultats expérimentaux confirmaient l'hypothèse selon laquelle chaque caractère est transmis de façon indépendante; en effet, chez les dihybrides (JjRr), la ségrégation des deux allèles de la couleur des graines ne dépendait pas de celle des allèles de la forme des graines. Mendel a effectué divers croisements dihybrides en com-binant les sept caractères qu'il étudiait chez le Pois, et il a toujours observé une proportion phénotypique de 9:3:3:1 à la génération F2. Cependant, vous pouvez remarquer à la figure 13.8b que chaque caractère présente un rapport phénotypique de 3:1: trois graines jaunes pour une verte, trois rondes pour une ridée. En ce qui concerne le caractère pris individuellement, la ségrégation se produit de la même manière que dans un croisement monohybride. Aujourd'hui, on appelle **loi d'assortiment indépendant des caractères** ce comportement des allèles pendant la formation des gamètes. À la figure 13.9, nous pouvons observer la façon dont cette loi s'applique à des croisements de Perruches qui sont hétérozygotes pour deux caractères.

En appliquant les lois de la probabilité à la ségrégation et à l'assortiment indépendant des caractères, nous pouvons résoudre des problèmes de génétique complexes. Par exemple, Mendel a hybridé des variétés de Pois dont trois caractères présentaient des variantes, et les résultats de ces **croisements trihybrides** pouvaient s'expliquer par

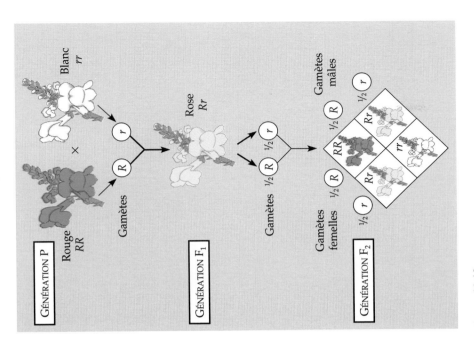

GÉNÉRATION P   Rouge   ×   Blanc
                RR   rr

Gamètes   R   r

GÉNÉRATION F₁   Rose
                Rr

Gamètes   ½ R   ½ r

                              Gamètes
                              mâles
                          ½ R   ½ r

Gamètes
femelles

½ R   RR   Rr

½ r   Rr   rr

GÉNÉRATION F₂

Figure 13.10
Exemple de dominance incomplète : la couleur des fleurs de Gueule-de-loup. Lorsqu'on croise des Gueules-de-loup rouges avec des Gueules-de-loup blanches, les hybrides de la F₁ possèdent des fleurs roses. La ségrégation des allèles dans les gamètes des Plantes de la F₁ produit une génération F₂ dont les génotypes et les phénotypes présentent une proportion de 1:2:1.

l'assortiment indépendant des allèles. Prenons le cas d'un croisement trihybride entre deux organismes ayant les génotypes suivants : *AaBbCc* × *AaBbCc*. Quelle est la probabilité qu'un individu issu de ce croisement soit homozygote récessif pour les trois caractères (*aabbcc*) ? Les deux allèles d'un caractère se répartissent au hasard dans les gamètes, indépendamment des allèles d'un deuxième caractère et de ceux d'un troisième caractère ; par conséquent, on peut considérer les trois caractères simultanés sous forme de trois croisements monohybrides distincts :

Aa × *Aa* : probabilité pour un individu *aa* = ¼
Bb × *Bb* : probabilité pour un individu *bb* = ¼
Cc × *Cc* : probabilité pour un individu *cc* = ¼

On se sert de la règle de la multiplication pour calculer les chances que l'individu soit *aabbcc* :

$$\frac{1}{4} \, aa \times \frac{1}{4} \, bb \times \frac{1}{4} \, cc = \frac{1}{64}$$

Les deux lois de Mendel (la ségrégation et l'assortiment indépendant) expliquent certaines variations héréditaires ; elles s'appliquent aux gènes non liés (c'est-à-dire situés sur des paires différentes de chromosomes), transmis d'une génération à l'autre selon des règles de probabilités simples. Cette théorie particulière de l'hérédité, qui a d'abord été établie chez les Pois, s'applique également à tous les autres êtres vivants. L'influence de Mendel est toujours d'actualité, non seulement dans le domaine de la génétique, mais aussi dans toutes les sciences, car il a montré l'importance de l'approche hypothéticodéductive (voir le chapitre 1).

GÉNÉRALISATION DES LOIS DE LA GÉNÉTIQUE MENDÉLIENNE

Au cours du siècle actuel, les généticiens ont appliqué les principes mendéliens à des modèles d'hérédité plus complexes que ceux décrits par Mendel. Mendel a eu l'idée géniale (ou la chance) de choisir des caractères du Pois dont les bases génétiques se révélèrent relativement simples : chaque caractère était déterminé par un gène, pour lequel il n'existait que deux allèles, l'un complètement dominant par rapport à l'autre. Mais tel n'est pas le cas de tous les caractères héréditaires, pas même chez le Pois. Malgré tout, la génétique mendélienne conserve son utilité, parce que ses principes de base, la ségrégation et l'assortiment indépendant, restent valides même dans les cas plus complexes. Dans la présente section, nous appliquerons la génétique de Mendel à des modèles d'hérédité dont il n'a pas parlé.

Dominance incomplète

Dans les croisements mendéliens classiques effectués chez des Pois, les descendants de la F₁ ressemblaient toujours à l'une des deux variétés parentales parce que l'un des allèles se montrait complètement dominant par rapport à l'autre. Mais, en ce qui concerne d'autres caractères, il y a une **dominance incomplète**, et les hybrides de la F₁ ont un phénotype intermédiaire entre ceux des deux variétés parentales. Par exemple, si l'on croise des

Gueules-de-loup rouges avec des Gueules-de-loup blanches, tous les hybrides de la F₁ présentent des fleurs roses (figure 13.10). Les fleurs hétérozygotes possèdent moins de pigment rouge que les homozygotes rouges, ce qui produit ce troisième phénotype. Cependant, il ne faut pas considérer la dominance incomplète comme une preuve de la théorie de l'hérédité par mélange, selon laquelle on ne pourrait jamais retrouver les caractères rouge ou blanc à partir des fleurs roses. En fait, un croisement effectué entre les hybrides de la F₁ donne des individus F₂ avec une proportion phénotypique de 1 individu rouge pour 2 roses et 1 blanc. (Remarquez que dans les cas de dominance incomplète on peut distinguer les hétérozygotes des deux variétés homozygotes, et que la proportion des phénotypes et des génotypes dans la génération F₂ est la même : 1 : 2 : 1.) La ségrégation des allèles rouge et blanc dans les gamètes issus des Plantes à fleurs roses confirme le fait que les gènes pour la couleur des fleurs sont des facteurs héréditaires qui gardent leur identité chez les hybrides ; en d'autres termes, l'hérédité est de nature particulière.

Qu'est-ce qu'un allèle dominant ?

Maintenant que vous savez ce qu'est la dominance incomplète, revenons à la signification de la dominance et de la récessivité. Qu'est-ce qu'un allèle n'est-il pas dominant ? Ou plutôt, pour quelle raison un allèle est-il dominant ?

Dans le cas de la **dominance complète** décrite par Mendel, il est impossible de distinguer le phénotype d'un hétérozygote de celui d'un homozygote dominant. Il s'agit là d'un cas extrême dans la gamme des relations de dominance et de récessivité des allèles. La **codominance**, dans laquelle les *deux* allèles se manifestent entièrement et de manière indépendante dans le phénotype, représente l'autre extrême. Prenons l'exemple des trois groupes sanguins humains appelés M, N et MN. Le typage de ces groupes sanguins s'appuie sur la présence d'une ou deux molécules spécifiques à la surface des globules rouges. Les personnes du groupe M possèdent l'une de ces deux molécules, et celles du groupe N ont l'autre. Le groupe MN se caractérise par la présence des *deux* molécules sur les globules rouges. Quels génotypes correspondent à ces phénotypes ? Les groupes sanguins en question sont déterminés par un seul gène, situé sur un locus précis et représenté par deux allèles. Les individus du groupe M sont homozygotes pour un allèle (I^{M}I^M), ceux du groupe N sont homozygotes pour l'autre allèle (I^{N}I^N). Les hétérozygotes (I^{M}I^N) ont le groupe sanguin MN. Remarquez que le phénotype MN n'est *pas* intermédiaire entre les phénotypes M et N, mais que ces deux derniers s'expriment individuellement grâce à la présence des deux molécules sur les globules rouges. Par contre, la dominance incomplète se reconnaît à un phénotype intermédiaire, comme dans le cas des fleurs roses des Gueules-de-loup hybrides. La gamme des relations possibles entre les allèles compte par conséquent la dominance complète, la codominance et divers degrés de dominance incomplète. Ces variations se reflètent dans les phénotypes des hétérozygotes.

En ce qui concerne n'importe quel caractère, la relation dominance-récessivité dépend du niveau auquel on examine le phénotype. Prenons l'exemple de la maladie de Tay-Sachs, une maladie héréditaire chez les Humains. Les cellules du cerveau d'un bébé atteint de la maladie de Tay-Sachs ne peuvent pas métaboliser les gangliosides (des glycolipides), parce qu'une enzyme essentielle ne fonctionne pas de façon adéquate. Au fur et à mesure de l'accumulation des glycolipides dans le cerveau, le fonctionnement des cellules cérébrales se dérègle graduellement, ce qui mène à la mort (nous reviendrons sur cette maladie plus loin dans le présent chapitre). Les seuls enfants touchés sont ceux qui ont reçu deux copies de l'allèle de Tay-Sachs (homozygotes). Étant donné la faible incidence de cette maladie dans la population ($^3/_{10\,000}$), nous pourrions considérer l'allèle de Tay-Sachs comme un allèle récessif au niveau de l'*organisme*. Cependant, les individus hétérozygotes, normaux en apparence, présentent au niveau *biochimique* un phénotype caractérisé par une dominance incomplète : en effet, le niveau d'activité de l'enzyme qui métabolise les gangliosides se situe entre celui des individus homozygotes pour l'allèle normal et celui des individus atteints de la maladie de Tay-Sachs. Les hétérozygotes ne présentent pas les symptômes de la maladie, apparemment parce que la moitié de la quantité

normale d'enzyme fonctionnelle suffit à empêcher l'accumulation de gangliosides dans le cerveau. En fait, les personnes hétérozygotes produisent une quantité égale d'enzymes normales et d'enzymes non fonctionnelles. Enfin, au niveau *moléculaire*, l'allèle normal et l'allèle de la maladie de Tay-Sachs sont codominants. Comme on le voit, les relations dominance-récessivité n'offrent pas toujours la même simplicité que la description qui en a été faite par Mendel.

Il importe également de comprendre qu'on ne qualifie pas un allèle de *dominant* parce qu'il atténue et empêche l'expression d'un allèle récessif. Souvenez-vous que les allèles représentent de simples variations dans la séquence nucléotidique d'un gène. Lorsqu'un allèle dominant et un allèle récessif se trouvent ensemble dans un génotype hétérozygote, il n'existe en fait aucune interaction entre les deux. C'est dans la transposition du génotype en phénotype que la dominance et la récessivité entrent en jeu. Prenons l'exemple de l'un des caractères étudiés par Mendel, les graines de Pois rondes et les graines ridées. L'allèle dominant code pour la synthèse d'une enzyme qui permet la transformation du saccharose en amidon dans la graine. L'allèle récessif code pour une forme défectueuse de cette enzyme. Par conséquent, chez un homozygote récessif, le saccharose s'accumule dans la graine parce qu'il n'a pas subi de conversion en amidon. Au cours du développement de la graine, la forte concentration de saccharose entraîne l'absorption d'eau par osmose, et la graine gonfle (voir le chapitre 8). Lorsque les graines mûres sèchent, elles présentent des rides analogues aux vergetures d'une personne qui a perdu beaucoup de poids. Par contre, en présence de l'allèle dominant, le saccharose se convertit en amidon et les graines ne rident pas en séchant. Un seul allèle dominant suffit à produire l'enzyme en quantité suffisante pour convertir le saccharose en amidon, ce qui fait que le phénotype des homozygotes dominants et celui des hétérozygotes sont identiques, soit des graines rondes. L'observation des mécanismes qui déterminent le phénotype permet d'éclairer les notions de dominance et de récessivité.

La signification du terme *dominance* appelle une autre remarque importante. Même si un allèle d'un caractère donné est dominant, cela ne signifie pas nécessairement qu'il est plus répandu dans une population que l'allèle récessif correspondant. Par exemple, aux États-Unis, environ un nouveau-né sur 400 présente des doigts ou des orteils surnuméraires (on appelle cette malformation polydactylie). L'allèle de la polydactylie est *dominant* par rapport à l'allèle pour cinq doigts par membre. En d'autres termes, 399 personnes sur 400 sont homozygotes récessives pour ce caractère ; l'allèle récessif est bien plus courant que l'allèle dominant dans la population. Nous verrons au chapitre 21 que la fréquence relative des allèles dans une population résulte principalement de la sélection naturelle.

En résumé, rappelez-vous trois points importants à propos des relations dominance-récessivité. (1) Elles vont de la dominance complète à la codominance, en passant par divers degrés de dominance incomplète. (2) Elles reflètent les mécanismes par lesquels des allèles spécifiques s'expriment dans le phénotype et elles

Figure 13.11
Allèles multiples pour les groupes sanguins du système ABO. Il y a trois allèles. Comme chaque individu est porteur de deux allèles, six génotypes sont possibles. En présence de l'allèle I^A ou I^B, la substance correspondante (respectivement A ou B) apparaît à la surface des globules rouges. Ces deux allèles, qui sont codominants, sont dominants par rapport à l'allèle i, qui ne code pour aucune substance de surface. Chaque individu produit des anticorps contre les substances étrangères, ce qui provoque une agglutination des globules rouges dans le cas d'une transfusion avec un sang incompatible.

Phénotype (groupe sanguin)	Génotypes	Anticorps présents dans le plasma sanguin	Réaction (agglutination) lorsque des globules rouges des groupes ci-dessous sont ajoutés au plasma des groupes de gauche?			
			O	A	B	AB
O	ii	Anti-A Anti-B	Non	Oui	Oui	Oui
A	$I^A I^A$ ou $I^A i$	Anti-B	Non	Non	Oui	Oui
B	$I^B I^B$ ou $I^B i$	Anti-A	Non	Oui	Non	Oui
AB	$I^A I^B$	—	Non	Non	Non	Non

n'impliquent pas qu'un allèle empêche l'expression d'un autre allèle au niveau de l'ADN. (3) Elles ne déterminent pas l'abondance relative des allèles dans une population.

Allèles multiples

La plupart des gènes présentent en fait plus de deux formes alléliques. Chez les Humains, les groupes sanguins du système ABO constituent un exemple d'allèles multiples. Il existe quatre phénotypes pour le groupe sanguin : un individu peut être A, B, AB ou O. Ces lettres désignent deux glucides, la substance A et la substance B, qui peuvent se trouver à la surface des globules rouges du sang, greffés à des protéines ou à des lipides membranaires. (Ces groupes ont été établis à partir de marqueurs moléculaires des globules rouges, différents des marqueurs utilisés dans la classification MN.) Les globules sanguins d'une personne donnée peuvent être recouverts d'une substance ou de l'autre (groupe A ou B), des deux (groupe AB) ou d'aucune d'entre elles (groupe O). Pour effectuer des transfusions sanguines, il est essentiel d'avoir des groupes sanguins compatibles. Si le sang du donneur possède une substance (A ou B) qui n'existe pas chez le receveur, ce dernier produit des protéines spécifiques appelées anticorps qui se lient aux molécules étrangères et provoquent l'agglutination (agglomération) des globules sanguins du donneur. Cette réaction entraîne parfois la mort du receveur.

Les quatre groupes sanguins représentent différentes combinaisons de trois allèles différents, représentés par I^A (pour le glucide A), I^B (pour B) et i (ne produisant ni A ni B). Six génotypes sont possibles (figure 13.11). Les allèles I^A et I^B sont dominants par rapport à l'allèle i. Les individus de génotype $I^A I^A$ ou $I^A i$ ont le groupe sanguin A et les individus $I^B I^B$ et $I^B i$ sont du groupe B. Le sang des homozygotes récessifs ii appartient au groupe O parce

que ni la substance A ni la substance B ne sont produites. Les allèles I^A et I^B sont codominants, chacun s'exprimant dans le phénotype de l'hétérozygote $I^A I^B$, dont le sang appartient au groupe AB.

Pléiotropie

Jusqu'ici, nous avons parlé de l'hérédité mendélienne comme si chaque gène influait sur un seul caractère phénotypique. La plupart des gènes, cependant, produisent des effets phénotypiques multiples. Cette faculté est nommée **pléiotropie**. Par exemple, le même allèle provoque une pigmentation anormale et un strabisme chez les Tigres. Chez les Humains, les allèles à l'origine de certaines maladies héréditaires (dont l'anémie à hématies falciformes) provoquent le plus souvent des symptômes multiples. Compte tenu de la complexité des interactions moléculaires et cellulaires nécessaires au développement d'un organisme, il n'est pas surprenant qu'un seul gène puisse influer sur un grand nombre de caractéristiques de cet organisme.

Épistasie

Dans certains cas, un gène situé sur un locus donné agit sur l'expression phénotypique d'un autre gène ; cette interaction se nomme **épistasie** (du grec « action de se placer au-dessus »). Un exemple permettra de mieux expliquer ce concept. Chez les Souris, comme chez de nombreux autres Mammifères, le pelage noir est dominant par rapport au pelage brun. On désigne les deux allèles pour ce caractère par N et n. Pour qu'une Souris ait un pelage brun, il faut que son génotype soit nn. En outre, un second gène situé sur un autre locus détermine si le pigment se déposera dans le poil ou non. L'allèle dominant de ce second gène, C, permet au pigment de se

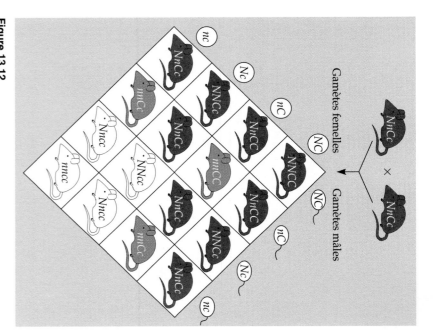

Gamètes femelles

Gamètes mâles

$NnCc \times NnCc$

Figure 13.12

Épistasie. Cette grille de Punnett illustre les génotypes et les phénotypes des individus issus d'accouplements entre deux Souris noires. Les parents sont hétérozygotes pour deux gènes dont l'assortiment s'effectue de manière indépendante. Cette expérience correspond donc à un croisement mendélien de dihybrides F_1. Un des gènes spécifie si le pelage sera noir (*N*, dominant) ou brun (*n*, récessif). L'autre gène détermine si un pigment, *quelle que soit sa couleur*, se déposera dans le poil; l'allèle pour la présence de couleur (*C*) est dominant sur l'allèle pour l'absence de couleur (*c*). Tous les individus de génotype *cc* sont blancs (albinos), quel que soit le génotype présent sur le locus du gène noir-brun. Cette épistasie du gène de la couleur sur le gène noir-brun produit une proportion phénotypique F_2 de 9 individus noirs pour 3 bruns et 4 blancs.

déposer. C'est ainsi que la couleur du pelage est soit noire, soit brune, suivant le génotype du premier locus. Mais si la Souris est homozygote récessive pour le second locus (*cc*), alors le pelage est blanc (albinos), quel que soit le génotype du locus brun-noir.

Que se passe-t-il si l'on croise des Souris noires hétérozygotes pour les deux gènes (*NnCc*)? Bien que les deux gènes déterminent le même caractère phénotypique (couleur du pelage), ils suivent la loi de l'assortiment indépendant (les deux gènes sont transmis séparément). Il s'agit donc d'un croisement dihybride de F_1, qui a donné une proportion de 9:3:3:1 dans les expériences de Mendel. Cependant, dans le cas de la couleur du pelage, le rapport entre les phénotypes des individus F_2 est de 9 noirs pour 3 bruns et 4 blancs. À la figure 13.12, une grille de Punnett illustre cette proportion en fonction de l'épistasie. D'autres types d'épistasie donnent des rapports totalement différents.

Hérédité polygénique

Mendel a étudié des caractères que l'on pourrait qualifier de dichotomiques, parce qu'ils revêtent des formes distinctes, telles des fleurs violettes ou blanches. Cependant, il existe de nombreux caractères, comme la couleur de la peau ou la taille chez les Humains, qui ne répondent pas à cette définition parce que la population présente une variation continue. Ce sont des caractères **quantitatifs**. Habituellement, les variations quantitatives suggèrent une **hérédité polygénique**, soit l'effet cumulatif de deux gènes ou plus sur un même caractère phénotypique (l'inverse de la pléiotropie, où un seul gène influe sur plusieurs caractères phénotypiques).

Par exemple, certaines données permettent de penser que la pigmentation de la peau chez les Humains est régie par au moins trois gènes transmis de façon indépendante (probablement plus, mais nous allons simplifier ici). Supposons qu'il existe trois gènes et, pour chacun d'eux, un allèle pour la peau foncée (*A*, *B*, *C*) apportant une « unité » de couleur foncée au phénotype et ayant une dominance incomplète sur les autres allèles (*a*, *b*, *c*). La peau d'une personne de génotype *AABBCC* serait très foncée, alors qu'une personne de génotype *aabbcc* aurait un teint très clair. La peau d'un individu *AaBbCc* serait d'une teinte intermédiaire. Comme les allèles ont un effet cumulatif, les génotypes *AaBbCc* et *AABbcc* représenteraient le même apport génétique (trois unités) pour la couleur foncée de la peau. La figure 13.13 montre de quelle façon ce système peut produire une courbe en forme de cloche, que l'on appelle distribution normale, pour la couleur foncée de la peau chez les membres d'une population hypothétique. Les facteurs environnementaux tels que l'exposition au soleil influent sur le phénotype. Les individus de génotype *AABBCC* a la couleur de peau, ce qui donne au graphique l'aspect d'une courbe lisse plutôt que celui d'un histogramme en escalier.

Hérédité et environnement: l'influence du milieu sur le phénotype

Le phénotype dépend du milieu et des gènes. Un arbre donné, qui a hérité d'un génotype fixe, présente des feuilles dont la dimension, la forme et la couleur dépendent de l'exposition au vent et au soleil. Chez les êtres humains, l'alimentation a un effet sur la taille, l'exercice physique modifie la silhouette, les rayons du soleil rendent la peau plus foncée et l'expérience fait augmenter le QI. Même chez les jumeaux identiques, qui possèdent un patrimoine génétique très semblable, l'expérience unique de chaque individu provoque l'accumulation de différences phénotypiques.

La question de savoir si ce sont les gènes ou le milieu (l'hérédité ou l'environnement) qui influent le plus sur les caractéristiques des Humains a donné lieu à une polémique très ancienne qui suscite encore des débats orageux, et nous ne tenterons pas de la résoudre ici. Cependant, nous sommes en mesure d'affirmer que le résultat d'un génotype n'est généralement pas un phénotype absolument fixe, mais plutôt une gamme de phénotypes possibles sur laquelle le milieu peut exercer des variations. On appelle cette gamme de phénotypes **norme de réaction** du génotype (figure 13.14). Il existe

Figure 13.13

Modèle simplifié de l'hérédité polygénique de la couleur de peau. Selon ce modèle, la couleur de la peau dépend de trois gènes transmis de façon indépendante. Pour chaque gène, un allèle pour la peau foncée exerce une dominance incomplète sur un allèle pour la peau claire. Par conséquent, une personne hétérozygote pour les trois gènes (*AaBbCc*) a hérité de trois « unités » pour la teinte foncée, qui sont représentées dans cette figure par les trois points figurant dans le rectangle. Un individu de génotype *AABbcc* aurait aussi un total de trois unités pour la peau foncée. Imaginez un grand nombre de croisements entre des individus hétérozygotes pour les trois gènes. Au sommet du graphique sont alignées les variations qui peuvent se produire chez leurs descendants. L'axe des *y* représente la proportion de chacune de ces variations chez les individus issus de ces croisements trihybrides. (Vous pouvez calculer ces proportions à l'aide d'une grille de Punnett ou en vous servant des règles de la multiplication et de l'addition pour déterminer la probabilité des différents génotypes et phénotypes.) L'histogramme qui en résulte devient une courbe en forme de cloche sous l'effet de facteurs environnementaux, comme l'exposition au soleil, qui influent sur la couleur de la peau. Ce modèle est très simplifié, mais il devrait vous permettre de mieux comprendre la façon dont l'hérédité polygénique peut contribuer à la création de caractères phénotypiques qui varient de façon continue dans une population.

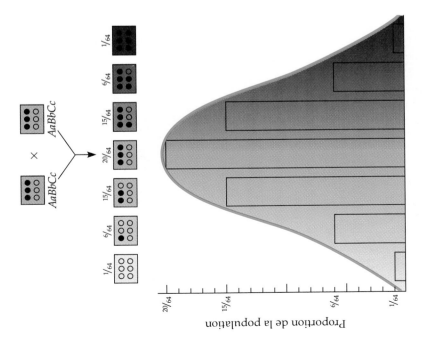

Proportion de la population

L'HÉRÉDITÉ MENDÉLIENNE CHEZ L'HUMAIN

Si les Pois se prêtent facilement à la recherche en génétique, il n'en va pas de même pour les Humains. Une génération humaine s'étend sur une vingtaine d'années et produit une descendance relativement peu nombreuse (en comparaison des Pois ou de la plupart des autres espèces). De plus, il est impossible (ou du moins socialement inacceptable) de mener chez les Humains des expériences de croisement bien planifiées comme celles qui furent réalisées par Mendel. En dépit de toutes ces difficultés, l'étude de la génétique humaine ne cesse de progresser, motivée par notre désir de comprendre les mécanismes de notre propre hérédité. De nouvelles techniques de biologie moléculaire ont permis d'effectuer de nombreuses percées, comme nous le verrons au chapitre 19, mais les

des cas où la norme de réaction n'a aucune étendue, c'est-à-dire qu'un certain génotype commande un phénotype précis. Le locus du gène qui détermine le groupe sanguin ABO chez les Humains en constitue un exemple. Par contre, le nombre de globules blancs et rouges varie en fonction de facteurs tels que l'altitude où l'on vit, l'activité physique habituelle et la présence d'agents infectieux dans l'organisme.

En général, la norme de réaction est plus étendue pour les caractères polygéniques, y compris les caractères relatifs au comportement. L'environnement influe sur l'aspect quantitatif de ces caractères, comme nous l'avons vu en ce qui concerne la variation continue de la couleur de la peau. Selon les généticiens, ces caractères sont **plurifactoriels**, ce qui signifie que plusieurs facteurs, à la fois génétiques et environnementaux, exercent ensemble leur influence sur le phénotype.

Figure 13.14

Effet du milieu sur le phénotype. On définit l'effet d'un génotype par sa norme de réaction, qui est une gamme de phénotypes dépendant du milieu dans lequel le génotype s'exprime. La couleur des fleurs d'Hortensias de la même variété génétique varie du bleu-violet au rose, suivant l'acidité du sol.

théories de Mendel constituent encore la base de la géné-tique humaine.

Lignages humains

En génétique humaine, on recueille des informations aussi exhaustives que possible sur l'histoire d'un carac-tère particulier dans une famille, et on regroupe ces données dans un arbre généalogique qui décrit les rela-tions entre parents et enfants d'une génération à l'autre: il s'agit du **lignage de la famille**. Le lignage présenté à la figure 13.15a illustre la présence d'un caractère appelé cheveux laineux dans trois générations d'une famille.

Les cheveux des Blancs qui possèdent ce caractère sont frisés et crépus, et ressemblent superficiellement aux cheveux de nombreux Noirs. Comme les cheveux lai-neux sont très cassants et perdent leurs pointes, ils ne peuvent pas devenir longs. Ce caractère est dû à un allèle dominant que nous appellerons C. Le caractère des cheveux laineux est rare dans la population humaine en général: la plupart des gens sont donc homozygotes récessifs (cc). Cependant, ce phénotype existe dans la famille dont le lignage est présenté à la figure 13.15a, et nous pouvons appliquer les principes de Mendel pour en faire l'analyse. Premièrement, nous pouvons déduire les génotypes des membres du couple figurant au som-met (première génération du lignage). Nous savons que l'homme est cc parce qu'il n'a pas les cheveux laineux. La femme, qui a les cheveux laineux, doit être hétéro-zygote (Cc); nous faisons cette déduction parce que trois de ses six enfants n'ont pas les cheveux laineux. Si elle avait été homozygote pour les cheveux laineux (CC), tous les enfants du couple auraient eu les cheveux laineux. Ce lignage correspond (de manière plus par-faite qu'à l'ordinaire) à la proportion phénotypique de 1:1 prévue pour un croisement de contrôle mendélien (Cc × cc). La figure 13.15b montre l'analyse du lignage pour un caractère récessif.

L'utilité du lignage ne consiste pas seulement à com-prendre le passé; il permet aussi de prédire l'avenir. Supposons que l'un des petits-fils à cheveux laineux épouse une femme aux cheveux non laineux (voir la figure 13.15a, en bas à droite), et qu'ils veuillent avoir trois enfants. Quelle est la probabilité que leurs trois enfants aient tous des cheveux laineux? Le lignage nous montre que le petit-fils possède le génotype Cc. Comme du point de vue génétique la conception de chacun des enfants est un événement indépendant, chacun a une chance sur deux de recevoir l'allèle des cheveux laineux. Si l'on applique la règle de la multiplication, la probabilité glo-bale que les trois enfants aient tous des cheveux laineux est de $\frac{1}{2} \times \frac{1}{2} \times \frac{1}{2} = \frac{1}{8}$. La probabilité globale que les trois enfants n'aient pas tous les cheveux laineux est donc de $\frac{7}{8}$ (puisque la probabilité totale que les enfants aient soit l'un, soit l'autre type de cheveux est de 1).

En génétique humaine et en médecine, on a fréquem-ment recours à l'analyse du lignage afin de déceler l'ori-gine d'une maladie invalidante ou létale et d'en déterminer la probabilité d'apparition.

Maladies héréditaires récessives

On connaît plusieurs centaines de troubles génétiques transmis sous forme de caractères récessifs. La gravité de ces affections va de caractères habituellement non létaux comme l'albinisme (absence de pigmentation cutanée) aux maladies mortelles telles que la fibrose kystique.

Comment explique-t-on la récessivité des allèles qui provoquent ces maladies? Souvenez-vous que les gènes codent pour des protéines aux fonctions spécifiques. Un allèle à la source d'une affection génétique code soit pour une protéine déficiente, soit pour aucune protéine. En cas de maladie récessive, les hétérozygotes ont un phénotype normal parce qu'une seule copie de l'allèle «normal» produit la protéine en question en quantité suffisante. Par conséquent, une maladie héréditaire récessive ne se manifeste que chez les individus homozygotes qui ont reçu un allèle récessif de chacun de leurs parents. Nous pouvons représenter le génotype de ces personnes par aa, celui des individus normaux étant soit AA, soit Aa. On dit que les hétérozygotes (Aa), dont le phénotype est normal, sont des transmetteurs sains de la maladie, car ils peu-vent donner l'allèle récessif à leurs enfants.

L'immense majorité des gens atteints d'une maladie récessive sont nés de parents normaux qui sont tous deux des transmetteurs. Une union entre deux transmet-teurs sains correspond à un croisement mendélien entre individus de la F_1 (Aa × Aa), dans lequel le zygote a une chance sur quatre de recevoir deux copies de l'allèle récessif. Un enfant normal issu d'un tel croisement a deux chances sur trois d'être un transmetteur. (La pro-portion des génotypes de la génération suivante est de 1AA:2Aa:1aa. Par conséquent, sur trois enfants de phé-notype normal (AA ou Aa), deux sont des transmetteurs hétérozygotes. Des homozygotes récessifs pourraient aussi naître de croisements Aa × aa ou aa × aa, mais en cas de maladie létale avant l'âge de la maturité sexuelle ou si la maladie provoque la stérilité, aucun individu aa ne se reproduira. Même si les individus homozygotes récessifs sont en mesure de se reproduire, ils ne repré-senteront malgré tout qu'un pourcentage beaucoup plus faible de la population que les transmetteurs sains hété-rozygotes, pour des raisons que nous aborderons au cha-pitre 21.

Généralement, les maladies génétiques ne sont pas réparties de manière proportionnée parmi les groupes raciaux ou culturels. Ces disparités s'expliquent du fait que les peuples du monde ont connu des histoires géné-tiques différentes avant l'ère technologique, à des épo-ques où les populations étaient géographiquement, donc génétiquement, plus isolées (voir le chapitre 21). Exami-nons maintenant trois exemples de maladies héréditaires récessives.

La maladie héréditaire létale la plus répandue au Canada est la fibrose kystique; cette maladie atteint un Blanc sur 2600, mais elle frappe rarement les autres races. Un Blanc sur 20 (5%) est un transmetteur sain (hétéro-zygote). L'allèle dominant de ce gène code pour une pro-téine membranaire qui transporte les ions chlorure vers l'extérieur des cellules. Ces pompes à chlorure sont défi-cientes ou absentes chez les enfants qui ont reçu deux copies de l'allèle récessif causant la fibrose kystique. La quantité de chlorure présente dans les cellules augmente; par osmose, celles-ci absorbent de l'eau en provenance du mucus qui les recouvre. Le mucus s'épaissit et s'accu-mule dans le pancréas, les poumons, le tube digestif et

quelques années. L'incidence de la maladie de Tay-Sachs est disproportionnée chez les Juifs ashkénazes, originaires de l'Europe centrale. Dans cette population, la fréquence de la maladie est d'un cas sur 3600 naissances, soit environ 100 fois plus que chez les non-Juifs et chez les Juifs des pays méditerranéens (séfarades).

L'anémie à hématies falciformes (ou drépanocytose) est de loin la maladie héréditaire la plus répandue chez les Noirs; elle touche un Afro-Américain sur 400. Cette affection est due à la substitution d'un seul acide aminé dans l'hémoglobine, une protéine des globules rouges du sang (voir le chapitre 5). Il s'ensuit que les globules rouges se tordent et prennent la forme d'une faucille, d'où la formation de caillots et l'apparition de nombreux autres symptômes. Les effets multiples de l'allèle de l'anémie à hématies falciformes représentent un exemple de pléiotropie.

Les individus transmetteurs (donc hétérozygotes) sont habituellement sains, bien que certains d'entre eux présentent des symptômes de l'anémie à hématies falciformes lorsque la quantité d'oxygène véhiculée dans leur sang diminue pendant un laps de temps prolongé (en haute altitude, par exemple). (Au niveau moléculaire, les deux allèles sont codominants; il y a production d'hémoglobine normale et anormale.) Environ un Afro-Américain sur dix porte le caractère de l'anémie à hématies falciformes, ce qui représente un taux inhabituellement élevé d'hétérozygotes pour un caractère aux effets graves chez les homozygotes. La maladie touche uniquement les individus homozygotes pour l'allèle des hématies falciformes; or, cet allèle semble très répandu, du fait que les hétérozygotes possèdent un avantage, dans certains milieux, sur ceux qui n'ont aucune copie de cet allèle. La présence d'une seule copie de l'allèle pour les hématies falciformes augmente la résistance au paludisme. Dans les régions tropicales de l'Afrique, où le paludisme est une maladie répandue, l'allèle des hématies falciformes représente donc tout autant un bénéfice qu'un fléau. La fréquence relativement élevée du caractère des hématies falciformes chez les Afro-Américains relève par conséquent de leurs racines africaines.

Consanguinité Bien qu'il soit assez peu vraisemblable que deux transmetteurs sains du même allèle rare et nocif se rencontrent et s'unissent, cette probabilité augmente fortement si le couple est formé de deux parents proches (par exemple, un frère et une sœur ou des cousins germains). On qualifie ces unions de **consanguines** (« même sang »), et on les désigne par des traits doubles dans les lignages. Étant donné qu'il est plus probable de retrouver les mêmes allèles récessifs chez des individus qui partagent des ancêtres récents que chez ceux qui n'ont aucun lien de parenté, les enfants issus d'une union entre proches parents ont plus de chances d'être homozygotes pour un caractère récessif nocif. On peut observer de telles conséquences chez de nombreuses races d'Animaux domestiques ou de jardins zoologiques, qui sont devenues consanguines.

Dans quelle mesure la consanguinité humaine fait-elle augmenter les risques de maladie génétique? Les généticiens ne s'entendent pas sur la réponse à cette question. De nombreux allèles nocifs produisent des effets si graves qu'un embryon homozygote avorte spontanément

d'autres organes, ce qui contribue à l'apparition de pneumonies et d'autres infections. En l'absence de traitement, la plupart des enfants atteints de fibrose kystique meurent avant l'âge de 4 ou 5 ans. On peut prolonger leur vie en les soumettant à un régime spécial, à des doses quotidiennes d'antibiotiques pour empêcher les infections et à d'autres mesures préventives; la durée de vie moyenne des personnes atteintes de fibrose kystique est de 27 ans.

La maladie de Tay-Sachs, dont nous avons déjà décrit les effets précédemment dans ce chapitre, se transmet également sous la forme d'un allèle récessif. Souvenez-vous que cette affection est provoquée par une enzyme déficiente qui ne dissocie pas les gangliosides (glycolipides) présents dans le cerveau. Les symptômes de la maladie de Tay-Sachs se manifestent habituellement quelques mois après la naissance. Le bébé commence à souffrir de cécité et d'une diminution des capacités motrices et mentales. L'enfant meurt au bout de

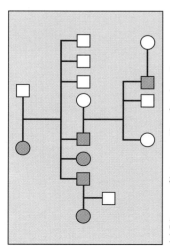

(a) Lignage d'un caractère dominant

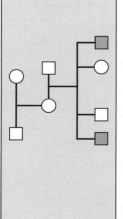

(b) Lignage d'un caractère récessif

Figure 13.15
Analyse d'un lignage. Dans ces arbres généalogiques, les carrés représentent les hommes et les cercles, les femmes. Les lignes horizontales correspondent aux couples, dont les enfants figurent au-dessous par ordre de naissance, de gauche à droite. On a coloré les symboles pour les personnes ayant le caractère que l'on suit à travers le lignage. **(a)** Ce modèle présente un trait dominant (cheveux laineux, dans notre exemple). Vous devriez être en mesure de reconstituer le génotype de la plupart des individus figurant sur ce lignage. L'union de la seconde génération (à gauche) entre deux personnes aux cheveux laineux constitue un indice. Si le caractère était récessif, l'enfant de ce couple aurait les cheveux laineux. **(b)** Ce lignage permet de suivre le caractère de l'albinisme (peau sans pigmentation), qui est récessif, sur trois générations. Les deux parents de la deuxième génération ont une peau pigmentée, et pourtant deux de leurs quatre enfants ont le caractère albinos. Nous pouvons en conclure que ces deux parents sont hétérozygotes et ont une peau pigmentée parce que l'allèle pour ce caractère est dominant. Pourquoi les proportions des phénotypes de la troisième génération ne correspondent-ils pas exactement à la proportion de 3 : 1 découverte par Mendel? (Souvenez-vous de l'importance de la taille de l'échantillon.)

bien avant la naissance. La plupart des sociétés et des civilisations ont érigé des lois et des tabous qui interdisent les mariages entre parents proches. Ces règles sont peut-être apparues à la suite de la constatation empirique que, dans la plupart des populations, les cas d'enfants mort-nés et de malformations surveniaient plus souvent si le couple était formé de proches parents. Mais des facteurs sociaux et économiques ont aussi influé sur l'apparition de coutumes et de lois contre les mariages consanguins, qui pouvaient avoir pour effet de concentrer la richesse dans quelques familles.

Certains généticiens prétendent que la consanguinité a autant de chances de concentrer les allèles favorables que les allèles nocifs. Il faut reconnaître que de grands personnages sont nés du mariage de parents proches. Charles Darwin et son épouse, Emma Wedgwood, étaient cousins germains. Parmi leurs dix enfants, certains devinrent des scientifiques et des professionnels renommés. La question cependant préoccupait Darwin ; il recommanda (en vain) que le recensement des sujets britanniques comprenne des questions sur les conséquences des mariages entre cousins. Dans certaines populations humaines, comme chez les Tamouls en Inde, le mariage entre parents proches (tels les cousins germains) a été la règle pendant longtemps. Dans ces exemples, on n'observe aucun effet nocif de cette consanguinité continue. Chez certaines populations d'espèces en voie d'extinction gardées dans des jardins zoologiques, c'est la consanguinité, rendue inévitable par le nombre restreint d'individus, qui permet à de petits groupes d'Animaux d'échapper à l'extinction. On planifie avec soin ces programmes d'élevage. Par exemple, grâce à une nouvelle technique appelée analyse de l'empreinte génétique (que nous verrons en détail au chapitre 19), on peut former des couples de Condors qui sont génétiquement aussi différents que possible.

Maladies héréditaires dominantes

Bien que la plupart des allèles nocifs soient récessifs, de nombreuses maladies humaines sont dues à des allèles dominants. L'achondroplasie, une forme de nanisme ayant une incidence d'un cas sur 10 000 naissances, en constitue un exemple. Les individus hétérozygotes présentent un phénotype de nain (en fait, à l'état homozygote, cet allèle dominant est le plus souvent létal et provoque un avortement spontané). Toutes les personnes qui ne sont pas des nains achondroplasiques (99 % de la population) sont donc homozygotes pour l'allèle récessif.

Les allèles dominants létaux sont beaucoup moins répandus que les allèles récessifs létaux. Cette différence s'explique en partie par le fait que les conséquences des allèles dominants létaux ne sont pas masquées chez les hétérozygotes. De nombreux allèles dominants létaux résultent d'un changement (mutation) survenu dans un gène du spermatozoïde ou de l'ovule, qui finira par provoquer la mort de l'organisme en cours de développement (le chapitre 16 traite des mutations). Un individu qui ne franchit pas le stade de la maturité sexuelle ne transmettra pas cette nouvelle forme du gène. À l'inverse, les mutations récessives létales passent d'une génération à l'autre grâce à la reproduction de transmetteurs hétérozygotes de phénotype normal.

Cependant, il est possible qu'un allèle dominant létal ne soit pas éliminé s'il se manifeste tard dans la vie et ne provoque la mort qu'à un âge relativement avancé. Avant même l'apparition des symptômes, l'individu atteint peut avoir transmis le gène létal à ses enfants. Par exemple, la chorée de Huntington, une maladie dégénérative du système nerveux, est due à un allèle dominant létal dont les effets phénotypiques ne se manifestent pas de façon évidente avant l'âge de 35 à 45 ans. Lorsque la détérioration du système nerveux a commencé, elle est irréversible et la mort s'ensuit inévitablement. Un enfant né d'un parent qui porte l'allèle de la chorée de Huntington a 50 % de chances de recevoir l'allèle de la maladie. (On peut représenter l'union par $Aa \times aa$, A étant l'allèle dominant de la maladie.) Jusqu'à une date récente, il était impossible de déterminer avant l'apparition des symptômes si une personne à risque avait effectivement reçu l'allèle de la chorée de Huntington. Mais à la fin des années 80, grâce à l'analyse d'ADN provenant des membres d'une famille nombreuse dans laquelle la maladie présentait une forte incidence (figure 13.16), des spécialistes en génétique moléculaire ont mis au point un test de détection de l'allèle de la chorée de Huntington. (Nous verrons au chapitre 19 les techniques qui rendent ces tests possibles.) En ce qui concerne les personnes dont la famille a déjà été touchée par la chorée de Huntington, la disponibilité de ce nouveau test pose un terrible dilemme : dans quelles circonstances est-il souhaitable d'annoncer à une personne en bonne santé qu'elle a hérité ou non d'une maladie mortelle et encore incurable ?

Dépistage et conseil génétique

On peut parfois adopter une approche préventive dans le domaine des maladies génétiques, parce que, dans certains cas, il est possible de déterminer les risques d'apparition d'une maladie génétique avant même la conception d'un enfant ou au cours des premiers stades de la grossesse. De nombreux hôpitaux offrent aux futurs parents l'aide de conseillers en génétique à même de leur fournir des informations si une maladie présente dans leur famille leur inspire des inquiétudes.

Prenons l'exemple d'un couple imaginaire, Jean et Carole, qui désirent un premier enfant et veulent consulter un conseiller en génétique parce que leurs antécédents familiaux indiquent la présence d'une maladie héréditaire létale et récessive. Chacun de leur côté, Jean et Carole ont eu un frère victime de cette maladie, et ils veulent savoir quelles sont les chances que leur enfant en soit aussi atteint. Puisque leurs frères ont succombé à la maladie, nous savons que chacun des parents de Carole et de Jean étaient des transmetteurs sains de l'allèle récessif. Les deux membres du couple sont donc issus de croisements de Aa et Aa, où a représente l'allèle qui provoque la maladie. Nous savons que ni l'un ni l'autre ne sont homozygotes récessifs (aa) parce qu'ils ne présentent aucun symptôme. Leurs génotypes sont donc soit AA, soit Aa. Étant donné que la proportion des génotypes pour les descendants d'un croisement $Aa \times Aa$ est de $1AA : 2Aa : 1aa$, Jean et Carole ont deux chances sur trois d'être des transmetteurs sains (Aa). Grâce à la règle de la multiplication, nous pouvons connaître la probabilité que Jean et Carole soient tous deux des transmetteurs

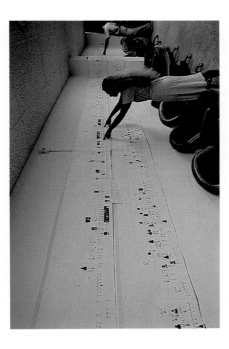

Figure 13.16
Les familles nombreuses, laboratoires vivants pour la génétique humaine. Nancy Wexler, professeur à l'Université Columbia et membre de la Hereditary Disease Foundation, se tient devant un immense lignage qui permet de suivre la chorée de Huntington sur plusieurs générations d'une famille nombreuse. L'analyse mendélienne classique de cette famille, associée aux nouvelles techniques de biologie moléculaire, a permis aux scientifiques de mettre au point un test pour détecter l'allèle dominant de la chorée de Huntington avant la manifestation des premiers symptômes. Le Dr Wexler, qui a étudié la famille affectée, risque elle-même d'être atteinte par la chorée de Huntington. Sa mère a succombé à cette maladie, et il y a 50 % de chances que le Dr Wexler ait reçu l'allèle dominant à l'origine de la maladie.

sains : $^2/_3 \times {}^2/_3 = {}^4/_9$. À partir de ces chiffres, on calcule que la probabilité globale que leur premier enfant soit atteint de la maladie est de $^2/_3$ (la probabilité que Jean soit un transmetteur) fois $^2/_3$ (la probabilité que Carole soit une transmettrice) fois $^1/_4$ (la probabilité qu'un enfant né de deux transmetteurs sains soit touché), soit $^1/_9$. Supposons que Carole et Jean décident de courir le risque d'avoir un enfant ; après tout, ils ont 8 chances sur 9 d'avoir un enfant normal. Mais leur enfant naît atteint de la maladie. Nous n'avons plus besoin de deviner les génotypes de Jean et Carole. Nous savons désormais que tous deux sont effectivement des transmetteurs sains. S'ils décident d'avoir un autre enfant, ils savent qu'il a une chance sur quatre d'être atteint de la maladie.

Lorsqu'on se sert des lois de Mendel pour prévoir les résultats possibles d'une union, il faut considérer que le hasard n'a pas de mémoire : chaque enfant résulte d'un événement indépendant, c'est-à-dire que son génotype ne subit pas l'influence des génotypes de ses frères et sœurs plus âgés. Supposons que Jean et Carole donnent naissance à trois autres enfants, et que *les trois* aient cette maladie héréditaire hypothétique. On peut dire que cette famille n'a pas de chance, parce que la probabilité d'un tel résultat est de un sur 64 ($^1/_4 \times {}^1/_4 \times {}^1/_4$). Mais cette malchance persistante n'influera en rien sur le prochain résultat si Jean et Carole décident d'avoir un cinquième enfant. Il y a encore une chance sur quatre que ce dernier ait la maladie, et trois chances sur quatre qu'il ne soit pas atteint. Souvenez-vous que les lois de Mendel sont simplement des règles de probabilités appliquées à l'hérédité.

Dépistage des transmetteurs sains La plupart des enfants victimes de maladies récessives naissent de parents au phénotype normal ; pour évaluer le risque génétique représenté par une maladie donnée, il s'avère essentiel de déterminer si les futurs parents sont des transmetteurs hétérozygotes du caractère récessif. Dans le cas de certaines maladies héréditaires, il existe des tests permettant de savoir si un individu normal est homozygote dominant ou hétérozygote, et ces tests se multiplient. À titre d'exemple, citons les tests de dépistage des transmetteurs sains des allèles de la maladie de Tay-Sachs, de l'anémie à hématies falciformes et de la forme la plus répandue de la fibrose kystique. D'une part, ces tests permettent aux individus dont les antécédents familiaux comportent des maladies génétiques de prendre des décisions éclairées s'ils désirent des enfants. Par ailleurs, ces nouvelles méthodes de dépistage génétique pourraient donner lieu à des abus. En cas de levée du secret médical, les transmetteurs sains seront-ils stigmatisés ? Refusera-t-on de leur accorder une assurance-maladie ou une assurance-vie, bien qu'ils soient eux-mêmes en bonne santé ? Les employeurs mal informés penseront-ils que les transmetteurs sont tous malades ? Et y aura-t-il assez de conseillers en génétique pour aider de nombreux individus à comprendre les résultats de leurs tests ? Les nouvelles techniques de biologie moléculaire permettront peut-être de faire diminuer la souffrance humaine, mais auparavant il est impératif d'apporter des réponses à des questions d'ordre éthique fondamentales. Les dilemmes posés par la génétique humaine soulignent l'importance que revêt l'un

des thèmes abordés par le présent ouvrage, à savoir les formidables implications sociales de la biologie.

Diagnostic prénatal Supposons qu'un homme et une femme apprennent qu'ils sont tous deux des transmetteurs sains de la maladie de Tay-Sachs, mais qu'ils décident malgré tout d'avoir un enfant. Les tests réalisés en même temps que l'**amniocentèse** (figure 13.17) permettent de déterminer, parfois dès la quatorzième semaine de la grossesse, si le fœtus en cours de développement est atteint de la maladie de Tay-Sachs. Dans cette technique, un médecin insère une aiguille dans l'utérus et extrait environ 10 mL de liquide amniotique, dans lequel baigne le fœtus. Il est possible de détecter certaines maladies génétiques grâce à la présence de substances chimiques particulières dans le liquide amniotique même. On pratique les tests de dépistage d'autres troubles, dont la maladie de Tay-Sachs, sur des cellules cultivées en laboratoire à partir de cellules desquamées qui ont été entraînées avec le liquide amniotique. Ces cellules de culture permettent également d'établir le caryotype de manière à identifier certaines anomalies chromosomiques (voir l'encadré du chapitre 12, page 247).

Dans une autre technique appelée **biopsie des villosités chorioniques**, le médecin aspire une petite quantité de tissu fœtal en provenance des replis (villosités) d'une annexe embryonnaire, le *chorion*, qui constitue une partie du placenta. Comme les cellules des villosités chorioniques prolifèrent rapidement, un nombre suffisant de cellules en cours de mitose permet d'établir un caryotype immédiatement et d'obtenir les résultats en moins de 24 heures. Cette méthode présente l'avantage de la rapidité si on la compare à l'amniocentèse, dans laquelle il

Figure 13.17
Diagnostic prénatal. Dans l'amniocentèse, on se sert d'ultrasons pour repérer le fœtus, puis on extrait une petite quantité de liquide amniotique afin d'effectuer des tests. Les médecins peuvent déceler certaines maladies à partir des substances chimiques qui se trouvent dans le liquide même ; d'autres maladies peuvent être détectées en effectuant des tests sur des cultures cellulaires provenant des cellules fœtales présentes dans le liquide. On procède entre autres à des analyses chimiques visant à rechercher la présence de certaines enzymes, et on établit un caryotype pour déterminer si les cellules du fœtus ont le nombre de chromosomes voulu et si, au microscope, ces derniers ont une apparence normale. Dans la biopsie des villosités chorioniques, un médecin insère un minuscule morceau de tissu et aspire un minuscule morceau de tissu fœtal (villosités chorioniques) provenant du placenta, l'organe qui assure le transport des éléments nutritifs et des déchets entre le fœtus et la mère. On utilise l'échantillon de tissu fœtal pour établir aussitôt un caryotype.

faut cultiver les cellules, et où l'on doit habituellement attendre les résultats du caryotype pendant plusieurs semaines. Par ailleurs, on peut réaliser une biopsie des villosités chorioniques dès la huitième semaine de la grossesse. Cependant, il reste à évaluer de manière précise les risques que présente cette technique.

D'autres techniques permettent au médecin de rechercher directement la présence d'anomalies graves chez le fœtus. L'une de ces techniques, l'échographie, consiste à utiliser des ultrasons ; on se sert de la réflexion d'ondes sonores en vue de produire une image du fœtus, ce qui constitue un procédé simple et non effractif. Le fœtus ou la mère n'encourent aucun risque connu. Dans une autre technique, la fœtoscopie, on insère dans l'utérus, par voie abdominale, un tube fin comme une aiguille qui comporte un objectif et des fibres optiques (pour transmettre la lumière). La fœtoscopie permet au médecin d'examiner le fœtus afin de rechercher certaines malformations (voir le chapitre 42).

Dans environ 1 % des cas, l'amniocentèse ou la fœtoscopie provoquent des complications telles des pertes sanguines chez la mère et la mort du fœtus. On n'a donc habituellement recours à ces techniques que dans les cas où le risque de maladie génétique ou d'une autre anomalie congénitale est relativement élevé. (Par exemple, on effectue régulièrement une amniocentèse chez les femmes âgées de plus de 35 ans.) Si le diagnostic prénatal révèle un maladie grave, les parents se trouvent confrontés à une décision : soit mettre fin à la grossesse, soit se préparer à prendre soin d'un enfant atteint d'une maladie génétique.

Dépistage chez les nouveau-nés Certaines maladies génétiques peuvent être détectées à la naissance grâce à des tests simples qui sont maintenant effectués chez tous les nouveau-nés. L'un des programmes de dépistage les plus importants concerne la maladie héréditaire récessive appelée phénylcétonurie, qui frappe environ un nouveau-né sur 25 600 au Québec. Les enfants atteints sont incapables de dégrader de façon adéquate la phénylalanine, un acide aminé. Ce composé et son dérivé, l'acide phénylpyruvique, peuvent s'accumuler au point d'atteindre des concentrations toxiques dans le sang, d'où l'apparition d'un retard mental. Mais si on détecte cette affection chez le nouveau-né, il est possible de prévenir le retard mental par un régime spécial à faible teneur en phénylalanine qui permet un développement normal. Il est donc vital de dépister chez les nouveau-nés la phénylcétonurie et d'autres maladies soignables. Malheureusement, à l'heure actuelle, on ne sait encore soigner qu'un petit nombre de maladies génétiques.

Maladies plurifactorielles

On dit parfois que les maladies héréditaires dont nous avons parlé jusqu'ici sont dues à la présence de certains allèles sur un seul locus. Un nombre bien plus élevé de personnes sont atteintes de troubles dont les causes sont plurifactorielles, à savoir une composante génétique et une influence significative du milieu. Cette longue liste de maladies plurifactorielles comprend les troubles cardiaques, le diabète, le cancer, l'alcoolisme et certaines formes de maladie mentale telles que la schizophrénie et la psychose maniacodépressive. Dans de nombreux cas, la composante héréditaire est polygénique. Par exemple, de nombreux gènes influent sur l'état de notre système cardiovasculaire, ce qui expose certains d'entre nous à des risques accrus de crise cardiaque et d'accident vasculaire cérébral. Mais notre mode de vie intervient de façon importante entre le génotype et le phénotype en ce qui touche à notre état cardiovasculaire et aux autres caractères plurifactoriels. L'exercice physique, une alimentation saine, l'absence de consommation de tabac et

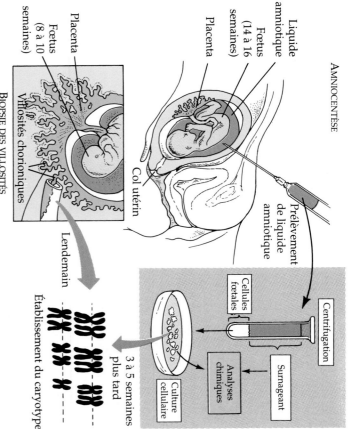

AMNIOCENTÈSE

Liquide amniotique
Fœtus (14 à 16 semaines)
Placenta
Col utérin
Prélèvement de liquide amniotique
Centrifugation
Cellules fœtales
Surnageant
Analyses chimiques
Culture cellulaire
3 à 5 semaines plus tard
Établissement du caryotype

BIOPSIE DES VILLOSITÉS CHORIONIQUES

Placenta
Fœtus (8 à 10 semaines)
Villosités chorioniques
Lendemain

vient des expériences remarquables de Gregor Mendel. À son époque, l'approche quantitative de Mendel était étrangère au domaine de la biologie et les quelques biologistes qui ont lu ses publications n'ont apparemment pas compris l'importance de ses travaux. Ce n'est qu'au début du XXe siècle que la génétique mendélienne a été redécouverte par des biologistes qui étudiaient le rôle des chromosomes dans l'hérédité. Dans le chapitre suivant, nous verrons que du point de vue physique les lois de Mendel s'expliquent par le comportement des chromosomes dans les cycles de développement sexués, et nous apprendrons comment la synthèse du mendélisme et de la théorie chromosomique de l'hérédité a catalysé les progrès de la génétique.

la capacité de ne pas dramatiser les situations stressantes constituent des facteurs qui font diminuer les risques de maladie cardiaque et de certains types de cancer.

À l'heure actuelle, nous savons si peu de choses sur le rôle joué par la génétique dans la plupart des maladies plurifactorielles que la meilleure stratégie en matière de santé publique consiste à donner le plus d'informations possibles sur l'importance des facteurs environnementaux et à encourager des habitudes de vie saines.

* * *

Dans ce chapitre, vous avez pris connaissance du modèle mendélien de l'hérédité et de ses applications à la génétique humaine. La notion de gène, ou de facteurs héréditaires transmis selon les simples règles du hasard, nous

RÉSUMÉ DU CHAPITRE

Dans les années 1860, Gregor Mendel a élaboré une théorie particulière de l'hérédité à partir d'expériences menées sur des Pois. Aujourd'hui, les unités héréditaires sont appelées gènes.

Le modèle mendélien : la démarche scientifique à l'œuvre (p. 258-267)

1. En croisant des Pois, Mendel a démontré que les parents transmettent à leurs enfants des gènes discontinus qui gardent leur identité d'une génération à l'autre.

2. On attribue le succès de Mendel à son approche quantitative et à l'espèce choisie. Il a étudié sept caractères du Pois, chacun pouvant revêtir soit l'une, soit l'autre de deux formes distinctes. Ses Pois appartenaient à une lignée pure et il pouvait en maîtriser la fécondation.

3. En produisant des individus hybrides et en permettant leur autofécondation, Mendel a établi la loi de ségrégation. Les hybrides (F_1) montraient le caractère dominant. À la génération suivante (F_2), 75 % des individus avaient le caractère dominant et 25 % avaient le caractère récessif, soit une proportion de 3 : 1.

4. Pour expliquer ces résultats, Mendel a postulé que les gènes pouvaient revêtir une forme ou une autre (aujourd'hui appelées allèles) et que chaque organisme héritait d'un allèle de chaque gène en provenance de chacun de ses parents. Ces allèles se séparent (ségrégation) l'un de l'autre au cours de la formation des gamètes, de sorte qu'un gamète mâle ou femelle ne porte qu'un allèle. Après la fécondation, si les deux allèles de la paire sont différents, l'un d'eux (l'allèle dominant) s'exprime pleinement dans l'individu et l'autre (l'allèle récessif) est entièrement masqué.

5. Les individus homozygotes possèdent deux allèles identiques pour un caractère donné et représentent une lignée pure. Les individus hétérozygotes ont deux allèles différents pour un caractère donné.

6. On peut déterminer le génotype d'un organisme qui manifeste un caractère dominant en le croisant avec un homozygote récessif (croisement de contrôle).

7. La loi de ségrégation obéit aux règles de probabilité. La règle de la multiplication stipule que la probabilité de voir plusieurs événements se manifester est égale au produit des probabilités de chacun des événements indépendants. Selon la règle de l'addition, la probabilité qu'un événement se

produise de deux façons indépendantes ou plus est la somme des probabilités associées à chacune des façons.

8. Mendel a proposé la loi d'assortiment indépendant des caractères en se basant sur des croisements dihybrides entre des Plantes différant par deux caractères ou plus, comme la couleur des fleurs et la forme des graines. Les allèles de chaque caractère se répartissent dans les gamètes indépendamment des allèles des autres caractères.

Généralisation des lois de la génétique mendélienne (p. 267-271)

1. Certains génotypes hétérozygotes manifestent une dominance incomplète. Le phénotype de l'individu présente alors une apparence intermédiaire entre les phénotypes des deux parents.

2. Il existe d'autres variations de la relation dominance-récessivité. Dans la codominance, l'organisme hétérozygote exprime le phénotype de chacun de ses deux allèles. Le type de dominance que l'on observe dépend souvent du niveau d'organisation auquel on se réfère.

3. De nombreux gènes possèdent des allèles multiples (plus de deux), comme le gène des groupes sanguins humains du système ABO.

4. La pléiotropie est la capacité que possède un gène unique d'influer sur plusieurs caractères phénotypiques.

5. Dans l'épistasie, un gène agit sur l'expression d'un autre gène.

6. Certains caractères, comme la couleur de la peau chez les Humains, sont quantitatifs et varient de façon continue, ce qui indique une hérédité polygénique, c'est-à-dire l'effet cumulé de deux gènes ou plus sur un seul caractère phénotypique.

7. Le milieu influe aussi sur les caractères quantitatifs. De tels caractères sont appelés plurifactoriels.

L'hérédité mendélienne chez l'Humain (p. 271-277)

1. On peut se servir de lignages de familles afin de déterminer les génotypes possibles de certains individus et de faire des prévisions sur leurs futurs enfants. Ces prévisions sont habituellement des probabilités statistiques et non des certitudes.

2. Certaines maladies génétiques (comme l'anémie à hématies falciformes, la maladie de Tay-Sachs et la fibrose kystique)

sont transmises comme des caractères récessifs simples par des transmetteurs hétérozygotes au phénotype normal.

3. L'union consanguine de parents proches peut augmenter les chances que leurs enfants soient homozygotes pour un allèle nocif rare.

4. Bien qu'elles soient beaucoup moins répandues que les maladies récessives, certaines affections humaines sont dues à des allèles dominants. Ces derniers sont létaux et peuvent tuer l'organisme au stade embryonnaire, ou bien se manifester plus tard, comme dans la chorée de Huntington.

5. À partir des antécédents familiaux, les conseillers en génétique aident les couples à calculer les probabilités que leurs enfants aient une maladie génétique. Pour certaines maladies, des tests permettent de détecter les transmetteurs sains, et donc de calculer ces chances avec plus de précision.

6. Lorsqu'un enfant a été conçu, les techniques de l'amniocentèse et de la biopsie des villosités chorioniques peuvent permettre de déterminer la présence d'une maladie génétique donnée.

7. Les chercheurs en médecine ont à peine commencé à explorer les composantes génétiques et environnementales des maladies plurifactorielles comme les troubles cardiaques et le cancer.

PROBLÈMES DE GÉNÉTIQUE

1. Mendel avait choisi d'étudier trois caractères: la position des fleurs, la longueur de la tige et la forme des graines. Chacun de ces caractères est régi par un gène soumis à la loi d'assortiment indépendant et s'exprime de façon dominante et récessive comme suit:

Caractère	Allèle dominant	Allèle récessif
Position des fleurs	Axiale (A)	Terminale (a)
Longueur de la tige	Longue (L)	Naine (l)
Forme des graines	Ronde (R)	Ridée (r)

Si on permet l'autofécondation d'une Plante qui est hétérozygote pour les trois caractères, quelle proportion de ses descendants devraient présenter les caractéristiques suivantes? (Remarque: servez-vous des règles de probabilité plutôt que d'une grille de Punnett):

a) homozygotes dominants pour les trois caractères.
b) homozygotes récessifs pour les trois caractères.
c) hétérozygotes pour les trois caractères.
d) homozygotes dominants pour la position des fleurs et la longueur de la tige, hétérozygotes pour la forme des graines.

2. Le croisement d'un Cobaye noir avec un Cobaye albinos a donné 12 petits de couleur noire. Lorsqu'on a croisé l'albinos avec un autre individu noir, on a obtenu 7 individus noirs et 5 individus albinos. Quelle est la meilleure explication génétique de cette situation? Donnez les génotypes des parents, des gamètes et des petits.

3. Un Coq aux plumes grises est accouplé à une Poule possédant le même phénotype. Parmi les petits, 15 sont gris, 6 sont noirs et 8 sont blancs. Comment expliquer le plus simplement possible la transmission de ces couleurs chez les poussins? Quelle descendance peut-on prévoir si le Coq gris est accouplé à une Poule noire?

4. Chez certaines fleurs, une souche de lignée pure à fleurs rouges ne donne que des fleurs roses si on la croise avec une souche à fleurs blanches: RR (rouge) × rr (blanc) → Rr (rose). Si la transmission de la position des fleurs s'effectue de la même manière que chez le Pois (voir le problème 1), quelles seront les proportions des génotypes et des phénotypes de la génération issue du croisement suivant: axiale-rouge (lignée pure) × terminale-blanche? Quelles seront les proportions dans la génération F_2?

5. Dans le Sésame, le caractère gousse simple (G) domine le caractère gousse multiple (g), et le caractère feuille normale (F) domine celui de la feuille plissée (f). La transmission de ces caractères s'effectue de façon indépendante. Déterminez les génotypes des deux parents pour tous les croisements possibles produisant les descendances suivantes:

a) 318 gousse simple-feuille normale, 98 gousse simple-feuille plissée.
b) 323 gousse multiple-feuille normale, 106 gousse multiple-feuille plissée.
c) 401 gousse simple-feuille normale.
d) 150 gousse simple-feuille normale, 147 gousse simple-feuille plissée, 51 gousse multiple-feuille normale, 48 gousse multiple-feuille plissée.
e) 223 gousse simple-feuille normale, 72 gousse simple-feuille plissée; 76 gousse multiple-feuille normale, 27 gousse multiple-feuille plissée.

6. Un homme du groupe sanguin A épouse une femme du groupe B. Leur enfant appartient au groupe O. Quels autres génotypes s'attendrait-on à trouver chez les enfants issus de ce mariage, et selon quelle fréquence?

7. La coloration d'une espèce de Canards est déterminée par une seule paire de gènes ayant trois allèles. Les allèles H et I sont codominants, et l'allèle i est récessif par rapport aux deux autres. Combien de phénotypes sont-ils possibles dans une volée de Canards contenant toutes les combinaisons possibles de ces trois allèles?

8. La phénylcétonurie est une maladie héréditaire due à un allèle récessif. Si une femme et son mari sont tous deux des transmetteurs sains, quelle est la probabilité de chacun des événements suivants?

a) Leurs trois enfants seront tous normaux.
b) Un ou plusieurs de leurs trois enfants auront la maladie.
c) Les trois enfants seront tous atteints de la maladie.
d) Au moins un enfant sera normal.

(Remarque: Souvenez-vous que la somme des probabilités de tous les résultats possibles est toujours 1.)

9. Dans un croisement tétrahybride, le génotype des individus de la F_1 est AaBbCcDd. Si l'on suppose qu'il y a assortiment indépendant de ces quatre gènes, quelles sont les probabilités que les individus de la F_2 aient les génotypes suivants?

a) aabbccdd.
b) AaBbCcDd.
c) AABBCCDD.
d) AaBBccDd.
e) AaBBCcDd.

10. Vous découvrez et adoptez un Chat noir errant, présentant d'étranges oreilles arrondies et courbées vers l'intérieur. Vous décidez de créer une variété de lignée pure à partir de cet individu exceptionnel. Comment pourriez-vous déterminer si l'allèle des oreilles courbées vers l'intérieur est dominant ou récessif? Comment vérifierez-vous que les rejetons aux oreilles courbées vers l'intérieur appartiennent à une lignée pure?

11. Quelle est la probabilité que chacun des couples suivants produisent la descendance indiquée (supposez qu'il y a assortiment indépendant de toutes les paires de gènes) ?

    a) *AABBCC × aabbcc → AaBbCc.*

    b) *AABbCc × AaBbCc → AAbbCC.*

    c) *AaBbCc × AaBbCc → AaBbCc.*

    d) *aaBbCC × AABbcc → AaBbCc.*

12. Martine et Philippe ont tous deux une sœur ou un frère atteint d'anémie à hématies falciformes. Ni Martine, ni Philippe, ni aucun de leurs parents ne souffre de la maladie. À partir de ces renseignements, calculez la probabilité qu'un enfant issu de ce couple soit atteint de l'anémie à hématies falciformes.

13. Imaginez qu'une nouvelle maladie récessive ne s'exprime que chez les individus du groupe O ; la transmission héréditaire de ces deux caractères se fait de façon indépendante. Un homme normal du groupe A et une femme normale du groupe B ont déjà eu un enfant, qui souffre de la maladie. La femme est enceinte pour la seconde fois. Quelle est la probabilité que le deuxième enfant soit lui aussi atteint ?

14. L'arbre généalogique ci-dessous montre la transmission héréditaire de l'alcaptonurie, une maladie métabolique dont la manifestation clinique la plus frappante se traduit par une urine qui noircit au contact de l'air. Les individus touchés, représentés ici par des cercles et des carrés violets, ne parviennent pas à dégrader l'homogentisate (autrefois nommé alcaptone) qui colore l'urine et teinte les tissus conjonctifs de l'organisme. L'alcaptonurie semble-t-elle causée par un allèle dominant ou récessif ? Indiquez le ou les génotypes possibles de chacun des individus de ce lignage ?

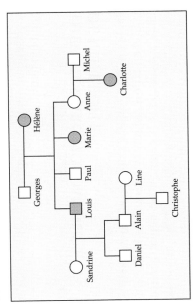

15. Éric et Christine sont cousins et aimeraient se marier et avoir des enfants. Supposez qu'Éric a reçu l'allèle d'une maladie provenant de leur grand-père commun, qui est un transmetteur sain. Quelle est la probabilité que Christine ait aussi hérité du même allèle nocif ?

QUESTIONS À COURT DÉVELOPPEMENT

1. Démontrez que les deux lois mendéliennes de l'hérédité trouvent leur fondement dans la méiose.

2. Expliquez les diverses formes d'expression de la dominance.

3. Définissez les expressions ou termes suivants : pléiotropie, épistasie, hérédité polygénique, norme de réaction, caractères plurifactoriels.

SCIENCE, TECHNOLOGIE ET SOCIÉTÉ

1. Supposons que l'un de vos parents est atteint de la chorée de Huntington. Quelle est la probabilité que la maladie se manifeste aussi un jour chez vous ? Il n'existe aucun traitement pour cette maladie. Voudriez-vous subir le test de dépistage de l'allèle en question ? Pourquoi ? Si le résultat du test s'avérait positif, de quelle façon cette information changerait-elle votre vie ?

2. Les partisans du mouvement eugénique, qui ne bénéficie plus d'aucun crédit, croient qu'on améliorerait l'espèce humaine en stérilisant les individus atteints de maladies génétiques telles que la fibrose kystique et la maladie de Tay-Sachs, ou en les persuadant de ne pas avoir d'enfants. Le recours à de telles mesures éliminerait-il ces maladies ? Pourquoi ? De quelle façon les tests permettant d'identifier les transmetteurs sains d'allèles nocifs pourraient-ils encourager le mouvement eugénique ? Ces tests représentent-ils un bienfait ou un danger pour la société ? Pourquoi ?

LECTURES SUGGÉRÉES

Bader, J.-M., « Mucoviscidose : la longue marche des généticiens », *Science & Vie*, n° 900, septembre 1992 (Découverte par des biologistes canadiens du gène responsable de la fibrose kystique).

Beuzard, Y., M.-C. Garel, N. Saadane et P. Rouyer-Fessard, « Un modèle transgénique pour la drépanocytose », *La Recherche*, n° 239, janvier 1992. (Reproduction de l'anémie à hématies falciformes humaine dans des Souris transgéniques.)

Cunningham, P., « La génétique des pur-sang », *Pour la Science*, n° 165, juillet 1991. (Effets de la consanguinité et de l'héritabilité des performances limitées par ces facteurs.)

Feingold, J., « Une maladie peut en cacher une autre », *Science & Vie*, hors série, n° 181, décembre 1992. (L'impact de différentes combinaisons de facteurs génétiques et environnementaux dans la manifestation de certaines maladies.)

Lefèvre, A., « Mendel et ses descendants », *Science & Vie*, hors série, n° 181, décembre 1992. (Les nombreuses entorses à l'hérédité mendélienne.)

Montpetit, I., « Lou-Gehrig et les radicaux libres », *Québec Science*, vol. 32, n° 5, février 1994. (Découverte du gène de cette maladie par un Québécois.)

Rey, O., « Tests génétiques anténatals », *Science & Vie*, hors série, n° 181, décembre 1992. (Possibilités de plus en plus nombreuses de diagnostiquer de futures maladies.)

Rossignol, J. L., *Génétique*, 4ᵉ éd., Paris, Masson, 1992. (Le monohybridisme et le dihybridisme sont exposés aux chapitres 6 et 7.)

Suzuki, D. T., A. J. F. Griffiths, J. H. Miller et R. C. Lewontin, *Introduction à l'analyse génétique*, Bruxelles, De Boeck-Wesmael, 1991. (Un bon manuel d'introduction à la génétique.)

Van Gansen, P., *Biologie générale*, 2ᵉ éd., Paris, Masson, 1989. (La génétique mendélienne est traitée au chapitre 23.)

14 | LES BASES CHROMOSOMIQUES DE L'HÉRÉDITÉ

THÉORIE CHROMOSOMIQUE DE L'HÉRÉDITÉ

BASES CHROMOSOMIQUES DE LA RECOMBINAISON

CARTES GÉNÉTIQUES ÉTABLIES À PARTIR DE DONNÉES RELATIVES AUX ENJAMBEMENTS

CHROMOSOMES SEXUELS ET HÉRÉDITÉ LIÉE AU SEXE

ABERRATIONS CHROMOSOMIQUES

EMPREINTE DES PARENTS SUR LES GÈNES

HÉRÉDITÉ EXTRANUCLÉAIRE

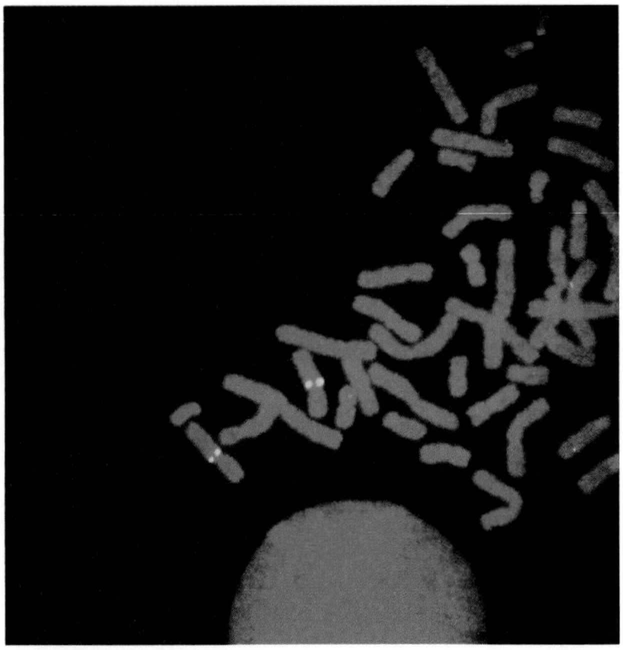

Figure 14.1
Les gènes, les «facteurs héréditaires» de Mendel, se trouvent à des loci spécifiques des chromosomes. Sur cette microphotographie photonique de chromosomes humains, un colorant fluorescent (jaune) marque le locus du gène qui code pour la synthèse d'une enzyme appelée phosphorylase. Remarquez que dans cette cellule diploïde, le gène est présent sur deux chromosomes. (La sphère est le nucléole de la cellule.) Dans le présent chapitre, nous allons étudier comment, du point de vue physique, les lois de ségrégation et d'assortiment indépendant des caractères découvertes par Mendel s'expliquent par le comportement des chromosomes pendant les cycles de développement sexués.

5 μm

C e n'est qu'en 1900 que le monde de la biologie a finalement compris la portée des découvertes de Gregor Mendel. Trois botanistes qui effectuaient alors chacun de leur côté des expériences de croisement de Plantes arrivèrent aux mêmes résultats que ceux de Mendel. L'Allemand Karl Correns, l'Autrichien Erich von Tschermak et le Hollandais Hugo de Vries découvrirent au cours de leur recherche bibliographique que Mendel avait proposé une explication de ces mêmes résultats trente-cinq années plus tôt. Entre-temps, la biologie était devenue une science plus expérimentale et quantitative et se trouvait donc mieux préparée à accepter le mendélisme. Cependant, de nombreux biologistes restèrent sceptiques quant à la validité des lois de Mendel sur la ségrégation et l'assortiment indépendant des caractères, jusqu'au moment où la preuve fut faite que le comportement des chromosomes était bien la cause physique de ces lois de l'hérédité (figure 14.1). Ce chapitre présente les bases chromosomiques de la transmission des gènes des parents à leurs enfants; nous y intégrons les notions déjà acquises dans les deux chapitres précédents, tout en les approfondissant.

THÉORIE CHROMOSOMIQUE DE L'HÉRÉDITÉ

Les cytologistes ont décrit le mécanisme de la mitose en 1875 et celui de la méiose dans les années 1890. Puis, vers 1900, la cytologie et la génétique se mirent à converger, car les biologistes commençaient à noter des analogies entre le comportement des chromosomes et celui des facteurs de Mendel (figure 14.2). Par exemple, dans les cellules diploïdes, les chromosomes se trouvent par paires, tout comme les gènes; pendant la méiose, les chromosomes homologues se séparent et les allèles subissent une ségrégation; enfin, la fécondation reconstitue les paires de chromosomes et de gènes. Vers 1902, et ce de façon indépendante, Walter S. Sutton, Theodor Boveri ainsi que d'autres chercheurs ont souligné ces analogies, et une **théorie chromosomique de l'hérédité** a pris forme peu à peu. Selon cette théorie, les gènes mendéliens sont situés sur les chromosomes, et ce sont ces derniers qui subissent les phénomènes de ségrégation et d'assortiment indépendant.

Morgan et ses expériences sur la Drosophile

Thomas Hunt Morgan, embryologiste à l'Université Columbia, fut le premier à associer un gène spécifique à un chromosome spécifique, au début du XXᵉ siècle. Si Morgan avait témoigné d'un certain scepticisme envers le

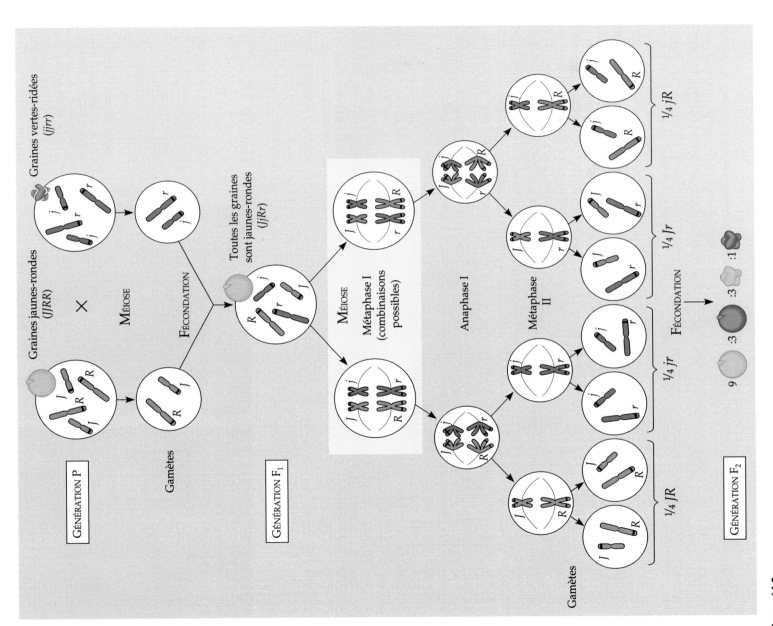

Figure 14.2

Les bases chromosomiques des lois de Mendel. Nous soulignons ici l'analogie entre les résultats de l'un des croisements dihybrides de Mendel et le comportement des chromosomes. Les deux caractères que nous étudions sont la couleur et la forme des graines de Pois. Les deux gènes sont situés sur des chromosomes différents et, sur ces illustrations, les barres noires représentent leurs loci. (En fait, les Pois possèdent au total sept paires de chromosomes, mais nous n'en montrons que deux ici.) Les mouvements des chromosomes pendant la métaphase et

l'anaphase de la méiose I expliquent la ségrégation et l'assortiment indépendant des allèles pour la couleur des graines et leur forme. Les deux allèles de chaque caractère subissent une ségrégation quand les chromosomes homologues se déplacent vers les pôles opposés de la cellule et se trouvent enfermés dans des cellules différentes au cours de la première division méiotique. Du point de vue physique, la loi mendélienne d'assortiment indépendant des caractères s'explique par l'agencement des chromosomes au hasard sur la plaque équatoriale

pendant la méiose I. Pour chaque paire de chromosomes homologues, l'orientation polaire des chromosomes maternel et paternel (respectivement colorés en rouge et en bleu) ne dépend pas de l'orientation de l'autre paire de chromosomes. Les agencements possibles qui en résultent au cours de la métaphase I figurent dans le rectangle jaune. Si nous suivons les conséquences de ces différents alignements chromosomiques jusqu'à la génération F₂, nous observons l'explication physique de la proportion phénotypique de 9:3:3:1 trouvée par Mendel.

Chapitre 14 : Les bases chromosomiques de l'hérédité **281**

mendélisme et la théorie chromosomique, ses premières expériences firent la preuve que les facteurs héréditaires de Mendel se trouvaient bien sur les chromosomes.

L'histoire de la biologie est jalonnée de découvertes majeures faites par des personnes assez perspicaces ou chanceuses pour avoir choisi comme sujet d'expérience un organisme parfaitement adapté à leur type de recherche. Mendel avait sélectionné le Pois parce qu'il présentait de grands avantages pour des expériences de croisement. Pour ses travaux, Morgan choisit une espèce d'Insecte commune et généralement peu nuisible, la Mouche du vinaigre ou Drosophile (*Drosophila melanogaster*). La Drosophile se nourrit des Champignons qui se développent sur les fruits. Pour tenter de répondre aux questions d'ordre génétique qui se posaient à ce moment-là, le choix de cet organisme était excellent. Les Drosophiles sont prolifiques: un seul accouplement produit des centaines d'individus et on peut obtenir une nouvelle génération tous les quinze jours. Grâce à ces caractéristiques, la Drosophile s'avère un sujet d'étude particulièrement commode pour les recherches en génétique.

La Drosophile présente aussi l'avantage de ne posséder que quatre paires de chromosomes, que l'on peut aisément distinguer au microscope photonique. Il y a trois paires d'autosomes et une paire de chromosomes sexuels. Comme chez l'Humain, les Drosophiles femelles possèdent une paire de chromosomes X homologues, et les mâles ont un chromosome X et un chromosome Y.

Contrairement à Mendel, qui n'avait aucune difficulté à se procurer les différentes variétés de Pois dont il avait besoin, Morgan se trouvait confronté à un obstacle majeur: il n'existait en effet aucun fournisseur en variétés de Drosophiles. De fait, Morgan était probablement la première personne à vouloir différentes variétés de cet Insecte ordinaire. Au terme d'une année consacrée à la reproduction de Drosophiles et à la recherche d'individus mutants, Morgan fut enfin récompensé: il découvrit un mâle qui, au lieu des yeux rouges habituels, avait les yeux blancs. Le phénotype normal pour un caractère (le phénotype le plus répandu dans les populations naturelles), tels les yeux rouges chez la Drosophile, est appelé **phénotype sauvage** (figure 14.3). Les caractères qui peuvent remplacer le phénotype sauvage, comme les yeux

blancs chez la Drosophile, sont appelés **phénotypes mutants**, parce que l'on suppose que les allèles correspondants sont dus à une modification, ou mutation, de l'allèle du phénotype sauvage.

Remarque sur les symboles en génétique Pour symboliser les allèles, Morgan et ses étudiants ont établi une convention à laquelle on a davantage recours aujourd'hui qu'à la notation simple en lettres majuscules et minuscules dont se servait Mendel. Pour un caractère donné, le symbole du gène provient du premier mutant qui a été découvert. Par exemple, l'allèle pour les yeux blancs de la Drosophile est représenté par *w* (*w* pour *white*; nous utilisons ici la nomenclature internationale, qui suit les symboles adoptés par Morgan). On ajoute le signe + en exposant pour l'allèle du caractère présent dans le phénotype sauvage, par exemple *w+* pour les yeux rouges. Remarquez que la lettre s'écrit avec une minuscule si le mutant est récessif. Si le premier caractère mutant découvert est dominant, le symbole de l'allèle commence par une majuscule. Par exemple, *Cy* symbolise un allèle mutant nommé *curly* qui donne aux ailes de la Drosophile une forme recourbée lorsque la température extérieure dépasse 16°C. Cet allèle est dominant. Les individus aux ailes normales et droites sont homozygotes pour l'allèle récessif de phénotype sauvage, noté par le symbole *Cy+*.

Association d'un gène à un chromosome Après avoir découvert la Drosophile mâle aux yeux blancs, Morgan la croisa avec une femelle aux yeux rouges. Toute la génération F1 présenta des yeux rouges, ce qui semblait indiquer que le phénotype sauvage était dominant. Lorsque Morgan fit s'accoupler les individus de la F1, il observa la proportion phénotypique classique de 3:1 à la génération F2. Cependant, une surprise de taille l'attendait: le caractère des yeux blancs ne se retrouvait que chez les mâles. Toutes les femelles de la F2 avaient les yeux rouges, alors que la moitié des mâles avaient les yeux rouges et l'autre moitié les yeux blancs. D'une manière ou d'une autre, la couleur des yeux d'une Drosophile était liée à son sexe.

En partant de ces données et d'autres éléments, Morgan a conclu que le gène de la couleur des yeux n'était

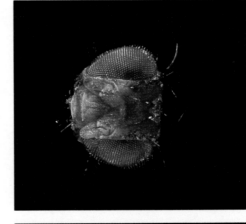

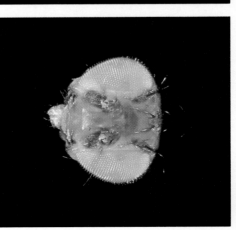

0,5 mm

Figure 14.3
Le premier mutant de Morgan. Les Drosophiles de phénotype sauvage ont les yeux rouges (à gauche). Parmi ses Mouches, Morgan a découvert un mâle mutant aux yeux blancs (à droite). Cette variation a permis à Morgan d'associer un gène pour la couleur des yeux à un chromosome spécifique (MP).

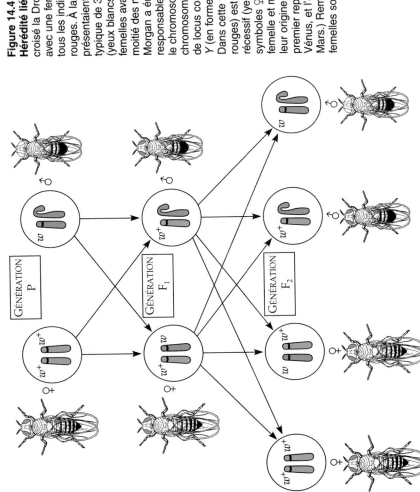

Figure 14.4

Hérédité liée au sexe. Lorsque Morgan a croisé la Drosophile mâle aux yeux blancs avec une femelle de phénotype sauvage, tous les individus de la F₁ eurent les yeux rouges. À la génération F₂, les phénotypes présentaient une proportion mendélienne typique de 3 : 1, mais le phénotype récessif (yeux blancs) était lié au sexe. Toutes les femelles avaient les yeux rouges, mais la moitié des mâles avaient les yeux blancs. Morgan a émis l'hypothèse que le gène responsable de cette situation était situé sur le chromosome X (représenté comme un chromosome droit ici) et qu'il n'y avait pas de locus correspondant sur le chromosome Y (en forme de crochet sur ce diagramme). Dans cette figure, l'allèle dominant (yeux rouges) est symbolisé par w⁺ et l'allèle récessif (yeux blancs) par le symbole w. Les symboles ♀ et ♂ signifient respectivement femelle et mâle. (Ces symboles prennent leur origine dans la mythologie romaine; le premier représente le miroir et le peigne de Vénus, et l'autre le bouclier et la lance de Mars.) Remarquez que les Drosophiles femelles sont plus grosses que les mâles.

---

localisé que sur le chromosome X; il n'y a pas de locus correspondant sur le chromosome Y (figure 14.4). Les femelles (XX) possèdent donc deux copies du gène qui détermine ce caractère, tandis que les mâles (XY) n'en ont qu'une. Comme l'allèle mutant est récessif, une femelle n'aura les yeux blancs que si elle en reçoit un exemplaire sur chacun de ses chromosomes X, ce qui est impossible dans le cas des femelles de la F₂ obtenues par Morgan dans son expérience. Par ailleurs, pour qu'un mâle ait les yeux blancs, il suffit qu'il reçoive une seule copie de l'allèle mutant. Étant donné que les mâles ne possèdent qu'un chromosome X, il ne peut y avoir aucun allèle de phénotype sauvage pour contrebalancer l'allèle récessif.

Les gènes situés sur un chromosome sexuel sont appelés **gènes liés au sexe**; nous connaissons davantage de gènes liés au chromosome X que de gènes liés au chromosome Y. La preuve fournie par Morgan qu'un gène donné est porté par le chromosome X a confirmé la crédibilité de la théorie chromosomique de l'hérédité. Un certain nombre d'étudiants brillants, conscients de l'importance des travaux de Morgan, s'associèrent au chercheur et, pendant les trois décennies suivantes, son laboratoire domina la recherche en génétique. Nous apprécierons l'étendue de l'influence exercée par Morgan et ses collaborateurs au cours de notre étude sur d'autres aspects majeurs des bases chromosomiques de l'hérédité.

Gènes liés

Le nombre de gènes présents dans une cellule est bien plus élevé que celui des chromosomes; en fait, chaque chromosome porte des centaines ou des milliers de gènes. Au cours des croisements génétiques, les gènes

---

sont le plus souvent transmis ensemble lorsqu'ils sont localisés sur le même chromosome, parce que ce dernier se comporte comme une seule unité. De tels gènes sont appelés **gènes liés**. (Remarquez la différence de sens entre le terme *lié* utilisé dans ce sens et l'expression *lié au sexe*.) Lorsque les généticiens observent des gènes liés dans des expériences de croisement, les résultats n'obéissent pas au principe mendélien de l'assortiment indépendant des caractères.

Pour comprendre comment les liaisons génétiques influent sur la transmission héréditaire de deux caractères distincts, examinons une autre expérience effectuée par Morgan sur les Drosophiles. Dans cet exemple, les deux caractères étudiés sont la couleur du corps et la taille des ailes. Les Drosophiles de phénotype sauvage présentent un corps gris et des ailes normales. Les phénotypes mutants de ces caractères donnent un corps noir et des ailes vestigiales, c'est-à-dire des ailes beaucoup plus petites que la normale (figure 14.5). On représente les allèles de ces caractères par les symboles suivants : b⁺ = gris, b = noir; vg⁺ = ailes normales, vg = ailes vestigiales. (Aucun de ces gènes n'est lié au sexe, les loci étant sur des autosomes.) Morgan a procédé à des croisements dihybrides de femelles (b⁺bvg⁺vg) avec des mâles qui possédaient les deux phénotypes mutants, soit un corps noir et des ailes vestigiales (bbvgvg). Remarquez que cette expérience équivaut à un croisement de contrôle mendélien et non à un croisement entre deux dihybrides F₁ (voir le chapitre 13). D'après la loi d'assortiment indépendant de Mendel, les Drosophiles issues de ce croisement de contrôle effectué par Morgan auraient dû former quatre catégories de phénotypes en nombre

Chapitre 14 : Les bases chromosomiques de l'hérédité **283**

approximativement égal : 1 (corps) gris-(ailes) normales : 1 noir-vestigiales : 1 gris-vestigiales : 1 noir-normales (voir la figure 14.5). Les résultats obtenus furent très différents, puisqu'il y eut un nombre disproportionné d'individus de phénotype sauvage (corps gris-ailes normales) et de doubles mutants (corps noir-ailes vestigiales). Remarquez que ces deux phénotypes correspondaient à ceux des deux parents. Morgan en conclut que la couleur du corps et la forme des ailes étaient habituellement transmises ensemble selon une combinaison donnée parce que les gènes de ces deux caractères se trouvaient sur le même chromosome :

Bien que les deux autres phénotypes (corps gris-ailes vestigiales et corps noir-ailes normales) aient été moins nombreux que prévu par rapport à un assortiment indépendant, ils étaient *quand même* présents dans la génération issue du croisement de Morgan. Ces nouvelles combinaisons des deux caractères étaient dues au méca-nisme de l'enjambement, l'un des sujets que nous abordons dans la prochaine section.

BASES CHROMOSOMIQUES DE LA RECOMBINAISON

Nous avons vu au chapitre 12 que, chez les organismes sexués, la méiose et la fécondation au hasard créent une variation génétique à chaque génération. Le terme général de **recombinaison génétique** désigne l'apparition de descendants qui présentent les caractères hérités des deux parents selon de nouvelles combinaisons. Nous allons étudier ici plus en détail les bases de la recombinaison.

Recombinaison de gènes non liés : l'assortiment indépendant

À partir de ses croisements dihybrides, Mendel avait constaté que les caractères de certains individus formaient des combinaisons différentes de celles de leurs parents. Par exemple, à la suite d'un croisement de contrôle entre un Pois à graines jaunes-rondes hétérozygote pour les deux caractères et un Pois à graines vertes-ridées (homozygote récessif pour les deux caractères) la moitié des individus sont différents de leurs parents (figure 14.6). Les gènes de ces caractères se trouvent à des loci situés sur des chromosomes différents : la forme et la couleur des graines ne sont pas liées. Remarquez que un quart des descendants présentent des graines jaunes-rondes et un quart, des graines vertes-ridées. La moitié de cette génération possède donc le même phénotype que l'un ou l'autre des parents ; ces individus sont appelés **types**

Figure 14.5
Preuve de l'existence de gènes liés chez la Drosophile. Il s'agit ici d'un croisement de contrôle entre des Drosophiles qui diffèrent par deux caractères, la couleur du corps et la taille des ailes. Les femelles sont hétérozygotes pour les deux gènes et ont un phénotype sauvage (corps gris et ailes normales). Les mâles sont homozygotes récessifs et expriment le phénotype mutant des deux caractères (corps noir et ailes vestigiales). Morgan a dénombré 2300 individus issus de tels accouplements. La première rangée de chiffres donne la proportion phénotypique de 1 : 1 : 1 : 1 à laquelle on s'attendrait si l'assortiment des gènes était indépendant. Sur la dernière rangée, on a indiqué les résultats obtenus. Chez les descendants, le nombre de phénotypes parentaux est disproportionné. Morgan en a conclu que les gènes de la couleur du corps et de la taille des ailes sont habituellement transmis ensemble des parents à leurs descendants parce qu'ils sont liés, c'est-à-dire qu'ils se trouvent sur le même chromosome. Chez les nouveaux individus, les combinaisons de caractères qui ne sont pas celles des parents sont dues à des enjambements.

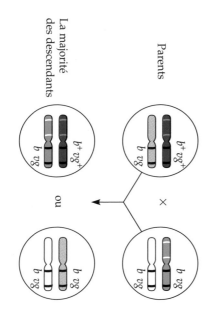

Parents

ou

La majorité des descendants

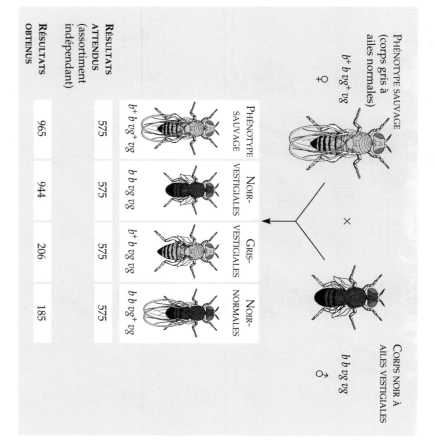

du corps et la forme des ailes ne montre pas la proportion phénotypique de 1:1:1:1 que l'on attendrait si les gènes de ces deux caractères étaient localisés sur des chromosomes différents et s'ils subissaient un assortiment indépendant. Mais si les deux gènes étaient *complètement* liés parce que leurs loci se situent sur le même chromosome, on devrait observer une proportion de 1:1, et cette génération devrait présenter uniquement les phénotypes parentaux. Les résultats obtenus ne correspondirent à aucune de ces deux hypothèses. La plupart des Drosophiles présentaient le phénotype parental, ce qui semble indiquer qu'il existe une liaison entre les deux gènes, mais environ 17 % des individus avaient subi une recombinaison (figure 14.7). Bien qu'il y ait eu une liaison, elle apparaissait incomplète. Morgan émit l'hypothèse qu'un certain mécanisme, tel l'échange de segments entre chromosomes homologues, brisait quelquefois la liaison existant entre les deux gènes. Des expériences ultérieures ont montré qu'il existait bien de tels échanges (les enjambements), ce qui expliquait la recombinaison des gènes liés (voir le chapitre 12). Pendant la prophase de la méiose I, alors que les chromosomes homologues sont en synapse (appariés), les chromatides homologues peuvent se briser en des points correspondants et échanger des fragments. Un enjambement survenant entre les chromatides de chromosomes homologues sépare les gènes liés des chromosomes parentaux et produit des chromosomes recombinants qui peuvent présenter de nouveaux agencements d'allèles. Les événements ultérieurs qui ont lieu au cours de la méiose entraînent la distribution des chromosomes recombinants dans les gamètes.

CARTES GÉNÉTIQUES ÉTABLIES À PARTIR DE DONNÉES RELATIVES AUX ENJAMBEMENTS

À la suite de la découverte des gènes liés et des recombinaisons dues aux enjambements, l'équipe de recherche dirigée par Morgan entreprit la mise au point de cartes génétiques. Une carte génétique représente la séquence des loci des gènes le long d'un chromosome donné. Nous allons étudier dans cette section la manière d'utiliser les données relatives aux enjambements afin de construire une carte génétique. Nous nous pencherons au chapitre 19 sur les techniques récentes empruntées à la biologie moléculaire pour l'élaboration des cartes génétiques.

Comme nous l'avons déjà expliqué, un gène pour la couleur du corps de la Drosophile, gris (b^+) ou noir (b), est lié à un gène pour la taille des ailes, normales (vg^+) ou vestigiales (vg). La fréquence de recombinaison entre les loci de ces deux gènes atteint environ 17 %; en d'autres termes, chez 17 % des individus, l'enjambement entraîne une combinaison différente de celle que présentent les deux parents, aussi bien en ce qui touche la couleur du corps que la taille des ailes. Un troisième gène appelé *cinnabar* (*cn*, couleur du cinabre, ou vermillon), l'un des nombreux gènes de Drosophile qui influent sur la couleur des yeux, se trouve sur le même chromosome que les deux premiers. Les yeux vermillon, un phénotype mutant, sont d'un rouge plus clair que ceux du phénotype sauvage. La fréquence de recombinaison entre le

parentaux. Mais les autres phénotypes sont aussi représentés: un quart des Plantes ont des graines vertes-rondes et un quart d'entre elles ont des graines jaunes-ridées. Comme la forme et la couleur des graines chez ces individus forment une combinaison qui diffère de celle des parents, on les appelle **recombinants**. Lorsque la moitié de tous les descendants sont des recombinants, les généticiens disent que la fréquence de recombinaison est de 50 %.

On observe une fréquence de recombinaison de 50 % chaque fois que les deux gènes d'une paire sont localisés sur des chromosomes différents. Du point de vue physique, la recombinaison de gènes non liés s'explique par l'agencement dû au hasard des chromosomes homologues pendant la métaphase I de la méiose, qui mène à un assortiment indépendant des allèles (voir la figure 14.2).

Recombinaison de gènes liés: l'enjambement

Les gènes liés ne subissent pas un assortiment indépendant, parce qu'ils se trouvent sur le même chromosome et tendent à se suivre au cours de la méiose et de la fécondation. On ne s'attendrait pas à voir des gènes liés se recombiner pour former des combinaisons alléliques qui n'existent pas chez les parents. Mais les recombinaisons entre gènes liés existent *effectivement*. Pour voir comment cela se produit, revenons à la figure 14.5.

Comment peut-on expliquer les résultats du croisement de Drosophiles illustré à cette figure? La génération issue du croisement de contrôle effectué pour la couleur

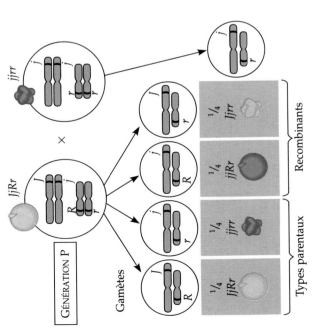

Figure 14.6
La recombinaison des gènes non liés. Dans ce croisement de contrôle, on analyse la transmission de deux gènes portés par différents chromosomes du Pois. Une Plante hétérozygote à graines jaunes-rondes est croisée avec un individu homozygote à graines vertes-ridées. Le parent hétérozygote produit quatre catégories de gamètes. La moitié de la génération suivante aura un phénotype parental; l'autre moitié présentera les caractères selon des combinaisons nouvelles, ou phénotypes recombinants. La recombinaison est due à l'assortiment indépendant des deux caractères, lequel est rendu possible parce que leurs gènes se trouvent sur des chromosomes différents.

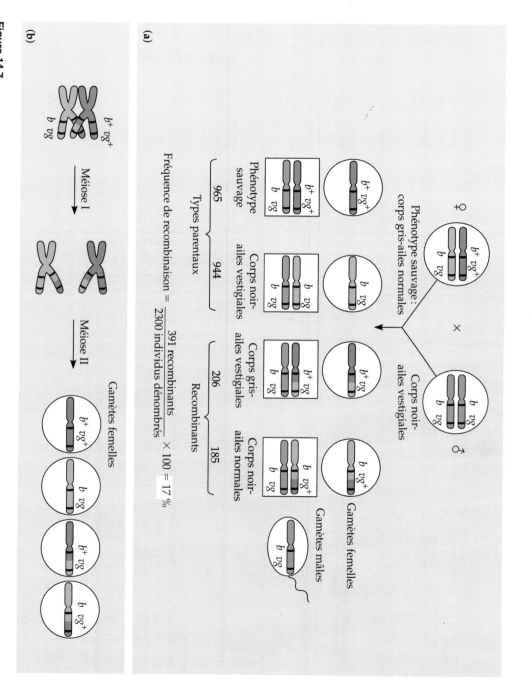

Figure 14.7

Recombinaisons dues aux enjambements. (a) Ce diagramme reproduit le croisement de contrôle présenté à la figure 14.5, à la différence que nous suivons ici aussi bien les chromosomes que les gènes. Nous avons eu recours à deux couleurs, rouge et saumon, pour représenter les chromosomes maternels, afin de mieux distinguer les homologues l'un de l'autre. La liaison entre le gène de la couleur du corps et celui de la taille des ailes explique la prédominance des phénotypes parentaux à la génération suivante. Les individus possédant des chromosomes recombinants, qui ont un génotype et un phénotype différents de chacun des deux parents, sont produits par des enjambements. Ce phénomène se traduit par la transmission d'un chromosome portant l'allèle de la couleur grise (b^+) et l'allèle des ailes vestigiales (vg), c'est-à-dire une combinaison génétique qui n'apparaît sur aucun des chromosomes parentaux. Cet enjambement produit également un chromosome regroupant les allèles b et vg^+. Nous pouvons calculer la fréquence de recombinaison à partir de la proportion de recombinants présents dans l'ensemble des descendants. (b) Les enjambements s'effectuent pendant l'appariement des chromosomes homologues, au cours de la prophase de la méiose I. Les chromatides homologues se brisent et leurs fragments s'associent au chromosome homologue. Dans ce cas, l'enjambement survient dans la région située entre les loci b et vg. Si nous observons les chromosomes tout au long de la méiose, nous constatons que l'enjambement produit des ovules qui, une fois fécondés, donneront naissance à des recombinants.

locus cn et le locus b est de 9 %. Les enjambements entre les loci b et vg sont donc environ deux fois plus fréquents que les enjambements entre b et cn (17 % contre 9 %). En 1917, Alfred H. Sturtevant, l'un des étudiants de Morgan, émit l'hypothèse que les différentes fréquences de recombinaison reflètent les distances entre les gènes situés sur un même chromosome ; autrement dit, si deux gènes se trouvent à une distance importante l'un de l'autre sur un chromosome, la probabilité qu'un enjambement les sépare sera plus grande que s'ils sont rapprochés. Si nous posons comme principe que la probabilité d'un enjambement entre deux gènes est directement proportionnelle à l'intervalle qui les sépare, alors la distance entre b et vg sur le chromosome de Drosophile doit être environ deux fois plus grande que la distance entre b et cn.

Pour vérifier son hypothèse, Sturtevant commença par placer les gènes sur une carte à partir des données provenant des recombinaisons. Il définit une « unité cartographique » équivalant à une fréquence de recombinaison de 1 %. (Aujourd'hui, on utilise le terme centimorgan (cM) de préférence à « unité cartographique », en hommage à Morgan.) Par conséquent, les loci b et cn sont éloignés de 9 cM, alors que les gènes b et vg sont distants de 17 cM. Mais quelle est la séquence de ces gènes ? Nous pouvons éliminer la séquence b-vg-cn, car nous savons que cn est plus proche de b que vg. Il reste donc deux séquences possibles, soit cn-b-vg ou b-cn-vg. La fréquence de recombinaison entre cn et vg devrait nous permettre de trouver la séquence exacte des trois gènes (figure 14.8). Selon la première hypothèse, cn et vg sont à environ 26 cM (9 + 17)

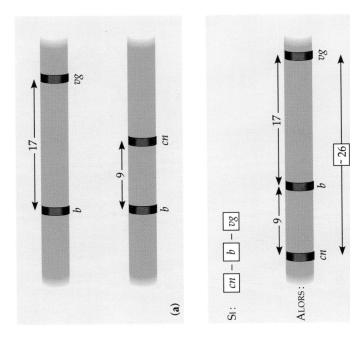
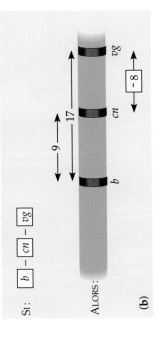

Figure 14.8

Construction d'une carte génétique à partir des données sur les enjambements. La carte génétique représente la séquence linéaire des gènes le long d'un chromosome. L'une des méthodes de construction d'une carte génétique consiste à calculer la fréquence des enjambements dans la région située entre deux gènes. Cette méthode repose sur l'hypothèse que la probabilité d'apparition d'un enjambement entre deux loci génétiques est proportionnelle à la distance qui les sépare. Dans cet exemple, nous nous servons des données sur la fréquence de trois gènes de la Drosophile, soit b, vg et cn. **(a)** Les loci b et vg sont distants de 17 cM, chaque centimorgan équivalant à une fréquence de recombinaison de 1 %. Les loci b et cn sont éloignés de 9 cM. **(b)** Pour déterminer laquelle des deux séquences possibles est exacte pour ces gènes, il faut calculer la fréquence d'enjambement entre les gènes vg et cn. Les expériences montrent que cette fréquence est de 9,5 %, ce qui correspond mieux à la séquence b-cn-vg. Remarquez que si l'on ajoute les distances b-cn et cn-vg, nous obtenons un intervalle b-vg de 18,5 cM (9 + 9,5). Ce résultat est supérieur à la véritable fréquence de combinaison b-vg, qui est de 17 %. La différence s'explique par la présence d'enjambements multiples qui annulent une partie des recombinaisons entre les deux loci. Par exemple, s'il se produit des enjambements à deux endroits entre b et vg, alors le deuxième enjambement annule l'effet du premier parce qu'il replace les allèles sur les chromosomes de départ. Par conséquent, dans le cas de loci relativement éloignés sur un chromosome, la fréquence de recombinaison fait sous-estimer leur distance cartographique véritable.

de distance, et selon la seconde, à un intervalle d'environ 8 cM (17 − 9). Sturtevant découvrit que la fréquence de recombinaison entre *vg* et *cn* était de 9,5 % ; il en déduisit que les gènes étaient alignés le long d'un chromosome dans l'ordre *b-cn-vg*. Cette méthode fut ensuite appliquée à d'autres gènes identifiés chez la Drosophile afin d'établir une disposition linéaire.

Certains gènes d'un chromosome sont parfois si éloignés l'un de l'autre que des enjambements surviennent très souvent entre eux. La fréquence de recombinaison mesurée entre de tels gènes peut atteindre une valeur maximale de 50 % ; il est impossible de distinguer un tel résultat de la valeur obtenue pour des gènes de chromosomes différents. En fait, bien que le Pois possède par hasard sept paires de chromosomes, les sept caractères étudiés par Mendel chez cette Plante ne sont pas tous localisés sur des chromosomes différents. Par exemple, nous savons aujourd'hui que les gènes de la couleur des graines et de la couleur des fleurs sont situés sur le chromosome 1. Mais leur éloignement est tel que l'on n'observe pas de liaison dans les croisements génétiques. Lorsque les biologistes reproduisent de nos jours les expériences menées par Mendel, ils constatent une liaison pour une paire de gènes uniquement, ceux de la hauteur de la Plante et de la forme de sa gousse. Bien que Mendel ait noté la ségrégation des allèles de chacun de ces caractères, il n'a pas fait connaître les résultats des croisements dihybrides effectués pour cette combinaison précise de caractères. Pour cartographier des gènes éloignés situés sur le même chromosome, on additionne les fréquences de recombinaison obtenues dans des croisements mettant chacun en jeu des gènes éloignés et un gène intermédiaire.

Une carte génétique établie à partir des fréquences de recombinaison n'est pas une image d'un véritable chromosome. La fréquence des enjambements n'est pas la même tout le long du chromosome, et les centimorgans n'ont donc pas de dimension absolue (en nanomètres, par exemple). Une carte génétique indique la séquence des gènes le long du chromosome, mais elle ne donne pas leur emplacement exact (figure 14.9). C'est grâce à d'autres méthodes que les généticiens sont en mesure de construire des **cartes cytologiques** qui montrent la position précise des gènes sur les chromosomes. L'une de ces méthodes consiste à repérer un gène en associant un phénotype mutant au site d'une anomalie chromosomique ou d'un autre repère visible au microscope. Si on compare une carte génétique avec une carte cytologique du même chromosome, la séquence des loci est identique, mais pas la distance qui les sépare. L'une des raisons pour lesquelles une fréquence de recombinaison de 1 % ne correspond pas exactement à une longueur donnée de chromosome se trouve dans le fait que les enjambements se produisent plus fréquemment dans certaines régions chromosomiques que dans d'autres.

CHROMOSOMES SEXUELS ET HÉRÉDITÉ LIÉE AU SEXE

Nous avons déjà vu comment la découverte par Morgan d'un allèle lié au sexe (yeux blancs) constitua une étape clé dans l'élaboration de la théorie chromosomique de

Figure 14.9
Carte génétique partielle d'un chromosome de Drosophile. La Drosophile possède quatre paires de chromosomes, et les experts en cartographie génétique ont pu repérer un grand nombre de loci le long de chaque chromosome. Cette carte simplifiée ne représente que quelques-uns des gènes que l'on a pu localiser sur le chromosome II. On y voit les loci *b* (corps noir), *cn* (yeux vermillon) et *vg* (ailes vestigiales), que nous avons illustrés à la figure 14.8. (Remarquez que plusieurs gènes peuvent agir sur un caractère donné, comme la couleur des yeux.) Cette carte a été élaborée à partir des fréquences de recombinaison, qui ne peuvent pas dépasser 50 %, même dans le cas de gènes situés à chaque extrémité d'un chromosome. Comment peut-on alors expliquer les distances de plus de 50 cM qui figurent sur cette carte ? Rappelez-vous que la fréquence de recombinaison de gènes éloignés entraîne une sous-estimation de leur distance cartographique, parce que des enjambements multiples en nombres pairs replacent les allèles sur leurs chromosomes d'origine. Les généticiens calculent les distances cartographiques à partir des fréquences de combinaison de gènes rapprochés ; il est rare qu'un enjambement multiple survienne dans des intervalles aussi courts. On construit alors la carte en additionnant les distances cartographiques de ces petits intervalles. Ce procédé a pour effet d'« allonger » la carte en éliminant les enjambements multiples (soies sur le segment distal des antennes) courtes et les yeux bruns soient distants de 104,5 cM, la véritable fréquence de recombinaison de ces gènes est de 50 %. Une carte génétique établie à partir de l'étude des liaisons constitue un ensemble de données sur les enjambements, non une « image » du chromosome.

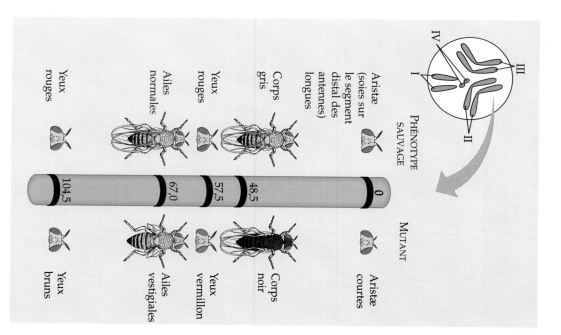

l'hérédité. Dans la présente section, nous allons étudier plus en détail le rôle des chromosomes sexuels dans l'hérédité. Dans un premier temps, nous nous pencherons sur la génétique du sexe chez l'Humain.

Bases chromosomiques du sexe chez l'Humain

Notre sexe constitue l'un de nos caractères phénotypiques les plus évidents. Bien qu'il existe de nombreuses différences anatomiques et physiologiques entre la femme et l'homme, les bases chromosomiques de notre identité sexuelle sont relativement simples. L'Humain et les autres Mammifères présentent deux types de chromosomes sexuels, appelés X et Y (voir le chapitre 12). Lorsque le spermatozoïde et l'ovule fusionnent pour former un zygote, chaque individu hérite de l'une des deux combinaisons possibles des chromosomes sexuels. Si l'enfant à naître reçoit un chromosome X de chacun de ses parents, il sera généralement du sexe féminin. Les individus de sexe masculin sont habituellement issus d'un zygote possédant un chromosome X et un chromosome Y (figure 14.10).

Au cours de la méiose dans les gonades (testicules chez l'homme et ovaires chez la femme), les deux chromosomes sexuels subissent une ségrégation, et chaque gamète reçoit un chromosome sexuel. Chaque ovule contient un chromosome X. Par contre, les hommes produisent des spermatozoïdes ayant deux types de chromosomes sexuels : la moitié des spermatozoïdes renferment un chromosome X, et les autres un chromosome Y. Le sexe de chaque individu est donc déterminé au moment de sa conception : si le spermatozoïde qui fusionne avec l'ovule est pourvu d'un chromosome X, le zygote sera XX ; si le spermatozoïde possède un chromosome Y, le zygote sera XY. Notre identité sexuelle relève donc du hasard.

Du point de vue anatomique, le sexe de l'embryon se définit vers la dixième semaine. Jusqu'alors, les rudiments des gonades sont indifférenciés ; en d'autres termes, elles pourraient devenir soit des ovaires, soit des testicules, selon les influences hormonales qui s'exercent sur l'embryon. (Nous traiterons du développement sexuel plus en détail au chapitre 42.) La réalisation de l'une ou l'autre de ces possibilités est fonction de la présence ou non d'un chromosome Y ; par ailleurs, il est probable qu'une petite région seulement du chromosome Y détermine le sexe masculin. En 1990, une équipe de chercheurs britanniques a identifié un gène dont la présence semble requise pour la formation des testicules. Ils le nommèrent *Sry* (*Sex determining-Region Y gene*). En l'absence de *Sry*, les gonades deviennent des ovaires. Les chercheurs ont insisté sur le fait que la présence ou l'absence de *Sry* ne jouait qu'un rôle de déclencheur. Les caractères biochimiques, physiologiques et anatomiques de chaque sexe sont particulièrement complexes, et de nombreux gènes entrent en jeu dans leur apparition. Il est probable que *Sry* code pour une protéine qui assure la régulation des autres gènes, mais nous ne connaissons pas encore ces mécanismes de régulation.

Bien que les chromosomes déterminent le sexe dans la plupart des espèces, la combinaison X-Y ne constitue que l'un des divers mécanismes possibles. Par exemple, les

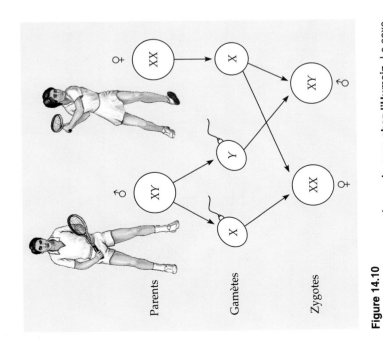

Figure 14.10
Les bases chromosomiques du sexe chez l'Humain. Le sexe d'un individu résulte d'un événement aléatoire : la combinaison de chromosomes sexuels que contient un zygote dépend du type de spermatozoïde (portant un *X* ou un *Y*) qui féconde l'ovule.

Abeilles et les Fourmis ne possèdent pas de chromosomes sexuels à proprement parler, mais leur appartenance sexuelle est cependant fixée de façon chromosomique. Les œufs fécondés donnent des femelles, qui sont diploïdes; les mâles sont haploïdes et issus d'œufs non fécondés.

Maladies liées au sexe chez l'Humain

Outre le rôle qu'ils jouent dans la détermination du sexe, les chromosomes sexuels, et en particulier les chromosomes X, portent les gènes de nombreux caractères totalement indépendants du sexe. Chez l'Humain, le terme lié au sexe désigne habituellement des caractères portés par le chromosome X. Ces caractères suivent le mode de transmission héréditaire observé par Morgan pour le locus des yeux blancs chez la Drosophile. Les pères transmettent les allèles liés au chromosome X à toutes leurs filles, mais à aucun de leurs fils (figure 14.11). Par contre, les mères peuvent transmettre les allèles liés au sexe aussi bien à leurs fils qu'à leurs filles.

Dans le cas d'un caractère lié au sexe dû à un allèle récessif, une femme ne manifestera le phénotype que si elle est homozygote. Il n'y a pas lieu de parler d'*homozygote* et d'*hétérozygote* en ce qui touche les gènes liés au sexe chez l'homme, puisque ce dernier ne possède qu'un locus (dans ce cas, l'homme est dit *hémizygote*). Tout homme qui reçoit de sa mère l'allèle récessif exprimera le caractère correspondant. C'est la raison pour laquelle un nombre bien plus élevé d'hommes que de femmes présentent des maladies transmises selon des caractères récessifs liés au sexe. Il arrive pourtant que des femmes soient touchées par des maladies liées au sexe, bien que

la probabilité qu'une femme hérite d'un gène mutant en double exemplaire soit beaucoup plus faible que la probabilité qu'un homme hérite d'un seul exemplaire. Par exemple, le daltonisme (cécité au rouge et au vert) est une affection bénigne à transmission liée au sexe. Un père daltonien et une mère saine transmettrice du caractère peuvent donner naissance à une fille daltonienne (voir la figure 14.11c). Par ailleurs, étant donné la rareté de l'allèle du daltonisme, qui est lié au sexe, il y a très peu de chances qu'un tel homme et une telle femme se rencontrent. La **myopathie de Duchenne**, un autre exemple de maladie à transmission liée au sexe, est une affection beaucoup plus grave que le daltonisme. Ce type létal de dystrophie musculaire (la mort survient généralement vers la vingtième année) touche un garçon sur 3500 aux États-Unis. La maladie se caractérise par un affaiblissement progressif des muscles et une perte graduelle de la coordination. Les chercheurs ont récemment attribué cette affection à l'absence d'une protéine essentielle dans les muscles et ont même repéré le gène correspondant sur un locus spécifique du chromosome X. Cette protéine, la *dystrophine*, sert de soutien interne à l'enveloppe (sarcolemme) des fibres musculaires. Dans un certain avenir, ces nouvelles données permettront peut-être la mise au point d'un traitement qui empêchera la progression de la maladie.

L'**hémophilie** est causée par un caractère récessif lié au sexe; cette maladie présente des caractéristiques singulières. En cas de blessure externe ou interne, les hémophiles saignent abondamment parce qu'il leur manque une certaine protéine nécessaire à la coagulation du sang. Les personnes les plus gravement touchées peuvent mourir d'hémorragie à la suite d'éraflures, de contusions ou de coupures mineures. Les Hébreux de l'Antiquité connaissaient probablement en partie le mode de transmission héréditaire de l'hémophilie; en effet, ils ne circoncisaient pas les garçons dont la mère provenait d'une famille hémophilique.

Les familles royales d'Europe présentent une forte incidence d'hémophilie liée au sexe. Il semble que le premier hémophile de la lignée royale ait été Léopold, fils de la reine Victoria d'Angleterre (1819-1901). L'allèle récessif de l'hémophilie apparut probablement dans la famille royale par mutation de l'une des cellules sexuelles de la mère ou du père de Victoria, faisant de celle-ci une hétérozygote, ou transmettrice saine de l'allèle mortel. Léopold vécut assez longtemps pour donner naissance à une fille qui était aussi hétérozygote et transmit la maladie à l'un de ses fils. L'hémophilie a ensuite été introduite dans les familles royales de Prusse, de Russie et d'Espagne par les mariages de deux des filles de Victoria, Alice et Béatrice, qui étaient toutes deux des transmettrices saines. La pratique ancienne consistant à renforcer les alliances internationales par des mariages entre personnes de sang royal a eu pour effet de transmettre l'hémophilie aux familles régnantes de plusieurs pays européens.

Inactivation d'un chromosome X chez les femelles

Bien que les Mammifères femelles, y compris chez les Humains, reçoivent deux chromosomes X, un chromosome X de chaque cellule devient presque complètement

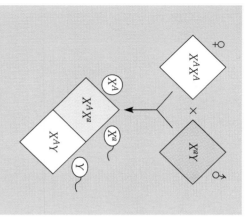
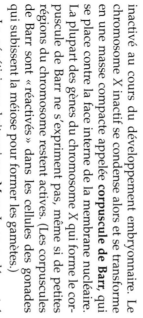
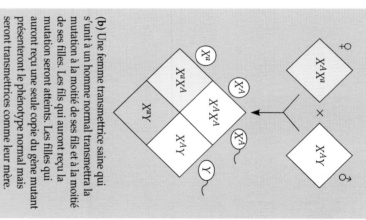

(a) Un père qui exprime la mutation transmettra l'allèle mutant à toutes ses filles, mais à aucun de ses fils. Lorsque la mère est homozygote dominante, les filles présenteront le phénotype normal mais seront transmettrices de la mutation.

(b) Une femme transmettrice saine qui s'unit à un homme normal transmettra la mutation à la moitié de ses filles et à la moitié de ses fils. Les fils qui auront reçu la mutation seront atteints. Les filles qui auront reçu une seule copie du gène mutant présenteront le phénotype normal mais seront transmettrices comme leur mère.

(c) Si une femme transmettrice saine s'unit à un homme qui exprime la mutation, chacun de leurs enfants aura 50% des chances de manifester le caractère mutant, quel que soit son sexe. Les filles normales seront transmettrices, tandis que les garçons normaux ne porteront aucunement l'allèle récessif nocif.

Figure 14.11
Transmission de caractères récessifs liés au sexe. Dans ce diagramme, les symboles X et Y correspondent aux chromosomes sexuels. L'exposant A indique l'allèle domi-nant porté par le chromosome X, et l'exposant a représente l'allèle récessif. Supposons que ce dernier résulte d'une mutation qui provoque une maladie liée au sexe.

inactivé au cours du développement embryonnaire. Le chromosome X inactif se condense alors et se transforme en une masse compacte appelée **corpuscule de Barr**, qui se place contre la face interne de la membrane nucléaire. La plupart des gènes du chromosome X qui forme le corpuscule de Barr ne s'expriment pas, même si de petites régions du chromosome restent actives. (Les corpuscules de Barr sont «réactivés» dans les cellules des gonades qui subissent la méiose pour former les gamètes.)

La généticienne britannique Mary Lyon a démontré que le choix du chromosome X à inactiver se produit au hasard et de façon indépendante dans chacune des cellules embryonnaires. Par conséquent, les femelles représentent une mosaïque de deux types de cellules: celles dont le chromosome X actif provient du père, et celles dont le chromosome X actif provient de la mère. Après l'inactivation d'un chromosome X dans une cellule donnée, le même chromosome X reste inactif dans toutes les cellules qui descendent de cette dernière par mitose. Par conséquent, si la femelle est hétérozygote pour un caractère lié au sexe, la moitié de ses cellules environ exprimera un allèle, tandis que l'autre moitié exprimera le second allèle. Nous pouvons observer une représentation graphique de cette mosaïque dans la coloration d'un Chat européen écaille et blanc (figure 14.12). Chez l'Humain, il existe une mutation récessive liée au chromosome X qui empêche la formation des glandes sudoripares. Une femme hétérozygote pour ce caractère présentera des plaques de peau normale et des plaques sans glandes sudoripares.

ABERRATIONS CHROMOSOMIQUES

Des perturbations physiques et chimiques ainsi que des erreurs pendant la méiose peuvent endommager les chromosomes ou modifier leur nombre dans une cellule. Dans la présente section, nous allons passer en revue les modifications que peuvent subir les chromosomes, puis nous étudierons certaines maladies graves associées à des aberrations chromosomiques chez l'Humain.

Modifications du nombre de chromosomes

Aneuploïdie Idéalement, au cours de la méiose, le fuseau de division distribue les chromosomes aux cellules filles sans commettre d'erreur. Mais il se produit de temps à autre un accident appelé **non-disjonction**: les membres d'une paire de chromosomes homologues ne s'éloignent pas l'un de l'autre comme ils le devraient pendant la méiose I, ou bien les chromatides sœurs ne se séparent pas durant la méiose II. Dans ces cas-là, un gamète reçoit deux exemplaires du même chromosome, et un autre gamète n'en reçoit aucun (figure 14.13). Habituellement, les autres chromosomes sont distribués de façon normale. Si l'un de ces gamètes anormaux s'unit à un gamète normal, l'individu qui en sera issu portera un nombre anormal de chromosomes; cet état est appelé **aneuploïdie**. S'il existe trois copies du même chromosome dans la cellule (soit $2n + 1$ chromosomes au total), on dit que la cellule aneuploïde est **trisomique** pour ce chromosome.

nant porté par le chromosome X, et l'expo-sant a représente l'allèle récessif. Supposons que ce dernier résulte d'une mutation qui provoque une maladie liée au sexe. Les cases blanches désignent les indi-vidus indemnes, les cases de couleur claire les transmetteurs sains, et les cases fon-cées les individus atteints.

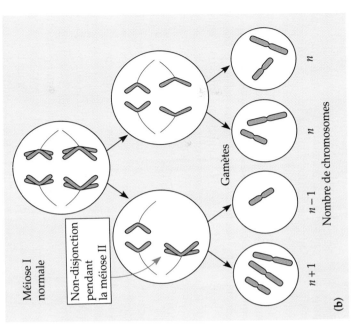

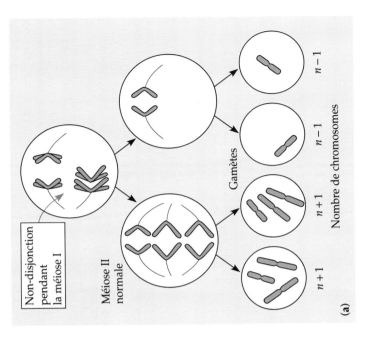

Non-disjonction pendant la méiose I

Méiose II normale

Gamètes

$n+1$ $n+1$ $n-1$ $n-1$

Nombre de chromosomes

(a)

Méiose I normale

Non-disjonction pendant la méiose II

Gamètes

n n $n-1$ $n+1$

Nombre de chromosomes

(b)

Figure 14.13
Non-disjonction méiotique. (a) Il peut arriver que les homologues restent ensemble pendant l'anaphase de la méiose I, ou (b) que les chromatides ne se séparent pas pendant l'anaphase de la méiose II. Ces deux types d'accidents produiront des gamètes avec un nombre anormal de chromosomes.

Polyploïdie Certains organismes possèdent plus de deux jeux complets de chromosomes. Ce type d'anomalie chromosomique porte le nom générique de **polyploïdie**; les termes **triploïdie** (3n) et **tétraploïdie** (4n) indiquent le nombre exact de jeux haploïdes présents. Une cellule triploïde peut être produite par la

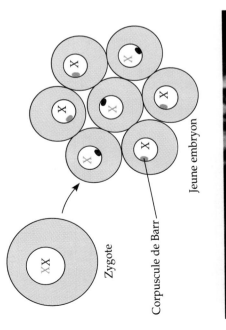

Zygote

Corpuscule de Barr

Jeune embryon

Figure 14.12
Inactivation du chromosome X chez le Chat européen écaille et blanc. Le chromosome X porte un gène qui commande la couleur de la fourrure; un allèle donne une fourrure noire et l'autre une fourrure orangée. (Un autre gène détermine le motif de taches colorées et blanches.) Un mâle (XY) peut recevoir l'un de ces allèles, mais pas les deux. Par conséquent, les individus écaille et blanc, qui ont à la fois des taches noires et orangées, sont presque toujours des femelles. Les femelles écaille et blanc sont hétérozygotes pour le locus de la couleur des taches, parce qu'elles ont reçu l'allèle de la couleur noire sur l'un de leurs chromosomes X et celui de la couleur orange sur l'autre chromosome X. Dans le diagramme, la couleur de chaque chromosome X représente l'allèle qu'il porte. Au début du développement embryonnaire du Chat, il y a inactivation, au hasard, de l'un ou l'autre des chromosomes X dans chacune des cellules. Le chromosome X inactivé se condense pour devenir un corpuscule de Barr, situé près de la face interne de la membrane nucléaire. Chacune des cellules de l'embryon se divise par mitose, donnant ainsi naissance à une population de cellules dont un chromosome X reste actif et l'autre inactif. Les grandes taches de la fourrure du Chat européen écaille et blanc résultent de ces deux types de populations cellulaires.

S'il manque un chromosome (la cellule a $2n - 1$ chromosomes), l'aneuploïdie est dite **monosomique** pour ce chromosome. L'anomalie sera ensuite transmise à toutes les cellules de l'embryon par l'intermédiaire de la mitose. Si l'organisme survit, il manifeste le plus souvent un ensemble de symptômes, parce que les gènes se trouvent en nombre anormal. La non-disjonction peut aussi survenir pendant la mitose. Si l'accident a lieu au début du développement embryonnaire, l'état aneuploïde est alors transmis par mitose à un grand nombre de cellules, ce qui provoquera probablement des effets importants sur l'organisme.

Figure 14.14
Modifications de la structure des chromosomes. Les flèches indiquent les endroits où les chromosomes se brisent. Les parties colorées des chromosomes représentent les gènes touchés par le remaniement chromosomique. **(a)** La délétion retire un segment de chromosome. **(b)** La duplication a pour effet de répéter un segment. **(c)** Dans l'inversion, un segment d'un chromosome se place en sens contraire de la séquence normale des gènes. **(d)** Lors d'une translocation, un segment de chromosome est transféré sur un autre chromosome non homologue. Le type de translocation le plus commun est la translocation réciproque, dans laquelle des chromosomes non homologues échangent des fragments. Il se produit aussi parfois des translocations non réciproques, dans lesquelles un chromosome donne un fragment sans en recevoir un autre en échange.

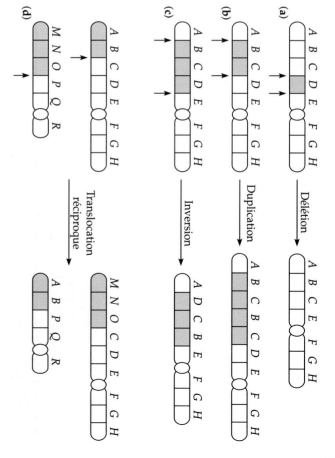

fécondation d'un ovule anormal, diploïde à cause de la non-disjonction de tous ses chromosomes. L'absence de division du zygote à 2n après la réplication de ses chromosomes créerait un état tétraploïde. La mitose subséquente donnerait alors un embryon à 4n.

La polyploïdie survient de manière relativement fréquente dans le règne végétal, et nous verrons au chapitre 22 que l'avènement spontané d'individus polyploïdes a joué un rôle important dans l'évolution des Végétaux. Chez les Animaux, l'apparition naturelle de cellules polyploïdes semble extrêmement rare, bien que l'on puisse en créer expérimentalement chez les Grenouilles et les Lapins. En général, les cellules polyploïdes présentent une apparence plus normale que les cellules aneuploïdes. Il semble qu'un seul chromosome surnuméraire ou manquant crée un déséquilibre génétique plus grand que l'ajout d'un jeu entier de chromosomes. Les Animaux polyploïdes en mosaïque, ou Animaux avec des plaques de cellules polyploïdes, sont plus communs que les Animaux polyploïdes entiers. Si les chromatides sœurs de tous les chromosomes restent ensemble au cours d'une division *mitotique*, de telle sorte que l'une des cellules filles reçoit tous les chromosomes répliqués, on obtient une cellule tétraploïde qui peut ensuite produire un clone localisé de cellules tétraploïdes.

Modifications de la structure des chromosomes

À la suite du bris d'un chromosome, les gènes qu'il porte peuvent subir divers types de réorganisation. Les fragments dépourvus de centromère sont habituellement perdus pendant la division cellulaire. Il manquera alors des gènes sur le chromosome d'où le fragment s'est détaché ; cette aberration chromosomique est appelée **délétion**. Dans certains cas, cependant, le fragment se joint au chromosome homologue, et effectue ainsi une **duplication**. Il arrive aussi qu'il se rattache à son chromosome d'origine, mais à l'envers, ce que l'on nomme une **inversion** ; ou bien encore il peut s'associer à un chromosome non homologue : cet événement est appelé **translocation**. La

figure 14.14 illustre ces différents types de modifications de la structure des chromosomes.

Les erreurs survenant pendant l'enjambement constituent une autre source de délétions et de duplications. Les chromatides homologues se brisent parfois à des endroits différents, et l'une des deux donne donc plus de gènes qu'elle n'en reçoit. De tels enjambements produisent un chromosome présentant une délétion et un chromosome présentant une duplication.

Chez un organisme qui a subi une même délétion sur les deux chromosomes homologues, ou chez un organisme mâle qui a hérité d'un chromosome X ayant subi une délétion, le déséquilibre génétique qui s'ensuit est habituellement létal. Ce fait démontre le rôle essentiel joué par la plupart des gènes dans la survie d'un organisme. Par ailleurs, les duplications et les translocations ont tendance à causer des effets néfastes. Dans le cas des translocations réciproques, où des segments sont échangés entre chromosomes, ainsi que dans le cas des inversions, il n'y a pas de déséquilibre génétique, tous les gènes étant présents en nombre normal. Néanmoins, ces deux phénomènes peuvent entraîner des modifications du phénotype, parce qu'il existe des **effets de position**, c'est-à-dire que la position d'un gène par rapport à ses voisins peut influer sur son expression.

Maladies humaines résultant d'aberrations chromosomiques

Les modifications dans le nombre et la structure des chromosomes sont associées à certaines maladies graves chez l'Humain. Lorsqu'une non-disjonction survient au cours de la méiose, le gamète produit et le zygote qui en est issu sont aneuploïdes, c'est-à-dire qu'ils contiennent un nombre anormal de chromosomes. Bien que la fréquence des zygotes aneuploïdes puisse être assez élevée chez l'Humain, la plupart des aberrations chromosomiques ont des conséquences si désastreuses sur le développement que les embryons

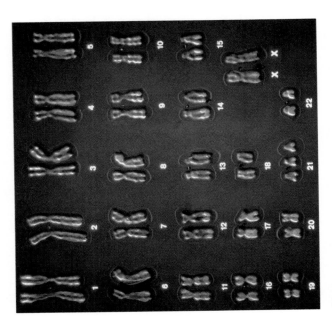

Figure 14.15
Trisomie 21 (syndrome de Down). (a) Le caryotype montre la trisomie 21. **(b)** Au Canada et aux États-Unis, des milliers de
personnes atteintes de la trisomie 21 participent à des Jeux
olympiques spéciaux.

(b)

sont expulsés naturellement (avortement spontané) bien
avant la naissance. Cependant, il semble que certains
types d'aneuploïdie perturbent moins l'équilibre génétique que d'autres, de sorte qu'il naît parfois des individus atteints d'une maladie, ou syndrome, caractéristique.
Les maladies génétiques causées par l'aneuploïdie peuvent être diagnostiquées avant la naissance par amniocentèse (voir le chapitre 13).

La maladie congénitale grave la plus répandue aux
États-Unis est la **trisomie 21** (ou syndrome de Down),
qui frappe environ un nouveau-né sur 700. Cette affection est habituellement due à l'aneuploïdie : il y a un
chromosome surnuméraire à la paire 21, de sorte que
chaque cellule de l'organisme possède un total de 47
chromosomes (figure 14.15). Bien que le chromosome 21
soit le plus petit chromosome humain, cette trisomie
produit des effets graves sur le phénotype de l'individu.
La trisomie 21 donne entre autres, des traits faciaux
caractéristiques, une petite taille, des malformations cardiaques, une sensibilité accrue aux infections respiratoires et un déficit intellectuel. Cette affection constitue
de loin la cause la plus fréquente de déficience intellectuelle. En outre, les individus atteints de ce syndrome
ont une prédisposition marquée à la leucémie et à la
maladie d'Alzheimer. (Ce n'est probablement pas un
hasard si on a localisé des gènes associés à ces deux dernières maladies sur le chromosome 21.)

Bien que la plupart des personnes atteintes de la trisomie 21 aient une espérance de vie inférieure de beaucoup
à la normale, certaines d'entre elles atteignent un âge
assez avancé. En général, elles ne se développent pas
complètement sur le plan sexuel et sont stériles ; mais

quelques femmes atteintes du syndrome ont mis au
monde des enfants. Étant donné que la moitié des
gamètes de ces femmes possèdent le chromosome 21
surnuméraire, il y a 50 % de chances qu'elles transmettent le syndrome à leur enfant.

Lorsque les parents ont un caryotype normal, on
observe une corrélation entre l'âge de la mère et la fréquence de la trisomie 21 chez les enfants (figure 14.16). La
maladie frappe 0,04 % des enfants nés de mères âgées de
moins de 30 ans ; le risque atteint 1,25 % si la mère est au
début de la trentaine, et il s'accroît encore chez les mères
plus âgées. À cause du risque relativement élevé qu'elles
courent, les femmes enceintes âgées de plus de 35 ans
subissent généralement une amniocentèse afin de déceler
la présence de la trisomie 21. La corrélation entre la trisomie 21 et l'âge de la mère reste inexpliquée. Mais des
données récentes semblent confirmer l'hypothèse selon
laquelle les femmes plus âgées ont plus de chances que
les jeunes femmes de mener à terme un embryon atteint
de la trisomie 21, au lieu de subir un avortement spontané. On ne connaît aucune autre aberration chromosomique montrant une corrélation aussi étroite entre l'âge
de la mère et l'incidence de la maladie.

Il existe d'autres maladies humaines, beaucoup plus
rares que la trisomie 21, qui sont également causées par
une aneuploïdie autosomique. Le syndrome de Patau, provoqué par la trisomie du chromosome 13, se caractérise
entre autres par des malformations graves des yeux, du
cerveau et du système circulatoire, ainsi que par un bec-
de-lièvre avec fissure palatine. Ce syndrome se retrouve
chez un nouveau-né sur 5000 naissances vivantes. La trisomie du chromosome 18 provoque une maladie appelée

syndrome d'Edwards, qui affecte presque tous les systèmes de l'organisme et touche un bébé sur 10 000 naissances vivantes. La plupart des enfants atteints de l'un de ces deux syndromes meurent avant d'avoir atteint l'âge d'un an.

La non-disjonction des chromosomes sexuels entraîne plusieurs types d'états aneuploïdes chez l'Humain (tableau 14.1). Dans la plupart des cas, il semble que ces états créent un déséquilibre génétique moins grave que les formes d'aneuploïdie touchant les autosomes. Cette caractéristique pourrait être due au fait que le chromosome Y porte très peu de gènes et que les copies surnuméraires du chromosome X sont inactivées sous la forme de corpuscules de Barr dans les cellules somatiques.

La présence d'un chromosome X surnuméraire chez un garçon (XXY) survient chez un nouveau-né vivant sur 2000. Les hommes atteints de cette maladie, appelée **syndrome de Klinefelter**, possèdent des organes sexuels masculins, mais leurs testicules sont atrophiés et ils sont frappés de stérilité. Le syndrome provoque souvent le développement des seins et l'apparition d'autres caractères physiques féminins. La personne atteinte a habituellement une intelligence normale ou légèrement inférieure à la normale. Le syndrome de Klinefelter touche aussi les hommes porteurs de plus d'un chromosome sexuel surnuméraire (XXYY, XXXY, XXXXY et XXYYY). Ces individus ont davantage de chances de souffrir d'une déficience intellectuelle que les individus XXY.

Les sujets de sexe masculin possédant un seul chromosome Y surnuméraire (XYY) ne présentent aucun syndrome bien défini, mais leur taille est légèrement supérieure à la moyenne. Les sujets de sexe féminin atteints de trisomie X (XXX), appelée **syndrome triplo-X**, ont un faible taux de fécondité ; cette anomalie atteint un bébé sur 1000 naissances vivantes. La monosomie X, appelée **syndrome de Turner**, frappe environ un nouveau-né sur 5000, et il s'agit de la seule monosomie connue qui soit viable chez l'Humain. Bien que ces individus aient un phénotype féminin, leurs organes sexuels ne parviennent pas à maturité et les caractères sexuels

secondaires n'apparaissent pas. Ces personnes sont stériles et de petite taille, mais ne sont habituellement pas atteintes de déficience intellectuelle.

En plus de présenter diverses formes d'aneuploïdie, certains chromosomes subissent parfois des altérations structurales qui, chez l'Humain, sont associées à des affections spécifiques. De nombreuses délétions survenant sur des chromosomes humains, même à l'état hétérozygote, provoquent des anomalies physiques et mentales graves. L'une de ces anomalies d'origine chromosomique est appelée maladie du cri du Chat (ou syndrome de Lejeune). Un enfant ayant subi cette délétion sur l'un des chromosomes de la paire 5 accuse un retard mental, et il possède une petite tête et des traits faciaux inhabituels, et son cri ressemble au miaulement plaintif d'un Chat. Ces individus meurent le plus souvent pendant leur première année ou au début de l'enfance.

La translocation, c'est-à-dire le rattachement d'un fragment de chromosome à un autre chromosome non homologue, constitue un autre type de modification de la structure chromosomique associé à des maladies humaines. On a relié certains cancers à des translocations chromosomiques. La leucémie myéloïde chronique (LMC) en représente un exemple. La leucémie est un cancer des cellules qui fabriquent les globules blancs du sang ; les cellules cancéreuses des malades atteints de LMC ont été le siège d'une translocation réciproque, et une partie du chromosome 22 a été échangée avec un petit fragment de l'extrémité du chromosome 9. (Nous verrons au chapitre 18 comment un tel échange peut causer le cancer.)

Une translocation chromosomique d'un type différent est survenue chez un petit pourcentage des individus atteints de la trisomie 21. Toutes les cellules de ces personnes comportent un nombre normal de chromosomes, soit 46. Cependant, l'examen attentif de leur caryotype révèle la présence d'un troisième chromosome 21, ou d'une partie de celui-ci, qui s'est rattaché à un autre chromosome par translocation.

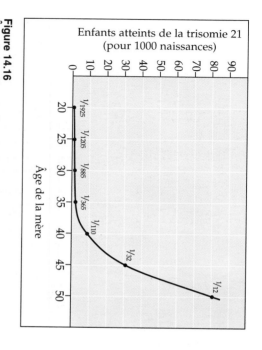

Figure 14.16
Âge de la mère et trisomie 21. L'incidence de la trisomie 21 augmente avec l'âge de la mère. On ne connaît aucune autre aberration chromosomique qui suive ce schéma.

Tableau 14.1 Anomalies du nombre de chromosomes sexuels chez l'Humain

Génotype	Phénotype	Origine de la non-disjonction	Fréquence dans la population
X0	Syndrome de Turner (femme)	Méiose pendant la formation de l'ovule ou du spermatozoïde	1/5000
XXX	Syndrome triplo-X	Méiose pendant la formation de l'ovule	1/1000
XXY	Syndrome de Klinefelter (homme)	Méiose pendant la formation de l'ovule ou du spermatozoïde	1/2000
XYY	Homme normal	Méiose pendant la formation du spermatozoïde	1/2000

EMPREINTE DES PARENTS SUR LES GÈNES

Tout au long de notre présentation de la génétique mendélienne et des bases chromosomiques de l'hérédité, nous avons supposé qu'un allèle donné avait le même effet qu'il soit transmis par la mère ou le père. Cette hypothèse se vérifie probablement dans la plupart des cas. Par exemple, lorsque Mendel croisait des Pois aux fleurs violettes avec d'autres Pois à fleurs blanches, les résultats étaient identiques que le parent à fleurs violettes ait fourni l'ovule ou le pollen. Cependant, les généticiens ont récemment identifié certains caractères, y compris certaines maladies héréditaires humaines, qui semblent dépendre du parent qui a transmis les allèles pour ces caractères.

Prenons l'exemple de deux affections appelées syndrome de Prader-Labhart-Willi et syndrome d'Angelman. Leurs symptômes ne sont pas les mêmes. Le premier syndrome se caractérise par un déficit intellectuel, l'obésité, une petite taille ainsi que des mains et des pieds particulièrement menus. Les personnes atteintes du syndrome d'Angelman rient de façon imprévisible, ont des gestes saccadés et présentent d'autres symptômes moteurs et mentaux. Il semble que la délétion d'un certain segment du chromosome 15 constitue la cause génétique des deux maladies. Si un enfant reçoit le chromosome défectueux de son père, il présentera le syndrome de Prader-Labhart-Willi. Si le chromosome vient de sa mère, l'individu sera atteint du syndrome d'Angelman. En d'autres termes, un individu atteint du syndrome de Prader-Labhart-Willi ne possède pas les gènes qui ont subi une délétion dans la copie paternelle du chromosome 15; un individu présentant le syndrome d'Angelman ne possède pas les gènes qui ont subi une délétion dans la copie maternelle du chromosome. Il apparaît que les gènes de la région touchée par la délétion ne se comportent normalement pas de la même manière chez les descendants, selon qu'ils proviennent du chromosome paternel ou maternel.

L'explication des syndromes de Prader-Labhart-Willi et d'Angelman ainsi que d'autres phénomènes analogues réside peut-être dans un mécanisme nommé **empreinte génomique**. D'après cette hypothèse, certains gènes reçoivent à chaque génération une empreinte différente selon qu'ils se trouvent chez un individu de sexe masculin ou féminin (figure 14.17). Autrement dit, les mêmes allèles peuvent produire des effets différents sur les descendants selon qu'ils arrivent dans le zygote en provenance de l'ovule ou du spermatozoïde. Apparemment, à la génération suivante, les empreintes maternelle et paternelle sont toutes deux «effacées» des cellules germinales primordiales (à l'origine des ovogonies et des spermatogonies), et tous les chromosomes reçoivent un nouveau code qui dépend du sexe de l'individu chez lequel ils se trouvent. (L'empreinte génomique est peut-être fonction d'un processus appelé méthylation de l'ADN, dont nous parlerons au chapitre 18.)

Il se peut que l'empreinte génomique permette d'expliquer une autre maladie appelée **syndrome du chromosome X fragile**. Le nom de cette affection vient de l'apparence d'un chromosome X anormal, dont l'extrémité est reliée à l'ensemble du chromosome par un mince

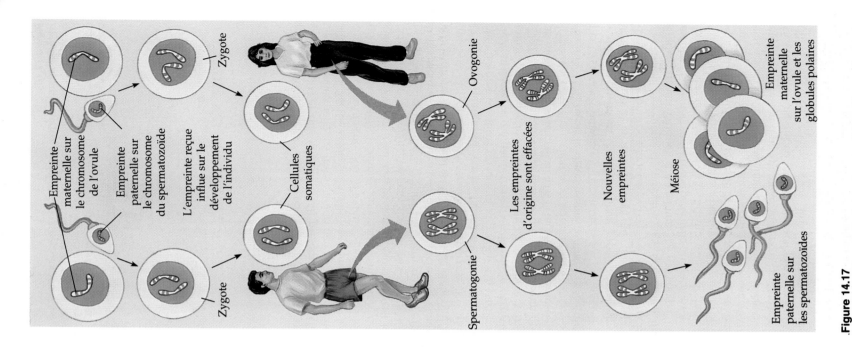

Figure 14.17
Empreinte génomique. Les spermatozoïdes et les ovules sont peut-être porteurs de chromosomes qui ont une empreinte différente. D'après cette hypothèse, le même allèle pourrait avoir un effet phénotypique différent selon qu'il a reçu l'empreinte maternelle ou paternelle. À chaque génération, les anciennes empreintes sont «effacées» lors de la production des gamètes, et tous les chromosomes reçoivent une nouvelle empreinte qui dépend du sexe de l'individu.

Troisième partie: Le gène

Figure 14.18
Hérédité cytoplasmique. Les feuilles panachées sont dues à des gènes situés dans les plastes et non sur les chromosomes des noyaux cellulaires de la Plante. Les cellules des parties jaunes contiennent des plastes qui ne peuvent pas devenir des chloroplastes verts normaux.

fil. Les enfants atteints de ce syndrome (environ un garçon sur 1000 et une fille sur 2000) présentent une déficience intellectuelle. La transmission héréditaire de cette affection s'effectue selon un mode très complexe, et les chercheurs sont encore loin d'avoir assemblé toutes les pièces du casse-tête. Il semble cependant que l'empreinte génomique joue un rôle. Les personnes qui reçoivent le chromosome X fragile ne manifestent pas toutes les symptômes du syndrome. D'autre part, certains éléments indiquent que la maladie a plus de chances de se déclarer si le chromosome anormal est transmis par la mère plutôt que par le père. Certains chercheurs pensent que l'empreinte maternelle sur le fragment endommagé du chromosome constitue un facteur important d'apparition de la maladie, ce qui permettrait d'expliquer en partie la raison pour laquelle le syndrome du chromosome X fragile est plus fréquent chez l'homme que chez la femme. Si un individu de sexe masculin (XY) reçoit un chromosome X fragile, ce dernier vient *nécessairement* de sa mère. Si une fille (XX) reçoit le chromosome anormal, ce dernier peut avoir été transmis *soit* par sa mère, *soit* par son père.

Un remaniement chromosomique appelé *disomie uniparentale* constitue un autre élément qui corrobore l'hypothèse de l'empreinte génomique. Pour en comprendre le mécanisme, revenons au problème des syndromes de Prader-Labhart-Willi et d'Angelman. Le caryotype ne montre la délétion sur la copie paternelle du chromosome 15 que chez 60 % des individus atteints du syndrome de Prader-Labhart-Willi. Comment peut-on expliquer la présence de la maladie chez les 40 % qui restent? Ces enfants ont reçu *les deux* copies normales du chromosome 15 de leur mère. Cette disomie uniparentale résulte probablement de la fusion d'un spermatozoïde sans chromosome 15 avec un ovule qui en avait deux exemplaires (c'est-à-dire qu'il y a eu non-disjonction de ce chromosome pendant la formation des deux gamètes). Pourquoi un tel individu présenterait-il le syndrome de Prader-Labhart-Willi? Apparemment, certains gènes situés sur le segment du chromosome 15 touché par les syndromes de Prader-Labhart-Willi et d'Angelman reçoivent une empreinte différente chez le père et chez la mère, et le développement normal de l'individu exige qu'il ait reçu les chromosomes avec les deux types d'empreinte. Si cette hypothèse s'avère exacte, les types de disomie uniparentale touchant d'autres chromosomes que le chromosome 15 devraient aussi avoir des effets très importants sur le phénotype. Plusieurs généticiens travaillent en ce moment sur des maladies génétiques à partir de cette hypothèse.

HÉRÉDITÉ EXTRANUCLÉAIRE

Bien que ce chapitre ait porté essentiellement sur les bases chromosomiques de l'hérédité, nous allons conclure par une mise au point importante: les gènes des cellules eucaryotes ne sont pas tous situés sur les chromosomes du noyau, ni même dans le noyau. La plupart des gènes extranucléaires se trouvent dans des organites du cytoplasme, comme les mitochondries et, chez les Végétaux, dans les plastes, qui sont des organites à division autonome dont font partie les chloroplastes. Les mitochondries et les plastes se multiplient et transmettent leurs gènes à des organites fils. L'hérédité de ces gènes cytoplasmiques ne correspond pas au modèle mendélien, parce qu'ils ne sont pas transmis aux descendants selon les mêmes lois que les chromosomes nucléaires pendant la méiose.

Les gènes cytoplasmiques ont d'abord été observés chez les Végétaux. En 1909, Karl Correns a étudié la transmission héréditaire des taches jaunes ou blanches sur les feuilles d'une Plante ornementale dont les autres parties étaient vertes (figure 14.18). Il a remarqué que la coloration des descendants était uniquement déterminée par la Plante dont les fleurs portaient les graines et non par celle qui fournissait le pollen. Des recherches ultérieures ont montré que la présence de feuilles panachées (rayées ou tachées) était causée par des différences dans la production de pigments par les plastes. Il se peut que de telles différences soient déterminées par des gènes situés dans les plastes. Chez la plupart des Végétaux, le zygote reçoit tous ses plastes du cytoplasme de l'ovule, et aucun du pollen. Lorsque le zygote se développe, les motifs de coloration des feuilles ne dépendent donc que des gènes cytoplasmiques maternels.

Les gènes des mitochondries des Mammifères sont aussi transmis par hérédité maternelle. Les mitochondries se trouvent dans le cytoplasme de la cellule, et l'ovule fournit toujours une quantité plus importante de cytoplasme au zygote que le spermatozoïde. Les mitochondries sont donc d'origine maternelle. Par exemple,

lorsqu'on croise des Rats de laboratoire albinos portant chacun un type différent d'ADN mitochondrial, leurs petits ne possèdent que des mitochondries du type maternel. Les gènes mitochondriaux peuvent servir à reconstituer des relations évolutives, comme nous le verrons au chapitre 23.

Quelle que soit la localisation de l'ADN dans une cellule, sa structure et sa fonction restent fondamentalement les mêmes. Dans le prochain chapitre, nous allons aborder l'étude du comportement de l'ADN à l'échelle moléculaire.

RÉSUMÉ DU CHAPITRE

Au début des années 1900, les généticiens ont démontré que l'explication physique des lois mendéliennes de ségrégation et d'assortiment indépendant des caractères se trouvait dans le comportement des chromosomes.

Théorie chromosomique de l'hérédité (p. 280-284)

1. Thomas Hunt Morgan fut le premier chercheur à associer un gène spécifique à un chromosome spécifique. Comme Mendel, il avait choisi un organisme qui présentait des avantages essentiels pour la recherche en génétique. La Drosophile, ou *Drosophila melanogaster*, se reproduit rapidement et ne possède que quatre paires de chromosomes.

2. Après avoir fait reproduire des Drosophiles pendant un an, Morgan a obtenu un mâle aux yeux blancs résultant d'une mutation spontanée, ce qui l'a amené à découvrir le premier gène lié au sexe connu. Ce gène pour la couleur des yeux, situé sur le chromosome X, a renforcé la théorie chromosomique de l'hérédité.

3. Chaque chromosome porte des centaines ou des milliers de gènes. On dit que les gènes qui sont rapprochés sur le chromosome sont liés, et leur assortiment n'est pas indépendant.

Bases chromosomiques de la recombinaison (p. 284-285)

1. La méiose et la fécondation au hasard entraînent la recombinaison génétique, c'est-à-dire la production de descendants dont les caractères hérités des deux parents forment de nouvelles combinaisons.

2. Les individus qui possèdent le même phénotype que l'un ou l'autre de leurs parents sont appelés types parentaux. Chez les individus recombinants, cependant, les caractères forment des combinaisons qui n'existent chez aucun des parents; ce phénomène est dû en grande partie à l'assortiment indépendant des allèles au cours de la première division méiotique. Une fréquence de recombinaison de 50 % entre deux gènes indique habituellement que ceux-ci sont situés sur des chromosomes différents et qu'ils ne sont donc pas liés.

3. Une fréquence de recombinaison de moins de 50 % indique que les gènes sont liés, mais qu'il y a eu des enjambements. Pendant ce processus, les chromosomes homologues, qui forment une synapse au cours de la prophase de la méiose I, se brisent à des points équivalents et échangent des fragments; ce phénomène a pour effet de créer de nouvelles combinaisons d'allèles qui sont ensuite transmises aux gamètes.

Cartes génétiques établies à partir de données relatives aux enjambements (p. 285-287)

1. Des méthodes ont été inventées pour cartographier les gènes, c'est-à-dire repérer la région spécifique où ils se trouvent sur un chromosome.

2. L'équipe de Morgan a été la première à cartographier les gènes en calculant les intervalles relatifs entre eux à partir des données sur les enjambements. Les gènes qui sont éloignés sur un chromosome ont plus de chances d'être séparés par un enjambement que les gènes qui sont rapprochés. On définit le centimorgan (cM), unité cartographique, comme l'équivalent d'une fréquence de recombinaison de 1 %.

3. La cartographie cytologique consiste à repérer le locus physique d'un gène en associant un phénotype mutant à une anomalie chromosomique visible au microscope.

4. La localisation des loci à partir des enjambements et la cartographie cytologique ne donnent pas tout à fait les mêmes résultats parce que la fréquence des enjambements varie d'une région du chromosome à l'autre.

Chromosomes sexuels et hérédité liée au sexe (p. 287-290)

1. Le sexe est un caractère phénotypique héréditaire habituellement déterminé par la présence ou l'absence de chromosomes spécifiques; le mécanisme exact de la détermination du sexe varie selon les espèces.

2. L'Humain et les autres Mammifères possèdent un système de chromosomes X et Y. Le mâle XY transmet soit un chromosome X, soit un chromosome Y à un spermatozoïde donné, qui s'unit à un ovule, lequel ne peut contenir que des chromosomes X provenant de la femelle XX. Le sexe du nouvel individu est donc déterminé au moment de la conception, selon que le spermatozoïde porte un chromosome X ou un chromosome Y.

3. Des chercheurs ont récemment découvert que les bases héréditaires du sexe masculin se trouvaient sur un locus spécifique du chromosome Y.

4. Certains gènes pour des caractères sans aucun rapport avec le sexe sont situés sur les chromosomes sexuels. L'hémophilie fait partie des nombreux caractères récessifs liés au sexe dont le gène est porté par le chromosome X.

5. Chez les femelles de Mammifères, il n'existe qu'un chromosome X actif par cellule diploïde. L'autre chromosome est condensé sous la forme d'un corpuscule de Barr situé sur la face interne de la membrane nucléaire. Au début du développement embryonnaire, l'un des deux chromosomes X est inactivé dans chaque cellule. De petites régions du chromosome X inactif peuvent rester fonctionnelles.

Aberrations chromosomiques (p. 290-294)

1. Des perturbations venant du milieu ou des erreurs au cours de la méiose peuvent modifier le nombre de chromosomes présents dans chaque cellule ou altérer la structure de certains chromosomes. De tels changements peuvent influer sur le phénotype de manière significative, surtout dans les cas où ils touchent plusieurs gènes liés ou l'ensemble d'un chromosome.

2. L'aneuploïdie est la présence d'un nombre anormal de chromosomes. Elle peut résulter de l'union d'un gamète parental normal et d'un gamète qui contient par exemple deux copies ou aucune copie d'un chromosome donné, à la suite d'une non-disjonction survenue pendant la méiose. Le zygote ainsi formé sera trisomique ou monosomique pour ce chromosome.

3. La polyploïdie est un état dans lequel il y a plus de deux jeux complets de chromosomes ; elle peut résulter d'une non-disjonction complète pendant la formation des gamètes. La polyploïdie est relativement commune chez les Végétaux ; elle peut aussi survenir à de rares occasions chez les Animaux. La non-disjonction mitotique peut donner des plaques de cellules polyploïdes chez un individu qui, par ailleurs, est diploïde.

4. Le bris d'un chromosome peut occasionner divers types de réorganisation. Les remaniements chromosomiques peuvent provoquer une délétion (perte d'un fragment) ou alors une duplication, une translocation ou une inversion si le fragment en cause se rattache à un chromosome.

5. Dans l'espèce humaine, les remaniements chromosomiques provoquent divers types de maladies chez les individus qui survivent à la gestation malgré les anomalies. Par exemple, la trisomie partielle ou totale du chromosome 21 cause la trisomie 21, une maladie congénitale grave et relativement fréquente dont l'incidence croît avec l'âge de la mère.

Empreinte des parents sur les gènes (p. 295-296)

1. L'empreinte génomique explique en partie certaines maladies héréditaires encore mal comprises, dont le syndrome du chromosome X fragile.

2. Apparemment, dans les cellules germinales primordiales de chaque individu, les chromosomes reçoivent une « marque » soit mâle, soit femelle. Ce phénomène influe sur l'expression de certains des gènes chez leurs enfants. Ces derniers « effacent » l'empreinte des gamètes et les codent à nouveau selon leur propre sexe.

3. Lorsque le spermatozoïde et l'ovule ont tous deux subi une non-disjonction qui a modifié le nombre de leurs chromosomes, il peut en résulter chez l'individu à naître une disomie parentale, c'est-à-dire que *les deux* copies d'un chromosome donné proviennent du même parent. L'absence d'empreinte de l'autre parent sur certains gènes peut produire des effets nuisibles sur le phénotype.

Hérédité extranucléaire (p. 296-297)

1. Les mitochondries et les chloroplastes contiennent certains de leurs propres gènes. Ces gènes cytoplasmiques ne sont pas transmis selon le modèle mendélien.

2. Chez les Végétaux et chez les Animaux, le cytoplasme du zygote provient presque entièrement de l'ovule. À cause de ce mode de transmission héréditaire, certaines caractéristiques du phénotype des descendants ne dépendent que des gènes cytoplasmiques de la mère.

AUTO-ÉVALUATION

1. Au début de l'élaboration de la théorie chromosomique de l'hérédité, une découverte clé fut faite lorsque :
   a) Mendel remarqua que les chromosomes avaient un comportement analogue à celui de ses « facteurs héréditaires » (gènes) chez le Pois.
   b) des caractères spécifiques ont été associés aux chromosomes qui déterminent le sexe chez la Drosophile.
   c) on a trouvé les bases chromosomiques de la trisomie 21.
   d) on a découvert que l'ADN se trouvait dans les chromosomes.
   e) on a trouvé que les chromosomes se situaient dans le noyau.

2. Deux gènes auront probablement un assortiment indépendant si :
   a) ils sont très rapprochés sur le même chromosome.
   b) ils sont très éloignés sur le même chromosome.
   c) ils se trouvent sur des chromosomes homologues.
   d) ils se trouvent tous deux sur le chromosome X.
   e) l'un est dominant et l'autre est récessif.

3. Une femme aneuploïde possède dans ses cellules deux corpuscules de Barr. Quelle forme d'aneuploïdie permet d'expliquer ces observations ?
   a) XXX.
   b) XYY.
   c) XXY.
   d) XO.
   e) YYY.

4. La meilleure définition du phénomène génétique qui cause la trisomie 21 est :
   a) un enjambement non réciproque.
   b) une non-disjonction.
   c) une duplication chromosomique.
   d) une délétion.
   e) une disomie uniparentale.

5. À partir des fréquences de recombinaison suivantes, déterminez l'ordre des gènes le long d'un chromosome :
   $A – B$, 8 cM ; $A – C$, 28 cM ; $A – D$, 25 cM ; $B – C$, 20 cM ; $B – D$, 33 cM.
   a) $A – B – C – D$.
   b) $A – C – D – B$.
   c) $B – A – C – D$.
   d) $D – A – B – C$.
   e) $C – D – B – A$.

6. L'une des conséquences de l'inactivation du chromosome X est que :
   a) les femelles sont des mosaïques génétiques à cause de la non-disjonction des chromatides pendant la mitose.
   b) la formation des corpuscules de Barr fait que la plupart des gènes liés au chromosome X se trouvent en quantité égale chez les mâles et les femelles.
   c) chez les mâles, les caractères liés au sexe viennent de leur mère.
   d) le chromosome Y peut exercer une influence génétique sur le cytoplasme de l'ovule.
   e) le taux de mortalité des mâles dépasse celui des femelles chez les Chats européens écaille et blanc.

7. Dans le type de remaniement chromosomique appelé duplication :
   a) un fragment d'un chromosome peut s'attacher au chromosome homologue.
   b) les chromosomes homologues ne se séparent pas durant la méiose I.
   c) les chromatides sœurs se séparent effectivement pendant la méiose II.
   d) un fragment d'un chromosome s'attache à un chromosome non homologue.
   e) l'état aneuploïde est dû à la présence d'un chromosome surnuméraire.

PROBLÈMES DE GÉNÉTIQUE

1. Une femme normale dont le père est hémophile (maladie récessive liée au sexe) épouse un homme normal pour ce caractère. Quelle est la probabilité qu'elle ait une fille hémophile ? Un fils hémophile ? Si le couple a quatre fils, quelle est la probabilité que les quatre naissent hémophiles ?

2. La myopathie de Duchenne est une maladie qui provoque la détérioration graduelle des muscles. Elle ne frappe que des garçons nés de parents apparemment normaux et débouche habituellement sur la mort au début de l'adolescence. Cette maladie est-elle causée par un allèle dominant ou récessif ? Sa transmission héréditaire est-elle autosomique ou liée au sexe ? Justifiez votre réponse. Expliquez pourquoi cette

maladie ne survient que chez les garçons et jamais chez les filles.

3. Le daltonisme est causé par un allèle récessif lié au sexe. Un homme daltonien épouse une femme dont la vue est normale et dont le père était daltonien. Quelle est la probabilité qu'ils aient une fille et que celle-ci soit daltonienne? Quelle est la probabilité que leur premier fils soit daltonien? (*Remarque* : les deux questions sont formulées de façon un peu différente.)

4. Une Drosophile de phénotype sauvage (hétérozygote pour un corps gris et des ailes normales) est accouplée à un individu noir à ailes vestigiales. Leurs descendants ont la distribution suivante : phénotype sauvage, 778 ; corps noir-ailes vestigiales, 785 ; corps noir-ailes normales, 158 ; corps gris-ailes vestigiales, 162. Quelle est la fréquence de recombinaison entre ces gènes pour la couleur du corps et la forme des ailes?

5. Dans un autre croisement, une Drosophile de phénotype sauvage (hétérozygote pour un corps gris et des yeux rouges) est accouplée à un individu noir aux yeux pourpres. Les descendants ont la distribution suivante : phénotype sauvage, 721 ; corps noir-yeux pourpres, 751 ; corps gris-yeux pourpres, 49 ; corps noir-yeux rouges, 45. Quelle est la fréquence de recombinaison entre ces gènes qui déterminent la couleur du corps et la couleur des yeux? Après avoir répondu à cette question et à la question 4, dites quelles Drosophiles (génotypes et phénotypes) vous croiseriez de façon à déterminer l'ordre des gènes pour la couleur du corps, la forme des ailes et la couleur des yeux le long du chromosome.

6. Une sonde spatiale a découvert une planète habitée par des êtres qui se reproduisent selon les mêmes lois génétiques que les Humains. Trois de leurs caractères phénotypiques sont la taille (G = grand, g = nain), la présence d'appendices sur la tête (A = à antennes, a = sans antennes) et la forme du museau (R = retroussé, r = tourné vers le bas). Comme cette forme de vie n'était pas « intelligente », les scientifiques terriens ont pu procéder à quelques expériences de croisement en effectuant des croisements de contrôle avec divers hétérozygotes. Pour un hétérozygote grand à antennes, les descendants se répartissaient comme suit : 46 grands à antennes ; 7 nains à antennes ; 42 nains sans antennes ; 5 grands sans antennes. Pour un hétérozygote avec des antennes et un museau retroussé, les descendants se répartissaient de la façon suivante : 47 à antennes et museau retroussé ; 2 à antennes et à museau vers le bas ; 48 sans antennes et à museau vers le bas ; 3 sans antennes et à museau retroussé. Calculez les fréquences de recombinaison dans les deux expériences.

7. Imaginez qu'un généticien a identifié deux maladies causées par la même aberration chromosomique et modifiées par l'empreinte génomique, à savoir la cécité et l'engourdissement des mains et des pieds. Une femme aveugle (dont la mère souffrait d'engourdissement) a quatre enfants dont deux souffrant de l'engourdissement (un garçon et une fille) ont hérité de l'allèle défectueux. Quelle maladie apparaîtra chez ces deux enfants si cette affection suit le même mécanisme que les syndromes de Prader-Labhart-Willi et d'Angelman? Quelles maladies retrouvera-t-on chez *leurs* fils et filles?

QUESTIONS À COURT DÉVELOPPEMENT

1. À l'aide de certaines notions contenues dans ce chapitre, démontrez que la méiose produit des cellules génétiquement différentes.

2. Décrivez une aberration chromosomique associée aux autosomes et une autre associée aux chromosomes sexuels.

3. Illustrez trois modifications structurales des chromosomes.

4. Différenciez les *gènes liés* des *gènes liés au sexe*.

SCIENCE, TECHNOLOGIE ET SOCIÉTÉ

1. On se sert d'un test chromosomique pour déterminer le sexe réel des concurrentes olympiques. Autrefois, le test consistait à rechercher la présence d'un corpuscule de Barr. Aux Jeux olympiques de 1992, on a eu recours à une méthode de détection de gènes situés sur le chromosome Y. Les compétitrices qui échouent au test (environ une sur 500) ne sont pas autorisées à participer aux compétitions. Du point de vue anatomique, certaines personnes XY sont du sexe féminin, bien qu'elles n'aient pas d'ovaires ni d'utérus ; le chromosome Y ne déclenche pas chez elles la formation de testicules, ou bien leurs cellules ne répondent pas à l'hormone mâle, la testostérone. Les sportives et les médecins prétendent que le test chromosomique est injuste parce qu'il empêche les femmes XY de prendre part aux compétitions. Quel est le but du test? Est-il équitable? Pouvez-vous suggérer une solution de rechange?

2. Gregor Mendel n'a jamais vu de gène, mais il en est quand même arrivé à la conclusion que ces « facteurs héréditaires » étaient la cause de l'hérédité chez le Pois. De même, Morgan et Sturtevant n'ont jamais vraiment vu de gènes liés sur des chromosomes ; leurs cartes étaient établies à partir de schémas d'hérédité. Du point de vue scientifique, est-il légitime de la part d'un biologiste de proclamer l'existence de choses et de mécanismes qu'il ne peut pas voir dans la réalité? Pourquoi?

LECTURES SUGGÉRÉES

Dorozynski, A., « Voici pourquoi les enfants ne sont pas tous des filles », *Science & Vie*, n° 877, octobre 1990. (Découverte du gène SRY conférant le sexe mâle.)

Hoffman, E. P., « La myopathie de Duchenne », *La Recherche*, n° 250, janvier 1993. (Pour en savoir plus sur la plus connue des maladies musculaires dégénératives.)

Kaplan, J. et H. Dollfus, « Coup d'œil sur la complexité », *Science & Vie*, hors série n° 181, décembre 1992. (La rétinopathie pigmentaire, une dégénérescence héréditaire de la rétine d'origine multiple.)

Lantieri, M-F., « Lorsque l'ADN bégaie », *Science & Vie*, n° 901, octobre 1992. (Exemple d'une maladie résultant d'une duplication répétitive.)

Legene, J. et P. Roission, « Bientôt la carte générale de nos chromosomes », *Science & Vie*, n° 902, novembre 1992. (Lancement d'une cartographie française du chromosome 21 et d'une cartographie américaine du chromosome Y.)

Mazurier, C. et M. Goudemand. « Les hémophilies et leurs traitements », *La Recherche*, n° 254, mai 1993. (Article traitant des types d'hémophilie, des nombreuses mutations en jeu et de la perspective d'une thérapie génique.)

Roission, P., « LX fragile sorti du labyrinthe », *Science & Vie*, n° 884, mai 1991. (Découverte du double événement responsable de ce syndrome : mutation et méthylation.)

Roission, P., « Les gènes architectes », *Science & Vie*, n° 898, juillet 1992. (Article illustrant l'effet de position des gènes du développement.)

Rossignol, J. L., *Génétique*, 4e éd., Paris, Masson, 1992. (Chromosomes et hérédité sont l'objet du chapitre 8.)

Sapienza, C., « L'empreinte génomique », *Pour la Science*, n° 158, décembre 1990. (Effets différents pour deux gènes identiques, sous l'influence de l'empreinte génomique.)

Weissenbach, J. et A. De Chenay, « Le génome humain balisé par des microsatellites », *La Recherche*, n° 261, janvier 1994. (Réalisation d'une carte génétique.)

À LA RECHERCHE DU MATÉRIEL GÉNÉTIQUE : LA DÉMARCHE
SCIENTIFIQUE À L'ŒUVRE

DÉCOUVERTE DE LA DOUBLE HÉLICE

RÉPLICATION DE L'ADN : CONCEPT DE BASE

RÉPLICATION DE L'ADN : APPROFONDISSEMENT

RÉPARATION DE L'ADN

Figure 15.1
James Watson et Francis Crick devant leur modèle de l'ADN (la double hélice). En 1953, Watson (à gauche) et Crick ont gagné une course très disputée dont l'objet était la découverte de la structure moléculaire de l'ADN. Dans le présent chapitre, vous allez apprendre comment les biologistes ont trouvé que l'ADN constituait le matériel génétique, dans quelles circonstances Watson et Crick ont découvert la double hélice et de quelle façon les cellules répliquent l'ADN, qui est le support moléculaire de l'hérédité.

L'acide désoxyribonucléique, qui constitue les gènes, est la molécule la plus célèbre de notre époque (figure 15.1). Mieux connue sous le nom d'ADN, cette substance n'a pas reçu une grande attention de la part des biologistes pendant près d'un siècle après sa découverte ; en effet, ils ne pensaient pas que sa structure, apparemment simple et uniforme, lui permette de remplir une fonction essentielle. Nous savons aujourd'hui que cette macromolécule constitue le matériel génétique, c'est-à-dire que les facteurs héréditaires de Mendel et les gènes chromosomiques découverts par Morgan sont en fait formés d'ADN. Du point de vue chimique, notre bagage génétique se compose de l'ADN qui nous a été transmis par nos parents.

Parmi toutes les molécules existant dans la nature, les acides nucléiques sont les seuls à posséder la capacité de diriger leur propre réplication. En effet, du point de vue moléculaire, la ressemblance entre parents et enfants provient de la réplication exacte de l'ADN et de sa transmission d'une génération à l'autre. Autrement dit, c'est grâce à l'ADN que le dicton « tel père, tel fils » a pu apparaître. L'information héréditaire est codée sous forme chimique dans l'ADN et recopiée dans chacune des cellules de votre organisme. C'est ce programme sous forme d'ADN qui commande l'apparition de vos caractéristiques biochimiques, anatomiques, physiologiques et, dans une certaine mesure, comportementales.

Actuellement, les spécialistes de la biologie moléculaire peuvent fabriquer ou modifier l'ADN en laboratoire et l'insérer dans une cellule, ce qui modifie les caractéristiques héréditaires de la cellule (voir le chapitre 19). Au début de ce siècle, cependant, personne n'avait encore compris la relation entre l'ADN et l'hérédité, et l'identification des molécules de l'hérédité représentait un défi de taille pour les biologistes. Comme dans le cas des travaux de Mendel et de Morgan, le choix d'un organisme expérimental approprié a représenté un facteur clé pour les scientifiques qui ont relevé ce défi. Parce que les Bactéries et Virus microscopiques sont beaucoup plus simples que les Pois, les Drosophiles ou les Humains, leur étude a permis d'élucider pour la première fois le rôle de l'ADN dans l'hérédité.

À LA RECHERCHE DU MATÉRIEL GÉNÉTIQUE : LA DÉMARCHE SCIENTIFIQUE À L'ŒUVRE

Au début des années 1940, les scientifiques avaient compris que les chromosomes, dont on savait qu'ils portaient l'information génétique, étaient composés de deux

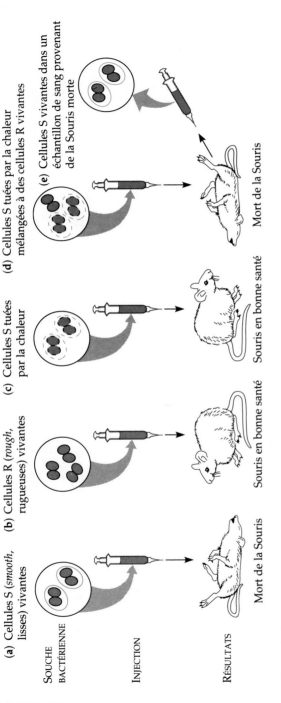

Figure 15.2

Transformation bactérienne. Griffith a fait plusieurs découvertes : **(a)** la souche S de *Streptococcus pneumoniæ*, une Bactérie protégée du système immunitaire de la Souris par une capsule, est pathogène ; **(b)** la souche mutante R, qui ne possède pas de capsule, n'est pas pathogène ; **(c)** les cellules S tuées par la chaleur sont inoffensives, mais **(d)** un mélange de cellules S vivantes, mais **(d)** un mélange de cellules S tuées par la chaleur et de cellules R vivantes déclenche une pneumonie et cause la mort. **(e)** Il a été possible de recueillir des Bacté-

ries S vivantes à partir des Souris mortes auxquelles on avait injecté le mélange. Griffith en a conclu que certaines des Bactéries R vivantes étaient génétiquement transformées en Bactéries S sous l'effet d'une molécule provenant des cellules S mortes.

---

substances, l'ADN et les protéines ; mais la majorité des chercheurs pensaient que les protéines seules constituaient le matériel génétique. Les arguments en faveur des protéines semblaient particulièrement convaincants : en effet, les biochimistes avaient montré qu'elles formaient une catégorie de macromolécules dotée de propriétés essentielles pour une substance aussi insaisissable que le matériel héréditaire, soit une grande hétérogénéité et une spécificité fonctionnelle. Par ailleurs, on ignorait à peu près tout des acides nucléiques, si ce n'est que l'uniformité de leurs propriétés physiques et chimiques ne permettait pas d'expliquer la multitude des caractères héréditaires particuliers exprimés par chaque organisme. Ce point de vue a évolué au fur et à mesure que des expériences menées sur des microorganismes ont permis d'obtenir des résultats inattendus. Dans la présente section, nous allons suivre en détail les travaux de recherche effectués sur le matériel génétique, ce qui revient à présenter une étude de cas sur le thème de « la science, voie de la connaissance ».

Preuve que l'ADN peut transformer des Bactéries

La première preuve que les gènes sont des molécules spécifiques a été fournie en 1928. Frederick Griffith, un médecin officier britannique, étudiait alors *Streptococcus pneumoniæ*, une Bactérie qui cause la pneumonie chez les Mammifères. Griffith cultivait des colonies de ces Bactéries dans des boîtes de Pétri, et il était en mesure de reconnaître deux variétés génétiques, ou souches. L'une de ces souches formait des colonies qui paraissaient lisses, alors que les colonies de l'autre souche étaient rugueuses. Les cellules de la souche lisse (*smooth*, S en abrégé) synthétisaient un polysaccharide qui recouvrait les cellules d'une couche de mucus, ou capsule, laquelle n'apparaissait pas chez les cellules rugueuses (R, *rough*). Griffith savait que ces deux phénotypes étaient hérédi-

taires parce que les cellules de chaque souche produisaient des cellules semblables à elles-mêmes.

Lorsque Griffith a injecté ces Bactéries à des Souris, il a constaté que seule la souche S était pathogène (provoquait la maladie). Les Souris auxquelles on injectait des cellules S mouraient des suites d'une pneumonie, alors que celles qui recevaient des cellules R survivaient (figure 15.2). Mais le polysaccharide de la capsule n'était pas la cause de la pneumonie, car Griffith découvrit que les cellules S qui avaient été tuées par la chaleur s'avéraient inoffensives pour les Souris.

C'est alors que Griffith fit une tentative remarquable. Il mélangea des cellules S tuées par la chaleur avec des cellules R vivantes et il injecta le tout à des Souris. Bien que ni les cellules S mortes, ni les cellules R vivantes n'aient été à elles seules pathogènes, les Souris qui avaient reçu une injection du mélange attrapèrent la pneumonie et en moururent. Griffith trouva même des cellules S vivantes dans des échantillons de sang prélevés sur les Souris mortes, alors que l'injection ne contenait que des cellules S tuées. Certaines des cellules R avaient donc acquis d'une certaine manière la capacité des cellules S de fabriquer une capsule de polysaccharides. En outre, cette aptitude nouvellement acquise était héréditaire : lorsque Griffith cultiva des cellules S provenant des Souris mortes, les Bactéries se divisèrent et produisirent des cellules filles pourvues d'une capsule. Le phénomène mis à jour par Griffith est aujourd'hui appelé **transformation**, soit l'incorporation de matériel génétique externe par une cellule.* (De nombreuses Bactéries vivent dans un bouillon

---

*Il ne faut pas confondre le sens du mot *transformation* avec la conversion d'une cellule animale normale en cellule cancéreuse ; voir le chapitre 11.

de culture, en milieu enrichi de molécules provenant de matières organiques en décomposition. Au chapitre 17, nous verrons comment les Bactéries assimilent les macromolécules, y compris le matériel génétique, qui se trouvent dans ce milieu.) Griffith ne savait pas quelle était la nature chimique de l'agent de transformation, mais ses observations ont incité d'autres chercheurs à entreprendre des recherches actives en vue de découvrir cet insaisissable matériel génétique. Par ailleurs, comme Griffith s'était servi de la chaleur pour inactiver les cellules S, on pouvait penser que la chaleur ne se composait pas de protéines. La chaleur dénature la plupart des protéines, et cependant le matériel génétique des cellules S conservait la capacité de transformer les cellules R en cellules S.

Pendant toute une décennie, le bactériologiste américain Oswald Avery a tenté d'identifier l'agent de transformation découvert par Griffith. Il a purifié plusieurs produits chimiques provenant de cellules S tuées par la chaleur, puis a testé chacun d'entre eux sur des cellules R vivantes en vue de transformer les Bactéries. Enfin, en 1944, Avery et ses collaborateurs Maclyn McCarty et Colin MacLeod firent connaître le résultat de leurs travaux, à savoir que l'agent de transformation ne pouvait être que l'ADN. Mais leur découverte fut accueillie avec beaucoup de scepticisme, d'une part parce que l'on persistait à croire que les protéines étaient plus à même de constituer le matériel génétique. D'autre part, de nombreux biologistes n'étaient pas convaincus que les gènes bactériens possèdent une composition et une fonction semblables à celles d'organismes plus complexes. Mais le doute perdurait surtout parce que l'on ne savait encore pratiquement rien sur l'ADN. Personne n'était en mesure de concevoir la façon dont l'ADN pouvait porter l'information génétique.

Preuve que l'ADN viral peut programmer des cellules

Des études portant sur un Virus qui infecte des Bactéries ont fourni d'autres preuves que l'ADN formait bien le matériel génétique. Les Virus sont beaucoup plus simples que les cellules. Ils sont essentiellement constitués d'ADN, ou parfois d'ARN, enfermé dans une enveloppe protectrice (la capside) composée de protéines. Pour se reproduire, le Virus doit infecter une cellule et s'en approprier les mécanismes métaboliques.

Les Virus qui infectent les Bactéries ont été largement utilisés dans la recherche en laboratoire. Ces Virus sont dits Bactériophages (littéralement « mangeurs de Bactéries »), ou plus simplement **Phages**. En 1952, Alfred Hershey et Martha Chase ont découvert que l'ADN constituait le matériel génétique d'un Phage appelé T2. Il s'agit de l'un des nombreux Phages infectant *Escherichia coli* (*E. coli*), une Bactérie qui vit normalement dans l'intestin des Mammifères. À cette époque, les biologistes savaient déjà que T2, à l'instar d'autres Virus, se composait presque entièrement d'ADN et de protéines. Ils savaient également que le Phage pouvait rapidement convertir une cellule de *E. coli* en une machine à produire des Phages T2, qui libérait ceux-ci au moment de son éclatement. D'une certaine façon, T2 pouvait reprogrammer la cellule hôte pour entraîner la production de Virus, mais à quelle composante du Phage, protéine ou ADN, ce mécanisme était-il dû?

Hershey et Chase ont conçu une expérience en vue de déterminer quelle substance était transférée du Phage à *E. coli* pendant l'infection (figure 15.3). Ils ont marqué les molécules d'ADN et de protéines avec différents isotopes radioactifs. En premier lieu, ils ont cultivé T2 avec *E. coli* en présence de soufre radioactif. Comme les protéines, mais pas l'ADN, contiennent du soufre, les chercheurs n'ont incorporé les atomes radioactifs que dans les protéines du Phage. Puis, de la même manière, ils ont marqué l'ADN d'un autre lot de Phages avec des atomes de phosphore radioactif; étant donné que presque tout le phosphore contenu dans un Phage se trouve dans son ADN, ce procédé permettait de ne pas marquer les protéines du Phage. Ensuite, les lots de T2 à protéines marquées et à ADN marqué ont été introduits dans des échantillons différents de cellules de *E. coli* non radioactives. Peu après le début de l'infection, les cultures furent agitées dans un mélangeur de cuisine afin de détacher toutes les parties de Phages restées à l'extérieur des cellules bactériennes. Les mélanges furent alors centrifugés de manière à forcer les résidus bactériens, plus lourds, à former un précipité au fond des tubes et à permettre aux parties virales, plus légères, de rester en suspension dans le liquide, ou surnageant. Les chercheurs mesurèrent et comparèrent ensuite la radioactivité présente dans le précipité et dans le surnageant.

Hershey et Chase découvrirent que lorsque les Bactéries avaient été infectées par des T2 dont les protéines étaient marquées, la plus grande partie de la radioactivité se retrouvait dans le surnageant, qui contenait les particules virales (mais pas les résidus bactériens). Cette constatation permettait de penser que les protéines du Phage ne pénétraient pas dans les cellules hôtes. Par contre, lorsque les Bactéries avaient été infectées par des Phages T2 dont l'ADN était marqué au phosphore radioactif, la plus grande partie de la radioactivité se trouvait dans le précipité, constitué surtout de matériel bactérien.

Hershey et Chase en tirèrent la conclusion que l'ADN du Virus est injecté dans la cellule hôte, tandis que la plupart des protéines restent à l'extérieur de celle-ci. Sous l'effet des molécules d'ADN injectées, les cellules produisent d'autres protéines et de l'ADN viral (en fait d'autres Virus intacts); cette expérience prouvait de façon convaincante que le matériel héréditaire se composait d'acides nucléiques, et non de protéines, tout au moins chez les Virus.

Preuves supplémentaires que l'ADN compose le matériel génétique des cellules

D'autres preuves indirectes semblaient indiquer que l'ADN constituait le matériel génétique des eucaryotes. Avant la mitose, une cellule eucaryote double la quantité d'ADN qu'elle contient, et pendant la mitose cet ADN se répartit également entre les deux cellules filles. De plus, les jeux de chromosomes diploïdes possèdent deux fois plus d'ADN que les jeux haploïdes qui se trouvent dans les gamètes du même organisme.

Une preuve encore plus concluante fut apportée par le laboratoire du biochimiste Erwin Chargaff. Nous avons vu au chapitre 5 que l'ADN est un polymère constitué de monomères appelés nucléotides, et que chacun de ces nucléotides comporte trois substances chimiques : une

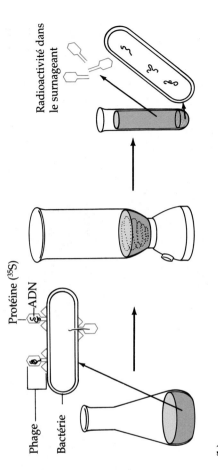

Protéine (^{35}S)

S—ADN

Phage

Bactérie

Radioactivité dans le surnageant

(a)

Mélange de Phages marqués par radioactivité et de Bactéries. Les Phages infectent les cellules bactériennes.

Brassage dans un mélangeur afin de séparer les Phages des Bactéries. Les Phages et les Bactéries des cellules elles-mêmes et de leur contenu.

Centrifugation et mesure de la radioactivité du précipité et du surnageant.

(b)

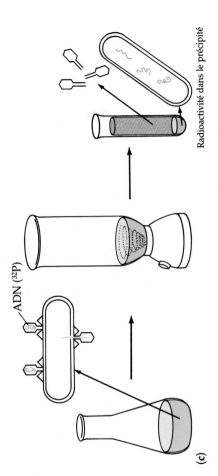

ADN (^{32}P)

Radioactivité dans le précipité

(c)

Figure 15.3
L'expérience de Hershey et Chase. (a) Les Phages sont des Virus qui infectent les Bactéries (MET). Par leur queue, ils s'attachent à la cellule hôte et lui injectent leur matériel génétique (flèche). **(b)** Dans leur célèbre expérience réalisée en 1952, Hershey et Chase ont démontré que c'était l'ADN, et non les protéines, qui servait de matériel génétique chez les Phages. Pendant l'infection, les protéines virales, marquées au soufre radioactif, restèrent à l'extérieur de la cellule hôte. **(c)** Par contre, l'ADN viral marqué au phosphore radioactif pénétra dans la cellule bactérienne.

DÉCOUVERTE DE LA DOUBLE HÉLICE

À partir du moment où les biologistes furent convaincus que l'ADN constituait bien le matériel génétique, ils se lancèrent dans une course effrénée afin de déterminer comment la structure de l'ADN pouvait expliquer son rôle dans l'hérédité. Au début des années 1950, la disposition des liaisons covalentes dans un polymère d'acide nucléique était bien définie (voir la figure 15.4), et la compétition entre les chercheurs portait surtout sur la découverte de la structure tridimensionnelle de l'ADN. De nombreux scientifiques se penchaient sur cette question, notamment Linus Pauling, en Californie, et Maurice Wilkins et Rosalind Franklin, à Londres. Mais les premiers à franchir la ligne d'arrivée furent deux hommes de science relativement inconnus à l'époque, l'Américain James Watson et l'Anglais Francis Crick (voir la figure 15.1).

La collaboration célèbre quoique de courte durée qui devait permettre de résoudre l'énigme de l'ADN débuta peu après l'arrivée du jeune Watson à l'Université de Cambridge, où Crick étudiait la structure des protéines au moyen d'une technique appelée cristallographie par diffraction de rayons X (voir l'encadré du chapitre 5, page 85). Lors d'une visite au laboratoire de Maurice Wilkins au King's College de Londres, Watson eut

base azotée, un glucide appelé désoxyribose et un groupement phosphate (figure 15.4). La base de chaque nucléotide peut être une des quatre bases suivantes : l'adénine (A), la thymine (T), la guanine (G) ou la cytosine (C). Chargaff avait analysé la proportion des bases présentes dans l'ADN de plusieurs organismes différents. En 1947, il annonça que chaque espèce possède sa propre composition d'ADN : dans l'ADN d'un organisme donné, les quatre bases azotées ne sont pas toutes présentes en quantité égale, et les rapports entre leurs abondances respectives varient selon les espèces. Cette preuve de la diversité moléculaire de l'ADN, inconnue jusqu'alors, permit aux chercheurs d'envisager que cette molécule composait le matériel génétique. Chargaff avait aussi observé une régularité particulière dans les proportions des bases. Dans l'ADN de toutes les espèces qu'il avait étudiées, le nombre de résidus d'adénine était approximativement égal au nombre de thymines, et le nombre de guanines était à peu près égal au nombre de cytosines. Dans l'ADN humain, par exemple, les quatre bases sont présentes selon les rapports suivants : A = 30,9 % et T = 29,4 % ; G = 19,9 % et C = 19,8 %. Les égalités A = T et G = C, appelées par la suite règles de Chargaff, sont restées inexpliquées jusqu'à la découverte de la double hélice.

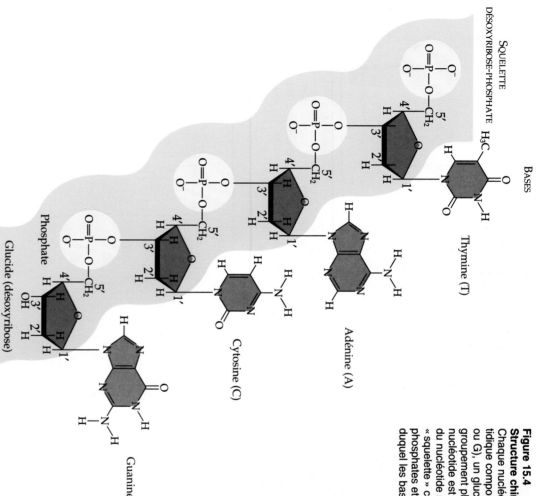

Figure 15.4
Structure chimique d'un brin d'ADN.
Chaque nucléotide de la chaîne polynucléotidique comporte une base azotée (T, A, C ou G), un glucide (désoxyribose) et un groupement phosphate. Le phosphate d'un nucléotide est rattaché au désoxyribose du nucléotide suivant. Le tout forme un « squelette » composé d'une alternance de phosphates et de désoxyriboses, à partir duquel les bases font saillie.

Thymine (T)

Adénine (A)

Cytosine (C)

Guanine (G)

Phosphate

Glucide (désoxyribose)

Nucléotide d'ADN

l'occasion d'observer une radiographie d'ADN prise par Rosalind Franklin, la collaboratrice de Wilkins (figure 15.5a). Les radiographies qu'on obtient au moyen de la cristallographie par diffraction de rayons X ne sont pas véritablement des « images » des molécules. Les taches et les points représentés à la figure 15.5b ont été produits par des rayons X qui avaient été diffractés (déviés) au cours de leur passage à travers de l'ADN cristallisé. En se fiant à leur expérience, et à partir d'équations mathématiques, les spécialistes de la cristallographie tirent de ces motifs de taches des informations sur la forme tridimensionnelle des molécules. Watson et Crick ont basé leur modèle de l'ADN sur les renseignements qu'ils avaient pu déduire du cliché de diffraction des rayons X réalisé par Franklin. Ils déterminèrent la forme hélicoïdale de l'ADN grâce au motif de taches de la radiographie. D'après le souvenir qu'avait Watson de la radiographie, Crick et lui-même conclurent que l'hélice possédait un diamètre uniforme de 2 nm et que ses bases azotées se trouvaient empilées à des intervalles de 0,34 nm. La largeur de l'hélice suggérait qu'elle était constituée de deux brins, ce qui contredisait le modèle à trois brins proposé peu de temps aupara-

vant par Linus Pauling. C'est à cause de ces deux brins qu'on parle souvent aujourd'hui de **double hélice**.

À partir de modèles moléculaires en fil métallique, Watson et Crick se mirent à construire des représentations tridimensionnelles d'une double hélice correspondant aux mesures effectuées à partir des radiographies et conformes à ce que l'on savait à cette époque de la chimie de l'ADN. Après avoir tenté en vain d'édifier un modèle acceptable en plaçant les chaînes de désoxyribose-phosphate à l'intérieur de la molécule, Watson essaya de les placer à l'extérieur en faisant pivoter les bases azotées vers l'intérieur de la double hélice. Essayez d'imaginer cette double hélice comme une échelle de corde pourvue de barreaux rigides et tordue en forme de spirale. Les cordes représentent les squelettes désoxyribose-phosphate, et les barreaux sont les paires de bases azotées. D'après les radiographies obtenues par Franklin, l'hélice accomplissait un tour complet sur une longueur de 3,4 nm. Étant donné que les bases sont placées à des intervalles de 0,34 nm, il y a par conséquent dix paires de bases, ou barreaux d'échelle, disposées les unes au-dessus des autres à chaque tour d'hélice (figure 15.6). Cette disposition s'avérait particulièrement intéressante

Figure 15.5
Rosalind Franklin et sa radiographie de l'ADN par diffraction de rayons X.
(a) Franklin, spécialiste en cristallographie par diffraction de rayons X, avait obtenu la radiographie qui a permis à Watson et Crick de trouver la structure en double hélice de l'ADN. Elle mourut d'un cancer en 1958, à l'âge de 38 ans. Son collaborateur Maurice Wilkins reçut le prix Nobel en 1962, en même temps que Watson et Crick. Comme le prix Nobel n'est pas attribué à titre posthume, les historiens des sciences en restent à se demander si le comité aurait reconnu la contribution de Franklin à la découverte de la double hélice. (b) Radiographie de l'ADN par diffraction de rayons X obtenue par Franklin.

(a)

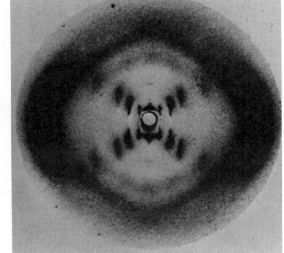

(b)

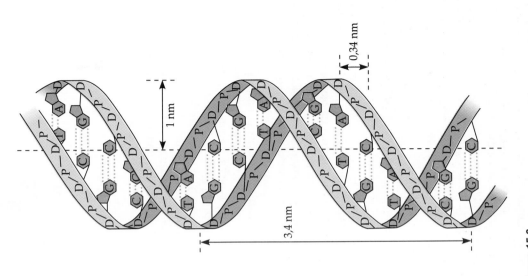

Figure 15.6
La double hélice. Les « rubans » de ce diagramme représentent les squelettes désoxyribose-phosphate des deux brins d'ADN. Les deux brins sont reliés par des liaisons hydrogène (en pointillé) entre les bases azotées, dont l'appariement s'effectue au centre de la double hélice. Les paires de bases sont distantes de 0,34 nm ; on trouve dix paires par tour d'hélice.

parce que les bases azotées, plus hydrophobes, se retrouvaient à l'intérieur de la molécule et, partant, loin du milieu aqueux environnant.

À la figure 15.6, remarquez que les bases azotées de la double hélice sont appariées selon des combinaisons précises, l'adénine (A) avec la thymine (T) et la guanine (G) avec la cytosine (C). C'est en grande partie en procédant de façon empirique que Watson et Crick ont découvert cette caractéristique essentielle de l'ADN. Watson avait d'abord pensé que les appariements se faisaient entre bases identiques (par exemple, A avec A et C avec C). Mais ce modèle ne correspondait pas aux données obtenues grâce aux figures de diffraction, qui suggéraient que la double hélice possédait un diamètre uniforme. Pourquoi cette condition est-elle incompatible avec un appariement entre bases identiques ? L'adénine et la guanine sont des purines, ou bases azotées pourvues de deux cycles organiques ; par contre, la cytosine et la thymine font partie de la famille des bases azotées nommées pyrimidines, qui n'ont qu'un seul cycle. Les purines (A et G) sont donc environ deux fois plus larges que les pyrimidines (C et T). Une paire purine-purine est trop large, et une paire pyrimidine-pyrimidine trop étroite pour correspondre au diamètre de la double hélice, soit 2 nm. La solution consiste à apparier toujours une purine avec une pyrimidine :

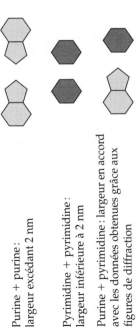

Purine + purine :
largeur excédant 2 nm

Pyrimidine + pyrimidine :
largeur inférieure à 2 nm

Purine + pyrimidine : largeur en accord avec les données obtenues grâce aux figures de diffraction

Par ailleurs, Watson et Crick comprirent que la structure des bases devait contraindre les appariements à être plus spécifiques. Chaque base possède des atomes périphériques dont certains forment des liaisons hydrogène avec un atome complémentaire : l'adénine ne peut former des liaisons hydrogène qu'avec la thymine, et la guanine uniquement avec la cytosine. Les biologistes disent que A s'apparie avec T et G avec C :

Désoxyribose — Adénine (A) ···· Thymine (T) — Désoxyribose

Désoxyribose — Guanine (G) ···· Cytosine (C) — Désoxyribose

Le modèle de Watson et Crick permettait d'expliquer les règles de Chargaff. À tout point où se trouve un A sur un brin de la molécule d'ADN, correspond un point qui porte un T sur le brin opposé. D'autre part, chaque G d'un brin est toujours apparié avec un C sur le brin complémentaire. Par conséquent, dans l'ADN de tout organisme la quantité d'adénine est égale à la quantité de thymine, et celle de guanine à celle de cytosine.

En avril 1953, Watson et Crick surprirent la communauté scientifique en publiant un bref article dans la revue britannique *Nature*, dans lequel ils présentaient un nouveau modèle moléculaire de l'ADN, la double hélice, qui est devenu depuis le symbole même de la biologie moléculaire. Le modèle en question était d'autant plus réussi que sa structure suggérait le mécanisme de base de la réplication de l'ADN.

RÉPLICATION DE L'ADN : CONCEPT DE BASE

La relation entre la structure et la fonction, l'un des concepts à la base de la science biologique, apparaît clairement dans la double hélice. L'architecture moléculaire de l'ADN permet le mécanisme de réplication des gènes. Watson et Crick eurent une intuition qui les mena au concept de la double hélice : l'ADN comprend un appariement spécifique des bases azotées. Du même coup, ils comprirent la signification fonctionnelle des règles d'appariement des bases. Ils conclurent leur article, devenu classique, en ces termes : «Nous avons aussi remarqué que les appariements spécifiques que nous avons postulés suggèrent de façon directe un mécanisme de recopiage du matériel génétique.»* Nous allons pré-

senter dans cette section le mécanisme général de la réplication de l'ADN, puis, dans la section suivante, nous nous pencherons sur certains des points les plus importants de ce mécanisme.

Bien que les règles d'appariement dictent quelles sont les combinaisons de bases azotées en mesure de former les «barreaux» de la double hélice, elles ne fixent aucune limite en ce qui touche à la séquence des nucléotides le long d'un brin d'ADN. La succession linéaire des quatre bases peut donc présenter un nombre infini de variantes, et chaque gène a une séquence de bases qui lui est propre. La figure 15.7 montre un court segment de double hélice qui a été redressé afin de faciliter l'observation de la réplication de l'ADN. Notre but ici est de représenter visuellement la façon dont une cellule recopie son information génétique. Si vous couvrez l'un des deux brins d'ADN représentés à la figure 15.7a avec une feuille de papier, vous pouvez encore trouver la séquence linéaire de ses bases en regardant le brin visible et en appliquant les règles d'appariement. Les deux brins sont complémentaires ; chacun contient l'information nécessaire à la reconstruction de l'autre. Lorsqu'une cellule recopie une molécule d'ADN, les deux brins se séparent et chacun d'eux joue le rôle d'une matrice (moule) qui place les nucléotides de façon ordonnée et forme ainsi un nouveau brin complémentaire. Les nucléotides s'alignent un à un le long de la matrice selon les règles d'appariement des bases. Des enzymes lient les nucléotides, créant ainsi le nouveau brin. Là où on avait une molécule d'ADN à deux brins au début du procédé, on en a maintenant deux, chacune étant la réplique exacte de la molécule mère.

Au cours des années qui ont suivi la publication de la structure de l'ADN, aucune vérification de ce modèle de réplication des gènes n'a été effectuée. Il était facile de concevoir les expériences nécessaires, mais difficiles de les mettre en œuvre. Le modèle de Watson et Crick prévoit que lorsqu'une double hélice se reproduit, chacune des deux molécules filles possédera un vieux brin provenant de la molécule mère et un brin nouvellement formé. On peut distinguer ce **modèle semi-conservateur** du modèle conservateur de réplication, selon lequel la molécule mère reste intacte (est conservée) et une molécule entièrement nouvelle se forme. D'après un troisième modèle, appelé modèle dispersif, les quatre brins d'ADN résultant de la réplication de la double hélice se composent tous d'un mélange de «nouveau» et de «vieux» ADN (figure 15.8). À la fin des années 1950, Matthew Meselson et Franklin Stahl ont démontré que la réplication de l'ADN s'opérait effectivement selon un mode semi-conservateur, comme le suggérait le modèle de Watson et Crick (figure 15.9).

Dans un second article publié après leur découverte de la double hélice, Watson et Crick résumaient ainsi leur modèle de la réplication de l'ADN :

«En fait, notre modèle de l'acide désoxyribonucléique est un ensemble de deux matrices complémentaires, chacune étant la réplique de l'autre. Nous croyons qu'avant la duplication

* J. D. Watson et F. H. C. Crick, «Molecular Structure of Nucleic Acids : A Structure for Deoxynucleic Acids», *Nature*, 171, 1953, p. 738. (Notre traduction.)

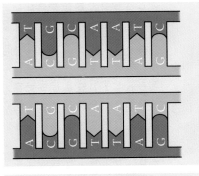

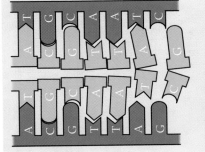

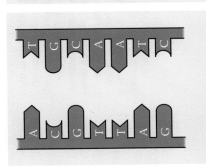

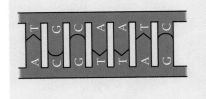

(a) Avant la réplication, il existe deux brins complémentaires dans la molécule mère. Chaque base est appariée avec la base correspondante, A avec T et G avec C.

(b) La première étape de la réplication est la séparation des deux brins d'ADN.

(c) Chacun des « vieux » brins fonctionne maintenant comme une matrice qui dirige la synthèse d'un « nouveau » brin complémentaire. Les nucléotides s'emboîtent dans des sites spécifiques localisés le long de la matrice selon les règles d'appariement des bases.

(d) Les nucléotides sont liés entre eux pour former le squelette désoxyribosephosphate du nouveau brin. Chacune des molécules d'ADN se compose à présent d'un « vieux » brin et d'un « nouveau » brin, de sorte qu'il existe maintenant deux copies identiques à la molécule d'ADN originale.

Figure 15.7
Réplication de l'ADN : concept de base. Dans cette illustration simplifiée, on a redressé un court segment d'ADN et on a ainsi obtenu une version moléculaire bidimensionnelle de la double hélice, en forme d'échelle. Les montants de l'échelle représentent les squelettes désoxyribosephosphate des deux brins d'ADN. Les barreaux correspondent aux paires de bases azotées. Les quatre bases sont symbolisées par des formes simples. Les brins colorés en bleu foncé étaient présents dans la cellule mère. L'ADN nouvellement synthétisé est en bleu clair.

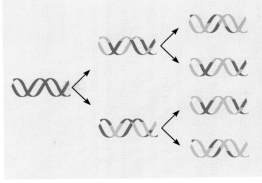

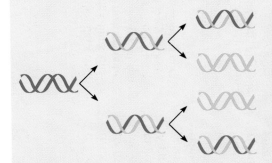

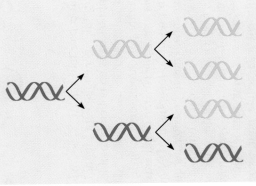

CELLULE MÈRE

PREMIÈRE RÉPLICATION

DEUXIÈME RÉPLICATION

(a) **Modèle conservateur :** la double hélice parentale reste intacte et une deuxième copie entièrement nouvelle est créée.

(b) **Modèle semi-conservateur :** les deux brins de la molécule parentale se séparent, et chacun d'eux sert de matrice pour la synthèse d'un nouveau brin complémentaire.

(c) **Modèle dispersif :** chacun des brins des deux molécules filles contiendrait un mélange de vieilles parties et de parties nouvellement synthétisées.

Figure 15.8
Trois modèles de réplication de l'ADN. Les courts segments de double hélice que l'on montre ici représentent le matériel génétique d'une cellule. À partir d'une cellule mère, on suit l'ADN sur deux générations cellulaires, soit deux réplications du matériel génétique.

Figure 15.9
L'expérience de Meselson et Stahl a confirmé la nature semi-conservatrice de la réplication de l'ADN. Meselson et Stahl ont cultivé *E. Coli* sur plusieurs générations dans un milieu contenant un isotope lourd de l'azote, ^{15}N. Les Bactéries ont incorporé l'azote lourd dans leur ADN. Elles ont ensuite été transférées dans un milieu contenant ^{14}N, l'isotope le plus léger et le plus courant de l'azote. Ainsi, tout nouvel ADN synthétisé par les Bactéries devait être plus léger que le « vieil » ADN fabriqué dans le milieu contenant le ^{15}N. En centrifugeant l'ADN extrait des Bactéries, Meselson et Stahl furent en mesure de reconnaître les molécules de différentes densités. **(a)** Dans cette illustration, on compare les échantillons centrifugés d'ADN lourd et léger. **(b)** La première réplication réalisée dans le milieu à ^{14}N a produit une bande d'ADN hybride (^{15}N-^{14}N). Ce résultat éliminait l'hypothèse de la réplication conservatrice. **(c)** La deuxième réplication a produit à la fois de l'ADN léger et de l'ADN hybride, ce qui confirmait l'hypothèse de la réplication semi-conservatrice de l'ADN.

CONSERVATRICE   SEMI-CONSERVATRICE   DISPERSIVE

PREMIÈRE RÉPLICATION

DEUXIÈME RÉPLICATION

(b)

(c)

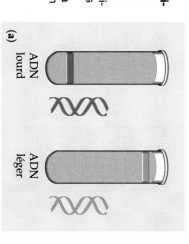

(a) ADN lourd — ADN léger

les liaisons hydrogène sont rompues et les deux chaînes se déroulent et se séparent l'une de l'autre. Chacune des chaînes agit alors comme une matrice contre laquelle il se forme une nouvelle chaîne qui lui est associée, de sorte qu'en fin de compte nous aurons deux paires de chaînes là où au départ il n'y en avait qu'une. De plus, la séquence des paires de bases aura été reproduite de façon exacte. »*

Ce concept général de recopiage du matériel génétique est d'une simplicité remarquable. Cependant, le processus qui se déroule effectivement met en jeu des interactions chimiques complexes, comme nous allons le voir ci-dessous.

RÉPLICATION DE L'ADN : APPROFONDISSEMENT

La Bactérie *E. coli* possède un seul chromosome composé d'environ 5 millions de paires de bases. Une cellule d'*E. coli* peut copier tout son ADN, se diviser et former deux cellules filles génétiquement identiques en moins de trente minutes dans un milieu favorable. Chacune de vos cellules comprend 46 molécules d'ADN, soit une molécule géante par chromosome (voir le chapitre 11). Au total, cela représente environ 6 milliards de paires de bases, à peu près mille fois plus d'ADN que dans une cellule bactérienne. Pour représenter les quelque 6 milliards de bases d'une seule cellule humaine au moyen de lettres (A, G, C et T) de la taille des caractères que vous lisez en ce moment, il faudrait approximativement 900 volumes de l'épaisseur de ce manuel. Quelques heures pourtant suffisent à la cellule pour recopier tout cet ADN. La réplication de cette énorme quantité d'information génétique se fait avec très peu d'erreurs (environ une par milliard de nucléotides). La réplication de l'ADN s'effectue donc avec une rapidité et une précision remarquables.

Une douzaine au moins d'enzymes et d'autres protéines participent à la réplication de l'ADN. Nous connaissons mieux le fonctionnement de cette « machine à répliquer » chez les procaryotes que chez les eucaryotes. Il semble en tout cas que la plupart des principales étapes de la réplication sont analogues chez ces deux types

*F. H. C. Crick et J. D. Watson, « The Complementary Structure of Deoxyribonucleic Acid », *Proc. Roy. Soc.*, (A) 223, 1954, p. 80. (Notre traduction.)

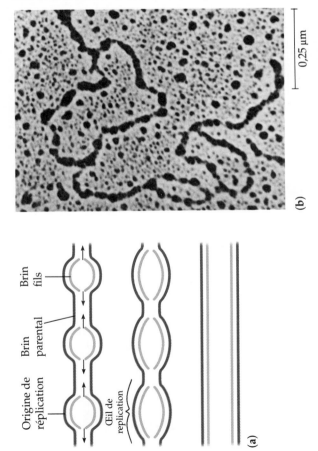

Figure 15.10
Origines de réplication. (a) La réplication de l'ADN débute en une ou plusieurs régions spécifiques nommées origines de réplication, où les deux brins de l'ADN parental se séparent et forment un œil de réplication (en haut). Chez les eucaryotes, on peut observer des centaines ou des milliers d'origines de réplication le long de la molécule d'ADN géante de chaque chromosome. Chaque œil de réplication s'agrandit latéralement pendant que le recopiage de l'ADN se poursuit dans les deux sens. Puis, les œils de réplication fusionnent (au centre) et la synthèse des « brins fils » d'ADN prend fin (en bas). **(b)** Sur cette micrographie, on peut voir trois œils de réplication le long de l'ADN de cellules cultivées de Hamster chinois (MET).

0,25 µm

(b)

Origine de Brin Brin
réplication parental fils

Œil de
réplication

(a)

---

d'organismes. Nous allons étudier quelques-unes de ces étapes dans la présente section.

Point de départ : les origines de réplication

La réplication d'une molécule d'ADN commence dans une ou plusieurs régions particulières appelées **origines de réplication**. Le chromosome bactérien a une seule origine, où se trouve un segment d'ADN qui porte une séquence nucléotidique spécifique. Les protéines qui font démarrer la réplication de l'ADN reconnaissent cette séquence et s'attachent à l'ADN afin de séparer les deux brins et ouvrir ainsi un « œil » de réplication. La réplication se poursuit alors dans les deux sens jusqu'à ce que toute la molécule soit recopiée. Il existe probablement aussi des séquences de nucléotides qui marquent les origines de réplication chez les eucaryotes, mais les biologistes moléculaires ne les ont pas encore identifiées. On *sait* en revanche que, contrairement au chromosome bactérien, chaque chromosome eucaryote possède des centaines ou des milliers d'origines de réplication. Il se forme une multitude d'œils de réplication qui finissent par fusionner, ce qui accélère le recopiage de cette très grande molécule d'ADN (figure 15.10). Tout comme chez les Bactéries, la réplication de l'ADN se poursuit dans les deux sens à partir de chaque origine. À chaque extrémité d'un œil de réplication se trouve une **fourche de réplication**, une région en forme de Y où les nouveaux brins d'ADN subissent une élongation.

Élongation d'un nouveau brin d'ADN

L'élongation d'un nouveau brin d'ADN à la hauteur de la fourche de réplication est catalysée par des enzymes appelées **ADN polymérases**. Au fur et à mesure que les nucléotides s'alignent sur les bases complémentaires le long du « vieux » brin (matrice) d'ADN, la polymérase les rattache un à un à l'extrémité du nouveau brin d'ADN en voie de formation. La vitesse d'élongation est d'environ 500 nucléotides par seconde chez les Bactéries et de 50 nucléotides par seconde chez les Humains.

Les biochimistes ont identifié trois sortes d'ADN polymérases chez les eucaryotes. Les deux premiers se retrouvent dans le noyau ; il s'agit de l'ADN polymérase alpha (α), active dans la réplication des deux brins de l'ADN, et de l'ADN polymérase bêta (β), active dans la réparation de l'ADN. La troisième, l'ADN polymérase gamma (γ), se retrouve principalement dans la mitochondrie et sert à sa réplication. Chez les procaryotes, on connaît aussi trois sortes d'ADN polymérases (I, II, et III), chacune ayant des fonctions multiples. L'ADN polymérase III s'avère la plus active des trois.

Quelle est la source d'énergie qui alimente la polymérisation des nucléotides pendant la formation de nouveaux brins d'ADN ? Les substrats des ADN polymérases ne sont pas de véritables nucléotides, mais des composés apparentés appelés nucléosides triphosphates (figure 15.11). Au lieu de porter un groupement phosphate comme les nucléotides, les nucléosides triphosphates en portent trois, tout comme l'ATP. (En fait, l'ATP est un nucléoside triphosphate. Il ne diffère du nucléoside triphosphate qui fournit l'adénine à l'ADN que par son glucide, soit le ribose pour l'ATP et le désoxyribose pour l'ADN ; voir le chapitre 6.) Tout comme l'ATP, les monomères qui entrent dans la synthèse de l'ADN sont chimiquement actifs parce que leur queue triphosphate présente un groupement instable de charges négatives. Lorsque chaque monomère s'attache à l'extrémité en cours de synthèse du brin d'ADN, il perd deux groupements phosphate. L'hydrolyse du phosphate constitue la réaction exergonique qui fournit l'énergie nécessaire à la polymérisation des nucléotides menant à la formation de l'ADN.

Le problème des brins d'ADN antiparallèles Le mécanisme de la synthèse de l'ADN à la hauteur de la fourche de réplication est plus complexe que ce que nous venons de décrire. Jusqu'à présent, nous n'avons pas tenu compte d'une caractéristique importante de la double hélice, à savoir que les deux brins d'ADN sont antiparallèles ; en d'autres termes, leurs squelettes désoxyribose-phosphate ont des directions opposées.

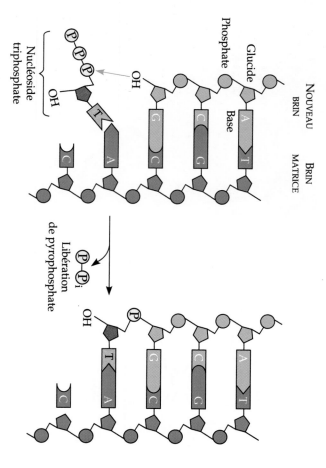

Figure 15.11
Ajout d'un nucléotide sur un brin d'ADN.
Lorsqu'un nucléotide triphosphate se lie au squelette désoxyribose-phosphate d'un brin d'ADN en formation, il perd deux de ses groupements phosphate sous forme d'une molécule de pyrophosphate. L'ADN polymérase catalyse cette réaction, et c'est l'hydrolyse des liaisons existant entre les groupements phosphate qui en fournit l'énergie.

NOUVEAU BRIN — BRIN MATRICE — Glucide — Phosphate — Base — Nucléoside triphosphate — Libération de pyrophosphate

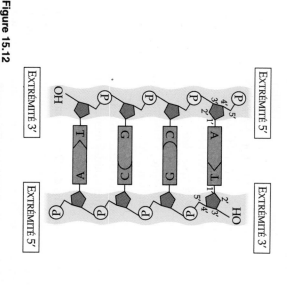

Figure 15.12
Les deux brins d'ADN sont antiparallèles. Le sens 5' → 3' d'un brin est opposé à celui de l'autre brin. Les atomes de carbone des molécules de désoxyribose situées en haut de la figure sont numérotés pour indiquer leur orientation.

EXTRÉMITÉ 3' — EXTRÉMITÉ 5' — EXTRÉMITÉ 5' — EXTRÉMITÉ 3'

Vous pouvez remarquer à la figure 15.12 que le groupement phosphate d'un nucléotide est relié à l'atome de carbone 5' du désoxyribose. (Le signe prime sert à distinguer les numéros qui désignent les atomes de carbone du désoxyribose de ceux qui représentent les atomes des bases azotées.) Vous pouvez également remarquer que le groupement phosphate d'un nucléotide est lié à l'atome de carbone 3' du nucléotide voisin. Par conséquent, le brin d'ADN possède une polarité déterminée. Le dernier atome de carbone situé au bout du squelette désoxyribose-phosphate est un carbone 3', non lié à un groupement phosphate. Il s'agit de l'extrémité 3' de la molécule. À l'autre bout, le groupement phosphate se termine par le carbone 5' du dernier nucléotide. Il s'agit de l'extrémité 5'

du brin d'ADN. Dans la double hélice, les deux squelettes désoxyribose-phosphate sont en fait placés tête-bêche. Étant donné que les brins sont antiparallèles, si on dit que l'un d'eux a une orientation (polarité) 5' → 3', alors le brin complémentaire a une orientation 3' → 5'.

Quelles conséquences la structure antiparallèle de la double hélice entraîne-t-elle sur la réplication? Une enzyme, l'ADN polymérase, ne peut ajouter des nucléotides qu'à l'extrémité 3' d'un brin d'ADN en cours de formation, et jamais à l'extrémité 5'. Donc, un nouveau brin d'ADN ne peut subir une élongation que dans la direction 5' → 3'. En gardant cette caractéristique à l'esprit, revenons à la fourche de réplication (figure 15.13). Le long d'un brin matrice, l'ADN polymérase peut synthétiser un brin complémentaire continu en produisant une élongation du nouvel ADN dans le sens obligatoire, c'est-à-dire 5' → 3'. La polymérase se loge simplement dans la fourche de réplication et se déplace le long du brin matrice en même temps que la fourche avance. Le brin d'ADN synthétisé au cours de ce processus est appelé brin directeur.

Pour produire l'élongation de l'autre nouveau brin d'ADN, la polymérase doit suivre la matrice en s'éloignant de la fourche de réplication. Le brin d'ADN synthétisé dans cette direction est appelé brin discontinu. Ce mécanisme est analogue au point arrière en couture. Au fur et à mesure que l'œil de réplication s'agrandit, la polymérase peut s'éloigner de la fourche de réplication tout en synthétisant un court segment d'ADN. Lorsque l'œil de réplication s'est élargi, un autre court segment du brin discontinu peut être fabriqué par une polymérase qui s'éloigne de la fourche. Contrairement au brin directeur, qui peut subir une élongation continue, le brin discontinu est d'abord synthétisé sous la forme d'une suite de segments. Ces derniers sont appelés fragments d'Okazaki, du nom du scientifique japonais qui les a découverts. Ces fragments possèdent une longueur d'environ 1000 à 2000 nucléotides chez les Bactéries et d'environ 100 à 200 nucléotides dans les cellules eucaryotes. Une autre enzyme, l'ADN ligase, relie les fragments d'Okazaki

Amorçage Il existe une autre limitation importante à l'ADN polymérase (III chez les procaryotes, α chez les eucaryotes). Elle ne peut ajouter un nucléotide qu'à un autre nucléotide déjà correctement apparié avec le brin complémentaire. (Cette condition apparaît de manière évidente à la figure 15.11). En d'autres termes, l'ADN polymérase ne peut pas commencer la synthèse d'un brin d'ADN par le début du brin, car elle ne peut lier les premiers nucléotides du nouveau brin. En effet, l'action de l'ADN polymérase porte sur la liaison entre le carbone 3' du désoxyribose d'un nucléotide et le phosphate du nucléotide suivant. Or, si le premier nucléotide n'est pas déjà en place pour commencer le nouveau brin, l'ADN polymérase ne peut pas lier le second nucléotide. Afin de rendre l'ADN polymérase fonctionnelle, il lui faut un bout de chaîne déjà formée, que l'on appelle l'amorce. L'amorce n'est pas composée d'ADN, il s'agit d'un court segment d'ARN. Une autre enzyme, l'ADN primase, fabrique l'amorce, qui a une longueur d'environ 10 nucléotides chez les eucaryotes (figure 15.15). Une seule amorce suffit pour que la polymérase entreprenne la synthèse du brin directeur d'ADN. Dans le cas du brin discontinu, il faut une amorce pour chaque fragment. Une enzyme, l'ARNase H ou l'ADN polymérase (I chez les procaryotes, β chez les eucaryotes), excise les nucléotides d'ARN des amorces ; puis l'ADN polymérase (I, β) les remplace par l'ADN correspondant ; s'il y a lieu, l'ADN ligase relie tous les fragments entre eux pour former un brin d'ADN.

Autres protéines participant à la réplication de l'ADN Vous connaissez déjà trois des protéines qui prennent part à la synthèse de l'ADN : l'ADN polymérase, l'ADN ligase et l'ADN primase. De nombreux autres types de protéines entrent également en jeu, et nous allons en examiner deux : l'hélicase et les protéines fixatrices d'ADN monocaténaire (le terme monocaténaire signifie « une seule chaîne » par opposition à bicaténaire, « une chaîne

entre eux pour former un seul brin d'ADN. La figure 15.14 montre un mécanisme par lequel un ensemble de deux ADN polymérases pourrait coordonner la synthèse du brin directeur et du brin discontinu du nouvel ADN.

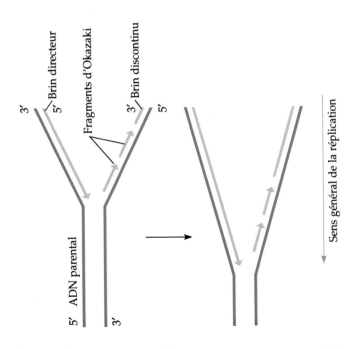

Figure 15.13
Synthèse intermittente du brin discontinu. L'ADN polymérase effectue l'élongation des brins uniquement dans leur sens 5' → 3' L'un des nouveaux brins, appelé brin directeur, peut donc subir une élongation continue dans le sens 5' → 3' au fur et à mesure que la fourche de réplication progresse. Mais la synthèse de l'autre brin, ou brin discontinu, doit se faire de façon intermittente par l'addition de courts segments nommés fragments d'Okazaki, chacun de ceux-ci étant synthétisé dans le sens 5' → 3'. Les fragments sont liés entre eux par une enzyme appelée ADN ligase.

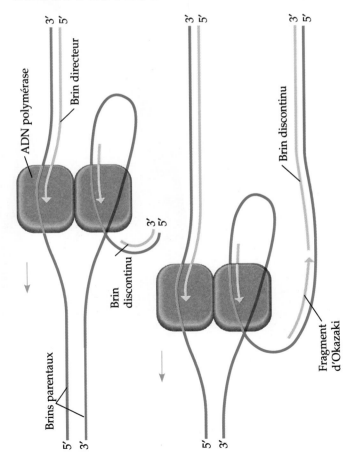

Figure 15.14
Modèle de synthèse coordonnée du brin directeur et du brin discontinu. Les deux brins d'ADN parental défilent dans un dimère enzymatique, un ensemble de deux molécules d'ADN polymérase. Le brin parental qui sert de matrice pour la synthèse du brin discontinu forme une boucle avant de passer dans le site actif de la polymérase. Les flèches rouges indiquent la direction de l'élongation des nouveaux brins d'ADN.

double ». L'hélicase est une enzyme qui intervient dans l'angle de la fourche de réplication afin de dérouler la double hélice et de séparer les deux « vieux » brins. Les **protéines fixatrices d'ADN monocaténaire** (ou protéines SSB, *single-strand binding proteins*) s'attachent alors l'une derrière l'autre, en formant des chaînes, le long des matrices d'ADN non appariées ; elles maintiennent ces matrices droites jusqu'à ce que de nouveaux brins complémentaires soient synthétisés. La figure 15.16 résume l'activité qui se déroule à la fourche de réplication.

Correction d'épreuve

Il serait inexact de penser que la précision de la réplication de l'ADN tient uniquement à la spécificité de l'appariement des bases. Bien que les erreurs ne représentent qu'un nucléotide sur un milliard dans la molécule d'ADN achevée, les erreurs d'appariement initiales entre les nouveaux nucléotides et ceux du brin matrice sont 100 000 fois plus nombreuses, soit un taux d'une erreur par 10 000 paires de bases. Chez les procaryotes, ces erreurs d'appariement sont presque toujours corrigées par l'ADN polymérase elle-même, qui compare chaque nucléotide à sa matrice dès son intégration au brin d'ADN. Lorsqu'elle trouve un nucléotide inexact, l'ADN polymérase recule, l'élimine et le remplace avant de continuer la synthèse. Chez les eucaryotes, on ne sait pas encore avec précision comment l'ADN polymérase ou d'autres enzymes relisent le nouveau brin et en corrigent les erreurs.

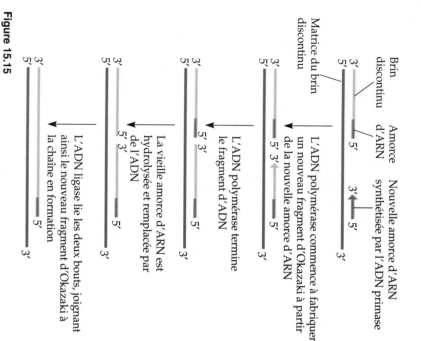

Figure 15.15
Amorçage de la synthèse d'ADN. L'ADN polymérase ne peut pas commencer la synthèse d'un brin polynucléotidique, elle ne peut que prolonger à son extrémité 3' un brin déjà ébauché. Cette ébauche ou amorce est un court segment d'ARN synthétisé par l'ADN primase, une enzyme.

Brin discontinu   Amorce d'ARN   Nouvelle amorce d'ARN synthétisée par l'ADN primase

L'ADN polymérase commence à fabriquer un nouveau fragment d'Okazaki à partir de la nouvelle amorce d'ARN

Matrice du brin discontinu

L'ADN polymérase termine le fragment d'ADN

La vieille amorce d'ARN est hydrolysée et remplacée par de l'ADN

L'ADN ligase lie les deux bouts, joignant ainsi le nouveau fragment d'Okazaki à la chaîne en formation

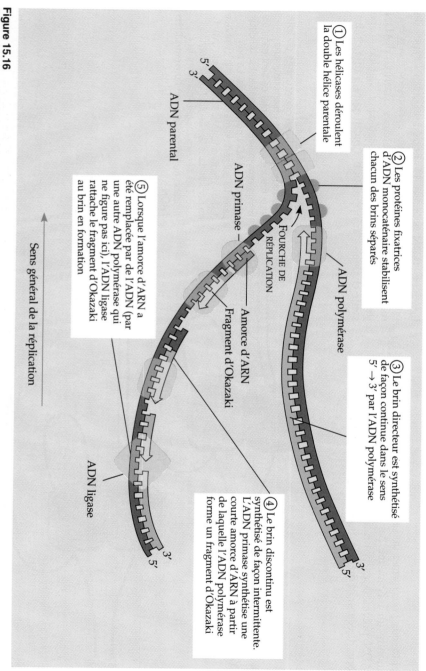

Figure 15.16
Résumé des activités à la fourche de réplication.

① Les hélicases déroulent la double hélice parentale

② Les protéines fixatrices d'ADN monocaténaire stabilisent chacun des brins séparés

③ Le brin directeur est synthétisé de façon continue dans le sens 5' → 3' par l'ADN polymérase

④ Le brin discontinu est synthétisé de façon intermittente. L'ADN primase synthétise une courte amorce d'ARN à partir de laquelle l'ADN polymérase forme un fragment d'Okazaki

⑤ Lorsque l'amorce d'ARN a été remplacée par de l'ADN (par une autre ADN polymérase qui ne figure pas ici), l'ADN ligase rattache le fragment d'Okazaki au brin en formation

ADN parental

ADN primase

FOURCHE DE RÉPLICATION

ADN polymérase

Amorce d'ARN
Fragment d'Okazaki

ADN ligase

Sens général de la réplication

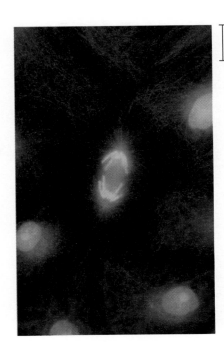

Figure 15.18
La réplication de l'ADN et le cycle cellulaire. Avant de terminer notre étude de la réplication de l'ADN, nous allons relier ce mécanisme à d'autres notions déjà abordées à propos des cellules. Avant qu'une cellule se divise, son ADN subit une réplication, pendant la phase S du cycle cellulaire (voir le chapitre 11). La réplication des chromosomes est la preuve, à l'échelle microscopique, que le matériel génétique a été recopié. La mitose distribue ensuite les copies des chromosomes dans les cellules filles. La cellule que l'on peut voir au centre de cette micrographie est en fin d'anaphase, c'est-à-dire que les fibres du fuseau tirent les chromosomes vers les deux pôles de la cellule mère (MP, ajout d'un colorant fluorescent). Ainsi, la réplication de l'ADN a pour effet de copier les gènes, et le mécanisme de la division cellulaire transmet ces gènes d'une génération cellulaire à la suivante, et d'une génération d'organismes à la suivante si les véhicules cellulaires portant les gènes sont les gamètes. (Avec la permission de J. M. Murray, faculté de médecine de l'Université de Pennsylvanie.)

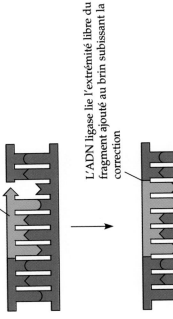

Figure 15.17
Réparation de l'ADN par excision-resynthèse. Un ensemble d'enzymes détecte et répare l'ADN endommagé. Un type de dégâts, illustré ici, touche la liaison covalente de bases de thymine adjacentes sur un brin d'ADN. De tels dimères de thymine, qui sont provoqués par les rayons ultraviolets, déforment l'ADN et provoquent des erreurs pendant la réplication. Les enzymes de réparation peuvent exciser la partie endommagée et la remplacer par un segment d'ADN normal.

Le dimère de thymine déforme la molécule d'ADN

Une enzyme (une endonucléase) coupe le brin d'ADN endommagé à deux endroits

Une ADN polymérase synthétise un fragment d'ADN approprié et le place correctement par rapport au brin matrice

L'ADN ligase lie l'extrémité libre du fragment ajouté au brin subissant la correction

RÉPARATION DE L'ADN

Outre la correction d'épreuve, l'entretien de l'information génétique exige un mode de correction des modifications accidentelles qui surviennent dans l'ADN existant. Les molécules d'ADN sont constamment soumises à l'action de nombreux agents physiques ou chimiques potentiellement nuisibles. Certaines substances chimiques, la radioactivité, les rayons X et les rayons ultraviolets peuvent modifier les nucléotides, ce qui a parfois des répercussions, généralement nocives, sur l'information génétique. Fort heureusement, ces changements, ou mutations, sont habituellement corrigés. Chaque que cellule assure la surveillance et la réparation de son matériel génétique de façon permanente. Les biochimistes ont identifié plus de 50 types d'enzymes de réparation de l'ADN. Parfois, les dommages peuvent être réparés directement par l'enzyme appropriée. Le plus souvent, cependant, le mécanisme de réparation, comme

celui de la réplication, s'appuie sur l'appariement des bases de l'ADN. Par exemple, dans la **réparation par excision-resynthèse**, une enzyme de réparation sélectionne et excise un segment du brin endommagé ; d'autres enzymes remplacent la séquence manquante par des nucléotides qui s'apparient de façon adéquate avec ceux du brin intact. L'ADN polymérase fabrique la séquence manquante et l'ADN ligase la lie au brin corrigé (figure 15.17).

Les enzymes de réparation de l'ADN des cellules de notre peau accomplissent plusieurs fonctions, dont l'une s'avère essentielle chez les personnes en bonne santé : elle consiste à remédier aux dégâts génétiques provoqués par les rayons ultraviolets du Soleil. Une maladie cutanée, appelée *xeroderma pigmentosum* (xeroderma pigmentosum) est causée par une anomalie héréditaire d'une enzyme d'excision. La lumière du Soleil tue facilement les cellules de la peau des personnes atteintes de cette maladie et provoque inévitablement un cancer de la peau.

* * *

Dans ce chapitre, nous nous sommes penchés sur la structure de l'ADN et nous avons appris comment s'effectuait le recopiage de ce matériel génétique. Chaque fois que l'une de nos cellules se divise, la division cellulaire distribue ces copies aux cellules filles (figure 15.18). La réplication de l'ADN fournit les copies des gènes que les parents transmettent à leurs descendants par l'intermédiaire des gamètes. Cependant, il ne suffit pas que les

RÉSUMÉ DU CHAPITRE

L'ADN constitue le matériel génétique, et sa réplication est la base chimique de l'hérédité.

À la recherche du matériel génétique : la démarche scientifique à l'œuvre (p. 300-303)

1. Une souche de Bactéries pathogènes a la capacité de transformer des Bactéries inoffensives en Bactéries pathogènes : cette constatation a apporté la première preuve que le matériel génétique se composait d'ADN.

2. Les Phages ont la capacité de s'approprier les mécanismes cellulaires des Bactéries en leur injectant de l'ADN : cette constatation a apporté une autre preuve que l'ADN constituait le matériel génétique.

3. La corrélation entre la quantité d'ADN contenue dans une cellule et la réplication de ses chromosomes avant la division cellulaire a confirmé que l'ADN constituait le matériel génétique.

Découverte de la double hélice (p. 303-306)

1. Les chercheurs de plusieurs laboratoires ont vite compris que pour déterminer la fonction de l'ADN, il était essentiel d'en découvrir la structure tridimensionnelle.

2. En établissant leur modèle à partir de données qui provenaient de la cristallographie par diffraction de rayons X réalisée par Franklin, Watson et Crick ont découvert que l'ADN avait la forme d'une double hélice. Deux chaînes antiparallèles composées de molécules de désoxyribose et de phosphate en alternance s'enroulent sur l'extérieur de la molécule ; les bases azotées pointent vers l'intérieur, où elles forment des liaisons hydrogène selon des combinaisons spécifiques, A avec T et G avec C. L'appariement des bases expliquait la découverte antérieure de Chargaff, soit que A et T étaient présents en quantité égale dans l'ADN, de même que G et C.

Réplication de l'ADN : concept de base (p. 306-308)

1. Meselson et Stahl ont démontré que la réplication de l'ADN était semi-conservatrice, ce qui confirmait l'hypothèse de Watson et Crick selon laquelle la molécule parentale se déroule et que chaque brin sert alors de matrice pour la synthèse d'une nouvelle demi-molécule, conformément aux règles d'appariement des bases.

Réplication de l'ADN : approfondissement (p. 308-312)

1. Plus d'une douzaine d'enzymes et d'autres protéines participent au recopiage rapide et précis de l'ADN.

2. La réplication débute à des sites spécifiques appelés origines de réplication. À chaque extrémité d'un œil de réplication, il se forme une fourche de réplication en forme de Y où les deux brins d'ADN se séparent.

3. À partir de l'énergie produite par l'hydrolyse des liaisons du nucléoside triphosphate, les ADN polymérases catalysent la synthèse du nouveau brin d'ADN dans le sens 5' → 3' de ce brin.

4. À la hauteur de la fourche de réplication, la synthèse simultanée, dans le sens 5' → 3', de deux brins antiparallèles produit un brin directeur continu et les courts segments d'un brin discontinu nommés fragments d'Okazaki. Ces derniers sont ensuite liés entre eux par l'ADN ligase.

Réparation de l'ADN (p. 313-314)

1. Les molécules d'ADN doivent être surveillées et réparées de façon continue parce qu'elles sont constamment soumises aux effets nocifs d'agents physiques et chimiques.

2. Les enzymes de réparation de l'ADN rétablissent l'intégrité de la molécule par certains mécanismes comme l'excision-resynthèse, dans laquelle un segment d'ADN endommagé est remplacé par un segment normal.

---

gènes soient copiés et transmis ; il est tout aussi indispensable qu'ils s'expriment. Comment les gènes peuvent-ils se manifester par des caractères phénotypiques tels que la couleur des yeux ? Dans le chapitre qui suit, nous étudierons les bases moléculaires de l'expression des gènes, c'est-à-dire la manière dont la cellule traduit l'information génétique qui est codée dans l'ADN.

5. La synthèse de l'ADN ne peut se faire qu'à partir de l'extrémité d'une amorce, un court segment d'ARN synthétisé par l'ADN primase, une enzyme.

6. Au fur et à mesure que la fourche de réplication avance, les hélicases séparent les deux brins d'ADN parental. Les protéines fixatrices d'ADN monocaténaire empêchent les brins de se déformer.

7. Après la réplication, les ADN polymérases des Bactéries effectuent aussi une correction d'épreuve afin de réparer les erreurs d'appariement des nucléotides. Il existe également un mécanisme de correction d'épreuve semblable chez les eucaryotes.

AUTO-ÉVALUATION

1. En travaillant sur des Bactéries causant la pneumonie et sur des Souris, Griffith a découvert que :

a) la capsule de protéines provenant des cellules lisses (S) pouvait transformer des cellules rugueuses (R).

b) les cellules S tuées par la chaleur pouvaient provoquer la pneumonie seulement lorsqu'elles étaient transformées par l'ADN des cellules R.

c) une certaine substance chimique provenant des cellules S était transférée aux cellules R et les transformait en cellules S.

d) la capsule de polysaccharides des cellules R provoquait la pneumonie.

e) les Bactériophages injectaient l'ADN des cellules S aux cellules R.

2. Par laquelle des techniques expérimentales suivantes Hershey et Chase ont-ils démontré que l'ADN constituait le matériel génétique des Phages ?

a) La cristallographie par diffraction de rayons X.

b) La microscopie électronique.

c) L'utilisation d'isotopes radioactifs du soufre et du phosphore pour différencier l'ADN des protéines.

d) L'analyse de la composition chimique des chromosomes.

e) L'incorporation de ¹⁵N dans l'ADN.

3. Des cellules d'E. coli cultivées dans un milieu contenant du ¹⁵N sont transférées dans un autre milieu contenant du ¹⁴N, où on les laisse croître pendant deux générations. On place l'ADN extrait de ces cellules dans une centrifugeuse. Quelle distribution de masse volumique de l'ADN vous attendriez-vous à trouver à la suite de cette expérience ? Justifiez votre réponse.

a) Une bande d'ADN lourd et une bande d'ADN léger.

b) Une bande d'ADN de masse volumique intermédiaire.

QUESTIONS À COURT DÉVELOPPEMENT

1. Constituez un segment d'ADN bicaténaire contenant 10 paires de nucléotides variés, selon une représentation plane. Utilisez et identifiez les symboles suivants : A, C, G, T, D, P, ...,─, 1′, 2′, 3′, 4′, 5′.

2. Expliquez le mécanisme de la réplication de l'ADN.

3. Comment une cellule parvient-elle la plupart du temps à réparer les modifications accidentelles de son ADN ?

RÉFLEXION–APPLICATION

Les cellules nerveuses arrivées à maturité ne se divisent plus, et elles n'effectuent donc plus la réplication de leur ADN. Un spécialiste de la biologie cellulaire a découvert qu'il y avait une quantité X d'ADN dans une cellule nerveuse humaine. Il a ensuite mesuré la quantité d'ADN présente dans quatre autres types de cellules humaines ; les résultats figurent dans le tableau ci-dessous. Complétez le tableau en choisissant un type de cellules parmi les suivants : (a) spermatozoïde ; (b) cellule de la moelle osseuse au tout début de l'interphase du cycle cellulaire ; (c) cellule de la peau à la phase S du cycle cellulaire ; (d) cellule de l'intestin au début de la mitose.

Cellule	Quantité d'ADN	Type de cellule
A	2 X	
B	1,6 X	
C	0,5 X	
D	X	

SCIENCE, TECHNOLOGIE ET SOCIÉTÉ

Si l'on dispose des bons ingrédients, on peut effectuer la réplication de l'ADN dans une éprouvette. Cette procédure est aujourd'hui devenue routinière, mais lorsqu'elle a été accomplie pour la première fois, elle a été saluée comme « la création de la vie dans une éprouvette ». En fait, la réplication de l'ADN (à partir de molécules provenant de cellules vivantes) est loin de représenter la création d'un organisme à partir de rien. Pensez-vous que la création de la vie dans une éprouvette est un objectif qui vaut la peine d'être poursuivi ? Si on produisait un jour un être vivant, même simple, dans un laboratoire, comment votre point de vue serait-il modifié ?

LECTURES SUGGÉRÉES

Bourdial, I., « Les aventuriers de l'ADN perdu », *Science & Vie*, n° 913, octobre 1993. (Développement de la paléontologie moléculaire grâce à la technique PCR qui rend possible la lecture d'ADN très anciens.)

Frézal, J., « Les quarante ans de la double hélice », *Science & Vie*, hors série n° 181, décembre 1992. (Vue d'ensemble de la génétique humaine depuis la découverte de Watson et Crick.)

Lewin, B., *Gènes*, Paris, Flammarion Médecine-Sciences, 1992. (Voir les chapitres 2 et 3 pour la structure des acides nucléiques et 13 à 15 pour la réplication et la réparation de l'ADN.)

Rossion, P., « Le détective moléculaire », *Science & Vie*, n° 893, février 1992. (Identification d'un individu à partir de l'ADN d'un bulbe pileux ou d'un fragment d'os.)

Stary, A., et A. Sarrasin, « Les défauts de réparation de l'ADN », *La Recherche*, n° 264, avril 1994. (Existence d'un lien direct entre l'expression des gènes et la réparation de l'ADN.)

---

c) Une bande d'ADN lourd et une bande d'ADN de masse volumique intermédiaire.

d) Une bande d'ADN léger et une bande d'ADN de masse volumique intermédiaire.

e) Une bande d'ADN léger.

4. Pendant la synthèse de l'ADN, l'élongation du *brin directeur* :

a) se fait en s'éloignant de la fourche de réplication.

b) se fait dans le sens 3′ → 5′.

c) produit des fragments d'Okazaki.

d) dépend de l'action de l'ADN polymérase.

e) peut se faire sans brin matrice.

5. Une biochimiste a isolé et purifié des composants qui sont nécessaires à la réplication de l'ADN. Lorsqu'elle leur a ajouté un peu d'ADN, une réplication a eu lieu, mais les molécules d'ADN formées présentaient des anomalies. Chacune d'entre elles se composait d'un brin d'ADN normal apparié à un grand nombre de segments d'ADN d'une longueur de quelques centaines de nucléotides. Quel élément ne se trouvait probablement pas dans le mélange ? Justifiez votre réponse.

a) L'ADN polymérase.   d) Les fragments d'Okazaki.

b) L'ADN ligase.   e) Les amorces.

c) Les nucléotides.

6. Pourquoi y a-t-il une différence entre la synthèse du brin directeur et celle du brin discontinu des molécules d'ADN ?

a) Les origines de réplication ne se trouvent qu'à l'extrémité 5′ de la molécule.

b) Les hélicases et des protéines fixatrices d'ADN monocaténaire sont actives à l'extrémité 5′.

c) L'ADN polymérase ne peut ajouter de nouveaux nucléotides qu'à l'extrémité 3′ du brin en cours de synthèse.

d) L'ADN ligase ne fonctionne que dans le sens 3′ → 5′.

e) L'ADN polymérase ne peut fonctionner que sur un brin à la fois.

7. Si on comptait le nombre de bases de chaque type contenues dans un échantillon d'ADN, quel résultat serait en accord avec les règles d'appariement des bases ?

a) A = G.   d) A = C.

b) A + G = C + T.   e) A = 2T.

c) A + T = G + T.

8. Pourquoi la cytosine s'apparie-t-elle avec la guanine et non avec l'adénine ?

a) Une paire C-A serait trop large pour entrer dans la double hélice.

b) C et A sont toutes deux polaires.

c) Une paire C-A ne pourrait pas combler l'intervalle présent dans la double hélice.

d) Les groupes fonctionnels de C et de A qui forment les liaisons hydrogène ne sont pas complémentaires.

e) C et A sont toutes deux des purines.

9. L'« amorce » nécessaire à la mise en place de la synthèse d'un nouveau brin d'ADN est constituée :

a) d'ARN.   d) d'une protéine de structure.

b) d'ADN.   e) d'un dimère de thymine.

c) d'un fragment d'Okazaki.

10. Un certain gène mesure environ 1 μm de long sur une molécule d'ADN à double brin. Quel est approximativement le nombre de paires de bases que porte ce gène ?

a) 3.   d) 3000.

b) 10.   e) 30 000.

c) 1000.

PREUVE QUE LES GÈNES RÉGISSENT LA PRODUCTION DES PROTÉINES
SYNTHÈSE DES PROTÉINES : CARACTÉRISTIQUES GÉNÉRALES
LE CODE GÉNÉTIQUE
SIGNIFICATION ÉVOLUTIONNISTE DE LA QUASI-UNIVERSALITÉ DU CODE GÉNÉTIQUE
TRANSCRIPTION
TRADUCTION
CIBLAGE DES PROTÉINES
COMPARAISON DE LA SYNTHÈSE DES PROTÉINES CHEZ LES PROCARYOTES ET LES EUCARYOTES : RÉVISION
MATURATION DE L'ARN CHEZ LES EUCARYOTES
LES MUTATIONS ET LEURS CONSÉQUENCES SUR LES PROTÉINES
QU'EST-CE QU'UN GÈNE ?

Figure 16.1
Lien entre la biologie moléculaire et le mendélisme. Les Pois à tiges longues et à tiges naines étudiés par Mendel diffèrent par un seul gène. Les sujets à tige naine ne peuvent pas produire une enzyme nécessaire à la synthèse d'une hormone de croissance. Les gènes régissent le métabolisme en commandant aux cellules de fabriquer les enzymes et autres protéines. Dans ce chapitre, nous allons nous pencher sur les étapes de la circulation d'informa-tion qui relie les gènes aux protéines.

L e zygote humain possède dans l'ADN de son noyau les instructions essentielles à la construction d'une personne ; non pas d'un être humain en géné-ral, mais d'une personne avec des caractères propres. Le phénotype de chaque individu résulte de la combinaison de son bagage génétique unique et des influences du milieu. L'information contenue dans l'ADN, c'est-à-dire le matériel génétique, se présente sous la forme de séquences nucléotidiques précises alignées sur les brins d'ADN. Mais quel est le lien entre cette information et les caractères héréditaires d'un organisme donné ? En d'autres termes, que *dit* vraiment le gène et comment les cellules traduisent-elles son message en caractères précis tels que la couleur des cheveux et le groupe sanguin ?

Revenons aux Pois de Mendel et aux caractères qu'il a étudiés, Mendel s'était notamment penché sur la lon-gueur des tiges des Pois. La différence entre les variétés de Pois à tige longue et à tige naine relève de la variation d'un seul gène (figure 16.1). Mendel ignorait les causes physiologiques de cette différence phénotypique, mais les botanistes en ont trouvé l'explication depuis lors : les Pois à tige naine n'élaborent pas des hormones de crois-sance appelées gibberellines qui stimulent le développe-ment normal des tiges (voir le chapitre 35). Un individu à tige naine traité à la gibberelline atteint une longueur normale. Les sujets à tige naine ne fabriquent pas leur *propre* gibberelline parce qu'il leur manque une protéine qui constitue une enzyme clé pour la synthèse de la gib-berelline. Cet exemple illustre le thème principal de ce chapitre : c'est en dictant la synthèse de protéines déter-minées que l'ADN hérité d'un organisme va produire des caractères spécifiques. *Les protéines forment le lien entre le génotype et le phénotype.*

PREUVE QUE LES GÈNES RÉGISSENT LA PRODUCTION DES PROTÉINES

L'hypothèse d'une relation entre les gènes et les pro-téines a été émise pour la première fois en 1909 par un médecin britannique, Archibald Garrod : les gènes dic-tent l'apparition des phénotypes par l'intermédiaire d'enzymes, lesquelles catalysent des mécanismes chi-miques précis au sein de la cellule. Garrod posa comme postulat que les maladies héréditaires reflètent chez l'individu atteint une incapacité de produire une enzyme particulière, et il qualifia ces affections d'« erreurs innées du métabolisme ». Il prit à titre d'exemple une maladie héréditaire appelée alcaptonurie, dans laquelle l'urine paraît noire parce qu'elle contient de l'homogentisate (autrefois appelée alcaptone), une substance chimique

qui devient foncée au contact de l'air. Selon le raisonnement de Garrod, les individus normaux présentent une enzyme qui dégrade l'homogentisate, tandis que les personnes alcaptonuriques ont hérité d'une incapacité de fabriquer cette même enzyme.

Comment les gènes régissent le métabolisme

La formulation de cette hypothèse plaçait Garrod bien en avance sur son temps, car des recherches effectuées plusieurs décennies plus tard ont appuyé l'idée que la fonction d'un gène consiste à dicter la production d'une enzyme donnée. Les biochimistes ont apporté de nombreux éléments de preuve permettant d'expliquer comment les cellules synthétisent et dégradent la plupart des molécules organiques: les cellules empruntent des voies métaboliques dans lesquelles une enzyme spécifique catalyse chaque réaction chimique se produisant au cours d'une séquence. Ces voies métaboliques peuvent mener par exemple à la synthèse des pigments qui confèrent leur couleur aux yeux des Drosophiles (voir la figure 14.3). Dans les années 1930, George Beadle et Boris Ephrussi ont émis l'hypothèse voulant que chacune des diverses mutations influant sur la couleur des yeux chez la Drosophile bloque la synthèse d'un pigment; ce blocage surviendrait à une étape spécifique et empêche la production de l'enzyme qui catalyse l'étape en question. Mais à l'époque, on ignorait tout des réactions chimiques et des enzymes qui les catalysent.

Une découverte décisive touchant la relation entre gènes et enzymes eut lieu quelques années plus tard; Beadle et Edward Tatum avaient entrepris des recherches sur les mutants d'une Moisissure du pain, *Neurospora crassa*, dont les besoins nutritionnels s'avéraient différents de ceux du phénotype sauvage (figure 16.2). Les besoins en nutriments de *Neurospora* sont limités. En laboratoire, cette Moisissure peut survivre sur de l'agar (un milieu de culture humide) auquel on a ajouté un simple mélange de sels inorganiques, de saccharose et de biotine (une vitamine). À partir de ce **milieu minimal**, la Moisissure produit toutes les molécules dont elle a besoin par l'intermédiaire de ses voies métaboliques. Beadle et Tatum identifièrent des mutants incapables de survivre sur le milieu minimal et qui, apparemment, ne pouvaient pas synthétiser certaines molécules essentielles. On appelle ces mutants biochimiques des **auxotrophes** (du grec *auxein* «augmenter», et *trophê* «nourriture») parce que la plupart d'entre eux peuvent *tout de même* survivre sur un **milieu de culture complet**, c'est-à-dire un milieu minimal auquel on a ajouté les 20 acides aminés et quelques autres nutriments. Afin de mettre en évidence l'anomalie métabolique d'un auxotrophe, Beadle et Tatum prélevèrent des échantillons de mutants qui vivaient sur le milieu complet et les répartirent dans plusieurs récipients différents; chacun de ces récipients renfermait le milieu minimal avec un seul nutriment supplémentaire. Il fut alors possible de déterminer l'anomalie métabolique en notant quel supplément permettait la croissance. Par exemple, si un mutant ne se développait que dans le récipient contenant un supplément d'arginine (un acide aminé), on pouvait en conclure que ce mutant était atteint d'une déficience dans la voie métabolique qui permet normalement la synthèse de l'arginine.

D'autres expériences permirent de décrire une anomalie de façon encore plus précise. Prenons par exemple le cas de trois des étapes de la synthèse de l'arginine: une première enzyme transforme un nutriment précurseur en ornithine, qu'une autre enzyme convertit en citrulline, laquelle se transforme à son tour en arginine grâce à une troisième enzyme (voir la figure 16.2). Beadle et Tatum différencièrent plusieurs types d'auxotrophes ayant besoin d'arginine. Certains requéraient la présence d'arginine, d'autres la présence d'arginine ou de citrulline, d'autres encore pouvaient se développer avec n'importe lequel de ces trois composés (arginine, citrulline ou ornithine). Selon Beadle et Tatum, ces trois catégories de mutants devaient donc présenter un blocage à des étapes différentes de la voie permettant la synthèse de l'arginine. Ils en conclurent qu'il manquait une enzyme différente chez chaque mutant. En supposant que chaque mutant était déficient pour un seul gène, ils formulèrent ce que l'on a appelé l'hypothèse *un gène – une enzyme*, selon laquelle un gène a pour fonction de commander la production d'une enzyme spécifique.

Un gène – un polypeptide

Au fur et à mesure que l'on a accumulé des connaissances plus précises sur les protéines, il s'est avéré nécessaire d'apporter de petites modifications à l'hypothèse un gène – une enzyme. À quelques exceptions près, toutes les enzymes font partie des protéines, mais toutes les protéines ne sont pas des enzymes. La kératine, la protéine structurale du poil de certains Animaux, et l'insuline, une hormone, constituent deux exemples de protéines non enzymatiques. Du fait que les gènes commandent la synthèse de protéines qui ne sont pas des enzymes, certains biologistes moléculaires ont émis l'hypothèse qu'un gène équivalait à une protéine. Or, de nombreuses protéines sont construites à partir de deux ou plusieurs chaînes polypeptidiques différentes, chaque sous-unité étant déterminée par son propre gène. Il fallait donc reformuler l'axiome de Beadle et Tatum comme suit: *un gène – un polypeptide*. Cependant, étant donné que la plupart des protéines se composent d'un seul polypeptide, il nous arrivera de simplifier dans ce chapitre en désignant les protéines comme étant les produits d'un gène.

SYNTHÈSE DES PROTÉINES: CARACTÉRISTIQUES GÉNÉRALES

Les gènes détiennent les instructions permettant la fabrication de protéines spécifiques, mais ils ne les construisent pas directement. C'est l'acide ribonucléique, ou ARN, qui établit le lien entre l'information génétique et la synthèse des protéines. Vous avez appris au chapitre 5 que l'ARN et l'ADN sont des acides nucléiques, ou polymères de nucléotides. Rappelez-vous qu'il existe deux types différences structurales importantes entre les deux types d'acides nucléiques: le glucide qui entre dans la composition des nucléotides de l'ARN est le ribose et non le désoxyribose, et une base azotée, l'uracile (U), remplace la thymine dans l'ARN (voir la figure 5.31).

On décrit habituellement la circulation d'information du gène à la protéine en termes de linguistique; en effet,

les acides nucléiques et les protéines renferment des séquences spécifiques de monomères qui véhiculent une information, tout comme des séquences précises de lettres transmettent une information dans la langue française écrite. Dans les acides nucléiques, les monomères sont les quatre types de nucléotides, lesquels diffèrent par leurs bases azotées. Les gènes se composent généralement de centaines ou de milliers de nucléotides, chaque gène comportant sa propre séquence de bases. Une protéine présente aussi bien des monomères disposés selon un ordre linéaire particulier (la structure primaire de la protéine, voir le chapitre 5), mais ses monomères sont choisis parmi les 20 sortes d'acides aminés. Les acides nucléi-

ques et les protéines contiennent donc une information écrite dans deux langages chimiques différents ; le passage de l'un à l'autre nécessite deux étapes principales appelées transcription et traduction (figure 16.3).

La **transcription** est la synthèse d'ARN sous la direction de l'ADN. Les deux acides nucléiques utilisent le même langage, et l'information est simplement transcrite, ou copiée, d'une molécule à l'autre. La séquence de nucléotides d'ADN, qui est propre à un gène, fournit une matrice servant à l'assemblage d'une séquence unique de nucléotides d'ARN ; la molécule d'ARN qui en résulte représente donc une transcription des instructions fournies par le gène pour la construction d'une protéine. Ce

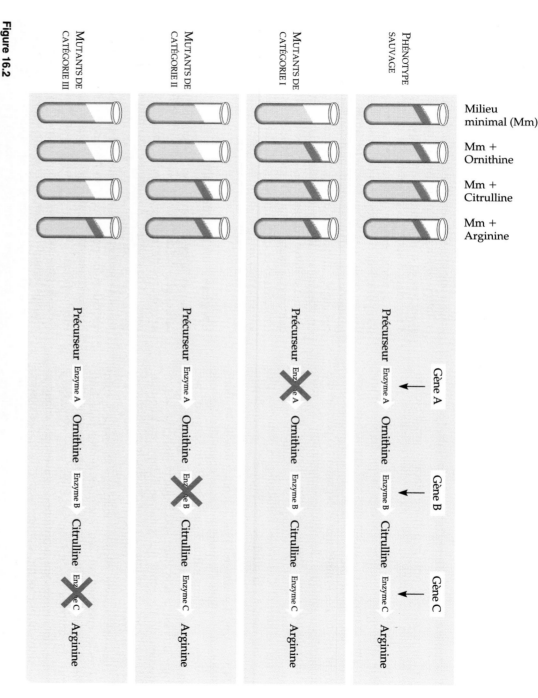

Figure 16.2
L'hypothèse un gène – une enzyme.
Beadle et Tatum émirent cette hypothèse à partir de leurs recherches sur des mutants biochimiques de la Moisissure rose ou rouge du pain, *Neurospora crassa*. La souche du phénotype sauvage n'a besoin que d'un milieu de croissance minimal contenant du saccharose, des minéraux essentiels (sels inorganiques) et une vitamine. La Moisissure passe par une voie comptant plusieurs étapes pour synthétiser l'arginine (un acide aminé) à partir d'un précurseur. Beadle et Tatum identifièrent trois catégories de mutants incapables de synthétiser l'arginine pour trois raisons différentes. Chaque mutant subissait un blocage du métabolisme (X dans ce diagramme) à une étape différente. Par exemple, les mutants de la catégorie II ne se développaient pas sur un milieu minimal, ni sur un milieu minimal auquel on avait ajouté de l'ornithine. Cependant, l'ajout soit de citrulline, soit d'arginine au milieu de croissance permettait leur développement. Beadle et Tatum en déduisirent que les mutants de la catégorie II ne possédaient pas l'enzyme qui convertit l'ornithine en citrulline. La citrulline court-circuite le blocage métabolique et assure la survie de la Moisissure. Chez les autres catégories de mutants, d'autres enzymes manquaient. Beadle et Tatum conclurent de ces expériences que les différentes mutations représentaient des variations anormales de différents gènes, chaque gène commandant la production d'une enzyme, d'où l'hypothèse un gène – une enzyme.

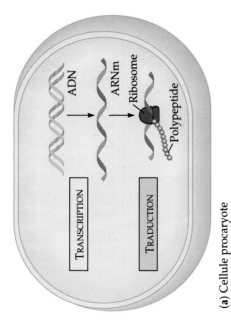

(a) Cellule procaryote

(b) Cellule eucaryote

Figure 16.3
La circulation de l'information génétique. Dans l'organisation hiérarchique d'une cellule, l'information héréditaire passe de l'ADN à l'ARN, puis à la protéine. Les deux principales étapes de cette transmission d'information sont appelées transcription et traduction. Pendant la transcription, un gène fournit les instructions en vue de la synthèse d'une molécule d'ARN messager (ARNm). Pendant la traduction, le message génétique codé dans l'ARNm aligne les acides aminés selon une séquence précise pour en faire une protéine. Les ribosomes sont les sites de la traduction. **(a)** Dans une cellule procaryote, qui ne possède pas de noyau, l'ARNm fabriqué au cours de la transcription est immédiatement traduit sans aucune maturation. **(b)** Dans une cellule eucaryote, les deux principales étapes de la synthèse protéique se déroulent dans deux compartiments distincts : la transcription dans le noyau et la traduction dans le cytoplasme. L'ARNm doit donc passer du noyau au cytoplasme par les pores de l'enveloppe nucléaire. L'ARNm est d'abord synthétisé sous forme d'ARN prémessager, puis modifié par des enzymes avant de quitter le noyau sous forme d'ARNm.

type de molécule d'ARN est appelé **ARN messager** (**ARNm**), parce qu'il joue le rôle de message génétique entre l'ADN et le processus de synthèse protéique de la cellule. (Il existe aussi des molécules d'ARN qui assurent d'autres fonctions ; nous en parlerons plus loin dans ce chapitre.) La **traduction** est la synthèse même d'un polypeptide, dirigée par l'ARNm. À cette étape, il y a passage d'un langage à l'autre : la cellule doit traduire la séquence de bases d'une molécule d'ARNm dans la séquence d'acides aminés d'un polypeptide. La traduction se déroule dans les ribosomes, des particules complexes comportant un grand nombre d'enzymes et d'autres facteurs qui permettent l'assemblage ordonné d'acides aminés dans les chaînes polypeptidiques.

Bien que le schéma général de la transcription et de la traduction soit semblable chez les procaryotes et les eucaryotes, il existe une différence importante dans l'agencement du processus de synthèse des protéines à l'intérieur de ces cellules. Comme les Bactéries n'ont pas de noyau, leur ADN côtoie des ribosomes et autres outils de synthèse protéique. La transcription et la traduction se succèdent donc rapidement (voir la figure 16.3a). Dans la cellule eucaryote par contre, l'enveloppe nucléaire impose une séparation de la transcription et de la traduction, à la fois dans le temps et dans l'espace. La transcription se déroule dans le noyau, puis l'ARNm est envoyé dans le cytoplasme, où a lieu la traduction (voir la figure 16.3b). Cette compartimentation de la transcription et de la traduction permet à l'ARNm de subir plusieurs modifications avant de quitter le noyau. Ce remaniement, appelé **maturation de l'ARN**, ne se produit que chez les eucaryotes. Nous verrons plus en détail les mécanismes et les fonctions de la maturation de l'ARN ultérieurement dans ce chapitre.

Résumons cette présentation rapide de la synthèse des protéines : les gènes d'une cellule programment la synthèse protéique par l'intermédiaire de messages génétiques sous forme d'ARNm (ADN → ARNm → protéine). Dans la section qui suit, nous étudions de plus près la manière dont l'ADN encode les instructions d'assemblage des acides aminés selon un ordre précis ; nous verrons également comment les biologistes ont « déchiffré » le code génétique.

LE CODE GÉNÉTIQUE

Lorsque les biologistes ont commencé à soupçonner que l'ADN contenait les instructions pour la synthèse des protéines, ils ont dû résoudre le problème suivant :

Troisième partie : Le gène

Figure 16.4
Le code à triplets. Pour chaque gène, l'un des deux brins d'ADN sert de brin codant, et sa séquence de bases commande la production d'une protéine qui possède une séquence précise d'acides aminés. Pendant la transcription, le brin codant devient une matrice pour la synthèse d'une molécule complémentaire d'ARNm. Les règles d'appariement des bases qui régissent la transcription, sauf que l'uracile (U) remplace la thymine (T) dans l'ARN. Pendant la traduction, le message génétique (ARNm) est lu comme une séquence de triplets de bases analogues à des mots codés de trois lettres. Chacun de ces triplets, appelés codons (délimités ici par une accolade), détermine quel acide aminé doit être ajouté à l'emplacement correspondant sur le polypeptide en formation. La longueur de tous ces polymères (le gène, son transcrit d'ARNm et le polypeptide fabriqué) excède de beaucoup celle des segments représentés ici.

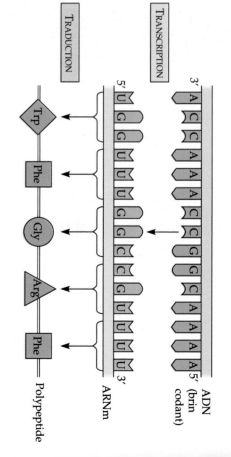

comment quatre nucléotides seulement peuvent-ils coder pour 20 acides aminés différents ? Si chaque base nucléotidique renfermait le code d'un acide aminé, il ne pourrait y avoir que 4 acides aminés au lieu de 20. Un langage avec des mots de code de deux lettres suffirait-il ? Par exemple, la séquence de bases AG pourrait signifier un acide aminé, et GT correspondrait à un autre acide aminé. Étant donné qu'il y a quatre bases, cela donnerait 16 (4^2) combinaisons possibles, un nombre toujours insuffisant pour renfermer le code des 20 acides aminés.

Les plus petits ensembles de longueur égale qui peuvent coder pour les acides aminés comprennent 3 bases. Si chaque combinaison de 3 bases consécutives représente un acide aminé, il y a 64 (4^3) mots de code possibles (plus qu'il n'en faut pour représenter tous les acides aminés). Des expériences ont permis de confirmer que la circulation d'information entre le gène et la protéine repose sur un **code à triplets** : les instructions pour la synthèse d'une chaîne polypeptidique figurent dans l'ADN sous la forme d'une série de mots composés de trois nucléotides, appelés **génons**.

La cellule ne peut pas traduire directement les génons du gène en acides aminés. Il lui faut une étape intermédiaire de transcription, étape au cours de laquelle le gène détermine la séquence des **codons**, c'est-à-dire des triplets d'une molécule d'ARNm. (Certains auteurs utilisent le terme «codon» tant pour les triplets de l'ADN que pour ceux de l'ARNm.) Pour chacun des génons, un seul des deux brins d'ADN est transcrit : il s'agit du brin codant du gène. Le brin non codant sert de matrice afin de fabriquer un nouveau brin codant lorsque l'ADN subit la réplication ou une réparation. Une même séquence peut être codante dans certaines régions d'une molécule d'ADN et non codante dans d'autres régions ; en d'autres termes, la même séquence de génons qui sert de matrice pour la transcription d'un gène peut également être non codante pour un autre gène qui fait partie de la même molécule d'ADN.

Une molécule d'ARNm forme un complément de sa matrice d'ADN, parce que les bases de l'ARNm s'assem-

blent sur la matrice en obéissant aux règles d'appariement des bases (figure 16.4). Par exemple, lorsque le brin codant d'un gène a un génon CCG, le codon qui apparaît à l'emplacement correspondant sur la molécule d'ARNm est GGC, un mot de code d'ARNm pour la glycine. Remarquez que U, qui remplace T dans l'ARN, s'apparie avec A. Ainsi, le génon d'ADN GCA est transcrit sur l'ARNm par le codon CGU, soit le mot de code pour l'arginine.

Au cours de la traduction, la séquence de codons présente dans le message génétique (ARNm) se fait décoder, ou traduire, en une séquence d'acides aminés qui constituent une chaîne polypeptidique. Chaque codon présent sur la molécule d'ARNm détermine lequel des 20 acides aminés sera incorporé à un endroit précis le long d'un polypeptide. Comme les codons sont des triplets de bases, le nombre de nucléotides constituant le message génétique doit être trois fois plus élevé que le nombre d'acides aminés qui composent la protéine finale. Par exemple, il faut une séquence codante d'ARNm d'une longueur de 300 nucléotides pour une protéine longue de 100 acides aminés.

Les biologistes moléculaires ont décrypté le code de la vie au début des années 1960 ; à cette époque, une série d'expériences remarquables ont permis de comprendre le mécanisme de traduction de chacun des codons d'ARNm en acide aminé. Marshall Nirenberg, des National Institutes of Health, a déchiffré le premier codon en 1961. Nirenberg avait synthétisé un ARNm artificiel en reliant des nucléotides d'ARN identiques formés d'uracile. La répétition d'un seul codon, UUU, constituait le message. Dans une éprouvette, Nirenberg ajouta ce «poly-U» à un mélange contenant des acides aminés, des ribosomes et les autres éléments nécessaires à la synthèse des protéines. Son système artificiel traduisit le poly-U en un polypeptide constitué uniquement de phénylalanine (Phe), ce qui indiquait que le codon d'ARNm UUU détermine le code de cet acide aminé. Peu de temps après, on a déterminé les acides aminés correspondant aux codons AAA, GGG et CCC.

61 des 64 triplets codent pour les acides aminés. Par convention, on décrit le code génétique au moyen des codons de l'ARNm et non des génons de l'ADN. Remarquez que le triplet AUG assure une double fonction : non seulement il code pour un acide aminé, la méthionine (Met), mais il sert aussi de signal de « départ ». Les messages génétiques débutent par le codon d'ARNm AUG, qui indique au processus de synthèse protéique qu'il doit entreprendre la traduction de l'ARNm à cet endroit. (Étant donné que AUG représente également la méthionine, toutes les chaînes peptidiques nouvellement synthétisées commencent par une méthionine. Plus tard cependant, une enzyme peut détacher de la chaîne cet acide aminé de « départ ».) Les trois autres codons ne désignent pas des acides aminés. Ils représentent en fait des signaux d'« arrêt » qui marquent la fin du message génétique.

Remarquez à la figure 16.5 que le code génétique est redondant mais jamais ambigu. Par exemple, bien que les codons GAA et GAG représentent tous deux l'acide glutamique (redondance), aucun d'eux ne code jamais pour un autre acide aminé (pas d'ambiguïté). La redondance du code, souvent appelée dégénérescence, n'est pas seulement l'effet du hasard. Dans de nombreux cas, les codons « synonymes » pour un acide aminé donné ne diffèrent que par la troisième base du triplet. Plus loin dans ce chapitre, nous évoquerons une explication possible à cette redondance.

Nous pouvons comprendre le message recelé par le langue écrite seulement si nous en lisons les symboles dans le bon ordre et selon les bons groupements. On appelle **cadre de lecture** cette façon d'ordonner les symboles. Prenons par exemple cette phrase : « ils ont élu roi mon ami qui fut ému ». Si vous lisez les mots dans le désordre, vous pouvez comprendre un message erroné, « ils ont ému mon ami élu qui fut roi », et si vous agglutinez les lettres, comme dans « ilsontéluroimonamiquifutému », vous croirez peut-être que l'un des premiers mots du message est « sont ». L'importance du cadre de lecture se manifeste également dans le langage moléculaire de la cellule. Les acides aminés qui apparaissent à la figure 16.4, par exemple, ne peuvent être assemblés dans l'ordre correct que si les codons de l'ARNm UGGUUUGGCCGUUUU sont lus du début à la fin dans le bon ordre et selon les groupements exacts. Bien que le message génétique soit écrit sans espaces entre les codons, les enzymes de synthèse protéique de la cellule le lisent selon le cadre de lecture voulu comme une série de mots de trois lettres sans chevauchements : UGG-UUU et ainsi de suite. Le message n'est *pas* lu comme une série de séquences se recouvrant mutuellement (on pourrait alors lire UGG-GGU-GUU, etc.), ce qui aboutirait à un message totalement différent. (Toutefois, certains Virus utilisent un cadre de lecture différent et emploient effectivement un code présentant des séquences chevauchantes.)

En résumé, nous pouvons dire que, de façon générale, l'information génétique est codée sous la forme d'une séquence de triplets de bases azotées, sans chevauchement, et que chacun de ces triplets se fait traduire en un acide aminé spécifique au cours de la synthèse des protéines.

Figure 16.5
Le dictionnaire du code génétique. Les trois bases d'un codon d'ARNm, désignées ici comme les première, deuxième et troisième bases, figurent dans les parties grises du tableau. Exercez-vous à manipuler ce dictionnaire en trouvant le codon UGG. Dans un premier temps, cherchez le U le long de la colonne de référence de gauche (première base). Ensuite, dans la rangée supérieure (grise) du tableau, repérez la deuxième base, G ; l'intersection de U et G contient quatre mots de code. Maintenant que vous avez les deux premières bases, cherchez G le long de la colonne de référence de droite (troisième base). À l'intersection des trois bases, vous retrouvez le codon UGG. Remarquez que la traduction du codon UGG donne l'acide aminé appelé tryptophane, comme dans la figure 16.4. Il s'agit du seul codon pour le tryptophane, mais la plupart des acides aminés sont codés par deux codons ou plus. Par exemple, UUU et UUC produisent tous deux la phénylalanine (Phe). Chaque fois que l'un de ces deux codons se fait déchiffrer le long d'une molécule d'ARNm, la phénylalanine est incorporée dans la chaîne polypeptidique en cours de synthèse. On peut considérer UUU et UUC comme des synonymes dans le code génétique. Remarquez que le codon AUG ne code pas seulement pour la méthionine (Met), mais qu'il sert aussi de signal de « départ ». Les ribosomes, les particules responsables de l'assemblage des protéines, reconnaissent AUG comme le début d'un message génétique et débutent la traduction de l'ARNm à cet endroit. Trois des 64 codons servent de signal d'« arrêt ». N'importe lequel de ces codons de terminaison peut marquer la fin d'un message génétique, l'endroit où la chaîne polypeptidique se détache du ribosome.

Première base	Deuxième base : U	Deuxième base : C	Deuxième base : A	Deuxième base : G	Troisième base
U	UUU, UUC — Phe ; UUA, UUG — Leu	UCU, UCC, UCA, UCG — Ser	UAU, UAC — Tyr ; UAA, UAG — Arrêt	UGU, UGC — Cys ; UGA — Arrêt ; UGG — Trp	U, C, A, G
C	CUU, CUC, CUA, CUG — Leu	CCU, CCC, CCA, CCG — Pro	CAU, CAC — His ; CAA, CAG — Gln	CGU, CGC, CGA, CGG — Arg	U, C, A, G
A	AUU, AUC, AUA — Ile ; AUG — Met ou départ	ACU, ACC, ACA, ACG — Thr	AAU, AAC — Asn ; AAA, AAG — Lys	AGU, AGC — Ser ; AGA, AGG — Arg	U, C, A, G
G	GUU, GUC, GUA, GUG — Val	GCU, GCC, GCA, GCG — Ala	GAU, GAC — Asp ; GAA, GAG — Glu	GGU, GGC, GGA, GGG — Gly	U, C, A, G

Il fallut faire appel à des techniques plus élaborées pour décoder des triplets mixtes, tels AUA et CGA, mais vers le milieu des années 1960 on avait déchiffré les 64 codons. Comme vous pouvez le voir à la figure 16.5,

SIGNIFICATION ÉVOLUTIONNISTE DE LA QUASI-UNIVERSALITÉ DU CODE GÉNÉTIQUE

Le code génétique est presque universel ; il fait partie du bagage d'organismes aussi différents que les Bactéries et les Humains. La traduction du codon CCG de l'ARNm, par exemple, donne l'acide aminé appelé proline chez tous les organismes dont on a examiné le code génétique. Dans les expériences de laboratoire, les gènes peuvent être transcrits et traduits après leur transplantation d'une espèce à une autre (figure 16.6). Par exemple, un gène introduit dans des Bactéries permet la programmation de ces dernières afin qu'elles synthétisent de l'insuline, une protéine efficace dans le traitement du diabète. Ce type d'applications a suscité des progrès étonnants dans le domaine de la biotechnologie ; nous en parlerons au chapitre 19.

L'universalité du code génétique comporte quelques exceptions. Les biologistes ont découvert une variation du code chez plusieurs Ciliés (eucaryotes unicellulaires), dont la Paramécie. Contrairement à ce qui se passe chez les autres organismes, les codons d'ARNm UAA et UAG ne constituent pas les signaux d'arrêt (voir la figure 16.5), mais codent pour la glutamine. Les chercheurs ont découvert d'autres exceptions au code génétique normal dans les mitochondries et les chloroplastes, des organites qui renferment de l'ADN codant pour certaines de leurs propres protéines (voir le chapitre 7).

Bien que les biologistes ne connaissent pas encore l'origine de ces variations du code génétique, ils s'entendent généralement sur la signification évolutionniste de la *quasi*-universalité du code génétique. Ce langage a dû apparaître assez tôt dans l'histoire de la vie pour se manifester chez les ancêtres communs à tous les organismes actuels, de la plus simple Bactérie aux Humains. L'existence d'un vocabulaire génétique quasi-universel nous rappelle les liens de parenté qui unissent toutes les formes de vie sur la terre.

Après ces considérations sur l'aspect linguistique et la signification évolutionniste du code génétique, revenons plus en détail sur les étapes clés de la transcription et de la traduction.

TRANSCRIPTION

L'ARN messager, qui transmet l'information de l'ADN à la protéine, se fait transcrire par des enzymes à partir du brin codant d'un gène. Ces enzymes, appelées **ARN polymérases**, écartent les deux brins d'ADN et lient les nucléotides de l'ARN les uns aux autres au fur et à mesure que leurs bases s'apparient le long de la matrice d'ADN. Tout comme les ADN polymérases qui entrent en jeu pendant la réplication de l'ADN, les ARN polymérases ne peuvent ajouter des nucléotides qu'à l'extrémité 3' du polymère en formation (voir la figure 15.15). La molécule d'ARN subit donc une élongation dans le sens 5' → 3'. Sur l'ADN, des séquences nucléotidiques spécifiques marquent les sites d'initiation et de terminaison, là où commence et finit la transcription. Ces «bornes» et les centaines ou les milliers de nucléotides situés entre elles forment un segment d'ADN qui est entièrement transcrit en une molécule unique d'ARN et que l'on nomme **unité de transcription** (figure 16.7). Chez les eucaryotes, une unité de transcription représente un seul gène ; l'ARNm code pour la synthèse d'une protéine.

Chez les procaryotes, une unité de transcription donnée peut comprendre un petit nombre de gènes codant pour des protéines dont les fonctions sont reliées (des enzymes qui catalysent la série d'étapes d'une voie métabolique, par exemple). Dans de tels cas, l'ARNm comporte plusieurs codons d'initiation et d'arrêt, qui marquent la fin de chacun des segments d'ARNm codant pour une protéine.

Les Bactéries possèdent un seul type d'ARN polymérase, qui permet la synthèse non seulement de l'ARNm mais aussi d'autres types d'ARN jouant un rôle dans la synthèse des protéines (nous en parlerons dans la section suivante). Par contre, les eucaryotes possèdent trois types d'ARN polymérases. L'ARN polymérase spécialisé dans la synthèse de l'ARNm est appelé ARN polymérase II. On trouve environ 40 000 molécules d'ARN polymérase II dans le noyau d'une cellule humaine.

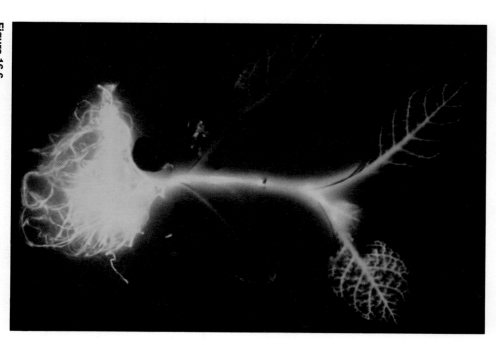

Figure 16.6
Plant de Tabac exprimant un gène de Luciole. Comme les diverses formes de vie possèdent un code génétique commun, nous pouvons programmer une espèce en lui transplantant de l'ADN, afin qu'elle produise des protéines propres à une autre espèce. Dans l'expérience illustrée ici, les chercheurs ont pu incorporer un gène de Luciole dans un plant de Tabac. Le gène code pour l'enzyme catalysant la réaction chimique qui, chez la Luciole, dégage de l'énergie sous forme de lumière.

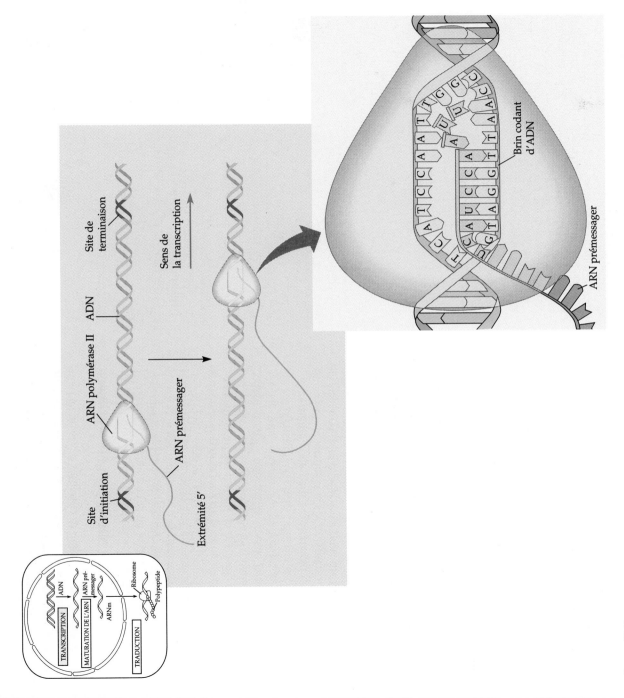

Figure 16.7
La transcription. Au fur et à mesure que la molécule d'ARN polymérase II se déplace le long d'un gène entre le site d'initiation et le site de terminaison, elle synthétise une molécule d'ARN prémessager dont la séquence nucléotidique est déterminée par le brin codant de l'ADN. L'ensemble du segment d'ADN transcrit est appelé unité de transcription. La transcription commence au site d'initiation, au moment où la polymérase sépare les deux brins d'ADN et expose le brin codant pour permettre l'appariement des bases nucléotidiques de l'ARN prémessager. L'ARN polymérase II part du site d'initiation et se déplace dans le sens 3' → 5' de l'ADN, écartant les deux brins d'ADN et procédant à l'élongation de l'ARN prémessager. Après la transcription, les deux brins d'ADN reprennent la forme d'une double hélice. L'ARN polymérase II poursuit l'élongation de la molécule d'ARN prémessager jusqu'à ce qu'elle atteigne le site de terminaison, c'est-à-dire une séquence nucléotidique spécifique de l'ADN qui marque la fin de l'unité de transcription. L'ARN prémessager quitte le gène transcrit, puis la polymérase se détache de l'ADN.

La transcription comprend trois étapes clés : la liaison de la polymérase et l'initiation, l'élongation, puis la terminaison. Nous allons maintenant étudier chacun de ces mécanismes plus en détail.

Liaison de l'ARN polymérase et initiation de la transcription

Les ARN polymérases se lient à des régions de l'ADN appelées **promoteurs** (figure 16.8). Un promoteur comprend le site d'initiation, où la transcription commence véritablement, et plusieurs douzaines de nucléotides « en amont » de celui-ci. Certaines régions du promoteur revêtent une importance particulière pour la reconnaissance par les ARN polymérases. Par exemple, l'ARN polymérase II des eucaryotes repère une région appelée **boîte TATA**, ainsi nommée parce qu'elle présente une forte concentration de thymine (T) et d'adénine (A). Les boîtes TATA se situent à 25 nucléotides en amont du site d'initiation.

Bien entendu, l'ARN polymérase II ne peut pas reconnaître un promoteur et s'y attacher tout seul. D'autres

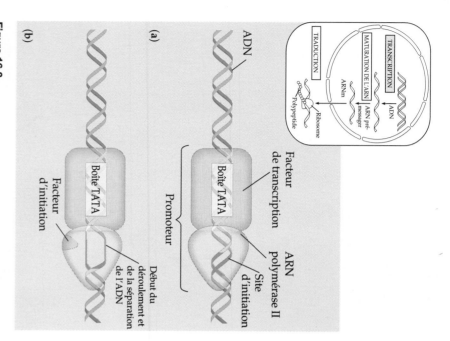

(a)

ADN

Facteur
de transcription

ARN
polymérase II

Boîte TATA

Promoteur

Site
d'initiation

(b)

ADN

Boîte TATA

Facteur
d'initiation

Début du
déroulement et
de la séparation
de l'ADN

Figure 16.8
Les promoteurs et l'initiation de la transcription. (a) Les molécules d'ARN polymérase se lient à l'ADN dans des régions spécifiques nommées promoteurs. Chez les eucaryotes, les promoteurs ont habituellement une longueur d'environ 100 nucléotides. Ils comprennent le site d'initiation à proprement parler et quelques régions d'ADN qui permettent aux protéines intervenant dans l'initiation de reconnaître le promoteur. Par exemple, l'ARN polymérase II, l'enzyme qui synthétise l'ARN prémessager chez les eucaryotes, se lie à un promoteur qui comprend une boîte TATA, c'est-à-dire un court segment de thymines (T) et d'adénines (A) situé à environ 25 nucléotides en amont du site d'initiation. Cependant, l'ARN polymérase II ne peut pas reconnaître seule la boîte TATA et les autres repères du promoteur. Une autre protéine, un facteur de transcription qui reconnaît la boîte TATA, doit s'associer à l'ADN avant que l'ARN polymérase II puisse s'y lier à son tour. **(b)** Lorsque l'ARN polymérase II est attachée au promoteur, elle s'unit probablement à d'autres facteurs de transcription avant le début de la synthèse d'ARN prémessager (nous montrons ici une seule de ces protéines accessoires, un facteur d'initiation).

protéines, appelées **facteurs de transcription**, aident les polymérases à chercher les régions promotrices le long des molécules d'ADN. L'un de ces facteurs de transcription est une protéine qui doit se lier à un promoteur *avant* qu'une molécule d'ARN polymérase II puisse s'y attacher (voir la figure 16.8). Apparemment, l'ARN polymérase II reconnaît comme son site de liaison le complexe formé par cette protéine et l'ADN.

Chez les procaryotes, l'ARN polymérase se lie à l'ADN par un processus différent. L'ARN polymérase des Bactéries contient une sous-unité amovible appelée sigma, capable de reconnaître le promoteur et de former une liaison avec celui-ci. Lorsqu'une molécule d'ARN polymérase s'est liée à l'ADN et commence la transcription, elle perd sa sous-unité sigma.

Élongation du brin d'ARN

Pendant que l'ARN polymérase II se déplace le long de l'ADN, il déroule un tour de la double hélice à la fois en séparant les brins et en exposant environ dix bases d'ADN ; il permet ainsi l'appariement des nucléotides d'ARN (voir la figure 16.7). L'enzyme ajoute des nucléotides à l'extrémité 3′ de la molécule d'ARN en formation tout en avançant le long de la double hélice. Derrière cette vague de synthèse d'ARN, la molécule d'ARN prémessager s'écarte de sa matrice d'ADN, pendant que le brin non codant d'ADN reforme la double hélice en s'appariant avec le brin codant. La transcription progresse à une vitesse d'environ 60 nucléotides par seconde.

Un même gène peut être transcrit simultanément par plusieurs molécules d'ARN polymérase II qui se suivent en file ; une cellule peut ainsi produire une protéine donnée en grande quantité.

Terminaison de la transcription

La transcription se poursuit jusqu'à ce que l'ARN polymérase II atteigne un site de terminaison sur l'ADN. La séquence de bases azotées qui marque ce site ordonne à l'ARN polymérase II de cesser d'ajouter des nucléotides au brin d'ARN prémessager et de libérer ce dernier. Chez les eucaryotes, la séquence de terminaison la plus fréquente est AATAAA. À l'étape de terminaison, d'autres protéines assistent probablement l'ARN polymérase II.

Chez les Bactéries, les ARNm sont prêts pour la traduction aussitôt qu'ils s'écartent de leur matrice d'ADN. En revanche, chez les eucaryotes, les ARN prémessagers produits par la transcription doivent subir une maturation avant de quitter le noyau sous forme de molécules d'ARNm. Nous parlerons de cette maturation de l'ARN après avoir étudié le mécanisme de la traduction plus en détail.

TRADUCTION

Pendant le processus de traduction, la cellule interprète un message génétique et fabrique une protéine en suivant ces instructions. Le message consiste en une série de codons alignés sur une molécule d'ARNm, et l'interprète est un autre type de molécule d'ARN appelé **ARN de transfert (ARNt)**. Ce dernier a pour fonction de transférer vers le ribosome les unités provenant de la réserve d'acides aminés du cytoplasme. La cellule garde dans son cytoplasme une provision des 20 acides aminés, soit en les synthétisant à partir d'autres composés, soit en les prélevant dans la solution environnante. Le ribosome ajoute chaque acide aminé qui lui est apporté par un ARNt à l'extrémité en cours de synthèse de la chaîne polypeptidique (figure 16.9).

Les molécules d'ARNt ne sont pas toutes identiques. Chaque sorte de molécule d'ARNt associe un certain codon d'ARNm avec un certain acide aminé, ce qui constitue la clé de la traduction du message génétique en

Quel que soit le mécanisme en cause, une fois établie la liaison entre l'ARN polymérase actif et une région promotrice, l'enzyme commence à écarter les deux brins d'ADN au site d'initiation et débute la transcription.

séquence d'acides aminés. Lorsque la molécule d'ARNt arrive au ribosome, elle porte un certain acide aminé à l'une de ses extrémités. À l'autre bout se trouve un triplet de bases appelé **anticodon** qui se lie au codon complémentaire de l'ARNm en obéissant aux règles d'appariement des bases. Par exemple, la traduction du codon UUU de l'ARNm donne la phénylalanine (voir la figure 16.5). L'ARNt qui se lie à ce codon par des liaisons hydrogène est doté de l'anticodon AAA et porte toujours la phénylalanine à son autre extrémité. Par conséquent, pendant que la molécule d'ARNm glisse à travers le ribosome, la phénylalanine s'ajoute à la chaîne polypeptidique à chaque lecture du codon UUU. La traduction du message génétique s'effectue codon par codon, au fur et à mesure que les ARNt déposent les acides aminés dans l'ordre voulu et que les enzymes ribosomiques lient les acides aminés pour former une chaîne.

Le principe de la traduction est simple, mais les phénomènes biochimiques et les mécanismes qu'elle met en œuvre s'avèrent fort complexes. Afin de mieux comprendre ce processus, nous allons examiner de plus près quelques-uns des principaux acteurs à l'échelle cellulaire de cette série d'événements que constitue la synthèse des protéines ; nous verrons ensuite comment ces acteurs collaborent en vue de fabriquer un polypeptide.

ARN de transfert

Les molécules d'ARN de transfert, tout comme les autres sortes d'ARN, résultent d'une transcription enzymatique à partir de matrices d'ADN situées dans le noyau des cellules eucaryotes. Comme l'ARNm, l'ARNt doit passer du noyau au cytoplasme, où la traduction s'effectue. Chaque molécule d'ARNt peut alors servir un grand nombre de fois : elle prélève l'acide aminé correspondant dans le cytoplasme, dépose sa cargaison sur le ribosome, puis quitte le ribosome afin d'aller chercher une autre cargaison. La structure de la molécule d'ARNt supporte bien la fonction de navette que celle-ci doit assurer pour un certain acide aminé (figure 16.10).

Une molécule d'ARNt se compose d'un seul brin d'ARN d'une longueur de 80 nucléotides environ (par comparaison, des centaines de nucléotides constituent la plupart des molécules d'ARNm). Ce brin d'ARN se replie sur lui-même pour former une molécule pourvue d'une structure secondaire, c'est-à-dire une structure tridimensionnelle renforcée par des interactions entre différentes parties de la chaîne nucléotidique. Certaines régions du brin d'ARNt forment des liaisons hydrogène avec des bases complémentaires situées dans d'autres régions. Si on aplatit la molécule d'ARNt de façon à révéler les régions où se trouvent ces liaisons hydrogène, la molécule prend l'aspect d'une croix. La molécule d'ARNt typique possède une structure trilobée, tordue et pliée, et adopte ainsi une conformation tridimensionnelle assez compacte qui ressemble vaguement à un L inversé. La boucle qui dépasse à une extrémité du L comprend l'anticodon, ou triplet de bases, qui s'apparie à un certain codon de l'ARNm. L'extrémité 3' dépasse à l'autre extrémité du L formé par la molécule d'ARNt, qui représente le site de liaison de l'acide aminé.

Si un ARNt différent correspondait à chacun des codons du code génétique, on trouverait 61 sortes d'ARNt

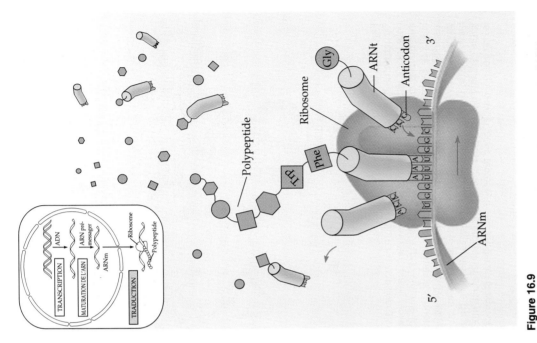

Figure 16.9
La traduction : concept de base. Pendant qu'un brin d'ARNm passe à travers un ribosome, les codons se font traduire un par un en acides aminés grâce à la participation des molécules d'ARNt. Chaque sorte d'ARNt comprend un anticodon spécifique à une extrémité et un certain acide aminé à l'autre extrémité. L'ARNt ajoute son acide aminé à la chaîne polypeptidique en formation lorsque son anticodon se lie à un codon complémentaire sur l'ARNm.

(voir la figure 16.5). En fait, il n'en existe que 45 environ. Ce nombre suffit parce que les anticodons de certains ARNt peuvent reconnaître deux codons différents ou plus. Une telle souplesse est possible parce que les règles d'appariement entre la troisième base d'un codon et la base correspondante de l'anticodon d'ARNt ne sont pas aussi strictes que celles qui prévalent entre les génons d'ADN et les codons d'ARN. Par exemple, la base U d'un anticodon d'ARNt peut s'apparier soit avec A, soit avec G en troisième position d'un codon d'ARNm. Ce relâchement des règles d'appariement des bases est appelé **oscillation**. Les ARNt les plus polyvalents portent l'inosine (I), une base modifiée, à la position d'oscillation de l'anticodon. Une enzyme forme l'inosine au moyen d'une modification de l'adénine après la synthèse de l'ARNt. Lorsque les anticodons s'apparient avec les codons, la base I peut former des liaisons hydrogène avec n'importe laquelle des trois bases suivantes : U, C ou A. La molécule d'ARNt qui porte l'anticodon CCI peut donc se lier aux

codons GGU, GGC ou GGA, qui codent tous pour l'acide aminé appelé glycine. Les oscillations expliquent pourquoi les codons synonymes pour un certain acide aminé peuvent différer par leur troisième base, mais habituellement pas par les deux autres.

Aminoacyl-ARNt synthétases

La liaison codon-anticodon constitue en réalité la deuxième des deux étapes de reconnaissance nécessaires pour une traduction adéquate du message génétique. Elle est précédée d'un appariement exact de l'ARNt et d'un acide aminé. Un ARNt qui s'associe à un codon d'ARNm commandant un acide aminé donné porte uniquement cet acide aminé jusqu'au ribosome. Une enzyme spécifique appelée **aminoacyl-ARNt synthétase** lie chaque acide aminé à l'ARNt correspondant. Il existe toute une famille de ces enzymes soit une enzyme pour chaque acide aminé. Le site actif de chaque type d'aminoacyl-ARNt synthétase ne peut former qu'une seule combinaison d'acide aminé et d'ARNt. La synthétase catalyse la liaison de l'acide aminé à son ARNt suivant un processus en deux étapes alimenté par l'hydrolyse de l'ATP (figure 16.11). Le complexe acide aminé-ARNt qui en résulte se détache de l'enzyme et va ajouter son acide aminé à l'extrémité d'une chaîne polypeptidique en formation sur un ribosome.

Ribosomes

Les ribosomes facilitent l'appariement précis des anticodons d'ARNt avec les codons d'ARNm pendant la synthèse des protéines. Le ribosome est visible uniquement au microscope électronique, et il est formé de deux sous-unités (figure 16.12a). (Lorsqu'elles ne sont pas en train de faire la synthèse d'une protéine, les deux sous-unités ne sont pas liées.) Chaque sous-unité ribosomique consiste en un assemblage d'un grand nombre de protéines et d'un autre type spécialisé d'ARN appelé **ARN ribosomique (ARNr)**. L'ARNr représente environ 60 % de la masse de chaque ribosome. Comme la plupart des cellules contiennent des milliers de ribosomes, l'ARNr est le type d'ARN le plus abondant. (Pour une présentation plus détaillée de la composition moléculaire des ribosomes, voir le chapitre 7.) Outre le site de liaison de l'ARNm, chaque ribosome possède deux sites de liaison pour l'ARNt (figure 16.12b). Le **site P** (peptidyle) retient l'ARNt qui porte la chaîne polypeptidique

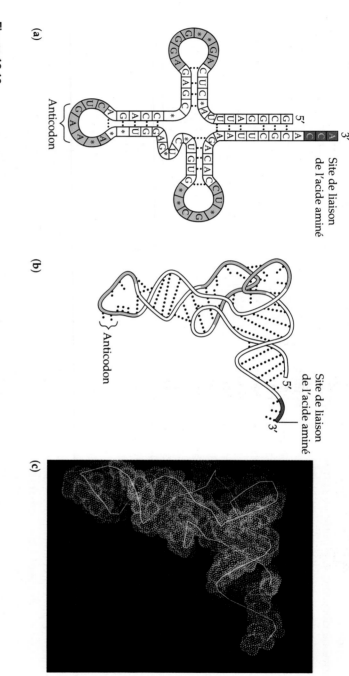

Figure 16.10
Structure de l'ARN de transfert. (a) Structure bidimensionnelle d'un ARNt spécifique pour l'acide aminé nommé leucine. Remarquez les quatre régions à double brin et les trois boucles qui caractérisent tous les ARNt. À une extrémité de la molécule, on trouve le site de liaison de l'acide aminé, qui possède la même séquence de bases dans tous les ARNt ; le triplet de l'anticodon, propre à chaque type d'ARNt, se trouve dans la boucle du milieu. (Les astérisques indiquent les bases inhabituelles qui n'existent que dans les ARNt.) **(b)** Diagramme de la structure tridimensionnelle d'une molécule d'ARNt, en forme de L inversé. **(c)** Image produite par ordinateur d'une molécule d'ARNt, en **(d)** Dans les figures qui suivent, nous représenterons l'ARNt au moyen de ce dessin simplifié.

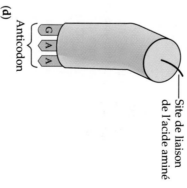

en formation, tandis que le **site A** (aminoacyle ou accepteur) retient l'ARNt qui porte le prochain acide aminé à ajouter à la chaîne. Le ribosome maintient les molécules d'ARNt et d'ARNm l'une près de l'autre à la façon d'un étau, pendant que l'une de ses nombreuses protéines catalyse le transfert d'un acide aminé sur l'extrémité carboxyle de la chaîne polypeptidique en cours de synthèse.

Fabrication d'un polypeptide

On peut diviser la traduction, ou synthèse d'un polypeptide, en trois étapes : l'initiation, l'élongation et la terminaison de la chaîne. Ces trois étapes nécessitent la présence de facteurs protéiques (surtout des enzymes) qui assistent l'ARNm, l'ARNt et les ribosomes au cours du processus de traduction. Pour que l'initiation et l'élongation de la chaîne aient lieu, il faut aussi de l'énergie fournie par la GTP (guanosine triphosphate), une monnaie d'échange énergétique cellulaire apparentée de près à l'ATP.

Initiation   L'étape d'initiation de la traduction met en jeu l'ARNm, un ARNt portant le premier acide aminé du polypeptide ainsi que les deux sous-unités d'un ribosome. En premier lieu, une petite sous-unité ribosomique se lie à la fois à un ARNm et à un ARNt d'initiation spécifique (figure 16.13). La petite sous-unité ribosomique s'attache à une séquence de nucléotides précise à l'extrémité 5' de l'ARNm. Le codon d'initiation AUG se trouve immédiatement à droite de ce site de chargement, à l'endroit où la traduction commence vraiment. L'ARNt d'initiation, qui porte la méthionine, se lie au codon d'initiation.

L'union de l'ARNm, de l'ARNt d'initiation et de la petite sous-unité ribosomique est suivie de la liaison d'une grosse sous-unité ribosomique, qui complète le ribosome fonctionnel. Des protéines appelées **facteurs d'initiation** jouent un rôle essentiel dans l'agencement de tous ces éléments. La cellule dépense aussi de l'énergie apportée par la GTP afin de former le complexe d'initiation. À la fin du mécanisme d'initiation, l'ARNt d'initiation a pris place au site P du ribosome, et le site A vacant est prêt à recevoir la prochaine molécule d'ARNt.

Élongation   Dans l'étape de la traduction appelée élongation, les acides aminés sont ajoutés un à un à la suite du premier. Chaque addition, à laquelle participent plusieurs protéines nommées **facteurs d'élongation**, se déroule selon un cycle comptant trois phases (figure 16.14) :

1. *Reconnaissance du codon.* Au premier stade de l'élongation, le codon de l'ARNm qui se trouve au site A du ribosome forme des liaisons hydrogène avec l'anticodon d'une molécule d'ARNt entrante qui porte l'acide aminé approprié. Un facteur d'élongation achemine l'ARNt jusqu'au site A. Cette phase nécessite aussi l'hydrolyse d'une liaison phosphate de la GTP.

2. *Formation de la liaison peptidique.* Ensuite, une enzyme qui fait partie intégrante de la grosse sous-unité ribosomique catalyse la formation d'une liaison peptidique entre le polypeptide qui dépasse du site P et l'acide aminé nouvellement arrivé au site A. Cette enzyme, appelée **peptidyl transférase**, se compose d'un ensemble de protéines ribosomiques associées à un ARNr. À ce stade, le polypeptide se sépare de l'ARNt auquel il était lié et est transféré sur l'acide aminé porté par l'ARNt qui se trouve au site A.

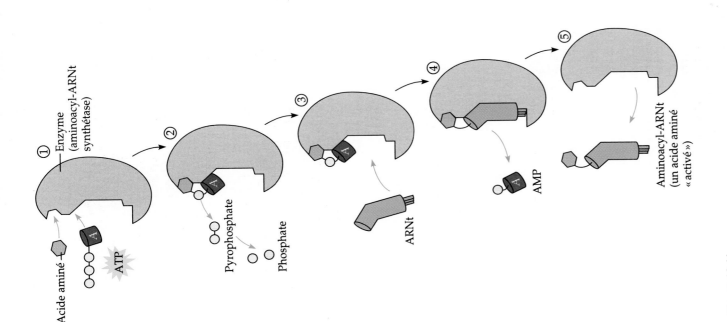

Figure 16.11
Fonction d'une aminoacyl-ARNt synthétase. Chacune de ces enzymes lie un certain acide aminé à l'ARNt approprié. ① Le site actif de l'enzyme se lie à l'acide aminé et à une molécule d'ATP. ② L'ATP perd deux groupements phosphate et se lie à l'acide aminé sous forme d'AMP (adénosine monophosphate). ③ L'ARNt approprié se lie de façon covalente à l'acide aminé, ④ en déplaçant l'AMP du site actif de l'enzyme. ⑤ L'enzyme libère le complexe acide-ARNt, aussi appelé aminoacyl-ARNt.

① Enzyme (aminoacyl-ARNt synthétase) — Acide aminé — ATP — Pyrophosphate — Phosphate — ARNt — AMP — Aminoacyl-ARNt (un acide aminé « activé »)

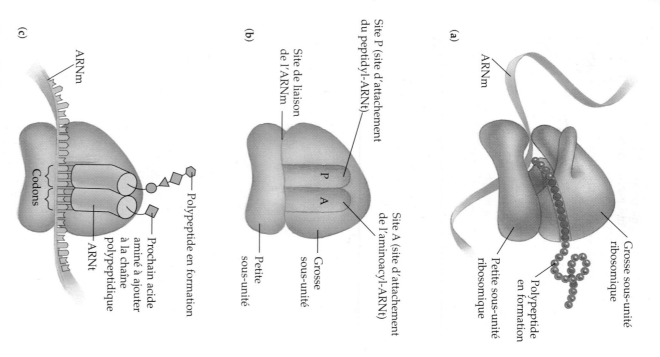

Figure 16.12
Anatomie d'un ribosome. (a) Un ribosome fonctionnel comprend deux sous-unités constituées chacune d'ARN ribosomique et de plusieurs protéines. Cette figure présente un modèle de ribosome bactérien. Le ribosome d'eucaryote a une forme semblable, mais il est plus gros et contient davantage de protéines et de molécules d'ARN. **(b)** Le ribosome possède un site de liaison de l'ARNm et deux sites de liaison de l'ARNt, appelés P et A. Nous représentons ici une forme simplifiée du ribosome, que nous retrouverons dans les quelques figures qui suivent. **(c)** Un ARNt s'unit à un site de liaison lorsque son anticodon s'apparie avec un codon d'ARNm. Le site P retient l'ARNt attaché au polypeptide en formation. Le site A retient l'ARNt qui porte le prochain acide aminé à ajouter à la chaîne polypeptidique.

3. *Translocation*. L'ARNt localisé au site P se dissocie du ribosome. L'ARNt du site A, maintenant lié au polypeptide en formation, se déplace (subit une translocation) vers le site P. Au cours de ce déplacement, les liaisons hydrogène entre l'anticodon de l'ARNt et le codon de l'ARNm se maintiennent, ce qui permet aux deux molécules de se déplacer ensemble. À la suite de ce mouvement, le prochain codon à traduire se retrouve au site A. L'étape de la translocation nécessite un apport d'énergie fourni par l'hydrolyse d'une molécule

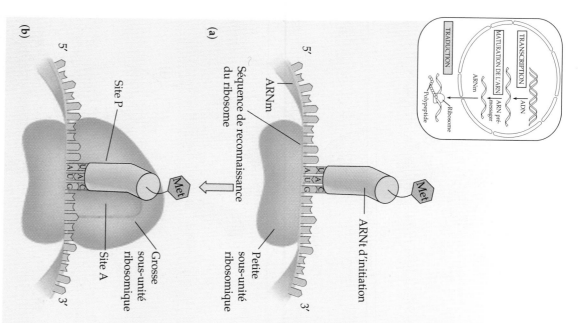

Figure 16.13
Initiation de la traduction. (a) Une petite sous-unité ribosomique se lie à une molécule d'ARNm. L'ARNm porte un site de fixation au ribosome, qui comporte une séquence de reconnaissance du ribosome formée d'environ 30 à 35 nucléotides. Ces nucléotides s'apparient avec les nucléotides complémentaires d'un ARNr particulier pour former une structure bicaténaire qui arrime l'ARNm au ribosome. Aussitôt après l'appariement, l'ARNt d'initiation, accompagné de l'anticodon UAC, s'apparie avec le codon d'initiation AUG. Cet ARNt porte un acide aminé, la méthionine (Met). **(b)** La grosse sous-unité ribosomique s'associe au complexe d'initiation. L'ARNt d'initiation se trouve au site P. Le site A est disponible pour l'ARNt qui porte le prochain acide aminé. Des protéines appelées facteurs d'initiation permettent de regrouper ces éléments en vue de la traduction. L'énergie qui alimente le processus d'initiation provient de la GTP.

Figure 16.14
Cycle d'élongation de la traduction.

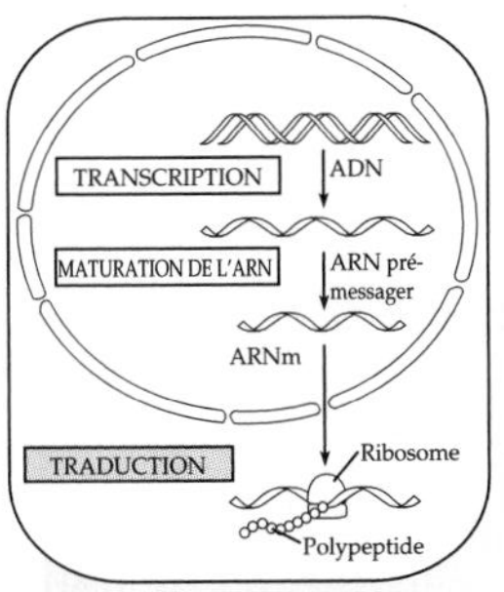
TRANSCRIPTION
ADN
MATURATION DE L'ARN
ARN pré-messager
ARNm
TRADUCTION
Ribosome
Polypeptide

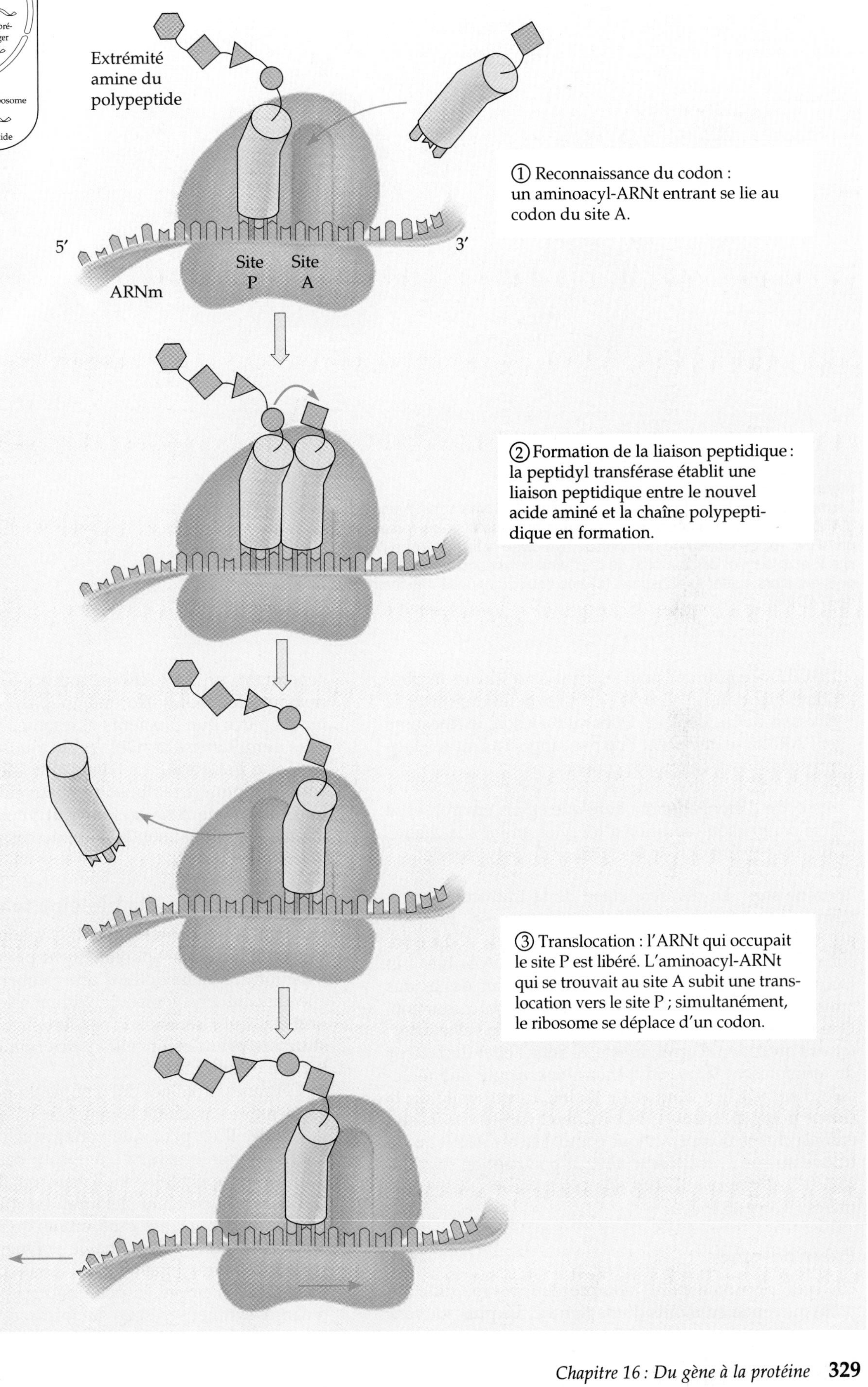
Extrémité amine du polypeptide
5′
3′
ARNm
Site P
Site A
① Reconnaissance du codon : un aminoacyl-ARNt entrant se lie au codon du site A.
② Formation de la liaison peptidique : la peptidyl transférase établit une liaison peptidique entre le nouvel acide aminé et la chaîne polypeptidique en formation.
③ Translocation : l'ARNt qui occupait le site P est libéré. L'aminoacyl-ARNt qui se trouvait au site A subit une translocation vers le site P ; simultanément, le ribosome se déplace d'un codon.

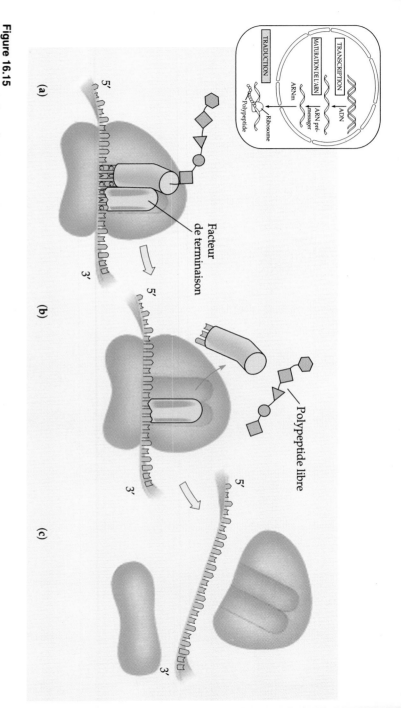

Figure 16.15
Terminaison de la traduction. (a) Lorsqu'un ribosome arrive à un codon d'arrêt sur un brin d'ARNm, le site A du ribosome accepte une protéine appelée facteur de terminaison, et non un ARNt. (b) Le facteur de terminaison hydrolyse la liaison entre l'ARNt qui se trouve au site P et le dernier acide aminé de la chaîne polypeptidique. Le polypeptide et l'ARNt peuvent alors quitter le ribosome. (c) Les deux sous-unités ribosomiques se détachent de l'ARNm.

de GTP. L'ARNm ne peut se déplacer à travers le ribosome que dans le sens 5' → 3'; ou peut-être est-ce le ribosome qui se déplace. Quoi qu'il en soit, le ribosome et l'ARNm se déplacent l'un par rapport à l'autre, dans un seul sens et codon par codon.

Le cycle d'élongation ne dure que 60 ms environ et se répète pour chaque addition d'un acide aminé à la chaîne, jusqu'à la terminaison de la synthèse du polypeptide.

Terminaison   La dernière étape de la traduction est la terminaison (figure 16.15). L'élongation se poursuit jusqu'à ce qu'un **codon d'arrêt** arrive au site A du ribosome. Ces triplets de bases spécifiques (UAA, UAG et UGA, voir la figure 16.5) ne codent pas pour des acides aminés, mais servent de signal d'arrêt de la traduction. Une protéine appelée **facteur de terminaison** se lie directement au codon d'arrêt du site A. Sous l'effet du facteur de terminaison, la peptidyl transférase ajoute une molécule d'eau au lieu d'un acide aminé à l'extrémité de la chaîne polypeptidique. Cette réaction hydrolyse la liaison entre la chaîne polypeptidique complétée et l'ARNt qui se trouve au site P, et détache ainsi le polypeptide du ribosome. Ce dernier se dissocie alors en petite et grosse sous-unités (figure 16.15c).

Polyribosomes

Un seul ribosome peut fabriquer un polypeptide de taille moyenne en moins d'une minute. Le plus souvent

cependant, un seul ARNm sert à synthétiser un grand nombre de copies du même polypeptide en même temps parce que plusieurs ribosomes traduisent le message simultanément. Dès qu'un ribosome a dépassé le codon d'initiation, un deuxième peut s'attacher au codon, et plusieurs ribosomes peuvent ainsi se suivre le long du même ARNm. On peut voir un tel ensemble, appelé **polyribosome**, à l'aide du microscope électronique (figure 16.16).

Du polypeptide à la protéine fonctionnelle

Pendant la synthèse et après, la chaîne polypeptidique s'enroule et se plie spontanément pour former une protéine fonctionnelle dotée d'une conformation spécifique: elle devient une molécule tridimensionnelle possédant une structure secondaire, et tertiaire. Le gène dicte la structure primaire et celle-ci détermine la conformation (voir le chapitre 5).

Certaines protéines doivent passer par des étapes supplémentaires avant de commencer à jouer leur rôle dans la cellule. Il se peut que certains acides aminés soient modifiés chimiquement par l'ajout de glucides, de lipides, de groupements phosphate ou d'autres éléments. Les enzymes peuvent détacher un ou plusieurs acides aminés du début (extrémité amine) du polypeptide. Dans certains cas, une même chaîne polypeptidique peut être séparée enzymatiquement en deux ou plusieurs segments. Par exemple, la protéine appelée insuline se fait d'abord synthétiser sous la forme d'une seule chaîne

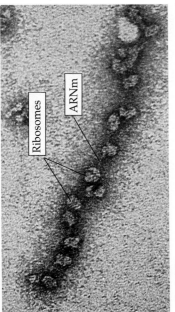

Sous-unités ribosomiques

Début de l'ARNm (extrémité 5')

Fin de l'ARNm (extrémité 3')

Polypeptide en formation

Polypeptide complet

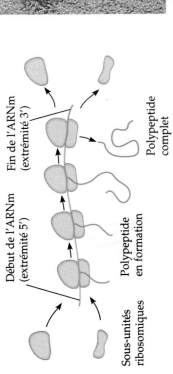

(a)

Figure 16.16

Un polyribosome. (a) Une molécule d'ARNm se fait généralement traduire par plusieurs ribosomes simultanément, et l'ensemble ainsi formé constitue un polyribosome. **(b)** Cette micrographie montre un grand polyribosome dans une cellule procaryote (MET).

polypeptidique, et ne devient active qu'après l'excision par une enzyme d'un segment situé au milieu de la chaîne ; la protéine ainsi constituée se compose de deux chaînes polypeptidiques reliées par des ponts disulfure. Dans d'autres cas, plusieurs polypeptides synthétisés séparément peuvent s'assembler pour devenir les sous-unités d'une protéine pourvue d'une structure quaternaire. (Voir le chapitre 5 sur les niveaux d'organisation structurale des protéines.)

CIBLAGE DES PROTÉINES

L'observation au microscope électronique de cellules eucaryotes qui synthétisent des protéines permet de mettre en évidence deux populations de ribosomes (et de polyribosomes), soit des ribosomes libres et liés (voir la figure 7.12). Les ribosomes libres sont en suspension dans le cytosol et synthétisent surtout les protéines qui se dissolvent dans le cytosol, où elles remplissent leurs fonctions. Par contre, les ribosomes liés sont unis à la face cytoplasmique du réticulum endoplasmique. Ils produisent les protéines membranaires et les protéines sécrétées à l'extérieur de la cellule. L'insuline constitue un exemple de protéine sécrétoire. Un même ribosome peut passer de l'état lié à l'état libre.

Quel est le facteur qui détermine si un ribosome se trouve libre dans le cytosol ou lié au réticulum endoplasmique rugueux ? La synthèse de toutes les protéines s'amorce dans le cytosol, lorsqu'un ribosome commence à traduire une molécule d'ARN messager. La chaîne polypeptidique en formation indique elle-même au ribosome s'il doit rester dans le cytosol ou se lier au réticulum endoplasmique. Les protéines sécrétoires sont marquées par une **séquence signal** composée d'environ 20 acides aminés (figure 16.17). Cette séquence signal, qui constitue habituellement la première partie du polypeptide en formation, permet au ribosome de se lier à un site récepteur localisé sur la membrane du réticulum endoplasmique. La synthèse de la protéine se poursuit à cet endroit et, pendant que le polypeptide en formation se faufile à travers la membrane de façon à atteindre l'intérieur de la citerne, une enzyme ôte la séquence signal. Par contre, en l'absence du segment d'ARNm qui programme la syn-

thèse de la séquence signal correspondant au réticulum endoplasmique, le ribosome qui traduit la molécule d'ARNm reste libre dans le cytosol, et la protéine achevée y restera. La fonction de la séquence signal consiste donc à diriger les protéines vers leur cible, c'est-à-dire le réticulum endoplasmique dans le cas présent.

Le processus par lequel une séquence signal oriente une protéine sécrétoire vers le réticulum endoplasmique ne représente qu'un exemple du mécanisme général qui permet d'acheminer des protéines vers des sites spécifiques. D'autres séquences signal dirigent les protéines qui viennent de se détacher des ribosomes vers les mitochondries ou les chloroplastes. On peut comparer les séquences signal à des codes postaux qui permettent d'envoyer des protéines vers certains endroits de la cellule.

COMPARAISON DE LA SYNTHÈSE DES PROTÉINES CHEZ LES PROCARYOTES ET LES EUCARYOTES : RÉVISION

La transcription et la traduction se déroulent de façon très semblable chez les procaryotes et les eucaryotes, bien que certains détails de chacune des étapes du mécanisme général de synthèse protéique diffèrent quelque peu. Il existe également des variations en ce qui concerne les outils de base tels les ARN polymérases et les ribosomes. Mais ces différences ne sont pas un obstacle à la compréhension globale de la voie menant du gène à la protéine. Il est toutefois essentiel de saisir la signification de la compartimentation en ce qui a trait à la synthèse des protéines dans la cellule eucaryote. Nous avons déjà abordé ce sujet dans le présent chapitre (voir la figure 16.3), mais il est utile de réviser ces notions maintenant que nous avons approfondi nos connaissances sur la transcription et la traduction. Ces deux processus se déroulent simultanément chez les procaryotes. En fait, les ribosomes bactériens peuvent s'associer à une molécule d'ARNm en cours de synthèse et la traduction peut débuter avant même l'arrêt de la transcription (figure 16.18). Par contre, dans la cellule eucaryote, l'enveloppe nucléaire sépare les étapes de transcription et de traduction. L'ARN prémessager a

Figure 16.17
Mécanisme de signalisation pour le ciblage des protéines. De nombreuses chaînes polypeptidiques commencent par une séquence signal, un segment d'acides aminés qui destine la protéine à un certain organite de la cellule. ① Dans cet exemple, une protéine sécrétoire, destinée à sortir de la cellule, est marquée pour une cible précise, le réticulum endoplasmique (RE). La séquence signal oblige le ribosome producteur le polypeptide à se lier à la face cytoplasmique du réticulum endoplasmique rugueux. Dans cette illustration, nous avons abrégé le signal, qui comporte normalement environ 20 acides aminés. ② Le polypeptide se faufile à travers la membrane du réticulum endoplasmique rugueux pendant la continuation de la synthèse. ③ Une enzyme détache la séquence signal. ④ Le polypeptide fabriqué quitte le ribosome et se replie pour adopter la conformation d'une protéine spécifique. À l'intérieur du compartiment du réticulum endoplasmique, des enzymes peuvent modifier la protéine avant qu'elle soit acheminée vers une autre destination.

donc le temps de subir la maturation, une étape supplémentaire entre la transcription et la traduction, que l'on ne retrouve pas chez les procaryotes. Examinons maintenant les mécanismes et le rôle de la maturation de l'ARN dans les cellules eucaryotes.

MATURATION DE L'ARN CHEZ LES EUCARYOTES

Tous les ARN (prémessager, de transfert, ribosomique) ont à subir une maturation chez les eucaryotes. Les enzymes situées dans le noyau remanient l'ARN prémessager de différentes façons dans le cytoplasme. Dans un premier temps ces enzymes modifient les deux extrémités de l'ARN prémessager, puis découpent la molécule en morceaux et reconstituent une unique séquence codante.

Modification des extrémités de l'ARN prémessager

La figure 16.19 montre les changements apportés aux extrémités d'une molécule d'ARN prémessager pendant la maturation. À l'extrémité 5', la première constituée au cours de la transcription, s'ajoute une forme modifiée de la guanine (G), la 7-méthylguanosine (m^7G) triphosphate. Cette **coiffe 5'** assume au moins deux fonctions importantes. En premier lieu, elle contribue à la protection de l'ARNm contre les enzymes hydrolytiques. Deuxièmement, une fois l'ARNm parvenu dans le cytoplasme, la coiffe 5' sert de signal d'attache pour les petites sous-unités ribosomiques. L'autre extrémité de la molécule d'ARN prémessager, ou extrémité 3', subit aussi une modification avant que le message sorte du noyau. Une enzyme ajoute à cette extrémité, la dernière à être synthétisée pendant la transcription, une **queue poly-A**

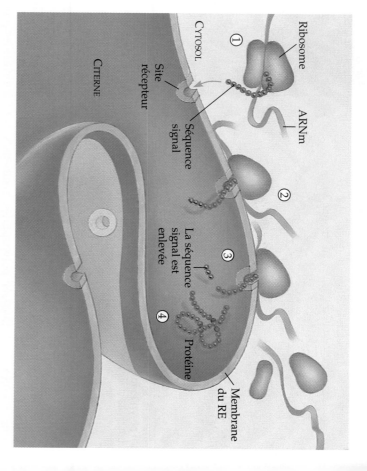

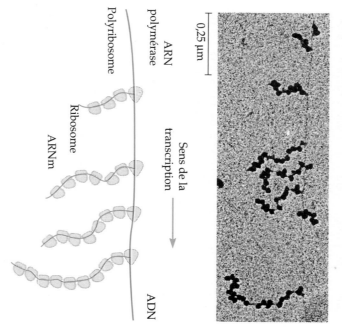

Figure 16.18
Transcription et traduction couplées chez les Bactéries. Dans les cellules bactériennes, où les étapes de la transcription et de la traduction ne sont pas séparées par une enveloppe nucléaire, la traduction de l'ARNm peut commencer aussitôt que la première extrémité (5') de la molécule d'ARNm s'écarte de la matrice d'ADN. La micrographie montre des molécules d'ARN polymérase en train de transcrire un brin d'ADN de *E. coli* (MET). Chaque molécule d'ARN polymérase engendre un brin d'ARNm déjà en cours de traduction par des ribosomes. Les polypeptides nouvellement synthétisés ne sont pas visibles ici.

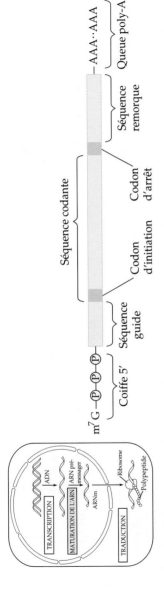

Figure 16.19
Maturation de l'ARN prémessager: addition de la coiffe 5' et de la queue poly-A.
Après la transcription, des enzymes modifient les deux extrémités de la molécule d'ARN prémessager. Une coiffe composée d'une guanosine triphosphate s'ajoute à l'extrémité 5'. Une

queue poly-A, qui comporte 150 nucléotides d'adénine ou plus, s'attache à l'extrémité 3' de l'ARN prémessager. Ces extrémités modifiées assurent probablement la protection de l'ARNm contre toute dégradation. Par ailleurs, la coiffe 5' ainsi qu'une séquence guide d'ARN

non traduite en acides aminés servent de signal d'attache pour les ribosomes. Il se peut que la queue poly-A permette à l'ARNm de quitter le noyau. Elle n'est pas reliée directement au codon d'arrêt, mais à une séquence remorque d'ARN non traduite.

composée de 150 à 200 nucléotides d'adénine. Tout comme la coiffe 5', la queue poly-A empêche la dégradation de l'ARNm.

L'addition de cette queue jouerait également un rôle dans la régulation de la synthèse des protéines, en facilitant d'une manière ou d'une autre le transport de l'ARNm du noyau vers le cytoplasme.

Épissage de l'ARN

La maturation de l'ARN prémessager dans le noyau des eucaryotes comporte une étape remarquable, c'est-à-dire l'élimination d'une bonne partie de la molécule synthétisée au cours de la transcription; il s'agit d'une opération de découpage et de recollage appelée **épissage de l'ARN** (figure 16.20). Une unité de transcription sur une molécule d'ADN comprend en moyenne 8000 nucléotides, ce qui, par conséquent, représente aussi la longueur approximative de l'ARN prémessager issu de la transcription. Mais 1200 nucléotides environ suffisent à coder pour une protéine de taille moyenne composée de 400 acides aminés. (Rappelez-vous que chaque acide aminé est codé par un *triplet* de bases nucléotidiques.) La plupart des gènes des eucaryotes et leurs transcrits d'ARN prémessager possèdent ainsi de longs segments non codants de nucléotides, qui ne seront pas traduits. Par ailleurs, ces séquences non codantes sont dispersées entre les segments codants du gène, et donc entre ceux du transcrit d'ARNm. En d'autres termes, la séquence de nucléotides qui code pour une protéine donnée ne se présente pas comme un segment ininterrompu. À l'intérieur de la séquence codante d'un gène se trouvent des segments d'ADN non codants, appelés **introns.** Les régions codantes sont appelées **exons.**

Les introns aussi bien que les exons composent une molécule d'ARN de taille démesurée. Cet ARN prémessager porte le nom plus technique d'**ARN nucléaire hétérogène (ARNnh)**, pour rappeler la diversité de la taille de ces molécules. L'ARNnh ne quitte jamais le noyau; la molécule d'ARNm qui parvient dans le cytoplasme représente une version corrigée du transcrit original. Des enzymes excisent les introns de la molécule et regroupent les exons afin de former une

molécule d'ARNm présentant une séquence codante continue. Les ARN de transfert et ribosomiques subissent également un tel épissage au cours de leur maturation, c'est-à-dire après la transcription.

Mécanismes d'épissage de l'ARN Les biologistes travaillent toujours à l'heure actuelle sur les détails de l'épissage de l'ARN. On sait maintenant que les signaux entraînant l'épissage de l'ARN sont des groupes de quelques nucléotides situés aux deux extrémités de chaque intron. Des particules appelées **petites ribonucléoprotéines nucléaires**, ou **RNPpn,** jouent un rôle clé dans l'épissage de l'ARN (figure 16.21). Comme leur nom l'indique, il s'agit de petites particules localisées dans le noyau cellulaire et constituées de molécules d'ARN et de protéines. L'ARN d'une particule RNPpn est appelé **petit ARN nucléaire (ARNpn)** et il ne comporte habituellement qu'une seule molécule longue de 150 nucléotides environ (à peu près deux fois plus longue qu'une molécule d'ARNt, mais beaucoup plus courte que l'ARNm). Chaque particule RNPpn contient aussi sept protéines ou plus. Il semble qu'il existe plusieurs types de RNPpn dont les fonctions n'ont été élucidées qu'en partie. Les types de RNPpn jouant un rôle dans l'épissage de l'ARN exercent leurs fonctions dans un ensemble plus élaboré nommé **complexe d'épissage.** Ce dernier interagit avec les extrémités d'un intron d'ARN. Il procède à des coupures à des endroits précis afin de libérer l'intron, puis raccorde aussitôt les deux exons qui étaient adjacents à l'intron.

L'épissage d'autres transcrits d'ARN, par exemple ceux de l'ARNt et de l'ARNr, s'effectue selon plusieurs processus différents. Cependant, comme dans le cas de l'épissage de l'ARN prémessager, l'ARN joue souvent le rôle de catalyseur pour ces réactions. Dans certains cas (par exemple dans l'épissage de l'ARNr d'un Protozoaire cilié, *Tetrahymena*), le processus se déroule entièrement en l'absence de protéines ou même d'autres molécules d'ARN: c'est l'ARN de l'intron lui-même qui catalyse la réaction. L'ARN agit alors comme une enzyme.

La découverte des **ribozymes,** c'est-à-dire des molécules d'ARN qui fonctionnent comme des enzymes, a

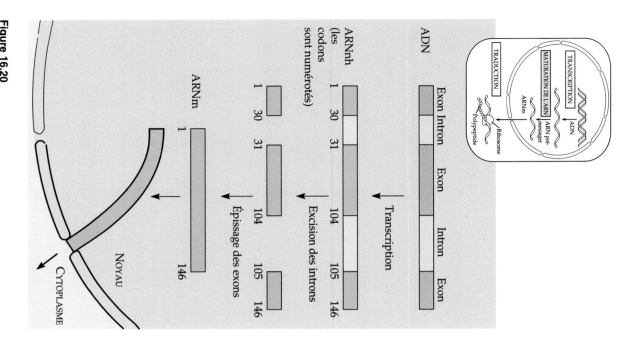

Figure 16.20
Maturation de l'ARN : épissage de l'ARNm. Le gène illustré ici code pour la globine β, l'un des polypeptides de l'hémoglobine. La globine β a une longueur de 146 acides aminés. Son gène possède trois segments composés de régions codantes, ou exons, séparés par des introns non codants. L'ensemble du gène est transcrit en une molécule d'ARNnh (ARN nucléaire hétérogène). Cependant, avant que la molécule quitte le noyau sous forme d'ARNm, elle subit un épissage, c'est-à-dire l'excision des introns suivie du recollage des exons. L'ARNm comprend également des séquences non codantes à chacune de ses extrémités (voir la figure 16.19).

Tableau 16.1 Principaux types d'ARN cellulaire

Type d'ARN	Cellules procaryotes ou eucaryotes	Fonction
ARN messager (ARNm)	Les deux	Transporte de l'ADN aux ribosomes l'information qui détermine les séquences d'acides aminés des protéines ; traduit les séquences nucléo- tidiques de l'ARNm en séquences d'acides aminés.
ARN de transfert (ARNt)	Les deux	Sert de molécule adaptatrice pendant la synthèse des protéines.
ARN ribosomique (ARNr)	Les deux	Joue un rôle structural et probablement enzymatique dans les ribosomes, là où s'effectue la synthèse des protéines.
Petit ARN nucléaire (ARNpn)	Eucaryotes	Joue un rôle structural et enzymatique dans les particules de RNPpn, qui partici- pent à l'épissage de l'ARNm à l'intérieur des complexes d'épissage.

rendu caduque l'affirmation selon laquelle toutes les enzymes étaient des protéines. Nous venons de voir que les ribozymes catalysent les réactions pendant l'épis- sage de l'ARN. En outre, des biologistes moléculaires ont récemment découvert que l'ARN ribosomique jouait le rôle d'enzyme au cours du processus de traduction. Le tableau 16.1 présente un résumé des diverses fonc- tions des molécules d'ARN pendant la synthèse des protéines. La molécule d'ARN peut assumer autant de fonctions différentes grâce aux variations de la structure tridimensionnelle des différentes sortes d'ARN. Même si l'ADN constitue le matériel génétique des cellules, l'ARN est plus polyvalent. Comme vous allez l'appren- dre au chapitre 17, le matériel génétique de nombreux virus se compose uniquement d'ARN.

Rôle des introns dans les fonctions biologiques et dans l'évolution Quelles sont les fonctions biologiques des introns et de l'épissage des gènes ? Il se pourrait que les introns assument un rôle de régulation dans la cellule. L'ADN de l'intron comprend peut-être des séquences qui régissent d'une certaine façon l'activité génétique, ou peut-être l'épissage fait-il lui-même partie d'un méca- nisme qui ajuste le passage de l'ARNm du noyau au cytoplasme. Il est aussi possible que les introns permet- tent à plusieurs types de cellules appartenant au même organisme de synthétiser différentes protéines à partir du même gène. Ce phénomène peut se produire si tous les introns se font exciser d'un transcrit spécifique dans une sorte de cellule, alors qu'un ou plusieurs introns restent en place dans le même transcrit d'une autre sorte de cel- lule. Les introns qui n'ont pas été excisés se font ensuite traduire en même temps que les exons de l'ARNm, et la protéine ainsi fabriquée diffère de la protéine formée dans une sorte de cellule qui a perdu tous ses introns.

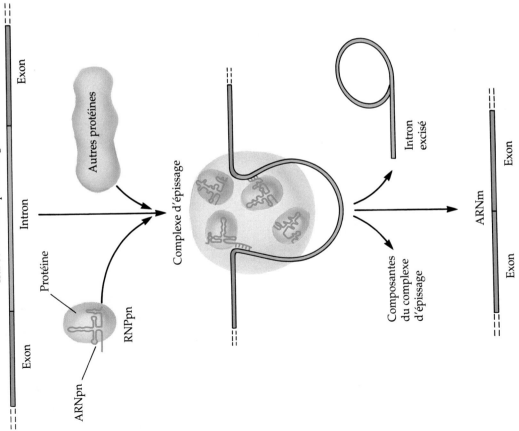

Figure 16.21
Rôles des complexes d'épissage et des RNPpn dans l'épissage de l'ARN prémessager. Après la transcription d'un gène d'eucaryote composé d'exons et d'introns, le transcrit d'ARN prémessager se combine à de petites ribonucléoprotéines nucléaires (RNPpn) et à d'autres protéines afin de constituer un ensemble moléculaire appelé complexe d'épissage. À l'intérieur de ce dernier, l'ARN de certaines RNPpn s'apparie avec les extrémités de chaque intron ; puis il se produit un découpage du transcrit d'ARN prémessager suivi de la libération de l'intron ; l'épissage se complète par la réunion des exons dans le même ordre. Finalement, le complexe d'épissage se dissocie, relâchant l'ARNm qui ne contient plus désormais que des exons.

Transcrit d'ARN prémessager

Exon   Intron   Exon

Protéine

Autres protéines

ARNpn

RNPpn

Complexe d'épissage

Intron excisé

Composantes du complexe d'épissage

ARNm

Exon   Exon

Les introns jouent aussi un rôle important dans l'évolution de la diversité des protéines. De nombreuses protéines possèdent une conformation modulaire et comprennent des éléments structuraux et fonctionnels appelés **domaines**. L'un des domaines d'une enzyme, par exemple, pourrait concerner le site actif, tandis qu'un autre pourrait fixer la protéine à une membrane cellulaire. Dans de nombreux cas, les exons d'un « gène mosaïque » codent pour différents domaines de la même protéine. La recombinaison génétique modifie la fonction d'une protéine en ne changeant qu'un seul de ses domaines sans toucher aux autres. Les régions codantes d'une protéine donnée sont parfois séparées par des distances considérables le long de l'ADN ; par conséquent, la fréquence de recombinaison à l'intérieur d'un « gène mosaïque » dépasse la fréquence de recombinaison dans une région codante ininterrompue et dépourvue d'introns. Les introns facilitent donc la recombinaison des exons entre les différents allèles d'un gène en augmentant les chances qu'un enjambement échange une forme d'un exon contre une autre située sur le chromosome homologue. Ce mécanisme mène à la fabrication d'une nouvelle protéine par la modification d'un seul de ses multiples domaines. Des éléments génétiques nommés transposons permettent aussi de créer de nouvelles combinaisons d'exons par un autre mécanisme que nous expliquerons au chapitre 17.

Des mutations survenant dans un ou plusieurs des exons d'un gène contribuent également à l'évolution des protéines. La prochaine section traite des mutations, la première source de la diversité génétique.

LES MUTATIONS ET LEURS CONSÉQUENCES SUR LES PROTÉINES

Les **mutations** sont des modifications du bagage génétique d'une cellule. Au chapitre 14, nous avons parlé des mutations qui touchent la structure des chromosomes. Maintenant que vous avez étudié le code génétique et sa traduction, nous pouvons aborder les **mutations ponctuelles**, soit les modifications chimiques touchant un seul nucléotide ou quelques nucléotides d'un même gène.

Si une mutation ponctuelle s'opère dans un gamète ou dans une cellule productrice de gamètes, elle risque d'être transmise à la descendance immédiate et aux générations à venir. Si elle provoque un effet particulièrement grave sur le phénotype, on parlera alors de trouble génétique ou de maladie héréditaire. Par exemple, on peut retrouver la cause génétique de l'anémie à hématies falciformes : il s'agit d'une mutation affectant un seul nucléotide dans le gène qui code pour l'un des polypeptides de l'hémoglobine (voir le chapitre 5). Nous allons voir ci-dessous comment différentes catégories de mutations ponctuelles peuvent induire une altération des protéines.

Catégories de mutations

On peut classer les mutations ponctuelles survenant à l'intérieur d'un gène en deux grandes catégories : les substitutions de paires de bases d'une part et les délétions ou les insertions de paires de bases d'autre part. Au fur et à mesure que vous prendrez connaissance de l'effet de ces mutations sur les protéines dans le texte ci-dessous, reportez-vous à la partie correspondante de la figure 16.22.

Substitutions On parle de **substitution d'une paire de bases** lorsqu'une paire différente de nucléotides remplace un nucléotide et son vis-à-vis sur le brin d'ADN complémentaire. À cause de la redondance du code génétique, certaines mutations par substitution ne produisent aucun effet sur la protéine codée. Autrement dit, une modification d'une paire de bases peut transformer un codon en un autre codon dont la traduction donnera le même acide aminé ; on qualifie cette mutation de *silencieuse*. Par exemple, si CCG devenait CCA à la suite d'une mutation, le codon d'ARNm se transformerait de GGC en GGU, et commanderait encore l'ajout d'une glycine à l'endroit voulu de la protéine (voir la figure 16.5). D'autres modifications d'une seule paire de nucléotides peuvent changer un acide aminé mais n'avoir que peu d'effet sur la protéine finale. Il se peut que le nouvel acide aminé possède des propriétés semblables à celles de l'ancien, ou bien qu'il se trouve dans un segment de la chaîne où il n'est pas essentiel pour l'activité de la protéine que la séquence peptidique soit absolument exacte.

Cependant, les substitutions les plus intéressantes sont celles qui occasionnent un changement évident dans la protéine. L'altération d'un seul acide aminé dans une région capitale de la protéine (sur le site actif d'une enzyme, par exemple) aura des conséquences importantes sur l'activité de cette dernière. De temps à autre, une telle mutation crée une protéine améliorée, c'est-à-dire une protéine dont les nouvelles propriétés augmentent les chances de succès de l'organisme mutant et de ses descendants. Mais, la plupart du temps, ces mutations engendrent une protéine inutile ou moins active qui gêne le fonctionnement de la cellule.

Les substitutions provoquent le plus souvent des **mutations faux-sens**, c'est-à-dire que les codons affectés codent encore pour des acides aminés, et ont donc un sens, à ceci près que ce sens ne s'avère pas nécessairement correct. Mais si une mutation ponctuelle transforme un codon correspondant à un acide aminé en un codon d'arrêt, alors la traduction s'arrêtera prématurément ; il en résultera un polypeptide plus court que le polypeptide codé par le gène normal. Les altérations transformant un codon d'acide aminé en signal de terminaison sont appelées **mutations non-sens**, et elles conduisent presque toujours à la fabrication de protéines qui ne sont pas fonctionnelles.

Insertions et délétions Les **insertions** et les **délétions** résultent de l'addition ou de la perte d'une ou de plusieurs paires de bases dans un gène. Ces mutations ont habituellement des conséquences plus désastreuses que les substitutions sur les protéines qui en résultent. Étant donné que l'ARNm est lu sous forme de triplets pendant la traduction, l'insertion ou la délétion de nucléotides peut décaler le cadre de lecture (groupement en triplets) du message génétique. Une telle mutation, appelée **décalage du cadre de lecture**, intervient chaque fois que le nombre de nucléotides insérés ou enlevés n'est pas un multiple de trois. Tous les nucléotides situés en aval de cette modification se trouveront mal regroupés en codons, et il en résultera un long faux-sens qui se terminera tôt ou tard par un non-sens, ou terminaison prématurée. À moins que le décalage du cadre de lecture survienne très près de l'extrémité du gène, la protéine fabriquée ne sera probablement pas fonctionnelle.

Mutagenèse

Dans les années 1920, Hermann Muller observa une augmentation de la fréquence des mutations lorsqu'il procédait à l'irradiation de Drosophiles aux rayons X. Cette méthode lui permit d'obtenir des Drosophiles mutantes qu'il put ensuite utiliser dans ses recherches en génétique. Mais il se rendit compte des implications inquiétantes de sa découverte : du point de vue héréditaire, les rayons X et les autres formes de radiations constituent un danger tant pour les personnes que pour les Animaux de laboratoire. Depuis lors, on a découvert de nombreuses autres causes de mutations.

La **mutagenèse**, ou apparition de mutations, peut survenir de différentes façons. Des erreurs pendant la réplication, la réparation ou la recombinaison de l'ADN peuvent provoquer des substitutions, des insertions ou des délétions de paires de bases. Les **mutations spontanées** résultent de ce genre d'erreurs.

L'action sur l'ADN d'un certain nombre d'agents physiques et chimiques, appelés **mutagènes**, provoque des mutations. Les rayons X et ultraviolets (UV) sont des mutagènes physiques. Au chapitre 15, nous avons vu que les UV émis par le Soleil peuvent causer l'apparition de dimères de thymine dans l'ADN. Il existe plusieurs catégories de mutagènes chimiques parmi lesquelles on trouve les analogues des bases, des substances qui ressemblent aux bases normales de l'ADN mais qui ne s'apparient pas correctement (figure 16.23). Des chercheurs ont mis au point diverses méthodes en vue de tester l'activité mutagène des produits chimiques. Le test de Ames figure parmi les méthodes les plus simples et les plus employées (voir l'encadré de la page 339).

Figure 16.22
Les mutations des paires de bases et leurs conséquences. Les deux principales catégories de mutations qui représentent des modifications d'une ou de quelques paires de bases sont d'une part les substitutions et d'autre part les insertions ou les délétions. On a représenté ici leurs effets sur l'ARNm et la protéine finale. Les conséquences des substitutions de bases vont d'un effet nul à la terminaison prématurée de la synthèse de la protéine. Les insertions et les délétions entraînent habituellement un décalage du cadre de lecture de la traduction ainsi qu'un long faux-sens dans la protéine, avec pour résultat une terminaison erronée. Une insertion ou une délétion peut s'avérer moins nuisible lorsque le nombre de nucléotides ajoutés ou enlevés égale un multiple de 3 ; dans ce cas, le cadre de lecture se trouve rétabli à un certain endroit.

PHÉNOTYPE SAUVAGE

ARNm
Protéine

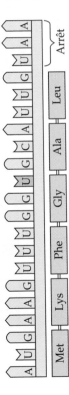

SUBSTITUTION D'UNE PAIRE DE BASES

Aucun effet sur la séquence d'acides aminés (mutation silencieuse)

Faux-sens

Non-sens

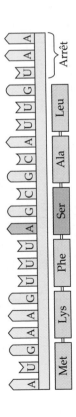

INSERTION OU DÉLÉTION DE PAIRES DE BASES

Décalage du cadre de lecture provoquant un long faux-sens

Décalage du cadre de lecture provoquant un non-sens immédiat

Insertion ou délétion de 3 nucléotides : décalage restreint du cadre de lecture

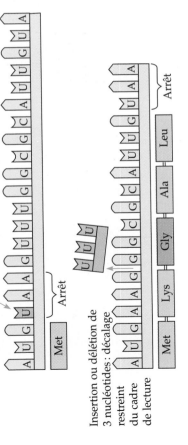

QU'EST-CE QU'UN GÈNE?

Notre définition du *gène* a évolué au cours des derniers chapitres. Nous avons abordé notre étude avec le concept mendélien du gène en tant qu'unité héréditaire discontinue qui influe sur un caractère phénotypique (chapitre 13). Nous avons vu que Morgan et ses collaborateurs ont localisé ces gènes à des endroits précis sur les chromosomes, et que les généticiens emploient le terme *locus* pour nommer l'emplacement d'un gène (chapitre 14). Puis nous avons considéré le gène comme une région comportant une séquence nucléotidique spécifique le long d'une molécule d'ADN qui porte des milliers de gènes (chapitre 15). Finalement, dans le présent chapitre, nous avons formulé une définition fonctionnelle du gène, soit une séquence d'ADN codant pour une chaîne polypeptidique particulière. Chacune de ces définitions a son utilité, selon le contexte dans lequel on étudie les gènes.

Nous devons même affiner notre définition « un gène – un polypeptide » et l'appliquer avec discernement. La plupart des gènes eucaryotes comprennent des parties non codantes (introns), c'est-à-dire de grands segments qui n'ont pas d'équivalents dans les polypeptides. La plupart des biologistes moléculaires incluent aussi dans le gène les promoteurs et d'autres régions régulatrices de l'ADN. Ces séquences d'ADN ne sont pas transcrites, mais on peut considérer qu'elles font partie du gène fonctionnel parce que la transcription ne peut avoir lieu qu'en leur présence. À l'échelle moléculaire, notre définition du gène doit englober l'ADN qui code pour l'ARNr, l'ARNt et l'ARNpn. Ces gènes ne produisent pas de polypeptides. La définition suivante s'applique à l'échelle moléculaire d'une façon plus générale que le concept un gène – un polypeptide: un gène est une région de l'ADN essentielle à la fabrication d'une molécule d'ARN.

*   *   *

Dans le présent chapitre, nous avons vu comment la traduction permet l'expression de l'information génétique sous forme de protéines possédant une structure et une fonction précises, et que ces protéines entraînent à leur tour l'expression du phénotype de l'organisme. La figure 16.24 résume ce cheminement du gène à la protéine.

Les gènes sont soumis à une régulation. Grâce à la régulation de l'expression génique, une Bactérie est en mesure d'adapter les quantités de certaines enzymes à ses besoins métaboliques du moment. Chez les eucaryotes, la régulation de l'expression génique permet à des cellules qui possèdent le même ADN de se différencier au cours de leur développement et de devenir des cellules nerveuses ou musculaires, par exemple. Nous étudierons la régulation de l'expression génique chez les eucaryotes au chapitre 18. Dans le prochain chapitre, nous aborderons l'étude de la régulation génique en examinant la génétique des Bactéries et des Virus.

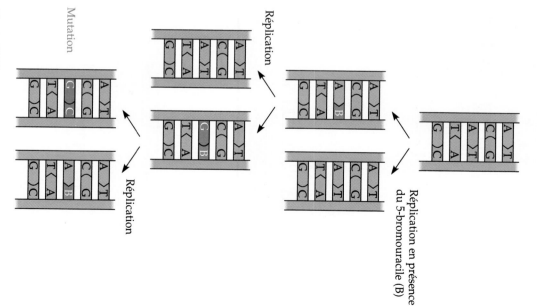

Figure 16.23
Analogues des bases comme mutagènes chimiques.
Le 5-bromouracile (B sur ce diagramme) est un exemple de base azotée modifiée qui se comporte comme un mutagène. Le 5-bromouracile ressemble à la thymine, l'une des bases de l'ADN, mais un atome de brome a pris la place d'un groupement $-CH_3$ normalement lié au pyrimidine de la thymine (voir la figure 15.4). En imitant la thymine, le 5-bromouracile s'apparie avec l'adénine pendant la réplication de l'ADN. Mais après son incorporation dans l'ADN, le 5-bromouracile se transforme parfois en un isomère qui s'apparie mieux avec G qu'avec A. Au cours de la réplication suivante de l'ADN, un G viendra prendre la place de A dans le brin complémentaire de celui qui contient le 5-bromouracile. Le mutagène peut reprendre sa forme isomérique plus commune, laquelle s'apparie avec A, mais les dommages sont irrémédiables: la mutation, qui a remplacé une paire A-T par une paire G-C, se maintiendra génération après génération.

TECHNIQUES : TEST DE AMES

Le test de Ames, du nom du microbiologiste Bruce Ames qui en fut l'inventeur, permet de mesurer la mutagénicité de diverses substances chimiques. On mélange le mutagène présumé à une culture bactérienne, à laquelle on ajoute également de l'extrait de foie de Rat, parce que ce dernier contient des enzymes qui convertissent certaines substances chimiques non mutagènes en une forme mutagène. (Ces enzymes ont normalement pour fonction de métaboliser les substances toxiques, mais il arrive malheureusement que cette modification chimique empire la situation en rendant ces substances encore plus mutagènes.) Les Bactéries, des *Salmonella*, appartiennent à une souche mutante incapable de fabriquer l'acide aminé appelé histidine. Elles ne survivent pas si on les place sur un milieu de culture sans histidine. Cependant, certaines d'entre elles subissent une rétromutation (mutation inverse) qui

rétablit la capacité de synthétiser de l'histidine. Ces mutants produisent des colonies sur le milieu dépourvu d'histidine. Sous l'effet d'un mutagène, la fréquence de ces rétromutations augmentera et on aura donc un plus grand nombre de colonies sur le milieu sans histidine. On teste l'activité mutagénique d'un produit chimique en comptant les colonies produites par un échantillon traité avec le mutagène présumé; puis on compare le résultat obtenu avec le nombre de colonies résultant d'échantillons témoins (non traités). Le test de Ames sert par exemple à passer au crible des substances chimiques en vue d'identifier celles qui peuvent provoquer le cancer. Cette méthode s'avère efficace parce que la plupart des substances cancérogènes (produits chimiques qui causent le cancer) sont des mutagènes et, inversement, la plupart des mutagènes sont cancérogènes.

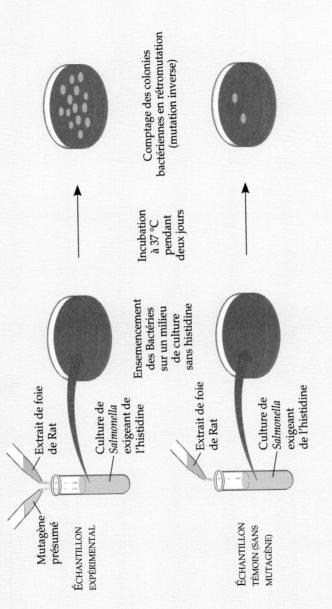

Mutagène présumé

Extrait de foie de Rat

Culture de *Salmonella* exigeant de l'histidine

ÉCHANTILLON EXPÉRIMENTAL

Ensemencement des Bactéries sur un milieu de culture sans histidine

Incubation à 37 °C pendant deux jours

Comptage des colonies bactériennes en rétromutation (mutation inverse)

Extrait de foie de Rat

Culture de *Salmonella* exigeant de l'histidine

ÉCHANTILLON TÉMOIN (SANS MUTAGÈNE)

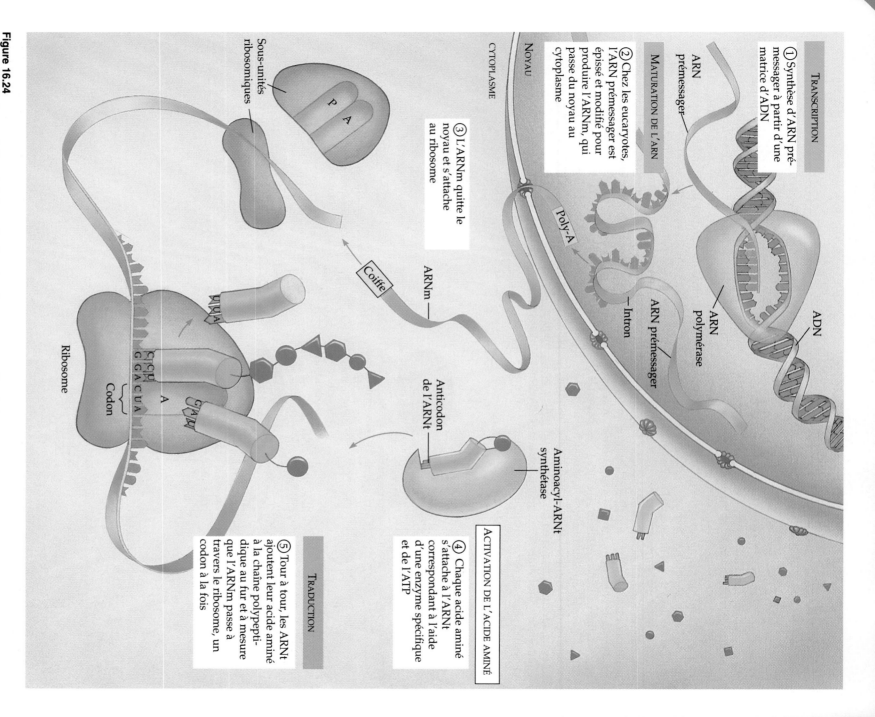

Figure 16.24

Résumé de la transcription et de la traduction chez les eucaryotes. En général, les mécanismes sont semblables dans les cellules procaryotes et eucaryotes. La principale différence est la maturation de l'ARN qui se produit dans le noyau des eucaryotes.

TRANSCRIPTION

① Synthèse d'ARN pré-messager à partir d'une matrice d'ADN

ARN prémessager

ARN polymérase

ADN

NOYAU

CYTOPLASME

MATURATION DE L'ARN

② Chez les eucaryotes, l'ARN prémessager est épissé et modifié pour produire l'ARNm, qui passe du noyau au cytoplasme

Poly-A

ARN prémessager

Intron

③ L'ARNm quitte le noyau et s'attache au ribosome

Coiffe

ARNm

Anticodon de l'ARNt

Aminoacyl-ARNt synthétase

ACTIVATION DE L'ACIDE AMINÉ

④ Chaque acide aminé s'attache à l'ARNt correspondant à l'aide d'une enzyme spécifique et de l'ATP

Sous-unités ribosomiques

P   A

Codon

Ribosome

TRADUCTION

⑤ Tour à tour, les ARNt ajoutent leur acide aminé à la chaîne polypepti-dique au fur et à mesure que l'ARNm passe à travers le ribosome, un codon à la fois

RÉSUMÉ DU CHAPITRE

L'ADN régit le métabolisme en commandant aux cellules de fabriquer des enzymes spécifiques et d'autres protéines.

Preuve que les gènes régissent la production des protéines (p. 316-317)

1. La théorie ancienne selon laquelle les maladies héréditaires résultent d'« erreurs innées du métabolisme » a été confirmée par les résultats obtenus par Beadle et Tatum sur des souches mutantes de *Neurospora*, une Moisissure du pain. Ces expériences classiques ont donné naissance à l'hypothèse un gène – une enzyme.

2. Étant donné qu'un gène détermine la séquence d'acides aminés de chaque chaîne polypeptidique, la formulation de l'hypothèse de Beadle et Tatum a été changée en « un gène – un polypeptide ».

Synthèse des protéines : caractéristiques générales (p. 317-319)

1. Les acides nucléiques et les protéines sont des polymères porteurs d'information et constitués respectivement de séquences linéaires de nucléotides et d'acides aminés.

2. L'ARN messager (ARNm) joue le rôle d'intermédiaire dans la circulation d'information de l'ADN aux protéines.

3. Le transfert d'information des nucléotides de l'ADN aux nucléotides de l'ARN est appelé transcription, alors que le transfert d'information des nucléotides de l'ARNm aux acides aminés du polypeptide est appelé traduction. Chez les eucaryotes, ces deux étapes de la synthèse protéique sont séparées par l'enveloppe nucléaire.

4. Pendant la traduction, l'ARN de transfert (ARNt) interprète le code génétique. Chaque type d'ARNt apporte un acide aminé spécifique sur les ribosomes.

Le code génétique (p. 319-321)

1. Des expériences ont démontré que les instructions génétiques de l'ADN, encodées dans des ensembles formés de trois nucléotides (appelés génons), déterminent indirectement les acides aminés.

2. Il existe 64 codons d'ARNm dont 61 codent pour des acides aminés. Pour la plupart des acides aminés, il y a plus d'un codon possible. Quelques codons font fonction de signaux d'initiation ou d'arrêt et marquent le début et la fin du message génétique.

Signification évolutionniste de la quasi-universalité du code génétique (p. 322)

Malgré quelques exceptions notables, presque tous les organismes possèdent le même code génétique. Cette constatation suggère que ce code existait déjà chez les ancêtres communs aux cinq règnes du monde vivant.

Transcription (p. 322-324)

1. La synthèse de l'ARN sur une matrice d'ADN est catalysée par l'ARN polymérase. Elle obéit aux règles d'appariement des bases qui s'appliquent au cours de la réplication de l'ADN, à ceci près que l'uracile remplace la thymine.

2. Un promoteur, constitué de séquences nucléotidiques spécifiques au début d'un gène, commande l'initiation de la synthèse d'ARNm. Les facteurs de transcription (des protéines) permettent à l'ARN polymérase de reconnaître le promoteur et de se lier à l'ADN. La transcription se poursuit jusqu'à ce que l'ARN polymérase atteigne la séquence nucléotidique de terminaison sur la matrice d'ADN. Au fur et à mesure que l'ARN prémessager s'écarte, la double hélice d'ADN se reforme.

Traduction (p. 324-331)

1. Les molécules d'ARN de transfert (ARNt) capturent des acides aminés spécifiques et, au moyen de leur triplet de bases (anticodon), s'alignent sur les sites des codons complémentaires de la molécule d'ARNm. L'oscillation représente la possibilité, pour un même anticodon d'ARNt, de se lier à des codons d'ARNm qui diffèrent par leur troisième base.

2. La liaison d'un acide aminé donné sur son ARNt s'effectue selon un mécanisme précis grâce à l'ATP et à une famille d'enzymes appelées aminoacyl-ARNt synthétases.

3. Les ribosomes coordonnent l'appariement des anticodons d'ARNt et des codons d'ARNm. Ils fournissent un site de liaison pour l'ARNm ainsi que des sites P et A où des ARNt adjacents se fixent pendant que les acides aminés sont liés à la chaîne polypeptidique en formation. Chaque ribosome se compose de deux sous-unités formées d'un assemblage de protéines et d'ARN ribosomique (ARNr).

4. L'initiation, c'est-à-dire la première des trois phases de la traduction, représente un mécanisme complexe qui nécessite un apport d'énergie provenant de la GTP, ainsi que la présence de facteurs d'initiation protéiques. L'initiation rapproche l'ARNm, le premier acide aminé attaché à son ARNt, et les deux sous-unités du ribosome.

5. À la seconde phase, appelée cycle d'élongation, les acides aminés s'ajoutent l'un à la suite de l'autre jusqu'à la terminaison de la chaîne polypeptidique. Pendant cette phase, qui nécessite la présence de GTP, l'ARNt entrant se lie au site A, la liaison peptidique se forme, puis les ARNt et l'ARNm subissent une translocation le long du ribosome.

6. La terminaison, soit la phase finale, survient lorsque l'un des trois codons d'arrêt spécifiques atteint le site A du ribosome et déclenche l'action d'un facteur de terminaison protéique. Sous l'effet de ce facteur, la chaîne polypeptidique se libère et les sous-unités ribosomiques se séparent.

7. Un même ARNm est souvent lu simultanément par plusieurs ribosomes ; il fait alors partie d'un ensemble appelé polyribosome.

8. Pendant et après la traduction, la protéine subit souvent une ou plusieurs modifications qui influent sur sa structure tridimensionnelle et par conséquent sur son activité dans la cellule.

Ciblage des protéines (p. 331)

Chez les eucaryotes, les protéines destinées aux membranes ou à l'exportation se font synthétiser par des ribosomes liés au réticulum endoplasmique. Une séquence signal située au début du polypeptide en formation permet au ribosome de se lier au réticulum endoplasmique. Les protéines qui doivent rester dans le cytosol ne possèdent pas cette séquence et sont fabriquées sur des ribosomes libres.

Comparaison de la synthèse des protéines chez les procaryotes et les eucaryotes : révision (p. 331-332)

1. La synthèse des protéines suit les mêmes étapes essentielles chez les cellules procaryotes et eucaryotes, mais les ribosomes et de nombreuses enzymes diffèrent chez ces deux catégories de cellules.

2. Si l'on compare la synthèse des protéines chez les procaryotes et les eucaryotes, la plus grande différence porte sur la relation spatiale et temporelle entre la transcription et la traduction. Chez les Bactéries, qui ne possèdent pas d'enveloppe nucléaire, la traduction d'un ARNm peut commencer en même temps que la transcription se poursuit. Dans une cellule eucaryote, l'enveloppe nucléaire sépare les étapes de la transcription et de la traduction, ce qui permet la maturation de l'ARN.

Maturation de l'ARN chez les eucaryotes (p. 332-335)

1. Chez les eucaryotes, la molécule d'ARN prémessager subit une maturation avant de quitter le noyau sous la forme d'un ARNm. Cette maturation se compose de la modification des extrémités de la molécule et de son épissage.

2. La molécule d'ARN prémessager reçoit à son extrémité 5' une coiffe de guanosine triphosphate et à son extrémité 3' une queue de nucléotides poly-A. La coiffe et la queue protègent probablement la molécule de toute dégradation et facilitent sans doute la traduction.

3. Dans la plupart des gènes eucaryotes alternent de longues régions non codantes appelées introns et des régions codantes appelées exons. L'épissage de l'ARN élimine les introns et relie les exons adjacents entre eux.

4. L'épissage de l'ARN est catalysé par les petites ribonucléoprotéines nucléaires (RNPpn), qui se composent d'un petit ARN nucléaire (ARNpn) et de protéines ; ces molécules fonctionnent à l'intérieur d'ensembles plus grands appelés complexes d'épissage.

5. Dans certains cas, l'ARN suffit à catalyser l'épissage de l'ARN. Les molécules d'ARN enzymatique sont appelées ribozymes.

6. Les introns jouent peut-être un rôle régulateur dans l'expression des gènes. Le brassage des exons par la recombinaison contribue à l'évolution de la diversité dans les protéines.

Les mutations et leurs conséquences sur les protéines (p. 335-337)

1. Les mutations ponctuelles sont des modifications chimiques touchant un seul nucléotide ou quelques nucléotides d'un même gène.

2. L'effet de la substitution d'une paire de bases à l'intérieur d'un gène peut varier selon qu'il y a eu modification d'un acide aminé et, si tel est le cas, que ce changement influe sur la fonction de la protéine. De nombreuses substitutions causent un problème parce qu'elles provoquent des mutations faux-sens ou non-sens.

3. Les insertions et les délétions de paires de bases ont presque toujours des effets désastreux. Elles causent souvent des mutations par décalage du cadre de lecture, et ces mutations détruisent le message porté par les codons situés en aval de l'insertion ou de la délétion.

4. Des mutations spontanées peuvent survenir pendant la réplication ou la réparation de l'ADN. En outre, divers mutagènes de nature chimique ou physique peuvent affecter le gène.

Qu'est-ce qu'un gène ? (p. 338-340)

Suivant les situations, on peut adopter différentes définitions du gène. À l'échelle moléculaire, un gène peut se définir comme une région d'ADN nécessaire à la production d'une molécule d'ARN.

AUTO-ÉVALUATION

1. La production d'une molécule d'ARN à partir d'un segment d'ADN est appelée :
   a) transcription.
   b) traduction.
   c) épissage de l'ARN.
   d) réplication.
   e) recombinaison.

2. Laquelle des affirmations suivantes *ne s'applique pas à* un codon ?
   a) Il est constitué de trois nucléotides.
   b) Il peut coder pour le même acide aminé qu'un autre codon.
   c) Il ne code que pour un seul acide aminé.
   d) Il se trouve accroché à l'extrémité d'une molécule d'ARNt.
   e) Il est un élément de base du code génétique.

3. Laquelle des affirmations suivantes relatives à l'ARN polymérase s'avère exacte ?
   a) Elle intervient dans la traduction.
   b) Elle transcrit à la fois les introns et les exons.
   c) Elle crée des liaisons hydrogène entre les nucléotides du brin d'ADN et les nucléotides complémentaires sur l'ARN.
   d) Elle commence la transcription sur un brin d'ADN comportant un triplet AUG.
   e) Elle peut synthétiser plusieurs chaînes polypeptidiques à la fois en fabriquant des polyribosomes.

4. Beadle et Tatum ont découvert plusieurs catégories de *Neurospora* mutants qui pouvaient croître sur un milieu minimal auquel on avait ajouté de l'arginine. Les mutants de la catégorie I pouvaient aussi croître sur un milieu auquel on avait ajouté soit de l'ornithine, soit de la citrulline, alors que les mutants de la catégorie II croissaient sur un milieu contenant de la citrulline mais pas sur un milieu pourvu d'ornithine. La voie métabolique de la synthèse de l'arginine est la suivante :

   Précurseur → Ornithine → Citrulline → Arginine
                A   B   C

   À partir de ces résultats, ils ont pu conclure que :
   a) un seul gène code pour l'ensemble de la voie métabolique.
   b) le code génétique de l'ADN est un code à triplets.
   c) chez les mutants de la catégorie I, les mutations interviennent plus tard dans la chaîne de nucléotides que chez les mutants de la catégorie II ; les mutants de la catégorie I possèdent donc un plus grand nombre d'enzymes fonctionnelles.
   d) les mutants de la catégorie I ont une enzyme non fonctionnelle à l'étape A et les mutants de la catégorie II ont une enzyme non fonctionnelle à l'étape B.
   e) les mutants de la catégorie I ont une enzyme non fonctionnelle à l'étape B et les mutants de la catégorie II ont une enzyme non fonctionnelle à l'étape C.

5. Les liaisons entre l'anticodon de la molécule d'ARNt et le codon complémentaire d'ARNm sont :
   a) catalysées par la peptidyl transférase.
   b) créées grâce à l'apport d'ARNm.
   c) des liaisons hydrogène qui se forment pendant que le codon se trouve au site A.
   d) catalysées par l'aminoacyl-ARNt synthétase.
   e) des liaisons covalentes formées grâce à l'apport d'énergie de la GTP.

6. Le phénomène de l'oscillation est :
   a) le déplacement d'un ARNt du site A au site P.
   b) la possibilité pour l'ADN de fabriquer plus d'un type d'ARN.
   c) la possibilité pour l'ARNt de s'apparier avec des codons dont la troisième base peut être différente.
   d) le décalage du cadre de lecture lors d'une mutation par délétion ou insertion.
   e) le mouvement de ribosomes multiples le long du même ARNm.

7. Laquelle des affirmations suivantes *ne s'applique pas à* la maturation de l'ARNm ?
   a) Les exons sont excisés et hydrolysés avant que l'ARNm sorte du noyau.

b) Il est possible que la présence d'exons et d'introns facilite les enjambements entre les régions d'un gène qui codent pour différents domaines d'un polypeptide.

c) Les ribozymes jouent un rôle dans l'épissage de l'ARN.

d) Il est possible que l'épissage de l'ARN soit catalysé par les complexes d'épissage.

e) Le transcrit d'ARN original est beaucoup plus long que la molécule d'ARN finale qui peut sortir du noyau.

8. Au moyen du code génétique présenté à la figure 16.5, identifiez une séquence nucléotidique d'ADN qui coderait pour la séquence de polypeptides Phe-Pro-Lys.

a) AAAGGGUUU.   d) AAGGGCTTC.
b) TTCCCCAAG.   e) UUUCCCAAA.
c) TTTCCAAAA.

9. Laquelle des mutations suivantes aurait le plus vraisemblablement un effet nuisible sur un organisme?

a) La substitution d'une paire de bases.
b) La délétion de trois bases consécutives près du milieu du gène.
c) La délétion d'une seule base près du milieu d'un intron.
d) La délétion d'une seule base près de l'extrémité de la séquence codante.
e) L'insertion d'une seule base près du début de la séquence codante.

10. Lequel de ces éléments ne joue pas un rôle direct dans le processus appelé traduction?

a) ARNm.   d) Ribosome.
b) ADN.   e) GTP.
c) ARNt.

QUESTIONS À COURT DÉVELOPPEMENT

1. Complétez le tableau suivant portant sur la synthèse des protéines.

PARAMÈTRES	TRANSCRIPTION	TRADUCTION
Matrice		
Site du processus		
Molécules en jeu (sauf*)		
*Facteurs et séquences d'initiation et d'arrêt		
Produit		
Étapes de maturation		
Source(s) d'énergie		

protéine. La protéine n'était pas fonctionnelle: ses acides aminés étaient beaucoup plus nombreux que ceux de la protéine fabriquée par la cellule eucaryote, et ils étaient placés dans un ordre différent. Expliquez pourquoi.

2. La séquence de bases du gène qui code pour un court polypeptide est CTACGCTAGGCGATTATC. Trouvez la séquence des bases de l'ARNm résultant de la transcription de ce gène. En vous servant du tableau ou du code génétique (figure 16.5), indiquez la séquence d'acides aminés du polypeptide résultant de la traduction de cet ARNm.

SCIENCE, TECHNOLOGIE ET SOCIÉTÉ

1. Dans le cadre du programme Génome Humain, les chercheurs déterminent les séquences nucléotidiques des gènes humains et identifient les protéines codées par ces gènes. Par exemple, aux États-Unis, les laboratoires des National Institutes of Health (NIH) ont établi des milliers de séquences, et de nombreuses entreprises privées poursuivent des recherches semblables. Il peut être utile de connaître la séquence des nucléotides d'un gène et d'identifier son produit; cette information peut servir à traiter des troubles génétiques ou à fabriquer des médicaments qui permettront de sauver des vies. La loi américaine autorise la première personne qui isole une protéine pure ou un gène à faire breveter sa découverte, que l'utilité pratique de cette dernière ait été démontrée ou non. Les NIH et les compagnies de biotechnologie ont déposé des demandes de brevets pour les résultats de leurs travaux. Quel est le but d'un brevet? Quels avantages un chercheur ayant découvert un gène pourrait-il tirer d'un brevet? Quels pourraient être les avantages pour le public? Quelles sortes de conséquences négatives l'attribution de brevets relatifs aux gènes pourrait-elle entraîner? Pensez-vous que les individus et les compagnies devraient avoir la possibilité de faire breveter des gènes et leurs produits? Pourquoi? À quelles conditions de telles attributions de brevets devraient-elles être autorisées?

LECTURES SUGGÉRÉES

Berne, R. et H. Van der Spek, «L'editing des messages génétiques», La Recherche, n° 245, juillet-août 1992. (Découverte liée à la maturation de l'ARN.)

Contig, M., «Deux nouvelles lettres dans l'alphabet génétique», Science & Vie, n° 898, juillet 1992. (Revue des principales étapes de la synthèse des protéines.)

Doolittle, R. et P. Bork, «Les protéines, molécules modulaires», Pour la Science, n° 194, décembre 1993. (Évolution des domaines protéiques grâce aux exons mobiles.)

Gerlach, W. L. et C. Robaglia, «Les ribozymes», La Recherche, n° 247, octobre 1992. (Découverte d'ARN ayant des propriétés enzymatiques.)

Herbomel, P., «Les mystères du noyau cellulaire», Science & Vie, hors série, n° 181, décembre 1992. (Informations sur les protéines participant à l'organisation spatiale de l'ADN à l'intérieur d'un chromosome.)

Herbomel, P. «Voyage au cœur de l'ADN», Science & Vie, hors série, n° 184, septembre 1993. (Le mystère entourant l'ADN non codant et les grands ARN nucléaires, un défi pour les biologistes moléculaires.)

Lefevre, A., «Les surprises de l'imperfection», Science & Vie, hors série, n° 184, septembre 1993. (Absence fréquente de changement à la suite de l'inactivation de certains gènes en laboratoire.)

Lyonnet, S. et A. Munnich, «Démêler les liens entre gènes et maladies», Science & Vie, hors série, n° 181, décembre 1992. (Exemples de mutations s'appliquant au gène.)

Paquin, G., «Promotion pour l'ARN», Québec Science, vol. 29, n° 3, novembre 1990. (Découverte de l'activité enzymatique de l'ARN.)

Rossion, P., «Un acarien bouleverse les théories de l'évolution», Science & Vie, n° 890, novembre 1991. (Existence de gènes sauteurs, capables de passer d'une espèce à l'autre, considérés comme les plus puissants mutagènes.)

Rousseau, F. et coll., «Les mutations instables: une nouvelle cause de maladies héréditaires», La Recherche, n° 245, juillet-août 1992. (Découverte d'un lien entre ces mutations et les syndromes de l'X fragile et de la dystrophie myotonique.)

2. Comment la définition du gène a-t-elle évolué depuis Beadle et Tatum?

3. Décrivez quatre mutations ponctuelles différentes.

4. Que se passe-t-il au cours de la phase d'élongation de la synthèse des protéines?

5. Expliquez ce que l'on entend par la redondance et la quasi-universalité du code génétique.

RÉFLEXION-APPLICATION

1. Un biologiste a inséré un gène en provenance d'un foie humain dans le chromosome d'une Bactérie. La Bactérie a alors transcrit ce gène en ARNm et a traduit ce dernier en

LA DÉCOUVERTE DES VIRUS
STRUCTURE ET RÉPLICATION DES VIRUS :
CARACTÉRISTIQUES GÉNÉRALES
RÉPLICATION DES VIRUS : L'INFECTION VIRALE
VIRUS BACTÉRIENS
VIRUS ANIMAUX
VIRUS VÉGÉTAUX ET VIROÏDES
ORIGINE ET ÉVOLUTION DES VIRUS
GÉNOMES BACTÉRIENS : RÉPLICATION ET MUTATION
RECOMBINAISON GÉNÉTIQUE ET TRANSFERT DE GÈNES
CHEZ LES BACTÉRIES
RÉGULATION DE L'EXPRESSION GÉNIQUE CHEZ LES PROCARYOTES

L a biologie moléculaire a vu le jour dans les laboratoires de microbiologistes qui étudiaient les Virus
et les Bactéries. Ce sont les microbiologistes qui ont
fourni le plus grand nombre d'éléments ayant permis de
démontrer que le matériel génétique se compose d'ADN
(voir le chapitre 15). Ils ont aussi décrit les étapes fondamentales de la réplication, de la transcription et de la traduction, les trois mécanismes dont dépend la circulation
de l'information génétique. Les Virus et les Bactéries
constituent des modèles qui offrent aux scientifiques la
possibilité d'observer les processus moléculaires fondamentaux de la vie sous leur forme la plus simple et la
plus accessible. Dans le domaine de la biologie, les grandes découvertes ont souvent été l'œuvre de chercheurs
qui ont eu l'intelligence ou la chance de choisir des organismes expérimentaux adaptés aux questions qu'ils se
posaient (figure 17.1).

Les Virus et les Bactéries possèdent leurs caractéristiques propres, dont l'étude permet de mieux comprendre
comment ces organismes provoquent des maladies. En
outre, l'étude de la génétique des microorganismes a facilité la mise au point de techniques qui permettent la
manipulation des gènes par les scientifiques, et leur
transfert d'un organisme à un autre. Ces méthodes ont
des retombées importantes tant en recherche fondamentale que dans le domaine de la biotechnologie (voir le
chapitre 19).

Dans le présent chapitre, nous allons étudier la génétique des Virus et des Bactéries. Rappelez-vous que les
Bactéries font partie des procaryotes, dont l'organisation
cellulaire est bien plus simple que celle d'eucaryotes tels
que les Végétaux et les Animaux. Les Virus sont encore
plus simples ; il leur manque les structures et la plupart
des outils métaboliques présents dans les cellules. En fait,
la plupart des Virus ne constituent guère plus qu'un
assemblage d'un acide nucléique et de protéines, en
d'autres termes d'un groupe de gènes emballés dans une
coque protéique. Abordons notre étude de ces modèles
génétiques, les plus simples de tous.

LA DÉCOUVERTE DES VIRUS

Les microbiologistes ont découvert les Virus de façon
indirecte bien avant d'avoir la possibilité de les voir.
L'histoire de la recherche virale débute en 1883 avec
A. Mayer, un scientifique allemand dont les travaux portaient sur les causes de la mosaïque du Tabac. Cette maladie retarde la croissance du plant de Tabac et donne à ses
feuilles une coloration tachetée, dite en mosaïque
(figure 17.2). Mayer découvrit le caractère contagieux de
cette maladie en constatant qu'il pouvait la propager

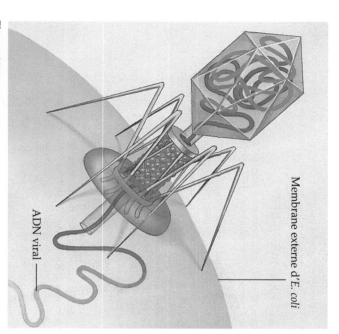

Membrane externe d'*E. coli*

ADN viral

Figure 17.1
Virus injectant son ADN dans une Bactérie. Ce schéma représente la première étape de l'un des phénomènes biologiques les
plus remarquables : l'assujettissement génétique d'une cellule par
un Virus. L'infection débute lorsque le Virus injecte son ADN dans
la cellule hôte. Dans le cas présenté ici, la cellule est la Bactérie
E. coli et le Virus est un Bactériophage T4. C'est en étudiant les
Virus et les Bactéries que les biologistes ont entrevu pour la première fois la subtilité des mécanismes moléculaires de l'hérédité.
Dans le présent chapitre, nous allons nous pencher sur la
génétique des Virus et des Bactéries.

voir le VMT et de nombreux autres Virus à l'aide du microscope électronique.

STRUCTURE ET RÉPLICATION DES VIRUS : CARACTÉRISTIQUES GÉNÉRALES

Les Virus les plus minuscules ont un diamètre de 20 nm (taille approximative d'un ribosome). On pourrait facilement en placer des millions sur une tête d'épingle, et on peut difficilement distinguer même les plus gros d'entre eux au microscope photonique. La découverte de Stanley, qui avait montré qu'on pouvait cristalliser les Virus, s'avérait tout aussi passionnante que déconcertante. Même les cellules les plus simples ne s'assemblent pas en cristaux ordinaires. Mais si les Virus ne sont pas des cellules, alors que sont-ils ? Les Virus sont des particules infectieuses comportant seulement des gènes enfermés dans une coque de protéines. Nous allons nous pencher dans un premier temps sur ces deux composants des Virus, puis nous examinerons brièvement le rôle qu'ils jouent dans la réplication virale.

Génomes viraux

On imagine le plus souvent que les gènes se composent d'ADN bicaténaire (la double hélice classique), mais on trouve plusieurs exceptions à cette règle chez les Virus. Leur génome (ensemble des gènes) comporte de l'ADN bicaténaire, de l'ADN monocaténaire, de l'ARN bicaténaire ou de l'ARN monocaténaire, suivant la sorte de Virus. On parle de Virus à ADN ou de Virus à ARN, selon l'acide nucléique qui compose le génome. Dans les deux cas, le génome viral contient habituellement une seule molécule d'acide nucléique linéaire ou circulaire. Les plus petits Virus ne possèdent que quatre gènes alors que les plus gros en ont plusieurs centaines.

Capsides et enveloppes

La coque de protéines qui renferme le génome viral est appelée **capside** ; elle peut présenter une forme de bâtonnet (plus précisément une forme hélicoïdale), une forme polyédrique ou une forme plus complexe encore. Les capsides se composent d'un grand nombre de sous-unités protéiques peu variées nommées capsomères. Le Virus de la mosaïque du Tabac, par exemple, a une capside rigide en forme de bâtonnet composée de plus de mille molécules de la même sorte de protéine (figure 17.3a). Les Adénovirus, qui infectent les voies respiratoires, comprennent 252 molécules protéiques identiques formant une capside polyédrique à 20 facettes triangulaires (un icosaèdre, figure 17.3b).

Certains Virus ont des structures accessoires qui leur permettent d'infecter leur hôte. Les Virus de la grippe et de nombreux autres Virus d'Animaux possèdent des **enveloppes** membraneuses autour de leur capside (figure 17.3c). Ces enveloppes proviennent de la membrane de la cellule hôte, mais outre les phosphoglycérolipides et les protéines de cette dernière elles contiennent aussi des glycoprotéines d'origine virale.

Les capsides les plus complexes appartiennent aux Virus qui infectent les Bactéries. On appelle les Virus

Figure 17.2
La mosaïque du Tabac. Cette maladie nuit à la croissance des plants de Tabac et cause une décoloration tachetée (mosaïque) des feuilles. L'agent infectieux à l'origine de cette maladie, le Virus de la mosaïque du Tabac (VMT), fut le premier Virus identifié par un scientifique.

d'une Plante à l'autre en aspergeant des plants sains avec de la sève extraite de feuilles atteintes de la maladie. Il se mit à la recherche d'un microorganisme dans la sève infectée et n'en trouva aucun. Mayer en déduisit que des Bactéries causaient la maladie. Cette hypothèse fut vérifiée dix ans plus tard par le Russe D. Ivanowsky, qui fit passer la sève provenant de feuilles de Tabac infectées à travers un filtre conçu pour éliminer les Bactéries. Il s'avéra que, même après ce filtrage, la sève provoquait toujours la maladie.

Ivanowsky continua à défendre l'hypothèse que les Bactéries provoquaient la mosaïque du Tabac. Il croyait que les Bactéries pathogènes étaient si petites qu'elles pouvaient passer à travers le filtre, ou bien qu'elles produisaient une toxine filtrable qui causait la maladie. Cette dernière possibilité fut écartée en 1897 par le microbiologiste hollandais M. Beijerinck, qui découvrit que l'agent infectieux présent dans la sève filtrée possédait la capacité de se multiplier. Beijerinck aspergea des plants avec la sève filtrée et, après l'apparition de la maladie, il utilisa leur sève pour contaminer d'autres plants, réalisant ainsi une série d'infections. L'agent pathogène avait dû se reproduire, car même après plusieurs passages d'un plant à l'autre sa capacité de déclencher la maladie restait entière.

En fait, l'élément pathogène ne pouvait se multiplier qu'à l'intérieur de l'hôte qu'il infectait. Contrairement aux Bactéries, on ne pouvait cultiver ce mystérieux facteur de la mosaïque du Tabac sur des milieux de culture placés dans des éprouvettes ou des boîtes de Pétri. Par ailleurs, l'agent pathogène n'était pas inactivé par l'alcool, qui tue généralement les Bactéries. Beijerinck postula l'existence d'une particule bien plus petite et plus simple que les Bactéries et douée de la capacité de se multiplier. Son hypothèse fut confirmée en 1935 par un scientifique américain, Wendell Stanley, qui parvint à cristalliser la particule infectieuse, aujourd'hui appelée Virus de la mosaïque du Tabac (VMT). Plus tard, on a pu

RÉPLICATION DES VIRUS : L'INFECTION VIRALE

Les Virus sont des parasites intracellulaires obligatoires, c'est-à-dire qu'ils ne peuvent se multiplier qu'à l'intérieur d'une cellule hôte. Un Virus isolé n'est pas en mesure de se répliquer (ni d'accomplir quoi que ce soit d'autre, sinon infecter une cellule hôte appropriée). Un Virus ne possède ni les enzymes nécessaires au métabolisme ni les ribosomes et autres structures requises pour la fabrication de ses propres protéines. Un Virus isolé représente donc un simple ensemble de gènes enveloppé dans des protéines et qui migre d'une cellule à l'autre.

Chaque sorte de Virus ne peut infecter et parasiter qu'une gamme limitée de cellules hôtes, que l'on appelle son **spectre d'hôtes**. Cette spécificité d'hôtes résulte de l'apparition de mécanismes de reconnaissance chez le Virus. L'identification des cellules hôtes se fait par une corrélation du type « clé et serrure » entre les protéines présentes à l'extérieur du Virus et les molécules réceptrices correspondantes situées à la surface de la cellule. Le spectre d'hôtes de certains Virus est assez large pour englober plusieurs espèces. Le Virus de la grippe porcine, par exemple, peut s'attaquer tant aux Porcs qu'aux Humains, et le Virus de la rage peut notamment infecter

bactériens **Bactériophages**, ou simplement **Phages** (voir le chapitre 15). Sept des premiers Phages étudiés infectaient la Bactérie *Escherichia coli*. Ces sept Phages ont été nommés type 1 (T1), type 2 (T2), etc., dans l'ordre de leur découverte. Il se trouve que les trois Phages T-pairs (T2, T4 et T6) présentent une structure très semblable. Leur capside prend la forme d'une tête icosaédrique (à 20 côtés), laquelle contient le matériel génétique. Une queue protéique munie de fibres caudales s'attache à la tête; le Phage se sert de ces fibres pour s'accrocher à une Bactérie (figure 17.3d, voir aussi la figure 17.1).

Figure 17.3

La structure des Virus. Les Virus sont constitués d'une molécule d'acide nucléique (ADN ou ARN) enfermée dans une coque de protéines, la capside, elle-même parfois recouverte d'une enveloppe membraneuse. Les sous-unités protéiques qui forment la capside sont appelées capsomères. Bien que les Virus varient par leur dimension et leur forme, ils ont en commun certains modèles structuraux; la plupart de ces modèles apparaissent dans les quatre exemples illustrés ici (MET). (a) Le Virus de la mosaïque du Tabac présente une capside hélicoïdale en forme de bâtonnet rigide. (b) L'Adénovirus possède une capside polyédrique pourvue d'une pointe glycoprotéique à chaque sommet. Certains Adénovirus provoquent des infections des voies respiratoires supérieures chez l'Humain. (c) Le Virus de la grippe a une capside hélicoïdale flexible et une enveloppe membraneuse externe hérissée de pointes de glycoprotéines. (d) Les Phages sont des Virus qui infectent les Bactéries. Les Phages T-pairs, comme le T4, ont une capside complexe qui consiste en une tête polyédrique et un appareil caudal. L'ADN se trouve dans la tête et l'appareil caudal permet de l'injecter dans une Bactérie (voir la figure 17.1).

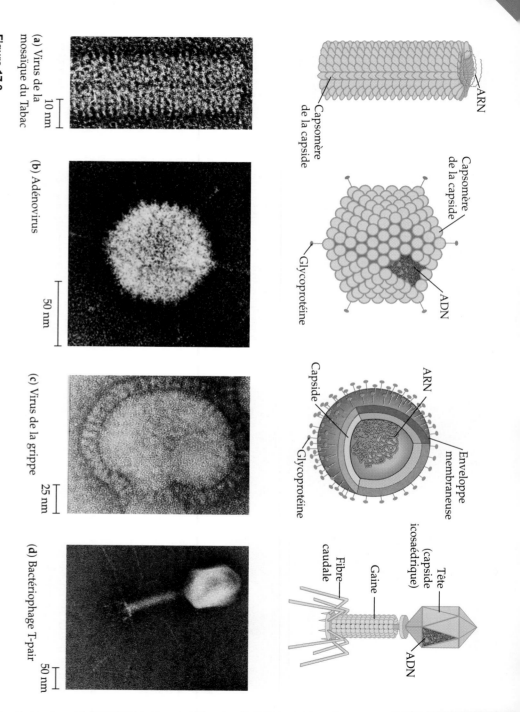

(a) Virus de la mosaïque du Tabac — 10 nm

(b) Adénovirus — 50 nm

(c) Virus de la grippe — 25 nm

(d) Bactériophage T-pair — 50 nm

les Rongeurs, les Chiens et les Humains. D'autres Virus ont un spectre d'hôtes si réduit qu'ils ne s'attaquent qu'à une seule espèce ou à un seul tissu chez une espèce. Par exemple, il existe plusieurs Phages qui ne parasitent que la Bactérie *E. coli*. Chez l'Humain, le Virus du rhume n'infecte habituellement que les cellules qui tapissent les voies respiratoires supérieures. Le Virus du sida, pour sa part, se lie à un récepteur spécifique localisé sur certains globules blancs du sang.

L'infection virale commence lorsque le génome du Virus parvient à l'intérieur d'une cellule. Le mécanisme d'entrée de l'acide nucléique dans l'hôte varie en fonction du type de Virus. Par exemple, les Phages T-pairs se servent de leur appareil caudal complexe pour injecter leur ADN dans une Bactérie (voir les figures 17.1 et 17.3d). Une fois qu'il y est entré, le génome viral peut prendre possession de la cellule hôte et la reprogrammer de sorte qu'elle recopie les gènes du Virus et fabrique les protéines de la capside (figure 17.4). La plupart des Virus à ADN utilisent les ADN polymérases de la cellule hôte pour synthétiser de nouveaux génomes à partir de la matrice fournie par l'ADN viral. Par contre, les Virus à ARN possèdent habituellement des enzymes leur permettant d'initier la réplication de leur propre génome à l'intérieur de l'hôte. Les cellules n'ont pas d'enzymes propres leur permettant de recopier l'ARN ; elles ne produisent jamais leur propre ARN par transcription d'une autre molécule d'ARN. Nous présenterons plus en détail la réplication des Virus à ADN et à ARN ultérieurement dans ce chapitre, lorsque nous étudierons certaines infections virales.

Quel que soit le génome viral en cause, le parasite détourne les ressources de son hôte afin de produire d'autres Virus. L'hôte fournit les nucléotides pour la synthèse des acides nucléiques. Ses enzymes, ses ribosomes, ses ARNt, ses acides aminés, son ATP et ses autres outils métaboliques servent à fabriquer les protéines virales demandées par l'ARNm qui provient de la transcription des gènes du parasite.

Une fois fabriquées, les molécules d'acide nucléique viral et les capsomères s'assemblent souvent de façon spontanée pour former de nouveaux Virus (un processus appelé **auto-assemblage**). En fait, on peut séparer l'ARN et les capsomères des VMT en laboratoire, puis les mélanger à nouveau pour reconstituer des Virus parfaits.

Le cycle de réplication le plus simple chez les Virus se termine lorsque les centaines, voire des milliers de Virus sortent de la cellule hôte infectée. Souvent, la cellule meurt à ce moment-là. En fait, certains des symptômes des infections virales humaines tels les rhumes et la grippe résultent des dommages subis par les cellules et de leur mort, ainsi que des réactions que ces phénomènes provoquent dans l'organisme. Les Virus de la nouvelle génération sortant de la cellule hôte ont la capacité d'infecter de nouvelles cellules, d'où la propagation de l'infection.

Le cycle de réplication simplifié que nous avons décrit dans ce survol présente un grand nombre de variantes ; nous en verrons quelques-unes au cours de notre étude plus approfondie de certains Virus affectant les Bactéries (Phages), les Végétaux et les Animaux.

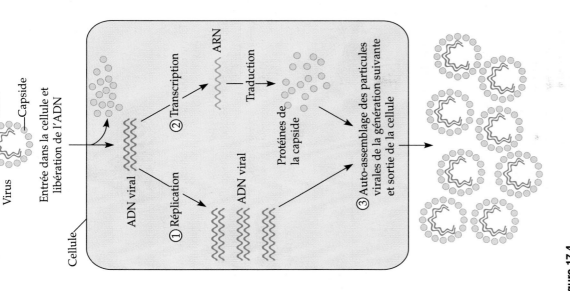

Figure 17.4
Représentation simplifiée du cycle de réplication d'un Virus.
Un Virus est un parasite intracellulaire obligatoire qui se multiplie grâce aux structures de la cellule hôte. Dans cet exemple de cycle de réplication viral, le plus simple de tous, le parasite est un Virus à ADN dont la capside ne comporte qu'une seule sorte de protéine. ① Après son entrée dans la cellule, l'ADN viral utilise les nucléotides et les enzymes de l'hôte pour se répliquer. ② Il se sert d'autres matériaux et structures de l'hôte afin de fabriquer des protéines de sa propre capside. ③ L'ADN viral et les protéines de la capside s'assemblent ensuite pour former de nouvelles particules virales.

VIRUS BACTÉRIENS

Les Phages sont les mieux connus de tous les Virus, bien que certains d'entre eux comptent aussi parmi les plus complexes. Les recherches sur les Phages ont révélé que les Virus à ADN bicaténaire pouvaient se multiplier au moyen de l'un ou l'autre de deux mécanismes : le cycle lytique et la lysogénisation.

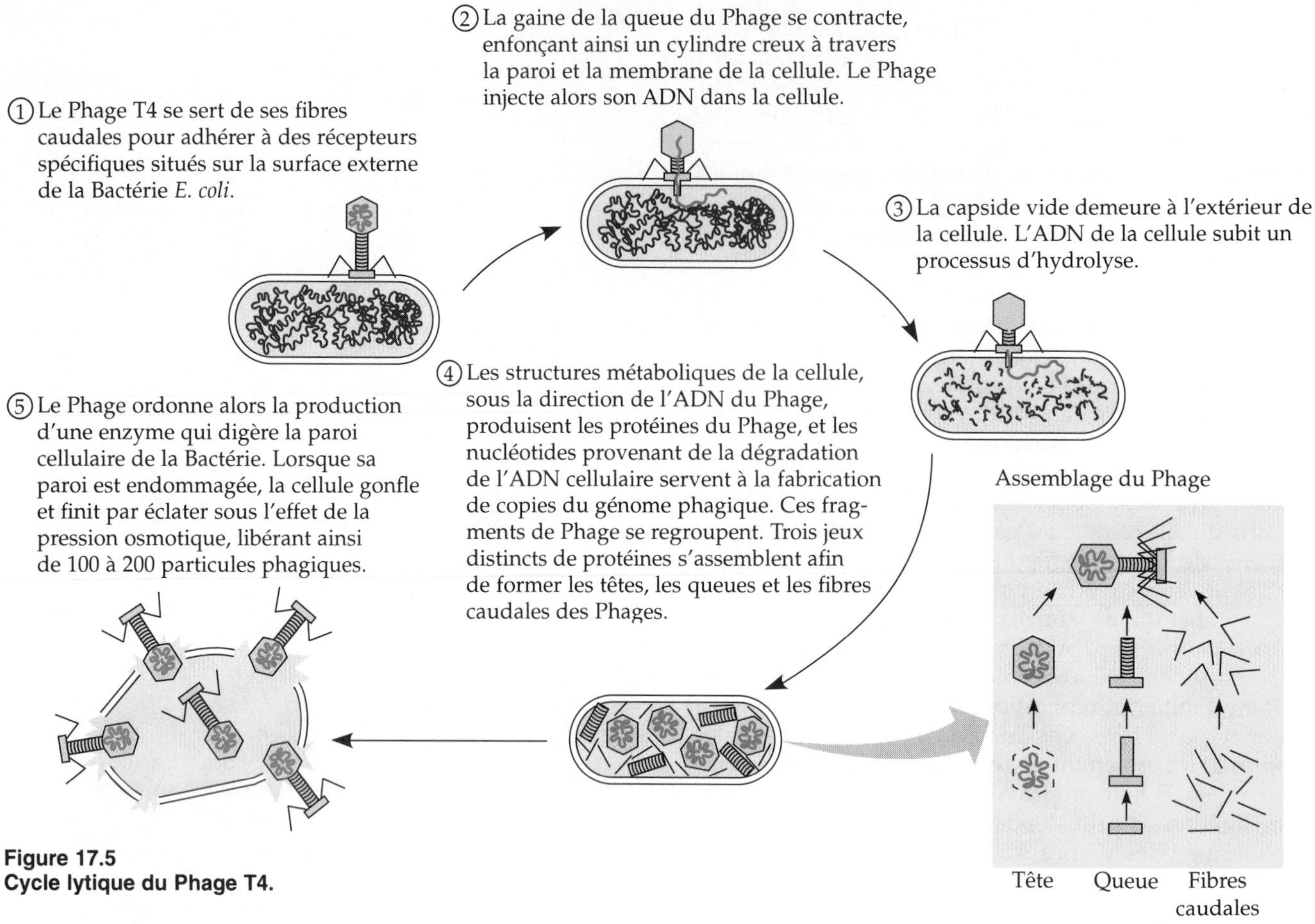

Cycle lytique

On nomme **cycle lytique** le cycle de réplication viral qui aboutit à la mort de la cellule hôte. Ce terme fait référence au dernier stade de l'infection, qui conduit à la lyse (éclatement) de la Bactérie et à la libération des Phages fabriqués à l'intérieur de celle-ci. Chacun de ces Phages peut alors infecter une cellule saine, de sorte que quelques cycles lytiques successifs suffisent à détruire toute une colonie bactérienne en quelques heures. On appelle **Virus virulent** un Virus qui se multiplie suivant un cycle lytique. Nous prendrons l'exemple du Phage virulent T4 pour illustrer les étapes d'un cycle lytique (figure 17.5).

Le cycle lytique commence lorsque les fibres caudales d'un Virus T4 adhèrent à des sites récepteurs spécifiques situés à la surface de la Bactérie E. coli. La gaine de la queue se contracte à ce moment-là, ce qui permet l'introduction d'un cylindre creux à travers la paroi et la membrane de la Bactérie. Les molécules d'ATP entreposées dans la queue du T4 fournissent l'énergie nécessaire à cette pénétration. Le Phage se met à fonctionner comme une minuscule seringue et injecte son ADN dans la cellule, ce qui laisse une capside vide à l'extérieur de la cellule. Ainsi que nous l'avons vu au chapitre 15, les premières expériences sur les Phages ont révélé que l'ADN constituait le matériel génétique ; en effet, des chercheurs ont démontré que c'était l'ADN du Phage, et non ses protéines, qui pénétrait dans la Bactérie lors de l'infection.

Une fois que la Bactérie E. coli a été infectée par l'ADN phagique, elle commence sans tarder à transcrire et à traduire les gènes du Virus. Le Phage T4 possède environ

100 gènes dont on connaît la plupart des fonctions. L'un des premiers gènes du Phage traduit par la cellule code pour une enzyme qui découpe l'ADN de la cellule hôte. L'ADN du Phage reste intact parce qu'il contient une forme de cytosine modifiée que ne reconnaît pas l'enzyme. La cellule se trouve alors complètement soumise aux directives génétiques de son envahisseur.

Une fois que le génome viral a pris le commandement de la cellule, il ordonne aux structures métaboliques de l'hôte de fabriquer les composants du Phage. Les nucléotides qui ont échappé à la dégradation de l'ADN cellulaire sont recyclés de façon à produire un grand nombre de copies du génome phagique. Trois jeux distincts de protéines se font synthétiser et assembler en queues, fibres caudales et têtes polyédriques. Ce bouleversement de la cellule par le Phage prend fin au moment où l'un des gènes du Phage ordonne la fabrication d'une enzyme (lysozyme), qui digère la paroi cellulaire de la Bactérie. À cause de ces dommages, la cellule gonfle jusqu'à ce qu'elle éclate sous l'effet de la pression osmotique. La Bactérie lysée libère de 100 à 200 particules phagiques, qui peuvent alors infecter les cellules voisines.

La durée totale du cycle lytique, du contact du Phage avec la surface cellulaire jusqu'à la lyse, n'est que de 20 à 30 minutes à une température de 37 °C. Pendant cet intervalle, la population de T4 peut se multiplier par cent, tandis qu'une population d'E. coli, même en croissance rapide, ne peut que doubler dans le même laps de temps. La vitesse de multiplication du Phage dépasse donc de loin celle d'une colonie bactérienne. Si on place un seul

Figure 17.5
Cycle lytique du Phage T4.

① Le Phage T4 se sert de ses fibres caudales pour adhérer à des récepteurs spécifiques situés sur la surface externe de la Bactérie E. coli.

② La gaine de la queue du Phage se contracte, enfonçant ainsi un cylindre creux à travers la paroi et la membrane de la cellule. Le Phage injecte alors son ADN dans la cellule.

③ La capside vide demeure à l'extérieur de la cellule. L'ADN de la cellule subit un processus d'hydrolyse.

④ Les structures métaboliques de la cellule, sous la direction de l'ADN du Phage, produisent les protéines du Phage, et les nucléotides provenant de la dégradation de l'ADN cellulaire servent à la fabrication de copies du génome phagique. Ces fragments de Phage se regroupent. Trois jeux distincts de protéines s'assemblent afin de former les têtes, les queues et les fibres caudales des Phages.

⑤ Le Phage ordonne alors la production d'une enzyme qui digère la paroi cellulaire de la Bactérie. Lorsque sa paroi est endommagée, la cellule gonfle et finit par éclater sous l'effet de la pression osmotique, libérant ainsi de 100 à 200 particules phagiques.

Assemblage du Phage

Tête Queue Fibres caudales

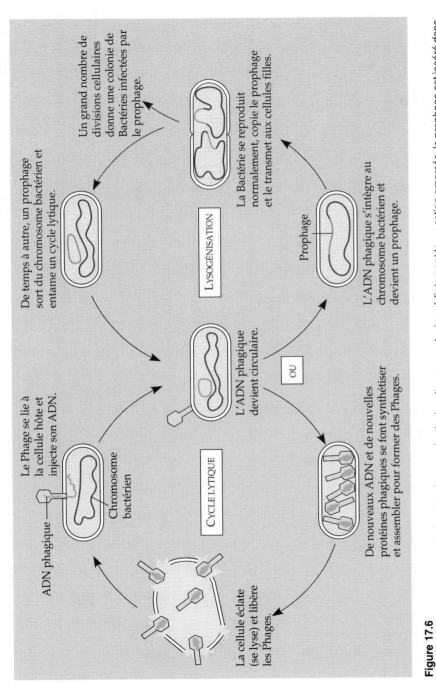

Figure 17.6
Le cycle lytique et la lysogénisation du Phage λ. Après avoir pénétré dans la cellule bactérienne, l'ADN du Phage λ peut soit s'intégrer au chromosome bactérien (lysogé-

nisation), soit commander immédiatement la production d'un grand nombre de Phages λ (cycle lytique). Dans la plupart des cas, il suit la voie lytique, mais une fois la lysogéni-

sation amorcée, le prophage est inséré dans le chromosome de la cellule hôte et y demeure parfois pendant de nombreuses générations.

Virus T4 dans une culture sensible d'*E. coli* croissant sur une gélose (milieu nutritif), on verra bientôt une zone claire s'étendre sur le « tapis » de Bactéries. Cette tache claire résulte de la lyse des cellules par des générations successives de Phages.

Après cette description du cycle lytique, vous vous demandez peut-être pourquoi les Phages n'ont pas exterminé toutes les Bactéries. En fait, les Bactéries ne sont pas dépourvues de moyens de défense. La sélection naturelle favorise les mutants bactériens dont les sites récepteurs ne correspondent plus aux fibres caudales d'une sorte de Phage. Après que l'ADN d'un Phage est parvenu à pénétrer dans une Bactérie, il peut subir l'assaut de diverses enzymes. Par exemple, les enzymes appelées **enzymes de restriction** reconnaissent et découpent l'ADN étranger à la cellule, y compris certains ADN phagiques. L'ADN bactérien, lui-même modifié chimiquement, se trouve protégé de l'attaque des enzymes de restriction. Cependant, tout comme la sélection naturelle avantage les Bactéries pourvues d'enzymes de restriction efficaces, elle favorise les Phages mutants qui offrent une résistance à ces mêmes enzymes. La relation parasite-hôte évolue donc constamment.

Une autre raison explique la survie des Bactéries malgré les Phages. En effet, de nombreux Phages sont capables de refréner leurs tendances destructrices et, au lieu de lyser leurs cellules hôtes, de coexister avec elles : c'est ce qu'on appelle la lysogénisation.

Lysogénisation

Les Virus qui peuvent suivre les deux modes de réplication dans une Bactérie sont appelés **Virus tempérés.** Contrairement au cycle lytique, dans lequel la cellule hôte meurt, la **lysogénisation** permet la réplication du génome viral sans destruction de l'hôte. Afin de comparer ces deux cycles de réplication possibles, nous allons examiner un Virus tempéré appelé Phage lambda, dont on abrège le nom par la lettre grecque λ. Le Phage λ ressemble au T4, mais ne possède pas de fibres caudales.

L'infection d'une Bactérie *E. coli* par λ débute lorsque le Phage se lie à la surface de la cellule et injecte son ADN (figure 17.6). À l'intérieur de l'hôte, l'ADN de λ se transforme en une molécule circulaire. Ce qui se passe ensuite dépend du mode de réplication : le cycle lytique ou la lysogénisation. Si le Virus suit le cycle lytique, les gènes viraux transforment immédiatement la cellule hôte en usine de production de λ, et la cellule ne tarde pas à se lyser et à libérer les Virus qu'elle a fabriqués. Si le Virus suit la lysogénisation, le génome viral se comporte différemment. L'ADN de λ s'incorpore à un site spécifique du chromosome cellulaire et prend alors le nom de **prophage.** L'un des gènes du prophage code pour un répresseur, une protéine ainsi appelée parce qu'elle réprime la plupart des autres gènes du prophage. Le génome du Phage reste donc silencieux à l'intérieur de la Bactérie. Comment le Phage réussit-il à se multiplier ? Chaque fois que la cellule d'*E. coli* se prépare

à se diviser, elle reproduit l'ADN du Phage en même temps que le sien et en transmet les copies à ses cellules filles. En peu de temps, une seule cellule infectée peut donner naissance à une grande population de Bactéries portant le Virus sous forme de prophage. Ce mécanisme permet aux Virus de se multiplier sans éliminer les cellules hôtes dont ils dépendent.

Le terme lysogénisation indique que les prophages sont en mesure de donner naissance à des Phages actifs qui lyseront la cellule hôte. Ce phénomène se produit lorsque le génome de λ sort du chromosome bactérien. Le génome de λ commande alors à la cellule hôte de fabriquer des Phages et de s'autodétruire, ce qui mène à la libération des Phages infectieux. C'est habituellement un facteur environnemental, tel qu'une radiation ou la présence de certaines substances chimiques, qui fait passer le Virus de l'état latent au cycle lytique.

Pendant la lysogénisation, outre le gène du répresseur, le prophage exprime parfois quelques autres gènes qui peuvent modifier le phénotype de la Bactérie hôte. Ce mécanisme peut avoir une importance majeure en médecine. Par exemple, les Bactéries qui provoquent chez les Humains des maladies comme la diphtérie, le botulisme et la scarlatine seraient inoffensives si certains gènes de prophages ne déclenchaient pas la production de toxines chez ces Bactéries.

VIRUS ANIMAUX

Nous avons tous été atteints d'infections virales, qu'il s'agisse de la varicelle, de la grippe ou d'un simple rhume. Le tableau 17.1 énumère quelques classes importantes de Virus animaux. Comme tous les Virus, ceux qui causent des maladies chez les Humains et les autres Animaux sont des parasites intracellulaires obligatoires qui ne peuvent se multiplier qu'en infectant des cellules hôtes.

Cycles de réplication des Virus animaux

Chez les Virus animaux, il existe de nombreuses variantes du modèle de base d'infection virale. Les deux exemples que nous étudierons sont les Virus à enveloppe et les Virus à ARN. Certains Virus possèdent à la fois des enveloppes et des génomes composés d'ARN, mais nous étudierons ces adaptations séparément pour des raisons de simplicité.

Virus à enveloppe Certains Virus animaux possèdent une membrane externe, ou enveloppe, qui recouvre la capside et permet au parasite d'entrer dans la cellule hôte (figure 17.7). Il s'agit en général d'une double couche de phospholglycérolipides, comme les membranes cellulaires, dont la surface externe est hérissée de glycoprotéines. Les pointes de glycoprotéine se lient à des molécules réceptrices spécifiques situées à la surface de la cellule hôte ; l'enveloppe virale fusionne avec la membrane plasmique de l'hôte, faisant ainsi pénétrer la capside et le génome viral dans la cellule. Une fois que les enzymes cellulaires ont détruit la capside, le génome viral peut se répliquer et commander la synthèse de protéines virales, y compris celle de glycoprotéines qui constitueront de nouvelles enveloppes virales. Le réticulum

* Les familles de chaque classe diffèrent surtout par la structure de la capside et la présence ou l'absence d'une enveloppe membraneuse.

Tableau 17.1 Classification de Virus animaux, selon le type d'acide nucléique

Classe	Famille*	Exemples – Maladies
I	**ADN bicaténaire**	
	Papovavirus	Papillome (chez l'Humain, verrues, cancer du col utérin) ; polyome (tumeurs chez certaines espèces animales)
	Adénovirus	Maladies respiratoires ; quelques-uns provoquent des tumeurs chez certaines espèces animales
	Herpèsvirus	Herpès simplex I (labial) ; Herpès simplex II (génital) ; *Herpesvirus varicellae* (varicelle, zona) ; Virus d'Epstein-Barr (mononucléose, lymphome de Burkitt)
	Poxvirus	Variole ; vaccine
II	**ADN monocaténaire**	
	Parvovirus	Érythème infectieux aigu ; la croissance de ces Virus dépend généralement d'une co-infection avec des Adénovirus
III	**ARN bicaténaire**	
	Réovirus	Virus de la diarrhée
IV	**ARN monocaténaire qui peut jouer le rôle d'ARNm (brin d'ARN positif)**	
	Picornavirus	Poliovirus (poliomyélite, rhinopharyngite) ; Rhinovirus (rhume) ; Entérovirus (hépatite A)
	Togavirus	Virus de la rubéole ; Virus de la fièvre jaune ; Virus de l'encéphalite
V	**ARN monocaténaire qui est une matrice pour l'ARNm (brin d'ARN négatif)**	
	Rhabdovirus	Rage, encéphalite
	Paramyxovirus	Rougeole, oreillons
	Orthomyxovirus	Virus de la grippe
VI	**ARN monocaténaire qui est une matrice pour la synthèse de l'ADN**	
	Rétrovirus	Virus oncogènes à ARN (par ex. leucémie) ; sida

endoplasmique rugueux de l'hôte fabrique ces protéines membranaires, qui se font transporter dans des vésicules jusqu'à la membrane plasmique ; là, elles se regroupent en plaques qui serviront de sorties aux Virus de la génération suivante. Pour quitter la cellule, les Virus s'enveloppent dans ces portions de la membrane plasmique. Autrement dit, l'enveloppe virale provient de la membrane cellulaire de l'hôte, bien que la synthèse de certaines molécules de cette membrane ait été commandée par des gènes viraux. Les Virus ainsi pourvus d'une enveloppe sont libérés et propagent l'infection à d'autres cellules. Remarquez que ce cycle de réplication ne tue pas nécessairement la cellule hôte, contrairement au cycle lytique des Phages.

D'autres Virus possèdent des enveloppes qui ne proviennent pas de la membrane plasmique. Les enveloppes des Herpèsvirus, par exemple, proviennent de la membrane nucléaire de l'hôte. Les Herpèsvirus ont des génomes constitués d'ADN bicaténaire et ils se reproduisent à l'intérieur du noyau cellulaire, où ils mettent à profit un ensemble d'enzymes cellulaires et virales pour se répliquer et transcrire leur ADN. Au cours de son séjour dans le noyau, l'ADN de l'Herpèsvirus s'intègre au génome de la cellule sous la forme d'un **provirus**, semblable à un prophage bactérien. Les personnes atteintes d'une infection herpétique (y compris l'herpès labial et l'herpès génital) sont sujettes à des récurrences tout au long de leur vie. Entre ces crises, le provirus reste latent dans l'organisme. De temps à autre, sous l'effet d'une fatigue physique ou émotionnelle, le provirus, excisé du génome de l'hôte, se réplique, ce qui déclenche une infection active.

Virus à ARN Toute la gamme des génomes viraux se retrouve chez les Virus animaux. Les Virus à ARN offrent des caractéristiques particulièrement intéressantes, et c'est la raison pour laquelle nous allons étudier ici leur biologie moléculaire, même si certains Phages et la plupart des Virus végétaux sont aussi des Virus à ARN. Les Virus à ADN et les Virus à ARN sont classés selon le mode de transcription de leur génome en ARN messager. La figure 17.8 montre le lien entre la génétique moléculaire de ces classes de Virus et les exemples donnés dans le tableau 17.1.

Les **Rétrovirus** présentent les cycles de réplication les plus complexes parmi les Virus à ARN. *Rétro*, qui signifie « à l'envers », se rapporte au sens de la circulation de l'information génétique, lequel est inversé dans ces Virus. Les Rétrovirus possèdent une enzyme spécifique appelée **transcriptase inverse**, qui transcrit de l'ADN à partir d'une matrice d'ARN. L'ADN nouvellement formé s'intègre alors sous forme de provirus dans un chromosome du noyau de la cellule animale. L'ARN polymérase de l'hôte transcrit l'ADN viral en molécules d'ARN, qui peuvent à la fois jouer le rôle d'ARNm pour la synthèse de protéines virales et devenir de nouveaux génomes pour les Virus libérés de la cellule. Le **VIH** (**Virus de l'immunodéficience humaine**), qui cause le **sida** (**syndrome d'immunodéficience acquise**), est un Rétrovirus particulièrement important. La figure 17.9 présente le cycle de réplication du VIH ; nous étudierons le sida plus en détail au chapitre 39.

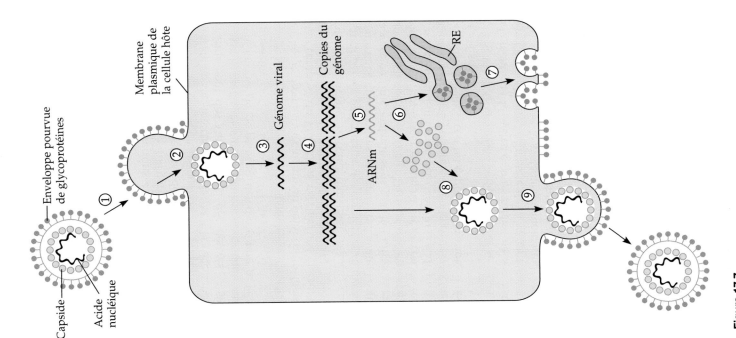

Figure 17.7
Cycle de réplication d'un Virus à enveloppe. ① Les glycoprotéines qui hérissent l'enveloppe virale reconnaissent les molécules réceptrices spécifiques situées à la surface de la cellule hôte et se lient à elles. L'enveloppe virale fusionne avec la membrane plasmique de la cellule. ② La capside et le génome viral pénètrent dans la cellule. ③ Les enzymes cellulaires détruisent la capside. ④ Le génome viral se fait répliquer par des enzymes cellulaires et ⑤ les copies sont transcrites en ARN messager. ⑥ L'ARNm se fait traduire à la fois en protéines de capside et en glycoprotéines propres à l'enveloppe virale. Le réticulum endoplasmique rugueux de la cellule hôte synthétise les glycoprotéines. ⑦ Des vésicules transportent les glycoprotéines jusqu'à la membrane plasmique de la cellule. ⑧ Les capsides s'assemblent autour des molécules d'acide nucléique viral. ⑨ Le Virus sort de la cellule dans une enveloppe, hérissée de glycoprotéines qui provient de la membrane plasmique de la cellule.

Membrane plasmique de la cellule hôte

Enveloppe pourvue de glycoprotéines

Capside

Acide nucléique

Génome viral

Copies du génome

ARNm

RE

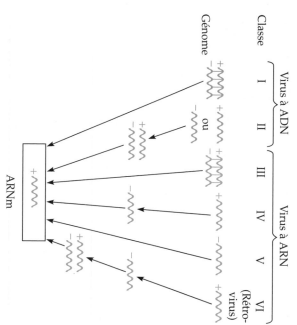

Classe	I	II	III	IV	V	VI (Rétro-virus)
	Virus à ADN		Virus à ARN			

Génome → ARNm

Figure 17.8
Classes de Virus animaux. Tous les types possibles de génomes viraux se retrouvent chez les Virus qui infectent les cellules animales. Ici, les Virus sont classés selon le mode de transcription de leur génome en ARN messager destiné à la synthèse de protéines virales. Le brin positif (+) d'un génome est la séquence nucléotidique qui code pour les protéines. Le brin négatif (−) ne code pas pour des protéines mais sert de matrice pour la synthèse d'un brin positif. Chez les Virus dont le génome est constitué d'ADN, qu'il soit bicaténaire (classe I) ou monocaténaire (classe II), l'ARNm se fait transcrire à partir du brin d'ADN négatif. Dans le cas des Virus dont le génome consiste en un ARN bicaténaire (classe III), le brin négatif est la matrice servant à la synthèse de l'ARNm. Les génomes des Virus de classe IV se composent d'un seul brin d'ARN positif. Ce type de génome peut jouer directement le rôle d'ARNm, mais il joue aussi le rôle de matrice pour la synthèse d'ARN négatif. Ce dernier devient à son tour la matrice pour la synthèse d'autres brins positifs. Des enzymes virales sont nécessaires à cette synthèse d'ARN à partir de matrices d'ARN. Il existe également des Virus à ARN monocaténaire dans lesquels le génome se compose d'un brin négatif (classe V), et où l'ARNm se fait transcrire directement à partir de cet ARN génomique. Le brin unique d'ARN positif d'un Rétrovirus (classe VI) sert de matrice pour la synthèse d'un brin d'ADN complémentaire. Ce transfert d'information de l'ARN à l'ADN s'effectue grâce à la transcriptase inverse, une enzyme propre aux Rétrovirus. La transcription produit ensuite un ARNm à partir d'une matrice d'ADN.

Infections virales chez les Animaux

Le lien entre une infection virale et les symptômes qui l'accompagnent est souvent difficile à cerner. Certains Virus endommagent ou tuent des cellules en libérant les enzymes hydrolytiques des lysosomes. D'autres Virus commandent la production, par les cellules infectées, de toxines qui causent les symptômes de la maladie, et d'autres encore possèdent des composants toxiques, tel les les protéines de l'enveloppe. L'étendue des dégâts provoqués par un Virus dépend en partie de la capacité du tissu infecté de se régénérer par division cellulaire. Habituellement, nous nous remettons complètement d'un rhume parce que l'épithélium des voies respiratoires se reconstitue par lui-même de façon efficace après une infection virale. Par contre, le Poliovirus s'attaque aux cellules nerveuses, lesquelles ne se divisent pas et ne peuvent être remplacées. Malheureusement, les lésions infligées à ces cellules sont irréversibles. De nombreux symptômes passagers qui accompagnent les infections virales (par exemple la fièvre, les courbatures et l'inflammation) proviennent des réactions de défense de l'organisme face à l'infection.

Comme nous le verrons au chapitre 39, le système immunitaire constitue une partie complexe et essentielle des mécanismes de défense de l'organisme. C'est également un des principaux outils de prévention des infections virales, soit la vaccination. Les **vaccins** sont des variantes ou des dérivés inoffensifs d'agents pathogènes qui stimulent le système immunitaire en vue de préparer sa défense contre le véritable agresseur.

Le terme vaccin vient du latin *vacca*, qui signifie Vache ; le premier vaccin, mis au point contre la variole, était composé du Virus de la vaccine, une maladie de la Vache. À la fin du XVIIIᵉ siècle, Edward Jenner, un médecin anglais exerçant dans une région agricole, apprit par ses patients que des employées chargées de la traite ainsi que d'autres personnes qui avaient contracté la vaccine (une maladie sans gravité) offraient ensuite une résistance à la variole. Dans sa célèbre expérience menée en 1796, Jenner égratigna un garçon de ferme à l'aide d'une aiguille trempée dans du liquide provenant d'une plaie d'une personne atteinte de la vaccine. Plus tard, lorsque le garçon fut exposé à la variole, il résista à la maladie.

Les Virus de la vaccine et de la variole se ressemblent tellement que le système immunitaire ne les distingue pas l'un de l'autre. À la suite de la vaccination avec le Virus de la vaccine, le système immunitaire devenu sensibilisé défend vigoureusement l'organisme contre le véritable Virus de la variole. Cette stratégie a rendu possible l'éradication de la variole, qui a constitué longtemps un terrible fléau dans de nombreuses régions du monde. Il existe aussi des vaccins efficaces contre bon nombre de maladies virales, dont la poliomyélite, la rubéole, la rougeole et les oreillons. La biotechnologie a ouvert la voie à de nouvelles approches en vue de mettre au point des vaccins antiviraux et de produire, par l'industrie pharmaceutique, certains autres agents antiviraux naturels comme l'interféron (voir le chapitre 39).

Bien que les vaccins permettent de prévenir certaines maladies virales, la médecine actuelle ne réussit pas à guérir la plupart des infections virales. Les antibiotiques se révèlent utiles pour enrayer des infections bactériennes, mais ils restent impuissants contre les Virus. Ils tuent les Bactéries en inhibant les enzymes ou les mécanismes biochimiques propres à ces agents pathogènes, mais les Virus possèdent peu ou pas d'enzymes propres, puisqu'ils se servent de celles de leurs hôtes. Cependant, quelques produits antiviraux efficaces ont fait leur apparition au cours des dernières années. Plusieurs de ces médicaments représentent des analogues chimiques des nucléosides et empêchent la synthèse des acides nucléiques viraux. L'un de ces produits, la vidarabine (aussi appelée Vira-A ou Vira-A Parentéral), se compose de nucléotides constitués d'une molécule d'adénine (une base azotée) liée à une molécule d'arabinose, qui

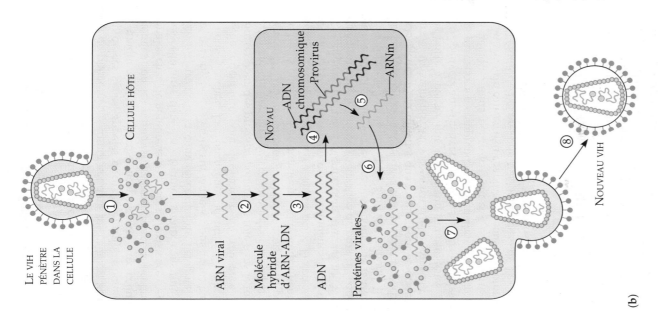

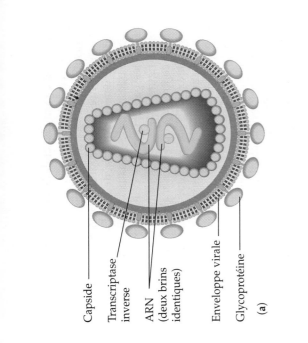

Figure 17.9

Cycle de réplication du VIH, un Rétrovirus. (a) Structure du VIH. Le Virus de l'immunodéficience humaine est l'agent infectieux du sida. Les glycoprotéines de l'enveloppe permettent au Virus de se lier à des récepteurs spécifiques situés à la surface de certains globules blancs du sang. Le génome du VIH est un ARN monocaténaire. (Bien qu'il y ait deux molécules d'ARN, elles sont toutes les deux des brins positifs.) Le Virus contient également de la transcriptase inverse. **(b)** Cycle de réplication du VIH. ① Le génome pénètre dans une cellule hôte lorsque l'enveloppe virale fusionne avec la membrane plasmique et que les protéines de la capside se font digérer par les enzymes. ② La transcriptase inverse catalyse alors la synthèse d'un ADN qui est complémentaire à la matrice d'ARN venant du génome viral. ③ Le nouveau brin d'ADN sert alors de matrice pour la synthèse d'un brin d'ADN complémentaire, et ④ l'ADN bicaténaire se fait incorporer comme provirus dans le génome de la cellule hôte. ⑤ Les gènes proviraux sont transcrits en molécules d'ARNm ⑥ traduites en protéines du VIH dans le cytoplasme. L'ARN transcrit à partir du provirus fournit aussi les génomes de la prochaine génération de Virus. ⑦ L'assemblage des capsides autour des génomes précède ⑧ la sortie des nouveaux Virus de la cellule hôte.

remplace le ribose. La vidarabine agit sur plusieurs Virus animaux à des concentrations bien trop faibles pour inhiber la synthèse des acides nucléiques de l'hôte. L'acyclovir (aussi appelé acycloguanosine), qui semble inhiber la synthèse de l'ADN des Herpèsvirus, fait également partie de ces produits. Un médicament ayant un mode d'action différent, le chlorhydrate d'amantadine (commercialisé sous le nom de Symmetrel) démontre une certaine efficacité dans la prévention de la grippe. Il semble que cette substance empêche l'ouverture de la capside virale après son entrée dans la cellule, bloquant ainsi la réplication du génome.

Virus et cancer

Les scientifiques savent depuis longtemps que certains Virus peuvent provoquer l'apparition d'une tumeur chez les Animaux. Les recherches menées sur ces **Virus oncogènes**, qui comprennent des Rétrovirus, des Papovavirus, des Adénovirus et des Herpèsvirus, ont été facilitées par les techniques permettant de les faire se développer sur des cultures cellulaires. Lorsque certains Virus oncogènes infectent des cellules animales croissant dans un milieu de culture, les cellules subissent une transformation et passent à l'état tumoral. Elles prennent alors la forme arrondie propre aux cellules tumorales et croissent de façon anarchique (voir les figures 11.14 et 11.17).

Dans quelques cas, il paraît très probable que les Virus déclenchent certains types de cancers humains. Le Virus de l'hépatite B semble aussi provoquer le cancer du foie chez les personnes atteintes d'une hépatite chronique. Le Virus d'Epstein-Barr, l'Herpèsvirus responsable de la mononucléose infectieuse, est associé à plusieurs types de cancer fréquents dans certaines régions d'Afrique, et particulièrement au lymphome de Burkitt. Les Papillomavirus (du groupe des Papovavirus) ont un lien avec le cancer du col utérin. Un Rétrovirus, le HTLV-I provoque un type de leucémie chez l'adulte. Tous les Virus oncogènes transforment les cellules en intégrant leur génome

à l'ADN de l'hôte. Cette insertion s'avère permanente ; le provirus ne se fait jamais exciser, contrairement au prophage.

Les scientifiques ont identifié un certain nombre de gènes viraux directement impliqués dans le déclenchement de phénomènes tumoraux dans les cellules. Beaucoup de ces gènes, appelés **oncogènes**, n'appartiennent pas uniquement aux Virus oncogènes ou aux cellules tumorales : on les retrouve également dans les cellules normales chez de nombreuses espèces. L'existence de ces gènes cellulaires dans les génomes viraux constitue un indice majeur pour la compréhension de l'énigme qui entoure l'origine des Virus, sur laquelle nous allons bientôt nous pencher. Les oncogènes identifiés à l'heure actuelle codent tous pour des facteurs de croissance cellulaire ou pour des protéines jouant un rôle dans le fonctionnement des facteurs de croissance (par exemple les récepteurs). Dans certains cas, le Virus oncogène ne possède pas d'oncogènes et transforme tout simplement la cellule en déclenchant ou en augmentant l'expression d'un ou de plusieurs des oncogènes cellulaires. Quel que soit le mécanisme par l'intermédiaire duquel un Virus donné provoque le cancer, l'activation de plusieurs oncogènes semble le plus souvent requise pour que la transformation de la cellule aboutisse à un état tumoral. Il est probable que les infections dues à la plupart des Virus cancérogènes n'ont un effet que si elles sont associées à d'autres évènements, et vice-versa. Cette constatation nous porte à penser que les facteurs cancérogènes *non* viraux peuvent aussi activer les oncogènes des cellules. Si nous parvenons à comprendre la régulation de l'expression génique, nous pourrons peut-être comprendre les mécanismes du cancer. (Au chapitre 18, nous approfondirons l'étude de l'expression des oncogènes, de l'expression des gènes eucaryotes en général, ainsi que celle du cancer.)

VIRUS VÉGÉTAUX ET VIROÏDES

Les Virus des Végétaux nuisent beaucoup à l'agriculture ; ils entravent la croissance végétale et diminuent ainsi le rendement des cultures. La plupart des Virus végétaux découverts jusqu'à présent font partie des Virus à ARN. La majorité d'entre eux, y compris le Virus de la mosaïque du Tabac, possèdent des capsides en forme de bâtonnet dont les protéines sont disposées en spirale.

Une maladie virale végétale peut se propager de deux façons. Dans le premier mécanisme, appelé *transmission horizontale*, la Plante se fait infecter à partir d'une source virale externe. Comme le Virus envahisseur doit traverser la couche de cellules protectrices externes (l'épiderme) de la Plante, celle-ci devient plus sensible aux infections virales si elle a été endommagée par le vent, le froid, une blessure ou des Insectes. Les Insectes représentent une double menace parce qu'ils transportent souvent la maladie virale d'une Plante à l'autre. Les agriculteurs et les jardiniers eux-mêmes peuvent transmettre les Virus végétaux par l'intermédiaire de leurs instruments. L'autre voie de propagation est la *transmission verticale*, dans laquelle la Plante reçoit une infection en provenance d'un parent. La transmission verticale peut se produire au cours de la reproduction asexuée (lorsqu'on pratique des

boutures, par exemple) et de la reproduction sexuée avec des graines infectées.

Lorsqu'un Virus a pénétré dans une cellule végétale et qu'il commence à se reproduire, les particules virales se répandent dans l'ensemble de la Plante en passant par les plasmodesmes, des canaux cytoplasmiques qui traversent les parois entre des cellules végétales voisines (voir la figure 7.34). Les agronomes n'ont trouvé aucun remède contre la plupart des maladies virales affectant les Végétaux. Ils cherchent donc à réduire l'incidence et la propagation de ces maladies et à produire des variétés génétiques de Végétaux capables d'offrir une résistance à certains Virus.

Bien que les Virus aient de très petites dimensions et une structure très simple, ils sont beaucoup plus gros qu'une autre classe d'agents pathogènes des Végétaux, les **Viroïdes**. Ces derniers sont de minuscules molécules d'ARN nu, longues de quelques centaines de nucléotides seulement. D'une façon ou d'une autre, ces molécules d'ARN parviennent à gêner le métabolisme des cellules végétales et à empêcher leur croissance. Une maladie provoquée par un Viroïde a tué plus de dix millions de Cocotiers aux Philippines. Aux États-Unis, un autre Viroïde a presque fait disparaître l'industrie du Chrysanthème (les producteurs ont placé à temps leurs Plantes mères dans des serres stériles). Les Viroïdes constituent aussi une menace sérieuse pour la production de Pommes de terre et de Tomates.

Il semble que les Viroïdes soient apparentés à certains gènes eucaryotes normaux, notamment à ceux qui codent pour l'ARNi ; cette découverte singulière pourrait permettre de mieux comprendre le mode d'action des Viroïdes dans les cellules. Il s'avère que les séquences nucléotidiques de l'ARN des Viroïdes ressemblent à celles des introns que l'on trouve dans les gènes eucaryotes normaux (des introns qui peuvent s'exciser de leur transcrit d'ARN sans l'aide d'enzymes, voir le chapitre 16). Les Viroïdes étaient peut-être à l'origine des « introns échappés ». Selon une autre hypothèse, les Viroïdes et les introns à auto-épissage proviennent tous d'une molécule ancestrale commune.

Quoi qu'il en soit, il semble que les Viroïdes causent des erreurs dans le système régulateur de la cellule. En effet, les maladies dues à des Viroïdes s'accompagnent souvent de symptômes tels qu'un développement anormal ou une croissance réduite.

ORIGINE ET ÉVOLUTION DES VIRUS

Les Virus se situent dans la zone nébuleuse qui sépare le vivant du non-vivant. Devons-nous les considérer comme des molécules naturelles les plus complexes ou comme les formes de vie les plus simples ? De toute façon, ils nous obligent à revoir nos définitions habituelles. Un Virus isolé est biologiquement inerte, incapable de recopier ses gènes ou de reconstituer ses propres réserves d'ATP. Cependant, il possède un programme génétique écrit dans le langage universel de la vie. Bien que les Virus soient des parasites intracellulaires obligatoires incapables de se reproduire de façon indépendante, on ne peut guère nier, du point de vue évolutif, leur parenté avec le monde vivant.

Comment les Virus sont-ils apparus ? Étant donné que leur réplication dépend de l'existence des cellules, on suppose qu'ils ne descendent pas de formes de vie précellulaires et qu'ils ont fait leur apparition *après* les premières cellules. La plupart des cytologistes penchent pour l'hypothèse selon laquelle les Virus proviennent de fragments d'acides nucléiques cellulaires qui pouvaient se déplacer d'une cellule à l'autre. Cette idée se trouve vérifiée par le fait que le génome d'un Virus ressemble davantage à celui de la cellule hôte qu'à celui d'un Virus infectant d'autres hôtes. Effectivement, certains gènes viraux sont pratiquement identiques à ceux de leur hôte, comme c'est le cas pour les oncogènes. Il est possible que les premiers Virus aient été composés de morceaux d'acide nucléique nus semblables à des Viroïdes végétaux, et qui allaient d'une cellule à l'autre en traversant des surfaces cellulaires endommagées. L'apparition de gènes codant pour les protéines des capsides a pu faciliter l'infection de cellules saines.

Les précurseurs les plus probables des génomes viraux sont deux types d'éléments génétiques cellulaires nommés plasmides et transposons. Les plasmides sont de petites molécules d'ADN circulaires distinctes des chromosomes. Ils se trouvent dans les Bactéries ainsi que dans les Levures, des eucaryotes unicellulaires du règne des Mycètes. Les plasmides, comme la plupart des Virus, peuvent se répliquer indépendamment du reste du génome cellulaire et, parfois, se déplacer d'une cellule à l'autre. Les transposons sont des segments d'ADN capables de changer d'emplacement dans le génome d'une cellule. Les plasmides, les transposons et les Virus partagent donc une caractéristique importante : ce sont des composants génétiques mobiles. (Nous parlerons davantage des plasmides et des transposons plus loin dans ce chapitre.)

C'est parce qu'il existe cette relation associée à l'évolution entre les Virus et les génomes de leurs cellules hôtes que les Virus représentent des modèles si utiles pour la biologie moléculaire. En étudiant la régulation de la réplication virale, les chercheurs améliorent leur connaissance des mécanismes de régulation de la réplication de l'ADN et de l'expression génique (transcription et traduction) des cellules. Les Bactéries constituent des modèles microbiens tout aussi précieux, mais pour des raisons différentes. Contrairement aux Virus, les Bactéries sont de véritables cellules. Mais comme il s'agit d'organismes procaryotes, les chercheurs les utilisent afin d'étudier la génétique moléculaire des organismes les plus simples. De fait, E. coli est l'organisme le mieux compris à l'échelle moléculaire. À présent, nous allons laisser de côté l'étude des Virus et nous pencher sur la génétique des Bactéries.

GÉNOMES BACTÉRIENS : RÉPLICATION ET MUTATION

Les Bactéries font preuve de grandes capacités d'adaptation, tant sur le plan de l'évolution que sur le plan physiologique. Les sections qui suivent traitent de la génétique des Bactéries et expliquent comment ces microorganismes ont acquis tant de souplesse.

Le composant principal du génome bactérien est une molécule d'ADN bicaténaire de forme circulaire. Nous appelons cette structure chromosome bactérien, bien qu'elle diffère grandement des chromosomes des eucaryotes, lesquels comportent des molécules d'ADN linéaire associées à de très grandes quantités de protéines. Dans le cas de la Bactérie intestinale commune E. coli, le chromosome comprend environ 4 millions de paires de bases représentant quelque 3000 gènes. Il contient 100 fois plus d'ADN qu'un Virus ordinaire, mais seulement un millième de la quantité qui se trouve dans une cellule eucaryote moyenne. Malgré tout, cette quantité représente beaucoup d'ADN à emballer dans un récipient aussi petit. L'ADN déployé d'une cellule d'E. coli mesure environ un millimètre de longueur, soit une longueur 500 fois supérieure à celle de la cellule elle-même. Cependant, à l'intérieur d'une Bactérie, le chromosome forme une structure très pelotonnée. Cette région dense où se trouve l'ADN, et qu'on appelle **nucléoïde**, ne se délimite pas par une membrane comme dans le véritable noyau d'une cellule eucaryote. Outre le chromosome, de nombreuses Bactéries possèdent également des plasmides, des anneaux d'ADN beaucoup plus petits. Un plasmide compte tout au plus deux douzaines de gènes. Nous étudierons la structure et la fonction des plasmides dans la prochaine section.

Les cellules bactériennes se divisent par scissiparité, c'est-à-dire sans l'appareil mitotique complexe qui caractérise la mitose des cellules eucaryotes (voir le chapitre 11). La scissiparité survient après la réplication du chromosome bactérien. À partir d'une seule origine de réplication, le recopiage de l'ADN se poursuit dans les deux sens le long du chromosome circulaire (figure 17.10).

Dans un milieu favorable, qu'il s'agisse d'un habitat naturel ou d'une culture de laboratoire, les Bactéries se multiplient très rapidement. Par exemple, E. coli se divise toutes les 20 minutes dans des conditions optimales de croissance. Une culture issue d'une seule cellule peut produire une colonie de 10^7 à 10^8 Bactéries en une nuit (12 heures). Le taux de reproduction de cet organisme dans son habitat naturel, le gros intestin (côlon) des Mammifères, est tout aussi impressionnant. Dans le côlon humain par exemple, E. coli se reproduit assez vite pour remplacer les 2×10^{10} Bactéries perdues chaque jour dans les matières fécales.

Étant donné que la scissiparité est un processus asexué (production de descendants à partir d'un seul parent), la plupart des Bactéries d'une colonie naissent génétiquement identiques à la cellule mère. Cependant, à cause des mutations, *il existe quand même* un certain nombre de descendants porteurs d'un bagage génétique légèrement différent. Pour un gène donné d'E. coli, la probabilité d'une mutation n'est en moyenne que de 1×10^{-7} environ par division cellulaire. Mais comme il apparaît 2×10^{10} nouvelles cellules d'E. coli par jour dans un côlon humain, les mutations de chaque gène donneront naissance à environ 2000 ($2 \times 10^{10} \times 1 \times 10^{-7}$) E. coli mutantes par hôte humain pendant le même laps de temps. Si l'on considère les 3000 gènes d'E. coli, le nombre total de mutations atteint environ 6×10^6 (3000×2000) par jour. Retenons que les nouvelles mutations, malgré leur relative rareté, contribuent à la diversité génétique des organismes ayant un taux de reproduction très élevé et un temps de génération court. Cette diversité influe à son tour sur l'évolution des populations bactériennes : les Bactéries

possédant des caractéristiques génétiques qui leur permettent de faire face à l'environnement produisent des clones plus abondants que les individus moins bien adaptés.

Par contre, les nouvelles mutations apportent une contribution relativement faible à la variation génétique chez les organismes à reproduction lente comme les Humains. La majeure partie de la variation héréditaire que l'on observe dans une population humaine ne résulte pas de l'apparition par mutation de nouveaux allèles, mais bien de la recombinaison génétique des allèles existants (voir le chapitre 14). Même chez les Bactéries, où les mutations procurent effectivement une grande source de variations individuelles, la recombinaison génétique ajoute encore de la diversité à la population, ainsi que nous allons le voir.

RECOMBINAISON GÉNÉTIQUE ET TRANSFERT DE GÈNES CHEZ LES BACTÉRIES

La sélection naturelle repose sur la variation héréditaire présente parmi les individus d'une population (voir le chapitre 1). Outre les mutations, la recombinaison génétique contribue à la diversité dans les populations bactériennes. Nous définirons ici la recombinaison comme la formation d'une nouvelle combinaison des gènes provenant de deux individus dans le génome d'un seul individu.

Comment peut-on détecter la recombinaison génétique chez les Bactéries ? Considérons deux souches (variétés génétiques) d'E. coli, dont chacune s'avère incapable de synthétiser l'un des acides aminés essentiels.

Les E. coli présentant le phénotype sauvage croissent sur un milieu minimal contenant seulement du glucose comme source de carbone. Ces Bactéries synthétisent tous les autres composés organiques dont elles ont besoin, y compris les acides aminés, à partir des squelettes carbonés des molécules de glucose. Nos deux souches mutantes ne peuvent pas croître sur ce milieu de culture minimal, parce que l'une des deux ne peut pas synthétiser le tryptophane et l'autre ne peut pas synthétiser l'arginine.

Supposons que nous avons cultivé les deux souches ensemble sur un milieu contenant à la fois du tryptophane et de l'arginine. Au bout de quelques heures, on transfère un petit échantillon de cette culture dans une boîte de Pétri contenant un milieu minimal et on le laisse incuber pendant une nuit. Le lendemain matin, on observe de nombreuses colonies bactériennes sur le milieu minimal. Chacune de ces colonies provient nécessairement d'une cellule qui fabriquait *à la fois* du tryptophane *et* de l'arginine, mais leur nombre dépasse celui auquel on s'attendrait du fait des mutations. La plupart des cellules possédant les gènes qui codent pour la synthèse des deux acides aminés ont acquis ces gènes à partir de deux cellules différentes, une de chaque souche. Il s'est produit une recombinaison génétique.

Le mécanisme de la recombinaison génétique bactérienne diffère de celui de la recombinaison chez les eucaryotes. Chez ces derniers, le processus de la méiose et de la fécondation ont pour effet de regrouper dans un seul zygote le matériel génétique provenant de deux individus (voir le chapitre 12). Cette forme de reproduction sexuée n'existe pas chez les procaryotes : ceux-ci ne connaissent ni méiose, ni fécondation. Chez les Bactéries, la recombinaison génétique résulte de l'un des trois méca-

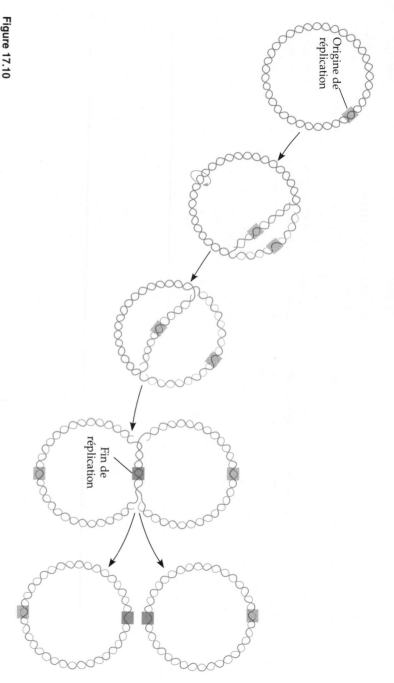

Figure 17.10
Réplication du chromosome bactérien. À partir de l'origine de réplication, l'ADN se réplique dans les deux sens le long du chromosome circulaire.

Origine de réplication

Fin de réplication

nismes suivants : la transformation, la transduction et la conjugaison.

Transformation

La **transformation** est la modification du génotype bactérien par l'absorption d'un ADN présent dans le milieu extracellulaire. Nous avons vu au chapitre 15 un exemple de transformation chez *Streptococcus pneumoniae* : des Bactéries inoffensives et sans capsule absorbent de l'ADN à partir d'un milieu contenant des cellules mortes de la souche pourvue de capsule, et elles subissent une transformation. Ces individus acquièrent une capsule protectrice et sont capables de causer la pneumonie. Cette transformation a lieu lorsqu'une cellule vivante sans capsule absorbe un segment d'ADN qui porte le gène pour la production de la capsule protectrice. L'allèle étranger s'incorpore dans le chromosome bactérien, où il remplace l'allèle original (pour l'état « sans capsule » dans le cas étudié ici), par l'intermédiaire d'un échange d'ADN ; ce mécanisme ressemble à l'enjambement qui a lieu pendant la méiose des eucaryotes. Le chromosome de la cellule transformée contient à présent de l'ADN issu de deux cellules différentes, ce qui correspond à notre définition de la recombinaison génétique.

Pendant de nombreuses années après la découverte de la transformation dans des milieux de cultures, la majorité des biologistes ont continué à croire que ce phénomène, trop rare et aléatoire, ne jouait pas un rôle important dans les populations bactériennes naturelles. Mais on a maintenant découvert que de nombreuses espèces de Bactéries présentent à leur surface des protéines spécialisées dans l'absorption d'ADN à partir de la solution environnante. Les protéines de ces organismes ne reconnaissent et n'effectuent que le transport d'ADN provenant d'espèces bactériennes étroitement apparentées. Toutes les Bactéries ne possèdent pas de telles protéines membranaires. Chez *E. coli*, par exemple, il ne semble pas exister de mécanisme spécialisé pour l'absorption d'ADN étranger. Cependant, si on place cet organisme dans un milieu de culture contenant une concentration relativement élevée d'ions calcium, les cellules absorbent de petits fragments d'ADN sous l'effet de cette stimulation artificielle. On a recours à cette technique en biotechnologie afin d'introduire des gènes étrangers dans des Bactéries (des gènes codant pour des protéines particulièrement importantes, telles l'insuline et l'hormone de croissance humaines). Il est intéressant de constater à quel point la transformation bactérienne a joué un rôle significatif dans l'histoire de la génétique moléculaire. Rappelez-vous que la découverte de la transformation a fourni la première preuve que l'ADN constitue le matériel génétique (voir le chapitre 15). À une époque plus récente, la transformation a permis de modifier le génome de Bactéries en vue de leur faire produire des protéines propres à d'autres espèces.

Transduction

Dans le mécanisme de recombinaison appelé **transduction**, les Phages (Virus qui infectent les Bactéries) transfèrent des gènes bactériens d'une cellule hôte à une autre. Il existe deux formes de transduction, la transduction généralisée et la transduction localisée (ou restreinte).

Considérons d'abord la **transduction généralisée**, illustrée à la figure 17.11a. Rappelez-vous qu'à la fin du cycle lytique d'un Phage, les molécules d'acide nucléique du Virus sont emballées dans des capsides et que les Phages complets se libèrent lorsque la cellule hôte se lyse. De temps à autre, un petit fragment d'ADN dégradé de la cellule hôte se trouve enfermé dans la capside à la place du génome d'un Phage. Ce Virus « défectueux » est dépourvu de son propre matériel génétique. Cependant, après sa libération, le Phage défectueux peut s'attacher à une autre Bactérie et lui injecter le fragment d'ADN bactérien provenant de la première cellule. Ce segment d'ADN prend ensuite la place de la région homologue du chromosome de la seconde Bactérie, par l'intermédiaire d'une réorganisation moléculaire semblable à un enjambement. Le chromosome contient alors un mélange de matériel génétique provenant de deux cellules : une recombinaison génétique a donc eu lieu. Ce mode de recombinaison est appelé transduction généralisée parce qu'il n'y a pas de transfert sélectif de gènes. Quel que soit le fragment d'ADN bactérien emballé dans le Phage, c'est ce même matériel génétique qui passera à une autre cellule.

Comparons ce résultat avec celui de la **transduction localisée**, illustrée à la figure 17.11b. Cette forme de transduction nécessite une infection par un Phage tempéré. Rappelez-vous que dans la lysogénisation, le génome d'un Phage tempéré s'intègre au chromosome de la Bactérie hôte sous forme de prophage, habituellement sur un site spécifique. Plus tard, lorsque le génome du Phage est excisé du chromosome, il entraîne parfois avec lui de petites régions de l'ADN bactérien adjacent. Lorsque ce Virus portant de l'ADN bactérien infecte une autre cellule, les gènes de la Bactérie pénètrent dans la cellule en même temps que le génome du Phage. Ce mode de recombinaison est appelé transduction localisée, parce que le transfert porte spécifiquement sur les gènes du chromosome qui se trouvent près du site d'incorporation du prophage.

Conjugaison et plasmides

La **conjugaison** constitue un transfert direct de matériel génétique entre deux cellules bactériennes temporairement liées. C'est chez *E. coli* que ce mécanisme de recombinaison génétique, l'équivalent bactérien de la reproduction sexuée, a été le plus étudié. Le transfert d'ADN s'effectue de façon unidirectionnelle, c'est-à-dire qu'une cellule apporte de l'ADN tandis que l'autre reçoit les gènes. La Bactérie donneuse d'ADN, dite « mâle », se sert d'appendices nommés *pili* afin de s'attacher à la Bactérie réceptrice, la « femelle » (figure 17.12). Un des pili, le pilus sexuel, se prolonge en un tube qui établit une jonction cytoplasmique temporaire entre les deux cellules et constitue une voie pour le transfert d'ADN. Le sexe « mâle », soit la capacité de former des pili sexuels et de transférer de l'ADN pendant la conjugaison, requiert la présence d'un plasmide particulier nommé facteur F. Il s'agit de l'un des divers types de plasmides découverts chez les Bactéries. Avant d'étudier les fonctions spécialisées du facteur F dans la conjugaison, nous allons présenter brièvement les plasmides.

Figure 17.11
Transduction. De temps en temps, les Phages transportent des gènes bactériens d'une cellule à l'autre. **(a)** Dans la transduction généralisée, des fragments du chromosome de l'hôte sont pris au hasard et enfermés à l'intérieur d'une capside phagique. **(b)** Dans la transduction localisée, il se produit une erreur lorsque le prophage quitte le chromosome de l'hôte, de sorte qu'il emporte avec lui des gènes bactériens adjacents. Dans les deux types de transduction, une partie de l'ADN transféré peut se recombiner avec le génome de la nouvelle cellule hôte.

(a) Transduction généralisée

Le Phage infecte la Bactérie.
ADN phagique
$A^+ B^+$

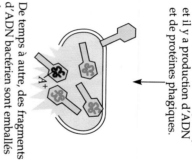

L'ADN de l'hôte est hydrolysé et il y a production d'ADN et de protéines phagiques.

De temps à autre, des fragments d'ADN bactérien sont emballés dans une capside phagique.

Les Phages responsables de la transduction infectent de nouvelles cellules hôtes, dans lesquelles il se produit une recombinaison par enjambement.

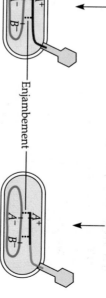

A^+
$A^- B^+$
Enjambement
A^+
$A^- B^-$

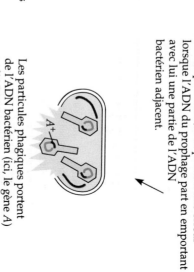

Recombinants bactériens
$A^+ B^-$

Le génotype des individus recombinants ($A^+ B^-$) diffère à la fois de celui de la cellule donneuse ($A^+ B^+$) et de celui de la cellule réceptrice ($A^- B^-$).

(b) Transduction localisée

ADN bactérien
ADN du prophage
$A^+ B^+$

Le prophage s'insère entre les gènes A et B de la cellule bactérienne.

$A^+ B^+$

De temps à autre, il se produit une erreur lorsque l'ADN du prophage part en emportant avec lui une partie de l'ADN bactérien adjacent.

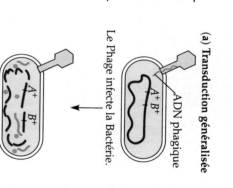

Les particules phagiques portent de l'ADN bactérien (ici, le gène A) et l'ADN du Phage.
A^+

Les plasmides : caractéristiques générales Un plasmide est une petite molécule d'ADN circulaire distincte en général du chromosome bactérien. Les plasmides se répliquent de façon indépendante, mais il arrive que quelques-uns se répliquent en même temps que le chromosome. D'autres plasmides se reproduisent à leur propre rythme, ce qui fait que leur nombre à l'intérieur d'une cellule peut changer.

Certains plasmides font preuve d'un comportement étonnant : ils peuvent s'intégrer au chromosome cellulaire de façon réversible. Les Virus tempérés comme le Phage λ se comportent aussi comme des plasmides. Rappelez-vous que le génome de ces Phages se recopie de manière indépendante dans le cytoplasme pendant le cycle lytique et comme partie intégrante du chromosome de l'hôte au cours de la lysogénisation. Nous avons déjà présenté l'hypothèse selon laquelle certains Virus descendent de plasmides. Bien entendu, il existe d'importantes différences entre les plasmides et les Virus. Les plasmides, contrairement aux Virus, n'ont pas de stade extracellulaire. Par ailleurs, ils sont généralement bénéfiques à la cellule, alors que les Virus nuisent le plus souvent à leur hôte.

Les plasmides ne contiennent que quelques gènes, inutiles à la survie et à la reproduction de la Bactérie dans des conditions normales. Cependant, il arrive que ces

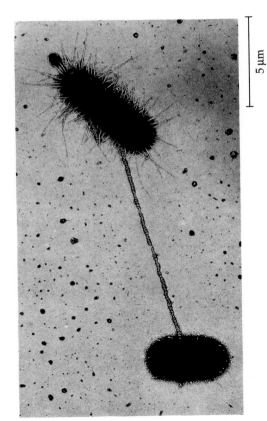

Figure 17.12
Croisement bactérien. Le « mâle » d'*E. coli* montre des pili, dont un pilus sexuel qui se joint à une cellule « femelle » (MET). Le pilus sexuel tubulaire établit une jonction cytoplasmique à travers laquelle le « mâle » transmettra de l'ADN à la « femelle ». Ce mécanisme de transfert d'ADN est appelé conjugaison.

5 µm

gènes prêtent un concours précieux à la Bactérie dans des environnements difficiles. Par exemple, le facteur F facilite la recombinaison génétique, ce qui s'avère fort utile dans un milieu changeant devenu hostile aux souches bactériennes existantes.

Le facteur F et la conjugaison Le **facteur F** (aussi appelé facteur de fertilité extrachromosomique ou plasmide F), compte 25 gènes environ, dont la plupart interviennent dans la production de pili sexuels. Les généticiens désignent par le symbole F⁺ une cellule qui contient le facteur F (cellule « mâle »). L'état F⁺ est héréditaire : la réplication du facteur F est synchronisée avec celle de l'ADN chromosomique, et la division d'une cellule F⁺ donne habituellement naissance à deux descendants F⁺. Les cellules dépourvues de facteur F, appelées F⁻, jouent le rôle de récepteurs d'ADN (« femelles ») lors de la conjugaison. L'état F⁺ est « contagieux », ce qui signifie qu'une cellule F⁺ peut convertir une cellule F⁻ en F⁺ par l'intermédiaire de la conjugaison. Le plasmide se réplique à l'intérieur de l'individu « mâle », et une copie parvient à la femelle par le tube de conjugaison qui relie les deux cellules (figure 17.13a). Dans un tel accouplement F⁺ × F⁻, seul un facteur F est transféré.

Dans quelles circonstances l'ADN du chromosome bactérien principal est-il transmis au cours de la conjugaison ? Le facteur F s'intègre de temps à autre au chromosome bactérien principal (figure 17.13b). Une cellule bactérienne où les gènes F sont intégrés au chromosome est devenue une cellule Hfr (à haute fréquence de recombinaison). La cellule Hfr continue de jouer le rôle du mâle pendant la conjugaison, en transmettant les gènes F à la cellule F⁻. Mais ensuite, le plasmide F entraîne l'ADN du chromosome avec lui (figure 17.13c). Le chromosome de la cellule Hfr subit une réplication pendant le transfert de l'ADN, et la cellule donneuse conserve donc ses propres gènes. Habituellement, les mouvements aléatoires des gènes. Habituellement, les mouvements aléatoires des Bactéries interrompent la conjugaison avant que la cellule F⁻ ait reçu une copie entière du chromosome Hfr. Momentanément, la cellule réceptrice devient un individu diploïde partiel contenant son propre chromosome de la cellule donneuse. La recombinaison se produit lorsque l'ADN copié d'une partie du chromosome de la cellule donneuse. La recombinaison se produit lorsque l'ADN nouvellement acquis s'aligne sur la région homologue du

chromosome de la cellule, et que l'ADN subit l'enjambement (figure 17.13d). La division de cette cellule donne alors naissance à une colonie de recombinants bactériens dont les gènes proviennent de deux cellules différentes.

Interruption de la conjugaison afin de cartographier les chromosomes bactériens Les spécialistes en génétique microbienne ont recours à des croisements Hfr × F⁻ afin de cartographier la séquence des gènes le long du chromosome d'*E. coli*. Lorsque le facteur F s'intègre à un chromosome pour former une cellule Hfr, il s'insère toujours sur un site spécifique (bien que ce site diffère d'une variété génétique d'*E. coli* à l'autre). Lorsque la copie du chromosome se faufile dans le tube de conjugaison, le plasmide F se trouve en tête. Donc, pendant la conjugaison, les autres gènes du chromosome passent toujours de la cellule donneuse à la cellule réceptrice selon un ordre précis déterminé par la position du plasmide F sur le chromosome. À la figure 17.13c, par exemple, le gène A, plus près du plasmide F, arrive dans la cellule F⁻ avant le gène B. Si la conjugaison durait plus longtemps, le gène C suivrait, puis le gène D et ainsi de suite. Les chercheurs peuvent reconstituer cette séquence et donc cartographier l'ordre linéaire des gènes en interrompant la conjugaison à des intervalles différents. Dans ce type d'expérience, on réalise un croisement entre une souche Hfr et une souche F⁻ qui ont des allèles différents pour les gènes que l'on veut cartographier. On mélange les deux cultures bactériennes et on prélève de petits échantillons à des moments différents : 5 minutes après le mélange, 10 minutes après le mélange, etc. On se sert d'un mélangeur de cuisine pour agiter chaque échantillon, ce qui a pour effet de dissocier les deux membres de chaque couple. Les Bactéries de chaque échantillon sont alors mises en culture, et chaque culture comprend des descendants de cellules F⁻ qui ont reçu des gènes au cours de la conjugaison. L'analyse génétique de ces recombinants permet d'identifier les gènes transmis pendant chaque intervalle. Au moyen de cette méthode et d'autres procédés, les généticiens ont réussi à cartographier l'emplacement de plus de la moitié des gènes d'*E. coli*. Il s'agit là d'un résultat remarquable, qui permet d'affirmer que *E. coli* est l'organisme le mieux connu des biologistes.

(a) Conjugaison entre une Bactérie F⁺ (mâle) et une Bactérie F⁻ (femelle). Les cellules qui portent le plasmide F, ou facteur de fertilité extrachromosomique, sont nom-

Plasmide F　Chromosome bactérien

Cellule F⁺

Pilus sexuel

Cellule F⁻

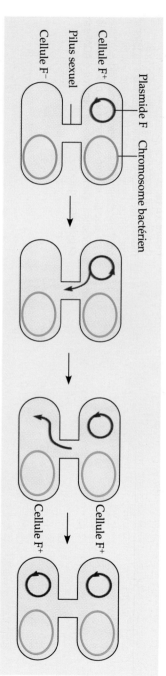

mées F⁺. On les dit « mâles » parce qu'elles peuvent transférer un plasmide F à une Bactérie « femelle » F⁻ lors de la conjugaison. De cette façon, un individu F⁻ peut devenir F⁺.

Le facteur F subit une réplication au cours de son transfert, de sorte que la cellule donneuse reste F⁺. La pointe de la flèche indique l'endroit où la réplication commence.

Cellule F⁺

Cellule F⁺

Cellule F⁺

(b) Conversion d'un mâle F⁺ en mâle Hfr par intégration du plasmide F dans le chromosome.

Cellule F⁺

Cellule Hfr

(c) Conjugaison entre une Bactérie Hfr et un individu F⁻. La réplication du chromosome du « mâle » commence à un point spécifique (pointe de la flèche) à l'intérieur du plasmide F (le site d'insertion du plas-

Cellule Hfr

Cellule F⁻

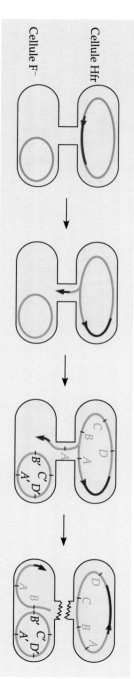

mide dans le chromosome varie d'une souche de E. coli à l'autre). Ce site détermine l'ordre de transfert des gènes à la « femelle » au cours de la conjugaison. Par exemple, dans cette souche d'E. coli, l'ordre

du transfert de quatre gènes est représenté par A–B–C–D. Le pilus sexuel se rompt habituellement avant que l'ensemble du chromosome et la dernière partie du plasmide F aient pu être transférés.

(d) Recombinaison entre le fragment de chromosome Hfr et le chromosome F⁻. Il peut se produire des enjambements entre les gènes situés sur le fragment de chromo-

Recombinant bactérien F⁻

some provenant de la Bactérie Hfr et les mêmes gènes (homologues) du chromosome de la cellule réceptrice (F⁻). Il en résultera un recombinant F⁻. Les segments

d'ADN qui se retrouvent à l'extérieur du chromosome bactérien finiront par être dégradés par les enzymes de la cellule ou se perdront lors de la division cellulaire.

Figure 17.13
Conjugaison et recombinaison chez E. coli.

Plasmides R et résistance aux antibiotiques Au cours des années 1950, des médecins japonais notèrent que certains patients hospitalisés pour une dysenterie bactérienne (maladie qui provoque une diarrhée sévère) ne réagissaient pas à des antibiotiques jusqu'alors efficaces dans le traitement de ce type d'infection. Apparemment,

une résistance à ces antibiotiques se manifestait chez certaines souches de *Shigella dysenteriae*, l'agent pathogène à l'origine de la dysenterie bactérienne. Bien des années plus tard, des chercheurs ont commencé à identifier les gènes responsables de la résistance aux antibiotiques, non seulement chez *Shigella*, mais chez de nombreuses

autres Bactéries pathogènes. Quelques-uns de ces gènes, par exemple, codent pour des enzymes qui détruisent spécifiquement certains antibiotiques comme la tétracycline et l'ampicilline. Les gènes de résistance, des gènes extrachromosomiques, se trouvent dans une sorte particulière de plasmides aujourd'hui appelés **plasmides R** (R pour « résistance »).

Si l'on expose une population bactérienne à un antibiotique donné (que ce soit dans un milieu de culture ou dans un organisme hôte comme un Humain), on tue les Bactéries sensibles à ce produit, mais pas celles qui possèdent les plasmides R correspondants. La théorie de la sélection naturelle prédit dans ces circonstances qu'un nombre croissant de Bactéries hériteront des gènes de résistance à l'antibiotique, et c'est effectivement ce qui se produit. Les conséquences médicales se devinent facilement : les souches résistantes d'agents pathogènes deviennent de plus en plus communes, ce qui complique le traitement de certaines infections bactériennes. Le problème se trouve aggravé par le fait que les plasmides R, tout comme les plasmides F, se transmettent d'une cellule bactérienne à l'autre par conjugaison. Pire encore, certains plasmides R portent jusqu'à dix gènes de résistance à autant d'antibiotiques. Comment un tel nombre de gènes de résistance aux antibiotiques se retrouvent-ils sur le même plasmide ? Avant de pouvoir répondre à cette question, il nous faut aborder un autre type d'éléments génétiques mobiles appelés transposons.

Transposons

Les transposons, aussi nommés éléments génétiques transposables, sont des segments d'ADN doués de la capacité de se déplacer d'un endroit à un autre à l'intérieur du génome cellulaire. Chez les Bactéries, un transposon peut sauter d'un locus chromosomique à l'autre ; d'un plasmide au chromosome ou vice-versa ; ou d'un plasmide à un autre. Par exemple, ce sont les transposons qui se chargent de regrouper les gènes de résistance aux antibiotiques sur un même plasmide en les y amenant à partir de différents plasmides.

Dans ce que l'on appelle une *transposition non réplicative*, les gènes du transposon ne subissent pas de réplication avant leur déplacement, et le nombre de copies de ces gènes reste donc le même. Cependant, il existe une autre forme de transposition appelée *transposition réplicative*, dans laquelle le transposon se réplique sur son site d'origine et sa *copie* va s'insérer à un autre endroit du génome ; en d'autres termes, les gènes du transposon s'ajoutent à un nouveau site sans avoir quitté leur ancien emplacement.

Les transposons ne semblent pas viser de cible particulière dans le génome (bien que la probabilité de recevoir un transposon augmente dans certaines régions de l'ADN). Cette capacité de disséminer certains gènes dans l'ensemble du génome fait de la transposition un phénomène fondamentalement différent de tous les autres mécanismes de brassage génétique. L'enjambement lors de la méiose chez les eucaryotes et les trois processus de recombinaison présents chez les procaryotes (transformation, transduction et conjugaison) reposent tous sur un échange d'allèles entre des régions homologues de l'ADN. Même si l'intégration d'un plasmide dans un

chromosome ne requiert pas la présence d'un site comportant un long segment d'ADN homologue au plasmide, l'insertion *est* bien spécifique au site ; les plasmides s'intègrent généralement à des endroits spécifiques du chromosome. Par contre, un transposon peut placer des gènes dans un site où des gènes semblables ne se sont jamais trouvés auparavant.

Transposons simples On appelle **transposon** simple une **séquence d'insertion** qui ne comporte que l'ADN nécessaire à la transposition elle-même, et aucun autre gène. Le gène unique qui se trouve dans un transposon code pour la *transposase*, une enzyme qui catalyse la transposition. Le gène de la transposase est encadré par une paire de séquences d'ADN appelées *répétitions inversées*, des séquences non codantes d'une longueur de 20 à 40 nucléotides (figure 17.14a). On nomme ainsi les deux régions d'ADN situées à chaque extrémité d'un transposon, parce que chacune de ces séquences de bases se retrouve en sens inverse sur l'autre brin d'ADN, dans la région située à l'autre extrémité du transposon. Voici un exemple abrégé de répétition inversées :

Brin d'ADN n° 1	...ATCCGGT...	...ACCGGAT...
Brin d'ADN n° 2	...TAGGCCA...	...TGGCCTA...

La transposase reconnaît les répétitions inversées comme les limites du transposon. L'enzyme se lie à ces deux régions de l'ADN et les rapproche, catalysant ainsi la coupure et le raccordement requis par la transposition (figure 17.14b). La transposition requiert aussi d'autres enzymes. Par exemple, l'ADN polymérase participe à la formation de régions d'ADN identiques appelées *répétitions directes*, qui encadrent un transposon dans son nouveau site cible (figure 17.15).

Habituellement, lorsqu'un transposon se place sur un gène, il entrave son fonctionnement en s'interposant dans la séquence codante d'une protéine. Autrement dit, les transposons provoquent des mutations en se déplaçant. En plus de s'intercaler dans les régions codantes de l'ADN, les transposons peuvent modifier le rythme de production d'une protéine en s'insérant à l'intérieur des régions régulatrices de l'ADN, qui régissent les vitesses de transcription. Quel que soit l'endroit où les transposons se retrouvent dans le génome, ils vont modifier le phénotype de la cellule d'une façon ou d'une autre. Les transposons représentent environ 1,5 % du génome d'E. coli, mais il est rare qu'ils subissent une transposition et provoquent des mutations (cela arrive une fois par dix mille générations). Étant donné la grande vitesse de prolifération des Bactéries, la transposition des séquences d'insertion joue vraisemblablement un rôle significatif dans l'évolution de ces organismes en tant que source de variations génétiques.

Transposons complexes et plasmides R Il existe aussi des transposons plus gros et plus complexes que les transposons simples, et qui se déplacent dans le génome bactérien. Outre l'ADN nécessaire à la transposition, les transposons complexes comportent d'autres gènes, par exemple des gènes de résistance aux antibiotiques. Ces

(a)

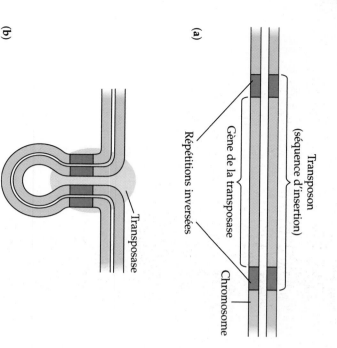

Transposon
(séquence d'insertion)

Gène de la transposase

Répétitions inversées

Chromosome

(b)

Transposase

Figure 17.14

Transposon simple. (a) Le seul gène présent dans un transposon simple code pour la transposase, l'enzyme qui catalyse le déplacement du transposon d'un endroit du génome à un autre. Aux deux extrémités du gène de la transposase se trouvent des répétitions inversées, soit des séquences nucléotidiques qui sont des copies en sens inverse répétées à l'autre extrémité du brin d'ADN. **(b)** Pendant la transposition, la transposase rapproche les répétitions inversées et catalyse la coupure et le raccordement de l'ADN nécessaires à l'insertion du transposon sur un certain site.

gènes sont entourés de deux séquences d'insertion (figure 17.16). Tout se passe comme si deux transposons simples situés à proximité l'un de l'autre se déplaçaient maintenant ensemble en entraînant tout l'ADN qui les sépare pour former un transposon unique. Contrairement aux transposons simples, qui représentent peu d'avantages connus pour les Bactéries, il semblerait que les transposons complexes permettent aux Bactéries de s'adapter à des milieux nouveaux. Nous avons déjà parlé des transpositions qui regroupent sur le même plasmide plusieurs gènes de résistance à différents antibiotiques. La sélection naturelle avantage les clones bactériens qui ont construit ces plasmides R composites au cours d'une série de transpositions.

Les éléments génétiques transposables ne se retrouvent pas seulement chez les Bactéries, ils forment également une composante importante du génome des eucaryotes. En fait, la première preuve de l'existence de tels gènes errants a été apportée grâce aux expériences de croisement du maïs effectuées par la généticienne américaine Barbara McClintock pendant les années 1940 et 1950 (figure 17.17). McClintock avait identifié des variations de la couleur des grains de maïs, lesquelles ne pouvaient s'expliquer que si l'on postulait la présence d'éléments génétiques mobiles capables d'atteindre les gènes de la couleur des grains à partir d'autres endroits du génome. Elle donna le nom d'« éléments régulateurs » à ces éléments mobiles, parce qu'ils semblaient s'insérer juste à côté des gènes de la couleur des grains, en les acti-

(a)

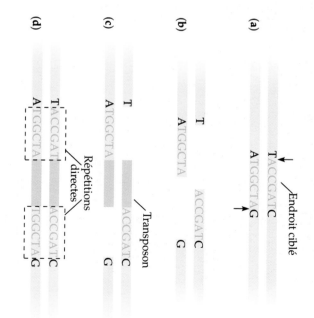

Endroit ciblé

T A C C G A T C
A T G G C T A G

(b)

T   A C C G A T C
A T G G C T A   G

Transposon

(c)

T A C C G A T C
A T G G C T A G

(d)

Répétitions
directes

T A C C G A T C
A T G G C T A G

Figure 17.15

Insertion d'un transposon. (a) À l'endroit ciblé, une enzyme, probablement la transposase, coupe les deux brins d'ADN de façon décalée (flèches). **(b)** Il en résulte de courts segments non appariés d'ADN à chaque extrémité du chromosome ou du plasmide sectionné. **(c)** La transposase insère le transposon dans l'ouverture pratiquée dans l'ADN. Les vides dans les deux brins d'ADN se trouvent comblés lorsque les deux brins d'ADN monocaténaires et que l'ADN polymérase raccorde les nucléotides. Ce mécanisme génère des répétitions directes, soit des segments d'ADN identiques situés de chaque côté du transposon. Remarquez que les répétitions directes n'existaient pas à l'endroit ciblé avant leur création par le processus de transposition.

vant ou en les inactivant. La découverte de McClintock passa à peu près inaperçue, jusqu'à ce que des chercheurs découvrent à leur tour des transposons chez les Bactéries, bien des années plus tard, et que les spécialistes en génétique apprennent à mieux cerner les mécanismes moléculaires de la transposition. En 1983, plus de trente ans après la découverte des éléments génétiques transposables, McClintock recevait le prix Nobel.

Nous reparlerons des éléments génétiques transposables des eucaryotes au chapitre 18. Nous allons conclure le présent chapitre par l'étude des modes d'activation et d'inactivation des gènes bactériens dans différents milieux.

RÉGULATION DE L'EXPRESSION GÉNIQUE CHEZ LES PROCARYOTES

Les mutations et les divers mécanismes de recombinaison génétique étudiés jusqu'ici engendrent la variation génétique qui rend possible la sélection naturelle. Par son action sur un grand nombre de générations d'une population bactérienne, la sélection naturelle augmente la proportion d'individus adaptés à certaines conditions du milieu, telle la présence d'un certain antibiotique. Mais comment une Bactérie, qui a hérité un génome fixe, peut-elle faire face aux fluctuations de son environnement ?

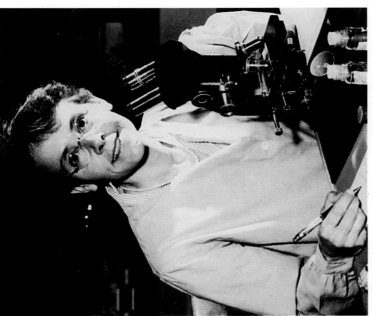

Figure 17.16
Transposon complexe. Un transposon complexe comporte un ou plusieurs gènes situés entre des séquences d'insertion jumelles. Dans le cas présenté ici, un gène de résistance à un antibiotique faisant partie du transposon complexe ira s'insérer dans un nouveau site du génome lors de la transposition. Par exemple, un gène de résistance à un antibiotique peut s'ajouter à un plasmide qui porte déjà des gènes de résistance à d'autres antibiotiques. Lorsque ces plasmides composites parviennent à d'autres Bactéries, soit par division cellulaire, soit par conjugaison, les microbes offrent une tolérance à une variété d'antibiotiques.

Transposon complexe

Séquence d'insertion — Gène de résistance à l'antibiotique — Séquence d'insertion

Répétition directe sur l'ADN cible — Répétitions inversées — Gène de la transposase — Répétition directe correspondante sur l'ADN cible

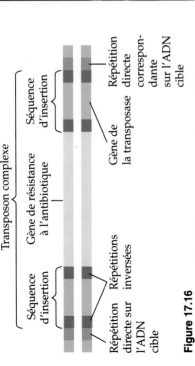

Figure 17.17
Barbara McClintock, la scientifique qui a découvert les éléments génétiques transposables. En 1947, lorsque cette photographie a été prise au laboratoire de Cold Spring Harbor, dans l'État de New York, McClintock était déjà considérée comme une généticienne éminente. Il fallut cependant attendre des décennies avant que ses collègues reconnaissent la portée générale de sa plus grande découverte, soit l'identification de gènes transposables chez le Maïs. En 1983, à l'âge de 81 ans, Barbara McClintock recevait le prix Nobel. Elle a poursuivi ses travaux à Cold Spring Harbor jusqu'à sa mort en 1992.

Prenons l'exemple d'une cellule d'*E. coli* vivant dans un intestin humain, un milieu extrêmement instable ; son approvisionnement en nutriments dépend des habitudes alimentaires capricieuses de son hôte. Si la Bactérie manque de tryptophane, un acide aminé dont elle a besoin pour survivre, elle réagit en activant une voie métabolique qui lui permet de fabriquer cette substance à partir d'un autre composé. Plus tard, si son hôte absorbe un repas riche en tryptophane, la cellule cesse d'en synthétiser pour elle-même, évitant ainsi de gaspiller ses ressources pour produire une substance déjà toute prête dans la solution environnante. Cet exemple permet de comprendre la façon dont les Bactéries adaptent leur métabolisme aux variations de leur milieu.

La régulation métabolique s'exerce de deux façons (figure 17.18). En premier lieu, les cellules peuvent faire varier le nombre de molécules d'une enzyme donnée ; en d'autres termes, elles règlent l'expression d'un gène. Deuxièmement, elles peuvent modifier l'activité des enzymes déjà présentes. Ce second mode de régulation, plus immédiat, repose sur la sensibilité d'un grand nombre d'enzymes à des indices chimiques qui font augmenter ou diminuer leur activité catalytique (voir le chapitre 6). Par exemple, l'activité de la première enzyme de la voie de synthèse du tryptophane est inhibée par la présence du produit final de la voie. Donc, si le tryptophane s'accumule dans la cellule, il met fin à sa propre synthèse. Ce type de rétro-inhibition, caractéristique des voies anaboliques (de synthèse), permet à la cellule de s'adapter aux fluctuations à court terme de la concentration d'une substance dont elle a besoin. Si, dans notre exemple, le milieu continue de fournir tout le tryptophane nécessaire, la régulation génique entre également en jeu : la cellule cesse de produire les enzymes de la voie du tryptophane. Cette régulation quantitative s'exerce à l'étape de la transcription, ou synthèse de l'ARN messager codant pour ces enzymes. De façon plus

générale, de nombreux gènes du génome bactérien sont activés et inactivés par les fluctuations de l'état métabolique de la cellule. Le mécanisme fondamental de ce mode de régulation de l'expression génique, appelé modèle de l'opéron, a été découvert en 1961 par François Jacob et Jacques Monod, de l'Institut Pasteur de Paris. À partir de l'exemple de la régulation de la synthèse du tryptophane, nous allons voir en quoi consiste un opéron et comment il fonctionne.

Opérons : concept de base

E. coli synthétise le tryptophane à partir d'un substrat initial en passant par une série d'étapes, chaque réaction étant catalysée par une enzyme spécifique (voir la figure 17.18). Les cinq gènes codant pour les chaînes polypeptidiques qui constituent ces enzymes sont regroupés sur le chromosome. Un seul promoteur dessert les cinq gènes, qui forment une unité de transcription. (Nous avons vu au chapitre 16 qu'un promoteur est un site sur lequel l'ARN polymérase peut se lier à l'ADN et commencer la transcription des gènes.) La transcription produit donc une longue molécule d'ARNm qui représente les cinq gènes de la voie du tryptophane. La cellule peut traduire ce transcrit en polypeptides distincts parce

Figure 17.18
Régulation d'une voie métabolique. Les cellules modifient la vitesse de voies métaboliques spécifiques en ajustant l'expression des gènes (codant pour de nouvelles molécules d'enzyme) ou en régissant l'activité catalytique des enzymes existantes. Dans la voie de la synthèse du tryptophane, cet acide aminé (le produit final de la voie) peut inhiber l'activité de la première enzyme de la voie métabolique (rétro-inhibition) et réprimer l'expression génique de toutes les enzymes intervenant dans cette même voie.

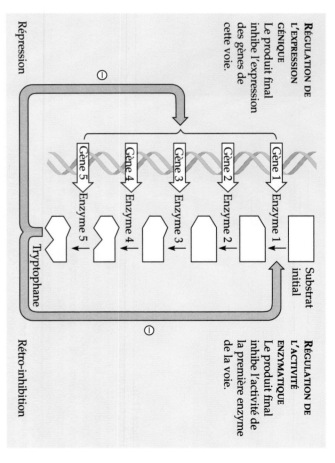

RÉGULATION DE L'EXPRESSION GÉNIQUE
Le produit final inhibe l'expression des gènes de cette voie.

RÉGULATION DE L'ACTIVITÉ ENZYMATIQUE
Le produit final inhibe l'activité de la première enzyme de la voie.

Répression   Rétro-inhibition

Substrat initial — Gène 1 → Enzyme 1 — Gène 2 → Enzyme 2 — Gène 3 → Enzyme 3 — Gène 4 → Enzyme 4 — Gène 5 → Enzyme 5 → Tryptophane

---

que l'ARNm porte des codons de départ et d'arrêt qui marquent le début et la fin de la séquence de codage de chaque polypeptide.

Les gènes qui codent pour des polypeptides sont appelés **gènes de structure**. Le fait que des gènes de structure aux fonctions connexes se trouvent dans la même unité de transcription représente un avantage majeur, car il suffit d'un seul « interrupteur » pour commander l'ensemble de ces gènes. Lorsque la cellule d'*E. coli* doit fabriquer son propre tryptophane parce que cet acide aminé est absent du milieu nutritif, toutes les enzymes de la voie métabolique se font synthétiser en même temps. L'interrupteur est un segment d'ADN appelé **opérateur**. Son emplacement et son nom conviennent tous deux à sa fonction : placé à l'intérieur du promoteur ou entre le promoteur et les gènes de structure, l'opérateur commande l'accès de l'ARN polymérase aux gènes de structure. L'ensemble formé par les gènes de structure, l'opérateur et le promoteur constitue un **opéron** (figure 17.19). Nous allons nous pencher ici sur l'un des nombreux opérons découverts chez *E. coli*, l'opéron *trp* (*trp* pour « tryptophane »).

Si l'opérateur représente la zone de l'ADN où s'exerce la régulation de la transcription, quel est le facteur qui détermine si l'opérateur sera activé ou inactivé? En lui-même, l'opérateur est activé; l'ARN polymérase peut se lier au promoteur et transcrire les gènes de structure. L'opéron doit être inactivé par une protéine appelée **répresseur**. Le répresseur se lie à l'opérateur et empêche l'ARN polymérase de s'attacher au promoteur, ce qui a pour effet d'arrêter la transcription des gènes de structure. Les répresseurs sont spécifiques, c'est-à-dire qu'ils ne reconnaissent et ne se lient qu'à l'opérateur d'un certain opéron. Le répresseur qui inactive l'opéron *trp* n'a aucun effet sur les autres opérons du génome d'*E. coli*.

Le répresseur vient lui-même d'un gène appelé **gène régulateur**. Le gène régulateur du répresseur de *trp* se trouve à une certaine distance de l'opéron qu'il régit (voir la figure 17.19). La transcription du gène régulateur pro-duit une molécule d'ARNm qui se fait traduire en répresseur, lequel peut à son tour rejoindre l'opérateur de l'opéron *trp* par diffusion. Les gènes régulateurs se font transcrire de façon continue, bien qu'à un rythme lent, et il y a toujours quelques molécules de répresseur dans la cellule. Si tel est le cas, pourquoi l'opéron *trp* n'est-il pas inactivé de façon permanente? Premièrement, la liaison entre les répresseurs et les opérateurs est réversible. L'opérateur oscille entre les modes activé et inactivé; la durée relative de chaque état dépend du nombre de molécules de répresseur actives. Deuxièmement, le répresseur de *trp* se fait d'abord synthétiser sous une forme inactive qui a peu d'affinité pour l'opérateur. Il n'adopte sa conformation active que s'il se lie à une molécule de tryptophane et s'unit ainsi à l'opérateur. Dans ce système régulateur, le tryptophane assume la fonction de **corépresseur**, c'est-à-dire de métabolite qui collabore avec un répresseur pour inactiver un opéron. (Un métabolite est une petite molécule organique qui représente un précurseur, un intermédiaire ou le produit final d'une voie métabolique.) Au fur et à mesure que le taux de tryptophane augmente, un nombre de plus en plus élevé de molécules de ce produit peut s'associer aux répresseurs de *trp*. Un de ces répresseurs se lie à son tour à l'opérateur, interrompant ainsi la production de tryptophane. Si la concentration de tryptophane dans la cellule baisse, la transcription des gènes de structure de l'opéron reprend. Cet exemple montre comment l'expression génique répond aux changements qui surviennent dans les milieux interne et externe de la cellule.

Enzymes répressibles et enzymes inductibles : deux types de régulation génique négative

On appelle les enzymes de la voie du tryptophane **enzymes répressibles**, parce que leur synthèse est inhibée par un métabolite (le tryptophane dans le cas étudié ici). Par contre, la synthèse des **enzymes inductibles** se trouve stimulée, et non inhibée, par la présence de métabolites particuliers. Prenons un exemple pour illustrer ce mécanisme.

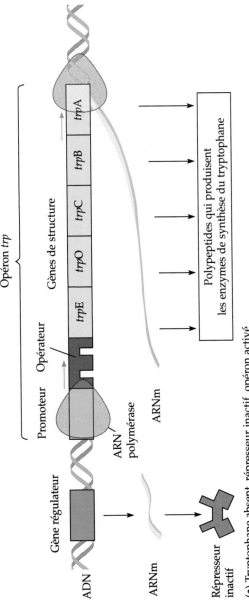

Opéron *trp*

Gène régulateur

Promoteur Opérateur

Gènes de structure

ADN

ARN polymérase

ARNm

ARNm

Répresseur inactif

trpE trpO trpC trpB trpA

Polypeptides qui produisent les enzymes de synthèse du tryptophane

(a) Tryptophane absent, répresseur inactif, opéron activé

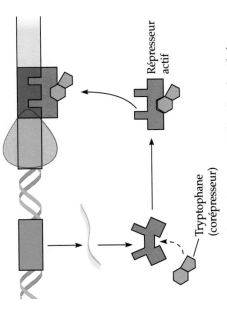

Répresseur actif

Tryptophane (corépresseur)

(b) Tryptophane présent, répresseur actif, opéron inactivé

Figure 17.19

Opéron *trp* : régulation de la synthèse des enzymes répressibles. (a) Le tryptophane est un acide aminé produit par l'intermédiaire d'une voie anabolique catalysée par des enzymes répressibles. L'accumulation du tryptophane, le produit final de cette voie, a pour effet de réprimer la synthèse de ces enzymes. Le schéma présenté ici illustre le mécanisme de cette régulation dans une cellule d'*E. coli*. Cinq gènes de structure codant pour les polypeptides qui constituent les enzymes de la voie de synthèse se trouvent regroupés en un opéron. L'opéron comprend aussi un promoteur et un opérateur. (En fait, la région de l'opérateur se situe à l'intérieur du promoteur, mais on la représente comme une région distincte dans ce diagramme simplifié de l'opéron *trp*.) Lorsque l'opéron est « activé », les molécules d'ARN polymérase se lient à l'ADN dans la région du promoteur et transcrivent les gènes de structure. Un gène régulateur situé à l'extérieur de l'opéron code pour un répresseur. Le répresseur peut inactiver l'opéron *trp* en se liant à l'opérateur, ce qui bloque l'accès de l'ARN polymérase au promoteur. Le répresseur se fait synthétiser sous forme inactive et il reste dans cet état en l'absence de tryptophane. Si aucun répresseur ne se lie à l'opérateur, l'opéron s'active et fabrique de l'ARNm pour les enzymes de synthèse du tryptophane. **(b)** Au fur et à mesure que le tryptophane s'accumule dans la cellule, il inhibe sa propre production en activant le répresseur. Le répresseur peut alors se lier à l'opérateur et inactiver l'opéron.

E. coli dispose du disaccharide nommé lactose si l'hôte humain boit du lait. La Bactérie peut absorber le lactose et le dégrader pour en tirer de l'énergie, ou s'en servir comme source de carbone pour la synthèse d'autres composés organiques. Le métabolisme du lactose commence par l'hydrolyse de ce disaccharide en glucose et en galactose, soit les deux monosaccharides qui le constituent. L'enzyme qui catalyse cette réaction est appelée β-galactosidase. On ne trouve que quelques molécules de cette enzyme dans les cellules d'*E. coli* qui se développent en l'absence de lactose (dans l'intestin d'une personne qui ne boit pas de lait, par exemple). Mais si on ajoute du lactose dans le milieu nutritif de la Bactérie, il suffit de quinze minutes environ pour que le nombre de molécules de β-galactosidase soit multiplié par mille.

Le gène de la β-galactosidase fait partie de l'opéron *lac* (*lac* pour métabolisme du lactose), qui comprend deux autres gènes de structure codant pour des protéines du

métabolisme du lactose (figure 17.20). Un seul opérateur et un seul promoteur commandant l'ensemble de cette unité de transcription. Le gène régulateur, situé à l'extérieur de l'opéron, code pour un répresseur qui peut inactiver l'opéron *lac* en se liant à l'opérateur. Jusqu'à présent, ce mécanisme ressemble beaucoup à la régulation de l'opéron *trp*, mais il y a néanmoins une différence importante. Rappelez-vous que le répresseur de *trp* était inactif par nature et avait besoin du tryptophane comme corépresseur afin de se lier à l'opérateur. Par contre, le répresseur *lac* est actif par lui-même : il se lie à l'opérateur et inactive l'opéron *lac*. Dans ce cas, un métabolite spécifique appelé **inducteur** *inactive* le répresseur. En ce qui touche à l'opéron *lac*, l'inducteur est l'allolactose, un isomère du lactose fabriqué en petite quantité à partir du lactose qui pénètre dans la cellule. En l'absence de lactose (et donc d'allolactose), le répresseur *lac* se trouve dans sa conformation active et les gènes de structure de l'opéron *lac* ne subissent pas de transcription. Si l'on ajoute du lactose dans le milieu nutritif de la cellule, l'allolactose se lie au répresseur *lac* et modifie sa conformation, ce qui empêche le répresseur de s'associer à l'opérateur. Alors, selon les besoins, l'opéron *lac* produit de l'ARNm pour les enzymes de la voie du lactose. Dans le contexte de la régulation génique, on qualifie ces enzymes d'inductibles parce que leur synthèse est induite par la présence d'un métabolite (l'allolactose en l'occurrence).

Comparons les enzymes répressibles et inductibles du point de vue de l'économie métabolique de la cellule d'*E. coli*. Les enzymes répressibles interviennent généralement dans les voies anaboliques, c'est-à-dire dans la synthèse de produits essentiels à partir d'un substrat initial. En interrompant la production de tels produits lorsqu'ils atteignent une quantité suffisante, la cellule peut consacrer le substrat initial et son énergie à d'autres tâches. Pour leur part, les enzymes inductibles entrent habituellement en jeu dans les voies cataboliques, qui dégradent les nutriments en molécules plus simples. Comme la cellule produit les enzymes correspondantes seulement lorsque le nutriment devient disponible, elle évite de fabriquer des protéines inutiles. En effet, pourquoi produirait-elle par exemple les enzymes de dégradation du lactose lorsqu'il n'y a pas de lait?

Bien que les enzymes répressibles et inductibles apportent des solutions à deux types de problèmes métaboliques très différents, elles ne représentent que des variantes du même phénomène du point de vue de la régulation génique. Dans les deux cas, un groupement de gènes de structure correspondant à une voie métabolique est soumis à la régulation d'un opérateur unique, et la liaison d'un répresseur sur ce dernier rend les gènes de structure inaccessibles à l'ARN polymérase. Dans les deux cas également, la capacité du répresseur de se lier à l'opérateur dépend d'un indice chimique fourni par le métabolisme, c'est-à-dire de la présence ou de l'absence d'un métabolite clé. La seule différence entre les deux systèmes tient dans la manière dont ce métabolite agit sur le répresseur. Dans un système répressible comme l'opéron *trp*, le répresseur se fait synthétiser sous forme inactive et devient activé par un métabolite qui joue le rôle de corépresseur. L'opéron reste dans le mode activé jusqu'à ce qu'il soit réprimé par l'accumulation du produit final d'une voie anabolique donnée. Dans un système inductible comme l'opéron *lac*, le répresseur se fait synthétiser sous forme active et se lie à l'opérateur, à moins qu'il soit inactivé par un métabolite qui a la fonction d'inducteur. L'opéron se trouve dans le mode inactif jusqu'à ce qu'il soit stimulé par le substrat d'une certaine voie catabolique.

En ce qui touche à la comparaison entre les enzymes répressibles et inductibles, il convient de souligner un autre point important : dans les deux systèmes, les gènes subissent une régulation *négative* parce que les opérons sont inactivés par la forme active du répresseur. Ce mécanisme, sans doute plus facile à comprendre dans le cas de l'opéron *trp*, se confirme aussi pour l'opéron *lac*. L'allolactose n'entraîne pas la synthèse de l'enzyme en agissant directement sur le génome, mais en libérant l'opéron *lac* de l'effet négatif du répresseur. Techniquement, on considère l'allolactose davantage comme un *dérépresseur* que comme un inducteur des gènes. On ne parle de régulation génique positive que dans les cas où une molécule d'activateur interagit directement avec le génome pour entraîner la transcription. Prenons un exemple qui se rapporte encore à l'opéron *lac*.

La CAP : exemple de régulation génique positive

Pour que les enzymes de dégradation du lactose se fassent synthétiser en grande quantité, la présence de lactose à l'intérieur de la cellule bactérienne ne suffit pas : l'absence du glucose est également requise. Si on lui laisse le choix des substrats pour la glycolyse et d'autres voies cataboliques, *E. coli* se sert en priorité du glucose, le glucide le plus souvent présent dans le milieu nutritif. En partant du glucose comme seule source de carbone organique, les cellules d'*E. coli* disposent à la fois d'un carburant et de squelettes carbonés en vue de la synthèse des autres molécules organiques. La plupart des gènes nécessaires au catabolisme du glucose sont des **gènes constitutifs**, c'est-à-dire des gènes dont la transcription s'effectue de façon continue. Contrairement aux gènes constitutifs, les gènes inductibles du lactose ainsi que d'autres catabolites ne deviennent actifs qu'en présence du catabolite correspondant. Même ces gènes restent toutefois silencieux si le glucose se trouve en abondance.

Comment la cellule d'*E. coli* perçoit-elle la concentration de glucose, et comment cette information se rend-elle jusqu'au génome ? Une protéine appelée **protéine activatrice du catabolisme** (CAP, *catabolite activator protein*) accélère la transcription d'un opéron, l'opéron *lac* par exemple, en s'unissant au promoteur et en facilitant la liaison de l'ARN polymérase (figure 17.21). Comme la CAP s'associe directement à l'ADN afin de stimuler l'expression génique, on peut parler ici de régulation positive.

L'activité de la CAP répond aux variations de la concentration de glucose dans la cellule. L'absence de glucose entraîne l'accumulation d'une molécule nommée **AMP cyclique** (AMPc ou adénosine monophosphate cyclique), un dérivé de l'ATP. La CAP possède un site de liaison pour l'AMPc ; le complexe CAP-AMPc se lie au promoteur de *lac* et stimule la transcription des

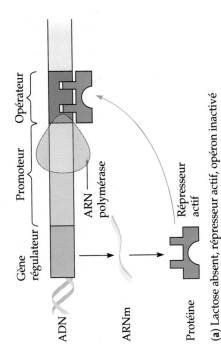

Figure 17.20
Opéron *lac*: régulation de la synthèse des enzymes inductibles. Pour assimiler et métaboliser le lactose, *E. coli* a recours à trois enzymes. Les gènes de structure de ces enzymes se trouvent dans le même opéron, l'opéron *lac*. L'un de ces gènes, *lacZ*, code pour la β-galactosidase, qui hydrolyse le lactose en glucose et en galactose. Un autre gène, *lacY*, code pour une perméase, la protéine membranaire qui assure le transport du lactose vers l'intérieur de la cellule. Le troisième gène, *lacA*, code pour une enzyme appelée transacétylase, dont la fonction dans le métabolisme du lactose reste mal connue. Il se trouve que le gène du répresseur *lac* est le voisin immédiat de l'opéron *lac*, ce qui est inhabituel. **(a)** En l'absence de lactose, le répresseur *lac*, naturellement actif, neutralise l'opéron en se liant à l'opérateur. **(b)** L'allolactose, un isomère formé à partir du lactose, débloque l'opéron en inactivant le répresseur. La production des enzymes du métabolisme du lactose peut alors s'amorcer.

Gène régulateur · Promoteur · Opérateur

ADN

ARN polymérase

ARNm

Protéine

Répresseur actif

(a) Lactose absent, répresseur actif, opéron inactivé

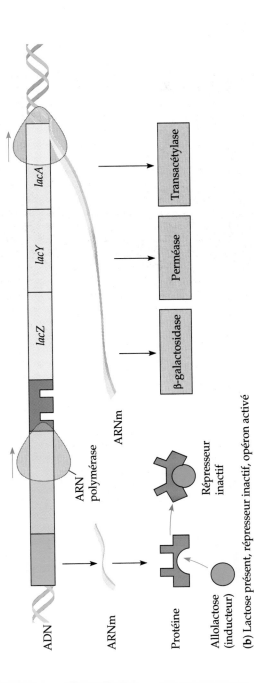

ADN

ARN polymérase

ARNm

Protéine

Allolactose (inducteur)

Répresseur inactif

lacZ · *lacY* · *lacA*

β-galactosidase · Perméase · Transacétylase

(b) Lactose présent, répresseur inactif, opéron activé

gènes pour le catabolisme du lactose. Si on ajoute du glucose, la concentration d'AMPc diminue, et les molécules de la CAP quittent les promoteurs de *lac*. L'opéron *lac* subit donc une double régulation : une régulation négative par le répresseur *lac*, dont nous avons déjà parlé, et une régulation positive par la CAP. L'état dans lequel se trouve le répresseur *lac* (actif ou inactif) détermine si la transcription des gènes de structure de l'opéron *lac* aura lieu ; si l'opéron ne porte pas de répresseur, l'état de la CAP (avec ou sans AMPc) commande son rythme de transcription. Tout se passe comme si l'opéron était à la fois régi par un interrupteur et un bouton de volume.

Bien que nous ayons pris l'opéron *lac* comme exemple, la CAP, contrairement aux répresseurs spécifiques, agit sur plusieurs opérons différents. Lorsque le glucose est présent et que la CAP est inactive, il y a un ralentissement général de la synthèse des enzymes nécessaires à l'utilisation de tous les catabolites, sauf du glucose. Étant donné que la cellule peut recourir à des catabolites de rechange comme le lactose, elle dispose de systèmes de secours qui lui permettent de survivre en l'absence de glucose. Les catabolites spécifiques présents déterminent alors quels opérons deviendront activés. Ces mécanismes

d'urgence complexes conviennent à un organisme qui ne peut exercer aucune régulation sur le régime alimentaire de son hôte humain. Les Bactéries possèdent une capacité d'adaptation remarquable, que ce soit à long terme par des modifications dans l'évolution de leur constitution génétique ou à court terme par la régulation de leur expression génique individuelle. Bien entendu, les processus individuels de régulation résultent de l'évolution ; ils existent parce qu'ils ont été utiles au fil de la sélection naturelle.

*   *   *

La génétique moléculaire repose sur l'étude des Virus et des Bactéries, les modèles qui ont fait l'objet de ce chapitre. Les organismes eucaryotes sont beaucoup plus complexes, et les chercheurs commencent à peine à entrevoir comment la régulation de l'expression génique peut aboutir à une telle complexité. Par exemple, comment le génome d'un zygote humain peut-il programmer l'apparition d'un si grand nombre de types de cellules dans l'organisme adulte ? Nous aborderons cette question dans le chapitre 18.

Figure 17.21
Régulation positive : protéine activatrice du catabolisme. L'ARN polymérase a une faible affinité pour le promoteur de l'opéron *lac*, à moins d'être assistée par la protéine activatrice du catabolisme (CAP), qui s'unit à l'ADN. La CAP se lie à l'ADN seulement lorsqu'elle est associée à l'AMP cyclique (AMPc), dont la concentration dans la cellule est inversement proportionnelle à celle du glucose. **(a)** Si le glucose se raréfie, l'AMPc active la CAP, et l'opéron *lac* produit une grande quantité d'ARNm pour la voie du lactose. **(b)** Mais en présence de glucose, l'AMPc devient rare et la CAP ne peut stimuler la transcription. Donc, même en présence de lactose, la cellule catabolisera en priorité le glucose en utilisant les enzymes toujours présentes. Ce système régulateur fait en sorte que *E. coli* consomme du lactose et d'autres catabolites secondaires seulement lorsque le glucose n'est pas disponible.

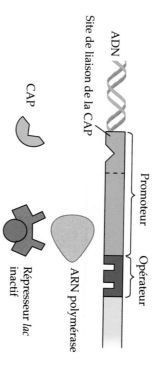

(a) Lactose présent, glucose absent (forte concentration d'AMPc) :

AMPc

CAP

Site de liaison de la CAP

ADN

Promoteur   Opérateur

ARN polymérase

Répresseur *lac* inactif

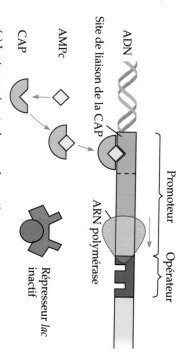

(b) Lactose présent, glucose présent (faible concentration d'AMPc) : de petites quantités d'ARNm *lac* sont synthétisées

CAP

Site de liaison de la CAP

ADN

Promoteur   Opérateur

ARN polymérase

Répresseur *lac* inactif

RÉSUMÉ DU CHAPITRE

1. De nombreux chercheurs étudient les Virus et les Bactéries afin de mieux comprendre les fondements moléculaires de l'hérédité.

2. La génétique moléculaire a aussi permis de mieux comprendre de nombreuses maladies, et elle a rendu possible la naissance de la biotechnologie.

La découverte des Virus (p. 344-345)

1. À la fin du XIXᵉ siècle, des chercheurs ont découvert que la mosaïque du Tabac était une maladie causée par un agent infectieux beaucoup plus petit que les Bactéries.

Structure et réplication des Virus : caractéristiques générales (p. 345-346)

1. Les Virus ne sont pas des cellules ; les plus simples d'entre eux se composent d'une seule molécule d'acide nucléique enfermée dans une coque protéique nommée capside.

2. Le génome viral se compose d'ADN monocaténaire ou bicaténaire, ou d'ARN monocaténaire ou bicaténaire, suivant la sorte de Virus.

3. Chez certains Virus animaux, la capside est recouverte d'une enveloppe membraneuse formée de matériaux provenant à la fois de l'hôte et du Virus.

Réplication des Virus : l'infection virale (p. 346-347)

1. Les Virus sont des parasites intracellulaires obligatoires ; leur génome utilise les enzymes, les ribosomes et les petites molécules présentes dans les cellules hôtes afin de produire de nombreuses copies du Virus original.

2. Chaque sorte de Virus possède un spectre d'hôtes particulier déterminé par des sites récepteurs spécifiques situés sur les cellules hôtes.

Virus bactériens (p. 347-350)

1. Les Virus qui infectent les Bactéries sont appelés Phages.

2. Au cours du cycle lytique de réplication, le génome phagique injecté dans une Bactérie programme la destruction de l'ADN de l'hôte, la production de nouveaux Virus puis la digestion de la paroi de la cellule bactérienne, qui éclate (se lyse) et libère les nouvelles particules virales.

3. Au cours de la lysogénisation, les Virus tempérés coexistent avec leur hôte en insérant leur génome dans le chromosome bactérien, ce qui les transforme en prophages. Sous cette forme non virulente, le Virus se transmet indéfiniment aux cellules filles de l'hôte, jusqu'au moment où, sous l'effet d'une stimulation, il quitte le chromosome bactérien et amorce un cycle lytique.

Virus animaux (p. 350-354)

1. Les Virus animaux sont souvent pourvus d'une enveloppe provenant de la membrane cellulaire de l'hôte. Cette enveloppe leur permet de traverser la membrane plasmique pour entrer dans la cellule hôte et en sortir.

2. On retrouve tous les types de génomes viraux chez les Virus animaux. Les Virus à ARN appelés Rétrovirus ont les cycles de réplication les plus complexes. Ils se servent d'une enzyme appelée transcriptase inverse pour synthétiser de l'ADN à partir de leur matrice d'ARN. L'ADN peut alors s'intégrer au génome de l'hôte sous forme de provirus. Le VIH, le Virus qui cause le sida, est l'un des principaux Rétrovirus.

3. Les infections virales chez les Animaux provoquent toute une gamme d'effets selon le fonctionnement du Virus, la

réaction de défense de l'hôte aux agents pathogènes et la capacité de régénération du tissu infecté.

4. Les vaccins utilisés contre certains Virus stimulent le système immunitaire de l'hôte afin de provoquer une réaction contre l'infection.

5. Les Virus peuvent causer certains types de cancer ou contribuer à leur déclenchement. Les Virus oncogènes insèrent leur ADN dans celui de la cellule hôte, provoquant par la suite des altérations de nature cancéreuse ou de ceux de la cellule diaire de leurs propres oncogènes ou de ceux de la cellule hôte. Les oncogènes codent pour les protéines jouant un rôle dans le fonctionnement des facteurs de croissance.

Virus végétaux et Viroïdes (p. 354)

1. La plupart des Virus végétaux sont des Virus à ARN qui nuisent considérablement à la croissance et au développement des Végétaux.

2. Les maladies des Végétaux peuvent aussi être causées par des Viroïdes, c'est-à-dire de minuscules molécules d'ARN nu qui, semble-t-il, gênent la croissance et le développement des Végétaux.

Origine et évolution des Virus (p. 354-355)

Diverses preuves indiquent que, à l'origine, les Virus auraient été des fragments d'acide nucléique cellulaire qui ont fini par acquérir un emballage spécialisé.

Génomes bactériens : réplication et mutation (p. 355-356)

1. Le chromosome bactérien est une molécule d'ADN circulaire à laquelle s'associent quelques protéines. Des gènes accessoires se trouvent sur de plus petits anneaux d'ADN appelés plasmides.

2. Lors de la scissiparité d'une cellule bactérienne, la réplication du chromosome se déroule de façon bidirectionnelle à partir d'une origine de réplication unique.

3. Comme les Bactéries ont un court temps de génération et qu'elles prolifèrent rapidement, les nouvelles mutations peuvent exercer leur influence sur les variantes génétiques d'une population en un temps record.

Recombinaison génétique et transfert de gènes chez les Bactéries (p. 356-362)

1. Il existe chez les Bactéries trois mécanismes de transfert de gènes entre les cellules : la transformation, la transduction et la conjugaison. S'ajoutant aux mutations, ces processus de recombinaison créent une variation génétique qui rend possible la sélection naturelle.

2. Dans la transformation, une molécule d'ADN provenant du milieu environnant entre dans la cellule.

3. Dans la transduction, l'ADN bactérien passe d'une cellule à l'autre par des Phages.

4. Dans la conjugaison, qui représente une forme primitive d'accouplement, une cellule F⁺ ou Hfr transmet de l'ADN à une cellule F⁻. Le transfert s'amorce par un plasmide F, appelé aussi facteur F (fertilité), qui porte les gènes des pili et les gènes responsables d'autres fonctions nécessaires à la reproduction. Dans une cellule Hfr, l'épisome F est intégré au chromosome bactérien et, lors de la conjugaison, l'individu Hfr transmet de l'ADN chromosomique en même temps que celui du plasmide F.

5. Comme les gènes sont toujours transmis dans le même ordre au cours de la conjugaison Hfr, on peut cartographier le chromosome en interrompant le processus après divers intervalles.

6. Des éléments génétiques comme le plasmide F et certains génomes viraux se répliquent soit séparément, soit en tant que partie d'un chromosome.

7. Les plasmides R procurent une certaine résistance à divers antibiotiques. Leur déplacement d'une cellule bactérienne à l'autre pose de graves problèmes d'ordre médical.

8. Les transposons, qui sont des segments d'ADN capables de s'insérer sur des sites multiples du génome ou de se déplacer d'un site à l'autre, contribuent aussi au brassage des gènes chez les Bactéries.

9. Au cours de son déplacement, il arrive qu'un transposon simple empêche le bon fonctionnement d'un gène. Un transposon se compose de répétitions inversées d'ADN situées de part et d'autre du gène de la transposase, une enzyme qui catalyse la transposition.

10. Les transposons complexes englobent aussi des gènes supplémentaires tels que les gènes de résistance aux antibiotiques.

Régulation de l'expression génique chez les procaryotes (p. 362-368)

1. Pour régir leur métabolisme, les cellules assurent la régulation de l'activité ou de la synthèse des enzymes en activant ou en inactivant certains gènes précis.

2. Chez les Bactéries, les gènes soumis à la régulation se regroupent en unités appelées opérons, qui se composent d'un promoteur et d'un opérateur desservant les gènes de structure adjacents. L'opérateur sert d'interrupteur pour l'activation et l'inactivation de l'opéron. Lorsqu'un répresseur spécifique s'associe à l'opérateur, la liaison de l'ARN polymérase devient impossible, ce qui interrompt la transcription.

3. Un opéron répressible est inactivé en présence d'un métabolite clé, habituellement le produit d'une voie biochimique ; le métabolite joue le rôle de corépresseur en se liant au répresseur, normalement inactif, et en facilitant sa liaison avec l'opérateur.

4. Les enzymes inductibles restent silencieuses jusqu'à ce qu'elles soient activées par un métabolite clé, ou inducteur. Contrairement à ce qui se passe dans le système répressible, la liaison du métabolite avec le répresseur, naturellement actif, empêche celui-ci de s'associer à l'opérateur ; ainsi, les gènes de structure ne s'activent qu'en cas de nécessité. Les enzymes inductibles interviennent habituellement dans les voies cataboliques.

5. Les opérons peuvent aussi subir une régulation positive par l'intermédiaire d'une protéine activatrice à effet stimulateur. Par exemple, la protéine activatrice du catabolisme (CAP) stimule la transcription en s'associant au promoteur et en facilitant sa liaison avec l'ARN polymérase. La capacité de liaison de la CAP avec le promoteur dépend à son tour de la présence d'AMP cyclique, qui s'accumule en cas d'insuffisance de la quantité de glucose.

AUTO-ÉVALUATION

1. Quelle caractéristique des Virus a le plus contribué à rendre leur découverte difficile ?
   a) Leur très petite taille.
   b) Leur incapacité de se reproduire.
   c) La nature inhabituelle de certains de leurs génomes constitués d'ARN.
   d) Leur coque protéique complexe.
   e) Leur position ambiguë à mi-chemin entre le vivant et le non-vivant.

2. Les scientifiques ont découvert la façon d'assembler un Bactériophage à partir de la coque protéique du Phage T2 et l'ADN du Phage T4. Si l'on permettait à ce Phage composite d'infecter une Bactérie, les Phages produits dans la cellule hôte posséderaient :
   a) les protéines de T2 et l'ADN de T4.

b) les protéines de T4 et l'ADN de T2.
c) un mélange de l'ADN et des protéines des deux Phages.
d) les protéines et l'ADN de T2.
e) les protéines et l'ADN de T4.

3. La transmission horizontale d'une maladie virale chez une Plante peut s'effectuer par:
a) le déplacement de particules virales dans les plasmodesmes.
b) la transmission héréditaire d'une infection provenant d'un parent.
c) la transmission d'une infection par propagation végétative (asexuée).
d) des Insectes qui agissent comme vecteurs en portant les particules virales d'une Plante à l'autre.
e) la transmission de provirus par l'intermédiaire de la division cellulaire.

4. Les Virus à ARN ont besoin de leur propre provision de certaines enzymes parce que:
a) les Virus sont rapidement détruits par le système de défense de la cellule hôte.
b) les cellules hôtes ne possèdent pas d'enzymes pour la synthèse ARN → ARN ou ARN → ADN.
c) ces enzymes traduisent l'ARNm en protéines.
d) les Virus se servent de ces enzymes pour traverser les membranes des cellules hôtes.
e) ces enzymes ne peuvent pas être produites dans les cellules hôtes.

5. Un microbiologiste a découvert que certaines Bactéries infectées par des Phages avaient acquis la capacité de fabriquer un acide aminé spécifique, ce qu'elles ne pouvaient faire auparavant. Cette nouvelle aptitude résulte probablement de:
a) la transformation.
b) l'induction.
c) la conjugaison.
d) la transduction.
e) la transposition.

6. La transduction localisée a lieu lorsque:
a) des enzymes de restriction découpent l'ADN viral.
b) la transcriptase inverse crée une copie d'ADN à partir d'une matrice d'ARN.
c) un prophage est excisé du chromosome bactérien et englobe certains gènes bactériens.
d) des segments d'ADN bicaténaire sont assimilés par les cellules bactériennes.
e) le transfert génétique entre une cellule Hfr et une cellule F⁻ est interrompu, et seule une partie du chromosome de la cellule donneuse se retrouve dans la cellule réceptrice.

7. La transposition diffère des autres mécanismes de recombinaison génétique parce qu'elle:
a) ne survient que chez les Bactéries.
b) déplace des gènes entre régions homologues de l'ADN.
c) ne joue qu'un rôle limité, voire aucun, dans l'évolution.
d) ne survient que chez les eucaryotes.
e) disperse les gènes sur de nouveaux loci du génome.

8. Un certain opéron produit des enzymes qui fabriquent un acide aminé important. Si ce mécanisme se déroule comme dans les autres opérons,
a) l'acide aminé inactive le répresseur.
b) les enzymes produites sont appelées enzymes inductibles.
c) le répresseur se lie à l'opérateur en l'absence de l'acide aminé.
d) l'acide aminé joue le rôle de corépresseur.
e) l'acide aminé « met en marche » la synthèse des enzymes.

9. S'il survenait une mutation inhibant le fonctionnement du gène régulateur d'un opéron répressible, il en résulterait:
a) une transcription continue des gènes de structure.
b) la synthèse continue d'un inducteur.
c) une accumulation de grandes quantités d'un substrat de la voie catabolique commandée par l'opéron.
d) une liaison irréversible du répresseur au promoteur.
e) la production exagérée d'une protéine activatrice du catabolisme.

10. Lequel des transferts d'information énumérés ci-dessous se fait catalyser par la transcriptase inverse?
a) ARN → ARN.
b) ADN → ARN.
c) ARN → ADN.
d) ADN → ADN.
e) ARN → protéine.

QUESTIONS À COURT DÉVELOPPEMENT

1. Décrivez le cycle lytique et la lysogénisation.
2. Illustrez les différentes étapes du cycle de réplication du VIH (Virus de l'immunodéficience humaine).
3. Expliquez le mécanisme qui produit des recombinants bactériens.
4. a) Que représentent les transposons ?
   b) À quoi servent-ils ?
5. Comparez les régulations géniques positive et négative.

RÉFLEXION-APPLICATION

Lorsque des Bactéries infectent un Animal, le nombre de Bactéries présentes dans l'organisme de ce dernier augmente graduellement. Le graphique qui représente l'accroissement de la population bactérienne montre une courbe qui monte régulièrement, comme on le voit en (a). Une infection virale présente un schéma différent. Pendant un certain temps, il n'y a aucun signe visible d'infection, puis la quantité de Virus augmente brutalement. Le nombre de Virus demeure constant pendant un certain temps, puis une nouvelle augmentation brutale survient. Le graphique qui représente l'évolution de la population virale ressemble à une suite de marches, comme on le voit en (b). Expliquez les différences entre ces deux courbes d'accroissement.

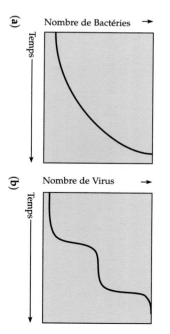

Nombre de Bactéries — Temps (a)

Nombre de Virus — Temps (b)

SCIENCE, TECHNOLOGIE ET SOCIÉTÉ

1. Le sida n'est pas une nouvelle maladie, sauf pour le monde occidental. Il est probablement apparu en Afrique centrale et il se peut qu'il ait infecté des Singes pendant des millénaires.

Il existe de nombreuses autres maladies virales graves qui infectent les Humains et les Animaux dans des régions isolées. De quelles façons se pourrait-il que les techniques modernes contribuent à la propagation de ces Virus et qu'elles rendent possibles d'autres épidémies comme celle du sida ?

2. La variole est l'une des maladies virales humaines les plus anciennes et les plus dévastatrices, mais les vaccins ont permis son éradication. La dernière manifestation connue de cette maladie remonte à 1977, en Afrique. Depuis cette date, le Virus n'existe plus que dans les congélateurs de quelques laboratoires. (La dernière victime de la variole, un technicien de laboratoire britannique, est décédée en 1978.) Les organismes de santé publique du monde entier ont conjugué leurs efforts afin de détruire les derniers Virus de la variole en 1993. Bien que beaucoup de gens souhaitent l'élimination de tous les Virus de la variole, certains chercheurs hésitent à en détruire les derniers exemplaires. Donnez quelques-uns des motifs qui justifieraient la destruction des Virus. Pour quelles raisons les conserverait-on ? À votre avis, quelles mesures devrait-on prendre, et pourquoi ?

LECTURES SUGGÉRÉES

Bader, J.-M. et A. Dorozynski, « La grande offensive des virus », *Science & Vie*, n° 905, février 1993. (Un dossier traitant de la découverte du Virus d'Ebola, de la compétition Humain-Virus et des vaccins antiviraux.)

Boissier, F., « Un gène sauteur pris sur le vif », *Science & Vie*, n° 896, mai 1992. (Découverte de transposons et de leur mode de fonctionnement.)

Clavel, F., « HIV : portrait d'un rétrovirus complexe », *Science & Vie*, hors série, n° 9, juin 1992. (Structure, cycle de réplication et régulation de l'expression du Virus du sida.)

Eigen, M., « Les quasi-espèces virales », *Pour la Science*, n° 191, septembre 1993. (Le problème de la classification des Virus dans la généalogie de la vie.)

Gessain, A. et R. Gallo, « Virus et cancers humains », *La Recherche*, n° 235, septembre 1991. (État de la diversité des mécanismes de cancérogénèse virale chez l'Humain.)

Grunstein, M., « Les histones et la régulation des gènes », *Pour la Science*, n° 182, décembre 1992. (Rôle des histones comme activateurs ou inhibiteurs de l'expression de nombreux gènes.)

Hélène, C. et N. T. Thuong, « Le contrôle artificiel de l'expression des gènes », *Pour la Science*, n° 151, mai 1990. (Recherche orientée vers l'usage d'oligonucléotides dans la lutte contre les agents pathogènes.)

Perricaudet, M. et coll., « La thérapie génique par Adénovirus, *La Recherche*, n° 242, avril 1992. (Des Adénovirus comme véhicules de gènes réparateurs dans les cellules malades.)

Rossion, P., « Le virus du rhume, arme de la thérapie génique », *Science & Vie*, n° 909, juin 1993. (Utilisation fructueuse de ce Virus comme vecteur de gènes correcteurs chez des Souris.)

Verma, I., « La thérapie génique », *Pour la Science*, n° 159, janvier 1991. (Utilisation des Rétrovirus dans la thérapie génique.)

Zychlinsky, A. et P. J. Sansonetti, « Les Bactéries et la mort cellulaire programmée », *La Recherche*, n° 264, avril 1994. (Découverte chez *Shigella* d'une molécule signal provoquant le suicide de la cellule hôte.)

STRUCTURE DU GÉNOME À L'ÉCHELLE MICROSCOPIQUE
STRUCTURE DU GÉNOME À L'ÉCHELLE MOLÉCULAIRE
FLEXIBILITÉ DU GÉNOME
RÉGULATION DE L'EXPRESSION GÉNIQUE
RÔLE DES PETITES MOLÉCULES DANS LA RÉGULATION
DE L'EXPRESSION GÉNIQUE CHEZ LES EUCARYOTES
EXPRESSION GÉNIQUE ET CANCER

L'expression des gènes constitue une entreprise plus difficile chez les eucaryotes que chez les procaryotes, à cause de deux caractéristiques qui les distinguent : la taille habituellement bien plus considérable du génome des eucaryotes, et l'importance que revêt la spécialisation de leurs cellules. Ces deux différences entraînent un énorme travail de tri de l'information chez les cellules eucaryotes.

Prenons l'exemple du génome d'une cellule humaine, qui comprend entre 50 000 et 100 000 gènes (environ cinquante fois plus qu'une Bactérie ordinaire). Le génome des Humains et d'autres eucaryotes contient aussi de grandes quantités d'ADN non codant, c'est-à-dire de l'ADN qui ne programme ni pour la synthèse d'ARN ni pour la synthèse de protéines. Comme nous l'avons vu au chapitre 11, la reproduction de tout cet ADN doit s'effectuer de façon précise à chaque cycle cellulaire. Pour permettre la gestion d'une telle masse d'ADN, le génome des eucaryotes présente une structure plus complexe que celui des procaryotes. L'ADN s'associe à des protéines tant chez les procaryotes que chez les eucaryotes, mais chez ces derniers, le complexe ADN-protéines, appelé chromatine, s'agence selon un plus grand nombre de niveaux structuraux (figure 18.1).

L'une des conséquences de cette complexité du génome est une division cellulaire plus élaborée chez les eucaryotes que chez les procaryotes (voir le chapitre 11). Ainsi, les eucaryotes présentent un cycle cellulaire comportant plusieurs phases, dont certaines contribuent davantage à déterminer le génome des cellules filles. En effet, une importante entreprise de structuration du génome a lieu au cours de l'interphase (l'intervalle qui sépare deux divisions cellulaires) : la transcription des gènes et la traduction du message transcrit en protéines. La traduction engendre les produits qui permettent à chaque cellule de jouer son rôle au sein de l'organisme. Tout comme les organismes unicellulaires, les cellules des organismes pluricellulaires doivent continuellement activer et inactiver certains gènes, répondant ainsi à des signaux en provenance des milieux interne et externe. En outre, l'expression génique doit subir une régulation à long terme en vue de la divergence de différentes sortes de cellules quant à leur structure et à leur fonction au fur et à mesure de leur spécialisation pendant le développement d'un organisme. Les cellules hautement spécialisées, telles les cellules des tissus musculaires et nerveux, n'expriment qu'une infime partie de leurs gènes. En fait, à tout moment, une cellule humaine typique n'exprime que de 3 à 5 % de ses gènes. Les enzymes de transcription de l'ADN doivent localiser les gènes voulus au bon

Figure 18.1
Chromosome d'eucaryote en action. Cette micrographie permet de se faire une idée de la quantité d'ADN contenue dans un chromosome d'eucaryote, ici un chromosome « plumeux » d'ovocyte de Salamandre (ovule, ou œuf non fécondé, en cours de développement) (MP). Les boucles de chromatine colorées en rouge sont le siège d'une synthèse active de l'ARN (transcription). Une quantité bien plus importante de chromatine, teinte en blanc, se trouve compactée dans l'axe principal de chacune des deux chromatides de ce chromosome. Dans ce chapitre, nous allons étudier la structure de l'ADN et la régulation de l'expression génique chez les eucaryotes.

25 μm

moment, ce qui revient à trouver (et à enfiler) une aiguille dans une botte de foin. En cas de dérèglement des gènes, il survient des déséquilibres et des maladies graves, y compris le cancer. La question de savoir comment s'effectue la régulation des gènes chez les eucaryotes revêt donc une importance capitale pour la recherche fondamentale, tant en biologie qu'en médecine.

Il y a encore vingt ans, on désespérait presque de percer un jour les mystères entourant les mécanismes de régulation de l'expression génique chez les eucaryotes. Depuis lors, grâce à de nouvelles méthodes de recherche, les spécialistes en biologie moléculaire ont commencé à résoudre certaines de ces questions. Les biologistes disposent maintenant du génie génétique pour cloner des gènes, de même que de techniques de plus en plus rapides pour séquencer l'ADN (nous traitons de ce sujet au chapitre 19) ; ils peuvent désormais mettre en lumière de nombreux aspects de la structure du génome et de la régulation de l'expression génique chez les eucaryotes.

La régulation de l'activité génique des eucaryotes suit les mêmes règles générales que chez les procaryotes, bien qu'elle nécessite la présence d'un certain nombre d'« outils » supplémentaires. La régulation de l'activité génique est assurée chez tous les organismes par des protéines fixatrices d'ADN, qui interagissent aussi avec d'autres protéines et subissent l'influence des facteurs environnementaux. Dans la plupart des cas, cette régulation agit de manière spécifique sur la transcription de l'ADN. Cependant, en raison de la structure particulièrement complexe des chromosomes, des gènes et de la cellule même chez les eucaryotes, il existe d'autres façons par lesquelles s'exerce la régulation de l'expression génique. Par conséquent, avant d'aborder l'étude de l'expression génique et de sa régulation chez les eucaryotes, nous allons nous pencher sur l'organisation spatiale de l'ADN des eucaryotes dans la chromatine et les chromosomes ; puis nous examinerons l'agencement des gènes et des autres séquences d'ADN dans le génome. Nous verrons enfin comment, du point de vue physique et chimique, la flexibilité (aptitude au changement) du génome eucaryote détermine la disponibilité des gènes en vue de l'expression.

STRUCTURE DU GÉNOME À L'ÉCHELLE MICROSCOPIQUE

Bien que le matériel héréditaire se présente sous la forme d'ADN bicaténaire tant chez les eucaryotes que chez les procaryotes, la structure du génome diffère dans les deux sortes de cellules. L'ADN des procaryotes, habituellement circulaire, constitue un nucléoïde si petit qu'on ne peut le voir qu'à l'aide d'un microscope électronique. Le « chromosome » d'*E. coli*, par exemple, comprend seulement $4,3 \times 10^6$ paires de nucléotides, associées à une variété de protéines (peu nombreuses toutefois) pour former une sorte de chromatine. Le chromosome bactérien (nucléoïde) présente cependant une structure supplémentaire : la fibre composée par l'ADN et les protéines forme un certain nombre de boucles dont les bases semblent ancrées à la membrane plasmique. Par contre, la chromatine des eucaryotes comporte un

ADN associé de façon précise à de grandes quantités de protéines. Habituellement, les fibres de chromatine s'étirent et s'emmêlent considérablement pendant l'interphase. Lorsque l'on teinte des cellules en interphase avec des colorants basiques, la chromatine (qui est acide à cause de son ADN) apparaît comme une masse diffuse et colorée. Cependant, ainsi que nous l'avons vu au chapitre 11, lorsqu'une cellule se prépare à la mitose, sa chromatine s'enroule et se replie (« se condense ») ; elle forme alors un ensemble de chromosomes courts et épais qui, une fois colorés, deviennent parfaitement visibles au microscope photonique.

Les chromosomes d'eucaryotes renferment une quantité considérable d'ADN par rapport à leur taille. Chacun d'eux comprend une seule double hélice ininterrompue d'ADN qui, chez l'Humain, contient environ 2×10^8 paires de nucléotides. Déroulée, une telle molécule d'ADN aurait une longueur d'environ 6 cm, soit des milliers de fois le diamètre d'un noyau cellulaire. Tout cet ADN (et aussi celui des 45 autres chromosomes humains) peut prendre place dans le noyau grâce à son organisation spatiale complexe.

Nucléosomes, ou « collier de perles »

Chez les eucaryotes, de petites protéines appelées histones assurent le premier niveau de condensation de l'ADN dans la chromatine. En fait, la chromatine est composée d'à peu près autant d'histones que d'ADN. Ces protéines contiennent une forte proportion d'acides aminés de charge positive (lysine et arginine) ; elles se lient solidement à l'ADN, qui porte des charges négatives, et forment ainsi la chromatine. La plupart des cellules eucaryotes comportent cinq sortes d'histones. Les histones présentent des ressemblances frappantes d'une espèce eucaryote à l'autre, ce qui permet de penser que l'évolution n'a eu qu'une faible influence sur les gènes des histones.

Sur des photographies prises au microscope électronique, la chromatine déroulée ressemble à un collier de perles (figure 18.2a). Chacune des « perles » est un nucléosome, soit l'unité de base de la condensation de l'ADN. Le nucléosome consiste en un ADN enroulé autour d'un groupe de protéines, lequel se compose de deux groupes de molécules comportant chacun quatre sortes d'histones. On peut trouver une molécule de la cinquième histone, appelée H1, attachée à l'extérieur de la « perle ». Selon certains chercheurs, l'agencement de la chromatine en nucléosomes influerait sur l'expression des gènes en empêchant les protéines de transcription d'accéder à l'ADN.

Niveaux supérieurs de condensation de l'ADN

Le collier de perles subit à son tour un repliement d'ordre supérieur. Ce phénomène se révèle de manière manifeste lorsque la chromatine, qui était déroulée pendant l'interphase, s'enroule et se replie, et finit par former les chromosomes épais et denses que l'on peut observer au cours de la mitose. Nous pouvons isoler et dérouler les chromosomes mitotiques en laboratoire de façon à montrer les divers ordres d'enroulement de la chromatine. La figure 18.2b-d illustre les différentes structures par ordre croissant de condensation. Le collier de perles forme un

Figure 18.2

Niveaux de condensation de la chromatine. Cette série de diagrammes et de photographies prises au microscope électronique à transmission montre, d'après le modèle actuel, les stades d'enroulement et de repliement de l'ADN qui aboutissent à un chromosome métaphasique hautement condensé. **(a)** ADN associé à des histones

et dont les nucléosomes, dans la configuration dépliée, forment un « collier de perles ». Chaque nucléosome se compose de deux molécules comportant chacune quatre sortes d'histones. La cinquième histone (nommée H1) se trouve sur l'ADN adjacent à la « perle ». **(b)** Fibre de chromatine de 30 nm, dont on pense qu'elle est un enroulement

serré comportant six nucléosomes par tour. **(c)** Domaines en boucle des fibres de 30 nm, visibles ici parce qu'un chromosome compact a été dévidé de façon expérimentale. **(d)** Chromosome métaphasique, dont tout l'ADN est hautement condensé en une structure compacte.

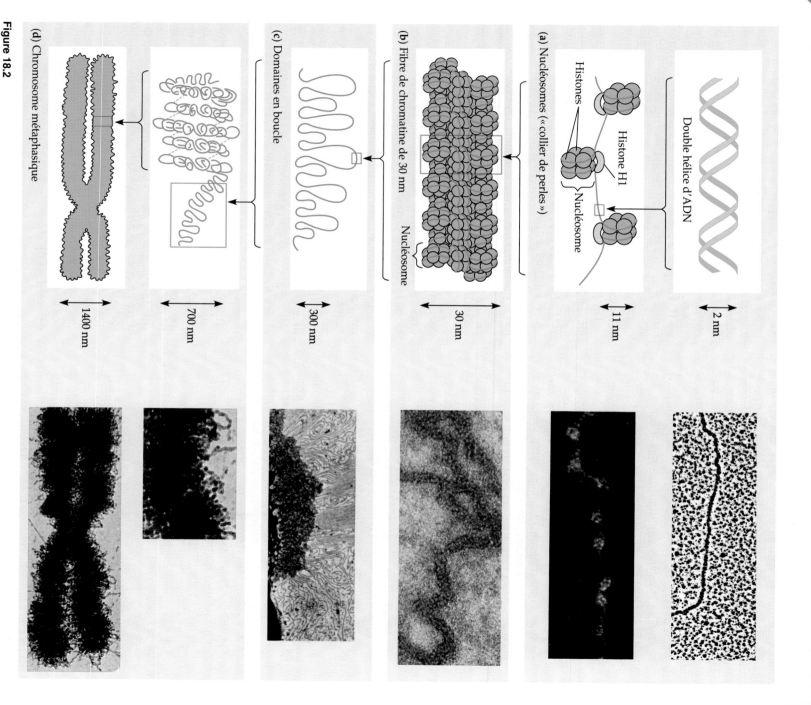

(a) Nucléosomes (« collier de perles »)

Histones

Histone H1

Nucléosome

Double hélice d'ADN

2 nm

11 nm

(b) Fibre de chromatine de 30 nm

Nucléosome

30 nm

(c) Domaines en boucle

300 nm

700 nm

(d) Chromosome métaphasique

1400 nm

enroulement serré grâce à l'histone H1, et se transforme en un cylindre de 30 nm de diamètre, nommé fibre de chromatine de 30 nm (figure 18.2b); certains biologistes l'appellent « solénoïde » de 30 nm, le terme utilisé pour un enroulement de fil électrique isolé). La fibre de 30 nm décrit à son tour des boucles appelées *domaines en boucle* (figure 18.2c).

Dans un chromosome en mitose, les domaines en boucle s'enroulent et se replient eux-mêmes, de sorte que toute la chromatine devient encore plus compacte et confère au chromosome l'aspect caractéristique des chromosomes en métaphase (figure 18.2d). Les boucles semblent s'ancrer dans une armature de protéines autres que des histones (visibles au bas de la micrographie de la figure 18.2c). Une vue d'ensemble de la figure 18.2 donne une idée de l'énorme quantité d'ADN que ces divers niveaux de repliement ont la capacité d'emmagasiner dans un même chromosome.

Au cours de l'interphase, la chromatine est beaucoup moins condensée en général que durant la mitose. Le « collier de perles » se présente le plus souvent de façon repliée, en fibre de 30 nm, et celle-ci constitue à son tour des domaines en boucle. Il semble bien que, pendant l'interphase, ces domaines en boucle se fixent à un échafaudage situé à l'intérieur de l'enveloppe nucléaire. Des expériences récentes suggèrent que la chromatine de chaque chromosome se cantonne dans une zone restreinte du noyau, de sorte que les fibres de chromatine des différents chromosomes ne s'emmêlent pas entre elles.

Même durant l'interphase, dans certaines cellules, des parties de chromosomes spécifiques demeurent dans l'état hautement condensé illustré à la figure 18.2d. Ce type de chromatine interphasique, visible au microscope photonique, est nommé **hétérochromatine** par opposition à l'**euchromatine** (« vraie chromatine »), moins compacte. Quel rôle cette condensation sélective joue-t-elle dans les cellules en interphase? La transcription active se déroule sur l'euchromatine. Il est possible que la formation d'hétérochromatine constitue une sorte d'ajustement grossier de l'expression génique: on sait en effet que l'ADN de l'hétérochromatine ne subit pas de transcription. L'exemple le plus frappant dans les cellules de Mammifères provient des corpuscules de Barr, qui sont des chromosomes X en interphase constitués presque exclusivement d'hétérochromatine. Dans chacune des cellules somatiques des femelles, l'un des deux chromosomes X devient un corpuscule de Barr (voir la figure 14.12), et seuls les gènes de l'autre chromosome X s'expriment. On ne sait pas si l'état condensé de la chromatine du corpuscule de Barr est à l'origine de la non-transcription, mais il réduit de manière considérable l'espace occupé par cet ADN non transcrit dans le noyau en interphase.

STRUCTURE DU GÉNOME À L'ÉCHELLE MOLÉCULAIRE

Chez les procaryotes, la plus grande partie de l'ADN du génome code pour des protéines (ou de l'ARNt et de l'ARNr); la petite quantité d'ADN non codant se compose surtout des séquences régulatrices telles que les promoteurs. De plus, la séquence nucléotidique codante de chaque gène de procaryote se poursuit sans interruption du début à la fin. Dans les génomes d'eucaryotes, par contre, la plus grande partie de l'ADN ne code pas pour des protéines ni pour de l'ARN. En outre, il peut y avoir des copies multiples de certaines séquences d'ADN, et les séquences codantes peuvent être entrecoupées par de longs segments d'ADN non codant (des introns, voir le chapitre 16). Dans la présente section, nous allons examiner la portée, sur le plan fonctionnel, de l'agencement de l'ADN dans un génome d'eucaryote.

Séquences répétitives

Environ 10 à 25 % de l'ensemble de l'ADN des eucaryotes pluricellulaires forme de courtes séquences (habituellement de cinq à dix nucléotides) répétées des milliers, voire des millions de fois. Ces copies peuvent être identiques ou simplement se ressembler. Dans les deux cas, la différence entre la composition nucléotidique des séquences hautement répétitives et celle du reste de l'ADN de la cellule provoque souvent une différence dans leur masse volumique, de sorte que les chercheurs peuvent les isoler par ultracentrifugation. L'ADN ainsi isolé est appelé **ADN satellite** parce qu'il apparaît comme une bande « satellite » distincte du reste de l'ADN dans le tube à centrifuger. Dans les chromosomes, la plus grande partie de l'ADN satellite se situe aux extrémités et dans la région du centromère. Il semble que cet ADN assume des fonctions *structurales* et non génétiques dans la cellule, et qu'il agit au cours de la réplication du chromosome ainsi que lors de la séparation des chromatides pendant la mitose et la méiose.

Familles multigéniques

Chez les eucaryotes, tout comme chez les procaryotes, on trouve généralement dans le génome une seule copie des séquences d'ADN (les gènes) qui codent pour des protéines ou pour de l'ARN; on parle de copie unique. Mais il existe également plusieurs copies de certains gènes, et d'autres gènes se ressemblent par leurs séquences de nucléotides. On appelle *famille multigénique* un ensemble de gènes identiques ou semblables, et chaque famille descend probablement d'un même gène ancestral.

Les membres d'une famille multigénique peuvent se trouver regroupés ou dispersés dans le génome, les gènes identiques étant habituellement regroupés. Les histones (des protéines) se font coder par des familles de gènes multiples identiques; cependant, presque toutes les autres familles de gènes identiques ont pour produit final de l'ARN et non des protéines. On peut citer l'exemple de la famille de gènes identiques codant pour les molécules principales de l'ARN ribosomique (ARNr) (figure 18.3). Ces gènes sont répétés en série (en tandem) à des centaines ou à des milliers d'exemplaires dans les génomes des eucaryotes pluricellulaires, et composent d'immenses ensembles grâce auxquels la cellule fabrique les millions de ribosomes nécessaires à la synthèse active des protéines.

On donne comme exemples classiques de familles de gènes *non identiques* les deux familles multigéniques de gènes apparentées qui codent pour les globines, c'est-à-dire les sous-unités polypeptidiques α et β de l'hémoglobine (voir la figure 5.26b). L'une de ces familles, située sur le

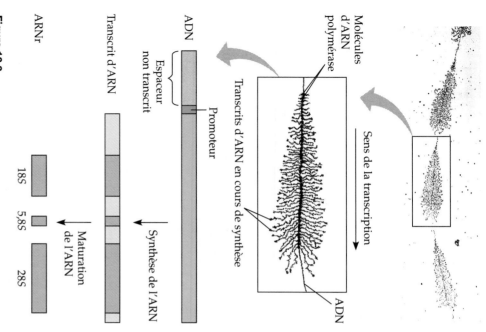

Molécules d'ARN polymérase

Sens de la transcription

Transcrits d'ARN en cours de synthèse

ADN

ADN

Espaceur non transcrit

Promoteur

Transcrit d'ARN

Synthèse de l'ARN

ARNr

Maturation de l'ARN

18S   5,8S   28S

Figure 18.3
Partie d'une famille de gènes identiques de l'ARN riboso-mique. La micrographie du haut de la figure montre trois des centaines de copies de gènes d'ARNr présentes dans le génome d'une Salamandre (copies de gènes d'ARNr présentes dans le génome d'une Salamandre (MET). Chacune des « plumes » correspond à un gène d'ARN en voie de transcription, de gauche à droite, par environ 100 molécules d'ARN polymérase (les points foncés à long de l'ADN). Les transcrits d'ARN en cours de synthèse s'écar-tent de l'ADN. Les gènes placés en tandem sont séparés l'un de l'autre par une séquence intercalaire, ou espaceur, composée d'ADN non transcrit. Les transcrits d'ARN subissent une matura-tion qui produit trois types de molécules d'ARNr: 18S, 5,8S et 28S. (S symbolise une unité d'ultracentrifugation, le svedberg, correspondant à un coefficient de sédimentation de 10^{-13} seconde.)

chromosome 16 chez les Humains, code pour plusieurs variétés de globines α; l'autre, localisée sur le chromosome 11, code pour des globines β (figure 18.4). Les divers types de chaque sous-unité s'expriment à différents stades du développement, de sorte que l'hémoglobine peut se modifier et remplir ses fonctions de façon efficace malgré les changements qui surviennent dans le milieu où se développe l'individu. Les ressemblances entre les séquences des divers gènes montrent que les globines de la forme α et celles de la forme β proviennent toutes d'une même globine ancestrale.

Comment des familles multigéniques peuvent-elles descendre d'un même gène? L'explication la plus plau-sible de l'existence de familles de gènes identiques réside dans le fait qu'elles apparaissent à la suite de la répétition de duplications géniques. Ce phénomène, appelé dupli-cation en tandem, résulte d'erreurs survenues dans la réplication et la recombinaison de l'ADN (voir le cha-pitre 16). Les familles de gènes non identiques trouvent probablement leur origine dans des mutations accumu-lées pendant un assez long laps de temps dans les gènes dupliqués. La présence de segments d'ADN nommés **pseudogènes** prouve que ce processus de duplication et de mutation des gènes a bien eu lieu. Les séquences d'un pseudogène ressemblent beaucoup à celles d'un vrai gène (gène fonctionnel), mais il lui manque un ou plu-sieurs sites (par exemple le promoteur) nécessaires à son expression. Les familles multigéniques des globines comportent plusieurs pseudogènes, qui se trouvent dans les segments d'ADN non codants situés entre les gènes fonctionnels.

Les pseudogènes de la globine constituent également la preuve que les gènes recopiés peuvent se déplacer dans le génome par un mécanisme de transposition dans lequel intervient la transcription inverse (synthèse d'ADN à partir d'une matrice d'ARN; nous avons étudié ce mécanisme à propos de la biologie moléculaire des Rétrovirus, au chapitre 17). Deux des caractéristiques des pseudogènes les apparentent à l'ARN messager: ils n'ont pas d'introns et ils possèdent des queues poly-A, tout comme l'ARNm.

La quantité considérable d'ADN non codant pré-sente dans le génome des eucaryotes pluricellulaires ne comporte pas seulement des pseudogènes et de l'ADN répétitif. On trouve aussi des quantités signifi-catives d'ADN non codant à l'intérieur des gènes sous forme d'introns (voir le chapitre 16). Nous allons main-tenant examiner plus en détail l'agencement des introns et des autres éléments dans un gène typique codant pour une protéine.

Structure d'un gène typique d'eucaryote: révision

La figure 18.5 présente l'agencement typique de l'ADN qui compose un gène et ses régions régulatrices; cette figure reprend et complète notre étude des gènes des eucaryotes au chapitre 16. La présence d'introns, c'est-à-dire des séquences non codantes intercalées le long de la séquence codante, constitue la différence la plus frap-pante entre le gène eucaryote et le gène procaryote. Nous avons vu au chapitre 16 que l'ARN polymérase se lie à un promoteur à l'extrémité 3' (« en amont ») du gène, et qu'elle transcrit les introns en même temps que les séquences codantes, appelées exons. Les introns sont enlevés plus tard au cours de la maturation de l'ARN, si bien qu'ils n'apparaissent pas dans l'ARN messager définitif. La maturation du transcrit primaire d'ARN comprend aussi l'addition d'une coiffe de 7-méthyl gua-nosine triphosphate à l'extrémité 5', ainsi que l'addition d'une queue poly-A à l'extrémité 3'.

La figure 18.5 montre une autre caractéristique propre au gène eucaryote, soit la présence de séquences régula-trices non codantes supplémentaires qui peuvent se trou-ver à des milliers de bases de distance du promoteur. Ces séquences, appelées **amplificateurs**, exercent une forte influence sur la transcription du gène correspondant. Elles constituent un important mécanisme de régulation, que nous étudierons plus loin dans ce chapitre.

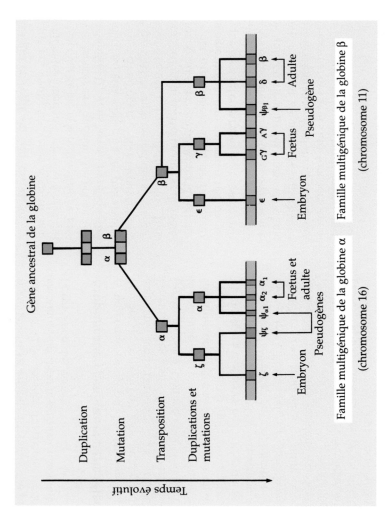

Figure 18.4
Évolution de la globine α et de la globine β. Chaque famille multigénique consiste en un ensemble de gènes semblables, mais non identiques, regroupés sur un chromosome. Les divers gènes sont désignés par des lettres grecques. À l'intérieur de chaque famille, les gènes se présentent dans l'ordre selon lequel ils s'expriment pendant le développement ; l'expression de chacun des gènes est activée ou inactivée en réponse aux changements qui surviennent dans l'environnement de l'organisme, du stade embryonnaire au stade adulte. À toutes les étapes du développement, l'hémoglobine fonctionnelle comprend deux polypeptides du type α et deux du type β. Dans chaque famille, on trouve entre les gènes fonctionnels de longs segments d'ADN non codant qui comportent des pseudogènes, c'est-à-dire des séquences nucléotidiques non fonctionnelles qui ressemblent beaucoup aux gènes fonctionnels. On suppose que les divers gènes et pseudogènes de chacune des familles proviennent d'un gène α ou β originel qui aurait subi une duplication suivie d'une mutation. En fait, les gènes α et β originels ont sans doute fait leur apparition de la même manière à partir d'un gène ancestral commun codant pour la globine. Les familles de globine α et de globine β ont été placées sur différents chromosomes par transposition (voir le chapitre 17), probablement au début de leur évolution.

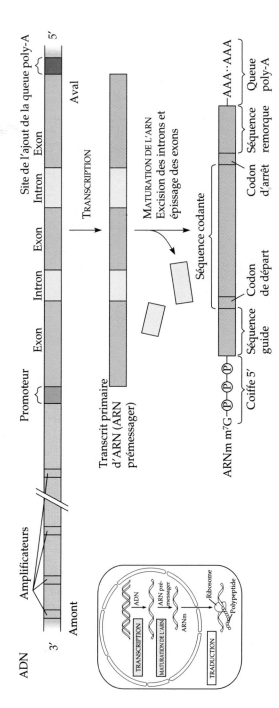

Figure 18.5
Révision de la structure moléculaire d'un gène eucaryote et de son transcrit. Le promoteur et les séquences voisines qui lui sont associées interviennent dans l'initiation de la transcription, qui se déroule vers « l'aval » dans la direction 3' → 5' (voir le chapitre 16). Les amplificateurs sont des sites sur lesquels peuvent se lier les protéines qui régissent la transcription du gène ; ces sites se trouvent en amont ou en aval du promoteur, à des distances pouvant atteindre des milliers de nucléotides. Après la synthèse du transcrit primaire d'ARN, les enzymes de maturation excisent les introns et ajoutent la coiffe de 7-méthyl guanosine triphosphate à l'extrémité 5' ainsi que la queue poly-A. L'ARNm se transporte alors dans le cytoplasme.

Agencement des gènes régis en coordination

Sur un chromosome eucaryote, les gènes régis de manière coordonnée (dont les fonctions s'apparentent et qui se font activer ou inactiver de façon synchronisée) ne présentent pas le même agencement que dans le génome des procaryotes. Au chapitre 17, vous avez appris que les gènes activés et inactivés ensemble chez les procaryotes se regroupent souvent en un opéron; ils se trouvent côte à côte sur la molécule d'ADN et possèdent des sites régulateurs communs situés à une extrémité du groupe. Tous les gènes de l'opéron se font transcrire en une seule molécule d'ARNm et sont traduits ensemble. Après la description des opérons dans les années 1960, de nombreux spécialistes en biologie moléculaire s'attendaient à ce que la régulation génique chez les eucaryotes soit assurée par des systèmes semblables aux opérons. Cependant, on n'a pas trouvé de telles structures dans les cellules eucaryotes. Les gènes qui codent pour les enzymes d'une même voie métabolique, par exemple, se répartissent souvent sur plusieurs chromosomes du génome des eucaryotes. Même lorsque des gènes aux fonctions apparentées se situent l'un près de l'autre sur le même chromosome, chacun d'eux dispose de son propre promoteur et la transcription se fait de façon individuelle. Néanmoins, l'expression d'ensembles de gènes eucaryotes dispersés s'effectue souvent de façon coordonnée.

Chez les eucaryotes, l'expression coordonnée de gènes dispersés requiert probablement la présence d'une séquence nucléotidique spécifique dans la région régulatrice de chacun des gènes du groupe. Une même protéine régulatrice reconnaîtrait cette séquence, tout comme un répresseur ou un activateur reconnaissent une séquence d'opérateur ou de promoteur de procaryote. On connaît des exemples de ce genre d'agencement chez les Bactéries, et on a démontré l'existence de cette sorte de séquences partagées dans les cellules eucaryotes. Ces séquences serviraient de signaux pour des molécules régulatrices spécifiques, et elles transmettraient le message suivant: «Transcrire ou réprimer tous ces gènes de façon synchronisée.»

FLEXIBILITÉ DU GÉNOME

Un gène présent dans le génome d'un organisme peut s'exprimer seulement dans certaines cellules ou à certains stades du développement de l'organisme. Les spécialistes en biologie moléculaire ont aussi découvert que, dans certaines conditions, un gène peut devenir plus disponible qu'à l'ordinaire. Autrement dit, le génome d'un organisme offre une flexibilité qui modifie la disponibilité de certains gènes en vue de leur expression. Nous avons déjà remarqué que *l'agencement physique* de l'ADN varie et que ces modifications influent sur l'expression des gènes. (Les gènes de l'hétérochromatine et ceux de l'ADN satellite des chromosomes ne s'expriment pas.) Or, nous pensons le plus souvent que, à l'exception de quelques rares mutations, la composition chimique et la séquence nucléotidique de l'ADN restent constantes tout au long de la vie d'un organisme. Mais vous apprendrez qu'il existe d'importantes exceptions à cette règle, par exemple qu'une partie du génome devenue inutile à un moment donné peut disparaître sans qu'il y ait eu mutation. Ainsi, *l'agencement structural* du génome d'un organisme com-

porte aussi une certaine flexibilité. De plus, les déplacements d'ADN au sein du génome et les modifications chimiques qu'il subit exercent une grande influence sur l'expression des gènes.

Amplification génique et perte sélective de gènes

À un certain stade du développement, il arrive que le nombre de copies d'un gène ou d'une famille de gènes augmente temporairement dans certains tissus. Prenons l'exemple des gènes de l'ARN ribosomique (ARNr) chez les Amphibiens. Comme chez la plupart des eucaryotes, le génome de chaque cellule comprend des copies multiples de ces gènes. Mais l'ovule en cours de développement synthétise un million ou plus de copies supplémentaires des gènes de l'ARNr, qui se présentent sous forme de cercles d'ADN extrachromosomique. Cette réplication sélective, ou **amplification génique**, est un moyen très efficace pour accroître l'expression des gènes d'ARNr; l'œuf peut ainsi produire des quantités prodigieuses de ribosomes pendant son développement. Ces ribosomes permettent une augmentation brutale de la synthèse protéique après la fécondation de l'ovule. Les copies supplémentaires des gènes d'ARNr sont hydrolysées au début du développement embryonnaire.

Dans d'autres cas, en particulier chez certains Insectes, des gènes disparaissent de façon sélective dans des tissus spécifiques (mais pas dans les cellules qui fabriquent les gamètes, bien entendu). En fait, comme nous le verrons au chapitre 43, des chromosomes entiers ou des parties de chromosomes peuvent être éliminés de certaines cellules au début du développement embryonnaire.

Méthylation de l'ADN

Le génome peut subir un autre type de transformation de nature chimique. En effet, les bases azotées de l'ADN subissent parfois des modifications à la suite d'un processus appelé méthylation. La **méthylation de l'ADN** est l'addition de groupements méthyle ($-CH_3$) aux bases de l'ADN après la synthèse de ce dernier. On trouve des bases méthylées (habituellement de la cytosine) dans l'ADN de la plupart des Végétaux et des Animaux. Environ 5% des bases de cytosine des eucaryotes sont méthylées. L'ADN inactif, tel celui des corpuscules de Barr, subit généralement une méthylation plus forte que l'ADN transcrit de façon active (il existe cependant d'importantes exceptions). Lorsque l'on compare des gènes identiques provenant de différents types de cellules (par exemple de différents tissus), on observe que les gènes se montrent habituellement plus méthylés dans les cellules où leur expression n'a pas eu lieu. En outre, les médicaments qui inhibent la méthylation peuvent entraîner la réactivation des gènes, même dans les corpuscules de Barr. La méthylation de l'ADN représente-t-elle un mécanisme cellulaire de régulation à long terme de l'expression génique? Les experts en biologie moléculaire ne savent toujours pas si la méthylation est la cause ou le résultat de la diminution de l'expression génique.

Remaniements du génome

L'échange de grands segments d'ADN constitue un type de modification génomique très fréquent. Il ne s'agit pas

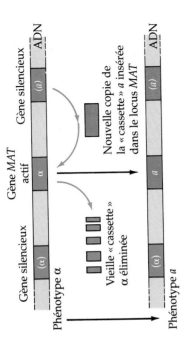

Phénotype α

Phénotype a

Figure 18.6
Mécanisme de la cassette pour le changement de type sexuel chez la Levure. Le type sexuel d'une cellule de Levure, α ou a, est déterminé par la présence de l'un des deux allèles sur un locus génétique appelé locus du type sexuel (MAT). Les cellules de Levure apportent des versions silencieuses (non exprimées) des allèles α et a sur des loci éloignés du MAT, et elles peuvent transporter des copies de ces «cassettes» sur le MAT. De tels échanges peuvent survenir à chaque cycle cellulaire.

ici de la recombinaison génétique qui a lieu pendant la méiose, mais plutôt d'échanges qui surviennent dans les cellules somatiques d'un organisme. Ces remaniements peuvent avoir des effets considérables sur l'expression des gènes.

Transposons Il semble que tous les organismes possèdent des transposons, c'est-à-dire des segments d'ADN particulièrement aptes à se déplacer d'un endroit à l'autre à l'intérieur du génome. Nous avons étudié les transposons en détail au chapitre 17. Nous avons vu que si un transposon «saute» au milieu de la séquence codante d'un autre gène, il en empêche le fonctionnement normal. S'il s'insère à l'intérieur d'une séquence qui assure la régulation de la transcription, la transposition peut faire augmenter ou diminuer la production d'une ou de plusieurs protéines. Dans certains cas, le transposon lui-même porte un gène qui s'active lorsque ce transposon se trouve inséré juste en aval d'un promoteur actif.

Changement de type sexuel chez la Levure Les remaniements de l'ADN, qui peuvent entraîner ou inhiber l'activation de gènes particuliers, assurent certaines fonctions dans des sortes spécifiques de cellules. Par exemple, les cellules de Levure ont l'effet d'une réorganisation génique. Chez les Levures, qui sont des Champignons unicellulaires, il existe deux types sexuels, α (alpha) et a, et l'accouplement ne peut intervenir qu'entre deux individus de types sexuels opposés. Le type sexuel se détermine par la présence de l'allèle α ou a sur un site du génome appelé locus du type sexuel (MAT, mating type locus). Cependant, les cellules de Levure peuvent changer de type sexuel en procédant à l'échange de l'allèle localisé sur le site en question (figure 18.6). On trouve des copies «silencieuses» (inactives) des deux allèles ailleurs sur le même chromosome, et l'allèle situé sur le locus du type sexuel est parfois excisé et remplacé par une copie de l'autre allèle en provenance d'un autre site. Les copies silencieuses des deux allèles restent disponibles, ce qui permet aux descendants d'une cellule donnée de changer de type sexuel un nombre indéfini de fois. Ce processus est nommé **mécanisme de la cassette**, parce que le locus du type sexuel se compare à la fente d'un lecteur de bande magnétique où l'on peut insérer la «cassette» (l'allèle) α, ou a, afin qu'elle soit «lue» (transcrite).

cette spécialisation cellulaire poussée. Lorsqu'une cellule non spécialisée du système immunitaire se différencie en lymphocyte B, son gène d'anticorps se constitue de façon aléatoire à partir de plusieurs segments d'ADN qui, dans le génome de la cellule embryonnaire, se trouvent physiquement séparés. Le système immunitaire humain comporte des millions de sous-populations de lymphocytes B ; il peut donc fabriquer des millions de sortes de molécules d'anticorps (voir le chapitre 39).

La figure 18.7 montre, en bas à droite, la molécule d'immunoglobuline (anticorps) de base. Cette molécule se compose de quatre chaînes polypeptidiques reliées par des ponts disulfure. Chaque chaîne comprend deux parties principales : une région constante, qui reste la même pour tous les anticorps d'une classe donnée, et une région variable, qui confère à chaque anticorps sa fonction particulière, soit la capacité de reconnaître une molécule étrangère spécifique et de se lier à elle. Le génome de la cellule embryonnaire comporte un long segment d'ADN entre, d'une part, la région d'ADN qui code pour la partie polypeptidique constante de chaque sorte d'anticorps et, d'autre part, l'endroit où se trouvent des centaines de segments codant pour des régions variables (figure 18.7, en haut). Pendant la différenciation du lymphocyte B, la délétion de l'ADN intermédiaire permet la liaison d'un certain segment variable de l'ADN à un segment constant. Les segments ainsi réunis forment la séquence nucléotidique continue qui constitue le gène de l'un des polypeptides de l'immunoglobuline. Une grande partie des variations présentes dans les anticorps provient donc de deux sources : les différentes combinaisons de régions variables et constantes dans les polypeptides de l'immunoglobuline, et les différentes combinaisons de polypeptides qui composent les molécules d'anticorps complètes. Ce mode de formation des gènes d'anticorps illustre la manière dont un remaniement chimique de l'ADN peut produire des cellules somatiques dotées de génomes distincts.

Gènes des immunoglobulines Chez les eucaryotes pluricellulaires, au moins un ensemble de gènes subit des remaniements permanents de son ADN pendant la différenciation cellulaire ; on connaît bien la fonction de ces modifications. Chez les Mammifères, elles prennent place dans les gènes qui codent pour les anticorps, ou **immunoglobulines** ; ces protéines reconnaissent spécifiquement les Virus, les Bactéries et les autres envahisseurs de l'organisme, et s'attaquent à eux.

Les immunoglobulines se font synthétiser par des cellules du système immunitaire, un type de globules blancs appelés lymphocytes B. Les lymphocytes B sont hautement spécialisés ; chacune des cellules différenciées fabriquent une sorte d'anticorps particulier. La conformation unique du gène de l'anticorps autorise

Figure 18.7
Remaniement de l'ADN au cours de la maturation d'un gène d'anticorps. Dans les cellules indifférenciées, l'ADN des gènes codant pour différentes régions: des centaines de régions variables différentes (V) (nous n'en montrons que trois ici), plusieurs régions de jonction (J), et une ou plusieurs régions constantes (C). Pendant la différenciation des lymphocytes B (globules blancs), on observe une délétion d'un long segment d'ADN allant de la fin de l'un des segments V au début de l'un des segments J. En conséquence, un segment V (dans le cas étudié ici V_2) et un segment J deviennent adjacents et constituent un gène à transcrire. Le transcrit d'ARN subit une maturation de la façon habituelle, c'est-à-dire que les introns disparaissent de même que les segments J surnuméraires; la traduction de l'ARNm ainsi produit forme l'une des chaînes polypeptidiques d'une molécule d'anticorps. On considère que les acides aminés codés par le segment J font partie de la région variable du polypeptide. La flexibilité du génome permet l'assemblage des régions d'ADN V, J et C selon des combinaisons aléatoires (ce diagramme simplifié n'en représente qu'un petit nombre); elle munit ainsi le système immunitaire de toute une gamme de lymphocytes producteurs d'anticorps, chacun adapté à un envahisseur particulier (voir le chapitre 39). Les diverses combinaisons de chaînes polypeptidiques qui constituent chaque anticorps représentent une autre source de diversité chez ces protéines.

RÉGULATION DE L'EXPRESSION GÉNIQUE

Plusieurs facteurs déterminent si l'expression des gènes d'une certaine séquence d'ADN peut s'effectuer: la présence ou l'absence de cette séquence dans la cellule, son état physique (sous forme d'hétérochromatine ou d'euchromatine) et son emplacement dans le génome. Nous allons maintenant nous pencher sur les mécanismes de régulation affectant les gènes qui sont *disponibles*. La figure 18.8 donne un aperçu des étapes suivies par l'expression génique chez les eucaryotes et souligne les stades auxquels il peut y avoir une régulation de l'expression d'un gène donné. Dans un premier temps, nous étudierons chacun de ces stades de régulation, en commençant par la régulation de la transcription.

Régulation de l'expression génique au cours de la transcription

Chez les procaryotes comme chez les eucaryotes, la synthèse d'ARN s'effectue grâce à des enzymes d'ARN polymérase qui agissent de concert avec de nombreuses protéines nommées facteurs de transcription. La polymérase et les facteurs de transcription se lient à des séquences spécifiques situées à l'intérieur du promoteur, immédiatement en amont de la séquence codante d'un gène; puis la polymérase se déplace le long de la matrice d'ADN en fabriquant un brin d'ARN complémentaire. Chez les eucaryotes, des facteurs de transcription supplémentaires se lient de façon sélective à des amplificateurs de l'ADN, qui peuvent se trouver à des milliers de nucléotides de distance du promoteur et de la séquence codante (voir la figure 18.5).

Les liaisons spécifiques entre les facteurs de transcription et les amplificateurs du génome jouent un rôle important dans la régulation de l'expression génique chez les eucaryotes. Mais les spécialistes en biologie moléculaire ne comprennent pas encore *comment* les amplificateurs stimulent la transcription de gènes particuliers. Une des hypothèses émises veut que la transcription se déclenche lorsqu'une boucle en épingle à cheveux formée par l'ADN met en contact le facteur de transcription lié à l'amplificateur avec les facteurs de transcription liés à la polymérase localisés sur le promoteur (figure 18.9). Il est possible que divers facteurs de transcription adaptés à différents amplificateurs du génome provoquent de façon sélective l'expression de gènes spécifiques à des moments appropriés du développement cellulaire.

Jusqu'à présent, on a découvert chez les eucaryotes plus de 100 facteurs de transcription, y compris ceux qui se lient aux amplificateurs. Bien que ces protéines présentent des caractères très diversifiés, on peut les regrouper en trois catégories principales, chacune étant définie par la structure de la région fonctionnelle, ou domaine, par laquelle la protéine se lie à l'ADN. Ces trois sortes de domaines de liaison à l'ADN sont le domaine au motif «hélice-boucle-hélice», le domaine en «doigts de zinc» et

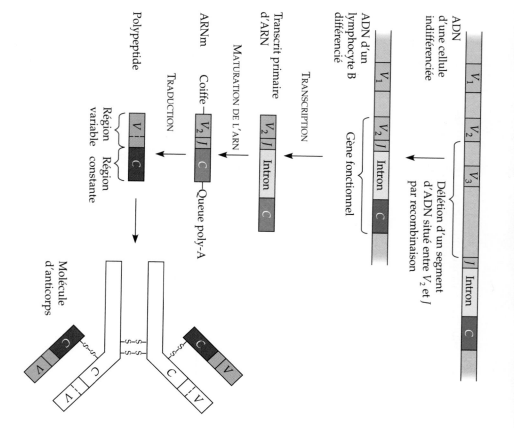

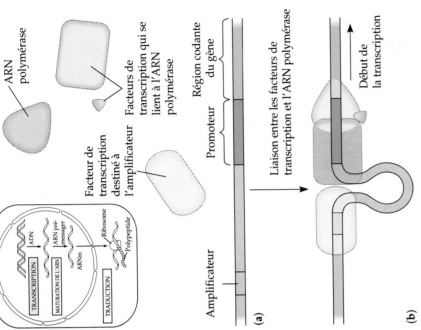

Figure 18.9
Hypothèse sur le rôle des amplificateurs dans la régulation de l'expression génique chez les eucaryotes. (a) Pour pouvoir reconnaître le promoteur en amont d'un gène et s'y lier, l'ARN polymérase a besoin de protéines supplémentaires appelées facteurs de transcription. **(b)** Un amplificateur se trouve éloigné du promoteur. La liaison d'un facteur de transcription spécifique sur l'amplificateur stimule l'ensemble du complexe formé par l'ARN polymérase et les facteurs de transcription.

le domaine à «glissière de leucine». La figure 18.10 illustre les modes de liaison hypothétiques de ces domaines sur l'ADN ainsi que leur action sur l'expression génique au cours de la transcription.

Régulation de l'expression génique après la transcription

La transcription seule n'équivaut pas à l'expression. L'expression de gènes codant pour des protéines dépend des types et de la quantité de protéines fonctionnelles fabriquées par une cellule, et de nombreux événements surviennent entre la synthèse du transcrit d'ARN et l'apparition d'une protéine fonctionnelle. L'expression du gène peut se trouver bloquée ou stimulée à n'importe laquelle des étapes qui suivent la transcription (voir la figure 18.8).

Maturation et exportation de l'ARN Le passage de la transcription à la traduction chez les eucaryotes fait apparaître de nouvelles possibilités de régulation de l'expression génique. Comme nous l'avons vu au chapitre 16, les transcrits primaires d'ARN dans la cellule eucaryote doivent subir une maturation avant de pouvoir

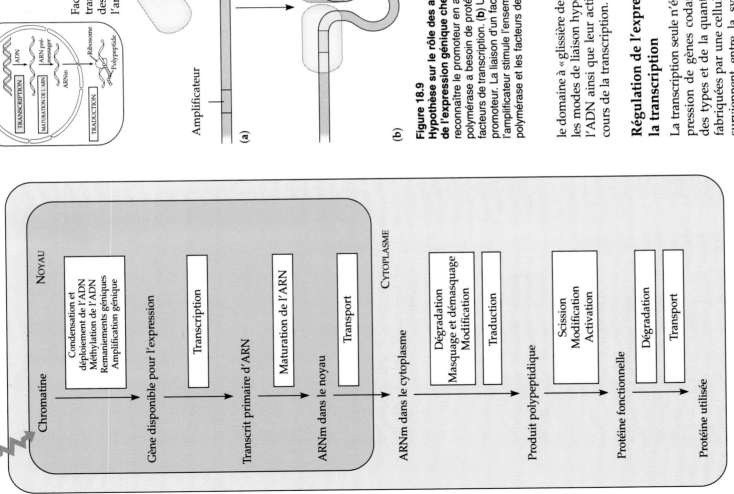

Figure 18.8
Étapes de régulation possibles de l'expression génique dans les cellules eucaryotes : vue d'ensemble. Contrairement à la cellule procaryote, la cellule eucaryote possède une enveloppe nucléaire qui sépare la transcription de la traduction dans le temps et dans l'espace. Cette caractéristique crée de meilleures possibilités de régulation après la transcription, au cours de la maturation de l'ARN. En outre, chez les eucaryotes, il existe un plus grand nombre d'étapes de régulation génique possibles avant la transcription et après la traduction. Dans ce diagramme, les étapes de régulation potentielles figurent dans les rectangles blancs.

assumer les fonctions d'ARNm, d'ARNt ou d'ARNr. Un transcrit d'ARN reçoit une coiffe 5' et une queue poly-A, les segments d'ARN qui représentent les introns des gènes disparaissent par excision, et les exons (segments codants) subissent un épissage (voir la figure 18.5). Ensuite, le transcrit passe du noyau au cytoplasme par un mécanisme encore mal compris, probablement par un pore nucléaire. Dans le cytoplasme, l'ARNm interagit avec un certain nombre de protéines spécifiques et peut s'associer à des ribosomes pour se faire traduire. Chacune des étapes de la maturation de l'ARN, du processus d'exportation de l'ARNm du noyau et de la traduction dans le cytoplasme offre une possibilité de régulation de l'expression génique. Mais la façon dont la régulation s'exerce lors des étapes postérieures à la transcription reste un mécanisme bien peu connu.

Régulation de la dégradation de l'ARNm La durée de vie d'une molécule d'ARNm dans le cytoplasme constitue également un important facteur de régulation de la synthèse protéique dans la cellule. Les molécules d'ARNm des procaryotes ont une vie très courte ; elles se font dégrader par des enzymes au bout d'à peine quelques minutes. C'est l'une des raisons pour lesquelles les Bactéries adaptent rapidement leur stratégie de synthèse protéique aux fluctuations du milieu. Pour leur part, les molécules d'ARNm des eucaryotes ont des durées de vie variant de quelques heures à quelques semaines. Si deux sortes de molécules d'ARNm ne se font pas dégrader à la même vitesse par les enzymes du cytoplasme, elles peuvent commander la synthèse de quantités différentes de protéines. Les globules rouges des Vertébrés, qui sont des « usines » à « fabriquer » de l'hémoglobine, une protéine, offrent un exemple frappant d'ARNm qui demeure intact pendant une longue période. Les ARNm de l'hémoglobine font preuve d'une stabilité peu commune et se font traduire de façon répétée dans les globules rouges en formation.

Dans d'autres cas, l'ARNm des eucaryotes s'accumule, mais la traduction ne va s'amorcer que grâce à un certain signal régulateur. Par exemple, chez de nombreux organismes, l'ARNm qui sert à la synthèse active de protéines pendant le premier stade du développement embryonnaire (segmentation de l'œuf) a été entièrement synthétisé par le noyau de l'ovule avant la fécondation. Il s'accumule dans le cytoplasme de l'ovule non fécondé sous forme d'ARNm inactivé et ne se fait traduire qu'au moment de la fécondation (voir le chapitre 43). La cellule en cours de développement synthétise certains ARNm en grande quantité, les entrepose dans le cytoplasme sous une forme qui les protège de la dégradation enzymatique et retarde leur traduction jusqu'à l'apparition d'un signal spécifique ; elle se trouve alors en mesure de répondre à un stimulus donné par une augmentation brutale de la synthèse de certaines protéines.

Régulation pendant et après la traduction Dans les cellules eucaryotes, la traduction met en jeu un bien plus grand nombre de facteurs protéiques que dans les cellules procaryotes, en particulier des facteurs d'initiation (voir le chapitre 16). Il existe donc un grand nombre de possibilités de régulation de l'expression génique pendant la traduction. Par exemple, dans les œufs fécondés, l'apparition soudaine d'un facteur d'initiation contribue au déclenchement de la traduction de l'ARNm inactivé ; la présence de ce facteur est requise afin que l'interaction entre les ribosomes et l'ARNm s'établisse.

Les derniers moments où la régulation de l'expression génique peut s'exercer se situent après la traduction. Il arrive souvent que les polypeptides chez les eucaryotes doivent se scinder afin de fournir les produits activés définitifs. Le traitement postérieur à la traduction de l'insuline, une hormone, en constitue un exemple (voir le chapitre 16). Pour être activés, de nombreux polypeptides doivent se combiner à des groupements chimiques tels que des chaînes de glucides. D'autre part, les mécanismes de signalisation doivent aussi modifier de nombreuses

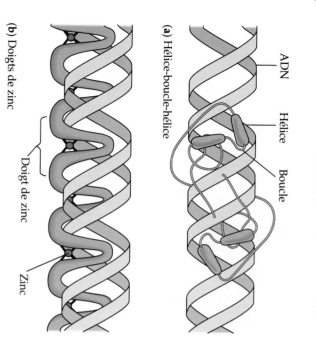

(a) Hélice-boucle-hélice

ADN
Hélice
Boucle

(b) Doigts de zinc

Doigt de zinc
Zinc

Leucine

(c) Glissière de leucine

Figure 18.10
Trois modèles structuraux de protéines fixatrices d'ADN qui régissent l'expression génique. Les interactions avec l'ADN illustrées ici sont hypothétiques. (a) Dans le motif hélice-boucle-hélice, deux régions en hélice α se lient à des séquences d'ADN spécifiques. La protéine fixatrice est en fait un dimère dont chaque partie présente une structure en hélice-boucle-hélice. (b) D'autres protéines fixatrices d'ADN sont munies de doigts de zinc, c'est-à-dire des boucles protéiques stabilisées par des atomes de zinc. (c) Le troisième modèle de protéines fixatrices d'ADN est celui du domaine à glissière de leucine. Deux chaînes polypeptidiques, chacune comportant une région riche en leucine (un acide aminé), s'accolent l'une à l'autre pour constituer la protéine fixatrice d'ADN sous sa forme active.

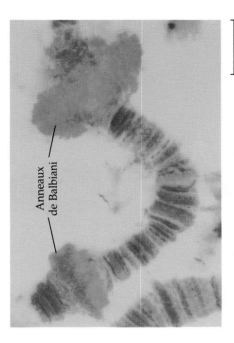

Anneaux de Balbiani

25 µm

protéines afin de les rendre compatibles avec leur destination spécifique dans la cellule (voir la figure 16.17). En théorie tout au moins, la régulation pourrait s'exercer à n'importe laquelle de ces étapes de modification ou de transport de la protéine. Enfin, il se pourrait que la cellule régisse l'intensité de l'expression génique au moyen de la dégradation sélective de certaines protéines.

RÔLE DES PETITES MOLÉCULES DANS LA RÉGULATION DE L'EXPRESSION GÉNIQUE CHEZ LES EUCARYOTES

Nous avons suivi jusqu'à présent les différentes étapes de l'expression génique, depuis la transcription jusqu'à la traduction et au-delà; revenons en arrière et voyons ce qui, au départ, fait que les outils de la transcription commencent à agir sur un gène spécifique. Comment le milieu externe ou interne de la cellule détermine-t-il l'expression génique? Chez les Bactéries (voir le chapitre 17), de petits métabolites, comme un dérivé du lactose et le tryptophane, influent sur la transcription en se combinant avec des protéines régulatrices telles que le répresseur de l'opéron *lac*. La forme de la protéine régulatrice subit une modification, ce qui réduit sa capacité de liaison avec l'ADN. Chez les eucaryotes également, certaines petites molécules organiques agissent sur la transcription en se combinant à des protéines régulatrices. Les hormones stéroïdes des Animaux font partie des molécules qui entraînent des changements semblables dans l'expression génique. Ces molécules, véhiculées par le sang, servent de messagers entre des cellules situées à des endroits différents dans l'organisme animal. C'est chez les Insectes que l'on a pu démontrer l'effet exercé par les hormones stéroïdes sur la transcription des gènes dans les cellules cibles.

Les anneaux de Balbiani : preuve du rôle régulateur des hormones stéroïdes chez les Insectes

L'étude des chromosomes géants (polytènes) présents dans les glandes salivaires et d'autres tissus de certaines larves d'Insectes a apporté la preuve de la régulation de l'expression génique pendant la transcription et du rôle des stéroïdes dans ce processus. Les chromosomes polytènes se composent de centaines de chromatides parallèles. À certains stades du développement larvaire, des boursouflures (puffs) chromosomiques appelées *anneaux de Balbiani*, apparaissent sur des sites spécifiques des chromosomes polytènes (figure 18.11). Un anneau de Balbiani se crée lorsque l'ADN forme une boucle à partir de l'axe du chromosome, ce qui rend peut-être l'ADN de cette région plus accessible à l'ARN polymérase. L'analyse par autoradiographie (voir le chapitre 2) atteste que les anneaux de Balbiani correspondent effectivement à des régions où la synthèse d'ARN (c'est-à-dire la transcription) est intense.

L'emplacement des anneaux de Balbiani le long du chromosome change au fur et à mesure que la larve se développe. Au moment où la larve s'apprête à muer, certaines boursouflures disparaissent et d'autres se forment

Figure 18.11

Anneaux de Balbiani. Sur cette micrographie, on peut voir deux boursouflures sur un chromosome polytène de l'Insecte *Trichosia pubescens* (MP). On appelle ces boursouflures anneaux de Balbiani. L'emplacement des anneaux le long des chromosomes change au fur et à mesure que la cellule se développe. Les anneaux de Balbiani témoignent de l'activité des gènes : ils constituent les sites de la transcription active.

sur de nouveaux sites. Le déplacement des boursouflures constitue une manifestation visible de l'activation et de l'inactivation sélectives de certains gènes pendant le développement. Ces changements de position des boursouflures seraient entraînés par l'ecdysone, une hormone stéroïde qui déclenche la mue. Ce phénomène montre que la régulation génique chez l'Insecte obéit à des signaux chimiques spécifiques, plus précisément à la présence d'un stéroïde.

Action des hormones stéroïdes chez les Vertébrés

Des chercheurs ont identifié les étapes clés par l'intermédiaire desquelles les hormones sexuelles et d'autres stéroïdes influent sur l'expression des gènes dans les cellules cibles des Vertébrés. Les stéroïdes sont solubles dans les lipides. Lorsqu'une cellule entre en contact avec un stéroïde, cette hormone diffuse à travers la membrane plasmique et le cytoplasme. Puis, elle pénètre dans le noyau où elle rencontre une protéine réceptrice soluble. En l'absence du stéroïde, la protéine réceptrice s'associe à une protéine inhibitrice qui l'empêche de se lier à l'ADN (figure 18.12a). La liaison de l'hormone stéroïde à la protéine réceptrice entraîne le relâchement de la protéine inhibitrice; la protéine réceptrice ainsi activée se lie à des sites spécifiques de l'ADN (figure 18.12b). Ces sites se trouvent dans des amplificateurs qui régissent les gènes sensibles aux stéroïdes. La liaison de la protéine réceptrice à l'amplificateur a pour effet d'amorcer la transcription : le stéroïde constitue donc un signal chimique qui active des gènes spécifiques dans certaines cellules. Au chapitre 41, nous reviendrons aux voies par lesquelles les hormones agissent sur les cellules.

La régulation de l'expression génique chez les eucaryotes repose sur cinq fondements résumés ci-dessous :

1. Les divers types de cellules d'un organisme pluricellulaire expriment différents gènes.

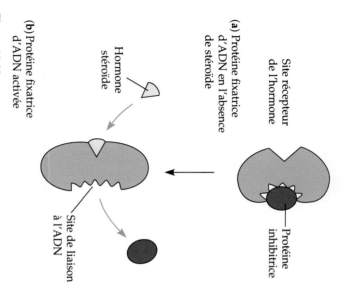

(a) Protéine fixatrice d'ADN en l'absence de stéroïde

Site récepteur de l'hormone

Protéine inhibitrice

Hormone stéroïde

Site de liaison à l'ADN

(b) Protéine fixatrice d'ADN activée

Figure 18.12
Activation d'une protéine fixatrice d'ADN à l'aide d'une hormone stéroïde. (a) Une protéine fixatrice d'ADN présente un site récepteur pour une hormone stéroïde. Cette protéine stimule la transcription de certains gènes. En l'absence du stéroïde, une protéine inhibitrice empêche la protéine fixatrice de se lier à l'ADN. (b) À l'arrivée du stéroïde, la protéine fixatrice d'ADN relâche l'inhibiteur et peut alors se lier à des sites régulateurs spécifiques situés sur l'ADN. Par l'intermédiaire de ce mécanisme, les hormones stéroïdes provoquent l'expression de certains gènes dans des cellules cibles.

2. Des remaniements physiques et chimiques du génome font que certains gènes sont disponibles pour l'expression, et d'autres non.

3. En ce qui concerne les gènes disponibles pour l'expression, il existe des possibilités de régulation à chacune des étapes de la voie qui va du gène à la protéine fonctionnelle.

4. La régulation de la transcription joue un rôle particulièrement important dans le choix des gènes à exprimer; chez les eucaryotes, la liaison sélective de protéines régulatrices à des amplificateurs faisant partie de l'ADN déclenche la transcription de certains gènes.

5. L'activité régulatrice de certaines protéines fixatrices de l'ADN subit l'influence de certaines hormones et d'autres signaux chimiques.

Nous parlerons plus en détail du rôle de l'expression sélective des gènes dans la différenciation cellulaire et dans le développement des Végétaux et des Animaux aux chapitres 34 et 43. Nous allons terminer le présent chapitre en étudiant la façon dont l'expression génique peut provoquer le cancer.

EXPRESSION GÉNIQUE ET CANCER

Au chapitre 11, nous avons décrit le cancer comme un ensemble de maladies dans lesquelles les cellules échappent aux mécanismes de régulation qui posent normalement des limites à leur croissance et à leur division. Les chercheurs commencent à comprendre les causes génétiques du comportement aberrant des cellules cancéreuses.

Le cancer peut être provoqué par des facteurs physiques tels les rayons X et par des substances chimiques appelées **substances cancérogènes** (voir le chapitre 16). Tous ces agents entraînent des mutations qui modifient l'expression de certains gènes. Mais de quels types de gènes s'agit-il? La découverte de gènes provoquant l'apparition d'une tumeur, ou **oncogènes** (du mot grec signifiant tumeur) a ouvert une piste importante. On a mis ces gènes en évidence chez certains Virus à ARN (Rétrovirus) qui déclenchent une croissance anarchique des cellules infectées en culture. Puis, des chercheurs ont découvert des équivalents très semblables à ces gènes viraux dans le génome des Humains et d'autres Animaux. Ces gènes cellulaires normaux, appelés **proto-oncogènes**, codent pour des protéines qui régissent habituellement la croissance, la division et l'adhérence des cellules.

Comment un gène qui assure une fonction essentielle dans les cellules saines peut-il mener à l'apparition d'une tumeur? Globalement, on peut répondre que ce gène ne semble plus soumis à sa régulation normale. Quatre mécanismes peuvent convertir un proto-oncogène en un oncogène. Il s'agit de (1) l'amplification génique, (2) la translocation chromosomique, (3) la transposition de gènes et (4) la mutation ponctuelle (une modification dans un seul nucléotide). En ce qui touche à l'amplification, le nombre de copies d'oncogènes par cellule devient plus grand que la normale. Les cellules malignes ont souvent subi des translocations chromosomiques; en d'autres termes, des chromosomes se sont rompus et reconstitués de telle sorte que des segments de différents chromosomes se trouvent juxtaposés (voir la figure 14.14). Dans de tels cas, les oncogènes se situent dans la région de la nouvelle jonction; il semblerait que lors de ces translocations, l'oncogène se sépare des régions qui exercent sur lui une régulation. L'oncogène lui-même, peut subir une transposition qui le conduit à un locus inhabituel, d'où l'expression de l'oncogène. Dans d'autres exemples encore, la séquence nucléotidique du proto-oncogène devient le lieu d'une mutation ponctuelle. Un tel changement fait apparaître une protéine stimulatrice de la croissance qui présente un degré d'activation ou de résistance à la dégradation plus élevé que celui d'une protéine normale.

Outre les mutations qui affectent les protéines stimulatrices de la croissance, on peut également associer au cancer les modifications des gènes dont les produits *inhibent* la division cellulaire. Ces gènes sont appelés **gènes suppresseurs de tumeurs** parce que les protéines pour lesquelles ils codent normalement contribuent à empêcher une croissance cellulaire anarchique. Toute mutation qui bloque la production de la protéine normale de suppression des tumeurs devient un facteur de déclenchement du cancer. L'allèle mutant responsable du rétinoblastome à l'état homozygote provoque la formation d'une tumeur maligne de la rétine chez de jeunes enfants. L'insertion de l'allèle normal dans une culture cellulaire qui ne possède que des allèles mutants entraîne un ralentissement de la croissance anormale des cellules cancéreuses. Cet allèle normal a été le premier gène suppresseur de tumeur identifié.

Figure 18.13

Processus de développement du cancer colo-rectal. L'évolution de la tumeur se fait parallèlement à une série de changements génétiques, y compris les modifications des gènes suppresseurs de tumeurs situés sur les chromosomes 5, 17 et 18, ainsi qu'une mutation d'un oncogène appelé *ras*. D'autres séquences de mutations peuvent aussi provoquer le cancer. Dans chaque cas, les mutations affectent des gènes qui, sous leur forme normale, assurent la régulation des processus cellulaires.

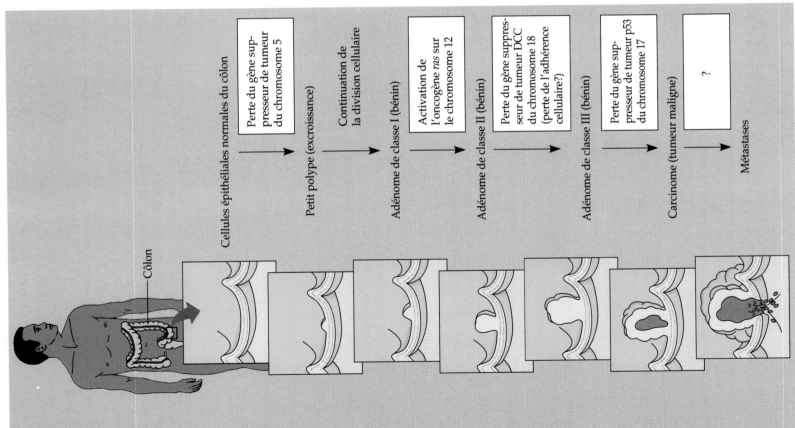

Cellules épithéliales normales du côlon

Perte du gène suppresseur de tumeur du chromosome 5

Petit polype (excroissance)

Continuation de la division cellulaire

Adénome de classe I (bénin)

Activation de l'oncogène *ras* sur le chromosome 12

Adénome de classe II (bénin)

Perte du gène suppresseur de tumeur DCC du chromosome 18 (perte de l'adhérence cellulaire?)

Adénome de classe III (bénin)

Perte du gène suppresseur de tumeur p53 du chromosome 17

Carcinome (tumeur maligne)

?

Métastases

Côlon

Il semble bien qu'une seule mutation somatique ne suffise pas pour produire une cellule entièrement tumorale. L'un des cancers humains les mieux compris, le cancer colo-rectal, témoigne en faveur de ce principe (figure 18.13). Comme dans le cas de nombreux cancers, le développement d'un cancer colo-rectal accompagné de métastases s'effectue de manière graduelle. La division, à une vitesse inhabituellement élevée, de cellules apparemment normales du revêtement du côlon constitue le premier signe de la maladie ; plus tard, une tumeur bénigne (polype) apparaît et peut se transformer en tumeur maligne. Ces altérations cellulaires se déroulent en même temps que s'accumulent des oncogènes et les mutations de gènes suppresseurs de tumeurs augmentent, et ce

Chapitre 18 : Structure et expression du génome chez les eucaryotes **385**

n'est qu'après la modification d'un certain nombre de gènes que l'on se trouve en présence d'une véritable tumeur maligne. Dans la plupart des cas étudiés, on a observé au moins quatre changements à l'échelle de l'ADN: l'activation d'un oncogène cellulaire et l'inactivation de trois gènes suppresseurs de tumeurs.

Quel rôle les oncogènes jouent-ils dans les cancers provoqués par des Virus qui, selon des données récentes, représentent 15 % des cancers humains à l'échelle mondiale? Il se peut que le Virus ajoute un oncogène à la cellule ou qu'il bouleverse l'ADN cellulaire en affectant un proto-oncogène ou un gène suppresseur de tumeur. Cependant, la modification apportée par le Virus à l'ADN de la cellule ne représente probablement que l'une des dégradations nécessaires pour déclencher le cancer.

Cette condition expliquerait pourquoi les cancers associés à des Virus mettent si longtemps à se déclarer. Les autres changements requis de l'ADN peuvent être provoqués par d'autres facteurs environnementaux, ceux-là mêmes qui causent les cancers non viraux. Il s'avère donc plus exact de parler de «cancers associés aux Virus» que de cancers «provoqués par les Virus».

Notre compréhension du cancer s'approfondira au fur et à mesure des progrès réalisés par la recherche fondamentale sur la structure et la régulation des génomes eucaryotes. Une bonne part de cette recherche s'appuie sur de nouvelles techniques de manipulation expérimentale de l'ADN; ces techniques font l'objet du prochain chapitre.

RÉSUMÉ DU CHAPITRE

Le génome des eucaryotes possède une structure plus complexe que celui des procaryotes. La régulation de l'expression génique est également plus complexe chez les eucaryotes que chez les procaryotes.

Structure du génome à l'échelle microscopique (p. 373-375)

1. L'importante quantité d'ADN contenue dans un chromosome eucaryote se condense par un système de repliement à plusieurs niveaux.

2. La chromatine se compose d'ADN et de cinq sortes d'histones (protéines); ces dernières se lient à l'ADN et déterminent le premier niveau de repliement sous forme de nucléosomes, ou éléments de base de la condensation de l'ADN.

3. La fibre de chromatine de 30 nm, un enroulement comportant six nucléosomes par tour, constitue le deuxième niveau de condensation de l'ADN.

4. Les fibres de chromatine se replient pour former les domaines en boucle, qui constituent le niveau supérieur de condensation de l'ADN. Par un repliement plus poussé, l'ADN prend sa forme la plus compacte, soit celle du chromosome en métaphase. Dans certains cas, la chromatine en interphase existe aussi sous une forme hautement condensée appelée hétérochromatine. La transcription active se déroule cependant sur l'euchromatine, qui est la forme ouverte et dépliée du chromosome.

Structure du génome à l'échelle moléculaire (p. 375-378)

1. Dans le génome eucaryote, une grande partie de l'ADN ne code pas pour des protéines.

2. Certaines séquences d'ADN peuvent exister à des centaines ou à des milliers de copies.

3. Une famille multigénique se compose d'un ensemble de gènes possédant des séquences nucléotidiques similaires ou identiques. Les membres de ces familles peuvent être regroupés ou dispersés dans le génome.

4. Outre les pseudogènes et les introns, la masse considérable d'ADN non codant présente dans le génome des eucaryotes comprend aussi des séquences hautement répétitives de cinq à dix nucléotides, répétées en tandem des milliers de fois.

5. Contrairement aux opérons des procaryotes, les gènes des eucaryotes qui doivent être transcrits en même temps se trouvent souvent dispersés dans l'ensemble du génome. On pense que leur régulation coordonnée s'effectue par la média- tion de séquences nucléotidiques spécifiques communes à tous les gènes du groupe.

Flexibilité du génome (p. 378-379)

1. L'ovocyte d'Amphibien peut amplifier de façon sélective les gènes de l'ARN ribosomique (en faire des copies supplémentaires).

2. Dans quelques cas, il y a une perte sélective de gènes au cours de laquelle des parties de chromosomes ou des chromosomes entiers disparaissent de certaines cellules.

3. Il est possible que l'addition de groupements méthyle à un ADN ralentisse la transcription de ce dernier.

4. Les remaniements de l'ADN ont pour effet d'activer ou d'inactiver des gènes spécifiques. En se déplaçant d'un endroit à l'autre du génome, les transposons influent sur l'expression des gènes. Chez les Levures, l'alternance des types sexuels provient du mécanisme de la cassette, qui échange des gènes sur le locus du type sexuel. Chez les Vertébrés, on attribue la diversité des anticorps à un remaniement et à une délétion sélective de segments d'ADN dans les lymphocytes B en cours de différenciation.

Régulation de l'expression génique (p. 380-383)

1. Chez les eucaryotes, la régulation de l'expression des gènes peut s'exercer entre l'ADN et la protéine fonctionnelle, à n'importe laquelle des étapes par lesquelles circule l'information.

2. La liaison de protéines régulatrices sur des amplificateurs de l'ADN conduit à une stimulation sélective de la transcription des gènes. Ces protéines font partie des diverses protéines fixatrices de l'ADN qui influent sur l'expression génique.

3. Avant que l'ARNm quitte le noyau, il subit une maturation, ce qui offre des possibilités supplémentaires de régulation de l'expression génique.

4. La dégradation de l'ARNm fait l'objet d'une régulation précise qui contrôle la quantité de protéines que produira une molécule donnée d'ARNm.

5. La traduction elle-même subit une régulation; certains ARNm, en particulier dans les ovules non fécondés, s'emmagasinent, mais leur traduction n'a lieu qu'au moment de la fécondation.

6. Après la traduction, les protéines peuvent subir des changements radicaux qui les rendent compatibles avec des destinations spécifiques à l'intérieur de la cellule.

Rôle des petites molécules dans la régulation de l'expression génique chez les eucaryotes (p. 383-384)

1. Certaines petites molécules agissent sur l'expression des gènes en s'associant à des protéines fixatrices de l'ADN et en modifiant la conformation.

2. L'ecdysone, une hormone stéroïde des Insectes, active les gènes de façon sélective pendant le développement; cette forme de régulation devient évidente lors des changements de position des anneaux de Balbiani.

3. Les hormones stéroïdes des Vertébrés interagissent avec des protéines fixatrices d'ADN qui, une fois activées, se lient aux amplificateurs et influent sur la transcription.

Expression génique et cancer (p. 384-386)

1. On pense que les oncogènes (appelés proto-oncogènes lorsque la cellule est dans un état non cancéreux) sont les gènes clés de la régulation de la croissance et de la différenciation cellulaires. Lorsque ces gènes échappent aux mécanismes régulateurs normaux, ils provoquent la formation de tumeurs. Des agents physiques, des substances cancérogènes chimiques ou des Virus peuvent activer des oncogènes de différentes façons.

2. Les gènes suppresseurs de tumeurs codent pour des protéines qui maintiennent la division cellulaire sous contrôle. La perte ou la mutation de ces gènes semble constituer un facteur d'apparition des cancers.

3. Dans les tumeurs, on peut observer une accumulation progressive d'anomalies chez les proto-oncogènes et les gènes suppresseurs de tumeurs.

AUTO-ÉVALUATION

1. Dans un nucléosome, l'ADN s'enroule autour:
   a) de molécules de polymérase.
   b) de ribosomes.
   c) d'histones.
   d) du nucléole.
   e) d'ADN satellite.

2. Apparemment, nos cellules musculaires diffèrent de nos cellules nerveuses surtout parce qu'elles:
   a) expriment des gènes différents.
   b) contiennent des gènes différents.
   c) utilisent des codes génétiques différents.
   d) possèdent des ribosomes qui leur sont propres.
   e) possèdent des chromosomes différents.

3. Les anneaux de Balbiani des chromosomes géants de Drosophiles représentent probablement des régions où:
   a) les gènes sont inactivés par des répresseurs.
   b) il y a production d'hormones.
   c) les gènes ont subi des dommages.
   d) la transcription des gènes est particulièrement active.
   e) des ribosomes se font synthétiser.

4. La fonction des amplificateurs est un exemple:
   a) d'une forme de régulation exercée pendant la transcription et qui agit sur l'expression génique.
   b) d'un mécanisme post-transcriptionnel qui entraîne la modification de l'ARNm.
   c) de facteurs d'initiation qui stimulent la traduction.
   d) d'une forme de régulation postérieure à la traduction, par laquelle les protéines sont activées.
   e) d'un équivalent, chez les eucaryotes, du promoteur des procaryotes.

5. Les familles multigéniques représentent:
   a) des groupes amplificateurs qui régissent des événements clés du développement.

---

b) des pseudogènes apparus par transcription inverse d'ARNm.
c) les équivalents des opérons chez les procaryotes.
d) des ensembles de gènes dont l'expression est régie par les mêmes protéines régulatrices.
e) souvent des ensembles de gènes identiques disposés en tandem.

6. Laquelle des affirmations suivantes est-elle vraie pour l'ADN de l'une des cellules de votre cerveau?
   a) Certaines séquences d'ADN peuvent être présentes sous forme de copies multiples.
   b) La plus grande partie de l'ADN code pour des protéines.
   c) La plupart des gènes se font probablement transcrire.
   d) Chaque gène a comme voisin immédiat un amplificateur qui exerce une régulation sur la transcription.
   e) De nombreux gènes forment des ensembles qui s'apparentent à des opérons.

7. On sait que des segments d'ADN sont déplacés de façon permanente dans les gènes qui codent pour:
   a) l'ARN ribosomique.
   b) la plupart des protéines chez les eucaryotes.
   c) l'hémoglobine.
   d) les protéines nommées histones.
   e) les anticorps.

8. Parmi les exemples suivants, lequel représente une étape possible de régulation post-transcriptionnelle de l'expression génique?
   a) L'addition de groupements méthyle aux bases de cytosine de l'ADN.
   b) La liaison d'un facteur de transcription sur un promoteur.
   c) L'excision des introns et l'épissage des exons.
   d) L'amplification génique à une étape donnée du développement.
   e) La formation d'hétérochromatine par repliement de l'ADN.

9. La quantité de protéine produite à partir d'une molécule donnée d'ARNm dépend en partie:
   a) du degré de méthylation de l'ADN.
   b) de la vitesse à laquelle l'ARNm est dégradé.
   c) de la présence de certains facteurs de transcription et de certains amplificateurs.
   d) du nombre d'introns présents dans l'ARNm.
   e) des sortes de ribosomes présentes dans le cytoplasme.

10. Toutes nos cellules contiennent des proto-oncogènes qui peuvent devenir des oncogènes et provoquer le cancer. Parmi les affirmations suivantes, laquelle explique le mieux la présence de ces bombes à retardement en puissance dans nos cellules?
    a) Les proto-oncogènes sont d'abord apparus sous l'effet d'infections virales.
    b) Les proto-oncogènes exercent normalement une régulation sur la croissance et la division cellulaires.
    c) Les proto-oncogènes sont de l'ADN «inutile» sans fonction connue.
    d) Les proto-oncogènes sont des copies mutantes de gènes normaux.
    e) Les proto-oncogènes sont un sous-produit du vieillissement des cellules.

QUESTIONS À COURT DÉVELOPPEMENT

1. Comment une molécule aussi longue que l'ADN peut-elle s'insérer dans un noyau dont le diamètre n'excède pas 5 μm?

2. Décrivez trois façons par lesquelles le génome manifeste de la flexibilité.

3. Expliquez comment les hormones stéroïdes interviennent dans l'expression génique.

RÉFLEXION-APPLICATION

1. On a découvert une ressemblance frappante entre les séquences d'acides aminés codées par les gènes de certaines protéines fixatrices d'ADN qui existent chez les Vertébrés et les Invertébrés, bien que du point de vue de l'évolution, ces deux groupes d'Animaux aient divergé il y a plus de 500 millions d'années. Formulez une hypothèse sur les raisons pour

lesquelles l'évolution a eu si peu d'influence sur les gènes qui régissent la régulation du développement.

2. Au fur et à mesure qu'un eucaryote pluricellulaire se développe à partir d'un zygote, ses cellules se différencient (se spécialisent) du point de vue structural et fonctionnel. Ces photographies prises au microscope photonique montrent quatre exemples de cellules spécialisées chez des Mammifères : (a) trois cellules musculaires avec leurs nombreux noyaux (zones foncées verticales) ; (b) une cellule nerveuse (la grosse cellule pourvue d'excroissances fibreuses, au centre) ; (c) des spermatozoïdes ; et (d) un globule blanc entouré de globules rouges, plus petits.

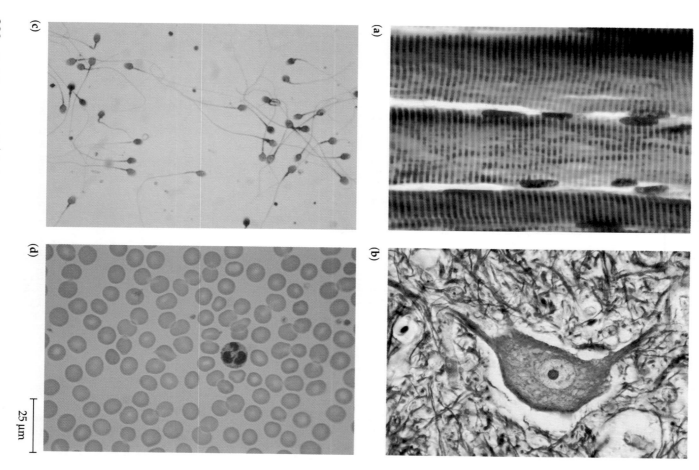

(a)

(b)

(c)

(d)

25 μm

SCIENCE, TECHNOLOGIE ET SOCIÉTÉ

1. Certains chercheurs pensent que la présence de la fumée de tabac dans le milieu (tabagisme passif) constitue un risque de cancer pour les non-fumeurs. Si cela est vrai, que pourrait-on faire pour protéger le public ?

2. La dioxine, une substance chimique, est un contaminant produit par certains procédés chimiques industriels. L'agent orange, un défoliant répandu sur la végétation pendant la guerre du Vietnam, contenait une certaine quantité de ce composé. Les effets de cette substance sur les soldats qui y furent exposés ont donné lieu à une vive controverse. Des tests effectués sur des Animaux ont montré que la dioxine peut être mortelle et provoquer des anomalies congénitales, le cancer, des lésions au foie et au thymus ainsi qu'un affaiblissement du système immunitaire. Cependant, on ne connaît toujours pas bien ses effets sur les Humains et même les tests sur les Animaux restent discutables : une dose qui n'affecte pas un Hamster suffit à tuer un Cobaye. Les chercheurs ont découvert que la dioxine agit de la même façon que les hormones. Elle pénètre dans une cellule et se lie à une protéine réceptrice, laquelle s'attache à son tour à l'ADN cellulaire. Comment ce mécanisme permettrait-il d'expliquer que la dioxine exerce des effets si différents sur divers systèmes de l'organisme et sur divers Animaux ? Comment pourriez-vous déterminer si un type d'affection est lié à une exposition à la dioxine, ou si un certain individu est tombé malade parce qu'il s'est trouvé en contact avec de la dioxine ? Laquelle de ces deux démonstrations s'avérerait la plus difficile ? Pourquoi ?

LECTURES SUGGÉRÉES

Beardsley, T., « La régulation des gènes », *Pour la Science*, n° 168, octobre 1991. (Découverte de signaux chimiques complexes régissant le moment d'activation des gènes.)

Chouard, T. et M. Yaniv, « Le contrôle de l'expression des gènes », *La Recherche*, n° 266, juin 1994. (Rôle des protéines dans l'expression des gènes.)

Frézal, J., « D'un gène à l'autre », *Science & Vie*, hors série, n° 1, décembre 1991. (Description de techniques d'hybridation pour localiser les gènes.)

Gagnon, C., « La filière génétique », *Québec Science*, vol. 30, n° 4, décembre 1991-janvier 1992. (Piste génétique afin de découvrir les causes profondes de la schizophrénie.)

Galibert, F., « Méthodes de lecture », *Science & Vie*, hors série, n° 1, décembre 1992. (Présentation schématique des stratégies de séquençage de l'ADN utilisées dans la cartographie du génome.)

Grausz, D., « Cartes, dominos et puzzles », *Science & Vie*, hors série, n° 1, décembre 1992. (Techniques utilisées dans la cartographie du génome.)

Laudet, V. et D. Stéhelin, « Les récepteurs nucléaires », *Pour la Science*, n° 3, janvier 1993. (Régulation de l'expression de certains gènes par ces récepteurs, à l'aide d'hormones.)

Lévi-Strauss, M., « Striptease génétique chez les souris », *La Recherche*, n° 236, octobre 1991. (Souris bien portantes, après des manipulations génétiques leur enlevant des gènes réputés indispensables.)

McKnight, S., « La régulation des gènes par des dimères protéiques », *Pour la Science*, n° 164, juin 1991. (Régulation de l'activité des gènes par des séquences riches en leucine.)

Mignot, E., « Les gènes du sommeil », *Science & Vie*, hors série, n° 5, décembre 1993. (Approche purement génétique des maladies du sommeil rendue possible par les récents progrès de la biologie moléculaire.)

Rhodes, D. et A. Klug, « Doigts de zinc et régulation des gènes », *Pour la Science*, n° 6, avril 1993. (Comment les facteurs de transcription reconnaissent leur point d'ancrage sur les promoteurs.)

Todorov, I., « La stabilité des cellules », *Pour la Science*, n° 160, février 1991. (Comment les cellules réagissent aux perturbations du processus de la synthèse des protéines.)

19 LES MANIPULATIONS GÉNÉTIQUES

PRINCIPALES STRATÉGIES DE MANIPULATION ET D'ANALYSE DES GÈNES

APPLICATIONS DU GÉNIE GÉNÉTIQUE ET DES BIOTECHNOLOGIES

QUESTIONS DE SÉCURITÉ ET D'ÉTHIQUE

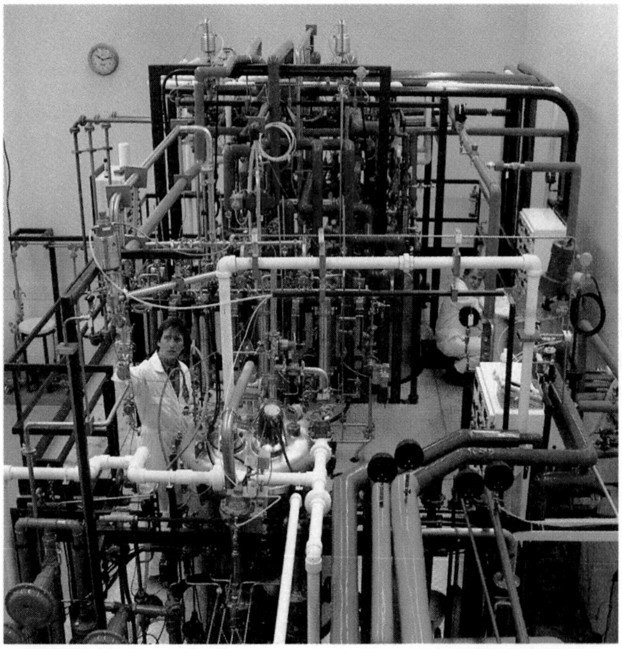

Figure 19.1
Production d'une protéine humaine par des Bactéries modifiées génétiquement. Dans de grandes cuves de fermentation, on fait croître des Bactéries qui portent un gène humain et synthétisent la protéine qui en est le produit. Dans ce chapitre, vous allez apprendre certaines techniques de manipulation de l'ADN qui ont des conséquences révolutionnaires en biotechnologie et en recherche fondamentale.

Sur la photographie qui apparaît sur cette page, on voit un microbiologiste employé par une compagnie pharmaceutique en train de surveiller la croissance d'une énorme culture bactérienne (figure 19.1). La cuve située derrière ce labyrinthe de tuyaux et de cadrans contient 1500 L de milieu de culture liquide dans lequel vivent des billions d'*Escherichia coli*. Ces Bactéries constituent un clone issu d'une cellule d'*E. coli* modifiée génétiquement. En effet, on a inséré dans son ADN des gènes humains qui codent pour une protéine importante. Les gènes humains commandent la synthèse de la protéine par les Bactéries, lesquelles sécrètent la protéine dans le milieu de culture. On procédera ensuite à la séparation de la protéine du milieu, à sa purification et à sa commercialisation.

De nos jours, le **génie génétique**, c'est-à-dire la manipulation de matériel génétique à des fins pratiques, permet de fabriquer littéralement des centaines de produits utiles. La dernière décennie a vu la banalisation de la combinaison en éprouvette de gènes en provenance de diverses sources (souvent d'espèces différentes), puis le transfert de cet **ADN recombiné** dans des cellules vivantes qui le recopient et l'expriment. On a souvent recours à *E. coli* du fait de son bon rendement en culture et de la bonne connaissance que l'on possède de ses caractéristiques biochimiques. Parmi les premiers succès à porter au crédit du génie génétique, on compte la création, au début des années 1980, de souches d'*E. coli* porteuses des gènes de production et de sécrétion de l'insuline et de l'hormone de croissance humaine.

Si le génie génétique a favorisé la création de nouvelles substances extrêmement utiles, les résultats les plus importants obtenus grâce aux manipulations génétiques restent les progrès accomplis dans la compréhension fondamentale de la biologie moléculaire des eucaryotes. Par exemple, les techniques d'épissage des gènes ont permis des expérimentations sur les détails de l'agencement et de la régulation des gènes eucaryotes (voir le chapitre 18). La recherche fondamentale en biologie a également bénéficié des techniques de manipulation et d'analyse de l'ADN. Par exemple, il est aujourd'hui possible de déterminer rapidement la séquence exacte des nucléotides situés sur une molécule d'ADN. Les techniques reliées à l'étude de l'ADN mettent à la disposition des biologistes un ensemble d'outils qui dépassent en puissance tout ce dont ils pouvaient rêver il y a dix ans seulement. Presque tous les domaines de la biologie subissent l'influence de ces nouvelles méthodes.

Les techniques mises en œuvre dans la connaissance de l'ADN ont déclenché une révolution industrielle dans le domaine de la biotechnologie. Au sens large, la

biotechnologie consiste à utiliser des organismes vivants ou leurs composants en vue de réaliser des transformations pratiques. La biotechnologie inclut des pratiques ancestrales telles que l'emploi de microorganismes dans la fabrication du vin et du fromage, ainsi que l'élevage basé sur la sélection du bétail et les cultures végétales. La production d'antibiotiques à partir de microorganismes et la synthèse d'anticorps monoclonaux par les techniques modernes de l'immunologie relèvent également de la biotechnologie (voir le chapitre 39). La biotechnologie qui consiste à manipuler de l'ADN in vitro (hors des cellules vivantes) se distingue des pratiques ancestrales par son extrême précision. Ces méthodes sont aussi beaucoup plus puissantes, puisqu'elles permettent l'échange de gènes entre des organismes aussi différents que des Bactéries, des Végétaux et des Animaux.

Dans ce chapitre, nous nous pencherons sur les principales techniques et applications de la manipulation génétique. Nous verrons que les techniques appliquées à l'étude de l'ADN provoquent une véritable révolution dans des domaines de recherche aussi différents que la biologie, la médecine, le droit criminel et l'agriculture. Enfin, nous inspirant en cela de David Suzuki (voir l'entretien qui précède cette partie), nous aborderons certaines des questions sociales et éthiques qui se posent à nous alors même que nous manipulons les gènes de façon de plus en plus efficace.

PRINCIPALES STRATÉGIES DE MANIPULATION ET D'ANALYSE DES GÈNES

Avant 1975, les techniques permettant de modifier les gènes à des fins de recherche ou dans un but pratique étaient extrêmement limitées. La stratégie principale consistait à trouver les mutants appropriés et à les cultiver (ou déclencher leur reproduction). Il arrivait que les généticiens laissent la nature se charger d'effectuer ces mutations. Par exemple, les microbiologistes à la recherche de nouveaux antibiotiques passaient au peigne fin de vastes populations de microorganismes provenant du sol, d'eaux usées et d'eau de mer. Dans d'autres cas, tel le travail pionnier de Morgan sur les Drosophiles, les scientifiques avaient recours à des rayonnements ou à des substances chimiques mutagènes pour provoquer des mutations. Le travail de criblage (recherche du trait mutant dans le phénotype de chaque organisme) s'avérait souvent très laborieux. Les généticiens s'efforcèrent de mettre au point des astuces afin de sélectionner les organismes porteurs du caractère recherché, à savoir des procédés permettant la survie et la croissance de l'organisme visé uniquement. Un exemple de cette méthode est l'ajout d'un antibiotique dans un milieu de culture où vivent des Bactéries normalement sensibles à cet antibiotique ; seules les cellules porteuses des mutations qui confèrent une résistance à l'antibiotique formeront des colonies sur le milieu.

La sélection de mutants n'exige pas le transfert d'un gène recherché d'un organisme à un autre. Avant 1975, seules des procédures de sélection compliquées et relativement peu spécifiques autorisaient en général le transfert de gènes, sauf en ce qui concerne les Bactéries et les Virus (Phages) qui les infectent. Comme vous l'avez vu au chapitre 17, les gènes voyagent d'une souche bactérienne à une autre de génotype différent par les processus biologiques naturels de transformation, de conjugaison ou de transduction. En exploitant ces mécanismes en laboratoire, les généticiens ont étudié l'agencement, la structure et le fonctionnement des gènes des Bactéries et des Phages à l'échelle moléculaire. Les grands progrès accomplis dans le domaine de la biologie moléculaire des procaryotes dans les années 1950 et 1960 relevaient de deux facteurs : d'une part, la facilité avec laquelle on peut provoquer la reproduction des Bactéries et la réplication des Phages ; d'autre part, la relative petite taille et la simplicité de leur génome. Les organismes eucaryotes, en revanche, présentaient des difficultés. Malgré la possibilité de cultiver des cellules animales et végétales en laboratoire (voir les chapitres 11 et 34), les particularités du fonctionnement de leurs gènes devaient rester un mystère apparemment impénétrable jusqu'à l'avènement des manipulations génétiques.

ADN recombiné et clonage de gènes

L'étude du premier ADN recombiné assemblé in vitro portait sur des plasmides bactériens, qui peuvent se répliquer de façon autonome à l'intérieur des Bactéries (voir le chapitre 17). Les spécialistes en biotechnologie et en recherche fondamentale utilisent encore des plasmides dans le domaine du génie génétique. On insère des gènes étrangers dans des plasmides isolés que l'on introduit ensuite dans des Bactéries. Les cellules pourvues de cet ADN recombiné se reproduisent et le clone bactérien qui en résulte fabrique la protéine codée par le gène étranger (figure 19.2). Les scientifiques se servent souvent de cette technique en vue d'obtenir des copies multiples de gènes pour la recherche fondamentale.

Dans les quelques pages qui suivent, nous allons étudier plus en détail le déroulement des étapes illustrées à la figure 19.2. Nous commencerons par les enzymes spécifiques grâce auxquelles les biologistes peuvent fabriquer de l'ADN recombiné dans des éprouvettes.

Enzymes de restriction Les outils les plus importants dans les manipulations génétiques sont les enzymes bactériennes appelées **enzymes de restriction**, découvertes à la fin des années 1960. Dans la nature, ces enzymes protègent les Bactéries contre l'ADN étranger provenant d'autres organismes. Leur mode d'action consiste à couper l'ADN de l'intrus selon un mécanisme nommé *restriction*. La plupart des enzymes de restriction sont très spécifiques ; elles reconnaissent de courtes séquences nucléotidiques précises dans les molécules d'ADN, puis effectuent une coupure à des points précis de ces séquences. La Bactérie protège son propre ADN de la restriction en ajoutant des groupements méthyle ($-CH_3$) sur des adénines ou des cytosines, ce qui empêche toute reconnaissance de l'ADN par l'enzyme de restriction. (Cette méthylation de l'ADN se fait elle-même catalyser par d'autres enzymes qui reconnaissent les mêmes séquences.) Il existe des centaines d'enzymes de restriction et plus de 150 séquences de reconnaissance différentes.

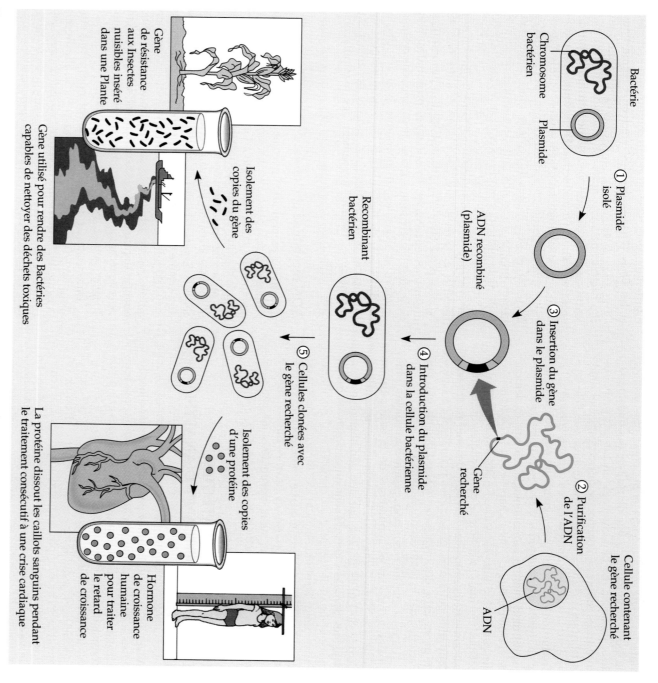

Figure 19.2
Vue d'ensemble de l'utilisation des plasmides en génie génétique. ① Le spécialiste en génie génétique isole l'ADN d'un plasmide bactérien et ② purifie l'ADN contenant le gène recherché en provenance d'une cellule bactérienne, végétale ou animale. Par exemple, on pourrait rechercher un gène végétal assurant une résistance contre les Insectes nuisibles, ou bien un gène humain codant pour une hormone. ③ On insère un segment de l'ADN contenant le gène dans le plasmide, ce qui produit un ADN recombiné, et ④ on réintroduit le plasmide dans une cellule bactérienne. ⑤ Enfin, on clone (mise en culture) cette Bactérie modifiée génétiquement. Comme l'ADN étranger intégré au plasmide ne gène pas la réplication de ce dernier à l'intérieur de la Bactérie, le gène recherché est donc cloné. La culture bactérienne contient maintenant un grand nombre de copies du gène (une par cellule dans l'exemple présenté ici). Les illustrations du bas de la figure représentent certaines des applications actuelles de la manipulation génétique de Bactéries. Dans les exemples de gauche, on cherche à obtenir des copies du gène lui-même. Dans les cas cités à droite, on recueille les protéines utiles en grande quantité à partir des cultures bactériennes.

Le diagramme du haut de la figure 19.3 représente une molécule d'ADN contenant deux séquences de reconnaissance pour une enzyme de restriction donnée. Cet exemple illustre la symétrie d'une séquence de reconnaissance (bleu foncé) par l'enzyme de restriction : la même séquence de quatre à huit nucléotides (ici, six) se trouve sur les deux brins, mais orientée dans des directions opposées. Les enzymes de restriction coupent les liaisons phosphodiester covalentes des deux brins, habituellement de façon décalée comme le montre la figure. Il en résulte un ensemble de fragments d'ADN bicaténaire munis d'extrémités monocaténaires appelées *extrémités cohésives*. Par l'intermédiaire de liaisons hydrogène, les bases situées sur ces courts prolongements s'appareieront

Figure 19.3

Utilisation d'une enzyme de restriction et de l'ADN ligase pour produire un ADN recombiné. Dans cet exemple, l'enzyme de restriction (appelée *EcoRI*) reconnaît une séquence de six paires de bases et effectue une coupure décalée dans l'axe désoxyribose-phosphate de cette séquence. Remarquez que la séquence de reconnaissance située sur l'un des brins d'ADN représente exactement l'inverse de la séquence homologue sur le brin complémentaire. À cause de cette symétrie des séquences, les fragments d'ADN produits par cette enzyme comportent des extrémités cohésives monocaténaires. Les extrémités complémentaires adhéreront l'une à l'autre par l'intermédiaire de liaisons hydrogène ; elles joindront ainsi les fragments de façon temporaire selon leur position d'origine ou en formant de nouveaux ensembles recombinés. Lorsque des appariements de bases surviennent entre des fragments de restriction, l'ADN ligase (une enzyme) catalyse la formation de liaisons covalentes entre leurs extrémités. Si les fragments en question proviennent de sources différentes, il en résulte un ADN recombiné.

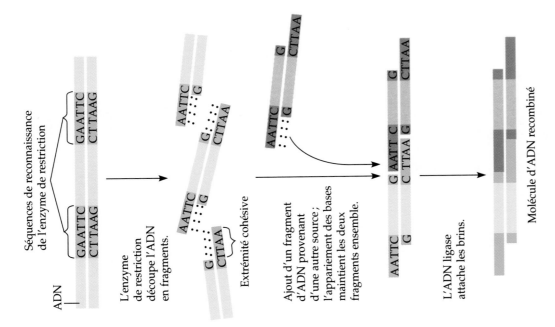

Séquences de reconnaissance
de l'enzyme de restriction

ADN

GAATTC
CT TAAG

GAATTC
CT TAAG

L'enzyme
de restriction
découpe l'ADN
en fragments.

AATTC
G

G
CTTAA

AATTC
G

G
CTTAA

Extrémité cohésive

Ajout d'un fragment
d'ADN provenant
d'une autre source ;
l'appariement des bases
maintient les deux
fragments ensemble.

AATTC
G

G
CTTAA

G AATT C
C TTAA G

G
CTTAA

AATTC
G

L'ADN ligase
attache les brins.

Molécule d'ADN recombiné

(acides nucléiques ou protéines) en fonction de leur taille, de leur charge électrique ou d'autres particularités physiques. Les propriétés d'une molécule déterminent la vitesse à laquelle elle se déplace à travers le gel sous l'effet d'un champ électrique. L'électrophorèse sur gel fait partie des outils de base de la biologie moléculaire, et elle représente un élément essentiel dans de nombreux domaines liés à la manipulation génétique et à l'étude des gènes. Elle permet l'identification de certaines molécules d'ADN à partir des bandes produites par électrophorèse sur gel, une fois que ces molécules ont été découpées par diverses enzymes de restriction. On peut ainsi identifier de l'ADN viral, de l'ADN plasmidique et certains segments spécifiques d'ADN chromosomique. Cette technique permet également d'isoler et de purifier des fragments contenant des gènes que l'on veut étudier, et que l'on peut retirer du gel sans qu'ils perdent leur activité biologique. Plus loin dans ce chapitre, nous verrons d'autres utilisations de l'électrophorèse sur gel.

Clonage de gènes dans un plasmide Nous allons maintenant examiner plus en détail la technique de clonage de gènes résumée à la figure 19.2. La figure 19.4 montre un exemple typique de cette méthode. L'étape ① consiste à

---

avec des segments monocaténaires complémentaires, qui sont portés par d'autres molécules d'ADN découpées par la même enzyme.

En laboratoire, on peut se servir des extrémités cohésives des fragments de restriction afin de joindre des segments d'ADN en provenance de différentes sources. De tels assemblages restent temporaires à cause des quelques liaisons hydrogène qui les réunissent. Cependant, ils peuvent devenir permanents grâce à l'ADN ligase, une enzyme qui attache les brins en catalysant la formation de liaisons phosphodiester. (Nous avons vu dans le chapitre 15 que l'ADN ligase est une enzyme clé dans la réplication et la réparation de l'ADN.) Le mécanisme biochimique auquel ont recours les spécialistes en biologie moléculaire diffère de la recombinaison génétique ; cette dernière survient naturellement dans les cellules, sans intervention des enzymes de restriction. Cependant, le résultat est semblable, soit la production d'ADN recombiné, c'est-à-dire d'une molécule d'ADN porteuse d'une nouvelle combinaison de gènes.

Après le traitement d'une grosse molécule d'ADN avec une enzyme de restriction, on sépare les différents **fragments de restriction** ainsi obtenus au moyen de l'**électrophorèse sur gel** (voir l'encadré de la page 396). Cette technique permet de séparer les macromolécules

isoler deux molécules d'ADN de provenance différente : le plasmide bactérien et l'ADN d'eucaryote qui contient le gène recherché. Dans cet exemple hypothétique, l'ADN qui porte le gène en question provient de cellules humaines cultivées en laboratoire. Le plasmide vient de la Bactérie *E. coli* et porte deux gènes qui confèrent à la cellule hôte d'*E. coli* une résistance aux antibiotiques : *ampR* (résistance à l'ampicilline) et *tetR* (résistance à la tétracycline). En outre, le plasmide possède une seule séquence de reconnaissance pour l'enzyme de restriction dont on se sert, et cette séquence se trouve à l'intérieur du gène *tetR*. (Les gènes de résistance aux antibiotiques se révéleront utiles plus tard, comme nous allons le voir.)

À l'étape ②, le plasmide et l'ADN humain subissent tous deux un traitement avec la même enzyme de restriction. Cette dernière coupe l'ADN plasmidique à la hauteur de sa seule séquence de reconnaissance, ou **site de restriction**, ce qui a pour effet d'inactiver le gène *tetR*. L'enzyme découpe aussi l'ADN humain et génère ainsi plusieurs milliers de fragments; l'un de ces fragments porte le gène recherché. En procédant à ces coupures, l'enzyme de restriction crée des extrémités cohésives tant sur les fragments d'ADN humain que sur le plasmide. Pour simplifier, la figure représente les étapes du traitement d'un seul fragment d'ADN humain et d'un plasmide, mais en fait des millions de plasmides et un mélange hétérogène de millions de fragments d'ADN humain se font traiter en même temps.

À l'étape ③, l'ADN humain est mis en présence du plasmide coupé. Les bases des extrémités cohésives du plasmide s'apparient avec les extrémités cohésives complémentaires situées sur le fragment d'ADN humain. À l'étape ④, l'ADN ligase, une enzyme, relie les deux molécules d'ADN par des liaisons covalentes. Il en résulte un nouveau plasmide constitué d'ADN recombiné; il s'agit d'une molécule unique composée d'ADN en provenance de deux sources. À l'étape ⑤, on introduit le plasmide recombiné dans une Bactérie en plaçant l'ADN nu dans une culture bactérienne. Dans les conditions appropriées, certaines des Bactéries absorberont l'ADN du plasmide présent dans la solution par le processus de la transformation (voir le chapitre 17).

Le **clonage génique** proprement dit, c'est-à-dire la production de copies multiples du gène recherché constitue l'étape ⑥. On laisse la Bactérie et son plasmide recombiné se reproduire. Au fur et à mesure que la Bactérie forme un clone cellulaire, tous les gènes portés par le plasmide recombiné subissent aussi le clonage. Les gènes de résistance aux antibiotiques présents sur le plasmide se mettent maintenant en place. On identifie les colonies de Bactéries qui portent des plasmides recombinés grâce à leur résistance à l'ampicilline (puisqu'elles portent le gène *ampR*) mais non à la tétracycline (parce que le gène *tetR* a été inactivé par l'insertion d'ADN étranger). Les cellules que l'on recherche se développeront donc sur un milieu contenant de l'ampicilline, et non sur un milieu contenant de la tétracycline. (Aujourd'hui, on utilise le plus souvent un autre gène pour jouer le rôle de *tetR* dans cette expérience, mais le principe reste le même : l'ADN inséré inactive un gène, dont on peut alors déduire l'activité normale.)

Insertion de l'ADN dans les cellules Parce que les plasmides isolés peuvent s'introduire dans les cellules bactériennes par transformation, on peut les utiliser comme vecteurs (porteurs) pour faire passer l'ADN recombiné des éprouvettes aux cellules. Et parce que les plasmides peuvent se reproduire dans leur nouveau milieu, clonant par là même les gènes qu'ils portent, on les appelle **vecteurs de clonage**. Par ailleurs, il existe d'autres sortes de vecteurs de clonage. Les Bactériophages peuvent jouer un rôle semblable, et on a largement utilisé des souches spéciales du Phage λ (voir le chapitre 17). Dans ces souches, on a éliminé une partie du génome phagique (contenant des gènes non essentiels) en effectuant des coupures sur des sites de restriction.

On peut insérer des fragments de restriction d'ADN étranger à la place de l'ADN ainsi supprimé. On introduit alors l'ADN phagique recombiné dans une cellule d'*E. coli* en procédant de la même manière que pour un ADN de plasmide. Une fois à l'intérieur de la cellule, l'ADN phagique se réplique et produit de nouvelles particules phagiques, dont chacune porte l'ADN étranger « passager ». Ces Phages peuvent à leur tour introduire l'ADN étranger dans d'autres Bactéries par une infection normale.

Comme nous le verrons plus loin, il s'avère parfois préférable de cloner de l'ADN dans des cellules eucaryotes plutôt que dans des Bactéries. Dans des conditions appropriées, les Levures et les cellules animales mises en culture absorbent aussi de l'ADN étranger présent dans le milieu; si ce nouvel ADN s'intègre à l'ADN chromosomique ou peut se répliquer, il sera cloné en même temps que la cellule. Lorsque les scientifiques se servent de Levures pour cloner des gènes, ils tirent parti du fait que ces cellules contiennent des plasmides; les spécialistes en génie génétique ont même construit des plasmides recombinés qui comportent à la fois de l'ADN de Levure et de l'ADN bactérien, et qui possèdent la capacité de se répliquer dans ces deux sortes de cellules. Les Virus constituent une autre sorte de vecteur que l'on peut utiliser de façon efficace avec les cellules eucaryotes.

On a aussi mis au point tout un ensemble de techniques permettant d'introduire de l'ADN dans des cellules eucaryotes. L'**électroporation** consiste à appliquer une courte impulsion électrique dans une solution contenant des cellules, ce qui provoque l'apparition temporaire d'ouvertures dans la membrane plasmique, par lesquelles l'ADN peut passer. Par une autre méthode, on injecte l'ADN directement dans des cellules eucaryotes à l'aide d'aiguilles microscopiques. Enfin, selon une technique que surtout employée avec des cellules végétales, on fixe l'ADN à des particules métalliques microscopiques que l'on projette dans les cellules à l'aide d'un « pistolet à gènes », ou pistolet à ADN.

Sources de gènes pour le clonage Où les biologistes trouvent-ils des gènes en vue de procéder à un clonage? Il en existe deux sources principales : l'ADN isolé directement à partir d'un organisme et l'« ADN complémentaire », produit en laboratoire à partir de matrices d'ARNm.

Les scientifiques isolent l'ADN directement en travaillant d'abord sur tout l'ADN cellulaire d'un organisme qui possède le gène recherché. Ils se servent d'une

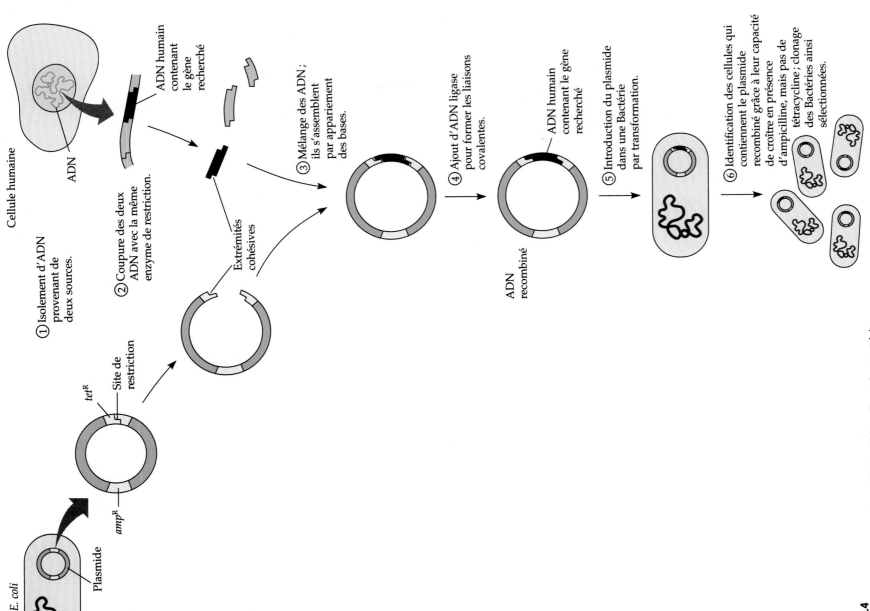

E. coli

Plasmide

tet^R

amp^R

Site de restriction

Cellule humaine

ADN

ADN humain contenant le gène recherché

① Isolement d'ADN provenant de deux sources.

② Coupure des deux ADN avec la même enzyme de restriction.

Extrémités cohésives

③ Mélange des ADN; ils s'assemblent par appariement des bases.

④ Ajout d'ADN ligase pour former les liaisons covalentes.

ADN recombiné

ADN humain contenant le gène recherché

⑤ Introduction du plasmide dans une Bactérie par transformation.

⑥ Identification des cellules qui contiennent le plasmide recombiné grâce à leur capacité de croître en présence d'ampicilline, mais pas de tétracycline ; clonage des Bactéries ainsi sélectionnées.

Clone bactérien portant un grand nombre de copies du gène humain.

Figure 19.4
Clonage d'un gène dans un plasmide bactérien. Contrairement à la figure 19.3, nous ne montrons pas ici les deux brins d'ADN séparément. Les étapes numérotées décrites dans le texte correspondent aux numéros encerclés dans ce diagramme.

L'électrophorèse sur gel consiste à séparer les macromolécules en fonction de leur vitesse de déplacement à travers un gel sous l'effet d'un champ électrique. Comme on peut le voir dans la figure a, des mélanges d'acides nucléiques ou de protéines sont placés dans des puits à une extrémité d'une fine couche de gel de polymères. (Le gel est retenu par des plaques de verre et baigne dans une solution aqueuse.) On fixe des électrodes à chaque extrémité et on fait passer un courant. Chacune des macromolécules migre alors vers l'électrode de signe opposé à une vitesse qui dépend surtout de sa charge et de sa taille. Habituellement, on fait migrer simultanément sur la même couche de gel plusieurs échantillons composés d'un mélange de molécules.

La vitesse de migration (distance parcourue pendant que le courant passe) est inversement proportionnelle à la taille des acides nucléiques. Ceux-ci portent des charges négatives (groupements phosphate) en nombre proportionnel à leur longueur, mais le gène davantage le mouvement des fragments longs que celui des fragments courts. Le gel de la figure b a été traité avec un colorant qui se lie à l'ADN et qui devient rose par fluorescence sous l'effet des rayons ultraviolets. Dans chaque « voie », on remarque un certain nombre de bandes roses qui correspondent aux molécules d'ADN de différentes tailles. Ces bandes contiennent des fragments de restriction d'ADN. On a fait migrer six échantillons composés d'un mélange de fragments d'un spécimen d'ADN digéré par une enzyme de restriction.

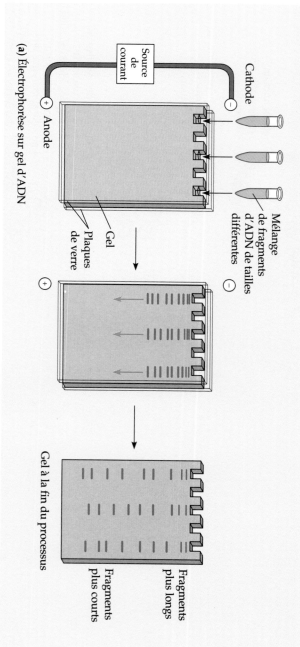

Source de courant

Cathode ⊖

Anode ⊕

Mélange de fragments d'ADN de tailles différentes

Plaques de verre

Gel

(a) Électrophorèse sur gel d'ADN

⊖

⊕

Gel à la fin du processus

Fragments plus longs

Fragments plus courts

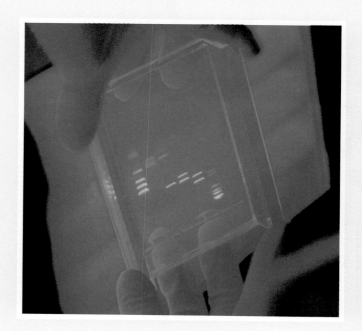

nage, découpées à l'aide de la même enzyme de restriction; on ajoute de l'ADN ligase pour lier les molécules recombinées en formation. Enfin, on introduit les vecteurs (qui portent maintenant de l'ADN étranger) dans des Bactéries. Si le vecteur est un plasmide, chaque

enzyme de restriction pour découper cet ADN en des milliers et des milliers de fragments ; la taille des fragments varie, mais un fragment typique est assez long pour contenir quelques gènes. On mélange ensuite tous ces fragments à des copies d'ADN d'un vecteur de clo-

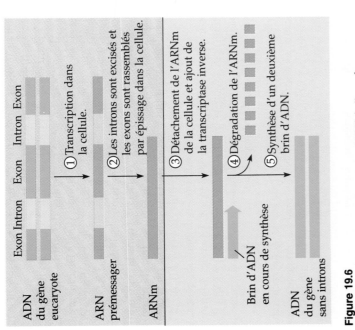

Figure 19.5
Banques génomiques. Une banque génomique comprend un grand nombre de clones bactériens ou phagiques, chacun contenant des copies d'un segment d'ADN qui provient d'un génome étranger. Dans une banque génomique complète, les segments d'ADN étranger couvrent tout le génome d'un organisme. Ce diagramme montre des parties de deux banques génomiques. À gauche, on voit trois « livres » parmi les milliers que contient une banque plasmidique (bactérienne). Chaque « livre » représente un clone bactérien qui contient un type donné de fragment de génome étranger (coloré ici en rouge, orange ou jaune) dans ses plasmides recombinés. À droite, les trois mêmes fragments de génome étranger apparaissent dans trois « livres » d'une banque phagique. Remarquez que la taille des vecteurs recombinés de chaque banque varie quelque peu d'un clone à l'autre, ce qui reflète les différences de longueur des fragments de restriction provenant du génome étranger.

Bactérie se multiplie et crée un clone dont toutes les cellules portent le même segment d'ADN provenant du génome étranger. Si le vecteur est un ADN phagique, chaque Phage se reproduit à l'intérieur de la Bactérie hôte et donne naissance à un clone phagique contenant des copies multiples du même segment d'ADN étranger. Dans un cas comme dans l'autre, on appelle **banque génomique** les milliers de clones portant des copies d'un certain segment de génome étranger. Comme cette technique de clonage de gènes s'applique à un mélange de fragments provenant de l'ensemble du génome d'un organisme, on parle souvent de clonage « aveugle » (le clonage ne vise aucun gène en particulier). La figure 19.5 représente une banque plasmidique et une banque phagique.

Le clonage direct d'ADN à partir d'un génome d'eucaryote peut poser un certain problème : comme les gènes eucaryotes comprennent souvent de longues régions non codantes (les introns), ils peuvent s'étaler sur des brins d'ADN extrêmement longs (voir le chapitre 16). Un tel gène peut déstabiliser un vecteur plasmidique ou être incapable d'entrer dans la capside d'un vecteur phagique. Pour contourner cette difficulté, les

---

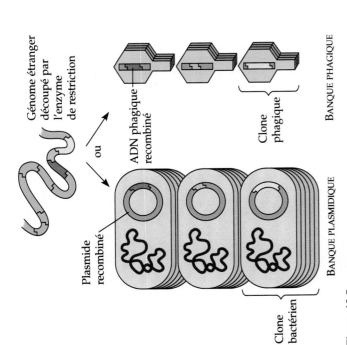

Figure 19.6
Production d'ADN complémentaire (ADNc) d'un gène eucaryote. On fabrique l'ADN complémentaire en laboratoire à l'aide d'une matrice d'ARNm et de la transcriptase inverse, une enzyme qui provient d'un Rétrovirus. L'ADN complémentaire ne possède pas d'introns et s'avère donc plus court et plus facile à cloner que le gène original. Il a aussi plus de chances d'être fonctionnel dans les cellules bactériennes, qui ne disposent pas des outils nécessaires pour enlever les introns des transcrits d'ARN prémessager. Pour se faire transcrire, l'ADNc devra être relié à un promoteur bactérien approprié.

① Transcription dans la cellule.
② Les introns sont excisés et les exons sont rassemblés par épissage dans la cellule.
③ Détachement de l'ARNm de la cellule et ajout de la transcriptase inverse.
④ Dégradation de l'ARNm.
⑤ Synthèse d'un deuxième brin d'ADN.

---

scientifiques parviennent parfois à fabriquer un gène artificiel dépourvu d'introns.

Pour ce faire, le matériel de départ utilisé, de l'ARNm, est préparé par la cellule eucaryote, comme on peut le voir dans les deux premières étapes présentées à la figure 19.6. ① Dans le noyau cellulaire, la transcription d'un gène contenant des introns produit une molécule d'ARN prémessager. ② Les complexes d'épissage excisent les introns et relient entre eux les exons de l'ARN prémessager pour fabriquer l'ARNm. ③ Les biologistes détachent alors les molécules d'ARNm de la cellule et s'en servent comme matrice pour synthétiser un brin d'ADN complémentaire. Cette synthèse d'ADN sur une matrice d'ARN est l'inverse de la transcription. Elle se fait catalyser par la transcriptase inverse, une enzyme qui provient d'un Rétrovirus (voir le chapitre 17). ④ Après la synthèse d'un seul brin d'ADN, l'ARN est dégradé. ⑤ Le deuxième brin d'ADN est fabriqué à partir de la matrice formée par le premier brin. Il en résulte une molécule d'ADN bicaténaire porteuse d'un gène composé d'**ADN complémentaire (ADNc)**, un gène artificiel sans introns.

Le gène d'ADNc ainsi créé atteint une taille plus commode que le gène original. Il peut aussi se faire transcrire et traduire par les cellules bactériennes, qui ne possèdent pas les outils d'épissage de l'ARN. Cependant, pour qu'une Bactérie puisse transcrire un gène d'ADNc, ce dernier doit être relié à un ADN comportant

un promoteur bactérien et d'autres signaux essentiels de transcription (voir le chapitre 16).

Étant donné la grande difficulté à isoler les molécules d'ARNm pour un gène particulier des autres molécules d'ARN d'une cellule, la méthode de l'ADNc, comme celle du clonage aveugle, permet de constituer des banques de gènes. Cependant, les banques d'ADNc ne contiennent qu'une partie du génome cellulaire, soit seulement les gènes exprimés (transcrits) dans la cellule utilisée. Cela représente un avantage si les chercheurs veulent savoir quels gènes sont exprimés par un type de cellule spécialisée (telle une cellule du cerveau), ou si la cellule exprime un petit nombre seulement de gènes, y compris celui auquel on s'intéresse. Chez les Mammifères, par exemple, la plus grande partie de l'ARNm des cellules précurseurs des globules rouges code pour la protéine nommée hémoglobine.

Utilisation de sondes pour trouver le gène recherché
Chez les eucaryotes, l'ADN qui constitue un gène donné s'avère peu abondant et ne représente qu'un millionième du génome. C'est la raison pour laquelle l'identification des très rares clones bactériens ou phagiques contenant le gène recherché représente souvent la plus grande difficulté en génie génétique. Si les clones qui renferment un certain gène le traduisent effectivement en protéine, on peut les identifier en recherchant la présence de cette protéine. On détecte la protéine soit par son activité (comme dans le cas d'une enzyme), soit par sa structure, en utilisant des anticorps qui s'associent spécifiquement avec elle (voir le chapitre 39). Le plus souvent, les techniques de criblage visent à détecter le gène lui-même.

Les techniques de détection directe d'un gène reposent toutes sur l'appariement des bases du gène avec celles d'une séquence complémentaire située sur une autre molécule d'acide nucléique (ARN ou ADN). Lorsqu'on connaît au moins une partie de la séquence nucléotidique du gène, ou qu'on peut la déterminer à partir de la séquence d'acides aminés de la protéine, il est possible de synthétiser par voie chimique de courtes molécules d'acide nucléique complémentaires à cette séquence. Une telle molécule d'acide nucléique, qui forme spécifiquement des liaisons hydrogène avec le gène recherché, est appelée **sonde**, et on la marque avec des isotopes radioactifs pour retrouver son emplacement. La figure 19.7 montre comment on procède au criblage simultané d'un certain nombre de clones bactériens croissant en colonies sur un milieu solide, afin de détecter la présence d'ADN complémentaire à une certaine sonde d'ARN. La sonde radioactive marque le clone voulu (trouve l'aiguille dans la botte de foin) en formant des liaisons hydrogène avec son ADN.

Une fois que l'on a identifié un clone qui porte le gène voulu, on le cultive ; il est alors facile de produire le gène en question en grandes quantités en vue d'une étude ultérieure. Le gène cloné lui-même peut aussi servir de sonde pour l'identification de gènes similaires ou identiques.

Fabrication de produits géniques par le génie génétique Après avoir procédé au transfert d'un gène entre deux types de cellules, comment le faire fonctionner dans un nouvel environnement ? Bien que le code génétique

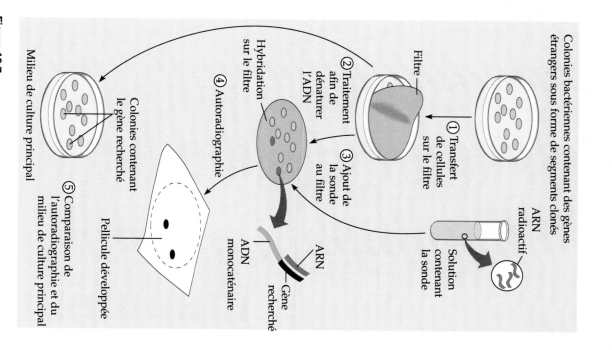

Figure 19.7
Utilisation d'une sonde d'acide nucléique pour identifier un gène cloné. Cette technique repose sur le fait que les séquences nucléotidiques s'apparient (s'associent par des liaisons hydrogène) si elles sont complémentaires. Ici, le gène cloné auquel on s'intéresse s'apparient à une partie du gène. ① On applique un papier filtre spécial sur les colonies bactériennes présentes sur l'agar, et des cellules sont transférées sur le filtre. ② On traite le papier pour ouvrir les cellules et dénaturer leur ADN ; les ADN monocaténaires obtenus adhèrent au filtre. ③ Une solution de sondes moléculaires est incubée avec le filtre. L'ARN s'hybride (forme des paires de bases) avec tout ADN complémentaire qui se trouve sur le filtre ; l'ARN en excès est éliminé par rinçage. ④ On applique le filtre sur une pellicule photographique qui enregistre la position de toutes les parties radioactives. ⑤ On compare la pellicule développée, aussi appelée autoradiographie, avec le milieu de culture principal pour mettre en évidence les colonies qui portent le gène recherché.

Colonies bactériennes contenant des gènes étrangers sous forme de segments clonés

ARN radioactif

Solution contenant la sonde

① Transfert de cellules sur le filtre

Filtre

②Traitement afin de dénaturer l'ADN

③ Ajout de la sonde au filtre

Hybridation sur le filtre

④ Autoradiographie

ARN

ADN monocaténaire

Gène recherché

Pellicule développée

⑤ Comparaison de l'autoradiographie et du milieu de culture principal

Colonies contenant le gène recherché

Milieu de culture principal

soit quasi universel, on s'attendait à éprouver de graves difficultés à déclencher l'expression des gènes eucaryotes, et même des gènes d'ADNc, par des Bactéries. Il existe de nombreuses divergences entre les procaryotes et les eucaryotes sur le plan de la transcription et de la

traduction. Cependant, les spécialistes en biologie moléculaire ont eu l'agréable surprise de constater que, grâce à quelques astuces génétiques, ils réussissaient à faire fabriquer de nombreuses protéines d'eucaryotes par des Bactéries.

Lorsqu'on cherche à fabriquer la plus grande quantité possible d'un produit génique donné, à des fins commerciales par exemple, les Bactéries constituent habituellement des organismes de choix. On peut les cultiver rapidement et à peu de frais dans de gros fermenteurs comme celui qui est représenté à la figure 19.1, et leurs génomes relativement simples se prêtent assez bien à la manipulation. On maximise l'expression d'un gène eucaryote dans une cellule bactérienne en ayant recours à un certain nombre de techniques génétiques et biochimiques : l'utilisation d'un vecteur plasmidique qui se reproduit à de nombreux exemplaires dans chaque cellule ; l'activation très forte du promoteur qui régit l'expression du gène eucaryote ; la liaison du gène eucaryote à un gène bactérien codant pour une protéine fabriquée en grande quantité. (On se sert ensuite d'enzymes pour découper la partie bactérienne non recherchée de la protéine produite.) Il est possible de modifier des cellules bactériennes afin qu'elles sécrètent la protéine au fur et à mesure de sa fabrication, ce qui facilite le travail de purification.

Les Levures offrent certains des avantages des Bactéries, la facilité de culture par exemple, et elles constituent des organismes de choix pour certaines applications commerciales du génie génétique. En tant qu'eucaryotes, les Levures ont aussi leur utilité en recherche fondamentale. Pour étudier les mécanismes du fonctionnement et de la régulation des gènes chez les eucaryotes, il faut disposer de cellules et de gènes eucaryotes. Les gènes auxquels on s'intéresse sont d'abord clonés dans des Bactéries, mais on les replace ensuite dans des cellules eucaryotes afin qu'ils s'expriment et qu'on puisse ainsi les étudier. La réinsertion des gènes dans des cellules eucaryotes ne pose pas de problème particulier lorsqu'il s'agit de Levures : en effet, ces cellules absorbent de l'ADN par transformation, et elles possèdent même des plasmides qui facilitent le processus. La quantité d'information biologique issue de l'étude des Levures a connu une augmentation phénoménale au cours de ces dernières années.

Cependant, même en combinant les Bactéries et les Levures, on ne parvient pas à répondre aux besoins de tous les projets basés sur les manipulations génétiques. Les cellules d'eucaryotes plus complexes sont le siège de mécanismes biochimiques qui n'existent pas chez les Levures. On se sert donc de cultures de cellules animales ou végétales dans certaines recherches en génétique et dans certaines applications commerciales. Par exemple, on a recours aux cellules animales pour fabriquer des anticorps en grande quantité, parce que seules les cellules animales possèdent les outils complexes nécessaires à la production de ces glycoprotéines hautement spécialisées.

Nous avons passé en revue les éléments de base du clonage par les manipulations génétiques. Penchons-nous maintenant sur d'autres méthodes qui ont leur importance en génie génétique.

Synthèse et séquençage de l'ADN

Outre les sondes, on a fabriqué chimiquement en laboratoire des gènes entiers destinés au clonage, sans avoir eu recours à une matrice d'acide nucléique. Citons l'exemple des gènes artificiels des deux chaînes polypeptidiques de l'insuline, une hormone. La synthèse de gènes en laboratoire représentait autrefois un processus ardu, mais il existe aujourd'hui des machines capables de produire rapidement des gènes comportant plusieurs centaines de nucléotides. Cependant, on ne peut utiliser actuellement cette technique que dans le cas de gènes courts dont on connaît la séquence nucléotidique exacte.

Grâce à des méthodes mises au point à la fin des années 1970 aux États-Unis et en Grande-Bretagne, on peut même déterminer les séquences de certains grands gènes en un peu plus de vingt-quatre heures. Le séquençage (détermination des séquences de nucléotides) de molécules d'ADN est rendu possible par les enzymes de restriction, qui peuvent découper les très longues molécules d'ADN cellulaire et viral en fragments d'une longueur plus commode. Les deux principales techniques de séquençage de l'ADN font appel à l'électrophorèse sur gel pour séparer les brins d'ADN dont la longueur ne diffère que par un seul nucléotide. L'encadré présenté à la page 400 décrit la technique la plus couramment utilisée.

Au fur et à mesure de leur identification, des milliers de séquences d'ADN sont emmagasinées dans des bases de données informatisées. Ces réserves d'information génétique revêtent une grande valeur pour la compréhension des gènes et des éléments de la régulation génique, ainsi que pour la biotechnologie. À l'aide d'ordinateurs, on examine de longues séquences pour y chercher des séquences plus courtes dont on sait qu'elles constituent des sites de reconnaissance des protéines régulatrices, comme les amplificateurs (voir le chapitre 18), ou des séquences régulatrices, comme les promoteurs. On peut aussi rechercher dans un échantillon d'ADN des ressemblances avec des séquences connues existant dans d'autres gènes ou d'autres organismes. En outre, la séquence d'acides aminés d'un polypeptide peut être déterminée rapidement lorsqu'on connaît la séquence nucléotidique de son gène ; en fait, cette méthode est souvent la plus rapide pour trouver une séquence d'acides aminés.

Amplification de l'ADN par la réaction en chaîne de la polymérase (PCR)

La réaction en chaîne de la polymérase (ou PCR, *polymérase chain reaction*) permet d'amplifier rapidement (recopier un grand nombre de fois) n'importe quel morceau d'ADN in vitro (en éprouvette). On laisse simplement l'ADN incuber dans des conditions appropriées en présence de l'ADN polymérase (une enzyme) et de courts fragments d'acide nucléique appelés amorces. Des milliards de copies d'un segment d'ADN donné peuvent être produites en quelques heures, alors qu'il faut habituellement des semaines pour cloner une séquence d'ADN en le fixant à un plasmide ou à un génome viral. L'encadré présenté à la page 401 décrit la PCR. Inventée en 1985, la PCR a entraîné une révolution dans la recherche en biologie moléculaire, et elle connaît de nombreuses applications pratiques, comme nous le verrons plus loin dans ce chapitre.

TECHNIQUES : SÉQUENÇAGE DE L'ADN PAR LA MÉTHODE SANGER

La méthode Sanger, du nom de son inventeur, Frederick Sanger, et ses variantes sont les techniques les plus utilisées pour établir la séquence nucléotidique des molécules d'ADN. La méthode Sanger consiste à synthétiser in vitro des brins d'ADN complémentaires à l'un des brins de l'ADN que l'on veut séquencer. La technique repose sur l'incorporation d'un nucléotide modifié (un didésoxyribonucléotide, auquel il manque *deux* atomes d'oxygène) qui interrompt la synthèse d'ADN. Avant de commencer le processus de la synthèse, on découpe l'ADN en fragments de restriction. Enfin, on applique le procédé illustré ci-dessous à chacun des fragments.

La plupart des travaux de séquençage de l'ADN sont maintenant automatisés. Au lieu de marquer les fragments avec des amorces radioactives, certaines des machines de séquençage les plus récentes marquent les didésoxyribonucléotides au moyen de colorants fluorescents, avec une couleur différente pour chacun des quatre types de nucléotides. Les quatre réactions peuvent ainsi se dérouler dans la même éprouvette ; la couleur de la fluorescence permet de reconnaître les extrémités « didésoxy » des brins d'ADN produits par la réaction.

On divise en quatre portions une préparation qui contient un grand nombre de copies de l'un des brins du fragment d'ADN à séquencer. On ajoute à chaque portion tous les ingrédients nécessaires à la synthèse des brins complémentaires : une amorce (marquée par radioactivité), l'ADN polymérase et les quatre désoxyribonucléotides triphosphate. De plus, chacun des mélanges de réactifs contient *l'un* des quatre nucléotides sous sa forme modifiée « didésoxy » (dd). On dépose le tout dans un incubateur.

La synthèse des nouveaux brins commence avec l'amorce et se poursuit jusqu'à l'incorporation d'un didésoxyribonucléotide, ce qui bloque la suite de la synthèse. Comme le mélange de réactifs contient à la fois les formes « désoxy » et « didésoxy » d'un nucléotide, les deux formes entrent en « compétition » pour s'insérer dans le brin. Finalement, on aura produit un ensemble de brins radioactifs de longueurs différentes. On ne voit ici que le mélange de réactifs contenant le ddGTP.

Les nouveaux brins d'ADN présents dans chaque mélange sont soumis à l'électrophorèse sur gel de polyacrylamide, ce qui permet de séparer les brins dont la longueur ne diffère que par un seul nucléotide. On peut lire la séquence des brins nouvellement synthétisés directement à partir des bandes formées dans le gel. Cette information permet de déduire la séquence du brin matrice de départ. Dans cet exemple, le fragment le plus long se termine par ddG, ce qui signifie que G est la dernière base du nouveau brin d'ADN. Remarquez que le deuxième fragment le plus long se termine par ddA, ce qui signifie que A représente l'avant-dernière base, et ainsi de suite.

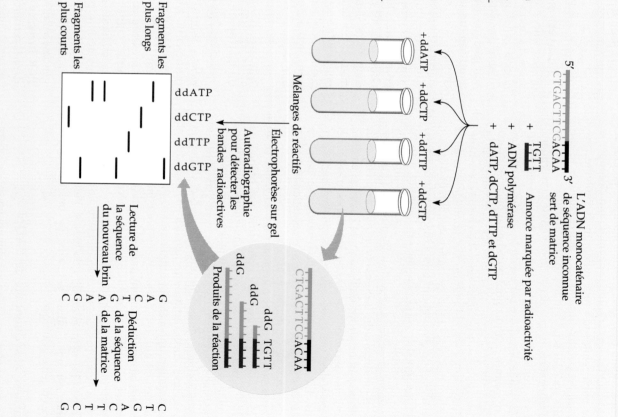

5′ CTGACTTCGACAA 3′

TGTT — Amorce marquée par radioactivité

+ ADN polymérase

+ dATP, dCTP, dTTP et dGTP

L'ADN monocaténaire de séquence inconnue sert de matrice

Mélanges de réactifs : +ddATP +ddCTP +ddTTP +ddGTP

ddATP ddCTP ddTTP ddGTP

Électrophorèse sur gel
Autoradiographie pour détecter les bandes radioactives

CTGACTTCGACAA
ddG TGTT
ddG
Produits de la réaction

Lecture de la séquence du nouveau brin

Déduction de la séquence de la matrice

TECHNIQUES : RÉACTION EN CHAÎNE DE LA POLYMÉRASE (PCR)

La PCR permet d'obtenir un grand nombre de copies d'un segment d'ADN donné. Elle est beaucoup plus rapide que le clonage génique par l'intermédiaire d'ADN plasmidique ou phagique, et elle se déroule entièrement in vitro. Le matériel de départ de la PCR (figure a) est une solution d'ADN bicaténaire contenant la séquence nucléotidique «visée» par le recopiage (il ne s'agit pas forcément d'un gène). On ajoute l'ADN polymérase (pour catalyser la réaction), les quatre nucléosides en quantité suffisante (pour former le nouvel ADN) et des amorces. L'ADN polymérase (une enzyme) requiert la présence des amorces d'ARN pour commencer la synthèse de l'ADN (voir le chapitre 15). Les amorces spécifiques utilisées dans la PCR se font synthétiser par voie chimique à partir des séquences complémentaires aux extrémités du segment d'ADN visé.

La figure b résume le processus de la PCR. ① On chauffe brièvement l'ADN afin d'en séparer les brins, puis ② on le refroidit pour permettre aux amorces de former des liaisons hydrogène avec les extrémités de la séquence visée, à raison d'une amorce sur chaque brin. Ensuite, ③ l'ADN polymérase prolonge l'amorce en lui ajoutant des nucléotides, et c'est le brin d'ADN le plus long qui sert de matrice. En peu de temps, la séquence d'ADN visée devient deux fois plus abondante. La solution est alors réchauffée, et on entame un nouveau cycle de séparation des brins, de liaison des amorces et de synthèse d'ADN. On répète ces opérations un grand nombre de fois, à raison d'environ cinq minutes par cycle, jusqu'à ce qu'on ait obtenu un nombre suffisant de réplications de la séquence visée.

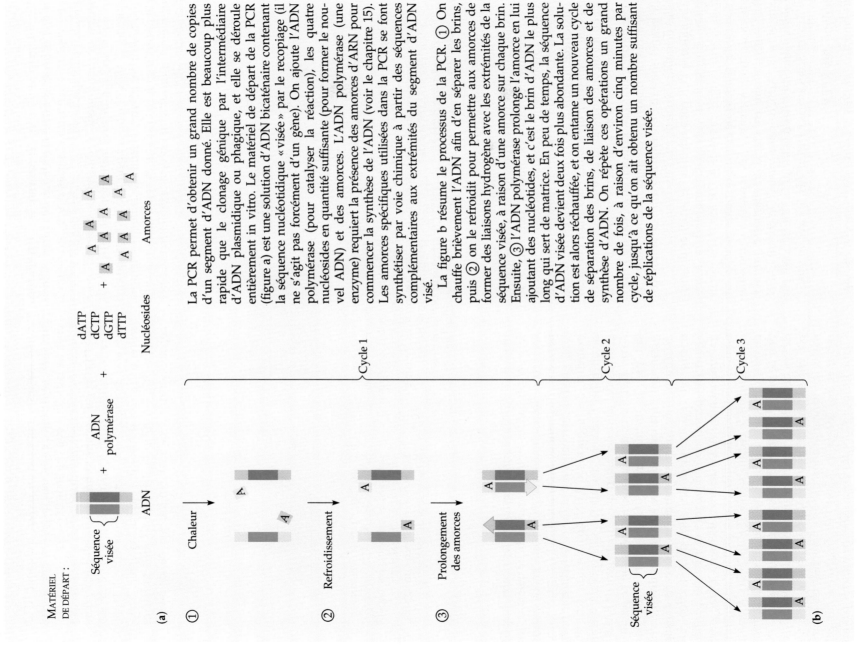

MATÉRIEL
DE DÉPART :

Séquence visée   +   ADN polymérase   +   Nucléosides   +   Amorces

dATP
dCTP
dGTP
dTTP

ADN

(a)

① Chaleur

② Refroidissement

③ Prolongement des amorces

Cycle 1

Cycle 2

Cycle 3

Séquence visée

(b)

La cartographie du génome humain, le diagnostic des maladies génétiques et l'élucidation de crimes violents ne constituent que quelques-unes des applications du puissant outil que représente l'analyse des RFLP. Cette technique met à profit les différences mineures (polymorphismes) qui existent naturellement entre les séquences d'ADN et que l'on peut déceler parce qu'elles produisent des polymorphismes de taille des fragments de restriction. Dans les applications pratiques en médecine ou en droit, on veut habituellement déter-

miner quelles variantes d'un certain marqueur RFLP (ou d'un ensemble de ces marqueurs) se manifestent chez les individus que l'on soumet au test.

Comme le montrent ces diagrammes, l'analyse des RFLP fait appel à quatre techniques de laboratoire dont nous avons déjà parlé : le traitement de l'ADN par des enzymes de restriction, l'électrophorèse sur gel, l'utilisation de sondes d'ADN et l'autoradiographie. L'analyse des RFLP requiert également une autre technique appelée buvardage de Southern (du nom de son inven-

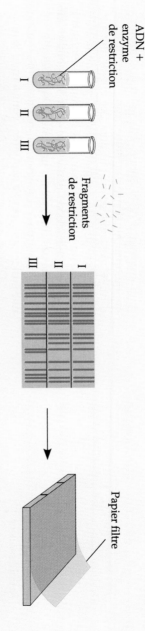

ADN +
enzyme
de restriction

I   II   III

① **Préparation des fragments de restriction.** L'ADN est extrait de globules blancs provenant des individus I, II et III. On ajoute une enzyme de restriction aux trois échantillons d'ADN afin de produire les fragments de restriction.

Fragments
de restriction

② **Électrophorèse.** Les mélanges de fragments de restriction issus de chaque échantillon sont soumis à l'électrophorèse. Chaque échantillon forme un ensemble caractéristique de bandes. (Il y aurait beaucoup plus de bandes que ce que l'on voit ici.)

Papier filtre

③ **Buvardage.** Après la dénaturation par la chaleur de l'ADN présent sur le gel, les brins simples migrent sur un papier spécial par buvardage. (C'est ce qu'on appelle le buvardage de Southern.)

La spécificité de la PCR est presque aussi remarquable que sa rapidité. Comme les amorces déterminent la séquence d'ADN à amplifier, on n'a pas besoin d'isoler le segment d'ADN désiré à partir du matériel de départ avant de déclencher la réaction. En fait, il n'est même pas nécessaire de préparer un échantillon d'ADN purifié. Il suffit qu'il y ait une quantité infime d'ADN dans le matériel de départ, et cet ADN peut même se présenter dans un état de dégradation partielle. En outre, comme l'ADN est une molécule biologique exceptionnellement stable, la PCR permet souvent de l'amplifier à partir de sources vieilles de milliers, voire de millions d'années.

On utilise la PCR pour amplifier des ADN de diverses origines : fragments d'ADN préhistorique d'un Mammouth laineux congelé datant de 40 000 ans, ADN extrait de minuscules quantités de tissu ou de sperme trouvées sur les lieux de crimes violents, ADN provenant d'une seule cellule embryonnaire en vue d'un diagnostic prénatal rapide et, enfin, ADN de gènes viraux. On obtient l'ADN de gènes viraux dans des cellules qui ont été infectées par des Virus difficiles à détecter, tel le VIH, le Virus du sida.

Analyse des RFLP

Plus haut dans ce chapitre, nous avons vu que les fragments d'ADN que l'on obtient en découpant un certain

morceau d'ADN avec une enzyme de restriction donnée forment des bandes au tracé caractéristique quand on les soumet à l'électrophorèse sur gel. Chaque bande correspond à un fragment de restriction d'ADN d'une certaine longueur. Les chercheurs ont utilisé cette technique pour examiner des segments d'ADN homologues dont on savait qu'ils portaient des allèles différents du même gène ; ils ont alors découvert que le traitement de l'ADN de ces allèles avec des enzymes de restriction ne produisait pas les mêmes tracés. Ce résultat n'était pas surprenant : il fallait s'attendre à ce que les divergences de séquence nucléotidique entraînent des écarts dans le nombre et l'emplacement des sites de restriction. La figure 19.8 permet de comprendre ce résultat. Le diagramme montre l'ADN de deux allèles du même gène dont les séquences ne diffèrent que par une seule paire de bases (dans le rectangle noir) (figure 19.8a). À cause de cette différence, l'allèle 1 possède un site de restriction de plus que l'allèle 2. Lorsque les segments d'ADN de ces deux allèles subissent un processus d'hydrolyse par une enzyme de restriction, ils se divisent en fragments qui varient à la fois par leur nombre (trois contre deux) et leur longueur. Après l'électrophorèse sur gel (figure 19.8b), l'ADN des deux allèles ne présente pas les mêmes bandes.

teur). Comme matériel de départ, on utilise l'ADN d'un génome complet, le plus souvent l'ADN de globules blancs dans le cas des Humains. Cette immense quantité d'ADN produira tellement de fragments de restriction que, si on les rend tous visibles (par exemple avec un colorant), ils colorent le gel d'électrophorèse de façon uniforme au lieu de former des bandes distinctes. Cependant, on peut visualiser de façon sélective les bandes d'ADN recherchées en utilisant une sonde radioactive. Il s'agit ici de copies multiples d'un seg-

ment d'ADN marqué par radioactivité; elles vont former des paires de bases avec l'ADN du segment que l'on teste (les imperfections de l'appariement causées par les variations des RFLP restent mineures et n'empêchent pas l'hybridation). L'exemple illustré ici montre l'analyse des RFLP de trois membres d'une famille. Les résultats montrent que les individus I et II portent la même version (ou les mêmes versions) du marqueur RFLP, mais que l'individu III porte une version différente.

④ **Sonde radioactive.** Une sonde radioactive est ajoutée aux bandes d'ADN. La sonde représente une molécule d'ADN monocaténaire qui est complémentaire à l'ADN des fragments de restriction du marqueur génétique. La sonde se lie à ces fragments uniquement par appariement des bases.

⑤ **Autoradiographie.** On ajoute d'abord la sonde dont on élimine le surplus par rinçage, puis on étend une pellicule photographique sur le gel. La radioactivité de la sonde liée forme sur la pellicule une image montrant précisément les bandes où l'ADN est apparié avec la sonde.

Sonde

Rinçage

Pellicule

I

II

III

(a) ADN provenant de deux allèles

ALLÈLE 1

w
CCGG
GGCC
Coupure

x

z
ACGG
TGCC
Coupure

y
CCGG
GGCC
Coupure

ALLÈLE 2

Différence entre les séquences de bases

x   w y

z   y

Fragments plus longs → Fragments plus courts

(+)

(−)

(b) Électrophorèse des fragments de restriction

Figure 19.8
Utilisation de la cartographie RFLP pour reconnaître l'ADN de différents allèles.
(a) Différences entre les sites de restriction dans l'ADN de deux allèles (on ne montre ici que les bases pertinentes). L'enzyme de restriction spécifique dont les séquences de reconnaissance apparaissent ici coupe l'ADN de l'allèle 1 en trois morceaux (w, x et y), mais ne coupe l'ADN de l'allèle 2 qu'en deux morceaux (z et y). (b) Résultats de l'électrophorèse sur gel des deux mélanges de fragments de restriction. Les bandes qui apparaissent sur le gel révèlent clairement la différence entre les deux allèles. L'allèle 1 possède trois bandes qui correspondent aux fragments w, x et y; l'allèle 2 possède deux bandes correspondant à z et y. Il s'agit dans les deux cas d'une cartographie RFLP.

Les biologistes ont eu la bonne surprise de constater qu'on obtenait des résultats semblables en partant de segments homologues, mais *non codants*. En fait, ils ont observé des divergences plus fréquentes dans les tracés que ce à quoi ils s'attendaient. Il se trouve que sur l'ADN des chromosomes homologues de tous les génomes, y compris celui des Humains, les séquences nucléotidiques présentent une profusion de variations qui produisent des motifs de fragments de restriction différents. Ces variations ont été nommées **polymorphismes de taille des fragments de restriction** (**RFLP**, *restriction fragment length polymorphisms*). Un marqueur RFLP donné présente souvent de nombreuses variantes dans une population (le mot *polymorphisme* vient du grec et signifie « nombreuses formes »). L'encadré de la page 402 donne une description plus détaillée de la façon de détecter et d'analyser les RFLP. Comme vous pouvez le voir, l'élément clé de cette technique consiste à employer des sondes d'acides nucléiques marquées par radioactivité. La photographie de la figure 19.11 (page 409) montre une autoradiographie, le produit final de l'analyse des RFLP.

Que les sites de RFLP se situent sur l'ADN codant ou non, ils sont transmis selon un mode mendélien. On s'en sert comme marqueurs pour établir des cartes génétiques; les généticiens suivent le type de raisonnement auquel vous avez été initié au chapitre 14. Les sites de RFLP s'avèrent extrêmement utiles pour établir des cartes chromosomiques: en effet, ils sont très abondants et facilement décelables, qu'ils entraînent ou non des différences de phénotype chez l'organisme en question. La découverte des RFLP a fait augmenter de beaucoup le nombre de marqueurs disponibles pour établir la carte du génome humain. Les généticiens ne sont plus limités aux variations génétiques qui entraînent des différences phénotypiques évidentes (comme les maladies héréditaires) ou même des différences dans les produits protéiques.

La cartographie des RFLP humains constitue déjà un outil puissant dans de nombreux domaines, y compris le diagnostic des maladies génétiques et l'identification des transmetteurs asymptomatiques de gènes potentiellement néfastes. Il s'agit de l'une des nombreuses applications de la technologie de l'ADN sur lesquelles nous allons nous pencher dans la prochaine section.

APPLICATIONS DU GÉNIE GÉNÉTIQUE ET DES BIOTECHNOLOGIES

Le génie génétique en recherche fondamentale

Le génie génétique a fait avancer la recherche dans presque tous les domaines en permettant aux biologistes d'aborder des questions spécifiques à l'aide d'outils de plus en plus raffinés. Comme nous l'avons mentionné plus haut, les nouvelles techniques ont ouvert la voie à l'étude de la structure et de la fonction des gènes eucaryotes à l'échelle moléculaire. Après avoir procédé au clonage d'un gène et à l'identification d'un clone qui le contient, on peut facilement fabriquer ce gène en grande quantité et s'en servir comme d'une sonde pour rechercher des segments d'ADN semblables dans le même génome ou dans d'autres. Étant donné que la sonde d'ADN a la capacité de former des liaisons hydrogène avec les séquences nucléotidiques complémentaires, elle fonctionne comme un aimant permettant de trouver des aiguilles dans une botte de foin. Les isotopes radioactifs et les autres sortes de marqueurs s'attachent à la sonde elle-même (voir la figure 19.7). L'intérêt de ces techniques réside dans le fait qu'elles ne dépendent pas de l'expression génique. Pour la première fois, les généticiens peuvent étudier les gènes de façon directe, sans avoir à deviner le génotype à partir du phénotype comme c'était le cas dans la génétique classique. Aujourd'hui, cependant, ils se trouvent souvent confrontés au problème inverse: il leur faut déterminer la fonction d'un gène cloné, en d'autres termes établir le phénotype à partir du génotype.

Les segments d'ADN repérés par la sonde permettent au biologiste de répondre à des questions importantes. Ils fournissent des informations quant aux relations sur le plan de l'évolution entre le gène étudié et les autres gènes du même organisme ou d'autres organismes. Grâce à ces segments, le biologiste peut établir la forme naturelle du gène (la sonde pouvait être constituée d'ADNc), y compris les séquences régulatrices et les autres séquences non codantes adjacentes au gène ou situées à l'intérieur de celui-ci. Associés aux résultats d'expériences sur l'expression génique, ces renseignements nous offrent une meilleure compréhension de la structure et de la régulation des gènes.

Une sonde d'ADN peut même servir à cartographier un gène sur un chromosome eucaryote. La technique appelée **hybridation in situ**, ou hybridation moléculaire, induit l'appariement d'une sonde d'ADN radioactif (hybridation) avec les séquences complémentaires qui se trouvent sur des chromosomes intacts placés sur une lame de microscope (*in situ* signifie « en place »). L'autoradiographie et la coloration des chromosomes permettent alors de montrer à quelle bande de quel chromosome la sonde s'est fixée (voir la figure 14.1). (De la même façon, on peut utiliser la sonde à un ARNm afin d'identifier les cellules qui expriment un gène donné.)

Outre la production d'une grande quantité de gènes particuliers, les recombinaisons génétiques in vitro aident à la fabrication en abondance de protéines qui, à l'état naturel, n'existent qu'en très petite quantité. Ce fait se révèle particulièrement important parce que de nombreuses molécules essentielles à la régulation du métabolisme et au développement cellulaire sont peu abondantes, et on ne peut donc ni les purifier ni les caractériser par les techniques traditionnelles utilisées en biochimie.

Encouragés par l'efficacité de ces nouvelles techniques, certains chercheurs tentent actuellement d'établir un catalogue de toutes les protéines synthétisées par des organes spécifiques, tel le cerveau. On peut désormais concevoir cette tâche: en effet, les biologistes n'ont plus l'obligation de circonscrire leur étude aux protéines fabriquées en quantité suffisante pour permettre leur détection grâce à des tests d'activité enzymatique ou de liaison d'anticorps. Ils peuvent maintenant provoquer la fabrication de chaque protéine en quantité suffisante pour en permettre l'étude. Pour ce faire, ils préparent un ADN complémentaire à partir de toutes les molécules d'ARN messager présentes dans l'organe étudié, et clonent cet

ADN dans des Bactéries. Selon les premières estimations, un catalogue du cerveau comprendrait des dizaines de milliers de protéines différentes.

Le programme Génome Humain

Les manipulations génétiques ont permis l'élaboration du projet le plus ambitieux jamais entrepris. Il s'agit de cartographier l'ensemble du génome humain, et quatre approches complémentaires ont été adoptées dans ce but.

1. *Cartographie génétique (factorielle) du génome humain.* Le premier objectif consiste à localiser au moins 3000 marqueurs (gènes ou autres loci identifiables sur l'ADN) également répartis sur l'ensemble des chromosomes. La grande abondance des RFLP dans le génome humain rend possible cette approche, et la plupart des marqueurs utilisés seront sans aucun doute des marqueurs RFLP. La carte ainsi établie facilitera la tâche des chercheurs, qui pourront trouver les loci des autres marqueurs (y compris des gènes) grâce aux liaisons génétiques avec les marqueurs connus.

2. *Cartographie physique du génome humain.* Pour ce faire, on découpe chacun des chromosomes en un certain nombre de fragments identifiables, puis on détermine leur véritable agencement sur le chromosome.

3. *Séquençage du génome humain.* Il s'agit d'établir l'ordre exact des paires de nucléotides de chaque chromosome. Étant donné qu'un ensemble haploïde de chromosomes humains comporte environ 3 milliards de paires de nucléotides, ce volet du projet sera probablement le plus long.

4. *Analyse du génome d'autres espèces.* Le projet prévoit également des analyses semblables portant sur le génome d'autres espèces particulièrement importantes en recherche génétique, comme *E. coli*, les Levures, l'espèce végétale *Arabidopsis thaliana* (voir le chapitre 31) et la Souris.

Ces quatre volets fournissent d'ores et déjà un ensemble de données qui permettra l'élaboration d'une carte complète du génome humain et une meilleure compréhension de son fonctionnement en comparaison avec le génome d'autres organismes. La cartographie du génome de *Saccharomyces cerevisiae*, une Levure, est bien avancée. En 1992, une équipe internationale a séquencé un chromosome entier (le chromosome 3, qui compte 315 357 paires de nucléotides), et les chercheurs auront probablement terminé le séquençage de la plupart des 15 autres chromosomes de la Levure d'ici la fin de la décennie. Mentionnons toutefois que plus de la moitié des gènes du chromosome 3 codent pour des protéines dont les fonctions restent inconnues. Les chercheurs estiment que nombre de ces gènes se retrouveront chez d'autres eucaryotes.

La connaissance du génome présente des avantages potentiels considérables. Dans le domaine médical, l'identification et la cartographie des gènes en cause faciliteront certainement le diagnostic, le traitement et la prévention des maladies génétiques. En ce qui concerne les sciences fondamentales, la connaissance détaillée du génome humain et de celui d'autres espèces nous apportera des éclaircissements sur les questions liées à l'organisation génomique, à la régulation de l'expression génique, à la croissance et à la différenciation cellulaires ainsi qu'à la biologie de l'évolution. Tout au long des phases de ce projet, des chercheurs de nombreux pays poursuivront l'analyse des données sur le génome humain et leur comparaison avec les informations relatives à d'autres espèces.

Les techniques utilisées pour établir la carte génétique du génome humain associent l'analyse classique du lignage de grandes familles (voir le chapitre 13), un bon nombre d'approches moléculaires dont nous avons parlé plus haut dans ce chapitre et plusieurs autres procédés. Par exemple, une technique appelée **arpentage chromosomique** fait appel à plusieurs des techniques que nous avons déjà décrites ; elle permet de retrouver l'ordre des multiples fragments d'ADN qui résultent du traitement des très longues molécules d'ADN de chromosomes eucaryotes par des enzymes de restriction. Grâce à l'arpentage chromosomique, le chercheur isole les segments d'ADN qui se *chevauchent* et qui proviennent du découpage de deux échantillons de l'ADN de départ à l'aide d'enzymes de restriction différentes. Nous décrivons ce procédé dans l'encadré présenté à la page 406. Grâce aux chevauchements entre les segments d'ADN, on peut connaître l'ordre dans lequel les segments se présentent sur l'ADN original, et par conséquent l'ordre approximatif de tous les gènes ou autres marqueurs situés sur ces segments.

Le programme Génome Humain s'appuie sur une autre technique, l'amplification par la PCR, qui devrait s'avérer précieuse. La PCR permet entre autres d'amplifier des parties précises de l'ADN à partir de spermatozoïdes individuels. Les chercheurs obtiennent ainsi de grandes quantités des produits immédiats de la recombinaison méiotique, et disposent alors pour leurs analyses d'un échantillon assez grand, pouvant compter des milliers de spermatozoïdes. On peut donc établir une carte génétique humaine à partir des fréquences d'enjambement entre les gènes tout en évitant de procéder à l'analyse du lignage de grandes familles.

Enfin, les moyens techniques mis en œuvre pour atteindre les objectifs du programme Génome Humain bénéficieront en grande partie des progrès de l'automatisation et des dernières innovations dans le domaine de l'électronique, y compris les logiciels.

Applications médicales des découvertes du génie génétique

Le génie génétique a déjà contribué de manière significative à l'évolution de la médecine. On assiste actuellement à des progrès importants dans le diagnostic des anomalies génétiques et d'autres maladies humaines, dans les premières applications de la thérapie génique ainsi que dans la mise au point de nouveaux vaccins et d'autres produits pharmaceutiques.

Diagnostic de maladies Grâce aux manipulations génétiques, et grâce en particulier à la PCR et aux sondes d'ADN marqué, un nouveau chapitre s'ouvre dans le domaine du diagnostic des maladies infectieuses. Ces techniques sophistiquées autorisent la détermination d'agents pathogènes difficiles à détecter. Par exemple, la PCR a permis d'amplifier l'ADN du VIH, et donc sa détection, dans des échantillons de tissu prélevés sur un marin britannique mort en 1959.

① Préparation de la sonde à partir de l'extrémité du gène connu (sonde 1).

② Découpage de l'ADN de départ par deux enzymes de restriction différentes et élaboration de banques à partir des fragments ainsi produits.

③ À l'aide de la sonde 1, criblage de la banque II afin de trouver les fragments d'ADN qui chevauchent le gène connu.

④ Isolement de l'ADN provenant du clone marqué par la sonde 1 et préparation d'une sonde à partir de l'extrémité de ce fragment (sonde 2).

⑤ Utilisation de la sonde 2 pour passer au crible la banque I et trouver d'autres chevauchements.

⑥ Répétition des étapes 4 et 5 à l'aide de nouvelles sondes et en changeant chaque fois de banque.

On a recours à cette technique, parfois appelée hybridation de séquences recouvrantes, pour trouver des clones de plasmides ou de Phages porteurs de segments qui se chevauchent sur une longue molécule d'ADN, comme celle qui provient d'un chromosome eucaryote. Le chercheur commence le processus avec un gène ou une autre séquence d'ADN qu'il connaît ; il « arpente » l'ADN du chromosome à partir de ce locus, et finit par constituer une carte de segments qui se chevauchent.

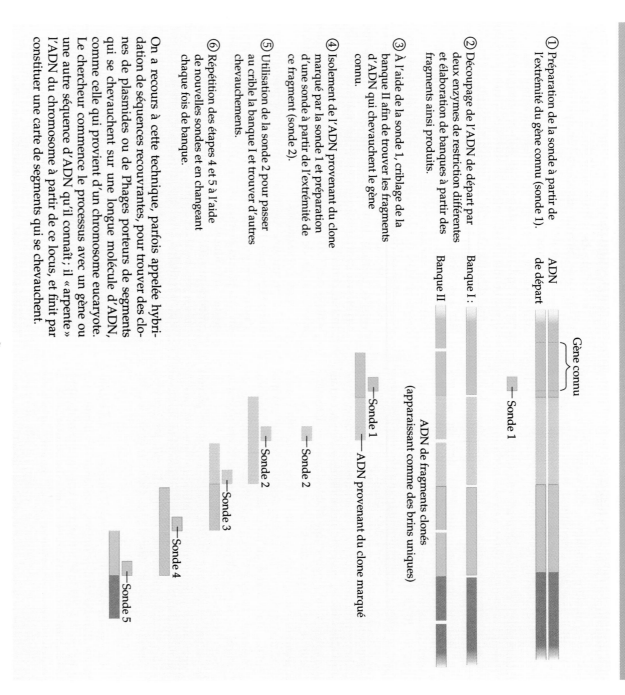

Gène connu

ADN de départ

—Sonde 1

ADN de fragments clonés
(apparaissant comme des brins uniques)

Banque I :

Banque II

—Sonde 1

—ADN provenant du clone marqué

—Sonde 2

—Sonde 2

—Sonde 3

—Sonde 4

—Sonde 5

Par les manipulations génétiques, on détermine directement les formes alléliques présentes dans les échantillons d'ADN. Une fois cloné, le gène en question (qu'il s'agisse d'un allèle normal ou mutant) sert de sonde pour retrouver les allèles correspondants dans les cellules sur lesquelles on effectue le test. On compare ensuite ces allèles à des références normales ou mutantes, habituellement par analyse des RFLP : on découpe les segments d'ADN qui contiennent les allèles connus et inconnus à l'aide de diverses enzymes de restriction, puis on procède à la comparaison des bandes des produits par l'électrophorèse de ces ensembles de fragments. Comme la mutation modifie la séquence nucléotidique, il se peut qu'elle touche les points où les enzymes de restriction effectuent les coupures, et

Le recours aux techniques du génie génétique dans le diagnostic de maladies génétiques fait accomplir des progrès encore plus rapides. Les chercheurs en médecine sont aujourd'hui en mesure de diagnostiquer plus de 200 anomalies génétiques humaines au moyen des manipulations génétiques. Dans des cas de plus en plus nombreux, il est possible de savoir si une personne est atteinte avant même l'apparition des symptômes, voire avant la naissance. On peut aussi identifier les transmetteurs asymptomatiques d'allèles récessifs potentiellement nuisibles. On a cloné les gènes d'un certain nombre de maladies humaines, dont ceux de l'hémophilie, de la phénylcétonurie et de la fibrose kystique, ainsi que de la myopathie de Duchenne, une maladie dégénérative mortelle (voir le chapitre 14).

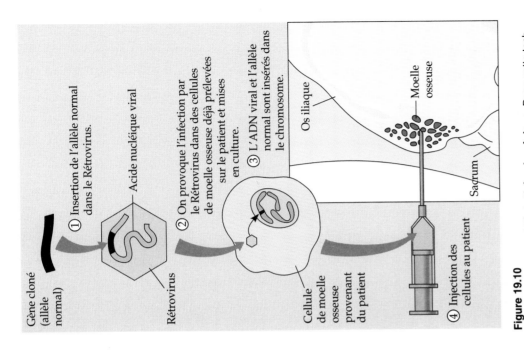

Figure 19.10
Exemple d'un procédé de thérapie génique. Dans cette technique, on utilise un Rétrovirus inoffensif comme vecteur pour introduire un allèle normal d'un gène dans les cellules d'un patient qui ne le possède pas. Cette technique met à profit le fait que le Rétrovirus insère une copie de son acide nucléique (en fait un transcrit d'ADN de son génome d'ARN, voir le chapitre 17) dans l'ADN chromosomique de la cellule hôte. Si son acide nucléique comprend un gène étranger et si ce dernier est exprimé, la cellule (et toutes celles qui en descendent par mitose) guérira. Les cellules qui se reproduisent tout au long de la vie de l'individu, comme les cellules de la moelle osseuse, constituent des cibles idéales pour la thérapie génique (l'extraction de ces cellules apparaît ici dans une vue latérale d'un bassin).

① Insertion de l'allèle normal dans le Rétrovirus.

Acide nucléique viral

② On provoque l'infection par le Rétrovirus dans des cellules de moelle osseuse déjà prélevées sur le patient et mises en culture.

③ L'ADN viral et l'allèle normal sont insérés dans le chromosome.

Os iliaque

Moelle osseuse

Sacrum

Gène cloné (allèle normal)

Rétrovirus

Cellule de moelle osseuse provenant du patient

④ Injection des cellules au patient

un certain nombre d'essais sur des Humains afin de mesurer l'efficacité de la thérapie génique contre certaines formes de cancer et certains déficits enzymatiques.

La thérapie génique convient particulièrement bien au traitement des maladies causées par le déficit d'une seule enzyme. On introduit des gènes normaux dans les cellules somatiques du patient. Il faut choisir des cellules qui se reproduisent activement dans l'organisme (de sorte que le gène normal se réplique chez l'individu) et qui fabriquent des protéines normales capables de corriger la déficience. Des enfants atteints d'une maladie auto-immune (voir le chapitre 39) due à la carence en une enzyme, l'adénosine désaminase (ADA), sont soumis actuellement à une thérapie génique qui semble prometteuse. On leur injecte par voie intraveineuse leurs

---

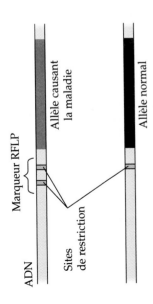

Figure 19.9
Marqueurs RFLP voisins d'un gène. Même si un gène causant une maladie n'a pas été cloné et que son locus reste inconnu, on peut parfois détecter sa présence avec un certain degré de précision en examinant les variantes des marqueurs RFLP qui sont ses voisins immédiats. Le schéma montre des segments homologues de l'ADN d'une famille dont certains membres sont atteints d'une maladie génétique. Dans cette famille, les variantes d'un marqueur RFLP sont associées aux différentes formes de l'allèle, ce qui rend le test possible. Si un membre de la famille a reçu la forme du marqueur RFLP qui possède deux sites de restriction (plutôt qu'un seul), il y a une forte probabilité qu'il porte aussi l'allèle nuisible.

Marqueur RFLP

Allèle causant la maladie

ADN

Sites de restriction

Allèle normal

qu'elle modifie par conséquent le tracé de bandes produit sur le gel.

Avant même d'effectuer le clonage du gène, on peut diagnostiquer la présence d'un allèle anormal avec un certain degré de précision si on a trouvé un marqueur RFLP qui lui est lié. Selon le raisonnement des chercheurs, si la transmission simultanée d'un marqueur RFLP et de la maladie se produit avec une fréquence élevée, il est probable que le gène défectueux se situe près du marqueur RFLP sur l'ADN chromosomique. Il faut étudier des échantillons de sang des membres de la famille de la personne à risque afin de déterminer quelle variante du marqueur RFLP se lie à l'allèle anormal chez eux ; cette variante doit présenter une différence avec la ou les variantes liées à l'allèle normal dans la même famille (figure 19.9). Dans ces conditions, les variantes du marqueur RFLP présentes dans le génome de la personne à risque permettent de savoir s'il y a des chances que l'allèle anormal s'y trouve aussi. Actuellement, on détecte les allèles de la chorée de Huntington et d'un certain nombre d'autres maladies génétiques par cette méthode indirecte. Lorsqu'un gène a été cartographié avec précision, on peut facilement le cloner pour l'étudier et il constitue la meilleure sonde possible pour rechercher les ADN identiques ou semblables.

Thérapie génique   Le génie génétique représente peut-être la clé qui permettra de corriger certaines maladies génétiques chez l'individu. Dans le cas d'affections génétiques causées par un seul gène défectueux, on pourrait théoriquement remplacer le gène en question ou le compléter par un gène normal et fonctionnel à l'aide de manipulations génétiques. On pourrait insérer le nouveau gène dans certaines des cellules somatiques d'un enfant ou d'un adulte, ou encore dans les cellules reproductrices ou embryonnaires.

La thérapie génique est née des efforts qui visaient à réparer les cellules somatiques d'individus atteints de maladies génétiques létales. On procède actuellement à

propres lymphocytes T (une sorte de globules blancs) que l'on a modifiés pour leur faire porter un allèle normal de l'ADA. Avant l'injection, on prélève des lymphocytes T chez ces enfants et on les met en culture in vitro avec des Rétrovirus inoffensifs qui portent l'allèle normal de l'ADA. Les Rétrovirus recombinés infectent les cellules et insèrent l'allèle normal de l'ADA ainsi que le génome viral sous forme d'ADN dans le génome des cellules. Les cellules transformées sont ensuite réinjectées dans l'organisme du patient. On s'efforce aussi, actuellement, d'introduire l'allèle normal de l'ADA dans les cellules de moelle osseuse des patients (figure 19.10). Cette démarche pourrait fournir un traitement aux effets plus prolongés, puisque ces cellules se multiplient et donnent naissance à toutes les cellules du système immunitaire.

La thérapie génique soulève certaines questions d'ordre technique. Comment peut-on faire en sorte que les mécanismes de régulation adéquats agissent sur le gène que l'on transfère? À quelle étape du développement biologique l'intervention devient-elle le plus efficace, et à partir de quand est-il trop tard? Vaut-il mieux introduire le gène dans des cellules qui n'ont pas encore fini de se différencier, comme celles de la moelle osseuse, ou dans des cellules de tissus spécifiques, tels les lymphocytes T dans le cas du traitement portant sur l'ADA? Comment peut-on fournir le gène ou le produit génique voulu aux tissus dans lesquels il est nécessaire? Comment traiter les troubles associés au développement dans lesquels un produit génique ne convient que pendant un court laps de temps?

La thérapie génique nous oblige également à poser certaines questions délicates sur les plans éthique et social. À l'heure actuelle, ces techniques extrêmement coûteuses nécessitent la présence d'experts et de matériel que l'on ne trouve que dans les grands centres médicaux. Lorsqu'on aura découvert un traitement pour une maladie génétique donnée, combien de patients y auront effectivement accès? Un spécialiste prévoit que les chercheurs finiront par mettre au point des vecteurs (peut-être des Virus modifiés) que l'on pourra injecter directement aux patients, ce qui réduira les coûts en éliminant le besoin de cultiver les cellules modifiées.

La question d'ordre éthique la plus difficile (David Suzuki l'a soulevée dans l'entrevue qui précède cette partie) est de savoir si nous devons tenter de traiter les cellules reproductrices humaines dans l'espoir de corriger les déficiences chez les générations futures. Chez les Souris, le transfert de gènes étrangers dans la lignée des cellules reproductrices femelles s'effectue d'ores et déjà de façon routinière. Par exemple, les scientifiques ont réussi à introduire le gène humain de l'un des polypeptides de l'hémoglobine chez des Souris dont le gène correspondant était défectueux. Chez de nombreux individus receveurs et leurs descendants, le gène humain produit le polypeptide de façon active, non seulement à l'endroit voulu (les globules rouges du sang), mais aussi au bon moment du développement (au stade fœtal approprié). Jusqu'à aujourd'hui, d'autres expériences portant sur l'expression de gènes étrangers chez des Animaux n'ont pas été couronnées de succès, mais les difficultés techniques finiront par être surmontées. Nous devons dès maintenant nous demander s'il est souhaitable d'agir sur les lignées de cellules reproductrices humaines.

Certains critiques ont affirmé sans ambages qu'il ne faut altérer les gènes humains en aucune façon, pas même pour traiter les individus atteints de maladies létales. Ils avancent que cela mènerait inévitablement à la pratique de l'eugénisme, c'est-à-dire à la tentative délibérée d'influer sur la composition génétique des populations humaines. D'autres ne voient aucune différence entre la manipulation génétique de cellules somatiques et les interventions médicales classiques effectuées dans le but de sauver des vies.

Vaccins Les chercheurs en médecine ont recours aux manipulations génétiques pour mettre au point des vaccins permettant la prévention de maladies infectieuses. Surtout en ce qui concerne de nombreuses affections virales contre lesquelles les médicaments ont peu d'effet, les seules mesures efficaces consistent essentiellement à prévenir la maladie par la vaccination. Les vaccins traditionnels contre les maladies virales comportent l'une des deux sortes de particules suivantes: des particules provenant d'un Virus virulent, mais inactivées par des moyens chimiques ou physiques, ou des particules virales actives d'une souche atténuée (non pathogène). Dans les deux cas, les particules virales ressemblent assez à l'agent pathogène actif pour déclencher une réponse immunitaire qui protégera l'organisme contre lui. Au cours de la réponse immunitaire, les Animaux produisent des anticorps qui interagissent de façon très spécifique avec l'envahisseur pathogène (voir le chapitre 39).

On met à profit les nouvelles biotechnologies de différentes façons afin de modifier les vaccins actuels ou d'en fabriquer de nouveaux contre des maladies jusqu'alors réfractaires. En premier lieu, les manipulations génétiques permettent de produire de grandes quantités d'une molécule spécifique provenant du revêtement protéique d'un certain Virus, d'une Bactérie ou d'autre microorganisme pathogène. Si cette protéine, qu'on appelle sous-unité, déclenche une réponse immunitaire contre l'agent pathogène lui-même, on peut s'en servir comme vaccin. Deuxièmement, les techniques du génie génétique permettent de modifier le génome de l'agent pathogène en vue de l'atténuer. La vaccination effectuée avec un agent pathogène vivant mais atténué se montre souvent plus efficace que la vaccination avec une simple sous-unité, parce qu'une petite quantité de produit déclenche une réponse plus importante du système immunitaire; d'autre part, il se peut que les agents pathogènes atténués par les techniques d'épissage génique soient plus sûrs que les mutants naturels employés traditionnellement.

Un autre procédé de vaccination met en œuvre le Virus de la vaccine qui est à l'origine du vaccin contre la variole. Les chercheurs disposent d'une quantité considérable d'informations d'ordre médical sur le vaccin contre la variole. Au moyen de manipulations génétiques, on remplace les gènes viraux qui provoquent une immunité contre la variole par des gènes produisant une immunité contre d'autres maladies. En fait, il est possible de faire porter au Virus de la vaccine les gènes nécessaires pour une vaccination contre plusieurs maladies en même temps. On pense qu'une seule inoculation de vaccine suffira un jour à protéger des individus contre une douzaine de maladies, y compris le sida.

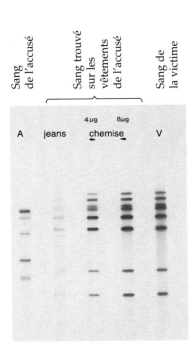

Sang de l'accusé

Sang trouvé sur les vêtements de l'accusé

Sang de la victime

A jeans chemise (4 µg 8 µg) V

Figure 19.11
Autoradiographie des RFLP dans un cas de meurtre. Comme le montre l'analyse des RFLP, l'empreinte génétique provenant des taches de sang trouvées sur les vêtements de l'accusé correspond à celle de la victime et non à celle de l'accusé.

Autres produits pharmaceutiques L'une des premières applications pratiques de l'épissage des gènes fut la production d'hormones et d'autres protéines de Mammifères par des Bactéries. Parmi les premières substances ainsi fabriquées, on peut citer l'insuline, l'hormone de croissance et plusieurs protéines du système immunitaire, telles les molécules appelées *interférons*. L'insuline d'abord, puis l'hormone de croissance ont été les deux premières hormones polypeptidiques produites par manipulation génétique et approuvées pour le traitement de patients humains aux États-Unis.

Près de deux millions de diabétiques aux États-Unis dépendent d'un traitement par l'insuline. Avant 1982, les tissus de pancréas de Porcs et de Bovins provenant des abattoirs représentaient les principales sources d'insuline pour des fins thérapeutiques. Bien que l'insuline extraite de Porcs et de Bovins ressemble beaucoup à celles des Humains, elle ne lui est pas identique et provoque des réactions indésirables chez certaines personnes. On peut, aujourd'hui, obtenir de l'insuline chimiquement identique à l'insuline fabriquée dans le pancréas humain grâce à des Bactéries modifiées génétiquement.

L'hormone de croissance humaine (GH, *growth hormone*) contient presque 200 acides aminés, et sa taille dépasse donc celle de l'insuline. Par ailleurs, les hormones de croissance sont plus spécifiques à chaque espèce que l'insuline ; en d'autres termes, les hormones de croissance en provenance d'autres Animaux ne stimulent pas la croissance de manière efficace si on les administre à des Humains. Avant 1985, date à laquelle on a commencé à synthétiser cette hormone par les techniques du génie génétique, on devait se contenter de petites quantités de GH extraites de cadavres humains dans le traitement des enfants souffrant de nanisme hypophysaire (une maladie causée par une insuffisance en GH). Grâce à l'épissage des gènes, on peut maintenant produire cette hormone en bien plus grande quantité pour traiter ces enfants. Ce procédé a aussi permis d'envisager d'autres utilisations possibles de l'hormone de croissance humaine. À l'avenir, on aura sans doute largement recours à la GH dans le traitement des plaies et des fractures, des brûlures graves, et pour retarder, sinon inverser, la perte de masse musculaire qui accompagne souvent le vieillissement.

Grâce aux manipulations génétiques, une compagnie de biotechnologie a produit en 1989 une autre hormone humaine particulièrement importante en médecine, *l'érythropoïétine*. Cette protéine est une hormone normalement synthétisée par le rein ; elle stimule la production de globules rouges par la moelle osseuse. La biotechnologie autorise maintenant la fabrication d'érythropoïétine pour le traitement des différentes formes d'anémie, y compris l'anémie causée par une insuffisance rénale.

Dans le domaine des produits pharmaceutiques, les progrès les plus récents ont permis la mise au point de méthodes parfaitement inédites dans la lutte contre les Virus, lesquels sont beaucoup moins sensibles aux médicaments que les Bactéries et les Champignons pathogènes. La recherche actuelle pourrait aboutir à la fabrication de médicaments qui, dans une cellule infectée, empêcheraient la traduction des ARN messagers viraux en protéines. Par exemple, on procède à la syn-

thèse d'un **acide nucléique antisens**, c'est-à-dire de molécules d'ADN ou d'ARN monocaténaires qui s'apparient avec les molécules clés d'ARNm du Virus et en bloquent la traduction. Une autre approche consiste, à partir des techniques de l'ADN recombiné, à fabriquer des médicaments à l'aide des manipulations génétiques, afin d'imiter les récepteurs de surface des membranes cellulaires. L'un de ces produits expérimentaux se comporte comme un substitut d'une protéine réceptrice à laquelle se lie le VIH lorsqu'il attaque les globules blancs du sang. Il s'agit ici de tromper le Virus du sida et de l'empêcher d'infecter les globules blancs. On réalise également des expériences à partir de molécules antisens et de médicaments semblables aux récepteurs de surface, afin de déterminer s'ils détruisent les cellules cancéreuses de façon sélective.

Applications des manipulations génétiques en médecine légale

Lors de crimes violents, il arrive que le sang ou de petits fragments de tissu épithélial ou autre soient retrouvés sur les lieux, ou sur des vêtements ou d'autres objets appartenant à la victime ou à l'agresseur. En cas de viol, on peut prélever de petites quantités de sperme sur la victime. Les laboratoires de médecine légale procèdent à des tests pour déterminer le groupe sanguin ou d'autres caractéristiques biochimiques de la personne dont ils proviennent. Cependant, ces tests ont leurs limites. Premièrement, ils nécessitent des tissus assez frais et en quantité suffisante. Deuxièmement, comme il existe beaucoup d'individus qui possèdent le même groupe sanguin et les mêmes caractéristiques tissulaires, cette méthode permet uniquement d'éliminer les soupçons contre un accusé, et non d'établir une preuve de culpabilité.

Par contre, on peut théoriquement identifier le coupable avec certitude grâce à des tests sur l'ADN, puisque la séquence des bases de l'ADN de chaque individu est unique (sauf chez les jumeaux identiques). La technique la plus employée dans ce cas est l'autoradiographie des RFLP. L'électrophorèse sépare les fragments de restriction d'ADN choisis, et l'autoradiographie les rend visibles sous forme de bandes. Cette méthode sert à comparer des

échantillons d'ADN provenant du suspect (un meurtrier présumé par exemple) et de la victime avec une petite quantité de sperme, de sang ou de tissus trouvés sur les lieux du crime. Des sondes radioactives marquent les bandes qui contiennent certains marqueurs RFLP. Un petit nombre seulement de marqueurs RFLP provenant d'un individu peuvent fournir une **empreinte génétique** (ou empreinte d'ADN) utilisable en médecine légale, parce qu'il y a peu de chances que deux personnes (autres que des jumeaux identiques) possèdent exactement le même ensemble de marqueurs RFLP. L'autoradiographie de la figure 19.11 représente la sorte de preuve soumise aux jurés (avec des explications). On peut y voir la correspondance entre l'empreinte génétique de la victime et celle du sang trouvé sur les vêtements de l'accusé. Pour appuyer une telle preuve, le procureur présente un calcul donnant la probabilité que plusieurs personnes aient les mêmes marqueurs RFLP que ceux de l'échantillon de sang.

Dans quelle mesure peut-on se fier à l'empreinte génétique ? Lorsque nous disons que l'empreinte génétique de chaque individu est absolument unique, nous envisageons la situation sur un plan théorique dans lequel l'analyse des fragments de restriction porterait sur l'ensemble du génome. Dans la pratique, les tests d'ADN en médecine légale se limitent à cinq ou dix minuscules régions du génome. Cependant, on choisit des régions de l'ADN extrêmement variables d'une personne à l'autre. Il y a donc très peu de chances que deux personnes (autres que des jumeaux identiques) portent exactement les mêmes séquences et présentent la même empreinte génétique pour les régions que l'on soumet au test. Dans la plupart des cas, la probabilité se situe entre un sur mille et un sur un million. Est-ce suffisant pour justifier la condamnation d'un suspect par un jury ? Certains experts en droit affirment que ce type de données scientifiques influence tellement les jurés que, avant de les reconnaître comme preuves, il faudrait démontrer la quasi-infaillibilité de la technique. Certains tribunaux ont ainsi rejeté la preuve apportée par l'ADN parce qu'il subsistait un doute sur l'exactitude des résultats. Comme cela est souvent le cas pour la plupart des nouvelles techniques, les applications de la technique de l'empreinte génétique en médecine légale soulèvent d'importantes questions d'éthique.

On peut également se demander ce qu'il convient de faire des données sur l'ADN. Faudrait-il archiver les empreintes génétiques ou les détruire ? Actuellement, certains États américains conservent les données relatives à l'ADN des criminels condamnés. Nous nous pencherons plus loin sur d'autres questions d'éthique associées aux manipulations génétiques.

Applications des manipulations génétiques en agriculture

Les chercheurs qui se préoccupent de l'alimentation de la population humaine sur l'ensemble de la planète essaient d'approfondir leur connaissance de la génétique des Animaux et des Végétaux utiles en agriculture, et ils ont commencé à faire appel au génie génétique pour en améliorer la productivité.

Élevage On traite déjà les Animaux de ferme avec des produits fabriqués grâce à des manipulations génétiques.

Parmi ces produits, on compte des hormones de croissance, des vaccins et des anticorps nouveaux ou modifiés. Par exemple, certaines Vaches laitières reçoivent des injections de l'hormone de croissance bovine (BGH, *bovine growth hormone*) fabriquée par *E. coli*, afin d'augmenter la production de lait (l'augmentation atteint environ 10 %). Jusqu'à présent, la BGH a passé avec succès tous les tests de sécurité, et il se peut que dans un avenir proche on s'en serve à grande échelle sur les troupeaux laitiers. La BGH améliore aussi le gain pondéral chez les Bœufs de boucherie. Une autre protéine fabriquée par des Bactéries d'*E. coli* modifiées est utilisée en agriculture ; il s'agit de la *cellulase*, une enzyme qui hydrolyse la cellulose et grâce à laquelle pratiquement n'importe quelle partie d'un Végétal peut servir de fourrage pour les Animaux.

On a créé un certain nombre d'**organismes transgéniques**, c'est-à-dire des organismes qui contiennent les gènes d'une autre espèce, en vue d'une utilisation éventuelle en agriculture. On obtient des Animaux transgéniques, entre autres des Bovins laitiers et de boucherie, des Porcs, des Moutons et plusieurs espèces de Poissons de pisciculture, en injectant un ADN étranger dans des noyaux d'ovules ou d'embryons aux premiers stades de développement. Par exemple, on modifie génétiquement des Truites arc-en-ciel, une espèce élevée pour la consommation humaine, en implantant un gène cloné d'hormone de croissance. Les techniques d'épissage des gènes appliquées à la modification de Poissons et d'autres Animaux pour la consommation humaine en sont encore au stade expérimental, mais de nombreux scientifiques et éleveurs manifestent un grand optimisme quant aux applications futures.

Manipulation des gènes végétaux Plus encore que sur la productivité du bétail, le génie génétique aura un impact sur les espèces culturales. Il est frappant de constater combien, aujourd'hui, il a été plus facile de modifier des cellules végétales que des cellules animales. Chez de nombreuses espèces, on peut régénérer une Plante adulte à partir d'une seule cellule provenant d'une culture de tissu (voir la figure 34.14). Il s'agit d'un avantage de taille parce que de nombreuses manipulations génétiques, comme l'introduction de gènes d'une espèce étrangère, sont plus faciles à effectuer et à évaluer sur des cellules isolées que sur des organismes entiers. Les Végétaux d'intérêt commercial qui se développent sans difficulté à partir de cellules somatiques isolées comprennent l'Asperge, le Chou, les Agrumes, le Tournesol, la Carotte, la Luzerne, le Millet, la Tomate, la Pomme de terre et le Tabac.

Tout comme les chercheurs qui travaillent sur des cellules animales, les spécialistes en biologie moléculaire qui œuvrent sur les Végétaux utilisent souvent des vecteurs d'ADN pour transférer des gènes d'un organisme à un autre. Le vecteur d'ADN le plus perfectionné est un plasmide d'*Agrobacterium tumefaciens*, une Bactérie. Dans la nature, cet organisme infecte les Végétaux et cause des tumeurs ; on appelle cette infection galle du collet. Le plasmide, nommé **plasmide Ti** (Ti signifie *tumor-inducing*) provoque l'apparition des tumeurs. Le plasmide Ti intègre un segment de son ADN, nommé ADN T, dans l'ADN chromosomique des cellules de

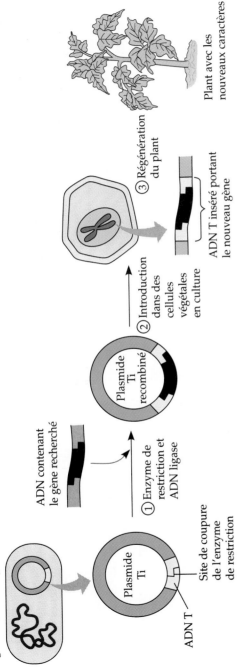

Agrobacterium tumefaciens

ADN contenant le gène recherché

① Enzyme de restriction et ADN ligase

Plasmide Ti

ADN T

Site de coupure de l'enzyme de restriction

Plasmide Ti recombiné

② Introduction dans des cellules végétales en culture

③ Régénération du plant

ADN T inséré portant le nouveau gène

Plant avec les nouveaux caractères

Figure 19.12
Utilisation du plasmide Ti comme vecteur dans la modification génétique des Végétaux. ① On isole le plasmide Ti de la Bactérie *Agrobacterium tumefaciens*, et on insère un fragment d'ADN étranger dans la région T par les techniques classiques de recombinaison de l'ADN. ② Lorsque le plasmide recombiné s'introduit dans des cellules végétales en culture, l'ADN T s'intègre à l'ADN chromosomique. ③ Lorsque la cellule végé-

tale se divise, chacun de ses descendants reçoit une copie de l'ADN T et de tout gène étranger. Si on régénère un individu entier, toutes ses cellules porteront (et exprimeront peut-être) les nouveaux gènes.

---

l'hôte végétal. Les chercheurs ont éliminé les propriétés pathogènes du plasmide tout en maintenant sa capacité d'ajouter du matériel génétique à une cellule végétale.

On peut insérer les gènes étrangers dans le plasmide Ti grâce aux manipulations génétiques. On introduit le plasmide recombiné dans *Agrobacterium*, qui sert alors à infecter des cellules végétales en culture, ou on l'inocule directement dans les cellules végétales. Puis, en mettant à profit le fait que ces cellules peuvent régénérer des Plantes entières, on peut créer des individus qui contiennent le gène étranger, l'expriment et le transmettent à leurs descendants (figure 19.12).

L'utilisation du plasmide Ti comme vecteur présente un inconvénient majeur ; seules les Dicotylédones (Végétaux qui possèdent deux feuilles embryonnaires) se laissent infecter par *Agrobacterium*. Les Monocotylédones, qui comprennent des Graminées très utilisées en agriculture comme le Maïs et le Blé, restent à l'abri de cet organisme. Fort heureusement, les scientifiques disposent de nouvelles techniques telles que l'électroporation et le pistolet à ADN pour surmonter cet obstacle. On a recours au pistolet à ADN pour traiter les Monocotylédones en particulier. Cette technique consiste à faire exploser des cartouches de plastique de calibre 22 garnies de minuscules granules métalliques recouverts d'ADN. La cartouche reste dans le pistolet, mais les granules traversent les parois cellulaires et atteignent le cytoplasme. Les cellules ne tardent pas à réparer les petites perforations de la paroi et de la membrane plasmique, les particules métalliques restent dans le cytoplasme, sans présenter de danger, et l'ADN s'intègre à celui de la cellule hôte.

Malgré ces nouvelles techniques, la modification de génomes végétaux demeure un véritable tour de force. Le clonage d'ADN végétal est assez simple, mais l'identification des gènes recherchés est une tâche très difficile. En outre, de nombreux traits avantageux chez les Végétaux, comme le rendement, présentent un caractère poly-

génique, c'est-à-dire qu'ils mettent en cause un grand nombre de gènes.

Quelques-uns des premiers succès du génie génétique appliqué aux Végétaux En dépit de sa complexité, le génie génétique obtient déjà quelques résultats positifs dans le domaine végétal, surtout dans les cas où les caractères utiles dépendent d'un seul gène ou d'un petit nombre de gènes. Par exemple, plusieurs fabricants de substances chimiques ont mis au point des variétés de Blé, de Coton et de Soja porteuses d'un gène bactérien qui leur confère une résistance aux herbicides utilisés par de nombreux agriculteurs dans la lutte contre les mauvaises herbes. Ce gène faciliterait la culture des Végétaux en permettant d'éliminer les mauvaises herbes. Aux États-Unis, la FDA (Food and Drug Administration) a pour la première fois donné son accord à la culture de Tomates génétiquement modifiées en vue de la consommation humaine ; pour ce faire, on a ajouté à ces fruits un gène antisens qui retarde leur détérioration (voir la figure 35.8). Dans un premier temps, les chercheurs ont cloné le gène de Tomate codant pour une enzyme importante qui cause la maturation ; puis ils ont procédé au clonage d'un gène possédant la séquence complémentaire de bases (antisens). Le gène antisens épissé dans l'ADN d'un plant de Tomate transcrit un ARN messager, lequel est complémentaire à celui du gène de la maturation. Puis, lorsque le gène de la maturation transcrit l'ARNm normal, l'ARNm complémentaire (antisens) se lie à l'ARNm normal et bloque la synthèse de l'enzyme de maturation. Les Tomates modifiées ne fabriquent qu'un pour cent environ de la quantité normale d'enzymes de maturation.

De nos jours, on manipule un certain nombre de cultures afin de leur conférer une résistance aux agents pathogènes infectieux et aux Insectes nuisibles. Par exemple, des plants de Tomate et de Tabac modifiés portent certains gènes de Virus qui peuvent normalement les infecter et les

endommager. Grâce à ces copies des gènes viraux, cependant, les Plantes résistent aux Virus (on peut dire qu'elles sont vaccinées). On a développé d'autres cultures résistant aux attaques des Insectes. Une technique consiste à injecter aux Plantes les gènes de *Bacillus thuringiensis*, une Bactérie qui produit des protéines insecticides. Dans des tests effectués sur le terrain, on a montré que les variétés de Maïs, de Coton et de Pommes de terre portant les gènes bactériens qui codaient pour ces protéines offraient une résistance aux attaques de certains Insectes particulièrement nuisibles. Les cultures de Végétaux résistant aux Insectes permettront de limiter le recours aux insecticides chimiques.

Ces premiers succès du génie génétique laissent entrevoir une révolution dans le domaine de l'agriculture. On rendra sans doute de nombreuses cultures plus productives en faisant croître les parties des Végétaux qui ont le plus de valeur, qu'il s'agisse des racines, des feuilles, des fleurs ou des tiges. Les chercheurs accomplissent aussi de très grands progrès dans le domaine de l'amélioration de la valeur alimentaire des Plantes ; par exemple, on cherche à modifier le Maïs et le Blé pour obtenir une combinaison d'acides aminés mieux adaptée à l'alimentation humaine. À l'heure actuelle, on procède à des essais sur le terrain sur plus de trente cultures obtenues par manipulations génétiques.

Fixation de l'azote   En agriculture, l'application éventuelle la plus intéressante des techniques du génie génétique touche sans doute la fixation de l'azote ; il s'agit d'un processus bactérien dont bénéficient les Végétaux et ceux qui les consomment. La fixation de l'azote est la conversion de l'azote atmosphérique gazeux (N_2), non assimilable par les Végétaux, en produits azotés que ces derniers absorbent dans le sol et à partir desquels ils fabriquent des molécules organiques essentielles, tels les acides aminés et les nucléotides (voir le chapitre 33). Les Bactéries fixatrices d'azote vivent dans le sol ou dans les racines de certains Végétaux tels que le Haricot ou la Luzerne. La quantité de produits azotés disponibles constitue souvent le facteur limitant de la croissance végétale et du rendement des récoltes ; l'agriculture moderne fait donc appel à de grandes quantités d'engrais azotés synthétisés par voie chimique pour suppléer à la fixation d'azote par les Bactéries. Les techniques d'épissage de gènes permettent de réduire la consommation d'engrais coûteux en faisant augmenter la capacité de fixation d'azote par les Bactéries. Dans un certain avenir, il sera peut-être possible de créer des Bactéries fixatrices d'azote capables de vivre dans les tissus des Végétaux qui exigent beaucoup de produits azotés, comme ceux du Maïs et du Blé. Les manipulations génétiques donneront peut-être un jour à la création de Végétaux qui fixeront l'azote eux-mêmes.

QUESTIONS DE SÉCURITÉ ET D'ÉTHIQUE

Dès que les scientifiques ont constaté le potentiel du génie génétique, ils ont aussi commencé à s'inquiéter des risques qui pouvaient en découler. Depuis le début, on a craint que la manipulation génétique de microorganismes crée de nouveaux agents pathogènes dangereux qui puissent s'échapper des laboratoires. Motivés par leurs propres appréhensions, les scientifiques ont mis sur pied un système d'autosurveillance, c'est-à-dire qu'ils ont accepté de suivre volontairement un ensemble de lignes de conduite qu'ils s'étaient fixées eux-mêmes dans un souci de sécurité. Un peu plus tard, aux États-Unis, cette première approche a débouché sur de véritables programmes de réglementation régis par des agences fédérales. Actuellement, les gouvernements et les organismes de réglementation dans le monde entier s'efforcent d'encourager les changements révolutionnaires que la biotechnologie peut apporter dans les domaines de l'industrie, de la médecine et de l'agriculture, tout en s'assurant de l'innocuité des nouveaux produits. Au Canada, la Direction générale de la protection de la santé (DGPS, Santé Canada), Agriculture Canada et le Comité consultatif national sur la biotechnologie se partagent la responsabilité en ce qui concerne l'établissement des principes directeurs et la réglementation des nouvelles réalisations en génie génétique.

Au cours de la dernière décennie, on a mis au point des centaines de nouvelles variétés d'organismes et de produits résultant de modifications génétiques. Beaucoup d'entre eux ont subi des tests très complets, et il semble bien qu'ils ne menacent pas ou très peu l'environnement et le bien-être des Humains. Les tests confirment aussi que le génie génétique a le potentiel d'améliorer grandement la santé humaine et d'augmenter la productivité agricole.

Pratiquement toutes les nouvelles réalisations de la technologie de l'ADN ont des implications d'ordre éthique. La réalisation de la carte complète du génome humain ouvrira la porte à des progrès considérables en thérapie génique. Elle soulèvera aussi d'importantes questions d'éthique. Par exemple, qui devrait être habilité à examiner les gènes d'une autre personne ? Comment cette information devrait-elle être utilisée ? Le génome d'un individu devrait-il avoir une influence sur son accès à un emploi ? Les compagnies d'assurance devraient-elles avoir le droit d'examiner les gènes d'un futur client ? En dépit des avantages mêmes de la thérapie génique, on doit toujours veiller à l'innocuité des vecteurs géniques. Pour ce qui touche aux problèmes environnementaux (on peut citer les déversements de pétrole et la présence de déchets chimiques qui menacent le sol, l'eau et l'air), les organismes génétiquement modifiés peuvent représenter un élément de solution, mais il faut tenir compte de leur impact sur les espèces naturelles avant de les utiliser à une grande échelle.

En ce qui concerne les nouveaux produits médicaux, le principal sujet d'inquiétude est la possibilité d'effets secondaires néfastes à court et à long terme. Au Canada, on attend actuellement l'approbation du gouvernement fédéral pour des centaines de nouveaux produits de diagnostic, vaccins et médicaments résultant de modifications génétiques, y compris certains produits conçus pour le traitement du sida et de certaines formes de cancer. Avant que la DGPS songe à autoriser la commercialisation d'un nouveau produit médical, ce dernier doit subir une série complète de tests sur des Animaux de laboratoire et des Humains.

L'utilisation de produits génétiquement modifiés donne lieu à un débat passionné parce qu'il peut s'avérer dangereux d'introduire de nouveaux organismes dans l'environnement. Certains scientifiques affirment que la création d'organismes transgéniques par épissage de gènes ne représente qu'un prolongement de l'hybridation traditionnelle, ou croisement entre espèces; cette dernière méthode nous a donné le «tangelo» (hybride de Tangerine et de Pamplemousse) et le «beefalo» (hybride de Bœuf et de Bison). Certains prétendent que les organismes modifiés génétiquement ne devraient pas être traités différemment des hybrides végétaux ou animaux, qui n'ont subi aucun test de sécurité avant leur commercialisation. De façon générale, la DGPS considère que s'il n'existe pas de différence essentielle entre le produit d'une manipulation génétique et un produit déjà sur le marché, il n'est pas nécessaire d'effectuer de tests.

Des scientifiques se posent en adversaires de ce point de vue: selon eux, il existe une différence essentielle entre, d'une part, la création d'organismes transgéniques par insertion de gènes dans des Végétaux à partir de Bactéries et d'Animaux ou vice-versa, et d'autre part l'hybridation entre espèces animales ou végétales apparentées. On craint que les aliments produits par épissage de gènes ne contiennent de nouvelles protéines toxiques ou susceptibles de provoquer des allergies graves chez certaines personnes. On redoute également la transformation de Végétaux modifiés génétiquement en «super-mauvaises herbes». Par exemple, les Végétaux auxquels le génie génétique a conféré une résistance aux herbicides, aux infections microbiennes ou aux organismes nuisibles pourraient s'échapper dans la nature et supplanter les espèces indigènes. Ils pourraient aussi coloniser des terres agricoles sur lesquelles on fait pousser d'autres espèces, et où il deviendrait difficile de les maîtriser.

Un autre facteur à prendre en considération est le fait que les Végétaux transgéniques peuvent s'hybrider avec les espèces apparentées qui vivent à l'état sauvage dans leur voisinage, et leur transmettre leurs gènes. Par exemple, les Graminées de culture et celles de nos pelouses échangent souvent des gènes avec leurs cousines sauvages, et il ne fait aucun doute que si certaines espèces receveraient de nouveaux gènes, elles les transmettraient à d'autres Végétaux poussant dans la nature. Dans le seul État de la Californie, un certain nombre d'espèces cultrales importantes (dont la Carotte, l'Asperge, le Céleri, l'Oignon et la Pomme de terre) poussent à l'état naturel ou s'hybrident avec des espèces sauvages. Si des espèces culturales pollinisent des espèces indigènes, leurs descendants pourront devenir des «super-mauvaises herbes» contre lesquelles il deviendra très difficile de lutter: en effet, elles auront acquis les gènes de résistance aux herbicides, aux maladies naturelles et aux Insectes nuisibles. Les chercheurs tentent de mettre au point des façons d'empêcher que des gènes végétaux modifiés puissent s'échapper. Parmi les solutions possibles, citons l'isolement des cultures et la création de Végétaux incapables de s'hybrider.

À cause des inquiétudes que suscitent les risques d'ordre écologique ou médical, le recours aux nouveaux produits de la biotechnologie se fera plus lentement. Une réglementation excessive risque toujours de ralentir la recherche fondamentale et d'en retarder les retombées bénéfiques éventuelles. Cependant, étant donné le potentiel du génie génétique (notre capacité de modifier de façon radicale et rapide des espèces qui évoluent depuis des millénaires), nous nous devons d'agir avec humilité et prudence.

RÉSUMÉ DU CHAPITRE

Les manipulations génétiques représentent un ensemble de techniques puissantes qui permettent aux biologistes de modifier et d'analyser le matériel génétique. L'ADN recombiné est un matériel génétique nouveau construit in vitro à partir de l'ADN d'organismes différents (habituellement d'espèces différentes). Le génie génétique crée de nouveaux organismes et produits utiles par les techniques de manipulation des gènes.

Principales stratégies de manipulation et d'analyse des gènes (p. 391-404)

1. Le premier ADN recombiné a été fabriqué en 1975 à l'aide de plasmides bactériens; on utilise encore la même technique pour obtenir des copies multiples de gènes et fabriquer de nombreux produits géniques utiles, dont des hormones de croissance et des produits pharmaceutiques.

2. Certaines enzymes de restriction bactériennes reconnaissent de courtes séquences nucléotidiques spécifiques présentes dans l'ADN et coupent les deux brins à des points précis de ces séquences; elles produisent ainsi des fragments d'ADN bicaténaire pourvus d'extrémités cohésives monocaténaires. Ces dernières forment facilement des paires de bases avec les segments monocaténaires qui leur sont complémentaires et qui se trouvent sur d'autres molécules d'ADN. On procède à l'électrophorèse sur gel afin d'identifier ces fragments individuels, de les isoler et de les purifier.

3. On se sert de plasmides ou de Bactériophages comme vecteurs (porteurs) pour introduire des molécules d'ADN recombiné dans des cellules hôtes. On fabrique l'ADN recombiné en insérant un fragment d'ADN contenant le gène étudié dans le plasmide ou le Phage qui a été découpé par des enzymes de restriction. Dans les deux cas, il y a clonage génique lorsque les gènes étrangers se répliquent dans la Bactérie hôte.

4. Outre le transfert de vecteurs dans des cellules bactériennes, on peut introduire l'ADN directement dans des cellules eucaryotes par électroporation (utilisation d'une impulsion électrique pour percer de minuscules ouvertures dans la membrane plasmique), par micro-injection ou au moyen d'un «pistolet à gènes»; ce dernier projette de l'ADN fixé à de fines particules métalliques à travers la paroi cellulaire des cellules végétales.

5. Les deux principales sources de gènes en vue de l'insertion dans les vecteurs sont (a) les banques génomiques qui contiennent tous les segments d'ADN portés par des plasmides ou des Phages et qui ont été isolés directement à partir d'un organisme, et (b) l'ADN complémentaire (ADNc) synthétisé sur des matrices d'ARNm. Cette dernière source s'avère

...particulièrement utile pour la manipulation et l'expression de l'ADN riche en introns des eucaryotes.

6. La présence d'un gène spécifique se détermine de façon directe au moyen de segments d'acides nucléiques appelés sondes, qui portent les séquences complémentaires marquées par radioactivité. On détecte aussi la présence d'un gène de façon indirecte en identifiant la protéine qu'il produit.

7. On clone des gènes dans des Levures et dans d'autres cellules eucaryotes ainsi que dans des Bactéries. Seules les cellules végétales et animales possèdent les outils complexes nécessaires à la biosynthèse de certaines protéines spécialisées.

8. Aujourd'hui, on se sert de machines pour synthétiser des gènes courts dont la séquence nucléotidique est connue, et pour séquencer de longs fragments d'ADN à partir des outils essentiels que constituent les enzymes de restriction et l'électrophorèse sur gel. Les séquences d'ADN qui sont rassemblées dans des bases de données informatisées peuvent être analysées rapidement et traduites automatiquement en séquences d'acides aminés.

9. La réaction en chaîne de la polymérase (PCR) est une technique qui permet de produire rapidement de nombreuses copies d'ADN in vitro.

10. Les polymorphismes de taille des fragments de restriction (RFLP) sont des différences entre les séquences d'ADN des chromosomes homologues ; ils produisent des ensembles de fragments de restriction de longueur différente, que l'électrophorèse sur gel rend visibles sous forme de bandes. L'analyse des RFLP a de nombreuses applications, dont la cartographie génétique et le diagnostic des anomalies génétiques.

Applications du génie génétique et des biotechnologies (p. 404-412)

1. Grâce aux manipulations génétiques, les chercheurs ont pu répondre à des questions relatives à l'évolution moléculaire, élucider certains détails de la structure et de la régulation des gènes, produire et cataloguer des protéines importantes. Dans le cadre du programme Génome Humain, qui représente un effort de recherche au niveau international, on procède à la cartographie génétique, à la cartographie physique et au séquençage de l'ensemble du génome humain. On utilise une technique appelée arpentage chromosomique pour établir l'ordre exact de tous les segments d'ADN humain présents dans les banques génomiques.

2. Les manipulations génétiques ont eu de nombreuses retombées médicales. Citons la mise au point de tests diagnostiques afin de détecter les mutations provoquant des maladies génétiques, la création de vaccins plus sûrs et plus efficaces ainsi que la fabrication à grande échelle d'un nombre important de produits pharmaceutiques nouveaux ou de certains produits autrefois rares. Par ailleurs, les manipulations génétiques laissent entrevoir la guérison et la prévention de troubles génétiques dus à une anomalie d'un seul gène.

3. L'empreinte génétique obtenue par l'analyse des RFLP de matières organiques trouvées sur les lieux de crimes violents est souvent présentée à titre de preuve dans des procès.

4. En agriculture, on crée des Végétaux et des Animaux transgéniques (contenant des gènes d'autres espèces) afin d'améliorer la productivité et la qualité des aliments. Les Animaux transgéniques sont souvent produits par microinjection dans des ovules fécondés ; pour obtenir des Végétaux transgéniques, on se sert d'un plasmide appelé Ti, qui provient d'Agrobacterium, ou du pistolet à ADN.

Questions de sécurité et d'éthique (p. 412-413)

1. Au Canada, plusieurs organismes gouvernementaux ont la responsabilité d'établir des principes directeurs et de réglementer l'utilisation des manipulations génétiques.

2. Le génie génétique soulève des questions de sécurité et d'éthique qui ont donné lieu à un débat scientifique et public. Malgré les avantages possibles du génie génétique, on doit prendre en considération les dangers potentiels que représenterait la création de produits néfastes pour les Humains et l'environnement.

AUTO-ÉVALUATION

1. Parmi les outils suivants, issus des manipulations génétiques, lequel *n'est pas* associé avec sa véritable utilisation ?
   a) Enzyme de restriction – production de RFLP.
   b) ADN ligase – enzyme qui coupe l'ADN en produisant des extrémités cohésives sur les fragments de restriction.
   c) ADN polymérase – utilisée dans la réaction en chaîne de la polymérase pour amplifier des segments d'ADN.
   d) Transcriptase inverse – production d'ADNc à partir d'ARNm.
   e) Électrophorèse – séquençage de l'ADN.

2. Laquelle des affirmations suivantes *ne s'applique pas* à l'ADN complémentaire?
   a) Il peut être amplifié par la réaction en chaîne de la polymérase.
   b) On peut s'en servir pour créer une banque génomique complète.
   c) Il est produit à partir de l'ARNm par la transcriptase inverse.
   d) On peut l'utiliser comme sonde pour localiser un gène recherché.
   e) Il élimine les introns des gènes eucaryotes, et il est donc plus facile de l'introduire dans des cellules bactériennes en vue d'un clonage.

3. Il est plus facile de transformer des Végétaux que des Animaux à l'aide du génie génétique parce que :
   a) les gènes végétaux ne possèdent pas d'introns.
   b) il existe un plus grand nombre de vecteurs servant à transférer de l'ADN recombiné dans les cellules végétales.
   c) une cellule somatique végétale peut produire un plant complet.
   d) on peut insérer des gènes recombinés dans des cellules végétales par micro-injection.
   e) les cellules végétales possèdent de plus gros noyaux.

4. Un paléontologue a recueilli un morceau de tissu d'une peau vieille de 400 ans et provenant d'un Dodo (espèce d'Oiseau disparue). Il souhaite comparer l'ADN de son échantillon avec celui d'Oiseaux vivant aujourd'hui. Laquelle des techniques suivantes serait la plus utile pour multiplier la quantité d'ADN disponible en vue de ce test?
   a) L'analyse des RFLP.
   b) La réaction en chaîne de polymérase (PCR).
   c) L'électroporation.
   d) L'électrophorèse sur gel.
   e) L'hybridation in situ.

5. Le programme Génome Humain vise tous les objectifs suivants *sauf*:
   a) la localisation de marqueurs RFLP.
   b) le séquençage de toute la séquence nucléotidique du génome humain.
   c) la cartographie physique des chromosomes.
   d) l'analyse du génome d'autres espèces.
   e) la modification du génome humain.

6. Les manipulations génétiques ont eu de nombreuses retombées médicales. Parmi les applications suivantes, laquelle

n'a encore donné lieu à *aucune* tentative ou à *aucune* réussite ?

a) La production d'hormones pour le traitement du diabète et du nanisme.
b) La production de sous-unités virales qui peuvent servir de vaccin.
c) L'introduction de gènes modifiés dans des cellules reproductrices humaines.
d) Le diagnostic prénatal de gènes de maladies génétiques.
e) Les tests génétiques pour le dépistage des transmetteurs d'allèles nuisibles.

7. On se sert de l'analyse des RFLP pour établir le lien entre des suspects et le sang ou les tissus trouvés sur les lieux de certains crimes. L'empreinte génétique fait penser aux codes à barres utilisés sur les étiquettes des magasins. Le motif de barres d'une empreinte génétique permet de reconnaître :

a) l'ordre des bases d'un gène donné.
b) le génotype d'un individu.
c) l'ordre des gènes le long de certains chromosomes.
d) la présence d'allèles dominants ou récessifs pour des caractères spécifiques.
e) la présence de certains fragments d'ADN.

8. Parmi les séquences suivantes, qui appartiennent à une molécule d'ADN bicaténaire, laquelle peut être reconnue comme le site de coupure d'une certaine enzyme de restriction ?

a) AAGG   d) ACCA
   TTCC   TGGT
b) AGTC   e) AAAA
   TCAG   TTTT
c) GGCC
   CCGG

9. Dans les manipulations génétiques, le terme *vecteur* désigne :

a) l'enzyme qui découpe l'ADN en fragments de restriction.
b) l'extrémité cohésive d'un fragment d'ADN.
c) un marqueur RFLP.
d) un plasmide ou un autre agent qui sert à transférer de l'ADN dans une cellule.
e) une sonde d'ADN qui sert à identifier un gène spécifique.

10. La matrice qui sert à produire de l'ADNc est :

a) de l'ADN.   d) une sonde d'ADN.
b) de l'ARNm.   e) un fragment de restriction.
c) un plasmide.

QUESTIONS À COURT DÉVELOPPEMENT

1. Décrivez brièvement quatre techniques de manipulation génétique.
2. Donnez trois applications des manipulations génétiques en agriculture et trois autres en médecine.
3. Expliquez comment on clone un gène.

RÉFLEXION-APPLICATION

1. Une neurophysiologiste espère étudier un gène codant pour une protéine qui agit comme neurotransmetteur des cellules cérébrales humaines. Elle connaît la séquence d'acides aminés de la protéine. Expliquer brièvement comment elle pourrait : (a) isoler les seuls gènes qui sont exprimés par un certain type de cellules cérébrales ; (b) identifier le gène qui code pour ce neurotransmetteur ; (c) produire des copies multiples du gène pour l'étudier ; (d) produire le neurotransmetteur en quantité suffisante pour pouvoir l'évaluer en tant que médicament.

2. L'hémophilie A est une maladie héréditaire caractérisée par un déficit en facteur VIII de coagulation, une protéine du sang normalement synthétisée par les cellules du foie. En l'absence de ce facteur, le sang ne coagule pas normalement et le malade peut mourir d'hémorragie à la suite d'une blessure légère. La maladie de Tay-Sachs résulte d'une carence en hexosaminidase A, une enzyme qui dissocie normalement une substance lipidique nommée ganglioside GM2, présente à l'intérieur des neurones. L'accumulation du ganglioside GM2 dans les cellules cérébrales provoque la cécité, des crises convulsives, la dégradation des fonctions sensorielles et motrices et, finalement, la mort. À votre avis, laquelle de ces maladies sera la plus facile à traiter un jour par la thérapie génique ? Pourquoi ? Expliquez comment on pourrait procéder.

SCIENCE, TECHNOLOGIE ET SOCIÉTÉ

1. Selon vous, quelle technique portant sur l'ADN s'avérera la plus utile dans les décennies à venir ? Pour quelles raisons ? Quelles sont les questions de sécurité et d'éthique qui revêtent la plus grande importance ? Pourquoi ? Comment devrions-nous régler ces questions ?

2. Croyez-vous qu'une forme de discrimination génétique basée sur le dépistage de gènes « nuisibles » puisse exister un jour dans notre société ? Quelles lignes de conduite suggéreriez-vous d'adopter pour empêcher que le dépistage génétique donne lieu à des abus ?

3. Répondant aux pressions exercées par l'industrie de la biotechnologie, le gouvernement des États-Unis a récemment assoupli certains des règlements relatifs aux manipulations génétiques. Quels compromis imaginez-vous entre le gouvernement, qui réglemente la biotechnologie, et l'industrie américaine, qui désire conserver sa compétitivité vis-à-vis de celle des autres nations dans ce domaine ?

LECTURES SUGGÉRÉES

Carpentier, L. « Gènes à vendre », *Science & Vie*, hors série, n° 181, décembre 1992. (Les biotechnologies, les gènes brevetés et les problèmes d'éthique.)

Chevalier, G., « La thérapie génique, aujourd'hui... », *Science & Vie*, n° 181, décembre 1992. (Bilan et prospective dans ce domaine.)

Danchin, A., « Le séquençage des petits génomes », *La Recherche*, n° 251, février 1993. (Un pas en avant vers la description complète d'un organisme.)

Delpech, M. et coll., « Les applications de la PCR », *La Recherche*, n° 249, décembre 1992. (Trois articles traitant des applications de cette technique de pointe.)

Denis, E. et coll., « Biotechnologies : les ingénieurs de la vie », *Québec Science*, vol. 31, n° 2, octobre 1992. (Dossier comportant plusieurs articles relatifs aux manipulations génétiques.)

Ferrara, J. « Le gène du cancer vaincu par son contraire », *Science & Vie*, n° 894, mars 1992. (Expérimentation fructueuse sur un gène anti-oncogène fabriqué en laboratoire.)

Fleury, J.-M., « Des animaux malades de nos gènes », *Québec Science*, vol. 30, n° 6, mars 1992. (Problèmes liés à la création d'animaux transgéniques.)

Fleury, J.-M., « Le vivant sous brevet », *Québec Science*, vol. 30, n° 5, février 1992. (Peut-on breveter un être vivant transformé génétiquement ?)

Herbomel, P., « Pour un dialogue avec le vivant », *Science & Vie*, hors série, n° 184, septembre 1993. (Complexité intrinsèque des vivants révélée par la biologie moléculaire.)

Klatzmann, D., « La thérapie par gènes suicides », *La Recherche*, n° 258, octobre 1993. (Brève description et résultats de cette approche.)

Mattéi, J.-F., « L'éthique à l'épreuve de la génétique médicale », *Science & Vie*, hors série, n° 181, décembre 1992. (Comment concilier l'intérêt de chacun et celui de la collectivité tout entière ?)

Müller-Hill, B., « Le spectre de l'injustice génétique », *La Recherche*, n° 260, décembre 1993. (Réflexion sur les conséquences possibles de la mise à nu du génome humain.)

ENTRETIEN AVEC ERNST MAYR

Ernst Mayr est l'un des scientifiques qui ont le plus influencé la biologie de l'évolution depuis Darwin. Il fut au nombre des architectes de la théorie synthétique de l'évolution dans les années 1930 et 1940. Cette théorie intègre la théorie darwinienne de la sélection naturelle et les percées de la génétique, de la paléontologie et de la taxinomie. Mayr s'appuyait principalement sur ses observations d'oiseaux vivant dans les îles du Pacifique. Aujourd'hui, ayant franchi le cap des 90 ans, Mayr est professeur honoraire à Harvard ; sa pensée n'a rien perdu de sa vigueur et de sa fécondité. Son dernier ouvrage, One Long Argument (Harvard University Press, 1991), présente une analyse des théories de Darwin. J'ai rencontré le professeur Mayr à sa résidence d'été du New Hampshire.

Professeur Mayr, comment êtes-vous devenu naturaliste ?

Je dirais que je suis naturaliste depuis ma plus tendre enfance. Mes parents s'intéressaient beaucoup à la nature et ils nous emmenaient, mes deux frères et moi, observer les Oiseaux, ramasser des fossiles, cueillir des fleurs printanières, et j'en passe. Je me prêtais avec grand bonheur à toutes ces occupations, et particulièrement à l'observation des Oiseaux. Comme je suis issu d'une famille de médecins – quatre générations de médecins me précédent – j'étais destiné à devenir le médecin de ma génération. J'ai donc fréquenté la faculté de médecine. Mais j'étais aussi bénévole au musée d'Histoire naturelle de Berlin, et cela m'a détourné des études de médecine. Après avoir obtenu mon doctorat, à l'âge de 21 ans, j'ai été présenté à Lord Rothschild, et celui-ci m'a envoyé en expédition en Nouvelle-Guinée. Pendant mon séjour là-bas, l'expédition parrainée par l'American Museum of Natural History de New York, qui naviguait dans les environs, avait besoin d'un ornithologue. Je me suis donc joint à l'équipe. J'ai passé les neuf mois qui suivirent sur un schooner dans les îles Salomon. J'ai été absent de Berlin pendant deux ans et demi.

Par la suite, l'American Museum of Natural History m'a invité à passer un an à

New York, et cet emploi temporaire s'est mué en poste permanent lorsque le musée a acheté la collection d'Oiseaux Rothschild ; je suis resté à l'American Museum de 1931 à 1953. Puis, je suis devenu professeur au Museum of Comparative Zoology, à Harvard.

Comme Darwin, vous avez occupé au début de la vingtaine le poste de naturaliste dans une expédition de grande envergure. Parlez-nous encore un peu de votre voyage. Quelle influence cette expérience a-t-elle eu sur vos idées à propos de l'évolution ?

La tâche que Lord Rothschild m'avait assignée en Nouvelle-Guinée consistait à trouver l'habitat de quelques rares Paradisiers ; ces Oiseaux avaient été pourchassés pour leurs plumes et personne n'en voyait plus. Toutes les chaînes de montagnes de la Nouvelle-Guinée abritent des espèces d'Oiseaux endémiques ; certains ont dit que ces montagnes étaient comme des îles dans le ciel. La spéciation géographique se produit au sommet de ces montagnes tout comme sur les îles de l'océan.

Après mon séjour en Nouvelle-Guinée, nous avons navigué d'une île de l'archipel Salomon à l'autre. Nulle part ailleurs dans le monde la spéciation géographique n'est aussi manifeste que là-bas. Tel est,

plus que toute autre chose, le fondement du livre que j'ai publié en 1942, Systematics and the Origin of Species, l'un des ouvrages qui ont contribué à la théorie synthétique de l'évolution des années 1930 et 1940.

Il est vrai, comme Wallace l'a découvert en Indonésie et Darwin aux Galápagos, que les îles sont des endroits idéaux pour étudier la spéciation. Dans le même ordre d'idées, j'ai tenté plus tard de déterminer si l'isolement géographique constitue aussi un facteur de spéciation sur les continents. C'est effectivement le cas. Partout où l'on trouve des obstacles, de l'eau, des montagnes ou des changements de la végétation, la spéciation est possible.

Pouvez-vous situer dans leur contexte historique la théorie synthétique de l'évolution et la contribution que vous avez apportée à son émergence ?

Lorsque j'étais étudiant en Allemagne, j'étais lamarckien, ce qui offusque certaines personnes. À cette époque, cependant, le lamarckisme semblait plus plausible que le mendélisme, qui prétendait que toutes les nouvelles espèces émergent de macromutations et d'un unique individu. La spéciation graduelle à laquelle je croyais coïncidait beaucoup mieux avec le lamarckisme.

Au cours des années 1920, les biologistes ne s'entendaient toujours pas quant à l'évolution et à ses mécanismes. Rares étaient ceux qui adhéraient à la théorie de la sélection naturelle. Puis, assez rapidement, dans les années 1930 et 1940, toutes les difficultés parurent s'évaporer, et une conception moderne de l'évolution prit forme.

La théorie synthétique a eu trois grands effets. Premièrement, elle a réfuté toutes les théories, y compris le lamarckisme, selon lesquelles une force intrinsèque aurait mené les organismes à l'amélioration, au changement évolutif ou à une parfaite adaptation. Deuxièmement, la théorie synthétique a élargi la vision qu'avaient de l'évolution les généticiens d'alors, qui se concentraient entièrement sur les changements adaptatifs au sein d'une population. Vous ne trouverez rien dans leurs écrits au sujet de l'origine de la diversité évolutive. L'adaptation et l'origine de la diversité sont les deux principaux volets de l'évolution. J'ai contribué à la théorie synthétique

de l'évolution en introduisant l'étude de la diversité, de l'origine des espèces et du passage de l'espèce aux catégories taxinomiques supérieures. Enfin, la théorie synthétique a eu pour effet de rapprocher les spécialistes des diverses disciplines, qui jusque-là travaillaient chacun de leur côté et s'adressaient à peine la parole. En faisant le lien entre les paléontologues, les généticiens, les botanistes et les autres, la théorie synthétique, comme son nom l'indique, a rassemblé les biologistes sous la bannière de l'évolutionnisme darwinien.

Y a-t-il eu collaboration entre les différents architectes de la théorie synthétique de l'évolution ?

Curieusement, très peu. J'ai rencontré [Theodosius] Dobzhansky à quelques occasions avant que j'écrive mon livre, et je lui ai montré mes Oiseaux des îles. Nous avons eu très peu de contacts par ailleurs. [George Gaylord] Simpson a travaillé complètement seul, tout comme [G. Ledyard] Stebbins en botanique. Les principaux théoriciens de l'évolution n'ont jamais tenu de symposium avant l'achèvement de la synthèse, et ils ont écrit leurs livres de manière indépendante.

Professeur Mayr, vous avez dit combien la théorie synthétique moderne est redevable à Darwin. Quand Darwin a-t-il commencé à influencer vraiment votre vision du monde ?

Eh bien, j'ai mis du temps à reconnaître l'influence de Darwin. Je me suis graduellement rendu compte de la puissance de la sélection naturelle. Je n'ai lu *L'Origine des espèces* qu'après avoir publié *Systematics and the Origin of Species*. À ce moment, et particulièrement dans les années 1960, j'ai pris conscience de l'importance fondamentale du travail de Darwin.

Votre dernier livre porte d'ailleurs sur les idées de Darwin.

Si j'ai écrit ce livre, c'est parce que la plupart des livres sur Darwin parlent du darwinisme comme s'il s'agissait d'une théorie unique et monolithique. En réalité, Darwin a formulé de nombreuses théories. J'ai tenté de faire la distinction entre ses grandes théories et d'en traiter individuellement : leur validité, leur source, etc. J'ai découvert dans la littérature que le mot « darwinisme » a pris sept ou huit significations. À l'époque de Darwin, par exemple, « darwinisme » signifiait évolution sans cause surnaturelle, ni plus ni moins. Aujourd'hui, le mot « darwinisme » désigne la théorie de la sélection naturelle. Or, la sélection naturelle était presque totalement ignorée à l'époque de Darwin.

À propos de l'époque de Darwin, si vous pouviez reculer dans le temps et rencontrer Darwin, que lui demanderiez-vous ?

Ma réponse va beaucoup vous étonner. Je l'interrogerais à propos de la religion, de la foi en un Dieu personnel. A-t-il perdu la foi avant d'élaborer le concept de sélection naturelle ou après l'avoir fait ? Dans ses publications, Darwin n'a jamais parlé de ce qui s'est passé dans son esprit, particulièrement au chapitre de la croyance religieuse, du fait surtout que sa femme Emma était très pieuse. Mais ses notes manuscrites révèlent assez clairement qu'il ne croyait pas en un Dieu personnel. En outre, il me semble évident qu'il a perdu la foi un an, sinon deux, avant de formuler sa théorie de la sélection naturelle. Par conséquent, il n'est pas fondé d'avancer que la biologie et l'adhésion à la théorie de la sélection naturelle risquent de vous éloigner de Dieu. C'est une chose très importante à savoir.

Que diriez-vous à Darwin pour l'aider à structurer ses idées sur l'évolution ?

Je lui ferais simplement part de nos connaissances sur la variation génétique dans les populations, parce que c'est le domaine qui le déroutait le plus et sur lequel il cherchait le plus à s'informer, mais en vain.

Dans beaucoup de vos livres et de vos articles, vous soulignez l'importance de la variation entre les individus et vous opposez l'optique typologique à l'optique populationniste. Qu'en est-il exactement et pourquoi cette question est-elle si importante pour l'évolutionnisme ?

L'optique typologique, aussi appelée essentialisme, a une très longue histoire.

Elle remonte à Platon, qui parlait des *eidos*, les formes invariables et idéales qui sont sous-jacentes à tous les phénomènes variables de ce monde. Selon Platon, les variations que nous observons ne sont que des manifestations incomplètes et imparfaites des *eidos*. L'optique populationniste se situe exactement à l'opposé. Elle admet qu'aucune valeur constante n'est associée à une population variable. Chaque individu est unique et différent de tous les autres. Même au sein de l'espèce humaine, qui compte maintenant 5,6 milliards d'individus, chaque être est unique et différent. Dans le corps humain et dans le corps de tous les Animaux, chaque cellule est différente des autres cellules. Cette insistance sur la variabilité des populations, sur l'unicité de l'individu, est caractéristique de l'optique dite populationniste.

Darwin n'avait pas terminé sa conversion à l'optique populationniste bien que, fondamentalement, il la possédât. On peut accepter le concept d'évolution au moyen de la sélection naturelle sans avoir adopté l'optique populationniste. Pour un tel changement, la sélection naturelle est inopérante, car la variation n'influe pas sur l'idéal sous-jacent.

À vos yeux, la physiologie est largement typologique dans sa méthode traditionnelle. Cela doit avoir d'importantes conséquences pour la médecine.

Oui, certainement. Je me rappelle avoir parlé de l'optique populationniste devant une salle où se trouvaient quelques médecins. L'un d'entre eux s'est levé et a lancé: «Je ne peux pas accepter cela! Si je ne traitais pas chaque patient comme s'il était "normal" et pareil à tous les autres patients, je perdrais tous mes moyens.» C'est là une des grandes difficultés en médecine. Par exemple, il n'y a pas deux personnes qui réagissent exactement de la même façon à un médicament. Alors cette réalité dont un médecin d'aujourd'hui doit tenir compte.

Vous avez aussi indiqué dans vos livres que c'est l'organisme entier, le phénotype entier, qui est l'objet de la sélection naturelle.

C'est tout à fait vrai. L'une des plus grandes faiblesses de la génétique mathématique a été de considérer que la sélection agissait sur le gène. Un gène donné peut être hautement favorable dans un génotype et létal dans un autre contexte. Ceux qui croyaient que la sélection agissait sur le gène affirmaient que la population est grande - plus une espèce compte d'individus - plus elle évolue rapidement, parce qu'elle possède un grand réservoir de différences génétiques. Les naturalistes constataient exactement le contraire. Nous croyaient que les espèces très nombreuses n'ont aucune part dans l'évolution. Elles peuvent rester inchangées pendant 5, 10, 25 millions d'années. Les changements évolutifs les plus rapides se produisent dans de petites populations isolées. Le désaccord tenait strictement au fait que les deux groupes de scientifiques voyaient des cibles différentes à la sélection naturelle.

Selon vous, comment les espèces apparaissent-elles le plus souvent?

Puisque nous y sommes, autant définir une espèce en quelques mots. Une population qui ne se croise pas avec une autre population, même si elle se trouve en même temps au même endroit, est une espèce différente. La question est de savoir comment les deux populations en viennent à ne pas fusionner, comment s'établit l'isolement reproductif. C'est le problème de la spéciation.

Jusqu'aux années 1930 et 1940, beaucoup croyaient qu'un groupe d'individus qui acquérait une nouvelle niche écologique au même endroit formait une espèce distincte. Darwin lui-même expliquait ainsi la spéciation. À bien y penser, j'ai conclu que cela ne devait survenir que très rarement, et tous les cas mentionnés dans la littérature sont à mon sens des exemples de spéciation géographique ou, comme on dit techniquement, de spéciation allopatrique.

La spéciation géographique peut s'effectuer de deux façons. Une barrière apparaît dans un espace continu à l'intérieur de l'aire de distribution de l'espèce, une chaîne de montagnes, un bras de mer, un étage de végétation, et cette barrière empêche les individus de se rencontrer. C'est la spéciation géographique classique que la littérature a toujours décrite. En 1954, cependant, j'ai publié un article que j'ai toujours considéré comme mon article le plus important, dans lequel je démontrais qu'il existe un mécanisme de spéciation bien plus important. Ce mécanisme est le suivant: quelques fondateurs, un petit nombre d'individus, établissent une colonie au-delà de la limite existante de l'espèce. Cette population fondatrice subit de rapides changements génétiques et acquiert les caractéristiques reproductives qui feront d'elle une espèce distincte. Dès lors, cette population continue de former une espèce distincte même si elle a de nouveau des contacts avec l'espèce mère.

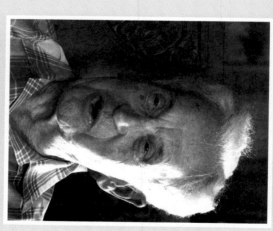

Il peut se produire plus de changements génétiques dans les populations fondatrices que dans deux grandes populations séparées d'une même espèce. Dans ces grandes portions de l'espèce, il ne se passe pas grand-chose, même si elles sont temporairement séparées. Les changements évolutifs qui comptent vraiment se produisent probablement dans les populations issues des populations fondatrices. Et c'est pourquoi les paléontologues trouvent si peu de preuves de l'apparition graduelle des espèces. Ils trouvent une lignée qui change quelque peu, mais pas radicalement, puis soudainement une nouvelle espèce apparaît ailleurs, à côté. [Niles] Eldredge et [Stephen Jay] Gould ont fondé leur théorie de l'équilibre ponctué sur mon article de 1954. Le principal point qu'ils ont ajouté à mon analyse est que, une fois qu'une espèce s'est répandue et multipliée, elle ne change plus beaucoup. Elle peut rester statique pendant des millions d'années, jusqu'au moment de son extinction.

La théorie de l'équilibre ponctué veut aussi que les nouvelles espèces apparaissent relativement vite. Est-ce que cela contredit la conception darwinienne traditionnelle de l'évolution graduelle?

Les gens commettent l'erreur de penser que si une espèce évolue très rapidement, il ne s'agit plus d'évolution darwinienne graduelle. Mais tant que l'évolution se produit à l'échelle de la population et non pas à l'échelle individuelle, alors elle est graduelle et s'effectue sur de nombreuses générations. Certains paléontologues qualifient l'origine d'une espèce de relativement soudaine si elle occupe 1 % de la durée de vie totale de l'espèce. Or ce 1 % représente 50 000 ou 100 000 ans sur les 5 ou 10 millions d'années de la vie d'une espèce. On ne peut vraiment qualifier cela de soudain.

Comment vos idées sur la spéciation géographique pourraient-elles s'appliquer à l'origine de l'être humain?

Si vous étudiez les archives fossiles des Hominidés, vous constatez que chaque nouveau type a connu le sort que la théorie de l'évolution spécifique postule. Chacun est apparu soudainement, sans lien direct avec la lignée précédente. On ne trouve pas d'intermédiaire entre *Australopithecus africanus* et *Homo habilis*, pas plus qu'entre *Homo habilis* et *Homo erectus*. Selon moi, les anthropologues se rangent de plus en plus à mon opinion, les Hominidés de toutes les époques étaient géographiquement variables et formaient des populations isolées. Immanquablement, l'une d'entre elles constituait un pas de plus dans l'évolution humaine.

Où en est l'évolution de l'être humain?

Toutes les populations de l'espèce humaine procèdent à des échanges soutenus de gènes; il n'y a plus de population isolée qui pourrait former une espèce différente. Généralement, toute espèce très répandue est plus ou moins inerte du point de vue de l'évolution.

Vous avez écrit : « C'est un miracle que l'humanité soit apparue. »

C'était parler au sens large. Sur la Terre, il y a probablement eu plus de un milliard d'espèces depuis l'origine de la vie. Sur ce milliard d'espèces, combien sont devenues l'espèce humaine ? Une. Une probabilité de un sur un milliard qui se réalise, c'est presque miraculeux. Et cette unique espèce humaine aurait pu même ne jamais apparaître. Il aurait pu y avoir plusieurs milliards d'espèces sur la Terre sans qu'aucune n'acquière les caractéristiques de l'humanité. Présupposer que partout où il y a vie et évolution, il doit y avoir un jour intelligence relève de la pensée téléologique.

Je ne suis pas d'accord avec les gens qui cherchent à capter des signaux radio d'êtres intelligents vivant quelque part dans l'univers. Je dis à ces gens que la probabilité de recevoir de tels signaux est si mince qu'elle est indiscernable de zéro. Admettons qu'un milliard d'espèces ont vécu sur la Terre. Une seule a acquis l'intelligence de l'être humain. Et puis au moins quinze civilisations se sont succédé sur la Terre, mais une seule a produit la révolution électronique qui permet d'envoyer des signaux radio dans l'espace. En outre, combien de planètes peuvent abriter la vie ? Les contraintes physiques sont phénoménales. Le fait qu'une des neuf planètes du système solaire ait produit les conditions favorables à la vie ne signifie pas que sur les mille autres planètes, ne serait-ce

qu'une pourrait réunir les conditions appropriées à la vie.

J'ai inventé une petite histoire pour illustrer ma pensée à ce sujet. Imaginez qu'à l'origine de la Terre existaient quelque part dans l'univers des êtres intelligents qui se soient dit : « Envoyons des signaux à cette planète, elle semble intéressante. » Alors, pendant les 4,6 milliards d'années qui ont suivi, ces êtres ont envoyé des signaux vers la Terre, sans obtenir de

réponse. Enfin, en l'an 900, ils se sont dit : « Envoyons des signaux pendant encore mille ans, et si nous n'obtenons pas plus de réponse, alors nous cesserons nos émissions. » L'année 1900 est arrivée, et toujours pas de réponse. Alors les êtres se sont dit : « Manifestement, il n'y a pas de vie intelligente sur la Terre. » Ils ont cessé d'émettre un demi-siècle avant que nous ayons la capacité de répondre. Si vous multipliez toutes ces improbabilités, vous obtenez un chiffre qui, comme je l'ai dit, est indiscernable de zéro.

Vous avez aussi écrit que nous, les humains, sommes chargés d'une extraordinaire responsabilité parce que notre espèce est unique.

Oui, les humains sont fondamentalement responsables de tout ce qui arrive de mauvais à notre planète à l'heure actuelle, et nous sommes les seuls à voir tout cela et à pouvoir faire quelque chose. Si nous mettions un terme à l'explosion démographique, nous aurions déjà gagné la bataille aux deux tiers. L'exploitation systématique de la planète est un projet de vie qui n'a rien pour me plaire. Nous sommes devenus l'espèce dominante de notre planète et, de ce fait, nous avons la responsabilité de préserver son intégrité. Je pense que notre éthique devrait comprendre la protection et la conservation de la planète qui nous a donné la vie.

Entretien avec Ernst Mayr

AVANT DARWIN

ORIGINE DU DARWINISME

LES DEUX VOLETS DU DARWINISME

LES SIGNES DE L'ÉVOLUTION

SEULEMENT UNE THÉORIE ?

L'ÉVOLUTION SELON DARWIN

L a biologie a obtenu ses lettres de noblesse le 24 novembre 1859, le jour où Charles Darwin publia *De l'origine des espèces au moyen de la sélection naturelle* (figure 20.1). Cet ouvrage, qui apportait des arguments solides en faveur de l'évolution, liait en un tout cohérent ce qui semblait jusqu'alors un fatras de données isolées. En biologie, le mot **évolution** désigne les processus qui ont transformé la vie sur la Terre, depuis ses formes primitives jusqu'à la stupéfiante diversité qui la caractérise de nos jours (figure 20.2). Darwin s'est penché sur les questions primordiales en biologie : la grande diversité des organismes, leurs origines et leurs relations, leurs ressemblances et leurs différences, leur distribution géographique et leurs adaptations au milieu extérieur. Aucun de ces aspects du vivant ne s'explique en dehors du contexte de l'évolution. Par conséquent, l'évolution constitue le principe fondamental de la biologie, et nous en avons fait l'un des fils conducteurs du présent ouvrage (voir le chapitre 1). Cette partie porte spécifiquement sur les *mécanismes de l'évolution*.

Darwin affirma deux principes dans *L'Origine des espèces*. Premièrement, il démontra que les espèces n'ont pas été créées dans leurs formes actuelles, mais qu'elles descendent d'espèces ancestrales. Deuxièmement, il avança que l'évolution repose sur un mécanisme qu'il appela **sélection naturelle**. D'après Darwin, une population d'organismes peut subir des modifications au fil du temps parce que des individus possédant certains caractères transmissibles engendrent plus de descendants que d'autres. La validité du premier principe de Darwin, l'existence de l'évolution, est reconnue, que la sélection naturelle en soit on non la cause.

Un thème revient sans cesse à travers les chapitres de cette partie : le changement évolutif repose principalement sur les interactions entre les populations et leur milieu. Le premier chapitre définit le darwinisme et expose son histoire.

AVANT DARWIN

Pour bien comprendre le darwinisme, il convient de le comparer aux notions antérieures sur la Terre et le vivant. En effet, les répercussions d'une révolution intellectuelle telle que le darwinisme dépendent autant des circonstances que de la logique. La ligne du temps de la figure 20.3 situe les idées de Darwin dans leur contexte historique.

L'Origine des espèces était un écrit véritablement radical, non seulement parce qu'il réfutait des opinions scientifiques établies, mais aussi parce qu'il ébranlait les racines les plus profondes de la culture occidentale. Darwin niait une conception du monde qui avait été

Figure 20.1
Charles Darwin (1809-1882). Darwin et son fils William posèrent pour cette photographie en 1842. Auteur d'un grand nombre de livres et de monographies sur des sujets aussi divers que les Balanes, les mouvements des Végétaux et la géologie insulaire, Darwin serait considéré comme l'un des plus grands naturalistes du XIXᵉ siècle même s'il n'avait jamais rien écrit au sujet de l'évolution. Mais l'ouvrage intitulé *L'Origine des espèces* consacra l'influence prédominante de Darwin sur la biologie moderne. Darwin a été inhumé près d'Isaac Newton dans l'abbaye de Westminster, à Londres. Le présent chapitre offre une introduction à la partie consacrée aux mécanismes de l'évolution en situant la révolution darwinienne dans son contexte historique.

Figure 20.2
Un petit échantillon de la diversité biologique. On voit ici quelques-unes des milliers d'espèces comprises dans la collection de Lépidoptères du National Museum of Natural History. Aussi diversifié que soit l'ordre des Lépidoptères, toutes les espèces qui le composent ont une morphologie semblable. L'un des principaux objectifs de la biologie évolutionniste est d'expliquer l'origine de la diversité tout en décrivant les caractères communs à différentes espèces. Darwin employait l'expression « descendance modifiée » pour parler de l'évolution, et il attribuait les ressemblances entre espèces apparentées à une ascendance commune.

enseignée pendant des siècles, à savoir que la Terre était âgée de quelques milliers d'années seulement, et que les formes vivantes avaient été individuellement et immuablement créées par Dieu en six jours.

Échelle de la nature et théologie naturelle

Plusieurs philosophes grecs de l'époque classique croyaient au concept de l'évolution. Cependant, les philo-sophes qui marquèrent le plus profondément la culture occidentale, Platon (427-347 av. J.-C.) et son disciple Aristote (384-322 av. J.-C.), nourrissaient des opinions contraires. Platon posait l'existence de deux mondes : d'une part, un monde réel, idéal et éternel et, d'autre part, un monde illusoire d'imperfection que l'être humain perçoit par ses sens. Pour Platon, les variations observées au sein des populations végétales et animales constituaient sim-

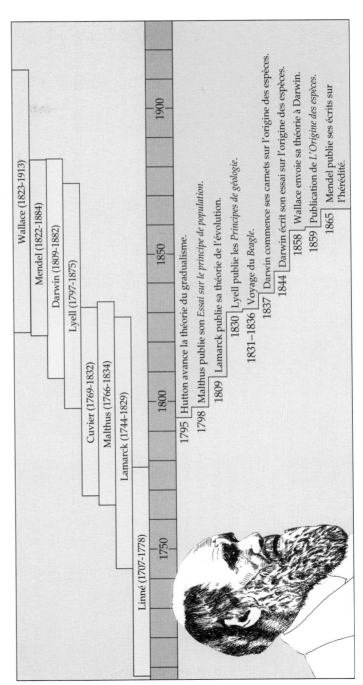

1795 | Hutton avance la théorie du gradualisme.
1798 | Malthus publie son *Essai sur le principe de population.*
1809 | Lamarck publie sa théorie de l'évolution.
1830 | Lyell publie les *Principes de géologie.*
1831–1836 | Voyage du *Beagle.*
1837 | Darwin commence ses carnets sur l'origine des espèces.
1844 | Darwin écrit son essai sur l'origine des espèces.
1858 | Wallace envoie sa théorie à Darwin.
1859 | Publication de *L'Origine des espèces.*
1865 | Mendel publie ses écrits sur l'hérédité.

Linné (1707-1778)
Lamarck (1744-1829)
Malthus (1766-1834)
Cuvier (1769-1832)
Lyell (1797-1875)
Darwin (1809-1882)
Mendel (1822-1884)
Wallace (1823-1913)

1750   1800   1850   1900

Figure 20.3
Contexte historique du darwinisme.

plement des représentations imparfaites de formes idéa-les, ou essences, et seules ces formes parfaites étaient réelles. La conception platonicienne du monde fonde l'«optique typologique» que critique Ernst Mayr dans l'entretien qui précède ce chapitre. La philosophie de Platon, appelée idéalisme ou essentialisme, niait l'évolu-tion, car un tel mécanisme aurait été défavorable dans un monde peuplé d'organismes idéaux déjà parfaitement adaptés à leur milieu.

Bien qu'Aristote ait contesté le dualisme platonicien, il n'admettait pas l'évolution pour autant. Naturaliste minutieux, Aristote reconnaissait que les organismes pré-sentent divers degrés de complexité. Il pensait que toutes les formes vivantes pouvaient être classées selon une échelle, des plus simples aux plus perfectionnées. Cha-que forme avait son échelon dans cette échelle, et tous les échelons étaient occupés. Dans cette vision du monde, qui subsista pendant plus de 2000 ans, les espèces étaient fixes et permanentes; elles n'évoluaient pas.

Dans la culture judéo-chrétienne, le récit biblique de la Création ne laissait pas de place au concept d'évolu-tion. Le dogme créationniste-essentialiste selon lequel les espèces avaient été mises en place de manière indivi-duelle et définitive était fermement enraciné dans la pensée occidentale. Il y eut bien des évolutionnistes avant Darwin, mais aucun d'entre eux ne parvint à ébranler la doctrine du fixisme. Même à l'époque où émergea le darwinisme, les naturalistes européens et américains se réclamaient pour la plupart de la théolo-gie naturelle, une philosophie qui s'attachait à décou-vrir les degrés de l'échelle le long de laquelle Dieu avait disposé la vie.

Au XVIIIe siècle, le médecin et botaniste suédois Carl von Linné (1707-1778) se mit en quête de l'ordre qui pré-sidait à la diversité du vivant, *ad majorem Dei gloriam*, «pour la plus grande gloire de Dieu». Linné est le père de la **taxinomie**, la science dont l'objet consiste à nommer et classifier les formes vivantes. Il élabora la nomencla-ture binominale, encore en usage de nos jours, qui désigne chaque organisme par son genre et son espèce. En outre, Linné constitua une classification qui groupait les espèces en catégories de plus en plus vastes. Ainsi, les espèces semblables formaient un genre, les genres semblables, une famille, et ainsi de suite. (Nous reviendrons plus en détail sur la taxinomie au chapitre 23.)

Linné cherchait l'ordre dans la diversité de la vie, et il le trouva avec sa hiérarchie de catégories taxinomiques. À ses yeux, cependant, le regroupement des espèces en catégories ne révélait nulle parenté évolutive. Partisan de la théologie naturelle, Linné croyait que les espèces étaient des créations permanentes, et son travail de clas-sification ne visait qu'à dévoiler le dessein de Dieu. Il disait d'ailleurs *Deus creavit, Linnaeus disposuit*, ce qui veut dire «Dieu crée, Linné dispose». Un siècle plus tard, par un curieux retour des choses, le système taxinomique de Linné devait servir d'argument en faveur de l'évolu-tion sous la plume de Darwin.

**Figure 20.4
Fossiles dans une roche sédimentaire.** Ces invertébrés marins, appelés Trilobites, sont pétrifiés dans une roche sédimentaire vieille de plus de 500 millions d'années. Les archives géologiques fournissent des preuves indiscutables de la transformation de la vie sur la Terre.

Cuvier et le catastrophisme

Les **fossiles** sont des débris ou des empreintes d'organis-mes très anciens qui se sont conservés dans la roche (figure 20.4). La plupart des fossiles se trouvent dans les **roches sédimentaires** formées par le sable et la boue déposés au fond des mers, des lacs et des marais. Les nou-velles couches de sédiments recouvrent les anciennes, les compriment et les transforment en calcaire et en schiste argileux. Là où le rivage fait des avancées et des reculs successifs, la roche sédimentaire comprend des couches superposées appelées strates. L'érosion peut effriter ou creuser les strates supérieures (les plus récentes) et révéler les strates anciennes (figure 20.5). Ces «archives» géolo-giques prouvent ainsi, de manière concrète et irréfutable, que la Terre a connu une succession de flores et de faunes.

Les bases de la **paléontologie**, l'étude des fossiles, furent jetées par Georges Cuvier (1769-1832), éminent anatomiste français. Conscient que l'histoire de la vie était inscrite dans les strates fossilifères, Cuvier rendit compte de la succession des espèces fossiles dans le bas-sin parisien. Il constata que chaque strate se caractérisait par une suite particulière d'espèces fossiles d'autant plus dissemblables des espèces contemporaines qu'elles étaient enfouies profondément. Cuvier entrevit même que les périodes d'extinction avaient été fréquentes dans l'histoire de la vie car, de strate en strate, des espèces apparaissaient tandis que d'autres disparaissaient. Néan-moins, Cuvier s'opposait vigoureusement aux évolution-nistes de son temps. Comment donc conciliait-il l'histoire mouvementée racontée par les archives géologiques avec le fixisme? Il prétendait que les limites entre les strates correspondaient à des catastrophes, telles des sécheresses

écossais James Hutton posa qu'il était possible d'expli-quer les divers éléments du relief en observant les méca-nismes contemporains à l'œuvre dans le monde. Selon Hutton, les canyons avaient été creusés par des fleuves, et les roches sédimentaires contenant des fossiles marins étaient constituées de particules détachées de la terre ferme et emportées par les fleuves jusque dans la mer. Hutton expliquait l'état de la Terre par le principe du **gra-dualisme,** en vertu duquel le changement profond résulte de processus lents mais continuels.

S'appuyant sur le gradualisme de Hutton, le géologue le plus respecté de l'époque de Darwin, Charles Lyell (1797-1875), formula la théorie de l'**uniformitarisme.** Pour Lyell, les processus géologiques étaient si uniformes que leur cadence et leurs effets s'équilibraient dans le temps. Ainsi, les processus à l'origine de la formation des montagnes sont contrebalancés par l'érosion. Darwin rejeta cette conception extrémiste des processus géolo-giques, mais il fut grandement influencé par deux con-clusions qui découlaient directement des observations de Hutton et de Lyell. Si, premièrement, le changement géo-logique résultait d'actions lentes et continues et non d'événements soudains, alors la Terre avait bien plus que les 6000 ans que lui donnaient les théologiens en se fon-dant sur la Bible. Deuxièmement, des processus lents et ténus, mais d'une très longue durée, pouvaient causer des changements substantiels. Mais Darwin ne fut pas le premier à appliquer le principe du gradualisme à l'évolu-tion biologique.

La théorie de l'évolution de Lamarck

Vers la fin du XVIIIe siècle, plusieurs naturalistes suggé-rèrent que l'évolution de la vie avait été parallèle à celle de la Terre. Mais un seul des prédécesseurs de Darwin élabora un modèle global pour expliquer les mécanismes de l'évolution biologique : il s'agissait de Jean-Baptiste de Lamarck (1744-1829).

Lamarck publia sa théorie de l'évolution en 1809, l'année de la naissance de Darwin. Lamarck était respon-sable de la collection des Invertébrés du Muséum natio-nal d'histoire naturelle de Paris. En comparant des espèces contemporaines à des formes fossiles, Lamarck crut déceler des lignées, des séries chronologiques de fos-siles menant à des espèces modernes.

Là où Aristote avait vu une échelle, Lamarck en voyait plusieurs, et un scientifique moderne aurait fait le rap-prochement avec des escaliers mécaniques. Au rez-de-chaussée se trouvaient les organismes microscopiques qui, selon Lamarck, se formaient spontanément et conti-nuellement à partir de matière inerte. Au sommet des escaliers mécaniques évolutifs siégeaient les Végétaux et les Animaux les plus complexes. L'évolution était mue par une tendance innée vers une complexité toujours croissante que Lamarck semblait assimiler à la perfection. À mesure que les organismes approchaient de la perfec-tion, ils devenaient de mieux en mieux adaptés à leur milieu. Lamarck croyait par conséquent que l'évolution répondait aux « sentiments intérieurs », c'est-à-dire aux besoins des organismes.

Lamarck s'illustra surtout par l'explication qu'il donna à l'origine des adaptations. Sa thèse réunissait deux idées répandues à l'époque. La première est celle de

Figure 20.5
Stratification de la roche sédimentaire dans le Grand Canyon.
Le fleuve Colorado s'est creusé à travers 2000 m de roche sédi-mentaire, découvrant de très nombreuses strates de couleur et d'épaisseur variables. Chaque couche représente une période particulière de l'histoire de la Terre et renferme des fossiles d'organismes qui vivaient à cette époque.

et des inondations, qui auraient détruit un grand nombre des espèces qui vivaient à l'endroit étudié. Là où les stra-tes étaient nombreuses, selon Cuvier, les catastrophes avaient été fréquentes. Cette théorie est appelée **catastro-phisme.**

Puisque Cuvier croyait à la fixité des espèces, com-ment expliquait-il l'apparition de nouvelles espèces dans les strates récentes ? Il avança que les catastrophes pério-diques qui avaient causé les extinctions massives avaient généralement été limitées dans l'espace. Après l'extinc-tion quasi complète de la flore et de la faune indigènes, la région dévastée avait été repeuplée par des espèces venues d'ailleurs.

Certains des disciples de Cuvier poussèrent la théorie du catastrophisme à l'extrême. Il s'en trouva même pour affirmer que les catastrophes avaient été planétaires et que Dieu avait recommencé la Création après chaque désastre. Les écrits de Cuvier ne font aucunement allu-sion à la religion, mais ils n'en expriment pas moins une aversion claire et nette pour le concept d'évolution. Or, au moment même où Cuvier faisait taire les évolutionnis-tes, la théorie qui allait paver la voie au darwinisme faisait des adeptes parmi les géologues.

Le gradualisme en géologie

Le catastrophisme de Cuvier se heurtait à une nouvelle vision des phénomènes géologiques. En 1795, le géologue

l'usage et du non-usage : les organes qu'un organisme utilise beaucoup pour survivre dans son milieu se développent et se renforcent, tandis que les organes non utilisés s'atrophient. À l'appui de cette idée, Lamarck donnait l'exemple du forgeron, qui développe les muscles de son bras à force de manier le marteau, et l'exemple de la Girafe, qui allonge le cou pour atteindre les feuilles à la cime des arbres. La seconde idée que Lamarck fit sienne était celle de l'hérédité des caractères acquis. Ce principe voulait que les modifications subies par un organisme au cours de sa vie soient transmissibles à ses descendants. Selon Lamarck, le cou des Girafes s'était graduellement allongé, à mesure que les générations successives de Girafes avaient essayé d'atteindre des feuilles toujours plus hautes. Or, rien ne prouve que les caractères acquis soient héréditaires. Les forgerons développent leur force et leur endurance en soulevant toute leur vie des marteaux lourds, mais ce caractère acquis ne modifie en rien les gènes que ces artisans transmettent à leurs enfants.

Si la théorie de Lamarck sur l'hérédité est aujourd'hui dépassée, sa conception de l'hérédité faisait l'unanimité à son époque (du reste, Darwin n'a pu en trouver de meilleure). Pour la majorité des contemporains de Lamarck, cependant, le mécanisme de l'évolution ne méritait qu'on s'y attarde. Lamarck fut combattu, surtout par Cuvier, qui ne voulait rien entendre de l'évolution. Il faut aujourd'hui rendre à Lamarck ce qui lui revient et reconnaître les mérites d'une théorie audacieuse qui était visionnaire à bien des égards. Lamarck a compris que l'évolution constitue la meilleure explication des archives géologiques et de la diversité biologique, que la Terre est très ancienne et que l'adaptation au milieu est un important produit de l'évolution.

ORIGINE DU DARWINISME

À l'aube du XIXe siècle, la théologie naturelle dominait toujours la scène intellectuelle : elle projetait sa vision d'un monde ordonné où toute forme vivante s'insérait parfaitement dans son milieu parce qu'elle avait été spécialement créée. Quelques nuages de doute jetaient de l'ombre sur la permanence des espèces, mais personne n'aurait pu prévoir la tempête qui se préparait à l'horizon, celle du darwinisme.

Charles Darwin naquit à Shrewsbury, dans l'ouest de l'Angleterre, en 1809. Dès sa plus tendre enfance, il portait à la nature un intérêt évident. Il ne fermait ses livres d'histoire naturelle que pour pêcher, chasser et collectionner des Insectes. Son père, un médecin réputé, l'envoya étudier la médecine à l'université d'Édimbourg pour le détourner de la carrière de naturaliste, qu'il jugeait sans avenir. Le jeune Darwin, âgé de 16 ans seulement, trouvait les études de médecine ennuyeuses et rebutantes, bien qu'il reçût des notes satisfaisantes. Il quitta Édimbourg avant d'avoir obtenu son diplôme et entra peu après au Christ's College de Cambridge dans l'intention de devenir pasteur. À cette époque en Angleterre, la plupart des scientifiques, naturalistes y compris, étaient des ecclésiastiques, et presque tous voyaient le monde à travers la lunette de la théologie naturelle. Darwin devint le protégé du révérend John Henslow, un professeur de botanique. Peu de temps après l'obtention de son baccalauréat (ou licence) en 1831, Darwin fut recommandé par le professeur Henslow au capitaine Robert FitzRoy, qui se préparait à embarquer sur le Beagle pour une expédition autour du monde.

Le voyage du Beagle

Darwin avait 22 ans lorsqu'il quitta l'Angleterre, en décembre 1831. La principale mission de l'expédition était de cartographier des portions mal connues du littoral sud-américain (figure 20.6). Tandis que l'équipage faisait des relevés, Darwin débarquait et amassait par milliers des spécimens de végétaux et d'animaux. Le navire contourna le continent, et Darwin put observer les adaptations des organismes qui peuplaient des milieux aussi divers que la jungle brésilienne, la pampa argentine, les étendues désolées de la Terre de Feu, près de l'Antarctique, et les sommets vertigineux des Andes.

Darwin constata qu'au-delà de leurs adaptations particulières, les espèces végétales et animales des différentes régions du continent présentaient toutes un caractère nettement sud-américain et qu'elles se distinguaient clairement des espèces européennes. En soi, cela n'avait rien de bien étonnant. Mais les Végétaux et les Animaux vivant dans les régions tempérées de l'Amérique du Sud étaient plus proches, du point de vue taxinomique, des espèces des régions tropicales de ce continent que des espèces des régions tempérées d'Europe. En outre, les fossiles que Darwin découvrit en Amérique du Sud ressemblaient aux espèces vivantes de ce continent et de nul autre. Les singularités de la distribution géographique des espèces intriguèrent Darwin.

La faune des Galápagos constituait un cas particulièrement déroutant de distribution géographique. Ces îles volcaniques d'origine relativement récente se situent à l'équateur, 900 km environ à l'ouest du littoral sud-américain (figure 20.6). La plupart des espèces animales de l'archipel ne se trouvent nulle part ailleurs dans le monde, bien qu'elles présentent des ressemblances avec des espèces du continent sud-américain. Les îles Galápagos, semblait-il, avaient été colonisées par des Végétaux et des Animaux qui s'étaient écartés du continent et qui s'étaient diversifiés sur les îles. Parmi les Oiseaux que Darwin observa aux Galápagos se trouvaient 13 sortes de Pinsons qui, quoique semblables, semblaient former des espèces distinctes. Certaines de ces espèces étaient propres à une île, tandis que d'autres étaient distribuées sur des îles rapprochées. Toutefois, Darwin négligea de noter précisément l'île d'origine des divers Pinsons, sans doute parce qu'il n'avait pas encore appréhendé toute l'importance de la faune et de la flore des Galápagos.

À l'époque où le Beagle quitta les Galápagos, Darwin avait lu les Principes de géologie de Lyell. Cette lecture et l'expérience des Galápagos amenèrent Darwin à douter de la position de l'Église. En reconnaissant que la Terre était très vieille et en perpétuel changement, Darwin faisait un pas de plus vers le concept d'évolution biologique.

(a)

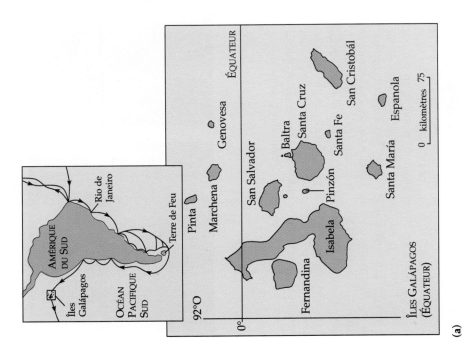

(b)

Figure 20.6
Les îles Galápagos. (a) Les îles Galápagos se situent à environ 900 km de la côte occidentale de l'Équateur ; beaucoup des espèces végétales et animales qui y vivent ne se trouvent nulle part ailleurs dans le monde. (b) Ces Iguanes marins, sur l'île Fernandina, sont au nombre des espèces relativement récentes descendues d'ancêtres venus du continent et qui ont colonisé ces îles volcaniques.

Darwin élabore sa théorie

À l'époque où il observait les Pinsons des Galápagos, Darwin ne savait pas au juste si ces Oiseaux formaient des espèces différentes ou, simplement, des variétés de la même espèce. Peu de temps après son retour en Angleterre, en 1836, des ornithologues lui apprirent que les Pinsons formaient effectivement des espèces distinctes. Darwin reconsidéra toutes les observations qu'il avait faites au cours de son voyage et, en 1837, il entreprit la rédaction de son premier carnet sur l'origine des espèces.

Darwin comprenait peu à peu que l'origine de nouvelles espèces et l'adaptation constituent des processus étroitement liés. Une nouvelle espèce émerge d'une forme ancestrale par suite de l'accumulation graduelle d'adaptations à un milieu différent. Imaginons que des barrières géographiques fragmentent une espèce en plusieurs populations et les isolent dans des milieux différents. Chaque population s'adapte aux conditions locales et se modifie peu à peu. Après de nombreuses générations, les populations sont devenues assez dissemblables pour constituer des espèces différentes. C'est apparemment ce que les Pinsons des Galápagos ont vécu. Ces Oiseaux se distinguent notamment par leurs becs, adap-

tés à la nourriture disponible dans leurs îles respectives (figure 20.7). Darwin pressentait l'importance d'expliquer le mécanisme de telles adaptations pour comprendre l'évolution.

Au début des années 1840, Darwin avait formulé les principaux points de sa théorie de l'évolution au moyen de la sélection naturelle. Pourtant, il n'avait pas encore publié ses idées. D'une santé chancelante, il sortait rarement de chez lui. Il ne s'isolait pas pour autant de la communauté scientifique. Ses lettres et les spécimens qu'il avait envoyés en Angleterre durant son voyage l'avaient déjà rendu célèbre, et il entretenait une correspondance assidue avec Lyell, Henslow et d'autres.

En 1844, Darwin écrivit un long essai sur l'origine des espèces et la sélection naturelle. Conscient de l'importance de son travail, il demanda à sa femme de publier l'ouvrage s'il mourait avant d'avoir signé un traité plus approfondi sur l'évolution. L'évolutionnisme germait à bien des endroits, mais Darwin hésitait à diffuser sa théorie. Il semble qu'il en comprenait le caractère subversif et qu'il redoutait, à juste titre, l'agitation qu'elle provoquerait. Repoussant l'échéance de jour en jour, il continuait d'accumuler les preuves à l'appui de sa théorie. Lyell, qui n'avait pas encore adhéré à la théorie de

Figure 20.7
Les Pinsons des Galápagos. L'archipel des Galápagos abrite 13 espèces de Pinsons étroitement apparentées, dont certaines ne se trouvent que sur une seule île. Les espèces se distinguent notamment par leurs becs, qui sont adaptés à des régimes alimentaires particuliers. **(a)** Un Pinson terrestre à bec moyen (à gauche) et un Pinson terrestre à gros bec (à droite), dont les becs sont adaptés au cassage des graines. **(b)** Un Pinson arboricole tient une brindille dans son bec et s'en sert pour chercher de la nourriture.

l'évolution, conseilla tout de même à Darwin de publier sur le sujet avant qu'un autre n'arrive aux mêmes conclusions et ne se fasse entendre le premier.

En juin 1858, la crainte de Lyell se vérifia. Darwin reçut une lettre d'Alfred Wallace, un jeune naturaliste qui travaillait dans les Indes orientales. La lettre, accompagnée d'un manuscrit, faisait état d'une théorie de la sélection naturelle identique en essence à celle de Darwin. Wallace demandait à Darwin de critiquer son travail et de le faire parvenir à Lyell s'il méritait d'être publié. Darwin fit ce qui lui était demandé et écrivit à Lyell: «Vos paroles se sont vérifiées avec éclat… Je n'ai jamais vu coïncidence plus frappante; toute mon originalité, quelle qu'en soit l'importance, sera anéantie.» Mais le sort de Darwin fut tout autre. Lyell et l'un de ses collègues présentèrent le manuscrit de Wallace en même temps que des extraits de l'essai inédit de Darwin à la Société linnéenne de Londres le 1er juillet 1858. Darwin s'empressa de terminer *L'Origine des espèces* et publia l'ouvrage l'année suivante. Bien que Wallace eût été prêt à publier avant Darwin, ce dernier exposa et étaya la théorie de la sélection naturelle avec tellement plus de détails qu'on le considère comme le père de cette théorie. Les carnets de Darwin prouvent en outre qu'il avait formulé sa théorie de la sélection naturelle 15 ans avant de lire le manuscrit de Wallace. Wallace lui-même jugeait que la plus grande partie du mérite de la découverte revenait à Darwin.

Dix ans plus tard, la majorité des biologistes soutenait que la diversité biologique résulte de l'évolution. Darwin avait réussi là où les évolutionnistes précédents avaient échoué. Bien sûr, la science commençait à se détourner de la théologie naturelle mais, par-dessus tout, Darwin avait défendu l'évolution au moyen d'une logique sans faille et d'une multitude de preuves.

LES DEUX VOLETS DU DARWINISME

Le darwinisme a deux grands volets. D'une part, il fonde l'unité et la diversité du vivant sur l'évolution. D'autre part, il explique l'évolution par la sélection naturelle. Dans la présente section, nous exposerons ces deux grands principes du livre de Darwin.

Ascendance commune

Dans la première édition de *L'Origine des espèces*, Darwin n'a pas employé le mot «évolution», lui préférant l'expression **descendance modifiée.** Toute sa vision du monde se concentre dans cette expression. Pour Darwin, tous les organismes descendraient d'un prototype inconnu qui avait vécu dans un passé très lointain. En se répandant dans les divers habitats au fil des millions d'années, les descendants de cet organisme primordial accumulèrent les modifications, ou adaptations, qui les rendirent aptes à des modes de vie particuliers. Dans la conception darwinienne, l'histoire de la vie se présente comme un arbre: d'un même tronc jaillissent des branches qui se ramifient jusqu'aux extrémités des ramilles vivantes, symboles de la diversité actuelle des organismes. À chaque fourche de l'arbre évolutif se trouve l'ancêtre d'une série de lignées. Les espèces étroitement apparentées, tels le Chat domestique et le Lion, ont beaucoup de caractéristiques en commun parce que la lignée à laquelle ils appartiennent s'étend jusqu'aux plus petits rameaux de l'arbre. La plupart des branches de l'évolution, et même quelques-unes des principales, forment des culs-de-sac; environ 99 % des espèces qui ont vécu sur la Terre se sont éteintes.

Sélection naturelle et adaptation

En dépit du titre de son livre, Darwin consacre peu d'espace à l'origine des espèces, s'attachant surtout à décrire comment les diverses populations se sont adaptées à leur milieu au moyen de la sélection naturelle (figure 20.8).

Ernst Mayr a décomposé la théorie darwinienne de la sélection naturelle en cinq propositions d'où découlent trois inférences*:

Proposition 1: Toutes les espèces ont une telle fertilité potentielle que leur effectif s'accroîtrait de manière exponentielle si tous les descendants engendrés se reproduisaient.

Proposition 2: En dehors des fluctuations saisonnières, la plupart des populations ont normalement une taille stable.

Proposition 3: Les ressources naturelles sont limitées.

*Adapté de E. Mayr, *The Growth of Biological Thought: Diversity, Evolution and Inheritance*, Cambridge, Mass., Harvard University Press, 1982.

(a)

(b)

Figure 20.8
Adaptations au milieu : camouflage. (a) Revêtu de sa livrée d'hiver, le Lagopède des Saules (*Lagopus lagopus*) se confond avec la neige. **(b)** Cet Hippocampe ressemble tellement au Varech qui l'entoure que ses proies s'approchent de lui sans crainte.

INFÉRENCE 1 : La production d'un nombre d'individus trop élevé pour les ressources du milieu entraîne une lutte pour l'existence entre les membres d'une population, et une fraction seulement des descendants survivent à chaque génération.

Proposition 4 : Les caractéristiques des individus d'une population varient énormément ; il n'existe pas deux individus identiques.

Proposition 5 : Les variations sont en grande partie héréditaires.

INFÉRENCE 2 : Dans la lutte pour l'existence, la survie n'est pas laissée au hasard : elle dépend en partie de la constitution héréditaire. Les individus qui, grâce aux caractères dont ils ont hérité, sont les plus aptes à affronter leur milieu produisent vraisemblablement plus de descendants que les individus moins aptes.

INFÉRENCE 3 : Les individus n'ayant pas la même aptitude à la survie et à la reproduction, la population se modifie graduellement, et les caractères favorables s'accumulent au fil des générations.

La sélection naturelle correspond à l'inégalité des chances de reproduction, et son produit est l'adaptation des organismes à leur milieu. Même si certaines variations ne comportent que de légers avantages par rapport à d'autres, les variations favorables s'accumulent dans une population car, au fil des générations, la sélection naturelle les perpétue au détriment des autres.

Par conséquent, la sélection naturelle repose sur une interaction entre le milieu et la variabilité inhérente à toute population. Les variations résultent des mécanismes aléatoires de la mutation et de la recombinaison génétique (voir le chapitre 14), mais la sélection naturelle

quant à elle n'est pas un phénomène aléatoire. Les facteurs du milieu posent des conditions précises au succès reproductif.

La lutte pour l'existence naît de la production excessive d'individus. Darwin connaissait déjà la lutte pour l'existence au moment où il lut l'ouvrage marquant que le révérend Thomas Malthus écrivit sur la population humaine en 1798. Malthus affirmait que la population humaine croît plus rapidement que les ressources, et que ce déséquilibre entraîne inéluctablement des souffrances : la maladie, la famine, la misère et la guerre. Il semble que la capacité de se reproduire à l'excès caractérise toutes les espèces. Sur le grand nombre d'œufs pondus, de jeunes mis au monde et de graines disséminées, une petite fraction seulement d'individus terminent leur développement et se reproduisent à leur tour. Les autres sont dévorés, affamés, malades, inféconds ou de quelque autre manière empêchés de se reproduire.

À chaque génération, des facteurs du milieu favorisent certaines variations héréditaires et en défavorisent d'autres. L'inégalité du succès reproductif fait en sorte que les caractères favorables se répandent davantage que les caractères défavorables dans la génération suivante. Mais la sélection peut-elle réellement causer un changement substantiel dans une population ? Darwin répondit par l'affirmative en invoquant la **sélection artificielle**, le procédé qui consiste à croiser les organismes possédant les caractères qu'on désire perpétuer. Les espèces végétales et animales que nous cultivons et élevons pour nous nourrir ont peu de ressemblances avec leurs ancêtres sauvages (figure 20.9). Les effets de la sélection artificielle se manifestent particulièrement chez nos Animaux de compagnie, qui ont été élevés pour des raisons plus proches de la fantaisie que de l'utilité.

Si la sélection artificielle engendre autant de changements en un laps de temps relativement court, se disait Darwin, alors la sélection naturelle devrait produire des modifications considérables sur des centaines ou des milliers de générations. Darwin postula donc que la sélection naturelle, opérant dans divers contextes et sur de très longues périodes, expliquait l'entière diversité du vivant. Pour Darwin, la nature ne faisait pas de saut: elle accumulait graduellement des changements ténus. Le gradualisme est à la base du darwinisme.

Nous pouvons maintenant résumer les deux principaux points de la pensée de Darwin. Les diverses formes vivantes descendent, avec modifications, d'espèces ancestrales, et le mécanisme de modification est la sélection naturelle, dont l'action est continuelle et immémoriale.

Quelques subtilités de la sélection naturelle La sélection naturelle comporte quelques subtilités qu'il convient d'expliquer. La première concerne l'importance des populations dans l'évolution. Pour l'instant, nous définirons une population comme un groupe d'individus qui interféconds qui appartiennent à une espèce donnée et qui se trouvent dans une même région géographique. La population représente la plus petite unité capable d'évolution. La sélection naturelle met en jeu des interactions entre les individus et leur milieu, mais les individus n'évoluent pas. L'évolution ne peut se mesurer qu'en termes de changement dans les proportions des variations au sein d'une population au cours de générations successives. De plus, la sélection naturelle intervient uniquement sur les variations héréditaires. Nous l'avons vu, un organisme se modifie à la suite de ses expériences, et ses caractères acquis peuvent même favoriser son adaptation au milieu; cependant, rien ne prouve que les caractères acquis se transmettent génétiquement. Nous devons faire la distinction entre les adaptations qu'un organisme acquiert du fait de ses actions et les adaptations innées qui apparaissent graduellement dans une population par sélection naturelle.

Il faut aussi souligner que les rouages de la sélection naturelle dépendent du temps et de l'espace; les facteurs du milieu varient d'un endroit à l'autre et d'une époque à l'autre. Ce qui constitue une adaptation dans une situation peut devenir inutile, voire nuisible dans des circonstances différentes. Quelques cas nous permettront d'illustrer le caractère circonstanciel de la sélection naturelle.

Trois cas de sélection naturelle Le cas le plus connu et le plus étudié de sélection naturelle est celui de la Phalène du Bouleau, *Biston betularia*. Cette espèce vit dans tout le centre de l'Angleterre et comprend deux variétés: l'une se montre tachetée de noir sur fond clair, et l'autre est d'un noir uniforme. La Phalène du Bouleau se nourrit la nuit et dort pendant le jour, quelquefois sur des troncs et des roches incrustés de Lichens pâles. Contre cet arrière-plan, les individus de couleur claire se camouflent bien, mais les Phalènes sombres restent bien visibles pour certains Oiseaux prédateurs (figure 20.10). Avant la révolution industrielle, les Phalènes sombres se faisaient très rares car, présume-t-on, elles devenaient des proies faciles avant de pouvoir se reproduire et transmettre les

gènes de la couleur sombre. À la fin du XIXᵉ siècle, la pollution industrielle tua les Lichens qui recouvraient les roches et les troncs. Contre cet arrière-plan assombri, les Phalènes claires devinrent visibles pour les Oiseaux, et sans doute aussi pour les Oiseaux. La fréquence des individus sombres dans les populations de *Biston betularia* commença à s'accroître. Au tournant du siècle, la population de Phalènes de la région de Manchester se composait presque entièrement d'individus sombres. Ce phénomène, appelé le mélanisme industriel, toucha des centaines d'autres espèces de Papillons de nuit dans les régions polluées.

Il est important de préciser que le mélanisme industriel ne constitue pas un cas de transmission de caractères acquis. Le milieu n'a pas *créé* les caractères favorables, comme l'aurait dit Lamarck; il a agi sur les variations héritées manifestes dans toute population, et il a favorisé la survie et la reproduction de certains individus. La sélection naturelle élague les populations. La reproduction des Phalènes sombres s'accentuait parce que les Phalènes claires, devenues visibles, se faisaient dévorer en plus grand nombre et, par conséquent, laissaient moins de descendants. L'expérimentation confirme l'hypothèse selon laquelle la sélection naturelle, prenant la forme de la prédation, a contribué à modifier la forme de populations de *Biston betularia* dans les régions industrielles. (Des recherches récentes laissent cependant croire que d'autres facteurs ont pu intervenir.)

Le cas de *Biston betularia* montre bien que la sélection naturelle opère dans l'ici et maintenant et qu'elle tend à favoriser les organismes adaptés au milieu local. La sélection naturelle est utilitaire: elle privilégie les caractères les plus appropriés à la situation présente. Depuis quelque temps, le cas de la Phalène du Bouleau a pris un tour heureux, car une forte baisse de la pollution a permis au paysage des régions industrielles de retrouver ses coloris naturels. La forme claire de *Biston betularia* est réapparue

Figure 20.9
La sélection artificielle. Le brocoli, le chou-fleur et les choux montrés ici, de même que le chou frisé, le chou-rave et les choux de Bruxelles, ont pour ancêtre commun une espèce de Moutarde sauvage. En accentuant artificiellement telle ou telle caractéristique de la Moutarde, les producteurs ont obtenu ces divers résultats.

(a)

Figure 20.10

Cas de sélection naturelle : le mélanisme industriel. La Phalène du Bouleau, *Biston betularia*, comprend une variété de couleur sombre et une variété de couleur claire. Dans les régions où la pollution industrielle a tué les Lichens, les Phalènes sombres se sont multipliées et les Phalènes claires ont presque disparu. Les deux variétés apparaissent ci-contre : **(a)** un tronc d'arbre clair recouvert de Lichens et **(b)** un tronc d'arbre sombre dépourvu de Lichens à cause de la pollution. Dans les deux cas, les Oiseaux repèrent plus de Phalènes visibles que d'individus camouflés (quoique d'autres facteurs contribuent probablement au succès relatif de chaque variété).

(b)

dans ces endroits. (Néanmoins, les chercheurs se demandent encore si les Oiseaux et la coloration des arbres et des roches sont les principaux facteurs de sélection dans cette inversion évolutive du mélanisme industriel.)

Il existe bien d'autres exemples d'apparition d'une coloration protectrice par voie de sélection naturelle. En voici l'un des plus singuliers. En avril 1962, on découvrit des Souris mutantes au pelage jaune pâle parmi une population de Souris communes (*Mus musculus*) vivant dans la ferme de Burl et Alfred McCrosky, à Little Sac River dans le Missouri. La couleur jaune pâle se transmet comme un caractère récessif simple. Larry Brown, un mammalogiste de l'université du Wyoming, s'intéressa à l'effet de cette couleur inusitée sur la survie des Souris de la ferme des McCrosky, et il étudia les proportions de Souris jaunes et de Souris brunes pendant deux ans. Il échantillonnait la population de Souris à intervalles de quatre mois en plaçant des pièges dans un grenier à blé construit en bois sombre. Brown notait le nombre d'individus jaunes et d'individus bruns pris dans les pièges, puis il libérait les Souris. Au cours des premiers mois de l'étude, Brown obtint des McCrosky qu'ils ferment hermétiquement le grenier de manière à en interdire l'accès à la douzaine de Chats domestiques qui vivaient dans la ferme. En décembre 1962, 27 des 58 Souris capturées dans le grenier (46 %) avaient un pelage jaune pâle (le nombre de Souris prises au piège ne représentait qu'un petit échantillon de la population totale). Au début de janvier 1963, la population était devenue si dense que les Souris causaient de graves dommages au grain entreposé ; les McCrosky pratiquèrent une ouverture dans l'un des murs du grenier afin que les Chats puissent entrer. En avril 1963, la population de Souris avait diminué de 63 %, et aucune des 22 Souris capturées n'avait un pelage jaune (figure 20.11). Trente-huit pour cent des Souris capturées étaient des jeunes de couleur brune, les descendants des

Souris qui avaient réussi à survivre et à se reproduire. Brown en conclut que l'introduction de prédateurs dans le milieu avait joué contre les Souris jaune pâle, probablement parce que ces individus étaient plus visibles que les Souris brunes contre l'arrière-plan sombre du grenier.

Une autre étude de la sélection naturelle confirme l'hypothèse darwinienne voulant que les becs des Pinsons des Galápagos constituent des adaptations évolutives aux différentes ressources alimentaires. Pendant 20 ans, Peter et R. Grant, de l'Université de Princeton, ont étudié la population de Pinsons terrestres à bec moyen (*Geospiza fortis*) sur Daphne major, un minuscule îlot des Galápagos. Ces Oiseaux se servent de leur bec robuste pour écraser les graines. Ils se nourrissent de préférence de petites graines produites en abondance par certaines espèces végétales durant les années pluvieuses. Les Pinsons mangent de grosses graines, plus difficiles à écraser, seulement lorsque les petites graines se font rares. Les pénuries de petites graines se produisent pendant les années sèches, quand les Végétaux produisent moins de graines, grosses ou petites. Les Grant ont découvert que l'épaisseur moyenne des becs a fluctué dans cette population d'Oiseaux (figure 20.12). L'épaisseur des becs (la dimension d'un bec de haut en bas) a augmenté pendant les sécheresses et a décru pendant les périodes pluvieuses. L'épaisseur du bec est un caractère héréditaire. Les Grant attribuent le changement à la disponibilité des petites graines au cours des années. Les Oiseaux dotés d'un bec fort ont pu être avantagés pendant les périodes sèches, alors que leur survie et leur reproduction étaient plus assujetties à leur capacité d'ouvrir de grosses graines qu'en période pluvieuse. Nous voyons encore une fois que la sélection naturelle dépend des circonstances : un caractère avantageux dans un contexte écologique peut nuire dans un autre.

Parmi les autres cas de sélection naturelle, nous avons déjà étudié la résistance aux antibiotiques chez les Bactéries (chapitre 17) et le changement de taille des Guppies exposés à différents prédateurs (chapitre 1). Il existe plus de 100 ouvrages décrivant la sélection naturelle dans la nature. Des centaines d'autres études ont rendu compte des effets de la sélection naturelle en laboratoire sur des populations d'organismes comme la Drosophile. Si les scientifiques admettent la théorie de la sélection naturelle, ce n'est pas seulement à cause de sa logique, mais aussi parce qu'elle a été maintes fois confirmée par l'observation et de l'expérimentation ; cette méthode consiste à formuler des hypothèses et à les vérifier au moyen de l'approche hypothéticodéductive (voir le chapitre 1). Paradoxalement, Darwin lui-même croyait que la sélection naturelle agissait toujours trop lentement pour que l'on puisse l'observer. De plus, il ne parvint pas à expliquer de manière satisfaisante la génétique de la variation (un problème que nous aborderons au chapitre 21). Pour ces raisons et bien d'autres, la théorie de la sélection naturelle fit relativement peu d'adeptes du vivant de Darwin. En revanche, quelques années à peine après la publication de *L'Origine des espèces*, la plupart des biologistes admettaient le concept d'évolution, quel qu'en soit le mécanisme.

LES SIGNES DE L'ÉVOLUTION

L'évolution laisse des signes observables. Ces données sont les clés du passé, le pain quotidien de toute science historique. Ainsi, l'histoire de la civilisation examine les écrits anciens, mais elle peut aussi reconstituer l'évolution des sociétés en décelant ce qui reste du passé dans les cultures modernes. Même si nous n'avons découvert ni documents écrits ni vestiges archéologiques, nous aurions pu déduire que les Espagnols ont colonisé l'Amérique latine parce qu'ils ont laissé leur empreinte dans cette partie du monde. De même, l'évolution biologique a laissé des traces : elles se trouvent dans les archives géologiques et dans les vestiges historiques que conservent les organismes modernes. Dans la présente section, nous passerons brièvement en revue quelques-uns des signes de l'évolution (et nous y reviendrons plus en détail au chapitre 23). Darwin s'appuya principalement sur la biogéographie et sur la paléontologie pour avancer l'idée d'ascendance commune, mais nous ne nous limiterons pas à ces deux catégories de preuves. En effet, la biologie n'a pas cessé de progresser depuis Darwin, et les découvertes modernes, notamment celles de la biologie moléculaire, continuent de renforcer l'évolutionnisme.

Biogéographie

Le concept d'ascendance commune vint d'abord à Darwin par l'étude de la distribution géographique des espèces, la **biogéographie**. Les îles abritent beaucoup d'espèces endémiques (des espèces indigènes qui ne se trouvent nulle part ailleurs), mais étroitement apparentées à des espèces du continent le plus proche ou d'une île voisine. D'où un certain nombre de questions cruciales : Pourquoi les espèces peuplant une île sont-elles plus étroitement apparentées aux espèces du continent le plus proche plutôt qu'à celles d'une île écologiquement semblable située ailleurs dans le monde (quand même l'environnement du continent est parfois fort différent) ? Pourquoi les Animaux tropicaux d'Amérique du Sud s'apparentent-ils plus étroitement aux espèces désertiques d'Amérique du Sud qu'aux espèces tropicales d'Afrique ? Pourquoi l'Australie compte-t-elle de nombreuses espèces de Marsupiaux (Mammifères dotés d'une poche ventrale) mais pratiquement aucun Mammifère placentaire (Mammifère dont le développement embryonnaire se déroule entièrement dans l'utérus) ? L'Australie n'est pourtant pas un milieu hostile aux Mammifères placentaires : les Lapins qu'on y a introduits récemment ont proliféré. La faune indigène de l'Australie ne comprend pas d'Animaux placentaires parce que le continent a été coupé des endroits où vivaient leurs ancêtres.

Si les structures biogéographiques paraissent incongrues aux personnes qui imaginent que les espèces ont été individuellement placées dans des milieux appropriés, elles s'éclairent dans le contexte historique de l'évolution. L'interprétation darwinienne veut que les espèces modernes habitent dans telle ou telle région parce qu'elles descendent d'ancêtres qui ont vécu là. Prenons l'exemple des Tatous, des Mammifères à carapace

---

(a)

Date de capture	Nombre de Souris capturées	Nombre de Souris mutantes jaune pâle
Décembre 1962	58	27
Avril 1963	22	0

(b)

Figure 20.11
Cas de sélection naturelle : coloration protectrice dans une population de Souris communes. (a) Cette photo montre qu'aux yeux d'un Chat, une Souris brune est moins visible qu'une Souris mutante jaune pâle contre un arrière-plan sombre. (b) Ces données sont les résultats de l'étude visant à vérifier si la coloration des Souris influe sur leur survie (et par conséquent sur leur succès reproductif) dans un milieu qui comprend des Chats domestiques. Les Souris ont été capturées dans un grenier à blé construit en bois sombre. Les données de décembre 1962 ont été recueillies avant que les Chats n'aient accès au grenier. En janvier 1963, les propriétaires du grenier pratiquèrent une ouverture dans un mur afin que les Chats puissent limiter la population de Souris. En avril 1963, le nombre des deux types de Souris avait diminué, mais les Chats avaient apparemment tué une proportion beaucoup plus grande de Souris jaunes que de Souris brunes. (D'après L. N. Brown, *Journal of Mammalogy*, 46, 1965.)

espèces modernes. Par exemple, une série de fossiles révèle les changements de la forme et de la taille du crâne qui ont marqué la transition des Reptiles aux Mammifères. Chaque année, des paléontologues dévoilent d'importants chaînons reliant les formes contemporaines et leurs ancêtres. Au cours des dernières années, par exemple, les chercheurs ont trouvé des fossiles qui rattachent les Baleines à leurs prédécesseurs terrestres (figure 20.13).

Taxinomie

Bien que fixiste, Linné a fourni à Darwin quelques-unes des preuves les plus décisives à l'appui de l'ascendance commune. En effet, Linné avait reconnu que malgré leur diversité, on pouvait classer les organismes en « groupes subordonnés à d'autres groupes » (selon l'expression de Darwin). Nous avons présenté les principales catégories taxinomiques au chapitre 1, mais nous les citons à nouveau ici :

Règne
  Embranchement
    Classe
      Ordre
        Famille
          Genre
            Espèce

Pour Darwin, la hiérarchie linnéenne révélait les ramifications de l'arbre évolutif : les organismes situés aux différents niveaux taxinomiques descendent d'ancêtres communs. Si nous admettons que le Lion et le Tigre sont plus proches parents que le Lion et le Cheval, alors nous reconnaissons que l'évolution a laissé des signes prenant la forme de différents degrés de parenté entre les espèces modernes. Comme la taxinomie est une invention humaine, elle ne peut, en soi, confirmer l'hypothèse de l'ascendance commune. Mais si on l'ajoute aux autres types de preuves, elle témoigne incontestablement de l'évolution. Par exemple, l'analyse génétique révèle que des espèces que l'on croyait proches parentes du fait de leurs caractéristiques anatomiques, tels le Lion et le Tigre, ont effectivement la même ascendance.

Anatomie comparée

L'ascendance commune se matérialise dans les ressemblances anatomiques entre les espèces d'une même catégorie taxinomique. Ainsi, les membres antérieurs de l'Humain, du Chat, de la Baleine, de la Chauve-Souris et de tous les autres Mammifères se composent des mêmes éléments osseux, bien que ces appendices remplissent des fonctions fort différentes (figure 20.14). Certes, l'architecture d'une aile de Chauve-Souris n'est pas le modèle idéal pour une nageoire de Baleine. On ne peut concilier les particularités anatomiques des espèces si l'on croit que les structures ont été spécifiquement et individuellement mises en place. Il semble plus logique de penser, particulièrement devant les preuves que nous possédons, que la similitude fondamentale des membres antérieurs résulte d'une ascendance commune. Les pattes antérieures, les ailes, les nageoires et les bras des différents Mammifères représentent des variations sur un même thème anatomique en vue de l'accomplissement de fonctions différentes. La similitude morphologique résultant d'une ascendance

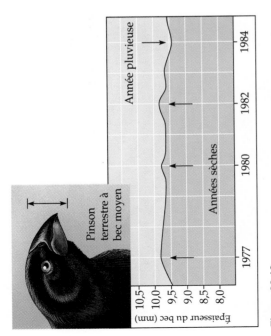

Figure 20.12

Cas de sélection naturelle : évolution du bec chez un des Pinsons de Darwin. Le Pinson terrestre à bec moyen, l'un des Oiseaux que Darwin observa aux Galápagos, se sert de son bec robuste pour écraser les graines. S'il a le choix entre des petites graines et des grosses graines, cet Oiseau mangera principalement les petites, qui sont plus faciles à écraser. Pendant les années pluvieuses, les petites graines deviennent si abondantes que le Pinson terrestre consomme relativement peu de grosses graines. Il en va autrement pendant les années de sécheresse, au cours desquelles tant les grosses graines que les petites graines se font rares. L'Oiseau mange alors une proportion plus forte qu'à l'accoutumée de grosses graines. Le changement de régime alimentaire est en corrélation avec un changement de l'épaisseur moyenne du bec. Les études sur le terrain qui comparent les descendants aux parents confirment que la robustesse du bec est un caractère transmis (et non pas acquis à force de briser de grosses graines). L'explication la plus plausible veut que les Oiseaux possédant des becs les plus robustes détiennent un avantage en période de sécheresse et transmettent les gènes de ce caractère à leurs descendants.

qui ne vivent qu'en Amérique. La biogéographie évolutionniste prétend que les Tatous modernes sont des descendants modifiés d'espèces qui occupaient le continent ; les archives géologiques confirment que de tels ancêtres ont existé. Cet exemple nous amène à souligner l'importance des archives géologiques en tant que chronique de l'évolution.

Archives géologiques

La succession des formes fossiles coïncide avec les autres données que nous possédons à propos des grandes ramifications de l'arbre évolutif. Ainsi, les plus anciens fossiles connus sont ceux des procaryotes, et les données fournies par la biochimie, la biologie moléculaire et la biologie cellulaire font des procaryotes les ancêtres de toutes les formes vivantes. Quant aux fossiles de Vertébrés, ceux des Poissons demeurent les plus anciens, suivis dans l'ordre chronologique par les fossiles d'Amphibiens, de Reptiles, de Mammifères et d'Oiseaux. Cette séquence est conforme à celle que révèlent beaucoup d'autres types de preuves.

Le darwinisme veut que les transitions évolutives laissent des marques dans les archives géologiques. De fait, les paléontologues ont découvert de nombreuses formes de transition qui relient des fossiles anciens aux

Figure 20.13
Fossiles de transition reliant le passé au présent. Les Baleines ont des ancêtres ter‐ restres. De nombreux signes, et notamment des fossiles, attestent la transition du milieu terrestre au milieu marin. Récemment, des paléontologues occupés à des fouilles en Égypte ont trouvé des fossiles de Baleines qui avaient des membres postérieurs. (Les Baleines modernes ont des membres anté‐ rieurs sous forme de nageoires ; elles sont dépourvues de membres postérieurs, bien qu'elles possèdent de minuscules vestiges osseux de membres postérieurs qui ne font pas saillie à l'extérieur du corps.) La photo montre les os fossilisés d'une patte de *Basilosaurus*, l'une des Baleines aujourd'hui disparues. Bien que leurs pattes aient mesuré 0,5 m de long et aient été bien musclées, ces Baleines étaient déjà des Ani‐ maux aquatiques qui n'avaient plus besoin de marcher.

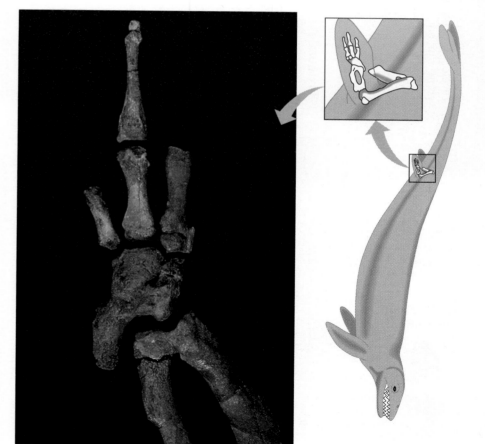

commune est appelée **homologie**, et les structures sem‐ blables constituent des **structures homologues.** L'anato‐ mie comparative s'accorde avec toutes les autres preuves attestant que l'évolution est un processus de modification au cours duquel les structures ancestrales destinées à une fonction se modifient pour en remplir de nouvelles.

Les structures homologues les plus singulières sont les **organes vestigiaux**, des structures atrophiées ayant pour l'organisme une utilité secondaire ou nulle. Les organes vestigiaux représentent des rudiments de structures qui remplissaient des fonctions importantes chez les ancêtres mais qui sont inutiles de nos jours. Par exemple, le sque‐ lette de certains Serpents a gardé d'ancêtres marcheurs des vestiges d'os du bassin et des pattes*.

Embryologie comparée

Le développement embryonnaire des organismes étroite‐ ment apparentés comprend des stades semblables. Ainsi, tous les embryons de Vertébrés présentent pendant un certain temps des sacs branchiaux de part et d'autre de la

gorge. À ce stade du développement, les ressemblances entre les Poissons, les Grenouilles, les Serpents, les Oiseaux, les Humains et tous les autres Vertébrés ressor‐ tent davantage que les différences (figure 20.15). À mesure qu'avance le développement, les Vertébrés divergent et acquièrent les caractéristiques distinctives de leurs classes. Les sacs branchiaux se transforment en branchies chez les Poissons, tandis que chez les Vertébrés terrestres, elles donnent naissance à d'autres organes et notamment aux trompes d'Eustache (les conduits qui relient l'oreille moyenne à la gorge) chez l'Humain.

Inspirés par le principe darwinien de la descendance modifiée, beaucoup d'embryologistes de la fin du XIXe siè‐ cle en vinrent à affirmer que « l'ontogenèse récapitule la phylogenèse », autrement dit que le développement embryonnaire d'un individu (**ontogenèse**) répète l'his‐ toire évolutive de l'espèce (**phylogenèse**). Il s'agissait là bien sûr d'une exagération. Les Vertébrés ont en commun plusieurs stades de développement embryonnaire, soit, mais on ne peut prétendre que les embryons ressemblent successivement à des formes adultes de Vertébrés de plus en plus avancés. Un embryon de Mammifère ne traverse pas un « stade du Poisson », un « stade de l'Amphibien » et ainsi de suite. De plus, comme les processus embryon‐ naires influent en bout de ligne sur l'aptitude de l'orga‐ nisme adulte, ils sont soumis à la sélection naturelle. Par conséquent, même les stades relativement précoces du développement peuvent se modifier au cours de l'évolu‐ tion. Néanmoins, l'ontogenèse donne des renseignements

*L'existence d'organes vestigiaux paraît confirmer le concept lamarc‐ kien d'usage et de non-usage, mais elle s'explique en réalité par la sélection naturelle. Il serait vain, en effet, de continuer à fournir du sang, des nutriments et de l'espace à un organe qui ne remplit plus de fonction importante. Par conséquent, les individus qui possèdent des versions réduites de ces organes sont favorisés dans le milieu, et la sélection naturelle tend peu à à peu à éliminer ces structures désuètes.

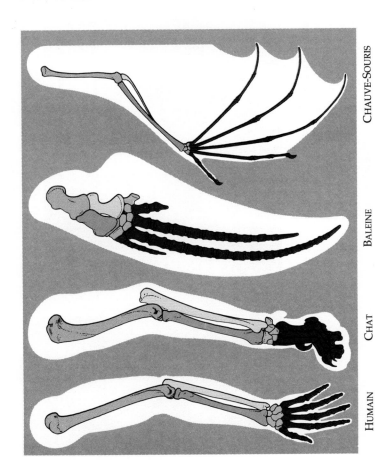

Figure 20.14
Structures homologues : signes anatomiques de l'évolution. Les membres antérieurs de tous les Mammifères comprennent les mêmes éléments osseux. On peut en déduire qu'un membre antérieur ancestral s'est modifié en vue de l'accomplissement de différentes fonctions.

HUMAIN   CHAT   BALEINE   CHAUVE-SOURIS

---

précieux sur la phylogenèse. L'embryologie comparative parvient souvent à déceler une homologie entre des structures qui se modifient tellement en cours de développement que l'examen de leurs formes adultes ne révélerait pas leur origine commune.

Biologie moléculaire

Au chapitre 5, nous avons traité des signes moléculaires de l'évolution en soulignant que les relations évolutives entre les espèces se matérialisent dans leur ADN et dans leurs protéines, autrement dit dans leurs gènes et dans les produits de leurs gènes (figure 20.16). Si les séquences de monomères sont semblables dans les gènes et dans les protéines de deux espèces, elles représentent probablement des copies de séquences originales appartenant à un ancêtre commun. Si deux longs paragraphes ne se distinguaient que par quelques lettres ici et là, nous les attribuerions certainement au même auteur.

L'hypothèse la plus audacieuse de Darwin, celle qui voulait que *toutes* les formes de vie s'apparentent dans une certaine mesure parce qu'elles descendent des mêmes organismes primordiaux, a aussi été confirmée par la biologie moléculaire. Même des organismes aussi éloignés que les Humains et les Bactéries ont certaines protéines en commun, dont le cytochrome *c*, la protéine respiratoire trouvée chez toutes les espèces aérobies (voir le chapitre 9). Au cours de l'évolution, des mutations ont changé des acides aminés en certains points de la pro-

téine, mais les molécules de cytochrome *c* de toutes les espèces ont incontestablement une structure et une fonction semblables.

La quasi-universalité du code génétique constitue une preuve de plus à l'appui des idées de Darwin. Manifestement, le langage du code génétique a dominé dans toutes les lignées depuis son apparition chez une forme vivante primitive. La biologie moléculaire a écrit le dernier chapitre du recueil de preuves confirmant que l'évolution fonde l'unité et la diversité du vivant.

SEULEMENT UNE THÉORIE ?

Certains rejettent le darwinisme en disant qu'il s'agit « seulement d'une théorie ». Cet argument a deux faiblesses. Premièrement, il passe outre au fait que Darwin affirmait deux choses : que les espèces modernes descendent de formes ancestrales et que la sélection naturelle est le principal mécanisme de l'évolution. L'évolution est attestée par des faits historiques, soit les signes que nous avons décrits dans la section précédente. Ne tenir aucun compte des données montrant que les Mammifères descendent des Reptiles simplement parce que personne n'a pu observer la transition équivaut à nier la Révolution française sous prétexte qu'aucun d'entre nous n'en a été témoin.

Que reste-t-il alors de théorique à propos de l'évolution ? Les théories demeurent des tentatives d'expli-

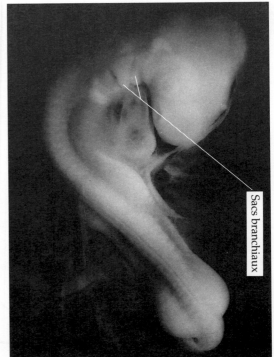

Sacs branchiaux

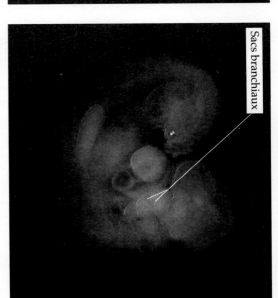

Sacs branchiaux

Figure 20.15
Signes de l'évolution révélés par l'embryologie comparative. À ce stade précoce du développement, le lien de parenté entre les Vertébrés est manifeste. Notez par exemple les sacs branchiaux de l'embryon d'Oiseau (à gauche) et de l'embryon d'Humain. L'embryologie comparative permet de discerner des structures homologues qui n'apparaîtraient pas comme telles chez des organismes adultes, car elles se modifient énormément à la fin du développement. Les sacs branchiaux se transforment en branchies et en structures de soutien chez les Poissons, et ils donnent naissance à d'autres structures anatomiques chez les Vertébrés terrestres comme les Oiseaux et les Mammifères.

cation, de synthèse et d'intégration des faits. Pour les biologistes, la théorie de l'évolution de Darwin se ramène à la sélection naturelle, le mécanisme que Darwin mit de l'avant pour expliquer les faits révélés par la paléontologie, la biogéographie et les autres disciplines historiques.

Par voie de conséquence, l'argument « seulement une théorie » concerne uniquement la seconde affirmation de Darwin, la théorie de la sélection naturelle. Mais ici apparaît la seconde faiblesse du propos. Le terme *théorie* n'a pas dans le domaine scientifique la même signification que dans le langage courant. Dans son emploi familier, le terme *théorie* a sensiblement la signification que les scientifiques donnent au mot *hypothèse*. En sciences, une théorie constitue un énoncé plus global qu'une hypothèse. Une théorie, comme la théorie de la gravitation de Newton ou celle de la sélection naturelle de Darwin, rend compte de faits multiples et tente d'expliquer une grande variété de phénomènes. Et une théorie n'est reconnue en sciences qu'à condition de résister à des vérifications systématiques et répétées sous forme d'expériences et d'observations. Qui plus est, les bons scientifiques ne laissent pas les théories s'ériger en dogmes. Par exemple, de nombreux biologistes de l'évolution se demandent

aujourd'hui si la sélection naturelle suffit à elle seule à expliquer l'histoire racontée par les archives géologiques. L'étude de l'évolution devient plus vigoureuse et plus dynamique que jamais, et nous présenterons quelques-uns des débats de l'heure dans les trois chapitres qui suivent. Mais le fait de s'interroger sur le mécanisme de l'évolution n'implique pas qu'on considère l'évolution comme « une simple théorie ». On peut comparer le débat sur la théorie de l'évolution au débat sur les théories de la gravitation : les objets tombent et nous, nous discutons des causes de leur chute.

*   *   *

Darwin a donné à la biologie une base scientifique solide en attribuant la diversité du vivant à des causes naturelles plutôt qu'à un dessein surnaturel. Malgré tout, la variété et l'harmonie des produits de l'évolution ne cessent de nous émerveiller et de nous inspirer. Comme Darwin l'a écrit dans le dernier paragraphe de *L'Origine des espèces* : « N'y a-t-il pas une véritable grandeur dans cette manière d'envisager la vie ? »

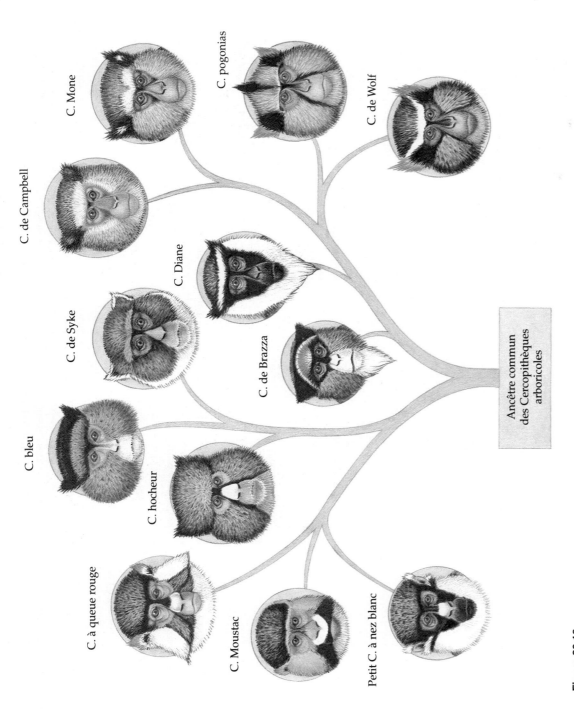

Figure 20.16
Arbre évolutif établi d'après des données moléculaires. Cet arbre retrace l'évolution de 12 des 25 espèces connues de Cercopithèques (genre *Cercopithecus*), des Singes d'Afrique orientale. Les relations entre les espèces de Singes ont été établies au moyen de comparaisons des protéines sanguines, des produits des gènes. Les données moléculaires sont compatibles avec les observations relatives aux traits de la face, aux cris et à la distribution géographique des Singes.

RÉSUMÉ DU CHAPITRE

1. Les premiers arguments solides en faveur de l'évolution furent publiés en 1859 par Charles Darwin, sous le titre *L'Origine des espèces*.

2. L'évolution est l'ensemble des changements que la vie a subis sur la Terre depuis son apparition.

Avant Darwin (p. 420-424)

1. Platon et Aristote niaient l'évolution. Aristote, en particulier, croyait que les espèces étaient fixes et qu'elles occupaient chacune un échelon dans une échelle allant des formes les plus simples aux formes les plus complexes.

2. Le parti pris contre l'évolution était alimenté par les partisans de la théologie naturelle, qui prenaient au pied de la lettre le récit biblique de la Création. Linné, par exemple, élabora une nomenclature et une classification hiérarchiques dans l'intention de révéler le dessein du Créateur.

3. Pour Cuvier, la succession des espèces fossiles dans les strates géologiques s'expliquait par des catastrophes qui avaient anéanti toutes les formes de vie.

4. Les géologues James Hutton et Charles Lyell avancèrent que les changements profonds de la surface terrestre résultent d'actions lentes mais continuelles.

5. Avant Darwin, Jean-Baptiste de Lamarck formula une théorie de l'évolution selon laquelle les organismes transmettent à leurs descendants les caractères qu'ils acquièrent en interagissant avec leur milieu, ce qui augmente le degré de complexité et d'adaptation des espèces. Toutefois, rien ne prouve que les caractères acquis soient transmissibles.

Origine du darwinisme (p. 424-426)

1. Il semble que les idées de Darwin commencèrent à se transformer au cours du voyage qu'il effectua sur le *Beagle* en

Chapitre 20 : La « descendance modifiée » : l'évolution selon Darwin **435**

...qualité de naturaliste. Darwin s'étonna de la distribution géographique des espèces qu'il observa alors, notamment aux îles Galápagos, et des relations qui les unissaient. Il en vint à peu à peu à penser que les nouvelles espèces émergent de formes ancestrales par suite de l'accumulation graduelle d'adaptations.

2. Après maintes tergiversations, Darwin publia *L'Origine des espèces* après avoir lu le manuscrit d'Alfred Wallace, un naturaliste qui avait formulé de son côté la théorie de la sélection naturelle.

Les deux volets du darwinisme (p. 426-430)

1. Les idées que Darwin exprime dans *L'Origine des espèces* se composent de deux volets. Premièrement, les nouvelles espèces apparaissent comme une descendance modifiée d'espèces ancestrales ; deuxièmement, la sélection naturelle est le mécanisme de l'évolution.

2. La sélection naturelle repose sur l'inégalité des chances de reproduction. Cette inégalité résulte des variations qui existent entre les individus de toute population et de la tendance à produire plus de descendants que le milieu ne peut en faire subsister. Les individus les mieux adaptés au milieu local laissent plus de descendants que les individus mal adaptés ; par conséquent, ils transmettent leurs caractères favorables.

Les signes de l'évolution (p. 430-433)

1. La biogéographie fut le premier indice qui suggéra à Darwin le concept d'ascendance commune. Darwin remarqua en effet que les espèces insulaires s'apparentaient plus étroitement aux espèces continentales qu'aux espèces vivant sur des îles éloignées, mais écologiquement semblables.

2. Les données fournies par la paléontologie sont compatibles avec les autres catégories de preuves à l'appui de l'évolution.

3. La taxinomie hiérarchique s'accorde avec le principe d'ascendance commune.

4. Les structures homologues attestent un processus de remodelage évolutif.

5. L'étude du développement embryonnaire révèle des homologies indiscernables chez les individus adultes.

6. L'ADN et les protéines des espèces étroitement apparentées présentent des similitudes incontestables.

Seulement une théorie ? (p. 433-435)

1. L'évolution est attestée par des faits historiques.

2. Appliqué à l'évolution, le terme *théorie* désigne des modèles expliquant les *mécanismes* de l'évolution, telle la théorie de la sélection naturelle de Darwin.

AUTO-ÉVALUATION

1. Les idées de Hutton et de Lyell dont s'inspira Darwin avaient trait :
   a) à l'âge de la Terre et aux processus géologiques graduels produisant de profonds changements.
   b) aux extinctions révélées par les archives géologiques.
   c) à l'adaptation des espèces au milieu.
   d) à une classification hiérarchique des organismes.
   e) à l'hérédité des caractères acquis.

2. Lequel des énoncés suivants *ne relève pas* de la théorie de la sélection naturelle ?
   a) Il existe des variations héréditaires entre les individus.
   b) Les individus peu adaptés ne produisent jamais de descendants.
   c) Comme une fraction seulement des descendants survivent, les individus luttent pour les ressources limitées.
   d) Les individus qui, grâce aux caractères dont ils ont hérité, sont les mieux adaptés au milieu laissent plus de descendants.
   e) L'inégalité des chances de reproduction entraîne des adaptations.

3. Lequel des énoncés suivants explique le mieux les changements observés dans la population de Phalènes du Bouleau en Angleterre ?
   a) La prédation par les Oiseaux a probablement un important facteur de la sélection naturelle.
   b) Le mélanisme industriel a été causé chez les Phalènes du Bouleau par l'absorption de suie.
   c) La pollution a rendu stériles les Phalènes de couleur claire.
   d) La sélection naturelle a produit de nouveaux gènes adaptés à la couleur sombre du paysage.
   e) Le besoin de camouflage a causé la mutation des Phalènes de couleur claire.

4. Les sacs branchiaux des embryons de Reptiles et d'Oiseaux :
   a) sont des structures vestigiales.
   b) prouvent que «l'ontogenèse récapitule la phylogenèse».
   c) sont des structures homologues.
   d) servent à la respiration des embryons.
   e) prouvent que les organes non utilisés dégénèrent.

5. Les meilleures preuves à l'appui d'une ascendance commune à *toutes* les formes vivantes nous sont fournies par :
   a) l'anatomie comparative.
   b) l'embryologie comparative.
   c) la biogéographie.
   d) la biologie moléculaire.
   e) les archives géologiques.

6. Peut-être injustement, le lamarckisme est aujourd'hui associé principalement :
   a) au catastrophisme.
   b) à l'essentialisme.
   c) au créationnisme.
   d) à l'hérédité des caractères acquis.
   e) à l'uniformitarisme.

7. La théorie énoncée par Darwin dans *L'Origine des espèces* portait principalement sur :
   a) la façon dont les nouvelles espèces apparaissent.
   b) l'origine de la vie.
   c) la façon dont les adaptations apparaissent.
   d) les mécanismes des extinctions.
   e) la génétique de l'évolution.

8. La classification des organismes en catégories hiérarchiques est appelée :
   a) l'échelle de la nature.
   b) la taxinomie.
   c) l'anatomie comparée.
   d) l'ontogenèse.
   e) l'évolutionnisme.

9. Laquelle des associations suivantes est *incorrecte* ?
   a) Platon – essentialisme
   b) Linné – usage et non-usage
   c) Malthus – surpopulation
   d) Lyell – uniformitarisme
   e) Aristote – échelle de la nature

10. La sélection artificielle :
    a) a vu le jour avec l'insémination artificielle.

b) explique bien le mélanisme industriel chez les Phalènes.

c) s'applique lorsque les Humains causent des changements physicochimiques dans l'environnement.

d) se fonde principalement sur l'ontogenèse.

e) servait d'élément de comparaison à Darwin pour justifier les variations occasionnées par la sélection naturelle.

QUESTIONS À COURT DÉVELOPPEMENT

1. Décrivez brièvement les deux composantes de l'évolution selon Darwin.

2. De nos jours, six domaines de recherche fournissent des preuves appuyant l'évolution. Décrivez en quelques lignes la contribution de chaque domaine.

3. Par le passé, des immigrants européens ont introduit en Amérique du Nord certaines espèces animales, tel l'Étourneau sansonnet qui a maintenant envahi tout le continent. Faut-il attribuer le développement de cette espèce à la sélection artificielle ou à la sélection naturelle? Pourquoi?

RÉFLEXION-APPLICATION

1. Certains détracteurs de l'évolutionnisme se sont exclamés: «Je ne peux pas croire que l'Humain descend du Singe!» En quoi se trompaient-ils?

2. Pendant de nombreuses années, des biologistes ont observé diverses populations animales dans leur milieu naturel, afin d'établir le pourcentage d'albinos (individus sans pigmentation) par espèce. L'étude révèle un plus grand pourcentage d'albinos chez les Mammifères, avec une très nette différence par rapport aux autres classes animales (Poissons, Reptiles, Amphibiens, Oiseaux). De plus, parmi les Mammifères, on constate un pourcentage d'albinos nettement plus élevé chez les Humains. Expliquez cette différence d'un point de vue darwinien.

SCIENCE, TECHNOLOGIE ET SOCIÉTÉ

1. Dans quelle mesure l'Humain vivant dans une société avancée techniquement est-il soustrait à la sélection naturelle?

2. En 1850, l'immigration humaine a introduit en Amérique du Nord le Moineau domestique. Depuis lors, cet Oiseau a proliféré dans tout le continent, délogeant par sa combativité des populations entières d'Hirondelles, de Bruants, de Parulines, etc., notamment au Québec. Bref, il contribue à restreindre la diversité. À votre avis, devrait-on s'incliner devant la sélection naturelle et favoriser le développement de cette espèce? Son introduction a-t-elle été une erreur monumentale? Savez-vous s'il existe des lois canadiennes interdisant l'introduction d'espèces végétales ou animales étrangères?

LECTURES SUGGÉRÉES

Benton, M., «Les dinosaures polaires», *La Recherche*, n° 239, janvier 1992. (Cette découverte relance le débat sur la nature de ces Vertébrés: à sang chaud ou à sang froid?)

Blanquer-Maumont, A. et S., «Lamarck ressuscité?», *Science & Vie*, n° 880, octobre 1991. (Découverte de mécanismes bactériens permettant de «choisir» des mutations.)

Buffetaut, E., «Les dinosaures: succès ou échec de l'évolution», *Science & Vie*, n° 173, hors série, décembre 1990. (Cet article aborde les mystères entourant la destinée des Dinosaures.)

Gaudant, J., «Darwin et après», *Science & Vie*, n° 173, hors série, décembre 1990. (Vue d'ensemble des théories évolutionnistes anciennes et modernes.)

Gould, S. G., «Jurassic Park: la folie des dinosaures», *La Recherche*, n° 259, novembre 1993. (L'image que le grand public a des Dinosaures n'a souvent pas grand-chose à voir avec celle des paléontologues.)

Grant, P., «La sélection naturelle et les pinsons de Darwin», *Pour la Science*, n° 170, décembre 1991. (Observations contemporaines des Pinsons des Galápagos en période de sécheresse.)

Klarsfeld, A., «L'évolution en éprouvette», *La Recherche*, n° 233, juin 1991. (La biologie moléculaire permet de reconstituer in vitro les trois «ingrédients» de l'évolution: la diversité, la reproduction et la sélection.)

Prescott, J., «L'archipel des Galápagos: joyau du patrimoine mondial», *Québec Science*, vol. 28, n° 10, été 1990. (Pèlerinage au cœur d'un monde unique.)

Veuille, M., «Une mesure moléculaire de la sélection naturelle», *La Recherche*, n° 251, février 1993. (Deux Américains proposent une méthode afin de mesurer l'effet de la sélection naturelle sur le génome de la Drosophile.)

THÉORIE SYNTHÉTIQUE DE L'ÉVOLUTION

GÉNÉTIQUE DES POPULATIONS

CAUSES DE LA MICROÉVOLUTION

FONDEMENTS GÉNÉTIQUES DE LA VARIATION

ÉVOLUTION ADAPTATIVE

Figure 21.1
La sélection naturelle agit sur les individus, mais ce sont les populations qui évoluent. Les herbes ployées que l'on voit à l'avant-plan (*Agrostis tenuis*) croissent parmi les résidus d'une mine abandonnée du pays de Galles, en Angleterre. Ce groupe d'individus tolère une concentration de métaux lourds qui est toxique pour les individus d'un autre groupe de la même espèce poussant quelques mètres plus loin, dans le pâturage situé de l'autre côté de la clôture. Chaque année, des graines atterrissent sur les résidus de la mine, mais la plupart ne se développent pas. Les seuls plants qui germent, croissent et se reproduisent sont ceux qui ont hérité de gènes leur permettant de tolérer la présence de métaux dans le sol, et non pas des individus qui acquièrent une tolérance au métal au cours de leur vie. L'adaptation correspond à un accroissement de la proportion d'individus tolérants d'une génération à l'autre. La sélection naturelle favorise le succès reproductif de certains individus d'une population. Mais elle a pour conséquence de modifier, de génération en génération, la prédominance de certains caractères dans l'ensemble de la population. Dans le présent chapitre, vous en apprendrez davantage sur l'évolution des populations.

L a sélection naturelle agit sur des individus : elle influe sur leur survie et sur leur reproduction. Mais c'est la population, et non ses membres, qui évolue.

L'apparition du mélanisme industriel dans la population de Phalènes du Bouleau en Angleterre le montre bien (voir le chapitre 20). Aucun Papillon n'a changé de couleur au cours de sa vie. Cependant, la sélection naturelle a favorisé le succès reproductif des Phalènes sombres au détriment de celui des Phalènes claires pendant de nombreuses générations : elle a ainsi modifié les proportions des deux phénotypes dans la population. La figure 21.1 fournit un autre exemple de sélection naturelle. Les populations, et non les individus, sont les plus petites unités susceptibles d'évoluer. Dans le présent chapitre, nous poursuivons l'étude des mécanismes qui font évoluer les populations. Nous commencerons par exposer comment la biologie a enfin accepté la théorie darwinienne de la sélection naturelle, dans la première moitié du XXᵉ siècle.

THÉORIE SYNTHÉTIQUE DE L'ÉVOLUTION

Avec *L'Origine des espèces*, Darwin a convaincu la plupart des biologistes que les espèces résultent de l'évolution, mais il n'a pas réussi à leur faire accepter que la sélection naturelle est le mécanisme de l'évolution. Il lui manquait pour ce faire une théorie de la génétique qui aurait rendu compte des variations dues au hasard tout en expliquant la précision avec laquelle les caractères des parents sont transmis à leur progéniture. La théorie de la sélection naturelle reposait sur une prémisse en apparence paradoxale : les descendants ressemblent aux parents, mais ils ne sont pas identiques. Darwin avait observé cette bizarrerie de l'hérédité, mais il ne pouvait l'expliquer. Bien que Charles Darwin et Gregor Mendel fussent contemporains, les découvertes de ce dernier sont restées longtemps méconnues. Apparemment, personne n'avait remarqué qu'il avait élucidé les principes de l'hérédité qui auraient pu résoudre le paradoxe de Darwin et rendre la sélection naturelle crédible.

Lorsqu'on redécouvrit les travaux de Mendel, au début du XXᵉ siècle, beaucoup de généticiens crurent que les lois de l'hérédité se trouvaient en contradiction avec la théorie de la sélection naturelle. Darwin prétendait que les matières premières de la sélection naturelle étaient les caractères qui varient de manière continue dans une population, telles la longueur des poils des Mammifères et la vitesse à laquelle une proie fuit ses prédateurs. Nous savons aujourd'hui que ces caractères quantitatifs sont

déterminés par de multiples loci. (Nous traitons l'hérédité polygénique et les caractères quantitatifs au chapitre 13.) Or, Mendel, suivi en cela par les généticiens du XIXe siècle, estimait que seuls les caractères discontinus (qualitatifs) et mutuellement exclusifs, comme la couleur violette ou blanche des fleurs du Pois, étaient héréditaires. Par conséquent, la génétique n'apportait aucune explication à l'action de la sélection naturelle sur les variations imperceptibles autour desquelles s'articulait la théorie de Darwin.

Dans les années 1920, la génétique s'intéressa aux mutations et, pour remplacer la théorie de la sélection naturelle, une hypothèse en vogue soutenait que l'évolution résultait de mutations modifiant radicalement et soudainement le phénotype. Cette notion de «sauts» s'opposait diamétralement à la vision darwinienne d'une évolution graduelle due à l'action de la sélection sur des variations continues (quantitatives). À l'époque aussi, beaucoup de scientifiques se rangeaient à l'idée de l'orthogénèse, la théorie voulant que l'évolution suive une progression prévisible vers des formes de plus en plus perfectionnées. Cette notion d'une évolution prédéterminée, liée à la théorie lamarckienne, s'opposait à l'optique mécaniste de Darwin, pour qui l'évolution reposait simplement sur l'inégalité du succès reproductif.

La théorie évolutionniste fit un pas en avant avec la naissance de la **génétique des populations**, qui révélait l'étendue de la variation génétique au sein des populations et reconnaissait l'importance des caractères quantitatifs. En prenant son essor, dans les années 1930, la génétique des populations réconcilia le mendélisme et le darwinisme, et elle mit au jour les fondements génétiques de la variation et de la sélection naturelle.

Au début des années 1940 s'élabora une théorie globale de l'évolution, qui prit le nom de **théorie synthétique de l'évolution**, ou néodarwinisme. Cette théorie est dite synthétique parce qu'elle intègre les découvertes et les principes de nombreux domaines, dont la paléontologie, la taxinomie, la biogéographie et, bien entendu, la génétique des populations. Parmi les auteurs de la théorie synthétique figurent Theodosius Dobzhansky, Ernst Mayr (voir l'entretien qui précède le chapitre 20), George Gaylord Simpson et G. Ledyard Stebbins. La théorie synthétique pose les populations comme les unités de l'évolution et la sélection naturelle comme son principal mécanisme. En outre, elle explique par le gradualisme que les grands changements résultent de l'accumulation de modifications ténues, mais étalées sur de longues périodes. Nul modèle scientifique ne reste inchangé pendant un demi-siècle. Dans les deux chapitres qui suivent, nous verrons que de nombreux biologistes de l'évolution contestent aujourd'hui certains points de la théorie synthétique, et nous évaluerons à la fin de cette quatrième partie la nécessité d'une nouvelle théorie synthétique. Quoi qu'il en soit, la théorie synthétique a profondément marqué la biologie du XXe siècle, et elle a donné naissance à la plupart des notions présentées dans ce chapitre à propos de l'évolution des populations.

GÉNÉTIQUE DES POPULATIONS

Une **population** représente un groupe localisé d'organismes de la même espèce, à un moment déterminé. Une espèce, en termes simples, est un groupe de populations dont tous les membres ont le potentiel de se reproduire entre eux dans un environnement naturel (nous ferons un retour critique sur cette définition au chapitre 22). Chaque espèce possède une aire de distribution géographique à l'intérieur de laquelle les individus ne se répartissent pas uniformément, mais où ils se concentrent en plusieurs populations localisées. Une population peut être isolée des autres populations de la même espèce et n'échanger que rarement du matériel génétique avec elles. Cet isolement touche particulièrement les populations habitant des îles éloignées, des lacs fermés ou des chaînes de montagnes entrecoupées de terres basses. Cependant, les populations ne restent pas toujours isolées et elles n'ont pas nécessairement de limites précises. Un centre de population dense peut se fondre avec un autre dans une région intermédiaire où les membres de l'espèce sont peu nombreux. Bien que les populations ne soient pas à proprement parler isolées, les individus demeurent concentrés dans des centres, et ils ont plus de chances de s'accoupler avec des membres de leur population qu'avec des membres d'autres populations. Par conséquent, les individus vivant près d'un centre de population restent, en moyenne, plus étroitement apparentés les uns aux autres qu'aux membres des populations périphériques (figure 21.2).

Patrimoine génétique d'une population et microévolution

Le **patrimoine génétique** (parfois appelé « pool génique ») d'une population constitue l'ensemble des gènes que possède cette population en un moment donné. Il comprend tous les allèles occupant tous les loci chez tous les individus de la population. Chez une espèce diploïde, chaque gène figure deux fois dans le génome d'un individu, lequel est soit homozygote soit hétérozygote pour ces allèles (voir le chapitre 13). Si tous les membres d'une population portent deux allèles identiques (homozygotes), on parle de fixation de l'allèle dans le patrimoine génétique. La plupart du temps, il existe deux allèles ou plus pour un gène, et chacun présente une fréquence relative (fréquence allélique) dans le patrimoine génétique. Par exemple, dans une population de Phalènes du Bouleau vivant dans une région non polluée de l'Angleterre, l'allèle de la couleur claire a une fréquence plus élevée que l'allèle de la couleur sombre. Pendant la révolution industrielle, par contre, l'allèle de la couleur sombre s'est répandu au détriment de l'allèle de la couleur claire. À l'échelle la plus réduite, l'évolution consiste en une modification, au cours de générations successives, des fréquences des allèles dans une population ; une telle modification du patrimoine génétique de la population est appelée **microévolution**.

Loi de Hardy-Weinberg

Pour nous aider à comprendre les mécanismes de la microévolution, nous étudierons d'abord la génétique d'une population qui n'évolue pas. Nous utiliserons pour ce faire la **loi de Hardy-Weinberg**, ainsi nommée d'après les deux scientifiques qui l'énoncèrent chacun de leur côté en 1908. Cette loi veut que, de génération en génération, les fréquences alléliques restent constantes dans le

Figure 21.2

Distribution de la population. Une population est un groupe localisé d'individus de la même espèce à un moment déterminé. **(a)** Ici, deux populations denses de Sapins de Douglas (*Pseudotsuga menziesii*) sont séparées par le lit d'une rivière où croissent de rares individus. Les deux populations conservent cependant un lien, car le vent transporte le pollen de l'une à l'autre. Néanmoins, les arbres ont plus de chances de se croiser avec les membres de la population à laquelle ils appartiennent qu'avec les arbres de la rive opposée. **(b)** Les Humains ont aussi tendance à se concentrer en populations localisées. Cette photographie du territoire américain, prise la nuit par satellite, montre les lumières des principaux centres de population, les villes. Bien entendu, ces gens se déplacent, et il existe des banlieues et des villages de faible densité entre les villes. Cependant, les citadins choisissent le plus souvent leurs partenaires dans la ville, voire dans le quartier qu'ils habitent.

(a)

(b)

patrimoine génétique d'une population, à moins qu'elles ne subissent les effets de facteurs autres que la recombinaison. Autrement dit, le brassage des allèles résultant de la méiose et des aléas de la fécondation n'a pas d'effet sur la composition génétique globale d'une population.

La loi de Hardy-Weinberg nous semblera moins abstraite si nous la démontrons au moyen d'un exemple (figure 21.3). Imaginons une population de fleurs sauvages comprenant deux variétés caractérisées par des fleurs aux couleurs contrastantes. L'allèle des fleurs rouges, que nous représenterons par la lettre *A*, domine complètement l'allèle des fleurs blanches, que nous représenterons par la lettre *a*. Afin de simplifier notre explication, nous admettrons que ces deux seuls allèles occupent ce locus dans la population. Notre population imaginaire compte 500 individus. Vingt d'entre eux ont des fleurs blanches parce qu'ils sont homozygotes pour l'allèle récessif; leur génotype est donc *aa*. Sur les 480 individus aux fleurs rouges, 320 sont homozygotes (*AA*) et 160 sont hétéro-

zygotes (*Aa*). Comme il s'agit d'organismes diploïdes, la population renferme un total de 1000 gènes pour la couleur des fleurs. L'allèle dominant représente 800 gènes (320 × 2 = 640 pour les individus *AA*, plus 160 × 1 = 160 pour les individus *Aa*). Par conséquent, la fréquence de l'allèle *A* dans le patrimoine génétique de la population s'élève à 80 %, ou 0,8. Et comme il existe seulement deux formes alléliques du gène, nous savons que la fréquence de l'allèle *a* s'établit à 20 %, ou 0,2.

Quel sera l'effet de la recombinaison, pendant la reproduction sexuée, sur les fréquences des allèles *A* et *a* dans la génération suivante? Nous supposerons que l'union des gamètes mâles et des gamètes femelles est complètement due au hasard, c'est-à-dire que toutes les combinaisons mâle-femelle ont les mêmes chances de se réaliser. Cela revient à mêler tous les gamètes dans un sac et à les tirer au hasard, deux à la fois, pour déterminer le génotype de chaque zygote. Tous les gamètes portent un gène pour la couleur des fleurs, et les allèles *A* et *a* auront

ginons que nous séparions à leur tour les allèles de la deuxième génération pour fabriquer des gamètes et que nous tirions deux gamètes à la fois pour produire les génotypes d'une troisième génération : les fréquences des allèles et des génotypes resteraient les mêmes, et ainsi de suite génération après génération. Le patrimoine génétique de la population présenterait un équilibre appelé **équilibre de Hardy-Weinberg**. (Dans notre exemple, la population initiale de fleurs sauvages se trouvait en état d'équilibre. Si nous avions commencé avec une population pas encore en équilibre, il n'aurait fallu qu'une seule génération pour atteindre l'équilibre.)

Du cas précis de la population de fleurs sauvages, nous pouvons dériver une formule générale, appelée équation de Hardy-Weinberg, qui nous permettra de calculer les fréquences des allèles et des génotypes dans les populations. Nous limiterons notre analyse au cas le plus simple, celui où il n'existe seulement deux allèles, l'un dominant l'autre. Toutefois, l'équation de Hardy-Weinberg peut s'adapter aux situations où trois allèles ou plus existent pour un même locus, sans dominance claire.

Dans le cas d'un locus pour lequel il n'y a que deux allèles dans une population, on représente la fréquence d'un allèle par la lettre p et la fréquence de l'autre par la lettre q (voir la figure 21.3). Dans la population imaginaire de fleurs sauvages, $p = 0,8$ et $q = 0,2$. Notez que $p + q = 1$; en effet, la somme des fréquences de tous les allèles possibles égale 100 %. S'il existe seulement deux allèles et que nous connaissons la fréquence de l'un, alors nous pouvons calculer la fréquence de l'autre :

$$1 - p = q \text{ ou } 1 - q = p$$

Lorsque les gamètes combinent leurs allèles et produisent des zygotes, la probabilité de former un génotype AA est de p^2. Dans la population de fleurs sauvages, $p = 0,8$ et $p^2 = 0,64$, soit la probabilité qu'un gamète mâle A féconde un gamète femelle A pour produire un zygote AA. La fréquence des individus homozygotes pour l'autre allèle (aa) est de q^2, soit $0,2 \times 0,2 = 0,04$. Comme le génotype Aa peut être formé de deux façons, suivant le parent qui donne l'allèle dominant, la fréquence des individus hétérozygotes dans la population est de $2pq$ ($2 \times 0,8 \times 0,2 = 0,32$ dans notre exemple). Si nous avons calculé correctement les fréquences de tous les génotypes possibles, nous devrions obtenir un total de 1 :

$$\underset{\substack{\text{fréquence} \\ \text{de } AA}}{p^2} + \underset{\substack{\text{fréquence} \\ \text{de } Aa \text{ et } aA}}{2pq} + \underset{\substack{\text{fréquence} \\ \text{de } aa}}{q^2} = 1$$

Pour nos fleurs sauvages, nous avons $0,64 + 0,32 + 0,04 = 1$.

L'équation de Hardy-Weinberg permet de calculer les fréquences des allèles à partir des fréquences des génotypes et vice versa. On a recours à cette équation notamment pour déterminer le pourcentage de la population humaine qui porte l'allèle d'une maladie héréditaire donnée. Aux États-Unis par exemple, 1 bébé sur 10 000 environ est atteint de la phénylcétonurie, un trouble métabolique qui, non traité, entraîne une déficience mentale et d'autres problèmes (voir le chapitre 13). Au Québec, les statistiques révèlent que 1 bébé sur 25 600 environ souffre de la phénylcétonurie. La maladie est

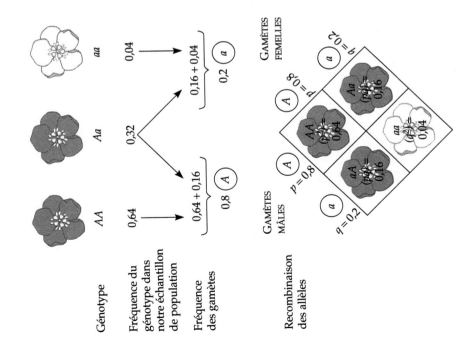

Figure 21.3
Loi de Hardy-Weinberg. Le patrimoine génétique d'une population qui n'évolue pas reste constant de génération en génération. La recombinaison ne peut à elle seule modifier les fréquences alléliques. (p = fréquence de A ; q = fréquence de a.)

dans la génération filiale la même fréquence que dans la population parentale. Chaque fois qu'un gamète est tiré au hasard, la probabilité qu'il porte l'allèle A s'élève à 0,8, et la probabilité qu'il porte l'allèle a atteint 0,2.

À l'aide de la règle de la multiplication (voir le chapitre 13), nous pouvons calculer la fréquence des trois génotypes possibles dans la génération filiale. La probabilité de tirer deux allèles A de l'ensemble des gamètes est de 0,64 ($0,8 \times 0,8$). Par conséquent, environ 64 % des individus de la génération filiale auront le génotype AA. La fréquence des individus aa atteindra environ 4 %, ou 0,04 ($0,2 \times 0,2$). Et 32 %, ou 0,32, des individus seront hétérozygotes – Aa ou aA –, selon que l'allèle dominant provient du gamète mâle ou du gamète femelle ($0,8 \times 0,2 = 0,16 \times 2$ façons $= 0,32$).

Pour le locus de la couleur des fleurs, la composition génétique de la deuxième génération de fleurs sauvages est 0,64 AA, 0,32 Aa et 0,04 aa. Les individus AA possèdent 64 % des gènes de la couleur des fleurs existant dans la population, et les hétérozygotes en possèdent 32 %, représentés pour moitié par l'allèle A. La fréquence globale de l'allèle A dans la population se chiffre donc à $0,64 + (0,32 \div 2)$, soit 0,8. La fréquence de l'allèle a est de $0,04 + (0,32 \div 2)$, soit 0,2. Vous remarquerez que les fréquences alléliques demeurent les mêmes dans la génération parentale et dans la génération filiale. Ima-

causée par un allèle récessif et, par conséquent, la fréquence des nouveau-nés atteints dans la population américaine, par exemple, correspond à la variable q^2 dans l'équation de Hardy-Weinberg. Étant donné une occurrence de 1 sur 10 000, $q^2 = 0,0001$. La fréquence de l'allèle récessif de la phénylcétonurie dans la population américaine s'élève donc à $q = \sqrt{0,0001}$, ou 0,01. Et la fréquence de l'allèle dominant s'obtient par $p = 1 - q$, soit 0,99. La fréquence des personnes hétérozygotes normales mais qui transmettent l'allèle de la maladie à leurs enfants, est de :

$$2pq = 2 \times 0,99 \times 0,01 = 0,0198$$

Environ 2 % des Américains font donc partie des hétérozygotes transmetteurs de l'allèle de la phénylcétonurie.

Qu'apporte l'équilibre de Hardy-Weinberg à notre étude de la microévolution ? En décrivant une population qui n'évolue pas, il fournit une référence pour l'étude de populations réelles dont le patrimoine génétique peut changer. L'équilibre de Hardy-Weinberg ne se maintient que si la population étudiée remplit les cinq conditions suivantes :

1. *Très grande taille.* Le hasard peut donc influer sur le patrimoine génétique d'une petite population.

2. *Isolement.* L'immigration et l'émigration peuvent modifier le patrimoine génétique.

3. *Absence de mutation nette.* En modifiant un allèle, les mutations peuvent altérer le patrimoine génétique.

4. *Accouplement au hasard.* Si les individus choisissent des partenaires possédant certains caractères héréditaires, les gamètes ne se mélangent pas au hasard.

5. *Absence de sélection naturelle.* L'inégalité du succès reproductif modifie les fréquences alléliques dans le patrimoine génétique d'une population.

CAUSES DE LA MICROÉVOLUTION

Il faut se rappeler que l'équilibre de Hardy-Weinberg décrit la génétique de populations théoriques dont il n'existe pas d'exemple dans la nature. Voyons maintenant comment les populations réelles évoluent.

Cinq facteurs potentiels génèrent la microévolution : la dérive génétique, le flux génétique, la mutation, l'accouplement non aléatoire et la sélection naturelle (tableau 21.1). Chacun de ces facteurs représente une déviation par rapport à l'une des cinq conditions de l'équilibre de Hardy-Weinberg. Parmi toutes les causes de la microévolution, seule la sélection naturelle entraîne généralement une accumulation d'adaptations favorables dans une population. Les autres facteurs de la microévolution sont parfois qualifiés de non darwiniens, à cause de leur caractère en général non adaptatif.*

*Un mécanisme non adaptatif n'est pas nécessairement un facteur d'inadaptation. La microévolution due à des causes non darwiniennes peut avoir sur les populations des effets favorables, défavorables ou neutres. Par contre, la sélection naturelle a presque toujours des effets bénéfiques, car elle perpétue les caractères favorables au détriment des caractères défavorables.

Tableau 21.1 Causes de la microévolution

Mécanismes	Effets sur le patrimoine génétique d'une population	Généralement adaptatif ?*
Dérive génétique	Modification aléatoire d'un petit patrimoine génétique due à des erreurs d'échantillonnage dans la propagation des allèles	Non
Flux génétique	Modification du patrimoine génétique due à l'immigration et à l'émigration	Non
Mutation	Modification des fréquences alléliques	Non
Accouplement non aléatoire	Réduction de la fréquence des hétérozygotes due à l'endogamie ou à l'homogamie (l'accouplement d'individus semblables pour certains caractères phénotypiques)	Inconnu
Sélection naturelle	Augmentation de la fréquence de certains allèles et diminution de la fréquence d'autres allèles dues à l'inégalité du succès reproductif	Oui

Dérive génétique

Si vous lanciez une pièce de monnaie 10 fois et obteniez 7 piles et 3 faces, vous ne vous poseriez pas de question. Si, en revanche, vous lanciez une pièce de monnaie 1000 fois et obteniez 700 faces et 300 piles, vous auriez de forts doutes quant à la pièce. Plus un échantillon est petit, plus fortes sont les chances de déviation par rapport à un résultat idéal (un nombre égal de piles et de faces dans le cas du lancer d'une pièce). La disparité des résultats obtenus avec un petit échantillon est appelée erreur d'échantillonnage, et constitue un important facteur de la génération des petites populations. Si une nouvelle génération tire ses allèles au hasard, l'échantillon représente d'autant mieux le patrimoine génétique de la génération précédente qu'il est grand. Si une population est petite, une erreur d'échantillonnage peut faire en sorte que son patrimoine génétique n'apparaisse pas fidèlement représenté dans la génération suivante. Dans une petite population, des événements fortuits peuvent modifier les fréquences alléliques de génération en génération. Considérons par exemple ce qui pourrait survenir si la population de fleurs sauvages étudiée plus haut ne comportait que 25 individus. Supposons que 16 des individus ont le génotype AA pour la couleur des fleurs, que 8 ont le génotype Aa et qu'un seul a le génotype aa. Imaginons maintenant que trois individus disparaissent accidentellement à la suite d'un éboulement, avant de se reproduire. Le hasard pourrait faire que les trois disparus

fassent partie des individus AA. L'événement modifierait les fréquences des deux allèles de la couleur des fleurs dans les générations subséquentes. On serait alors en présence d'un cas de microévolution causé par la **dérive génétique,** soit des modifications dues au hasard dans le patrimoine génétique d'une petite population. Seule la chance pourrait causer une dérive aléatoire qui favorise l'adaptation.

Une population infiniment grande permettrait d'éliminer totalement l'influence de la dérive génétique sur l'évolution. Il n'existe pas de telle population, mais beaucoup de populations sont si grandes que la dérive a des effets négligeables. À l'opposé, certaines populations sont si petites que la dérive génétique a sur elles des effets marqués ; le hasard joue certainement un rôle important dans la microévolution de populations comptant moins de 100 individus. Deux situations mènent le plus souvent à une réduction telle de la population que la dérive génétique se produit : il s'agit de l'effet d'étranglement et de l'effet fondateur.

Effet d'étranglement Les désastres comme les séismes, les inondations et les incendies font leurs victimes au hasard, et ils peuvent réduire considérablement la taille d'une population. Il y a alors peu de chances que la petite population survivante se montre représentative de la population initiale en ce qui concerne la composition génétique. Ce phénomène est appelé **effet d'étranglement.** Le hasard fera que certains allèles seront surreprésentés parmi les survivants, que d'autres allèles seront sous-représentés et que d'autres enfin disparaîtront complètement (figure 21.4). La dérive génétique qui en résulte continuera d'influer sur la population pendant de nombreuses générations, jusqu'à ce que la population redevienne assez grande pour neutraliser ses effets.

Dans certains cas, l'effet d'étranglement réduit la variabilité génétique globale d'une population, puisque certains allèles disparaissent du patrimoine génétique. Un exemple extrême de ce cas nous est fourni par la population d'Éléphants de mer boréaux, que les chasseurs réduisirent à environ 20 individus dans les années 1890. L'espèce est aujourd'hui protégée, et la population dépasse les 30 000 individus. Les chercheurs ont examiné 24 loci chez un grand nombre d'individus, et ils n'ont découvert aucune variation génétique ; on trouve un unique allèle fixé en chacun des 24 loci, en partie à cause de la dérive génétique. Par contre, la variation génétique atteint une grande ampleur dans les populations d'Éléphants de mer austraux, qui n'ont pas subi l'effet d'étranglement. De même, l'effet d'étranglement explique pourquoi la population sud-africaine de Guépards présente davantage d'uniformité génétique que les lignées endogames de Souris de laboratoire. La population de Guépards fut probablement réduite de beaucoup lors de la dernière glaciation, il y a environ 10 000 ans, puis les chasseurs du début du siècle l'ont pratiquement exterminée. En revanche, la grande diversité d'une espèce menacée de Rhinocéros indique qu'une faible variation n'est pas la conséquence inévitable de l'effet d'étranglement (figure 21.5).

Effet fondateur La dérive génétique survient aussi lorsqu'un petit nombre d'individus colonisent une île, un

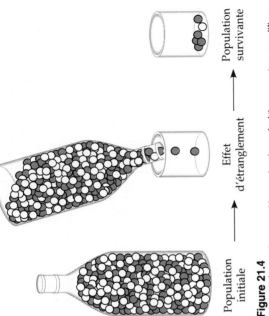

Population initiale

Effet d'étranglement

Population survivante

Figure 21.4
Effet d'étranglement. Un patrimoine génétique peut se modifier lorsqu'une catastrophe décime une population. Le diagramme représente l'effet d'étranglement au moyen d'une population de billes rouges et de billes blanches dans une bouteille. Notez que la composition de la population qui traverse le goulot n'est pas représentative de la composition de la grande population initiale. Le hasard fait que les billes rouges sont surreprésentées.

lac ou quelque autre habitat nouveau pour l'espèce. Plus la colonie est petite, moins sa composition génétique représente fidèlement celle de la grande population. Le cas extrême serait celui d'une population fondée par une seule femelle gravide ou par une seule graine. Si la colonie réussit à s'implanter, la dérive aléatoire continuera d'influer sur les fréquences alléliques jusqu'à ce que la population se trouve assez nombreuse pour que les erreurs d'échantillonnage soient minimales de génération en génération. La dérive génétique se produisant dans une nouvelle colonie est appelée **effet fondateur.** Le phénomène a indiscutablement contribué à la divergence évolutive des Pinsons de Darwin après que des individus égarés du continent sud-américain eurent atteint les lointaines Galápagos.

L'effet fondateur explique probablement la fréquence relativement élevée de certaines maladies héréditaires dans les populations humaines issues d'un petit nombre de colons. En 1814, 15 personnes fondèrent la petite colonie britannique de Tristan da Cunha, un archipel de l'Atlantique situé à mi-chemin entre l'Afrique et l'Amérique du Sud. Apparemment, l'un des colons portait l'allèle récessif de la rétinopathie pigmentaire, une forme progressive de cécité qui atteint les individus homozygotes. Sur les 240 descendants qui vivaient encore dans l'archipel à la fin des années 1960, 4 étaient atteints de la rétinopathie pigmentaire et au moins 9 étaient des transmetteurs sains. La fréquence de cet allèle atteint un degré beaucoup plus élevé à Tristan da Cunha que dans les populations d'où provenaient les fondateurs. L'effet fondateur trouve une illustration frappante dans les maladies héréditaires, mais cette forme de dérive génétique modifie également la fréquence de nombreux allèles déterminant des caractères imperceptibles.

Figure 21.5
Diversité génétique dans la population de Rhinocéros en Inde. Une étude menée récemment sur les Rhinocéros de l'Inde suggère que l'effet d'étranglement ne diminue pas toujours radicalement la diversité génétique d'une population. En 1962, le braconnage et l'agriculture avaient réduit la population de Rhinocéros à moins de 40 individus. Depuis lors, les Rhinocéros ont été rassemblés dans un parc national et leur population atteint maintenant 400 individus environ. G. McCracken et E. Dinerstein, de l'université du Tennessee, ont comparé la variation génétique de cette population à la variation moyenne d'autres Mammifères, et ils ont découvert que les Rhinocéros présentaient une variabilité peu commune. Les chercheurs supposèrent que la population initiale était riche en variations génétiques, car elle était largement distribuée et faiblement concentrée. Les Rhinocéros s'accouplaient donc avec des congénères qui ne leur étaient pas étroitement apparentés, et la diversité génétique ainsi créée a persisté dans la population après la survenue de l'effet d'étranglement. McCracken et Dinerstein concluent que l'effet d'étranglement ne réduit pas inévitablement la variation génétique.

Flux génétique

L'équilibre de Hardy-Weinberg ne peut se réaliser que dans un patrimoine génétique clos. Or, la plupart des populations ne sont pas complètement isolées. Une population peut gagner ou perdre des allèles par suite du **flux génétique**, qui se définit comme la migration des individus féconds ou l'échange de gamètes entre des populations.

Imaginons qu'un vent violent apporte à notre population hypothétique de fleurs sauvages le pollen d'une autre population de la même espèce. Les fréquences alléliques peuvent alors changer dans notre population si, par exemple, l'autre population se compose entièrement d'individus à fleurs blanches. Le flux génétique tend à atténuer les différences accumulées entre les populations à la suite de la sélection naturelle ou de la dérive génétique. Un flux génétique intense peut même, à la longue, amalgamer des populations voisines. Quand les Humains commencèrent à voyager dans le monde, il ne fait aucun doute que le flux génétique devint un important facteur de la microévolution dans des populations jusqu'alors isolées.

Mutation

Une mutation qui se transmet par les gamètes modifie immédiatement le patrimoine génétique d'une population en substituant un allèle à un autre. Revenons encore une fois à notre population hypothétique et imaginons que, à la suite d'une mutation, un individu à fleurs blanches produise des gamètes portant l'allèle dominant des fleurs rouges. Cette mutation diminuerait la fréquence de l'allèle a et augmenterait celle de l'allèle A dans la population. En une seule génération, toutefois, la mutation n'a pas, en elle-même un effet quantitatif marqué dans une grande population. En effet, une mutation est un événement très rare. Bien que les taux de mutation varient selon les espèces et les loci, ils se chiffrent environ à une mutation par locus par 10^5 à 10^6 gamètes. Si un allèle ayant une fréquence de 0,50 dans le patrimoine génétique subit 10^{-5} mutation par génération, alors il faut 2000 générations pour faire passer la fréquence de l'allèle initial de 0,50 à 0,49. La modification est encore moindre si la mutation a un caractère réversible, ce qui est le cas la plupart du temps. Si la fréquence d'un nouvel allèle produit par mutation augmente dans une population, ce n'est pas parce que la mutation engendre l'allèle en abondance, mais bien parce que les transmetteurs sains de l'allèle mutant produisent beaucoup plus de descendants que les autres par suite de la sélection naturelle ou de la dérive génétique. À la longue, cependant, la mutation représente un facteur très important de l'évolution, car elle constitue la source première de variation génétique, la matière brute de la sélection naturelle.

Accouplement non aléatoire

Pour que l'équilibre de Hardy-Weinberg se maintienne, un individu d'un génotype quelconque doit choisir ses partenaires au hasard dans la population. En réalité, cependant, et surtout chez les espèces qui se dispersent peu, les individus s'accouplent plus souvent avec leurs proches voisins qu'avec les membres éloignés de la population. Dans une grande population, les individus d'un même «voisinage» tendent à être étroitement apparentés. Ce phénomène favorise l'**endogamie**, le croisement entre des individus étroitement apparentés. L'autofécondation constitue un cas extrême d'endogamie, et il est particulièrement répandue dans le règne végétal.

L'endogamie fait dévier les fréquences des génotypes des valeurs annoncées par l'équilibre de Hardy-Weinberg. Dans notre population de fleurs sauvages, l'autofécondation tendrait à accroître les fréquences des génotypes homozygotes aux dépens des fréquences des génotypes hétérozygotes. Si les individus AA et les individus aa s'autofécondent, alors leurs descendants seront aussi homozygotes. Si les individus Aa s'autofécondent, cependant, la moitié seulement de leurs descendants seront hétérozygotes. À chaque génération, la proportion d'hétérozygotes diminuera, et les proportions d'homozygotes dominants et d'homozygotes récessifs augmenteront. Même dans le cas le moins extrême d'endogamie sans autofécondation, l'hétérozygotie diminue, quoique plus lentement. Ce changement des fréquences génotypiques a un effet visible : il accroît la proportion d'individus présentant des phénotypes récessifs ; la fréquence des individus à fleurs blanches atteindra un degré plus élevé que l'équation de Hardy-Weinberg ne le prédit. Quel que soit l'effet de l'endogamie sur les proportions des génotypes et des phénotypes dans la population, les valeurs de p et de q, les fréquences des deux allèles, restent les mêmes.

Il y a simplement moins d'allèles récessifs «cachés» dans les individus hétérozygotes.

L'**homogamie**, une autre forme d'accouplement non aléatoire, consiste, pour les individus, à choisir des partenaires qui leur ressemblent par certains caractères phénotypiques. Ainsi, certains Coléoptères appelés *Lytta magister* (famille des *Méloïdés*), qui vivent dans le désert Sonora, en Arizona, s'accouplent le plus souvent avec des individus qui ont la même taille qu'eux. Dans une certaine mesure, la taille constitue aussi un critère d'homogamie pour l'Humain: il arrive fréquemment (mais pas toujours) que les femmes de grande taille s'unissent à des hommes de grande taille. Dans l'homogamie, il n'y a pas de lien de parenté entre les individus, contrairement au cas de l'endogamie.

Rappelez-vous que l'accouplement non aléatoire (endogamie et homogamie) accroît le nombre de loci homozygotes dans la population, mais qu'il n'influe pas sur les fréquences globales des allèles dans le patrimoine génétique d'une population.

Sélection naturelle

Le maintien de l'équilibre de Hardy-Weinberg demande que tous les individus d'une population aient la même aptitude à produire une descendance viable et féconde. Cette condition n'est probablement jamais complètement satisfaite. Les populations d'organismes à reproduction sexuée se composent d'individus variés dont certains laissent en moyenne plus de descendants que d'autres. L'inégalité du succès reproductif correspond, nous le savons, à la sélection naturelle. La sélection fait en sorte que les allèles se transmettent à la génération filiale en nombre disproportionné par rapport à leur fréquence dans la génération parentale. Toujours dans notre population hypothétique de fleurs sauvages, les individus à fleurs rouges (génotype *AA* ou *Aa*) pourraient pour une raison quelconque produire plus de descendants en moyenne que les individus à fleurs blanches (*aa*); on peut imaginer, par exemple, que les fleurs blanches sont plus visibles pour les Insectes herbivores. Cette situation perturberait l'équilibre de Hardy-Weinberg: la fréquence de l'allèle *A* augmenterait, et la fréquence de l'allèle *a* diminuerait dans le patrimoine génétique de la population.

Parmi les facteurs de microévolution qui modifient le patrimoine génétique d'une population, seule la sélection naturelle a une valeur adaptative. Elle accumule et perpétue des génotypes favorables dans une population. Si le milieu change, la sélection se met à favoriser les génotypes adaptés aux nouvelles conditions. Or, le degré d'adaptation n'augmente qu'à l'intérieur des limites de la variabilité existant dans la population. Avant d'examiner plus en détail le processus de l'adaptation par voie de sélection naturelle, nous allons étudier ce qui permet l'évolution des populations, soit les fondements génétiques de la variation.

FONDEMENTS GÉNÉTIQUES DE LA VARIATION

La variation héréditaire est l'un des piliers de la théorie de Darwin, car la variation constitue la matière première de la sélection naturelle. L'attention accordée à la variation (ce que Ernst Mayr appelle l'«optique populationniste» dans l'entretien qui ouvre cette partie) fut un élément clé de la théorie synthétique de l'évolution. En quoi les membres d'une population varient-ils? Quels mécanismes engendrent et maintiennent les variations dans une population? Toutes les variations servent-elles de matière première à la sélection naturelle? Voilà les questions auxquelles nous tenterons de répondre en examinant les variations génétiques.

Nature et étendue de la variation génétique dans les populations et entre elles

Vous n'avez aucun mal à reconnaître vos amis dans une foule. Chaque personne possède un génome unique qui se concrétise dans les particularités de son apparence et de son tempérament. La variation individuelle existe dans les populations de toutes les espèces à reproduction sexuée. Nous sommes très sensibles à la diversité humaine, mais nous le sommes très peu à celle des autres animaux et des Végétaux, parce que les variations sont subtiles. Or, ces légères différences entre les individus d'une population constituent les variations dans lesquelles Darwin a vu la matière première de la sélection naturelle.

Les variations que nous observons dans une population ne sont pas toutes héréditaires. Le phénotype résulte d'un génotype hérité et d'une multitude d'influences écologiques. La population des étudiants d'une université n'aurait pas la même apparence avant et après une semaine de vacances si un grand nombre d'étudiants allait se faire bronzer dans le Sud. Il faut se rappeler que seule la composante génétique de la variation peut avoir un effet adaptatif par suite de la sélection naturelle, puisqu'il s'agit de la seule composante qui transcende les générations.

Tant les caractères qualitatifs que les caractères quantitatifs contribuent à la variation au sein d'une population. La plupart des variations héréditaires se composent de caractères polygéniques qui varient quantitativement à l'intérieur d'une population. La taille, par exemple, peut varier continûment de très petite à très grande dans notre population hypothétique de fleurs sauvages. Les caractères qualitatifs comme la couleur des fleurs varient du tout au tout, probablement parce qu'ils dépendent d'un unique locus dont les allèles produisent des phénotypes distincts. Une population est dite **polymorphe** pour un caractère si deux formes ou plus ont une fréquence assez élevée pour être observables. (Malgré cette définition arbitraire, on ne qualifie pas une population de polymorphe si elle se compose presque exclusivement d'une forme et comprend de très rares occurrences d'autres formes.) La figure 21.6 montre un exemple frappant de **polymorphisme** (existence de caractères polymorphes) dans une population de Serpents-jarretières du Nord-Ouest, vivant en Colombie-Britannique et dans le nord-ouest des États-Unis. Le polymorphisme est marqué dans les populations humaines, tant dans les caractères physiques (comme la présence ou l'absence de taches de rousseur) que dans les caractères biochimiques (comme les groupes sanguins du système ABO). (Nous étudions, au chapitre 13, les quatre groupes du système ABO, soit les groupes A, B, AB et O.)

La réserve de variations génétiques dans une population s'avère beaucoup plus vaste que Darwin ne le croyait. Bien que la plupart des variations soient invisibles, elles se manifestent à l'échelle moléculaire, et on peut les détecter par les méthodes biochimiques. Plusieurs laboratoires ont utilisé l'électrophorèse, une technique qui consiste à séparer les protéines de charges électriques différentes (voir l'encadré du chapitre 19, à la page 396), pour étudier les variations entre les protéines produites par certains loci chez les individus d'une population. Un grand nombre de loci ont été étudiés chez des espèces animales. Dans les populations de Mouches du vinaigre, ou Drosophiles (*Drosophila melanogaster*), le patrimoine génétique comprend typiquement deux allèles ou plus pour environ 30 % des loci examinés, et chaque Drosophile est hétérozygote pour environ 12 % de ses loci ; cela représente de 700 à 1200 loci hétérozygotes. En d'autres termes, deux individus quelconques d'une population de Drosophiles diffèrent par environ 25 % de leurs loci. L'électrophorèse révèle que l'étendue de cette variation génétique est comparable chez l'Humain. Par ailleurs, l'électrophorèse sous-estime la variation génétique, car les protéines déterminées par différents allèles peuvent avoir la même charge électrique mais une composition différente en acides aminés. En outre, l'électrophorèse ne détecte pas la variation de l'ADN qui ne s'exprime pas sous forme de protéines.

La plupart des espèces présentent une **variation géographique**, c'est-à-dire que les fréquences alléliques varient entre les populations. Étant donné que les facteurs écologiques diffèrent d'un endroit à l'autre, la sélection naturelle peut contribuer à la variation géographique. Chez notre espèce de fleurs sauvages, par exemple, la fréquence de l'allèle récessif de la couleur des fleurs peut s'élever davantage dans une population que dans les autres ; cette variation s'explique par le fait que cette population croît dans un milieu où les pollinisateurs attirés par les fleurs blanches (individus homozygotes récessifs) existent en plus grand nombre qu'ailleurs. La dérive génétique peut aussi causer des variations fortuites entre différentes populations. La variation géographique s'observe également à l'échelon local, soit parce que le milieu est hétérogène, soit parce que la population se divise en sous-populations par suite d'une endogamie localisée.

Le **cline**, un type de variation géographique, se définit comme le changement graduel d'un caractère le long d'un axe géographique. Dans certains cas, le cline représente une région graduée de chevauchement où des membres de populations voisines s'accouplent. Dans d'autres cas, le cline résulte de la gradation d'une variable écologique. Ainsi, la taille moyenne de nombreuses espèces de Mammifères d'Amérique du Nord augmente avec la latitude. On présume que la diminution du rapport surface-volume accompagnant l'accroissement de la taille constitue une adaptation qui permet aux Animaux de conserver leur chaleur. Les études expérimentales de certains clines confirment que les différences observées dans l'espace entre les phénotypes reposent en partie sur la variation génétique ; tel est le cas de la variation géographique de la hauteur des Achillées croissant à flanc de montagne (figure 21.7).

Facteurs de la variation génétique

Les deux facteurs de la variation génétique sont la mutation et la recombinaison (voir le chapitre 14).

Mutation Les nouveaux allèles résultent de mutations (voir le chapitre 16). Une mutation touchant un locus quelconque est un événement rare et fortuit. La plupart des mutations se produisent dans des cellules somatiques et disparaissent en même temps que l'individu. Les généticiens estiment que, chez l'Humain, il survient en moyenne une ou deux mutations dans chaque lignée cellulaire produisant un gamète, et que seules ces mutations parviennent aux enfants. Une mutation est un coup de dé. Le hasard détermine l'endroit où elle se produira et les modifications qu'elle causera dans un gène.

La plupart des mutations ponctuelles, celles qui touchent une seule base de l'ADN, ont peu d'effets. La majeure partie de l'ADN du génome eucaryote ne code pour aucune protéine, et on ignore si le changement d'un unique nucléotide de cet ADN silencieux perturbe le bien-être de l'organisme (voir les chapitres 16 et 18). Étant donné les redondances du code génétique, même les mutations touchant des gènes de structure qui, eux, codent pour des protéines, peuvent avoir des effets minimes ou nuls sur l'organisme (voir le chapitre 16). Bien entendu, une mutation ponctuelle peut aussi avoir un effet considérable sur le phénotype ; tel est le cas de l'anémie à hématies falci-formes.

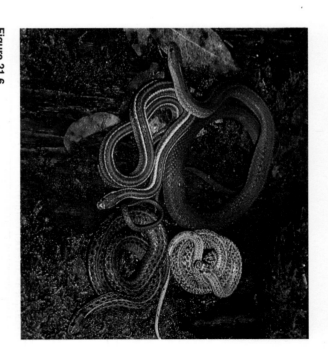

Figure 21.6
Polymorphisme. Certaines populations se composent de deux variétés ou plus d'individus. Ces quatre Serpents-jarretières du Nord-Ouest (*Thamnophis ordinoides*), qui se distinguent par leurs colorations, ont été capturés dans le même champ de l'Oregon. Edmund Brodie, de l'université de Chicago, a découvert que le comportement de chaque sorte dépend de sa coloration. De manière générale, les Serpents tachetés se confondent mieux avec leur milieu que les Serpents rayés, mais les rayures font que les prédateurs ont de la difficulté à juger de la vitesse des Serpents en mouvement. Les Serpents tachetés s'immobilisent quand on les approche, tandis que les Serpents rayés s'enfuient.

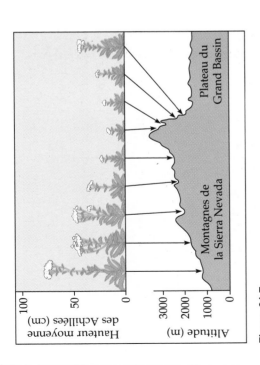

Figure 21.7
Le cline. Dans la Sierra Nevada californienne, la taille moyenne des Achillées décroît à mesure qu'augmente l'altitude. Bien que le milieu influe dans une certaine mesure sur la croissance, la variation a aussi des causes génétiques. Les chercheurs ont prélevé des graines à diverses altitudes et cultivé les plants dans des conditions uniformes ; la taille moyenne des Achillées était en corrélation avec l'altitude à laquelle on avait recueilli les graines.

Une mutation qui altère une protéine au point de modifier son fonctionnement est le plus souvent nuisible. Les organismes représentent les produits de milliers de générations soumises à la sélection, et un changement fortuit a peu de chances d'améliorer le génome. En de rares occasions, toutefois, un allèle mutant augmente l'adaptation au milieu de l'individu qui le porte et favorise son succès reproductif. Cette mutation, peu probable dans un milieu stable, devient possible quand le milieu subit des changements et que les mutations antérieurement éliminées par la sélection deviennent favorables. À la suite de mutations dues au hasard, les Phalènes sombres ont fait leur apparition dans des populations dominées par les Phalènes claires avant que la pollution n'assombrisse le paysage anglais. Ce qui était un handicap est devenu un avantage quand le milieu s'est modifié. De même, les mutations qui confèrent aux Mouches domestiques une résistance au DDT ralentissent la croissance, et ces mutations étaient nuisibles bien avant l'utilisation de l'insecticide. Le DDT fut un nouveau facteur dans l'environnement ; il a fait pencher la balance en faveur des allèles mutants, lesquels se sont répandus dans les populations de Mouches au moyen de la sélection naturelle.

Comme les mutations chromosomiques touchent généralement plusieurs loci, elles perturbent presque toujours le développement de l'organisme. Toutefois, les nouveaux arrangements des chromosomes peuvent en de rares cas être bénéfiques à l'individu qui les porte. La translocation d'un segment de chromosome peut réunir des allèles qui procurent un avantage à l'organisme lorsqu'ils lui sont transmis ensemble.

Les duplications de segments de chromosomes, comme les autres mutations chromosomiques, sont presque toujours nuisibles. Mais si le segment répété ne perturbe pas gravement l'équilibre génétique, il peut persister d'une génération à l'autre. Il ajoute alors au génome des loci superflus qui pourront prendre de nouvelles fonctions à

la suite de mutations, tandis que les gènes originaux continueront de fonctionner à leurs anciens emplacements dans le génome. Le brassage des exons dans le génome peut aussi faire émerger de nouveaux gènes des séquences d'ADN existantes, à l'intérieur d'un même locus ou entre des loci (voir le chapitre 18).

Chez les microorganismes tels que les Bactéries, qui ont une très courte durée de vie, la mutation constitue une source adéquate de variation génétique. Les Bactéries se reproduisent par scissiparité, et certaines se divisent toutes les 20 minutes ; une seule cellule peut théoriquement engendrer un milliard de descendants en 10 heures seulement. C'est dire que la fréquence d'une mutation bénéfique peut s'accroître rapidement dans une population bactérienne. Admettons qu'on expose une population bactérienne à un antibiotique. Si un seul individu de cette population subit une mutation qui le rend résistant au médicament, il produira en quelques heures des millions de Bactéries résistantes, alors que les Bactéries sensibles à l'antibiotique auront été presque complètement éliminées. Les populations bactériennes évoluent généralement, une mutation à la fois, grâce à la multiplication explosive de clones favorisés par le milieu local. À l'occasion, pourtant, les Bactéries accroissent leur variabilité génétique en échangeant et en recombinant des gènes au moyen de processus analogues à la reproduction sexuée (voir le chapitre 17). Chez les Animaux et les Végétaux, par contre, la variation génétique qui permet l'adaptation repose presque exclusivement sur la recombinaison accompagnant la reproduction sexuée.

Recombinaison Bien que les mutations soient la source de nouveaux gènes, elles se produisent si rarement en un locus quelconque que, de génération en génération, leur contribution à la variation génétique d'une grande population reste négligeable. Les membres d'une population doivent presque toutes leurs différences à la recombinaison des allèles que chaque individu retire du patrimoine génétique de la population.

La reproduction sexuée brasse les gènes et les distribue au hasard pour déterminer les génotypes individuels. Pendant la méiose, les chromosomes homologues que l'organisme a hérités de ses parents échangent quelques-uns de leurs gènes selon un processus appelé enjambement. Ensuite, les chromosomes homologues, avec les allèles qu'ils portent, se répartissent au hasard entre les gamètes (voir le chapitre 12). Les gamètes d'un même individu ont des compositions génétiques très variables, et chaque zygote produit par un couple possède un assortiment exclusif de gènes résultant de l'union d'un gamète femelle et d'un gamète mâle. Il existe bien entendu, dans une population, un très grand nombre de combinaisons mâle-femelle possibles, et chacune réunit les gamètes d'individus aux antécédents génétiques différents. À chaque génération, la reproduction sexuée produit de nouveaux assortiments d'allèles.

Maintien de la variation génétique

Si la sélection naturelle élimine les génotypes défavorables, qu'est-ce qui l'empêche d'aplanir la variation d'une population ? La tendance à l'uniformisation est contrée par des mécanismes qui maintiennent ou rétablissent la variation.

Diploïdie La diploïdie (2n chromosomes) de la majorité des eucaryotes soustrait une part considérable de la variation génétique à la sélection en la cachant dans les hétérozygotes sous forme d'allèles récessifs. Les allèles récessifs qui sont moins favorables que leurs équivalents dominants, et même ceux qui sont nuisibles dans le milieu actuel, peuvent persister dans une population grâce aux individus hétérozygotes. Cette variation latente ne se soumet à la sélection que lorsque deux parents transmetteurs sains d'un même allèle récessif en donnent chacun un exemplaire à un zygote. Cette situation survient rarement si la fréquence de l'allèle récessif demeure très faible. Par exemple, si la fréquence de l'allèle récessif est de 0,01 et que la fréquence de l'allèle dominant s'élève à 0,99, alors 99 % des exemplaires de l'allèle récessif appartiennent à des hétérozygotes ; ils se trouvent de ce fait à l'abri de la sélection, et seulement 1 % des exemplaires appartiennent à des homozygotes. Plus l'allèle récessif est rare, plus la protection conférée par l'hétérozygotie est grande (figure 21.8). L'hétérozygotie entretient une énorme réserve d'allèles qui ne sont peut-être pas avantageux dans les conditions actuelles, mais qui pourraient le devenir si le milieu venait à changer.

Polymorphisme équilibré La sélection elle-même peut maintenir la variation en certains loci, un phénomène appelé **polymorphisme équilibré**. L'un des mécanismes du maintien de la variation consiste en l'**avantage de l'hétérozygote**. Si les individus hétérozygotes pour un locus donné obtiennent plus de succès reproductif que les deux types d'homozygotes, alors la sélection naturelle sauvegardera les deux allèles ou plus du locus. Le locus codant pour l'une des chaînes de l'hémoglobine (la protéine des globules rouges qui transporte l'oxygène) chez l'Humain fournit un exemple intéressant d'avantage de l'hétérozygote. Un certain allèle récessif en ce locus cause l'anémie à hématies falciformes chez les individus homozygotes. Les hétérozygotes, en revanche, offrent une résistance au paludisme, ce qui représente un précieux avantage dans les régions tropicales où cette maladie constitue une importante cause de mortalité. Dans le milieu tropical, les hétérozygotes se trouvent en meilleure posture que les homozygotes dominants, qui sont vulnérables au paludisme, et que les homozygotes récessifs, qui sont atteints d'anémie à hématies falciformes. La fréquence de l'allèle de l'anémie à hématies falciformes en Afrique atteint généralement son niveau le plus élevé dans les régions particulièrement touchées par le parasite qui cause le paludisme. Dans le patrimoine génétique de certaines tribus, l'allèle récessif représente 20 % des loci qui a des conséquences désastreuses chez les homozygotes. À cette fréquence ($q = 0,2$), cependant, les hétérozygotes résistants au paludisme ($2pq$) constituent 32 % de la population et l'anémie à hématies falciformes (q^2) atteint 4 % de la population seulement.

L'avantage de l'hétérozygote se manifeste aussi chez les Plantes hybrides. Ainsi, lorsqu'on croise des plants de Maïs de même lignée, le nombre de loci homozygotes augmente ; la hauteur des plants diminue et leur vulnérabilité à toutes sortes de maladies s'accroît. Le croisement de deux variétés endogames produit des hybrides qui sont souvent beaucoup plus vigoureux que les individus

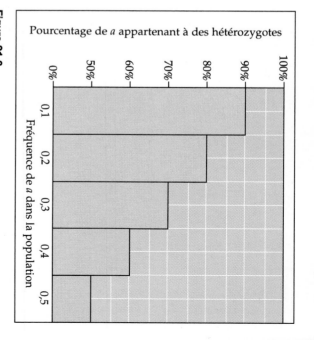

Pourcentage de *a* appartenant à des hétérozygotes

100% — 90% — 80% — 70% — 60% — 50% — 0%

Fréquence de *a* dans la population : 0,1　0,2　0,3　0,4　0,5

Figure 21.8
Diploïdie et maintien de la variation génétique. Les allèles récessifs que la sélection tend à éliminer en jouant contre les homozygotes persistent chez les hétérozygotes d'une population. Plus les allèles récessifs sont rares, plus il s'en dissimule dans les hétérozygotes. La hauteur des bandes de l'histogramme représente le degré de protection que confère l'hétérozygotie en fonction des fréquences de l'allèle récessif.

des générations parentales. La **vigueur hybride** résulte probablement de deux facteurs : la ségrégation des allèles récessifs délétères qui étaient homozygotes dans les variétés endogames et l'avantage de l'hétérozygote en de nombreux loci.

Le polymorphisme équilibré peut aussi émerger si les limites géographiques d'une population comprennent des sous-régions hétérogènes où la sélection naturelle favorise des phénotypes différents. Par exemple, de nombreuses populations d'Escargots terrestres nommés *Cepaea nemoralis* comprennent plusieurs formes ; chacune possède une coloration qui la camoufle dans la parcelle de terrain qu'elle habite. De même, la coloration protectrice adaptée à différents arrière-plans explique sans doute le polymorphisme chez les Serpents-jarretières du Nord-Ouest montrés à la figure 21.6. La figure 21.9 présente un autre exemple de polymorphisme résultant de l'hétérogénéité du milieu, plus précisément d'une spécialisation associée à une nourriture légèrement différente.

Le polymorphisme équilibré peut enfin naître de la **sélection dépendant de la fréquence**, qui se définit comme une diminution du succès reproductif d'une forme à la suite de sa propagation excessive dans la population. Les populations de *Papilio dardanus*, un Papillon d'Afrique, constituent un exemple particulièrement complexe de polymorphisme équilibré. Les mâles ont tous la même coloration, mais les femelles se présentent sous différentes formes qui ressemblent chacune à une espèce toxique pour les prédateurs (figure 21.10). Les femelles de *Papilio* sont inoffensives, mais les Oiseaux apprennent à les éviter à cause de leur ressemblance avec les Papillons empoisonnés. Ce mimétisme deviendrait moins efficace si toutes les femelles de *Papilio* copiaient la même espèce toxique ; en effet, les Oiseaux mettraient du temps à

Figure 21.9
Polymorphisme équilibré dans une population de Pinsons.
Une population de Pyrénestes ponceau (*Pyrenestes ostrinus*), une espèce de Pinsons qui vit au Cameroun, comprend des individus à petit bec (à gauche) et des individus à gros bec. Il n'existe pas d'individus à bec moyen. Les individus à petit bec se nourrissent principalement et de manière efficace de graines molles, tandis que les individus à gros bec se nourrissent de manière efficace de graines dures qu'ils cassent avec leur bec. Thomas Smith, de l'université d'État de San Francisco, a étudié cette population sur le terrain. Il suppose que la sélection naturelle maintient le polymorphisme en éliminant les individus à bec moyen, qui broient les deux genres de graines avec une relative inefficacité. (Il s'agit là d'un exemple de sélection diversifiante ; voir à la page 447.)

associer une coloration particulière à un goût désagréable s'ils rencontraient aussi souvent des Papillons toxiques que leurs sosies inoffensifs.

La variation génétique est-elle toujours adaptative ?

Une partie des variations génétiques ont probablement des effets négligeables sur le succès reproductif des populations. La diversité des empreintes digitales humaines constitue un exemple de **variation neutre**, une variation qui ne semble pas conférer un avantage sélectif à certains individus plutôt qu'à d'autres. Un grand nombre des variations comportent probablement une valeur adaptative neutre et équivalent en quelque sorte à des empreintes digitales chimiques. Ainsi, 99 mutations connues touchent 71 des 146 acides aminés formant la chaîne β de l'hémoglobine humaine, l'un des deux types de chaînes polypeptidiques qui composent la protéine. Certaines de ces mutations ont sûrement une influence sur le potentiel de reproduction de l'individu ; tel est le cas, notamment, de celle qui cause l'anémie à hématies falciformes. Selon la **théorie neutraliste** de l'évolution moléculaire, toutefois, beaucoup des allèles variants occupant ce locus et bien d'autres ne confèrent ni avantage ni désavantage sélectif. La fréquence des variations neutres ne se trouve pas soumise à l'action de la sélection naturelle ; certains allèles neutres augmentent dans le patrimoine génétique de la population, et d'autres diminuent, à la suite des effets aléatoires de la dérive génétique.

Figure 21.10
Sélection dépendant de la fréquence. Les femelles de *Papilio dardanus*, un Papillon d'Afrique, se présentent sous plusieurs formes (à gauche) ; chacune de ces formes ressemble à une espèce toxique pour les prédateurs (à droite). Ce mimétisme serait moins avantageux si l'une des formes de *Papilio* se répandait au point que les prédateurs la rencontrent aussi fréquemment que son modèle empoisonné.

Quelle est la part des variations neutres ? Existe-t-il même des variations véritablement neutres ? Les biologistes de l'évolution ne s'entendent pas sur ces questions. Il se peut fort bien que des variations qui semblent neutres aient sur le succès reproductif des influences difficiles à mesurer. Il est possible de démontrer le caractère nuisible de tel ou tel allèle, mais il est impossible de prouver qu'un allèle n'apporte aucun bénéfice à un organisme. En outre, une variation peut s'avérer neutre dans un milieu, mais non dans un autre. Nous ne pouvons jamais connaître le degré de neutralité d'une variation génétique. Nous avons une certitude cependant : même si une fraction seulement des innombrables variations du patrimoine génétique d'une population a un effet marqué sur les organismes, cette fraction constitue néanmoins une réserve gigantesque de matière première que la sélection naturelle pourra transformer pour entraîner l'évolution adaptative.

ÉVOLUTION ADAPTATIVE

L'évolution adaptative repose sur le hasard des mutations et de la recombinaison, qui causent des variations génétiques, et sur l'action de la sélection naturelle, qui favorise la propagation de certaines variations fortuites au détriment des autres. Puisant dans le capital de variations mis à sa disposition, la sélection naturelle combine des gènes et adapte les organismes à leur milieu.

Valeur adaptative

Les expressions *lutte pour l'existence* et *survie du plus apte* ont des connotations trompeuses. Il existe bien entendu des espèces où des individus, généralement des mâles, luttent pour avoir le privilège de s'accoupler. Mais les confrontations directes et violentes entre les membres d'une population sont rares ; le succès s'obtient de manière subtile et passive. Telle Balane produit plus d'œufs que ses voisines parce qu'elle se nourrit avec plus d'efficacité. Tels variants d'une population de Papillons de nuit engendrent plus de descendants que les autres parce que leur coloration les dissimule aux yeux des prédateurs. Tels individus d'une population de fleurs sauvages obtiennent plus de succès reproductif que les autres parce que, grâce à de légères variations de la couleur, de la forme ou du parfum de leurs fleurs, ils attirent mieux les pollinisateurs. *La valeur adaptative se mesure uniquement à la contribution qu'apporte un individu au patrimoine génétique de la génération suivante.*

La survie à elle seule ne garantit pas le succès reproductif. Un organisme stérile ne présente aucune valeur adaptative, même s'il est robuste et vit plus longtemps que ses congénères. Certes, la survie constitue une condition préalable à la reproduction, et la longévité accroît la valeur adaptative si elle fait en sorte que certains individus laissent beaucoup plus de descendants que les autres. Pourtant, un individu qui atteint rapidement la maturité peut avoir un potentiel de reproduction supérieur à celui des individus qui vivent plus longtemps, mais atteignent plus tard la maturité. Par conséquent, la sélection naturelle comporte de nombreux facteurs qui influent sur la survie et sur la fécondité.

Abordant la sélection naturelle dans une optique quantitative, la génétique des populations définit la **valeur adaptative** d'un génotype comme sa contribution à la génération suivante, par rapport à celle des autres génotypes pour le même locus. Revenons à notre population de fleurs sauvages, où les individus *aa* ont des fleurs rouges et les individus *AA* et *Aa* ont des fleurs blanches. Supposons qu'en moyenne les individus aux fleurs rouges produisent plus de descendants que les individus aux fleurs blanches. Pour les besoins de la comparaison, la valeur adaptative des variants les plus féconds est fixée à 1 ; dans ce cas, la valeur adaptative des génotypes *AA* et *Aa* est de 1. Si les individus aux fleurs blanches produisent 20 % de moins de descendants que les individus aux fleurs rouges, la valeur adaptative de leur génotype se chiffre à 0,8. La différence entre la valeur adaptative du génotype le plus fécond et celle du génotype le moins fécond constitue le **coefficient de sélection**. Dans le cas qui nous intéresse, le coefficient de sélection est de 0,2 (1 − 0,8). On peut considérer le coefficient de sélection comme une mesure relative de la sélection exercée *contre* le génotype inférieur. Plus le génotype présente un désavantage, plus le coefficient de sélection est élevé ; pour un génotype létal, le coefficient de sélection est de 1. Les coefficients de sélection ne sont pas des estimations statistiques.

La vitesse à laquelle la fréquence d'un allèle délétère diminue dans une population varie selon l'ordre de grandeur du coefficient de sélection agissant contre lui ; de plus, elle varie selon que l'allèle est dominant ou récessif par rapport à l'allèle plus favorable. Comme le montre le tableau 21.2, les allèles récessifs nuisibles disparaissent rarement, à cause de la protection dont jouissent les hétérozygotes. Notez que, pour réduire la fréquence d'un allèle récessif nuisible, la sélection naturelle a besoin de 10 fois plus de générations si le coefficient de sélection équivaut à 0,1 plutôt qu'à 1. Si le coefficient est de 0,1, les individus homozygotes récessifs (*aa*) laissent 10 % de descendants en moins à chaque génération que les individus *AA* ou *Aa*. Mais même pour un allèle létal (dont le coefficient de sélection équivaut à 1), la fréquence diminue d'autant plus lentement que l'allèle est rare. En effet, le pourcentage d'allèles récessifs restants qui sont soustraits à la sélection naturelle dans les individus hétérozygotes augmente proportionnellement à la rareté de l'allèle (voir la figure 21.8).

La sélection agit plus rapidement contre les allèles dominants nuisibles parce qu'ils s'expriment même chez les hétérozygotes. De même, la dominance et la récessivité influent sur la vitesse d'augmentation d'un allèle bénéfique. Une mutation récessive se propage très lentement dans une population, même si elle s'avère très bénéfique, car la sélection ne peut agir en sa faveur tant qu'elle n'est pas répandue au point que deux exemplaires s'apparient de temps en temps dans un zygote. Une mutation dominante qui confère plus d'avantages que les allèles existants se répand plus rapidement, car chaque individu qui hérite d'un exemplaire unique bénéficie de l'allèle. L'allèle mutant qui a rapidement substitué des Phalènes sombres aux Phalènes claires en Angleterre était dominant. Cependant, la plupart des mutations, dominantes ou récessives, bénéfiques ou nuisibles, ne subsistent pas longtemps, car la dérive génétique a tôt fait de les éliminer du patrimoine génétique de la population.

Sur quoi la sélection agit-elle ?

Un organisme expose son phénotype (ses caractères physiques, son métabolisme, sa physiologie et son comportement), et non pas son génotype, au milieu. Du fait de son action sur les phénotypes, la sélection adapte indirectement une population à son milieu en augmentant ou en maintenant dans le patrimoine génétique de cette population les gènes à l'origine des phénotypes favorables.

Depuis le début de ce chapitre, nous étudions une population de fleurs sauvages où les allèles de la couleur des fleurs influent sans ambiguïté sur le phénotype. Or, le lien entre le génotype et le phénotype apparaît rarement de manière aussi simple et aussi précise. Un génotype a de multiples effets, particulièrement s'il influe sur le développement ou sur la croissance de l'organisme. La capacité qu'ont les gènes de déterminer plusieurs caractères phénotypiques est appelée pléiotropie (voir le chapitre 13). La valeur adaptative globale d'un génotype varie selon que ses effets favorables dépassent ou non ses effets défavorables sur le succès reproductif de l'organisme. La traduction du génotype en phénotype se complique encore dans les cas où un caractère dépend de plusieurs loci. Un tel caractère, la taille de l'Humain par exemple, est dit polygénique ou quantitatif (voir le chapitre 13). En règle générale, les caractères polygéniques ne déterminent pas de catégories claires dans une

Tableau 21.2 Diminution de la fréquence d'un allèle récessif nuisible due à la sélection naturelle

Diminution de la fréquence	Coefficient de sélection	
	1 (létal)	0,10
De q =	Nombre de générations	
0,10 à 0,01	90	924
0,01 à 0,001	900	9023

population : ils varient de manière continue. Afin de simplifier nos explications, nous avons évoqué des caractères qualitatifs pour illustrer la microévolution dans ce chapitre ; en réalité, cependant, les caractères quantitatifs constituent la majeure partie des variations exposées à la sélection naturelle.

Un organisme soumis à la sélection naturelle constitue un amalgame de caractères phénotypiques, et non un collage d'éléments disparates. La valeur adaptative d'un génotype en un locus quelconque dépend du contexte génétique dans lequel ce génotype se trouve. Ainsi, les allèles qui favorisent la croissance du tronc et des branches d'un arbre deviennent inutiles, voire nuisibles, en l'absence des allèles qui favorisent la croissance des racines. Par ailleurs, il se peut que des allèles qui n'apportent rien au succès d'un organisme, et même ceux qui nuisent quelque peu à son adaptation, se perpétuent parce qu'ils appartiennent à des individus dont l'aptitude globale est élevée. C'est toute une équipe de hockey qui remporte le championnat, y compris le joueur qui compte le moins de buts et commet le plus d'erreurs.

Modes de sélection naturelle

Suivant les phénotypes favorisés dans une population variable, on distingue trois modes de sélection naturelle : la sélection stabilisante, la sélection directionnelle et la sélection diversifiante. On peut visualiser l'action de ces modes au moyen de graphiques montrant ce qui advient aux fréquences de différents phénotypes avec le temps (figure 21.11). La représentation graphique est particulièrement révélatrice pour les caractères quantitatifs déterminés par plusieurs loci.

La **sélection stabilisante** élimine les phénotypes extrêmes et favorise les phénotypes intermédiaires. Elle se produit lorsque les individus «moyens» pour un caractère quantitatif donné sont les mieux adaptés. La sélection stabilisante réduit la variation phénotypique. Ainsi, elle fait en sorte que la majorité des bébés humains ont à la naissance une masse comprise entre 3 et 4 kg. La mortalité est plus élevée chez les bébés beaucoup plus petits ou beaucoup plus gros.

La **sélection directionnelle** opère principalement lorsque le milieu subit des changements ou lorsque des membres d'une population émigrent dans un habitat où les conditions diffèrent de celles de l'habitat initial. La sélection directionnelle déplace la courbe de fréquence des variations d'un caractère phénotypique dans un sens ou dans l'autre en favorisant les individus relativement rares qui dévient de la moyenne pour ce caractère. Ainsi, la paléontologie révèle que la taille moyenne des Ours noirs d'Europe a augmenté à chaque glaciation et diminué pendant les périodes interglaciaires.

La **sélection diversifiante** se produit lorsque les conditions écologiques varient de façon à favoriser les phénotypes extrêmes aux dépens des phénotypes intermédiaires. Ce mode de sélection a agi sur les populations de *Papilio* étudiées plus haut. Si les Papillons possédaient des caractères intermédiaires entre ceux de deux espèces toxiques, ils ne ressembleraient pas assez à l'une ou à l'autre pour bénéficier du mimétisme. Par conséquent, la sélection diversifiante peut aboutir au polymorphisme équilibré.

Bien que nous parlions de «modes de sélection», le mécanisme fondamental de la sélection naturelle est le même dans chaque cas. La sélection favorise certains caractères héréditaires par le truchement de l'inégalité du succès reproductif. Le mode de sélection est déterminé d'après les individus qui survivent.

Sélection sexuelle

Chez de nombreuses espèces animales, les mâles et les femelles se distinguent non seulement par leurs organes sexuels, mais aussi par divers autres caractères. L'existence de caractères sexuels secondaires distinguant les mâles et les femelles est appelée **dimorphisme sexuel.** Le dimorphisme sexuel s'exprime souvent comme une différence de taille, le mâle étant généralement plus gros que la femelle, mais il se traduit aussi par des caractères comme le plumage coloré des Oiseaux mâles, la crinière des Lions mâles et les bois des Cerfs mâles. Dans la plupart des cas de dimorphisme sexuel, au moins chez les Vertébrés, le mâle est plus voyant que la femelle. Dans certains cas, les mâles dotés des caractères les plus impressionnants attirent le plus les femelles. Il existe aussi des espèces dans lesquelles les mâles utilisent leurs caractères sexuels secondaires lors de confrontations directes ; ce phénomène se manifeste fréquemment chez les espèces où un mâle se constitue un harem de femelles. Pour ce faire, le mâle doit vaincre au combat les mâles plus petits, plus faibles ou moins acharnés que lui ; le plus souvent, cependant, il se livre à des parades ritualisées qui découragent les rivaux potentiels (voir le chapitre 50).

Darwin s'intéressait beaucoup à la **sélection sexuelle,** qu'il considérait comme un processus sélectif distinct menant au dimorphisme sexuel. Beaucoup de caractères sexuels secondaires ne semblent pas adaptatifs au sens où on l'entend généralement ; un plumage extravagant n'aide probablement pas les Oiseaux mâles à survivre dans leur milieu, et il peut même attirer les prédateurs. Si, toutefois, un tel équipage facilite la recherche d'une femelle, il sera favorisé pour la plus darwinienne des raisons, autrement dit, parce qu'il augmente le succès reproductif. Dans bien des cas, par conséquent, le résultat évolutif prend la forme d'un compromis entre les deux forces de sélection. Chez certaines espèces, la distinction entre sélection sexuelle et sélection naturelle reste floue, car le caractère sexuel fait double emploi en tant qu'adaptation au milieu. Par exemple, un Cerf peut utiliser ses bois pour se défendre contre un prédateur.

De nombreux chercheurs qui étudient la sélection sexuelle et le dimorphisme sexuel se penchent depuis peu sur le rôle que jouent les femelles dans l'évolution

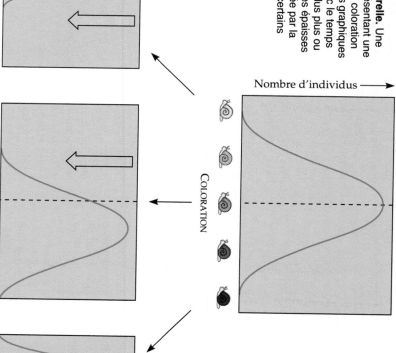

Figure 21.11
Modes de sélection naturelle. Une population d'Escargots présentant une variation quantitative de la coloration peut subir trois destins. Les graphiques montrent ce qui arrive avec le temps aux fréquences des individus plus ou moins sombres. Les flèches épaisses symbolisent l'action exercée par la sélection naturelle contre certains phénotypes.

Nombre d'individus →

COLORATION

La **sélection stabilisante** élimine les phénotypes extrêmes, dans ce cas-ci les individus exceptionnellement clairs ou sombres. La tendance est à la diminution de la variation phénotypique et au statu quo.

La **sélection directionnelle** modifie la composition de la population en favorisant les phénotypes d'un extrême. Dans ce cas-ci, elle favorise les individus plus sombres, à cause d'un facteur tel qu'un sol noirci par la lave.

La **sélection diversifiante** favorise les phénotypes des deux extrêmes au détriment des phénotypes intermédiaires, et elle aboutit au polymorphisme équilibré. Ici, les Escargots très clairs et les Escargots très sombres sont devenus plus fréquents que les Escargots de couleur moyenne. Il se peut que les Escargots aient récemment colonisé un habitat hétérogène où une étendue de sable blanc est parsemée de blocs de lave.

L'évolution produit-elle des organismes parfaits ?

L'évolution produit-elle des organismes parfaits ? La réponse est simple : non. Quatre raisons expliquent pourquoi la sélection n'engendre pas la perfection.

1. *Les organismes sont prisonniers de contraintes historiques.* Comme nous l'avons vu au chapitre 20, chaque espèce provient d'une longue lignée de formes ancestrales modifiées au fil des générations. L'évolution ne se débarrasse pas de l'anatomie ancestrale pour construire une structure complexe à partir de zéro. Elle travaille sur les structures existantes et les adapte à des situations nouvelles. Ainsi, les terribles maux de dos

des caractères sexuels secondaires. Chaque fois qu'une femelle choisit un mâle pour certains de ses caractères phénotypiques, elle perpétue les gènes qui l'ont poussée à faire ce choix et elle permet à un mâle d'un phénotype donné de propager ses gènes (figure 21.12).

dont souffrent certains Humains résultent, en partie, du fait que la musculature et le squelette dérivés de nos ancêtres quadrupèdes ne sont pas pleinement compatibles avec la station debout.

2. *Beaucoup d'adaptations sont des compromis.* Chaque organisme a des activités diverses. Un Phoque passe une partie de son temps sur des rochers ; il marcherait probablement mieux s'il avait des pattes au lieu de nageoires, mais il ne nagerait sûrement pas aussi bien. Nous devons notre habileté et notre force à nos membres préhensiles et à nos membres flexibles, mais nous subissons en revanche des entorses, des déchirures de ligaments et des luxations ; une diminution de la résistance structurale est le prix à payer pour notre agilité.

3. *L'évolution n'a pas toujours une valeur adaptative.* Le hasard a sur la composition génétique des populations une influence plus grande que nous ne l'avons vu dans le passé. Quand une tempête emporte des Insectes jusqu'à une île située à des centaines de kilomètres de leur habitat initial, le vent ne choisit pas les individus les mieux adaptés au nouveau milieu. Les allèles

que la dérive génétique fixe dans le patrimoine génétique de la petite population fondatrice ne sont pas tous mieux adaptés au milieu que les allèles perdus. De même, l'effet d'étranglement peut se trouver à l'origine d'une évolution non adaptative, voire contraire à l'adaptation.

4. *La sélection ne peut favoriser que des variations existantes.* La sélection naturelle favorise les variations les mieux adaptées parmi celles qui existent dans une population, et ces variations les plus favorables ne sont pas nécessairement idéales. Il n'apparaît pas de nouveaux allèles sur demande.

Compte tenu de toutes ces contraintes, nous ne pouvons nous attendre à ce que la sélection produise des organismes parfaits. La sélection « fait avec ce qu'elle a ». La meilleure preuve de l'évolution réside peut-être dans les subtiles imperfections des organismes qu'elle engendre.

Figure 21.12
Sélection sexuelle et évolution de l'apparence des mâles chez les Gallinacés. Marlene Zuk, de l'université de Californie à Riverside, a étudié le choix des partenaires chez les Poules de la jungle asiatique, ancêtres des Poules domestiques. Généralement, les femelles choisissent des coqs qui, comme celui de la photographie, possèdent des yeux brillants ainsi qu'une crête et une caroncule (l'excroissance rattachée à la gorge) rouges et volumineuses. Ces caractères sont en corrélation avec un bon état de santé et une résistance aux agents pathogènes. Marlene Zuk suppose donc qu'une femelle recherche des caractères annonçant la vitalité. De génération en génération, les choix des femelles déterminent l'apparence des mâles et favorisent de manière active les gènes qui contribuent à la santé.

RÉSUMÉ DU CHAPITRE

La sélection naturelle agit sur les individus, mais seules les populations *évoluent*. En effet, l'évolution correspond à une variation de la prévalence des caractères héréditaires de génération en génération.

Théorie synthétique de l'évolution (p. 438-439)

1. La génétique des populations, qui étudie l'hérédité et la variation quantitatives, a réconcilié le darwinisme et le mendélisme.

2. La théorie synthétique de l'évolution, apparue dans les années 1940, constitue une théorie globale de l'évolution qui considère les populations comme les unités de l'évolution.

Génétique des populations (p. 439-442)

1. Une espèce représente un groupe de populations dont tous les individus ont le potentiel de s'accoupler dans la nature.

2. Le patrimoine génétique d'une population représente l'ensemble des gènes existant dans cette population. La microévolution est une variation des fréquences alléliques se produisant dans le patrimoine génétique de génération en génération.

3. Selon la loi de Hardy-Weinberg, les fréquences alléliques restent constantes dans une population si la reproduction sexuée demeure la seule influence à s'exercer sur le patrimoine génétique. L'équation de Hardy-Weinberg est l'expression mathématique décrivant une population qui n'évolue pas. Cette équation veut que, pour un locus occupé par deux allèles, $p^2 + 2pq + q^2 = 1$, où p et q représentent respec-

tivement la fréquence des allèles dominants et récessifs, p^2 et q^2 représentent la fréquence des génotypes homozygotes et $2pq$ représente la fréquence du génotype hétérozygote.

4. L'équilibre de Hardy-Weinberg se maintient à cinq conditions : la population doit être très grande ; la population ne doit subir aucune mutation nette ; la population doit être complètement isolée ; les individus doivent s'accoupler au hasard ; tous les individus doivent se reproduire avec un succès égal. L'équilibre de Hardy-Weinberg est strictement théorique, car, dans la nature, il existe toujours des facteurs qui empêchent ces conditions de se réaliser.

Causes de la microévolution (p. 442-445)

1. La dérive génétique consiste en une variation des fréquences alléliques se produisant dans les petites populations par suite d'erreurs d'échantillonnage ou d'événements fortuits. À la suite d'une catastrophe (effet d'étranglement) ou de la fondation d'une colonie dans un nouvel habitat (effet fondateur), la petite population résultante a peu de chances d'être représentative de la population mère ; la dérive génétique se poursuit jusqu'à ce que la population augmente.

2. Le flux génétique représente l'échange d'allèles que la migration occasionne entre deux populations.

3. Théoriquement, la mutation peut modifier les fréquences alléliques dans le patrimoine génétique d'une population, mais elle a généralement un effet négligeable à court terme dans les grandes populations. Toutefois, la mutation joue

un rôle important dans l'évolution parce qu'elle produit de nouvelles variations.

4. Ordinairement, l'accouplement non aléatoire (endogamie et homogamie) n'influe pas sur les fréquences alléliques, mais il modifie le rapport des génotypes dans les populations.

5. La sélection naturelle, qui se définit comme l'inégalité du succès reproductif, constitue le seul facteur de la micro-évolution qui tend à engendrer des modifications adaptatives du patrimoine génétique.

Fondements génétiques de la variation (p. 445-449)

1. La variation génétique dans une population comprend la variation des caractères quantitatifs entre les individus, la variation géographique et le polymorphisme.

2. La variation génétique est élevée dans une population, mais elle ne se révèle en bonne partie qu'à l'échelle moléculaire.

3. La variation génétique résulte de la recombinaison et de la mutation.

4. Les populations restent variables en dépit de la sélection naturelle. La diploïdie maintient une réserve de variations latentes dans les hétérozygotes. Le polymorphisme équilibré peut sauvegarder la variation en certains loci, du fait de l'avantage de l'hétérozygote ou de la sélection dépendant de la fréquence.

Évolution adaptative (p. 449-453)

1. L'évolution adaptative résulte de l'action de la sélection naturelle sur les variations dues au hasard.

2. La valeur adaptative ne se mesure que par le succès reproductif. Le coefficient de sélection représente la différence entre les valeurs adaptatives de génotypes précis, c'est-à-dire entre leurs contributions respectives à la génération suivante; il s'agit d'une mesure relative de la sélection exercée contre un génotype inférieur.

3. La sélection maintient les génotypes favorables dans une population en agissant sur des phénotypes individuels. L'organisme entier fait l'objet de la sélection.

4. Suivant les phénotypes favorisés, on distingue trois modes de sélection naturelle. La sélection stabilisante élimine les phénotypes extrêmes; la sélection directionnelle favorise les phénotypes relativement rares situés à un extrême de la variation; la sélection diversifiante favorise les phénotypes des deux extrêmes aux dépens des phénotypes intermédiaires.

5. La sélection sexuelle provoque l'évolution des caractères sexuels secondaires. Ces caractères favorisent les chances qu'a un individu de s'accoupler, mais ils ne facilitent pas nécessairement sa survie dans le milieu.

6. L'évolution au moyen de la sélection naturelle ne produit pas des organismes parfaits, et ce pour plusieurs raisons: les structures résultent de modifications de l'anatomie ancestrale; beaucoup d'adaptations représentent des compromis; la dérive génétique modifie le patrimoine génétique d'une population; la sélection naturelle ne peut agir que sur les variations existantes.

AUTO-ÉVALUATION

1. Le patrimoine génétique se compose:
   a) de tous les gènes soumis à la sélection naturelle.
   b) de l'ensemble des allèles présents dans une population.
   c) du génome d'un individu en âge de se reproduire.
   d) des fréquences des allèles d'un locus donné dans une population.
   e) de l'ensemble des gamètes d'une population.

2. Dans une population où un certain locus est occupé par deux allèles, B et b, la fréquence de B est de 0,7. Si l'on admet que la population est en équilibre de Hardy-Weinberg, quelle est la fréquence des hétérozygotes?
   a) 0,7   d) 0,42
   b) 0,49 e) 0,09
   c) 0,21

3. Dans une population en équilibre de Hardy-Weinberg, 16 % des individus présentent le caractère récessif. Quelle est la fréquence de l'allèle dominant dans la population?
   a) 0,84 d) 0,4
   b) 0,36 e) 0,48
   c) 0,6

4. La longueur moyenne des oreilles des Lièvres diminue du sud au nord. Cette variation est un exemple de:
   a) cline.
   b) variation qualitative.
   c) polymorphisme.
   d) dérive génétique.
   e) sélection diversifiante.

5. Si un génotype a un coefficient de sélection de 0,4, alors:
   a) sa valeur adaptative est de 0,6.
   b) les individus qui le possèdent produisent 60 % de descendants en moins que les individus possédant le génotype le plus fréquent.
   c) il augmente de 40 % à chaque génération.
   d) il disparaîtra complètement de la population.
   e) il a une fréquence de 0,4.

6. La sélection agit *directement* sur:
   a) le phénotype.
   b) le génotype.
   c) le génome entier.
   d) chaque allèle.
   e) le patrimoine génétique d'une population.

7. En tant que mécanisme de la microévolution, la sélection naturelle s'assimile:
   a) à l'homogamie.
   b) à la dérive génétique.
   c) à l'inégalité du succès reproductif.
   d) à l'effet d'étranglement.
   e) au flux génétique.

8. Les variations du motif et de la coloration de la robe dans une population de Chevaux sauvages d'une génération quelconque sont dues en grande partie à:
   a) des mutations survenues à la génération précédente.
   b) la recombinaison des allèles pendant la reproduction sexuée.
   c) la dérive génétique résultant de la petite taille de la population.
   d) la variation géographique au sein de la population.
   e) des effets écologiques.

9. Soit l'équation de Hardy-Weinberg. L'effet le plus probable de l'homogamie sur les fréquences des allèles et des génotypes pour un locus est le suivant:
   a) p^2 diminue par rapport à q^2.
   b) q^2 tend vers zéro.
   c) p^2 et q^2 convergent vers une valeur égale.
   d) les fréquences relatives des deux allèles dans le patrimoine génétique, p et q, changent.
   e) la valeur de $2pq$ passe au-dessous de la valeur prévue par la loi de Hardy-Weinberg.

10. L'effet fondateur favorise la microévolution parce que:
    a) les mutations sont plus fréquentes dans le nouveau milieu que dans le milieu initial.

b) la composition du patrimoine génétique d'une petite population fondatrice est sujette à l'erreur d'échantillonnage.

c) le nouveau milieu est susceptible d'être hétérogène, ce qui favorise la sélection diversifiante.

d) le flux génétique augmente.

e) les membres d'une petite population tendent à migrer.

QUESTIONS À COURT DÉVELOPPEMENT

1. Nommez les cinq facteurs potentiels contribuant à la microévolution. Décrivez trois de ces facteurs.

2. Si l'on considère que la sélection naturelle élimine les génotypes défavorables, en quoi consistent les mécanismes qui l'empêchent d'uniformiser les populations ?

3. Toutes les variations génétiques ont-elles une valeur adaptative ? Développez.

4. Décrivez, exemple à l'appui, les trois façons par lesquelles la sélection naturelle modifie la fréquence d'un caractère au sein d'une population.

5. Pourquoi l'évolution ne produit-elle pas d'organismes parfaits ? Donnez trois raisons.

RÉFLEXION-APPLICATION

1. Certaines espèces ont été sauvées de l'extinction par les écologistes. À quels problèmes évolutifs ces espèces se trouvent-elles confrontées lorsque leurs effectifs augmentent ?

2. Revenons à la population de fleurs sauvages que nous avons imaginée pour expliquer la loi de Hardy-Weinberg. La fréquence de A, l'allèle dominant des fleurs rouges, est de 0,8 ; la fréquence de a, l'allèle récessif des fleurs blanches, est de 0,2. Supposez maintenant que la population n'est pas en équilibre de Hardy-Weinberg : 60 % des individus sont AA, et 40 % sont Aa (ce qui implique que la population ne comprend aucun individu aux fleurs blanches). Admettant que toutes les conditions de la loi de Hardy-Weinberg sont satisfaites, prouvez que les génotypes atteindront l'équilibre dans la génération suivante.

SCIENCE, TECHNOLOGIE ET SOCIÉTÉ

1. La science accorde désormais plus d'importance au rôle des femelles dans la sélection sexuelle. Certains voient dans ce phénomène une conséquence de l'entrée des femmes dans le domaine de l'éthologie et de la biologie de l'évolution. Croyez-vous que le fait d'appartenir à un sexe ou à l'autre influe sur les questions et sur les découvertes des scientifiques ? Justifiez votre réponse.

2. Selon vous, quels sont les effets des techniques et des modes de vie modernes sur le patrimoine génétique humain, sur les populations humaines et sur l'espèce humaine dans son ensemble ? Prenez en considération les cinq causes de la microévolution présentées dans le chapitre.

LECTURES SUGGÉRÉES

Adoutte, A., « Le passé à la lumière des molécules du présent », *Science & Vie*, n° 173, hors série, décembre 1990. (L'évolution des êtres vivants : une infinité de duplications, de mutations et de remaniements, dont le matériel génétique porte encore les traces.)

Chevalier, G., « Quelques grandes crises dans l'histoire de la Terre », *Science & Vie*, n° 173, hors série, décembre 1990. (Hypothèses sur les extinctions massives d'espèces.)

De Bonis, L., *Évolution et extinction dans le monde animal*, Paris, Masson, 1991. (Mécanismes et facteurs intervenant dans l'émergence et l'extinction des espèces.)

Génermont, J., « Mutations neutres, mutations sélectionnées », *Science & Vie*, n° 173, hors série, décembre 1990. (Ces deux catégories de mutations expliqueraient la diversification à long terme du monde vivant.)

Rennie, J., « Parasites et évolution », *Pour la Science*, n° 174, avril 1992. (Les parasites et leurs hôtes ont développé des stratégies forgées par l'évolution.)

Rossignol, J. L., *Génétique*, 4e édition, Paris, Masson, 1992. (Le chapitre 13 expose les éléments de génétique des populations.)

Suzuki, D. T., A. J. F. Griffiths, J. H. Miller et R. C. Lewontin, *Introduction à l'analyse génétique*, Bruxelles, De Boeck-Wesmael, 1991. (Le chapitre 24 traite de la génétique des populations.)

LE PROBLÈME DE L'ESPÈCE
ISOLEMENT REPRODUCTIF
BIOGÉOGRAPHIE DE LA SPÉCIATION
MÉCANISMES GÉNÉTIQUES DE LA SPÉCIATION
GRADUALISME ET THÉORIE DE L'ÉQUILIBRE PONCTUÉ

L orsque Darwin constata que les îles Galápagos, bien que d'origine géologique récente, abritaient ailleurs, il comprit que l'observateur y était témoin de des Végétaux et des Animaux inconnus l'origine des espèces (figure 22.1). Darwin écrivit dans son journal : « Dans le temps et dans l'espace, il semble que nous approchions d'un fait grandiose, du mystère des mystères : l'apparition de nouveaux êtres sur la Terre. » La naissance de nouvelles formes vivantes, l'origine des espèces, constitue le point central de la théorie évolutionniste, car il n'y a pas de diversité biologique sans nouvelles espèces. Il ne suffit pas d'expliquer l'évolution des adaptations dans les populations, ce que nous avons fait au chapitre 21. La Phalène du Bouleau (*Biston betularia*) est restée la même espèce même si les proportions d'individus clairs et d'individus sombres ont varié de génération en génération. La théorie évolutionniste doit aussi rendre compte de la multiplication des espèces, c'est-à-dire décrire comment une espèce existante donne naissance à deux nouvelles espèces ou plus.

Les documents géologiques révèlent que la **spéciation** (la formation de nouvelles espèces) emprunte deux voies : l'anagenèse et la cladogenèse (figure 22.2). L'**anagenèse** (du grec *ana* « en haut »), aussi appelée **évolution phylétique**, est l'apparition d'une nouvelle espèce par suite de la transformation d'une lignée continue d'organismes. La **cladogenèse** (du grec *klados* « branche »), aussi appelée **évolution divergente**, est la formation d'une ou de plusieurs espèces nouvelles à partir d'une espèce mère qui continue d'exister. La cladogenèse a plus d'importance que l'anagenèse dans l'histoire de la vie, non seulement parce que l'anagenèse est plus fréquente, mais aussi parce qu'elle semble accroît le nombre d'espèces et favorise ainsi la diversité biologique.

Dans le présent chapitre, nous examinerons les mécanismes de la spéciation. Notre première tâche consistera à vérifier si les espèces constituent effectivement dans la nature des unités biologiques discontinues et distinctes les unes des autres.

LE PROBLÈME DE L'ESPÈCE

En 1927, un jeune biologiste nommé Ernst Mayr dirigeait une expédition dont la mission consistait à étudier la faune et la flore des monts Arafak, en Nouvelle-Guinée (voir l'entretien qui précède le chapitre 20). Mayr observa dans ces montagnes une avifaune très diversifiée, et il répertoria 138 espèces d'Oiseaux en se fondant sur des critères morphologiques (figure 22.3). Mayr apprit non sans surprise que les chasseurs papous avaient eux-mêmes nommé 137 espèces (deux espèces que Mayr avait

Figure 22.1
Les Galápagos, un modèle pour l'étude de la spéciation. Ce Cactus géant (*Opuntia echios gigantea*), photographié sur l'île de Santa Fe, n'est qu'un représentant des centaines d'espèces végétales et animales qu'on trouve exclusivement aux Galápagos. D'après Darwin, qui y séjourna pendant cinq semaines en 1835, l'archipel faisait figure de modèle pour l'étude de la spéciation. Dans le présent chapitre, vous découvrirez les mécanismes de la spéciation.

Figure 22.3
Ernst Mayr en Nouvelle-Guinée en 1927. Pendant son expédition, le naturaliste (à droite, accompagné de son guide) s'étonna de la concordance presque parfaite entre ses observations et celles des Papous à propos des Oiseaux des monts Arafak. Cette expérience fut au nombre de celles qui menèrent Mayr à énoncer la définition biologique de l'espèce, un concept fondé sur la fécondité intraspécifique et sur l'isolement reproductif des espèces.

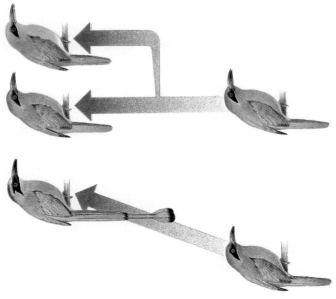

(a) Anagenèse   (b) Cladogenèse

Figure 22.2
Deux voies de spéciation. (a) Dans l'anagenèse (évolution phylétique), une population se transforme au point de constituer une nouvelle espèce. **(b)** Dans la cladogenèse (évolution divergente), une nouvelle espèce émerge d'une petite population qui se détache d'une espèce mère. On pense que la plupart des espèces apparaissent ainsi et que cette voie constitue le fondement de la diversité biologique.

distinguées sont presque identiques, et les Papous ne les avaient pas différenciées). Chacun de leur côté, le scientifique et les autochtones avaient dressé des inventaires quasi identiques de l'avifaune locale. Tel Mayr, de nombreux taxinomistes chevronnés s'aperçoivent que la taxinomie populaire correspond à la leur après avoir inventorié les organismes d'un territoire. Nous pourrions en conclure que les espèces constituent dans la nature des unités discontinues et distinctes les unes des autres. Pourtant, il est extrêmement difficile de définir formellement le concept d'espèce.

Les deux conceptions de l'espèce

Le terme **espèce** vient d'un mot latin qui signifie « catégorie » ou « apparence ». De fait, nous apprenons à distinguer les catégories de Végétaux ou d'Animaux – les Chiens et les Chats par exemple – d'après les différences dans leur apparence. Linné, le père de la taxinomie moderne, se fondait sur l'aspect physique, ou morphologie, des Végétaux et des Animaux. Aujourd'hui encore, c'est la **définition morphologique de l'espèce** qui guide le plus souvent les classifications.

La définition morphologique de l'espèce rencontre quelques embûches. Ainsi, il est parfois difficile de discerner si un ensemble d'organismes se compose de plusieurs espèces ou d'une espèce unique présentant une grande variation phénotypique. Inversement, deux

populations pratiquement impossibles à différencier d'après des critères morphologiques peuvent en réalité constituer des espèces distinctes en vertu d'autres critères. Malgré ces difficultés, la définition morphologique de l'espèce, dans la mesure où elle se fonde sur des faits anatomiques observables et mesurables, mérite généralement d'être utilisée sur le terrain, même dans le cas des fossiles. La plupart des espèces reconnues par les taxinomistes ont été désignées comme telles d'après des critères morphologiques. Du point de vue de la théorie évolutionniste, cependant, la définition morphologique de l'espèce ne nous aide pas à comprendre comment chaque espèce reste distincte des autres. En d'autres termes, pourquoi la diversité biologique se traduit-elle par des formes séparées que nous pouvons nommer espèces et non par un continuum de variations? Telle est la question à laquelle Mayr se proposa de répondre, en 1942, avec sa définition biologique de l'espèce.

La **définition biologique de l'espèce** veut qu'une espèce soit une population ou un groupe de populations dont les membres, dans la nature, peuvent produire une progéniture féconde les uns avec les autres et non avec les membres d'autres espèces (figure 22.4). Autrement dit, une espèce au sens biologique représente la plus grande unité de population dans laquelle le flux génétique est possible et se trouvant génétiquement isolée des autres populations. On pourrait encore dire que chaque espèce est entourée de barrières qui préservent son

Figure 22.4
Définition biologique de l'espèce. La définition biologique de l'espèce repose sur l'interfécondité et non sur la ressemblance physique. **(a)** D'après cette définition, les membres d'une espèce peuvent avoir une apparence fort dissemblable. **(b)** Inversement, deux espèces, telles la Sturnelle des prés (en haut) et la Sturnelle de l'Ouest (en bas) peuvent se ressembler beaucoup.

(a)

(b)

intégrité en empêchant le mélange génétique avec d'autres espèces. Les membres d'une espèce sont unis par une compatibilité reproductive réelle ou potentielle.

Une femme d'affaires de Manhattan a peu de chances de procréer avec un berger de la Mongolie extérieure, mais si ces deux individus venaient à avoir des relations sexuelles, ils pourraient engendrer des bébés viables qui deviendraient des adultes féconds. Tous les Humains appartiennent à la même espèce au sens biologique. Par contre, les Humains et les Chimpanzés demeurent des espèces distinctes même aux endroits où ils cohabitent, car ils ne sont pas interféconds.

Rappelez-vous que la définition biologique de l'espèce repose sur l'isolement reproductif dans les milieux *naturels*. En laboratoire, il est possible de produire des hybrides à partir d'espèces qui ne se croisent pas dans la nature.

Limites de la définition biologique de l'espèce

La définition biologique de l'espèce ne s'applique pas à toutes les situations. Le critère de l'interfécondité ne tient pas pour les organismes qui ont une reproduction totalement asexuée, tels les procaryotes, certains Protistes, certains Mycètes, voire certains Végétaux (comme le Bananier) et certains Animaux (dont quelques Lézards et d'autres Vertébrés). Beaucoup de Bactéries échangent des gènes lors de la conjugaison, mais cela n'est rien en comparaison de la reproduction sexuée, au cours de laquelle les deux parents ont un apport génétique égal (voir le chapitre 17). Les différentes lignées de Bactéries se composent de clones qui, au sens génétique, équivalent à un individu unique. La seule manière de diviser les organismes asexués en espèces consiste à grouper les clones

qui possèdent la même morphologie et les mêmes caractéristiques biochimiques.

En outre, la définition biologique de l'espèce ne peut être appliquée aux formes disparues, dont on doit classer les fossiles d'après des critères morphologiques.

La dernière situation à laquelle on ne peut appliquer la définition biologique de l'espèce est celle de deux populations géographiquement séparées. Dans ce cas, on ignore si les populations ont le potentiel de se croiser dans la nature, même si elles se ressemblent au point qu'on puisse les classer dans la même espèce d'après des critères morphologiques.

Même parmi les populations sexuées, contemporaines et géographiquement contiguës, on trouve des cas où la définition biologique de l'espèce ne peut être appliquée d'emblée. Considérons par exemple quatre populations de Souris sylvestres (*Peromyscus maniculatus*) vivant dans les Rocheuses (figure 22.5). On appelle parfois sous-espèces les populations de phénotypes différents qui, comme celles-ci, sont séparées géographiquement. En général, les populations de Souris sylvestres se croisent dans leurs zones de cohabitation. Cette observation se confirme entre les sous-espèces *nebrascensis* et *borealis*, entre les sous-espèces *nebrascensis* et *sonoriensis*, entre les sous-espèces *sonoriensis* et *artemisiæ*. En nous fondant sur la définition biologique, nous pourrions avancer que ces populations appartiennent à la même espèce. Or, les sous-espèces *artemisiæ* et *nebrascensis* ne se croisent pas, même si leurs aires de distribution se chevauchent. Leurs patrimoines génétiques n'en sont pas pour autant isolés complètement, puisque chacune de ces populations se croise avec une ou deux populations voisines ; vraisemblablement, les gènes de la population d'*artemisiæ*

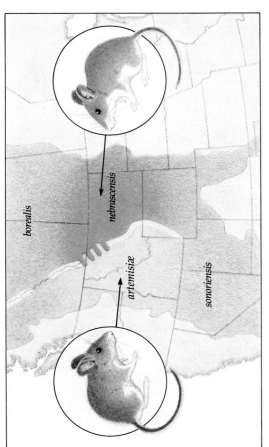

Figure 22.5
La spéciation à l'œuvre ? Ces quatre populations de Souris sylvestres (*Peromyscus maniculatus*) présentent une variation géographique, et certains experts y voient des sous-espèces. Les sous-espèces se croisent dans les zones de chevauchement entre leurs aires de distribution, sauf *artemisiæ* et *nebrascensis*. Même si ces deux sous-espèces ne se croisent pas, un flux génétique s'établit entre elles par l'intermédiaire des autres populations. Il se peut que nous soyons, dans ce cas, témoins du déroulement de la spéciation ; ainsi, nous pourrions à juste titre considérer *artemisiæ* et *nebrascensis* comme des espèces distinctes si les populations qui les relient venaient à disparaître.

finissent par rejoindre ceux de la population de *nebrascensis*. Le flux génétique rendu possible par cette voie détournée est sans doute si faible que même les experts ne savent trop s'il faut conclure à l'existence de sous-espèces ou d'espèces distinctes. Si les deux autres populations disparaissaient, emportant avec elles le corridor du flux génétique, on pourrait sans crainte de se tromper affirmer qu'*artemisiæ* et *nebrascensis* forment des espèces distinctes.

De tels cas, pour lesquels il est difficile de déterminer si l'on a affaire à des populations unies par un faible flux génétique ou à des espèces distinctes au sens biologique (complètement isolées génétiquement), sont de plus en plus nombreux. Il semble que l'on soit en présence de populations à différents stades de leur évolution. Cette hypothèse est plausible, du reste, puisque les espèces naissent généralement de populations qui divergent graduellement.

Beaucoup de biologistes de l'évolution remettent en question l'utilité de la définition biologique de l'espèce et, depuis quelques années, d'autres définitions ont été formulées (nous en étudierons une plus loin). Il se peut toutefois que le problème de l'espèce ne trouve jamais de solution absolument satisfaisante. Il y a peu de chances, en effet, qu'une seule définition puisse s'appliquer à l'ensemble des cas. Ces difficultés théoriques mises à part, la définition morphologique, encore la plus commode à des fins taxinomiques, et la définition biologique mènent la plupart du temps aux mêmes résultats. Ernst Mayr et les Papous avaient compté le même nombre d'espèces en se fondant sur l'apparence des Oiseaux, et c'est l'isolement reproductif qui maintient les limites entre les espèces.

ISOLEMENT REPRODUCTIF

Tout facteur qui empêche deux espèces de produire des hybrides féconds contribue à l'isolement reproductif. Aucune barrière n'est totalement infranchissable pour le flux génétique, mais la plupart des espèces sont génétiquement isolées de plusieurs façons. Nous ne considérerons ici que les barrières biologiques à la reproduction, lesquelles sont intrinsèques aux organismes. Bien entendu, si deux espèces se trouvent géographiquement séparées, elles ne peuvent se croiser. Cependant, on ne considère pas les barrières géographiques comme des mécanismes d'isolement reproductif, car elles ne sont pas intrinsèques aux organismes. L'isolement reproductif empêche les populations appartenant à des espèces différentes de se croiser, même si leurs aires de distribution se chevauchent.

Il est clair qu'une Mouche ne peut s'accoupler avec une Grenouille ou une Fougère. Mais qu'est-ce qui empêche des espèces très semblables (c'est-à-dire étroitement apparentées) de se croiser ? Les barrières reproductives qui isolent le patrimoine génétique des espèces sont soit prézygotiques soit postzygotiques, suivant qu'elles entrent en jeu avant ou après la fécondation des ovules (tableau 22.1).

Isolement reproductif prézygotique

L'**isolement reproductif prézygotique** empêche l'accouplement entre les espèces ou entrave la fécondation des ovules si des membres d'espèces différentes s'accouplent.

Isolement écologique Deux espèces vivant dans des habitats différents compris dans une même région

Tableau 22.1 Isolement reproductif des espèces

I. *PRÉZYGOTIQUE* : empêche l'accouplement ou la fécondation.

  A. *Isolement écologique* : les populations vivent dans des habitats différents et ne se rencontrent jamais.

  B. *Isolement temporel* : l'accouplement ou la floraison surviennent à des moments différents de la journée ou de l'année.

  C. *Isolement éthologique* : il n'y a pas d'attirance sexuelle entre les mâles et les femelles.

  D. *Isolement mécanique* : la copulation ou la pollinisation sont empêchées par une incompatibilité structurale des organes sexuels.

  E. *Isolement gamétique* : les gamètes mâles et femelles ne se rencontrent pas ou ne survivent pas.

II. *POSTZYGOTIQUE* : empêche le développement d'adultes viables et féconds.

  A. *Non-viabilité des hybrides* : les zygotes hybrides ne se développent pas normalement ou n'atteignent pas la maturité sexuelle.

  B. *Stérilité des hybrides* : les hybrides ne produisent pas de gamètes fonctionnels.

  C. *Déchéance des hybrides* : la progéniture des hybrides est malingre ou stérile.

peuvent ne jamais se rencontrer ou se rencontrer rarement, même si elles ne sont pas à proprement parler isolées géographiquement. Ainsi, au Québec, on trouve les Campagnols des champs (*Microtus pennsylvanicus*) dans la même région que les Campagnols des rochers (*Microtus chrotorrhinus*). Toutefois, la première espèce vit surtout dans un milieu humide et herbeux, tandis que la seconde préfère un milieu frais et rocailleux. L'isolement écologique s'observe aussi chez les parasites, qui s'en tiennent généralement à des espèces hôtes particulières. Deux espèces de parasites n'ont aucune chance de se croiser si elles vivent aux dépens d'hôtes différents.

Isolement temporel   Deux espèces qui se reproduisent à des heures, des semaines ou des saisons différentes ne peuvent mêler leurs gamètes. Les aires de distribution géographique de deux espèces de Dorés se chevauchent en grande partie sur le territoire québécois ; mais ces espèces très semblables ne se croisent pas parce que le Doré jaune (*Stizostedion vitreum*) se reproduit au mois d'avril et le Doré noir (*Stizostedion canadense*), à la fin du mois de mai et au début du mois de juin. Trois espèces d'Orchidées du genre *Dendrobium* vivent dans la même forêt tropicale ne s'hybrident pas parce que leur floraison ne dure qu'une journée et que cette journée diffère pour chaque espèce. Une tempête peut produire la floraison chez les trois espèces, mais le nombre de jours qui s'écoulent entre le stimulus et la floraison est de huit dans un cas, neuf dans l'autre et dix dans le troisième ; l'isolement reproductif se trouve ainsi maintenu.

Isolement éthologique   Les principaux mécanismes d'isolement reproductif des Animaux étroitement apparentés sont probablement les signaux émis pour attirer les

partenaires ainsi que le comportement élaboré propre à chaque espèce. Les mâles des différentes espèces de Lucioles se manifestent aux femelles en émettant des séquences lumineuses particulières. Pour attirer les mâles, les femelles n'émettent de signaux qu'en réponse aux séquences caractéristiques de leur propre espèce.

La Sturnelle des prés et la Sturnelle de l'Ouest ont des morphologies et des habitats presque identiques, et leurs aires de distribution se chevauchent au centre des États-Unis (voir la figure 22.4). Elles forment néanmoins des espèces distinctes ; entre autres distinctions, leurs chants respectifs permettent aux individus de reconnaître leurs congénères. La parade nuptiale, qui varie entre les espèces, constitue une autre forme d'isolement éthologique (figure 22.6).

Isolement mécanique   Si des membres d'espèces étroitement apparentées tentent de s'accoupler, ils en sont empêchés par les incompatibilités de leurs anatomies. Par exemple, des barrières mécaniques contribuent à l'isolement reproductif des Végétaux à fleurs pollinisées par des Insectes ou certains Oiseaux. Souvent, l'anatomie florale est adaptée à un pollinisateur précis qui, fidèlement, ne transporte le pollen qu'entre des Végétaux de la même espèce (figure 22.7).

Isolement gamétique   Même si les gamètes d'espèces différentes viennent à se rencontrer, il est rare qu'ils fusionnent et forment un zygote. Chez les Animaux dont les ovules se font féconder à l'intérieur du système génital de la femelle (fécondation interne), les spermatozoïdes ne survivent pas dans le système génital des femelles d'une autre espèce. Beaucoup d'animaux aquatiques

Figure 22.6
La parade nuptiale en tant que mécanisme d'isolement éthologique des espèces. Ces Fous à pieds bleus des Galápagos ne s'accouplent qu'après s'être livrés à un rituel nuptial précis. Au cours de ce rituel, le mâle lève les pieds bien haut ; ce comportement a pour but d'exposer à la vue des femelles les pieds bleu clair caractéristiques de l'espèce.

Figure 22.7
L'isolement mécanique chez les Végétaux à fleurs. Chez beaucoup de Végétaux, l'anatomie des fleurs est adaptée à celle de l'Animal qui transporte leur pollen. À l'aide de son bec allongé, le Colibri recueille le nectar sucré que sécrètent des glandes situées au fond de longs tubes floraux. En se nourrissant, l'Oiseau se charge la tête de pollen, puis transfère les grains microscopiques à la prochaine fleur qu'il butine. Il existe une espèce de Colibris dont le bec a exactement la même longueur que le tube floral de l'espèce végétale pollinisée. L'architecture florale des Végétaux pollinisés par des Animaux fait obstacle au transfert du pollen entre des espèces différentes.

libèrent leurs gamètes dans l'eau, après quoi les ovules sont fécondés (fécondation externe). Même lorsque deux espèces étroitement apparentées libèrent leurs gamètes en même temps au même endroit, la fécondation interspécifique se produit rarement. On pense que les enveloppes des ovules portent des molécules qui adhèrent uniquement aux molécules complémentaires situées sur les spermatozoïdes de la même espèce. Un mécanisme analogue de reconnaissance moléculaire permet à une fleur de distinguer le pollen de son espèce du pollen d'autres espèces.

Isolement reproductif postzygotique

Si un spermatozoïde féconde un ovule d'une autre espèce, l'**isolement reproductif postzygotique** empêche le zygote hybride de devenir un adulte viable et fécond.

Non-viabilité des hybrides Lorsque les barrières prézygotiques sont franchies et qu'un zygote hybride est formé, l'incompatibilité génétique entre les deux espèces peut entraîner la mort de l'embryon. Parmi les espèces de Grenouilles du genre *Rana*, quelques-unes partagent les mêmes habitats et s'hybrident occasionnellement. Cependant, les hybrides atteignent rarement la maturité et, le cas échéant, ils demeurent frêles.

Stérilité des hybrides Il arrive que deux espèces se croisent et engendrent des descendants vigoureux. Cependant, l'isolement reproductif de ces espèces subsiste, car les hybrides sont généralement stériles : les gènes ne se transmettent pas d'un patrimoine génétique à l'autre. La méiose ne produit pas de gamètes normaux chez l'hybride si les deux espèces parentales ne possèdent pas

le même nombre de chromosomes ou si ceux-ci n'ont pas la même structure. Le cas le plus connu de stérilité des hybrides est celui de la Mule, l'hybride robuste issu du croisement d'un Âne et d'un Cheval. L'Âne et le Cheval demeurent des espèces distinctes parce que, sauf en de très rares cas, les Mules ne peuvent se croiser ni avec l'une ni avec l'autre.

Déchéance des hybrides Dans certains cas de croisements interspécifiques, les hybrides de la première génération sont viables et féconds. Mais lorsqu'ils s'accouplent entre eux ou se croisent avec l'une des espèces parentales, leur progéniture est frêle ou stérile. Ainsi, différentes espèces de Cotonniers produisent des hybrides féconds, mais ceux-ci engendrent des graines non viables ou des plants faibles et difformes.

Introgression

Il arrive que des allèles franchissent toutes les barrières et passent dans le patrimoine génétique d'une espèce étroitement apparentée. Tel est le cas lorsqu'un hybride fécond produit des descendants avec un membre d'une des espèces parentales. Le transfert interspécifique d'allèles est appelé **introgression.** Le Maïs (*Zea mays*), par exemple, possède quelques allèles provenant d'une Graminée sauvage étroitement apparentée, *Zea mexicana*. L'introgression a lieu quand les deux espèces se croisent et qu'une fraction des hybrides réussit à se croiser avec des plants de Maïs. L'introgression grossit la réserve de variations génétiques que les producteurs exploitent pour mettre au point de nouvelles variétés de Maïs par sélection artificielle. Or, l'hybridation occasionnelle n'efface pas la frontière entre *Zea mays* et *Zea mexicana.* Tant que

(a)

les mécanismes d'isolement réduisent l'introgression au minimum, les deux patrimoines génétiques restent à toutes fins utiles séparés, et les deux espèces demeurent distinctes.

Si les mécanismes d'isolement que nous venons d'étudier constituent des frontières entre les espèces, alors l'évolution de ces mécanismes représente le facteur biologique fondamental de la spéciation. Examinons maintenant les situations propices à l'isolement reproductif et, par le fait même, à la spéciation.

BIOGÉOGRAPHIE DE LA SPÉCIATION

Il existe une condition préalable à l'apparition d'une nouvelle espèce : le patrimoine génétique d'une population doit se trouver séparé de celui des autres populations de la même espèce. Si cette condition se réalise, la population scissionniste peut suivre une voie évolutive qui lui est propre, car les modifications des fréquences alléliques causées par la sélection, la dérive génétique et les mutations resteront à l'abri de l'apport génétique d'autres populations. Selon le lien géographique existant entre la nouvelle espèce et l'espèce ancestrale, on définit deux modes de spéciation. Premièrement, l'entrave initialement posée au flux génétique peut être constituée par une barrière géographique qui isole physiquement la population. Ce mode de spéciation est appelé **spéciation allopatrique** (du grec *allos* « autre », *patris* « patrie »), et les populations séparées par des barrières géographiques sont dites allopatriques. Deuxièmement, une sous-population peut se trouver en isolement reproductif au sein même de la population mère. On parle alors de **spéciation sympatrique** (du grec *syn* « ensemble »). On qua-

lifie de sympatriques des populations dont les aires de distribution se chevauchent.

Spéciation allopatrique

Les phénomènes géologiques peuvent diviser une population en deux sous-ensembles isolés ou plus. Une chaîne de montagnes peut émerger et séparer graduellement une population d'organismes qui ne vit qu'à basse altitude ; la progression d'un glacier peut disjoindre peu à peu une population ; un bras de terre comme l'isthme de Panama peut se former et isoler les organismes aquatiques ; enfin, un grand lac peut se fragmenter en plusieurs étendues d'eau dont les populations se retrouvent écartées. Par ailleurs, un groupe peut se détacher de la population mère et former dans son nouvel habitat une petite population géographiquement isolée.

Quelle ampleur une barrière géographique doit-elle avoir pour maintenir l'allopatrie ? Tout dépend de la mobilité des Animaux ou de la capacité de dispersion des spores, du pollen et des graines. Les Faucons, entre autres Oiseaux, traversent aisément le Grand Canyon, mais les populations de petits Rongeurs butent là contre un obstacle infranchissable.

Voyons, à l'aide d'un exemple, comment l'isolement géographique aboutit à la spéciation allopatrique. Il y a environ 50 000 ans, durant une période glaciaire, le territoire qui porte aujourd'hui le nom de Death Valley, en Californie et au Nevada, recevait d'abondantes précipitations et était parcouru par un réseau de lacs et de rivières. L'assèchement s'amorça il y environ 10 000 ans et, 6000 ans plus tard, le territoire était devenu un désert. De nos jours, il ne reste plus des lacs et des rivières que des points d'eau isolés, situés pour la plupart dans des

(b)

Figure 22.8
Spéciation des Cyprinodontidés de Death Valley. Death Valley, aux États-Unis, a été formé il y a 10 000 ans par l'assèchement d'un grand lac dont il ne reste que des petits points d'eau isolés. Certains d'entre eux sont habités par une seule espèce de petits Poissons de la famille des Cyprinodontidés qui ne se trouve nulle part ailleurs, pas même dans les autres points d'eau de la vallée. (a) Des écologistes dénombrent l'espèce (*Cyprinodon diabolis*), montré en b) qui vit dans le point d'eau appelé Devil's Hole. Les différentes espèces de Cyprinodontidés descendent d'une même population ancestrale qui s'est fragmentée après l'assèchement du lac. Les populations isolées ont divergé par suite de la dérive génétique et de la sélection naturelle ; elles se sont différenciées au point de former aujourd'hui des espèces à part entière qui ne présentent aucune interfécondité, même en laboratoire.

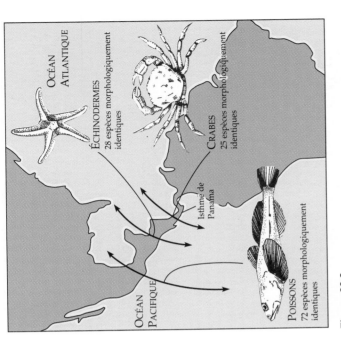

OCÉAN
ATLANTIQUE

ÉCHINODERMES
28 espèces morphologiquement
identiques

CRABES
25 espèces morphologiquement
identiques

Isthme de
Panama

OCÉAN
PACIFIQUE

POISSONS
72 espèces morphologiquement
identiques

Figure 22.9
Stagnation évolutive des grandes populations prospères.
L'isthme de Panama s'est formé il y a environ trois millions d'années, et il a séparé les espèces aquatiques de l'Atlantique de celles du Pacifique. La majorité des espèces divergent de part et d'autre de l'isthme n'ont aucunement divergé depuis qu'elles sont allopatriques, apparemment parce que les deux milieux sont semblables et que la plupart des grandes populations évoluent très lentement. Les allèles et les combinaisons génétiques qui apparaissent dans un grand patrimoine génétique sont submergés par le nombre colossal d'allèles existants.

failles profondes entre des parois rocheuses. La température et la salinité des points d'eau varient considérablement. Plusieurs ont un diamètre de quelques mètres seulement et sont habités par de petits Poissons du genre *Cyprinodon*. Chaque point d'eau habité contient une espèce adaptée à ce milieu et qui ne se trouve nulle part ailleurs dans le monde. Les diverses espèces descendent sans doute d'une même espèce ancestrale dont l'aire de distribution s'est fragmentée quand le territoire a subi l'assèchement; les petites populations ainsi isolées ont connu une évolution divergente au fur et à mesure de leur adaptation à leur point d'eau respectif (figure 22.8).

Conditions favorisant la spéciation allopatrique Chaque fois que des populations deviennent allopatriques, la spéciation est possible. Les patrimoines génétiques isolés accumulent, par suite de la microévolution, des différences qui peuvent faire diverger les phénotypes des populations. Une petite population isolée a plus de chances qu'une grande population de changer suffisamment pour former une nouvelle espèce.

L'isolement géographique d'une petite population s'établit généralement en bordure de l'aire de distribution de la population mère. Trois facteurs rendent la population scissionniste (aussi appelée isolat périphérique) susceptible de spéciation:

1. Il est probable que le patrimoine génétique de l'isolat périphérique diffère dès le début de celui de la population mère. Comme l'isolat périphérique vit en bordure de l'aire de distribution, il représente l'extrême des climats génotypiques et phénotypiques qui existaient dans la population initiale. Si l'isolat périphérique possède une petite taille, il subit l'effet fondateur, et seul le hasard détermine si son patrimoine génétique représente de façon adéquate celui de la population mère (voir le chapitre 21).

2. La dérive génétique modifie de façon aléatoire le patrimoine génétique de l'isolat périphérique tant que celui-ci ne forme pas une grande population. Les mutations ou les nouvelles combinaisons d'allèles existants ayant une valeur adaptative neutre peuvent se fixer dans la population du seul fait du hasard; elles occasionnent ainsi une divergence phénotypique par rapport à la population mère (voir le chapitre 21 pour une révision du concept de dérive génétique).

3. L'évolution par voie de sélection peut suivre des cours différents dans l'isolat périphérique et dans la population mère. Comme l'isolat périphérique habite une zone frontière, il peut connaître des facteurs de sélection autres et, en général, plus rigoureux que ceux qui agissent sur la population mère.

Les facteurs décrits ci-haut peuvent faire diverger le trajet évolutif de l'isolat périphérique de celui de la population mère à condition que les patrimoines génétiques demeurent isolés. Cela ne signifie pas que tous les isolats périphériques persistent assez longtemps ou changent suffisamment pour former de nouvelles espèces. La vie s'avère difficile aux frontières, et la plupart des populations pionnières disparaissent. Le biologiste de l'évolution Stephen Jay Gould exprime cette idée comme suit: «Avoir le statut d'isolat périphérique, pour une petite population, c'est comme posséder un billet de loterie. Une population ne peut gagner (former une espèce) sans billet, et il y a peu de billets gagnants.»

Nous avons d'amples raisons de croire que la spéciation allopatrique s'effectue beaucoup plus rapidement dans les petites populations que dans les très grandes. Les grandes populations de Platanes d'Amérique du Nord et de Platanes d'Europe sont allopatriques depuis au moins 30 millions d'années, mais les spécimens que l'on croise produisent encore des hybrides féconds. De même, les espèces vivant de part et d'autre de l'isthme de Panama (figure 22.9) sont semblables. Par contre, les organismes relativement peu nombreux qui ont réussi à atteindre les Galápagos ont donné naissance à des espèces devenues presque totalement endémiques en moins de deux millions d'années. En fait, la plupart des biologistes de l'évolution estiment qu'une petite population peut accumuler suffisamment de changements génétiques pour former une nouvelle espèce (au sens morphologique) en quelques centaines ou quelques milliers de générations; cela équivaut à une période variant entre moins d'un millénaire et quelques dizaines de milliers d'années, suivant la durée des générations.

Radiation adaptative dans les archipels La spéciation allopatrique s'est produite en rafales dans les archipels où des organismes égarés ou passivement détachés des populations mères ont fondé des populations qui ont

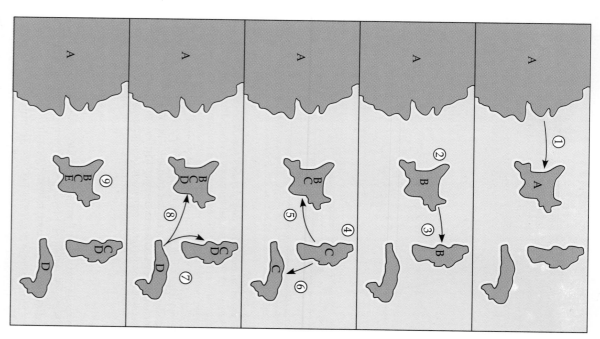

Figure 22.10
Modèle de la radiation adaptative dans les archipels. ① Quelques individus de l'espèce A se détachent d'une population continentale et fondent une petite colonie sur l'une des trois îles. ② Isolée génétiquement de l'espèce mère, la population insulaire forme l'espèce B en s'adaptant au nouveau milieu. ③ Des agents de dispersion (des tempêtes) propagent l'espèce B à une deuxième île, ④ où la colonie isolée évolue en l'espèce C. ⑤ Ensuite, des individus de l'espèce C parviennent à la première île et y cohabitent avec l'espèce B. Cependant, les mécanismes d'isolement maintiennent la distinction entre les espèces, qui restent toutes deux adaptées à une certaine nourriture et à d'autres facteurs du milieu. ⑥ Une colonie de l'espèce C peut aussi peupler une troisième île, ⑦ s'y adapter et y former l'espèce D. ⑧ L'espèce D se disperse dans les deux îles de ses ancêtres, trouve une niche écologique inoccupée sur une des deux îles, ⑨ mais forme une nouvelle espèce, E, sur l'autre île. Le scénario pourrait se poursuivre à l'infini, à mesure que l'isolement et la dispersion occasionnelle provoquent une série d'épisodes allopatriques.

évolué dans l'isolement. Les nombreuses espèces endémiques des Galápagos descendent d'individus venus du continent sud-américain par la voie des eaux ou des airs. Considérons par exemple les Pinsons de Darwin. Il se peut qu'une petite population du Pinson ancestral se soit implanté sur une île et que cet isolat périphérique ait formé une nouvelle espèce. Plus tard, quelques individus de cette espèce insulaire ont pu atteindre des îles voisines, où l'isolement géographique a permis d'autres épisodes de spéciation (figure 22.10). De plus, il se peut que l'espèce nouvellement constituée soit retournée dans l'île d'où sa population fondatrice avait émigré ; là, elle a pu coexister avec l'espèce mère ou encore former une nouvelle espèce. Les invasions répétées par des isolats périphériques d'espèces d'îles voisines ont abouti à la cohabitation de plusieurs espèces sur chaque île. Les îles paraissent suffisamment éloignées pour permettre aux populations d'évoluer dans l'isolement, mais elles sont en revanche assez rapprochées pour laisser place à la dispersion.

Treize espèces de Pinsons sont apparues dans l'archipel des Galápagos, et toutes descendent sûrement d'une même espèce ancestrale. Chaque île est aujourd'hui habitée par de nombreuses espèces, jusqu'à 10 dans certains cas. À l'opposé, l'île Cocos, située à 700 km au nord des Galápagos, n'abrite qu'une seule espèce de Pinsons, issue d'une espèce ancestrale qui a réussi à atteindre cette terre lointaine. Cocos est si isolée que les organismes n'ont pu y faire les visites qui ont entraîné la spéciation allopatrique aux Galápagos.

L'émergence de nombreuses espèces à partir d'un ancêtre commun qui se répand dans de nouveaux milieux est appelée **radiation adaptative**. Chez les Pinsons de Darwin, la radiation adaptative se concrétise dans la spécialisation des becs pour différents types de nourriture (voir la figure 20.12).

Les îles Hawaï constituent peut-être la plus grande des vitrines de l'évolution. Ces îles volcaniques sont situées à environ 3500 km du continent le plus proche. Du nord-ouest au sud-est de l'archipel, les îles sont de plus en plus récentes ; la plus jeune et la plus grande, Hawaï, date de moins d'un million d'années et on y trouve encore des volcans actifs. À l'origine dénudées, toutes ces îles ont subi progressivement la colonisation par des espèces issues d'individus que les vents et les courants océaniques ont amené d'îles ou de continents lointains ou, encore, d'îles préexistantes de l'archipel (figure 22.11). La diversité physique des îles, où l'altitude et la pluviosité varient considérablement, s'avère propice à la divergence évolutive par voie de sélection naturelle. Les invasions répétées et la spéciation allopatrique ont déclenché une radiation adaptative explosive ; sur les milliers d'espèces végétales et animales qui peuplent aujourd'hui les îles, la plupart ne se trouvent nulle part ailleurs dans le monde. À l'opposé, il n'existe pas d'espèces endémiques dans les Keys de la Floride. Apparemment, ces îles se situent si près du continent que les populations fondatrices ne restent pas claustrées assez longtemps pour que s'établissent des mécanismes d'isolement intrinsèques qui soustrairaient leur patrimoine génétique à l'afflux constant d'immigrants venus du continent.

Spéciation sympatrique

La spéciation sympatrique se définit comme l'émergence de nouvelles espèces à l'intérieur de l'aire de distribution de populations mères ; dans ce cas, l'isolement reproductif ne résulte pas de l'isolement géographique. La spéciation sympatrique survient en une seule génération si un changement génétique établit un mécanisme d'isolement entre les mutants et la population mère.

Beaucoup d'espèces végétales émergent à la suite d'accidents de la division cellulaire qui produisent un assortiment supplémentaire de chromosomes. Étudions les causes de ces changements chromosomiques à l'aide de la figure 22.12. Une espèce qui double son nombre de chromosomes et qui passe ainsi à l'état tétraploïde forme un **autopolyploïde.** Les tétraploïdes mutants peuvent ensuite s'autoféconder ou se croiser avec d'autres tétraploïdes. Toutefois, ils ne peuvent se reproduire avec des individus diploïdes de la population initiale. En effet, les hybrides deviendraient triploïdes (3*n*) et stériles, car les chromosomes qui ne s'apparient pas empêchent le déroulement normal de la méiose. En une seule génération, un mécanisme postzygotique établit l'isolement reproductif et interrompt le flux génétique entre une minuscule population de tétraploïdes (formée éventuellement par un seul individu) et la population mère diploïde qui l'entoure. La spéciation sympatrique par autopolyploïdie fut découverte au début du siècle par le généticien Hugo de Vries, alors qu'il étudiait la génétique de l'Onagre à grandes fleurs, *Œnothera grandiflora*, une espèce diploïde à 14 chromosomes. Un jour, de Vries remarqua qu'un variant exceptionnel était apparu parmi ses Onagres, et l'examen au microscope révéla qu'il s'agissait d'un tétraploïde à 28 chromosomes. De Vries s'aperçut que cet individu ne pouvait se croiser avec les Onagres diploïdes, et il nomma la nouvelle espèce *Œnothera gigas*.

Les espèces **allopolyploïdes** sont encore plus courantes que les espèces autopolyploïdes, et elles sont formées d'hybrides polyploïdes issus de deux espèces. Un allopolyploïde apparaît lorsque deux espèces se croisent et combinent leurs chromosomes. Les hybrides interspécifiques sont généralement stériles, car les chromosomes

des deux jeux haploïdes ne peuvent s'apparier. Toutefois, les hybrides se révèlent souvent plus vigoureux que leurs parents, et ils peuvent se reproduire de manière asexuée (ce que font beaucoup de Végétaux). Deux mécanismes au moins, décrits à la figure 22.12b, transforment les hybrides stériles en polyploïdes féconds.

Certains allopolyploïdes, remarquablement vigoureux, cumulent les points forts des espèces parentales. De 25 à 50 % des espèces végétales proviennent de la spéciation de polyploïdes, et plus particulièrement d'allopolyploïdes. Quelques-unes des nouvelles espèces polyploïdes sont nées et se sont répandues au cours des temps historiques (figure 22.13). Un bon nombre de nos espèces culturales figurent parmi les polyploïdes. Le Blé dont nous faisons notre pain, *Triticum æstivum*, est un allopolyploïde à 42 chromosomes ; il est probablement apparu spontanément, il y a 8000 ans, sous forme d'hybride entre un Blé cultivé à 28 chromosomes et une Graminée sauvage à 14 chromosomes. Parmi les autres espèces polyploïdes d'importance commerciale, on trouve l'Avoine, le Coton, la Pomme de terre et le Tabac. Les généticiens cherchent aujourd'hui à créer des polyploïdes possédant des caractéristiques particulières en procédant à des hybridations et en provoquant la non-disjonction au moyen de substances chimiques. Ainsi, il existe des hybrides artificiels qui combinent le haut rendement du Blé à la résistance aux maladies du Seigle.

La spéciation sympatrique peut aussi se produire dans le règne animal, bien qu'elle ne repose pas comme chez les Végétaux sur le doublement du nombre de chromosomes. Des Animaux peuvent entrer en isolement à l'intérieur de l'aire de distribution géographique d'une population mère si des facteurs génétiques les amènent à exploiter des ressources inutilisées par celle-ci. Voyons l'exemple des Guêpes qui pollinisent les Figuiers. Chaque espèce de Figuiers se fait polliniser par une espèce particulière de Guêpes, qui s'y accouplent et y pondent. Imaginons qu'à la suite d'un changement génétique quelques Guêpes choisissent une nouvelle espèce de Figuiers. Les individus aptes à se reproduire se séparent alors de la population mère, et la divergence évolutive peut se poursuivre. Une combinaison du polymorphisme

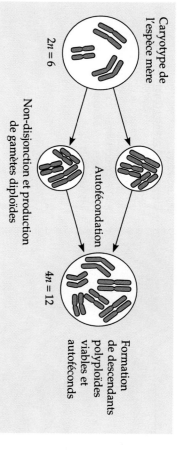

(a) Autopolyploïdie

Caryotype de l'espèce mère

2*n* = 6

Non-disjonction et production de gamètes diploïdes

Autofécondation

4*n* = 12

Formation de descendants polyploïdes viables et autoféconds

Espèce A
2*n* = 4

Gamètes
n = 2

Espèce B
2*n* = 6

n = 3

Hybride

Non-disjonction et polyploïdie

Mitose

2*n* = 10

Méiose

Gamètes
n = 5

Autofécondation

n = 5

2*n* = 10

Hybride viable et fécond

2*n* = 10

Hybride viable et fécond

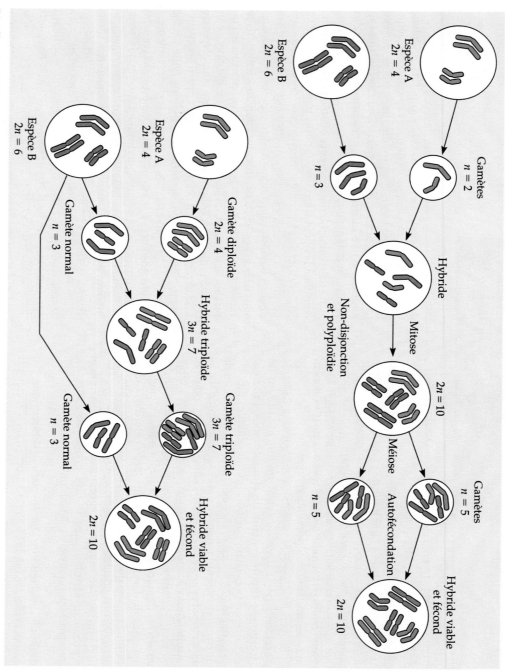

(b) Allopolyploïdie

Espèce B
2*n* = 6

Espèce A
2*n* = 4

Gamète diploïde
2*n* = 4

Gamète normal
n = 3

Hybride triploïde
3*n* = 7

Gamète triploïde
3*n* = 7

Gamète normal
n = 3

Hybride viable et fécond
2*n* = 10

Figure 22.12

Spéciation sympatrique par voie de polyploïdie chez les Végétaux. (a) Auto-polyploïdie. La non-disjonction des chromosomes des cellules sexuelles au cours de la mitose ou de la méiose produit des gamètes diploïdes. L'autofécondation engendre ensuite un zygote tétraploïde. Les hybrides interspécifiques sont normalement stériles, parce que leurs chromosomes ne sont pas homologues et ne peuvent s'apparier pendant la méiose. Cependant, les hybrides peuvent se repro-

duire de manière asexuée. Deux mécanismes peuvent faire émerger des espèces allopolyploïdes de tels hybrides. (En haut) Un hybride peut subir une non-disjonction mitotique qui double son nombre de chromosomes. L'hybride est alors capable de produire des gamètes, car chaque chromosome possède un homologue avec lequel s'apparier pendant la méiose. L'union des gamètes de cet hybride peut donner naissance à une nouvelle espèce végétale féconde isolée génétiquement des deux espèces parentales.

(En bas) Cette figure montre un mécanisme de formation d'espèces allopolyploïdes plus complexe mais sans doute plus fréquent que le premier. Les deux mécanismes produisent une nouvelle espèce dont le nombre de chromosomes est égal à la somme des chromosomes des deux espèces parentales. Ces accidents de la division cellulaire permettent l'émergence de nouvelles espèces en l'absence de barrières géographiques entre les espèces mères.

(b) Allopoly-ploïdie. Les hybrides interspécifiques sont normalement stériles, parce que leurs chromosomes ne sont pas homologues et ne peuvent s'apparier pendant la méiose.

ces génotypiques et phénotypiques respectives. Pendant que les deux patrimoines génétiques divergent graduellement, plusieurs formes d'isolement reproductif peuvent s'établir entre les populations, tant et si bien qu'elles en viennent à former des espèces distinctes.

La *spéciation par divergence* a ceci de particulier qu'un isolement reproductif peut s'instaurer sans être directement favorisé par la sélection naturelle. Autrement dit, il n'existe pas de tendance vers la spéciation pour la spéciation. L'isolement reproductif représente en général une conséquence secondaire de la divergence de deux populations qui s'adaptent à des milieux différents. Il se peut alors que les phénomènes d'isolement reproductif postzygotique résultent des différences entre les gènes qui régissent le développement dans chaque espèce (voir le chapitre 13 pour une révision de la pléiotropie). Par exemple, chez les hybrides produits en laboratoire de deux espèces très semblables de Drosophiles, *Drosophila melanogaster* et *Drosophila simulans*, un seul des deux ensembles de gènes codant pour la synthèse de l'ARN ribosomique demeure actif. Par conséquent, les hybrides présentent une très faible viabilité. La divergence génétique graduelle des deux populations peut aussi donner lieu à des mécanismes prézygotiques d'isolement. Si une population d'Insectes s'adapte à un hôte végétal différent de celui que choisissent les autres populations de la même espèce, l'isolement écologique devient un effet secondaire de la divergence.

Il existe des cas où l'isolement reproductif découle directement de la sélection sexuelle dans les populations isolées (voir le chapitre 21 pour une révision de la sélection sexuelle). Dans les îles Hawaï, par exemple, il se peut que la sélection sexuelle ait contribué à différencier le genre *Drosophila* en centaines d'espèces. Les mâles de l'espèce *Drosophila heteroneura* ont une tête large qui favorise leur succès reproductif avec les femelles de même espèce ; mais cette caractéristique compromet fortement leur succès avec les femelles d'autres espèces (figure 22.14). Même quand l'isolement reproductif résulte de la sélection sexuelle, il s'agit d'abord d'une adaptation qui favorise le succès reproductif au sein d'une même population, et non d'une adaptation qui dresse un obstacle à la reproduction entre populations diverses. En effet, l'isolement reproductif n'a pas pour conséquence première d'isoler les patrimoines génétiques des populations. C'est pourquoi certains scientifiques reprochent à la définition biologique de l'espèce de trop insister sur les mécanismes d'isolement reproductif et lui préfèrent le **concept de reconnaissance.** Ce concept suppose que les adaptations reproductives d'une espèce se traduisent en caractères qui maximisent le succès reproductif avec des membres de la même population. L'isolement reproductif d'avec les autres espèces devient alors un bénéfice indirect. Il peut sembler oiseux de chercher à discerner quelle hypothèse est la plus valide : celle qui est fondée sur les mécanismes d'isolement ou celle qui est fondée sur les mécanismes de reconnaissance des partenaires. Mais le concept de reconnaissance a l'avantage d'attirer l'attention sur les caractéristiques qui sont effectivement soumises à la sélection naturelle dans une population isolée en cours de spéciation.

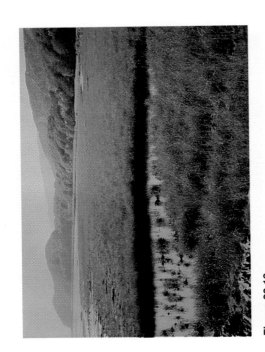

Figure 22.13
Spartina anglica, **une espèce apparue rapidement au cours des temps historiques.** *Spartina anglica*, une Graminée des marais maritimes, est apparue sur la côte méridionale de l'Angleterre au cours des années 1870. Il s'agit d'une espèce allopolyploïde issue d'une espèce d'Europe (*Spartina maritima*) et d'une espèce d'Amérique (*Spartina alterniflora*). Les graines de l'espèce d'Amérique, mêlées au lest des navires, furent accidentellement introduites en Angleterre au début du XIXe siècle. Elles s'hybridèrent avec l'espèce indigène, et une troisième espèce (*Spartina anglica*), morphologiquement distincte et génétiquement isolée de ses espèces mères, apparut sous forme allopolyploïde. (Les nombres de chromosomes confirment ce mécanisme de spéciation. Pour *S. maritima* : $2n = 60$; pour *S. alterniflora* : $2n = 62$; pour *S. anglica* : $2n = 122$). Depuis son apparition, la nouvelle herbe s'est répandue avec un tel succès sur le littoral britannique qu'elle obstrue les estuaires et fait figure de nuisance.

équilibré et de l'homogamie peut aussi aboutir à la spéciation sympatrique (voir le chapitre 21). Par exemple, si des Oiseaux d'une population dimorphique pour la taille du bec commencent à s'accoupler avec des individus de même forme qu'eux, alors la spéciation devient possible. Le lac Victoria, en Afrique, a moins de un million d'années ; pourtant, il abrite près de 200 espèces étroitement apparentées de Poissons appartenant à la famille des Cichlidés. La subdivision de populations en groupes spécialisés pour différentes ressources du lac a probablement contribué à la radiation explosive des Poissons.

MÉCANISMES GÉNÉTIQUES DE LA SPÉCIATION

En qualifiant la spéciation d'allopatrique ou de sympatrique, on fait ressortir les facteurs biogéographiques du phénomène, mais on ne dit rien des mécanismes génétiques qui établissent l'isolement des populations. Pour combler cette lacune, de nombreux généticiens des populations, et notamment Alan Templeton de l'Université Washington à St. Louis, classent les mécanismes de spéciation selon des critères génétiques plutôt que géographiques. Ils parlent ainsi de spéciation par divergence et de spéciation par oscillation.

Spéciation par divergence

Lorsque deux populations s'adaptent à des milieux disparates, les différences s'accumulent entre leurs fréquen-

Figure 22.14
Rôle de la sélection sexuelle dans la radiation adaptative des espèces de Drosophiles à Hawaï. Les îles Hawaï abritent environ 800 espèces de Drosophiles, soit le tiers des espèces connues. Cette radiation adaptative a été rendue possible par des épisodes successifs de colonisation insulaire (voir la figure 22.10). La sélection sexuelle n'a sûrement pas été étrangère à la différenciation des populations en espèces. Les particularités des parades nuptiales, qui reposent généralement sur des caractères morphologiques spécifiques des mâles, contribuent à l'isolement prézygotique des espèces étroitement apparentées. Le mâle de *Drosophila heteroneura*, dont on voit ci-haut un spécimen, a une tête en forme de marteau et des yeux écartés. Il est probable que ce caractère distinctif favorise la reconnaissance intraspécifique lors de la parade. Le motif des ailes, propre à chaque espèce, facilite aussi la reconnaissance entre partenaires.

Spéciation par oscillation

Dans les années 1930, Sewell Wright inventa la métaphore du paysage adaptatif pour décrire l'évolution (figure 22.15). Dans ce paysage symbolique, de nombreuses **crêtes adaptatives** sont séparées par des creux. Une crête adaptative représente un état d'équilibre où les fréquences alléliques maximisent l'adaptation moyenne des membres d'une population. Même dans un milieu stable, on peut trouver plusieurs crêtes adaptatives pour une population donnée, mais la sélection naturelle tend à maintenir la population sur une seule crête. Pour atteindre une autre crête adaptative par suite d'une modification du patrimoine génétique, une population doit traverser une période correspondant à un creux, où l'adaptation moyenne des individus est faible. Par conséquent, si une légère variation des fréquences alléliques en un ou plusieurs loci déloge une population d'une crête adaptative, la sélection naturelle l'y repoussera généralement. Or, un changement du milieu redéfinit le paysage adaptatif. Une population qui survit dans le nouveau milieu doit gravir une autre crête adaptative par voie de microévolution de son patrimoine génétique. Ces descriptions ne représentent pourtant qu'une autre façon de considérer la spéciation par divergence adaptative. Ce que les généticiens des populations appellent une *oscillation* est déclenchée *non pas* par un nouveau milieu physique, mais par des changements non adaptatifs du système génétique.

Les oscillations peuvent résulter de l'effet fondateur ou de l'effet d'étranglement (voir le chapitre 21). En modifiant au hasard les fréquences alléliques dans le patrimoine génétique, la dérive génétique peut déloger une petite population de sa crête adaptative initiale. Si le patrimoine génétique se déstabilise suffisamment, la population peut retrouver de nouvelles crêtes adaptatives. Si la population survit, alors la sélection naturelle la hissera de génération en génération vers une nouvelle crête adaptative. On voit donc que l'évolution adaptative joue un rôle majeur dans une oscillation, mais que c'est la dérive génétique qui permet le changement. Une oscillation peut survenir dans une population ayant subi l'effet d'étranglement, même si son milieu est stable, car de nombreuses crêtes adaptatives restent possibles dans les mêmes conditions écologiques. Dans le cas de l'effet fondateur, non seulement la dérive génétique peut déplacer au hasard dans le paysage adaptatif le patrimoine génétique de la petite population, mais il existe alors un nouvel ensemble de crêtes adaptatives. Cet enchaînement de la dérive génétique et de la sélection naturelle dans un nouveau milieu a probablement produit la spéciation relativement rapide des espèces insulaires.

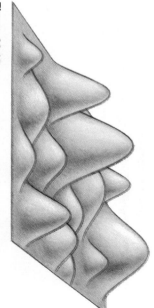

Figure 22.15
Paysage adaptatif et oscillations. Les crêtes du paysage adaptatif représentent les états d'adaptation génétique possibles pour une population vivant dans un milieu stable. Les creux entre les pics symbolisent les combinaisons génétiques de valeur adaptative relativement faible. Dans un nouveau milieu, le paysage adaptatif se redéfinit, et la population survit dans la mesure où la sélection naturelle hisse le patrimoine génétique vers une nouvelle crête adaptative. Toutefois, les généticiens des populations utilisent le terme *oscillation* dans les cas d'épisodes de spéciation amorcés par des changements non adaptatifs du système génétique, telles la dérive génétique et l'apparition d'une population de polyploïdes. Une fois qu'une petite population se déstabilise génétiquement et se voit délogée de sa crête adaptative initiale, la sélection naturelle peut amorcer une ascension qui, de génération en génération, rapprochera la population d'une nouvelle crête adaptative.

Quelle ampleur doit avoir le changement génétique pour permettre la spéciation ?

Il est impossible de formuler des généralisations quant à la « distance génétique » existant entre les espèces étroitement apparentées. L'isolement reproductif peut résulter du cumul des différences que présentent des populations en de nombreux loci. Il peut aussi découler de changements survenus en quelques loci seulement. Ainsi, deux espèces de Drosophiles d'Hawaï, *Drosophila silvestris* et *Drosophila heteroneura*, se distinguent seulement par le locus qui détermine la forme de la tête, un caractère important pour la reconnaissance des partenaires chez ces Mouches (voir la figure 22.14). Or, l'effet qu'a sur le phénotype la présence d'allèles différents en ce locus est amplifié par au moins 10 autres loci en interaction épistatique. (L'interaction génétique appelée épistasie est traitée au chapitre 13.) Par conséquent, il a fallu plus d'une mutation pour différencier ces deux espèces de Drosophiles. Un tel exemple démontre néanmoins que la spéciation ne repose pas nécessairement sur des changements génétiques massifs touchant des centaines de loci. Cette conclusion nous amène à présenter une question qui divise les biologistes de l'évolution, à savoir le rythme de la spéciation.

GRADUALISME ET THÉORIE DE L'ÉQUILIBRE PONCTUÉ

Dans l'arbre évolutif traditionnel, les branches se ramifient graduellement, et chaque espèce évolue continuellement au cours de très longues périodes (figure 22.16a). Cette représentation se fonde sur une extrapolation à partir des processus de la microévolution (changements des fréquences alléliques dans les patrimoines génétiques) à la divergence des espèces : les grands changements résultent de l'accumulation de petits changements. Or, les paléontologues découvrent peu de formes fossiles de transition. La plupart du temps, une espèce apparaît soudainement (à l'échelle géologique) dans une couche de roche ; elle reste essentiellement inchangée tout au long de son séjour sur la Terre, puis disparaît des archives géologiques aussi brusquement qu'elle y est apparue. Pour Darwin, l'origine des espèces découlait de l'adaptation par voie de sélection naturelle : les populations isolées de leur souche commune se différenciaient graduellement en s'adaptant à leurs milieux respectifs (voir le chapitre 20). Mais Darwin lui-même était dérouté par la rareté des formes de transition : « Bien que chaque espèce ait dû traverser de multiples stades de transition, il est probable que les périodes de modification, malgré leur nombre et leur longueur à l'échelle des années, ont été courtes par rapport aux périodes d'immobilité. »

Devant la rareté des fossiles de transition, les tenants de la **théorie de l'équilibre ponctué** ont redessiné l'arbre évolutif : leur diagramme montre que l'évolution s'effectue par bouffées de changement relativement rapide plutôt que par divergence graduelle des espèces (figure 22.16b). D'après cette théorie, conçue en 1972 par Niles Eldredge et Stephen Jay Gould, les espèces subissent l'essentiel de leurs modifications morphologiques peu de temps après leur séparation d'avec l'espèce mère ; après quoi, elles

changent peu, même pendant les périodes où elles produisent d'autres espèces. L'expression « équilibre ponctué » désigne de longues périodes de stabilité marquées par des épisodes de spéciation. Les changements du génome, tel celui qui produit de nouvelles espèces végétales polyploïdes, figureraient parmi les mécanismes de la spéciation soudaine. Les adeptes de la théorie de l'équilibre ponctué soulignent que la spéciation allopatrique d'une population isolée de sa population mère par une barrière géographique peut aussi s'effectuer rapidement. Rappelez-vous qu'en quelques centaines ou quelques milliers de générations, la dérive génétique et la sélection naturelle peuvent occasionner des changements considérables dans le patrimoine génétique d'une population cloîtrée dans un milieu nouveau et difficile.

Comment peut-on qualifier de soudain un épisode de spéciation qui s'étend sur des milliers de générations, c'est-à-dire des milliers d'années ? Les documents géologiques indiquent que les espèces prospères subsistent en moyenne quelques millions d'années. Supposons qu'une certaine espèce vit 5 millions d'années et subit la plupart de ses changements morphologiques au cours des 50 000 premières années de son existence. Dans ce cas, l'épisode de spéciation occupe seulement 1 % de la vie de l'espèce. À l'échelle des temps géologiques, l'espèce apparaît soudainement dans des roches d'un certain âge, puis elle subit peu de changements, si tant est qu'elle en subisse, jusqu'au moment où elle s'éteint. Au cours des millénaires de sa formation, l'espèce a pu accumuler ses modifications graduellement mais, par rapport à son histoire entière, son apparition a été soudaine.

Le degré de changement que subit une espèce après son apparition représente un autre point de désaccord. Si l'espèce s'avère adaptée à un milieu stable, alors la sélection naturelle contre les changements du patrimoine génétique (voir le chapitre 21). De ce point de vue, la tendance de la sélection stabilisante à maintenir une population au sommet d'une crête adaptative produit de longues périodes de stabilité.

Certains gradualistes rétorquent que le concept de stabilité est une illusion. Selon eux, beaucoup d'espèces continuent de se modifier, mais les changements sont indétectables dans les fossiles. Ainsi, les modifications de l'anatomie interne, de la physiologie et du comportement passeraient inaperçues, puisque les paléontologues n'ont pour seul matériau d'étude que l'anatomie externe et osseuse. Les généticiens des populations soulignent d'ailleurs que les effets de la microévolution se manifestent à l'échelle moléculaire et ont peu de répercussions sur la morphologie.

L'idée de longues périodes de stabilité morphologique dans l'histoire des espèces rencontre à son tour quelque opposition. Peter Sheldon, du Trinity College de Dublin, a analysé environ 15 000 fossiles de Trilobites trouvés dans des gisements de schiste argileux au pays de Galles (les Trilobites sont des Arthropodes aujourd'hui disparus ; voir le chapitre 29). Sur ce site, l'histoire géologique des Trilobites est exceptionnellement complète. Les paléontologues ont classé ces fossiles en plusieurs lignées évolutives : à cause de différences morphologiques telles que le nombre de crêtes du segment caudal de la cuticule,

(a) Gradualisme

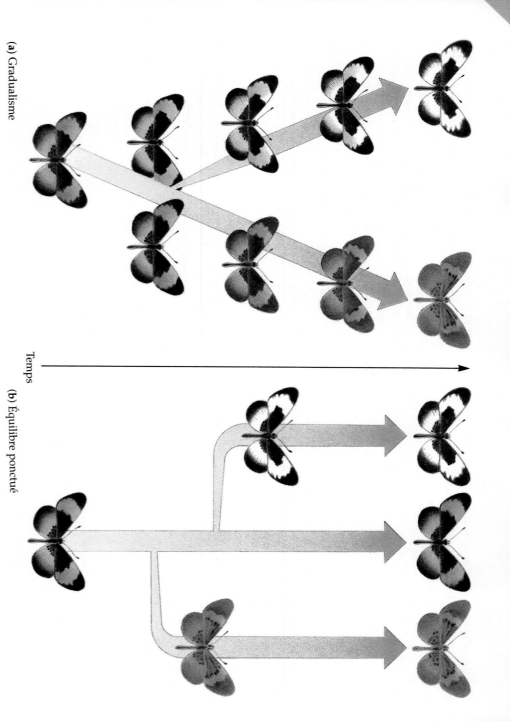

Temps

(b) Équilibre ponctué

Figure 22.16
Rythme de la spéciation : deux modèles. Une nouvelle espèce émerge de sa population mère sous la forme d'une petite population isolée, représentée dans cette figure par la base étroite de la flèche divergente. L'axe horizontal symbolise le changement morphologique. **(a)** Selon le modèle gradualiste, les espèces descendant d'un ancêtre commun divergent morphologiquement à mesure qu'elles acquièrent des adaptations. **(b)** Selon le modèle de l'équilibre ponctué, une nouvelle espèce subit la plupart de ses changements peu de temps après sa séparation d'avec l'espèce mère, après quoi elle change peu jusqu'à la fin de son existence.

les paléontologues ont déterminé que les fossiles les plus jeunes et les plus anciens de chaque lignée appartiennent à des espèces distinctes. Mais après une étude approfondie des fossiles, Sheldon estime que cette conclusion est erronée. Dans chaque lignée évolutive de Trilobites, en effet, le nombre moyen de crêtes caudales change graduellement dans la succession des couches rocheuses. Sheldon prétend qu'en cherchant à donner des noms d'espèces aux fossiles les paléontologues sont amenés à voir des ponctuations là où il y a en fait un changement graduel. Sheldon juge qu'il faut encore procéder à de

nombreuses autres études exhaustives de la morphologie fossile sur des sites où les lignées sont bien conservées. Il s'agit selon lui du seul moyen de mesurer l'importance respective des rythmes graduel et ponctué dans l'origine des espèces. Où que se situe la vérité, il ne fait pas de doute que la théorie de l'équilibre ponctué a stimulé la recherche et ravivé l'intérêt porté à la paléontologie.

Au chapitre suivant, nous constaterons que le débat entre gradualistes et partisans de l'équilibre ponctué dépasse la question de la spéciation et rejoint les grandes constantes de l'histoire de la vie.

RÉSUMÉ DU CHAPITRE

1. Les nouvelles espèces se forment à la suite de la transformation d'une population entière (anagenèse) ou, plus fréquemment, à partir de petites populations isolées émergeant d'une espèce ancestrale (cladogenèse).

2. La cladogenèse, ou évolution divergente, accroît la diversité biologique.

Le problème de l'espèce (p. 456-459)

1. On peut définir une espèce au sens morphologique ou au sens biologique. Au sens morphologique, une espèce se distingue des autres par son anatomie. Au sens biologique, une espèce représente un groupe de populations qui partagent un même patrimoine génétique et dont les membres sont interféconds.

2. La définition biologique ne peut s'appliquer aux espèces asexuées ou disparues.

Isolement reproductif (p. 459-462)

1. Tout facteur intrinsèque qui empêche deux espèces de produire des hybrides féconds constitue un mécanisme d'isolement reproductif qui maintient l'intégrité génétique des espèces.

2. L'isolement reproductif prézygotique empêche l'accouplement ou la fécondation interspécifique. Ainsi, les espèces qui occupent le même territoire géographique ne se croisent pas à cause des phénomènes d'isolement reproductif suivants: elles vivent dans des habitats distincts (isolement écologique); elles se reproduisent à des moments différents (isolement temporel); elles se livrent à des parades nuptiales particulières (isolement éthologique); leurs organes sexuels sont anatomiquement incompatibles (isolement mécanique); leurs cellules sexuelles ne fusionnent pas (isolement gamétique).

3. Même si des individus d'espèces différentes s'accouplent, l'isolement reproductif postzygotique empêche généralement les hybrides de se développer, de se reproduire avec un membre d'une des espèces parentales ou de produire une progéniture viable et féconde.

4. Il arrive que des hybrides féconds se reproduisent avec un membre d'une des espèces parentales et que les gènes franchissent les barrières élevées par l'isolement reproductif. Tant que l'introgression est limitée, les deux espèces restent distinctes.

Biogéographie de la spéciation (p. 462-467)

1. Le patrimoine génétique d'une population peut se trouver isolé de celui des autres populations de la même espèce par suite de la spéciation allopatrique ou de la spéciation sympatrique.

2. La spéciation allopatrique se produit lorsqu'une population scissionniste connaît une évolution différente de celle de sa population mère après en avoir été géographiquement isolée.

3. Les petites populations scissionnistes s'avèrent plus sujettes que les grandes à la spéciation allopatrique, car la dérive génétique et la sélection naturelle modifient un petit patrimoine génétique plus rapidement qu'un grand.

4. La radiation adaptative représente l'émergence de nombreuses espèces à partir d'un ancêtre commun introduit dans des milieux différents. Elle survient fréquemment dans les archipels. Après qu'une espèce ancestrale a atteint un archipel, le cloisonnement des populations sur des îles et la dispersion occasionnelle provoquent de multiples épisodes de spéciation allopatrique.

5. La spéciation sympatrique survient lorsque, en l'absence d'isolement géographique, un segment de la population subit un changement génétique qui entraîne l'isolement reproductif. La spéciation sympatrique se manifeste fréquemment dans le règne végétal, où la mutation consiste le plus souvent en une multiplication par deux du nombre des chromosomes. Une espèce autopolyploïde provient de cette manière d'une espèce unique. Une espèce allopolyploïde reçoit ses chromosomes de deux espèces différentes. La spéciation sympatrique se produit dans le règne animal lorsque quelques individus changent d'habitat à l'intérieur de l'aire de distribution géographique de la population mère.

Mécanismes génétiques de la spéciation (p. 467-469)

1. Plusieurs formes d'isolement reproductif peuvent s'établir entre deux populations en voie de divergence génétique par suite de leur adaptation à des milieux différents.

2. La sélection sexuelle peut mener directement à l'isolement reproductif. Selon le concept de reconnaissance des espèces, la sélection naturelle favorise les adaptations qui augmentent le succès reproductif entre membres de la même espèce.

3. Selon la métaphore de l'évolution de Wright, le patrimoine génétique d'une population occupe une crête adaptative, un sommet parmi d'autres possibles dans le paysage adaptatif. La sélection naturelle tend à maintenir une population sur une crête adaptative qui maximise l'adaptation. Les oscillations, qui résultent de modifications non adaptatives du patrimoine génétique, peuvent être déclenchées par l'effet fondateur ou l'effet d'étranglement, et être soutenues par la dérive génétique. L'évolution adaptative peut hisser un patrimoine génétique déstabilisé vers une nouvelle crête adaptative.

4. L'isolement reproductif peut résulter d'un changement survenu en quelques loci seulement ou du cumul des divergences entre de nombreux loci.

Gradualisme et théorie de l'équilibre ponctué (p. 469-470)

1. L'optique traditionnelle veut que la spéciation se produise graduellement, par suite d'une accumulation de changements microévolutifs dans les patrimoines génétiques.

2. Selon la théorie de l'équilibre ponctué, on trouve peu de fossiles de transition parce que les espèces sont effectivement apparues soudainement et non pas parce que les documents géologiques sont lacunaires. Cette théorie veut qu'une espèce subisse la plupart de ses changements au moment où elle émerge de l'espèce ancestrale et qu'elle demeure en état de stabilité sur le plan morphologique jusqu'à son extinction. L'histoire de la vie serait faite de longues périodes de stabilité ponctuées par des épisodes de spéciation.

3. Il faudra encore réaliser des études exhaustives de lignées fossiles pour déterminer l'importance respective des rythmes graduel et ponctué dans l'origine des espèces.

AUTO-ÉVALUATION

1. La diversité biologique provient surtout de:
   a) l'anagenèse.
   b) la cladogenèse.
   c) l'évolution phylétique.
   d) l'hybridation.
   e) la spéciation sympatrique.

2. Les manuels d'ornithologie classaient autrefois la Paruline à croupion jaune et la Paruline d'Audubon comme des espèces distinctes. Or, on sait maintenant qu'il s'agit de la forme de l'Est (à gauche) et de la forme de l'Ouest de la Paruline à croupion jaune. Les ornithologues ont dû découvrir que les deux Parulines :

a) vivent dans les mêmes régions.

b) sont interféconds.

c) sont assez semblables pour être considérées comme une seule et même espèce.

d) sont en isolement reproductif.

e) sont allopatriques.

3. La plus grande unité où le flux génétique s'avère possible est :

a) la population.

b) l'espèce.

c) le genre.

d) la sous-espèce.

e) l'embranchement.

4. Parmi les espèces de Moustiques du genre *Anopheles*, certaines vivent dans les eaux saumâtres, d'autres dans les eaux douces courantes et d'autres encore dans les eaux stagnantes. La forme d'isolement reproductif qui sépare ces espèces est appelée :

a) isolement écologique.

b) isolement temporel.

c) isolement éthologique.

d) isolement gamétique.

e) isolement reproductif postzygotique.

5. Le mécanisme qui isole génétiquement le Cheval de l'Âne est :

a) l'isolement mécanique.

b) l'isolement gamétique.

c) la non-viabilité des hybrides.

d) la stérilité des hybrides.

e) la déchéance des hybrides.

6. Selon les tenants de la théorie de l'équilibre ponctué :

a) la sélection naturelle n'est pas un mécanisme important de l'évolution.

b) la plupart des espèces existantes se ramifieront graduellement en de nouvelles espèces si elles en ont le temps.

c) une nouvelle espèce acquiert la plupart de ses caractères distinctifs peu de temps après son apparition, après quoi elle change peu jusqu'à son extinction.

d) l'évolution est en grande partie anagénétique.

e) la spéciation est généralement due à une mutation unique.

7. La définition biologique de l'espèce ne peut s'appliquer à deux espèces :

a) sympatriques.

b) presque indiscernables du point de vue morphologique.

c) en isolement reproductif.

d) capables de produire des hybrides viables.

e) dont la reproduction est exclusivement asexuée.

8. Il est peu probable que les populations humaines donnent naissance à de nouvelles espèces d'Hominidés parce que :

a) le milieu s'est stabilisé.

b) les Humains sont déjà des organismes parfaitement adaptés.

c) une seule crête adaptative est possible pour les Hominidés.

d) la plupart des populations humaines sont très grandes et incomplètement isolées des populations voisines.

e) la variation est faible chez l'Humain.

9. L'espèce végétale A a un nombre diploïde de 12. L'espèce végétale B a un nombre diploïde de 16. Une nouvelle espèce allopolyploïde, C, émerge de l'hybridation de A et de B. Le nombre diploïde de C est :

a) 12.

b) 14.

c) 16.

d) 28.

e) 56.

10. L'épisode de spéciation décrit à la question 9 constitue fort probablement un cas de :

a) spéciation allopatrique.

b) spéciation sympatrique.

c) spéciation par voie de sélection sexuelle.

d) radiation adaptative.

e) spéciation anagénétique.

QUESTIONS À COURT DÉVELOPPEMENT

1. Dans quelles situations applique-t-on les définitions morphologiques et biologiques de l'espèce ?

2. Décrivez trois formes d'isolement reproductif prézygotique.

3. Distinguez la spéciation de la microévolution.

4. Exposez les trois raisons qui militent en faveur de la spéciation allopatrique d'un isolat périphérique.

5. Comparez la théorie du gradualisme avec celle de l'équilibre ponctué.

RÉFLEXION-APPLICATION

1. Une hypothèse veut que deux espèces étroitement apparentées présentent un maximum de différences aux endroits où leurs aires de distribution se chevauchent, autrement dit dans les zones de sympatrie. D'après cette hypothèse, le phénomène réduit au minimum l'hybridation ainsi que la compétition interspécifique pour la nourriture, l'habitat et les autres ressources. Des chercheurs ont tenté de démontrer cette hypothèse dans la nature. Ils choisirent pour ce faire de comparer la taille du bec chez deux espèces de Pinsons de Darwin, *Geospiza fortis* et *G. fuliginosa*, qu'on trouve à la fois en sympatrie et en allopatrie. (Elles cohabitent sur Santa Cruz, tandis qu'on trouve seulement *G. fortis* sur Daphne Major et seulement *G. fuliginosa* sur Los Hermanos.) L'expérience comportait un élément de vérification à l'égard des effets morphologiques possibles d'une variation des ressources alimentaires entre les sites. Selon vous, pourquoi cette vérification s'imposait-elle ? Compte tenu de cette vérification et de l'hypothèse de départ, à quelle constatation vous attendez-vous quant à la taille du bec des deux espèces sur Santa Cruz d'une part et sur Daphne Major et Los Hermanos d'autre part ?

2. En 1990, J. Jackson et A. Cheetham, du Smithsonian Institute à Washington, publièrent une étude portant sur la fiabilité de la morphologie en tant qu'outil pour le classement spécifique d'Invertébrés appelés Bryozoaires. Ils concluent que la morphologie de l'enveloppe externe des Bryozoaires suffisait à elle seule à distinguer les espèces modernes. Faites le lien entre cette recherche et le reproche adressé à la théorie de l'équilibre ponctué, à savoir que son interprétation des documents géologiques, fondée uniquement sur des mesures du changement morphologique, est erronée.

SCIENCE, TECHNOLOGIE ET SOCIÉTÉ

Autrefois, des milliers de Saumons Kokani de la rivière Snake frayaient dans le lac Redfish, en Idaho. En 1990, cependant, aucun Saumon Kokani n'est retourné à la frayère. Huit barrages hydroélectriques empêchent les Saumons de descendre et de remonter le fleuve Columbia et la rivière Snake. En 1991, le gouvernement des États-Unis a ajouté le Saumon Kokani de la rivière Snake à la liste des espèces en voie de disparition. Le Saumon Kokani de la rivière Snake n'est qu'une des nombreuses populations de Saumons Kokani du réseau hydrographique. L'Endangered Species Act (Loi sur les espèces en voie d'extinction) protège non seulement des espèces entières, mais aussi les « segments distincts de population ». Comment définiriez-vous le mot « distinct » dans ce contexte ? Comment vous y prendriez-vous pour déterminer si telle ou telle population de Saumons satisfait à votre définition ? Quelles mesures seriez-vous prêt à instaurer pour protéger la population de Saumons Kokani de la rivière Snake ? Quels en seraient les avantages et les inconvénients ?

LECTURES SUGGÉRÉES

D'Amour, P., « Le Poisson-castor, voyageur du temps », *Québec Science*, vol. 30, n° 7, avril 1992. (Description de la biologie de ce fossile vivant.)

Gauffre, F., « Les premiers dinosaures », *La Recherche*, n° 256, juillet-août 1993. (La récente découverte d'un petit Dinosaure carnivore permet de dresser un premier tableau de l'émergence des Dinosaures il y a 230 millions d'années.)

Hartenberger, J. L., « La première guerre des Amériques », *Science & Vie*, n° 173, hors série, décembre 1990. (Développement de la faune sud-américaine sous le couvert d'un long isolement.)

Lemoigne, Y., « Plantes d'hier et d'aujourd'hui », *Science & Vie*, n° 173, hors série, décembre 1990. (L'évolution et la spéciation expliquent l'histoire des Végétaux.)

Levinton, J., « Le big-bang de l'évolution animale », *Pour la Science*, n° 183, janvier 1993. (Il y a 600 millions d'années, une grande diversification des espèces se produisit; depuis lors, il y a eu très peu de changements structuraux.)

LES ARCHIVES GÉOLOGIQUES
MÉCANISMES DE LA MACROÉVOLUTION
SYSTÉMATIQUE ET RECONSTITUTION DE LA PHYLOGENÈSE
FAUT-IL UNE NOUVELLE THÉORIE SYNTHÉTIQUE DE L'ÉVOLUTION ?

L e terme *macroévolution* suggère que les organismes ont subi des changements considérables. En termes taxinomiques supérieurs à l'espèce. Autrement dit, la **macroévolution** crée des groupes plus précis, la **macroévolution** entraîne des changements si substantiels que nous considérons ses produits comme de nouveaux genres, de nouvelles familles, voire de nouveaux embranchements. La séparation des Mammifères d'avec leurs ancêtres reptiliens constitue une manifestation de la macroévolution (les Reptiles et les Mammifères sont apparentés, mais ils présentent suffisamment de différences pour que les zoologistes les regroupent dans des classes de Vertébrés distinctes). On peut dire que la macroévolution se compose des événements marquants de l'histoire de la vie, tels qu'ils sont révélés par les archives géologiques (figure 23.1). À cette échelle immense, l'évolution comprend les aspects suivants : l'apparition de caractéristiques nouvelles, telles les plumes et les ailes des Oiseaux et la station debout de l'Humain ; les tendances évolutives comme l'accroissement du volume cérébral chez les Mammifères ; la diversification explosive de certains groupes d'organismes à la suite d'une percée quelconque, telle la radiation adaptative des Plantes à fleurs ; les extinctions massives, qui pavèrent la voie à de nouveaux épisodes de radiation adaptative, notamment à celle des Mammifères après la disparition des Dinosaures.

Dans le présent chapitre, nous expliquerons comment les biologistes étudient la macroévolution, nous présenterons les théories relatives à l'origine des nouveaux schèmes biologiques, et nous examinerons quelques épisodes importants de l'histoire de la vie. Nous ferons le lien entre ces sujets et la systématique, c'est-à-dire l'étude de la diversité biologique. Dans la dernière section, qui couronne cette partie de l'ouvrage consacrée aux mécanismes de l'évolution, nous nous pencherons sur l'une des questions fondamentales de la biologie évolutionniste : La macroévolution est-elle le produit cumulatif de la microévolution étalée sur de longues périodes ? En d'autres termes, la modification des populations due à la sélection naturelle est-elle la cause principale des grands changements que révèlent les fossiles et que nous assimilons à la macroévolution ? Tout au long de notre étude de la macroévolution, nous appliquerons aux changements écologiques et biologiques de dimensions planétaires l'idée que l'évolution découle des interactions entre les organismes et leur milieu.

LES ARCHIVES GÉOLOGIQUES

Les fossiles représentent les documents historiques de la biologie. Ils sont recueillis et interprétés par des

Figure 23.1
Les archives géologiques, chronique de la macroévolution.
Ce paléontologue exhume un squelette fossilisé de Dinosaure au Utah's Dinosaur National Monument. La radiation adaptative des Dinosaures puis leur disparition au cours d'une période d'extinctions massives représentent deux exemples des grandes transitions qui ont marqué l'histoire de la vie. Dans le présent chapitre, vous apprendrez que les archives géologiques constituent une chronique de la macroévolution et vous étudierez les mécanismes de la macroévolution.

spécialistes en paléontologie. La présente section porte sur l'utilité et sur les limites des fossiles en tant qu'instruments d'étude de la macroévolution.

Formation des fossiles

Un fossile (du latin *fossilis* «tiré de la terre») est un débris ou une empreinte laissés par un organisme ancien. La plupart des fossiles se trouvent dans des roches sédimentaires (figure 23.2a). Détachées de la terre ferme par l'érosion, les particules de sable et de limon se font emporter par les fleuves jusque dans les mers et les marais, puis elles sédimentent. Les dépôts s'accumulent, compriment les sédiments sous-jacents et les transforment en roche: le sable devient du grès et le limon, du schiste argileux. Après leur mort, les organismes aquatiques, de même que les organismes terrestres entraînés dans les mers et les marais, se déposent parmi les sédiments. Une infime fraction de ces organismes se conserve sous forme de fossiles.

Les substances organiques enfouies dans les sédiments se dégradent rapidement; en revanche, les parties dures riches en minéraux, tels les os et les dents des Vertébrés ainsi que les coquilles des Invertébrés et des Protistes, sont beaucoup plus susceptibles de se fossiliser (figures 23.1, 23.2a et 23.2b). Bien que les paléontologues aient exhumé des squelettes presque complets de Dinosaures et d'autres Animaux, ils ne trouvent la plupart du temps que des fragments de crâne, d'os ou de dents. Beaucoup de ces vestiges ont subi un durcissement appelé pétrification. Lorsque les conditions s'y prêtent, en effet, les minéraux dissous dans l'eau s'infiltrent dans les tissus d'un organisme mort et se substituent à la matière organique: le Végétal ou l'Animal se change en pierre. On trouve dans des régions aujourd'hui désertiques du sud-ouest des États-Unis d'étranges forêts d'arbres pétrifiés (figure 23.2c).

Les fossiles qui renferment encore de la matière organique sont moins nombreux que les fossiles minéralisés. Les paléontologues en découvrent parfois sous forme de minces pellicules comprimées entre des couches de grès ou de schiste argileux. Ainsi, des paléontologues ont trouvé des feuilles vieilles de plusieurs millions d'années qui contenaient encore de la chlorophylle; leur état de conservation permettait l'analyse de leur composition organique et l'observation de l'ultrastructure de leurs cellules au microscope électronique (figure 23.2d). En 1990, une équipe de recherche a même réussi à cloner un minuscule échantillon d'ADN extrait d'une ancienne feuille de Magnolia (vous lirez plus loin les détails de cet exploit). La matière végétale que l'on trouve le plus fréquemment à l'état fossile est le pollen, dont l'enveloppe organique rigide résiste à la dégradation.

Des moulages appelés ichnofossiles se forment dans les pistes, les terriers et autres empreintes laissées dans les sédiments par les activités des Animaux. Ces fossiles renseignent les paléontologues sur le mode de vie des Animaux qui ont ainsi marqué leur passage. Ainsi, les pistes de Dinosaures fournissent des indices sur leur démarche, la longueur de leurs pas et leur vitesse.

Quoique les fossiles se trouvent pour la plupart dans les roches sédimentaires, il en existe aussi ailleurs. Si un organisme meurt dans un endroit où les Bactéries et les Mycètes ne peuvent le décomposer, son corps entier, parties molles y compris, peut se fossiliser. Par exemple, l'Insecte montré à la figure 23.2f s'est trouvé prisonnier dans une goutte de résine il y a environ 40 millions d'années. La résine a durci, s'est transformée en ambre et a préservé l'Insecte à la manière d'un bloc de plastique coulé autour d'un spécimen biologique. Par ailleurs, des explorateurs ont découvert des Mammouths, des Bisons et d'autres Mammifères aujourd'hui disparus dans les glaces de l'Arctique. Vous avez probablement entendu parler des Humains de l'âge du bronze conservés dans des tourbières grâce à l'acidité du milieu. De telles découvertes font la manchette des journaux, mais il reste que ce sont surtout les fossiles sédimentaires qui permettent aux biologistes de reconstituer l'histoire de la vie.

Limites des archives géologiques

La découverte d'un fossile est l'aboutissement d'une série de coïncidences. Premièrement, il a fallu que l'organisme meure à un endroit et à un moment où les conditions d'enfouissement étaient propices à la fossilisation. Deuxièmement, la strate contenant le fossile a dû échapper aux processus géologiques qui détruisent ou déforment les roches, telles l'érosion, la pression exercée par les couches sus-jacentes et la fusion. Il a fallu ensuite qu'un fleuve creuse un canyon ou que quelque autre processus dénude la roche fossilifère. Enfin, il y a fort peu de chances que le fossile soit découvert, bien que cette probabilité augmente lorsque des personnes se mettent activement à la recherche de fossiles. Compte tenu de toutes ces conditions, il n'est pas étonnant que les archives géologiques soient incomplètes. Une bonne proportion des espèces qui ont vécu sur la Terre n'a pas laissé de fossiles, la majorité des fossiles formés a été détruite ou est restée enfouie, et une fraction seulement des fossiles existants a été découverte. Les archives géologiques, loin de représenter un échantillonnage complet des organismes du passé, faussent les données en faveur des espèces qui ont vécu longtemps, qui étaient abondantes et répandues, et qui possédaient des coquilles ou des squelettes durs. Les paléontologues, comme tous les historiens, doivent reconstituer le passé au moyen de documents lacunaires. En dépit de leurs limites, les archives géologiques constituent un registre remarquablement détaillé de la macroévolution à l'échelle des temps géologiques.

Fossiles et temps géologiques

Les fossiles ne constituent des données historiques fiables que dans la mesure où l'on peut les dater. Nous examinerons ici les méthodes qui permettent de situer les fossiles sur l'échelle des temps géologiques.

Datation relative Emprisonnés dans les sédiments, les organismes fossilisés restent figés dans le temps. La

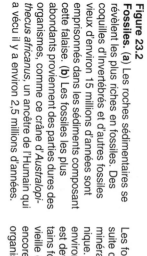

(e)

(a)

(c)

(b)

(d)

(f)

Figure 23.2
Fossiles. (a) Les roches sédimentaires se révèlent les plus riches en fossiles. Des coquilles d'invertébrés et d'autres fossiles vieux d'environ 15 millions d'années sont emprisonnés dans les sédiments composant cette falaise. **(b)** Les fossiles les plus abondants proviennent des parties dures des organismes, comme ce crâne d'*Australopithecus africanus*, un ancêtre de l'Humain qui a vécu il y a environ 2,5 millions d'années.

Les fossiles peuvent durcir davantage à la suite de la pétrification, durant laquelle des minéraux se substituent à la matière organique. **(c)** Ces arbres pétrifiés vivaient il y a environ 190 millions d'années dans ce qui est devenu un désert de l'Arizona. **(d)** Certains fossiles sédimentaires, telle cette feuille vieille de 40 millions d'années, contiennent encore de la matière organique. **(e)** Les organismes enfouis, comme ces invertébrés

appelés Brachiopodes qui vivaient il y a environ 375 millions d'années, se décomposent et laissent des moules dans lesquels des minéraux dissous dans l'eau précipitent. Les moulages qui se forment quand les minéraux durcissent constituent des répliques des organismes. **(f)** Emprisonné dans une goutte d'ambre (résine durcie), cet insecte vieux de 40 millions d'années se trouve dans un état de conservation presque parfait.

Datation absolue Dans l'expression « datation absolue », l'adjectif *absolu* ne signifie pas que la datation est parfaitement exacte : il indique que l'âge des fossiles est exprimé en années plutôt qu'à l'aide de termes relatifs comme *avant, après, antérieur et postérieur*. La **datation radioactive** est la méthode la plus fréquemment utilisée pour situer l'origine des roches et des fossiles dans une chronologie absolue. Les fossiles contiennent en effet des isotopes accumulés dans les organismes alors qu'ils étaient vivants. Comme les isotopes radioactifs ont chacun une vitesse fixe de désintégration, ils servent à dater un spécimen (voir le chapitre 2). La **demi-vie** d'un isotope, soit le nombre d'années nécessaire à la désintégration de 50 % de sa masse initiale, ne subit pas les effets de la température, de la pression et des autres variables écologiques. Ainsi, le carbone 14 (^{14}C) a une demi-vie de 5600 ans, une vitesse de dégradation fiable qui permet de dater les fossiles relativement récents (voir l'encadré à la page 479). Pour dater les fossiles plus anciens, les paléontologues utilisent des isotopes radioactifs dont la demi-vie est plus longue que celle du ^{14}C.

Pour dater certains fossiles, on peut utiliser des méthodes autres que la datation radioactive. Les acides aminés ont deux isomères, appelés forme L et forme D, dont la symétrie tend vers la gauche et vers la droite respectivement. Les organismes ne synthétisent que les acides aminés L, lesquels forment des protéines. Lorsqu'un organisme meurt, ses acides aminés L se convertissent lentement et constituent un mélange d'acides aminés L et D. Il est possible de mesurer le rapport des acides aminés L et D dans un fossile. Si l'on connaît la vitesse de la conversion chimique des acides aminés, appelée racémisation, on peut déterminer la date de la mort de l'organisme. Il y a quelques années, des archéologues ont employé cette méthode pour dater des coquilles d'œufs d'Autruche trouvées à proximité de fossiles d'Hominidés. Les Humains avaient probablement mangé les œufs et utilisé les coquilles comme bols. Contrairement à la désintégration radioactive, la racémisation est influencée par la température. Pour les fossiles trouvés dans des sites où le climat n'a pas beaucoup changé, cependant, les deux méthodes de datation donnent des résultats à peu près semblables.

L'ordre des strates sédimentaires indique la succession des changements biologiques, et les méthodes de datation absolues révèlent les moments où les épisodes de la macroévolution se sont produits. Des archives de la macroévolution, passons maintenant à l'étude des mécanismes qui entraînent les transformations du vivant.

MÉCANISMES DE LA MACROÉVOLUTION

Quels processus causent les grands changements évolutifs que retracent les archives géologiques ? Comment apparaissent les caractéristiques qui, telles les adaptations des Oiseaux au vol, définissent les groupes taxinomiques supérieurs à l'espèce ? Qu'est-ce qui amorce les tendances évolutives qui nous apparaissent comme progressives, tels l'augmentation de la taille de certaines familles de Reptiles à l'ère des Dinosaures, ou l'accroissement du volume cérébral au cours de l'évolution

---

sédimentation n'est pas un processus continu : elle s'effectue par intervalles, à mesure que le niveau de la mer fluctue ou que les lacs et les marais s'assèchent et se remplissent. Même en un site submergé, la vitesse de la sédimentation et les types de particules sédimentaires varient. Par conséquent, la roche forme des couches, ou strates (voir la figure 20.5). Les fossiles emprisonnés dans chaque couche représentent un échantillonnage local des organismes qui existaient à l'époque où les particules ont sédimenté. Les sédiments récents se superposant aux sédiments anciens, ils forment un manuel où l'on peut lire l'âge relatif des fossiles.

Il arrive souvent que l'on puisse établir une corrélation entre les strates d'un site et celles d'un autre site, grâce à la présence de fossiles semblables, ou **fossiles stratigraphiques.** Les meilleurs fossiles stratigraphiques sont les coquilles des Animaux marins qui étaient largement répartis. Partout où une route ou un canyon révèle des couches de roches, la succession est susceptible de présenter des lacunes. En effet, la région a pu émerger durant certaines périodes et, de ce fait, aucune sédimentation n'a pu s'y produire. De même, certaines des couches sédimentaires qui se sont formées pendant que la région était submergée ont pu s'user au cours de périodes subséquentes d'érosion.

Après avoir étudié un grand nombre de sites, les géologues ont établi la succession des périodes géologiques (tableau 23.1). Ces périodes sont regroupées en quatre ères : le Précambrien, le Paléozoïque, le Mésozoïque et le Cénozoïque. Chaque ère représente un âge particulier dans l'histoire de la Terre et de la vie qu'elle a abritée ; les transitions se matérialisent dans les archives géologiques par des radiations explosives de nouvelles formes vivantes faisant suite à des extinctions massives. Ainsi, le début du Paléozoïque est marqué par une grande variété de fossiles d'Invertébrés, que l'on ne trouve pas dans les roches de la fin du Précambrien. En outre, la plupart des Animaux qui ont vécu à la fin du Précambrien se sont éteints au début du Paléozoïque. Les limites entre les périodes comprises dans chaque ère correspondent elles aussi à de grandes transitions des formes fossilisées ; cependant, ces changements sont moins radicaux que les révolutions géologiques et biologiques qui divisent les ères. Enfin, les périodes sont à leur tour subdivisées en époques (seules les époques de l'ère actuelle, le Cénozoïque, sont mentionnées dans le tableau 23.1). L'échelle placée à droite du tableau 23.1 vous aidera à comprendre que les ères géologiques ne furent pas de durée égale. Notez aussi que le Jurassique a duré presque deux fois plus longtemps que le Trias. Rappelez-vous que les temps géologiques n'ont pas divisé les temps géologiques de manière arbitraire, mais bien d'après les données contenues dans les roches.

Les archives géologiques révèlent l'âge *relatif* des fossiles, c'est-à-dire l'ordre dans lequel sont apparus les groupes d'espèces. La succession des strates n'indique pas l'âge *absolu* des fossiles. Lorsque vous enlevez les couches de papier peint des murs d'une très vieille maison, vous pouvez déterminer l'ordre dans lequel les papiers peints ont été superposés, et non pas la date où chacun a été ajouté.

Tableau 23.1 Géochronologie

Ères	Périodes	Époques	Millions d'années écoulées	Jalons de l'histoire de la vie
CÉNOZOÏQUE	Quaternaire	Récente		Temps historique
		Pléistocène	0,01	Époque glaciaire; apparition des Humains
			1,8	
	Tertiaire	Pliocène		Apparition des Hominidés
		Miocène	5	Poursuite de la radiation adaptative des Mammifères et des Angiospermes
		Oligocène	24	Origine de la plupart des ordres de Mammifères modernes, dont les Anthropoïdes
		Éocène	38	Suprématie des Angiospermes; augmentation de la diversité des Mammifères
		Paléocène	54	Importante radiation adaptative des Mammifères, des Oiseaux et des Insectes pollinisateurs
			65	
MÉSOZOÏQUE	Crétacé			Apparition des Plantes à fleurs (Angiospermes); extinction des Dinosaures à la fin de la période
			144	
	Jurassique			Persistance de la suprématie des Gymnospermes; suprématie des Dinosaures
			213	
	Trias			Suprématie des Gymnospermes; apparition des Dinosaures, des Mammifères et des Oiseaux
			248	
PALÉOZOÏQUE	Permien			Radiation adaptative des Reptiles; origine des Reptiles semblables à des Mammifères et de la plupart des ordres d'Insectes modernes; extinction de nombreux Invertébrés marins
			286	
	Carbonifère			Immenses forêts de Vasculaires; premières Plantes à graines; origine des Reptiles; suprématie des Amphibiens
			360	
	Dévonien			Diversification des Poissons osseux; apparition des Amphibiens et des Insectes
			408	
	Silurien			Diversité des Vertébrés agnathes; colonisation de la terre ferme par les Vasculaires et les Arthropodes
			438	
	Ordovicien			Apparition des Vertébrés (Poissons agnathes); abondance des Algues marines
			505	
	Cambrien			Origine de la plupart des embranchements d'Invertébrés; diverses Algues
			570	
PRÉCAMBRIEN				Origine des premiers Animaux
			700	
			1500	Fossiles d'eucaryotes les plus anciens
			2500	Accumulation de l'oxygène dans l'atmosphère
			3500	Fossiles de procaryotes les plus anciens
			4600	Origine approximative de la Terre

Durée relative des ères

CÉNOZOÏQUE
MÉSOZOÏQUE
PALÉOZOÏQUE
PRÉ-CAMBRIEN

TECHNIQUES: DATATION RADIOACTIVE

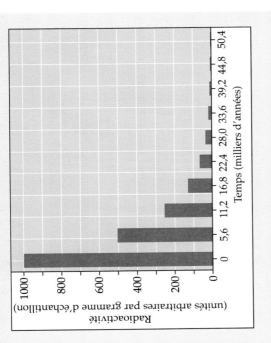

Les isotopes radioactifs peuvent être détectés et mesurés, car ils émettent des radiations à mesure qu'ils se désintègrent en atomes stables (voir le chapitre 2). Cette propriété permet aux paléontologues de dater les fossiles et les roches. Le ¹⁴C, par exemple, a une demi-vie de 5600 ans; autrement dit, la moitié du ¹⁴C contenu dans un échantillon disparaît en 5600 ans, la moitié du reste met encore 5600 ans à disparaître, et ainsi de suite. Le graphique ci-contre représente cette diminution exponentielle de la radioactivité. Dans l'exemple montré ci-dessous, on mesure le ¹⁴C pour dater une coquille de Palourde fossilisée. Comme la demi-vie du ¹⁴C est relativement courte, cet isotope ne se révèle fiable que pour les fossiles de moins de 50 000 ans. Pour dater les fossiles plus anciens, les paléontologues utilisent des isotopes radioactifs dont la demi-vie est plus longue que celle du ¹⁴C. Ainsi, le potassium 40 (⁴⁰K), un isotope radioactif dont la demi-vie est de 1,3 milliard d'années, peut servir à dater les roches vieilles de centaines de millions d'années et à déduire l'âge des fossiles qu'elles contiennent. La datation radioactive comporte une marge d'erreur de moins de 10 %.

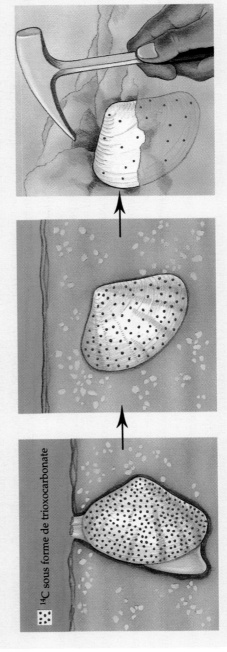

¹⁴C sous forme de trioxocarbonate

Au cours de sa vie, un organisme comme cette Palourde assimile les différents isotopes de chaque élément en des proportions déterminées par leur abondance respective dans le milieu. Le ¹⁴C est absorbé en quantités minimes, en même temps que des quantités beaucoup plus grandes de ¹²C, plus abondant.

Après sa mort, la Palourde est recouverte de sédiments; à mesure que les sédiments sont comprimés, la coquille se cimente dans une couche de roche. À compter du moment où la Palourde meurt et cesse d'assimiler du carbone, la quantité de ¹⁴C contenue dans ses restes diminue par rapport à celle du ¹²C, par suite de la désintégration radioactive.

Après la découverte du fossile, on détermine son âge en mesurant le rapport entre les deux isotopes; on apprend ainsi combien de réductions ont eu lieu depuis la mort de la Palourde. Par exemple, si le rapport entre le ¹⁴C et le ¹²C dans ce fossile est quatre fois moindre que dans un organisme vivant, le fossile est âgé d'environ 11 200 ans.

humaine? Quel a été l'effet des changements géologiques planétaires sur la macroévolution? Et comment expliquer les grandes fluctuations de la diversité biologique inscrites dans les archives géologiques, notamment la multiplication des espèces animales au début du Paléozoïque et les extinctions massives? Ce ne sont là que quelques-unes des questions que se posent les spécialistes de la macroévolution.

Origine des innovations évolutives

Les Oiseaux descendent des Dinosaures; leurs ailes sont homologues aux membres antérieurs des Reptiles modernes, leurs cousins. (Voir le chapitre 20 pour une révision de la notion d'homologie.) Comment se fait-il que des Animaux volants aient des ancêtres terrestres? L'Humain et le Chimpanzé sont proches parents; pourtant, ils présentent des différences telles (notamment en ce qui a trait à la posture et au volume cérébral) qu'ils jouent des rôles écologiques totalement dissemblables. Qu'est-ce qui crée les innovations évolutives qui définissent les groupes taxinomiques supérieurs comme les familles et les classes? Autrement dit, comment les nouvelles caractéristiques biologiques apparaissent-elles? Certains pensent que des structures existantes s'adaptent graduellement à l'accomplissement de nouvelles fonctions.

Préadaptation La plupart des structures biologiques possèdent une plasticité évolutive qui les rend aptes à remplir des fonctions différentes de leurs fonctions actuelles. D'un point de vue rétrospectif, les évolutionnistes appellent **préadaptation** la capacité que présente une structure qui apparaît dans un certain contexte de changer ultérieurement de fonction. Cela ne signifie nullement qu'une structure apparaît en prévision d'un usage futur. La sélection naturelle ne prévoit pas l'avenir: elle ne peut qu'améliorer une structure dans le contexte de son utilité actuelle. Les os creux et légers des Oiseaux (voir la figure 1.6b, à la page 9) ne sont pas apparus chez leurs ancêtres reptiliens en guise d'adaptation aux vols futurs. Si les os creux ont été antérieurs au vol, comme l'indiquent clairement les archives géologiques, c'est qu'ils ont dû remplir une fonction sur la terre ferme. Les ancêtres des Oiseaux étaient sans doute des Dinosaures bipèdes agiles qui avaient eux aussi avantage à posséder un squelette léger. De même, les membres antérieurs larges et plats, ainsi que les plumes qui en augmentaient la surface, se mirent probablement à servir pour le vol après avoir rempli une autre fonction. On pense que les petits Dinosaures lestes qui furent les ancêtres des Oiseaux se servaient de leurs membres antérieurs comme de filets pour capturer des Insectes et d'autres petites proies; peut-être n'utilisaient-ils leurs plumes que dans les rituels sociaux, comme la parade nuptiale. Ensuite, il se peut que ces Animaux aient commencé à utiliser leurs membres antérieurs pour amortir leurs chutes ou pour prolonger leurs bonds derrière leurs proies ou devant leurs prédateurs. Une fois que le vol est devenu un avantage en soi, la sélection naturelle a dû perfectionner les plumes et les ailes de façon qu'elles soient mieux adaptées à leur fonction supplémentaire.

Nous ne pouvons prouver l'exactitude de ce scénario, car il reste fort peu de marques de la transition des Reptiles aux Oiseaux dans les archives géologiques connues.

Néanmoins, la préadaptation explique de manière plausible pourquoi des caractéristiques apparaissent au fil d'une série de stades intermédiaires qui remplissent chacun une certaine fonction dans le contexte immédiat de l'organisme. Karel Liem, un zoologiste de l'Université Harvard, s'exprime ainsi sur le sujet: « L'évolution se compare à la modification d'une machine en marche. »

L'idée que les innovations évolutives résultent de l'accommodation de structures anciennes à de nouvelles fonctions s'inscrit dans la tradition darwinienne selon laquelle les grands changements constituent des accumulations de nombreux petits changements amenés par la sélection naturelle.

Développement et macroévolution Il faut que de très nombreux loci subissent des changements pour produire le remodelage nécessaire à l'apparition de structures complexes comme les ailes et les plumes. Mais il existe aussi des cas où des changements relativement peu nombreux du génome causent des modifications morphologiques considérables, telles les différences entre l'Humain et le Chimpanzé. Comment une légère divergence génétique peut-elle se traduire en différences marquées entre les organismes? C'est la question à laquelle tentent de répondre les scientifiques qui travaillent au carrefour de l'embryologie et de la biologie évolutive.

Les gènes qui programment le développement commandent le déclenchement, la vitesse et l'organisation spatiale des changements morphologiques que subit un organisme depuis la fécondation jusqu'à la maturité. Ainsi, la forme d'un organisme est influencée par l'**allométrie**, la croissance plus rapide ou plus lente de certaines parties du corps par rapport aux autres. La figure 23.3a montre les effets de l'allométrie sur les proportions du corps humain pendant son développement. Modifiez, même légèrement, les vitesses de croissance des différentes parties du corps, et vous modifiez considérablement la forme de l'adulte. Par exemple, les différences morphologiques entre le crâne de l'Humain et celui du Chimpanzé résultent des différences de la croissance allométrique (figure 23.3b). À cause de l'allométrie, les effets d'une variation imperceptible du développement se trouvent amplifiés chez l'adulte.

Non seulement les changements génétiques influent sur la vitesse du développement, mais ils modifient aussi l'ordre dans lequel les différents organes commencent et terminent leur développement. Par exemple, les rayures du Zèbre de steppe et du Zèbre de Grevy diffèrent parce qu'elles commencent à se former trois et cinq semaines respectivement après la fécondation (figure 23.4). Au chapitre de la chronologie du développement, d'autres changements revêtent encore plus d'importance, soit ceux qui engendrent la **pédomorphose** (du grec *paidos* « enfant », *morphê* « forme »). La pédomorphose se caractérise par la persistance chez un organisme adulte de structures qui étaient strictement juvéniles chez son ancêtre. Ainsi, la plupart des espèces de Salamandres subissent une métamorphose qui les fait passer du stade larvaire à la forme adulte. Or, certaines espèces conservent des branchies et d'autres caractéristiques larvaires même une fois qu'elles ont atteint la taille adulte et la maturité sexuelle (figure 23.5). Une telle modification évolutive de la chronologie du développement peut produire des individus dont l'apparence s'éloigne fortement de celle de leurs ancêtres.

Zèbre de steppe

Zèbre de Grevy

Figure 23.4
Effet de la chronologie du développement sur les rayures des Zèbres. Les rayures du Zèbre de steppe, *Equus quagga* (en haut), sont plus larges et moins nombreuses que celles du Zèbre de Grevy, *Equus grevyi*. Cette différence est probablement due au fait que les rayures commencent à se former trois semaines après la fécondation chez le Zèbre de steppe et cinq semaines après chez le Zèbre de Grevy. Pour vous représenter le processus, imaginez que vous peignez sur deux ballons, l'un moins gonflé que l'autre, le même motif de rayures. Vous continuez à gonfler les ballons et vous leur donnez une taille égale. Sur le ballon qui était le plus petit au moment de l'application de la peinture, les rayures seront moins nombreuses et plus larges que sur l'autre ballon.

la prolongation d'un processus juvénile. Nous devons la civilisation à cette innovation évolutive, à laquelle s'ajoute une longue période de soins et d'éducation.

Tous les exemples que nous venons de citer illustrent le phénomène de l'**hétérochronie**, l'ensemble des changements évolutifs touchant la chronologie ou la vitesse du développement. L'**homéose** joue un rôle tout aussi important dans l'évolution : il s'agit des modifications qui concernent l'emplacement des différentes structures, tels les appendices d'un animal et les pièces florales d'un Végétal. Nous traiterons des modifications homéotiques des organismes plus en détail aux chapitres 34 et 43. Pour l'instant, rappelez-vous que le changement de la dynamique que du développement, tant du point de vue temporel (hétérochronie) que spatial (homéose) a joué un rôle important dans la macroévolution.

Difficultés inhérentes à l'interprétation des tendances évolutives

Déduire de l'observation d'archives géologiques vraisemblablement incomplètes une progression évolutive

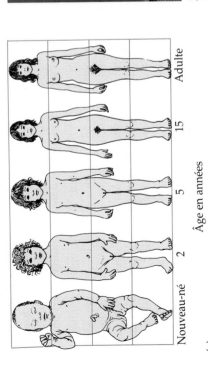

Nouveau-né   2   5   15   Adulte

Âge en années

(a)

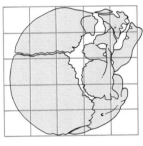

Fœtus humain

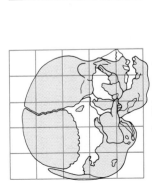

Fœtus de Chimpanzé

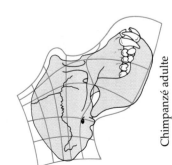

Humain adulte

Chimpanzé adulte

(b)

Figure 23.3
Allométrie. L'écart entre les vitesses de croissance des différentes parties du corps détermine les proportions corporelles. **(a)** Chez l'Humain, les jambes et les bras grandissent plus vite que la tête et le tronc, comme le montre le diagramme où sont dessinés à la même taille des individus d'âges différents. **(b)** Le crâne fœtal de l'Humain et celui du Chimpanzé ont une forme arrondie semblable. La croissance allométrique des os donne au crâne du Chimpanzé la forme allongée caractéristique de l'Anthropoïde adulte. Le processus est atténué chez l'Humain ; le crâne de l'Humain change moins que celui du Chimpanzé au cours de la croissance.

Les changements de la chronologie du développement ont aussi joué un rôle important dans l'évolution humaine. L'Humain et le Chimpanzé descendent du même ancêtre et sont étroitement apparentés. De nombreuses différences anatomiques entre ces deux Primates modernes sont dues à l'allométrie et à la chronologie du développement. La plus importante de ces différences tient à l'écart entre les volumes cérébraux. L'encéphale humain est, toutes proportions gardées, plus gros que celui du Chimpanzé, parce que sa croissance se poursuit pendant plusieurs années, ce qui peut s'interpréter comme

Figure 23.5
Pédomorphose. Certaines espèces conservent à l'état adulte des caractéristiques propres aux jeunes chez leurs ancêtres. Cette Salamandre est un Axolotl ; elle garde certaines caractéristiques larvaires (du têtard) même une fois qu'elle a atteint sa taille adulte et qu'elle est devenue apte à se reproduire. Cette figure, de même que les figures 23.3 et 23.4, montre des exemples d'hétérochronie, un changement évolutif touchant la chronologie ou la vitesse du développement.

uniforme constitue une démarche erronée ; cela revient à affirmer qu'un buisson croît en direction d'un point précis après avoir considéré seulement les branches qui mènent de la base du buisson à une ramille en particulier. Prenons pour justifier notre assertion l'exemple du Cheval moderne qui, croit-on, descend d'un ancêtre de petite taille nommé *Hyracotherium*. Cet Animal vivait à l'ère Éocène, il y a environ 40 millions d'années, et se nourrissait de feuilles et de ramilles. Non seulement le Cheval moderne (genre *Equus*) est plus grand que son ancêtre, mais il a un doigt à chaque pied plutôt que quatre, et ses dents sont adaptées au broutage plutôt qu'à la cueillette. En choisissant certaines espèces parmi les fossiles existants, nous pourrions interposer entre *Hyracotherium* et le Cheval moderne une succession d'Animaux intermédiaires présentant une tendance vers l'augmentation de la taille, la diminution du nombre de doigts et la formation de dents adaptées au broutage (figure 23.6a). Nous pourrions conclure que cette série de fossiles constitue une lignée continue menant directement de *Hyracotherium* au Cheval moderne à travers une succession de stades intermédiaires. Mais si nous tenons compte de tous les Chevaux fossiles connus aujourd'hui, l'illusion d'une évolution cohérente et progressive s'évanouit. En effet, nous nous apercevons que la transition s'est effectuée par étapes ; chaque espèce apparaît dans les archives géologiques puis en disparaît sans présenter de changements marqués dans l'intervalle. *Equus* représente simplement la seule ramille survivante d'un arbre phylogénétique si ramifié qu'il n'est pas devenu le Cheval moderne en changeant graduellement, pas plus que vos arrière-grands-parents ne sont devenus vous-même. *Equus* a évolué en une série d'épisodes de spéciation qui ont compris plu-

sieurs radiations adaptatives et qui n'ont pas tous mené au Cheval brouteur, de grande taille et à un doigt. Si *Equus* avait disparu et qu'un autre Cheval avait subsisté, nous dégagerions des tendances évolutives différentes.

En revanche, l'évolution a effectivement produit de nombreuses tendances qui, d'après les archives géologiques, semblent authentiques. Par exemple, une famille des Éléphants, les Titanothères, avait un ancêtre de la taille d'une Souris qui vivait au début du Cénozoïque (figure 23.7). Rien ne prouve que les diverses lignées de Titanothères aient connu une augmentation continue de taille ; on trouve une suite d'espèces de plus en plus grandes, mais chacune garde la même taille tout au long de sa présence dans les archives géologiques. Il semble bien que l'évolution se soit produite dans ce cas par équilibre ponctué (voir le chapitre 22). Selon la théorie de l'équilibre ponctué, les tendances évolutives résultent dans la plupart des groupes d'organismes non pas d'un glissement phylétique des formes, mais bien de changements ponctuels survenant pendant que les nouvelles espèces se détachent des espèces ancestrales.

Une tendance peut se dessiner dans l'évolution divergente (cladogénèse) même si de nouvelles espèces la contrecarrent. Pendant le Mésozoïque, l'évolution des Reptiles présentait une tendance globale vers la grandeur ; cette progression a mené aux Dinosaures, qui devinrent les Animaux dominants de cette ère. La tendance s'est maintenue même si certaines nouvelles espèces ont eu une taille plus petite que leurs espèces mères. En fait, la diminution de taille par rapport à l'espèce mère aurait pu être aussi fréquente que l'augmentation de taille. La tendance serait apparue quand même, parce que les grands Reptiles ont connu plus d'épisodes de spéciation que les grands Reptiles ont connu plus d'épisodes de spéciation que les petits ou ont subsisté plus longtemps qu'eux (figure 23.8). Dans cette conception de la macroévolution, énoncée par Steven Stanley de l'Université Johns-Hopkins, il y a une analogie entre les espèces et les individus : elles naissent (émergent), elles se reproduisent (produisent de nouvelles espèces) et meurent (disparaissent). D'après le modèle de Stanley, une tendance évolutive résulte de la **sélection spécifique**, un peu comme une tendance apparaît dans une population par suite de la sélection naturelle. Les espèces qui vivent le plus longtemps et qui engendrent le plus grand nombre d'espèces déterminent la direction des grandes tendances évolutives. L'inégalité de la spéciation jouerait donc dans la macroévolution un rôle semblable à celui que joue l'inégalité du succès reproductif dans la microévolution.

Dans la mesure où la vitesse de la spéciation et la longévité des espèces constituent des indices du succès, l'analogie avec la sélection naturelle s'impose avec encore plus de force. Or, il se peut que des qualités étrangères au succès global des organismes dans des milieux particuliers aient autant d'importance que ces deux attributs dans la sélection spécifique. Ainsi, une espèce capable de se disperser en de nouveaux endroits a peut-être plus de chances que les autres de produire un grand nombre d'espèces filles. De nombreux détracteurs du modèle de la sélection spécifique affirment que les tendances évolutives résultent le plus souvent d'une modification graduelle des populations survenant à la suite

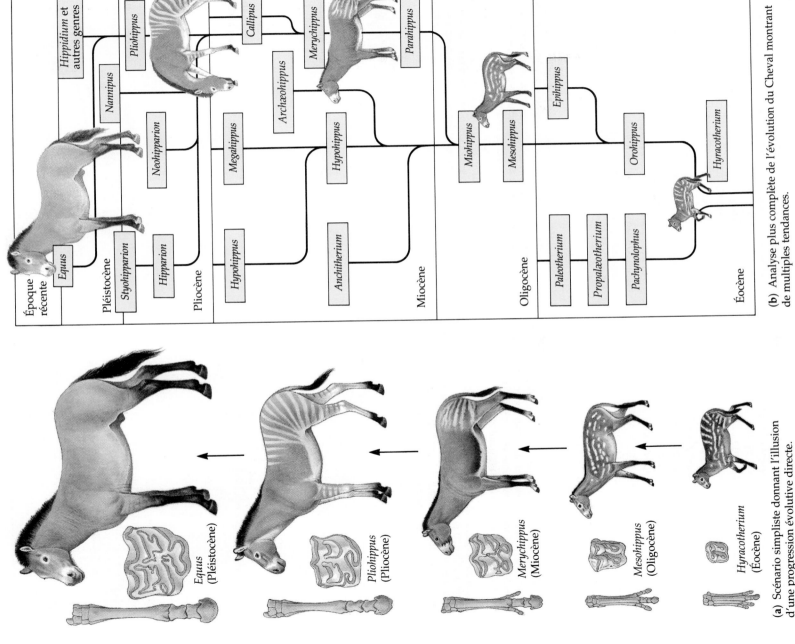

(b) Analyse plus complète de l'évolution du Cheval montrant de multiples tendances.

(b) Une phylogenèse plus complète révèle que le Cheval moderne est la seule ramille survivante dans un buisson évolutif comprenant de nombreuses tendances divergentes.

Figure 23.6
Évolution divergente du Cheval. (a) En choisissant une séquence de Chevaux fossiles intermédiaires entre le Cheval moderne et son ancêtre de l'Éocène, *Hyracotherium*,

nous créons l'illusion d'une progression phylétique tendant vers l'augmentation de la taille, la diminution du nombre de doigts et l'apparition de dents adaptées au broutage.

(a) Scénario simpliste donnant l'illusion d'une progression évolutive directe.

de changements écologiques. De tels débats ont le mérite de stimuler les chercheurs ; beaucoup de paléontologues et d'autres biologistes de l'évolution se penchent aujourd'hui sur la cause des tendances évolutives.

Quelle qu'en soit la cause, cependant, l'apparition d'une tendance évolutive ne signifie pas qu'il existe un élan intrinsèque vers un état prédéterminé. L'évolution est une réponse aux interactions entre les organismes et leur milieu actuel. Si les conditions changent, une tendance évolutive peut cesser ou même s'inverser. Le monde du Mésozoïque favorisait les Reptiles géants mais, à la fin de cette ère, les espèces de petite taille étaient devenues les plus nombreuses.

Dérive des continents et biogéographie de la macroévolution

La macroévolution s'inscrit dans l'espace aussi bien que dans le temps. De fait, c'est la biogéographie bien plus que la paléontologie qui a donné à Wallace et à Darwin l'intuition de l'évolution. L'histoire de la Terre éclaire la distribution géographique actuelle des espèces. Ainsi,

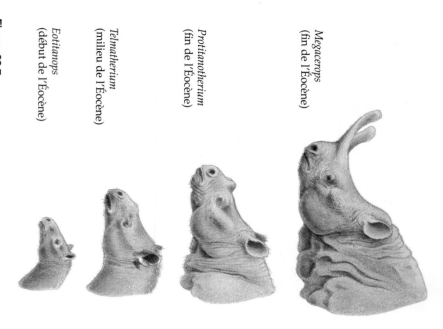

Megacerops (fin de l'Éocène)

Protitanotherium (fin de l'Éocène)

Telmatherium (milieu de l'Éocène)

Eotitanops (début de l'Éocène)

Figure 23.7
Tendances dans l'évolution des Titanothères. Dans chacun des genres de cette famille de Mammifères disparus, la taille des espèces et de leurs cornes a augmenté pendant une période de 45 millions d'années. Néanmoins, aucune espèce n'a connu une augmentation de taille au cours de sa présence dans les archives géologiques. Certains paléontologues en concluent que les tendances évolutives n'ont pas été produites par une évolution phylétique graduelle des populations, mais bien par une série d'épisodes de spéciation au cours desquels la taille moyenne des espèces a augmenté.

l'émergence d'îles volcaniques comme les Galápagos ouvre de nouveaux milieux, et la radiation adaptative comble un grand nombre des niches écologiques disponibles. À l'échelle planétaire, la distribution des espèces de même que les jalons macroévolutifs comme les extinctions massives et les explosions de la diversité biologique sont en corrélation avec la dérive des continents.

Les continents ne sont pas immobiles : ils sont portés par d'immenses fragments de la croûte terrestre, les plaques, qui flottent sur la roche en fusion du manteau (figure 23.9). Deux continents situés sur des plaques différentes changent de position l'un par rapport à l'autre. À l'heure actuelle, par exemple, l'Amérique du Nord et l'Europe s'éloignent l'une de l'autre d'environ 2 cm par année. De nombreux phénomènes géologiques importants, dont la formation des montagnes, les éruptions volcaniques et les séismes, se produisent en bordure des plaques (figure 23.10). La célèbre faille de San Andreas, en Californie, fait partie d'une zone de friction entre deux plaques. Les Philippines, où le mont Pinatubo a fait éruption le 12 juin 1991, se situent au-dessus de la zone de rencontre entre deux plaques.

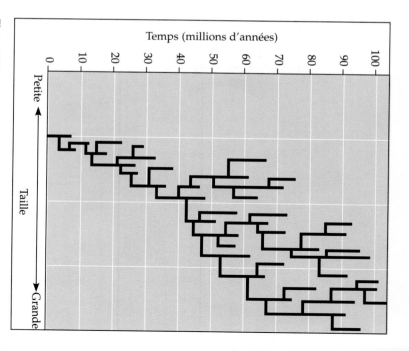

Temps (millions d'années)

Petite — Taille — Grande

Figure 23.8
Hypothèse de la sélection spécifique. D'après le modèle de la sélection spécifique, proposé à la place du modèle de l'évolution phylétique, les tendances évolutives résultent du fait que certaines espèces subsistent plus longtemps et produisent plus d'espèces filles que d'autres. Cet exemple montre une tendance vers l'augmentation de la taille. L'émergence d'espèces plus petites que leur espèce mère est aussi fréquente que l'émergence d'espèces plus grandes que leur espèce mère. Néanmoins, il existe une tendance générale, car les espèces de grande taille durent plus longtemps et laissent plus d'espèces filles que les espèces de petite taille.

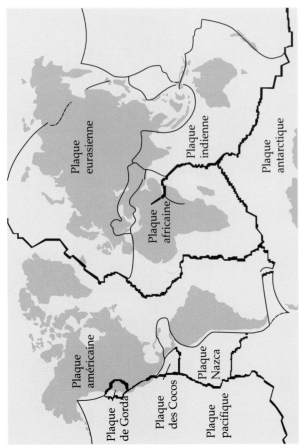

Figure 23.9
Plaques de la croûte terrestre. Les continents modernes reposent sur des plaques qui flottent sur un manteau de roche en fusion, poussées par les courants de convection. Cette carte ne montre que les principales plaques.

Plaque eurasienne

Plaque indienne

Plaque africaine

Plaque antarctique

Plaque américaine

Plaque de Gorda

Plaque des Cocos

Plaque Nazca

Plaque pacifique

Les mouvements des plaques font et défont la géographie, mais deux chapitres de cette saga sans fin ont eu sur le vivant une influence particulièrement déterminante. Le premier s'est écrit il y a environ 250 millions d'années, à la fin du Paléozoïque. À cette époque, les mouvements des plaques ont réuni tous les continents en un mégacontinent appelé **Pangée**, ce qui signifie « toute terre » (figure 23.11). Imaginez les effets qu'un tel événement a eus sur les formes vivantes. Les espèces qui avaient évolué dans l'isolement furent rassemblées et confrontées. La longueur totale des littoraux diminua ; la profondeur des océans augmenta, ce qui abaissa le niveau de la mer et draina les mers côtières peu profondes qui restaient. À cette époque, comme aujourd'hui, la plupart des espèces marines vivaient en eaux peu profondes, et la formation de la Pangée détruisit une part considérable de leur habitat. Ce fut probablement une longue épreuve pour les espèces terrestres aussi. La surface des régions intérieures, au climat plus rigoureux que celui des côtes, s'étendit. Les modifications des courants océaniques ont sûrement eu un effet sur les espèces terrestres. L'impact écologique de la formation de la Pangée fut assurément colossal ; en provoquant des extinctions et en ménageant aux groupes taxinomiques survivants des occasions de prospérer, le phénomène a complètement modifié le tableau de la diversité écologique.

Le deuxième chapitre critique de l'histoire de la dérive des continents se joua il y a environ 180 millions d'années, au début du Mésozoïque. La Pangée commença alors à se fragmenter. Les continents s'écartèrent, et les espèces se trouvèrent confinées dans des arènes évolutives distinctes. La faune et la flore des différents domaines biogéographiques se mirent à diverger (voir le chapitre 48).

La fragmentation de la Pangée explique bien des énigmes biogéographiques. Ainsi, les paléontologues ont découvert au Ghana (en Afrique occidentale) et au Brésil des fossiles semblables de Reptiles triasiques (figure 23.12). Ces deux parties du monde, aujourd'hui

séparées par 3000 km d'océan, étaient contiguës au début du Mésozoïque. La dérive des continents explique aussi les particularités de la faune et de la flore australiennes. Par exemple, l'Australie est le seul continent où l'on trouve une grande variété de Marsupiaux (Mammifères possédant une poche ventrale) ; ces Animaux remplissent là des niches écologiques analogues à celles qu'occupent les Mammifères placentaires sur les autres continents. Les Marsupiaux sont probablement apparus dans ce qui devait devenir l'Amérique du Nord ; après quoi, ils atteignirent l'Australie en passant par l'Amérique du Sud et l'Antarctique à l'époque où ces continents étaient réunis. Ensuite, les continents australs se sont scindés, et l'Australie est devenue l'arche de Noé des Marsupiaux ; pendant ce temps, les Mammifères placentaires ont évolué et se sont diversifiés sur les autres continents. L'Australie se trouve complètement isolée depuis 50 millions d'années ; les Chauves-Souris et les Humains (ainsi que les Animaux domestiques) sont les seuls Mammifères placentaires du continent. Si Darwin avait connu la dérive des continents, il aurait compris l'énigme de la faune australienne.

Ponctuations dans l'histoire de la diversité biologique

L'évolution n'a pas suivi un cours tranquille. Les archives géologiques révèlent que de longues périodes relativement quiescentes furent ponctuées par de brefs épisodes de bouleversement où survinrent aussi bien des extinctions massives que des explosions de radiations adaptatives.

Exemples de grandes radiations adaptatives Beaucoup de groupes taxinomiques se sont abondamment diversifiés au début de leur histoire, après l'apparition d'une caractéristique qui ouvrait une nouvelle **zone adaptative,** c'est-à-dire un mode de vie offrant des possibilités jusquelà inexploitées. L'apparition des ailes, par exemple, fit entrer les Insectes dans une zone adaptative renfermant

Entre deux plaques qui s'écartent, il se forme des dorsales océaniques, et de la roche en fusion remonte du manteau pour combler le vide. La roche se solidifie et s'intègre symétriquement aux deux plaques, un phénomène appelé expansion des fonds océaniques. Deux plaques qui se rapprochent déterminent une zone de subduction ; là, la plaque la plus dense s'enfonce sous l'autre et crée ainsi une fosse abyssale. La fosse des Mariannes, dans le Pacifique Sud, est une zone de subduction dont la profondeur dépasse 11 000 m. Dans les zones de subduction, l'abrasion cause des séismes et des éruptions volcaniques. Lorsque des continents portés par des plaques différentes entrent en collision, ils se superposent et donnent naissance à des montagnes. (b) La faille de San Andreas, photographiée ici au nord de Los Angeles, correspond à la jonction entre la plaque pacifique et la plaque américaine, et l'activité sismique y est intense. (c) La tectonique des plaques a eu des effets dévastateurs lors de l'éruption du mont Pinatubo, en 1991. Les Philippines, où se trouve ce volcan, surmontent l'endroit où la plaque eurasienne rencontre une plaque de moindres dimensions (voir la figure 23.9).

(a)

Dorsale océanique   Fosse abyssale

Croûte océanique

Expansion des fonds océaniques

Zone de subduction

Volcans et îles volcaniques

(b)

(c)

d'abondantes ressources alimentaires, et la radiation adaptative produisit des centaines de milliers de variantes à partir de l'architecture fondamentale des Insectes.

La transition entre le Précambrien et le Paléozoïque fut marquée par une forte diversification des Animaux marins. Les Animaux les plus anciens ont été retrouvés dans des roches de la fin du Précambrien datant d'environ 700 millions d'années (voir le tableau 23.1). Ces créatures, dont on a découvert des empreintes fossilisées en différents points du monde, étaient des Invertébrés sans coquille bien différents de leurs successeurs du Paléozoïque. Au cours des 10 à 20 premiers millions d'années du Cambrien, la première période du Paléozoïque, tous les embranchements actuels du règne animal firent leur apparition, en même temps que de nombreux embranchements aujourd'hui disparus. L'innovation évolutive qui détermina cette remarquable diversification fut probablement l'apparition des coquilles et des squelettes dans quelques embranchements. Cette innovation ouvrit

une nouvelle zone adaptative en permettant l'émergence de nombreuses structures complexes et en modifiant les règles des relations entre prédateurs et proies.

Même aujourd'hui, il reste vraisemblablement des zones adaptatives vides. Cependant, une zone adaptative ne peut être exploitée que si les innovations évolutives appropriées apparaissent. Ainsi, les Insectes volants existaient depuis au moins 100 millions d'années quand sont apparus les Reptiles volants et les Oiseaux insectivores. Inversement, la possession d'une innovation évolutive ne donne pas accès à une zone adaptative inexistante ou déjà occupée. Les Mammifères, avec leurs caractéristiques uniques, existaient depuis au moins 75 millions d'années quand survint leur première radiation adaptative d'importance. Il se peut que l'accroissement de la diversité des Mammifères, au début du Cénozoïque, ait été associé au vide écologique laissé par l'extinction des Dinosaures. En effet, il est arrivé souvent que des radiations adaptatives suivent les

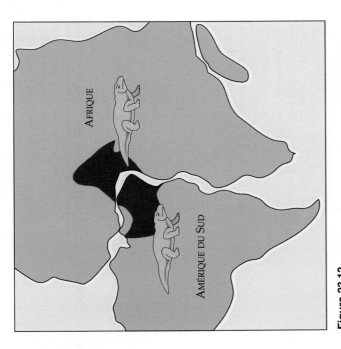

Figure 23.12
Dérive des continents et biogéographie : un exemple. L'Amérique du Sud et l'Afrique, aujourd'hui séparées par l'océan Atlantique, étaient reliées au début du Mésozoïque. Ainsi s'explique la présence de fossiles triasiques et de formations rocheuses semblables dans les deux régions dessinées en brun sur l'illustration.

lutifs que subit une espèce sont susceptibles de se répercuter sur les autres espèces de la communauté. Par exemple, l'apparition de coquilles chez des Animaux du Cambrien a pu contribuer à l'extinction de certaines formes dénuées de coquille.

L'extinction est un phénomène inévitable dans un monde en constante évolution. Le taux moyen d'extinction a oscillé entre 2,0 et 4,6 familles par million d'années (une famille peut comprendre de nombreuses espèces). Cependant, l'histoire de la vie fut marquée par des crises au cours desquelles les changements écologiques planétaires furent si rapides et si profonds que la majorité des espèces fut exterminée sans discrimination. Pendant ces périodes, le taux d'extinction atteignit 19,3 familles par million d'années (figure 23.13).

Parmi la douzaine d'épisodes d'extinctions massives révélés par les fossiles, deux en particulier ont retenu l'attention des chercheurs. Ils se traduisent dans les archives géologiques par la disparition des Animaux à corps dur des mers peu profondes, dont le dossier fossile est le plus complet. Premièrement, les extinctions du Permien, qui définissent la limite entre le Paléozoïque et le Mésozoïque, balayèrent il y a environ 250 millions d'années plus de 90 % des espèces d'Animaux marins ; les pertes furent sans doute gigantesques aussi chez les espèces terrestres. Ces extinctions sont contemporaines à la formation de la Pangée, un événement qui perturba vraisemblablement les habitats et le climat. Rappelez-vous cependant qu'il ne faut pas assimiler une coïncidence dans le temps à une relation de cause à effet.

Deuxièmement, les extinctions du Crétacé, survenues il y a 65 millions d'années, marquent la transition du

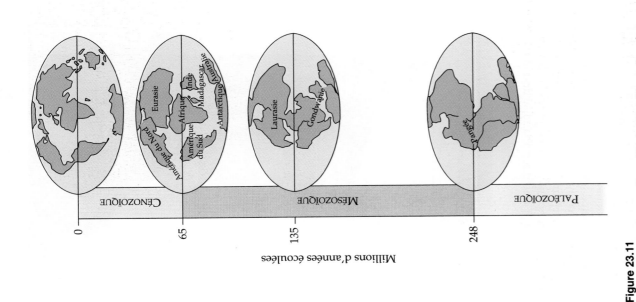

Millions d'années écoulées

Figure 23.11
Dérive des continents. Il y a 200 à 250 millions d'années environ, tous les continents étaient réunis en un mégacontinent appelé Pangée. Puis, il y a environ 180 millions d'années, la Pangée commença à se scinder ; les continents boréal et austral ainsi formés se fragmentèrent à leur tour pour donner les continents modernes. La dérive des continents se poursuit. L'Inde entra en collision avec l'Eurasie il y a seulement 10 millions d'années ; le choc donna naissance à l'Himalaya, la plus grande et la plus jeune chaîne de montagnes du monde.

extinctions massives qui chassèrent les occupants des zones adaptatives.

Exemples d'extinctions massives L'extinction d'une espèce peut être causée par la destruction de son habitat ou par une modification écologique qui lui est défavorable. Une baisse de quelques degrés de la température des océans provoque la disparition de nombreuses espèces qui étaient pourtant fort bien adaptées. Et même si les facteurs physiques du milieu sont stables, les facteurs biologiques, eux, peuvent varier ; les changements évo-

Figure 23.13
Extinctions massives. Les archives géologiques révèlent que les extinctions massives furent nombreuses au cours des temps géologiques. Le graphique ci-contre en représente deux. Les extinctions du Permien emportèrent plus de 90 % des espèces terrestres et marines. (L'étendue de la catastrophe semble moindre dans ce graphique parce qu'il est établi en fonction du nombre de familles et non du nombre d'espèces. Le pourcentage des espèces éliminées pendant les extinctions massives est beaucoup plus grand que le pourcentage des familles éliminées. En effet, la plupart des familles comprennent de nombreuses espèces, et une famille n'est considérée comme disparue qu'à condition que toutes ses espèces soient éteintes.) Les extinctions du Crétacé balayèrent plus de la moitié des espèces, y compris l'ensemble des Dinosaures. Notez que la diversité biologique s'est toujours accrue après les extinctions massives ; ces épisodes de diversification définissent les limites entre les périodes et les ères géologiques.

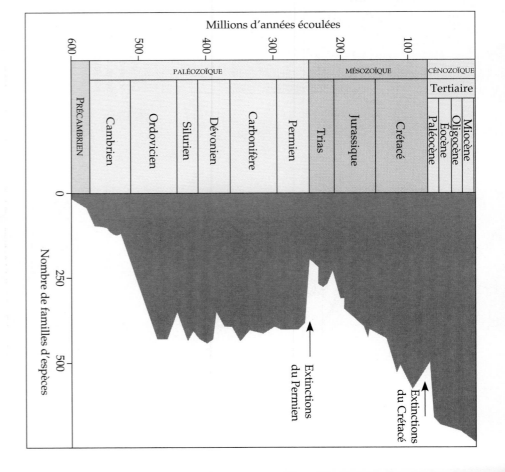

Mésozoïque au Cénozoïque. La débâcle emporta plus de la moitié des espèces marines et de nombreuses familles de Végétaux et d'Animaux terrestres, dont les Dinosaures. Le climat se refroidit à cette époque, et les mers peu profondes des basses terres continentales s'asséchèrent. Il est possible qu'une activité volcanique intense ait contribué au refroidissement en projetant dans l'atmosphère des matières qui bloquèrent la lumière solaire. On a aussi des raisons de croire qu'un astéroïde ou une comète a heurté la Terre à cette époque. Les sédiments du Mésozoïque et ceux du Cénozoïque sont séparés par une mince couche d'argile enrichie d'iridium, un élément très rare sur la Terre, mais abondant dans les météorites et dans les autres corps célestes qui tombent occasionnellement sur la planète. Walter et Luis Alvarez ainsi que leurs collègues de l'Université de Californie à Berkeley ont étudié cette argile atypique et ont conclu qu'elle provenait d'un immense nuage de poussière qui se forma dans l'atmosphère après l'impact d'un astéroïde. Selon les chercheurs, le nuage a fait écran à la lumière solaire et perturbé le climat pendant plusieurs mois (des conditions semblables à celles de l'hypothétique hiver nucléaire qui suivrait une explosion atomique).

L'abondance des cratères sur la surface terrestre prouve bien que de nombreux objets de grandes dimensions se sont écrasés sur la planète. Depuis quelques années, les chercheurs s'intéressent au cratère de 180 km de diamètre situé sur la côte du Yucatan, au Mexique. Si l'on tient compte de sa taille et de son âge, ce cratère a pu

être creusé par un astéroïde d'environ 10 km de diamètre qui serait tombé sur la Terre à la fin du Crétacé. Mais la coïncidence entre un impact survenu là ou ailleurs et des extinctions massives ne doit pas être confondue avec un lien de cause à effet. Beaucoup de paléontologues et de géologues croient que les extinctions massives sont amplement expliquées par les changements climatiques et par d'autres processus terrestres causés par la dérive des continents et qu'il est vain d'en chercher les causes dans le ciel.

Quelles que soient leurs causes, les extinctions massives ont eu de profonds effets sur la diversité biologique, et ces effets ne furent pas tous négatifs. Les espèces qui réussirent à survivre, grâce à leur faculté d'adaptation ou à leur bonne fortune, devinrent le point d'origine de radiations adaptatives qui complètent plusieurs zones adaptatives désertées. Le monde n'aurait pas l'aspect que nous lui connaissons aujourd'hui si quelques familles de Dinosaures avaient échappé aux extinctions du Crétacé, ou si *Purgatorius*, le seul Primate connu du Crétacé, n'avait pas survécu.

Dans cette section, nous avons examiné quelques-uns des mécanismes géologiques et biologiques qui éclairent l'histoire de la macroévolution telle que racontée par les archives géologiques. La paléontologie se trouve en rapport étroit avec la systématique, la discipline qui étudie la diversité biologique présente et passée. Les systématiciens s'appuient sur les archives géologiques pour déterminer les relations évolutives entre les espèces mais,

comme nous le verrons dans la section suivante, ils ont également recours à la comparaison d'organismes modernes.

SYSTÉMATIQUE ET RECONSTITUTION DE LA PHYLOGENÈSE

On appelle **phylogenèse** la généalogie d'une espèce ou d'un groupe d'espèces apparentées. On représente traditionnellement la généalogie d'une espèce par un arbre phylogénétique qui indique les relations évolutives probables (figure 23.14).

La **systématique**, l'étude de la diversité biologique, a entre autres objets celui de reconstituer la phylogenèse entre les espèces. En effet, la diversité des formes vivantes contemporaines est le fruit de la spéciation et de la macroévolution. Dans la mesure où la systématique cherche à mettre en évidence les relations évolutives entre les divers organismes, elle englobe la taxinomie, la science qui a pour objet de nommer et de classifier les espèces.

Taxinomie

Au XVIIIe siècle, Linné apporta deux grandes contributions à la taxinomie (voir le chapitre 20). Premièrement, il attribua à chaque espèce un **binôme,** une appellation formée de deux mots latins (que l'on écrit en italique). Le premier mot indique le **genre** auquel l'espèce appartient ; le second mot désigne l'**espèce** en tant que telle. Par exemple, le nom scientifique du Chat domestique est *Felis silvestris.* Un genre peut comprendre plusieurs espèces semblables qui portent chacune un nom spécifique. Le Lynx roux, par exemple, *Felis rufus,* appartient au même genre que le Chat domestique. Dans la conversation courante, on peut se contenter d'utiliser les noms usuels, ou vernaculaires, comme «Chat», «Ours noir» et «Lilas», mais dans les communications scientifiques, les biologistes emploient les noms scientifiques afin d'éviter toute ambiguïté. Linné baptisa plus de 11 000 espèces végétales et animales, et beaucoup de ses appellations sont encore en usage.

La deuxième grande contribution de Linné à la taxinomie fut une classification qui groupait les espèces en une hiérarchie de catégories de plus en plus générales. La nomenclature binominale traduit la première étape de ce groupement. En effet, les espèces très semblables, comme le Lynx et le Chat domestique, appartiennent au même genre. Il est naturel pour nous de grouper les espèces, en théorie du moins. Nous groupons des arbres semblables et nous les appelons «Chênes» pour les distinguer d'autres arbres que nous appelons «Érables». De fait, les Chênes et les Érables appartiennent à des genres distincts. Le système de Linné formalise le groupement des espèces en genres et étend le processus à des catégories de plus en plus larges, dont certaines furent ajoutées après la mort de Linné.

Les taxinomistes rassemblent les genres semblables en **familles**, les familles en **ordres**, les ordres en **classes**, les classes en **embranchements** et les embranchements en **règnes**. Ainsi, le genre *Felis* et le genre *Panthera* (qui comprend le Lion, le Tigre, le Léopard et le Jaguar) appartiennent à la famille des Félidés, famille qui compte les Chats.

Cette famille appartient à l'ordre des Carnivores, lequel comprend aussi les Canidés (famille qui compte les Chiens), les Ursidés (famille qui compte les Ours) et plusieurs autres. L'ordre des Carnivores et de nombreux autres ordres appartiennent à la classe des Mammifères, et la classe des Mammifères est l'une de celles qui forment l'embranchement des Cordés, dans le règne animal. Chaque rang taxinomique est plus vaste que celui qui le précède. Tous les membres de la famille des Félidés appartiennent à l'ordre des Carnivores et à la classe des Mammifères, mais les Mammifères ne sont pas tous des Chats. Comme on trie le courrier d'après le code postal, la rue puis le numéro, on classifie les espèces en embranchements, en classes et ainsi de suite. Vous trouverez à l'Appendice deux une classification où sont ordonnés jusqu'au niveau de la classe les principaux groupes d'organismes dont il est question dans cet ouvrage.

La taxinomie vise deux grands objectifs. Le premier consiste à répartir en espèces les organismes étroitement apparentés en décrivant les caractéristiques sur lesquelles ce tri se fonde. Cette tâche s'assortit de l'attribution d'un nom, un binôme dans la tradition linnéenne, aux espèces nouvellement découvertes. Le second objectif de la taxinomie est de placer les espèces dans les catégories supérieures, du genre au règne. Notons qu'il existe des rangs taxinomiques intermédiaires, notamment la superfamille (entre la famille et l'ordre) et la sous-classe (entre la classe et l'ordre). Un rang taxinomique identifié, quel qu'en soit le niveau, est appelé **taxon.** Au niveau du genre, par exemple, *Pinus* est un taxon qui regroupe les diverses espèces de Pins. Au niveau de l'embranchement, «Cordés» est un taxon qui englobe toutes les classes d'Animaux possédant une corde dorsale à une étape de leur vie. Les règles de la nomenclature, qui varient quelque peu selon que l'on traite des Animaux, des Végétaux ou des Bactéries, sont établies par des comités internationaux. Au tableau 23.2, nous indiquons, en regard des rangs taxinomiques, les taxons appropriés au Chat domestique et à la Renoncule âcre (Bouton d'or).

L'espèce est le seul taxon à exister dans la nature en tant qu'unité biologique cohérente, délimitée par l'intrafécondité et l'isolement reproductif. Dans la plupart des cas, il est possible de distinguer objectivement deux espèces si l'on possède suffisamment de renseignements sur leurs caractéristiques (rappelez-vous l'anecdote que nous avons racontée au chapitre 22 à propos d'Ernst Mayr et des Oiseaux de Nouvelle-Guinée). Par contre, le groupement des espèces en taxons supérieurs est souvent affaire de jugement personnel. Un taxinomiste qui accorde de l'importance aux distinctions subtiles se prononcera en faveur d'un grand nombre de taxons au-dessus de l'espèce, tandis que celui qui privilégie l'unification recommandera un nombre minimal de taxons. Par exemple, les taxinomistes qui ont fait leur spécialité de la famille des Félins groupent tous les Félins, sauf le Guépard, en un seul genre, *Felis.* D'autres (la majorité, en l'occurrence) répartissent les mêmes espèces entre plusieurs genres : celui des Petits Félins (*Felis,* qui comprend le Chat domestique), celui des Grands Félins (*Panthera,* qui comprend le Lion), celui des Félins à queue écourtée (*Lynx*) et quelques autres.

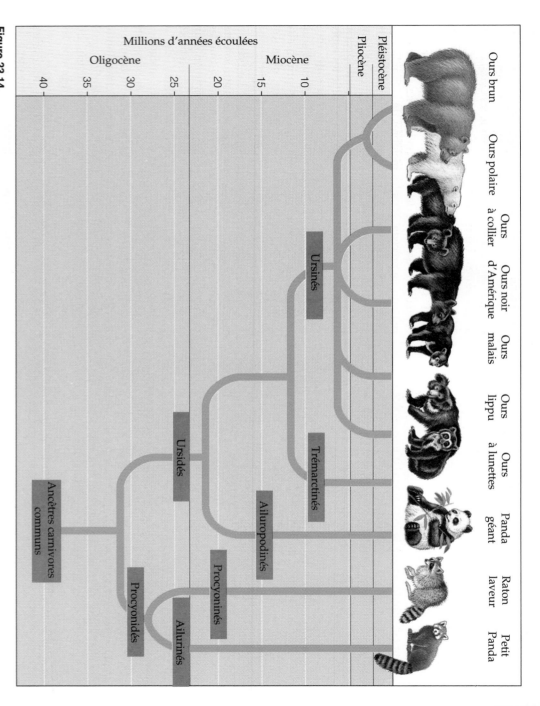

Figure 23.14
Arbre phylogénétique. Un arbre phylogénétique est un diagramme des relations évolutives probables entre les espèces et les groupes taxonomiques supérieurs. Cet arbre schématise la généalogie des Ours et des Ratons laveurs. Les deux branches primaires représentent les noms des familles (Ursidés par exemple), et les branches secondaires représentent les sous-familles (Ursinés par exemple). L'arbre indique également l'époque où chaque évolution divergente s'est produite. Dans la mesure du possible, les systématiciens s'appuient sur les archives géologiques pour établir les arbres phylogénétiques, mais ils emploient aussi d'autres méthodes. Ainsi, la constitution de cet arbre repose sur la comparaison de l'ADN et des protéines des espèces. Un arbre phylogénétique est une tentative de reconstitution du passé ; comme toutes les hypothèses, il est sujet à vérification. Si les recherches donnent lieu à des découvertes incompatibles avec l'hypothèse, on rectifie l'arbre en conséquence.

Depuis Darwin, la systématique a un objectif qui dépasse le simple classement : faire en sorte que la classification témoigne des affinités évolutives entre les espèces. Chaque groupe de la hiérarchie taxinomique devrait représenter une fourche de l'arbre phylogénétique. Un taxon est dit **monophylétique** si un ancêtre unique a donné naissance à toutes les espèces de ce taxon et à aucune espèce appartenant à un autre taxon (figure 23.15). Un taxon est dit **polyphylétique** si ses membres ne descendent pas tous du même ancêtre. Enfin, un taxon est dit **paraphylétique** s'il n'englobe pas toutes les espèces dérivées de l'ancêtre. Tous les taxons devraient être monophy-

létiques mais, pour des raisons que nous exposerons plus loin, les taxinomistes s'écartent parfois de cet idéal.

Distinction entre homologie et analogie

Les taxinomistes classent les espèces en taxons de plus en plus vastes en se fondant notamment sur le degré de ressemblance morphologique. Au chapitre 20, nous avons indiqué qu'une ressemblance attribuable à une ascendance commune est appelée **homologie**. Les membres antérieurs des Mammifères sont homologues ; autrement dit, les ressemblances entre les squelettes s'expliquent par une origine commune (voir la figure 20.14).

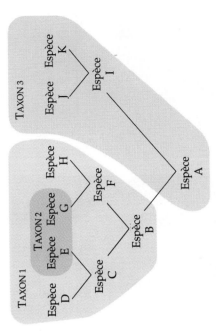

Tableau 23.2 Identification taxinomique du Chat domestique et de la Renoncule âcre

Rangs taxinomiques	Chat domestique	Renoncule âcre
Règne	Animal	Végétal
Embranchement*	Cordés	Spermatophytes (Plantes à graines)
Sous-embranchement*	Vertébrés	Angiospermes (Plantes à fleurs)
Classe	Mammifères	Dicotylédones (voir le chapitre 27)
Ordre	Carnivores	Ranales
Famille	Félidés	Renonculacées
Genre	*Felis*	*Ranunculus*
Espèce	*silvestris*	*acris*

* Certains ouvrages de botanique utilisent *division* et *sous-division* plutôt qu'*embranchement* et *sous-embranchement*.

Figure 23.15
Groupement des espèces en taxons supérieurs. Le taxon 1, qui comprend sept espèces (B à H), est un taxon monophylétique, l'idéal taxinomique. Il comprend toutes les espèces descendantes et leur ancêtre commun immédiat (espèce B). Le taxon 2, un sous-groupe du taxon 1, est polyphylétique. Les espèces E et G dérivent de deux ancêtres immédiats différents (les espèces C et F). Le taxon 3 est paraphylétique. Il n'englobe pas tous les descendants de l'espèce A. Bien que les taxinomistes préfèrent généralement les classifications monophylétiques, ils se contentent quelquefois de classifications polyphylétiques ou paraphylétiques.

Quand l'établissement des liens évolutifs repose sur l'étude des ressemblances, l'opération se heurte à un écueil : on ne peut attribuer toutes les ressemblances à une ascendance commune. Les espèces issues de lignées évolutives distinctes peuvent finir par se ressembler si elles occupent des niches écologiques semblables ou si la sélection naturelle leur donne des adaptations analogues. De telles espèces sont le fruit de l'**évolution convergente** ; la ressemblance due à la convergence est appelée **analogie** (figure 23.16). Les ailes des Insectes et celles des Oiseaux, par exemple, sont des organes analogues ; elles sont apparues indépendamment et elles ont des structures totalement différentes. L'évolution convergente a aussi produit les analogies entre certains Marsupiaux d'Australie et des Mammifères placentaires d'autres continents.

Pour reconstituer l'histoire évolutive, nous devons faire abstraction de l'analogie et nous fonder uniquement sur l'homologie. En règle générale, plus on trouve de parties homologues entre deux espèces, plus le lien de parenté qui les unit est étroit, et cette proximité devrait se traduire dans la classification. Or, il est plus facile d'énoncer cette règle que de l'appliquer. L'adaptation masque des homologies et la convergence crée des analogies que l'on pourrait confondre avec des homologies. En comparant le développement embryonnaire des structures à l'étude, cependant, on peut souvent déceler une homologie devenue indiscernable chez les organismes adultes (voir le chapitre 20).

Un autre indice nous aide à distinguer l'homologie de l'analogie. Plus deux structures semblables sont complexes, moins elles sont susceptibles d'être apparues indépendamment. Les crânes de l'Humain et du Chimpanzé, par exemple, sont formés de plusieurs os fusionnés, et ils se

correspondent presque parfaitement, os pour os. Il est fort improbable que des structures aussi complexes et aussi ressemblantes aient des origines distinctes. La multitude de gènes nécessaires à leur constitution est forcément héritée d'un ancêtre commun.

Systématique moléculaire

La comparaison de macromolécules riches en information, les protéines et l'ADN, est devenue un puissant outil de la taxinomie. Par exemple, l'arbre phylogénétique de la figure 23.14 a été établi d'après des données moléculaires. Les séquences de nucléotides de l'ADN sont héréditaires, et elles programment des séquences correspondantes d'acides aminés dans les protéines. Avec les comparaisons moléculaires, nous touchons au cœur des relations évolutives.

Comparaison des protéines La structure primaire des protéines est génétiquement déterminée (voir le chapitre 5). Par conséquent, une ressemblance étroite entre les séquences d'acides aminés de deux protéines d'espèces différentes indique que les gènes codant pour ces protéines dérivent d'un gène ancestral commun. Le degré de similitude est fonction de la proximité généalogique. Ce critère taxinomique a l'avantage d'être objectif et quantitatif.

Il a aussi pour mérite de se prêter à l'étude des relations entre des groupes qui ont très peu de ressemblances morphologiques. Par exemple, on a déterminé la séquence d'acides aminés du cytochrome *c*, une protéine ancienne commune à tous les organismes aérobies, chez une grande variété d'espèces appartenant à des règnes très différents, comme les Monères, les Végétaux et les Animaux. Chez l'Humain et

chez le Chimpanzé, les 104 positions de la chaîne poly-peptidique concordent exactement ; les cytochromes de ces espèces ne différent de celui du Singe Rhésus que par un seul acide aminé. Les trois espèces appartenant au même ordre de Mammifères, les Primates. Si l'on compare ces cytochromes aux formes trouvées chez les Animaux d'ordres différents, les variations s'additionnent à mesure que les espèces s'éloignent dans la généalogie. Ainsi, le cytochrome c de l'Humain se distingue de celui du Chien par 13 acides aminés, de celui du Crotale par 20 acides aminés et de celui du Thon par 31 acides aminés. Les arbres phylogénétiques fondés sur les comparaisons du cytochrome c sont conformes aux conclusions de l'anatomie comparée et de la paléontologie.

Comparaison de l'ADN La comparaison des génomes de deux espèces constitue la mesure la plus directe de la proximité phylogénétique. Il existe trois méthodes de comparaison : l'hybridation ADN-ADN, la cartographie de restriction et le séquençage de l'ADN.

L'hybridation ADN-ADN permet de comparer des génomes entiers ; cette technique mesure l'étendue des liaisons hydrogène entre deux brins simples d'ADN provenant d'espèces différentes. La fermeté du lien entre les deux ADN monocaténaires dépend du degré de ressemblance entre les espèces, puisque les deux brins simples sont rattachés par l'appariement des séquences complémentaires. Après avoir extrait l'ADN, on le chauffe pour en séparer les brins. Ensuite, on mélange les brins simples provenant des deux espèces et on les refroidit afin de reconstituer un brin double. On chauffe l'ADN hybride pour séparer les brins appariés. La température nécessaire à cette séparation est en corrélation avec la similitude des deux ADN ; plus l'appariement est étendu, plus il faut

d'énergie thermique pour séparer les brins. La norme étant le degré de température nécessaire à la séparation d'un double brin d'ADN pur, la température de séparation des brins d'ADN hybride mesure la distance phylogénétique.

Les arbres évolutifs établis à l'aide de cette technique coïncident généralement avec la phylogenèse déterminée par d'autres méthodes, telle l'anatomie comparée ; cependant, l'hybridation ADN-ADN nous permet de trancher de vieilles querelles taxinomiques. Une question, par exemple, a longtemps divisé les ornithologues (les spécialistes des Oiseaux) : les Flamants sont-ils plus proches des Cigognes que des Oies ? La comparaison de l'ADN a clos le débat : le Flamant est apparenté à la Cigogne. Quant à savoir si le Panda géant est un Ours véritable ou un membre de la famille des Ratons laveurs, l'hybridation ADN-ADN résout la polémique : le Panda géant doit être classé avec les Ours, mais le Petit Panda appartient à la famille du Raton laveur (voir la figure 23.14).

Bien que l'hybridation ADN-ADN révèle le degré de similitude globale entre deux génomes, elle ne fournit pas de renseignements clairs quant à la concordance de séquences précises de nucléotides. La **cartographie de restriction** de l'ADN comble cette lacune. Dans la cartographie de restriction, on emploie les mêmes enzymes de restriction que dans la technique de l'ADN recombiné (voir le chapitre 19). Chaque enzyme de restriction reconnaît une séquence particulière de quelques nucléotides et coupe l'ADN partout où cette séquence se trouve dans le génome. Les fragments d'ADN ainsi obtenus peuvent ensuite être séparés par électrophorèse (voir l'encadré du chapitre 19, à la page 396) et comparés aux fragments dérivés de l'ADN d'une autre espèce. Deux échantillons d'ADN présentant les mêmes sites de coupure se divisent en des assortiments identiques de fragments. Inversement, les sites de coupure se distribuent différemment dans deux génomes ayant beaucoup divergé depuis leur dernier ancêtre commun, et les fragments d'ADN obtenus n'ont pas la même taille. Comme on obtient un très grand nombre de fragments à partir du génome nucléaire, la cartographie de restriction convient surtout à la comparaison de segments d'ADN longs de quelques milliers de nucléotides seulement. Certains laboratoires utilisent la cartographie de restriction pour comparer l'ADN mitochondrial (ADNmt) ; non seulement cet ADN est petit, mais il se modifie par mutation environ 10 fois plus rapidement que le génome nucléaire. Il permet donc de déterminer les relations phylogénétiques entre des espèces très étroitement apparentées, voire entre des populations de la même espèce. Par exemple, les spécialistes de la systématique moléculaire emploient cette méthode pour trancher la question de la taxinomie du Loup roux (figure 23.17). En outre, la comparaison de l'ADNmt de personnes issues d'ethnies diverses a corroboré l'une des conclusions de la paléontologie, à savoir que notre espèce est née en Afrique (voir le chapitre 30).

La méthode la plus précise de comparaison de l'ADN, mais malheureusement la plus fastidieuse, est le **séquençage de l'ADN**. Elle consiste à déterminer l'enchaînement des nucléotides dans des segments entiers d'ADN clonés au moyen des techniques de l'ADN recombiné (voir le chapitre 19). La méthode révèle avec

Figure 23.16
Évolution convergente et structures analogues. L'Ocotilla (*Fouquiera splendens*), qui croît dans le sud-ouest de l'Amérique du Nord (à gauche), ressemble à s'y méprendre à l'Alluaudia (*Alluaudia comosa*, à droite), que l'on trouve à Madagascar. Or, ces Végétaux n'ont pas de lien de parenté étroit ; ils doivent ces ressemblances à des adaptations analogues qui sont apparues indépendamment en réaction à des pressions écologiques semblables.

Coyote

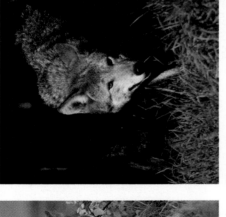

Loup roux

Loup gris

Figure 23.17
Comparaison de l'ADN et taxinomie du Loup roux (*Canis niger*).
Le Loup roux (au centre) habite le sud-est des États-Unis; en 1975, la chasse et l'empiétement de l'Humain sur son habitat l'avaient conduit au bord de l'extinction. On fit se reproduire en captivité quelques-uns des couples restants, et on libéra 25 de leurs descendants dans des réserves situées sur les îles de la Caroline du Nord. Or, on ne sait pas exactement si le Loup roux forme une espèce distincte ou s'il est un hybride du Coyote (à gauche) et du Loup gris (à droite). En Californie, deux scientifiques ont employé la technique de la cartographie de restriction pour comparer l'ADN mitochondrial des trois Animaux. Leurs résultats laissent croire que le Loup roux est un hybride. Toutefois, les fossiles indiquent que le Loup roux est apparu avant le Coyote (*Canis latrans*) et le Loup gris (*Canis lupus*) et qu'il constitue de ce fait une espèce distincte. Pour trancher la question, il faudra procéder à plus de comparaisons sur les génomes au moyen de la cartographie de restriction de l'ADN nucléaire des trois Animaux.

exactitude le degré de divergence entre deux gènes dérivés d'un même gène ancestral. Pour l'heure, le séquençage demande beaucoup de temps, mais la technique ne cesse de s'améliorer et le processus deviendra bientôt un outil taxinomique efficace. En attendant, on peut recourir à une technique analogue, le séquençage de l'ARN ribosomique (ARNr). Comme les gènes qui codent pour l'ARNr se modifient lentement par rapport au reste de l'ADN, les différences entre les séquences d'ARNr révèlent quelques-unes des ramifications les plus anciennes de l'arbre de la vie. Cette technique a particulièrement éclairé les relations phylogénétiques entre les Bactéries (voir le chapitre 25).

Grâce à de nouvelles techniques, le champ de la systématique moléculaire s'étend depuis peu à l'étude des traces d'ADN conservées dans des fossiles. En 1990, une équipe de chercheurs a utilisé les réactions en chaîne de la polymérase (voir le chapitre 19) pour amplifier l'ADN extrait de feuilles de Magnolia trouvées en Idaho, aux États-Unis, dans des sédiments vieux de 18 millions d'années (figure 23.18a). Les scientifiques ont été en mesure de comparer un court fragment de cet ADN ancien à l'ADN homologue des Magnolias modernes. Les fossiles qui renferment encore de l'ADN sont très rares, mais l'infime quantité prélevée suffira peut-être à résoudre des problèmes phylogénétiques qui semblaient insolubles avant les percées du génie génétique.

Le génie génétique viendra aussi à la rescousse des anthropologues. Déjà, ils ont été capables d'analyser des échantillons d'ADN prélevés sur une momie vieille de 2400 ans (figure 23.18b) et sur un os humain datant de

plus de 5500 ans. De telles études permettent aux anthropologues de retracer les relations historiques des premières sociétés. La biologie moléculaire, qui a déjà révolutionné tant de domaines, entre désormais dans le champ de la paléontologie et de l'anthropologie.

Horloges moléculaires Chaque protéine évolue à son propre rythme, et ce rythme semble relativement constant. En comparant les protéines homologues de taxons issus d'ancêtres communs en certaines périodes du passé, on s'aperçoit que le nombre de substitutions d'acides aminés est proportionnel au temps écoulé depuis la séparation des lignées. Les protéines homologues des Chauves-Souris et des Dauphins se ressemblent beaucoup plus que celles des Requins et des Thons. Cette proximité corrobore les données paléontologiques prouvant que les Requins et les Thons ont divergé bien avant les Chauves-Souris et les Dauphins. Dans ce cas-ci, la divergence moléculaire se révèle un meilleur chronomètre que les changements morphologiques superficiels.

Pour ce qui est de dater les bifurcations dans les arbres phylogénétiques, les comparaisons de l'ADN sont encore plus prometteuses que les comparaisons de protéines. Comme les protéines, l'ADN est une horloge exacte; en général, les datations fondées sur les substitutions de nucléotides de l'ADN sont proches de celles que fournit la paléontologie. Dans bien des cas, la différence entre l'ADN de deux taxons se trouve en corrélation plus étroite avec le temps écoulé depuis leur séparation que ne l'est le degré de différence morphologique.

On calibre les horloges moléculaires au moyen d'un graphique dans lequel le nombre de différences entre les

acides aminés ou les nucléotides est mis en rapport avec les dates d'une série de bifurcations évolutives révélées par les archives géologiques. Le graphique permet ensuite d'estimer le temps de divergence entre des espèces dont le moment d'origine n'est pas clairement indiqué par les fossiles. Dans l'arbre phylogénétique de la figure 23.14, par exemple, les bifurcations ont été datées de cette façon.

La constance du rythme de modification des protéines et du rythme de divergence de l'ADN implique que les mutations neutres sont fréquentes et qu'elles ont plus d'effet sur l'ensemble du génome que les changements génétiques spécifiques dus à l'adaptation. Les biologistes de l'évolution ne s'entendent pas quant à l'étendue des variations neutres (voir le chapitre 21). Beaucoup croient qu'elles sont rares et doutent de la fiabilité des horloges moléculaires pour la datation absolue de l'origine des taxons. En revanche, pour ce qui est de déterminer l'enchaînement des bifurcations phylogénétiques, la systématique moléculaire rencontre moins de scepticisme. Le systématicien moderne considère toutes les données taxinomiques, moléculaires ou autres, pour reconstituer la phylogenèse.

Écoles de taxinomie

Les arbres phylogénétiques présentent deux aspects importants : l'emplacement des bifurcations, qui symbolise le moment d'origine des différents taxons, et le degré de divergence entre les branches, qui représente la différence qui s'est établie entre deux taxons depuis leur origine commune. Puisque la taxinomie doit se fonder sur l'histoire évolutive, à quel aspect des arbres phylogénétiques doit-on donner le plus de poids lorsqu'on groupe des espèces en taxons ? Cette question a divisé la taxinomie en trois écoles : la phénétique, le cladisme et la taxinomie évolutive classique.

Phénétique Cherchant à débarrasser la classification de toute subjectivité, la **phénétique** (du grec *phainein* « paraître »; le terme *phénotype* a la même racine) ne fait aucun présupposé phylogénétique; elle détermine les affinités taxinomiques en se fondant uniquement sur les ressemblances et les différences mesurables. Elle compare le plus grand nombre possible de caractéristiques anatomiques (appelées caractères), sans tenter de discerner l'homologie de l'analogie. Les phénéticiens prétendent que l'examen d'un nombre suffisant de caractères phénotypiques fournit un degré d'homologie permettant d'annuler la part de l'analogie dans la similitude globale. Leurs détracteurs rétorquent que la similitude phénotypique globale ne constitue pas un indice fiable de la proximité phylogénétique. Bien que la phénétique pure et dure ait peu d'adeptes, ses méthodes, et en particulier l'exécution informatisée de multiples comparaisons quantitatives, ont eu une influence marquante sur la taxinomie.

Cladisme Un clade (du grec *klados* « branche » représente une ramification évolutive. Le **cladisme** classifie les organismes d'après l'ordre d'émergence des ramifications dans un arbre phylogénétique, sans tenir compte du degré de divergence. L'arbre prend la forme d'un cladogramme, soit une série de fourches dichotomiques. Cha-

que bifurcation est définie par des homologies nouvelles propres aux diverses espèces de la branche émergente. Appliquons la méthode du cladisme à cinq Vertébrés : un Lézard, un Cheval, un Phoque, un Lion et un Chat (figure 23.19). Chaque espèce possède un mélange de caractères primitifs qui existaient déjà chez l'ancêtre commun et de caractères primitifs ne révèle rien quant à la forme des ramifications issues de l'ancêtre commun. Ainsi, nous ne pouvons nous fonder sur la présence de cinq doigts séparés pour répartir nos espèces de Vertébrés entre des ramifications évolutives. Selon les archives géologiques, le lointain ancêtre commun aux cinq espèces de notre liste avait cinq doigts; par conséquent, cette homologie est considérée comme un caractère primitif, ou **caractère plésiomorphe**. Le Phoque et le Cheval ont apparemment perdu ce caractère chacun de leur côté,

(a)

(b)

Figure 23.18
Analyse d'ADN ancien. Grâce à la réaction en chaîne de la polymérase, les spécialistes de la systématique moléculaire peuvent maintenant amplifier des traces d'ADN conservées dans des spécimens. Ils obtiennent ainsi suffisamment d'ADN pour le comparer à celui d'autres espèces, tant fossiles que contemporaines. Cette méthode permettra peut-être de résoudre des problèmes phylogénétiques jusqu'à maintenant insolubles. **(a)** L'ADN le plus ancien qu'on ait analysé à ce jour fut extrait de fossiles de Magnolias vieux de 18 millions d'années. Découverts en Idaho, les fossiles étaient si bien conservés qu'ils étaient encore verts sous leur gangue de schiste argileux. **(b)** Les nouvelles techniques de génie génétique ont aussi permis aux scientifiques d'analyser des échantillons d'ADN prélevés sur cette momie égyptienne vieille de 2400 ans.

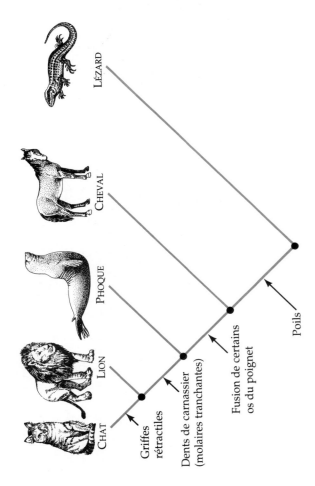

Figure 23.19

Cladogramme. Chaque bifurcation est définie par des caractères apomorphes, des homologies dérivées propres à la lignée qui naît en ce point. Pour simplifier notre exemple, nous n'indiquons à chaque bifurcation qu'un des caractères apomorphes qui la définissent. Un cladogramme montre seulement l'enchaînement des bifurcations et ne fait pas état du degré de divergence entre les ramifications. Les points de bifurcation (points noirs) représentent le plus récent ancêtre commun à toutes les espèces situées plus haut. Par exemple, le Lion et le Chat ont un ancêtre commun dont l'apparition est plus récente que celle de l'ancêtre qui a aussi donné naissance à la lignée évolutive conduisant au Phoque. Toutefois, cela ne signifie pas que le Phoque soit apparu avant le Lion.

tandis que les autres espèces l'ont conservé. Nous devons donc chercher des caractères dérivés, ou **caractères apomorphes,** c'est-à-dire des homologies apparues après qu'une ramification a divergé. Les poils et les glandes mammaires constituent deux des caractères apomorphes qui définissent une bifurcation plaçant le Lion, le Chat, le Phoque et le Cheval sur une ramification et le Lézard sur une autre. Il faut maintenant déterminer l'enchaînement des bifurcations sur la ramification des Mammifères. Le Lion, le Chat et le Phoque ont en commun des modifications squelettiques et dentaires absentes chez le Cheval, et ces modifications font partie des caractères apomorphes qui définissent la deuxième bifurcation dans notre cladogramme. Le Lion et le Chat bifurquent de la lignée menant au Phoque en un point ultérieur défini par un certain nombre de modifications du crâne et des dents.

La méthode du cladisme réserve quelques surprises taxinomiques. Ainsi, la séparation des Oiseaux et des Crocodiles est plus récente que la séparation des Crocodiles et des autres Reptiles. Autrement dit, les Oiseaux et les Crocodiles ont en commun des caractères apomorphes absents chez les Serpents et les Lézards. Effectivement, les archives géologiques confirment que les Oiseaux et les Crocodiles sont plus proches parents que les Lézards et les Serpents. Dans l'optique stricte du cladisme, les taxons traditionnels que constituent la classe des Oiseaux et la classe des Reptiles n'existent pas, car les Oiseaux font partie dans le cladogramme du groupe d'Animaux que nous appelons Reptiles. (Certains taxinomistes proposent de conserver la classe des Reptiles et de faire des Oiseaux une sous-classe ou un ordre.) Les Oiseaux semblent très différents des Reptiles à cause d'un profond remodelage morphologique ; ce remodelage, associé au vol, s'est produit depuis que les Oiseaux ont divergé de leurs ancêtres reptiliens. Le cladisme ne fait aucun cas du degré de divergence morphologique entre des ramifications évolutives, une donnée qui, selon ses détracteurs, devrait être prise en compte dans une classification.

Taxinomie évolutive classique La classification employée dans ce manuel et dans la plupart des autres ouvrages provient de la **taxinomie évolutive classique.** Cette école, la plus ancienne des trois, s'efforce aujourd'hui de trouver un juste équilibre entre les critères des deux autres en considérant à la fois l'homologie globale et l'enchaînement des bifurcations. Dans les cas où ce principe débouche sur un conflit taxinomique, les taxinomistes classiques évaluent subjectivement l'information à privilégier. Par exemple, ils admettent que les Crocodiles se sont séparés plus tard des Oiseaux que des Lézards, mais ils conviennent de placer les Lézards et les Crocodiles dans un taxon d'où les Oiseaux sont exclus. À leurs yeux, en effet, la capacité de voler constitua une percée évolutive qui plaça les Oiseaux dans une zone adaptative nouvelle et importante. La divergence adaptative qui en résulta fut telle, toujours selon les taxinomistes classiques, que les Oiseaux forment une classe à part.

En fondant leur classification sur des critères évolutifs (l'enchaînement des bifurcations, le degré de divergence ou une combinaison des deux dans l'évolution), les taxinomistes reconstituent l'histoire de la vie. Darwin avait déjà fixé cet objectif dans *L'Origine des espèces* en écrivant : «Nos classifications deviendront, dans la mesure où cela sera possible, des généalogies.» Darwin a défini le rôle de la taxinomie moderne, de même qu'il a orienté toute la biologie avec son concept de descendance modifiée. La théorie de l'évolution a elle-même évolué, et nous conclurons cette quatrième partie en faisant la revue de son parcours.

FAUT-IL UNE NOUVELLE THÉORIE SYNTHÉTIQUE DE L'ÉVOLUTION ?

La biologie de l'évolution n'a pas connu un instant de répit depuis la publication par Darwin de *L'Origine des espèces* en 1859. Aucune théorie ne fit jamais consensus, pas même celle qui prévaut depuis 50 ans, soit la théorie

synthétique de l'évolution conçue entre autres par Ernst Mayr (voir le chapitre 21). On a qualifié cette théorie de synthétique parce qu'elle puisait à diverses disciplines, dont la paléontologie, la biogéographie, la systématique et la génétique des populations ; aujourd'hui encore, elle continue de se nourrir aux découvertes de sciences aussi nouvelles que la biologie moléculaire. La théorie synthétique a réaffirmé la conception darwinienne et l'a actualisée en lui adjoignant les principes de la génétique. Son optique est gradualiste : elle estime que les grands changements évolutifs résultent de petits changements qui s'accumulent au cours de très longues périodes. Elle transpose à l'échelle de la macroévolution les mécanismes de la microévolution.

Selon la théorie synthétique, la sélection naturelle est la principale cause de l'évolution à tous les échelons. Les populations s'adaptent par voie de sélection naturelle ; les espèces se forment lorsque des populations isolées acquièrent des adaptations particulières et divergent ; les taxons supérieurs se différencient par suite de la divergence due à la sélection naturelle. La théorie synthétique reconnaît (c'est d'ailleurs elle qui a décrit le phénomène) que la dérive génétique peut causer une évolution rapide et non adaptative. Il n'en reste pas moins que les deux piliers de la théorie synthétique sont le gradualisme et la sélection naturelle.

Un certain nombre d'évolutionnistes ne croient pas que l'évolution telle que la racontent les fossiles puisse s'élucider par une extrapolation des processus de la microévolution. La controverse porte notamment sur le rythme de l'évolution. En effet, de nombreuses transitions des archives géologiques ne semblent pas graduelles. Les gradualistes prétendent que les transitions nous semblent soudaines parce que les archives géologiques sont lacunaires et parce que nos repères temporels s'obscurcissent devant l'immensité des temps géologiques. Un épisode évolutif qui a duré 10 000 ans doit-il être qualifié de « soudain » ou de « graduel » ? Les tenants de l'équilibre ponctué rétorquent que l'imperfection des archives géologiques ne suffit pas à expliquer la rareté des formes de transition si la spéciation et l'apparition de taxons supérieurs représentent bien des suites graduelles de la microévolution. On le voit, la polémique porte non seulement sur le rythme de l'évolution, mais également sur le rôle de la microévolution dans la macroévolution.

Certains évolutionnistes se disent en faveur d'une théorie hiérarchique qui reconnaîtrait la primauté de certains mécanismes à divers échelons de l'évolution. Selon eux, la sélection naturelle constitue la clé de voûte de l'évolution adaptative d'une population, mais elle n'est généralement pas le principal facteur de la spéciation et encore moins celui de la macroévolution. Leur pensée peut se résumer comme suit. La plupart des espèces naissent de petites populations isolées de leurs populations mères par des barrières géographiques ou des accidents génétiques tels que des mutations chromosomiques. La petite population isolée peut évoluer relativement vite, sa divergence d'avec la population mère étant due autant, sinon plus, à la dérive génétique qu'à la sélection. Le hasard peut produire une nouvelle espèce avant même que la sélection n'ait façonné de nouvelles adaptations. De même, le hasard est un facteur prépondérant de la macroévolution. La dérive des continents et les extinctions massives ont probablement eu autant d'effet sur la diversité biologique que l'adaptation graduelle causée par la sélection naturelle sur les patrimoines génétiques des populations. « Contingence » est un mot qui revient souvent dans le vocabulaire de ceux qui font du hasard le décor de l'évolution.

Malgré leurs mésententes, les biologistes de l'évolution ne remettent pas la sélection naturelle en cause : tous admettent qu'elle est le mécanisme de l'adaptation et qu'elle constitue de ce fait la pierre angulaire de la biologie de l'évolution. La sélection met une population en harmonie avec son milieu en apportant de génération en génération des modifications adaptatives au patrimoine génétique. Lorsqu'une espèce voit le jour, c'est la sélection naturelle qui perfectionne ses adaptations uniques. Et même si la spéciation et la macroévolution ont plus à voir avec le hasard qu'avec l'adaptation, les nouvelles espèces ne subsistent assez longtemps pour entrer dans les archives géologiques qu'à condition de s'être adaptées à leur milieu par voie de sélection naturelle.

La théorie synthétique n'a jamais prétendu que l'évolution a toujours été uniforme et graduelle, ni que les processus autres que les modifications génétiques dues à la sélection n'ont pas d'importance. La question ne porte pas tant sur la nature des mécanismes évolutifs que sur leur importance respective. Plutôt que de sonner le glas de la théorie synthétique, peut-être faudrait-il seulement lui faire subir une cure de rajeunissement.

La vigueur des débats sur l'évolution est un signe de bonne santé ; la biologie de l'évolution est une science robuste qui ne s'abandonnera ni à la suffisance ni au dogmatisme. La polémique subsistera tant que nous nous interrogerons sur nos origines et sur nos liens avec le reste du monde vivant.

RÉSUMÉ DU CHAPITRE

La macroévolution est l'origine et l'histoire des groupes taxinomiques supérieurs à l'espèce. Elle procède par l'apparition d'innovations évolutives, par l'établissement de tendances évolutives et par des épisodes de radiation adaptative et d'extinction massive.

Les archives géologiques (p. 474-477)

1. Les fossiles constituent les documents historiques avec lesquels les biologistes étudient la macroévolution. On peut déterminer l'âge relatif des fossiles d'après leur position dans les strates sédimentaires.

2. On peut déterminer l'âge absolu des fossiles en années au moyen de la datation radioactive et d'autres techniques. La datation absolue des strates sédimentaires a situé dans le temps les différentes périodes géologiques, qui correspondent chacune à une transition dans la composition des espèces fossiles. La succession des périodes et des ères géologiques constitue l'échelle des temps géologiques.

3. Les archives géologiques sont incomplètes, car de très nombreuses conditions président à la formation, à la conservation, à l'accessibilité et à la découverte des fossiles.

Mécanismes de la macroévolution (p. 477-489)

1. La formation de groupes taxinomiques supérieurs repose notamment sur l'apparition d'une innovation évolutive. Une innovation évolutive peut apparaître à la suite de la préadaptation et de la modification graduelle d'une structure existante en vue de l'accomplissement d'une nouvelle fonction. Une innovation évolutive peut aussi être consécutive à des modifications des aspects temporels ou spatiaux du développement.

2. Une hypothèse veut que la sélection spécifique cause des tendances évolutives. Selon cette hypothèse, les espèces dotées de certaines caractéristiques survivent plus longtemps et produisent plus d'espèces filles que les espèces possédant d'autres caractéristiques.

3. La dérive des continents a entraîné des remaniements géographiques qui ont marqué la biogéographie et l'évolution. La formation du mégacontinent appelé Pangée, à la fin du Paléozoïque, et sa fragmentation, au début du Mésozoïque, expliquent plusieurs énigmes de la distribution géographique des espèces modernes.

4. L'évolution ne suit pas une série de gradations uniformes. De longues périodes relativement stables furent ponctuées par de brefs intervalles de bouleversement au cours desquels des épisodes de radiation adaptative suivirent des extinctions massives.

Systématique et reconstitution de la phylogenèse (p. 489-495)

1. La systématique est l'étude de la diversité biologique. Elle englobe la taxinomie, science qui a pour objet de nommer et de classifier les espèces.

2. On détermine l'affinité taxinomique et les relations phylogénétiques en se fondant sur l'homologie, la similitude structurale due à une ascendance commune. Il arrive que deux espèces sans lien de parenté, mais ayant connu une évolution convergente, possèdent des structures semblables. Ces structures sont alors dites analogues.

3. La systématique moléculaire constitue l'ultime moyen de déterminer l'homologie. On peut détecter des relations évolutives en comparant les séquences d'acides aminés des protéines et les séquences de nucléotides de l'ADN. Il semble que l'évolution moléculaire se déroule à un rythme suffisamment constant pour qu'on puisse déduire de ces comparaisons l'enchaînement des bifurcations dans la phylogenèse.

4. La phylogenèse inclut deux aspects: le moment d'origine des différents taxons et leur degré de divergence par rapport à un ancêtre commun à chaque bifurcation. Selon l'aspect qu'ils privilégient, les taxinomistes se divisent en trois écoles.

5. La phénétique ne tient pas compte de la chronologie des bifurcations et elle classe les organismes en se fondant uniquement sur leurs ressemblances.

6. Le cladisme ne tient pas compte de la similitude globale et se fonde uniquement sur la chronologie des bifurcations telle que déterminée par l'ordre d'apparition des caractères apomorphes (dérivés).

7. La taxinomie évolutive classique tient compte de la similitude globale et de la chronologie des bifurcations.

Faut-il une nouvelle théorie synthétique de l'évolution ? (p. 495-496)

1. La théorie synthétique de l'évolution fait appel à diverses disciplines pour expliquer l'évolution. Elle se fonde principalement sur les concepts darwiniens de gradualisme et de sélection naturelle.

2. Certains chercheurs doutent que la macroévolution soit uniquement le produit de la microévolution consécutive à la sélection naturelle. Selon eux, le hasard joue un rôle important dans la spéciation et constitue peut-être le principal facteur de la macroévolution.

3. En dernière analyse, le débat qui anime les évolutionnistes porte davantage sur l'importance respective des mécanismes de l'évolution que sur leur nature. La sélection naturelle, en tant que mécanisme de l'adaptation, demeure le pivot de la biologie de l'évolution.

AUTO-ÉVALUATION

1. Une paléontologue estime qu'une roche contenait lors de sa formation 12 mg de potassium 40, un isotope radioactif dont la demi-vie est de 1,3 milliard d'années. La roche contient aujourd'hui 3 mg de potassium 40. Par conséquent, on évalue l'âge approximatif de cette roche à :
   a) 0,4 milliard d'années.
   b) 0,3 milliard d'années.
   c) 1,3 milliard d'années.
   d) 2,6 milliards d'années.
   e) 5,2 milliards d'années.

2. Puisque l'Humain et le Panda appartiennent à la même classe, ils appartiennent aussi :
   a) au même ordre.
   b) au même embranchement.
   c) à la même famille.
   d) au même genre.
   e) à la même espèce.

3. Dans le cas où l'on compare les Oiseaux aux autres Vertébrés, la présence de quatre membres constitue:
   a) un caractère plésiomorphe.
   b) un caractère apomorphe.
   c) un caractère utile pour distinguer les Oiseaux des autres Vertébrés.
   d) un exemple d'analogie et non d'homologie.
   e) un caractère utile pour diviser la classe des Oiseaux en ordres.

4. Les partisans du modèle de la sélection spécifique pensent que la plupart des tendances évolutives résultent :
   a) du perfectionnement qu'apporte la sélection naturelle aux adaptations.
   b) de la progression d'une lignée continue en une succession d'étapes favorisant de plus en plus la tendance évolutive.
   c) de la transformation phylétique d'une espèce unique.
   d) de la préadaptation des espèces à des changements possibles du milieu.
   e) des différences entre les longévités et les taux de spéciation des espèces.

5. La plus grande radiation adaptative qu'ait connue le règne animal s'est produite:
   a) au début du Précambrien.
   b) à la fin du Précambrien.
   c) au début du Paléozoïque.
   d) au début du Mésozoïque.
   e) au début du Cénozoïque.

6. On compare l'ADN de deux espèces à l'aide de la cartographie de restriction. Une forte similitude entre les fragments d'ADN obtenus après traitement avec une enzyme de restriction indique que:
   a) les gènes comparés ont les mêmes fonctions.

b) la plupart des sites reconnus par l'enzyme de restriction sont situés aux mêmes endroits dans les deux échantillons d'ADN.

c) les deux espèces possèdent normalement la même enzyme de restriction.

d) les fragments d'ADN de même longueur sont formés de séquences de bases identiques.

e) les génomes des deux espèces ont approximativement la même taille.

7. Les grandes radiations adaptatives ont généralement suivi des extinctions massives parce que:

a) beaucoup de zones adaptatives se sont vidées.

b) les conditions du milieu physique deviennent généralement plus favorables après une crise.

c) les survivants possédaient des adaptations supérieures qui leur ont permis de se répandre dans de nombreux milieux une fois que les conditions se sont améliorées.

d) la préadaptation fait en sorte que les survivants donnent naissance à de nombreuses espèces nouvelles.

e) la diversité biologique tend à s'accroître dans un milieu stable.

8. Laquelle des données suivantes serait la plus utile à la constitution d'un cladogramme montrant les relations taxinomiques entre quelques espèces de Poissons?

a) La présence de plusieurs caractères analogues chez toutes les espèces.

b) La présence d'un seul caractère homologue chez toutes les espèces.

c) Le degré total de similitude morphologique entre les espèces.

d) L'existence de quelques caractères vraisemblablement apparus après que différentes espèces eurent divergé.

e) La présence d'un seul caractère différent chez toutes les espèces.

9. La transformation évolutive du poumon primitif des Poissons en une vessie natatoire est un exemple:

a) d'évolution convergente.

b) d'évolution divergente.

c) de préadaptation.

d) de radiation adaptative.

e) de pédomorphose.

10. La théorie synthétique de l'évolution et la conception hiérarchique de l'évolution s'opposent sur tous les points suivants, à l'exception:

a) du rythme de l'évolution (gradualisme ou équilibre ponctué).

b) de la cause de l'adaptation (sélection naturelle ou hasard).

c) de l'importance de la microévolution dans la macroévolution.

d) de la cause des tendances évolutives (transitions phylétiques ou sélection spécifique).

e) du rôle du hasard dans la spéciation et dans la diversité biologique.

QUESTIONS À COURT DÉVELOPPEMENT

1. Pourquoi qualifie-t-on d'incomplètes les archives géologiques? Donnez quatre raisons.

2. Établissez un parallèle entre la macroévolution et la microévolution.

3. Décrivez brièvement les trois méthodes de comparaison génétique utilisées dans la systématique moléculaire.

4. Dressez un réseau de concepts décrivant la systématique, les grands objectifs de la taxinomie et les trois écoles de pensée en taxinomie.

RÉFLEXION-APPLICATION

1. Certaines substitutions des nucléotides de l'ADN entraînent des substitutions d'acides aminés dans la protéine encodée (mutations faux-sens), et d'autres n'en causent pas (mutations neutres). La comparaison de gènes de Rongeurs et de gènes d'Humains a révélé que les Rongeurs accumulent les mutations neutres 2 fois plus vite que les Humains, et les mutations faux-sens 1,3 fois plus vite. En quoi de tels résultats compliquent-ils l'emploi des horloges moléculaires en datation absolue?

2. Imaginez que la Pangée se reforme aujourd'hui. Quels changements macroévolutifs prévoyez-vous?

SCIENCE, TECHNOLOGIE ET SOCIÉTÉ

1. Les experts estiment que les activités humaines provoquent annuellement l'extinction de centaines d'espèces. On pense que le taux d'extinction naturel «de base» se chiffre à quelques espèces par année. Si nous continuons à altérer notre milieu, notamment en abattant les forêts tropicales humides, les extinctions qui s'ensuivront se compareront probablement à celles de la fin du Crétacé. Beaucoup de scientifiques et d'écologistes craignent cette perspective. Quelles sont les raisons de leur inquiétude? D'autres, en revanche, se font moins de souci, prétendant que la vie a connu bien des extinctions massives et qu'elle a toujours refleuri. L'extinction massive prévue est-elle différente des précédentes? Pourquoi? Quelles pourraient en être les conséquences pour les espèces survivantes? pour l'Humain?

2. Comme nous le mentionnions à la figure 23.17, on ne sait pas exactement si le Loup roux est un hybride du Coyote et du Loup gris ou une espèce distincte. Aux États-Unis, ce casse-tête taxinomique se trouve au cœur du débat concernant l'adjonction du Loup roux à la liste des espèces protégées en vertu de l'Endangered Species Act. Si des études génétiques détaillées démontrent clairement que le Loup roux est un hybride, faudrait-il abolir les mesures de protection qui le concernent? Pourquoi?

LECTURES SUGGÉRÉES

Alexander, M., «La course des dinosaures», Pour la Science, n° 164, juin 1991. (Des concepts empruntés à l'hydrodynamique et à la mécanique servent à estimer la vitesse de déplacement des Dinosaures.)

Bernier, P., «La formation des gisements paléontologiques», Science & Vie, n° 173, décembre 1990. (Pour mieux comprendre les mécanismes de la fossilisation.)

De Bonis, L., «Contingence et nécessité dans l'histoire de la vie», Pour la Science, n° 187, mai 1993. (Selon une règle de l'évolution, la complexification du vivant dépend de l'apparition aléatoire de niches écologiques.)

Dorozynski, A., «Adam était un Pygmée», Science & Vie, n° 882, mars 1991. (Une séquence génétique nous permet d'identifier le Pygmée Aka comme notre ancêtre le plus probable.)

Gould, S. J. (dir.), Le Manuel de la vie, Paris, Éditions du Seuil, Science ouverte, 1993. (La version moderne de l'histoire de la vie sur la Terre depuis 500 millions d'années.)

Guillemot, H., «Carbone 14: la pendule du passé remise à l'heure», Science & Vie, n° 901, octobre 1992. (Influence du champ magnétique sur la précision de la technique pour les vestiges de 10 000 ans et plus.)

Hamelin, B. et E. Bard, «Datation par le carbone 14: une meilleure justesse», La Recherche, n° 229, février 1991. (Une nouvelle technique de calibration du carbone 14 pourrait bouleverser les chronologies préhistoriques.)

Jaeger, J. J., «L'histoire des Mammifères», Science & Vie, n° 173, décembre 1990. (La phylogénie moléculaire accorde aux paléontologues un éclairage supplémentaire.)

Pilorge, T., « Évolution: les chaînons manquants cachés dans l'embryon », *Science & Vie*, n° 915, décembre 1993. (Les chaînons manquants n'ont peut-être jamais existé; leur existence éventuelle s'expliquerait par des modifications du développement précoce de l'organisme.)

Rage, J. C., « La sortie des eaux », *Science & Vie*, n° 173, décembre 1990. (Inventaire des caractéristiques essentielles aux premiers aventuriers terrestres.)

Ricqlès, A. de, « Un big-bang zoologique au Cambrien », *La Recherche*, n° 240, février 1992. (Les fossiles canadiens du Cambrien peuvent nous amener à repenser la signification de l'évolution.)

Rocchia, R., « La catastrophe de la fin de l'ère secondaire », *La Recherche*, n° 260, décembre 1993. (Une preuve supplémentaire en faveur d'un cataclysme extraterrestre ayant entraîné la disparition massive des Dinosaures, il y a 65 millions d'années.)

Ross, P., « Des fossiles éloquents », *Pour la Science*, n° 177, juillet 1992. (Les biologistes moléculaires explorent l'histoire de l'humanité grâce à l'analyse des acides nucléiques et des protéines d'ossements très anciens.)

Shear, W. A., « Les premiers écosystèmes terrestres », *La Recherche*, n° 248, novembre 1992. (Les fossiles d'Arthropodes permettent de dresser un tableau des premiers écosystèmes.)

ENTRETIEN AVEC STEPHEN J. GOULD

Stephen Jay Gould figure parmi les rares scientifiques à s'être fait connaître du grand public par ses ouvrages et ses articles de vulgarisation. Des centaines de milliers de lecteurs ont découvert les joies de la biologie en lisant ses chroniques mensuelles, parues dans Natural History, *et ses livres à succès, dont* La Vie est belle: les surprises de l'évolution *(Paris, Éd. du Seuil, 1991) et* La Foire aux dinosaures: réflexions sur l'histoire naturelle *(Paris, Éd. du Seuil, 1993). Dans bon nombre de ses essais, M. Gould souligne le rôle du hasard dans l'histoire de la vie. Il est également connu pour sa théorie de l'équilibre ponctué, élaborée avec son collègue paléontologue Niles Eldredge, de l'American Museum of Natural History. Stephen Jay Gould enseigne la biologie, la géologie et l'histoire des sciences à l'Université Harvard.*

Comment en êtes-vous venu à vous intéresser aux fossiles?

Deux voies s'ouvrent aux enfants qui, comme je l'ai fait, commencent à s'intéresser tôt aux fossiles. Soit qu'ils vivent à la campagne et qu'ils y collectionnent des fossiles, soit qu'ils habitent en milieu urbain et qu'ils se rendent dans les musées. Or, j'ai grandi à New York; c'est donc le Musée d'histoire naturelle qui a nourri ma passion.

Quel âge aviez-vous alors?

Cinq ou six ans, mais cela n'a rien d'inhabituel, car c'est souvent à cet âge qu'on commence à s'intéresser aux fossiles. Ce qui me semble plus inusité, c'est qu'au sein de la profession on trouve en si grand nombre des personnes qui s'y sont intéressées des leur enfance; on rencontre en effet beaucoup de paléontologues qui cultivent leur passion des fossiles depuis leur plus tendre enfance.

Si tant d'enfants s'intéressent aux fossiles, pourquoi n'y a-t-il pas davantage de paléontologues?

C'est que, premièrement, les enfants ne se rendent que rarement au stade où l'étude des fossiles devient passionnante sur le plan intellectuel; pour eux, il ne s'agit que d'un intérêt passager. Ils passent des fossiles aux rêve de devenir policier ou pompier, ou s'emballent pour les tortues Ninja ou que sais-je encore. Je ne veux pas avoir l'air méprisant en disant cela; mais les enfants sont ainsi faits. Ils doivent satisfaire leur curiosité dans plusieurs domaines et sautent d'un intérêt à l'autre. Ils vont se passionner pour un sujet, en acquérir quelques connaissances, pour passer ensuite à autre chose. On perd de la sorte un grand nombre de candidats potentiels, mais il s'agit d'une chose naturelle. C'est ainsi que les enfants se développent. Je ne critique pas du tout cet état de fait. Les pertes qui m'attristent sont celles qu'on peut attribuer au manque d'encouragement de la part des parents, au fait que la paléontologie n'est pas perçue comme quelque chose d'intéressant, ou à la pauvreté et à la difficulté de s'instruire. Parfois également, certains parents persuadent leurs enfants que la paléontologie n'est pas une activité lucrative, ce qui me paraît bien dommage.

Qu'est-ce qui vous a incité à vous adresser à un large public?

J'ai tout d'abord écrit un simple article pour *Natural History*; puis, en janvier 1974,

j'ai commencé à écrire une chronique. Je n'avais jamais eu l'intention de devenir chroniqueur permanent; cela s'est fait tout seul — comme pour la plupart des événements qui ont marqué l'évolution du vivant, si vous me permettez l'analogie. Cette revue a toujours présenté des chroniques. On m'a demandé d'y collaborer parce que, au moment de terminer mes études, j'avais effectué mes travaux de recherche à l'American Museum of Natural History et que j'avais déjà la réputation de pouvoir rédiger des articles à teneur technique ou scientifique dans un style non conventionnel, plutôt littéraire. Lorsqu'on m'a proposé de rédiger ces chroniques, je me suis dit: « Voilà une idée intéressante. » Sur ce, j'ai décidé d'en rédiger deux ou trois puis de voir comment les choses tourneraient. Depuis, j'ai rédigé 210 chroniques. C'est arrivé comme ça. L'appétit est venu en mangeant, comme on dit. Et l'appétit demeure.

Plusieurs de vos articles se penchent sur l'idée qu'il est fallacieux de chercher dans la nature un message moral. Pourquoi en est-il ainsi?

Le pire de tous les exemples, évidemment, est la théorie de la pureté raciale élaborée par Adolph Hitler à partir de ce qu'il estimait être le mode de fonctionnement de la nature. Que ses vues aient été absurdes ne signifie pas qu'on puisse trouver de *bons* enseignements moraux dans la nature. Il faut se rappeler que la vie date de 3,5 milliards d'années et que l'être humain, géologiquement parlant, n'est apparu qu'hier. Comment un processus qui s'est déroulé en notre absence pendant une si longue période véhiculerait-il des valeurs morales applicables à la conduite de notre vie? C'est impossible. En tant qu'activité, la science est une discipline qui s'intéresse à l'état factuel du monde, et on ne peut, à partir de faits, tirer de conclusions d'ordre moral. Tout ce que la science peut faire consiste à fournir des données susceptibles d'éclairer les décisions qui relèvent de l'éthique; mais la science ne nous dictera jamais quel comportement adopter. Elle n'est tout simplement pas en mesure de le faire.

Un autre thème récurrent dans vos essais est la façon dont les préjugés culturels et

sociaux influent sur notre conception de la vie. Pouvez-vous en donner des exemples ?

On peut trouver des exemples partout parce que la science est inextricablement liée au contexte social. En tant que biologiste évolutionniste, les cas qui m'intéressent le plus sont les préjugés qui déforment notre interprétation de l'évolution. Certains sont très généraux, d'autres, très profondément enracinés, comme le déterminisme, qui ne peut se vérifier dans la vie réelle. Toutefois, en ce qui concerne l'interprétation de l'évolution, le préjugé le plus tenace est certainement cette idée répandue selon laquelle l'être humain se trouve au sommet d'une sorte de pyramide de l'évolution et non à l'une des branches de l'arbre très ramifié de la vie. La vieille notion de progrès, qui fait considérer l'évolution comme une ascension vers la complexité, une progression vers l'apparition de l'être humain, constitue probablement le préjugé qui influe le plus profondément sur notre perception de l'évolution.

Vous avez également fait observer que notre vision de la nature est déformée par notre perception réductrice des échelles de grandeurs : nous utilisons la taille du corps humain et la longévité humaine comme valeurs de référence. En quoi ces distorsions alimentent-elles les idées fausses que nous avons des êtres vivants ?

L'échelle du temps est si vaste, et la longévité humaine n'est que de 70 ans environ, si on a de la chance. Aux yeux d'un géologue, une période de 70 ans est tellement courte qu'il ne peut même pas la mesurer. Pour la plupart d'entre nous, un processus s'étendant sur près de 70 ans est long ; cependant, à l'échelle géologique, il s'agit d'un instant non mesurable. Les gens comprennent mal les notions de temps. La théorie de l'équilibre ponctué, que j'ai élaborée avec Niles Eldredge, a donné lieu à de fausses interprétations. Nous disions souvent que l'apparition de nouvelles espèces se produisait de façon soudaine à l'échelle géologique. Les gens ont alors pensé que les nouvelles espèces apparaissaient du jour au lendemain, en une seule macromutation. En réalité, les événements que nous qualifions de soudains s'étendent sur 5 000 à 10 000 ans, laps de temps incommensurablement long à l'échelle humaine, mais qui, à l'échelle géologique, ne représente qu'un instant. Les gens ne saisissent tout simplement pas ce changement d'échelle.

La notion de taille ne pose peut-être pas autant de problème, sauf quand il s'agit de comprendre que les forces de la nature s'exercent différemment sur des organismes de tailles très diverses. À cause de la fascination qu'on a pour les rares Animaux

plus gros que l'Humain, la plupart des gens croient que notre espèce se situe, sur le plan de la taille, quelque part au milieu de l'échelle. Ce n'est pas du tout le cas. En réalité, nous nous trouvons à l'extrémité supérieure de l'échelle. Nous sommes gros. En fait, il existe très peu d'Animaux plus gros que nous : la grande majorité des Animaux, soit environ 80 %, sont des Arthropodes, et ils sont minuscules à côté de nous. Dans l'univers des petites créatures, ce sont les forces de surface qui prédominent, alors que, dans notre monde, ce sont les forces volumétriques et gravitationnelles. Par conséquent, nous ne nous rendons tout simplement pas compte que les petits Animaux vivent dans un monde différent. Les films de science-fiction qui inversent les rôles illustrent cela de façon très amusante. Prenons les films mettant en vedette des Insectes géants, des Fourmis de 7 m capables de voler. Eh bien, une Fourmi de 7 m ne pourrait jamais voler, tout simplement parce que la capacité de voler dépend de la superficie et que la portance est principalement fonction du volume.

À part la question des notions de temps, existe-t-il d'autres raisons expliquant la controverse que la théorie de l'équilibre ponctué soulève chez les biologistes ?

La controverse qui existe repose en partie sur l'incompréhension des échelles de grandeurs. Toutefois, une bonne partie de la controverse provient de la forte préférence des gens pour les explications graduelles. Le fait que le graduelisme jouisse de la faveur des darwinistes se justifie : si on veut expliquer l'évolution uniquement par la sélection naturelle menant à l'adaptation, cette adaptation doit alors s'effectuer lentement et graduellement, étape par

étape. Autrement, comment la sélection naturelle pourrait-elle expliquer l'évolution ? Pour que la sélection soit une force créatrice dans l'évolution, il faut qu'elle se fasse à même une gamme de variations aléatoires et qu'elle détermine elle-même une direction. Pour accomplir tout cela, elle doit franchir des étapes intermédiaires, d'où la forte préférence qu'on connaît pour le graduelisme.

Votre essai paru en 1991, *La Vie est belle*, traite des surprises de l'évolution, traite du rôle de l'imprévu dans l'histoire des êtres vivants. Pourriez-vous en donner un bon exemple ?

Le meilleur exemple, et le plus frappant, c'est l'Humain lui-même. Que faisons-nous ici ? L'émergence simultanée des Mammifères et des Dinosaures est un fait capital

dans l'histoire des êtres vivants. La plupart des gens croient que les Mammifères sont arrivés sur le tard et qu'ils ont évincé les Dinosaures par leur supériorité, mais c'est faux. Les Mammifères et les Dinosaures sont apparus à peu près en même temps et, pendant cent millions d'années, ces derniers ont accaparé la totalité de l'espace vital réservé aux gros organismes. Avant l'extinction des Dinosaures, les plus gros Mammifères avaient à peu près la taille du Rat. Le plus petit Dinosaure, environ de la taille de l'Autruche, était beaucoup plus gros que les plus volumineux des Mammifères. Les Mammifères se débrouillaient bien dans leur petit monde, mais l'intelligence n'aurait pu émerger si les Mammifères avaient conservé cette petite taille. Ce n'est qu'après la disparition des Dinosaures que les Mammifères ont eu leur chance. Or, l'extinction des Dinosaures s'inscrit dans une vague d'extinction massive probablement déclenchée par l'impact d'un corps venu de l'espace. Si un tel événement ne constitue pas le plus inattendu des hasards, l'événement imprévisible par excellence, je ne saurais comment le qualifier. C'est un coup de tonnerre dans un ciel bleu, littéralement. Et c'est uniquement grâce à cet événement que les Mammifères ont eu la possibilité de se différencier.

Les Dinosaures avaient fait la loi pendant cent millions d'années ; seulement 65 millions d'années se sont écoulées depuis leur disparition. N'eût été cet événement qui les a éliminés, je pense qu'ils seraient toujours les plus grands aujourd'hui. L'évolution ne préparait pas les Dinosaures à l'intelligence, sans doute hors de leur portée compte tenu de leur morphologie. Donc, nous sommes ici grâce à la disparition imprévue des Dinosaures. Cet événement à lui seul n'a toutefois pas suffi à créer des Humains, il a suffi à engendrer des Mammifères.

Pourquoi y a-t-il donc des Primates ? Les Primates constituent un petit groupe de 200 espèces seulement, qui n'a rien d'un groupe dominant. C'est par chance que nous existons. Sans le changement marqué de l'environnement africain survenu il y a deux millions et demi d'années, et qui a causé l'expansion des savanes et le recul des forêts, nous habiterions sans doute encore dans les arbres et nous n'aurions pas la conscience que nous avons aujourd'hui. L'imprévu ne s'applique pas uniquement aux grands changements ; il joue également un rôle important dans les détails de l'histoire des êtres vivants, et nous sommes un de ces détails.

Y a-t-il quoi que ce soit de prévisible dans l'évolution ?

Oui, mais ces prédictions sont très générales. Ainsi, compte tenu des conditions qui existaient sur la Terre, j'aurais certainement prédit l'apparition de la vie. La vie est probablement une conséquence fondamentale de processus chimiques et de la physique des systèmes qui s'auto-organisent. Je pourrais également prédire qu'il y aura toujours davantage de proies que de prédateurs, car un écosystème ne peut fonctionner autrement. La symétrie bilatérale était elle aussi prévisible parce que c'est un mode d'organisation efficace. Je vous dirais que si des créatures volantes devaient apparaître, elles auraient probablement des ailes parce qu'il n'y a pas d'autre façon de se mouvoir dans les airs. Ainsi, la vie présente certaines caractéristiques très générales qu'on peut prévoir. Cependant, ce que la plupart des gens veulent lorsqu'ils posent des questions sur l'évolution de la vie, ce ne sont pas des questions générales et abstraites. Ce qui nous intéresse habituellement, c'est pourquoi l'Humain existe. Pourquoi les Dinosaures ont-ils disparu ? Pourquoi les Mammifères ont-ils pris la relève ? Ces questions ont toutes à voir avec l'imprévu.

Peu importe le rôle de l'imprévisible, le fait est que nous existons. De nombreux étudiants se demandent si nous évoluons toujours.

Je n'ai jamais accordé d'entrevue sans qu'on me pose cette question. Ma question à moi, c'est pourquoi tout le monde s'attend à ce qu'une telle chose se produise. Dans le cas d'une espèce aussi prospère que l'*Homo sapiens*, il y a lieu de s'attendre à la stabilité. Pourquoi devrions-nous toujours partir du principe que l'Humain continuera de changer ? Pourquoi trouvons-nous étrange que l'Humain n'ait pas changé depuis 40 000 à 50 000 ans (ce qui est le cas) ? On présume toujours que cela est anormal, ce qui n'est pas le cas. C'est la norme, la nature même de l'évolution : les espèces de grande taille qui s'en tirent bien n'évoluent pas pendant de longues périodes. Pigeons ou Rats, peu importe, ils demeurent comme ils sont.

Les gens posent la question à cause de l'idée qu'ils se font du progrès. Pour la plupart, évolution signifie progrès. Les gens estiment que l'espèce humaine est supérieure et ils espèrent qu'avec l'évolution elle s'améliorera encore. Mais si les gens comprenaient vraiment ce que signifie l'évolution, à savoir l'adaptation au changement dans un milieu donné, ils se rendraient compte de la grande réussite de l'Humain sur l'ensemble de la planète.

Pouvez-vous imaginer des circonstances qui mèneraient à l'apparition de nouvelles espèces d'Hominidés ?

Certainement, mais on entre là dans le domaine de la science-fiction, par exemple, on pourrait envoyer de petites colonies quelque part dans l'espace. C'est dans de telles circonstances, par l'isolation de petits groupes, qu'on assiste à la spéciation. Mais ce genre de scénario relève vraiment de la science-fiction. J'apprécie la science-fiction comme genre littéraire, mais ce n'est pas vraiment mon rayon.

Vous avez évoqué l'extinction massive qui a éliminé les Dinosaures et plusieurs autres formes de vie il y a 65 millions d'années. Comment se compare-t-elle aux autres extinctions massives qui ont pu survenir ?

Tous les paléontologues s'entendent probablement pour distinguer cinq grandes vagues d'extinction. Je ne connais pas leur rang exact, mais la plus importante est de loin celle qui a eu lieu à la fin du Permien, il y a 225 millions d'années. On estime que jusqu'à 96 % de toutes les espèces d'Invertébrés marins ont alors disparu. Les quatre autres vagues d'extinction sont survenues à la fin de l'Ordovicien, du Trias et du Crétacé ainsi qu'au début du Dévonien. L'extinction de la fin du Crétacé, celle qui intéresse la majorité des gens parce qu'elle a éliminé la majorité des Dinosaures et nous a donné la chance d'émerger, n'est pas la plus importante ; elle vient en troisième ou quatrième place.

De nos jours, la question de l'extinction soulève beaucoup d'intérêt. Avez-vous déjà entendu cet argument : si chaque espèce est vouée à l'extinction, pourquoi tant s'inquiéter des extinctions actuellement causées par l'activité humaine ?

Oui, il s'agit là d'un argument typique, insidieux, des partisans du progrès. Soutenir un tel argument s'avère aussi absurde que d'affirmer qu'on ne devrait pas soigner une infection facilement guérissable chez un jeune enfant puisqu'il devra bien mourir un jour de toute façon. Oui, il est vrai que les espèces finiront par s'éteindre, mais si cela doit se produire dans des millions d'années, pourquoi devrions-nous les éliminer maintenant, alors que la raison de leur disparition est notre cupidité, et non une cause naturelle ou inévitable ?

À l'exception des extinctions massives, quels ont été les épisodes les plus marquants de l'histoire de la vie ?

Tellement d'autres choses très intéressantes sont survenues, mais elles ne constituent pas vraiment des épisodes parce qu'elles ressortaient à peine dans le cours des événements. Il existe des épisodes d'apparition relativement rapide de formes de vie, mais ils n'ont pas eu lieu aussi soudainement que les extinctions massives. Mon principal intérêt — et celui de la majorité des paléontologues — porte sur l'apparition très rapide de presque toutes les formes de vie pluricellulaires au début de la période cambrienne, il y a environ 550 millions d'années, que nous appelons l'explosion cambrienne. Le mot explosion est toutefois assez mal choisi, car les explosions géologiques durent en réalité très longtemps.

À l'heure actuelle, quelles autres questions touchant l'histoire et l'évolution de la vie vous intéressent le plus ?

Plusieurs questions. J'aimerais en apprendre davantage sur l'interaction entre l'imprévisible et la prévisibilité ainsi que sur le profil global de l'histoire de la vie. J'aimerais savoir dans quelle mesure Darwin avait raison lorsqu'il avançait que la sélection qui opère sur les organismes est dominante, pour ne pas dire exclusive. J'ai tendance à penser que la réalité se rapproche davantage de la notion plutôt hiérarchique selon laquelle la sélection opère sur les gènes, les espèces, les lignées cellulaires et à tous ces niveaux simultanément ; il s'agit en fait d'une théorie de l'évolution très différente du darwinisme sur le plan conceptuel. Je m'intéresse au rôle des processus aléatoires et des extinctions massives dans l'histoire de la vie. Je suis essentiellement curieux de savoir dans quelle mesure la version très stricte du darwinisme, qui constitue la pensée orthodoxe depuis les vingt ou trente dernières années, est inadéquate. Non pas que je la croie fausse ; j'estime qu'il s'agit d'un raisonnement exact et solide, mais je ne pense pas qu'il explique tout. Et je m'intéresse justement aux aspects de l'histoire de la vie qui appellent des explications d'un autre ordre.

Si vous aviez le loisir de passer trente minutes avec Charles Darwin, que souhaiteriez-vous lui demander ?

Bonne question. D'abord, je me préparerais soigneusement. Il y aurait alors deux possibilités, selon son ouverture d'esprit. Premièrement, étant donné que j'ai tellement lu sur sa vie, j'aimerais lui poser quelques questions personnelles qui nous aideraient vraiment à le mieux connaître : quelles furent ses réactions à la mort de sa mère, alors qu'il avait huit ans, et quelles étaient ses convictions religieuses personnelles, sujet sur lequel il restait secret. Toutefois, connaissant M. Darwin, je ne crois pas qu'il voudrait s'entretenir de ces sujets, et c'est très bien, car je ferais de même. Je respecterais donc sa vie privée, et j'essaierais alors la deuxième possibilité. Je lui dirais, très rapidement car nous n'aurions qu'une demi-heure, ce qui est advenu de sa théorie de l'évolution depuis son époque. J'adorerais savoir ce qu'il en pense, tout comme j'aimerais faire entendre à Bach, s'il revenait, une exécution moderne d'une de ses œuvres, parce que je parie qu'elle serait d'une qualité nettement supérieure à tout ce qu'il aurait entendu de son vivant. De plus, j'aimerais savoir ce que Darwin penserait des découvertes récentes touchant les théories des extinctions massives, l'hérédité et la biologie moléculaire. Il dirait sans doute : « Racontez-moi tout, car cela me semble si passionnant ; je veux tout savoir. » Et je ne serais toujours pas plus avancé.

L'histoire de la vie est un continuum qui commence avec l'apparition des tout premiers organismes, se poursuit tout au long des diverses ramifications phylogénétiques, pour en arriver aux formes de vie très variées que nous connaissons aujourd'hui. Dans cette cinquième partie, nous ferons un tour d'horizon de la diversité des formes de vie contemporaines et nous retracerons son évolution sur plus de 3,5 milliards d'années (voir le tableau 23.1).

Les chapitres de cette partie reviendront souvent sur le thème de l'interaction entre la biologie et la géologie. Les événements géologiques qui modifient l'environnement modifient également le cours de l'évolution biologique. Ainsi, la formation et la dislocation subséquente du supercontinent Pangée ont eu des conséquences considérables sur la diversité des formes de vie (voir le chapitre 23). De son côté, la vie a modifié la planète qui l'héberge (figure 24.1). Par exemple, l'évolution des organismes photosynthétiques qui libèrent de l'oxygène dans l'air a radicalement transformé l'atmosphère de la Terre. Beaucoup plus récemment, l'émergence d'*Homo sapiens* a modifié le sol, l'eau et l'air dans une mesure et à une vitesse sans précédent pour une seule espèce. L'histoire de la Terre et celle de la vie qu'elle porte sont indissociables.

Les chapitres de la présente partie font également ressortir d'importants tournants de l'évolution qui ont ponctué l'histoire de la diversité biologique. L'histoire de la Terre et celle de la vie se sont en effet déroulées par épisodes et portent la marque de véritables révolutions qui ont ouvert la voie à une multitude de formes de vie. Comme le rappelle Stephen Jay Gould dans l'entretien qui précède, l'histoire de la vie est celle de l'imprévu, et non la conséquence d'épisodes prévisibles.

Toute étude historique est vouée à l'inexactitude, car elle est tributaire de l'état de conservation et de la représentativité des vestiges de son évolution. Comme nous l'avons vu dans la quatrième partie, ces vestiges nous donnent sur le passé des indices qui viennent compléter ceux que nous donnent les fossiles, tout comme les similitudes et les différences entre les cultures actuelles aident les sociologues à comprendre les rapports historiques entre les cultures. Reste que les plus anciens épisodes de l'évolution sont habituellement les plus obscurs. Ce chapitre-ci, le plus spéculatif de la présente partie, traite principalement de l'origine de la vie sur la Terre primitive, épisode

Figure 24.1
La Terre changeante et la vie qui l'habite. Dans une scène rappelant les conditions qui existaient sur la Terre primitive, de violentes décharges de foudre et l'activité volcanique ont été associées à la naissance, en 1963, de l'île Surtsey, près de l'Islande, dans l'Atlantique Nord. Des organismes terrestres ont commencé à coloniser l'île Surtsey presque immédiatement après sa naissance. Depuis, l'île et ses habitants ont évolué ensemble, démontrant à une échelle réduite l'inséparable destin de la Terre et de la vie. Dans le présent chapitre, nous examinerons quelques idées sur la façon dont la vie s'est installée sur la jeune planète Terre.

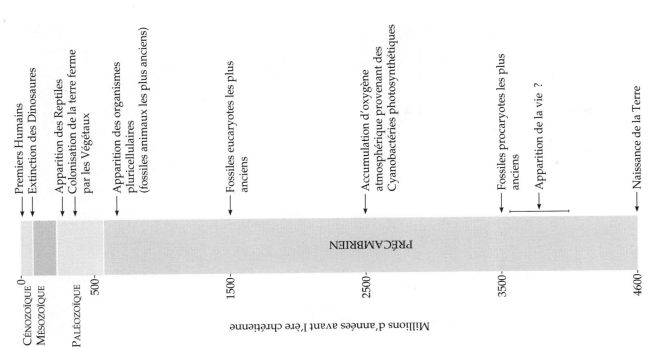

Figure 24.3
Quelques épisodes importants de l'histoire de la vie.

Labels (de haut en bas) :
— Premiers Humains
— Extinction des Dinosaures
— Apparition des Reptiles
— Colonisation de la terre ferme par les Végétaux
— Apparition des organismes pluricellulaires (fossiles animaux les plus anciens)
— Fossiles eucaryotes les plus anciens
— Accumulation d'oxygène atmosphérique provenant des Cyanobactéries photosynthétiques
— Fossiles procaryotes les plus anciens
— Apparition de la vie ?
— Naissance de la Terre

CÉNOZOÏQUE 0
MÉSOZOÏQUE
PALÉOZOÏQUE 500
PRÉCAMBRIEN
1500
2500
3500
4600

Millions d'années avant l'ère chrétienne

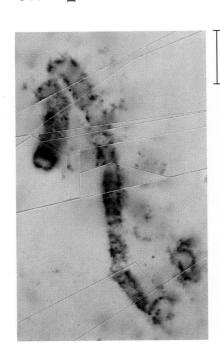

Figure 24.2
Un procaryote primitif. Jusqu'à il y a trente ans, les fossiles précambriens sont passés inaperçus à cause notamment de leur taille microscopique. Ce procaryote filamenteux, âgé d'environ 3,5 milliards d'années, a été trouvé en Australie Occidentale (MP).

10 µm

germinal pour lequel il n'y a pas de restes fossiles. Nous nous pencherons d'abord sur les plus anciens fossiles connus, afin d'attester l'antiquité de la vie sur Terre. Nous examinerons ensuite les théories qui tentent d'expliquer comment les processus naturels à l'œuvre sur la jeune planète ont pu créer la vie. Puis, en guise de préparation aux chapitres 25 à 30 qui font un survol des diverses formes de vie, la dernière section de ce chapitre présentera les différents règnes du vivant.

ANTIQUITÉ DE LA VIE

Quand on compare l'évolution des êtres vivants à un arbre, on veut montrer que l'histoire de la vie commence avec des créatures primitives, et que ces tout premiers êtres vivants ont engendré une descendance d'organismes de plus en plus diversifiés. L'absence apparente de fossiles d'organismes ancestraux dans les roches précambriennes a longtemps contredit la théorie de Darwin selon laquelle les formes de vie complexes ont évolué à partir de formes plus simples. À ce sujet, il écrivait dans *L'Origine des espèces* : « À la question de savoir pourquoi nous ne trouvons pas de riches dépôts fossilifères appartenant à ces périodes apparemment les plus reculées, antérieures au Cambrien, je ne peux donner de réponse satisfaisante. [...] Pour l'instant, il s'agit d'un fait inexplicable qui pourrait bien servir d'argument valable contre les vues défendues ici. » Certains des adversaires de Darwin se sont emparé de la perche qu'il tendait et ont fait coïncider l'époque de la Genèse biblique et de toute la création avec le début de la période cambrienne. Ce n'est qu'au cours des dernières décennies que la découverte de fossiles plus anciens a comblé le vide précambrien. La faune cambrienne a été précédée d'un ensemble moins diversifié d'Animaux, remontant à 700 millions d'années (voir le chapitre 23). Avant cette période, il y a eu une succession de microorganismes pendant près de 3 milliards d'années (figure 24.2). Au cours de la majeure partie de cette période, seuls des procaryotes habitaient la Terre. Si l'on se fie à la structure relativement simple de la cellule procaryote (comparativement à celle de la cellule

eucaryote), il y a lieu de croire que les premiers êtres vivants ont été des Bactéries primitives ; les restes fossiles semblent maintenant corroborer cette supposition.

Les procaryotes sont apparus quelques centaines de millions d'années après le refroidissement et la solidification de la croûte terrestre (figure 24.3). Bien que les géologues aient découvert des minéraux cristallisés datant d'environ 4,1 milliards d'années et des roches sédimentaires datant de 3,8 milliards d'années, on n'a encore trouvé aucun fossile aussi ancien. Toutefois, des fossiles qui semblent provenir de procaryotes ayant approximativement la taille de Bactéries ont effectivement été découverts en Afrique australe dans une formation rocheuse appelée Fig Tree Chert, âgée de 3,4 milliards d'années environ. On a même trouvé des vestiges d'organismes

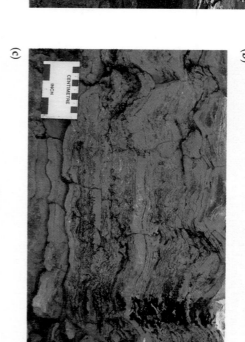

(a)

(c)

(b)

Figure 24.4

Tapis bactériens et stromatolithes. Les tapis bactériens se constituent de couches sédimentaires produites par des colonies de Bactéries et de Cyanobactéries vivant à l'abri des prédateurs dans des environnements inhospitaliers pour la plupart des autres formes de vie. **(a)** Lynn Margulis et Kenneth Nealson, qui étudient l'histoire de la vie, recueillent des tapis bactériens dans une lagune de Basse-Californie. **(b)** Les stromatolithes, qu'on voit dans cette coupe d'un tapis bactérien, sont constituées de sédiments qui adhèrent aux procaryotes. Ces derniers, en migrant vers le haut, laissent une succession de couches, dont couches sédimentaires fossilisées appelées stromatolithes ressemblent aux structures superposées formées de nos jours par des colonies bactériennes. Ce stromatolithe est un spécimen âgé d'environ 3,5 milliards d'années provenant d'Australie Occidentale. Beaucoup de stromatolithes contiennent des microfossiles comme celui de la figure 24.2.

procaryotes encore plus anciens dans des formations rocheuses appelées **stromatolithes** (du grec *stroma* « couverture », et *lithos* « pierre »). Les stromatolithes se composent de plusieurs couches sédimentaires superposées et en forme de dôme. L'organisation interne des stromatolithes ressemble étonnamment à celle des colonies de Bactéries et de Cyanobactéries vivant aujourd'hui dans les marais très salés. Les colonies s'associent à des sédiments qui adhèrent aux enveloppes gélatineuses des microorganismes mobiles ; ces derniers migrent continuellement par-dessus, produisant l'empilement caractéristique d'un tapis bactérien (figure 24.4). En Australie Occidentale et en Afrique australe, on a trouvé des fossiles ressemblant à des procaryotes sphériques et filamenteux à l'intérieur de stromatolithes datant de 3,5 milliards d'années. Il s'agit jusqu'à présent de la plus ancienne manifestation connue de la vie. Toutefois, les fossiles découverts en Australie Occidentale semblent provenir d'organismes photosynthétiques, éventuellement producteurs d'oxygène. Si c'est le cas, la vie avait probable-

ment commencé à se développer bien avant l'apparition de ces organismes, il y a aussi longtemps que 4 milliards d'années peut-être. Pour replacer les choses dans leur contexte, on estime l'âge de la Terre à environ 4,6 milliards d'années (voir le chapitre 2) ; sur la vaste échelle des temps géologiques, la vie a donc fait son apparition relativement tôt.

ORIGINE DE LA VIE

La question de savoir comment la vie est apparue soulève à son tour celle de la genèse des procaryotes. Les tout premiers organismes ont vu le jour entre le moment, il y a 4,1 milliards d'années environ, où la croûte terrestre commençait à se solidifier et celui, il y a 3,5 milliards d'années, où la planète a compté des Bactéries suffisamment évoluées pour construire des stromatolithes. La majorité des biologistes adhèrent à l'hypothèse selon laquelle la vie sur Terre a pris naissance à partir de matière inanimée ayant constitué des

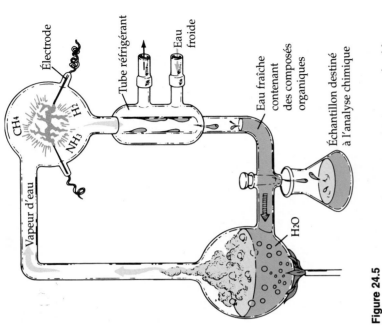

Électrode
CH₄
NH₃
H₂
Vapeur d'eau
Tube réfrigérant
Eau froide
Eau fraîche contenant des composés organiques
Échantillon destiné à l'analyse chimique
H₂O

Figure 24.5
Synthèse in vitro de molécules organiques par voie abiotique. Stanley Miller et Harold Urey ont utilisé un appareil semblable à celui-ci pour simuler les conditions qui prévalaient sur la Terre primitive. Le système fonctionne comme suit. Un flacon rempli d'eau réchauffée simule la mer primitive. L'« atmosphère » se compose de H_2O (vapeur), de H_2, de CH_4 et de NH_3. On provoque des décharges électriques dans cette atmosphère synthétique pour imiter la foudre. Un tube réfrigérant produit la condensation d'une partie de l'atmosphère, créant de la pluie et ramenant tout composé dissous dans cette mer miniature. Pendant que le matériel circule à travers l'appareil, la solution du flacon passe de la transparence à un brun trouble. Après une semaine, Miller et Urey ont analysé le contenu de la solution et y ont trouvé différents composés organiques, dont certains des acides aminés qui constituent les protéines des organismes.

majeure partie des rayons ultraviolets. On sait aussi que les jeunes soleils (étoiles) émettent davantage de rayonnement ultraviolet que les soleils plus anciens. Selon Oparin et Haldane, le monde primitif présentait les conditions chimiques et énergétiques nécessaires à la synthèse abiotique de molécules organiques.

En 1953, Stanley Miller et Harold Urey ont vérifié l'hypothèse d'Oparin et de Haldane en recréant en laboratoire des conditions comparables à celles qui existaient sur la Terre primitive (voir la figure 4.3). Leur expérience a permis de produire différents acides aminés et autres composés organiques présents dans les organismes contemporains (figure 24.5).

Dans le modèle de Miller et Urey, l'atmosphère se composait de H_2O (vapeur), de H_2, de CH_4 (méthane) et de NH_3 (ammoniac), soit les gaz que les chercheurs des années 1950 croyaient être abondants dans le monde primitif. L'atmosphère artificielle de Miller et Urey était sans doute plus réductrice que l'atmosphère réelle de la Terre primitive. Les vapeurs des volcans modernes contiennent du CO, du CO_2 et du N_2, et ces gaz entraient probablement aussi dans la composition de l'atmosphère ancienne provenant des volcans. Peut-être même que l'atmosphère

agrégats moléculaires finalement devenus capables d'autoréplication et de métabolisme. De nos jours, autant que nous sachions, la vie ne peut émerger par génération spontanée à partir de matière inanimée ; il faut dire toutefois que les conditions qui existaient sur la Terre, lorsque celle-ci n'était âgée que d'un milliard d'années, étaient différentes et beaucoup plus animées. D'abord, la composition de l'atmosphère et celle de la mer différait (elle contenait peu d'oxygène, par exemple). Ensuite, la foudre, l'activité volcanique, le bombardement par les météorites et la lumière ultraviolette étaient tous beaucoup plus intenses que ce que nous connaissons aujourd'hui (voir le chapitre 2). Dans cet environnement primitif rythmé par le Soleil (jour-nuit), la Lune (marées) et la révolution terrestre (saisons), la vie a de toute évidence trouvé le moyen d'apparaître, dans ses toutes premières manifestations du moins. Les événements précis qui ont marqué ce commencement font l'objet de bien des débats parmi les chercheurs.

Selon une des hypothèses émises, les premiers organismes proviendraient d'une évolution chimique en quatre étapes : (1) la synthèse abiotique (sans vie) et l'accumulation de petites molécules organiques, ou monomères, tels des acides aminés et des nucléotides ; (2) la fusion de ces monomères en polymères, entre autres des protéines et des acides nucléiques ; (3) l'agrégation de molécules, produites par voie abiotique, en gouttelettes appelées protobiontes présentant des caractéristiques chimiques différentes de leur milieu environnant ; (4) l'apparition de l'hérédité (dont la manifestation a peut-être commencé avant même le stade des gouttelettes).

Synthèse abiotique de monomères organiques

Dans les années 1920, A. I. Oparin, un Russe, et J. B. S. Haldane, un Anglais, ont postulé indépendamment l'un de l'autre que les conditions existant sur la Terre primitive avaient favorisé certaines réactions chimiques. Ces réactions auraient synthétisé ce que nous appelons maintenant des composés organiques à partir d'éléments précurseurs non organiques présents dans l'atmosphère et les mers de cette époque reculée. Selon Oparin et Haldane, de telles réactions chimiques ne pourraient pas se produire de nos jours en raison de la teneur élevée de l'atmosphère en oxygène produit par les organismes photosynthétiques. En effet, notre atmosphère oxydante n'est pas propice à la synthèse spontanée de molécules complexes parce que l'oxygène rompt les liaisons chimiques en arrachant des électrons. Avant l'apparition de la photosynthèse, productrice d'oxygène, la Terre s'entourait d'une atmosphère beaucoup moins oxydante, principalement composée de gaz volcaniques. Cette atmosphère, de nature réductrice (qui ajoute des électrons), aurait favorisé l'agencement de molécules simples en molécules plus complexes. Toutefois, la seule présence d'une atmosphère réductrice ne suffit pas ; la création de molécules organiques demande également des quantités d'énergie considérables. Sur la Terre primitive, cette énergie provenait sans doute d'éruptions sous-marines ou côtières et de sources hydrothermales, ainsi que de la foudre et de l'intense rayonnement ultraviolet qui traversait l'atmosphère. Notre atmosphère actuelle comporte une couche d'ozone qui traversait l'atmosphère, et cet écran filtre la

de cette époque contenait des traces de O_2, produit par des réactions entre des gaz soumis à l'action du puissant rayonnement ultraviolet. De nombreux laboratoires ont repris l'expérience de Miller et Urey en modifiant la composition de l'atmosphère recréée; on a entré une concentration d'O_2 très faible, un mélange ayant une concentration d'O_2 très faible. Ces expériences modifiées ont donné lieu à des synthèses abiotiques de composés organiques, bien que les rendements fussent généralement moindres que dans l'expérience originale. La caractéristique la plus significative de l'atmosphère primitive semble donc être sa faible teneur en O_2, un agent oxydant puissant.

À partir d'atmosphères recréées en laboratoire, des chercheurs ont pu produire les vingt acides aminés normalement présents dans les êtres vivants, plusieurs glucides, des lipides, les bases puriques et pyrimidiques qui composent les nucléotides de l'ADN et de l'ARN, de même que de l'ATP (à condition d'ajouter du phosphore au modèle). Les constituants chimiques de la vie ont dû s'accumuler, au cours d'une étape naturelle dans l'évolution chimique de la planète, avant que la vie n'apparaisse.

Synthèse abiotique de polymères

De toute évidence, les conditions nécessaires à la synthèse abiotique de molécules organiques complexes par l'agencement de molécules plus petites ont été réunies sur la Terre primitive. Les polymères organiques comme les protéines sont des chaînes d'unités élémentaires semblables, les monomères. Leur synthèse se fait par des réactions de condensation qui arrachent aux monomères un atome d'hydrogène et un groupement hydroxyle (—OH) et qui forment ainsi une molécule d'eau comme sous-produit de chaque nouvelle liaison polymérique (voir le chapitre 2). Dans la cellule, des enzymes spécialisées catalysent ces réactions de déshydratation. Sur la Terre primitive, la synthèse abiotique de polymères aurait eu à se produire sans l'intervention de ces enzymes efficaces, et les faibles concentrations de monomères dissous dans un excédent d'eau n'auraient pas favorisé les réactions de déshydratation spontanées qui produisent davantage d'eau. (Pour récapituler les notions sur l'équilibre chimique, consultez le chapitre 2.) En laboratoire, on obtient effectivement une polymérisation lorsqu'on dépose des solutions diluées de monomères organiques sur de l'argile, de la pierre ou du sable très chauds. Ce processus provoque la vaporisation de l'eau et concentre les monomères sur le substrat. À l'aide de cette méthode, Sidney Fox de l'Université de Miami a créé ce qu'il nomme des protéinoïdes, c'est-à-dire des polypeptides produits par des moyens abiotiques. Sur la Terre primitive, peut-être que l'eau des marées, des vagues ou de la pluie déposait des solutions diluées de monomères organiques sur de la lave ou sur d'autres roches chaudes et ramenait ensuite dans l'eau les protéinoïdes et les autres polymères qui s'étaient formés.

L'argile, même froide, pourrait avoir joué un rôle de substrat particulièrement important pour les réactions de polymérisation essentielles à l'apparition de la vie. Les monomères se fixant sur certains sites électriquement chargés des particules d'argile, celle-ci concentre les acides aminés et autres monomères organiques à partir de solutions diluées. À certains sites de liaison, des ato-

mes de métal, comme le fer et le zinc, se comportent comme des catalyseurs et déclenchent des réactions de déshydratation qui fusionnent les monomères. L'argile possède un grand nombre de ces sites de liaison; elle peut donc avoir fait office d'un treillis qui a rapproché les monomères et les a ensuite fusionné en polymères. Par ailleurs, on a émis l'hypothèse selon laquelle la pyrite (l'or du sot), composée de fer et de soufre, a pu servir de substrat pour la synthèse organique. L'Allemand Günter Wächtershäuser défend cette hypothèse en faisant remarquer que la pyrite, grâce à ses propriétés, a pu catalyser la synthèse abiotique de polymères organiques. La pyrite présente une surface chargée électriquement, et la formation de ce minerai à partir de fer et de soufre libère des électrons, ce qui rend possible la liaison de molécules organiques pour former des produits plus complexes.

Formation des protobiontes

Les propriétés de la vie résultent d'une interaction entre des molécules organisées selon un niveau supérieur d'organisation (voir le chapitre 1). Il se peut que la naissance de la cellule ait été précédée de l'apparition de **protobiontes**. Les protobiontes sont des agrégats de molécules produites par voie abiotique et encore incapables de reproduction comme telle. Cependant, ils sont en mesure de maintenir un milieu chimique interne distinct de celui du milieu externe et présentent certaines des propriétés associées au vivant, dont le métabolisme et l'excitabilité.

Certaines expériences menées en laboratoire portent à croire que les protobiontes ont pu se former spontanément à partir de composés organiques produits par voie abiotique. Mélangés à de l'eau fraîche, les protéinoïdes s'assemblent spontanément en fines gouttelettes appelées microsphères (figure 24.6). Entourées d'une membrane

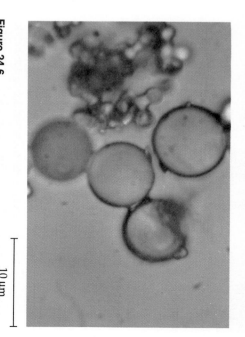

10 μm

Figure 24.6
Protobiontes créés en laboratoire. Les protobiontes sont des agrégats de molécules organiques dotés de certaines propriétés biologiques. On crée ces microsphères en refroidissant des solutions de protéinoïdes, lesquels se composent de polypeptides formés de façon abiotique à partir d'acides aminés polymérisés sur des surfaces chaudes (MP). Les microsphères se développent en absorbant des protéinoïdes libres jusqu'à ce qu'elles atteignent une taille instable, moment où elles se scindent pour former des microsphères filles. Bien entendu, cette forme de division ne possède pas la précision de la reproduction cellulaire.

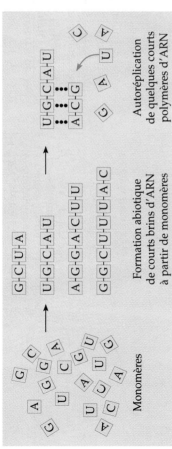

Figure 24.7
Réplication abiotique de l'ARN. Selon cette hypothèse, les tout premiers gènes étaient des molécules d'ARN qui se polymérisaient par voie abiotique et se répliquaient par voie autocatalytique alors qu'elles se trouvaient fixées à des surfaces d'argile. Les lettres A, G, C et U symbolisent les quatre bases de l'ARN, qui s'associent exclusivement en paires A-U et G-C (voir le chapitre 16).

Monomères

Formation abiotique de courts brins d'ARN à partir de monomères

Autoréplication de quelques courts polymères d'ARN

sélectivement perméable, ces microsphères se gonflent ou se contractent par osmose selon la salinité de la solution dans laquelle on les met. Certaines microsphères emmagasinent également de l'énergie sous la forme d'un potentiel de membrane, c'est-à-dire d'un potentiel électrique existant à travers la membrane (voir le chapitre 8). Ces protobiontes peuvent libérer leur énergie à la façon d'un nerf ; or, cette forme d'excitabilité caractérise tous les êtres vivants (ce qui ne signifie pas forcément que les protobiontes soient vivants, seulement qu'ils présentent *certaines* des caractéristiques de la vie). Des gouttelettes d'un autre type, appelées liposomes, se forment spontanément lorsque certains lipides sont présents parmi les substances organiques ; ces lipides s'organisent en une double couche de molécules à la surface de la gouttelette, rappelant un peu la double couche lipidique propre à la membrane cellulaire (voir la figure 8.1). Oparin a conçu une autre sorte de protobionte qu'il appelle coacervat, constitué d'un agrégat de macromolécules hydratées qui se forme lorsqu'on agite une solution de polypeptides, d'acides nucléiques et de polysaccharides. Si l'on ajoute des enzymes à ces ingrédients, celles-ci s'incorporent aux coacervats ; les protobiontes fonctionnent alors comme une usine chimique miniature qui absorbe les substances présentes dans le milieu environnant et libèrent les produits des réactions catalysées par les enzymes.

Contrairement aux protobiontes expérimentaux, les protobiontes formés dans les anciennes mers ne possédaient pas d'enzymes élaborées, lesquelles sont, comme on sait, fabriquées à l'intérieur des cellules vivantes selon des instructions génétiques. Certaines molécules produites par voie abiotique disposent toutefois d'un faible pouvoir catalytique. Les gouttelettes les plus stables et les plus aptes à concentrer les molécules organiques présentes dans le milieu environnant grossiraient et se diviseraient, transmettant leurs constituants chimiques aux «gouttelettes filles». D'autres gouttelettes se désagrégeraient ou seraient incapables de croître et de se diviser.

Origine de l'information génétique

Essayons d'imaginer, sur la Terre primitive, une laisse de marée avec ses flaques d'eau, un étang ou de l'argile humide contenant une suspension de protobiontes différant par leur composition chimique, leur perméabilité et leur pouvoir catalytique. Les gouttelettes les plus stables et les plus aptes à concentrer les molécules organiques présentes dans le milieu environnant grossiraient et se diviseraient, transmettant leurs constituants chimiques aux «gouttelettes filles». D'autres gouttelettes se désagrégeraient ou seraient incapables de croître et de se diviser.

De la sorte, il se peut que le milieu ait favorisé certains agrégats moléculaires aux dépens des autres. Toutefois, cette concurrence entre les différents protobiontes n'aurait pu mener à des améliorations à long terme, car il n'existait aucun moyen pour perpétuer les acquis des protobiontes. À mesure que les gouttelettes prolifiques poursuivaient leurs cycles de croissance et de division, leurs catalyseurs uniques et autres molécules fonctionnelles se diluaient de plus en plus. Pour s'appuyer sur les acquis du passé et évoluer, ces agrégats chimiques considérés comme précurseurs de la cellule ont dû attendre l'apparition d'un mécanisme de réplication de leurs caractéristiques : un mécanisme d'hérédité qui non seulement reproduirait des exemplaires de leurs molécules essentielles mais qui, également, transmettraient les instructions nécessaires à la fabrication d'autres copies de ces molécules.

La cellule conserve son information génétique sous forme d'ADN, la transcrit en ARN et traduit ensuite les instructions portées par ces molécules en enzymes spécifiques et en différentes protéines (voir les chapitres 15 et 16). Ces instructions se transmettent par la réplication de l'ADN au moment de la division cellulaire. La régulation de l'ADN, selon un axe ADN → ARN → protéines, repose sur une machinerie complexe qui n'a sûrement pas évolué subitement, mais s'est plutôt constituée progressivement par l'amélioration de mécanismes beaucoup plus rudimentaires. Même avant l'apparition de l'ADN, il existait peut-être certains mécanismes primitifs en mesure d'aligner des acides aminés le long de brins d'ARN capables de réplication. Si l'on retient cette hypothèse, les premiers gènes du monde prébiotique n'étaient pas des molécules d'ADN, mais plutôt de courts brins d'ARN qui ont commencé à s'autorépliquer.

Certains scientifiques s'intéressant à l'origine de la vie examinent cette possibilité d'un «monde d'ARN» et s'emploient à vérifier l'hypothèse de l'autoréplication de l'ARN. Ils ont produit, in vitro et dans des conditions abiotiques, de courts polymères de ribonucléotides. Si on ajoute de l'ARN à une solution contenant des monomères dans le but d'obtenir davantage d'ARN, des séquences d'une longueur d'environ cinq à dix nucléotides sont copiées à partir de la matrice d'ARN, selon les règles d'appariement des bases complémentaires (voir le chapitre 16). Si on ajoute du zinc à titre de catalyseur, des séquences comptant jusqu'à 40 nucléotides sont transcrites, avec une marge d'erreur inférieure à 1 %. Dans les années 1980, Thomas Cech et ses collègues de l'Université

du Colorado à Boulder ont révolutionné la pensée sur l'évolution de la vie quand ils ont découvert que les molécules d'ARN ont une importante activité catalytique dans la cellule. Ils ont ainsi réfuté la thèse bien ancrée selon laquelle seules les enzymes protéiques possèdent un pouvoir catalytique. Cech et ses collègues ont constaté que la cellule utilise des ARN catalyseurs, appelés **ribozymes**, pour réaliser des tâches comme l'excision des introns contenus dans l'ARN prémessager (voir le chapitre 16). Les ribozymes catalysent également la synthèse de l'ARN nouveau, notamment de l'ARN ribosomique (ARNr), de l'ARN de transfert (ARNt) et de l'ARN messager (ARNm). L'ARN est donc autocatalytique, et il se peut que dans le monde prébiotique, bien avant l'apparition des enzymes protéiques ou de l'ADN, des molécules d'ARN aient été capables d'autoréplication (figure 24.7).

Au niveau moléculaire, la sélection naturelle opère au sein de différentes populations de molécules d'ARN autocatalytique et capable de réplication. Contrairement au double brin d'ADN, qui se présente sous la forme d'une double hélice régulière, le brin unique des molécules d'ARN adopte différentes conformations tridimensionnelles, déterminées par la séquence nucléotidique. Chaque séquence se plie en une conformation unique, consolidée par des liaisons hydrogène entre les régions du brin qui présentent des séquences de bases azotées complémentaires. Ainsi, la molécule possède à la fois un génotype (sa propre séquence nucléotidique) et un phénotype (sa propre conformation, qui interagit de façon particulière avec les molécules environnantes). Dans un milieu donné, les molécules d'ARN possédant certaines séquences de bases azotées sont plus stables et se répliquent plus rapidement, et avec moins d'erreurs de transcription, que d'autres séquences. En présence d'une multitude de molécules d'ARN qui se font concurrence pour l'obtention des monomères nécessaires à leur réplication, une seule séquence l'emportera : celle qui est la mieux adaptée à la température, à la salinité et aux autres caractéristiques de la solution environnante, et qui présente l'activité autocatalytique la plus intense. Cette séquence produira un ensemble de séquences étroitement apparentées (à cause des erreurs de transcription) et non une seule sorte d'ARN. La sélection filtre les mutations de la séquence originale et, parfois, une erreur de transcription entraîne la formation d'une molécule qui adoptera une forme encore plus stable ou encore plus apte à l'autoréplication que la séquence d'origine. Des chercheurs ont déjà observé la sélection naturelle à l'œuvre sur des populations d'ARN in vitro ; cette forme de sélection existait peut-être dans les temps prébiotiques.

Il se peut que la synthèse protéique orchestrée par l'ARN ait trouvé son origine dans les liaisons faibles reliant certains acides aminés aux bases azotées le long des molécules d'ARN. Ces dernières auraient servi de simples matrices retenant quelques acides aminés suffisamment longtemps pour qu'ils se lient, peut-être avec du zinc ou un autre métal agissant comme catalyseur d'appoint. Si de l'ARN a pu synthétiser un court polypeptide qui, à son tour, se comportait comme une enzyme et aidait la molécule d'ARN à se répliquer, cela

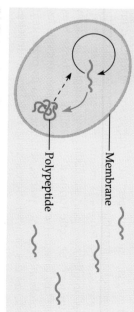

(a) Absence de membrane

(b) Compartiment limité par une membrane

Figure 24.8
Une des hypothèses expliquant l'origine de la coopération moléculaire. (a) Un brin d'ARN stimule sa propre réplication s'il aligne des acides aminés en un polypeptide qui, à son tour, joue le rôle d'une enzyme aidant le brin d'ARN à se répliquer. Les rudiments de la traduction de l'information génétique en structures protéiques résident peut-être dans cette forme de coopération. Les avantages offerts par cette structure protéique auraient toutefois bénéficié à des molécules d'ARN concurrentes non encore isolées dans des protobiontes. Cette concurrence aurait diminué la possibilité de la nouvelle protéine pour un ARN donné, ce qui a pour effet de ralentir l'évolution de cet ARN. **(b)** Une fois que les gènes se sont trouvés dans des compartiments limités par une membrane, ils auraient bénéficié exclusivement de leur produits protéiques.

veut dire que la dynamique chimique primitive comportait à la fois des processus de coopération et de concurrence au niveau moléculaire (figure 24.8a).

Ainsi, les premières étapes menant à la réplication et à la traduction de l'information génétique se sont peut-être déroulées au cours d'une évolution moléculaire, avant même que l'ARN et les polypeptides ne s'enveloppent de membranes. Une fois que les gènes primitifs et leurs produits se sont confinés dans des compartiments limités par une membrane, les protobiontes ont pu évoluer en tant qu'entités propres (figure 24.8b). Une coopération plus élaborée entre molécules a pu ainsi voir le jour, car les substances dont l'interaction améliorait la performance de tout le protobionte se trouvaient réunies dans un volume microscopique bien délimité. Supposons par exemple qu'une molécule d'ARN d'un protobionte ait aligné certains acides aminés de manière à créer une enzyme rudimentaire. Supposons cette enzyme capable d'extraire de l'énergie, à partir d'un combustible organique présent dans son milieu, et de la mettre à la disposition d'autres réactions, comme la réplication de

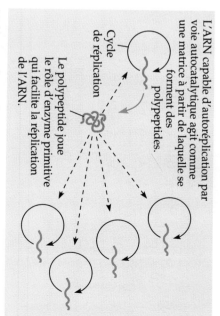

(a)

L'ARN capable d'autoréplication par voie autocatalytique agit comme une matrice à partir de laquelle se forment des polypeptides.

Cycle de réplication

Le polypeptide joue le rôle d'enzyme primitive qui facilite la réplication de l'ARN.

Membrane

Polypeptide

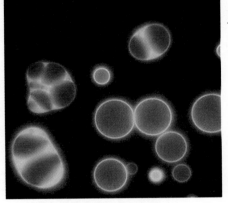

(a)

(b)

10 µm

Figure 24.9

Certains météorites apportent des composés organiques sur Terre. **(a)** Cette pierre de la taille d'une balle de golf (90 g) est un morceau de météorite tombé près de Murchison en Australie en 1969. Il provient d'un météorite riche en carbone, duquel on a extrait des hydrocarbures, des alcools, des molécules semblables à des graisses, des acides aminés et d'autres composés organiques. **(b)** Les molécules organiques obtenues à partir du météorite de Murchison forment des vésicules comme celles-ci. Remarquez à quel point ces vésicules ressemblent aux protobiontes synthétiques représentés à la figure 24.6.

---

l'ARN. La sélection naturelle n'aurait pu favoriser ce gène que si son produit diffusible restait à proximité, au lieu d'être partagé entre des séquences d'ARN concurrentes présentes dans un milieu non délimité par une membrane.

Dans ce scénario, nous avons construit un précurseur hypothétique de la cellule en incorporant l'information génétique dans un agrégat de molécules; ce dernier accumule de façon sélective des monomères présents dans le milieu et utilise des enzymes programmées par des gènes pour fabriquer des polymères et réaliser d'autres réactions chimiques. Le protobionte croît et se divise, distribuant des copies de ses gènes à la génération suivante. Même si, au départ, un seul protobionte doté de ces facultés émergeait des processus abiotiques qu'on vient de décrire, ses descendants différeraient en raison des erreurs de transcription de l'ARN. L'évolution darwinienne, soit le succès reproductif différentiel d'individus sujets à des variations, a sans doute grandement perfectionné le métabolisme et les mécanismes de transmission des caractères héréditaires primitifs. Un de ces perfectionnements a rendu l'ADN dépositaire de l'information génétique. L'ARN, lui, aurait constitué la matrice de l'assemblage des nucléotides de l'ADN. En tant que dépositaire de l'information génétique, l'ADN est beaucoup plus stable que l'ARN; après l'apparition de l'ADN, les molécules d'ARN auraient commencé à jouer leur rôle actuel, c'est-à-dire à servir d'intermédiaire dans la traduction des programmes génétiques.

Autres points de vue

Les simulations faites en laboratoire ne peuvent établir avec certitude que la forme d'évolution chimique décrite ici a bel et bien donné naissance à la vie sur la Terre primitive; elles indiquent uniquement que certaines des étapes clés de cette évolution ont *pu* se produire. Les scientifiques continuent de se perdre en conjectures sur l'origine de la vie; par conséquent, il existe différents points de vue sur la façon dont plusieurs processus essentiels ont pu se dérouler.

Certains chercheurs se demandent si la synthèse abiotique de monomères organiques a vraiment été une pre-

---

mière étape nécessaire à l'origine de la vie. Il se peut que certains composés organiques, fussent-ils peu nombreux, aient atteint la Terre primitive en provenance de l'espace interstellaire. Cette théorie, appelée **panspermie**, soutient que des centaines de milliers de météorites et de comètes heurtant la Terre primitive ont pu y apporter des molécules organiques formées dans l'espace par des réactions abiotiques. On a d'ailleurs trouvé des composés organiques extraterrestres, dont des acides aminés, dans des météorites modernes, et il semble plausible que ces corps aient pu introduire sur Terre des composés organiques. Qui plus est, des biochimistes ont démontré récemment que les molécules organiques extraites d'une météorite produisent de petites vésicules lorsqu'on les mélange à de l'eau (figure 24.9). La panspermie, au même titre que l'évolution chimique, a donc pu contribuer au bassin de molécules organiques qui ont donné naissance aux toutes premières formes de vie.

La question de savoir *où* la vie a commencé fait l'objet d'un autre débat. Jusqu'à tout récemment, la plupart des chercheurs jugeaient que le lieu de naissance des premiers organismes était les eaux peu profondes ou les sédiments humides. Certains scientifiques remettent maintenant en cause cette hypothèse, en faisant remarquer que la surface de la Terre était très inhospitalière à l'époque présumée de l'apparition de la vie. Des astéroïdes et des comètes, ces vestiges remontant à la formation du système solaire, percutaient sans cesse la Terre et les autres planètes naissantes. (L'aspect vérolé de la surface de la Lune témoigne encore de la violence de cette période; toutefois, sur Terre, la tectonique des plaques a effacé la plupart de ces signes.) L'impact de l'astéroïde présumément responsable de la disparition des Dinosaures et des autres organismes du Mésozoïque (voir le chapitre 23) représente une perturbation de faible importance en comparaison du bombardement que subissait la jeune Terre il y a quelques milliards d'années. Certains scientifiques estiment que la vie naissante n'aurait pas pu résister à cet assaut venu du cosmos — à moins, bien entendu, qu'elle ne soit apparue sur les fonds océaniques, moins exposés.

À la fin des années 1970, les explorateurs marins ont découvert en mer profonde des fissures de la croûte

terrestre d'où jaillit de l'eau chaude fortement minéralisée (sources hydrothermales). De telles sources ont peut-être jadis fourni l'énergie et les substances chimiques nécessaires à l'apparition des protobiontes.

Certains biologistes intéressés à la question de l'origine de la vie ont également remis en cause l'idée d'un « monde d'ARN ». Ils font valoir que même dans des conditions in vitro optimales, il est difficile de produire de l'ARN sans recourir à des enzymes. Même de courts brins d'ARN pourraient s'avérer trop complexes pour avoir été les premières molécules capables d'autoréplication. En 1991, Julius Rebek fils et ses collègues du Massachusetts Institute of Technology ont réussi la synthèse d'une molécule organique simple qui sert de matrice à sa propre réplication (figure 24.10). Cette percée renforce une autre hypothèse selon laquelle les gènes constitués d'acides nucléiques ont été précédés d'un mécanisme héréditaire plus rudimentaire.

L'origine de la vie donne lieu à un débat très animé, et les points de vue qui l'alimentent sont beaucoup plus nombreux que ceux présentés ici. Peu importe la façon dont les substances chimiques se sont, à l'époque prébiotique, accumulées, polymérisées et finalement multipliées, la distance qui sépare un simple agrégat de molécules qui se multiplie et une cellule procaryote, même la plus simple, reste énorme; pour franchir cette distance, l'évolution n'a pu se dérouler autrement qu'en de nombreuses petites étapes intermédiaires. La description du moment de transition qui sépare le protobionte de la cellule s'avère aussi imprécise que nos définitions de la vie. En revanche, nous savons que les procaryotes prospéraient déjà il y a au moins 3,5 milliards d'années, et que tous les règnes du vivant descendent de ces anciens procaryotes.

RÈGNES DU VIVANT

Au chapitre 23, nous avons vu que la taxinomie constitue un instrument que les scientifiques utilisent pour retracer l'évolution des organismes. Maintenant que nous avons remonté jusqu'aux origines mêmes de la vie sur Terre, la taxinomie se révèle utile encore une fois puisque nous tenterons de reconstituer les liens qui existent entre les organismes très diversifiés issus des tout premiers êtres vivants.

Le règne est la catégorie taxinomique la plus élevée, la plus vaste. Nous grandissons avec l'idée préconçue qu'il n'existe que deux règnes d'êtres vivants — les Végétaux et les Animaux —, car nous vivons dans un monde macroscopique et terrestre, dans lequel nous rencontrons rarement des organismes qui ne cadrent pas avec cette dichotomie Animal-Végétal. Du reste, ce système taxinomique à deux règnes s'appuie sur une longue tradition de la taxinomie classique. C'est un naturaliste suédois du XVIIIe siècle, nommé Carl von Linné, qui a classé tous les organismes connus dans les règnes végétal et animal, et ce système à deux règnes a persisté, même après la découverte de l'univers microbien. On soutenait alors que les Bactéries faisaient partie du règne végétal, puisque leurs parois cellulaires sont rigides. On classait également parmi les Végétaux les microorganismes unicellulaires eucaryotes possédant des chloroplastes. Même chose pour les Mycètes, qu'on considérait comme des Végétaux, en partie parce qu'ils sont sédentaires; pourtant, les Mycètes ne possèdent aucun mécanisme de photosynthèse et ont une structure très différente de celle des Plantes vertes. Dans le système taxinomique à deux règnes, on appelait Animaux les créatures unicellulaires qui se meuvent et ingèrent de la nourriture — les Protozoaires. Quant aux microorganismes tels les Euglènes, qui se déplacent mais sont également capables de photosynthèse, ils se voyaient réclamés tant par les botanistes que par les zoologistes et ont fini par figurer à la fois dans

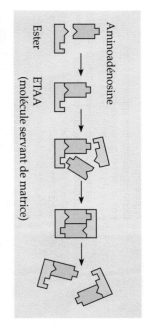

Aminoadénosine
Ester
ETAA (molécule servant de matrice)

Figure 24.10
Molécule synthétique capable d'autoréplication. L'apparition de gènes à base d'ARN ou d'ADN a-t-elle été précédée de systèmes de transmission de l'hérédité plus rudimentaires? La création en laboratoire, en 1991, d'une molécule organique relativement simple capable de se répliquer est en train de changer nos théories sur l'origine de la vie. La molécule en question est un ester de triacide d'aminoadénosine (ETAA) qui possède deux composants: une aminoadénosine et un ester. À partir d'un mélange de ces deux unités élémentaires, l'ETAA peut catalyser la synthèse d'autres ETAA en servant de matrice. Personne ne soutient que les deux acides ribonucléiques peuvent se répliquer. Toutefois, ces recherches démontrent que des molécules beaucoup plus petites que les acides nucléiques peuvent se répliquer.

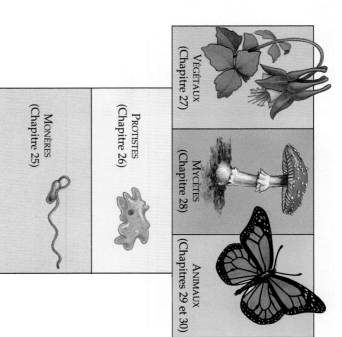

MONÈRES (Chapitre 25)
PROTISTES (Chapitre 26)
VÉGÉTAUX (Chapitre 27)
MYCÈTES (Chapitre 28)
ANIMAUX (Chapitres 29 et 30)

Figure 24.11
Les cinq règnes du vivant. Ce système taxinomique classe les différents êtres vivants en un règne de procaryotes (Monères ou Bactéries) et quatre règnes d'eucaryotes.

le règne végétal et le règne animal. On a bien proposé des nomenclatures comprenant d'autres règnes, mais aucune n'a su rallier la majorité des biologistes. Ce n'est qu'en 1969 qu'un scientifique de l'Université Cornell, Robert H. Whittaker, a pu faire accepter un système taxinomique à cinq règnes. Lynn Margulis, maintenant à l'Université du Massachusetts, a contribué à la promotion de cette nomenclature à cinq règnes, à laquelle elle a proposé d'importantes modifications que le présent texte reprend en partie. Les cinq règnes sont donc les Monères, les Protistes, les Végétaux, les Mycètes et les Animaux (figure 24.11).

Le système taxinomique à cinq règnes distingue les deux types fondamentaux de cellules — les procaryotes et les eucaryotes — et sépare les procaryotes de tous les eucaryotes en les classant dans un seul et même règne : les Monères. Les procaryotes correspondent aux Bactéries, y compris les Cyanobactéries, auparavant appelées Algues bleu-vert.

Les individus appartenant aux quatre autres règnes se composent tous de cellules organisées de la façon typique des eucaryotes (voir le chapitre 7). Les règnes des Végétaux, des Mycètes et des Animaux, tout d'abord, comprennent les eucaryotes pluricellulaires ; ces trois règnes se distinguent par des caractéristiques structurales et des cycles de développement que nous aborderons plus loin dans ce manuel. Habituellement, les Végétaux, les Mycètes et les Animaux diffèrent également par leur mode de

nutrition (critère utilisé à l'origine par Whittaker). Les Végétaux sont autotrophes, c'est-à-dire qu'ils fabriquent leur nourriture par photosynthèse. Les Mycètes, eux, sont hétérotrophes ; leur nutrition se fait par absorption. La plupart des Mycètes sont des décomposeurs qui vivent enfouis dans leur source de nourriture, sécrétant des enzymes digestives et absorbant les petites molécules organiques produites par la digestion. Quant aux Animaux, ils s'alimentent principalement en ingérant la nourriture et en la digérant dans des cavités spécialisées.

Reste le règne des Protistes, un règne fourre-tout auquel appartiennent tous les eucaryotes qui ne répondent pas à la définition de Végétal, de Mycète ou d'Animal. La majorité des Protistes sont des organismes unicellulaires ; cependant, dans la version taxinomique à cinq règnes utilisée dans ce manuel, les Protistes englobent aussi des organismes pluricellulaires relativement simples qu'on considère comme des descendants directs de Protistes unicellulaires.

Le règne le plus évident et le moins ambigu est celui des Monères, car il se caractérise par l'organisation procaryote. Les procaryotes ont constitué non seulement les toutes premières formes de vie, mais aussi les *seules et uniques* pendant au moins deux milliards d'années. Encore de nos jours, ils occupent une place immense sur Terre. Dans le prochain chapitre, nous nous pencherons sur la diversité et l'évolution de la vie procaryote.

RÉSUMÉ DU CHAPITRE

L'histoire de la biologie et celle de la géologie sont interdépendantes. Les événements géologiques qui transforment l'environnement modifient également l'évolution des organismes qui, à leur tour, changent la planète qui les héberge.

Antiquité de la vie (p. 505-506)

1. Après le refroidissement et la solidification de la croûte terrestre, les procaryotes ont été les seuls à habiter la Terre, pendant quelques milliards d'années.

2. Le plus ancien signe de vie se trouve dans les stromatolithes, qui contiennent des fossiles ressemblant à des Bactéries et datant de 3,5 milliards d'années.

Origine de la vie (p. 506-512)

1. Une des hypothèses sur l'origine de la vie s'appuie sur l'évolution chimique de protobiontes, gouttelettes moléculaires produites par voie abiotique et possédant des caractéristiques chimiques particulières.

2. Lors d'expériences en laboratoire effectuées dans des conditions simulant celles de la Terre primitive, on a produit différentes molécules organiques à partir de précurseurs inorganiques.

3. Les petites molécules organiques se polymérisent lorsqu'elles sont concentrées sur du sable chaud, du roc ou de l'argile.

4. Certaines molécules organiques synthétisées en laboratoire fusionnent spontanément et forment ainsi différentes gouttelettes (microsphères, liposomes et coacervats) qui possèdent des caractéristiques propres à la vie.

5. Les premiers gènes étaient peut-être en fait de l'ARN produit par voie abiotique ; la séquence de bases azotées de cet ARN servait peut-être de matrice à la fois à l'enchaînement des acides aminés dans la synthèse de polypeptides et à

l'enchaînement des bases azotées complémentaires dans le cadre d'une forme primitive d'autoréplication.

6. Une fois l'information génétique isolée à l'intérieur de compartiments limités par une membrane, les protobiontes, auraient acquis la capacité de transmettre héréditairement des caractères et, par le fait même, d'évoluer en tant qu'entités propres.

7. On ne sait pas encore par quelles étapes exactement la vie est apparue sur Terre. Synthèse abiotique de molécules organiques ou intervention de météorites ? Naissance de la vie en eau peu profonde ou sur les fonds marins ? Gènes d'ARN ou molécules plus simples capables d'autoréplication ? Ce ne sont là que trois questions débattues.

Règnes du vivant (p. 512-513)

1. Le système taxinomique à cinq règnes classe les organismes en Monères, Protistes, Végétaux, Mycètes et Animaux.

2. Tous les procaryotes appartiennent au règne des Monères. Les quatre autres règnes comprennent uniquement des eucaryotes et se distinguent par la structure, le cycle de développement et le mode de nutrition des organismes qu'ils englobent.

AUTO-ÉVALUATION

1. Quelle est la *principale* raison pour laquelle nous n'assistons plus à l'apparition abiotique de la vie sur la Terre moderne ?

   a) Il n'y a pas suffisamment d'éclairs pour fournir l'énergie nécessaire à ce processus.

   b) Notre atmosphère oxydante n'est pas propice à la formation spontanée de molécules complexes.

   c) Beaucoup moins de lumière visible pouvant servir de source d'énergie atteint la Terre.

d) Il n'existe pas de surfaces en fusion sur lesquelles les solutions diluées de molécules organiques pourraient se polymériser.

e) Tous les endroits habitables sont déjà occupés.

2. Les stromatolithes sont :

a) des agrégats de molécules organiques produites par voie abiotique.

b) des météorites qui contiennent des acides aminés et qui ont peut-être ensemencé la Terre avec des molécules organiques.

c) des couches d'argile qui ont peut-être facilité la polymérisation de monomères produits par voie abiotique.

d) un groupe d'anciens eucaryotes.

e) constitués d'une superposition de couches sédimentaires en forme de dôme qui contiennent les plus anciens fossiles connus.

3. Les énoncés suivants associent un ou deux scientifiques avec une ou une théorie. Laquelle des associations est incorrecte ?

a) Fox — création de polypeptides appelés protéinoïdes par dépôt de molécules organiques sur du sable très chaud.

b) Cech — découverte des ARN catalyseurs, appelés ribozymes, qui excisent des introns et catalysent la synthèse de l'ARN.

c) Whittaker — élaboration du système taxinomique à cinq règnes.

d) Oparin et Haldane — première théorie selon laquelle les conditions qui existaient sur la Terre primitive ont favorisé la synthèse abiotique de composés organiques.

e) Miller — démonstration du fait que les surfaces de pyrite peuvent catalyser la synthèse de substances organiques.

4. Les minéraux présents dans l'argile ou la pyrite ont peut-être joué un rôle important dans l'apparition de la vie à titre :

a) de source d'énergie pour la synthèse de monomères organiques.

b) d'agents oxydants.

c) de composants dans la première membrane sélectivement perméable.

d) de catalyseurs dans la formation de polymères organiques.

e) de composants des premières molécules d'ARN capables d'autoréplication.

5. Pour se former, les microsphères, les liposomes et les coacervats ont tous besoin :

a) de l'ARN.

b) d'un potentiel de membrane.

c) de la faculté de s'auto-assembler.

d) des phospholglycérolipides.

e) des gènes primitifs.

6. La concurrence entre les divers protobiontes aurait mené à des améliorations évolutives uniquement :

a) s'ils avaient été capables de catalyser des réactions chimiques.

b) si un quelconque mécanisme d'hérédité était apparu.

c) s'ils avaient été capables de croître et de se reproduire.

d) si les protobiontes s'étaient dotés d'une membrane sélectivement perméable.

e) si de l'ADN était apparu en premier lieu.

7. Dans le système taxinomique à deux règnes :

a) les procaryotes appartenaient au règne végétal.

b) seuls les organismes pluricellulaires étaient classés dans le règne animal.

c) le règne animal comprenait tous les hétérotrophes.

d) les eucaryotes unicellulaires figuraient exclusivement dans le règne animal.

e) les procaryotes et les eucaryotes étaient séparés.

8. Qu'est-ce que Miller a synthétisé dans son expérience de laboratoire ?

a) Des protéines.

b) De l'ADN.

c) Des acides aminés.

d) Des protobiontes.

e) Des protéinoïdes.

9. Quel gaz était probablement le *moins* abondant dans l'atmosphère primitive ?

a) H_2O

b) O_2

c) NH_3

d) CO

e) CO_2

10. Trouvez l'étape que les scientifiques étudiant l'origine de la vie n'ont pas encore franchie.

a) La synthèse abiotique de polymères d'ARN.

b) La synthèse abiotique de polypeptides.

c) La formation d'agrégats moléculaires dotés d'une membrane sélectivement perméable.

d) La formation de protobiontes utilisant l'ADN pour diriger la polymérisation d'acides aminés.

e) La synthèse abiotique de monomères organiques.

QUESTIONS À COURT DÉVELOPPEMENT

1. a) Comment les scientifiques se sont-ils imaginé la Terre primitive ?

b) Comment la vie a-t-elle pu prendre forme dans un tel environnement ?

2. Décrivez les quatre étapes susceptibles d'avoir fait évoluer les protobiontes.

RÉFLEXION-APPLICATION

Décrivez l'équipement structural, métabolique et génétique minimal qu'un protobionte devrait posséder pour que vous le considériez comme une véritable cellule primitive.

SCIENCE, TECHNOLOGIE ET SOCIÉTÉ

Il y a tout lieu de croire que les processus qui ont mené à l'apparition de la vie ne sont pas exclusifs à la planète Terre. Bon nombre de scientifiques pensent en effet que la vie existe peut-être sur plusieurs autres planètes de l'Univers. Au cours des années 1990, les astronomes ont pour la première fois détecté des planètes en orbite autour d'étoiles situées au-delà de notre système solaire. En quoi nos perspectives changeraient-elles si nous détenions la preuve irréfutable que la vie extraterrestre existe ?

LECTURES SUGGÉRÉES

Brack, A., «Premiers signes de vie», *Science & Vie*, hors série, n° 173, décembre 1990. (Présentation de certaines hypothèses sur l'origine de la vie.)

Brack, A. et F. Raulin, *L'Évolution chimique et les origines de la vie*, Paris, Masson, 1991. (Bilan des recherches et des hypothèses qui prévalent dans ce domaine.)

Charvis, P. et J.-Y. Royer, «De la dérive des continents à la tectonique des plaques», *Science & Vie*, hors série, n° 176, septembre 1991. (Pour en savoir plus sur les techniques d'étude des fonds océaniques et le mouvement des plaques.)

Horgan, J., «L'apparition de la vie», *Pour la Science*, n° 162, avril 1991. (Une question qui divise les biologistes.)

Jacquard, A., *La Légende de la vie*, Paris, Flammarion, 1992. (Une légende «scientifique», selon l'auteur, qui raconte les événements dont l'Univers a été le théâtre.)

STRUCTURE ET FONCTION DES PROCARYOTES

DIVERSITÉ DES PROCARYOTES

ORIGINE DE LA DIVERSITÉ MÉTABOLIQUE DES PROCARYOTES

IMPORTANCE DES PROCARYOTES

L'histoire des procaryotes, qui appartiennent au règne des Monères, a débuté il y a environ 3,5 milliards d'années. Les procaryotes sont couramment appelés **Bactéries.** Ces organismes se distinguent sur le plan tant de la structure que du métabolisme. En fait, comme nous le verrons, certains groupes de Bactéries diffèrent autant les uns des autres que des autres règnes du monde vivant. Premiers organismes apparus sur Terre, les procaryotes ont vécu et ont évolué seuls durant deux milliards d'années. Du tout début à aujourd'hui, ils se sont adaptés et ont prospéré sur une planète en constant changement; à leur tour, ils ont contribué à modifier la Terre.

Certaines caractéristiques cellulaires et moléculaires distinguent le règne des Monères et sont communes à tous ses membres, qui diffèrent par ailleurs énormément les uns des autres. Tout d'abord, les cellules procaryotes sont relativement petites (figure 25.1) et n'ont pas la plupart des organites présents chez les cellules eucaryotes. Aussi, bien que la majorité des procaryotes possèdent une paroi bactérienne, celle-ci diffère, sur les plans de la composition moléculaire et de la structure, de la paroi cellulaire des Végétaux, de certains Protistes et des Mycètes. Comparativement aux eucaryotes, les Bactéries possèdent un génome réduit et plus rudimentaire ; la réplication de leurs gènes, leur expression (synthèse des protéines), ainsi que leur recombinaison ne se déroulent pas de la même façon que chez les eucaryotes.

Par les effets de leur métabolisme et par leur nombre, les procaryotes dominent encore la biosphère et dépassent tous les eucaryotes réunis. Le nombre de Bactéries contenues dans une poignée de terre ou vivant dans la bouche ou sur la peau d'un Humain dépasse le nombre total d'Humains ayant jamais vécu. Les procaryotes se trouvent partout où la vie existe. Certains procaryotes parviennent à prospérer dans des habitats trop chauds, trop froids, trop salés, trop acides ou trop alcalins pour n'importe quel eucaryote. D'une abondance et d'une omniprésence incomparables, les Monères constituent une dynastie qui se développe depuis des milliards d'années, c'est-à-dire depuis le moment où les toutes premières cellules ont marqué l'émergence de la vie.

Malgré leur omniprésence, nous remarquons rarement l'existence des procaryotes. À l'occasion, les maladies causées par les infections bactériennes nous rappellent l'existence de ces organismes microscopiques; on aurait tort cependant de prendre les Monères pour des indésirables. Seul un petit nombre de procaryotes causent des maladies chez l'Humain ou d'autres organismes. La grande majorité des procaryotes est essentielle à toute vie sur Terre. Par exemple, les Bactéries décomposent la

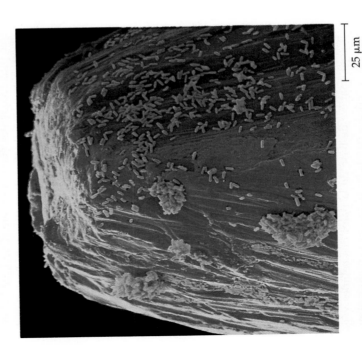

25 μm

Figure 25.1

Les Bactéries : les êtres vivants les plus petits, les plus nombreux et les plus répandus. Ce cliché coloré artificiellement pris grâce à un microscope électronique à balayage montre la taille des Bactéries par rapport à la pointe d'une aiguille. Le présent chapitre traite de la structure et des fonctions des Bactéries, de leur diversité, de leur évolution et de leur importance sur le plan écologique.

matière provenant des organismes morts et redonnent à l'environnement des éléments chimiques vitaux sous forme de composés inorganiques essentiels aux Végétaux lesquels, à leur tour, servent de nourriture aux Animaux. Si tout le règne des Monères disparaissait soudainement, les cycles biogéochimiques qui soutiennent la vie cesseraient, et les quatre autres règnes seraient par le fait même condamnés à périr. En revanche, il ne fait aucun doute que les procaryotes survivraient en l'absence d'eucaryotes, comme ils l'ont fait pendant très longtemps.

Souvent, les procaryotes vivent en étroite association, c'est-à-dire en symbiose, les uns avec les autres ainsi qu'avec des organismes appartenant à d'autres règnes. Une théorie expliquant l'origine des mitochondries et des chloroplastes avance même que tous les Animaux, Végétaux, Mycètes et Protistes ont évolué à partir d'associations symbiotiques d'anciens procaryotes. (Nous nous pencherons sur cette théorie au chapitre 26.)

Dans le présent chapitre, vous vous familiariserez avec les procaryotes en étudiant leur structure et leur physiologie, leur diversité, leur évolution, ainsi que leur importance pour l'environnement.

STRUCTURE ET FONCTION DES PROCARYOTES

Morphologie des procaryotes

Le mot *Monère* vient du grec *monêrês* «simple», qui renvoie à la nature unicellulaire de la très grande majorité des procaryotes. Toutefois, certaines espèces tendent à s'assembler de façon provisoire en groupes de deux ou plusieurs cellules. D'autres vivent en véritables **colonies**, c'est-à-dire en agrégats permanents de cellules identiques. Certaines espèces présentent même une organisation pluricellulaire simple dans laquelle il existe un partage des

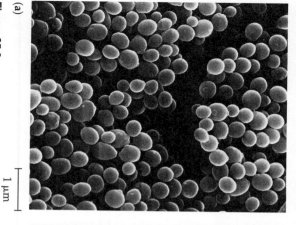

(a)

Figure 25.2
Diversité des formes dans le règne des Monères. (a) Les Cocci (au singulier, Coccus), ou Bactéries sphériques, vivent seuls ou en couples (Diplocoques), en chaînes de

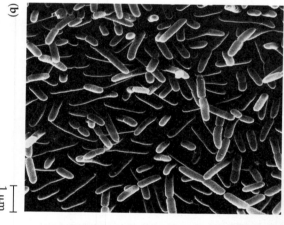

(b)

plusieurs cellules (Streptocoques) ou en amas semblables à des grappes de raisin (Staphylocoques). **(b)** Les Bacilles en forme de bâtonnet vivent le plus souvent en soli-

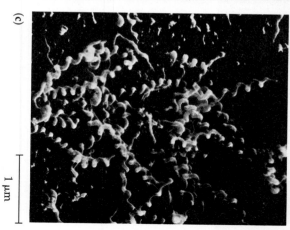

(c)

taires, mais on rencontre également des formes organisées en chaînes. **(c)** Les Spirilles sont des Bactéries en forme de spirale rappelant un tire-bouchon. (a, b et c : MEB.)

tâches entre deux ou plusieurs types de cellules spécialisées. La plupart des cellules procaryotes ont un diamètre variant entre 1 et 5 μm, contre 10 et 100 μm pour la majorité des cellules eucaryotes.

Les cellules procaryotes ont différentes formes, les trois plus fréquentes étant la sphère (Cocci), le bâtonnet (Bacilles) et la spirale (Spirilles) (figure 25.2). Lorsqu'on veut identifier une Bactérie, une des principales étapes consiste à déterminer sa forme en l'examinant au microscope.

Surface de la cellule

Presque tous les procaryotes ont une paroi bactérienne autour de leur membrane plasmique. Cette paroi maintient la forme de la cellule, lui assure une protection mécanique et l'empêche d'éclater si elle se retrouve dans un environnement hypotonique (voir le chapitre 8). Cependant, comme d'autres cellules dotées d'une paroi, les procaryotes subissent une plasmolyse et peuvent mourir dans un milieu hypertonique ; c'est pour cette raison que la viande fortement salée se conserve longtemps sans se faire contaminer par les Bactéries.

Dans l'ancienne taxinomie à deux règnes, on classait les Bactéries dans le règne végétal parce que, à l'instar des Végétaux, elles possédaient une paroi cellulaire. Or, la paroi des cellules végétales et celle des cellules procaryotes sont davantage analogues qu'homologues ; leur composition moléculaire diffère totalement. Au lieu de cellulose, matière de base de la paroi des cellules végétales, la plupart des parois bactériennes contiennent une substance particulière appelée **peptidoglycane**. Le peptidoglycane se compose de polymères de glucides modifiés, reliés transversalement par de courts polypeptides, qui varient d'une espèce à l'autre. Cela donne un réseau moléculaire unique qui isole et protège la cellule. À l'extérieur de ce réseau se trouvent d'autres substances qui varient également d'une espèce à l'autre.

TECHNIQUES: COLORATION DE GRAM

Cette technique, ainsi nommée en l'honneur de Hans Christian Gram, médecin danois qui l'a mise au point à la fin des années 1880, permet de faire la distinction entre deux sortes de parois bactériennes. Elle consiste à colorer des Bactéries avec un colorant violet et de l'iode, à les rincer dans de l'alcool, puis à les colorer encore, cette fois avec un colorant rouge. La réaction de la Bactérie à cette coloration dépend de la structure de sa paroi cellulaire.

Les Bactéries à Gram positif (photo du haut), dont la paroi contient beaucoup de peptidoglycane, retiennent le Gram, c'est-à-dire la coloration violette (MP).

Les Bactéries à Gram négatif (photo du bas) possèdent moins de peptidoglycane, lequel se trouve dans un espace appelé périplasme situé entre la membrane plasmique et la membrane externe. Le périplasme contient des enzymes et des protéines qui transportent des substances entre les deux membranes. Les Bactéries ne retiennent pas le colorant violet utilisé dans la coloration de Gram, mais elles conservent le colorant rouge (MP). (Les couleurs utilisées dans les schémas ne correspondent pas aux colorants).

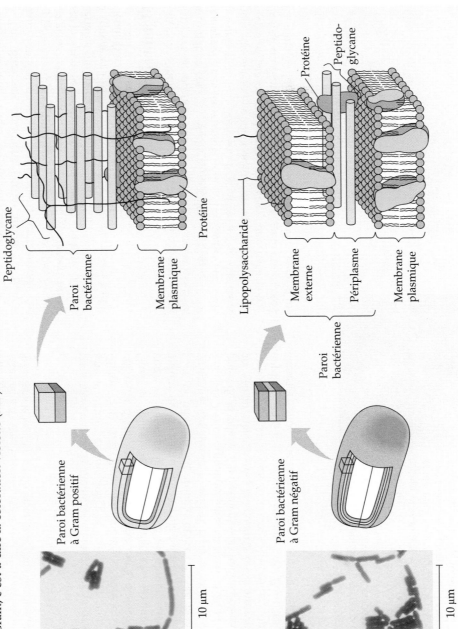

Paroi bactérienne à Gram positif

Peptidoglycane

Paroi bactérienne

Membrane plasmique

Protéine

Paroi bactérienne à Gram négatif

Lipopolysaccharide

Membrane externe

Périplasme

Membrane plasmique

Paroi bactérienne

Protéine

Peptido-glycane

10 µm

10 µm

Un des outils les plus précieux pour l'identification des Bactéries est la **coloration de Gram**, qui permet de séparer les Bactéries en deux catégories d'après une des caractéristiques qui distingue leur paroi cellulaire. Les Bactéries à **Gram positif** possèdent une paroi plus rudimentaire, contenant une quantité relativement importante de peptidoglycane. La paroi des Bactéries à **Gram négatif** contient moins de peptidoglycane et présente une structure plus complexe. Sur la paroi des Bactéries à Gram négatif se trouve une membrane externe composée

de lipopolysaccharides, soit des glucides liés à des lipides (voir l'encadré ci-dessus).

Parmi les Bactéries pathogènes (du grec *pathos* «maladie», et *genos* «naissance»), les espèces à Gram négatif sont habituellement plus dangereuses que les espèces à Gram positif. Tout d'abord, les Bactéries à Gram négatif possèdent une paroi dont les lipopolysaccharides sont souvent toxiques. Elles ont également une membrane externe qui les protège des défenses de leur hôte. De plus, les Bactéries à Gram négatif opposent souvent plus de résistance aux

antibiotiques que les espèces à Gram positif, car leur membrane externe entrave la pénétration de ces médicaments.

Un grand nombre d'antibiotiques, dont la pénicilline, inhibent la synthèse des ponts transversaux entre les polymères de glucides du peptidoglycane et empêchent la constitution d'une paroi fonctionnelle, notamment chez les espèces à Gram positif. Ces médicaments agissent comme des projectiles sélectifs qui neutralisent beaucoup d'espèces de Bactéries infectieuses sans produire d'effet négatif chez l'Humain et les autres eucaryotes qui ne fabriquent pas de peptidoglycane.

Bon nombre de procaryotes sécrètent des substances adhésives avec lesquelles ils se fabriquent une autre couche protectrice, appelée **capsule**, qui entoure la paroi cellulaire. La capsule apporte aux procaryotes une protection accrue et leur permet de se fixer à leur substrat. Chez les procaryotes qui vivent en colonie, des capsules gélatineuses cimentent les cellules les unes aux autres.

Les Bactéries possèdent encore un autre moyen d'adhérer les unes aux autres ou à un substrat: des appendices appelés **pili** (figure 25.3). Par exemple, *Neisseria gonorrhoeae*, l'agent pathogène de la gonorrhée, utilise ses pili pour se fixer aux muqueuses de son hôte. Il existe certains pili spécialisés (pili sexuels) dont le rôle consiste à transférer l'ADN au moment de la conjugaison bactérienne (voir le chapitre 17).

Mobilité des procaryotes

Environ la moitié de toutes les espèces bactériennes sont capables de locomotion orientée. Il existe trois modes de locomotion chez les Bactéries mobiles. Le plus courant fait appel à des flagelles qui sont soit dispersés sur toute la surface de la cellule, soit concentrés à l'un des deux pôles de la cellule ou aux deux. Les flagelles des procaryotes diffèrent totalement de ceux des eucaryotes. (Revoir au chapitre 7 la structure du flagelle eucaryote.) Ils sont dix fois plus fins, ne sont pas recouverts d'un

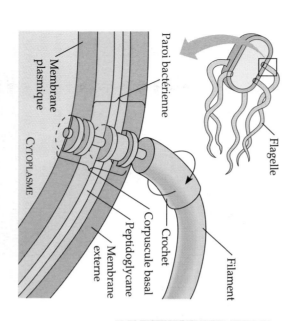

Paroi bactérienne
Membrane plasmique
CYTOPLASME
Flagelle
Crochet
Corpuscule basal
Peptidoglycane
Membrane externe
Filament

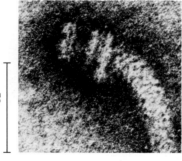

50 nm

Figure 25.4
Fonctionnement des flagelles procaryotes. Tout le flagelle se compose de protéines et comprend trois éléments de base. Des chaînes de flagelline (une protéine globulaire) se trouvent enroulées en une spirale serrée qui forme un filament hélicoïdal relativement rigide. Ce filament est fixé à une autre protéine formant un crochet recourbé qui, à son tour, s'introduit dans un corpuscule basal composé d'environ 35 protéines différentes. L'appareil consiste en un système d'anneaux insérés dans les différentes couches de la paroi bactérienne. (Le cliché pris au microscope électronique et l'illustration correspondent à une Bactérie à Gram négatif type; chez les Bactéries mobiles à Gram positif, les flagelles ont une structure différente.) Le filament pivote comme un tire-bouchon, le corpuscule basal servant de « génératrice ». La génératrice s'active lors de la diffusion de protons dans la cellule après que ceux-ci ont été transportés vers l'extérieur à travers la membrane plasmique au dépens de l'ATP.

prolongement de la membrane plasmique et possèdent une structure et une fonction uniques en leur genre (figure 25.4). Les Bactéries spiralées, appelées Spirochètes, se distinguent par un autre mode de locomotion. Chez le Spirochète, plusieurs filaments axiaux situés entre la paroi et la membrane plasmique s'enroulent autour de la cellule spiralée; le tout peut être imaginé sous la forme d'une double hélice. Sur le plan de la structure, ces filaments axiaux rappellent beaucoup les flagelles. Leur corpuscule basal se trouve fixé à l'un des pôles de la cellule; les filaments de chaque pôle bougent en synchronisme, un peu comme les microtubules à l'intérieur des flagelles eucaryotes. La cellule, souple, se déplace alors comme un tire-bouchon. Pour les Spirochètes, ce mode de locomotion s'avère particulièrement

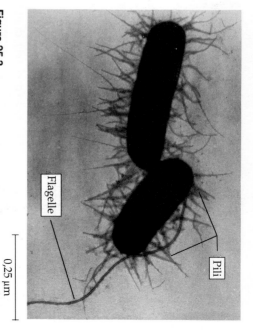

Flagelle

Pili

0,25 µm

Figure 25.3
Pili. Les Bactéries utilisent ces appendices pour se fixer aux surfaces ou à d'autres Bactéries (MET). Il existe certains pili spécialisés dans le transfert d'ADN entre deux Bactéries pendant la conjugaison bactérienne.

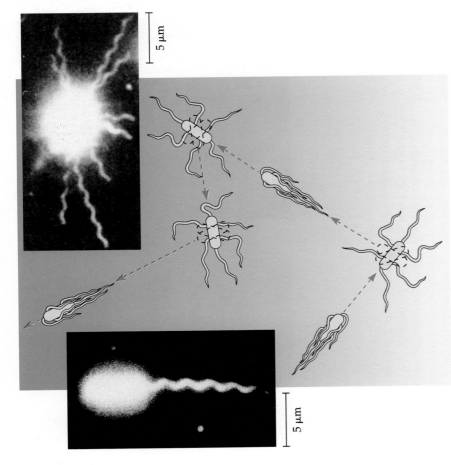

Figure 25.5
Locomotion orientée (taxie) par alternance de courses et de culbutes. La façon dont les Bactéries utilisent leur flagelle a été étudiée chez *Salmonella typhimurium*, un Bacille mobile. Lorsque les nombreux flagelles qui recouvrent la cellule bactérienne pivotent dans le sens inverse des aiguilles d'une montre, ils s'enroulent les uns autour des autres en une spirale unique ; la rotation de la spirale propulse la cellule vers l'avant le long d'une trajectoire rectiligne, en un mouvement appelé « course » (voir le médaillon de gauche). Lorsque les flagelles pivotent dans le sens des aiguilles d'une montre, ils se séparent et amènent la cellule à effectuer un mouvement non coordonné appelé « culbute » (voir le médaillon de droite) qui réoriente au hasard la direction de la cellule. Les Bactéries ont sur leur membrane des molécules réceptrices spécifiques qui détectent la présence de certaines substances chimiques. Dans un environnement qui présente un gradient électrochimique, les Bactéries semblent recourir à une sorte de mémoire qui leur permet de comparer les concentrations passées et présentes sur de courtes périodes. Si la cellule sent qu'elle se déplace vers une substance attractive ou qu'elle s'éloigne d'un répulsif, ses courses entre deux culbutes sont relativement longues. Si elle se déplace dans la mauvaise direction, elle culbute plus vite et réduit ainsi la durée de chacune des courses. Globalement, il en résulte un mouvement dans une direction précise.

5 µm

5 µm

efficace dans les milieux très visqueux où ils vivent parfois. Enfin, certaines Bactéries utilisent encore un autre mode de locomotion. Elles sécrètent des substances chimiques gluantes et se déplacent grâce à un mouvement de glissement provoqué par des corpuscules basaux semblables à ceux des flagelles, mais dépourvus de ces derniers.

Dans un milieu relativement homogène, les Bactéries flagellées errent au hasard. Dans un milieu hétérogène, cependant, de nombreuses Bactéries sont capables de **taxie** (du grec *taxis* « arrangement, ordre ») (figure 25.5). La taxie est une réaction de locomotion orientée par laquelle la Bactérie se rapproche ou s'éloigne d'un stimulus quelconque. Par exemple, dans la chimiotaxie, la Bactérie réagit à un stimulus de nature chimique : elle se rapproche d'une source de nourriture ou d'oxygène (chimiotaxie positive), ou s'éloigne d'une substance toxique (chimiotaxie négative). Les Bactéries chimiotaxiques possèdent à leur surface plusieurs sortes de molécules réceptrices capables de détecter des substances particulières. Les procaryotes mobiles capables de photosynthèse manifestent habituellement un comportement appelé phototaxie positive, c'est-à-dire un mécanisme qui leur fait chercher la lumière. On trouve même des Bactéries équipées d'aimants minuscules leur permettant de distinguer le haut du bas.

Présence de membranes internes chez certains procaryotes

Les cellules procaryotes ne possèdent pas la compartimentation complexe des membranes internes des cellules eucaryotes. Certains procaryotes ont toutefois diverses membranes spécialisées qui accomplissent bon nombre de leurs fonctions métaboliques. Ces membranes correspondent habituellement à des régions invaginées de la membrane plasmique (figure 25.6).

Génome procaryote

En moyenne, les procaryotes contiennent mille fois moins d'ADN que les cellules eucaryotes. Rappelez-vous que les procaryotes sont ainsi nommés parce qu'ils ne possèdent pas de noyau véritable limité par une membrane (voir la figure 7.7). Dans la majorité des cellules procaryotes, l'ADN est concentré en un enchevêtrement de fibres situées dans la **région nucléoïde**, laquelle, au microscope électronique, prend une coloration plus claire que celle du cytoplasme environnant. L'enchevêtrement de fibres correspond en réalité au chromosome bactérien, c'est-à-dire à un double brin d'ADN en forme d'anneau. Cet ADN est associé à très peu de protéines, contrairement aux chromosomes eucaryotes, de structure très différente. Le génome eucaryote est formé de molécules d'ADN linéaires associées à des protéines en un nombre de chromosomes spécifique pour chaque espèce.

En plus de son unique chromosome, la cellule procaryote peut comporter des anneaux d'ADN beaucoup plus petits, appelés plasmides et comptant chacun quelques gènes seulement. Dans la plupart des milieux, la Bactérie peut survivre sans plasmide car toutes ses fonctions essentielles sont programmées par son chromosome.

Figure 25.6
Membranes spécialisées des procaryotes. (a) Ces replis de la membrane plasmique, qui rappellent les crêtes des mitochondries, servent à la respiration cellulaire des Bactéries aérobies (MET). **(b)** Les procaryotes appelés Cyanobactéries possèdent des membranes thylakoïdiennes, très semblables à celles des chloroplastes, qui interviennent dans la photosynthèse (MET).

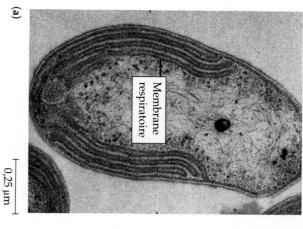

(a)

Membrane respiratoire

0,25 µm

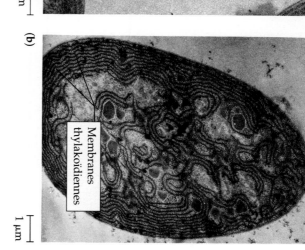

(b)

Membranes thylakoïdiennes

1 µm

Toutefois, les plasmides dotent la cellule de gènes qui la rendent capable de résister aux antibiotiques, de métaboliser des nutriments inhabituels et de faire face à d'autres situations imprévues. Les plasmides se répliquent indépendamment du chromosome principal, et bon nombre d'entre eux peuvent changer de cellule au moment de la conjugaison bactérienne (voir le chapitre 17).

Dans les grandes lignes, la réplication de l'ADN et la traduction des messages génétiques en protéines se ressemblent chez les eucaryotes et les procaryotes, mais elles présentent tout de même quelques différences. Par exemple, le ribosome procaryote est légèrement plus petit que son homologue eucaryote et ne contient pas la même quantité de protéines et d'ARN que lui. Cette différence suffit pour que les antibiotiques sélectifs, tels la tétracycline et le chloramphénicol, se fixent aux ribosomes procaryotes et bloquent la synthèse protéique, sans entraver le fonctionnement des ribosomes eucaryotes.

En raison de la structure relativement simple de leur génome et de leur aptitude à absorber l'ADN étranger dissous dans la solution environnante (voir le chapitre 17), les Bactéries sont des organismes idéals pour la recherche en génie génétique (voir le chapitre 19).

Croissance, reproduction et échange génétique

Dans le règne des Monères, la mitose et la méiose n'existent pas ; voilà une autre différence fondamentale entre les procaryotes et les eucaryotes. Les procaryotes se reproduisent seulement de façon asexuée par un mode de division cellulaire appelé **scissiparité**, en synthétisant de l'ADN presque continuellement. (Le chapitre 11 décrit la scissiparité.) Dans un milieu favorable, une seule Bactérie donne naissance par division répétée à une colonie de cellules identiques (figure 25.7). Quand on utilise le mot « croissance » renvoie davantage à la multiplication des cellules et à l'accroissement de la colonie qu'à l'augmentation volumique des

cellules individuelles. Les conditions nécessaires à une croissance optimale (température, pH, salinité, nutriments, etc.) varient selon les espèces. La réfrigération retarde la détérioration des aliments parce que la plupart des Bactéries et des autres microorganismes se multiplient très lentement à basse température.

La résistance de certaines cellules bactériennes aux agressions du milieu est stupéfiante. Certaines Bactéries produisent des cellules résistantes appelées **endospores**. La cellule originale réplique son chromosome, et une des copies s'entoure d'une paroi résistante. La cellule originale qui entoure cette copie se désintègre, alors que l'endospore qu'elle contenait survit à toutes sortes d'agressions, y compris l'absence de nutriments et d'eau, les températures extrêmes et la plupart des poisons. Malheureusement, l'eau bouillante n'est pas assez chaude pour éliminer tous les endospores en un temps raisonnable. Les procédés de mise en conserve artisanaux et industriels doivent comprendre des précautions particulières pour éliminer les endospores des Bactéries pathogènes. Pour stériliser les milieux de culture, les objets de verre et les ustensiles de laboratoire, les microbiologistes se servent d'un appareil appelé autoclave, une sorte d'autocuiseur qui tue les endospores en chauffant à des températures supérieures à 120 °C. Dans des milieux moins hostiles, les endospores peuvent demeurer inactives pendant des siècles. Elles ne se réhydratent et ne reprennent leur état végétatif (producteur de colonies) que dans des conditions plus hospitalières. Certaines Bactéries ont la capacité de résister à des conditions extrêmes, même si elles ne produisent pas d'endospores. Une étude récente a permis de mettre au jour une Bactérie vieille de 11 000 ans, du genre *Enterobacter* trouvée dans l'intestin d'un Mastodonte partiellement conservé. Ce genre bactérien ne produit pas d'endospores, de sorte que les cellules ont dû se multiplier lentement au fil des siècles afin de maintenir la colonie en vie. Il existe même des procaryotes qui prospèrent et se multiplient rapidement dans des milieux mortels pour d'autres organismes.

microorganismes (y compris les Monères, les Protistes et les Mycètes). L'Humain a d'ailleurs découvert certains de ces composés et s'en sert pour combattre les Bactéries pathogènes. Les procaryotes produisent un grand nombre d'antibiotiques (même si vous ne connaissez peut-être que la pénicilline, produite par des Moisissures du règne des Mycètes).

La méiose et la syngamie (union des noyaux haploïdes ; voir le chapitre 12), sources de variation génétique très importantes chez les eucaryotes, n'existe pas dans la reproduction des procaryotes. Les Bactéries présentent plutôt trois mécanismes de recombinaison génétique : (1) la **transformation**, dans laquelle la cellule procaryote puise des gènes dans le milieu environnant, ce qui lui permet d'opérer un changement génétique important ; (2) la **conjugaison**, dans laquelle une Bactérie échange des gènes directement avec une autre ; et (3) la **transduction**, dans laquelle une Bactérie effectue un transfert génétique avec une autre par l'intermédiaire de Virus (voir le chapitre 17). Ces processus font cependant appel au passage unilatéral d'une quantité variable d'ADN, un mécanisme totalement différent de la méiose des eucaryotes, où deux parents contribuent au zygote en apportant chacun un génome homologue. Chez les procaryotes, c'est la mutation qui engendre la variation génétique. Et comme le temps de génération des procaryotes se mesure en minutes et en heures, une mutation favorable se transmet rapidement à un grand nombre de descendants.

Diversité métabolique

La diversité métabolique est plus grande dans le règne des Monères que chez tous les eucaryotes réunis. Chaque mode de nutrition observé chez les eucaryotes se rencontre également chez les procaryotes, en plus de certains qui leur sont propres. Le terme « nutrition » renvoie ici à la façon dont un organisme se procure les deux ressources nécessaires à la synthèse de composés organiques : l'énergie et le carbone. On qualifie de *photo-trophes* les espèces qui utilisent la lumière comme source d'énergie. Les espèces *chimiotrophes*, elles, puisent leur énergie dans les substances chimiques de leur milieu. Si un organisme ne requiert que le CO_2, un composé inorganique, comme source de carbone, on le nomme *autotrophe*. Quant aux *hétérotrophes*, ils ont besoin d'au moins un nutriment organique, le glucose par exemple, comme source de carbone servant à la fabrication d'autres composés organiques. Selon la façon dont elles obtiennent de l'énergie et du carbone, les Bactéries se classent en quatre catégories principales :

1. Les **photoautotrophes** utilisent l'énergie solaire pour alimenter la synthèse de composés organiques à partir de dioxyde de carbone. La machinerie métabolique spécialisée des organismes photoautotrophes comporte des membranes internes munies de pigments qui captent la lumière (voir le chapitre 10). Parmi les différents groupes de Bactéries photosynthétiques figurent les **Cyanobactéries** (auparavant appelées Algues bleu-vert). Tous les eucaryotes capables de photosynthèse (Végétaux et certains Protistes) entrent aussi dans la catégorie des photoautotrophes.

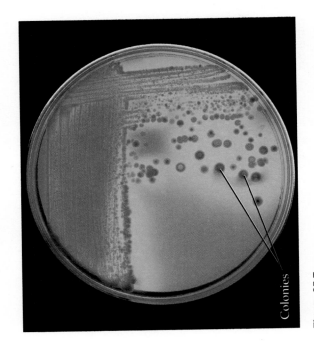

Colonies

Figure 25.7
Culture de colonies bactériennes. En laboratoire, on cultive les Bactéries dans des boîtes de Pétri ou des éprouvettes contenant un milieu liquide ou solide de composition connue. Tout d'abord, on stérilise les milieux de culture afin de s'assurer qu'aucun microbe indésirable ne s'y multiplie ; ensuite, on introduit dans le milieu un échantillon de Bactéries, parfois une cellule unique. On fait ensuite incuber les boîtes ou les éprouvettes à la température voulue. Quand on cultive des Bactéries sur un milieu solide, les colonies sont habituellement suffisamment populeuses et visibles à l'œil nu après une journée ou deux. Plusieurs paramètres fournissent des indications sur l'identité de la Bactérie : la taille, la forme, la texture et la couleur d'une colonie, ainsi que les nutriments et les conditions physiques nécessaires à sa croissance. On voit ici des colonies de plusieurs espèces bactériennes. Pour identifier une espèce, on examine les Bactéries d'une colonie au microscope.

Par exemple, les Bactéries qualifiées de thermoacidophiles s'adaptent à des milieux où la chaleur peut atteindre 100 °C et où le pH s'abaisse à 2.

Dans un milieu qui offre les ressources nécessaires, la croissance bactérienne se produit de façon efficace et suit une progression exponentielle : une cellule se segmente pour en former deux, qui à leur tour se divisent pour en donner quatre, puis huit, seize et ainsi de suite, le nombre de Bactéries dans une colonie doublant à chaque génération. La plupart des Bactéries ont un temps de génération de l'ordre de une à trois heures, mais certaines espèces peuvent se diviser toutes les vingt minutes si elles se trouvent dans un milieu optimal. Si ce temps de génération se maintenait, une cellule unique pourrait donner naissance à une colonie pesant un million de kilogrammes en tout juste 24 heures ! Toutefois, aussi bien en laboratoire que dans la nature, la croissance bactérienne finit par ralentir, soit parce que les cellules épuisent les nutriments, soit parce que la colonie s'empoisonne elle-même par accumulation de déchets métaboliques.

Dans la plupart des milieux naturels, les Bactéries se font concurrence pour l'espace et la nourriture. La production d'**antibiotiques**, c'est-à-dire de substances chimiques qui entravent la croissance d'autres microorganismes, est une caractéristique générale de tous les

2. Les **photohétérotrophes** utilisent également la lumière pour produire de l'ATP, mais ils doivent se procurer le carbone sous forme organique. Ce mode de nutrition ne se rencontre que chez certains procaryotes.

3. Les **chimioautotrophes** ne requièrent que du CO_2 comme source de carbone; toutefois, plutôt que d'utiliser la lumière, ces Bactéries obtiennent leur énergie en oxydant des substances inorganiques, comme le sulfure d'hydrogène (H_2S), l'ammoniac (NH_3) et des ions ferreux (Fe^{2+}) ou d'autres composés chimiques, selon les espèces. Ce mode de nutrition est propre à certains procaryotes. Par exemple, les Bactéries du genre *Sulfolobus* oxydent le soufre.

4. Les **chimiohétérotrophes** doivent consommer des molécules organiques afin d'obtenir énergie et carbone. Ce type de nutrition est très répandu chez les Monères, les Protistes, les Mycètes, les Animaux et même certains Végétaux.

La majorité des Bactéries sont des chimiohétérotrophes. Cette catégorie englobe les **saprophytes**, des décomposeurs qui puisent leurs nutriments dans les débris organiques qu'ils dégradent, et les **parasites**, qui tirent leurs nutriments des liquides biologiques de leurs hôtes vivants.

La nature exacte des nutriments organiques nécessaires à la croissance varie grandement d'une Bactérie chimiohétérotrophe à l'autre. Certaines espèces ont des besoins très particuliers; ainsi, les Bactéries du genre *Lactobacillus* ne se reproduiront que dans un milieu contenant les vingt acides aminés au complet, quelques vitamines et d'autres composés organiques. D'autres espèces se montrent beaucoup moins difficiles. Par exemple, *E. coli* peut se multiplier dans un milieu dont le seul composé organique est le glucose; et encore, le métabolisme de cet organisme est tellement polyvalent que plusieurs autres composés organiques peuvent remplacer le glucose comme unique nutriment organique. La diversité des chimiohétérotrophes s'avère telle que presque toutes les molécules organiques peuvent servir de nourriture, du moins chez quelques espèces. Par exemple, il existe des Bactéries capables de métaboliser le pétrole; on les utilise pour nettoyer les déversements accidentels. Les rares groupes de composés organiques synthétiques qu'aucun chimiohétérotrophe ne peut digérer (certains plastiques par exemple) sont dits non biodégradables.

L'effet de l'oxygène sur la croissance bactérienne constitue une autre variante métabolique du règne des Monères (voir le chapitre 9). Les **aérobies stricts** utilisent l'oxygène pour leur respiration cellulaire et ne peuvent vivre sans lui. Les **anaérobies facultatifs**, eux, utilisent l'oxygène s'il y en a, mais peuvent aussi se multiplier par fermentation dans un milieu anaérobie. Quand aux **anaérobies stricts**, ils ne peuvent pas utiliser l'oxygène, qui les empoisonnerait. Ces différences font partie des critères de classification des procaryotes.

Le métabolisme de l'azote est un autre aspect de la diversité nutritionnelle des procaryotes. L'azote figure parmi les composants essentiels des protéines et des acides nucléiques (voir le chapitre 5). Alors que les Animaux, les Végétaux et d'autres eucaryotes ne peuvent utiliser que certaines formes d'azote, plusieurs procaryotes peuvent métaboliser la plupart des composés azotés.

Certaines étapes clés du cycle de l'azote dans les écosystèmes s'accomplissent uniquement grâce aux Bactéries. (Voir le chapitre 49 pour un aperçu du cycle de l'azote.)

Les Bactéries chimiohétérotrophes, comme *Nitrosomonas*, transforment le NH_3 en NO_2^-. Les Bactéries anaérobies facultatives, comme certaines espèces de *Pseudomonas*, enlèvent l'azote aux molécules NO_2^- et NO_3^- et libèrent du N_2 dans l'atmosphère. Enfin, différentes espèces de procaryotes, dont certaines Cyanobactéries, sont capables d'utiliser directement l'azote atmosphérique. Dans ce processus, appelé **fixation de l'azote**, les Bactéries convertissent le N_2 atmosphérique en NH_3 (ammoniac). La fixation de l'azote, propre à certains procaryotes, est le seul mécanisme biologique qui met l'azote atmosphérique à la disposition d'organismes pour la fabrication de composés organiques. Sur le plan nutritionnel, les Cyanobactéries qui fixent l'azote sont les plus autonomes de tous les organismes. Leur croissance n'exige que de l'énergie lumineuse, du CO_2, du N_2, de l'eau et quelques minéraux.

DIVERSITÉ DES PROCARYOTES

En laboratoire, les microbiologistes utilisent surtout une taxinomie des Bactéries qui se veut davantage une classification pratique servant à les identifier qu'une tentative de les grouper selon les particularités de leur évolution. La cellule procaryote diffère fondamentalement de la cellule eucaryote, ce qui fait des Monères le règne du vivant le plus nettement défini. Toutefois, jusqu'à récemment, il s'est avéré tout à fait inutile d'essayer de classer les 10 000 espèces et plus de procaryotes en taxons de Monères à partir de critères phylogénétiques. La difficulté à établir une classification phylogénétique réaliste provient de plusieurs facteurs. Les procaryotes ont commencé à se diversifier il y a si longtemps que les rapports généalogiques entre les groupes sont brouillés. La capacité que possèdent des genres bactériens non apparentés d'échanger du matériel génétique par transformation et transduction (voir le chapitre 17) a peut-être mélangé les ramifications phylogénétiques de manière non linéaire. Quant aux restes fossiles, ils n'apportent que peu d'indices, car la plupart des microfossiles trouvés dans les roches précambriennes ne révèlent guère plus que des contours indistincts de cellules.

La biologie moléculaire s'avère l'avenue la plus prometteuse quant à l'établissement d'une taxinomie des Monères qui tienne compte de la phylogenèse (voir le chapitre 23). La comparaison entre les séquences d'acides aminés de protéines homologues et les séquences des bases azotées de l'ADN et de l'ARN permet en effet d'évaluer les similitudes génétiques; elle aide aussi à situer dans le temps l'apparition des ramifications phylogénétiques des Monères. La comparaison de l'ARN ribosomique a fourni des indices particulièrement révélateurs. Si l'on s'appuie sur ces indices, on peut diviser le règne des Monères en vingt grandes catégories.

La découverte la plus importante de la biologie moléculaire est la séparation des procaryotes en au moins deux lignées qui ont divergé très tôt dans l'histoire de la vie. Une lignée a donné naissance aux **Archébactéries**;

leurs seuls survivants représentent quelques genres bactériens vivant dans des milieux extrêmement hostiles, qui ressemblent peut-être à certains habitats de la Terre primitive. Une seconde lignée, celle des **Eubactéries,** englobe presque tous les procaryotes contemporains.

Archæbactéries

Le nom de ce groupe de Bactéries renvoie à l'antiquité de son origine (du grec *arkhaïos* «ancien»). Les Archæbactéries possèdent plusieurs traits distinctifs, puisqu'elles constituent un taxon qui a poursuivi une évolution distincte pendant très longtemps. La paroi bactérienne des Archæbactéries est dépourvue de peptidoglycane, un constituant de toutes les Eubactéries munies d'une paroi. Leur membrane plasmique présente une composition lipidique différente de celle de tous les autres organismes. L'ADN polymérase et l'une des protéines ribosomiques des Archæbactéries ressemblent à celles des eucaryotes et diffèrent nettement de celles des Eubactéries.

La plupart des Archæbactéries vivent dans des milieux aux conditions extrêmes qui ne conviennent pas du tout aux autres organismes contemporains. Par exemple, on a trouvé des Archæbactéries vivant dans les sources hydrothermales des fonds océaniques. Presque aussi vieilles que la vie elle-même, les Archæbactéries englobent aujourd'hui trois sous-groupes : les Bactéries méthanogènes, les Bactéries halophiles extrêmes et les Bactéries thermoacidophiles.

Les **Bactéries méthanogènes** sont ainsi nommées en raison de leur métabolisme énergétique très particulier, qui utilise le H_2 pour réduire le CO_2 en méthane (CH_4). Elles comptent parmi les anaérobies les plus stricts, que l'oxygène empoisonne. Les Bactéries méthanogènes vivent dans les marécages et les marais où d'autres microorganismes ont consommé tout l'oxygène ; le méthane qui forme des bulles à la surface de ces lieux s'appelait autrefois gaz des marais. Les Bactéries méthanogènes sont également des décomposeurs importants qu'on utilise dans le traitement des eaux usées. Certains agriculteurs ont mené des expériences avec ces microorganismes dans le but de convertir les détritus et le fumier en méthane, un précieux combustible. D'autres espèces de méthanogènes habitent l'intérieur anaérobie de l'intestin de certains Animaux ; elles jouent un rôle important dans la digestion de la cellulose chez le bétail, les Termites et d'autres herbivores qui s'en nourrissent presque exclusivement.

Les **Bactéries halophiles extrêmes** (du grec *halos* «sel», et *philos* «ami») vivent dans des milieux aussi salés que le Grand Lac Salé aux États-Unis et la mer Morte. Certaines espèces ne font que tolérer le milieu salin dans lequel elles vivent, alors que d'autres ont besoin d'un environnement dix fois plus salé que l'eau de mer pour prospérer (figure 25.8). Les colonies d'halophiles forment une mousse qui doit sa couleur rose à un pigment photosynthétique appelé bactériorhodopsine.

Comme leur nom l'indique, les **Bactéries thermoacidophiles** prospèrent dans des milieux à la fois chauds et acides, ce qui constituerait pour la majorité des organismes un double cauchemar. Les conditions de vie opti-

Figure 25.8
Bactéries halophiles extrêmes. Membres du groupe de procaryotes appelés Archæbactéries, ces microorganismes vivent dans des eaux extrêmement salées. Les couleurs de ces marais salants aux abords de la baie de San Francisco proviennent d'une prolifération dense de Bactéries halophiles extrêmes qui prospèrent dans les marais lorsque la salinité de l'eau de mer atteint 15 à 20 % (avant l'évaporation, la salinité de l'eau de mer est d'environ 3 %). Ces marais servent à la production commerciale de sel, les Bactéries halophiles étant inoffensives.

males de ces Archæbactéries sont des températures de 60 à 80 °C et un pH situé entre 2 et 4. *Sulfolobus* habite les sources d'eau chaude du Parc national de Yellowstone aux États-Unis et tire son énergie de l'oxydation du soufre.

Carl Woese, de l'Université de l'Illinois, a proposé récemment que la séparation entre les Archæbactéries et les Eubactéries, survenue très tôt dans leur évolution, soit représentée par une nouvelle catégorie taxinomique appelée **domaine**, unité de classification située au-dessus du règne (figure 25.9). Dans cette optique, on aurait donc trois domaines : les Eubactéries, les Archæbactéries et les eucaryotes. Remarquez à la figure 25.9, qui se fonde sur des comparaisons d'ordre moléculaire, que les Archæbactéries sont peut-être plus étroitement apparentées aux eucaryotes qu'aux Eubactéries. Toutefois, la taxinomie adoptée dans le présent manuel reconnaît toujours les Monères, un règne défini par la structure procaryote commune aux Archæbactéries et à leurs parents éloignés, les Eubactéries.

Eubactéries

Une étude exhaustive des Eubactéries dépasserait le cadre de ce manuel de biologie générale. Nous nous en tiendrons donc au tableau 25.1 (p. 526-527), qui présente quelques groupes d'Eubactéries, pour illustrer leur diversité, notamment en ce qui a trait au mode de nutrition. Nous vous conseillons d'étudier ce tableau avant de passer à la prochaine section.

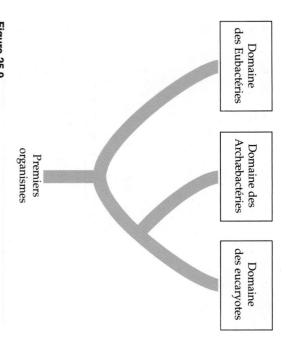

Domaine
des Eubactéries

Domaine des
Archaebactéries

Domaine
des eucaryotes

Premiers
organismes

Figure 25.9
Taxinomie des êtres vivants en trois domaines. Cet arbre simple reflète une tendance contemporaine, fondée sur les données de la biologie moléculaire. Selon ce que nous révèle la biologie moléculaire, les Archæbactéries et les eucaryotes ont en commun un ancêtre plus récent que l'ancêtre commun aux Archæbactéries et aux Eubactéries.

ORIGINE DE LA DIVERSITÉ MÉTABOLIQUE DES PROCARYOTES

Tous les modes de nutrition et presque toutes les voies métaboliques ont évolué au sein du règne des Monères avant l'apparition des eucaryotes. Au début de leur évolution, les procaryotes ont dû vivre dans des milieux qui changeaient constamment. En réaction à ces conditions, de nouvelles aptitudes métaboliques ont vu le jour qui, à leur tour, ont modifié le milieu de la génération suivante de procaryotes. Toutes les aptitudes métaboliques importantes rencontrées chez les procaryotes contemporains sont sans doute apparues au cours du premier milliard d'années de l'histoire de la vie. À l'heure actuelle, certaines hypothèses défendables ont cours sur les débuts des procaryotes et sur l'origine de leur diversité métabolique. Le scénario décrit ici ne fait qu'exposer une séquence d'événements parmi d'autres. Il est fondé sur les inférences de la biologie moléculaire, sur la comparaison des métabolismes énergétiques des procaryotes actuels et sur les données fournies par les études géologiques au sujet des conditions qui prévalaient sur la Terre primitive.

Origine de la glycolyse

Les premiers procaryotes, apparus il y a au moins 3,5 milliards d'années, étaient probablement des chimiohétérotrophes qui absorbaient des composés organiques libres formés dans les mers anciennes par synthèse abiotique (voir le chapitre 24). L'ATP faisait sans doute partie de ces nutriments. Le rôle universel de l'ATP comme devise énergétique chez tous les organismes modernes suppose que les procaryotes ont pu l'utiliser il y a de cela très longtemps. Quand les Bactéries ont commencé à épuiser les réserves d'ATP libre, la sélection naturelle a probablement favorisé les cellules équipées d'enzymes qui pouvaient

régénérer l'ATP à partir d'ADP en extrayant l'énergie d'autres nutriments organiques encore disponibles. Il en aurait résulté une évolution progressive vers la glycolyse, voie métabolique qui décompose les molécules organiques en produits plus simples et qui utilise l'énergie pour générer de l'ATP par phosphorylation au niveau du substrat (voir le chapitre 9). La glycolyse représente la seule voie métabolique commune à presque tous les organismes actuels, ce qui permet de penser que son origine est des plus lointaine.

La glycolyse, en outre, peut s'accomplir sans O₂ et, de fait, l'atmosphère primitive de la Terre en contenait très peu. La fermentation, processus par lequel des électrons extraits des nutriments au cours de la glycolyse se font transférer à des accepteurs organiques, serait ainsi devenue un mode de vie sur la Terre anaérobie. On croit que les Archæbactéries et les autres anaérobies stricts, qui vivent aujourd'hui par fermentation dans les sols profonds ou les marais stagnants, ont des modes de nutrition fort semblables à ceux des procaryotes originaux.

Origine des chaînes de transport d'électrons et de la chimiosmose

Le mécanisme chimiosmotique de la synthèse de l'ATP se retrouve dans les cinq règnes du vivant, ce qui laisse penser que son origine est lointaine. Comme nous l'avons vu au chapitre 9, la chimiosmose utilise le transport d'électrons le long d'une chaîne de protéines intramembranaires pour expulser des protons (H⁺), puis se sert du gradient électrochimique des protons pour alimenter la synthèse de l'ATP. À l'origine, la pompe à protons (mécanisme de transport actif des protons à travers une membrane) servait peut-être à expulser les protons et à aider les premiers procaryotes à maintenir leur pH interne (figure 25.10, étape 1). Toutefois, la cellule devait dépenser une grande partie de son ATP pour alimenter la pompe à protons. Les premières chaînes de transport d'électrons ont ainsi peut-être servi à économiser l'ATP en associant l'oxydation des acides organiques au transport des protons hors de la cellule (figure 25.10, étape 2). Puis, chez certaines Bactéries, des systèmes de transport d'électrons suffisamment efficaces pour expulser davantage de protons qu'il était nécessaire au maintien du pH ont fini par apparaître. Ces cellules pouvaient alors utiliser le gradient électrochimique des protons pour produire de l'ATP plutôt que d'en consommer, comme le faisait la pompe à protons primitive (figure 25.10, étape 3). Ce type de métabolisme énergétique, appelé respiration anaérobie, existe encore de nos jours chez des Bactéries, dont certaines vivent dans les sols saturés d'eau et dépourvus d'oxygène. Chez *Pseudomonas*, le transport d'électrons s'effectue le long d'une chaîne de transporteurs à partir de substrats organiques jusqu'à du NO₃⁻ (au lieu de O₂, l'accepteur d'électrons dans la respiration aérobie).

Origine de la photosynthèse

Les êtres vivants ont connu leur première crise de l'énergie lorsque les réserves d'ATP libre ont commencé à diminuer. Ils ont connu la deuxième lorsque les procaryotes

tosynthétiques sont les Bactéries vertes sulfureuses et les Bactéries pourpres sulfureuses (anaérobies phototrophes ; voir le tableau 25.1). Elles doivent leur teinte à la bactériochlorophylle, qui remplace la chlorophylle *a* comme principal pigment photosynthétique. De plus, puisque ces Bactéries scindent le H_2S plutôt que le H_2O comme source d'électrons, elles ne produisent pas d'O_2.

Cyanobactéries, révolution de l'oxygène et origine de la respiration cellulaire

Certaines des Bactéries photosynthétiques ont fini par se doter d'un mécanisme métabolique permettant d'utiliser du H_2O plutôt que du H_2S ou d'autres composés comme source d'électrons et d'hydrogène pour la fixation du CO_2. Il s'agissait des premières Cyanobactéries (voir le tableau 25.1). Capables de créer des composés organiques à partir d'eau et de CO_2, elles ont prospéré et ont changé la face du monde en libérant de l'O_2 comme sous-produit de la photosynthèse.

Les Cyanobactéries sont apparues il y a au moins 2,5 milliards d'années. Elles vivaient avec d'autres Bactéries en colonies, lesquelles construisaient des stromatolithes (voir la figure 24.4). Dans des sédiments marins datant environ de cette époque se trouvent des formations de fer rubanées, des couches rouges riches en oxyde de fer qui représentent de nos jours un précieux minerai de fer. Ces sédiments se sont peut-être formés pendant la période où les Cyanobactéries dégageaient de l'oxygène ; ce dernier réagissait avec des ions de fer dissous qui ont donné un précipité ferreux. Cette réaction aurait empêché toute accumulation d'O_2 libre pendant peut-être quelques millions d'années, jusqu'à ce que le processus de précipitation ait épuisé le fer dissous. Ce n'est qu'à ce moment que les mers se seraient saturées d'O_2, lequel a commencé à diffuser dans l'atmosphère et à s'accumuler.

L'apparition progressive d'une atmosphère plus oxygénée a créé une crise chez les procaryotes précambriens, car l'oxygène s'attaque aux liaisons aux molécules organiques. Cette atmosphère corrosive a probablement causé l'extinction d'un grand nombre de Bactéries incapables de s'adapter aux nouvelles conditions. D'autres espèces ont survécu dans des milieux privés d'oxygène, où nous trouvons d'ailleurs encore aujourd'hui leurs descendants sous forme d'anaérobies stricts, comme les Bactéries méthanogènes, les phototrophes anaérobies et plusieurs Bactéries capables de fermentation. L'évolution de mécanismes antioxydants a permis à d'autres Bactéries de tolérer des concentrations de plus en plus importantes d'oxygène. Parmi les procaryotes capables de photosynthèse, certaines espèces sont parvenues à utiliser le pouvoir oxydant de l'oxygène pour arracher des électrons aux molécules organiques le long des chaînes de transport existantes. Ainsi, la respiration aérobie a peut-être commencé par des modifications des chaînes de transport d'électrons issues de la photosynthèse. Encore aujourd'hui, les photohétérotrophes, c'est-à-dire les Bactéries pourpres non sulfureuses, recourent à un système de transport d'électrons qui constitue un hybride entre le mécanisme de la photosynthèse et celui de la respiration. Plusieurs autres lignées de Bactéries ont abandonné la photosynthèse pour revenir au mode

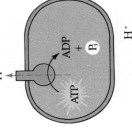

Étape 1. Les pompes à protons, activées par l'ATP, sont utilisées pour maintenir le pH cellulaire en expulsant des protons.

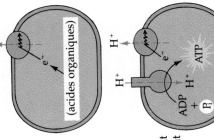

Étape 2. Les chaînes de transport d'électrons prennent la relève de la régulation du pH en recourant à l'oxydation des acides organiques pour faire fonctionner la pompe à protons.

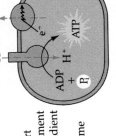

Étape 3. Les chaînes de transport d'électrons deviennent suffisamment efficaces pour engendrer un gradient électrochimique de protons susceptible d'activer le mécanisme de synthèse de l'ATP.

Figure 25.10
Modèle de l'évolution des chaînes de transport d'électrons.

capables de fermentation ont consommé les nutriments organiques plus rapidement qu'ils n'étaient produits par la synthèse abiotique. Un organisme capable de fabriquer ses propres molécules organiques à partir de précurseurs inorganiques jouissait alors d'un immense avantage.

Les premiers procaryotes utilisaient peut-être des pigments capables d'absorber certains rayonnements (surtout l'ultraviolet) qui s'avéraient dommageables pour les cellules vivant dans des colonies exposées à la lumière. Plus tard, ces pigments chargés d'énergie ont été couplés à des systèmes de transport d'électrons pour alimenter la synthèse de l'ATP. Chez les Bactéries halophiles extrêmes, la bactériorhodopsine, un pigment captant l'énergie lumineuse intense, est fabriquée par la membrane plasmique. La bactériorhodopsine absorbe la lumière et en utilise l'énergie pour expulser les protons de la cellule. Le gradient de protons stimule ensuite la synthèse de l'ATP (voir la figure 8.21). Il s'agit là du plus simple des mécanismes de photophosphorylation connus ; c'est pourquoi on étudie les Bactéries halophiles comme modèles de conversion de l'énergie solaire.

D'autres procaryotes possédaient des pigments et des photosystèmes qui utilisaient la lumière pour faire passer les électrons du sulfure d'hydrogène vers le NADP+, ce qui créait un pouvoir réducteur servant à fixer le CO_2 (voir le chapitre 10). Ils utilisaient sans doute les éléments des chaînes de transport d'électrons qui avaient précédemment fonctionné dans la respiration anaérobie, pour alimenter en énergie la synthèse de l'ATP ainsi que pour fournir un pouvoir réducteur (NADPH + H+). On croit que les Bactéries actuelles dont le mode de nutrition se rapproche le plus de celui des premiers procaryotes pho-

Tableau 25.1 Certains groupes importants d'Eubactéries

Groupe (exemples)	Caractéristiques et nombre approximatif de genres	Illustration
Actinomycètes (*Mycobacterium*, *Streptomyces*)	Ces Bactéries forment des colonies d'hyphes ramifiés (filaments tubulaires rappelant ceux des Mycètes, MET). Elles se reproduisent par sporulation à l'extrémité des hyphes (autre caractéristique rappelant les Mycètes). La plupart des Actinomycètes vivent dans les déchets organiques présents dans le sol. Malgré leur nom, ces microorganismes sont des procaryotes vrais, et non des Mycètes. (40 genres.)	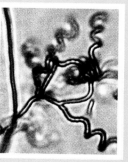 *Streptomyces* 1 μm
Bactéries chimioautotrophes (*Nitrobacter*, *Nitrosomonas*)	Ces Bactéries utilisent l'énergie obtenue par l'oxydation de substances inorganiques (comme NH_3, NO_3^-, H_2S, S, Fe^{3+}) et le carbone du CO_2 pour former des molécules organiques. Étant donné que le O_2 est l'accepteur d'électrons terminal, ces Bactéries sont des aérobies stricts. Elles sont nombreuses dans les sols aérés. (25 genres.)	
Cyanobactéries (*Chroococcus*, *Anabæna*, *Nostoc*, *Oscillatoria*, *Spirulina*)	Ces Bactéries sont des photoautotrophes dotés d'un mécanisme de photosynthèse semblable à celui des Végétaux ; leur métabolisme recourt à la chlorophylle a et à deux photosystèmes qui scindent la molécule d'eau et libèrent de l'O_2 comme sous-produit (voir le chapitre 10). Les chlorophylles et les chaînes de transport d'électrons sont enchâssées dans des membranes thylakoïdiennes (voir la figure 25.6b). D'autres pigments accessoires, appelés phycobilines, groupés en complexes à la surface des membranes thylakoïdiennes, confèrent à ces espèces une couleur typique allant du bleu au brun grisâtre. Les Cyanobactéries englobent des espèces solitaires, pluricellulaires et coloniales (habituellement filamenteuses). La paroi de ces Bactéries est souvent épaisse et gélatineuse (photographie du haut, MP). Dépourvues de flagelles, les espèces mobiles se déplacent par glissement. La plupart habitent les eaux douces, mais certaines vivent dans les mers, les sols humides et les Lichens. Chez certains genres filamenteux comme *Anabæna* (photographie du bas, MP), le complexe enzymatique fixateur d'azote est souvent contenu dans des cellules différenciées appelées **hétérocystes** (partie encadrée). (32 genres.)	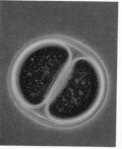 *Chroococcus* 50 μm 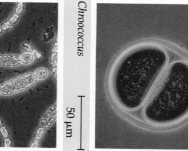 *Anabæna* 50 μm
Bactéries formant des endospores (*Bacillus*, *Clostridium*)	Les Bacilles flagellés à Gram positif survivent aux périodes de disette en produisant une endospore (partie encadrée), c'est-à-dire une cellule interne déshydratée et dotée d'une enveloppe composée de plusieurs couches (MET). Ce groupe comprend aussi bien des anaérobies stricts que des aérobies. (6 genres.)	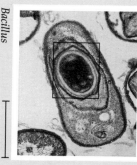 *Bacillus* 1 μm
Entérobactéries (*Escherichia*, *Salmonella*, *Vibrio*)	Ces Bactéries sont des anaérobies facultatifs, à Gram négatif, caractérisées par une grande variété de métabolismes, dont la respiration anaérobie utilisant NO_3^- comme donneur d'électrons. Elles vivent dans le tube digestif des Animaux. Certaines Entérobactéries, résidant de façon permanente dans l'intestin, sont inoffensives (comme *E. coli*), alors que d'autres sont pathogènes. (34 genres.)	

Tableau 25.1 Certains groupes importants d'Eubactéries

Groupe (exemples)	Caractéristiques et nombre approximatif de genres	Illustration
Mycoplasmes (*Mycoplasma*)	Apparemment les plus petites de toutes les cellules, avec un diamètre variant entre 100 et 250 nm, ces Bactéries sont les seuls procaryotes dépourvus de paroi (MEB). Contrairement aux Rickettsies et aux Chlamydias, les Mycoplasmes ont une croissance extracellulaire. Ils sont pathogènes pour les saprophytes et les Animaux. (6 genres.)	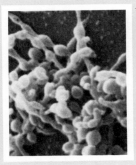 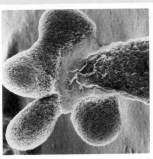 *Mycoplasma* 2,5 µm
Myxobactéries (*Myxococcus*)	Ces Bactéries sont des chimiohétérotrophes vivant enfouis dans le sol. Les cellules se déplacent par glissement. Lorsque le sol s'assèche ou que la nourriture se fait rare, les cellules s'assemblent en un appareil sporifère (masse de spores sur une tige bulbeuse, MEB) qui prend parfois une couleur vive et peut atteindre 1 mm de diamètre. Lorsque les conditions redeviennent favorables, les spores sont relâchées et donnent naissance à de nouvelles colonies. (8 genres.)	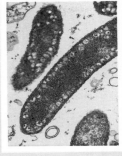 *Myxococcus* 10 µm
Bactéries aérobies fixatrices d'azote (*Azotobacter, Rhizobium*)	Ce groupe comprend des espèces mutualistes vivant à l'état libre. Le genre *Rhizobium*, qui vit dans les nodosités des racines de Légumineuses, joue un rôle important dans la nutrition de ces Végétaux (voir les figures 33.10 et 33.11). (5 genres.)	
Bactéries anaérobies phototrophes (*Chromatium, Rhodospirillum*)	Ces Bactéries sont des photoautotrophes ; leur appareil photosynthétique rappelle beaucoup moins celui des Végétaux que celui des Cyanobactéries (MET ; voir la figure 10.4b). Elles réduisent le NADP⁺ avec des électrons extraits de molécules autres que H_2O, comme H_2S ; elles ne dégagent donc pas d'O_2. La plupart des espèces sont des anaérobies stricts qui vivent sur les sédiments des étangs, des lacs et des océans. Ces Bactéries comprennent plusieurs groupes vaguement apparentés, comme les Bactéries pourpres et les Bactéries vertes sulfureuses. (27 genres.)	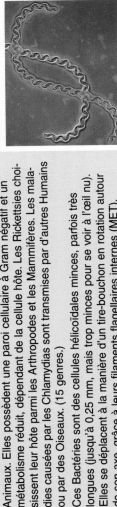 *Rhodospirillum* 1 µm
Pseudomonas (*Pseudomonas*)	Ce groupe comprend le genre Pseudomonas, représenté par diverses espèces dans presque tous les habitats aquatiques et terrestres. Les cellules ont habituellement la forme d'un bâtonnet, leur Gram est négatif, et elles sont flagellées à une extrémité. Il s'agit de chimiohétérotrophes capables de métaboliser des nutriments inhabituels. (5 genres.)	
Rickettsies et Chlamydias (*Rickettsia, Chlamydia*)	Ces Bactéries sont des parasites intracellulaires obligatoires des Animaux. Elles possèdent une paroi cellulaire à Gram négatif et un métabolisme réduit, dépendant de la cellule hôte. Les Rickettsies choisissent leur hôte parmi les Arthropodes et les Mammifères. Les maladies causées par les Chlamydias sont transmises par d'autres Humains ou par des Oiseaux. (15 genres.)	
Spirochètes (*Borrelia, Leptospira, Treponema*)	Ces Bactéries sont des cellules hélicoïdales minces, parfois très longues (jusqu'à 0,25 mm, mais trop minces pour se voir à l'œil nu). Elles se déplacent à la manière d'un tire-bouchon en rotation autour de son axe, grâce à leurs filaments flagellaires internes (MET). Les Spirochètes comprennent des saprophytes vivant à l'état libre et des parasites. (7 genres.)	*Leptospira* 0,5 µm

de nutrition chimiohétérotrophe, leurs chaînes de transport d'éléctrons s'étant adaptées à une respiration strictement aérobie.

IMPORTANCE DES PROCARYOTES

Dans la présente partie du manuel, nous parlons notamment des formes changeantes de la vie sur une planète elle-même en changement, autrement dit, nous parlons des interactions entre l'histoire géologique et l'évolution de la vie. Des organismes aussi envahissants, abondants et diversifiés que les procaryotes ont une grande influence sur toutes les facettes de l'environnement. Examinons donc quelques-uns des aspects de cette interaction.

Procaryotes et cycles biogéochimiques

Il n'y a pas si longtemps (géologiquement parlant), les atomes des molécules organiques qui composent notre corps faisaient partie des substances inorganiques du sol, de l'air et de l'eau, et ils y retourneront un jour. Le maintien de la vie dépend du recyclage des éléments chimiques entre les composantes biologique et physico-chimique des écosystèmes. Les procaryotes jouent un rôle fondamental dans les cycles biogéochimiques (cette question sera traitée en détail au chapitre 49). Tout comme les Mycètes, les Bactéries décomposent d'abord la matière organique des organismes morts ainsi que les déchets des organismes vivants ; puis elles rendent à l'environnement les éléments sous des formes inorganiques susceptibles de nourrir d'autres organismes. Si de tels **décomposeurs** n'existaient pas, le carbone, l'azote et d'autres éléments essentiels à la vie demeureraient prisonniers des molécules organiques des cadavres et des excréments.

Les procaryotes jouent également le rôle d'intermédiaire dans la circulation des éléments de provenance non biologique présents dans le milieu, comme l'air, le sol inorganique et l'eau. Les Bactéries autotrophes fixent le CO_2, et soutiennent ainsi les chaînes alimentaires par lesquelles les nutriments organiques passent des Bactéries aux consommateurs primaires, puis aux consommateurs secondaires. Grâce à leurs capacités métaboliques uniques, les Bactéries demeurent les seuls organismes capables de transformer des molécules non biologiques contenant des éléments comme le fer, le soufre, l'azote et l'hydrogène. Non seulement les Cyanobactéries synthétisent la nourriture et renvoient l'oxygène dans l'atmosphère, mais elles fixent aussi l'azote ; ainsi, elles enrichissent le sol et l'eau de composés azotés que les autres organismes peuvent utiliser pour élaborer des protéines. Puis, lorsque les Végétaux et les Animaux qui s'en nourrissent viennent à mourir, les procaryotes vivant dans le sol restituent l'azote des cadavres à l'atmosphère. Et le cycle continue. Toute vie sur Terre dépend des procaryotes et de leur diversité métabolique sans pareille.

Bactéries symbiotiques

Les procaryotes fonctionnent rarement de façon individuelle dans l'environnement. La plupart du temps, ils interagissent en groupes, souvent constitués de différentes espèces bactériennes dont les métabolismes se complètent. En outre, ils dépendent souvent des relations étroites avec des organismes appartenant à d'autres règnes. On utilise le terme **symbiose**, qui signifie « vivre ensemble », pour décrire les relations écologiques entre les organismes de différentes espèces en contact direct les uns avec les autres. Chacun des organismes associés en symbiose est appelé **symbionte** (ou symbiote). Si l'un des symbiontes s'avère beaucoup plus gros que l'autre, il se nomme **hôte**. Il existe trois catégories de relations symbiotiques : le mutualisme, le commensalisme et le parasitisme. Dans le **mutualisme**, les deux symbiontes tirent profit de la relation. Dans le **commensalisme**, un seul des deux symbiontes retire des avantages de la relation symbiotique, sans toutefois nuire à l'autre ni l'aider de manière significative. Dans le **parasitisme**, l'un des symbiontes, appelé *parasite* dans ce cas, tire profit de la relation aux dépens de l'hôte.

La symbiose est sans aucun doute courante chez les procaryotes ; toutefois, on en sait peu sur elle car, jusqu'à tout récemment, les recherches ont porté uniquement sur des cultures d'une seule espèce. La symbiose a probablement joué un rôle important dans l'évolution des procaryotes et des premiers Protistes (voir le chapitre 26). En ce qui a trait à la symbiose avec des espèces d'autres règnes, le règne des Monères se trouve largement représenté dans les trois types de symbiose. Par exemple, les racines de Légumineuses (Pois, Haricot, Luzerne et autres) possèdent des renflements appelés nodosités. Ces nodosités hébergent des Bactéries mutualistes qui fixent l'azote utilisé par l'hôte, tandis que l'hôte végétal les approvisionne constamment en glucides et en d'autres nutriments organiques (voir le chapitre 33). Les Bactéries qui vivent sur les surfaces internes et externes du corps humain sont principalement des espèces commensales, mais certaines espèces sont mutualistes. Ainsi, les Bactéries capables de fermentation qui vivent dans le vagin produisent des acides qui maintiennent son pH entre 4,0 et 4,5, inhibant la croissance de Levures et d'autres microorganismes potentiellement nuisibles. Les Humains bénéficient également des produits métaboliques de E. coli, un résident de l'intestin. Les Humains peuvent également héberger des Bactéries parasites, qu'on classe comme pathogènes parce qu'elles causent des maladies.

Bactéries et maladies

Les Bactéries sont présentes partout, et certaines d'entre elles menacent notre santé. La plupart du temps, nous nous portons bien, car nos mécanismes de défense parviennent à tenir en échec la croissance des Bactéries nuisibles et des autres agents pathogènes. Il arrive cependant que l'équilibre bascule en faveur des Bactéries, et nous tombons alors malades. Pour qu'un parasite devienne pathogène, il doit d'abord envahir un hôte. Il doit ensuite résister aux mécanismes de défense de celui-ci avec suffisamment de succès pour pouvoir proliférer. Enfin, il doit causer des dommages à l'hôte d'une quelconque façon. On attribue aux Bactéries environ la moitié des maladies qui affligent l'Humain.

Les Bactéries pathogènes ne sont pas forcément des envahisseurs exotiques. Il existe en effet des **Bactéries opportunistes**, c'est-à-dire qui font partie de la « flore »

normale de l'organisme humain, mais qui provoquent des maladies seulement lorsque les mécanismes de défense s'affaiblissent à cause de divers facteurs, tels que la malnutrition ou un rhume récent. Par exemple, *Streptococcus pneumoniæ* vit dans la gorge de la plupart des gens bien portants. Toutefois, cette Bactérie opportuniste peut proliférer et causer une pneumonie lorsque les mécanismes de défense de l'hôte perdent leur efficacité.

C'est à la fin du XIXe siècle que Louis Pasteur, Joseph Lister et d'autres scientifiques ont commencé à associer maladie et microorganismes pathogènes. Le premier à associer des maladies précises à des Bactéries particulières a été Robert Koch, un médecin allemand qui a identifié la Bactérie responsable du charbon et celle de la tuberculose. Ses méthodes ont permis de définir quatre critères appelés **postulats de Koch**, qui servent encore aujourd'hui de lignes directrices en microbiologie médicale. Pour établir qu'un agent pathogène particulier cause une maladie, le chercheur doit : (1) trouver le même agent pathogène chez chacun des individus malades examinés ; (2) isoler l'agent pathogène d'un sujet atteint et faire une culture pure du microorganisme ; (3) provoquer la maladie chez les Animaux de laboratoire en leur inoculant le microorganisme cultivé ; (4) isoler le même agent pathogène chez ces animaux une fois la maladie déclarée. On peut appliquer ces postulats à la majorité des agents pathogènes ; il y a toutefois des exceptions. Ainsi, personne n'a encore réussi à cultiver la Bactérie à l'origine de la syphilis (*Treponema pallidum*) dans un milieu artificiel, mais le volume de preuves circonstancielles permettant d'associer ce microorganisme à cette maladie ne laisse aucun doute. On attribue aussi la maladie de Lyme à une Bactérie non cultivable, le Spirochète *Borrelia burgdorferi*. On a d'abord étudié cette maladie en 1975-1976 auprès de patients venant de Lyme, au Connecticut. Un examen attentif des données épidémiologiques (l'endroit et le moment où les sujets présentaient un ensemble de symptômes donné) a permis aux chercheurs de retracer l'agent pathogène inoculé lors d'une piqûre de Tique.

Certaines Bactéries perturbent les fonctions physiologiques de leur hôte tout simplement en croissant et en envahissant ses tissus. La fièvre pourprée des montagnes Rocheuses et le typhus, deux des maladies causées par des Rickettsies, en constituent des exemples (voir le tableau 25.1). Une espèce de Chlamydia (*Chlamydia trachomatis*) cause l'urétrite à inclusions, maintenant considérée comme la maladie transmissible sexuellement la plus répandue aux États-Unis. Les microorganismes qui causent la tuberculose (*Mycobacterium tuberculosis*) et la lèpre (*Mycobacterium lepræ*) en se multipliant dans les tissus appartiennent aux Actinomycètes.

Le plus souvent, les Bactéries pathogènes causent des maladies en produisant des toxines. Certaines protéines sécrétées par la cellule bactérienne constituent des **exotoxines.** Elles peuvent provoquer des symptômes même en l'absence de la Bactérie. Ainsi, lorsque *Clostridium botulinum* croît en milieu anaérobie dans des conserves d'aliments contaminés, un des sous-produits de sa fermentation est une exotoxine causant une maladie parfois mortelle : le botulisme. Les exotoxines comptent parmi les poisons les plus puissants que nous connais-

sions : un gramme de la toxine du botulisme suffirait à tuer un million d'Humains. La Bactérie entérique *Vibrio choleræ* produit également des exotoxines : elle peut infecter l'intestin grêle de l'Humain et causer le choléra, une affection dangereuse caractérisée par une diarrhée violente. Le choléra est récemment devenu un problème inquiétant au Pérou, où la consommation de Poisson cru pêché dans des eaux polluées entrave les efforts visant à juguler la maladie. Même *E. coli* peut sécréter des exotoxines. Ainsi, la *turista* survient à cause de toxines que libèrent des souches étrangères de ce résident de l'intestin.

Contrairement aux exotoxines, les **endotoxines** ne sont pas sécrétées par les agents pathogènes ; elles font plutôt partie de la membrane externe de certaines Bactéries à Gram négatif. Les endotoxines occasionnent les mêmes symptômes généraux (fièvre et courbatures) quelle que soit l'espèce bactérienne, tandis que les exotoxines provoquent des symptômes spécifiques. Parmi les Bactéries produisant des endotoxines figurent certaines Bactéries entériques, comme pratiquement toutes celles du genre *Salmonella*, qui sont absentes normalement chez les Animaux sains. *Salmonella typhi* cause la fièvre typhoïde, et plusieurs autres espèces de *Salmonella*, dont certaines se trouvent fréquemment dans la volaille, causent des intoxications alimentaires.

Lorsque des scientifiques ont découvert au XIXe siècle que les « germes » causaient des maladies, les autorités responsables de la santé publique ont pris des mesures visant à améliorer l'hygiène. Les mesures sanitaires ont grandement contribué à réduire la mortalité infantile et considérablement prolongé l'espérance de vie dans les pays industrialisés. Au cours des dernières décennies, la technologie médicale a multiplié ses succès dans la lutte contre les infections bactériennes grâce à l'emploi de différents antibiotiques. Plus de la moitié des antibiotiques utilisés actuellement proviennent de Bactéries habitant le sol et appartenant au genre *Streptomyces* (un Actinomycète ; voir le tableau 25.1) ; mentionnons par exemple la streptomycine, la néomycine, l'érythromycine, l'auréomycine et la tétracycline. Dans la nature, les Bactéries libèrent ces composés pour empêcher d'autres microorganismes d'empiéter sur leur territoire. Les entreprises pharmaceutiques cultivent différentes espèces de *Streptomyces* afin de produire leurs antibiotiques en quantité industrielle. On n'a certainement pas mis en échec les maladies bactériennes, mais leur déclin depuis un siècle, probablement davantage attribuable aux mesures politiques dans le domaine de la santé publique qu'aux « médicaments miracles », constitue jusqu'ici la plus grande réussite de la recherche biomédicale et de ses applications.

Exploitation des Bactéries

L'Humain a découvert plusieurs manières d'exploiter les différentes capacités du métabolisme des procaryotes, aussi bien pour la recherche scientifique que pour des objectifs pratiques. Une bonne partie des connaissances que nous possédons sur le métabolisme et la biologie moléculaire ont été acquises dans des laboratoires où des Bactéries ont servi de modèles simplifiés. En fait, *Escherichia coli*, la Bactérie de prédilection d'un nombre

important de laboratoires de recherche, est le micro-organisme le mieux connu. Les Bactéries méthanogènes, elles, servent de décomposeurs dans le traitement des eaux usées (figure 25.11). Certaines espèces de Pseudomonas vivent dans le sol (voir le tableau 25.1) décomposent les pesticides et d'autres composés synthétiques. Elles peuvent également nuire : leur aptitude à se nourrir à même des sources de carbone inhabituelles leur permet d'envahir les baignoires à remous, les solutions médicamenteuses et même les solutions antiseptiques destinées à empêcher la prolifération bactérienne. L'industrie chimique entretient d'immenses cultures bactériennes qui produisent de l'acétone, du butanol et plusieurs autres produits ; l'industrie pharmaceutique cultive des Bactéries qui produisent des vitamines et des antibiotiques ; l'industrie alimentaire utilise des Bactéries pour convertir le lait en yogourt et en différentes sortes de fromage. Le génie génétique s'annonce prometteur pour l'avenir économique des procaryotes (voir le chapitre 19).

* * *

Dans ce chapitre, nous avons passé en revue les procaryotes et nous avons retracé leur histoire. Sur la Terre primitive habitée exclusivement par des Bactéries, toutes les différentes formes de nutrition et de métabolisme ont évolué. La plupart des percées évolutives subséquentes ont été plutôt de nature structurale que métabolique. La percée la plus importante a été l'émergence de cellules eucaryotes à partir d'ancêtres procaryotes, un point tournant de l'histoire de la vie que nous explorerons dans le chapitre suivant.

Figure 25.11
Utilisation des Bactéries pour le traitement secondaire des eaux usées. Cette installation, appelée bassin de traitement par boues activées, aère les eaux usées en présence de Bactéries aérobies, de Protistes et de Mycètes. Les microorganismes, grâce à leur métabolisme, transforment les grosses molécules organiques en molécules plus petites et en dioxyde de carbone.

RÉSUMÉ DU CHAPITRE

1. Tous les procaryotes (Bactéries) appartiennent au règne des Monères.

2. Les procaryotes ont été les premiers organismes ; ils ont précédé les eucaryotes de deux milliards d'années et représentent aujourd'hui les êtres vivants les plus nombreux et les plus répandus.

Structure et fonction des procaryotes (p. 516-522)

1. Les procaryotes sont habituellement des microorganismes unicellulaires ; toutefois, certains vivent en agrégats ou en colonies ou constituent des êtres pluricellulaires simples.

2. Les trois formes de procaryotes les plus courantes sont la sphère (Cocci), le bâtonnet (Bacilles) et la spirale (Spirilles).

3. Presque tous les procaryotes ont une paroi externe qui protège et soutient la cellule tout en prévenant l'éclatement osmotique. La paroi bactérienne contient le plus souvent du peptidoglycane, un polymère unique en son genre. Les Bactéries à Gram positif et les Bactéries à Gram négatif diffèrent par la structure de leur paroi et des autres couches superficielles.

4. Plusieurs espèces sécrètent une substance adhésive qui forme des capsules. Certaines possèdent des appendices appelés pili situés sur la face externe de leur paroi. Ces deux structures aident les cellules à adhérer les unes aux autres, et certains pili sont spécialisés dans la conjugaison bactérienne.

5. Certaines Bactéries mobiles glissent sur des sécrétions gluantes, alors que d'autres se propulsent grâce à des flagelles ; d'autres encore utilisent des filaments semblables à des flagelles et situés à l'intérieur de leur paroi (Spirochètes) pour se déplacer selon un mouvement hélicoïdal. Certaines

espèces sont capables de locomotion orientée (taxie) en réaction à des substances chimiques, à la lumière ou au magnétisme.

6. La cellule procaryote n'est pas compartimentée par des membranes internes. Toutefois, la membrane plasmique possède parfois des replis qui procurent une surface membranaire interne destinée à des fonctions spécialisées.

7. Le génome des procaryotes consiste en une seule molécule circulaire d'ADN située dans une région nucléoïde non limitée par une membrane. Plusieurs espèces bactériennes possèdent également de petits anneaux distincts d'ADN appelés plasmides qui programment des voies métaboliques spéciales et la résistance aux antibiotiques.

8. Les Bactéries se reproduisent par voie asexuée ; elles utilisent un mode de division cellulaire appelé scissiparité. La prolifération rapide d'une colonie de Bactéries cesse habituellement à cause de l'épuisement de nutriments ou en raison de l'accumulation de déchets métaboliques toxiques.

9. Chez les procaryotes, la reproduction et la variation génétique ne sont pas associées comme chez les eucaryotes. En l'absence de méiose, la variation génétique se fait par mutation et par transfert de gènes résultant de la transformation bactérienne, de la conjugaison bactérienne ou de la transduction virale.

10. En raison de leur métabolisme, les procaryotes sont les organismes les plus diversifiés sur Terre. Les photoautotrophes utilisent l'énergie lumineuse tandis que les chimioautotrophes utilisent des substances inorganiques pour synthétiser leurs composés organiques à partir du dioxyde de carbone. Les photohétérotrophes, eux, requièrent des

molécules organiques pour les processus métaboliques et synthétisent l'ATP au moyen de l'énergie lumineuse. La plupart des Bactéries sont des chimiohétérotrophes, qui ont besoin de molécules organiques comme source d'énergie et de carbone organique.

11. La capacité ou l'incapacité de survivre en présence d'oxygène traduit également des différences sur le plan métabolique. Les aérobies stricts ont besoin d'oxygène, les anaérobies stricts sont empoisonnés par lui, tandis que les anaérobies facultatifs survivent aussi bien avec ou sans oxygène.

12. Plusieurs groupes de Bactéries métabolisent des composés azotés que ne peuvent utiliser les autres organismes. Ce faisant, ces procaryotes jouent un rôle essentiel dans le cycle de l'azote.

Diversité des procaryotes (p. 522-524)

1. Après avoir comparé certaines molécules, les scientifiques croient qu'au début de l'évolution des procaryotes, ceux-ci se sont différenciés en deux groupes: les Archaebactéries, qui vivent aujourd'hui dans des conditions extrêmes rappelant les conditions qui prévalaient sur la Terre primitive; et toutes les autres Bactéries, les Eubactéries.

2. Les Bactéries méthanogènes, les Bactéries halophiles extrêmes et les Bactéries thermoacidophiles sont les trois sous-groupes des Archaebactéries.

3. Consultez le tableau 25.1 pour avoir un aperçu des Eubactéries.

Origine de la diversité métabolique des procaryotes (p. 524-528)

1. Toutes les formes de nutrition et pratiquement toutes les voies métaboliques ont évolué au sein des procaryotes.

2. Les premiers procaryotes étaient probablement des chimiohétérotrophes qui absorbaient des composés organiques libres. La glycolyse a évolué assez tôt en tant que mécanisme de régénération de l'ATP.

3. Pour fixer le dioxyde de carbone, les premiers procaryotes photosynthétiques utilisaient des pigments et des photosystèmes activés par la lumière. Les premières Cyanobactéries ont commencé à produire des composés organiques à partir d'eau et de dioxyde de carbone, ce qui dégage de l'oxygène libre comme sous-produit. Ce processus a profondément modifié la composition de l'atmosphère primitive et influé sur l'évolution biologique.

Importance des procaryotes (p. 528-530)

1. Les procaryotes, de même que les Mycètes, sont des décomposeurs (saprophytes) qui recyclent la matière dans les écosystèmes.

2. Certains procaryotes vivent en association avec d'autres espèces dans des relations symbiotiques de mutualisme, de commensalisme et de parasitisme.

3. Certains procaryotes parasites sont pathogènes; ils causent des maladies chez l'hôte en envahissant ses tissus ou en l'empoisonnant par des endotoxines ou des exotoxines.

4. On utilise les Bactéries dans les laboratoires, dans le traitement des eaux usées ainsi que dans les industries alimentaire et pharmaceutique. L'utilisation de procaryotes en génie génétique se révèle une des percées particulièrement prometteuses.

AUTO-ÉVALUATION

1. Un génome procaryote diffère d'un génome eucaryote en ceci:
   a) qu'il ne possède que la moitié de l'ADN normalement présent chez un eucaryote type.
   b) qu'il consiste en une molécule d'ADN constituée d'un seul brin.
   c) qu'il possède moins de protéines associées à son ADN et qu'il n'est pas limité par une membrane nucléaire.
   d) qu'il se compose de ribosomes plus petits et chimiquement distincts.
   e) qu'il consiste en ARN plutôt qu'en ADN.

2. Les photoautotrophes utilisent:
   a) la lumière comme source d'énergie et peuvent utiliser l'eau ou le sulfure d'hydrogène comme source d'électrons pour la production de composés organiques.
   b) la lumière comme source d'énergie et l'oxygène comme source d'électrons.
   c) des substances inorganiques comme source d'énergie et du CO_2 comme source de carbone.
   d) la lumière pour générer de l'ATP, mais requièrent des molécules organiques comme source de carbone.
   e) la lumière comme source d'énergie et le CO_2 pour réduire les nutriments organiques.

3. Laquelle des affirmations suivantes sur les groupes de Bactéries est *fausse* ?
   a) La composition lipidique de la membrane plasmique des Archaebactéries est différente de celle des Eubactéries.
   b) Les Archaebactéries et les Eubactéries se sont probablement différenciées très tôt dans l'histoire de l'évolution.
   c) Les Archaebactéries et les Eubactéries possèdent toutes les deux une paroi bactérienne, mais celle des Archaebactéries est dépourvue de peptidoglycane.
   d) Les trois groupes d'Archaebactéries vivant aujourd'hui sont anaérobies et pathogènes.
   e) Les Eubactéries englobent les Cyanobactéries.

4. Les personnes qui font leurs propres conserves cuisent les légumes peu acides à l'autocuiseur pour se protéger principalement contre:
   a) les Mycoplasmes.
   b) les Bactéries formant des endospores.
   c) les Entérobactéries.
   d) les Pseudomonas.
   e) les Actinomycètes.

5. Les premiers procaryotes étaient probablement:
   a) des Cyanobactéries.
   b) des chimiohétérotrophes qui utilisaient des composés organiques formés par voie abiotique.
   c) des organismes anaérobies capables de photosynthèse.
   d) des Mycoplasmes.
   e) des Bactéries parasites.

6. Les formations de fer rubanées dans les sédiments marins indiquent que:
   a) les Cyanobactéries produisaient probablement de l'oxygène pendant cette période.
   b) l'atmosphère primitive était très réductrice.
   c) les Bactéries pourpres sulfureuses étaient les organismes dominants dans les mers de cette époque.
   d) le pH des mers primitives était assez faible en raison de l'excrétion par les procaryotes d'acides organiques provenant de la fermentation.
   e) des plaques de colonies bactériennes formaient des stromatolithes.

7. Laquelle des affirmations suivantes sur les flagelles procaryotes est vraie?
   a) Les flagelles se composent de plusieurs microtubules de protéines entourés de la membrane plasmique.
   b) Toutes les Bactéries possèdent des flagelles.

c) Il n'y a toujours qu'un seul flagelle par cellule.

d) Le déplacement s'effectue par des mouvements d'aller-retour rappelant celui du fouet.

e) Le déplacement s'effectue par la rotation d'un filament semi-rigide de forme hélicoïdale.

8. L'action antibiotique de la pénicilline consiste principalement à empêcher la Bactérie de :

a) former des spores.

b) répliquer l'ADN.

c) synthétiser une paroi normale.

d) produire des ribosomes fonctionnels.

e) synthétiser de l'ATP.

9. Quelles Bactéries possèdent un mécanisme de photosynthèse qui ressemble à celui des Végétaux et qui libère de l'oxygène ?

a) Les Cyanobactéries.

b) Les Bactéries pourpres sulfureuses.

c) Les Archæbactéries.

d) Les Actinomycètes.

e) Les Bactéries chimioautotrophes.

10. Comment les Bactéries mobiles se déplacent-elles vers une substance chimique (chimiotaxie positive) ?

a) Elles effectuent un déplacement ininterrompu en direction d'une concentration toujours plus forte de la substance.

b) Elles font des courses plus longues quand elles se déplacent vers la substance chimique.

c) Elles effectuent plus de culbutes lorsqu'elles se déplacent vers la substance chimique.

d) Elles cessent complètement de se déplacer chaque fois qu'elles se trouvent en direction d'une concentration réduite de la substance chimique.

e) Elles dirigent le coup propulseur donné par le flagelle.

QUESTIONS À COURT DÉVELOPPEMENT

1. a) Comment la coloration de Gram nous permet-elle de distinguer les Bactéries à Gram positif des Bactéries à Gram négatif ?

b) Par quelles structures ces Bactéries diffèrent-elles principalement ?

2. a) Énumérez dans l'ordre les étapes évolutives du métabolisme des procaryotes.

b) Décrivez brièvement deux de ces étapes.

3. Donnez quatre façons par lesquelles les procaryotes jouent un rôle vital ou utilitaire dans notre vie ou dans notre environnement.

RÉFLEXION-APPLICATION

1. Les Bactéries fixatrices d'azote travaillent soit seules, soit en collaboration avec des Végétaux. Si vous étiez un ou une scientifique étudiant la biochimie de la fixation de l'azote, choisiriez-vous pour vos expériences des espèces solitaires ou des espèces symbiotiques ? Justifiez votre choix.

2. Lynn Margulis, de l'Université du Massachusetts, a indiqué que nous pourrions étudier la vie extraterrestre en déterminant tout simplement le mélange de gaz présents dans l'atmosphère des planètes. Si vous deviez mener une telle recherche, que chercheriez-vous ? Pourquoi ?

SCIENCE, TECHNOLOGIE ET SOCIÉTÉ

Malgré l'amélioration de l'hygiène et des antibiotiques, les gens continuent de contracter des maladies bactériennes, surtout dans les pays en voie de développement. Depuis quelque temps, aux États-Unis, les autorités de la santé s'inquiètent de la résurgence de la tuberculose, une maladie bactérienne propagée par des gouttelettes en suspension dans l'air. Leur préoccupation concerne surtout l'épidémie actuelle de tuberculose causée par des Bactéries résistantes aux médicaments habituels. Les médicaments peuvent soulager les symptômes en quelques semaines, mais l'éradication de l'infection exige beaucoup plus de temps ; les patients ont tendance à interrompre leur traitement alors qu'il reste encore des Bactéries dans leur organisme. Pourquoi les Bactéries peuvent-elles réinfecter un patient quand elles ne sont pas complètement éliminées ? Comment cela peut-il entraîner l'apparition de Bactéries résistantes aux médicaments ? Comment la pauvreté urbaine, l'itinérance, le sida et la toxicomanie pourraient-ils contribuer à une incidence accrue de la tuberculose ?

LECTURES SUGGÉRÉES

Bader, J.-M., « La protéine M de streptocoques », Science & Vie, n° 922, juillet 1994. (Cas isolés de gangrène streptococcique rapportés en Grande-Bretagne.)

Bader, J.-M., « Le choléra ne viendra pas jusqu'à nous », Science & Vie, n° 883, avril 1991. (Invasion de l'Amérique du Sud par le Vibrion « El Tor ».)

Bader, J.-M. et A. Dorozynski, « La revanche des microbes », Science & Vie, n° 904, janvier 1993. (Dossier constitué de quelques articles concernant la nouvelle menace bactérienne.)

Carmichael, W., « Les toxines des cyanobactéries », Pour la Science, n° 197, mars 1994. (Empoisonnement de l'eau destinée aux Animaux par des neurotoxines.)

Fischetti, V., « La protéine M de streptocoques », Pour la Science, n° 166, août 1991. (Molécules de surface permettant à ces Bactéries d'échapper aux défenses de l'hôte.)

Forterre, P., « Rencontre du troisième type : les archæbactéries », Science & Vie, hors série, n° 173, décembre 1990. (Bouleversement de la taxonomie traditionnelle suite à la découverte de ces Bactéries.)

Habert, P., « Film bactérien : le défi de l'ultrapropreté », La Recherche, n° 263, mars 1994. (Résistance bactérienne au nettoyage des ateliers agro-alimentaires et des instruments chirurgicaux.)

Lantiéri, M.-F., « L'allumeur des feux follets », Science & Vie, n° 874, juillet 1990. (Caractéristiques des Archæbactéries.)

Lengeler, J. W., « La nage des bactéries », La Recherche, n° 217, janvier 1990. (Une cascade de réactions chimiques depuis l'environnement jusqu'au flagelle.)

Moinet, J.-L., « Fromages : lait cru contre Listeria », Science & Vie, n° 899, août 1992. (Virulence de la Bactérie Listeria monocytogenes.)

Pelmont, J., Bactéries et environnement, Grenoble, PUG, 1993, 900 pages. (Ouvrage de référence exhaustif concernant les adaptations physiologiques des Bactéries.)

Rietschel, E. et H. Brade, « Les endotoxines bactériennes », Pour la Science, n° 180, octobre 1992. (Utilisation de certaines endotoxines dans la lutte antivirale et anticancéreuse.)

CARACTÉRISTIQUES DES PROTISTES

ORIGINE DES EUCARYOTES

FRONTIÈRES DU RÈGNE DES PROTISTES

PROTOZOAIRES

ALGUES

PROTISTES FONGIFORMES

ORIGINE DE L'ORGANISATION PLURICELLULAIRE

I l y a plus de trois cents ans, lorsque Antonie van Leeuwenhoek a découvert le monde microbien, il a écrit : « Je n'ai jamais rien vu d'aussi agréable que ces milliers d'êtres vivants réunis dans une seule petite goutte d'eau. » Tous les élèves peuvent redécouvrir ce monde fascinant en observant au microscope une goutte d'eau prélevée dans un étang, où pullulent toutes sortes de créatures du règne des Protistes (figure 26.1). La plupart des Protistes sont unicellulaires, mais il en existe aussi qui vivent groupés en colonies ; il y en a même certains qui présentent une organisation pluricellulaire où les tissus sont arrangés de façon relativement simple. Par exemple, selon le plan taxinomique retenu dans ce manuel, les Algues géantes connues sous le nom d'Algues marines appartiennent au règne des Protistes. Ces organismes, ainsi que d'autres organismes pluricellulaires, font partie de ce règne parce qu'on les croit davantage apparentés à certains Protistes unicellulaires qu'aux Végétaux, aux Mycètes ou aux Animaux.

Les Protistes sont des eucaryotes ; par conséquent, même les Protistes les plus simples dépassent en complexité les procaryotes du règne des Monères. Le mot « Protiste » lui-même fait référence à quelque chose de très ancien (du grec *prôtos* « premier »). C'est durant l'évolution des Protistes que les structures et processus propres à l'organisation des eucaryotes ont fait leur apparition : un vrai noyau, des mitochondries, des chloroplastes, un réticulum endoplasmique, un appareil de Golgi, des flagelles de type 9 + 2 et des cils (voir le chapitre 7), la mitose, la méiose et ainsi de suite. Les eucaryotes primitifs ont été les ancêtres non seulement de la grande variété des Protistes modernes, mais aussi des Végétaux, des Mycètes et des Animaux, les trois autres règnes des eucaryotes. Deux des chapitres les plus importants de l'histoire de la vie — l'origine des cellules eucaryotes et l'émergence ultérieure des eucaryotes pluricellulaires — se sont déroulés au cours de l'évolution des Protistes.

Dans ce chapitre, nous verrons les caractéristiques des Protistes, nous examinerons quelques théories sur l'origine des cellules eucaryotes, nous étudierons la diversité et l'importance des Protistes et, finalement, nous nous pencherons sur la phylogenèse à l'intérieur de ce règne ainsi que sur l'origine de l'organisation pluricellulaire.

CARACTÉRISTIQUES DES PROTISTES

L'anatomie cellulaire, les rôles écologiques et les cycles de développement varient tellement chez les Protistes qu'on peut difficilement citer des caractéristiques générales propres à tous ces organismes sans exception.

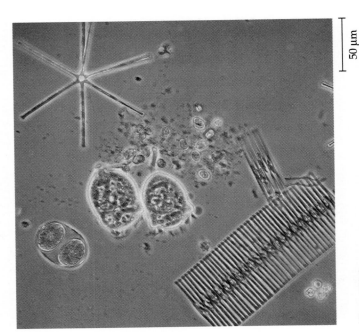

50 µm

Figure 26.1
Une goutte d'eau d'un étang, habitat d'une variété de Protistes. Ce chapitre traite de la diversité et de l'évolution du règne des Protistes.

On trouve les Protistes à peu près partout où il y a de l'eau. Ils forment un élément constitutif important du **plancton** (du grec *plágkton* « errant »), ce regroupement d'organismes microscopiques qui dérivent passivement ou nagent faiblement près de la surface des océans, des étangs et des lacs. Parmi les Protistes d'eau douce ou salée, on compte ceux qui vivent dans le fond de l'eau et qui se fixent aux rochers et à d'autres points d'ancrage ou qui rampent dans le sable et la vase. Au bord des lacs et des étangs, là où l'eau est la plus stagnante, on trouve un milieu particulièrement peuplé de Protistes. À ces endroits, les nappes flottantes de Protistes photosynthétiques filamenteux servent d'habitat et de nourriture à d'autres variétés de Protistes. On trouve également des Protistes dans les sols humides, les feuilles en décomposition et les autres habitats terrestres suffisamment humides. En plus de ces Protistes qui vivent à l'état libre, il en existe un grand nombre qui vivent comme symbiontes dans les liquides physiologiques, les tissus ou les cellules de différents hôtes. Les relations symbiotiques qu'entretiennent ces Protistes avec d'autres organismes vont du mutualisme au parasitisme. Certains Protistes parasites sont d'importants pathogènes pour les Animaux, et un grand nombre causent des maladies potentiellement mortelles chez l'Humain.

À peu près tous les Protistes ont un métabolisme aérobie où la respiration cellulaire s'effectue dans les mitochondries (quelques-uns n'ont pas de mitochondrie; dans ce cas, ils évoluent dans un environnement anaérobie ou pratiquent le mutualisme avec des Bactéries aérobies). La diversité nutritionnelle est plus grande dans le règne des Protistes que dans tout autre règne à l'exception de celui des Monères. Certains Protistes photoautotrophes possèdent des chloroplastes, tandis que d'autres sont hétérotrophes et absorbent des molécules organiques ou ingèrent des particules alimentaires plus volumineuses. D'autres encore, dits **mixotrophes**, tirent leur énergie à la fois de la photosynthèse *et* de la nutrition. Il arrive souvent que deux Protistes, l'un photoautotrophe et l'autre hétérotrophe, vivent en relation de mutualisme. Il est commode (bien qu'inadéquat sur le plan phylogénétique) de diviser les Protistes qui comme les Végétaux utilisent la photosynthèse (**Algues**); les Protistes qui comme les Animaux ingèrent leur nourriture (**Protozoaires**); les **Protistes fongiformes** qui utilisent l'absorption.

La plupart des organismes qui font partie du règne des Protistes possèdent des flagelles ou des cils vibratiles à un moment ou un autre de leur cycle de développement. Il importe de se rappeler que les flagelles des procaryotes diffèrent de ceux des eucaryotes. Les flagelles des Bactéries, constitués de la protéine appelée flagelline, sont fixés à la surface cellulaire (voir la figure 25.4), tandis que les flagelles et les cils des eucaryotes sont des prolongements cytoplasmiques contenant des faisceaux de microtubules recouverts par la membrane plasmique (voir la figure 7.31). Les cils et les flagelles des eucaryotes ont la même ultrastructure de base, mais les cils sont plus courts et nombreux que les flagelles. Ils déplacent la cellule par mouvements propulseurs rythmiques, semblables au mouvement imprimé par les rames d'une chaloupe (voir la figure 7.30).

Bien que tous les Protistes soient des eucaryotes, l'organisation de leur noyau et leur mode de division cellulaire présente une diversité déroutante. La mitose se produit dans la plupart des embranchements de Protistes, avec cependant beaucoup de variations qu'on ne trouve dans aucun autre règne. En outre, le mode de reproduction et le cycle de développement varient considérablement d'un Protiste à l'autre. Tous les Protistes peuvent se reproduire par voie sexuée ou asexuée. Certains peuvent aussi se reproduire par voie sexuée ou du moins utiliser la méiose et la fécondation (union de deux gamètes) pour échanger des gènes entre deux individus qui se reproduiront ensuite par voie asexuée. Au chapitre 12, vous avez étudié trois types de cycles de développement qui diffèrent quant au déroulement de la méiose et de la fécondation (voir la figure 12.5). On trouve ces trois types de cycle dans le règne des Protistes avec en plus des variations qui ne correspondent à aucun de ces cycles. À un moment ou un autre de leur cycle de développement, de nombreux Protistes forment des cellules résistantes appelées **kystes** qui survivent à des conditions extrêmes.

La plupart des Protistes étant unicellulaires, on les considère, à juste titre, comme les plus simples eucaryotes. Au niveau *cellulaire*, bon nombre de Protistes présentent une grande complexité. En fait, le règne des Protistes compte parmi ses membres les cellules les plus complexes. Rien d'étonnant quand on pense que chaque Protiste exécute avec sa seule et unique cellule toutes les fonctions fondamentales que les Animaux et les Plantes remplissent avec tout un ensemble de cellules spécialisées.

ORIGINE DES EUCARYOTES

Les premiers Protistes ont été aussi les premiers eucaryotes. Leur origine a constitué un des chapitres les plus importants de l'histoire des êtres vivants, il y a 1,5 milliard d'années environ. On a retrouvé dans des roches précambriennes des microfossiles datant de cette époque; il s'agit de vestiges d'enveloppes kystiques similaires à celles qui sont produites par les Algues contemporaines. Parmi les interrogations fondamentales de la biologie figurent les suivantes: quand et comment les cellules procaryotes simples se sont-elles transformées pour donner naissance aux cellules eucaryotes complexes, avec leur vrai noyau, leurs organites cytoplasmiques membraneux, etc.?

La petite taille et la structure relativement simple des cellules procaryotes offrent plusieurs avantages (voir le chapitre 25), mais elles limitent le nombre d'activités métaboliques qui peuvent se dérouler simultanément. La taille relativement petite du génome des procaryotes restreint le nombre de gènes qui codent pour les enzymes menant ces activités métaboliques. Cependant, chez certains groupes de procaryotes, la sélection naturelle a favorisé une complexité croissante (des niveaux d'organisation), ce qui a permis l'émergence de propriétés nouvelles. Ainsi, certains procaryotes unicellulaires ont subi une première transformation dans cette voie; ils ont acquis une organisation pluricellulaire à l'intérieur de laquelle certaines cellules procaryotes ont développé une

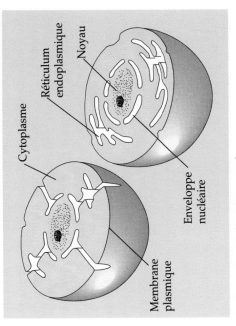

(a) Hypothèse de l'origine autogène

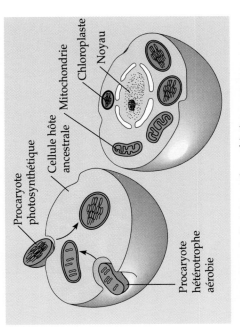

(b) Hypothèse de l'origine endosymbiotique

Figure 26.2
Hypothèses sur l'origine des eucaryotes. (a) Selon l'hypothèse de l'origine autogène, la complexité de la cellule eucaryote provient de l'invagination et de la spécialisation de la membrane plasmique. **(b)** Selon l'hypothèse de l'origine endosymbiotique, la cellule eucaryote a commencé par un conglomérat de procaryotes qui ont établi des relations symbiotiques. Les membranes internes des mitochondries et des chloroplastes sont peut-être les vestiges des membranes plasmiques d'anciens procaryotes qui auraient contaminé une cellule hôte plus grosse ou auraient été ingérés par elle.

spécialisation en vue d'accomplir des fonctions diffé-rentes. Les Cyanobactéries filamenteuses du tableau 25.1 constituent un exemple de cette première transformation. La seconde transformation subie par les procaryotes se traduit par la compartimentation intracellulaire ; cette organisation a fait apparaître de nouvelles structures des-tinées à des fonctions différentes. Ce processus évolutif a créé les premiers eucaryotes.

Au cours de leur évolution, les Protistes ont connu toutes sortes de modifications qui ont permis à certains d'entre eux de devenir les ancêtres des autres règnes des eucaryotes.

Hypothèses sur l'origine des eucaryotes

Il existe actuellement deux hypothèses sur l'origine des eucaryotes. Selon l'**hypothèse de l'origine autogène**, les cellules eucaryotes ont évolué par spécialisation de mem-branes internes issues à l'origine de la membrane plas-mique d'un procaryote (figure 26.2a). Selon ce modèle, les éléments du système de membranes internes, c'est-à-dire la membrane nucléaire, le réticulum endoplasmique, l'appareil de Golgi et les organites limités par une mem-brane simple (comme les lysosomes), proviennent de la différenciation de membranes invaginées. Les mitochon-dries et les chloroplastes auraient peut-être acquis leur double membrane par un processus d'invagination secon-daire ou par un repliement complexe des membranes.

Selon l'**hypothèse de l'origine endosymbiotique**, les cellules eucaryotes ont eu pour précurseurs des consor-tiums symbiotiques de cellules procaryotes, dont certaines espèces (appelées endosymbiontes) vivaient au sein de procaryotes plus gros (figure 26.2b). L'hypothèse de l'ori-gine endosymbiotique, approfondie par Lynn Margulis, se concentre sur l'origine des chloroplastes et des mito-chondries. Selon cette hypothèse, les chloroplastes pro-viennent de procaryotes photosynthétiques qui vivaient en tant qu'endosymbiontes à l'intérieur de cellules plus grandes. Quant aux mitochondries, elles proviendraient de Bactéries endosymbiotiques qui étaient des hétérotro-phes aérobies. C'est peut-être sous forme de proie non digérée ou de parasites internes qu'elles ont réussi à péné-trer la cellule plus grosse. Peu importe la façon dont la relation a commencé, on imagine facilement que la sym-biose a fini par devenir avantageuse pour les deux cel-lules. Ainsi, un hôte hétérotrophe pouvait détourner la nourriture fournie par des endosymbiontes photosynthé-tiques. De plus, dans un environnement qui contenait de plus en plus d'oxygène produit par les Cyanobactéries, une cellule pouvait tirer avantage des endosymbiontes aérobies qui lui fournissaient de l'oxygène. À la longue, les hôtes et les endosymbiontes devenant de plus en plus interdépendants, le conglomérat de procaryotes se serait graduellement fusionné en un seul et même organisme indivisible.

La possibilité de l'origine endosymbiotique des chlo-roplastes et des mitochondries s'appuie en partie sur l'existence de relations endosymbiotiques dans le monde d'aujourd'hui. Pour étayer leur hypothèse, les partisans de l'endosymbiose citent les similitudes de structure et de fonction entre, d'une part, certaines Eubactéries et, d'autre part, les chloroplastes et les mitochondries des eucaryotes. Les comparaisons montrent d'abord que les

chloroplastes et les mitochondries ont juste la taille qu'il faut pour être des descendants des Eubactéries. Ensuite, les membranes internes des chloroplastes et des mito-chondries, qui dérivent peut-être des membranes de pro-caryotes endosymbiotiques, possèdent plusieurs enzymes et mécanismes de transport qui ressemblent à ceux qui se trouvent dans les membranes plasmiques des procaryotes actuels. Aussi, les mitochondries et les chloroplastes se reproduisent par un processus de segmentation qui fait penser à la scissiparité des Bactéries. De plus, les chloro-plastes et les mitochondries possèdent, comme les pro-caryotes, un ADN circulaire non associé à des histones ou à d'autres protéines. Ils contiennent l'ARN de transfert, les ribosomes et d'autres molécules nécessaires à la transcrip-tion de l'ADN et à la traduction de leur ARN en protéines. En fait, certaines des sous-unités des cytochromes et des ATPases qui exercent une activité dans les chloroplastes

et les mitochondries se font synthétiser dans ces organites eux-mêmes. Sur le plan de la taille et des caractéristiques biochimiques, les ribosomes des chloroplastes ressemblent davantage aux ribosomes des procaryotes qu'aux ribosomes du cytoplasme des eucaryotes. Les ribosomes des mitochondries varient considérablement d'un groupe d'eucaryotes à l'autre. De façon générale, cependant, ils ressemblent davantage aux ribosomes des procaryotes qu'aux ribosomes du cytoplasme des eucaryotes.

Jusqu'à présent, les données limitées que nous apporte la biologie moléculaire laissent aussi supposer que les chloroplastes et les mitochondries viennent des Eubactéries. Des comparaisons entre les séquences de bases montrent que l'ARN ribosomique des chloroplastes, transcrit à partir des gènes de ces organites, ressemble davantage à l'ARN de certaines Eubactéries photosynthétiques qu'à l'ARN ribosomique du cytoplasme des eucaryotes, qui se fait transcrire à partir d'ADN nucléaire. Les comparaisons entre les séquences des bases donnent également à penser que l'ARN ribosomique des mitochondries provient d'Eubactéries, même si la ressemblance n'est pas aussi frappante qu'entre les chloroplastes et les Eubactéries.

Ceux qui n'adhèrent pas à l'hypothèse de l'origine endosymbiotique font remarquer que les chloroplastes et les mitochondries sont loin d'être génétiquement autonomes. La grande majorité des protéines qu'on trouve dans ces organites se font fabriquer par des gènes nucléaires. Sur ce point, les défenseurs de l'hypothèse endosymbiotique ripostent qu'un milliard d'années de coévolution ont suffi pour que la cellule hôte vienne à assurer un grand contrôle nucléaire sur ses endosymbiontes, soit à la suite de plusieurs mutations, soit plus probablement, grâce au transfert direct de l'ADN en provenance des endosymbiontes. En fait, la découverte des transposons (voir le chapitre 17) a démontré la mobilité étonnante de l'ADN à l'intérieur du génome nucléaire, sans compter que certaines données récentes indiquent que des gènes ont réussi à se déplacer entre le génome des organites et le noyau. En étudiant l'origine des eucaryotes, il faut comprendre que l'hypothèse de l'origine autogène et l'hypothèse de l'origine endosymbiotique ne s'excluent pas l'une l'autre. Il se peut effectivement que la membrane nucléaire et les autres membranes internes proviennent de la modification d'une cellule simple, *et* que les chloroplastes et les mitochondries soient nées d'endosymbiontes.

Pour qu'une théorie de la cellule eucaryote soit complète et détaillée, elle doit aussi tenir compte de l'évolution des flagelles et des cils de type 9 + 2. Les plus ardents défenseurs de l'hypothèse endosymbiotique supposent que les flagelles des eucaryotes étaient à l'origine des Spirochètes ou d'autres Bactéries mobiles fixées à une cellule hôte ; toutefois, cette hypothèse ne semble pas rallier tout le monde. L'évolution des flagelles eucaryotes a également à voir avec l'origine de la mitose et de la méiose, deux processus exclusifs aux eucaryotes et faisant eux aussi appel aux microtubules. La mitose a permis au gros génome du noyau eucaryote de se reproduire, et le mécanisme étroitement apparenté de la méiose est devenu essentiel à la reproduction sexuée des eucaryotes. Quand on compare les quatre règnes des eucaryotes, ce

sont les Protistes qui ont l'évolution sexuelle la plus variée. Vous aurez l'occasion d'en apprendre davantage à ce sujet dans la section suivante, qui examine les principaux embranchements des Protistes.

FRONTIÈRES DU RÈGNE DES PROTISTES

Il n'y a encore aucun consensus au sujet des groupes d'organismes qui devraient faire partie du règne des Protistes. Le problème vient apparemment du fait que les organismes pluricellulaires ont évolué en plusieurs temps au cours de l'histoire des Protistes. Leur évolution a donné naissance non seulement aux Végétaux, aux Mycètes et aux Animaux, mais aussi à des organismes pluricellulaires, comme les Algues marines, qui ne présentent pas les traits caractéristiques de ces trois règnes. Quand Robert H. Whittaker a proposé son système taxinomique à cinq règnes en 1969, il classait les eucaryotes unicellulaires dans un règne à part : le règne des Protistes. Depuis une vingtaine d'années, on a plutôt tendance à élargir les frontières du règne des Protistes et à y inclure certains embranchements d'organismes pluricellulaires qu'on classait auparavant avec les Végétaux ou les Mycètes mais qui semblent en fait avoir une parenté plus proche chez les organismes unicellulaires.

C'est ainsi que les Algues marines, dont le Varech et d'autres Algues pluricellulaires, sont passées du règne des Végétaux à celui des Protistes. Depuis qu'on l'a élargi, le règne des Protistes comprend aussi des embranchements d'organismes semblables aux Mycètes, comme les Myxomycètes, auxquels il manque d'importantes caractéristiques propres aux vrais Mycètes. Dans ce manuel, nous tenons compte de ces changements, bien qu'il faille admettre que toutes les frontières taxinomiques, surtout au-dessus du niveau des espèces, demeurent des lignes arbitraires tracées par des biologistes qui tentent d'ordonner la diversité de la vie. Ils cherchent à rendre la classification non seulement commode mais aussi pertinente que possible sur le plan phylogénétique.

En ce qui a trait à la morphologie et au mode de vie, les Protistes sont les organismes les plus diversifiés. Le règne des Protistes, tel que défini dans ce chapitre, inclut des organismes aussi différents que l'Amibe et le Varech géant. Au total, plus de 60 000 espèces de Protistes encore existants ont été décrites, et il en existe à peu près autant sous forme fossile. La taxinomie des Protistes change continuellement, et les taxinomistes ne s'entendent pas sur le nombre d'embranchements et sur leur nom. Par exemple, on classait autrefois tous les organismes unicellulaires munis de pseudopodes dans l'embranchement des Sarcodinés, alors qu'on répartit aujourd'hui ces organismes dans au moins trois embranchements : les Rhizopodes, les Actinopodes et les Foraminifères. Nous étudierons une sélection de 17 embranchements de Protistes (certains taxinomistes en définissent jusqu'à 45) groupés sous trois catégories simples : les Protozoaires, les Algues et les Protistes semblables aux Mycètes. Ces trois catégories simplifieront notre étude de la diversité des Protistes, mais il ne faut pas oublier qu'elles ne reflètent *pas* les liens évolutifs. Par exemple, un Myxomycète ressemble à un Mycète dans la seule mesure où une Baleine ressemble à un Poisson : cette ressemblance est due à une évolution

Tableau 26.1 Quelques embranchements de Protozoaires (Protistes à caractère animal ; principal mode de nutrition : ingestion)

Embranchement	Description sommaire
Rhizopodes	Amibes avec ou sans coque ; se servent de larges pseudopodes pour se déplacer et se nourrir.
Actinopodes	Même habitat que le plancton ; forme habituellement sphérique et symétrique ; se nourrissent grâce à des axopodes (minces pseudopodes rayonnants) soutenus par des microtubules internes ; les Radiolaires possèdent un squelette de silice, tandis que les Héliozoaires n'en possèdent pas.
Foraminifères	Possèdent une coque calcaire d'où sortent des pseudopodes interreliés qui servent à la nutrition et à la locomotion.
Apicomplexes	Auparavant appelés Sporozoaires ; ces parasites effectuent des cycles de développement comportant des stades sexués et asexués à l'intérieur de plusieurs hôtes animaux.
Zoomastigophores	Aussi appelés Zooflagellés ; utilisent des flagelles pour se déplacer et se nourrir ; la plupart sont unicellulaires, certains vivent en colonies.
Ciliophores	Aussi appelés Ciliés ; utilisent des cils pour se déplacer et se nourrir ; la plupart sont unicellulaires, quelques espèces sessiles vivent en colonies.

convergente. De plus, dans plusieurs embranchements, il y a à la fois des organismes photosynthétiques et des hétérotrophes. En réalité, il n'existe pas de dichotomie entre les Protozoaires et les Algues. En tenant compte de ces réserves, commençons notre tour d'horizon des principaux embranchements de Protistes.

PROTOZOAIRES

Signifiant «premiers Animaux», le terme *Protozoaires* est impropre dans le contexte de la taxinomie à cinq règnes. On l'utilise encore pour désigner simplement les Protistes qui vivent principalement en ingérant leur nourriture, un mode de nutrition plutôt animal. Ces hétérotrophes recherchent activement leur nourriture parmi les Bactéries, les autres Protistes et les **détritus** (déchets organiques). Certains Protozoaires vivent en symbiontes, notamment certains parasites responsables de maladies chez l'Humain. Le tableau 26.1 montre que les Protozoaires se classent principalement selon leur mode de nutrition ou de locomotion.

Rhizopodes

Les membres de l'embranchement des Rhizopodes, les **Amibes** et leurs proches parents, sont tous unicellulaires. Avec ou sans coque (ou test), ils figurent parmi les Protistes les plus simples (figure 26.3). L'Amibe ne possède un flagelle à aucun stade de son développement. Elle utilise plutôt des prolongements cytoplasmiques appelés **pseudopodes** pour se déplacer et se nourrir. Vous avez probablement observé au laboratoire ce mode de locomotion propre à l'Amibe (*Amœba proteus*), qui est une des cellules les plus flexibles. Ses pseudopodes peuvent surgir de n'importe quel point de la surface cellulaire. Lorsqu'elle se déplace, l'Amibe étire un pseudopode et en ancre l'extrémité, ce qui crée un mouvement du cytoplasme vers le pseudopode (*Rhizopoda* signifie «pied en forme de racine»). Le cytosquelette, constitué de microtubules et de microfilaments, sert aux mouvements amibiens. Le mouvement des pseudopodes semble désordonné, mais l'Amibe fait preuve de taxie quand elle rampe lentement pour atteindre une source de nourriture.

Les organismes de cet embranchement n'utilisent ni la méiose, ni un mode de reproduction sexué. Ils se reproduisent de façon asexuée grâce à divers mécanismes de division cellulaire. Des fuseaux mitotiques se forment, mais les stades typiques de la mitose ne se produisent pas chez la plupart d'entre eux. Par exemple, chez un grand nombre de genres, la membrane nucléaire persiste durant la division cellulaire.

Les Amibes vivent en eau douce, dans les milieux marins et dans le sol. La plupart des Amibes vivent à l'état libre, mais certaines sont d'importants parasites, tel *Entamœba histolytica* qui cause la dysenterie amibienne chez l'Humain. Ces organismes se propagent dans l'eau potable, les aliments et les ustensiles contaminés.

Actinopodes

Le terme actinopode (*Actinopoda* signifie «pieds en rayon») fait référence aux pseudopodes minces appelés axopodes qui rayonnent des splendides Protistes composant cet embranchement (figure 26.4). Un faisceau de microtubules recouvert d'une mince couche de cytoplasme renforce chaque axopode. Les axopodes augmentent la surface cellulaire en contact avec l'eau qui l'entoure, favorisent la flottaison et permettent à la cellule de se nourrir. De petits Protistes et d'autres microorganismes restent pris entre les axopodes et sont phagocytés par la mince couche de cytoplasme. La cyclose (courant cytoplasmique) transporte ensuite la proie à l'intérieur de la cellule.

La plupart des actinopodes sont des composants du plancton. La plupart des **Héliozoaires** («Animaux en forme de soleil») vivent en eau douce, tandis que les **Radiolaires** sont surtout marins. Le terme *radiolaire* désigne plusieurs groupes d'organismes qui diffèrent parfois considérablement les uns des autres. Toutefois, ils possèdent tous une coque délicate, le plus souvent à base de silice, le matériau du verre. Lorsque les Radiolaires meurent, leurs coques se déposent au fond de la mer où elles s'accumulent sous forme de boue qui peut atteindre plusieurs centaines de mètres d'épaisseur par endroits.

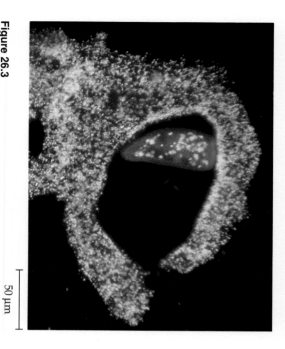

Figure 26.3
Rhizopodes. Une Amibe ingère une proie (un Cilié) par phagocytose en l'englobant avec ses pseudopodes (MP).

50 μm

Foraminifères

Exclusivement marins, les **Foraminifères** vivent presque tous dans le sable ou se fixent aux rochers et aux Algues. Certaines familles de Foraminifères abondent également dans le plancton. Cet embranchement doit son nom aux coques poreuses des organismes qu'il englobe (du latin *foramen* « petit trou », et *ferre* « porter »). La coque d'un Foraminifère possède habituellement plusieurs compartiments et se compose de matériaux organiques renforcés avec du trioxocarbonate de calcium (CaCO₃). Des fibres du cytoplasme sortent par les pores et permettent à l'orga-

nisme de nager, d'assurer la formation de la coque et de se nourrir. Un grand nombre de Foraminifères se nourrissent également des produits de la photosynthèse élaborés par les Algues qui vivent en symbiose sous leur coque.

Quatre-vingt-dix pour cent de tous les Foraminifères identifiés sont fossiles. Par conséquent, on trouve un grand nombre de leurs coques dans les sédiments marins, y compris dans des roches sédimentaires qui ont émergé, comme les falaises crayeuses de Douvres, en Angleterre (figure 26.5). Ces fossiles sont d'excellents marqueurs pour la datation comparative de roches sédimentaires de différentes parties du monde (voir le chapitre 23).

Apicomplexes

Les membres de l'embranchement des Apicomplexes, qu'on appelait autrefois Sporozoaires, sont tous des parasites d'Animaux ; certains causent de graves maladies chez l'Humain. Ces parasites disséminent de minuscules cellules infectieuses appelées **sporozoïtes.** Au microscope électronique, on observe un complexe d'organites à l'extrémité apicale de la cellule sporozoïte, d'où le nom d'Apicomplexe. La fonction de ces organites consiste à pénétrer les cellules et les tissus de l'hôte. La plupart des Apicomplexes ont besoin de deux ou plusieurs espèces d'hôtes différents pour compléter leur cycle de développement qui comporte des stades sexués et asexués. Un exemple de ce phénomène se trouve chez le genre *Plasmodium*, l'agent du paludisme (figure 26.6). Dans les années 1960, deux facteurs ont grandement contribué à diminuer l'incidence du paludisme : la réduction à l'aide d'insecticides des populations du Moustique *Anophèle*, qui transmet la maladie par piqûre et l'arrivée de médicaments qui tuent les parasites chez l'Humain. Cependant,

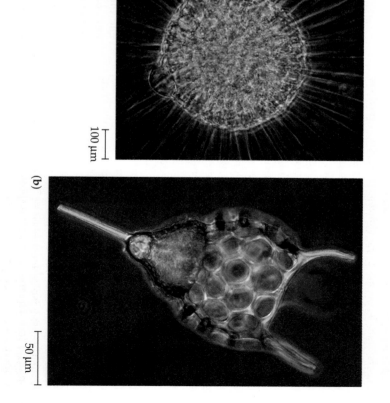

(a)

100 μm

(b)

50 μm

Figure 26.4
Actinopodes. (a) Les Héliozoaires vivent principalement en eau douce et utilisent des axopodes rigides pour se nourrir (MP). **(b)** La plupart des Radiolaires vivent en milieu marin et possèdent une coque siliceuse dont la forme varie d'une espèce à l'autre (MP).

10 µm

(a)

(b)

la multiplication de souches résistantes de Moustiques et de *Plasmodium* ont provoqué un nouvel essor de la mala-die. Chaque année, plus de 200 millions de personnes contractent la maladie sous les tropiques, et au moins un million en meurent en Afrique.

On a mené d'importantes recherches pour découvrir des vaccins antipaludéens, sans réel succès. *Plasmodium* est un parasite extrêmement fuyant, puisqu'il vit la plu-part du temps à l'abri du système immunitaire dans le foie et les globules rouges. En outre, *Plasmodium* peut modifier ses protéines de surface ; ce changement d'appa-rence lui permet de ne pas se faire reconnaître par le sys-tème immunitaire de la personne infectée.

Zoomastigophores

L'embranchement des Zoomastigophores se nomme ainsi à cause de l'aspect des flagelles de ces Protozoaires, qui rappellent des fouets (du grec *mastix* « fouet »). Ils portent aussi le nom de **Zooflagellés**. Ces hétérotrophes absor-bent des molécules organiques qu'ils trouvent dans leur environnement ou phagocytent leur proie. Bien que la plupart de ces microorganismes vivent seuls, certains for-ment des colonies. Il existe des Zooflagellés qui vivent en symbiontes, d'autres à l'état libre. Certains flagellés sym-biontes, par exemple, vivent dans l'intestin du Termite et digèrent la cellulose du bois que son hôte ronge. À l'autre extrême des relations symbiotiques se trouvent des Zoo-flagellés parasites, dont certains s'avèrent pathogènes chez l'Humain. Les Zooflagellés du genre *Trypanosoma* causent la maladie du sommeil (trypanosomiase humaine africaine) qui se transmet par la piqûre de la Mouche Tsé-Tsé (figure 26.7).

Ciliophores

Les différents Protistes regroupés sous l'embranchement des Ciliophores utilisent des cils pour se déplacer et se nourrir. La majorité des Ciliophores, qu'on nomme aussi **Ciliés**, vivent isolés en eau douce. Contrairement à la plupart des flagelles, les cils sont relativement courts et battent de façon synchronisée. Ils possèdent une infra-

ciliature sous-membranaire de microtubules qui effectue la coordination de milliers de cils. Certains Ciliés parais-sent complètement couverts de rangées de cils, tandis que d'autres ont leurs cils groupés en rangées moins nom-breuses ou en touffes. Grâce à ces arrangements spécifi-ques de cils, les Ciliés sont adaptés à leur environnement. Certaines espèces, par exemple, se déplacent rapidement grâce à un arrangement de cils qui forment une sorte de vrille servant de propulseur. D'autres espèces, comme celles du genre *Stentor*, possèdent des rangées de cils bien tassés qui, collectivement, servent de membranelles loco-motrices. Les Ciliés font probablement partie des cellules les plus complexes (figure 26.8).

Les Ciliés possèdent une caractéristique génétique exclusive : ils ont deux types de noyaux : un gros **macro-nucleus** et, habituellement, plusieurs petits **micronuclei** (micronucleus). Le macronucleus possède 50 copies ou plus du génome. Les gènes ne sont pas assemblés en chro-mosomes ordinaires ; ils sont réunis en un grand nombre de petites unités contenant chacune des centaines de copies d'une petite quantité de gènes. Le macronucleus régit les fonctions quotidiennes de la cellule en synthé-tisant de l'ARN et intervient dans la reproduction asexuée. Les Ciliés se reproduisent généralement par scis-siparité, durant laquelle le macronucleus s'allonge et se divise, et non par mitose. Les micronuclei (au nombre de 1 à 80 chez certaines espèces de *Paramecium*) n'intervien-nent pas dans la croissance, le soutien ou la reproduction asexuée, mais ils sont essentiels aux processus sexués qui engendrent des variations génétiques. Le transfert des gènes se produit durant le processus de **conjugaison,** reproduit à la figure 26.9. Les processus de la méiose et de la fécondation sont donc indépendants de la reproduction chez les Ciliés.

ALGUES

Les embranchements des Algues comprennent principale-ment des organismes photosynthétiques, mais certains regroupent des organismes hétérotrophes ou mixotrophes. À l'exception des Cyanobactéries procaryotes (autrefois

④ Le Moustique pique une autre personne et lui transmet les sporozoïtes de *Plasmodium*.

③ On assiste au développement d'un ookyste autour du zygote, dans la paroi intestinale du Moustique. Des milliers de sporozoïtes se développent dans l'ookyste et migrent ensuite vers les glandes salivaires du Moustique.

Zygote

FÉCONDATION

MOUSTIQUE

Sporozoïtes

Ookyste

② Dans les voies digestives du Moustique, les gamètes se forment, la fécondation se produit et un zygote apparaît. Le zygote est le seul stade diploïde du cycle de développement.

Gamètes

♂

♀

① Un Moustique femelle du genre *Anopheles* pique une personne souffrant de paludisme et recueille, avec le sang de la personne, des gamontes de *Plasmodium*.

HUMAIN

Foie

Cellule du foie

⑤ Les sporozoïtes entrent dans les cellules hépatiques de la victime. Après quelques jours, ils se divisent plusieurs fois et deviennent des schizozoïtes, qui infectent alors les globules rouges de la victime (voir la MET ci-dessous).

Schizozoïtes

Globules rouges

Gamonte

⑦ Certains schizozoïtes se divisent et forment des gamontes ; le cycle de développement se complète par la piqûre d'un nouveau Moustique femelle.

⑥ Les schizozoïtes grossissent et se divisent par voie asexuée. On obtient un grand nombre de nouveaux schizozoïtes sortant des globules rouges à intervalles de 48 à 72 heures (selon l'espèce). C'est pourquoi la victime ressent des frissons et de la fièvre périodiquement. De plus, certains schizozoïtes infectent de nouveaux globules rouges.

0,5 µm

Figure 26.6
Cycle de développement de *Plasmodium*, agent du paludisme.

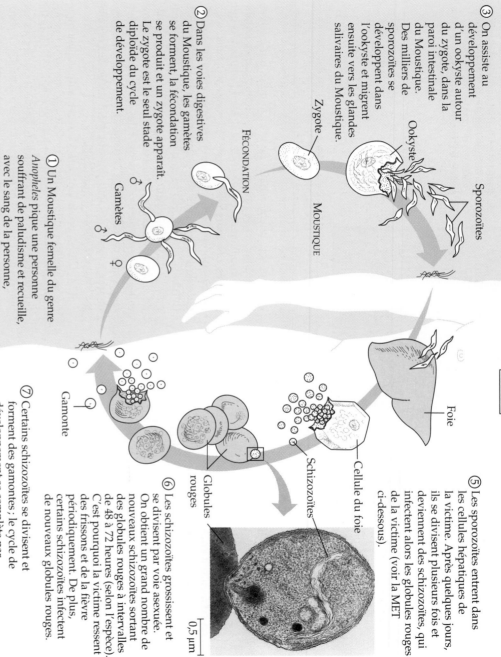

Figure 26.7
Zoomastigophores (Zooflagellés).

(a) *Trichonympha*, un des flagellés symbiontes qui habitent l'intestin des Termites (MP). La région postérieure de la cellule contient des particules de bois en cours de digestion. **(b)** *Trypanosoma*, vu dans le sang humain. Ce flagellé cause la maladie du sommeil (MEB). La composition moléculaire de l'enveloppe de ces agents pathogènes change fréquemment, empêchant l'hôte d'acquérir une immunité.

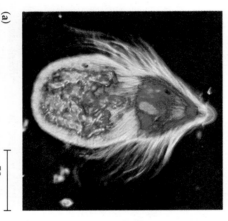

(a)

50 µm

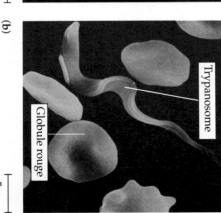

(b)

5 µm

Trypanosome

Globule rouge

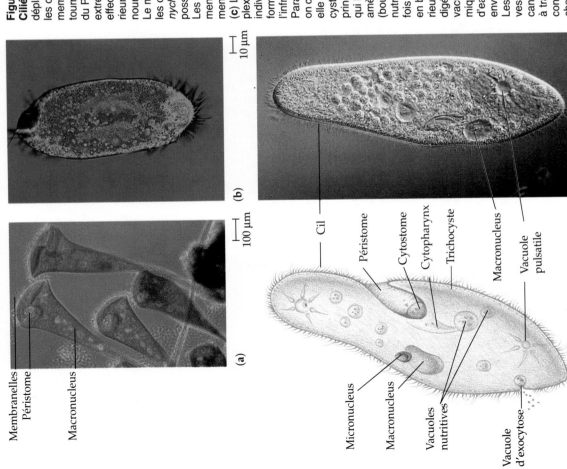

Figure 26.8

Ciliés. (a) Le Cilié d'eau douce *Stentor* se déplace à l'aide de cils individuels répartis sur les côtés de la cellule et à l'aide de rangées de membranelles, en forme de nageoires, qui tournent en spirale autour de l'extrémité élargie du Protozoaire (MP). *Stentor* fixe souvent son extrémité étroite (postérieure) sur des débris et effectue un mouvement des membranelles antérieures, ce qui cause un tourbillon amenant la nourriture vers la cavité buccale (ou péristome). Le macronucleus ressemble à un collier de perles occupant la longueur de la cellule. **(b)** *Stylonychia* appartient à un groupe de Ciliés qui ne possèdent souvent aucun cil individuel (MP). Les cils du côté du péristome sont unis et forment des vrilles. Ces Ciliés se déplacent rapidement sur la membrane plasmique grâce à des broyat et se nourrissent de débris organiques. **(c)** La *Paramécie*, un bon exemple de la complexité des Ciliés, est couvert de milliers de cils individuels (MP). Des trichocystes, organites en forme de bâtonnet extensible, s'insèrent dans l'infraciliature. En présence de prédateurs, la Paramécie les projette, mais ils ont peu d'effet; on croit qu'ils servent à stabiliser la cellule quand elle se nourrit. Chez d'autres genres, les trichocystes sont toxiques. La Paramécie se nourrit principalement de Bactéries. Les rangées de cils qui longent le péristome (en forme d'entonnoir) amènent la nourriture jusqu'au cystotome (bouche) où elle se fait phagocyter. Les vacuoles nutritives se combinent à des lysosomes et, une fois la nourriture digérée, elles suivent un trajet en boucle qui les conduit de l'extrémité antérieure à l'extrémité postérieure. Les restes non digérés sont évacués à cet endroit lorsque les vacuoles fusionnent avec la membrane plasmique. La Paramécie, comme d'autres Protistes d'eau douce, absorbe constamment l'eau de son environnement hypotonique par osmose. Les vacuoles pulsatiles, un peu comme des vessies, accumulent l'excès d'eau par des canaux radiaires et l'évacuent périodiquement à travers la membrane plasmique grâce à des contractions du cytoplasme environnant (voir le chapitre 8).

Membranelles
Péristome
Macronucleus

100 μm

10 μm

(a)

(b)

50 μm

Micronucleus
Macronucleus
Vacuoles nutritives
Vacuole d'exocytose

Cil
Péristome
Cytostome
Cytopharynx
Trichocyste
Macronucleus
Vacuole pulsatile

(c)

---

appelées Algues bleu-vert), tous les organismes groupés sous le générique Algue appartiennent au règne des Protistes, selon la taxinomie employée dans ce manuel. Certains biologistes préfèrent encore placer certains embranchements d'organismes pluricellulaires dans le règne des Végétaux, en particulier les Chlorophytes (Algues vertes), les Rhodophytes (Algues rouges) et les Phéophytes (Algues brunes).

Les Algues constituent un important maillon de l'équilibre écologique. À l'échelle globale, à peu près la moitié des substances organiques produites par photosynthèse proviennent des Algues. Qu'il s'agisse de phytoplancton d'eau douce, de phytoplancton d'eau salée ou d'Algues marines, les Algues sont à la base des chaînes alimentaires aquatiques et nourrissent d'innombrables consommateurs primaires, microscopiques ou non.

Toutes les Algues possèdent de la chlorophylle *a*, le pigment essentiel à la photosynthèse qu'on trouve aussi dans les Cyanobactéries et les Végétaux. Cependant, les Algues diffèrent par leurs pigments accessoires, ces pig-

ments qui captent certaines longueurs d'ondes de lumière peu absorbées par la chlorophylle *a* (figure 10.8). Les pigments accessoires comprennent d'autres formes de chlorophylle (verdâtre), des caroténoïdes (jaune orangé), des xanthophylles (brunâtre) et des phycobilines (variétés de rouge et de bleu). La couleur de chaque sorte d'Algue dépend du mélange de pigments contenus dans les chloroplastes. Les termes communs et scientifiques qu'on utilise pour désigner les embranchements d'Algues renvoient d'ailleurs souvent à la couleur de l'Algue (par exemple, les Algues vertes font partie des Chlorophytes). L'étude des pigments a permis d'établir des affinités taxinomiques entre les Algues. D'autres éléments ayant fait avancer la taxinomie ont été obtenus grâce à des études sur la structure des chloroplastes; la composition chimique des parois cellulaires (certains embranchements contiennent des Algues ne possédant pas de paroi); le nombre de flagelles, leur type et leur position; le type de nourriture emmagasinée par la cellule (tableau 26.2). Les embranchements d'Algues que nous

Chapitre 26: Les Protistes et l'origine des eucaryotes **541**

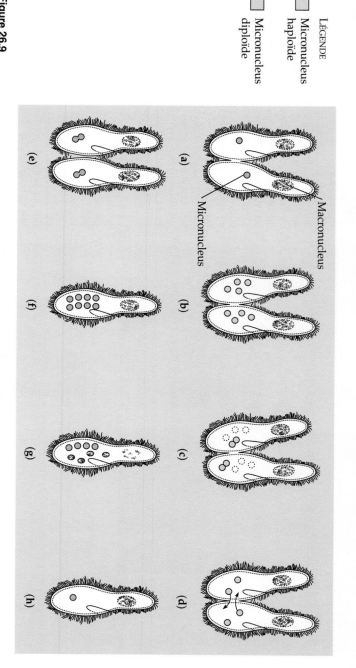

Figure 26.9

Conjugaison de *Paramecium caudatum*. (a) Deux cellules de souches compatibles s'accolent et fusionnent partiellement. Dans chaque cellule, tous les micronuclei diploïdes se désintègrent sauf un. (b) Le micronucleus restant subit une méiose qui donne naissance à quatre micronuclei. (c) L'un d'eux se divise par mitose pendant que les trois autres se désintègrent. (d) Les partenaires échangent un micronucleus. (e) La fécondation se produit quand le micronucleus qui reste fusionne avec celui qu'elle reçoit de son par- tenaire. Il se forme alors un noyau diploïde contenant un mélange chromosomique provenant des deux cellules, puis les partenaires se séparent. (f) Dans chaque cellule, le nouveau micronucleus se divise par mitose plusieurs fois, jusqu'à ce qu'il y ait huit micronuclei identiques. (g) Par la suite, le macronucleus se désintègre. Quatre micronuclei deviennent de nouveaux macronuclei à la suite de réplications répétées de l'ADN, sans division nucléaire. Les quatre autres micronuclei ne se transforment pas. (h) Après deux divisions cellulaires (sans division nucléaire), chacun des quatre nouveaux macronuclei s'unit à un des quatre micronuclei pour former quatre nouvelles cellules (cela se produit chez chacun des partenaires ayant participé à la conjugaison ; on ne voit ici qu'une seule des quatre cellules produites par un partenaire). Il faut noter que les huit cellules finales de la conjugaison sont génétiquement identiques. Cependant, elles présentent une composition génétique différente de celle des deux cellules mères qui ont participé à la conjugaison.

décrirons ici nous donnerons une vue générale de la diversité de leurs formes. Nous verrons, notamment, la diversité des cycles de développement des Algues (revoir, au chapitre 12, les cycles de développement).

Pyrrhophytes

Les **Pyrrhophytes** sont abondantes dans les vastes étendues d'Algues microscopiques qui nagent près de la surface de la mer. Ces Algues composent le phytoplancton, qui constitue la base de presque toutes les chaînes alimentaires marines (figure 26.10). Les Dinoflagellés sont la classe la plus connue parmi les Pyrrhophytes.

Quand les Dinoflagellés subissent des épisodes d'explosion démographique, on observe des marées rouges dans les eaux chaudes des côtes. La couleur brun-rouge de ces marées vient de la xanthophylle qui prédomine dans les chloroplastes de ces organismes. Lorsqu'ils se nourrissent de ces Dinoflagellés, les Mollusques filtreurs, telles les Huîtres, emmagasinent aussi les composés toxiques libérés par les cellules des Dinoflagellés. Ces toxines sont extrêmement dangereuses pour l'Humain qui se nourrit d'Invertébrés contaminés. Par conséquent, des règlements défendent souvent aux pêcheurs de ramasser les Mollusques durant les marées rouges, afin de prévenir les intoxications alimentaires.

Certains Dinoflagellés vivent en mutualisme avec des Animaux appelés Cnidaires qui érigent les récifs coralliens. D'autres Dinoflagellés n'ont pas de chloroplastes et parasitent des Animaux marins. Certaines espèces, même, sont carnivores. Le fait qu'il existe des formes photosynthétiques et hétérotrophes suffisamment apparentées pour appartenir au même embranchement vient appuyer l'opinion émise un peu plus tôt, selon laquelle les termes Protozoaires et Algues, bien que passés à l'usage, n'ont pas de fondement phylogénétique.

La plupart des milliers d'espèces de Dinoflagellés connues sont unicellulaires, les autres vivant en colonie. Chaque espèce a une forme caractéristique renforcée par des plaques internes de cellulose. Des sillons cellulosiques retiennent les deux flagelles perpendiculaires dont le mouvement produit un tourbillon, d'où le nom de ces organismes (du grec *dinos* «tourbillon»).

Chez le Dinoflagellé, la structure du noyau et la division nucléaire durant la reproduction asexuée sont inhabituelles (voir la figure 11.13).

Chrysophytes

Aussi appelées Algues dorées, les Chrysophytes (du grec *khrusos* «or») portent ce nom à cause de leur couleur brun-jaune due aux caroténoïdes et aux xanthophylles,

542

Tableau 26.2 Caractéristiques des Algues (Protistes à caractère végétal; principal mode de nutrition: photosynthèse)

Embranchement	Nombre d'espèces approximatif	Couleur prédominante (pigments photosynthétiques)	Réserve glucidique	Nombre de flagelles et position	Composition de la paroi cellulaire	Habitat
Pyrrhophytes (Dinoflagellés)	1100	Brun (chlorophylle *a*, chlorophylle *c*, caroténoïdes, xanthophylles)	Amidon (polymère ramifié de glucose α)	1 latéral 1 postérieur	Plaques de cellulose sous la membrane plasmique	Eau salée et eau douce
Chrysophytes (Algues dorées)	850	Jaune doré (chlorophylle *a*, souvent chlorophylle *c*, caroténoïdes, xanthophylles)	Laminarine (polymère de glucose β)	1 ou 2, aux extrémités	Composés de pectine et de silice	Surtout eau douce
Bacillariophytes (Diatomées)	10 000	Jaune ou brun (chlorophylle *a*, chlorophylle *c*, caroténoïdes, xanthophylles)	Leucosine (polymère de glucose β)	1 sur le gamète mâle seulement	Silice hydratée dans un substrat organique	Eau douce et eau salée
Euglénophytes (*Euglena* et genres apparentés)	800	Vert (chlorophylle *a*, chlorophylle *b*, caroténoïdes, xanthophylles)	Paramylon (polymère de glucose β)	1 à 3, aux extrémités	Pas de paroi cellulaire; plaques de protéines sous la membrane plasmique	Surtout eau douce
Chlorophytes (Algues vertes)	7000	Vert (chlorophylle *a*, chlorophylle *b*, caroténoïdes)	Amidon	2 ou plus, aux extrémités ou près de celles-ci	Cellulose	Eau douce surtout, mais parfois eau salée
Phéophytes (Algues brunes)	1500	Jaune à brun (chlorophylle *a*, chlorophylle *c*, caroténoïdes, xanthophylles)	Laminarine (polymère de glucose β)	2 latéraux sur le gamète mâle seulement	Cellulose et autres polysaccharides	Presque toutes eau salée; prospères dans les océans froids
Rhodophytes (Algues rouges)	4000	Rouge à noir (chlorophylle *a*, caroténoïdes, phycobilines, parfois chlorophylle *d*)	Amidon floridéen (polymère ramifié de glucose α, qui se colore comme du glycogène)	aucun	Cellulose et autres polysaccharides	Eau salée surtout, eau douce parfois; beaucoup d'espèces tropicales

des pigments accessoires. Une Chrysophyte possède deux flagelles fixés près d'une des extrémités de la cellule. Les **Algues dorées** vivent parmi le plancton d'eau douce. La plupart des espèces se tiennent en colonies (figure 26.11). Dans les marais et les lacs qui gèlent en hiver ou s'assèchent en été, les Algues dorées survivent en formant des kystes, d'où les cellules actives émergent lorsque les conditions redeviennent favorables. Des microfossiles qui ressemblent à des kystes brisés de

Chrysophytes et d'autres Algues ont été trouvés dans des roches précambriennes.

Bacillariophytes

Les membres de l'embranchement des Bacillariophytes, ou **Diatomées,** sont jaunes ou bruns. Ils possèdent les mêmes pigments photosynthétiques que les Algues dorées. Les deux groupes, d'ailleurs, ont déjà fait partie

Chapitre 26: Les Protistes et l'origine des eucaryotes **543**

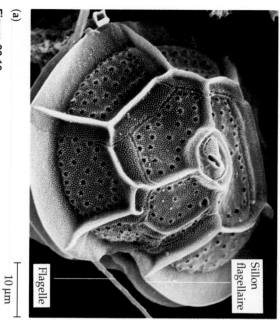

(a)

Flagelle

Sillon flagellaire

10 μm

(b)

100 μm

Figure 26.10
Dinoflagelles. Ces Algues unicellulaires se caractérisent par une paire de flagelles qui prennent racine dans deux sillons perpendiculaires. Le battement des flagelles permet à la cellule d'effectuer des vrilles en nageant. Chaque espèce possède une paroi interne de forme distincte. **(a)** *Gonyaulax tamarensis* (MEB). **(b)** *Ceratium* (MP).

du même embranchement. La plupart des phycologues (spécialistes de l'étude des Algues) placent les Diatomées dans un embranchement distinct, car elles possèdent une structure cellulaire et des cycles de développement particuliers. Les Diatomées ont une paroi unique en son genre, semblable au verre et constituée de silice hydratée enchâssée dans une matrice organique (figure 26.12). Cette paroi se compose de deux parties qui s'imbriquent l'une dans l'autre, comme une boîte de Pétri. Beaucoup de Diatomées se déplacent en glissant grâce à l'osmose et aux substances visqueuses sécrétées à travers les pores de leur paroi.

Pendant presque toute l'année, les Diatomées se reproduisent de façon asexuée par mitose : chaque cellule fille reçoit la moitié de la paroi de la cellule mère et fabrique elle-même la section manquante. Certaines espèces passent par des stades de résistance où elles forment des kystes. La reproduction sexuée, plutôt rare, nécessite la formation de gamètes mâles (chacun muni d'un flagelle) ou de gamètes femelles par méiose. Les gamètes mâles sont d'ailleurs les seules cellules flagellées de cet embranchement. Les Diatomées abondent dans le plancton d'eau douce et d'eau salée. Par exemple, un seau rempli d'eau recueillie à la surface de la mer peut contenir des millions de ces Algues microscopiques. Les espèces vivant parmi le plancton emmagasinent des réserves alimentaires sous forme d'huile, ce qui permet à la cellule d'augmenter sa flottabilité pour contrer la masse relativement élevée de sa paroi. Les Diatomées peuvent ainsi demeurer près de la surface de l'eau.

Les parois fossilisées des Diatomées, qui se sont accumulées massivement au cours des siècles, constituent la majeure partie de la roche sédimentaire nommée diatomite. On extrait cette roche parce qu'elle présente d'excellentes propriétés absorbantes et abrasives, entre autres choses.

Euglénophytes

Les membres les plus connus de l'embranchement des Euglénophytes appartiennent au genre *Euglena*. Ce sont de minuscules flagellés verts qui abondent dans les eaux stagnantes troubles (figure 26.13). Les pigments des Euglénophytes sont les mêmes que ceux des Chlorophytes (Algues vertes). Toutefois, la ressemblance entre ces deux embranchements s'arrête là. Par exemple, la cellule d'un Euglénophyte possède une cuticule interne élastique faite de protéines plutôt qu'une paroi de cellulose. Il

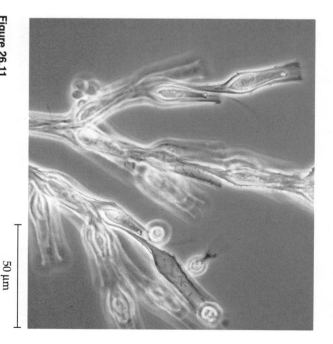

Figure 26.11
Algue dorée. *Dinobryon*, organisme d'eau douce, est une des nombreuses Algues dorées qui vivent en colonies.

50 μm

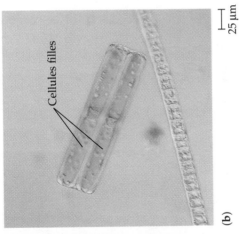

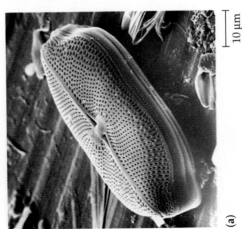

25 μm

10 μm

Cellules filles

(a)

(b)

Figure 26.12
Diatomées. (a) Cette coque vitreuse se compose de deux moitiés qui s'assemblent comme une boîte de Pétri. Les petits pores de cette coque servent à divers échanges entre la cellule et son environnement. La forme de la coque et le motif de ses pores permettent la classification des Diatomées. Il s'agit ici de l'espèce *Navicula monilifera* (MEB). **(b)** Vue latérale de *Pinnularia*. La cellule mère vient de subir une mitose (MP). Chaque cellule fille possède la moitié de la paroi de la cellule mère et doit ériger une nouvelle paroi complémentaire.

se meut grâce à un flagelle qui porte des fibrilles latérales disposées en hélice.

Les Euglénophytes ont un mode de nutrition varié. En présence de lumière, l'*Euglène* utilise ses chloroplastes et se nourrit par photosynthèse. Cependant, cet organisme n'est pas complètement autotrophe, puisqu'il a besoin d'infimes quantités de vitamine B_{12}. En l'absence de lumière, l'*Euglène* devient hétérotrophe et ingère des particules alimentaires par phagocytose. En fait, certaines espèces entièrement hétérotrophes de cet embranchement ne possèdent pas de chloroplastes. Les Euglénophytes nous rappellent encore qu'il n'existe pas de distinction phylogénétique précise entre les Protozoaires et les Algues unicellulaires.

Chlorophytes

Les membres de cet embranchement, dont le nom vient de la couleur verte de leurs chloroplastes (du grec *khlôros* «vert»), ont une ultrastructure et une composition pigmentaire qui les font ressembler davantage aux Végétaux. En effet, la plupart des botanistes croient que les ancêtres des Végétaux sont les Algues vertes (Chlorophytes). Nous examinerons les fondements de cette hypothèse au chapitre 27. Pour l'instant, étudions la diversité des Chlorophytes modernes.

On a identifié plus de 7000 espèces d'**Algues vertes.** La plupart vivent en eau douce, mais on trouve également un grand nombre d'espèces marines. Différentes espèces d'Algues vertes unicellulaires partagent le même habitat que le plancton, vivent dans les sols humides ou la neige, ou occupent les cellules ou les cavités de Protozoaires et d'Invertébrés, où elles vivent en symbiose photosynthétique et contribuent à l'apport alimentaire de leur hôte (voir la figure 29.11d). Certaines Algues vertes vivent aussi en symbiose avec des Mycètes; elles forment une association fondée sur le mutualisme et connue sous le nom de **Lichen** (voir le chapitre 28). Les Algues vertes les plus simples sont unicellulaires et possèdent deux flagelles comme *Chlamydomonas*, qui ressemble aux gamètes des Algues vertes plus complexes.

Certaines espèces vivent en colonies. Un grand nombre d'entre elles ont une forme filamenteuse. Il existe

même des Algues vertes véritablement pluricellulaires, comme *Ulva*; elles sont tellement grosses et complexes que certains auteurs les classent parmi les Végétaux. La ressemblance se limite toutefois à l'analogie. En effet, même les Algues les plus complexes ressemblent davantage aux Algues unicellulaires qu'aux Végétaux.

Les Algues vertes coloniales et pluricellulaires viennent probablement de l'évolution de leurs ancêtres unicellulaires flagellés. Durant cette évolution, la cellule a grossi et s'est complexifiée de trois façons: (1) la formation de colonies de cellules individuelles, comme *Volvox* (figure 26.14a); (2) la division répétée des noyaux sans division cytoplasmique, comme le font les filaments plurinucléés de *Bryopsis* (figure 26.14b); (3) l'apparition de formes pluricellulaires précises, comme *Ulva* (voir la figure 26.16).

La plupart des Algues vertes ont un cycle de développement complexe qui comprend des stades de reproduction sexuée et asexuée. Elles peuvent presque toutes se reproduire de façon sexuée en formant des gamètes à deux flagelles qui ont des chloroplastes en forme de godet. Seules les Algues qui se reproduisent par **conjugaison** font exception, comme *Spirogyra* (voir la figure 26.14c), qui produit des gamètes aux mouvements amiboïdes. Cette particularité est suffisante pour que certains phycologues classent les Algues qui se conjuguent dans un embranchement séparé.

Examinons le cycle de développement de *Chlamydomonas* (figure 26.15). L'organisme mature est une cellule haploïde simple. Quand elle se reproduit par voie asexuée, la cellule résorbe ses flagelles et effectue deux divisions mitotiques qui donnent quatre cellules (certaines espèces en produisent plus). Ces cellules filles se dotent de flagelles et d'une paroi, puis sortent de l'enveloppe parentale qui les contenait; elles nagent alors des zoospores. Elles deviennent ensuite des cellules haploïdes matures, ce qui complète le cycle asexué. Par ailleurs, un manque de nutriments, l'assèchement de l'étang ou certaines conditions stressantes déclenchent la reproduction sexuée. La mitose produit un grand nombre de gamètes haploïdes à l'intérieur de la cellule mère. Une fois relâchés, les gamètes de souches opposées (désignées par + et −) s'apparient en

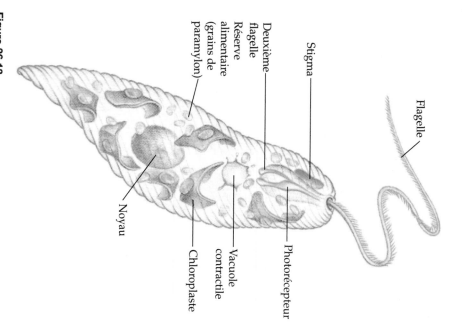

Flagelle
Stigma
Photorécepteur
Deuxième flagelle
Réserve alimentaire (grains de paramylon)
Vacuole contractile
Chloroplaste
Noyau

Figure 26.13
Euglène. Cette Algue unicellulaire, mobile et pourvue de chloroplastes, utilise son long flagelle pour se déplacer. Près de la base du flagelle se trouve un organite constitué de carotène, le stigma, qui sert d'écran à la lumière. Selon la position de l'organisme, le stigma permet seulement à la lumière provenant d'une certaine direction de frapper un photorécepteur, qui se présente sous la forme d'un renflement près de la base du long flagelle. Ces structures semblent intervenir dans la phototaxie, processus important pour ces Algues photosynthétiques. L'*Euglène* n'a pas de paroi cellulaire, mais possède un revêtement souple et résistant composé de protéines sous la membrane plasmique.

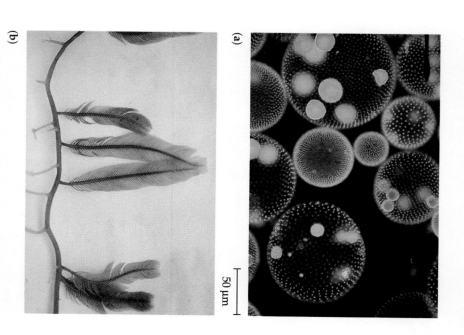

s'accrochant par le bout de leurs flagelles. Les gamètes sont indifférenciables sur le plan morphologique et ils s'unissent par **isogamie,** ce qui signifie littéralement « mariage de deux égaux ». Ils fusionnent lentement et forment un zygote diploïde qui sécrète une enveloppe solide le protégeant des agressions. Lorsque le zygote sort de sa période d'inactivité, la méiose produit quatre cellules haploïdes (deux de chaque souche) qui sortent de l'enveloppe et deviennent, à leur tour, des cellules matures. Le cycle de développement sexué se complète ainsi.

Même si plusieurs caractéristiques sexuelles de *Chlamydomonas* semblent primitives, le processus sexuel s'est toutefois raffiné pendant l'évolution des Chlorophytes. Certaines Algues vertes, par exemple, produisent des gamètes dont la morphologie diffère de celle des cellules végétatives. Chez d'autres espèces, c'est la taille et la morphologie des gamètes mâles et femelles qui varient (**anisogamie**). Chez beaucoup d'espèces, un gamète mâle (anthérozoïde) flagellé fertilise un gamète femelle (oosphère) non mobile (**oogamie**).

(a)
50 µm
(b)
(c)
50 µm

Figure 26.14
Algues vertes pluricellulaires vivant en colonies. (**a**) Les espèces de *Volvox* sont des Chlorophytes qui vivent en colonies dans les eaux douces (MP). La colonie forme une sphère creuse, dont la paroi se compose de centaines ou de milliers de cellules à deux flagelles enchâssées dans une matrice gélatineuse. Les cellules sont habituellement reliées entre elles par des filets de cytoplasme (isolées, elles ne peuvent se reproduire). Les grosses colonies montrées ici finiront par libérer les petites « colonies filles » vertes et rouges. (**b**) Les espèces de *Bryopsis* vivent dans les zones marines intertidales. Elles se composent de filaments ramifiés qui ne possèdent pas de paroi intercellulaire et sont plurinucléées. (**c**) Une *Spirogyra* comporte des cellules mononucléées formant de longs filaments non ramifiés (MP). Chaque cellule possède un ou plusieurs chloroplastes en forme de spirale. Les filaments s'allongent et se fragmentent pendant la division mitotique des cellules. Pendant la reproduction sexuée, qu'on peut observer ci-dessus, les cellules de filaments adjacents s'unissent grâce à des tubes de conjugaison.

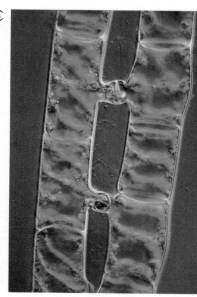

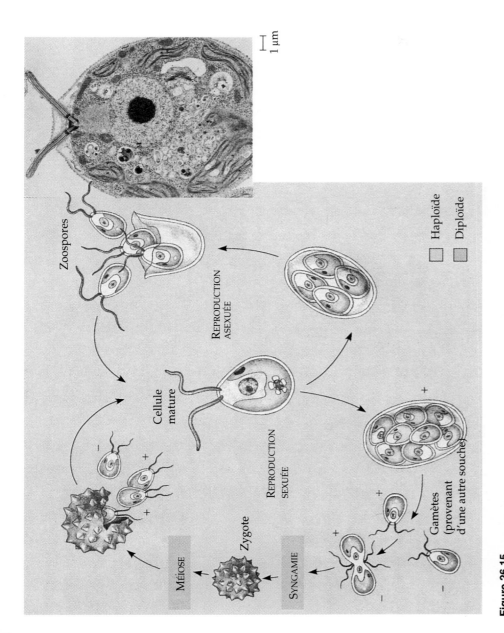

Figure 26.15
Cycle de développement de *Chlamydomonas*. Cette Algue verte utilise autant la reproduction sexuée qu'asexuée. La morphologie des gamètes est identique (une caractéristique portant le nom d'isogamie). Lorsque la fécondation fait intervenir des isogamètes plutôt qu'un gamète mâle distinct du gamète femelle, on parle généralement de syngamie. La photographie montre une cellule végétative, avant la reproduction (MP).

Zoospores

REPRODUCTION ASEXUÉE

Cellule mature

REPRODUCTION SEXUÉE

Gamètes (provenant d'une autre souche)

MÉIOSE

Zygote

SYNGAMIE

☐ Haploïde
☐ Diploïde

Le cycle de développement de certaines Algues vertes pluricellulaires fait intervenir une phase haploïde qui alterne avec une phase diploïde où chaque cellule d'une phase devient une cellule de l'autre phase. Un exemple de ce phénomène appelé **alternance de générations** ressort du cycle de développement de *Ulva*, la Laitue de mer (figure 26.16). Cette Algue forme des lames vertes et minces à bords ondulés, constituées de deux couches de cellules; elle se fixe aux rochers dans les zones intertidales. Pour chaque espèce de *Ulva*, il existe deux formes qui ont pratiquement la même apparence macroscopique, mais dont le nombre de chromosomes diffère. Les organismes haploïdes s'appellent **gamétophytes** parce qu'ils produisent des gamètes (par mitose et non par méiose), alors que les organismes diploïdes s'appellent **sporophytes** parce qu'ils produisent des cellules reproductrices appelées spores (par méiose). Pendant les périodes de marées très basses ou très hautes, les cellules qui se situent en marge des formes haploïdes et diploïdes se reproduisent. Le gamétophyte libère des gamètes (semblables à ceux de *Chlamydomonas*; voir la figure 26.15) qui nagent et, attirés l'un vers l'autre, fusionnent en syngamie. Les zygotes diploïdes qui en résultent nagent un moment, s'installent

à la surface des rochers, résorbent leurs flagelles et se transforment, après division, en sporophytes pluricellulaires. Le sporophyte, lui, libère des zoospores qui portent quatre flagelles chacun et qui nagent afin de s'installer finalement sur des rochers et se transformer en gamétophytes. Le phénomène de l'alternance de générations, qui a contribué à l'évolution des Végétaux (voir le chapitre 27), s'étend aux Algues vertes, aux Algues brunes et aux Algues rouges.

Adaptation des Algues marines au cours de l'évolution

L'Algue verte du genre *Ulva* fait partie des Algues marines, lesquelles englobent certaines grandes Algues qui appartiennent aux embranchements des Chlorophytes (Algues vertes), des Phéophytes (Algues brunes) et des Rhodophytes (Algues rouges). Les Algues marines vivent dans l'eau des zones côtières intertidales et infratidales avec un grand nombre d'Animaux et d'autres hétérotrophes se nourrissant d'Algues (voir la figure 46.18).

La zone intertidale offre des défis uniques aux organismes y vivant. Lorsque la nature se déchaîne, ils sont

Chapitre 26 : Les Protistes et l'origine des eucaryotes **547**

fouettés par les vagues et le vent. Deux fois par jour, à marée basse, les Algues marines intertidales perdent leur environnement liquide et se trouvent exposées à l'air desséchant et aux rayons du soleil. Deux fois par jour, à marée haute cette fois, jusqu'à 5 m d'eau recouvrent ces mêmes Algues. Toutefois, les Algues marines possèdent une constitution anatomique et biochimique exceptionnellement bien adaptée qui leur permet de survivre et de se développer dans cet environnement rude et constamment bouleversé.

De tous les Protistes, les Algues pluricellulaires présentent l'anatomie la plus complexe. Certaines espèces possèdent même des tissus différenciés et des organes qui ressemblent à ceux des Végétaux. Toutefois, biologiquement parlant, il s'agit d'une analogie (voir le chapitre 23). En effet, les Algues marines s'apparentent davantage aux organismes unicellulaires de leur embranchement qu'aux Végétaux. En outre, leur anatomie s'est complexifiée de façon indépendante. On utilise le terme **thalle** (du grec *thallos* «rameau, pousse») pour décrire l'appareil végétatif d'une Algue marine qui ressemble à un Végétal, mais qui ne possède ni racines, ni tiges, ni feuilles. Un thalle d'Algue marine se compose d'un **crampon**, semblable à une racine, qui le fixe à un **stipe**, semblable à une tige, qui supporte des **frondes** semblables à des feuilles (figure 26.17). La fronde fournit la plus grande partie de la surface de photosynthèse. Certaines

Algues brunes possèdent des vésicules aérifères qui maintiennent les frondes près de la surface de l'eau.

En plus de ces adaptations d'ordre structural, certaines Algues rouges et brunes présentent des caractéristiques chimiques qui leur permettent de faire face aux conditions intertidales et infratidales. Par exemple, leur paroi cellulaire contient de la cellulose et un gel de polysaccharides qui donnent à ces Algues un aspect typiquement visqueux et caoutchouté. Ces substances protègent le thalle contre l'agitation des vagues et l'empêchent de se dessécher à marée basse. Certaines Algues rouges des zones intertidales et infratidales accumulent dans leur paroi cellulaire de grandes quantités de carbonate de calcium, dont le goût éloigne pratiquement tous les Invertébrés marins qui veulent s'en nourrir.

Les habitants des régions côtières, surtout en Asie, récoltent les Algues marines pour s'en nourrir. Au Japon et en Corée, par exemple, l'Algue brune *Laminaria* sert à faire des soupes (le «kombu» japonais) et l'Algue rouge *Porphyra* (le «nori» japonais) sert à envelopper les sushis. Les Algues marines sont riches en iode et en d'autres minéraux essentiels, mais une bonne partie de la matière organique qu'elles contiennent sont des polysaccharides que l'Humain ne peut digérer. On les utilise surtout pour leurs riches saveurs et leurs textures inhabituelles. On extrait à des fins commerciales les substances productrices de gel contenues dans leur paroi cellulaire (l'algine

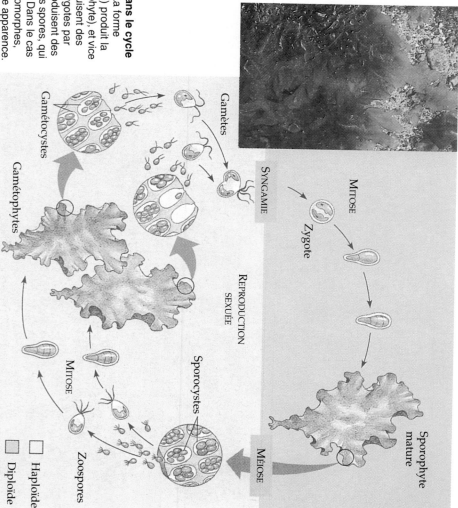

Figure 26.16
Alternance de générations dans le cycle de développement de *Ulva*. La forme haploïde sexuée (gamétophyte) produit la forme diploïde asexuée (sporophyte), et vice versa. Les gamétophytes produisent des gamètes qui deviennent des zygotes par syngamie. Les sporophytes produisent des cellules reproductrices appelées spores, qui deviennent des gamétophytes. Dans le cas d'*Ulva*, les deux formes sont isomorphes, c'est-à-dire qu'elles ont la même apparence.

Figure 26.17
Les Algues marines, des organismes bien adaptés à la vie littorale. *Postelsia* est une Algue brune de l'embranchement des Phéophytes. Elle vit sur les rochers qui subissent un violent ressac, le long des côtes nord-ouest des États-Unis et du Canada. Le thalle de cette Algue est bien adapté aux conditions extrêmes de son milieu : il parvient à se cramponner fermement aux rochers.

Figure 26.18
Algues brunes. Les grands lits de Varech des eaux côtières tempérées fournissent habitat et nourriture à divers organismes, dont un grand nombre de Poissons pêchés par l'Humain. Cette Algue, *Macrocystis*, se trouve un peu partout sur la côte pacifique des États-Unis ; elle croît jusqu'à plus de 60 m en une seule saison (il s'agit de la croissance linéaire la plus rapide de tous les organismes). Le Varech est une ressource renouvelable, dont la partie supérieure est récoltée par des bateaux spéciaux.

dans le cas de l'Algue brune, l'agar-agar et la carragénine dans le cas de l'Algue rouge). On les utilise beaucoup dans la fabrication des épaississants qui entrent dans la composition d'aliments préparés comme les poudings et les vinaigrettes, et dans la fabrication de lubrifiants servant au forage pétrolier. L'agar-agar compose également la gélose qui sert de milieu de culture en microbiologie.

Maintenant, terminons notre étude des Algues en jetant un coup d'œil aux deux embranchements dont font partie la plupart des Algues marines : les Phéophytes et les Rhodophytes.

Phéophytes

Les Protistes les plus grands et les plus complexes font partie de l'embranchement des Phéophytes (du grec *phaios* « brun »), ou **Algues brunes.** Ces Algues doivent leur couleur brune ou olive aux pigments de leurs chloroplastes. Toutes les Algues brunes, incluant les Algues marines les plus complexes, sont pluricellulaires, et la plupart d'entre elles vivent en eau salée. L'Algue marine *Postelsia* (figure 26.17) en est un exemple. Les Algues brunes abondent tout particulièrement sur les côtes tempérées, en eau froide.

Au-delà de la zone intertidale, en eau plus profonde, on trouve l'Algue marine géante appelée Varech (figure 26.18). Son stipe peut atteindre une hauteur de 100 m. Les glucides produits par photosynthèse dans ses frondes s'acheminent vers le crampon dans des cellules tubulaires semblables à celles du tissu vasculaire des Végétaux. Cette ressemblance est une analogie due à une évolution convergente.

L'évolution a donné naissance à divers cycles biologiques chez les Phéophytes. La plupart des espèces se reproduisent par alternance de générations, où se succèdent un stade gamétophyte haploïde et un stade sporophyte diploïde. Dans certains cas, les deux générations sont **isomorphes,** ce qui signifie que le gamétophyte et le sporophyte ont la même apparence (de la même façon que chez les Algues vertes *Ulva*). Dans d'autres cas, comme dans le cycle de développement de *Laminaria* (figure 26.19), le gamétophyte et le sporophyte sont **hétéromorphes,** c'est-à-dire d'apparence différente. En fait, chez certaines espèces d'Algues brunes, les deux générations différent tellement qu'il faut déployer un grand sens de l'observation pour arriver à constater que les deux types de thalles appartiennent à la même espèce.

Rhodophytes

La majorité des Rhodophytes, ou **Algues rouges,** vivent dans l'océan, mais certaines espèces vivent en eau douce ou dans le sol. C'est le pigment accessoire appelé phycoérythrine qui donne la couleur rougeâtre à la plupart des Rhodophytes (du grec *rhodon* « rose »). Ce pigment appartient à la famille des phycobilines, qu'on trouve seulement dans les Algues rouges et les Cyanobactéries. Les Algues rouges vivent surtout dans les eaux côtières des tropiques. Chez certaines espèces, divers pigments accessoires permettent de capter, en eau profonde, les longueurs d'onde de la lumière correspondant au bleu et au vert. On a fait la découverte, récemment, d'une espèce d'Algue rouge vivant à une profondeur de plus de 260 m près des Bahamas.

Malgré leur nom, les Rhodophytes ne sont pas tous rouges et certains individus d'une même espèce peuvent modifier leur pigmentation, afin d'optimiser la photosynthèse, selon la profondeur. Ainsi, des individus d'une même espèce peuvent être noirs en eau profonde, rouge

Figure 26.19
Alternance de générations dans le cycle de développement de Laminaria. ① Le sporophyte de cette Algue marine vit habituellement juste sous la ligne des plus basses marées, fixé aux rochers par son crampon ramifié. ② Tôt au printemps, à la fin de la principale saison de croissance, les cellules à la surface des frondes deviennent des sporocystes. ③ Les sporocystes produisent deux types de zoospores par méiose. ④ Un des deux types produit des gamétophytes mâles, l'autre des gamétophytes femelles. Les gamétophytes ne ressemblent en rien aux sporophytes, puisque ce sont de petits filaments ramifiés qui croissent, souvent entremêlés, à la surface des rochers en zone infratidale. ⑤ Les gamétophytes mâles libèrent des anthérozoïdes et les gamétophytes femelles produisent des oosphères qui restent fixées au gamétophyte. ⑥ Les anthérozoïdes fécondent les oosphères. ⑦ Les zygotes deviennent de nouveaux sporophytes, qui commencent leur vie attachés aux restes du gamétophyte femelle. Le cycle de développement de Laminaria illustre l'alternance de générations hétéromorphes, où le sporophyte et le gamétophyte sont nettement différents. Ce cycle contraste avec les générations isomorphes d'Ulva (figure 26.16).

vif à des profondeurs moyennes et verdâtres en eau peu profonde, la phycoérythrine masquant le vert de la chlorophylle se faisant moins abondante. Certaines espèces tropicales n'ont même aucune pigmentation et vivent en parasites hétérotrophes d'autres Algues rouges.

La plupart des Algues rouges sont pluricellulaires. Les plus grandes d'entre elles font partie, tout comme les Algues brunes, du groupe des Algues marines, bien qu'aucune Algue rouge ne rivalise en taille avec les Algues brunes géantes. Chez un grand nombre d'Algues rouges, le thalle filamenteux se ramifie fortement et s'entrelace en de fins motifs de dentelles (figure 26.20). La base du thalle se termine habituellement par un crampon.

Les Algues rouges présentent une variété de cycles de développement. Contrairement à d'autres Algues, les Algues rouges ne comportent aucun stade flagellé. Les gamètes dépendent du courant de l'eau pour s'unir. L'alternance de générations est fréquente chez les Algues rouges. Cependant, on ne connaît les détails de la reproduction et du cycle de développement que chez quelques espèces.

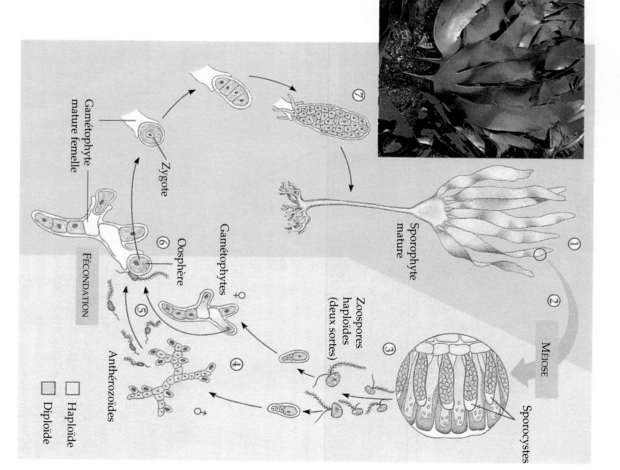

Méiose

Sporophyte mature

Sporocystes

Zoospores haploïdes (deux sortes)

Gamétophytes

Anthérozoïdes

♂

♀

Oosphère

FÉCONDATION

Zygote

Gamétophyte mature femelle

☐ Haploïde
☐ Diploïde

Origine de la diversité chez les Algues

D'après l'hypothèse de l'origine endosymbiotique, les chloroplastes proviendraient d'au moins trois ancêtres distincts qui étaient peut-être différents procaryotes endosymbiotiques. Les sortes de pigments photosynthétiques ainsi que la structure des chloroplastes permettent de diviser les Algues selon trois lignées : une lignée rouge (Rhodophytes), une lignée verte (Chlorophytes) et une lignée brune (Phéophytes). Il existe entre les chloroplastes des Algues rouges et ceux des Cyanobactéries une ressemblance frappante en ce qui concerne l'arrangement des thylakoïdes et la composition pigmentaire. Selon plusieurs défenseurs de l'hypothèse endosymbiotique, les Algues rouges descendent d'un procaryote qui dépendait d'un endosymbionte photosynthétique, la Cyanobactérie. Les chloroplastes des Algues vertes, eux, ressemblent plus à un procaryote photosynthétique appelé *Prochlorothrix*, une Eubactérie vert pré contenant de la chlorophylle *a*. *Prochlorothrix* est un des rares procaryotes à contenir de la chlorophylle *b*, un pigment accessoire qu'on trouve aussi dans les Algues vertes

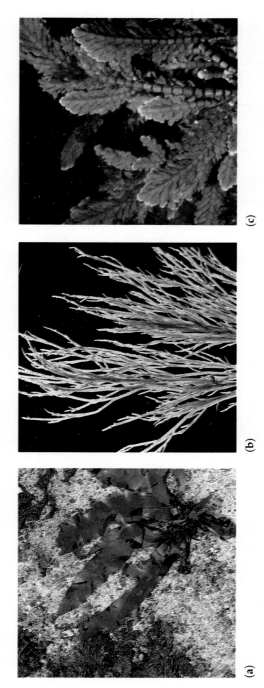

(a)

(b)

(c)

Figure 26.20
Algues rouges. (a) *Rhodymenia palmata* est une espèce comestible ayant la forme d'une feuille. **(b)** Le genre *Polysiphonia* représente des Algues rouges filamenteuses et buisson-nantes. **(c)** On trouve cette espèce de *Corallina* dans les grands récifs de Corail.

et les Végétaux. Il se peut qu'un ancien procaryote semblable à *Prochlorothrix* ait été l'ancêtre endosymbiotique des chloroplastes des Chlorophytes. Chez les Phéophytes, les thylakoïdes se présentent généralement en piles de trois ; la chlorophylle *c* ainsi que des xanthophylles typiques s'y trouvent comme pigments accessoires. Les biologistes cherchent activement les procaryotes actuels qui pourraient s'apparenter aux ancêtres procaryotes possibles des chloroplastes bruns.

PROTISTES FONGIFORMES

Les Protistes fongiformes demeurent une énigme taxinomique, même si la nouvelle classification comprend cinq règnes au lieu de deux. Les Protistes fongiformes ressemblent aux Mycètes par l'apparence et le mode de vie, mais ces similarités résultent d'une convergence évolutive. En ce qui concerne leur organisation cellulaire, leur mode de reproduction et leur cycle de développement, les Protistes fongiformes sont effectivement différents des Mycètes et se rapprochent probablement davantage des Protistes amiboïdes. Les embranchements que nous décrivons ici font maintenant partie des Protistes, même si ce sont encore des mycologues (biologistes spécialisés dans l'étude des Mycètes ; du grec *mukês* «champignon») qui en font l'étude (tableau 26.3, page 554).

Myxomycètes

L'embranchement des Myxomycètes comprend des organismes hétérotrophes plasmodiaux dont un grand nombre possèdent une pigmentation brillante, habituellement jaune ou orange. Durant le stade de croissance de leur cycle de développement, ils se présentent sous forme d'une masse amiboïde appelée **plasmode**, qui peut atteindre un diamètre de plusieurs centimètres (figure 26.21). Aussi gros soit-il, le plasmode n'est pas pluricellulaire ; il constitue plutôt un cénocyte, c'est-à-dire un continuum de cytoplasme à plusieurs noyaux qui n'est pas séparé

par des membranes ou des parois. Chez la plupart des espèces, les noyaux du plasmode sont diploïdes et les divisions se font de façon synchronisée. Ainsi, chacun des milliers de noyaux exécute chaque phase de la mitose au même moment. C'est pourquoi on utilise les Myxomycètes pour étudier les détails moléculaires de la mitose (voir le chapitre 11). À l'intérieur des fins canaux du plasmode, le cytoplasme circule dans un sens puis dans l'autre, selon un mouvement pulsatile très beau à observer au microscope. Il semble que ce courant cytoplasmique favorise la distribution des nutriments et de l'oxygène. Pour assurer sa croissance, le plasmode étend ses pseudopodes dans le sol humide, le paillis de feuilles ou le bois pourri, et il englobe les particules alimentaires par phagocytose. Lorsque l'habitat d'un Myxomycète commence à s'assécher ou qu'il y manque de nourriture, le plasmode cesse de croître et se différencie, entrant dans un stade de reproduction sexuée.

Acrasiomycètes

Les organismes de cet embranchement nous obligent à soulever une question de sémantique importante : les cellules des Acrasiomycètes conservent leur identité et demeurent séparées par leur membrane. Pendant le stade de croissance de leur cycle de développement, les Acrasiomycètes fonctionnent en cellules individuelles. Par contre, quand il n'y a plus de nourriture, les cellules se groupent en un amas (pseudoplasmode) qui fonctionne comme une unité (figure 26.22). Bien que cette masse cellulaire ressemble au plasmode d'un Myxomycète, elle s'en distingue par une caractéristique importante : les cellules des Acrasiomycètes conservent leur identité et demeurent séparées par leur membrane.

En plus de ne pas former de cénocyte, les Acrasiomycètes se distinguent des Myxomycètes par d'autres aspects. Les Acrasiomycètes sont des organismes haploïdes, tandis que la plupart des Myxomycètes présentent surtout la forme diploïde durant leur cycle de développement (comparez les figures 26.21 et 26.22). En outre, les Acrasiomycètes ont un appareil sporifère (sporocarpe)

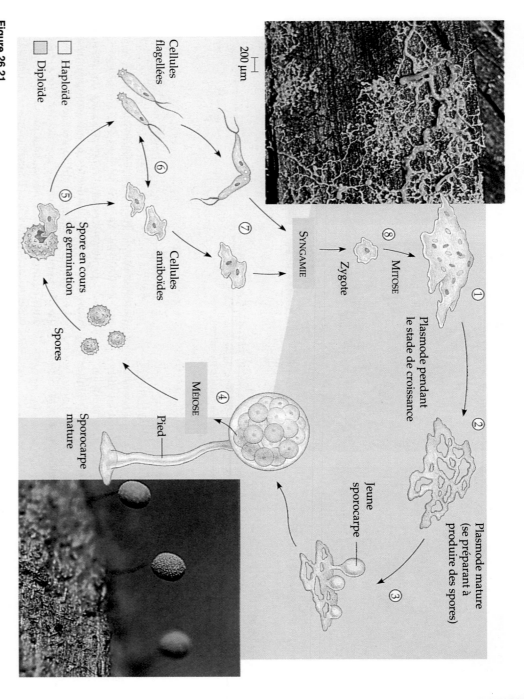

Figure 26.21
Cycle de développement d'un Myxomycète. ① Pendant le stade de croissance, le plasmode plurinucléé (cénocyte) vit sur des déchets organiques (voir la photographie de gauche, MP). ② Le plasmode a souvent la forme d'un tissu extensible, une adaptation qui lui permet d'augmenter sa surface de contact avec les aliments, l'eau et l'oxygène. ③ Le plasmode forme un monticule et érige des appareils sporifères pédonculés appelés sporocarpes ④ lorsque les conditions deviennent plus rudes (voir la photographie de droite, MP). À l'intérieur des extrémités bulbeuses des sporocarpes, la méiose produit des spores haploïdes. ⑤ Lorsque les conditions redeviennent favorables, les spores résistantes germent et deviennent des cellules haploïdes actives. ⑥ Ces cellules sont soit amiboïdes, soit flagellées, les deux formes étant réversibles (cellules amiboïdes, cellules flagellées). ⑦ Les cellules de même forme s'apparient (cellules flagellées ensemble, cellules amiboïdes ensemble) et forment un zygote diploïde. ⑧ Le zygote se divise de façon répétée par mitose, sans qu'intervienne une division cytoplasmique, et forme un plasmode en phase de croissance. Et le cycle de développement recommence.

qui sert à la reproduction asexuée. Enfin, on ne retrouve pas de stade flagellé chez les Acrasiomycètes (sauf chez un genre découvert récemment).

Oomycètes

Cet embranchement renferme des organismes aquatiques et d'autres comme la Rouille blanche ainsi que les agents du mildiou, qui affectionnent l'humidité. Ces organismes ressemblent aux Mycètes parce qu'ils ont des hyphes cénocytiques. Les Oomycètes et les Mycètes ont aussi des modes de nutrition similaires. Cependant, un examen approfondi montre que ces ressemblances sont de nature analogue plutôt qu'homologue. La paroi cellulaire des

Oomycètes se compose principalement de cellulose, tandis que la paroi cellulaire des Mycètes contient un autre polysaccharide, la chitine. Le stade diploïde occupe la majeure partie du cycle de développement de la plupart des Oomycètes, alors qu'il ne prédomine pas chez les Mycètes. Enfin, les Oomycètes produisent des cellules à deux flagelles tandis que les Mycètes n'ont pas de flagelle.

Oomycète signifie « Mycète contenant des œufs », en référence au mode de reproduction sexué des Oomycètes aquatiques, où un oosphère est fécondé par un petit « noyau mâle » dans le but de former un zygote résistant appelé oospore (figure 26.23).

Figure 26.22

Cycle de développement d'un Acrasiomycète.

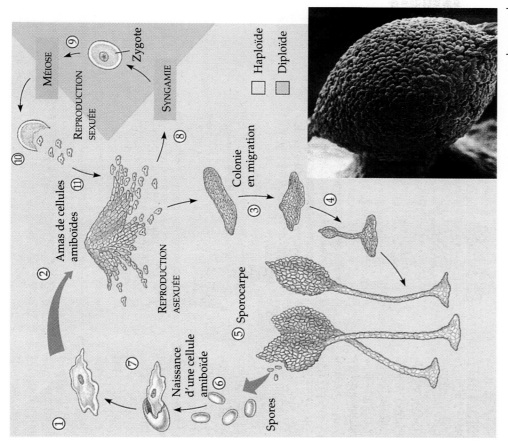

① Durant le stade de croissance, des cellules solitaires ingèrent des Bactéries en rampant par mouvements amiboïdes dans le compost humide. ② Lorsque la nourriture vient à manquer, les cellules amiboïdes migrent vers un centre d'agrégation (pseudoplasmode) où des centaines de cellules se réunissent, attirées par une substance qu'elles sécrètent. ③ La colonie amiboïde, semblable à une Limace, peut migrer en un seul bloc pendant un certain temps, ④ jusqu'à ce qu'elle s'installe et élabore des sporocarpes qui assurent la reproduction asexuée. ⑤ Chaque fois qu'un sporocarpe se forme, certaines cellules se dessèchent pour former le pied, alors que les autres cellules rampent par-dessus ces cellules mortes, s'unissent en amas et deviennent des spores. Il se forme ainsi une grappe de spores résistantes au bout de chaque sporocarpe (voir la photographie, MEB). ⑥ Une fois les spores relâchées et exposées à un environnement favorable, ⑦ les cellules amiboïdes émergent de leur enveloppe protectrice et commencent à se nourrir, ce qui complète la portion asexuée du cycle. ⑧ Dans la phase sexuée de *Dictyostelium*, une paire de cellules haploïdes fusionnent et forment un zygote, seul stade diploïde du cycle de développement. ⑨ Le zygote devient une cellule géante en se nourrissant des cellules amiboïdes environnantes. Cette cellule géante s'entoure d'une paroi résistante. ⑩ La cellule géante, isolée de l'extérieur, entre en méiose, suivie de plusieurs mitoses. ⑪ Lorsque sa paroi se brise, la cellule géante libère de nouvelles cellules amiboïdes haploïdes.

Chytridiomycètes

La plupart des organismes de cet embranchement sont microscopiques. Les Chytridiomycètes cénocytiques et unicellulaires sont les plus simples des Protistes fongiformes. Des hyphes, filaments cénocytiques ramifiés, constituent les organismes les plus complexes de cet embranchement (figure 26.24). Celui-ci inclut à la fois des saprophytes vivant à l'état libre et des parasites envahissant des Algues, des grains de pollen et certains Insectes. (Il existe une espèce de Chytridiomycète qui infecte les larves de Moustiques et sur laquelle on a fait des recherches dans le but de maîtriser ces Insectes nuisibles. Cependant, ces recherches se sont révélées infructueuses.)

Les Chytridiomycètes ont quelques caractéristiques en commun avec les Mycètes. Par exemple, certains Chytridiomycètes présentent une structure ramifiée d'hyphes et une paroi composée de chitine (voir le chapitre 5). Nous évaluerons, au chapitre 27, l'hypothèse de certains chercheurs qui pensent que les Chytridiomycètes se sont transformés en Mycètes au cours de l'évolution. Dans le présent manuel, les Chytridiomycètes figurent parmi les

La plupart des Oomycètes aquatiques sont des saprophytes qui croissent en masses duveteuses sur des Algues et des Animaux morts, principalement en eau douce. Elles jouent un rôle important de décomposition dans les écosystèmes aquatiques. Il existe aussi des Oomycètes aquatiques parasites, comme ceux qui vivent sur les écailles et les branchies des Poissons des étangs ou des aquariums. Cependant, ces parasites ont plutôt tendance à attaquer les tissus lésés. La Rouille blanche et les agents du mildiou, eux, sont proches parents des Oomycètes aquatiques, mais ils vivent habituellement en parasites de Végétaux terrestres. Ils se reproduisent grâce au vent qui disperse leurs spores, mais aussi par la formation de zoospores flagellées durant un des stades de leur cycle de développement. Certains des pathogènes les plus dévastateurs pour les Végétaux sont des organismes appartenant aux Oomycètes. Citons notamment *Plasmopara viticola*, à l'origine du mildiou qui a menacé les vignobles de France dans les années 1870, ainsi que *Phytophtora infestaus* causant le mildiou de la Pomme de terre, qui a contribué à la famine en Irlande, au XIXᵉ siècle.

Tableau 26.3 Quelques embranchements des Protistes fongiformes (mode de nutrition habituel : absorption ; production de spores semblables à celles des Mycètes)

Embranchement	Description sommaire
Myxomycètes	Organismes constituant un plasmode : une masse amiboïde cénocytique s'alimente par absorption et phagocytose durant le stade de croissance ; les cellules matures se reproduisent en se transformant en sporocarpes.
Acrasiomycètes	Organismes formant un pseudoplasmode constitué de cellules amiboïdes bien individualisées qui se nourrissent par phagocytose ; les colonies matures forment des sporocarpes.
Oomycètes	Organismes aquatiques et organismes terrestres apparentés : saprophytes et parasites ; corps filamenteux cénocytiques, semblables à des Mycètes, mais dont la paroi se compose de cellulose ; reproduction asexuée avec des spores à deux flagelles ; les zoospores, les gamètes et le zygote possèdent un flagelle.
Chytridiomycètes	Organismes saprophytes et parasites utilisant divers substrats dans des habitats habituellement aquatiques ; unicellulaires cénocytiques portant parfois des hyphes ramifiés ; paroi cellulaire de chitine ; les zoospores, les gamètes et le zygote possèdent un flagelle.

Protistes parce qu'ils produisent des spores mobiles et des gamètes munis de flagelles. Aucun Mycète ne possède de stade flagellé.

Nous avons maintenant terminé notre étude des divers Protistes. Nous y avons appris que les Protistes ne sont pas tous unicellulaires. En fait, plusieurs embranchements de Protistes ont évolué de façon indépendante vers une organisation pluricellulaire. Dans la dernière section de ce chapitre, nous examinerons un modèle expliquant la façon dont certains ancêtres unicellulaires se sont transformés en eucaryotes pluricellulaires.

ORIGINE DE L'ORGANISATION PLURICELLULAIRE

Il semble que l'apparition de l'organisation eucaryote ait entraîné une explosion de diversité chez les êtres vivants. Les structures complexes ont en effet plus de chances de donner lieu à des variations que les structures plus simples. Ainsi, les Protistes unicellulaires, qui possèdent une organisation eucaryote complexe, ont une morphologie beaucoup plus diversifiée que les procaryotes. Les Protistes qui ont évolué en organismes pluricellulaires ont franchi un nouveau seuil d'organisation structurale et ont donné lieu à la radiation adaptative.

Parmi les produits de cette radiation figurent les ancêtres des Végétaux, des Mycètes et des Animaux. Selon l'hypothèse la plus largement retenue, le chaînon reliant les organismes pluricellulaires à leurs ancêtres unicellulaires serait les colonies, c'est-à-dire les amas instables de cellules interreliées. Les Algues pluricellulaires, les Végétaux, les Mycètes et les Animaux viennent probablement de plusieurs lignées de Protistes coloniaux formés par fusion de cellules individuelles. Pour que les colonies d'unicellulaires deviennent des organismes pluricellulaires, il a fallu que les cellules se spécialisent de plus en plus et se répartissent les tâches. Au départ, dans les colonies ancestrales des Algues, des Végétaux et des Animaux pluricellulaires, toutes les cellules étaient probablement mobiles et flagellées. À mesure que les cellules ont développé des liens plus étroits et une dépendance mutuelle croissante, certaines d'entre elles auraient perdu leur flagelle et se seraient spécialisées dans des fonctions autres que la locomotion.

Une autre forme de répartition des tâches a probablement été la séparation des cellules sexuelles (gamètes) et des cellules somatiques (non reproductrices). Cette forme de spécialisation et de coopération intercellulaire existe de nos jours chez plusieurs Protistes coloniaux, comme l'Algue verte *Volvox*. Les gamètes, spécialisés dans la reproduction, dépendent des cellules somatiques pour assurer leur développement. Il a fallu franchir beaucoup d'autres étapes de spécialisation des cellules somatiques pour arriver à une répartition du travail qui permette aux organismes pluricellulaires actuels d'exécuter toutes les fonctions non reproductrices. Par exemple, chez les Algues marines, on observe une importante répartition des tâches entre les différents tissus qui forment le thalle. Les organismes pluricellulaires plus complexes que ces Algues ne sont pas apparus avant la fin de l'ère précambrienne, il y a environ 700 millions d'années. Les strates de la fin de la période précambrienne nous ont donné divers Animaux fossiles. Un grand nombre de nouvelles formes ont évolué à l'aube de l'ère paléozoïque, qui a commencé avec la période cambrienne il y a environ 570 millions d'années. Durant cette période, les Algues marines et les autres Algues complexes abondaient dans les océans et les lacs. Les habitats terrestres, cependant, étaient encore stériles. Il y a environ 400 millions d'années, certaines Algues vertes vivant sur les rives des lacs ont donné naissance aux premiers Végétaux. Dans le chapitre suivant, nous retracerons le long processus qui a permis aux Végétaux de s'installer sur Terre.

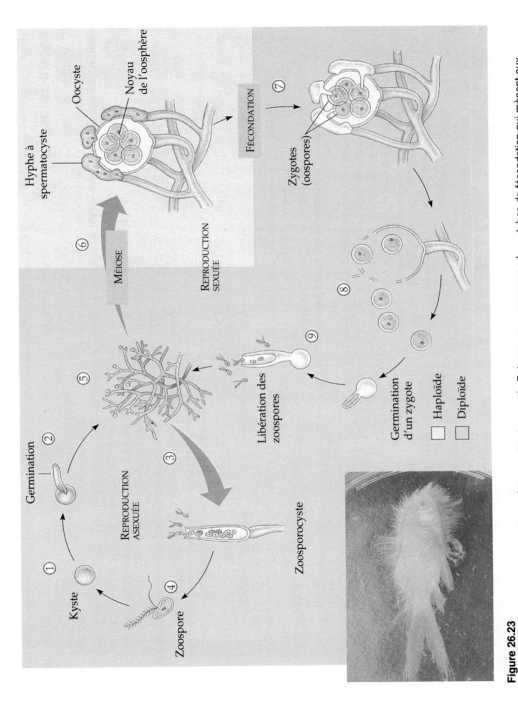

Figure 26.23
Cycle de développement d'un Oomycète.
Les Oomycètes aquatiques contribuent généralement à la décomposition d'Insectes, de Poissons et d'autres Animaux morts. ① Les zoospores enkystées se posent sur un nouveau substrat et ② germent afin de se transformer en un réseau d'hyphes cénocytiques. ③ Après quelques jours, les extrémités des hyphes forment des zoosporocystes tubulaires. ④ Chaque zoosporocyste produit, de façon asexuée, à peu près trente zoospores à deux flagelles (la toison

d'hyphes sur le Poisson rouge correspond au stade zoosporocyste). ⑤ Après quelques jours, l'organisme commence à former des structures sexuées. ⑥ La méiose produit des oosphères à l'intérieur d'oocystes. Sur différentes branches du même hyphe ou d'hyphes différents, la méiose produit plusieurs « noyaux spermatiques » haploïdes contenus dans des compartiments appelés spermatocystes. ⑦ Ces hyphes se développent comme des crochets autour de l'oocyste et déposent leurs noyaux dans des

tubes de fécondation qui mènent aux oosphères. Les zygotes (oospores) obtenus peuvent former des parois résistantes, mais ils sont déjà protégés par la paroi du vieil oocyste. ⑧ Après une période de latence durant laquelle la paroi de l'oocyste se désintègre, ⑨ la germination des oospores produit de petits hyphes munis d'un zoosporocyste. Ainsi se complète le cycle de développement.

Labels on figure:
- Hyphe à spermatocyste
- Oocyste
- Noyau de l'oosphère
- FÉCONDATION
- Zygotes (oospores)
- MÉIOSE
- REPRODUCTION SEXUÉE
- ⑥
- ⑦
- ⑧
- ⑨
- Germination d'un zygote
- Libération des zoospores
- Haploïde ☐
- Diploïde ☐
- ⑤
- Germination
- ②
- REPRODUCTION ASEXUÉE
- ③
- ①
- Kyste
- ④
- Zoospore
- Zoosporocyste

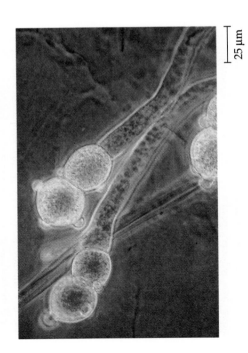

Figure 26.24
Chytridiomycètes portant des hyphes. Les hyphes, filaments ramifiés, exposent une grande surface au milieu environnant, duquel l'organisme tire des nutriments. Ce genre, *Allomyces*, est souvent mis en culture lorsqu'on désire étudier le développement d'organismes relativement simples (MP).

25 μm

RÉSUMÉ DU CHAPITRE

1. Le règne des Protistes regroupe divers organismes eucaryotes. La plupart sont des organismes unicellulaires, mais il existe aussi des formes pluricellulaires et d'autres vivant en colonie.

2. Lorsque les plus anciens Protistes se sont différenciés des procaryotes, ils ont acquis les structures et les processus propres aux eucaryotes. Ainsi, ils ne sont pas uniquement les ancêtres des Protistes actuels, mais aussi des trois autres règnes d'eucaryotes.

Caractéristiques des Protistes (p. 533-534)

1. On trouve des Protistes partout où il y a de l'eau, que ce soit près de la surface de l'eau, au fond de l'eau, dans les sols humides ou dans les liquides physiologiques d'autres organismes.

2. Ils possèdent presque tous un métabolisme aérobie. Ils sont photoautotrophes, hétérotrophes ou mixotrophes.

3. Durant certaines étapes de leur cycle de développement, bon nombre d'entre eux possèdent des cils ou des flagelles de type eucaryote.

4. Tous les Protistes se reproduisent par voie asexuée. Certains possèdent aussi un mécanisme de reproduction sexuée. Un grand nombre de Protistes peuvent survivre à des conditions difficiles en formant des kystes. La reproduction asexuée a généralement lieu lorsqu'un organisme colonise un nouvel environnement. La reproduction sexuée se produit souvent lorsque l'environnement se détériore.

Origine des eucaryotes (p. 534-536)

1. La cellule eucaryote remonte à l'avènement du premier Protiste, c'est-à-dire à plus d'un milliard et demi d'années.

2. L'hypothèse de l'origine autogène des eucaryotes dit que l'origine des cellules eucaryotes réside dans les invaginations de la membrane plasmique des procaryotes, qui ont ensuite donné naissance aux organites membraneux des eucaryotes.

3. Selon l'hypothèse de l'origine endosymbiotique, les cellules eucaryotes proviendraient de procaryotes ayant élu domicile à l'intérieur d'autres procaryotes. Les chloroplastes et les mitochondries seraient donc les descendants, respectivement, de symbiontes photosynthétiques et de symbiontes aérobies.

Frontières du règne des Protistes (p. 536-537)

1. Les anciens Protistes ont donné naissance à plus d'une lignée pluricellulaire, ce qui rend leur classification complexe et controversée. Le règne actuel des Protistes inclut des organismes pluricellulaires qui n'appartiennent pas clairement à un des trois autres règnes d'eucaryotes.

2. Parmi tous les organismes connus, ce sont les Protistes qui montrent l'éventail le plus varié de structures et de cycles de développement.

Protozoaires (p. 537-539)

1. Les Protozoaires les plus simples sont les Rhizopodes (Amibes unicellulaires et organismes apparentés), qui se déplacent tous grâce à des prolongements cellulaires appelés pseudopodes.

2. Les Actinopodes sont des Protozoaires munis de minces axopodes radiaires qui leur permettent de flotter et de se nourrir. Les classes Héliozoaires et Radiolaires font respectivement partie du plancton d'eau douce et d'eau salée.

3. On reconnaît les Foraminifères marins à leur jolie coque poreuse à travers laquelle sortent des filaments cytoplasmiques qui servent à la nage, à la formation de la coque et à la nutrition.

4. Les Apicomplexes sont des protozoaires parasites dont le cycle de développement se caractérise par des stades de reproduction sexuée et asexuée nécessitant souvent deux ou plusieurs hôtes.

5. Les Zoomastigophores forment un groupe d'organismes hétérotrophes flagellés.

6. Les Ciliés utilisent des cils pour se mouvoir et se nourrir. Ils font partie des cellules les plus complexes.

Algues (p. 539-551)

1. Les Algues sont des eucaryotes aquatiques qui ressemblent aux Végétaux et contiennent de la chlorophylle. Certaines d'entre elles sont hétérotrophes. Parmi les caractéristiques permettant de les classer, mentionnons la structure du chloroplaste, les pigments accessoires, la paroi cellulaire, les flagelles et la forme de réserve nutritive.

2. Les Dinoflagellés, abondants dans le plancton marin, sont photosynthétiques ou hétérotrophes. La plupart sont unicellulaires, mais certains vivent en colonies. Le battement de leurs flagelles les fait se déplacer en vrille.

3. Les Chrysophytes sont des Algues dorées portant deux flagelles et vivant en eau douce. Leur nom vient de la coloration de leurs pigments caroténoïdes.

4. Les Bacillariophytes, ou Diatomées, sont des organismes essentiellement unicellulaires qui s'entourent d'une coque siliceuse unique en son genre ressemblant à du verre.

5. Les Euglénophytes comprennent *Euglena* et d'autres organismes apparentés. Cet embranchement rend confuse la distinction entre les Protozoaires et les Algues unicellulaires. La plupart des espèces utilisent la photosynthèse, mais d'autres sont mixotrophes ou exclusivement hétérotrophes.

6. Les Chlorophytes sont les Algues vertes, ancêtres probables du règne des Végétaux. Des trajectoires évolutives divergentes ont engendré un éventail d'espèces unicellulaires, coloniales, plurinucléées et pluricellulaires, qui vivent dans toutes sortes d'habitats. Leurs cycles de développement complexes font intervenir des stades de reproduction sexuée et asexuée, incluant des cas d'alternance de générations.

7. Les Algues marines comprennent plusieurs Algues vertes, brunes et rouges qui possèdent un thalle. Elles sont bien adaptées aux côtes agitées des océans.

8. Les Phéophytes sont des Algues brunes pluricellulaires, principalement marines. Ce sont les Protistes les plus gros et les plus complexes. Sur le plan morphologique. On peut observer, chez la plupart des espèces, certaines formes d'alternance de générations.

9. Les Rhodophytes, ou Algues rouges, contiennent le pigment accessoire rouge appelé phycoérythrine, qui se trouve parfois masqué par des pigments d'autres couleurs. Les Algues rouges sont des Protistes pluricellulaires qui ont couramment l'aspect de la dentelle. Ils se reproduisent par voie asexuée, souvent dans le cadre d'une alternance de générations.

Protistes fongiformes (p. 551-554)

1. Ces Protistes se distinguent des vrais Mycètes par leur type d'organisation cellulaire et leur cycle de développement.

2. Les Myxomycètes, organismes diploïdes, se nourrissent grâce à un plasmode cénocytique amiboïde. Ce dernier se différencie en sporocarpes se reproduisant par voie sexuée lorsque l'humidité et la nourriture se font rares.

3. Les Acrasiomycètes comprennent un groupe d'organismes haploïdes qui vivent en unicellulaires jusqu'à ce que la nourriture manque. À ce moment, ils se réunissent en un amas amiboïde pluricellulaire (pseudoplasmode) qui érige des appareils sporifères (sporocarpes).

4. Les Oomycètes possèdent des caractéristiques qui les distinguent des Mycètes : ils ont une paroi cellulaire faite de cellulose et portent deux flagelles à certains stades de leur cycle. Cet embranchement comprend des organismes aquatiques ainsi que la Rouille blanche et les agents du mildiou, dont certains constituent d'importants pathogènes pour les Végétaux.

5. Les Chytridiomycètes sont habituellement de petits organismes cénocytiques unicellulaires qui vivent en saprophytes ou en parasites sur différents substrats aquatiques. Leur paroi se compose de chitine. Ils possèdent des cellules reproductrices uniflagellées.

Origine de l'organisation pluricellulaire (p. 554-555)

Dans le règne des Protistes, l'organisation pluricellulaire a évolué plusieurs fois. Des amas de cellules individuelles ont probablement formé des colonies où elles se sont spécialisées et réparti le travail.

AUTO-ÉVALUATION

1. Indiquez la description générale la plus précise du règne des Protistes.
   a) Organismes unicellulaires eucaryotes qui sont soit photosynthétiques, soit hétérotrophes.
   b) Organismes unicellulaires ou pluricellulaires simples qui sont des eucaryotes hétérotrophes et/ou photosynthétiques, se distinguant suffisamment des Végétaux, Mycètes ou Animaux pour former leur propre règne.
   c) Plancton eucaryote, qui peut porter des flagelles à certains stades de son cycle de développement et qui se reproduit par voie asexuée.
   d) Organismes eucaryotes, photosynthétiques ou hétérotrophes, qui vivent en milieux humides, forment des kystes résistants et se reproduisent à l'aide de gamètes flagellés.
   e) Versions relativement simples des Végétaux, des Animaux et des Mycètes.

2. Trouvez le Protozoaire incorrectement décrit.
   a) Rhizopode : Amibe nue ou munie d'une coque.
   b) Actinopode : plancton possédant de minces axopodes radiaires.
   c) Foraminifère : hétérotrophe flagellé, vivant à l'état libre ou en symbiose.
   d) Apicomplexe : parasite présentant un cycle de développement complexe.
   e) Cilié : organisme unicellulaire complexe possédant un macronucleus et des micronuclei.

3. Trouvez l'Algue incorrectement décrite.
   a) Dinoflagellé : plancton marin, se déplace par mouvements de vrille, coque caractéristique.
   b) Chrysophyte : Algue dorée, prédominance de xanthophylle, flagellée, plancton d'eau douce.
   c) Bacillariophyte : Diatomée, coque siliceuse formée de deux parties.
   d) Phéophyte : Algue brune pluricellulaire ou Algue marine.
   e) Rhodophyte : cause les marées rouges, prédominance de xanthophylles.

4. Les Végétaux ont évolué à partir :
   a) d'Euglénophytes, parce qu'ils possèdent de la chlorophylle *a* et *b*.
   b) de Dinoflagellés, parce qu'ils possèdent les mêmes produits de réserve et une paroi cellulaire en cellulose.
   c) de Chlorophytes, parce que leurs chloroplastes et leurs pigments accessoires sont semblables.
   d) de Phéophytes, parce qu'ils possèdent des régions spécialisées et font appel à l'alternance de générations.
   e) de Rhodophytes, parce qu'ils possèdent des caroténoïdes et utilisent un amidon semblable au glycogène comme produit de réserve.

5. Contrairement aux Myxomycètes, les Acrasiomycètes :
   a) utilisent la phagocytose.
   b) forment des sporocarpes.
   c) possèdent plus d'un noyau par cellule.
   d) sont des organismes haploïdes sauf quand ils forment des zygotes géants.
   e) peuvent se déplacer telle une masse amiboïde.

6. Un organisme cénocytique :
   a) possède un mouvement amiboïde.
   b) consiste en un thalle sans véritables racines, tiges ou feuilles.
   c) possède plusieurs noyaux.
   d) constitue un fossile qui ressemble aux enveloppes brisées des Cyanobactéries.
   e) produit un appareil sporifère asexué.

7. Lequel des énoncés suivants est *incorrect* quant aux origines endosymbiotiques possibles des chloroplastes et des mitochondries ?
   a) Ils possèdent la taille qu'il faut pour être les descendants de Bactéries.
   b) Ils possèdent leur propre génome et fabriquent toutes leurs protéines.
   c) Ils contiennent des molécules d'ADN circulaire qui ne sont pas associées à des histones.
   d) Leurs membranes possèdent des enzymes et des chaînes de transport semblables à celles qu'on trouve dans les membranes plasmiques des procaryotes.
   e) Leurs ribosomes ressemblent plus à ceux des Eubactéries qu'à ceux des eucaryotes.

8. L'hypothèse de l'origine endosymbiotique soutient que les chloroplastes ont peut-être eu au moins trois origines différentes parce que :
   a) les chloroplastes des Plantes vertes possèdent trois morphologies distinctes et trois pigments différents.
   b) la composition pigmentaire et l'arrangement thylakoïde des Cyanobactéries ressemblent plus aux chloroplastes des Plantes vertes.
   c) la systématique moléculaire relie les lignées rouges, vertes et brunes à trois différentes Eubactéries modernes.
   d) l'embranchement des Algues peut se subdiviser en trois lignées basées sur les pigments photosynthétiques et la structure des chloroplastes.
   e) il existe trois groupes différents de procaryotes photosynthétiques.

9. L'organisme responsable du mildiou de la Pomme de terre qui a causé une famine en Irlande est :
   a) un Actinopode.
   b) un Apicomplexe.
   c) un Oomycète.
   d) un Myxomycète.
   e) une Acrasiomycète.

10. Un étudiant remplit une bouteille d'eau provenant d'un étang et la place près d'une fenêtre. Une mousse vert-brun

se forme sur la paroi de la bouteille du côté de la lumière. L'étudiant fait pivoter la bouteille; la mousse se déplace vers la section de la paroi qui fait maintenant face à la fenêtre. À quels embranchements appartiennent vraisemblablement les organismes qui composent cette mousse?

a) Zoomastigophores et Ciliophores.
b) Chrysophytes et Euglénophytes.
c) Chlorophytes et Phéophytes.
d) Euglénophytes et Acrasiomycètes.
e) Phéophytes et Bacillariophytes.

QUESTIONS À COURT DÉVELOPPEMENT

1. Décrivez un embranchement des Protozoaires et un embranchement des Algues.

2. Dressez un schéma de concepts reliant les différents cycles de développement chez les Protistes.

RÉFLEXION-APPLICATION

1. Durant le cycle de développement de l'Apicomplexe *Plasmodium*, agent du paludisme, différents gènes s'expriment à différents stades. Cela provoque l'apparition de protéines différentes sur l'enveloppe externe des cellules infectieuses. Les sporozoïtes de *Plasmodium* se font injecter dans l'hôte par des Moustiques et circulent dans le sang de l'hôte vers les cellules du foie, où ils peuvent continuer leur cycle de développement. On a découvert que les sporozoïtes produisent des protéines membranaires qui se détachent et se font remplacer continuellement. Les anticorps de l'hôte peuvent attaquer ces protéines au moyen de liaisons complémentaires spécifiques. Comment ce détachement et ce remplacement continuels des protéines de l'enveloppe servent-ils de mécanisme d'adaptation? Autrement dit, comment le renouvellement de l'enveloppe prévient-il la destruction des sporozoïtes par le système immunitaire de l'hôte avant qu'ils n'atteignent les cellules du foie, où ils sont à l'abri des anticorps du sang?

2. Pour quelle raison taxinomique classe-t-on les Algues, les Protozoaires et les Protistes fongiformes dans le règne des Protistes? Pouvez-vous suggérer une autre taxinomie? Quels sont les avantages et les inconvénients de votre taxinomie?

SCIENCE, TECHNOLOGIE ET SOCIÉTÉ

1. L'usage de combustibles fossiles augmente la quantité de dioxyde de carbone dans l'atmosphère. Un grand nombre d'experts pensent que ce phénomène contribue à l'effet de serre et provoque le réchauffement du climat global. La photosynthèse des Diatomées et des autres Algues microscopiques des océans utilise d'énormes quantités de dioxyde de carbone. Par ailleurs, ces Algues ont besoin de quantités infimes de fer pour vivre, et certains chercheurs pensent qu'un manque de fer limite peut-être le processus de photosynthèse, surtout dans l'océan Antarctique. L'océanographe John Martin suggère de fertiliser l'océan avec du fer pour ralentir le réchauffement de la planète. Cette fertilisation stimulerait la croissance des populations de Diatomées, qui transformeraient le dioxyde de carbone de l'air. Martin estime qu'un seul gros chargement de poussière de fer, dispersée sur une assez grande surface marine, pourrait considérablement réduire le taux de CO_2. Pensez-vous qu'il faudrait en faire l'essai? Pourquoi est-ce ou n'est-ce pas une bonne idée? Existe-t-il des raisons qui incitent à la prudence? Lesquelles?

2. Le parasite du paludisme est capable de se mettre à l'abri du système immunitaire. Il est donc difficile de fabriquer un vaccin antipaludéen (voir la question 1 de Réflexion-Application). Autres obstacles: peu de scientifiques font de la recherche sur le paludisme, et on y investit moins d'argent que pour des maladies comme la fibrose kystique, qui touche pourtant beaucoup moins de gens que le paludisme. Quelles sont les raisons possibles de ce déséquilibre?

LECTURES SUGGÉRÉES

Denis-Lempereur, J., « L'algue qui empoisonne les spécialistes », *Science & Vie*, n° 912, septembre 1993. (La Méditerranée envahie par l'Algue verte *Caulerpa taxifolia*)

Dorozynski, A. et M.-F. Lantieri, « La résurgence des maladies parasitaires », *Science & Vie*, n° 906, mars 1993. (Dossier contenant entre autres deux articles sur la malaria)

Holder, A. A. et K. Haldar, « La plasmodie et les globules rouges », *La Recherche*, n° 259, novembre 1993. (Comment l'agent du paludisme envahit-il les globules rouges?)

Knoll, A., « The Early Evolution of Eukaryotes: A Geological Perspective », *Science*, 1er mai 1992. (Que nous révèlent les roches précambriennes sur l'origine des cellules eucaryotes?)

Rassouizadegan, F., « Le grand large: un désert peuplé de microbes », *Science & Vie*, hors série, n° 176, septembre 1991. (Adaptations des unicellulaires à toutes les profondeurs de l'océan.)

27 | LES VÉGÉTAUX ET LA COLONISATION DE LA TERRE FERME

INTRODUCTION AU RÈGNE VÉGÉTAL

PASSAGE À LA TERRE FERME

EMBRANCHEMENT DES PTÉRIDOPHYTES : VASCULAIRES SANS GRAINES

EMBRANCHEMENT DES SPERMATOPHYTES :
VASCULAIRES À GRAINES

GYMNOSPERMES

ANGIOSPERMES

IMPORTANCE DE LA DIVERSITÉ DES VÉGÉTAUX

La vie a fait éclosion dans les mers et les étangs, où elle est demeurée enfermée durant trois milliards d'années. Il y a environ 425 millions d'années, la vie a finalement entrepris la longue conquête de la terre ferme. Les Végétaux ont tracé la route aux Animaux herbivores, suivis de leurs prédateurs. Les communautés terrestres ainsi formées par les Plantes vertes ont changé la face de la Terre (figure 27.1).

L'histoire de l'évolution du règne végétal raconte une adaptation graduelle à des conditions terrestres changeantes. Ce cadre historique sert de fondement au présent chapitre, qui traite de l'actuelle diversité des Végétaux et qui en retrace les origines.

INTRODUCTION AU RÈGNE VÉGÉTAL

Caractéristiques générales des Végétaux

Tous les Végétaux, tels qu'ils sont définis dans ce manuel, sont des eucaryotes pluricellulaires qui vivent en autotrophes photosynthétiques. Cependant, ces caractéristiques ne décrivent pas uniquement les Végétaux puisque certaines Algues du règne des Protistes les présentent aussi (voir le chapitre 26).

Si on se fie à notre définition, les Végétaux présentque tous vivent en milieu terrestre, bien que certains d'entre eux soient retournés vivre dans l'eau au cours de leur évolution. La vie terrestre présente des problèmes très différents de ceux de la vie aquatique. Au cours de leur adaptation à l'environnement terrestre, les Végétaux se sont dotés de structures complexes dont les cellules, en se spécialisant, leur ont permis d'effectuer les diverses fonctions. Par exemple, les parties aériennes de la plupart des Végétaux, comme les tiges et les feuilles, sont recouvertes d'une **cuticule** cireuse qui prévient le dessèchement, un problème majeur en milieu terrestre. Les échanges gazeux ne peuvent cependant pas se produire à travers ces surfaces cireuses. C'est pourquoi le dioxyde de carbone et l'oxygène diffusent par des pores microscopiques, appelés **stomates**, situés à la surface de la feuille. En plus de leurs adaptations à la terre ferme, les Végétaux terrestres ont conservé plusieurs caractéristiques de leurs ancêtres aquatiques, les Algues vertes. Ainsi, leurs cellules photosynthétiques possèdent des chloroplastes contenant entre autres de la chlorophylle *a* et une variété de caroténoïdes jaunes et orangés, comme les Algues. Les cellules des Végétaux possèdent également une paroi cellulaire composée principalement de cellulose. Les glucides sont généralement emmagasinés sous forme d'amidon dans les chloroplastes et les autres plastes des Végétaux.

Figure 27.1

Communauté végétale. Les Plantes à fleurs (Angiospermes) et les Conifères (Gymnospermes) donnent de la couleur à ce paysage, situé sur la rive du lac Trapper au Colorado. Le présent chapitre retrace l'évolution de la diversité végétale à partir des Algues ancestrales qui ont colonisé la terre ferme.

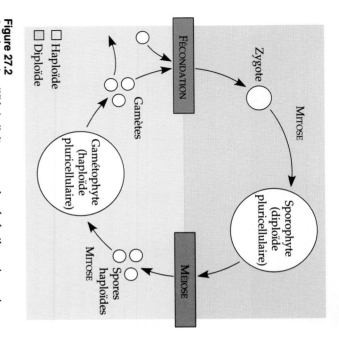

Figure 27.2
Schéma simplifié de l'alternance de générations. Le cycle de développement de tous les Végétaux comprend un stade gamétophyte (génération haploïde) et un stade sporophyte (génération diploïde). Une génération produit l'autre, en alternance. Les gamétophytes forment des gamètes par mitose, tandis que les sporophytes produisent des spores par méiose. Les spores deviennent ensuite des organismes. Par contre, les gamètes ne peuvent se réunir immédiatement des organismes ; ils doivent se réunir (spermatozoïde et oosphère) pour former un zygote. C'est ce zygote qui deviendra un organisme.

□ Haploïde
□ Diploïde

FÉCONDATION

MITOSE

Zygote

Gamètes

Gamétophyte (haploïde pluricellulaire)

Sporophyte (diploïde pluricellulaire)

MÉIOSE

MITOSE

Spores haploïdes

Vue d'ensemble du cycle de développement des Végétaux

L'arrivée de la vie sur la terre ferme a nécessité un nouveau mode de reproduction. Contrairement à ce qui se produit dans la reproduction des Algues, il fallait dorénavant que les gamètes se dispersent dans un milieu non aquatique et que les gamètes se dispersent dans un milieu non aquatique et que les embryons, telles des structures matures, soient protégés du dessèchement.

Presque tous les Végétaux se reproduisent par voie sexuée et la plupart peuvent également se reproduire par voie asexuée. Les Végétaux produisent leurs gamètes dans les **gamétanges** (ces structures correspondent aux gamétocystes des Algues). Il s'agit de structures munies d'une tunique de cellules stériles (non reproductrices) qui protègent les fragiles gamètes du dessèchement au cours de leur développement. Ainsi, l'oosphère se fait féconder à l'intérieur de l'organe femelle et le zygote devient un embryon qui reste un certain temps à l'intérieur de la tunique de cellules protectrices.

Le cycle de développement de tous les Végétaux comporte une alternance de générations, au cours de laquelle les gamétophytes haploïdes et les sporophytes diploïdes sont produits tour à tour (figure 27.2 ; voir aussi les chapitres 12 et 26). Par ailleurs, les sporophytes et les gamétophytes différent sur le plan morphologique ; autrement dit, ils sont hétéromorphes. Chez tous les Végétaux, sauf les Bryophytes (Mousses et espèces apparentées), le sporophyte diploïde est l'organisme le plus gros et le plus visible. Le chapitre 34 traite de la physiologie de la reproduction végétale. Nous y verrons en détail le cycle de développement des Plantes à graines. Il importe de bien comprendre le fonctionnement des cycles de développement des Végétaux pour les deux raisons suivantes. Premièrement, ils nous éclairent sur l'une des principales tendances de l'évolution des Végétaux : la domination de la génération diploïde aux dépens de la génération haploïde. Deuxièmement, plusieurs caractéristiques des cycles de développement, comme le remplacement des anthérozoïdes flagellés par le pollen, traduisent des adaptations évolutives à l'environnement terrestre.

Points saillants de l'évolution des Végétaux

L'étude des fossiles permet d'organiser l'évolution des Végétaux en quatre grandes périodes, qui correspondent d'ailleurs à la diversité des Plantes modernes (figure 27.3). Chacune de ces périodes a donné naissance à des structures qui ont permis de nouveaux modes de vie terrestre (voir le chapitre 23).

La première période correspond aux premiers Végétaux qui se sont différenciés de leurs ancêtres aquatiques, probablement pendant les Algues vertes, au milieu de la période silurienne, il y a environ 425 millions d'années. Une cuticule cireuse et un gamétange produisant des gamètes et des embryons correspondent aux premières adaptations terrestres des Végétaux. Assez tôt dans l'histoire de ces derniers, des cellules se sont regroupées en tubes, créant un **tissu conducteur** pour transporter l'eau et les nutriments dans la Plante. Les Bryophytes ne possédent pas de tissu conducteur ; par conséquent on les classe parmi les Invasculaires. Cependant, on rencontre certains Bryophytes qui possédent des tubes servant à conduire l'eau. Les chercheurs n'ont pas encore réussi à établir si la relation entre ces tubes et le tissu conducteur des autres Végétaux est de type analogue (développement ayant des origines différentes) ou homologue (développement ayant des origines communes) (revoir au chapitre 23 les concepts d'analogie et d'homologie). La recherche en systématique moléculaire (voir le chapitre 23) semble effectivement indiquer qu'il y aurait eu à cette époque une séparation des ancêtres en deux lignées : les Bryophytes, et les Végétaux vasculaires.

La deuxième grande période correspond à la diversification des Vasculaires, au début de la période dévonienne, il y a environ 400 millions d'années. Les premières Vasculaires ne produisaient pas de graines, comme c'est encore le cas aujourd'hui des Ptéridophytes, c'est-à-dire les Fougères et quelques autres classes apparentées.

La troisième grande période de l'évolution des Végétaux a commencé avec l'apparition de la **graine**. Cette structure qui protège l'embryon végétal du dessèchement et des autres phénomènes naturels a accru la colonisation des milieux terrestres. La **graine** se compose d'un embryon accompagné d'une réserve nutritive, le tout recouvert d'une enveloppe protectrice. Les premiers spermatophytes (Plantes vasculaires à graines) sont apparus il y a environ 360 millions d'années, vers la fin de la période dévonienne. Ces Plantes portaient alors des graines nues, c'est-à-dire non enfermées dans un compartiment spécialisé. Les plus anciennes Plantes à graines ont donné naissance à plusieurs sortes de **Gymnospermes** (du grec *gymnos* « nu », et *sperma* « graine »),

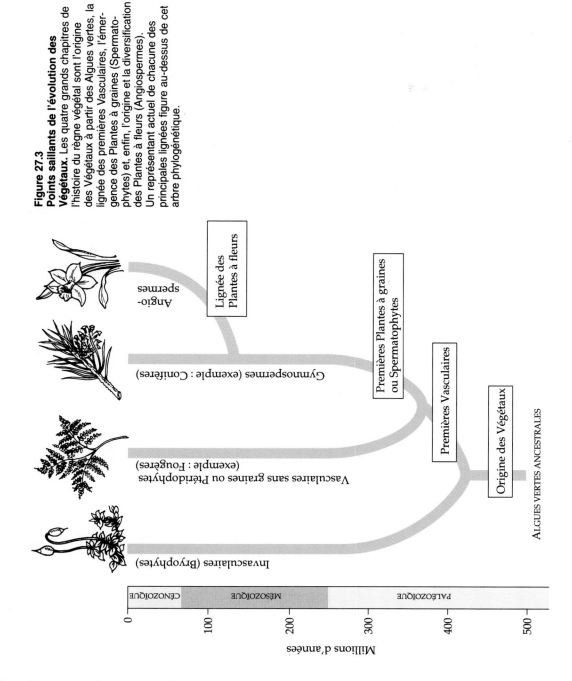

Figure 27.3
Points saillants de l'évolution des Végétaux. Les quatre grands chapitres de l'histoire du règne végétal sont l'origine des Végétaux à partir des Algues vertes, la lignée des premières Vasculaires, l'émergence des Plantes à graines (Spermatophytes) et, enfin, l'origine et la diversification des Plantes à fleurs (Angiospermes). Un représentant actuel de chacune des principales lignées figure au-dessus de cet arbre phylogénétique.

Lignée des Plantes à fleurs

Angio-spermes

Gymnospermes (exemple : Conifères)

Premières Plantes à graines ou Spermatophytes

Vasculaires sans graines ou Ptéridophytes (exemple : Fougères)

Premières Vasculaires

Invasculaires (Bryophytes)

Origine des Végétaux

ALGUES VERTES ANCESTRALES

CÉNOZOÏQUE

MÉSOZOÏQUE

PALÉOZOÏQUE

Millions d'années

0 — 100 — 200 — 300 — 400 — 500

---

dont font partie les Conifères, c'est-à-dire les Pins et les autres genres produisant des cônes. Durant plus de 200 millions d'années, les Gymnospermes composaient, avec les Ptéridophytes, les grandes forêts qui dominaient le paysage.

Enfin, la quatrième grande période qui a marqué l'évolution des Végétaux correspond à l'apparition des Angiospermes (Plantes à fleurs) au début de la période crétacée, il y a environ 130 millions d'années. La fleur est un organe de reproduction complexe. Contrairement aux Gymnospermes dont la graine est nue, la fleur porte les graines à l'intérieur de compartiments protecteurs appelés **ovaires**. La plupart des Végétaux actuels appartiennent aux **Angiospermes** (du grec *aggeion* « récipient, enveloppe », soit l'ovaire, et *sperma* « graine »).

Classification des Végétaux

Certains botanistes emploient le terme **division** pour désigner les principaux groupes du règne végétal. Cette catégorie taxinomique correspond à l'embranchement, l'un des rangs taxinomiques (ou taxons) les plus élevés du règne animal. Les divisions, comme les embranchements, se subdivisent ensuite en classes, ordres, familles et genres. Dans ce manuel, nous avons toutefois préféré

utiliser l'embranchement pour la classification du règne végétal. Au tableau 27.1, on associe aux divers taxons les quatre périodes d'évolution des Végétaux décrites dans les paragraphes précédents. Bien que ces quatre périodes ne représentent pas comme telles des taxons, elles permettent de faire un lien entre la diversité actuelle des Végétaux et l'histoire de leur évolution terrestre.

PASSAGE À LA TERRE FERME

L'Algue verte, ancêtre probable des Végétaux

Les Algues vertes (Chlorophytes) sont probablement les ancêtres des Végétaux. Ces Protistes ont plusieurs caractéristiques en commun avec les Végétaux :

1. Les Algues vertes possèdent, en plus de la chlorophylle *a*, les mêmes pigments photosynthétiques accessoires que les Végétaux, dont la chlorophylle *b* et le bêta-carotène.

2. Les chloroplastes d'un grand nombre d'Algues vertes possèdent, comme les Végétaux, des thylakoïdes empilés en grana.

Tableau 27.1 Taxonomie du règne végétal

	Nom commun	Nombre approximatif d'espèces actuelles
Sous-règne : Invasculaires		
Embranchement : Bryophytes		
Classe : Muscinées	Mousses	10 000
Classe : Hépaticinées	Hépatiques	6 500
Classe : Anthocérotinées	Anthocérotes	100
Sous-règne : Vasculaires		
Embranchement : Ptéridophytes	Plantes sans graines	
Classe : Psilotinées	Psilotes	10 - 13
Classe : Lycopodinées	Lycopodes	1 000
Classe : Équisétinées	Prêles	15
Classe : Filicinées	Fougères	12 000
Embranchement : Spermatophytes	Plantes à graines	
Sous-embranchement : Gymnospermes		
Classe : Conifères	Conifères	550
Classe : Cycadinées	Cycas ou petits Palmiers	100
Classe : Ginkgoïnées	Ginkgos	1
Classe : Gnétinées	Gnètes	70
Sous-embranchement : Angiospermes	Plantes à fleurs	
Classe : Dicotylédones	Dicotyles	180 000
Classe : Monocotylédones	Monocotyles	55 000

3. La paroi cellulaire des Végétaux et de la plupart des Algues vertes se compose de cellulose.

4. Tout comme les Végétaux, les Algues vertes emmagasinent leurs réserves de glucides sous forme d'amidon.

5. Chez certaines Algues vertes, les vésicules provenant de l'appareil de Golgi forment une plaque cellulaire qui sépare le cytoplasme durant la cytocinèse.

On ne sait pas exactement quelles Algues vertes ont été les premières à coloniser la terre, puisque le thalle délicat des Algues a laissé peu de fossiles. Les organismes les plus susceptibles d'être les ancêtres des Végétaux sont les Chlorophytes filamenteux qui tapissaient les rives des lacs et des marais salés. Pendant la période silurienne, alors que les ancêtres des Végétaux avaient élu leur premier domicile le long des plages, les continents étaient relativement plats. Ils présentaient donc un vaste littoral marécageux périodiquement sujet aux inondations et aux sécheresses. Les variations saisonnières ou plus longues du niveau de l'eau auraient amené la sélection naturelle à favoriser les Algues pouvant survivre à de longues périodes hors de l'eau. Certaines lignées ont ainsi pu connaître une série d'adaptations permettant de vivre en permanence au-dessus du niveau de l'eau. Deux de ces adaptations constituent les marques distinctives des Végétaux : les cuticules cireuses et les organes reproducteurs protégés. Ces innovations dues à l'évolution des premiers Végétaux ont ouvert la voie à des possibilités d'adaptation encore inexploitées. Le nouvel environnement était spacieux, la lumière du soleil n'était pas filtrée par l'eau et les Algues, le sol était riche en minéraux et, au début du moins, il n'y avait pas de prédateurs herbivores.

À présent, étudions les Invasculaires, en faisant le lien avec l'arrivée des Algues vertes sur la terre ferme. Les trois classes de Bryophytes composant les Invasculaires ont probablement emprunté des voies évolutives séparées avant l'apparition des tissus conducteurs caractérisant les Vasculaires.

Sous-règne des Invasculaires : embranchement des Bryophytes

Les **Bryophytes** (du grec *bruon* « mousse ») possèdent les deux premières adaptations qui ont permis le passage à la terre ferme : une cuticule cireuse qui les enveloppe et y retient l'eau, et la capacité de produire des gamètes qui se développent à l'intérieur de gamétanges. Le gamétange mâle, appelé **anthéridie**, produit des spermatozoïdes flagellés. Chaque gamétange femelle, appelé **archégone**, produit une seule oosphère. Celle-ci se fait féconder à l'intérieur même de l'archégone, et le zygote qui en résulte se transforme en embryon à l'intérieur de l'enveloppe protectrice de l'archégone.

Cependant, même dotées d'une cuticule et d'une enveloppe protectrice pour leur embryon, les Bryophytes ne se sont pas complètement libérés de leur habitat aquatique initial. Premièrement, les Bryophytes ont besoin d'eau pour se reproduire ; en effet, leurs spermatozoïdes, comme les gamètes des Algues vertes, doivent absolument nager depuis l'anthéridie jusqu'à l'archégone pour féconder l'oosphère. Les Bryophytes n'ont pas de tissu conducteur pour amener l'eau du sol aux parties aériennes de la Plante (sauf, comme nous l'avons mentionné plus tôt, certaines Mousses qui possèdent des cellules allongées pouvant conduire l'eau), mais un grand nombre d'espèces n'ont besoin que d'une pellicule d'eau de pluie ou de rosée pour assurer la fécondation. Lorsque l'eau les recouvre, la plupart des Bryophytes doivent l'absorber, comme une éponge, et la distribuer à toutes leurs parties par des processus relativement lents : la diffusion, la capillarité et la cyclose. Ce mode d'hydratation aide à comprendre pourquoi on trouve des Bryophytes en abondance dans les endroits humides et ombragés.

Les Bryophytes ne possèdent pas le tissu ligneux nécessaire au soutien des grandes Plantes terrestres. Bien qu'ils puissent s'étendre en tapis sur une grande surface, les Bryophytes ne poussent jamais en hauteur (figure 27.4). La plupart mesurent seulement 1 ou 2 cm de haut, et les plus grandes ne dépassent habituellement pas 1 m.

Mousses (classe des Muscinées) Les Bryophytes les plus connus sont les **Mousses**. Un tapis de Mousses se compose de nombreux individus qui poussent et se soutiennent les uns les autres. Le tapis de Mousses est spongieux, ce qui lui permet d'absorber et de retenir l'eau. Chaque individu se fixe au substrat au moyen de cellules

range de certaines Hépatiques se trouvent des cellules spiralées appelées élatères, qui bondissent hors de la capsule lorsque celle-ci s'ouvre, ce qui contribue à disperser les spores. Les Hépatiques peuvent également se reproduire par voie asexuée en formant des propagules, c'est-à-dire de petits amas de cellules qui rebondissent avec les gouttelettes de pluie hors de petites corbeilles placées à la surface du gamétophyte (figure 27.6).

Anthocérotes (classe des Anthocérotinées) Les **Anthocérotes** ressemblent aux Hépatiques, mais s'en distinguent par leurs sporophytes dont la capsule s'allonge comme une corne au-dessus du tapis de gamétophytes (en anglais on dit *hornworts*, la racine *horn* signifiant « corne »). Les cellules photosynthétiques des Anthocérotes possèdent un seul gros chloroplaste, tandis que la plupart des Végétaux en possèdent un grand nombre de petits.

Les Végétaux qui font partie de l'embranchement des Bryophytes (Mousses, Hépatiques et Anthocérotes) se perpétuent depuis au moins 400 millions d'années ; il en existe plus de 16 000 espèces encore aujourd'hui. Cependant, elles n'ont probablement jamais occupé un vaste territoire. Elles se sont plutôt adaptées avec succès à une gamme limitée d'habitats terrestres. Les Vasculaires ont connu des adaptations terrestres qui leur ont permis de peupler un territoire beaucoup plus grand.

Adaptations terrestres des Vasculaires

Depuis le début de leur évolution, les Vasculaires ont connu beaucoup d'adaptations terrestres autres que les cuticules et les organes sexuels protégés. En milieu terrestre, ces organismes devaient en effet s'adapter à des conditions auxquelles les Algues n'avaient pas à faire face (figure 27.7).

Les ressources dont une Plante terrestre a besoin pour vivre sont limitées par des contraintes d'espace. Le sol fournit l'eau et les minéraux, mais la Plante ne peut y trouver la lumière nécessaire à la photosynthèse. Une Vasculaire doit donc posséder deux réseaux : un réseau de racines souterraines (système racinaire) qui absorbent l'eau et les minéraux, et un réseau aérien de tiges et de feuilles (système caulinaire) qui transforment les nutriments. Les racines, dont la fonction consiste à absorber l'eau, ne possèdent généralement pas les cuticules cireuses qui aident les tiges et les feuilles à limiter l'évaporation.

Cette spécialisation de la Vasculaire a certes résolu certains problèmes, mais elle en a aussi créé de nouveaux. Les racines ancrent l'individu dans le sol, et le système caulinaire doit avoir une structure de soutien pour demeurer vertical. Ce problème n'existe pas sous l'eau ; même les gigantesques Algues marines n'ont pas besoin de squelette puisqu'elles vivent pratiquement en apesanteur. L'évolution des Vasculaires leur a procuré la **lignine,** un matériau rigide enchâssé dans la matrice de cellulose de la paroi des cellules et qui assure le soutien. Ainsi, elles ont pu s'adapter au milieu terrestre. Les petites Plantes tiennent debout grâce à la turgescence (voir le chapitre 8), mais les arbres et autres Plantes de grande taille ont besoin d'un squelette de parois lignifiées pour tenir en position verticale.

Figure 27.4
Tapis de Mousses. Les Bryophytes sont des Plantes basses sans tissu de soutien rigide qu'on rencontre dans les habitats humides. Ce tapis de Mousses se compose de gamétophytes, la génération dominante du cycle de développement des Bryophytes.

allongées ou de filaments cellulaires appelés rhizoïdes. La majeure partie de la photosynthèse s'effectue dans la partie supérieure de la Plante, où se trouvent de petites structures ressemblant à des feuilles et à des tiges. Ces « feuilles » et ces « tiges » n'ont cependant pas une structure homologue à celles des Vasculaires.

Le cycle de développement des Mousses constitue un exemple particulier d'alternance de générations haploïde et diploïde (figure 27.5). Le sporophyte diploïde produit des spores haploïdes par méiose à l'intérieur d'une structure appelée **sporange.** Les spores se développent et deviennent de nouveaux gamétophytes. Le gamétophyte haploïde est d'ailleurs la génération dominante chez les Mousses et les autres Bryophytes. Le sporophyte est habituellement plus petit que le gamétophyte, dont il dépend pour l'eau et les nutriments. Il vit également moins longtemps. Cet aspect contraste avec le cycle de développement des Vasculaires, chez qui le sporophyte diploïde constitue la génération dominante.

Hépatiques (classe des Hépaticinées) Les **Hépatiques** sont encore moins apparentes que les Mousses. Chez certaines, le plant se divise en lobes ayant l'apparence des lobes du foie d'un Animal (la racine *hepato* signifie « foie »).

Le cycle de développement d'une Hépatique ressemble beaucoup à celui des Mousses. À l'intérieur du spo-

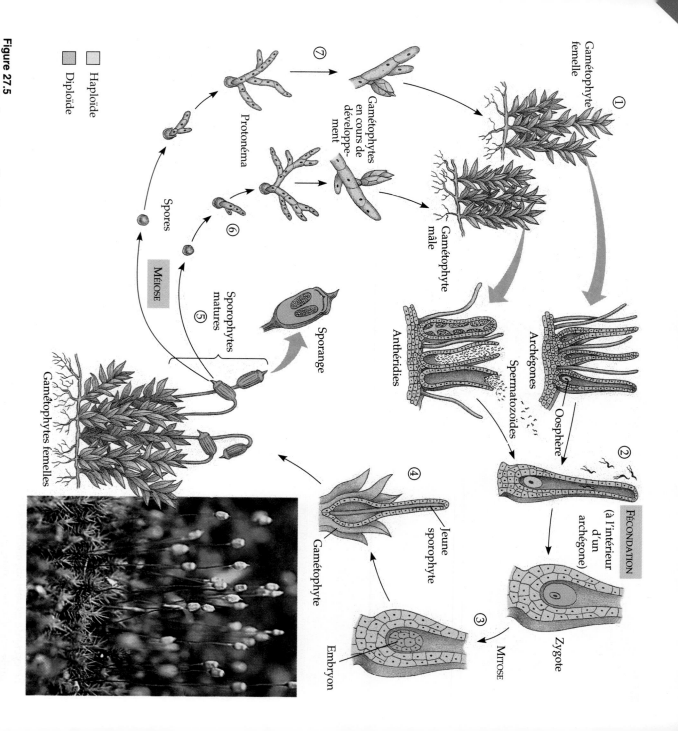

Figure 27.5
Cycle de développement d'une Mousse.
① Chez la plupart des espèces de Mousses, les gamétophytes mâles et femelles sont distincts : les mâles portent des anthéridies et les femelles des archégones. ② Le spermatozoïde nage dans une mince couche humide vers l'archégone et féconde l'oosphère. ③ Le zygote diploïde ainsi formé se divise par mitose et devient un embryon de sporophyte à l'intérieur de l'archégone. ④ Le jeune sporophyte, attaché au gamétophyte femelle, laisse croître une longue tige. ⑤ Au bout de la tige se trouve un sporange, c'est-à-dire une capsule dans laquelle des spores haploïdes se développent par méiose. Ces spores se dispersent quand le sporange éclate. ⑥ Une spore se développe par mitose et forme un petit protonéma filamenteux vert qui ressemble à une Algue verte. ⑦ Le protonéma haploïde continue sa croissance et sa différenciation pour former un nouveau gamétophyte, complétant ainsi le cycle de développement. Le gamétophyte est la génération la plus apparente chez les Bryophytes.

La spécialisation croissante des systèmes racinaire et caulinaire a créé un nouveau problème : le transport des matières vitales entre des organes éloignés. En effet, l'eau et les minéraux absorbés par les racines doivent monter jusqu'aux feuilles, alors que les glucides et autres produits organiques de la photosynthèse doivent passer des feuilles aux racines. Les tissus conducteurs règlent ce problème : ils transportent les matières vitales dans toute la Plante (figure 27.8). Les tissus conducteurs des Végétaux sont le **xylème** et le **phloème**. Dans le xylème, des cellules en forme de tube transportent surtout l'eau et des minéraux (sève brute) depuis les racines vers le haut. Ces cellules sont en fait des cellules mortes ; seule leur paroi demeure et forme un conduit microscopique. La paroi cellulaire contient habituellement de la lignine et sert donc autant au soutien de la Plante qu'au transport de l'eau. Le phloème, lui, est un tissu vivant composé d'une succession de cellules formant des tubes qui distribuent

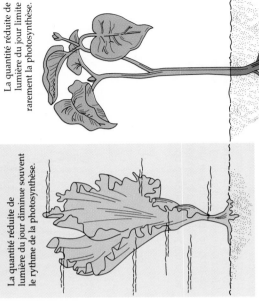

Le milieu (air) ne soutient pas la Plante.

Les parties aériennes de la Plante ne sont pas en contact direct avec l'eau et les minéraux; elles perdent de l'eau par transpiration.

La photosynthèse a lieu seulement dans les parties aériennes de la Plante.

La quantité réduite de lumière du jour limite rarement la photosynthèse.

Le milieu (eau) soutient l'Algue.

Toutes les parties de l'Algue sont en contact avec l'eau et les minéraux du milieu.

La photosynthèse a lieu dans la plupart des cellules de l'Algue.

La quantité réduite de lumière du jour diminuent souvent le rythme de la photosynthèse.

Figure 27.7
Comparaison entre les conditions de vie des Algues et des Végétaux.

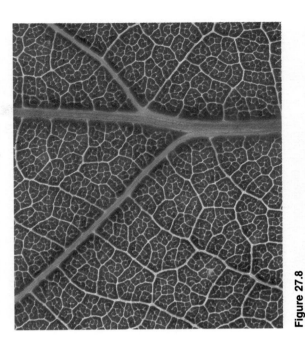

Figure 27.8
Tissus conducteurs d'une feuille. Un réseau étendu de nervures dessert toutes les parties de cette feuille de Tremble. Les tissus conducteurs incluent le xylème, spécialisé dans le transport de la sève brute depuis les racines jusqu'aux parties aériennes, et le phloème, spécialisé dans le transport de la sève élaborée depuis les feuilles jusqu'aux racines et aux autres parties non photosynthétiques de la Plante.

Figure 27.6
Hépatiques. Les corbeilles de propagules servent à la reproduction asexuée. Quand les gouttes de pluie frappent ces corbeilles, celles-ci éjectent les propagules et les dispersent.

Corbeille de propagules

surtout des nutriments organiques (sève élaborée), par exemple le saccharose, à travers la Plante (nous étudierons le transport chez les Végétaux au chapitre 32).

Certains groupes de Vasculaires se sont adaptés au milieu terrestre en se dotant d'autres caractéristiques : la production de graines, le remplacement des anthérozoïdes flagellés par du pollen comme moyen de transport aérien des gamètes, et la domination croissante du sporophyte diploïde dans l'alternance de générations.

Sous-règne des Vasculaires : les premières Vasculaires

On trouve, enfermés dans les couches sédimentaires de la fin du Silurien et du début du Dévonien, des fossiles de diverses Vasculaires faisant partie des plus anciens organismes terrestres connus. Un grand nombre de ces Plantes pétrifiées se sont si bien conservées qu'on peut observer l'organisation de leurs tissus au microscope. La plus vieille s'appelle *Cooksonia* ; on l'a découverte dans les roches siluriennes d'Europe et d'Amérique du Nord (les deux continents étant probablement réunis durant cette période). Cette Plante simple possédait des ramifications dichotomiques (une répétition de la forme « Y »). Certaines tiges se terminaient par des sporanges bulbeux. *Cooksonia* a précédé diverses espèces du début du Dévonien, dont deux genres caractéristiques : *Rhynia* et *Zosterophyllum* (figure 27.9).

Rhynia et *Zosterophyllum* étaient géographiquement répandus. Le genre *Zosterophyllum* est l'ancêtre le plus probable des Lycopodinées, une classe des Vasculaires. Les Végétaux semblables à *Rhynia* occupaient probablement la ramification initiale de toutes les autres classes de Vasculaires. Les Trimérophytes constituent probablement le lien entre le genre *Rhynia* et les Végétaux sans graines qui ont commencé à apparaître au milieu et à la fin du Dévonien.

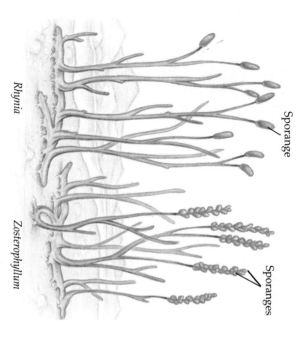

Sporange

Rhynia

Zosterophyllum

Sporanges

Figure 27.9
Vasculaires du début de la période dévonienne. La forme de *Rhynia* ressemblait à celle de *Cooksonia* (la plus ancienne Plante vasculaire connue) : les deux avaient des sporanges au bout de leurs ramifications dichotomiques. Elles ne possédaient ni racine ni feuille. Une tige horizontale, le rhizome, permettait à la Plante de s'ancrer dans le sol. *Rhynia* poussait en touffes denses autour des marais. L'espèce la plus grande atteignait 50 cm. Les espèces de *Zosterophyllum* différaient de *Rhynia*, car elles portaient une grappe de sporanges sur le bout de la tige, plutôt qu'un seul sporange terminal.

EMBRANCHEMENT DES PTÉRIDOPHYTES : VASCULAIRES SANS GRAINES

Les premières Vasculaires se reproduisaient sans graines. Quatre classes de Plantes modernes ont conservé cette particularité. Elles font partie des Ptéridophytes, aussi appelées Cryptogames vasculaires ou Vasculaires sans graines.

Classe des Psilotinées

Cette classe de Plantes plutôt simples comprend seulement deux genres, *Psilotum* et *Tmesipteris*. Le plus connu est *Psilotum*, largement répandu sous les tropiques et dans les régions subtropicales. Aux États-Unis, on désigne les Psilotes par le nom commun *whiskfern* (en anglais, *fern* signifie «Fougère»), mais ce ne sont pas de vraies Fougères. La génération sporophyte diploïde de *Psilotum* montre des ramifications dichotomiques qui rappellent celles des premières Vasculaires (figure 27.10). *Psilotum* ne possède ni vraie racine ni vraies feuilles. La partie souterraine de la Plante consiste en un rhizome (tige horizontale) couvert de minuscules rhizoïdes. Les tiges verticales portent des protubérances qui, contrairement aux vraies feuilles, n'ont pas de tissus conducteurs.

Classe des Lycopodinées

Les **Lycopodinées** représentent les vestiges d'un lointain passé. Elles sont apparues durant le Dévonien, et au cours du Carbonifère, qui a commencé il y a environ 360 millions d'années et pris fin il y a environ 286 millions d'années, elles étaient devenues très répandues. À cette période, les Lycopodinées se sont divisées en deux lignées. Les individus de la première lignée étaient des arbres dont le diamètre pouvait atteindre 2 m et la hauteur plus de 40 m. Les individus de la deuxième lignée, eux, sont demeurés petits et herbacés (non ligneux). Les Lycopodes géants ont évolué pendant des millions d'années dans les marais du Carbonifère, mais ils ont disparu quand les marais se sont asséchés à la fin de cette période. Les petites Lycopodinées ont survécu, et on en trouve aujourd'hui à peu près un millier d'espèces réparties en trois familles : les Lycopodiacées, les Sélaginellacées et les Isoétacées, communément appelées Lycopodes ou Pieds-de-loup, Sélaginelles et Isoètes.

La plupart des Lycopodinées sont des Plantes tropicales épiphytes (Plantes non parasites utilisant un autre organisme comme substrat) qui croissent sur des arbres. Les autres Lycopodinées croissent sur le sol des forêts du Canada et du nord-est des États-Unis.

Le Lycopode aplati (*Lycopodium complanatum*, une Lycopodiacée) illustré à la figure 27.11 est au stade de sporophyte diploïde. Les **sporophylles** des Lycopodiacées sont des feuilles spécialisées dans la reproduction qui portent les sporanges. Une fois libérées, les spores deviennent des gamétophytes discrets qui peuvent vivre

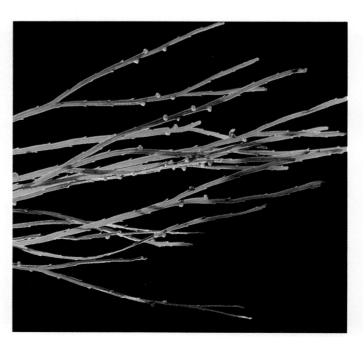

Figure 27.10
Sporophyte de *Psilotum*. Les protubérances sur ces tiges ramifiées dichotomiques ne sont pas de vraies feuilles, parce qu'elles n'ont pas de tissus conducteurs. Ces protubérances sont des sporanges d'où sortiront les spores haploïdes qui germeront dans le sol. Les minuscules gamétophytes souterrains n'ont pas de chlorophylle ; pour se nourrir, ils doivent vivre en symbiose avec des Mycètes qui décomposent la matière organique. Les spermatozoïdes flagellés nagent dans le sol humide depuis les anthéridies jusqu'aux archégones des gamétophytes, ce zygote commence sa croissance dans l'archégone, jusqu'à ce que le jeune sporophyte sorte du gamétophyte, qui se fane alors.

Figure 27.11

***Lycopodium complanatum*, ou Lycopode aplati.** Les Lycopodes vivent en grand nombre dans les forêts du Canada et du nord-est des États-Unis. Cette petite Plante possède un rhizome horizontal d'où partent des racines et des pousses verticales. Elle porte de vraies feuilles contenant un faisceau de tissus conducteurs. Les sporanges du Lycopode occupent des feuilles spécialisées appelées sporophylles. Chez certaines espèces, comme celle qui est montrée ici, les sporophylles se groupent à l'extrémité des pousses en amas appelés strobiles.

dans le sol pendant dix ans ou plus. Ces minuscules Plantes haploïdes, comme les gamétophytes des Psilotes, n'utilisent pas la photosynthèse; elles se nourrissent grâce à une symbiose avec des Mycètes. Chaque gamétophyte produit des archégones portant des oosphères, ainsi que des anthéridies portant des spermatozoïdes flagellés. Lorsqu'un spermatozoïde réussit en nageant à féconder une oosphère, le zygote diploïde donne naissance à un nouveau sporophyte capable de photosynthèse.

On qualifie les Lycopodiacées d'**homosporées**, parce qu'elles produisent un seul type de spore, qui devient un gamétophyte bisexué possédant à la fois l'organe femelle (l'archégone) et l'organe mâle (l'anthéridie). Chez les Lycopodinées **hétérosporées**, comme les Sélaginelles et les Isoètes, le sporophyte produit deux types de spores. Les **mégaspores** deviennent des gamétophytes femelles portant des archégones, tandis que les **microspores** deviennent des gamétophytes mâles portant des anthéridies. Les gamétophytes des espèces hétérosporées sont donc unisexués. Nous rencontrerons d'autres exemples d'homosporie et hétérosporie parmi les Vasculaires que nous étudierons plus loin. De plus, les Sélaginelles se distinguent des Isoètes par la forme et la disposition de leurs feuilles. Les Sélaginelles portent sur la tige quatre séries ou paires de petites feuilles entières et opposées. Les Isoètes s'apparentent à des touffes d'herbe avec leurs feuilles linéaires et longues (entre 8 et 30 cm).

Classe des Équisétinées

Communément appelées Prêles, les Équisétinées proviennent d'une lignée ancienne issue de Plantes vasculaires sans graines du Dévonien. Cette classe a atteint son apogée durant le Carbonifère, alors qu'un grand nombre d'espèces pouvaient atteindre 15 m de haut. Il ne reste de cette classe qu'environ 15 espèces d'un seul genre, *Equisetum*, largement répandu, mais surtout concentré dans l'hémisphère nord, où il vit généralement dans les endroits humides tels les bords de ruisseaux (figure 27.12).

La génération sporophyte de la Prêle s'avère la plus remarquable. La méiose se produit dans les sporanges, qui libèrent les spores haploïdes. Les gamétophytes issus de ces spores n'ont que quelques millimètres. Cependant, ils utilisent la photosynthèse et vivent à l'état libre (ils ne dépendent pas du sporophyte). La Prêle est homosporée; l'unique type de spore donne un gamétophyte bisexué portant à la fois ues anthéridies et des archégones. Les spermatozoïdes flagellés fécondent les oosphères dans les archégones, dont les jeunes sporophytes sortiront.

Classe des Filicinées

Depuis leur apparition durant le Dévonien, les Fougères (classe des Filicinées) se sont subdivisées en beaucoup d'espèces qui ont côtoyé les Lycopodes géants et les Prêles dans les forêts du Carbonifère. Les Fougères sont les plus nombreuses des Plantes sans graines de la flore moderne (figure 27.13). Il en existe plus de 12 000 espèces aujourd'hui. Bien qu'on en observe une certaine variété dans les forêts tempérées, leur diversité est plus grande sous les tropiques.

Une évolution différente explique probablement le fait que les feuilles des Fougères sont généralement plus larges que celles des Lycopodiacées. L'origine des feuilles fait actuellement l'objet de plusieurs études. Les petites feuilles des Lycopodiacées ont probablement évolué à partir de structures qui, sortant de la tige, ne contenaient qu'un seul faisceau de tissus conducteurs, c'est-à-dire une seule nervure. Les feuilles de ce type se nomment **microphylles**, alors que les feuilles des Fougères sont des **mégaphylles**, parce qu'elles possèdent un réseau de nervures.

Les feuilles composées des Fougères portent le nom de frondes; elles se divisent en plusieurs folioles appelées pennes. À mesure que la fronde croît, son bout enroulé, nommé crosse, se déroule. La feuille peut germer directement à partir d'un rhizome, comme chez la Grande Fougère (*Pteridium quilinum*) et l'Onoclée sensible (*Onoclea sensibilis*). Par contre, les Fougères arborescentes, fréquentes sous les tropiques, portent de grandes tiges droites mesurant plusieurs mètres.

Les Fougères feuillues que nous connaissons bien constituent la génération sporophyte. Certaines de leurs frondes sont des sporophylles spécialisées qui portent des sporanges sur leur face inférieure. Chez un grand nombre de Fougères, les sporanges sont groupés en amas appelés sores, et ils possèdent un mécanisme qui catapulte les spores à plusieurs mètres. Les spores peuvent

Figure 27.13
Fougères. La Fougère-à-l'Autruche (*Matteuccia Struthiopteris*) croît dans les forêts du Québec méridional. Les crosses de Fougères qu'on aperçoit en mortaise sont de jeunes frondes prêtes à se déployer.

Figure 27.12
Equisetum (Prêles). Le genre *Equisetum* possède un rhizome souterrain d'où surgissent des tiges verticales. Les tiges, droites et creuses, présentent des « articulations » d'où jaillissent de petites tiges verticillées, c'est-à-dire disposées autour de la tige, à même hauteur. La Plante, très rude au toucher, possède un épiderme (couche externe de cellules) incrusté de silice. Au bout de certaines tiges de Prêles se trouve une structure conique (strobile) recouverte de sporanges. Les Prêles portent aussi le nom de « joncs à récurer », car, avant l'invention des d'accessoires modernes, on utilisait souvent leurs tiges pour récurer les marmites et les casseroles.

donc se faire transporter par le vent, loin de leur point de départ. La figure 27.14 décrit le cycle de développement d'une Fougère. La majorité des Fougères doivent vivre dans des habitats relativement humides étant donné que leurs spermatozoïdes doivent nager pour assurer la fécondation et que leurs gamétophytes sont fragiles.

Forêts du Carbonifère

Les quatre classes de Végétaux que nous venons d'étudier sont les descendants directs des Plantes vasculaires sans graines qui couvraient les vastes forêts du Carbonifère. Cette végétation du Carbonifère n'a pas seulement laissé des descendants qui existent encore mais également un combustible fossile: le charbon. Le charbon a alimenté la révolution industrielle et connaîtra probablement une utilisation croissante puisque les réserves de pétrole et de gaz naturel s'épuisent.

Le charbon s'est formé durant plusieurs périodes géologiques, mais on trouve les plus importants dépôts dans les strates du Carbonifère, une période où des mers peu profondes et des marais inondaient la plupart des continents. L'Europe et l'Amérique du Nord, situées près de l'équateur au cours de cette période, étaient recouvertes par des forêts tropicales marécageuses. La végétation morte ne se décomposait pas complètement dans ces eaux stagnantes, et d'épaisses couches de débris organiques, appelés tourbe, se sont accumulées. Plus tard, la mer a envahi les marais, recouvrant la tourbe de sédiments marins. La chaleur et la pression ont transformé progressivement la tourbe en charbon.

Durant le Carbonifère, les Plantes à graines primitives ont aussi poussé dans les marais. Ces Gymnospermes ne dominaient pas le paysage, mais après l'assèchement des marais, à la fin de cette période, elles ont fini par prendre une place prépondérante.

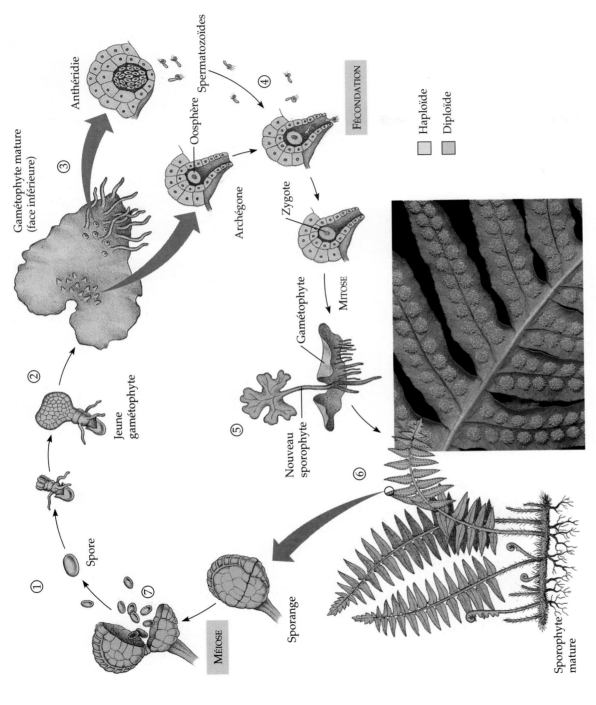

Figure 27.14
Cycle de développement d'une Fougère.
① Lorsque la spore se pose en sol favorable, ② elle devient un petit gamétophyte en forme de cœur qui s'autosuffit puisqu'il est photosynthétique. ③ La plupart des Fougères sont homosporées ; chaque gamétophyte porte à la fois les organes mâle et femelle. Cependant, l'archégone et l'anthéridie arrivent à maturité à des moments diffé-

rents, assurant ainsi la fécondation croisée entre les gamétophytes. ④ Les spermatozoïdes des Fougères, comme ceux des Lycopodes et des Prêles, utilisent leur flagelle pour nager dans une pellicule d'eau de l'anthéridie à l'archégone et y féconder l'oosphere. Une substance sexuelle attractive sécrétée par l'archégone permet aux spermatozoïdes de se rendre à destination.

⑤ L'oosphère fécondée devient un nouveau sporophyte qui croît hors de l'archégone parental, le gamétophyte. ⑥ Les sores sont les points sous les frondes reproductrices (sporophylles) qu'on peut voir sur la photographie. Chaque sore représente un amas de sporanges, ⑦ lesquels libèrent les spores qui deviendront les prochains gamétophytes.

Haploïde
Diploïde

EMBRANCHEMENT DES SPERMATOPHYTES : VASCULAIRES À GRAINES

Trois modifications du cycle de développement ont contribué à l'adaptation terrestre des Spermatophytes, aussi appelés Phanérogames ou Plantes à graines :

1. Leurs gamétophytes sont devenus beaucoup plus petits que ceux des Fougères et des autres Plantes vasculaires sans graines. Plutôt que de se développer seuls

dans le sol, les minuscules gamétophytes des Spermatophytes sont protégés du dessèchement par les tissus humides des sporophytes qui les enveloppent. Certains botanistes pensent que le passage à la diploïdie des Végétaux terrestres est devenu nécessaire à cause de la nocivité des radiations solaires ionisantes, qui provoquent des mutations. Ces radiations nocives sont plus intenses sur terre que dans l'eau, celle-ci possédant un pouvoir filtrant. Entre le gamétophyte et le sporophyte, la génération qui s'adapte le mieux aux radiations mutagènes est probablement le sporophyte, soit la forme diploïde. En effet, les organismes diploïdes qui

Chapitre 27 : Les Végétaux et la colonisation de la terre ferme **569**

Figure 27.15
Classes de Gymnospermes. (a) Les Cycadinées. Les Cycas, comme *Cycas revoluta*, ressemblent à des Palmiers, mais les vrais Palmiers sont des Angiospermes. Les Cycas, parfois appelés Sagoutiers, sont des Gymnospermes qui portent des graines nues sur les écailles de leurs cônes. **(b)** Les Ginkgoïnées. Le Ginkgo (*Ginkgobiloba*), communément appelé « arbre aux quarante écus », possède des feuilles en forme d'éventail qui deviennent dorées et tombent en automne. Cette caractéristique est inhabituelle chez les Gymnospermes. On utilise souvent le Ginkgo dans les aménagements urbains, car il résiste bien à la pollution de l'air et aux diverses agressions environnementales. **(c)** Les Gnétinées. Elles comprennent trois genres de Gymnospermes qui ne sont probablement pas proches parentes. Le genre *Welwitschia* est une plante étrange dont les feuilles, les plus grosses qu'on connaisse, ressemblent à des lanières. Elle vit uniquement dans les déserts du sud-ouest de l'Afrique. **(d)** Les Conifères. Les Pins, les Sapins et les Séquoias, entre autres, font partie des Plantes à cônes appelées Conifères. Ce Séquoia géant de 80 m (*Sequoiadendron giganteum*) qui porte le nom de General Grant se trouve au King's Canyon National Park, en Californie.

sont homozygotes pour un caractère essentiel possèdent un allèle de secours : lorsqu'un des allèles est endommagé, sa copie suffit à assurer la survie. Selon cette hypothèse, on interprète la prédominance croissante des sporophytes au cours de l'évolution des Vasculaires comme une adaptation aux conditions terrestres.

2. Le spermatozoïde utilise la pollinisation plutôt que la nage pour féconder l'oosphère.

3. La structure de la graine a évolué. Plutôt que de se développer à l'intérieur d'un jeune sporophyte qui assure lui-même sa survie, le zygote d'une Plante à graines devient un embryon qui se trouve enveloppé dans une graine avec des réserves nutritives. Cette enveloppe protège l'embryon de la sécheresse, du froid et d'autres conditions difficiles. La graine contribue également à la dispersion : elle peut se faire transporter loin de ses parents par le vent, l'eau ou les Animaux. Chez les Spermatophytes, la graine a donc remplacé la spore dans l'étape du cycle de développement qui assure la dispersion de l'espèce.

GYMNOSPERMES

Les fossiles indiquent que les Gymnospermes, qui constituent l'un des deux sous-embranchements des Spermatophytes, sont apparues les premières dans l'évolution.

Figure 27.16
Forêt de Conifères. Cette photographie montre la région du lac Peyto, dans le Parc national de Banff, en Alberta. Les Conifères forment une bande compacte traversant le nord du continent à des latitudes où la période de croissance est courte.

Contrairement aux Angiospermes, elles ne possèdent pas de compartiment fermé qui protège la graine durant son développement. Il existe quatre classes de Gymnospermes (figure 27.15). La classe des Conifères est beaucoup plus nombreuse que les trois autres classes, soit les Cycadinées, les Ginkgoïnées et les Gnétinées.

Classe des Conifères

Le terme **Conifère** (du latin *conus* «cône», et *ferre* «porter») rend compte de l'appareil reproducteur de ces Végétaux, le cône. Cette classe de Gymnospermes comprend les Pins (*Pinus*), les Sapins (*Abies*), les Épinettes (*Picea*), les Mélèzes (*Larix*), les Ifs (*Taxus*), les Genévriers (*Juniperus*), les Thuyas (*Thuja*), les Pruches (*Tsuga*), les Cyprès (*Chamaecyperis*), les Fausses Pruches (ou Sapins de Douglas, *Pseudotsuga*) et les Séquoias (*Sequoiadendron*). Même si les Conifères ne comptent qu'environ 550 espèces, ils dominent les vastes étendues de l'hémisphère nord, où la période de croissance est relativement courte à cause de la latitude ou de l'altitude (figure 27.16).

Presque tous les Conifères conservent leurs feuilles toute l'année. Ils peuvent ainsi effectuer un peu de photosynthèse pendant les jours ensoleillés de l'hiver. Et au printemps, les feuilles déjà matures leur permettent de redémarrer la croissance plus rapidement.

Les aiguilles de Pin et de Sapin sont adaptées aux conditions arides. Afin de réduire les pertes d'eau, les stomates se logent au fond de petits puits à la surface de l'aiguille, elle-même recouverte d'une épaisse cuticule.

Malgré leur forme, les aiguilles des Conifères sont des mégaphylles, comme les feuilles des autres Spermatophytes.

La majeure partie du bois de charpente et de la pâte à papier que nous utilisons proviennent des Conifères. En réalité, ce que nous appelons bois est l'accumulation de xylème lignifié qui forme le tissu de soutien des arbres.

Certains Conifères comptent parmi les plus grands, les plus imposants et les plus vieux organismes vivant sur Terre. Par exemple, les Séquoias, qui ne poussent que sur la côte et au centre de la Californie, atteignent jusqu'à 110 m de haut; seuls certains Eucalyptus d'Australie dépassent cette hauteur. Le plus gros organisme connu est un Séquoia géant (*Sequoiadendron giganteum*) qui vit dans la Sierra Nevada, en Californie (voir la figure 27.15d). Il porte le nom de General Sherman et possède un tronc de 26 m de circonférence (8,28 m de diamètre). Certains Pins appartenant à l'espèce *Pinus longaeva*, également originaire de Californie, figurent parmi les organismes les plus vieux. Un de ces arbres, appelé Mathusalem, a plus de 4 600 ans.

Cycle de développement du Pin Le Pin, un Conifère typique, est un sporophyte dont les sporanges se trouvent dans les cônes. La génération des gamétophytes provient des spores haploïdes contenues dans les sporanges. Les Conifères sont hétérosporés : les gamétophytes mâle et femelle se développent à partir de différents types de spores produites dans des cônes distincts. Chaque arbre possède habituellement les deux types de cônes. Les petits cônes staminés (ou cônes

mâles à pollen) produisent de petites spores qui deviennent des gamétophytes mâles. Les cônes femelles (ou cônes ovulifères), plus gros et plus complexes que les cônes mâles, renferment les ovules ; ces derniers produisent de grosses spores qui deviennent des gamétophytes femelles (figure 27.17). Habituellement, les cônes mâles et les cônes femelles poussent sur des branches différentes. On trouve les cônes mâles sur les branches inférieures de l'arbre et les cônes femelles sur les branches supérieures. Si une même branche porte les deux types de cônes, les cônes mâles se situent au début des nouvelles pousses et les cônes femelles à l'autre extrémité. Comme il y a peu de chances que le pollen monte dans l'arbre, cela suppose une fécondation par un autre individu ; ainsi, le patrimoine génétique se trouve amélioré. À partir du moment où les jeunes cônes apparaissent, il s'écoule trois ans de transformations avant la production de graines matures. Les écailles des gros cônes femelles s'écartent alors pour que les graines ailées se laissent emporter par le vent. La graine qui se pose dans un habitat propice germe et produit un embryon de Pin. Ce jeune plant sort ensuite du développement d'un Conifère en le comparant à celui des autres Végétaux.

Évolution des Gymnospermes

Les Gymnospermes descendent probablement d'un groupe de Végétaux du Dévonien appelés Prégymnospermes. À la fin de cette période, les graines sont apparues chez ces Végétaux, qui se reproduisaient alors sans graines. Durant le Carbonifère et le début du Permien, certaines adaptations ont donné naissance aux diverses classes de Gymnospermes.

De grandes crises ont eu lieu durant le Permien. La formation du supercontinent Pangée (voir le chapitre 23) constitue peut-être l'une des raisons qui explique le réchauffement et l'assèchement de l'intérieur des continents durant cette période. La flore et la faune terrestres ont alors radicalement changé ; un grand nombre d'organismes ont disparu au profit de ceux qui leur ont suc-

cédé. Même si ce bouleversement s'est davantage fait sentir dans les mers, la vie terrestre a elle aussi été transformée. Dans le règne animal, les Amphibiens se sont moins diversifiés, laissant la place aux Reptiles, mieux adaptés aux conditions arides. Dans le règne végétal, les Lycopodes, les Prêles et les Fougères qui dominaient les marais du Carbonifère ont cédé la place en grande partie aux Conifères et aux Cycas, eux aussi mieux adaptés au climat plus sec. Le monde et ses habitants ont tellement changé à cette époque que les géologues se servent de la fin du Permien comme frontière entre l'ère paléozoïque et l'ère mésozoïque (cette frontière était auparavant déterminée par les changements observés chez les fossiles marins). Le Mésozoïque est parfois appelé « l'ère des Dinosaures », ère durant laquelle les Reptiles géants se nourrissaient d'une végétation surtout constituée de Conifères et de grands Cycas palmiformes. À la fin du Mésozoïque, le refroidissement du climat a coïncidé avec l'extinction des Dinosaures. Certaines Gymnospermes, surtout des Conifères, ont subsisté et constituent encore aujourd'hui une importante partie de la flore terrestre.

ANGIOSPERMES

De nos jours, les Angiospermes ou Plantes à fleurs sont de loin les Végétaux les plus variés et les plus répandus. On en connaît environ 235 000 espèces, contre seulement 721 espèces de Gymnospermes. Les Angiospermes se divisent en deux classes : les Monocotylédones (Monocotyles) et les Dicotylédones (Dicotyles). Au chapitre 31, nous étudierons les différences entre ces deux classes. Parmi les Monocotylédones figurent les Lis, les Orchidées, les Yuccas, les Palmiers et les Graminées, dont la Canne à sucre, le Maïs, le Blé, le Riz, etc. Parmi les nombreuses familles de Dicotylédones, nommons les Roses, les Pois, les Boutons d'or, les Tournesols, les Chênes et les Érables (figure 27.18).

La plupart des Angiospermes ont besoin des Insectes et d'autres Animaux pour acheminer le pollen vers les organes sexuels femelles. Ainsi, la pollinisation des Angio-

Tableau 27.2 Comparaison du mode de reproduction de certains groupes importants de Végétaux

Groupe	Stade dominant du cycle de développement	Homosporé ou hétérosporé	Mode de transport des gamètes mâles
Mousses	Gamétophyte	Homosporé	Le spermatozoïde flagellé nage dans une mince pellicule d'eau pour atteindre l'oosphère.
Fougères	Sporophyte	Homosporé	Spermatozoïde flagellé.
Conifères	Sporophyte	Hétérosporé	Le pollen porté par le vent contient le noyau du spermatozoïde.
Plantes à fleurs	Sporophyte	Hétérosporé	Le pollen est porté par le vent ou les Animaux.

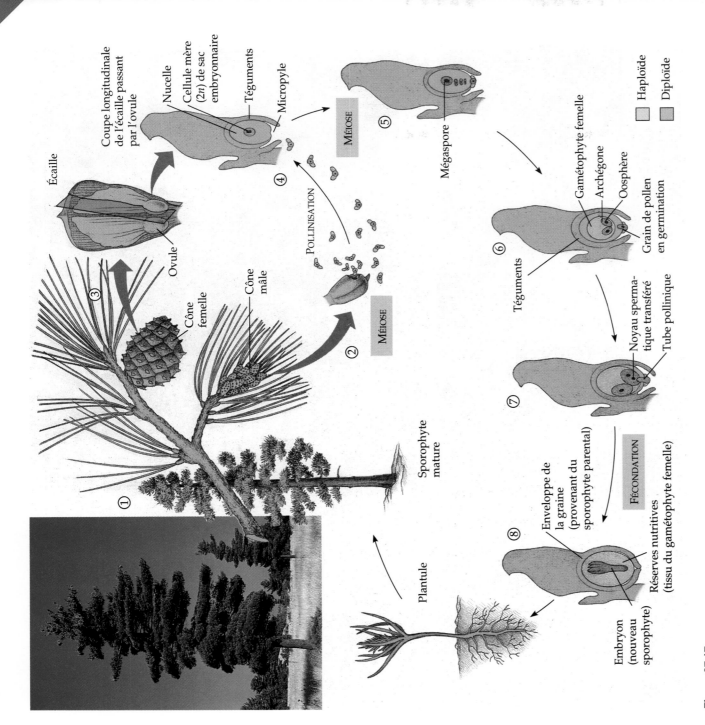

Figure 27.17

Cycle de développement du Pin. ① Les Arbres (sporophytes) de la plupart des espèces portent des cônes mâles et des cônes femelles. ② Un cône mâle porte des centaines de sporanges contenus dans de minuscules sporophylles (feuilles reproductrices). Les cellules des sporanges subissent la méiose et donnent naissance à des microspores haploïdes qui deviennent des grains de pollen (des gamétophytes mâles immatures). ③ Le cône femelle comprend plusieurs écailles, chacune portant deux ovules. Dans chaque ovule se trouve un sporange, appelé nucelle, enveloppé dans des téguments percés d'une seule ouverture, le micropyle. ④ Durant la pollinisation, le pollen emporté par le vent se dépose sur le cône femelle qu'il pénètre

ensuite par le micropyle. Le pollen germe dans l'ovule, en formant un tube pollinique qui trace son chemin vers le nucelle. La fécondation se produit habituellement plus d'un an après la pollinisation. Pendant cette année, ⑤ une cellule mère du sac embryonnaire se divise par méiose dans le nucelle en quatre cellules haploïdes. Une de ces cellules survit et devient la mégaspore qui, après plusieurs divisions, donne naissance à un gamétophyte femelle immature ou sac embryonnaire. ⑥ Deux ou trois archégones, contenant chacun une oosphère, se développent à l'intérieur du sac embryonnaire. ⑦ Quand les oosphères sont prêtes pour la fécondation, les deux spermatozoïdes ont terminé leur développement dans le gamétophyte mâle et le tube pollinique

s'est rendu dans le nucelle jusqu'au gamétophyte femelle. La fécondation a lieu lorsque le noyau d'un spermatozoïde injecté dans une oosphère à travers le tube pollinique, s'unit au noyau de l'oosphère. Toutes les oosphères d'un ovule peuvent être fécondées, mais habituellement un seul zygote devient un embryon. ⑧ L'embryon de Pin, le nouveau sporophyte, possède une racine rudimentaire et plusieurs feuilles embryonnaires, appelées cotylédons. L'embryon utilise le gamétophyte femelle qui l'entoure comme réserve nutritive jusqu'à ce qu'il puisse effectuer la photosynthèse. L'ovule fécondé est donc devenu une graine de Pin qui comporte à la fois un embryon, une réserve de nourriture et une enveloppe protectrice provenant de l'Arbre parental.

Nervures parallèles

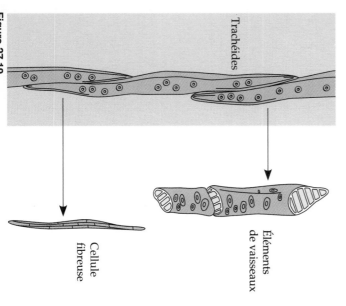

Nervures ramifiées

Figure 27.18
Deux classes d'Angiospermes. (a) Les Monocotylédones, comme ces Orchidacées appelées Sabots de la Vierge, (Cypripedium acaule) ont généralement des feuilles à nervures parallèles convergeant aux extrémités. (b) Les feuilles des Dicotylédones, comme cette Violette septentrionale (Viola septentrionalis), ont des nervures ramifiées.

Trachéides

Éléments de vaisseaux

Cellule fibreuse

Figure 27.19
Évolution des cellules du xylème. Au cours de l'évolution des Angiospermes, les trachéides ont donné naissance aux vaisseaux spécialisés dans le transport de l'eau et aux cellules fibreuses spécialisées dans le soutien.

qui acheminent l'eau à travers la Plante sont les **trachéides**, un type de xylème qu'on croit relativement ancien (figure 27.19). Les trachéides sont des cellules allongées aux extrémités pointues qui, en plus d'assurer une circulation ascendante de la sève brute, remplissent une fonction de soutien. La plupart des Angiospermes possèdent des cellules appelées **vaisseaux**, plus courtes et plus larges que les trachéides, à partir desquelles elles ont évolué. Les vaisseaux, placés bout à bout, forment des tubes continus plus spécialisés que les trachéides dans le transport de la sève brute, mais moins spécialisés dans le soutien. Le xylème des Angiospermes acquiert sa rigidité principalement de la **fibre**. Celle-ci se compose de cellules fibreuses qui ont aussi évolué à partir de la trachéide. Grâce à leur épaisse paroi lignifiée, les fibres du xylème se sont spécialisées dans le soutien. Les Conifères possèdent aussi des fibres, mais aucun vaisseau.

Le raffinement du tissu conducteur et les autres améliorations d'ordre structural ont sûrement contribué à l'excellente adaptation des Angiospermes. Cependant, la fleur semble le facteur le plus important de la multiplication des Angiospermes ; ce remarquable appareil optimise la reproduction en attirant et en récompensant les Animaux transporteurs de pollen.

Fleur

La **fleur** est la structure qui sert à la reproduction d'une Angiosperme. Elle provient d'une pousse comprimée et se compose de quatre verticilles de feuilles modifiées (figure 27.20). À la base de la fleur se trouvent les **sépales**, souvent verts. Ils enveloppent la fleur avant l'éclosion (pensez à un bouton de Rose). Viennent ensuite les **pétales**, la plupart du temps vivement colorés. Ils contribuent à attirer les Insectes et les autres pollinisateurs. Les

spermes dépend moins du hasard que celle des Gymnospermes, tributaire du vent. Par ailleurs, certaines Plantes à fleurs se font polliniser par le vent, mais on ignore s'il s'agit d'une caractéristique originelle ou d'une adaptation apparue à partir d'ancêtres pollinisés par des Animaux.

Le raffinement du tissu conducteur a accompagné l'évolution des Angiospermes. Chez les Conifères, les cellules

Figure 27.21
Fruit en voie de développement. La courgette est un ovaire mûr contenant des graines provenant des ovules fécondés.

4. L'ovaire s'est déplacé au fond de la corolle (ensemble des pétales) et du calice (ensemble des sépales), pour une meilleure protection des ovules.

Nous verrons plus loin dans ce chapitre que, grâce à certaines modifications de la structure de la fleur, un grand nombre d'Angiospermes attirent des Animaux spécifiques pour la pollinisation.

Fruit

Les fruits protègent les graines en dormance et contribuent à leur dispersion. Le **fruit** est un ovaire mature (figure 27.21). Après la fécondation, à mesure que les graines se développent, la paroi de l'ovaire s'épaissit. La gousse du Pois constitue un exemple de fruit dont les graines (ovules matures) sont enfermées dans un ovaire mûr. Certains fruits, comme la pomme, incorporent d'autres parties florales dans l'ovaire. Les pois et les pommes sont des fruits simples, puisqu'ils se développent à partir d'un seul ovaire. Les fruits composés, comme la framboise, se composent de plusieurs ovaires qui faisaient partie de la même fleur. Quant aux fruits multiples, comme l'ananas, ils se développent à partir de plusieurs fleurs distinctes (voir le chapitre 34).

Les fruits se transforment de plusieurs façons pour favoriser la dispersion des graines. Ainsi, des Angiospermes comme le Pissenlit et l'Érable possèdent des fruits qui se déplacent au vent comme des cerfs-volants et des hélices afin d'assurer la dispersion de leurs graines. Cependant, la plupart des Angiospermes ont besoin des Animaux pour disperser leurs graines. Certaines Plantes ont des fruits à enveloppe piquante qui s'accrochent à la fourrure des Animaux (ou aux vêtements des Humains). D'autres Angiospermes produisent des fruits comestibles. L'Animal qui avale ces fruits en digère la chair sans que son système digestif altère les graines, très résistantes. Les Mammifères et les Oiseaux peuvent ainsi libérer les graines, auxquelles ils fournissent un engrais naturel, à des kilomètres de l'endroit où ils ont cueilli le fruit. Les Animaux qui contribuent au transport des graines et du

Chapitre 27 : Les Végétaux et la colonisation de la terre ferme **575**

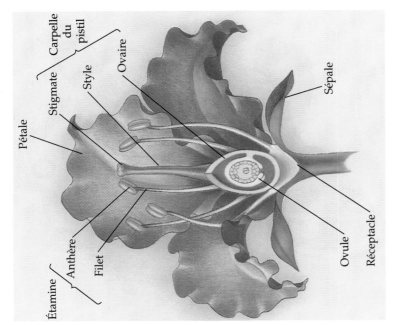

Figure 27.20
Structure d'une fleur.

Plantes dont la pollinisation se fait par le vent, comme c'est le cas chez beaucoup de Graminées, ont souvent une fleur terne. Les sépales et les pétales constituent des parties stériles de la fleur qui n'interviennent pas directement dans la reproduction. À l'intérieur de l'anneau que forment les pétales se trouvent les organes reproducteurs : les **étamines** et les **carpelles.** Une étamine se compose d'une tige appelée **filet,** coiffée d'un sac, l'**anthère,** qui produit le pollen. Un carpelle comprend trois parties. À son extrémité supérieure se trouve le **stigmate** gluant qui reçoit le pollen. Le **style** relie le stigmate à l'**ovaire,** qui se trouve à la base du carpelle. Les ovules, protégés à l'intérieur de l'ovaire, deviennent des graines après la fécondation. Rappelons ici que l'une des caractéristiques des Angiospermes réside dans cette capacité d'enfermer les graines dans l'ovaire. L'origine du carpelle remonte sans doute à l'époque où des feuilles portant des graines ont fini par s'enrouler pour former un tube.

Les botanistes relèvent quatre tendances évolutives parmi les nombreuses lignées d'Angiospermes.

1. Le nombre de parties florales a diminué.
2. Des parties florales ont fusionné. Par exemple, certaines fleurs présentent un carpelle composé né de la fusion de plusieurs carpelles. Le **pistil** ou gynécée représente les parties femelles de la fleur et se compose d'un ou de plusieurs carpelles.
3. La symétrie de la fleur s'est transformée. De l'arrangement radial, qui présente deux moitiés égales lorsqu'on coupe le long de l'axe central de la fleur, la fleur est passée à l'arrangement bilatéral, dans lequel la fleur possède deux moitiés droite et gauche facilement distinguables.

pollen ont aidé les Angiospermes à devenir les Végétaux les plus répandus sur Terre.

Cycle de développement des Angiospermes

Les Angiospermes sont hétérosporées ; la fleur du sporophyte produit à la fois des microspores qui deviennent des gamétophytes mâles et des mégaspores qui deviennent des gamétophytes femelles (figure 27.22). Les gamétophytes mâles immatures sont les **grains de pollen** se développant dans les anthères des étamines. Chaque grain de pollen possède deux cellules haploïdes. Les **ovules**, qui croissent dans l'ovaire, contiennent chacun un **sac embryonnaire** contenant huit noyaux haploïdes répartis dans sept cellules. Six de ces cellules possèdent un seul noyau haploïde chacune, alors que la septième, une cel-

lule centrale plus grosse, en contient deux. Une de ces cellules est l'oosphère. Le chapitre 34 décrit plus en détail le développement du pollen et du sac embryonnaire.

Une fois libéré par l'anthère, le pollen se fait transporter vers le stigmate gluant situé au bout d'un carpelle. Bien que certaines fleurs se reproduisent ainsi par auto-pollinisation, la plupart utilisent un mécanisme qui assure la **pollinisation croisée**, soit le transfert du pollen de la fleur d'une Plante à la fleur d'une autre de la même espèce. Ainsi, chez certaines espèces, les étamines et les carpelles d'une même fleur n'atteignent pas la maturité en même temps. Chez d'autres espèces, la disposition des différents organes de la fleur rend l'autopollinisation impossible (voir le chapitre 34).

Une fois collé au stigmate du carpelle, le grain de pollen, gamétophyte mâle jusqu'alors immature, germe. Il projette un tube qui descend le long du style du carpelle

Figure 27.22
Cycle de développement d'une Angiosperme. ① La fleur du sporophyte produit ② des microspores qui deviennent ③ des gamétophytes mâles (grains de pollen), et

④ des mégaspores qui produisent ⑤ des gamétophytes femelles (sacs embryonnaires) à l'intérieur des ovules. ⑥ La pollinisation réunit les gamétophytes dans l'ovaire.

⑦ La fécondation a lieu, et ⑧ des zygotes deviennent des embryons de sporophytes enveloppés dans des graines renfermant également une réserve nutritive.

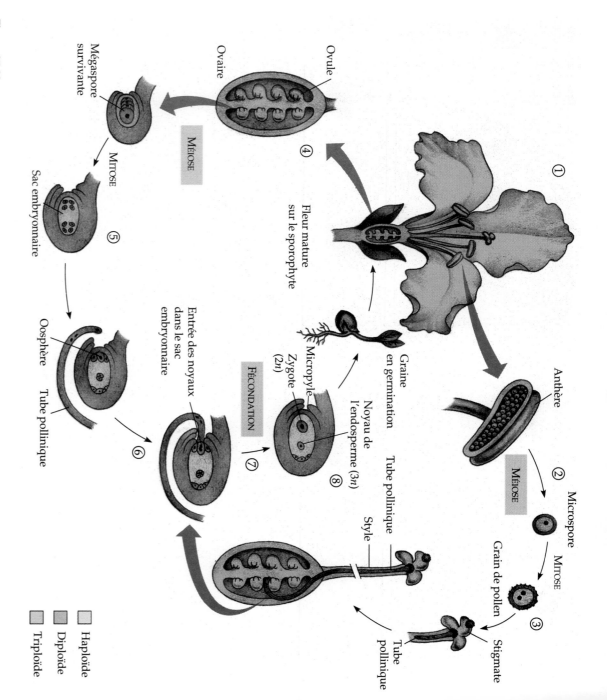

Haploïde
Diploïde
Triploïde

jusqu'à l'ovaire. Le tube pollinique pénètre alors dans les téguments de l'ovule par un pore (le micropyle) et dépose deux spermatozoïdes dans le sac embryonnaire. Un des noyaux spermatiques s'unit à l'oosphère et forme un zygote diploïde. L'autre noyau spermatique s'unit aux deux noyaux de la cellule centrale et forme un noyau triploïde ($3n$). Le pollen des Conifères, rappelons-le, apporte lui aussi deux noyaux spermatiques, mais l'un d'eux se désintègre. Par contre, les noyaux spermatiques des Angiospermes fécondent tous les deux des cellules du sac embryonnaire. Cette caractéristique des Angiospermes porte le nom de **double fécondation.** (Récemment, des chercheurs ont constaté que la double fécondation a également lieu chez *Ephedra*, une Gymnosperme qui appartient à la classe des Gnétinées.)

Après la double fécondation, l'ovule devient une graine, et le zygote un embryon sporophyte portant une racine rudimentaire et une ou deux feuilles primaires, les **cotylédons** (les Monocotylédones possèdent une seule feuille embryonnaire, alors que les Dicotylédones en possèdent deux). Pour sa part, le noyau triploïde au centre du sac embryonnaire se divise plusieurs fois pour former un tissu triploïde, l'**endosperme**, réserve nutritive riche en amidon. Les graines de Monocotylédones comme le Maïs emmagasinent la plupart de leurs réserves dans l'endosperme. Les Haricots et beaucoup d'autres Dicotylédones transfèrent la majeure partie de leurs réserves dans les cotylédons en cours de croissance.

La graine est un ovule mûr. Elle renferme l'embryon et l'endosperme dans une enveloppe issue des téguments (couches externes de l'ovule). La graine germe lorsqu'elle se trouve dans un environnement favorable. Son enveloppe se brise, l'embryon en émerge, puis devient un jeune plant qui utilise les réserves entreposées dans l'endosperme et les cotylédons.

Évolution des Angiospermes

Charles Darwin a qualifié l'origine des Angiospermes d'«affreux mystère». Le mystère persiste toujours. Le problème tient au fait que, à l'examen des fossiles, l'apparition des Angiospermes semble soudaine et sans aucun lien de transition avec des ancêtres. Les plus vieux fossiles classés parmi les Angiospermes résident dans les roches du début du Crétacé, il y a environ 120 millions d'années. Les Angiospermes sont peu représentées comparativement aux Fougères et aux Gymnospermes, très abondantes à l'époque. C'est depuis la fin du Crétacé, il y a environ 65 millions d'années, que les Angiospermes prédominent parmi les Végétaux.

Selon certains paléobotanistes, l'apparition soudaine des Angiospermes au début du Crétacé est un phénomène purement artificiel, dû à une lacune dans la collecte des fossiles. Selon eux, les Angiospermes sont peut-être apparues plus tôt, dans des régions montagneuses ou à d'autres endroits qui rendaient improbable la fossilisation. Et leur apparition soudaine est peut-être due à une pénétration tardive dans des régions qui favorisaient la fossilisation. Selon une autre hypothèse, qui s'appuie sur la théorie de l'évolution appelée équilibre ponctué, les Angiospermes seraient apparues et se seraient propagées plutôt soudainement (selon la géochronologie).

Le manque de formes fossilisées transitionnelles obscurcit l'ascendance des Angiospermes. Cependant, un consensus existe chez les paléobotanistes: les Angiospermes descendraient d'un quelconque groupe de Gymnospermes, peut-être des espèces ressemblant à des Fougères, qui portaient des graines. Cet ancien groupe de Gymnospermes non spécialisées vivant dans les forêts du Carbonifère ainsi que pendant l'ère mésozoïque n'existe plus.

Quelle que soit l'origine des Angiospermes, les fossiles retrouvés témoignent amplement de leur prédominance croissante durant le Crétacé. La fin du Crétacé marque une autre période critique, durant laquelle plusieurs anciens groupes d'organismes cédèrent la place à de nouveaux. Le refroidissement du climat y fut peut-être pour quelque chose. Encore une fois, les extinctions d'espèces furent plus fréquentes dans les océans, mais la faune et la flore terrestres connurent également de grandes modifications. Les Dinosaures ainsi qu'un grand nombre de Cycas et de Conifères qui avaient prospéré durant l'ère mésozoïque disparurent de la surface de la Terre et furent remplacés par les Mammifères et les Angiospermes. Les fossiles de la fin du Crétacé témoignent de changements si radicaux que les géologues considèrent la fin de cette période comme la frontière entre l'ère mésozoïque et l'ère cénozoïque.

Relations entre les Angiospermes et les Animaux

Depuis le jour où les Animaux ont suivi les Végétaux sur la terre ferme, ils n'ont jamais cessé d'influer sur l'évolution des Végétaux terrestres, et vice versa. Parce qu'ils doivent se nourrir, les Animaux ont contribué au processus de sélection naturelle des représentants des deux règnes. Par exemple, dans les habitats des Animaux rampants qui fouillent le sol des forêts pour se nourrir, la sélection a dû favoriser les Plantes qui portaient leurs spores et leurs gamètes au sommet, et non pas les Plantes qui les laissaient à la portée des Animaux affamés. La hauteur de ces structures reproductrices vitales a peut-être à son tour favorisé l'évolution des Insectes volants. Par ailleurs, certains herbivores ont eu un effet positif sur les Plantes à fleurs et les Plantes à fruits, en transportant le pollen et les graines des Plantes dont ils se nourrissaient. Certains Animaux se sont spécialisés dans le transport du pollen et des graines, se nourrissant de certaines Plantes en particulier. Ainsi, la pollinisation de ces Plantes était assurée, de même que l'alimentation de ces Animaux. La sélection naturelle a renforcé cette interaction, car celle-ci améliore les chances de reproduction des deux groupes d'organismes. L'influence réciproque qui s'exerce entre deux espèces durant leur évolution s'appelle **coévolution** (nous préciserons cette définition au chapitre 48).

La coévolution des Angiospermes et de leurs pollinisateurs a grandement contribué à la diversité des fleurs. Un grand nombre de fleurs sont pollinisées par un Animal spécifique, comme telle ou telle espèce d'Abeille, de Scarabée, d'Oiseau ou de Chauve-Souris. Le pollen d'une Plante a ainsi moins de chances de se faire transporter vers une Plante d'une autre espèce, et le pollinisateur conserve un monopole sur sa source de nourriture. Le

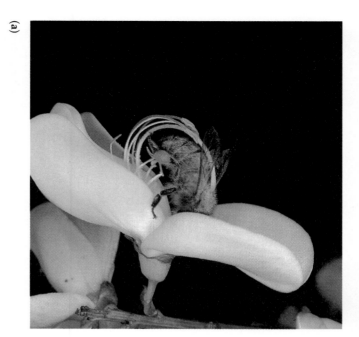

(a)

(b)

(c)

Figure 27.23
Relations entre les Angiospermes et leurs pollinisateurs.
(a) Ce Genêt à balais (*Sarothamnus scoparius*) possède un mécanisme qui saupoudre le pollen sur le dos de l'Abeille.
(b) Certaines fleurs possèdent des nectaires au fond de longs tubes. La trompe mince (enroulée sur cette photo) de ce Papillon (*Heliconius erato*) sert à atteindre le nectar. De tels mécanismes donnent souvent lieu à une relation exclusive entre une Angiosperme et ses pollinisateurs. (c) La Chauve-Souris *Epomophorus wahlbergi* se nourrit des fleurs du Baobab. Son corps recueille le pollen de la Plante et le propage. Le Baobab (*Adansonia digitata*), comme beaucoup de Plantes pollinisées par les Chauves-Souris, fleurit la nuit. Les fleurs, grosses, parfumées et de couleur claire, sont faciles à repérer pour les Animaux nocturnes.

parfum et la couleur d'une fleur sont souvent adaptés à la vue et à l'odorat du pollinisateur. Par exemple, les fleurs butinées par les Abeilles possèdent souvent des nectaires. Ces glandes sécrètent le nectar qui attire l'Abeille. Aussi, lorsqu'elle se rend aux nectaires et ressort, l'Abeille se couvre de pollen (figure 27.23). Ces nectaires qui guident les Abeilles demeurent invisibles pour l'Humain, mais ils apparaissent clairement aux Abeilles, dont les yeux sont sensibles aux ultraviolets. Les fleurs pollinisées par les Oiseaux sont habituellement rouges, couleur à laquelle les yeux des Oiseaux sont particulièrement sensibles. Dans certains cas, la forme de la fleur appelle un pollinisateur particulier. Les fleurs pollinisées par les Colibris, par exemple, portent leurs nectaires au fond du tube floral que seule la langue allongée et effilée des Colibris peut atteindre.

Les fruits comestibles des Angiospermes profitent également d'une relation efficace entre les Angiospermes et les Animaux. Les fruits qui ne sont pas encore mûrs sont habituellement verts et durs, et ils n'ont pas bon goût (du moins pour l'Humain). Cela permet à la Plante de conserver son fruit jusqu'à ce que les graines

arrivent à maturité. À mesure qu'il mûrit, le fruit devient plus mou et plus sucré. Souvent même, il devient odorant et prend une belle couleur vive afin d'attirer les Animaux. Bon nombre de fruits prennent la couleur rouge en mûrissant, une couleur que les Insectes distinguent mal. Cela permet aux Angiospermes portant ces fruits de les réserver pour les Oiseaux et Mammifères suffisamment gros pour en disperser les graines. Cet exemple montre bien qu'une des raisons du succès des Angiospermes réside dans leur interaction avec les Animaux.

Angiospermes et agriculture

Les Plantes à fleurs nous fournissent presque toute notre nourriture. Tous nos fruits et nos légumes proviennent d'Angiospermes. L'endosperme des graines du Maïs, du Riz, du Blé et des autres céréales constitue la principale source de nourriture de la plupart des Humains et des Animaux domestiques. Nous cultivons aussi les Angiospermes pour les fibres, les médicaments, les parfums et la décoration.

(a)

(b)

Figure 27.24
La mauvaise gestion des forêts, un problème d'envergure mondiale. (a) Coupe à blanc dans une forêt ancienne de l'Orégon destinée à devenir du bois de charpente. **(b)** Forêt tropicale du bassin de l'Amazone réduite en cendres pour faire place à des terres cultivables.

Comme d'autres Animaux, nos ancêtres cueillaient probablement les fruits et les céréales sauvages. L'Humain a inventé l'agriculture lorsqu'il a commencé à semer des graines et à cultiver des Plantes pour obtenir une source de nourriture plus fiable. En «domestiquant» certaines Plantes, qu'il cultivait de façon sélective afin d'améliorer la qualité et la quantité des récoltes, l'Humain a influé considérablement sur leur évolution. Nous avons développé une relation très spéciale avec les Plantes que nous cultivons: nous les arrosons, les fertilisons, tentons de les protéger des Insectes et semons leurs graines. Bon nombre de ces Plantes ont tellement changé génétiquement depuis leur domestication qu'elles ne pourraient plus survivre à l'état sauvage. L'agriculture représente une relation évolutive unique entre les Végétaux et les Animaux. Et cette relation est très précaire pour les milliards d'Humains vivant aujourd'hui sur la Terre, car les cultures sont très vulnérables aux catastrophes naturelles et à la négligence des Humains. Afin de protéger le patrimoine alimentaire mondial, plusieurs pays tentent d'entretenir des banques de graines importantes pour l'agriculture. Le U.S. National Seed Storage Laboratory à Fort Collins, au Colorado, entrepose près de 250 000 variétés de 1300 espèces cultivables.

IMPORTANCE DE LA DIVERSITÉ DES VÉGÉTAUX

L'explosion démographique amène une telle augmentation des besoins d'espace et de ressources naturelles qu'elle provoque l'extinction d'espèces végétales, à un rythme sans précédent. Le problème est particulièrement grave sous les tropiques, où vit plus de la moitié de la population humaine et où la croissance démographique est la plus rapide. Les forêts tropicales humides se font détruire à un rythme effréné. On coupe et on brûle ces forêts pour les remplacer par des terres cultivables. Chaque année, on défriche 20 millions d'hectares, soit à peu près 1/10 de la superficie du Québec. À ce rythme, on aura complètement éliminé les forêts tropicales de la surface de la Terre dans 25 ans. À mesure que ces forêts disparaissent, des milliers d'espèces végétales disparaissent également, de même que les Insectes et les autres Animaux qui en dépendent. Les chercheurs estiment que la destruction d'habitats dans les forêts humides et les autres écosystèmes emporte des centaines d'espèces par an. Les conséquences sont plus graves sous les tropiques, car la majorité des espèces y vivent. Malheureusement, ce comportement destructif semble constituer une tendance chez l'Humain. Les Européens, par exemple, ont éliminé la plupart de leurs forêts il y a déjà quelques siècles, tandis que les Nord-Américains ont mis beaucoup d'espèces en péril en détruisant leur habitat (figure 27.24).

Beaucoup de gens ressentent un certain malaise à l'idée de contribuer à l'extinction de formes vivantes. Mais c'est de façon intéressée qu'ils s'inquiètent de la diversité décroissante des Végétaux. Nous dépendons des Végétaux pour des milliers de produits, dont les denrées alimentaires, les matériaux de construction et les médicaments. Jusqu'à présent, nous avons exploré les usages potentiels d'une minuscule fraction des 250 000 espèces végétales connues. Par exemple, presque

toute notre alimentation provient de la culture d'une vingtaine d'espèces. Plus de 120 produits de prescription sont extraits de Plantes, comme les glucosides digitaliques, qui traitent certains problèmes cardiaques, et le taxol, un médicament anticancéreux très prometteur. Cependant, les chercheurs ont étudié le potentiel médicinal de moins de 5000 espèces de Plantes seulement. Les compagnies pharmaceutiques dirigeant ces recherches sont guidées vers ces espèces par les populations locales qui les utilisent dans la préparation de leurs médicaments traditionnels. Une autre approche consiste à observer les Animaux malades qui recherchent certaines Plantes et s'en nourrissent (figure 27.25).

La forêt tropicale humide constitue une réserve de Plantes médicinales qui risquent de disparaître avant même qu'on ne les ait connues. Cela n'explique qu'en partie pourquoi il faut prendre conscience de la valeur de la diversité végétale actuelle et trouver des façons de la conserver. Les solutions proposées doivent toutefois être réalistes sur le plan économique. S'il s'avère plus profitable

Cinquième partie : La diversité biologique à travers l'évolution

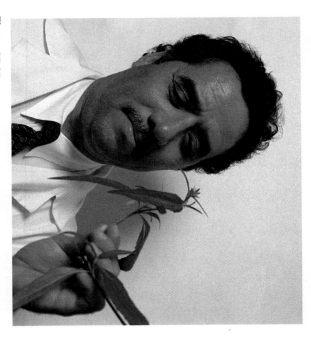

Figure 27.25
Aspilia, une Plante médicinale. Eloy Rodriguez, un scientifique de l'Université de Californie à Irvine, étudie les propriétés médicinales de la thiarubrine-A, un composé présent dans les jeunes feuilles d'*Aspilia*. En Tanzanie, les scientifiques qui effectuent des recherches sur le terrain ont observé des Chimpanzés qui, à l'occasion, avalaient en grimaçant de jeunes feuilles d'*Aspilia*. Il semble que la thiarubrine-A détruit des parasites intestinaux pathogènes pour les Chimpanzés. En observant les Animaux dans leur environnement naturel, les chercheurs découvrent de nouveaux médicaments. Le bien-être de l'Humain et des autres Animaux est intimement lié à la diversité des Plantes terrestres.

de raser les forêts que de les préserver, nous les couperons et les brûlerons. Mais si nous commençons à considérer les forêts tropicales et les autres écosystèmes comme des trésors vivants qui ne se régénèrent que lentement, nous apprendrons à récolter leurs ressources à un rythme plus raisonnable. Cette approche fonctionnera seulement si les populations locales qui sont gardiennes de la diversité végétale de leur région reçoivent leur juste part des profits engendrés par la mise au point de produits pharmaceutiques et des autres dérivés des Végétaux. Que pouvons-nous faire d'autre pour préserver la diversité des Végétaux ? Peu de questions revêtent autant d'importance.

* * *

Dans ce chapitre, nous avons retracé l'évolution des Végétaux durant une période de 425 millions d'années, depuis les Algues vertes qui ont colonisé la terre ferme jusqu'aux Angiospermes qui dominent maintenant le paysage. Nous avons observé encore une fois qu'il est plus facile de comprendre les organismes actuels lorsqu'on étudie leur histoire. Ce chapitre nous a également permis de faire ressortir le lien étroit qui existe entre la biologie et la géologie. Les changements climatiques ont certainement influé sur l'évolution des Végétaux, mais ces derniers ont de leur côté modifié le sol et transformé le paysage de plus d'une façon. Le chapitre suivant retrace l'histoire des Mycètes et examine les effets environnementaux des organismes de ce règne, qui ont envahi la Terre avec les Végétaux.

RÉSUMÉ DU CHAPITRE

Depuis que les Végétaux ont colonisé la terre ferme, il y a 425 millions d'années, ils ont participé à d'importants changements dans les conditions terrestres.

Introduction au règne végétal (p. 559-561)

1. Tous les Végétaux sont des eucaryotes pluricellulaires photosynthétiques. Ils possèdent des parois cellulaires contenant de la cellulose et ils emmagasinent leurs glucides sous forme d'amidon. Les stomates et les cuticules des tiges et des feuilles sont deux caractéristiques importantes provenant d'adaptations aux conditions terrestres.

2. Lorsque les Végétaux ont colonisé la terre ferme, ils se sont munis d'organes sexuels protégés, les gamétanges, pour mettre les gamètes et les embryons à l'abri du dessèchement.

3. Toutes les Plantes modernes se reproduisent par alternance de générations hétéromorphes, où le gamétophyte haploïde et le sporophyte diploïde diffèrent.

4. D'importantes modifications structurales ont caractérisé quatre grandes périodes dans l'évolution des Végétaux. La première période correspond à l'adaptation aux conditions terrestres qui a permis aux Végétaux de passer de l'eau à la terre ferme, il y a 425 millions d'années. La deuxième période coïncide avec l'émergence de tissus conducteurs chez certains Végétaux. La troisième période suit l'apparition des graines, il y a environ 360 millions d'années, qui ont permis à l'embryon de quitter la Plante mère. Finalement, il y a 130 millions d'années, la fleur, structure reproductrice spécialisée qui produit des graines enfermées dans un ovaire, est née.

Passage à la terre ferme (p. 561-565)

1. Les Végétaux descendent probablement des Algues vertes, qui ont en commun avec les Végétaux des pigments photosynthétiques et certaines autres caractéristiques.

2. Les Bryophytes, dépourvus de tissu conducteur pour la plupart, se divisent en trois classes : les Muscinées (Mousses), les Hépatinées (Hépatiques) et les Anthocérotinées (Anthocérotes). Les Bryophytes possèdent une cuticule cireuse et des gamétanges qui protègent les gamètes et l'embryon, mais elles ont tout de même besoin d'un habitat humide pour la fécondation et l'absorption de l'eau (puisqu'elles ne possèdent pas de tissu conducteur). Elles ne poussent pas en hauteur parce qu'elles n'ont pas développé de tissu ligneux. Le gamétophyte haploïde est le stade dominant du cycle de développement des Bryophytes.

3. Chez les Vasculaires, les organes éloignés sont reliés entre eux par les tissus conducteurs ; l'eau et les minéraux de la sève brute sont transportés par le xylème et les molécules organiques de la sève élaborée par le phloème.

4. Au cours de l'évolution, le sporophyte diploïde est devenu le stade dominant du cycle de développement des Vasculaires.

Embranchement des Ptéridophytes : Vasculaires sans graines (p. 566-568)

1. La classe des Psilotinées représente un petit groupe de Végétaux à morphologie simple auquel le genre *Psilotum* appartient.

2. La classe des Lycopodinées comprend les Lycopodes, petits survivants herbacés d'une ancienne division dominante qui

englobait alors des organismes imposants comme les Arbres. Les espèces actuelles utilisent des feuilles spécialisées appelées sporophylles pour produire des spores qui deviennent des gamétophytes.

3. Les Prêles appartiennent au seul genre encore existant des Équisétinées.

4. La classe des Filicinées comprend les Fougères et constitue le groupe de Plantes sans graines qui englobe le plus d'espèces. Les frondes de la génération sporophyte portent des sporanges qui produisent des spores, lesquelles se transforment ensuite en gamétophytes.

Embranchement des Spermatophytes : Vasculaires à graines (p. 569-570)

Trois caractéristiques ont probablement contribué à l'évolution réussie des Plantes vasculaires à graines sur la terre ferme : (a) la diminution de la taille du gamétophyte et son enveloppement par le sporophyte ; (b) le remplacement du spermatozoïde nageur par la pollinisation ; (c) le développement de la graine, qui sert à la protection et à la dispersion.

Gymnospermes (p. 570-572)

1. La classe des Conifères est la plus peuplée des quatre classes de Gymnospermes. Presque tous les Conifères ont des feuilles persistantes en forme d'aiguille.

2. Le cône est la marque distinctive des Conifères. Chez le Pin, deux sortes différentes de cônes produisent des gamétophytes mâles et femelles sur l'arbre (sporophyte). Lorsqu'ils sont libérés, les grains de pollen sont des gamétophytes mâles immatures. Ils atterrissent sur des cônes femelles qui renferment les gamétophytes femelles immatures à l'intérieur d'ovules complexes. Après une période de maturation des gamétophytes, la fécondation a lieu. Le zygote devient un embryon enveloppé dans une graine ailée que le vent disperse.

3. Les trois autres classes de Gymnospermes sont les Cycadinées (Cycas), les Ginkgoïnées (Ginkgos) et les Gnétinées (Welwitschia, par exemple).

Angiospermes (p. 572-579)

1. Les Angiospermes, ou Plantes à fleurs, appartiennent à l'embranchement des Spermatophytes. Leurs membres sont les plus variés et les plus répandus du règne végétal. Les Angiospermes se divisent en deux classes, les Monocotylédones et les Dicotylédones.

2. L'apparition du xylème, qui sert au transport de la sève brute et au soutien de la Plante, a contribué à la multiplication des Angiospermes. Cependant, le succès des Angiospermes tient surtout à l'apparition de la fleur, qui a grandement amélioré l'efficacité de la reproduction.

3. La fleur est une structure reproductrice qui comprend des étamines et au moins un carpelle à l'intérieur de pétales et de sépales stériles.

4. Les fruits sont les ovaires mûrs d'une ou plusieurs fleurs. Ils protègent les graines en dormance et subissent différents traitements qui favorisent la dispersion des graines.

5. Les grains de pollen sont des gamétophytes mâles immatures qui se développent dans les anthères des étamines et qui germent sur le stigmate gluant d'un carpelle. Un tube pollinique s'allonge alors vers l'ovaire, où l'un des spermatozoïdes féconde l'oosphère alors que l'autre se combine avec deux cellules haploïdes femelles pour produire un endosperme triploïde ; l'endosperme sert de réserve nutritive. Cette double fécondation engendre une graine qui contient le sporophyte embryonnaire entouré de l'endosperme et de l'enveloppe protectrice.

6. La coévolution des Végétaux et des Animaux pollinisateurs a contribué au succès de la reproduction des Angiospermes.

Elle a également influé sur la couleur, le parfum et la forme des fleurs, ainsi que sur la production du nectar et des fruits comestibles.

7. L'agriculture représente une relation évolutive spéciale entre les Animaux et les Végétaux.

Importance de la diversité des Végétaux (p. 579-580)

La destruction des forêts tropicales humides et d'autres écosystèmes élimine des milliers de Végétaux potentiellement utiles.

AUTO-ÉVALUATION

1. Lequel de ces énoncés ne démontre *pas* que les ancêtres des Végétaux sont les Chlorophytes ?
   a) Les chloroplastes des deux groupes ont une structure similaire, où les membranes thylakoïdiennes sont empilées sous forme de grana.
   b) Les deux groupes utilisent la chlorophylle *a*, la chlorophylle *b* et les mêmes pigments accessoires.
   c) Les organismes des deux groupes possèdent des organes reproducteurs protégés appelés gamétanges.
   d) La cellulose est le constituant principal de la paroi cellulaire, et l'amidon sert de produit de réserve.
   e) Chez certains membres des Chlorophytes et chez toutes les Plantes vertes, il se forme une plaque cellulaire similaire durant la cytocinèse.

2. Quelles sont les caractéristiques communes de tous les Bryophytes (Mousses, Hépatiques et Anthocérotes) ?
   a) Des cellules reproductrices enfermées dans des enveloppes protectrices et une cuticule cireuse.
   b) Une cuticule cireuse, de vraies feuilles et des cellules reproductrices enfermées dans des enveloppes protectrices.
   c) Des tissus conducteurs, de vraies feuilles et une cuticule cireuse.
   d) Des cellules reproductrices enfermées dans des enveloppes protectrices et des tissus conducteurs.
   e) Des tissus conducteurs et une cuticule cireuse.

3. Laquelle de ces caractéristiques n'est *pas* propre à toutes les classes des Vasculaires ?
   a) Le développement de graines.
   b) L'alternance des générations.
   c) La différenciation en racines, en tiges et en feuilles.
   d) L'existence du xylème et du phloème pour transporter les matériaux entre les racines et les feuilles.
   e) La présence de lignine dans les parois cellulaires pour assurer le soutien vertical.

4. Une Plante hétérosporée :
   a) produit un gamétophyte qui porte les deux organes sexuels.
   b) produit des microspores et des mégaspores dans des sporanges distincts qui deviennent des gamétophytes mâles et des gamétophytes femelles également distincts.
   c) est une Plante vasculaire sans graines.
   d) produit deux sortes de spores, une par voie asexuée au cours de la mitose et l'autre par voie sexuée au cours de la méiose.
   e) ne se reproduit que de façon sexuée.

5. Quels sont les Végétaux dominants du Carbonifère qui ont formé de grandes couches de charbon ?
   a) Les Lycopodes géants, les Prêles et les Fougères.
   b) Les Conifères.
   c) Les Angiospermes.

d) Les anciennes Plantes vasculaires à graines semblables aux arbres.

e) Les Bryophytes dominant les anciens marais.

6. Qu'est-ce que le gamétophyte mâle d'une Angiosperme ?

a) Une anthère.

b) Un sac embryonnaire contenant huit noyaux haploïdes.

c) Une microspore.

d) Un grain de pollen mature.

e) Un ovule.

7. Qu'est-ce qu'un fruit ?

a) Un ovaire mature.

b) Un style épaissi.

c) Un ovule devenu plus gros.

d) Un amas de plusieurs fleurs.

e) Un gamétophyte femelle mature.

8. Lesquelles de ces importantes adaptations terrestres ne se sont *pas* produites exclusivement chez les Spermatophytes ?

a) La pollinisation par le vent et les Animaux au lieu de la fécondation par spermatozoïdes nageurs.

b) Le transport de l'eau au moyen d'un tissu conducteur.

c) Le maintien du gamétophyte à l'intérieur du sporophyte.

d) La dispersion de nouvelles Plantes par des graines.

e) La protection et la nutrition de l'embryon à l'intérieur de la graine.

9. Laquelle de ces Plantes présente une génération dominante diploïde et produit des spermatozoïdes flagellés ?

a) Une Fougère.

b) Une Mousse.

c) Un Conifère.

d) Une Chlorophyte.

e) Une Dicotylédone.

10. Quelles sont les quatre principales tendances évolutives depuis l'apparition des fleurs ?

a) La symétrie bilatérale, la réduction et la fusion des parties florales, ainsi que le positionnement de l'ovaire au-dessus de la corolle (ensemble des pétales).

b) La symétrie radiale, la prolifération et la séparation des parties florales, ainsi que le positionnement de l'ovaire au-dessus de la corolle.

c) La symétrie bilatérale, la réduction et la fusion des parties florales, ainsi que le positionnement de l'ovaire au fond de la corolle.

d) La symétrie radiale, la réduction et la fusion des parties florales, ainsi que le positionnement de l'ovaire au fond de la corolle.

e) La symétrie bilatérale, la prolifération et la séparation des parties florales, ainsi que le positionnement de l'ovaire sous les pétales.

QUESTIONS À COURT DÉVELOPPEMENT

1. L'évolution des Végétaux a connu certaines adaptations aux habitats terrestres. Dans un tableau, établissez la liste de ces adaptations et déterminez les groupes de Végétaux qui les possèdent parmi les suivants : Bryophytes, Lycopodes, Fougères, Conifères, Angiospermes.

2. Dressez un schéma de concepts illustrant le cycle de développement d'un Conifère ou d'une Plante à fleurs.

3. Décrivez brièvement les structures typiques des Angiospermes.

RÉFLEXION-APPLICATION

Plusieurs extinctions massives ont ponctué l'histoire de la vie. L'impact d'un météorite sur la Terre a peut-être causé l'extinction des Dinosaures et d'un grand nombre d'espèces marines, à la fin du Crétacé. Les fossiles indiquent que les Végétaux ont été beaucoup moins gravement touchés par cet événement et par les autres extinctions de masse. Quelles adaptations ont permis aux Végétaux de survivre mieux que les Animaux à ces désastres ?

SCIENCE, TECHNOLOGIE ET SOCIÉTÉ

Pourquoi détruit-on les forêts tropicales humides à un rythme aussi effréné ? Quels facteurs sociaux, technologiques et économiques y sont reliés ? La plupart des forêts des pays industrialisés de l'hémisphère nord ont déjà été rasées. Les pays industrialisés ont-ils le droit d'exiger des pays en voie de développement qu'ils ralentissent ou arrêtent la destruction de leurs forêts ? Quelles sortes d'avantages, de motivations ou de programmes permettraient de ralentir les agressions que subissent les forêts tropicales ?

LECTURES SUGGÉRÉES

Bell, A. D., *Les Plantes à fleurs*, Masson, 1993. (Un guide morphologique abondamment illustré, pour mieux comprendre l'organisation et le développement des organes végétaux.)

Demalsy, P. et M. J. Feller-Demalsy, *Les Plantes à graines*, Ville Mont-Royal, Décarie, 1990. (Notions de base concernant la morphologie, l'anatomie et les mécanismes de croissance.)

Génin, A., *La Botanique appliquée à l'horticulture*, Paris, Tec & Doc-Lavoisier, 1990. (Les chapitres 2, 3 et 4, pour découvrir la morphologie et l'anatomie végétales.)

Lütge, U., M. Kluge et G. Bauer, *Botanique : Traité fondamental*, Paris, Tec & Doc-Lavoisier, 1992. (Le chapitre 17 aborde l'adaptation à la vie terrestre ; le chapitre 19 traite de l'évolution des principaux groupes de Végétaux.)

Ozenda, P., *Les Organismes végétaux*, Paris, Masson, 1991. (Le tome 2 décrit en détail les caractéristiques des principaux groupes de Végétaux étudiés dans ce chapitre.)

Roland, J. C., *Atlas de biologie végétale. Organisation des plantes à fleurs*, 5e éd., tome 2, Paris, Masson, 1992. (Traité d'anatomie, de morphologie et de croissance végétale.)

CARACTÉRISTIQUES DES MYCÈTES

DIVERSITÉ DES MYCÈTES

MODE DE VIE DE CERTAINS MYCÈTES

IMPORTANCE ÉCOLOGIQUE DES MYCÈTES

ÉVOLUTION DES MYCÈTES

28 | LES MYCÈTES

L es termes *Champignons* et *Moisissures* évoquent certaines images désagréables. Les Mycètes font pourrir le bois, attaquent les Végétaux, gâtent les aliments et causent de nombreuses maladies chez l'Humain (du simple pied d'athlète à la pneumonie mortelle). Cependant, les écosystèmes s'effondreraient si les Mycètes ne décomposaient pas les débris d'organismes, les excréments et les autres matières organiques : les Mycètes transforment les éléments chimiques vitaux de ces matières en composants assimilables par d'autres organismes (figure 28.1). Presque tous les Végétaux ont besoin de vivre en mutualisme avec des Mycètes, qui aident leurs racines à absorber l'eau et les minéraux. En plus de remplir ce rôle écologique, les Mycètes sont utilisés par l'Humain de bien d'autres façons depuis des siècles. Nous en consommons certains (les Champignons), nous en cultivons pour la fabrication d'antibiotiques et d'autres médicaments, nous en ajoutons à la pâte pour faire lever le pain et nous en utilisons pour assurer la fermentation de la bière et du vin. Quel que soit son point de départ, l'étude des Mycètes est toujours passionnante. Les Mycètes sont tellement particuliers qu'ils forment leur propre règne au sein de la taxinomie actuelle.

Dans ce chapitre, qui se veut une introduction au règne des Mycètes, nous étudierons les caractéristiques et la diversité des Mycètes. De plus, nous discuterons de leur importance écologique et commerciale et nous verrons quelques hypothèses sur leur phylogenèse. Comme nous l'avons fait pour les Végétaux, nous examinerons certains détails de leur cycle de développement qui nous renseigneront sur leur mode d'évolution et d'adaptation.

CARACTÉRISTIQUES DES MYCÈTES

Les Mycètes sont des eucaryotes, et ils sont presque tous pluricellulaires. Les Mycètes ne sont pas des Végétaux primitifs ou dégénérés qui ne possèdent pas de chlorophylle ; il s'agit d'organismes uniques en leur genre qui différent des autres eucaryotes sur les plans de la structure, du mode de nutrition, de la croissance et de la reproduction.

Nutrition et habitat des Mycètes

Tous les Mycètes sont hétérotrophes. Contrairement aux Animaux (hétérotrophes aussi mais qui, pour la plupart, s'alimentent par ingestion), les Mycètes se nourrissent par **absorption**. Ce mode de nutrition consiste à absorber les petites molécules organiques du milieu. Les Mycètes digèrent leur nourriture à l'extérieur de leur corps en l'hydrolysant au moyen de puissantes enzymes. Ces

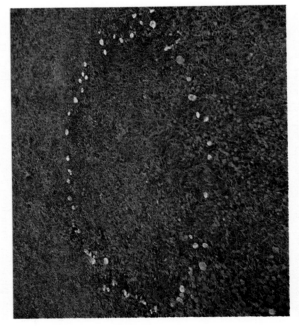

Figure 28.1
Mycètes au travail. Les Champignons de ce rond de sorcière ne sont, en fait, que les structures reproductrices (ou carpophores) du Mycète qui a pour nom Marasme des Oréades (*Marasmius oreades*). Le corps principal du Mycète consiste en une masse souterraine composée de minuscules filaments concentrés sous l'anneau. Ce réseau filamenteux, le mycélium, sécrète des enzymes qui décomposent les brins d'herbe morte. Ce chapitre traite de la diversité, du rôle écologique et de l'évolution des Mycètes.

enzymes décomposent les molécules complexes en composés simples que les Mycètes peuvent alors absorber et utiliser.

En raison de leur mode de nutrition, les Mycètes vivent en saprophytes, en parasites ou en symbiotes mutualistes. Les Mycètes saprophytes absorbent leurs nutriments en décomposant la matière organique non vivante comme les arbres morts, les cadavres d'Animaux et les déchets organiques. Pour leur part, les Mycètes parasites absorbent les nutriments aux dépens des cellules de leur hôte vivant. Un grand nombre de ces Mycètes, comme ceux qui infectent les poumons de l'Humain, sont pathogènes. Enfin, les Mycètes mutualistes retirent aussi leurs nutriments d'un autre organisme, mais ce dernier bénéficie de la relation. Par exemple, ils permettent à certains Végétaux d'absorber des minéraux que ceux-ci ne peuvent extraire eux-mêmes du sol.

Les Mycètes occupent plusieurs types d'habitats et vivent en symbiose avec beaucoup d'organismes. La plupart des Mycètes vivent en milieu terrestre, mais quelques-uns sont associés à des organismes aquatiques ou à leurs restes. Certains mycéliums existent en symbiose avec une Algue pour former les Lichens, qu'on trouve dans les endroits les plus inhospitaliers de la Terre : les déserts froids et secs de l'Arctique et les toundras alpines de l'Antarctique et de la Terre. D'autres Mycètes symbiotiques vivent à l'intérieur des tissus sains de certains Végétaux, ou encore forment une association mutualiste qui permet à des Insectes, comme les Fourmis et les Termites, de digérer la cellulose.

Figure 28.2
Mycélium de Mycètes. Le diagramme du centre illustre la relation entre, d'une part, les hyphes microscopiques qui composent le mycélium et, d'autre part, la structure visible que nous appelons Champignon. Ce que nous voyons représente plutôt la fructification du Champignon, c'est-à-dire son appareil sporifère appelé carpophore. Le Champignon contribue à la reproduction en formant de minuscules cellules appelées spores (certains autres Mycètes produisent des spores sur des hyphes simples ou à l'intérieur de structures reproductrices qui diffèrent des carpophores). À gauche, la partie végétative d'un mycélium décompose des aiguilles de Conifères. À droite, les carpophores de la Mycène pure (*Mycena pura*) émergent du mycélium à chaque automne. La formation du mycélium débute avec la germination d'une spore dans un endroit propice.

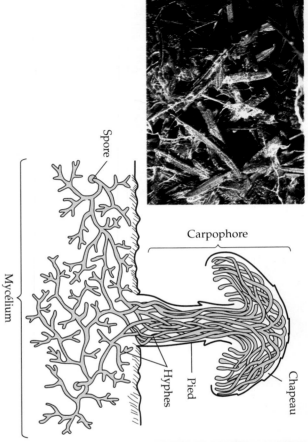

Structure des Mycètes

Chez la plupart des Mycètes, l'appareil végétatif (de nutrition) est dissimulé ; il s'étend autour et à l'intérieur des tissus de sa source de nourriture. Sauf chez les Levures, l'appareil végétatif se compose d'éléments de base appelés **hyphes**, qui forment un réseau de filaments ramifiés, le **mycélium** (figures 28.1 et 28.2). Un hyphe est un minuscule filament constitué de plusieurs cellules qui possèdent une paroi autour de leur membrane plasmique.

La plupart des hyphes sont divisés en cellules par des **cloisons**. Ces cloisons possèdent généralement des pores assez grands pour permettre aux ribosomes, aux mitochondries et même aux noyaux de circuler d'une cellule à l'autre (figure 28.3a). La paroi cellulaire des Mycètes diffère de celle des Végétaux. En effet, le principal constituant de la paroi de la plupart des Mycètes est la chitine, un polysaccharide aminé à la fois résistant et flexible. On trouve également de la chitine dans le squelette externe des Insectes et des autres Arthropodes. Certains Mycètes ont des hyphes sans cloison appelés **cénocytes** (ou siphons). Un cénocyte est une masse cytoplasmique continue qui possède des centaines ou des milliers de noyaux (figure 28.3b). Le cénocyte résulte de divisions répétées du noyau, sans division cytoplasmique.

La structure filamenteuse du mycélium procure au Mycète une très grande surface d'absorption, ce qui convient bien à son mode de nutrition. Ainsi, 10 cm³ d'un sol riche en matière organique contient jusqu'à 1 km d'hyphes. Si on évalue à 10 μm le diamètre d'un hyphe, le Mycète offre donc une surface de contact de 314 cm² avec

sexuée ou asexuée (après la mitose). Les spores sont habituellement unicellulaires, mais il existe aussi des spores pluricellulaires. Elles se développent à l'intérieur de compartiments spécialisés des hyphes ou à partir de ces compartiments. Comme les Protistes, un grand nombre de Mycètes se reproduisent de façon sexuée (après la méiose) lorsque l'environnement a changé. Lorsque les conditions sont stables et que le milieu demeure habitable, les Mycètes se reproduisent par voie asexuée en libérant une énorme quantité de spores. Emportées par le vent ou l'eau, les spores qui aboutissent sur un substrat adéquat, en terrain humide, vont germer. Les spores servent donc à la dispersion et sont à l'origine de la vaste distribution géographique d'un grand nombre d'espèces de Mycètes. D'ailleurs, on a déjà trouvé des spores de Mycètes à plus de 160 km au-dessus de la Terre.

Les noyaux des hyphes et des spores sont haploïdes, à l'exception de ceux des stades diploïdes transitoires du cycle de développement. Cependant, certains Mycètes présentent un mycélium génétiquement hétérogène qui provient d'une fusion d'hyphes comportant des noyaux différents. Parfois, ces noyaux restent à des endroits éloignés du même mycélium, dont le phénotype devient alors une mosaïque. Dans d'autres cas, ils se mêlent les uns aux autres et peuvent même échanger des chromosomes et des gènes par un processus semblable à l'enjambement. Un cas spécial d'hétérogénéité génétique se produit durant le cycle de développement des Mycètes. La syngamie, union des cellules sexuelles provenant de deux organismes, se produit en deux stades non consécutifs, à savoir la **plasmogamie** (fusion des cytoplasmes) et la **caryogamie** (fusion des noyaux). Après la plasmogamie, les noyaux s'apparient sans toutefois fusionner et forment alors un **dicaryon**. Dans un mycélium dicaryote, les paires de noyaux peuvent exister et se diviser en tandem pendant des mois ou des années. Cet état offre certains des avantages de l'état diploïde: un des deux génomes haploïdes pourra compenser les mutations nuisibles qu'aura subies l'autre. Enfin, les deux noyaux finissent par fusionner et forment une cellule diploïde qui se divise aussitôt par méiose.

DIVERSITÉ DES MYCÈTES

Chaque année, les mycologues découvrent des milliers de nouvelles espèces de Mycètes qui viennent s'ajouter aux 100 000 qu'on connaît déjà. La taxinomie utilisée dans ce chapitre répartit les espèces en trois embranchements. On classe chaque Mycète d'après des critères précis: les structures participant à la plasmogamie, la durée du stade dicaryote et le site de la caryogamie. En fait, le nom que porte chaque embranchement fait référence aux cellules sexuelles dans lesquelles se produit la caryogamie.

Embranchement des Zygomycètes

Les mycologues ont décrit environ 600 espèces de Zygomycètes, ou zygotes fongiques, qui appartiennent en majorité aux Moisissures. La plupart vivent en milieu terrestre, dans le sol ou sur des matières végétales et animales en décomposition. Les Zygomycètes du genre Endogone s'associent par mutualisme aux racines de

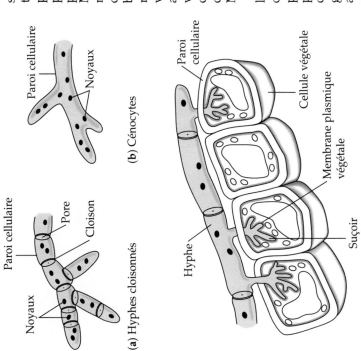

(a) Hyphes cloisonnés

Paroi cellulaire
Noyaux
Pore
Cloison

(b) Cénocytes

Paroi cellulaire
Noyaux

(c) Suçoirs pénétrant les cellules de la Plante hôte

Paroi cellulaire
Cellule végétale
Membrane plasmique végétale
Suçoir
Hyphe

Figure 28.3
Caractéristiques des hyphes de Mycètes.

le sol. Les Mycètes parasites possèdent généralement des hyphes modifiés, appelés **suçoirs** ou haustoria. Les suçoirs absorbent les éléments nutritifs en pénétrant dans les tissus de leur hôte (figure 28.3c).

Selon la taxinomie adoptée dans ce manuel, aucun des cycles de développement des Mycètes ne possède de stade flagellé (on trouve le stade flagellé chez les Oomycètes et les Chytridiomycètes, classés dans le règne des Protistes).

Croissance et reproduction des Mycètes

Le mycélium croît tellement rapidement qu'il peut s'allonger d'un kilomètre par jour lorsqu'il se ramifie à l'intérieur d'une source de nourriture. Une telle croissance est possible parce que les protéines et les autres molécules synthétisées par le mycélium se font acheminer par la cyclose jusqu'aux extrémités des hyphes en expansion. Le Mycète consacre son énergie et ses ressources à faire croître ses hyphes en longueur plutôt qu'en épaisseur, ce qui améliore sa capacité d'absorption. Tous les Mycètes sont immobiles. Afin de compenser ce handicap, ils font croître rapidement leurs hyphes dans de nouveaux territoires pour atteindre leur nourriture ou pour s'accoupler.

Les noyaux et les chromosomes des Mycètes sont relativement petits. La division du noyau s'effectue différemment de celle de la plupart des eucaryotes. Pendant la mitose, de la prophase à l'anaphase, l'enveloppe nucléaire demeure intacte autour d'un fuseau interne. Une fois l'anaphase terminée, l'enveloppe nucléaire se sépare en deux, ce qui entraîne la disparition du fuseau.

Les Mycètes se reproduisent en libérant des spores de formes et de dimensions très variées, produites de façon

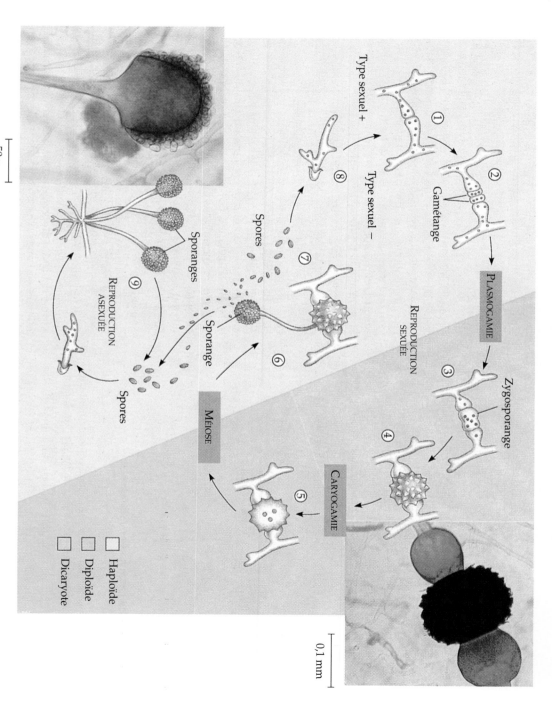

Figure 28.4
Cycle de développement du Zygomycète *Rhizopus*. ① Des mycéliums voisins de types sexuels opposés (désignés par + et −) ② forment à l'extrémité de leurs hyphes des prolongements appelés gamétanges, qui sont cloisonnés et contiennent plusieurs noyaux haploïdes. ③ Pendant la plasmogamie, les noyaux haploïdes s'apparient et forment un zygosporange dicaryote. ④ Cette cellule se couvre d'un revêtement épais et rugueux (à droite ; MP) qui peut résister pendant des mois à la sécheresse et aux rigueurs du climat. ⑤ Lorsque les conditions s'améliorent, la caryogamie s'effectue entre les noyaux appariés, suivie par la méiose. ⑥ Le zygosporange cesse alors sa période de dormance, germe et produit un petit sporange. ⑦ Le sporange disperse ensuite les spores haploïdes de composition génétique différente. ⑧ Ces spores germent et deviennent de nouveaux mycéliums. ⑨ *Rhizopus* peut aussi se reproduire de façon asexuée en formant des sporanges (à gauche ; MP).

certains Végétaux et forment ainsi des mycorhizes (voir la figure 28.13). Les hyphes des Zygomycètes sont des cénocytes qui présentent des cloisons seulement là où les cellules reproductrices se développent. Le nom de cet embranchement vient des **zygosporanges**, les structures résistantes qui se forment durant la reproduction sexuée.

Parmi les Zygomycètes communs figure *Rhizopus stolonifer*, la Moisissure noire du pain. Ce Mycète est parfois nuisible, malgré l'addition d'agents de conservation à la plupart des aliments transformés. Il possède des hyphes horizontaux qui s'étendent sur l'aliment, y pénètrent et absorbent les nutriments nécessaires au développement du mycélium. En phase asexuée, des sporanges bulbeux noirs se forment aux extrémités d'hyphes verticaux (figure 28.4, à gauche). Des centaines de spores haploïdes se développent ensuite à l'intérieur de chaque sporange. Une fois dispersées dans l'air, certaines spores atterrissent sur des aliments humides, germent et constituent chacune un nouveau mycélium. Si les conditions du milieu se détériorent (si, par exemple, les nutriments viennent à manquer) et si des mycéliums de type sexuel opposé se rencontrent, *Rhizopus stolonifer* se reproduira de façon sexuée (figure 28.4, à droite). Les zygosporanges ainsi formés offrent une très grande résistance au froid et au dessèchement. Leur métabolisme demeure inactif jusqu'à ce que les conditions s'améliorent ; les zygosporanges libèrent alors des spores haploïdes qui vont coloniser le nouveau substrat.

(a)

(b)

(c)

Figure 28.5
Ascomycètes. Les Ascomycètes comprennent autant les Levures que des délices comme les Truffes et les Morilles. **(a)** Bon nombre d'Ascomycètes forment des ascocarpes en forme de petites bouteilles. Chez *Hypoxylon multiforme*, ces ascocarpes

apparaissent en grappes sur le bois que le mycélium décompose. **(b)** Les Truffes sont des ascocarpes qui croissent sous terre et dégagent une odeur forte attractive pour les Animaux, qui les mangent et en dispersent les ascospores. La Truffe noire (*Tuber*

melanosporum) est très recherchée pour sa saveur par les grands chefs. **(c)** *Morchella vulgaris* est la Morille comestible succulente qu'on trouve souvent au pied des arbres dans les vergers. Presque toutes les Morilles forment des mycorhizes.

Certes, les courants d'air ne constituent pas un moyen très précis de dispersion des spores, mais *Rhizopus* compense en libérant ses spores en grandes quantités. D'autres Zygomycètes peuvent diriger leurs spores avec précision. Par exemple, *Pilobolus*, un Mycète qui décompose des excréments, dirige ses hyphes porteurs de sporanges vers la lumière, c'est-à-dire en direction d'un endroit où l'herbe a des chances de pousser. Le sporange entier est ensuite expulsé hors de l'hyphe par un jet explosif de cytoplasme, qui peut le propulser jusqu'à deux mètres. Cette adaptation permet aux spores de s'éloigner des excréments et de se retrouver dans l'herbe que mangera un herbivore. Le cycle de développement se complète au moment où l'Animal évacue les spores dans ses excréments.

Embranchement des Ascomycètes

Il existe plus de 60 000 espèces d'Ascomycètes, qui vivent dans une grande variété d'habitats. Leur taille et leur complexité varient grandement, depuis la Levure unicellulaire et les minuscules Mycètes responsables de la tavelure des feuilles, jusqu'aux Mycètes complexes

comme les Discomycètes et les Truffes (figure 28.5). Les Ascomycètes comprennent des agents pathogènes les plus dévastateurs pour les Végétaux (voir la figure 28.14), mais aussi un grand nombre de saprophytes, qui absorbent surtout des débris de matières végétales. Par ailleurs, près de la moitié des espèces d'Ascomycètes s'associent par symbiose à des Algues pour former le Lichen. Certains Ascomycètes, comme les Truffes et les Morilles, forment avec les racines de certains Végétaux des mycorhizes (racines modifiées par un mycélium dans une association mutualiste). D'autres encore vivent à l'intérieur des feuilles d'une Plante, à la surface des cellules du mésophylle, et libèrent des produits toxiques qui, semble-t-il, protègent les tissus de la Plante contre les Insectes. Les Ascomycètes marins sont les plus importants saprophytes non bactériens à vivre en association avec les Plantes et des Algues marines.

Les Ascomycètes se caractérisent par la production de spores sexuées dans des **asques** (figure 28.6). Contrairement aux Zygomycètes, la plupart des Ascomycètes effectuent leur stade sexué dans un appareil sporifère macroscopique appelé **ascocarpe** (voir la figure 28.5a). Avant de former des ascocarpes, les Ascomycètes se

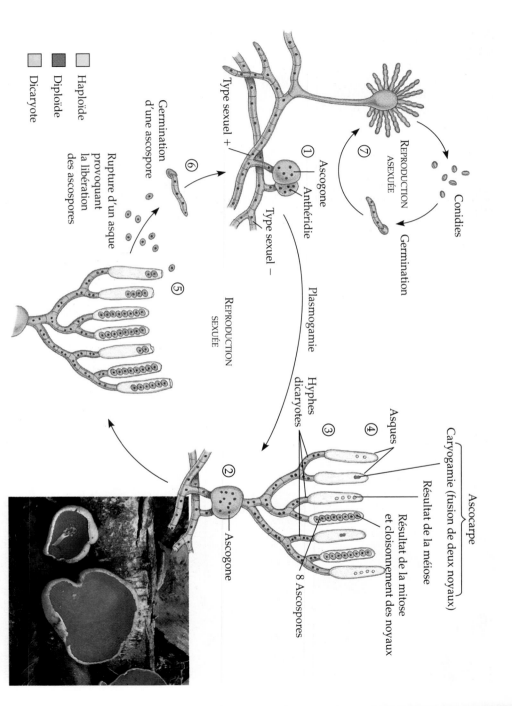

Figure 28.6
Cycle de développement d'un Ascomycète. ① Des mycéliums haploïdes de types sexuels opposés s'entrelacent. L'un d'eux produit un gamétocyste femelle appelé ascogone, qui reçoit plusieurs noyaux haploïdes du gamétocyste mâle, l'anthéridie. ② L'ascogone possède ainsi un échantillonnage de noyaux des deux parents. La caryogamie ne se produit pas à ce moment. ③ L'ascogone produit plutôt des hyphes dicaryotes qui forment ensemble un ascocarpe (la forme de coupe d'un Discomycète). La photographie montre les ascocarpes de la Pézize coccinée (*Sarcoscypha coccinea*) qui poussent sur des petites branches mortes au début du printemps. ④ Les extrémités des hyphes dicaryotes sont séparées en asques. La caryogamie se produit à l'intérieur de ces asques, suivie de la méiose, qui transforme les noyaux diploïdes en quatre noyaux haploïdes. Chacun de ces noyaux haploïdes se divise ensuite une fois par mitose, ce qui donne huit noyaux par asque. Une paroi cellulaire se développe autour de chaque noyau pour former une ascospore. ⑤ Arrivées à maturité, toutes les ascospores sortent par l'extrémité de l'asque. L'asque vide s'affaisse et ébranle les asques voisins, qui expulsent à leur tour leurs spores. La réaction en chaîne produit un nuage visible de spores accompagné d'un sifflement audible. ⑥ La germination des ascospores donne naissance à de nouveaux mycéliums haploïdes. ⑦ Les Ascomycètes peuvent aussi se reproduire de façon asexuée en produisant des spores aériennes appelées conidies.

reproduisent en élaborant d'énormes quantités de spores asexuées, souvent dispersées par le vent. Ces spores apparaissent aux extrémités des hyphes, fréquemment en longues chaînes ou en grappes. Étant donné que ces spores ne se développent pas à l'intérieur de sporanges, comme chez les Zygomycètes, on les appelle **conidies** (du grec *konis* « poussière »).

Si on les compare aux Zygomycètes, les Ascomycètes se caractérisent par un stade dicaryote plus long menant à la formation d'ascocarpes (voir la figure 28.6). La plasmogamie permet d'abord de donner naissance à des hyphes dicaryotes dont les extrémités portent les cellules allongées qui deviendront les asques. À l'intérieur des asques, la caryogamie combine les deux génomes parentaux. Par la suite, la méiose forme des **ascospores** génétiquement différentes. Dans beaucoup d'asques, huit ascospores se trouvent alignées dans l'ordre où elles ont été conçues à partir d'un zygote. Cet arrangement fournit aux généticiens l'occasion d'étudier la recombinaison génétique. Ainsi, on sait que les différences génétiques qui existent entre des mycéliums cultivés à partir des ascospores du même asque proviennent de l'enjambement et de l'assortiment indépendant des chromosomes pendant la méiose.

Embranchement des Basidiomycètes

L'embranchement des Basidiomycètes comprend environ 25 000 Mycètes, dont les Polypores, les Vesses-de-Loup,

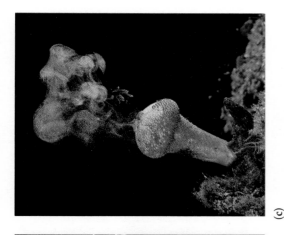

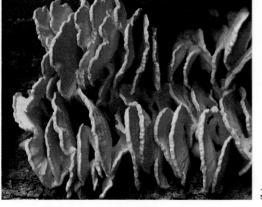

(a)

(b)

(c)

Figure 28.7
Basidiomycètes. Ces photos montrent divers basidiocarpes, appareils sporifères qui produisent les spores sexuées. **(a)** Ce minuscule Basidiomycète au chapeau cireux, du genre Hygrophore, forme des mycorhizes conjointement avec un Chêne. **(b)** Ces Mycètes ont la forme d'une étagère et poussent sur le tronc des arbres. Ils sont d'importants décomposeurs du bois. **(c)** La Vesse-de-Loup perlée, *Lycoperdon gemmatum*, est un saprophyte qui vit sur les détritus végétaux enterrés. Les basidiospores sortent lorsque les gouttes de pluie frappent le basidiocarpe.

certaines Rouilles et des Champignons à carpophore volumineux (figure 28.7). Leur nom vient de la structure qui se forme pendant le stade diploïde transitoire de leur cycle de développement, la **baside** (du grec *basis* « base »), qui a la forme d'une massue.

Les Basidiomycètes sont d'importants décomposeurs du bois et d'autres matières végétales. Ils incluent également des organismes mutualistes formant des mycorhizes, ainsi que des parasites de Végétaux. Parmi tous les Mycètes, les Basidiomycètes sont les plus efficaces décomposeurs de la lignine, polymère complexe qui abonde dans le bois. Un grand nombre de Polypores (figure 28.7b) vivent en parasites sur le bois des arbres faibles ou endommagés ; ils y vivent ensuite en saprophytes lorsque l'arbre meurt. La moitié des Basidiomycètes qui déploient un carpophore visible à l'œil nu est saprophyte, et l'autre moitié est mutualiste et forme des mycorhizes. Il existe très peu de Basidiomycètes qui vivent strictement en parasites. Toutefois, deux groupes de Basidiomycètes, les Rouilles et les Charbons, s'avèrent des parasites particulièrement envahissants et destructeurs de cultures.

Le mycélium dicaryote qui se développe au cours du cycle de développement des Basidiomycètes possède habituellement une longue durée de vie (figure 28.8). Périodiquement, en réponse à des stimuli environnementaux, le mycélium se reproduit par voie sexuée en formant des appareils sporifères complexes, à savoir des carpophores appelés **basidiocarpes.** Les nombreuses basides d'un basidiocarpe produisent les spores sexuées. Les Basidiomycètes recourent beaucoup moins souvent que les Ascomycètes à la reproduction asexuée, qui, lorsqu'elle a lieu, fait appel aux conidies.

L'Agaric, ce Champignon blanc que l'on trouve dans le commerce, est un exemple de basidiocarpe. Le chapeau du Champignon abrite une grande surface (environ

200 cm²) de basides alignées sur des lamelles. Chacun de ces Champignons peut libérer des milliards de spores qui tombent du chapeau et se font transporter par le vent. La Vesse-de-Loup géante peut atteindre un mètre de diamètre et produire des billions de spores, libérées lorsque le basidiocarpe se désagrège sous la patte d'un animal, ou à cause du vent et de la pluie. Un autre Basidiomycète, le Satyre puant (*Phallus impudicus*), produit des basidiospores au sein d'une masse gluante et nauséabonde qui se trouve sur le dessus du basidiocarpe. Il attire ainsi les Insectes charognards, comme la Mouche, qui dispersent ensuite les spores collantes.

Parfois, un anneau de basidiocarpes, qu'on appelle rond de sorcière, apparaît sur la pelouse durant la nuit (voir la figure 28.1). Ces Champignons sont des saprophytes qui vivent sur l'herbe coupée et non des parasites d'herbe vivante. L'herbe du centre de l'anneau est normale, mais après quelques jours l'herbe située près de la face intérieure de l'anneau devient rachitique. Par contre, l'herbe se trouvant juste à l'extérieur de la couronne de basidiocarpes est particulièrement luxuriante. C'est que, à mesure que le mycélium souterrain rayonne autour de son point de départ, sa portion centrale de même que les basidiocarpes qui y poussent meurent parce qu'il en a épuisé tous les nutriments. L'herbe devient rachitique parce qu'elle ne peut faire concurrence au mycélium pour obtenir les minéraux dont elle a besoin. À l'extérieur du cercle, là où le mycélium croît, les enzymes fongiques diffusent un peu plus avant et rendent les minéraux plus facilement disponibles pour l'herbe, qui en profite et devient luxuriante. Le diamètre du rond de sorcière augmente au même rythme que le mycélium souterrain, qui progresse à raison de 30 cm par année. Certains ronds de sorcière ont plusieurs centaines d'années. On a eu récemment une preuve éloquente de la pérennité du mycélium des Basidiomycètes ; on a

Figure 28.8

Cycle de développement d'un Basidiomycète. ① Les basidiospores haploïdes germent dans un environnement adéquat et deviennent des mycéliums haploïdes éphémères. ② Les hyphes non différenciés qui proviennent de mycéliums de types sexuels différents subissent la plasmogamie. ③ Il en résulte un mycélium dicaryote qui croît plus vite et refoule le mycélium parental. ④ Le mycélium du Champignon illustré, appartenant au genre *Cortinarius*, forme des mycorhizes avec des arbres. À certains signaux de l'environnement, comme la pluie, les changements de température et, pour les espèces qui forment des mycorhizes, les changements saisonniers de la Plante hôte, le mycélium dicaryote se met à former des masses compactes qui deviennent des Champignons. La cyclose provenant du mycélium et des mycorhizes auxquels il est associé gonfle les hyphes des Champignons, qui surgissent durant la nuit. Les dicaryons des Basidiomycètes vivent longtemps et produisent habituellement, chaque année, une nouvelle récolte de basidiocarpes (des Champignons, dans ce cas). ⑤ La caryogamie se produit dans les cellules dicaryotes terminales qui revêtent la surface des lamelles (voir MEB en médaillon). Chaque cellule se gonfle et forme une baside diploïde qui subit rapidement la méiose et donne quatre noyaux haploïdes. ⑥ La baside forme ensuite quatre appendices qui laissent chacun pénétrer un noyau haploïde. Chaque appendice devient une basidiospore. ⑦ À maturité, les basidiospores sont propulsées petit à petit (à l'aide des forces électrostatiques) dans les espaces entre les lamelles. Lorsqu'elles tombent du chapeau, elles se font disperser par le vent.

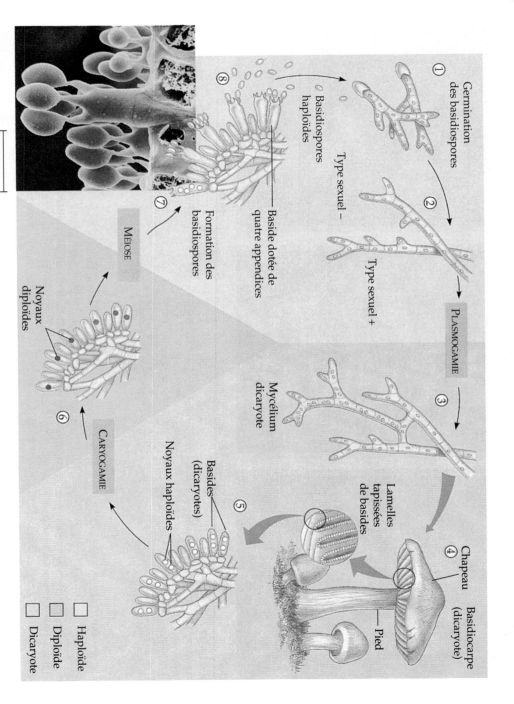

1 µm

MODE DE VIE DE CERTAINS MYCÈTES

Au cours de leur histoire, les Mycètes des trois embranchements ont acquis des modes de vie indépendants qui ont nécessité une spécialisation à la fois morphologique et écologique. Ces modes de vie particuliers ont permis aux Mycètes de tirer parti d'habitats plutôt inhabituels. L'Humain, lui, a appris à utiliser ces Mycètes à des fins commerciales. Dans cette section, nous examinons quatre formes de Mycètes qui possèdent des modes de vie uniques : les Moisissures, les Levures, les Lichens et les mycorhizes.

découvert au Michigan un mycélium génétiquement uniforme, de l'espèce *Armillaria bulbosa*, qui occupe environ 15 hectares, pèse plus de 100 tonnes et aurait plus de 1500 ans !

Moisissures

Une **Moisissure** est un Mycète à croissance rapide qui se reproduit de façon asexuée et dont le mycélium vit en saprophyte ou en parasite sur une grande variété de substrats. La Moisissure noire du pain, *Rhizopus stolonifer*, en constitue un bon exemple. Une Moisissure peut passer par des stades reproducteurs différents. Au début de sa vie, elle produit des spores asexuées. Le terme *Moisissure* ne s'applique d'ailleurs qu'à ce stade asexué. Plus tard, le même Mycète se reproduit *parfois* de façon sexuée, en

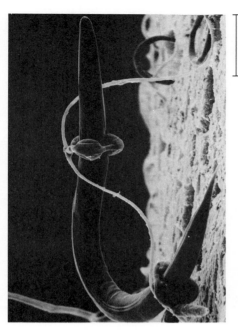

Figure 28.9
Orange moisie. Cette Moisissure bleue est habituellement causée par des espèces saprophytes de *Penicillium* appartenant aux Deutéromycètes. Cette Moisissure se reproduit de façon asexuée en produisant des chaînes de conidies sur des hyphes appelés conidiophores (MEB).

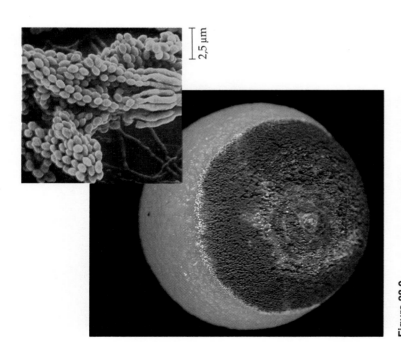

25 µm

Figure 28.10
Arthrobotrys dactyloides, un Deutéromycète prédateur.
Certains segments des hyphes de ce Mycète forment des boucles qui se resserrent en moins d'une seconde quand un Ascaride (Ver appartenant aux Nématodes) a l'imprudence de s'y glisser. Le Mycète pénètre alors la proie avec ses hyphes et digère les tissus internes de l'Animal.

prévenir le rejet après les greffes d'organes (voir le chapitre 39).

Parmi les Deutéromycètes, il existe même des Mycètes prédateurs, qui prennent au piège, tuent et décomposent de petits Animaux, plus particulièrement de petits Vers parasites, les Ascarides, qui appartiennent aux Nématodes (figure 28.10). Ces Animaux fournissent les composés azotés que les Moisissures ne trouvent qu'en trop faible quantité dans le bois qu'elles décomposent.

Levures

Les Levures sont des Mycètes unicellulaires qui vivent en milieu humide, y compris la sève de Végétaux et les tissus d'Animaux. Elles se reproduisent par voie asexuée, par simple division cellulaire ou par bourgeonnement d'une cellule mère. Certaines Levures se reproduisent aussi de façon sexuée en formant des asques ou des basides. Elles font alors partie des Ascomycètes ou des Basidiomycètes. D'autres appartiennent aux Deutéromycètes, parce qu'elles ne se reproduisent que par voie asexuée. Certains Mycètes ont la possibilité de devenir soit un mycélium, soit une Levure, selon la quantité de liquide présent dans leur environnement.

Depuis des millénaires, l'Humain utilise les Levures pour faire lever le pain et fermenter des boissons alcoolisées. Ce n'est que récemment qu'on a réussi à purifier les cultures afin d'obtenir une meilleure qualité de Levures. La Levure *Saccharomyces cerevisiae* (un Ascomycète) est le plus important des Mycètes domestiques. Ses minuscules cellules, dont plusieurs souches existent autant pour la Levure de pain que pour la Levure de bière, ont un métabolisme très actif. En présence d'oxygène, la Levure de pain respire et libère de petites bulles de CO_2 qui font lever la pâte. Dans les brasseries et les établissements vinicoles, la fermentation de *Saccharomyces* transforme le sucre en alcool. Les chercheurs utilisent *Saccharomyces* pour étudier la génétique moléculaire des eucaryotes, car

formant des zygosporanges, des ascocarpes ou des basidiocarpes. Il existe cependant des Moisissures qu'on ne peut pas classer parmi les Zygomycètes, les Ascomycètes ou les Basidiomycètes, car elles ne se reproduisent pas de façon sexuée. On les appelle Deutéromycètes ou plus communément **Mycètes imparfaits** (en botanique, le terme *parfait* fait référence aux stades sexués des cycles de développement). Les Mycètes imparfaits se reproduisent donc de façon asexuée en produisant des conidies sur des hyphes spécialisés appelés conidiophores (figure 28.9).

Nous utilisons les Moisissures à diverses fins commerciales. Les Mycètes imparfaits servent à fabriquer des antibiotiques; les compagnies pharmaceutiques les font croître dans de grandes quantités de bouillon de culture, puis en extraient des antibiotiques. La pénicilline est produite à partir de certaines espèces de *Penicillium*, un Mycète imparfait. D'autres espèces de *Penicillium* servent d'agents de fermentation sur les fromages comme le bleu, le brie et le camembert. Ils donnent à ces fromages leurs couleurs et leurs saveurs caractéristiques. Le roquefort est un fromage de Chèvre qu'on laisse vieillir dans des caves de la région de Roquefort, en France, en compagnie de *Penicillium roquefortii*, l'espèce qui « infecte » ce fromage. Une espèce de *Rhizopus* appartenant à l'embranchement des Zygomycètes sert à la fermentation de savoureux gâteaux de soya qu'on appelle *tempeh*. *Tolypocladium inflatum* est un Mycète imparfait utilisé dans la fabrication de la cyclosporine, un médicament servant à

ce microorganisme est facile à cultiver et à manipuler (voir le chapitre 19).

Certaines Levures causent toutefois des problèmes à l'Humain. Par exemple, la Levure rose *Rhodotorula* se développe sur les rideaux de douche et autres surfaces humides de nos maisons. *Candida albicans*, une autre Levure bien connue, vit de façon inoffensive sur les tissus humains humides, comme la muqueuse vaginale. Dans certaines conditions, cependant, *Candida albicans* devient pathogène parce qu'il se multiplie trop rapidement et libère des substances nocives. Cela peut se produire lors d'une modification du milieu ambiant (un changement de pH par exemple) ou lors d'un affaiblissement du système immunitaire (causé par le sida par exemple).

Lichens

Lorsqu'on voit des Lichens de loin, on peut les confondre avec des Mousses ou d'autres Plantes simples qui vivent sur les rochers, le bois en décomposition, les arbres et le toit des maisons (figure 28.11). En fait, le **Lichen** n'est *ni* une Mousse, *ni* une Plante, *ni* même un organisme individuel, mais plutôt une association symbiotique qui réunit des millions de microorganismes photosynthétiques enchevêtrés dans un treillis d'hyphes. La partie fongique est le plus souvent un Ascomycète, bien qu'il s'agisse parfois d'un Basidiomycète. Le partenaire photosynthétique est une Algue verte unicellulaire ou filamenteuse ou une Cyanobactérie. Cette fusion d'une Algue et d'un Mycète est tellement complète que les Lichens ainsi formés portent des noms de genre et d'espèce, comme s'ils représentaient des organismes individuels. Le Lichen porte le nom scientifique du Mycète qui le compose. On en connaît plus de 25 000 espèces.

Malgré de nombreuses différences morphologiques et physiologiques, les Lichens possèdent plusieurs caractéristiques communes. C'est habituellement le Mycète qui donne au Lichen sa structure et sa forme. De même, les tissus formés par les hyphes représentent la plus grande partie de la masse du Lichen. L'Algue en constitue généralement la couche interne. Dans la plupart des cas, chaque associé fournit à l'autre des éléments que celui-ci ne pourrait obtenir seul. Ainsi, l'Algue fournit toujours la nourriture au Mycète. Les Cyanobactéries faisant partie d'un Lichen fixent l'azote et le transforment en azote organique (voir le chapitre 25). Quant au Mycète, il procure à l'Algue un environnement physique idéal pour sa croissance. En effet, le Lichen tire de la poussière contenue dans l'air et la pluie la plupart des minéraux dont il a besoin ; la disposition physique des hyphes permet de retenir l'eau et les minéraux, assure les échanges gazeux et protège l'Algue (figure 28.12). Le Mycète produit des composés organiques uniques qui possèdent plusieurs fonctions. Les pigments du Mycète protègent l'Algue de l'intensité de la lumière du Soleil. De même, certains composés toxiques produits par le Mycète empêchent les herbivores de se nourrir du Lichen. Le Mycète sécrète aussi des acides qui favorisent l'absorption des minéraux.

Les Mycètes d'un grand nombre de Lichens se reproduisent de façon sexuée en formant des ascospores ou, plus rarement, des basidiocarpes (voir la figure 28.12). Les Algues des Lichens se reproduisent indépendam-

ment du Mycète par division cellulaire asexuée. Comme on peut s'y attendre de ce type d'« organisme mixte », la reproduction de la partie symbiotique de l'organisme a lieu de façon asexuée, soit par fragmentation du Lichen parental, soit par formation de structures spécialisées appelées **sorédies** (voir la figure 28.12). Les sorédies sont de petits amas d'hyphes incrustés d'Algues.

On se demande encore si la symbiose du Lichen est de nature mutualiste ou parasitique. Les Lichens peuvent se développer dans un environnement où ni les Mycètes ni les Algues ne peuvent vivre seuls. Les Mycètes qui forment les Lichens n'existent pas seuls dans la nature. En revanche, certaines Algues de Lichens vivent aussi à l'état libre. Lors d'expériences, on a séparé puis cultivé le Mycète et l'Algue de certains Lichens. Ces cultures ressemblent à des Moisissures et à des Algues vivant à l'état libre et ayant perdu certaines caractéristiques physiologiques propres aux Lichens. Par exemple, les Mycètes en culture ne fabriquent pas les substances organiques produites par les Lichens. Les Algues en culture, elles, ne laissent pas suinter de leurs cellules des glucides, comme elles le font en présence du Lichen. La plupart des arguments tendent à démontrer que la relation symbiotique qui existe entre les deux organismes relève du mutualisme. Chez certains Lichens, cependant, les suçoirs du Mycète envahissent l'Algue et tuent des cellules ; ce processus se fait toutefois à un rythme qui permet à l'Algue de combler ces pertes par la reproduction. Devant ce processus apparemment nuisible à l'Algue, certains spécialistes des

Figure 28.11
Lichens. Les Lichens qui vivent sur l'écorce de cette branche d'Érable montrent trois formes de croissance. Le genre *Parmelia* (en bas, à gauche) a une forme foliacée (semblable à une feuille aplatie dont les faces supérieure et inférieure sont différenciées). Le genre *Ramalina* (en haut, à droite) est fruticuleux (semblable à un arbuste). Plusieurs espèces dites crustacées (formant une croûte difficile à arracher) appartiennent aux genres *Lecanora* et *Bacidia* forment des ascocarpes en forme de disques. Le minuscule individu orange est *Xanthoria*, un Lichen foliacé.

il s'agit d'un des premiers signes de détérioration de la qualité de l'air.

Mycorhizes

Cousins physiologiques des Lichens, les mycorhizes sont issus d'une association mutualiste entre un Mycète et les racines de certains Végétaux. Le terme *mycorhiza* vient des mots grecs *mukès*; et *rídza* qui signifient respectivement «Champignon» et «racine» et fait référence aux structures formées par les cellules des racines végétales et les hyphes du Mycète associé. L'anatomie de cet organisme symbiotique varie selon le type du Mycète associé (figure 28.13). Les ramifications du mycélium qui forment les mycorhizes augmentent de façon importante la surface d'absorption des racines de la Plante. Les deux associés profitent mutuellement de leur alliance: le Mycète fournit les minéraux qu'il tire du sol alors que la Plante apporte les éléments organiques qu'elle synthétise.

Les mycorhizes jouent un rôle crucial dans l'équilibre des écosystèmes et dans l'agriculture. Plus de 95 % de tous les Végétaux vasculaires possèdent des mycorhizes. Les Mycètes forment une association permanente avec leurs hôtes et produisent périodiquement des appareils sporifères. Les mycorhizes proviennent autant des Basidiomycètes et des Ascomycètes que des Zygomycètes. En fait, la moitié de toutes les espèces de Basidiomycètes qui développent des carpophores forment des mycorhizes en association avec des Chênes, des Bouleaux et des Pins. Les Champignons qui poussent autour du pied de ces Arbres montrent en surface la symbiose qui existe sous terre. (Le chapitre 33 décrit en détail la structure et la physiologie des mycorhizes.)

IMPORTANCE ÉCOLOGIQUE DES MYCÈTES

Mycètes saprophytes

Les Mycètes et les Bactéries sont les principaux décomposeurs (saprophytes) qui maintiennent, dans les écosystèmes, les réserves de nutriments inorganiques essentiels à la croissance des Végétaux. Sans les saprophytes, le carbone, l'azote et les autres éléments s'accumuleraient dans les cadavres et les déchets organiques et ne pourraient plus servir de matière première à l'élaboration de nouvelles générations d'organismes. Imaginez ce que deviendrait une forêt si tous ses décomposeurs cessaient leurs activités durant quelques années. Les feuilles, les souches, les excréments et les cadavres s'accumuleraient sans restituer au sol les éléments essentiels qui les composent. Ainsi, les Végétaux et les Animaux qui en dépendent mourraient de faim et la forêt finirait par mourir. Cet exemple hypothétique montre le destin qui pourrait échoir à tout écosystème dépourvu de saprophytes. En réalité, la nature a prévu un recyclage incessant des éléments chimiques entre les organismes et leur milieu (voir le chapitre 49).

Les Mycètes sont bien adaptés à leur rôle de décomposeurs de matières végétales. Leurs hyphes envahissent d'abord les tissus et les cellules de la matière organique morte. Ensuite, leurs enzymes hydrolysent les polymères,

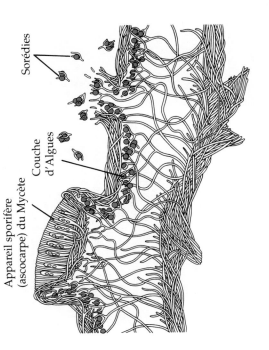

Sorédies

Couche d'Algues

Appareil sporifère (ascocarpe) du Mycète

Figure 28.12
Anatomie d'un Lichen. Les faces supérieure et inférieure forment des couches protectrices composées d'hyphes bien tassés. Les Algues se trouvent juste sous la face supérieure, retenues dans un filet d'hyphes. Au milieu, les hyphes sont lâchement entrelacées. Les structures reproductrices du Lichen se trouvent normalement sur la face supérieure. On aperçoit un ascocarpe (reproduction sexuée) du Mycète et plusieurs sorédies (reproduction asexuée) qui assurent la dispersion des deux associés.

Lichens pensent que la symbiose du Lichen représente une relation de «parasitisme contrôlé» plutôt que de mutualisme.

Les Lichens sont souvent les premiers à croître sur des rochers et des sols nouvellement mis à nu par des feux de forêts ou des éruptions volcaniques. Les acides du Lichen pénètrent la couche externe de cristaux des rochers, ce qui permet au Lichen de s'y fixer. Ce processus de fixation constitue le point de départ de l'établissement d'une succession de Végétaux. Les Lichens qui fixent l'azote contribuent également à procurer de l'azote organique.

Certains Lichens tolèrent des froids extrêmes. Dans la toundra arctique, de grands troupeaux de Caribous ou Rennes (*Rangifer tarandus caribou*), broutent les tapis de Lichens aux périodes de l'année où ils n'ont rien d'autre à se mettre sous la dent. Les Lichens peuvent aussi survivre à la dessiccation. Par temps brumeux ou pluvieux, les Lichens peuvent absorber jusqu'à dix fois leur masse en eau. La photosynthèse commence presque aussitôt que le Lichen contient de 65 à 75 % d'eau. En période de sécheresse, le Lichen se déshydrate rapidement, et la photosynthèse cesse. En climat aride, les Lichens ont donc une croissance très lente qui se limite souvent à moins d'un millimètre par année. Certains Lichens vivent depuis des milliers d'années; ils rivalisent avec les plus vieilles Plantes au titre de plus vieux organismes de la Terre.

Malgré leur grande résistance, beaucoup de Lichens sont particulièrement sensibles à la pollution de l'air. Leur mode passif d'absorption des minéraux contenus dans la pluie et l'humidité les rend vulnérables au dioxyde de soufre et aux autres poisons de l'air. Lorsque dans une région donnée, les Lichens les plus sensibles meurent et que les espèces plus résistantes se multiplient,

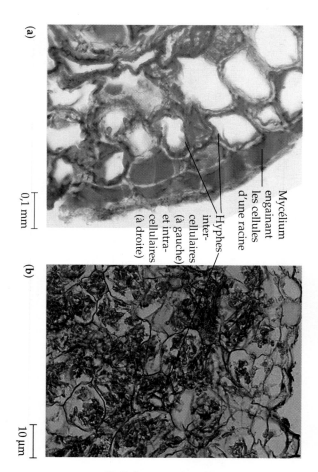

Mycélium engainant les cellules d'une racine

Hyphes inter-cellulaires (à gauche) et intra-cellulaires (à droite)

(a) 0,1 mm

(b) 10 µm

Figure 28.13
Mycorhizes. (a) Ectomycorhizes. Le mycélium forme une gaine autour de cette racine de Pin, et quelques-uns de ses hyphes s'insèrent entre les cellules de la Plante, à l'intérieur de la racine. Les Mycètes qui composent les ectomycorhizes sont habituellement des Basidiomycètes (MP). (b) Endomycorhizes. Certains Zygomycètes s'associent par mutualisme à des racines (d'une Fougère dans cet exemple). Les hyphes qui pénètrent les cellules de la racine forment des suçoirs ramifiés qui échangent des substances avec la Plante. Ces endomycorhizes ne forment pas de gaine compacte autour de la racine (MP).

y compris la cellulose et la lignine qui composent la paroi des cellules végétales. Une succession de Mycètes agissent de concert avec des Bactéries et, dans certains environnements, avec des Invertébrés pour achever la décomposition des débris végétaux. L'air véhicule tellement de spores fongiques qu'aussitôt qu'une feuille tombe ou qu'un Insecte meurt, les spores les recouvrent et produisent des hyphes saprophytes qui s'y infiltrent.

Mycètes destructeurs

On approuve facilement le travail utile des Mycètes qui décomposent les débris et les excréments dans les forêts. Cependant, on réagit tout autrement quand des Moisissures s'attaquent à nos fruits ou aux matériaux de nos maisons. Un saprophyte qui digère le bois ne fait pas de distinction entre une branche d'Épinette tombée au sol et les planches d'Épinette d'un balcon. Durant la Seconde Guerre mondiale, les soldats postés sous les tropiques ont témoigné de la destruction de leurs tentes, vêtements, bottes et jumelles par des Moisissures. Certains Mycètes peuvent même décomposer des matières plastiques. La meilleure façon de protéger du matériel des Moisissures est de le conserver au sec le mieux possible.

Mycètes pathogènes

Un grand nombre de Mycètes sont pathogènes. Parmi les maladies causées par les Mycètes, on retrouve le pied d'athlète, la teigne, les infections vaginales à Levures et des infections pulmonaires parfois mortelles.

En plus de causer la pourriture, certains Mycètes empoisonnent les aliments qu'ils gâtent. Par exemple, certaines espèces de la Moisissure *Aspergillus* contaminent le grain mal entreposé en sécrétant des aflatoxines, une substance cancérogène.

Les Végétaux sont particulièrement sensibles aux maladies fongiques. Par exemple, l'Ascomycète (*Cerato-cystis ulmi*) qui cause la maladie hollandaise de l'Orme a radicalement transformé le paysage du nord-est des États-Unis et du sud du Québec. Ce Mycète a envahi l'Amérique du Nord en pénétrant aux États-Unis sur des billots qui venaient d'Europe en paiement de dettes accumulées durant la Première Guerre mondiale. Le Mycète, transporté d'un arbre à l'autre par un Insecte vivant sous l'écorce (un Coléoptère, *Scolytus multistriatus*), aura bientôt complètement éliminé l'Orme d'Amérique (*Ulmus americana*). Un autre Ascomycète (*Endothia parastica*) a presque réussi à éliminer le Châtaignier d'Amérique (*Castanea dentata*).

Certains des Mycètes qui s'attaquent aux cultures vivrières sont toxiques pour l'Humain. Un de ceux-ci, l'Ascomycète qui a pour nom *Claviceps purpurea*, forme des structures pourpres appelées ergot du Seigle (figure 28.14). Si, par mégarde, le Seigle malade est consommé, le poison contenu dans l'ergot cause la gangrène, des spasmes nerveux, des sensations de brûlure, des hallucinations et une démence temporaire. En 944 ap. J.-C., une épidémie causée par l'ergot du Seigle a tué plus de 40 000 personnes. Une des substances hallucinogènes extraite de l'ergot est l'acide lysergique, principal composant du LSD (*lysergic acid diethylamide*). Les toxines extraites des Mycètes possèdent souvent des vertus médicinales, lorsqu'on les emploie à faibles doses. Par exemple, une substance extraite de l'ergot s'avère efficace pour traiter l'hypertension artérielle et pour faire cesser les hémorragies chez la femme qui vient d'accoucher.

Mycètes comestibles

Dans la chaîne alimentaire de la plupart des écosystèmes, les Mycètes servent d'aliment à un certain nombre d'Animaux, y compris les Humains. La plupart d'entre nous mangeons des Champignons (Basidiomycètes). En Amérique du Nord, on se limite généralement à une seule espèce, le Champignon blanc (*Agaricus hortensis*), cultivé sur du compost dans l'obscurité. Cependant, de nombreuses autres espèces de Champignons sauvages et cultivés sont comestibles (figure 28.15). Les Champignons les plus prisés sont les Truffes, les ascocarpes souterrains d'un Ascomycète vivant en symbiose avec des racines d'arbres. On dit que les Truffes ont une saveur de noisette, de musc ou de fromage. Les appareils sporifères

Figure 28.15
Champignons comestibles dans un marché public en Italie.
On vend ici plusieurs produits recherchés, dont une variété de
Champignons : Bolet royal (*Boletus appendiculatus regius*) ; Bolet
comestible (*Boletus edulis*, devant à droite) ; Pleurote en forme
d'huître, *Pleurotus ostreatus* (devant, au centre) ; Chanterelle
commune, *Cantharellus cibarius* (derrière, à droite, dans un
panier). Les Truffes blanches, *Tuber magnatum*, sont aussi
annoncées (*Tartufi d'alba*).

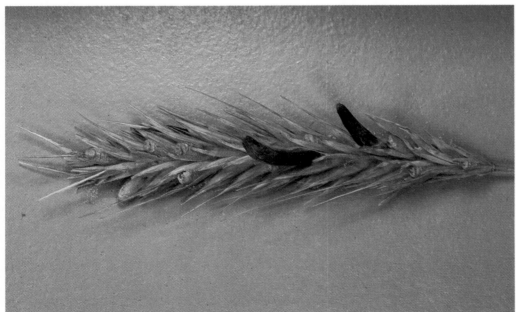

Figure 28.14
Ergots du Seigle. L'Ascomycète *Claviceps purpurea* produit des
pousses d'un pourpre foncé sur les épis du Seigle et d'autres Graminées. Les ergots, structures permettant au Mycète de résister à
l'hiver, contiennent des substances toxiques pour les Humains et
les Animaux domestiques.

(ascocarpes) des Truffes dégagent une odeur forte attractive pour certains Animaux et Insectes, qui déterrent
alors les Truffes et en dispersent les spores. Parfois, ces
odeurs simulent les substances attractives sexuelles de
certains Mammifères. Auparavant, les cueilleurs de Truffes utilisaient des Porcs pour trouver ces précieux Champignons. De nos jours, on se sert plus souvent de Chiens,
car ils possèdent l'odorat nécessaire à la recherche des
Truffes sans toutefois en être friands. Il n'existe aucune
règle simple pour aider le novice à distinguer les Champignons vénéneux des Champignons comestibles. Seuls
les spécialistes peuvent identifier les Champignons sauvages comestibles et en faire la cueillette.

ÉVOLUTION DES MYCÈTES

L'origine des Mycètes demeure incertaine. La plupart des
chercheurs croient que les Mycètes viennent directement
d'ancêtres Protistes. Ils ne sont apparentés directement ni
aux Végétaux, ni aux Animaux, ni aux ancêtres Protistes
immédiats des Végétaux et des Animaux. Puisqu'ils for-

ment un règne à part, les Mycètes possèdent apparemment un ancêtre commun, mais le mode de formation des
espèces à l'intérieur de ce règne est incertain.

Les Algues rouges, les Algues vertes capables de conjugaison et les Chytridiomycètes font partie des Protistes
susceptibles d'être les ancêtres des Mycètes (voir le chapitre 26). En biologie moléculaire, on essaie actuellement
de déterminer quels Protistes sont les plus proches
parents des Mycètes au moyen de l'analyse des séquences
d'ARNr.

Les fossiles incontestés des plus anciens Mycètes se
trouvent dans la strate silurienne, qui date de 408 à
438 millions d'années environ. Les Végétaux et les
Mycètes sont probablement passés des milieux aquatiques aux milieux terrestres en même temps. Les fossiles
des premières Plantes vasculaires terrestres (période
silurienne) portent des mycorhizes pétrifiées. Depuis
leur naissance, les communautés terrestres dépendent
des Mycètes qui, grâce à leur rôle de décomposeurs et
de symbiontes, aident les autres organismes à s'adapter
à leur milieu.

RÉSUMÉ DU CHAPITRE

L'existence des organismes appartenant au règne des Mycètes a d'importantes répercussions, autant positives que négatives, sur d'autres organismes.

Caractéristiques des Mycètes (p. 583-585)

1. Les Mycètes sont des eucaryotes, principalement pluricellulaires, qui n'ont pas de flagelle. La paroi de la plupart d'entre eux se compose de chitine.

2. Tous les Mycètes sont hétérotrophes et se nourrissent par absorption. Certains sont des saprophytes, d'autres vivent en parasites et d'autres encore pratiquent le mutualisme.

3. L'appareil végétatif des Mycètes est le mycélium, réseau d'hyphes ramifiés qui convient parfaitement à la nutrition par absorption. Les Mycètes parasites s'introduisent dans leur hôte au moyen d'hyphes spécialisés appelés suçoirs.

4. Bien qu'il existe des Mycètes à hyphes non cloisonnés (cénocytes), la plupart possèdent des hyphes séparés en cellules par des cloisons. Les cloisons sont percées de pores qui permettent les échanges entre les cellules.

5. Les Mycètes se reproduisent en dispersant un nombre stupéfiant de spores aériennes et aquatiques (non flagellées). La germination des spores produit de petits hyphes, qui se développent et se ramifient rapidement.

6. La façon dont les Mycètes se divisent varie, mais le premier stade de leur cycle de développement demeure le mycélium haploïde. Au début, la reproduction se fait habituellement par voie asexuée, mais elle devient par la suite sexuée.

7. Le cycle de développement comporte une fusion cytoplasmique (plasmogamie) et une fusion nucléaire (caryogamie). Il existe aussi un stade dicaryote (deux noyaux haploïdes) dont la durée varie selon le mode de division du Mycète. La phase diploïde est courte et laisse rapidement place à la méiose, qui produit des spores haploïdes.

Diversité des Mycètes (p. 585-590)

1. Le zygote issu de l'embranchement des Zygomycètes vit dans le sol ou sur les matières organiques en décomposition. On compte parmi les membres de cet embranchement la Moisissure noire du pain. Leurs spores asexuées deviennent des sporanges aériens. Le nom de cet embranchement vient des zygosporanges sexués, structures dicaryotes capables de survivre à des conditions défavorables.

2. Les Ascomycètes vivent surtout en parasites de Végétaux, en association avec une Algue dans des Lichens et en saprophytes. Leur mycélium est surtout haploïde, bien qu'il existe une courte phase dicaryote associée à la reproduction sexuée. Les Ascomycètes se reproduisent abondamment de façon asexuée grâce à leurs conidies. Pendant la reproduction sexuée, des spores se forment dans des sacs appelés asques, qui se trouvent aux extrémités des hyphes dicaryotes (habituellement dans des ascocarpes).

3. Les Mycètes de l'embranchement des Basidiomycètes ressemblent à des massues. Parmi eux se trouvent les Champignons à carpophore volumineux, les Polypores, les Vesses-de-Loup et certaines Rouilles. Ils jouent un rôle important comme saprophytes des débris végétaux, comme parasites de certains Végétaux (les Rouilles et le Charbon du Blé) ou comme symbiontes mutualistes dans des mycorhizes. Le mycélium des Basidiomycètes peut demeurer des années dans la phase dicaryote. Lors de la reproduction sexuée, le mycélium produit un appareil sporifère (carpophore des Champignons). Les hyphes dicaryotes de l'appareil développent à leur extrémité libre un baside qui contient des spores.

Mode de vie de certains Mycètes (p. 590-593)

1. Les Moisissures sont soit le stade asexué de Mycètes appartenant aux Zygomycètes, aux Ascomycètes ou aux Basidiomycètes, soit des Deutéromycètes (Mycètes imparfaits qui forment des conidies et ne se reproduisent pas de façon sexuée). Les Moisissures occupent une place importante dans la production des antibiotiques comme la pénicilline.

2. Les Levures sont des Mycètes unicellulaires faits pour vivre dans des environnements liquides, par exemple la sève de certains Végétaux. On trouve des Levures chez les Ascomycètes, les Basidiomycètes et les Deutéromycètes. Le genre *Saccharomyces* comprend les Levures nécessaires à la fabrication du pain et du vin.

3. Le Lichen est le résultat d'une association symbiotique tellement bien intégrée entre une Algue et un Mycète qu'on le considère comme un seul organisme. La partie fongique est habituellement un Ascomycète et l'Algue une Algue verte ou une Cyanobactérie. Les Mycètes et des organismes robustes qui préparent le terrain à la croissance des Végétaux en transformant lentement les rochers dénudés en sol fertile.

4. La mycorhize constitue une association mutualiste entre un Mycète et une racine de Vasculaire. Le Mycète aide la Plante à absorber plus efficacement les minéraux et l'eau ; en retour, la Plante comble les besoins du Mycète en glucides.

Importance écologique des Mycètes (p. 593-595)

1. Sans les décomposeurs que sont les Mycètes, nous vivrions parmi les débris organiques et les dépouilles d'organismes, et il n'y aurait pas de recyclage des éléments chimiques dans un écosystème. Les Mycètes jouent un rôle déterminant dans la décomposition de la matière organique.

2. Des Mycètes nuisibles s'attaquent aux aliments et à d'autres choses utiles.

3. Certains Mycètes causent des maladies humaines, depuis le pied d'athlète jusqu'aux infections pulmonaires mortelles. Les Végétaux sont particulièrement vulnérables aux infections fongiques.

4. Un grand nombre de Mycètes constituent des aliments pour les Humains et d'autres Animaux.

Évolution des Mycètes (p. 595)

1. On ne connaît pas l'origine des Mycètes. Cependant, les taxinomistes s'entendent généralement pour affirmer que les membres de ce règne viennent de Protistes anciens plutôt que de Végétaux ou d'Animaux. Les Mycètes ont colonisé la terre ferme en compagnie des Végétaux.

AUTO-ÉVALUATION

1. À quoi servent les pores dans les cloisons du mycélium fongique ?

a) Ils permettent aux molécules organiques dissoutes de traverser les parois cellulaires.

b) Ils servent d'ouvertures par lesquelles les spores sont expulsées.

c) Ils permettent aux protéines et aux autres substances de se déplacer vers les extrémités des hyphes, qui croissent rapidement.

d) Ils servent à faciliter la mitose chez un nombreux Mycètes.

e) Ils servent de divisions entre les deux sortes de noyaux d'un dicaryon.

2. Dans la partie sexuée des cycles de développement des Mycètes, _____ a habituellement lieu peu de temps après _____.
   a) la syngamie ; la caryogamie
   b) la méiose ; la fusion des noyaux haploïdes
   c) la reproduction asexuée ; la reproduction sexuée
   d) la production de spores ; la formation d'un mycélium dicaryote
   e) la syngamie ; la méiose

3. Quelles cellules ou structures sont associées à la reproduction *asexuée* chez certains Mycètes ?
   a) Les ascospores.   d) Les zygosporanges.
   b) Les basidiospores.   e) Les ascogones.
   c) Les conidies.

4. Le nom de chaque embranchement des Mycètes indique :
   a) la structure qui produit des spores asexuées.
   b) le site de la plasmogamie.
   c) le moment du stade dicaryote pendant le cycle de développement.
   d) la structure dans laquelle la caryogamie s'effectue au cours de la reproduction sexuée.
   e) la fonction du Mycète dans un écosystème.

5. Chez quel type de Mycète trouve-t-on des sporanges qui émergent d'hyphes verticaux et qui produisent des spores asexuées ?
   a) Chez les Ascomycètes.   d) Chez les Zygomycètes.
   b) Chez les Basidiomycètes.   e) Chez les Lichens.
   c) Chez les Deutéromycètes.

6. Laquelle des affirmations suivantes concernant les Basidiomycètes est vraie ?
   a) Leurs hyphes fusionnent et donnent naissance à un mycélium dicaryote.
   b) Une fois formées par la méiose, leurs spores s'alignent dans un asque.
   c) La grande majorité de leurs spores sont formées de façon asexuée.
   d) Les Basidiomycètes sont les plus importants producteurs d'antibiotiques.
   e) Les Basidiomycètes ne possèdent aucun stade sexué connu.

7. Qu'est-ce qu'une mycorhize ?
   a) La structure reproductrice asexuée formée par les Lichens.
   b) Un hyphe mince qui pénètre directement dans les tissus d'un organisme hôte.
   c) Le mycélium qui forme des ronds de sorcière.
   d) Un hyphe dicaryote compact qui forme un basidiocarpe.
   e) Une association mutualiste entre un Mycète et une racine.

8. Comment s'appellent les hyphes spécialisés des Mycètes parasites ?
   a) Les suçoirs.   d) Les sorédies.
   b) Les ascogones.   e) Les ergots.
   c) Les conidies.

9. À quel embranchement appartient le Mycète qui cause la maladie hollandaise de l'Orme ?
   a) Aux Zygomycètes.   d) Aux Deutéromycètes.
   b) Aux Ascomycètes.   e) Aux Moisissures.
   c) Aux Basidiomycètes.

10. Dans un Lichen, quel est généralement le symbionte photosynthétique ?
    a) Une Mousse.
    b) Une Algue verte.
    c) Une Algue rouge.
    d) Un Ascomycète.
    e) Une petite Plante vasculaire.

QUESTIONS À COURT DÉVELOPPEMENT

1. Décrivez un des cycles de développement des Mycètes.
2. Décrivez brièvement l'importance écologique des Mycètes.

RÉFLEXION-APPLICATION

1. Pourquoi les Mycètes donnent-ils tellement de fil à retordre aux taxinomistes ?
2. De nombreux Mycètes servent à produire des antibiotiques précieux en médecine, comme la pénicilline. En quoi les antibiotiques sont-ils utiles aux Mycètes qui les produisent ? Les Mycètes saprophytes sécrètent souvent des substances possédant des saveurs et des odeurs déplaisantes. Quelle est l'utilité de ces substances chimiques pour le Mycète ? Pour les autres organismes qui se nourrissent de la nourriture décomposée par les Mycètes ? Comment l'évolution a-t-elle conduit à la production d'antibiotiques et de substances odorantes ?

SCIENCE, TECHNOLOGIE ET SOCIÉTÉ

1. Aux États-Unis, de nombreux Mycètes et Lichens sont menacés d'extinction à cause de la destruction de leur habitat. Devrait-on les ajouter à la liste des espèces menacées qu'on protège par des lois ? Pourquoi ?
2. Les Châtaigniers d'Amérique ont déjà représenté plus de 25 % des forêts feuillues de l'est des États-Unis. Ces arbres ont été détruits par un Mycète qu'on a introduit accidentellement en Amérique en important des Châtaigniers d'Asie contaminés, mais résistants au Mycète. Plus récemment, un Mycète a détruit un grand nombre de Cornouillers sur le territoire compris entre New York et la Géorgie ; certains experts pensent qu'on a importé ce parasite accidentellement. Pourquoi les Végétaux sont-ils particulièrement vulnérables aux Mycètes provenant d'autres régions ? Quels types d'activités humaines contribuent à la dispersion des maladies végétales ? L'introduction d'organismes pathogènes pour les Végétaux risque-t-elle de devenir plus fréquente à l'avenir ? Pourquoi ?

LECTURES SUGGÉRÉES

Alabouvette, C., « La lutte biologique contre les champignons du sol », *La Recherche*, n° 230, mars 1991. (Utilisation de substances fongiques ou de Bactéries pour enrayer les Champignons nuisibles aux cultures.)

Botton, B. et coll., *Moisissures utiles et nuisibles : importance industrielle*, Paris, Masson, 1990. (Présentation des principales espèces ainsi que des principes et méthodes d'identification.)

Ozenda, P., *Les organismes végétaux*, tome 1, Paris, Masson, 1990. (Les chapitres 4 et 5 approfondissent les Champignons et les Lichens.)

Rossion, P., « Le retour des Lichens », *Science & Vie*, n° 878, novembre 1990. (Recherche des Lichens comme indicateurs de la pureté de l'air.)

Talou, T. et M. Kulifaj, « Les secrets de la truffe », *La Recherche*, n° 239, janvier 1992. (Détails concernant le cycle de développement de la Truffe et ses facteurs de croissance.)

DÉFINITION DE L'ORGANISME ANIMAL

CLÉS POUR COMPRENDRE LA PHYLOGENÈSE ANIMALE

PARAZOAIRES

EUMÉTAZOAIRES

RADIAIRES

ARTIOZOAIRES : ACŒLOMATES

ARTIOZOAIRES : PSEUDOCŒLOMATES

ARTIOZOAIRES : PROTOSTOMIENS

ARTIOZOAIRES : DEUTÉROSTOMIENS

ORIGINE ET DIVERSIFICATION DES ANIMAUX

Figure 29.1
Faune d'un étang à marées. Notre conception de la diversité animale est déformée parce que nous vivons sur terre, où les Vertébrés dominent. Dans les étangs à marées et sur les récifs de Corail vivent une multitude d'espèces d'invertébrés marins. Dans ce chapitre, vous acquerrez des connaissances sur certains de ces Invertébrés et sur les traces qu'ils ont laissées au cours de l'évolution.

L a vie animale est apparue dans les océans précambriens, quand des organismes pluricellulaires ont commencé à se nourrir d'autres organismes. Ce nouveau mode de vie a bénéficié de ressources et d'habitats jusque-là inexploités. Diverses formes animales se sont ainsi développées au cours de l'évolution. Les premiers Animaux ont peuplé les mers, les lacs et les rivières et, plus tard, la terre ferme. Ces formes de vie ancestrales ont évolué durant plus d'un demi-milliard d'années pour donner l'éblouissante diversité animale qui existe sur Terre de nos jours.

On connaît actuellement plus de 1,5 million d'espèces animales, et les prochaines générations de zoologistes en recenseront probablement autant. Le règne animal comprend environ 35 embranchements (le nombre exact dépend du point de vue de chaque taxinomiste), définis dans une large mesure selon des critères d'ordre anatomique et embryologique. Les gens connaissent surtout les Vertébrés, un simple sous-embranchement du règne animal dont les membres, qui font partie de l'embranchement des Cordés, possèdent une colonne vertébrale. Pourtant, 95 % des Animaux ne possèdent pas de colonne vertébrale ; il s'agit des **Invertébrés** (figure 29.1), principal sujet de ce chapitre. Le présent chapitre décrit également les caractéristiques générales des Animaux, expose certaines théories sur leur origine et le début de leur diversification et, enfin, examine les liens qui semblent exister entre les divers embranchements.

DÉFINITION DE L'ORGANISME ANIMAL

Définir correctement le terme « Animal » semble facile à première vue, mais il n'en est rien. On rencontre des exceptions à presque tous les critères qui permettent de distinguer les Animaux des autres organismes. Cependant, l'ensemble des caractéristiques suivantes permettra d'établir une définition acceptable.

1. Les Animaux sont des eucaryotes hétérotrophes pluricellulaires. Contrairement aux Végétaux, qui ont un mode de nutrition autotrophe, les Animaux doivent se nourrir de molécules organiques déjà formées, puisqu'ils ne peuvent les fabriquer à partir d'éléments inorganiques. La plupart des Animaux utilisent l'**ingestion** comme mode de nutrition, c'est-à-dire qu'ils se nourrissent d'autres organismes et de matières organiques en décomposition, les détritus.

2. Les Animaux emmagasinent leurs réserves de glucides sous forme de glycogène, alors que les Végétaux les accumulent sous forme d'amidon.

3. Contrairement aux cellules végétales, les cellules animales ne possèdent pas de paroi. Par ailleurs, les jonctions intercellulaires (jonctions serrées, desmosomes et jonctions ouvertes) n'existent que chez les Animaux (voir la figure 7.35).

4. Seuls les Animaux possèdent du tissu nerveux, spécialisé dans la conduction des influx nerveux, et du tissu musculaire, spécialisé dans le mouvement.

5. La plupart des Animaux se reproduisent de façon sexuée et c'est habituellement le stade diploïde qui prédomine au cours de leur cycle de développement. Chez la majorité des espèces, un petit spermatozoïde flagellé féconde un ovule plus gros et ne se déplaçant pas par lui-même, ce qui engendre un zygote diploïde. Le zygote subit ensuite une série de divisions cellulaires mitotiques, appelée **segmentation**. Au cours du développement de la plupart des Animaux, la segmentation aboutit à la formation d'un stade pluricellulaire appelé **blastula**, qui prend souvent la forme d'une sphère creuse. (Nous étudierons au chapitre 43 la formation et le sort de la blastula.) Vient ensuite la **gastrulation**, pendant laquelle se développent les tissus embryonnaires des diverses parties de l'organisme adulte. Avant d'atteindre le stade adulte, un grand nombre d'Animaux doivent d'abord passer par des stades larvaires. La **larve** est une forme sexuellement immature qui vit à l'état libre. Sa morphologie, ses besoins nutritifs et parfois même son habitat diffèrent de ceux de l'Animal adulte, comme on peut l'observer chez le têtard (stade larvaire de la Grenouille). La larve subit finalement une **métamorphose**, changement radical qui permet à l'Animal mal d'acquérir sa forme adulte.

Les Animaux occupent presque tous les milieux de la biosphère. La mer, habitat originel probable des Animaux, abrite encore la plus grande partie des représentants du règne animal. La faune d'eau douce est variée, mais jamais aussi diversifiée que la faune marine.

Tout comme aux Végétaux (chapitre 27), les habitats terrestres posent des problèmes particuliers aux Animaux. D'ailleurs, peu d'espèces animales ont réussi à conquérir la terre ferme. Ainsi, les Vers de terre (embranchement des Annélides) et les Escargots (embranchement des Mollusques) sont habituellement contraints de vivre dans les sols humides et parmi la végétation. Seuls les Vertébrés et les Arthropodes, comme les Insectes et les Araignées, sont représentés par une grande variété d'espèces ayant réussi à s'adapter aux divers milieux terrestres.

CLÉS POUR COMPRENDRE LA PHYLOGENÈSE ANIMALE

Nous ne possédons qu'une vague idée des liens évolutifs qui existent entre les différents embranchements du règne animal. L'origine de la plupart des embranchements et des types de symétries corporelles remonte au Précambrien et au début du Cambrien, périodes dont il ne nous reste qu'un nombre restreint de fossiles. Par conséquent, pour reconstituer l'histoire évolutive du règne animal, les zoologistes doivent se fier en grande partie à des indices tirés d'études comparatives sur l'anatomie et l'embryologie des organismes actuels.

Principales ramifications du règne animal

Même si la question fait encore l'objet de vives discussions, de nombreux zoologistes soutiennent que les embranchements des Animaux modernes proviennent tous d'un seul groupe de Protistes. La figure 29.2 montre un arbre phylogénétique constitué à partir d'une des théories sur l'évolution des Animaux. Le texte qui suit traite de quelques-uns des faits les plus marquants de l'histoire évolutive des Animaux.

Les Éponges (embranchement des Spongiaires ou Porifères) ont un développement tellement unique et une anatomie tellement simple qu'elles forment un embranchement distinct. Elles ne possèdent pas de vrais tissus, d'où le nom qu'on leur donne : **Parazoaires** (qui signifie « à côté des Animaux »). Tous les autres embranchements sont regroupés sous le nom d'**Eumétazoaires**.

Les Eumétazoaires se divisent en quelques grandes ramifications, notamment selon le type de symétrie corporelle. Les Hydres, les Méduses et leurs semblables appartiennent tous aux **Radiaires** parce qu'ils présentent une **symétrie radiaire** (figure 29.3a). Un Radiaire possède un pôle oral et un pôle aboral (éloigné de la bouche), mais pas de devant ni de derrière, et pas de côté droit ni de côté gauche. Les membres des autres ramifications des Eumétazoaires ont développé au cours de l'évolution une **symétrie bilatérale**, c'est-à-dire à deux côtés (figure 29.3b), et portent le nom de **Artiozoaires** (du grec *artios* « pair »). Un Animal de ce type présente non seulement une face **dorsale** et une face **ventrale**, mais aussi une tête (région **antérieure**), une queue (région **postérieure**), un côté gauche et un côté droit.

Les Animaux à symétrie bilatérale ont évolué vers la **céphalisation**, c'est-à-dire que les organes sensoriels se sont concentrés dans la région antérieure de l'Animal, celle qui, chez un Animal mobile, est la première à rencontrer la nourriture, le danger et les autres stimuli. La tête représente une adaptation nécessaire au mouvement (comme ramper, creuser ou nager). La symétrie d'un Animal s'accorde généralement avec son mode de vie. Ainsi, beaucoup de Radiaires sont sessiles (fixés à un substrat) ou planctoniques (dérivant ou nageant faiblement) et possèdent une symétrie qui leur permet d'entrer en contact avec leur environnement par toutes les parties de leur corps. Par contre, les Animaux plus actifs sont généralement bilatéraux.

La symétrie ne constitue pas à elle seule un critère infaillible pour déterminer à quelle lignée évolutive tel embranchement correspond. Certains Animaux sont passés d'une symétrie bilatérale à une symétrie radiaire, adaptation qui leur a permis d'accéder à un mode de vie plus sédentaire. Par exemple, les Étoiles de mer (embranchement des Échinodermes) ont une symétrie radiaire, mais leur développement embryonnaire et leur anatomie interne attestent qu'elles proviennent d'ancêtres bilatéraux.

Les deux types de symétrie, fondamentalement différents, sont probablement apparus au tout début de l'évolution des Animaux. En effet, certains zoologistes

pensent que les Méduses et leurs semblables ont eu des ancêtres Protistes différents de ceux des Artiozoaires.

Développement et symétrie corporelle

Pendant la gastrulation, un des premiers stades du développement de tous les Animaux sauf des Éponges, les cellules de l'embryon s'organisent en feuillets (figure 29.4). En règle générale, ces **feuillets embryonnaires** concen-

triques formeront les différents tissus et organes. L'**ecto-derme**, feuillet qui recouvre l'embryon, devient la couche externe de l'Animal et, dans certains cas, le système nerveux central. L'**endoderme**, feuillet embryonnaire profond, tapisse l'intestin primitif, ou **archentéron**, et donne naissance, entre autres au revêtement intérieur du tube digestif et à ses glandes annexes, comme le foie et le pancréas. Les Animaux de quelques embranchements, comme les Cnidaires, ne produisent que ces deux feuillets

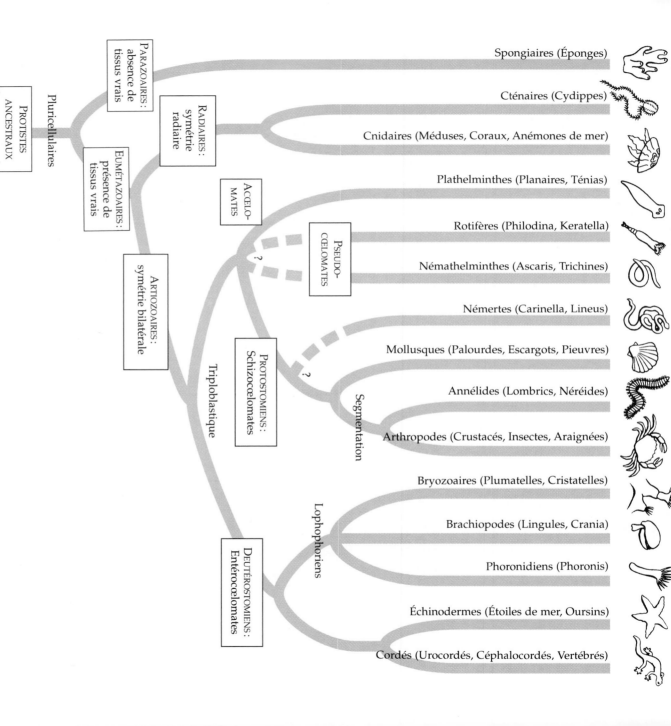

Figure 29.2
Une version de l'évolution des Animaux.

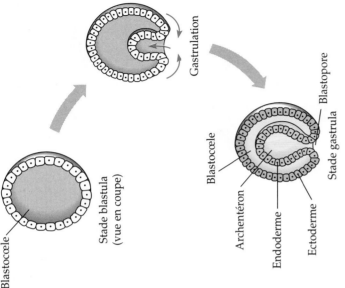

Blastocele

Stade blastula
(vue en coupe)

Gastrulation

Blastocele

Archentéron

Endoderme

Ectoderme

Stade gastrula

Blastopore

Figure 29.4
Gastrulation. Tous les embryons d'Eumétazoaires passent par la gastrulation, processus durant lequel les feuillets embryonnaires se forment. Il existe plusieurs mécanismes de gastrulation. On voit ici le plus simple, illustré par des coupes transversales d'embryons. Au stade blastula, par exemple, l'embryon a la forme d'une sphère creuse.

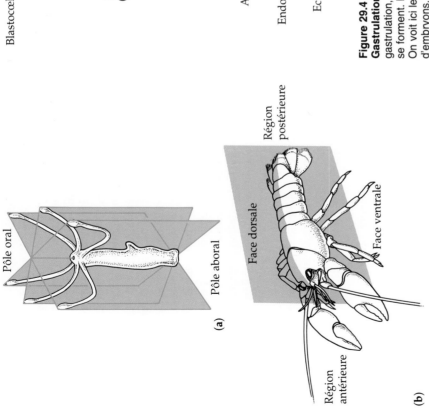

Pôle oral

Pôle aboral

Région
antérieure

Face dorsale

Face ventrale

Région
postérieure

Face ventrale

(a)

(b)

Figure 29.3
Symétrie corporelle. (a) Les parties d'un Animal radiaire, comme cette Hydre, sont disposées comme les rayons d'une roue. Si on effectue une coupe dans l'axe central de l'Animal, les deux parties obtenues se ressemblent comme un objet et son image dans un miroir. **(b)** Un Animal bilatéral possède un côté droit et un côté gauche. Un seul type de coupe permet de diviser l'Animal en deux images identiques.

embryonnaires ; on les qualifie de **diploblastiques.** Tous les autres Eumétazoaires sont **triploblastiques** car ils produisent un troisième feuillet embryonnaire, le **mésoderme,** situé entre l'ectoderme et l'endoderme. Le mésoderme donne naissance aux muscles et aux autres organes situés entre l'intestin et le revêtement externe de l'Animal.

Les Animaux triploblastiques qui ont un corps compact sans cavité entre le tube digestif et l'enveloppe externe sont les **Accelomates** (du grec *a* « sans », et *koilos* « creux »). Les Planaires (embranchement des Plathelminthes) et les Animaux de quelques autres embranchements font partie de ce groupe (figure 29.5a). Les autres Animaux triploblastiques bilatéraux ont une cavité remplie de liquide entre le tube digestif et l'enveloppe corporelle. Si cette cavité n'est pas complètement entourée de tissus provenant du mésoderme, elle porte le nom de **pseudocœlome.** Les Animaux qui possèdent ce type de structure corporelle, comme les Rotifères (embranchement des Rotifères), les Vers ronds (embranchement des Némathelminthes) et quelques autres, s'appellent **Pseudocœlomates** (figure 29.5b). De leur côté, les Cœlomates possèdent un vrai **cœlome,** c'est-à-dire une cavité remplie de liquide et complètement entourée de tissus provenant du méso-

derme. Les couches interne et externe du tissu qui tapisse le cœlome se relient dorsalement et ventralement ; elles forment les mésentères qui soutiennent les organes internes (figure 29.5c).

Le cœlome a plusieurs fonctions. Tout d'abord, le liquide qu'il contient protège les organes et amortit les chocs qui pourraient causer des blessures internes. Le cœlome permet aussi aux organes internes de croître et de bouger indépendamment de l'enveloppe corporelle externe. Si, par exemple, vous ne possédiez pas de cœlome, chaque battement de cœur ou chaque mouvement d'intestin créerait une déformation à la surface de votre corps. Et l'exercice physique pourrait déformer vos organes internes. Chez les Cœlomates à corps mou comme le Ver de terre, le liquide incompressible qui emplit la cavité fait office de squelette hydrostatique contre lequel les muscles prennent appui pour exécuter des mouvements. Les cœlomes sont peut-être apparus d'abord en tant qu'adaptations permettant aux Animaux à corps mou de creuser, mais ils ont évolué de façon indépendante au moins deux fois, comme on peut l'observer sur l'arbre phylogénétique de la figure 29.2.

Protostomiens et Deutérostomiens

Au cours de l'évolution, deux lignées de Cœlomates se sont formées. Les Mollusques, les Annélides et les Arthropodes appartiennent à une de ces lignées et portent le nom de **Protostomiens.** L'autre lignée comprend les Échinodermes, les Cordés et quelques autres embranchements ; on les appelle **Deutérostomiens** (voir la

Chapitre 29 : Les Invertébrés et l'origine de la diversité animale **601**

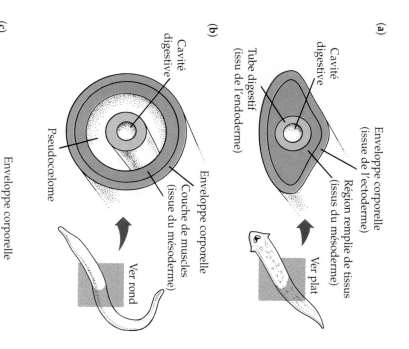

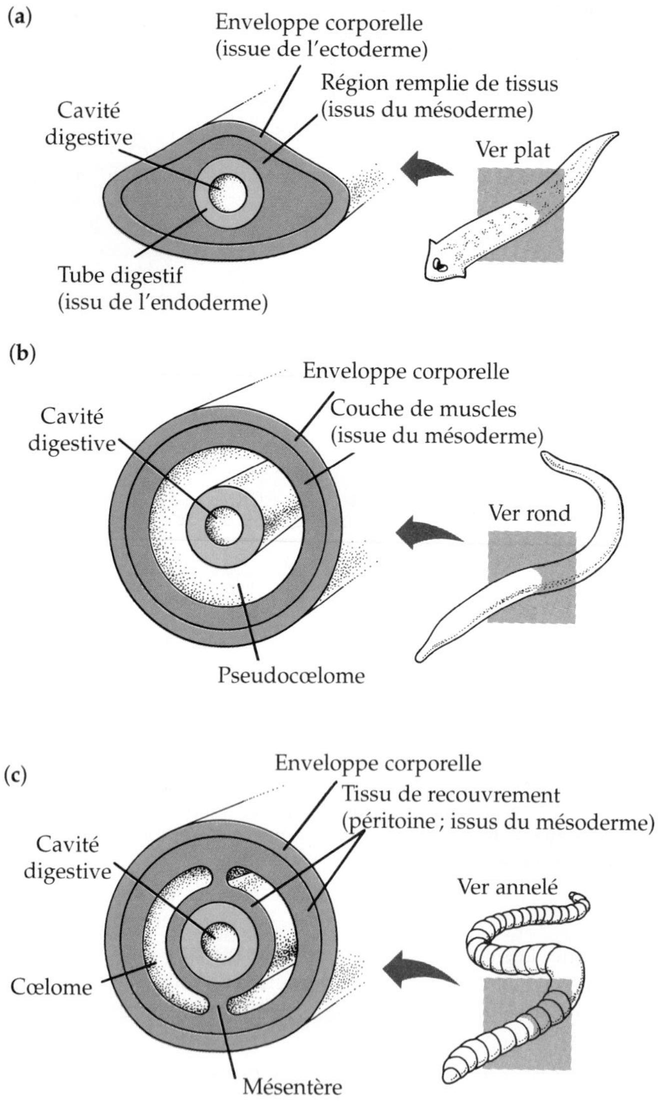

Figure 29.5
Organisation corporelle des Artiozoaires. Les différents organes des animaux se développent à partir des trois feuillets embryonnaires. **(a)** Les Acœlomates ne possèdent pas de cavité corporelle entre le tube digestif et l'enveloppe corporelle externe. **(b)** Les Pseudocœlomates possèdent une cavité corporelle partiellement couverte de tissu provenant du mésoderme. **(c)** Les Cœlomates possèdent un vrai cœlome, c'est-à-dire une cavité corporelle entièrement tapissée de tissu provenant du mésoderme.

(a) Enveloppe corporelle (issue de l'ectoderme) · Région remplie de tissus (issus du mésoderme) · Tube digestif (issu de l'endoderme) · Cavité digestive · Ver plat

(b) Cavité digestive · Tube digestif (issu de l'endoderme) · Pseudocœlome · Enveloppe corporelle · Couche de muscles (issue du mésoderme) · Ver rond

(c) Cavité digestive · Cœlome · Mésentère · Enveloppe corporelle · Tissu de recouvrement (péritoine ; issus du mésoderme) · Ver annelé

figure 29.2). Le développement des Animaux de ces deux groupes diffère sur plusieurs points fondamentaux.

Segmentation Les deux lignées de cœlomates montrent des différences dès le début de leur développement, lorsque les divisions cellulaires qui ont cours pendant la segmentation transforment le zygote en une sphère formée de cellules. Un grand nombre de Protostomiens se développent par **segmentation spirale**, de sorte que la division cellulaire s'exécute en diagonale par rapport à l'axe vertical de l'embryon. Au stade à huit cellules de la segmentation spirale, on peut voir que les petites cellules se trouvent dans les sillons séparant les plus grandes cellules (figure 29.6a). Par ailleurs, chez certains Protosto-

miens, ce type de division appelé aussi **segmentation déterminée**, définit très tôt le sort de chaque cellule embryonnaire. Si on prélève une cellule d'un Protostomien, par exemple un Escargot, pendant le stade à quatre cellules, cette cellule donnera naissance à un embryon non viable auquel il manque des parties.

Chez les Deutérostomiens, le mode de division est différent. Chez un grand nombre d'entre eux, le zygote subit une **segmentation radiaire**, qui se produit aussi chez les Radiaires. Dans ce type de segmentation, la division cellulaire s'effectue parallèlement ou perpendiculairement à l'axe vertical de l'embryon. Comme on peut l'observer (figure 29.6a) au stade à huit cellules, les cellules se trouvent alignées bien droites les unes au-dessus des autres.

La plupart des Deutérostomiens se caractérisent également par une **segmentation indéterminée**, ce qui signifie que chaque cellule produite au début de la segmentation possède la capacité de devenir un embryon complet. Par exemple, si on sépare les cellules de l'embryon d'une Étoile de mer au stade où l'embryon possède quatre cellules, chacune pourra former une larve normale. C'est la segmentation indéterminée du zygote humain qui explique la formation des jumeaux identiques.

Destinée du blastopore Une autre différence entre les Protostomiens et les Deutérostomiens apparaît ultérieurement dans le développement embryonnaire. Pendant la gastrulation, il se forme une poche vide (l'archentéron) qui deviendra le tube digestif de l'embryon. Cette cavité possède une seule ouverture externe, appelée **blastopore** (figure 29.6b). Par la suite, une seconde ouverture se forme à l'extrémité opposée de l'archentéron, et on a alors un tube digestif pourvu d'une bouche et d'un anus. Chez les Protostomiens, la bouche se développe à partir de la première ouverture, le blastopore. D'où le nom de Protostomiens (du grec *prôtos* «premier» et *stoma* «bouche»). Par contre, la bouche des Deutérostomiens (du grec *deuteros* «deuxième») se développe à partir de la deuxième ouverture, et le blastopore forme habituellement l'anus. Cette différence fondamentale permet de justifier la division phylogénétique de ces deux groupes d'Animaux.

Formation du cœlome La troisième différence fondamentale entre les Protostomiens et les Deutérostomiens a trait au développement du cœlome (figure 29.6c). Pendant le développement de l'archentéron chez les Protostomiens, le cœlome se forme à partir de fentes dans les masses de mésoderme. On appelle ce mode de formation **schizocœlie** (du grec *schizo* «fendre»). Chez les Deutérostomiens, le mésoderme émerge de la paroi de l'archentéron et forme des enclaves qui deviendront le cœlome ; on appelle ce mode de formation **entérocœlie**.

En tenant compte du caractère expérimental de tout regroupement phylogénétique, nous sommes maintenant prêts à examiner l'arbre phylogénétique du règne animal illustré à la figure 29.2. Dans les pages qui suivent, nous étudierons les plus importants embranchements des Invertébrés. Nous verrons certains aspects physiologiques (comme la reproduction et la nutrition) qui caractérisent différents groupes d'Invertébrés ; mais c'est à la septième partie de ce manuel que nous étudierons en détail la physiologie animale.

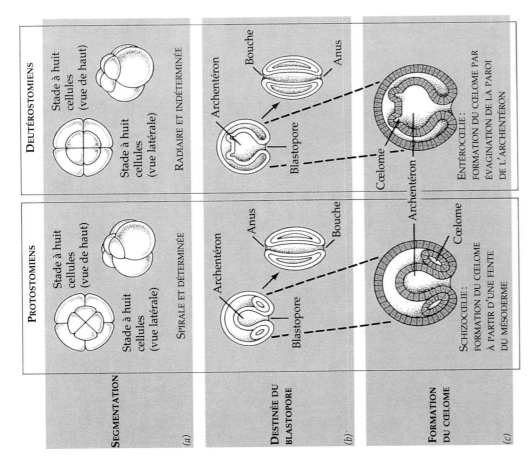

Figure 29.6

Comparaison entre les premiers stades de développement de l'embryon des Protostomiens et des Deutérostomiens. (a) Les Protostomiens subissent une segmentation spirale, tandis que les Deutérostomiens subissent une segmentation radiaire. (b) Pendant le stade gastrula, le blastopore devient la bouche chez les Protostomiens, tandis que c'est l'ouverture du côté opposé qui devient la bouche chez les Deutérostomiens. (c) La formation du cœlome se produit également pendant le stade gastrula. Les Protostomiens obtiennent leur cœlome par schizocœlie, c'est-à-dire que le cœlome se forme à partir de fentes dans le mésoderme. Les Deutérostomiens procèdent par entérocœlie, car leur cœlome se développe par évagination du mésoderme depuis la paroi de l'archentéron (bleu : ectoderme, jaune : endoderme, rouge : mésoderme).

Protostomiens	Deutérostomiens
Segmentation	
Stade à huit cellules (vue de haut)	Stade à huit cellules (vue de haut)
Stade à huit cellules (vue latérale)	Stade à huit cellules (vue latérale)
Spirale et déterminée	Radiaire et indéterminée
Destinée du blastopore	
Archentéron, Anus, Bouche, Blastopore	Archentéron, Bouche, Anus, Blastopore
Formation du cœlome	
Archentéron, Cœlome	Cœlome, Archentéron
Schizocœlie : formation du cœlome à partir d'une fente du mésoderme	Entérocœlie : formation du cœlome par évagination de la paroi de l'archentéron

(a)
(b)
(c)

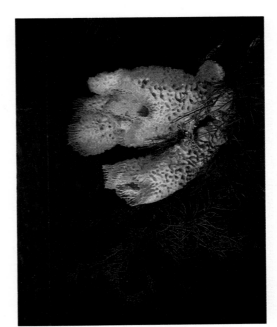

Figure 29.7
Éponges. Ces Animaux sessiles ne possèdent ni organe spécialisé ni tissu. On estime qu'une Éponge doit filtrer près de 3,5 kg d'eau à travers son corps poreux avant d'augmenter sa masse de 1 g. La taille et la couleur des Éponges varient d'une espèce à l'autre. La pigmentation brillante de certaines Éponges provient de leur association symbiotique avec des Algues. Cette Éponge bleu ciel en forme de vase se nomme *Callyspongia plicifera*.

PARAZOAIRES

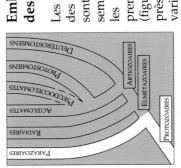

Embranchement des Spongiaires

Les Éponges (embranchement des Spongiaires ou Porifères) sont des Animaux sessiles qui semblent tellement inertes que les Grecs de l'Antiquité les prenaient pour des Végétaux (figure 29.7). Il en existe à peu près 9000 espèces, et leur taille varie de 1 cm à 2 m. Ce sont pour la plupart des Animaux marins ; seulement une certaine d'espèces vivent en eau douce. Le corps d'une Éponge simple ressemble à un sac percé de pores (*Porifera* signifie « qui porte des pores »). Ces pores inhalants permettent à l'eau de pénétrer à l'intérieur d'une cavité gastrique centrale, le **spongocœle**. L'eau ressort ensuite par une ouverture plus grande appelée **oscule** (figure 29.8). Les Éponges complexes possèdent une paroi repliée et un spongocœle ramifié.

Les Éponges sont des Animaux filtreurs, c'est-à-dire qu'elles se nourrissent des particules en suspension dans

Chapitre 29 : Les Invertébrés et l'origine de la diversité animale **603**

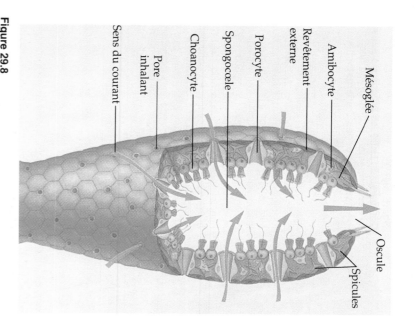

Mésoglée
Amibocyte
Revêtement externe
Porocyte
Spongocèle
Choanocyte
Pore inhalant
Sens du courant
Oscule
Spicules

Figure 29.8
Anatomie d'une Éponge. La paroi de cette Éponge simple se compose de deux couches de cellules séparées par une matrice gélatineuse, la mésoglée. Des cellules accolées forment le revêtement externe. Les pores inhalants qui laissent entrer l'eau constituent le centre des porocytes, cellules en forme d'entonnoir de l'épaisseur de la paroi. L'intérieur du spongocèle est principalement tapissé de choanocytes; ces cellules sont munies d'une collerette constituée de fines baguettes membraneuses entourant la base du flagelle.

l'eau qui pénètre par leurs pores inhalants. Des cellules flagellées tapissent l'intérieur de leur corps. Ce sont les **choanocytes**, aussi appelées cellules à collerette à cause du cylindre membraneux entourant la base de leur flagelle (voir la figure 29.8). Le mouvement des flagelles génère un courant d'eau qui permet aux collerettes d'attraper les particules alimentaires et de les ingérer par phagocytose.

Chez les Éponges, existe une autre sorte de cellules appelées **amibocytes** parce qu'elles utilisent des pseudopodes. Les amibocytes errent dans la couche gélatineuse, appelée **mésoglée**, qui se trouve entre l'assise de cellules aplaties qui forme le revêtement externe de l'Éponge et l'assise interne de choanocytes. Les amibocytes remplissent plusieurs fonctions. Ils absorbent les aliments qui viennent des choanocytes, les digèrent et acheminent les nutriments vers les autres cellules. Les amibocytes forment aussi des fibres squelettiques résistantes à l'intérieur de la mésoglée. Chez certaines classes d'Éponges, ces fibres sont des spicules pointus composés de calcaire ou de silice (les spicules sont les bâtonnets constitutifs du squelette de ces Éponges). Chez d'autres Éponges, les amibocytes forment des fibres plus flexibles composées d'une protéine appelée spongine. Un des critères qu'utilisent les taxinomistes pour classer les Éponges est la composition chimique de leur squelette.

La plupart des Éponges sont **hermaphrodites**, c'est-à-dire qu'elles portent à la fois les gonades mâles et femelles et peuvent donc produire des spermatozoïdes et des ovules. Les gamètes proviennent des choanocytes ou des amibocytes. Les ovules demeurent dans la mésoglée, mais les spermatozoïdes sont libérés dans le spongocèle, où le courant les entraîne à l'extérieur de l'Éponge. La fécondation se produit dans la mésoglée. Elle donne naissance à un zygote qui devient une larve recouverte de flagelles. Une fois libérée dans le spongocèle, la larve sort par l'oscule en nageant. Seule une très faible proportion des larves libérées survit, s'établit sur un substrat adéquat et commence l'existence sessile propre aux Éponges. Une fois installée, la larve se métamorphose: elle retourne son enveloppe de façon que les cellules flagellées se trouvent à l'intérieur.

Les Éponges possèdent une bonne capacité de **régénération**, c'est-à-dire qu'elles peuvent remplacer les parties qu'elles ont perdues. Elles se servent aussi de cette caractéristique pour se reproduire de façon asexuée, à partir de fragments.

Les Éponges font partie des Animaux les moins complexes. Elles ne possèdent pas d'organes, et leurs couches de cellules espacées ne constituent pas de vrais tissus, puisque ces cellules sont relativement peu spécialisées. Elles ne possèdent pas de nerfs ni de muscles. Cependant, chaque cellule perçoit les changements de l'environnement et y réagit. Dans certaines conditions, les cellules situées à l'embouchure des pores inhalants et de l'oscule se contractent pour refermer les ouvertures.

Les ancêtres des Porifères étaient peut-être des Choanoflagellés, Protistes à collerette qui ressemblent aux choanocytes. Certains Choanoflagellés vivent d'ailleurs en colonies; les premières Éponges viennent peut-être de ce genre de Protistes coloniaux (voir la figure 29.43).

EUMÉTAZOAIRES

Tous les organismes que nous allons décrire jusqu'à la fin de ce chapitre et dans le chapitre 30 font partie des Eumétazoaires.

RADIAIRES

Embranchement des Cnidaires

Les Hydres, les Méduses, les Anémones de mer et les Coraux font tous partie de l'embranchement des Cnidaires. Ils figurent parmi les Eumétazoaires les plus primitifs. Puisque ces Animaux sont diploblastiques et qu'ils possèdent une symétrie radiaire, les zoologistes pensent qu'ils ont fait leur apparition très tôt au sein des Eumétazoaires. L'absence de mésoderme a limité ces Animaux à une structure corporelle relativement simple. Malgré ces contraintes, il existe tout de même plus de 10 000 espèces de Cnidaires, dont la plupart vivent en eau salée.

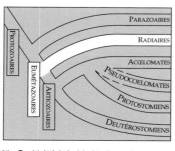

PARAZOAIRES
RADIAIRES
ACŒLOMATES
PSEUDOCOELOMATES
PROTOSTOMIENS
DEUTÉROSTOMIENS
PROTOZOAIRES
EUMÉTAZOAIRES
ARTIOZOAIRES

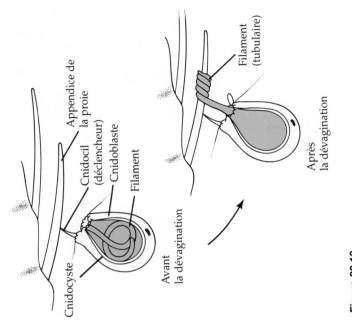

Figure 29.10
Cnidoblastes des Cnidaires. Chaque cnidoblaste contient une capsule urticante, le cnidocyste, dans lequel se trouve un filament invaginé. Lorsqu'un appendice sensoriel, appelé cnidocil, reçoit une stimulation tactile ou chimique, il déclenche la dévagination du filament. Certains longs filaments s'enroulent autour des fins appendices des petites proies et font celles-ci prisonnières des tentacules, alors que certains autres types de filaments injectent un poison qui paralyse la proie.

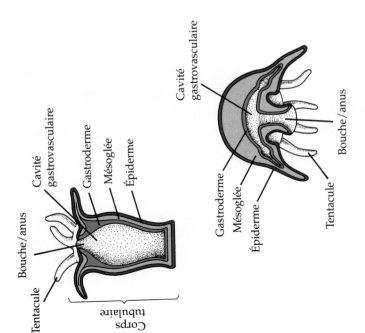

Figure 29.9
Polype et méduse : les deux formes des Cnidaires. La paroi externe du polype (en haut) ou de la méduse (en bas) se compose de deux couches de cellules : l'épiderme, couche externe spécialisée dans la protection ; et le gastroderme, couche interne spécialisée dans la digestion. Après l'ingestion de nourriture, le gastroderme sécrète dans la cavité gastrovasculaire les enzymes nécessaires à la digestion. Les cellules gastrodermiques phagocytent alors les petits morceaux partiellement digérés et les acheminent dans leurs vacuoles nutritives qui complètent la digestion. Les flagelles se trouvant sur les cellules gastrodermiques servent à maintenir en mouvement le contenu de la cavité afin d'assurer la distribution des nutriments. Une couche gélatineuse, la mésoglée, se trouve entre l'épiderme et le gastroderme. Chez l'Hydre, la mésoglée est mince et dépourvue de cellules ; chez d'autres espèces, comme l'Anémone de mer, elle est épaisse et pourvue de cellules (lorsque la mésoglée contient des cellules, on l'appelle mésenchyme). Chez beaucoup de Méduses, la mésoglée est épaisse et gélatineuse, d'où le nom qu'on leur donne en anglais : *jellyfish*.

Les Cnidaires sont constitués d'un sac renfermant un compartiment central, la **cavité gastrovasculaire**, et d'une ouverture servant à la fois de bouche et d'anus. Cette structure corporelle de base existe sous deux formes : la **forme polype** sessile et la **forme méduse** flottante (figure 29.9). Les Hydres et les Anémones de mer sont des exemples de la forme cylindrique d'un polype. Elles adhèrent au substrat par l'extrémité aborale de leur corps et déploient leurs tentacules en attendant une proie. La forme méduse est une version aplatie et renversée du polype ayant l'aspect d'une cloche. La Méduse se déplace librement dans l'eau grâce à une combinaison de mouvements passifs et de faibles contractions. Ses tentacules pendent de sa bouche, qui pointe vers le bas. Certains Cnidaires existent seulement sous la forme polype, d'autres sous la forme méduse, et d'autres encore passent du stade polype au stade méduse. Ce dimorphisme (existence de deux formes corporelles) est une caractéristique exclusive aux Cnidaires.

Les Cnidaires sont carnivores. Leurs tentacules, disposés en anneau autour de la bouche, servent à capturer des proies et à les pousser à l'intérieur de la cavité gastrovasculaire, où s'amorce la digestion. Les résidus de la digestion sont évacués par l'ouverture qui sert de bouche et d'anus. Les tentacules possèdent une batterie de cellules, les **cnidoblastes**, qui assurent la défense de l'organisme et la capture des proies (figure 29.10). Les cnidoblastes contiennent des vésicules, appelées **cnidocystes,** pouvant libérer une substance urticante. Le mot Cnidaire vient d'ailleurs de cette caractéristique (du grec *knidê* « ortie, Plante urticante »).

Les tissus musculaires et nerveux des Cnidaires sont des plus simples. Les cellules de l'épiderme et du gastroderme possèdent des faisceaux de microfilaments disposés en fibres contractiles (voir le chapitre 7). Les Animaux diploblastiques ne possèdent pas de vrai tissu musculaire, puisque celui-ci provient du mésoderme. C'est la cavité gastrovasculaire qui joue ce rôle puisqu'elle sert de squelette hydrostatique contre lequel s'appuient les cellules contractiles pour exécuter un mouvement. Quand l'Animal ferme la bouche, la cavité a un volume fixe. La contraction de certaines cellules amène alors l'Animal à changer de forme. Le mouvement lent provoqué par ces contractions est coordonné par un réseau de cellules nerveuses. Les Cnidaires ne possédant toutefois ni cerveau ni ganglion, leur comportement semble immuable. D'ailleurs, personne n'a encore réussi à dresser une Méduse. Leur réseau nerveux décentralisé innerve les cellules neurosensorielles simples qui se trouvent réparties en rayons dans tout le corps. De cette façon, l'Animal

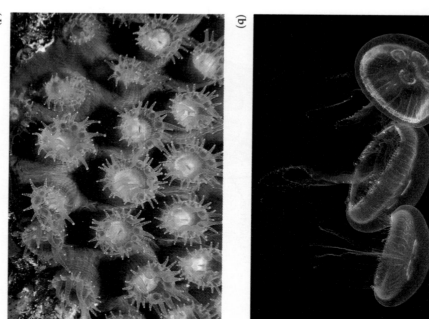

Figure 29.11
Représentants des classes de Cnidaires.
(a) Ces polypes appartiennent à une espèce coloniale de la classe des Hydrozoaires.
(b) Ces Méduses appartiennent à la classe des Scyphozoaires. La forme méduse correspond au stade visible du cycle de développement des membres de cette classe. Les espèces les plus volumineuses possèdent des tentacules de plus de 30 m qui pendent d'une ombrelle de 2 à 3 m de diamètre. (c) Les Anémones de mer et les autres membres de la classe des Anthozoaires n'existent que sous la forme polype. (d) Cette colonie de Coraux sous la forme polype appartient à la classe des Anthozoaires. Un grand nombre de coraux vivent en symbiose avec des Algues qui contribuent à leur alimentation. Les récifs de Coraux fournissent un habitat à une immense variété d'invertébrés et de Poissons. On ne les retrouve que dans les mers chaudes et peu profondes. Il s'agit ici de Coraux étoilés.

détecte les stimuli provenant de toutes les directions et y répond.

L'embranchement des Cnidaires comporte trois classes principales: les Hydrozoaires, les Scyphozoaires et les Anthozoaires (figure 29.11).

L'Hydre, un des rares Cnidaires à vivre en eau douce, est un Hydrozoaire assez particulier: il n'existe que sous la forme polype. Dans des conditions favorables, l'Hydre se reproduit de façon asexuée par bourgeonnement, c'est-à-dire en formant des excroissances qui se détachent ensuite du parent (voir la figure 12.2). Lorsque les conditions se détériorent, l'Hydre se reproduit de façon sexuée: elle produit des zygotes résistants sous forme de larves (planula) qui demeurent enkystées jusqu'à l'amélioration des conditions environnementales. L'Hydre constitue cependant une exception parmi les Hydrozoaires. La plupart des Hydrozoaires alternent en effet entre le stade polype et le stade méduse, comme le montre la cycle de développement d'Obelia, à la figure 29.12. Le stade polype colonial, le plus visible, est caractéristique de la classe des Hydrozoaires.

Dans la classe des Scyphozoaires, le stade méduse domine le cycle de développement. Ces Animaux qu'on appelle Méduses vivent parmi le plancton. La plupart des Scyphozoaires côtiers passent une courte période de leur cycle de développement sous la forme polype. Cependant, les Méduses qui vivent en haute mer ont pour la plupart éliminé le stade polype sessile.

Les Anémones de mer et les Coraux appartiennent à la classe des Anthozoaires. Ils n'existent que sous la forme polype. Les Coraux sont des Anthozoaires qui vivent seuls ou en colonie. Les Coraux sécrètent un squelette externe rigide composé de calcaire. Chaque nouvelle génération s'établit sur les débris squelettiques des générations précédentes. Ils construisent ainsi des récifs dont les formes caractérisent l'espèce.

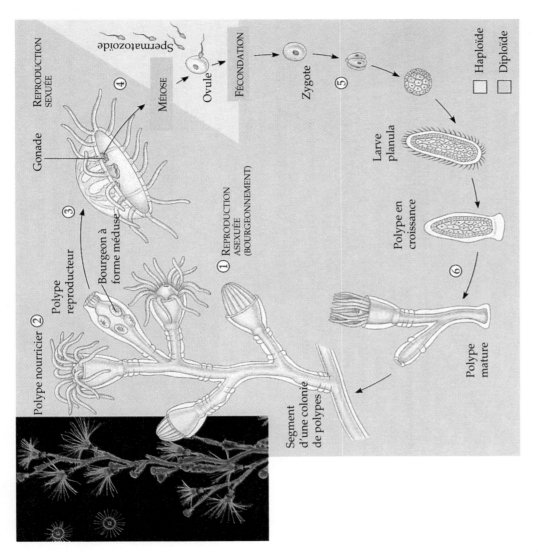

Figure 29.12
Cycle de développement de l'Hydrozoaire Obelia. ① La reproduction asexuée des polypes s'effectue par bourgeonnement de façon à former une colonie de polypes tous reliés. ② Certains polypes, munis de tentacules, capturent la nourriture. ③ D'autres polypes, dépourvus de tentacules, se spécialisent dans la reproduction. Ils produisent de minuscules méduses par bourgeon-nement asexué. ④ Les méduses s'éloignent en nageant, grossissent et se reproduisent de façon sexuée. ⑤ Le zygote devient une larve ciliée compacte, appelée planula. ⑥ La planula finit par se poser sur un substrat et devient un nouveau polype. Le stade polype est asexué, tandis que le stade méduse est sexué, et ces deux stades alternent et se produisent l'un l'autre. Il ne faut cependant pas confondre ce processus avec l'alternance de générations qu'on rencontre chez les Végétaux. Les formes méduse et polype représentent toutes les deux des organismes diploïdes, tandis qu'un des stades du cycle de développement des Végétaux est haploïde.

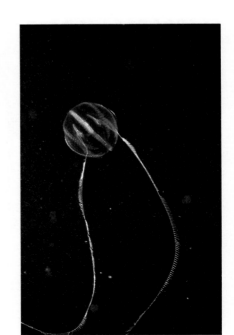

Figure 29.13
Cténaire (Cydippe). Cet Animal marin qui vit parmi le plancton utilise, pour se déplacer, ses huit palettes natatoires ciliées qui ressemblent à des peignes et qu'on peut voir sur le corps de ce Cydippe. Les Cténaires et les Cnidaires sont des Animaux radiaires, mais un grand nombre de zoologistes croient que c'est tout ce qu'ils ont en commun.

Embranchement des Cténaires

Bien que les Cydippes appartenant à l'embranchement des Cténaires ressemblent un peu aux Méduses, le lien qui pourrait exister entre les membres des deux embranchements demeure incertain (figure 29.13). Il n'existe qu'une centaine d'espèces de Cydippes, toutes marines. Le diamètre de cet Animal transparent, de forme sphérique ou ovoïde, varie de 1 à 10 cm. Il existe également des Cydippes de forme rubanée pouvant atteindre jusqu'à 1 m. Les Cténaires (du grec *ktenos* «peigne») ressemblent à des Méduses, sauf que leur corps possède huit rangées de palettes natatoires d'où sortent des cils vibratiles. Chaque palette a l'aspect d'un peigne. Les Cténaires sont les plus gros Animaux à se mouvoir grâce à des cils. Un organe sensoriel situé au pôle aboral, le *statocyste*, assure leur orientation. Un réseau de cellules nerveuses s'étendant de cet organe sensoriel jusqu'aux palettes natatoires coordonne le mouvement. La plupart des Cydippes ont deux longs tentacules rétractables qui servent à attraper la nourriture.

ARTIOZOAIRES: ACŒLOMATES

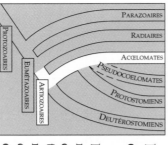

Embranchement des Plathelminthes

Les Vers plats (embranchement des Plathelminthes) sont des Acœlomates triploblastiques à symétrie bilatérale. Ils ne possèdent donc pas de cœlome. Leur développement embryonnaire, qui se produit par segmentation spirale, ressemble beaucoup à celui des Protostomiens. Les Vers plats ont probablement divergé de la lignée des Protostomiens avant l'apparition de la Schizocœlie chez ces derniers.

Cet embranchement comprend à peu près 20 000 espèces qui vivent en eau douce, en eau salée ou en terrain humide. Bien que certaines espèces, comme les Douves et les Ténias (Ver solitaire), parasitent certains Animaux, un grand nombre d'espèces vivent à l'état libre. Leur corps est généralement aplati, d'où leur nom (du grec *platus* «plat», et *helmins* «ver»). Certaines espèces sont microscopiques, alors que les Ténias peuvent mesurer jusqu'à 20 m.

Les Vers plats sont plus complexes que les Cnidaires. Ils présentent une symétrie bilatérale, un mouvement unidirectionnel et un début de céphalisation. De plus, ils produisent un troisième feuillet embryonnaire, le mésoderme, qui permet le développement d'organes plus complexes et de vrais muscles. Cependant, le tube digestif d'un Ver plat est une cavité gastrovasculaire munie d'une seule ouverture, comme chez les Cnidaires. Il existe trois classes principales de Vers plats: les Turbellariés (Planaires; Vers plats vivant le plus souvent à l'état libre), les Trématodes (Douves, Bilharzies) et les Cestodes (Ténias).

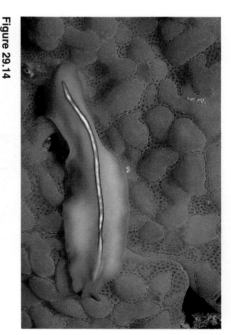

Figure 29.14
Ver plat. Les membres de la classe des Turbellariés sont des Vers plats presque tous marins qui vivent à l'état libre.

Classe des Turbellariés Presque tous les Turbellariés vivent à l'état libre (et non en parasites) en milieu marin (figure 29.14). Les individus qui appartiennent au genre des Planaires vivent dans les étangs et les ruisseaux. Les Planaires sont carnivores et se nourrissent de petits Animaux et de charogne. La figure 29.15 décrit l'anatomie d'une Planaire.

Les Planaires et les autres Vers plats ne possèdent pas d'organes spécialisés dans les échanges gazeux et la circulation. Grâce à leur corps aplati, toutes leurs cellules se trouvent tout près de l'eau environnante, et les ramifications de la cavité gastrovasculaire permettent la distribution de la nourriture à toutes les parties du corps. Les déchets azotés, sous forme d'ammoniac, diffusent directement des cellules à l'eau. Les Vers plats possèdent

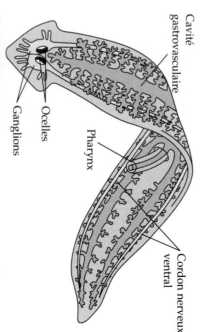

Cavité gastrovasculaire

Pharynx

Ocelles

Ganglions

Cordon nerveux ventral

Figure 29.15
Anatomie d'une Planaire. La bouche de la Planaire se trouve à l'extrémité d'un pharynx musculaire qui fait saillie au milieu de sa face ventrale. La Planaire arrose sa proie de sucs digestifs, puis son pharynx aspire les petits morceaux de nourriture prédigérés et les achemine vers sa cavité gastrovasculaire. La digestion se termine à l'intérieur des cellules qui tapissent la cavité gastrovasculaire. Les déchets de la digestion se ramifient de façon à augmenter la surface gastrovasculaire. Les déchets de la digestion sont évacués par la bouche. À son extrémité antérieure, près des principaux centres de perception, la Planaire possède une paire de ganglions, deux amas denses de cellules nerveuses. Une paire de cordons nerveux partent de ces ganglions et traversent tout le corps de la Planaire. Des commissures nerveuses transversales (qu'on ne voit pas ici) relient les deux cordons et donnent au système nerveux de la Planaire l'apparence d'une échelle.

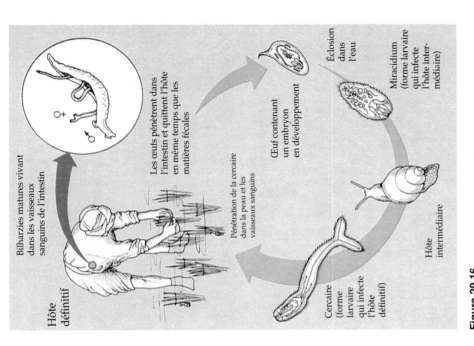

aussi un appareil excréteur plutôt simple qui permet de maintenir l'équilibre osmotique entre l'Animal et son milieu. Cet appareil se compose de cellules ciliées, appelées cellules-flammes, qui acheminent les liquides vers des canaux ramifiés ouverts sur l'extérieur (voir le chapitre 40 pour plus de détails). L'évolution des structures osmorégulatrices a permis aux Turbellariés de vivre en eau douce et en terrain humide.

Les Planaires se déplacent au moyen des cils qui tapissent leur épiderme ventral et glissent sur la pellicule de mucus qu'elles sécrètent. Certains Turbellariés utilisent aussi leurs muscles pour exécuter des mouvements ondulatoires qui leur permettent de nager.

Les Planaires ont une tête (c'est le début de la céphalisation chez les Animaux). Sur cette tête se trouve une paire d'ocelles (yeux primitifs) pouvant détecter la lumière, de même que deux prolongements appelés auricules contenant des cellules chimioréceptrices (odorat). Le système nerveux des Planaires est plus complexe et centralisé que le réseau nerveux des Cnidaires ; les Planaires peuvent apprendre à modifier leurs réactions à des stimuli.

Les Planaires se reproduisent de façon asexuée par régénération. Après un étranglement au milieu du Ver adulte, les deux moitiés régénèrent la portion manquante. Les Planaires peuvent aussi se reproduire par voie sexuée. Même si ce sont des hermaphrodites, leur accouplement permet la fécondation croisée.

Classe des Trématodes Les Douves et les Bilharzies vivent en parasites internes ou externes de certains Animaux. De nombreuses Douves et Bilharzies possèdent des ventouses qui leur permettent de se fixer aux organes internes de leur hôte. Une enveloppe résistante les protège. La presque totalité du corps de la Douve adulte est occupée par les organes reproducteurs.

Le cycle de développement des Trématodes comprend une alternance des stades sexué et asexué. Bon nombre de Trématodes ont besoin d'un hôte intermédiaire dans lequel la larve se développe avant de devenir adulte et d'infecter l'hôte définitif. Par exemple, les Bilharzies qui parasitent l'Humain passent leur stade larvaire dans l'Escargot (figure 29.16). Près de 200 millions de personnes dans le monde sont infectées par une Bilharzie (*Schistosoma mansoni*) qui provoque des lésions au foie et à la rate, des douleurs abdominales, de l'anémie et le syndrome dysentérique.

Classe des Cestodes Les Cestodes, comme le ver solitaire (*Tænia solium*), sont des Vers plats qui, une fois adulte, parasitent surtout les Vertébrés, dont l'Humain. Ils ne possèdent pas de système digestif, leurs aliments étant prédigérés par l'hôte. La tête d'un Cestode, appelée scolex, porte des ventouses et souvent des crochets qui lui permettent de se fixer à la muqueuse intestinale de son hôte. En arrière du scolex se trouve un long ruban d'anneaux, appelés proglottis, qui sont essentiellement des sacs contenant les organes reproducteurs. Lorsque les proglottis ont atteint leur maturité, ils contiennent des milliers d'œufs ; le Cestode libère alors les proglottis matures de son hôte. Dans l'un des cycles de développement, ces excréments contaminant la nourriture ou l'eau

Figure 29.16
Cycle de développement d'une Bilharzie (*Schistosoma mansoni*). Les personnes qui travaillent dans des champs irrigués contaminés par des excréments humains s'exposent aux larves de la Bilharzie qui ont quitté leur hôte intermédiaire, l'Escargot. Lors de l'accouplement, la femelle mature se loge dans un sillon qui couvre presque toute la longueur du corps, beaucoup plus grand, du mâle.

d'hôtes intermédiaires comme les Porcs ou les Bovins, et les œufs du Cestode deviennent des larves qui s'enkystent dans les muscles de ces Animaux. L'Humain est infecté s'il mange une viande contaminée insuffisamment cuite. Une fois dans l'Humain, les larves deviennent des adultes qui parasitent l'intestin. Le Ténia adulte, qui peut atteindre plus de 20 m, peut causer une occlusion intestinale et détourner assez de nutriments pour que son hôte souffre de carences nutritionnelles.

Embranchement des Némertes

Les Némertes, appelés parfois Vers rubanés, ont un corps aplati et allongé et possèdent une trompe (un proboscis) (figure 29.17). La place qu'ils occupent dans le tableau de l'évolution reste sujet à controverse ; on sait toutefois qu'ils font partie de la lignée des Protostomiens. Leur corps est acœlomate, comme celui des Vers plats, mais il contient un petit sac rempli de liquide que certains zoologistes considèrent comme un vrai cœlome. Le contenu de ce sac sert à dévaginer le proboscis extensible avec lequel le Némerte capture ses proies. Sur l'arbre qui

[Légendes de la figure :]

Hôte définitif

Bilharzies matures vivant dans leurs vaisseaux sanguins de l'intestin

Les œufs pénètrent dans l'intestin et quittent l'hôte en même temps que les matières fécales

Pénétration de la cercaire dans la peau et les vaisseaux sanguins

Œuf contenant un embryon en développement

Éclosion dans l'eau

Miracidium (forme larvaire qui infecte l'hôte intermédiaire)

Cercaire (forme larvaire qui infecte l'hôte définitif)

Hôte intermédiaire

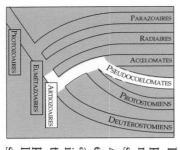

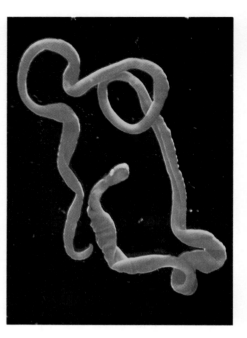

Figure 29.17
Némerte au corps allongé et aplati (Ver rubané).

décrit l'évolution des Animaux, à la figure 29.2, la position des Némertes indique leur appartenance possible aux Cœlomates. Ici, toutefois, nous soulignerons les caractéristiques qu'ils partagent avec les Vers plats.

La longueur des Némertes varie de moins de 1 mm à plus de 30 m. Parmi les quelque 900 espèces, presque toutes sont marines, les autres vivant en eau douce et dans les sols humides. Certains Némertes se creusent des trous dans le sable. Certains Némertes nagent activement, alors que d'autres se creusent des trous dans le sable.

Les Plathelminthes sont probablement les ancêtres des Némertes, puisque les membres de ces deux embranchements possèdent les mêmes systèmes excréteurs, sensoriels et nerveux. Cependant, outre leur proboscis unique, les Némertes possèdent deux autres structures que les Plathelminthes n'ont pas : un système circulatoire simple et un **tube digestif complet**, comprenant une bouche et un anus. Le système circulatoire des Némertes se compose de vaisseaux dans lesquels le sang circule. Certaines espèces possèdent même des globules rouges contenant une forme d'hémoglobine qui transporte l'oxygène. Les Némertes n'ont pas de cœur ; la circulation du sang s'effectue grâce à des muscles qui contractent les vaisseaux. Le tube digestif est une caractéristique que les Némertes ont en commun avec les Invertébrés qui font l'objet des sections suivantes.

ARTIOZOAIRES : PSEUDOCŒLOMATES

Le pseudocœlome, une cavité partiellement entourée de tissu mésodermique, caractérise plusieurs embranchements de petits Animaux. Les liens évolutifs entre ces Animaux et ceux des autres embranchements sont très imprécis et sujets à une vive controverse. La position qu'occupent ces embranchements dans l'arbre de la figure 29.2 ne représente donc qu'une hypothèse,

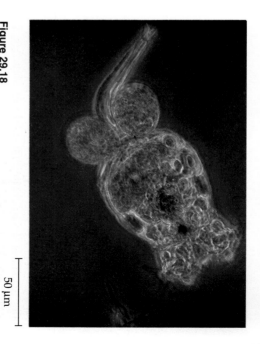

Figure 29.18
Rotifère. Même si ce Pseudocœlomate est plus petit que certains Protozoaires, il possède une anatomie plus complexe que celle du Ver plat (MP).

50 µm

suivant laquelle les Pseudocœlomates ont un lien de parenté plus direct avec les Protostomiens qu'avec les Deutérostomiens. En fait, il est possible que l'apparition du pseudocœlome ait eu lieu plusieurs fois au cours de l'évolution. Nous étudierons seulement deux embranchements des Pseudocœlomates, soit les Rotifères et les Némathelminthes.

Embranchement des Rotifères

On dénombre près de 1800 espèces de Rotifères. Les Rotifères sont de minuscules Animaux d'eau douce, bien que certains vivent dans la mer ou dans les sols humides. Ils mesurent entre 0,05 et 2,0 mm et sont donc plus petits que certains Protozoaires. Malgré leur taille, ils présentent une organisation pluricellulaire véritable et possèdent un tube digestif complet ainsi que d'autres systèmes spécialisés (figure 29.18). Les organes internes des Rotifères se trouvent à l'intérieur du pseudocœlome, dont le liquide sert de squelette hydrostatique et de milieu de diffusion des nutriments et des déchets.

Le terme *Rotifère* (du latin *rota* «roue») fait référence à la couronne de cils qui entoure la bouche et y fait entrer l'eau dans un mouvement de tourbillon. À l'intérieur de la bouche se trouve une sorte de mâchoire qui broie la nourriture, surtout constituée de microorganismes en suspension dans l'eau.

Les Rotifères ont un mode de reproduction plutôt étrange. Certaines espèces ne comptent que des femelles qui donnent naissance à d'autres femelles à partir d'œufs non fécondés. Ce type de reproduction porte le nom de **parthénogenèse**. D'autres espèces produisent deux sortes d'œufs qui se développent par parthénogenèse : la première sorte d'œufs donne des femelles, alors que l'autre produit des mâles dégénérés incapables de se nourrir. Cependant, ces mâles produisent des spermatozoïdes qui fécondent les ovules des femelles. Les zygotes qui en résultent peuvent survivre même si l'étang s'assèche. Lorsque les conditions s'améliorent, les zygotes sortent de leur léthargie ; ils deviennent alors de nouvelles femelles qui se reproduisent par parthénogenèse jusqu'à ce que les conditions se détériorent de nouveau.

dinaux dont la contraction produit des mouvements saccadés ; ces mouvements conviennent bien aux déplacements dans les liquides encombrés de particules, comme le fond vaseux d'un lac ou le contenu gastrique d'un hôte.

Les Vers ronds se reproduisent généralement par voie sexuée. Le sexe féminin et le sexe masculin sont séparés dans la plupart des espèces, et la femelle est habituellement plus grande que le mâle. La fécondation s'effectue à l'intérieur de l'Animal. Une femelle peut pondre plus de 100 000 œufs fécondés par jour. Les zygotes de la majorité des espèces peuvent survivre dans des conditions difficiles.

Un grand nombre de Vers ronds vivent dans les sols humides et dans les matières organiques en décomposition au fond des lacs et des océans. Ces Vers qui vivent à l'état libre jouent un rôle très important dans la décomposition et le recyclage des nutriments. Pourtant, on en sait très peu sur eux. *Caenorhabditis elegans*, qui vit dans le sol, fait exception, puisqu'il a fait l'objet de nombreuses recherches : cet organisme est un des Animaux les mieux connus. Les chercheurs ont réussi à suivre le développement de toutes les cellules de *C. elegans*, ce qui contribue à enrichir notre connaissance du développement animal (voir le chapitre 43).

Les Nématodes constituent la plus importante classe des Némalthelminthes. De nombreux Nématodes s'attaquent aux racines des Végétaux, tandis que d'autres parasitent des Animaux. Il existe au moins 50 espèces de Nématodes qui parasitent l'Humain, par exemple l'Oxyure vermiculaire (*Enterobius vermicularis*) et l'Ankylostome duodénal (*Ancylostoma duodenale*), deux parasites intestinaux qui causent l'anémie. Le plus connu des Nématodes parasites est la Trichine (*Trichinella spiralis*), agent de la trichinose (figure 29.19b). L'Humain contracte cette maladie en consommant de la viande (des tissus musculaires), de Porc ou d'un autre Animal, contenant des larves enkystées. Une fois dans l'intestin de l'Humain, les larves deviennent des adultes sexuellement matures. Les femelles s'enfoncent dans les muscles de l'intestin et donnent naissance à d'autres larves qui se dispersent par l'intermédiaire du système lymphatique pour aller s'enkyster dans d'autres organes ainsi que dans les muscles squelettiques. C'est pourquoi il faut bien cuire les viandes susceptibles d'être infectées par la Trichine. La cuisson au four à micro-ondes laisse parfois des portions de viande mal cuites ce qui permet aux larves enkystées de la Trichine de survivre.

ARTIOZOAIRES : PROTOSTOMIENS

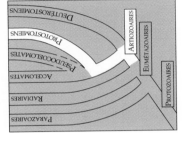

La lignée des Protostomiens ou Schizocoelomates a donné naissance aux Mollusques, aux Annélides et à quelques autres embranchements de Vers qui possèdent un cœlome servant de squelette hydrostatique indispensable pour le creusement. Cette lignée a aussi donné naissance aux Arthropodes, l'embranchement le plus diversifié et le plus répandu de tout le règne animal.

100 µm

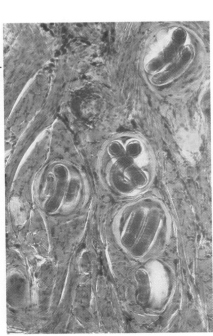

50 µm

Figure 29.19
Nématodes. (a) Nématode vivant à l'état libre. On peut voir certains organes de ce Ver rond d'eau douce à travers sa peau transparente (MP). **(b)** Larves de *Trichinella spiralis* enkystées dans des tissus musculaires humains (MP). Ce parasite cause la trichinose, laquelle se manifeste par des nausées sévères et entraîne parfois la mort lorsqu'un grand nombre d'individus pénètrent le tissu musculaire du cœur.

Embranchement des Némathelminthes

Les Némathelminthes sont des Pseudocoelomates cylindriques, aux extrémités effilées, qui portent aussi le nom de Vers ronds. Cet embranchement fait partie de ceux qui comptent le plus grand nombre d'individus et d'espèces (figure 29.19). On en trouve dans la plupart des habitats aquatiques, les sols humides, les tissus humides des Végétaux ainsi que les liquides corporels et les tissus des Animaux. On connaît près de 80 000 espèces de Némathelminthes, mais on pense qu'il en existe dix fois plus. Leur taille varie entre moins de 1 mm et plus de 1 m. Les Némathelminthes possèdent un véritable tube digestif, et le liquide qui circule dans leur pseudocoelome assure le transport des nutriments dans toutes les cellules du corps. Les Vers ronds sont revêtus d'une cuticule résistante et transparente. Ils ne possèdent que des muscles longitu-

Figure 29.20
Schéma structural d'un Mollusque type.
Les trois structures distinctives de cet embranchement sont le manteau (gris foncé), la masse viscérale (gris moyen) et le pied (gris pâle). Chez beaucoup d'espèces, les branchies se trouvent dans la cavité palléale. Le long tube digestif est enroulé dans la masse viscérale. La plupart des Mollusques possèdent un système circulatoire ouvert comprenant un cœur dorsale qui pompe le liquide (hémolymphe) circulant dans des artères vers les sinus (espaces corporels); les sinus se remplissent d'hémolymphe dans laquelle baignent les organes. Des organes excréteurs appelés néphridies débarrassent l'hémolymphe des déchets métaboliques. Le système nerveux consiste en un anneau nerveux qui entoure l'œsophage, d'où partent des cordons nerveux. L'agrandissement de la région buccale (en mortaise) montre la radula, organe rugueux présent chez beaucoup de Mollusques. La radula ressemble à une ceinture de dents recourbées vers l'arrière qui sort de la bouche et permettant à l'Animal de gratter et de ramener sa nourriture.

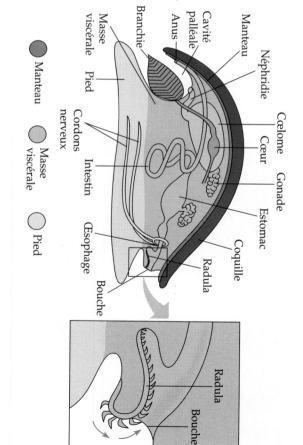

Néphridie — Manteau — Cavité palléale — Branchie — Anus — Masse viscérale — Pied — Cordons nerveux — Cœlome — Gonade — Cœur — Estomac — Intestin — Œsophage — Coquille — Radula — Bouche

Manteau — Masse viscérale — Pied

Radula — Bouche

Embranchement des Mollusques

Escargots, Limaces, Huîtres, Palourdes, Pieuvres et Calmars font tous partie de l'embranchement des Mollusques, qui compte d'ailleurs plus de 50 000 espèces connues. Bien que certains Mollusques vivent en eau douce et que d'autres, comme les Escargots et les Limaces, vivent sur la terre ferme, on retrouve la plupart des Mollusques dans la mer. Les Mollusques ont un corps mou (du latin *molluscus* «écorce molle»), mais la plupart sont protégés par une coquille de calcaire. Par contre, certains Mollusques ont perdu une partie (Calmars) ou la totalité (Pieuvres) de leur coquille au cours de l'évolution.

En dépit de leur apparente diversité, les Mollusques possèdent tous la même structure (figure 29.20). Leur corps se compose de trois parties principales: un pied musculeux servant habituellement aux mouvements, une **masse viscérale** contenant la plupart des organes internes et un **manteau** constitué d'une épaisse tunique de tissu recouvrant la masse viscérale et pouvant sécréter une coquille. Le prolongement du manteau forme un compartiment rempli d'eau, appelé **cavité palléale**, dans lequel se trouvent les branchies, l'anus et les pores excréteurs. À l'opposé de cette cavité se trouve un organe rugueux en forme de râpe, la **radula**, qu'un grand nombre de Mollusques utilisent pour ramasser leur nourriture. La plupart des Mollusques sont unisexués, sauf les Escargots, qui sont hermaphrodites. Les gonades (les ovaires et les testicules) sont situées dans la masse viscérale.

Les zoologistes s'interrogent sur les liens de parenté entre les Mollusques et les autres Protostomiens cœlomates. Le cycle de développement d'un grand nombre de Mollusques ainsi que d'autres Protostomiens comporte un stade de larve ciliée appelée **trochophore**. Cependant, les Mollusques ne possèdent pas la caractéristique primaire des Annélides, c'est-à-dire la segmen-

tation. Un grand nombre de zoologistes doutent que les Mollusques viennent d'ancêtres semblables aux Annélides; ils se penchent plutôt pour l'hypothèse voulant que les Mollusques aient fait leur apparition dans la lignée des Protostomiens avant l'avènement de la segmentation.

Les Mollusques ont subi plusieurs modifications de leur structure au cours de l'évolution. Nous étudierons quatre classes parmi les huit qui témoignent de leurs différences: les Polyplacophores (Chitons), les Gastéropodes (Escargots et Limaces), les Bivalves (Palourdes, Huîtres et autres) et les Céphalopodes (Calmars, Pieuvres et Nautiles).

Classe des Polyplacophores Les Chitons sont des Animaux marins recouverts d'une coquille formée de

Figure 29.21
Chiton. Se cramponnant aux rochers en zone intertidale, le Chiton (classe des Polyplacophores) a une coquille composée de huit plaques, caractéristique de cette classe de Mollusques.

(a)

(b)

Figure 29.23
Gastéropodes. (a) La classe des gastéropodes est une des classes d'Animaux les plus diversifiées. **(b)** Les Nudibranches, ou Limaces de mer, ont perdu leur coquille au cours de l'évolution.

Figure 29.24
Bivalve. Ce Pétoncle possède un grand nombre d'yeux situés le long des deux moitiés de sa coquille à charnière.

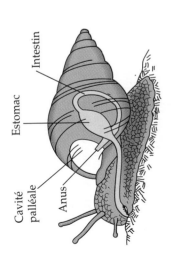

Intestin

Estomac

Cavité
palléale

Anus

Figure 29.22
Résultat de la torsion chez un Gastéropode. La torsion (rotation de la masse viscérale) que subissent les Gastéropodes durant leur développement embryonnaire enroule le tube digestif et déplace l'anus à l'arrière de la tête vers le pôle antérieur de l'Animal. Après la torsion, certains organes qui étaient bilatéraux au départ s'atrophient sur un des côtés du corps. Chez les Limaces et les Nudibranches, dépourvues de coquille, la masse viscérale n'est plus tordue, mais l'arrangement asymétrique de leurs viscères semble indiquer que les ancêtres de ces Animaux subissaient la torsion qui caractérise les Gastéropodes. Il ne faut pas confondre la torsion avec la formation en hélice de la coquille, qui constitue un processus distinct.

huit plaques dorsales (par contre, leur corps n'est pas segmenté). On les trouve accrochés aux rochers des rivages à marée basse (figure 29.21). Ils y sont si bien agrippés, grâce au pied qui leur sert de ventouse, qu'il est toujours surprenant de constater à quel point il est difficile de les déloger. Les Chitons utilisent leur pied musculeux de la même façon que les Escargots pour ramper lentement à la surface des rochers. À l'aide de leur radula, ils râpent la surface du rocher à la recherche de morceaux d'Algues, dont ils se nourrissent.

Classe des Gastéropodes Les Gastéropodes comptent plus de 40 000 espèces, ce qui en fait la classe la plus importante des Mollusques. La plupart d'entre eux vivent dans la mer, mais beaucoup vivent en eau douce et d'autres encore, comme les Escargots et les Limaces, se sont adaptés à la vie sur terre.

La caractéristique la plus marquante des Gastéropodes est la **torsion** qu'ils subissent au cours de leur développement embryonnaire. Durant ce processus, une moitié de la masse viscérale croît plus vite que l'autre, ce qui provoque une rotation de 180° qui amène l'anus et la cavité palléale en position antéro-dorsale près de la tête (figure 29.22). Certains zoologistes prétendent que cette torsion déplace avantageusement la masse viscérale et la lourde coquille vers le centre du corps de l'Escargot.

Une coquille en forme de spirale protège la plupart des Gastéropodes et leur sert de refuge en présence de prédateurs (figure 29.23). Cette coquille est souvent conique, sauf chez les Ormeaux (par exemple, *Haliotis tuberculata*) et les Patelles (par exemple, *Patella vulgata*) chez qui elle est plate. Les Limaces et les Nudibranches (Limaces de mer) ont perdu leur coquille durant l'évolution. Chez un grand nombre de Gastéropodes, les yeux se trouvent au bout de tentacules sur une tête qui se distingue bien du reste du corps. Les Gastéropodes avancent grâce au mouvement ondulatoire de leur pied allongé. (Certaines espèces très petites se déplacent plutôt à l'aide de

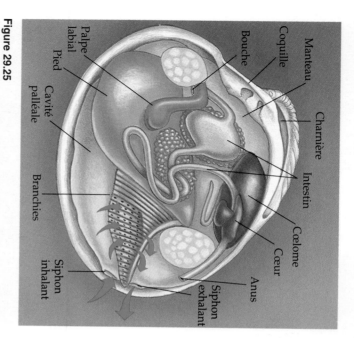

Figure 29.25
Anatomie d'une Palourde. (La valve gauche de ce bivalve a été retirée.) Une fois aspirées par le siphon inhalant, les particules de nourriture en suspension dans l'eau sont recueillies par les branchies et amenées à la bouche par des trompes appelées palpes labiaux.

Figure 29.26
Céphalopodes. (a) Cette espèce de Calmar (*Loligo opalescens*) est carnivore et nage rapidement. Les Calmars possèdent des mâchoires en forme de bec ainsi que des yeux bien développés. **(b)** On croit que les Pieuvres figurent parmi les Invertébrés les plus intelligents. **(c)** Les Nautiles sont les seuls Céphalopodes modernes à posséder une coquille externe subdivisée en chambres successives par des cloisons transversales. Le Nautile occupe la chambre la plus récente et la plus grande.

(a)   (b)   (c)

cils.) La plupart des Gastéropodes se servent de leur radula pour gratter la surface de matières végétales. Les Gastéropodes prédateurs, toutefois, ont une radula modifiée de façon à pouvoir percer des trous dans les coquilles des autres Mollusques ou de façon à pouvoir déchirer les tissus animaux résistants. Les Escargots appartenant aux Cônidés possèdent une ou plusieurs dents creuses sur leur radula située à l'extrémité d'un proboscis qui se déploie à la vitesse de l'éclair. Ces dents creuses se terminent par un barbillon qui sert à pénétrer la proie. Elles communiquent avec une glande au venin foudroyant. C'est le cas, notamment, chez le Cône marbré (*Conus marmoreus*).

Les Gastéropodes font partie des rares Invertébrés à avoir réussi à s'implanter sur la terre ferme. Les Escar-

gots terrestres ont remplacé les branchies des Gastéropodes aquatiques par un système où la cavité palléale vascularisée sert de poumon et assure les échanges de gaz respiratoires avec l'air ambiant.

Classe des Bivalves La classe des Bivalves, qui portent aussi le nom de Pélécypodes ou Lamellibranches, comprend beaucoup d'espèces de Palourdes, d'Huîtres, de Moules et de Pétoncles. Leur coquille se divise en deux parties (figure 29.24) reliées par une charnière au milieu du dos. Lorsque survient un danger, de puissants muscles adducteurs referment les deux parties solidement et protègent le corps mou de l'Animal. Une fois le danger écarté, la coquille s'ouvre, permettant au Bivalve d'étirer son pied en forme de hachette pour creuser ou s'ancrer.

La cavité palléale des Bivalves renferme des branchies qui servent autant à l'alimentation qu'aux échanges gazeux (figure 29.25). Les Bivalves ne possèdent pas de tête et ont perdu leur radula au cours de l'évolution. La plupart sont des organismes filtreurs ; ils captent de fines particules alimentaires grâce au mucus qui tapisse leurs branchies et ils utilisent leurs cils pour amener ces particules vers la bouche. Un siphon inhalant amène l'eau dans la cavité palléale et lui fait traverser les branchies. Un siphon exhalant propulse ensuite l'eau hors de la cavité palléale.

Étant donné leur mode de nutrition, les Bivalves mènent une vie plutôt sédentaire. Les Palourdes se déplacent dans le sable ou la vase en ancrant leur pied musculeux. Les Moules sessiles, elles, sécrètent des fils solides qui les attachent aux rochers, aux quais, aux bateaux et aux coquilles d'autres Animaux. En plus de creuser le sol, les Pétoncles se déplacent en faisant claquer brusquement les valves de leur coquille ; l'eau sort sous pression, des deux côtés de la charnière ou du côté ventral, ce qui oriente le mouvement.

Classe des Céphalopodes Contrairement aux Gastéropodes et aux Bivalves, les Céphalopodes sont des Animaux carnivores rapides, car ils doivent poursuivre leur proie et l'attraper à l'aide de leurs bras ou tentacules (figure 29.26). Les Céphalopodes possèdent de puissantes mâchoires chitineuses. Les Calmars et les Pieuvres utilisent en outre du venin sécrété par les glandes salivaires pour immobiliser leur proie. La bouche se trouve au centre de plusieurs longs tentacules. Un manteau recouvre la

Manteau
Coquille
Charnière
Intestin
Coelome
Coeur
Anus
Siphon exhalant
Siphon inhalant
Branchies
Cavité palléale
Pied
Palpe labial
Bouche

masse viscérale. En général, toutefois, la coquille est réduite et interne (Calmars), ou complètement absente (Pieuvres). Seuls les Nautiles ont conservé leur coquille externe jusqu'à nos jours (figure 29.26c).

Le Calmar se déplace de façon saccadée, habituellement vers l'arrière, en remplissant sa cavité palléale d'eau, qui sera ensuite expulsée avec force à l'avant par un siphon exhalant appelé entonnoir. Il se dirige en pointant l'entonnoir dans la direction voulue. Le pied des Céphalopodes, qui a subi des modifications au cours de l'évolution, forme un ensemble comprenant l'entonnoir et une partie des tentacules et de la tête (de *cephalo* « tête », et *podos* « pied »). La plupart des Calmars mesurent moins de 75 cm, sauf le Calmar géant, qui est d'ailleurs le plus grand Invertébré. Le plus gros Calmar connu mesurait 17 m (avec les tentacules) et pesait près de deux tonnes.

Plutôt que de nager comme le font les Calmars, les Pieuvres demeurent au fond de la mer, où elles rasent le sol rapidement à la recherche de Crabes et d'autre nourriture.

Les Céphalopodes sont les seuls Mollusques à posséder un **système circulatoire clos** qui emprisonne le sang dans des vaisseaux. Ils possèdent aussi un système nerveux bien développé et un centre nerveux constitué d'une masse de ganglions qui fonctionne comme un cerveau complexe. Puisque ces prédateurs doivent se déplacer rapidement, ils ont une plus grande faculté d'apprentissage et un comportement plus élaboré que des Animaux sédentaires comme les Palourdes. Les Pieuvres et les Calmars ont également des organes sensoriels évolués.

Les ancêtres des Pieuvres et des Calmars étaient probablement les Ammonites, des Mollusques munis d'une coquille qui ont adopté le mode de vie des prédateurs. Les **Ammonites**, dont plusieurs étaient très grandes, ont dominé les mers durant des centaines de millions d'années. Elles ont disparu lors des extinctions massives de la fin du Crétacé.

Embranchement des Annélides

Les Annélides sont des Vers segmentés dont le corps a une apparence annelée (*Annelida* signifie « petits anneaux »). Cet embranchement compte près de 15 000 espèces, dont la taille varie entre moins de 1 mm et 3 m, le plus grand étant le Lombric géant d'Australie. Ils vivent dans la mer, en eau douce et dans les sols humides. Étudions l'anatomie d'un Ver de terre ou Lombric, membre bien connu de l'embranchement des Annélides (figure 29.27).

Le cœlome d'un Lombric est segmenté par des cloisons intersegmentaires (dissépiments), que traversent toutefois le tube digestif, les vaisseaux sanguins longitudinaux et les nerfs. Son système digestif comprend plusieurs parties : le pharynx, l'œsophage, le jabot, le gésier et l'intestin. Son système circulatoire clos est complexe ; il se compose d'un réseau de vaisseaux dans lequel circule l'hémoglobine, qui transporte l'oxygène. À chaque

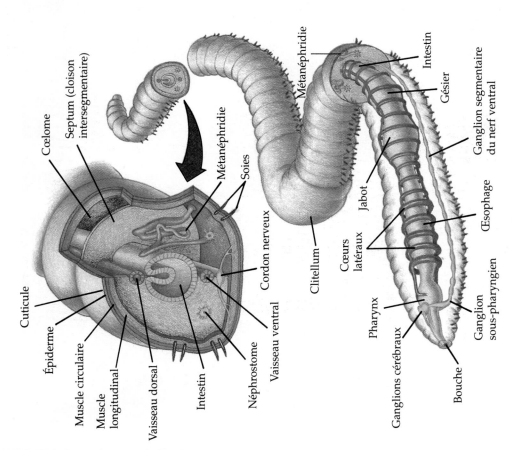

Figure 29.27
Anatomie d'un Ver de terre. Les Annélides ont un corps segmenté autant à l'intérieur qu'à l'extérieur. Bon nombre des structures internes se répètent à chaque segment. À l'extérieur, chaque segment possède quatre paires de soies qui permettent au Ver de ramper et de s'ancrer pendant le creusement d'une galerie.

Cuticule
Épiderme
Muscle circulaire
Muscle longitudinal
Vaisseau dorsal
Intestin
Néphrostome
Vaisseau ventral
Cordon nerveux
Soies
Métanéphridie
Septum (cloison intersegmentaire)
Cœlome
Métanéphridie
Intestin
Gésier
Ganglion segmentaire du nerf ventral
Œsophage
Jabot
Cœurs latéraux
Clitellum
Pharynx
Ganglions cérébraux
Bouche
Ganglion sous-pharyngien

segment, les vaisseaux ventral et dorsal sont reliés par une paire de vaisseaux latéraux. Le vaisseau dorsal et cinq paires de vaisseaux (cœurs latéraux) encerclant l'œsophage contiennent du tissu musculaire qui pompe le sang dans le système circulatoire.

Chaque segment d'un Ver de terre contient une paire d'organes tubulaires excréteurs, appelés **métanéphridies**, reliés à des entonnoirs ciliés, les néphrostomes, qui filtrent les déchets des liquides cœlomiques. Les métanéphridies se terminent par des pores qui déversent les déchets métaboliques vers l'extérieur. Les minuscules vaisseaux sanguins qui abondent à la surface de la peau servent d'organe respiratoire : l'oxygène de l'air y pénètre par diffusion. Étant donné que les échanges gazeux doivent s'effectuer à travers une pellicule d'humidité, le Ver de terre suffoque quand sa peau s'assèche.

On trouve en haut et en avant du pharynx une paire de ganglions cérébraux qui ressemblent à un cerveau. De là partent des nerfs qui contournent le pharynx et s'unissent à un ganglion sous-pharyngien. Deux cordons nerveux jumelés partent de ce ganglion et longent la face ventrale du Ver jusqu'à l'extrémité postérieure. À chaque segment, les cordons nerveux se lient à deux ganglions également jumelés.

Les Vers de terre sont des hermaphrodites qui pratiquent la fécondation croisée. Deux Vers s'accouplent en se plaçant côte à côte et tête-bêche. Un bourrelet glandulaire appelé **clitellum** sécrète un manchon de mucus autour des deux Vers. Chaque individu positionne d'abord son clitellum face aux segments 9 et 10 de l'autre, lesquels portent les orifices femelles. Les Vers portent les vésicules séminales, puis émet son sperme. Les orifices mâles d'un Ver se situent relativement près des vésicules séminales de l'autre, et les spermatozoïdes empruntent des crêtes sexuelles ou sillons

externes pour se déplacer jusqu'aux vésicules, où ils vont rester temporairement. Les deux Vers se séparent ensuite, chacun emportant le manchon sécrété par l'autre. C'est à ce moment que les ovules sont pondus et fécondés par le sperme étranger. Les œufs se fixent à la paroi interne du manchon de mucus situé dans la partie antérieure du Ver. En reculant, le Ver quitte le manchon, qui se fermera aux deux extrémités et deviendra un cocon. Certains Vers de terre se reproduisent aussi de façon asexuée par fragmentation et régénération. (Le chapitre 42 traite de la fragmentation et des autres modes de reproduction asexuée.)

Certains Annélides aquatiques peuvent nager à la poursuite de leur nourriture, mais la plupart d'entre eux demeurent au fond de l'eau et creusent le sable et la vase. Un grand nombre d'Annélides rampent en utilisant deux groupes de muscles, un longitudinal et l'autre circulaire. Ces muscles exercent leur travail contre le liquide incompressible du cœlome qui sert de squelette hydrostatique. Les muscles peuvent modifier la forme d'un seul segment à la fois puisque le cœlome est organisé en compartiments. Lorsque les muscles circulaires d'un segment se contractent, ce segment s'amincit et s'allonge. Par contre, lorsque les muscles longitudinaux se contractent, le segment s'épaissit et se raccourcit. Le Ver contracte alternativement ses muscles circulaires et longitudinaux, ce qui permet à ses segments d'avancer en ondulant. On pense que le cœlome et la segmentation ont été des adaptations essentielles à ce type de mouvement.

Étudions maintenant les trois classes de l'embranchement des Annélides (figure 29.28) : les Oligochètes (Vers de terre), les Polychètes (Polychètes) et les Hirudinées (Sangsues).

Figure 29.28
Annélides ou Vers segmentés. (a) La plupart des Annélides de la classe des Polychètes sont des Vers marins. Chaque segment possède une paire d'appendices latéraux qui servent à la locomotion et assurent l'échange des gaz respiratoires avec l'eau.

(b) Les Sabelles, des Polychètes vivant dans un tube, utilisent leurs tentacules plumeux pour effectuer l'échange de gaz respiratoires et pour capter les particules de nourriture en suspension dans l'eau de mer.
(c) Les Sangsues (classe des Hirudinées)

sont des carnivores qui vivent à l'état libre ou des parasites qui sucent le sang d'autres Animaux. L'espèce montrée ici vit dans la forêt tropicale de Malaisie.

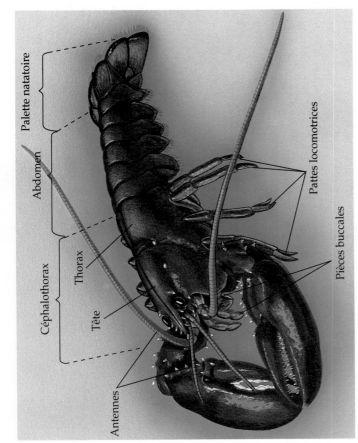

Palette natatoire

Abdomen

Céphalothorax

Thorax

Tête

Antennes

Pièces buccales

Pattes locomotrices

Classe des Oligochètes Cette classe de Vers segmentés comprend les Vers de terre et une variété d'espèces aquatiques. Le Ver de terre ingère de la terre, dont il extrait les nutriments à mesure qu'elle passe dans son système digestif. Les matières indigestes, mélangées au mucus sécrété par le tube digestif, sortent par l'anus sous forme de déjections. Les agriculteurs apprécient les Vers de terre, car ces Animaux labourent la terre et en améliorent la texture avec leurs déjections. Charles Darwin a estimé qu'en Angleterre on trouvait 125 000 Vers de terre qui pouvaient produire 45 tonnes de déjections par année dans chaque hectare de terre cultivée.

Classe des Polychètes Chaque segment d'un Polychète (qui signifie « soie abondante ») possède une paire de structures ressemblant à des rames ou à des crêtes appelées parapodes (mot qui signifie « presque un pied »). Chez un grand nombre de Polychètes, ces parapodes sont très vascularisés et servent de branchies. Ils permettent ainsi à une plus grande surface de peau d'effectuer les échanges gazeux (figure 29.28a). De plus, ils aident à la locomotion et possèdent plusieurs soies faites de chitine. La plupart des Polychètes sont marins. Certaines formes adultes dérivent et nagent parmi le plancton, d'autres rampent ou creusent au fond de la mer, et d'autres encore vivent dans des tubes qu'ils fabriquent eux-mêmes en mélangeant du mucus avec un peu de sable et de coquilles brisées. Parmi ceux qui se fabriquent un tube, on trouve les Sabelles : elles attrapent des particules de nourriture microscopiques à l'aide de leurs tentacules plumeux qui sortent de l'ouverture du tube. Ces tentacules servent aussi à la respiration (figure 29.28b).

Classe des Hirudinées La majorité des Sangsues vivent en eau douce, mais il existe des espèces qui vivent dans la végétation terrestre humide. Plusieurs d'entre elles se nourrissent de petits Invertébrés, tandis que d'autres parasitent des Animaux, dont l'Humain, et se nourrissent de leur sang (figure 29.28c). Leur taille varie entre 1 et 30 cm. Certaines possèdent des mâchoires très coupantes dont elles se servent pour entailler la peau de leur hôte, tandis que d'autres sécrètent des enzymes qui digèrent et perforent la peau. L'hôte ne s'en rend habituellement pas compte, puisque la Sangsue sécrète en même temps un anesthésique. Après l'incision, la Sangsue sécrète un autre composé, l'hirudine, qui empêche la coagulation du sang. Le parasite peut alors sucer autant de sang qu'il peut en contenir, c'est-à-dire plus de dix fois son propre poids. Lorsqu'elle est rassasiée, la Sangsue peut vivre plusieurs mois sans nourriture. Avant le XXᵉ siècle, les médecins utilisaient souvent les Sangsues pour effectuer des saignées. On les utilise encore pour traiter des ecchymoses et pour stimuler la circulation sanguine des doigts et des orteils qui viennent d'être réimplantés après un accident.

L'étude de cet embranchement nous a permis de connaître deux innovations qui sont apparues au cours de l'évolution, le coelome et la segmentation. On ne doit pas négliger l'importance du coelome. En plus de servir de squelette hydrostatique et de permettre différents mouvements, il procure l'espace nécessaire aux réserves et au développement d'organes complexes, il sert d'amortisseur aux structures internes et il fournit l'espace nécessaire pour que les muscles des organes internes, comme ceux de l'intestin, puissent fonctionner sans subir la pression des muscles qui constituent l'enveloppe de l'Animal.

La segmentation a préparé le terrain à la spécialisation des parties du corps : des groupes de segments se sont peu à peu modifiés pour accomplir des fonctions différentes. Les Annélides présentent une certaine spécialisation de leurs parties, mais la spécialisation atteint son apogée chez les Arthropodes.

Embranchement des Arthropodes

On croit que la population mondiale d'Arthropodes, qui comprennent entre autres les Crustacés, les Araignées et les Insectes, s'élève à environ un milliard de milliards (10^{18}) d'individus. On a décrit près d'un million d'espèces d'Arthropodes jusqu'à ce jour, la plupart étant des Insectes. En fait, les deux tiers des organismes connus appartiennent aux Arthropodes, qu'on rencontre dans presque tous les habitats de la biosphère. Les Arthropodes sont les plus diversifiés, les plus répandus et les plus nombreux des Animaux.

Caractéristiques des Arthropodes C'est grâce à leur segmentation, à leur exosquelette et à leurs appendices articulés que les Arthropodes sont si diversifiés et si abondants. Le terme *Arthropoda* signifie « pied articulé ». Chez les Arthropodes, des groupes de segments et leurs appendices se sont spécialisés dans une grande variété de fonctions, comme la perception sensorielle, la nutrition, la locomotion et la reproduction. Cette flexibilité acquise au cours de l'évolution a donné lieu non seulement à une grande diversification mais aussi à une structure corporelle efficace permettant la répartition des tâches entre les différentes régions du corps. Ainsi, les divers appendices servent à la marche, à la quête de nourriture, à la perception sensorielle, à la copulation et à la défense (figure 29.29).

Le corps d'un Arthropode est complètement recouvert d'une **cuticule**, un **exosquelette** (squelette externe) composé de couches de protéines et de chitine. La cuticule peut, à certains endroits sensibles du corps, être solide et épaisse comme une armure ou, à d'autres endroits comme les articulations, flexible et mince comme du papier. L'exosquelette protège l'Animal et fournit des points d'attache aux muscles qui permettent le mouvement des appendices. Ce squelette est à la fois solide et relativement imperméable ; ces deux propriétés, comme nous le verrons, ont permis à différents groupes d'Arthropodes d'envahir la Terre. Cependant, la rigidité de l'exosquelette a aussi été une source de problèmes. Par exemple, la croissance d'un Arthropode exige qu'il se débarrasse de son vieux squelette et en sécrète un nouveau, plus grand. Ce phénomène, qui porte le nom de **mue**, exige une grande dépense d'énergie et rend l'Animal vulnérable aux prédateurs et à d'autres dangers pour un certain temps.

Les Arthropodes sont à l'écoute de leur environnement grâce à des organes sensoriels bien développés, dont les yeux, les récepteurs olfactifs et les antennes pour toucher et sentir. De plus, la céphalisation est importante, les organes sensoriels se trouvant à l'extrémité antérieure de l'Animal.

Les Arthropodes possèdent un **système circulatoire ouvert** dans lequel un cœur propulse un liquide appelé hémolymphe (le terme *sang* ne s'emploie que pour désigner un liquide contenu dans un système circulatoire fermé). L'hémolymphe quitte le cœur par de petites artères qui l'amènent jusqu'à des espaces, appelés sinus, entourant les tissus et les organes. L'hémolymphe retourne ensuite dans le cœur par des pores habituellement munis de valves. L'ensemble des sinus s'appelle hémocœle, et ne fait pas partie du cœlome. Chez la plupart des Arthro-

podes, le cœlome régresse graduellement au profit de l'hémocœle, qui devient la cavité corporelle principale de l'Animal adulte. Bien que ce système circulatoire ouvert ressemble à celui des Mollusques, on pense que les deux systèmes ont fait leur apparition indépendamment au cours de l'évolution.

Les Arthropodes possèdent une grande variété d'organes spécialisés dans les échanges gazeux. Ces organes doivent permettre, malgré la présence de l'exosquelette, la diffusion des gaz respiratoires. La plupart des espèces aquatiques possèdent des branchies pourvues d'extensions duveteuses qui maximisent la surface en contact avec l'eau. Les Arthropodes terrestres, eux, disposent habituellement de structures internes spécialisées dans les échanges gazeux. Par exemple, la majorité des Insectes possèdent un système de trachées, c'est-à-dire des

**Figure 29.30
Le péripate, Animal vermiforme de l'embranchement des Onychophores.** Ce péripate (*Peripatopsis sp.*) a un corps segmenté (on distingue très bien les *lobopodes* sur la photo), des organes excréteurs et des muscles. Il possède aussi certains autres traits propres aux Annélides. Comme les Arthropodes, le Péripate possède un système respiratoire, un système circulatoire, une cuticule faite de chitine et des mâchoires.

**Figure 29.31
Fossile d'Arthropode.** Les Trilobites étaient des Arthropodes répandus tout au long de l'ère paléozoïque. Les fossiles ont permis de décrire environ 4000 espèces de Trilobites.

breux appendices des Onychophores sont désarticulés ; cependant, il existe suffisamment de fossiles du Cambrien pourvus d'appendices articulés ressemblant à des Vers segmentés pour soutenir l'hypothèse d'un lien évolutif entre les Annélides et les Arthropodes.

Les Arthropodes se sont divisés en quatre grandes lignées, que la plupart des zoologistes qualifient de sous-embranchements : les Trilobitomorphes (les Trilobites disparus), les Chélicériformes ou Chélicérates (Araignées, Scorpions, Araignées de mer et certains groupes disparus), les Uniramiens (Insectes, Centipèdes, Millipèdes) et les Crustacés (Crabes, Homards, Crevettes, Balanes, etc.).

Les **Trilobites** figurent parmi les premiers Arthropodes (figure 29.31). Ils ont habité les mers peu profondes durant toute l'ère paléozoïque, mais ils ont disparu à la fin de cette ère pendant les grandes extinctions du Permien, il y a environ 250 millions d'années. Même si les Trilobites présentaient une segmentation marquée, leurs appendices se ressemblaient beaucoup d'un segment à l'autre. Au cours de l'évolution, les segments des Arthropodes ont fusionné et sont devenus moins nombreux, et les appendices se sont spécialisés dans diverses fonctions. (Une comparaison entre un Trilobite et le Homard de la figure 29.29 permet de comprendre ces différences.)

Les Trilobites n'ont pas survécu aux **Euryptérides** ou Scorpions de mer. Ces prédateurs marins pouvant atteindre trois mètres de long étaient des Chélicérates. Le corps d'un Chélicérate se compose d'un céphalothorax antérieur et d'un abdomen postérieur. Ses appendices sont plus spécialisés que ceux des Trilobites. Les appendices antérieurs sont devenus des pinces ou des crochets qui permettent à l'Animal de s'alimenter. Ils portent le

conduits qui amènent l'air à l'intérieur grâce aux pores que contient la cuticule.

Phylogenèse et classification des Arthropodes Les Arthropodes sont des Animaux segmentés dont l'ancêtre est probablement un Annélide ou un Protostomien segmenté qui serait l'ancêtre à la fois des Annélides et des Arthropodes. Il est possible que les premiers Arthropodes aient ressemblé aux Onychophores, des Animaux vermiformes pourvus de pattes (figure 29.30). Certes, les nom-

Figure 29.32
Limules. Ces « fossiles vivants » n'ont guère changé depuis des centaines de millions d'années. Ils ont survécu à un grand nombre de Chélicérates qui peuplaient autrefois les mers. Ils abondent sur les côtes de l'Atlantique et de la partie américaine du golfe du Mexique.

100 µm

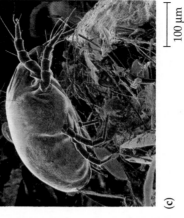

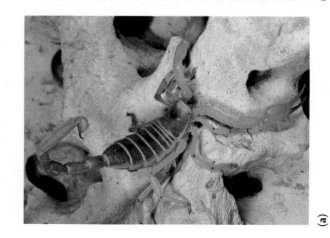

Figure 29.33
Arachnides. (a) Les Scorpions, qui chassent la nuit, figurent parmi les tout premiers carnivores terrestres. Ils se nourrissaient d'Arthropodes végétariens qui, eux, se nourrissaient des premières Plantes terrestres. Les pédipalpes sont des pinces spécialisées qui permettent aux Scorpions de se

défendre et d'attraper leurs proies. Le bout de leur queue porte un dard venimeux. **(b)** Les Araignées sont habituellement plus actives le jour, période où elles chassent leurs proies ou attrapent des Insectes dans leur toile. **(c)** Cette micrographie montre une image grossie et colorée artificiellement d'un

Acarien de la poussière, charognard omniprésent dans les maisons (MEB). Bien que certains Acariens soient des vecteurs de Bactéries pathogènes, les Acariens de la poussière ne nuisent qu'aux personnes qui leur sont allergiques.

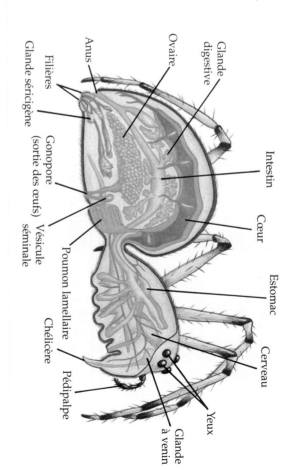

Figure 29.34
Anatomie d'une Araignée (Arachnide).

Labels : Glande digestive — Ovaire — Anus — Filières — Glande séricigène — Gonopore (sortie des œufs) — Vésicule séminale — Intestin — Cœur — Estomac — Cerveau — Poumon lamellaire — Chélicère — Pédipalpe — Yeux — Glande à venin

nom de **chélicères** (du grec *khêlê* « pince », et *keras* « corne »). La plupart des Chélicérates marins, incluant les Euryptérides, ont disparu ; un des survivants est la Limule (figure 29.32). De nos jours, la majeure partie des Chélicérates vivent sur terre et sont classés parmi les Arachnides, dont font aussi partie les Scorpions, les Araignées, les Tiques et les Mites (figure 29.33). Les **Arachnides** possèdent un céphalothorax pourvu de six paires d'appendices : une paire de chélicères, une paire d'appendices appelés pédipalpes qui servent à la préhension de nourriture, et quatre paires de pattes locomotrices. Les Araignées utilisent leurs chélicères, en forme de crochets et munies de glandes à venin, pour attaquer leur proie. Pendant qu'elles débitent leur proie en menus fragments avec leurs chélicères, elles déversent des sucs digestifs sur les tissus déchirés pour les ramollir. L'Araignée aspire ensuite l'aliment liquéfié. Chez la plupart des Araignées, les échanges gazeux se font dans des **poumons lamellaires** constitués d'un ensemble de lamelles empilées contenues dans une chambre interne. La figure 29.34 montre en détail l'anatomie d'une Araignée.

Un grand nombre d'Araignées possèdent la faculté unique d'attraper des Insectes volants au moyen d'une toile tressée de fils de soie. Cette soie se compose de deux protéines liquides, la fibroïne et la séricine. L'Araignée produit ces protéines à l'aide de glandes séricigènes situées sous l'abdomen, près de l'anus. D'autres organes, les filières, transforment les protéines liquides en fibres qui durcissent et deviennent de la soie. Chaque Araignée construit un modèle de toile qui est propre à son espèce et qu'elle réussit d'ailleurs du premier coup. Ce comportement complexe est sans doute héréditaire. Les Araignées utilisent la soie à d'autres fins que leurs toiles. Ainsi, la soie peut devenir une voie pour descendre rapidement d'un endroit, une enveloppe pour protéger des œufs et même un emballage-cadeau que certains mâles utilisent pour offrir de la nourriture aux femelles qu'ils courtisent.

Une autre lignée importante des Arthropodes a donné naissance aux Uniramiens et aux Crustacés. Plutôt que de posséder des chélicères en forme de pattes, ces Arthropodes possèdent des mâchoires appelées **mandibules**. Ils

se distinguent également des Chélicérates par une ou deux paires d'**antennes** sensorielles et, habituellement, par une paire d'**yeux composés** (yeux à facettes multiples comprenant un grand nombre de lentilles convergentes). Pour leur part, les Chélicérates n'ont pas d'antennes et la plupart d'entre eux possèdent des yeux simples (pourvus d'une seule lentille).

Les Uniramiens possèdent une paire d'antennes et des appendices uniramés (non ramifiés), tandis que les Crustacés possèdent deux paires d'antennes et des appendices biramés (ramifiés). Les Crustacés sont des Animaux aquatiques qui ont probablement évolué dans l'océan, tandis que les Uniramiens auraient évolué sur la terre ferme.

Le déménagement des Chélicérates et des Uniramiens sur la terre ferme a été facilité par leur exosquelette. Lors de son évolution dans la mer, l'exosquelette servait probablement à protéger les muscles et à leur assurer un point d'ancrage. Plus tard, il a permis à certains Arthropodes de vivre sur terre en empêchant les pertes d'eau et en fournissant un soutien physique. La cuticule des Arthropodes est en effet relativement imperméable et elle

contribue à réduire le dessèchement. La solidité de l'exosquelette a également permis de résoudre le problème de soutien dans la terre auxquels les Arthropodes ont dû faire face lorsqu'ils ont quitté le milieu marin. Les Uniramiens et les Chélicérates sont arrivés sur terre au début du Dévonien, après que les Végétaux eurent colonisé la terre. La présence de terriers creusés par des Arthropodes ressemblant à des Mille-pattes dans une roche fossilifère vieille de 450 millions d'années environ est la plus ancienne preuve d'une vie animale terrestre. On a également trouvé des Arachnides fossilisés datant d'à peu près la même période.

Uniramiens Le lien évolutif qui existe entre les Arthropodes et les Annélides est évident quand on observe la segmentation marquée des membres de la classe des Diplopodes et de la classe des Chilopodes (figure 29.35).

Les Millipèdes (classe des Diplopodes) ressemblent à des Vers et possèdent un grand nombre de pattes locomotrices (deux paires par segment). Ils en possèdent tout de même beaucoup moins que mille ! Les Millipèdes se

(a)

(b)

Figure 29.35
Diplopodes (Millipèdes) et Chilopodes (Centipèdes). (a) Les Millipèdes se nourrissent de matières végétales en décomposition. **(b)** Cette Scutigère (*Scutigera coleoptrata*) fait partie des Centipèdes qui se déplacent rapidement. Certains de ces carnivores se nourrissent des Insectes qui logent dans nos maisons tels les Cafards et d'autres petits Invertébrés.

nourrissent de feuilles en décomposition et d'autres débris végétaux. Ils comptent probablement parmi les premiers Animaux terrestres et vivaient sur les Mousses et les premières Vasculaires.

Les Centipèdes (classe des Chilopodes) sont des carnivores terrestres. Leur tête porte une paire d'antennes et trois paires d'appendices buccaux, dont les mandibules. Chaque segment du tronc possède une paire de pattes locomotrices. Les Centipèdes utilisent des griffes empoisonnées placées sur le premier segment du tronc, juste derrière la tête, pour paralyser leur proie et pour se défendre.

La classe des **Insectes** présente une diversité d'espèces plus grande que toutes les autres classes combinées. Les Insectes vivent dans presque tous les habitats terrestres, en eau douce ou dans les airs. Par contre, ils sont rares dans les mers, où les Arthropodes les plus nombreux sont les Crustacés. La classe des Insectes se divise en 26 ordres, dont quelques-uns sont décrits au tableau 29.1 (pages 622-623). L'**entomologie,** science qui étudie les Insectes, s'appuie sur plusieurs domaines de connaissances dont la physiologie, l'écologie et la taxinomie. Nous n'examinerons que les caractéristiques générales de cette classe d'Animaux.

Les plus vieux fossiles d'Insectes remontent à la période dévonienne, qui a débuté il y a environ 400 millions d'années. Cependant, l'évolution du vol durant le Carbonifère et le Permien a provoqué une explosion de la diversité des Insectes. Au Crétacé, les Insectes ont connu une autre période de radiation adaptative associée à l'apparition des Angiospermes (Plantes à fleurs), dont ils ont pu se nourrir tout en les pollinisant (voir la coévolution au chapitre 27). Le vol explique sans contredit une partie du succès des Insectes. L'Animal qui vole peut échapper à ses prédateurs, s'accoupler et trouver de la nourriture et un nouvel habitat plus rapidement que les Animaux qui rampent.

Chez beaucoup d'Insectes, une ou deux paires d'ailes sont reliées à la partie dorsale du thorax (figure 29.36). Puisque leurs ailes constituent des prolongements de la cuticule et non des appendices, les Insectes ont pu voler sans perdre de pattes. (Par contre, les Vertébrés volants, comme les Oiseaux et les Chauve-Souris, ont transformé une de leurs paires de pattes en ailes, ce qui les rend moins habiles au sol.) Les ailes des Insectes ont peut-être

Figure 29.36
Insecte en vol. Les ailes des Insectes ne sont pas des appendices modifiés, mais plutôt des excroissances de la cuticule, mues par des muscles qui font ployer la cuticule du thorax. On assiste ici au décollage d'une Chrysope verte (*Chrysopa carnea*).

Tableau 29.1 Quelques-uns des principaux ordres d'Insectes

Ordre	Nombre approximatif d'espèces	Caractéristiques principales	Exemples	
Anoploures	2400	Sans ailes ; appareil buccal de type piqueur-suceur ; petits, corps plat, yeux réduits ; pattes avec crochet pouvant se fixer à la peau ; métamorphose incomplète ; spécifiques à un hôte.	Poux	Pou de l'Humain
Coléoptères	500 000	Deux paires d'ailes, les antérieures cornées et les postérieures membraneuses ; exosquelette dur et coriace ; appareil buccal de type broyeur ; métamorphose complète.	Coccinelles, Doryphores, Hannetons	Scarabée japonais
Dermaptères	1000	Deux paires d'ailes, les antérieures courtes et durcies, les postérieures membraneuses ; appareil buccal de type broyeur ; dernier segment abdominal terminé par une structure en forme de pince ; métamorphose incomplète.	Perce-oreilles ou Forficules	Perce-oreille
Diptères	80 000	Une paire d'ailes et une paire de balanciers ; appareil buccal de type suceur ou piqueur-suceur ; métamorphose complète.	Mouches, Moustiques	Taon du Cheval
Hémiptères	55 000	Deux paires d'ailes, les antérieures cornées et les postérieures membraneuses ; appareil buccal de type piqueur-suceur ; métamorphose incomplète.	Punaises, Notonectes, Cigales, Pucerons	Punaise à pied feuillu
Hyménoptères	90 000	Deux paires d'ailes membraneuses ; tête mobile ; yeux bien développés ; appareil buccal de type broyeur-lécheur ; Insectes piqueurs ; métamorphose complète ; grand nombre d'espèces sociales.	Fourmis, Abeilles, Guêpes	Guêpe

Tableau 29.1 (suite)

Ordre	Nombre approximatif d'espèces	Caractéristiques principales	Exemples	
Isoptères	2000	Deux paires d'ailes égales et membraneuses, absentes durant certains stades ; appareil buccal de type broyeur ; Insectes sociaux ; répartition des tâches pour la reproduction, le travail et la défense ; métamorphose incomplète.	Termites	Termite ouvrier
Lépidoptères	140 000	Deux paires d'ailes ; corps velu ; longue trompe recourbée de type suceur-lécheur ; métamorphose complète.	Papillons, Phalènes	Papillon tigré du Canada
Odonates	5000	Deux paires d'ailes ; appareil buccal de type broyeur ; métamorphose incomplète.	Demoiselles, Libellules	Libellule
Orthoptères	30 000	Deux paires d'ailes, les antérieures cornées et les postérieures membraneuses ; appareil buccal de type broyeur chez l'adulte ; métamorphose incomplète.	Grillons, Cafards, Sauterelles, Mantes	Sauterelle d'Amérique
Aphaniptères	1200	Petits, dépourvus d'ailes, comprimés latéralement ; appareil buccal de type piqueur-suceur ; pattes postérieures sauteuses ; métamorphose complète.	Puces	Puce
Trichoptères	7000	Deux paires d'ailes velues ; appareil buccal de type lécheur ; métamorphose complète ; des larves aquatiques érigent des fourreaux de sable et de gravier maintenus ensemble par la soie qu'elles sécrètent.	Phryganes	Phrygane

Figure 29.37
Anatomie d'une Sauterelle (Insecte).

d'abord été des prolongements de la cuticule qui aidaient le corps de l'Insecte à absorber la chaleur, pour ensuite devenir des organes servant au vol. D'autres hypothèses suggèrent que les ailes permettaient aux Animaux de planer d'une Plante jusqu'au sol ou encore qu'elles servaient de branchies aux Insectes aquatiques. Les ailes de certains Insectes battent à des vitesses de plusieurs centaines de cycles par seconde grâce à des muscles spécialisés. À chaque battement, les muscles permettent aux ailes de changer d'angle afin de soulever l'Insecte peu importe si le battement se dirige vers le haut ou vers le bas.

Les Libellules, pourvues de deux paires d'ailes au mouvement coordonné, font partie des tout premiers Insectes volants. Plusieurs ordres d'Insectes qui sont apparus après les Libellules ont des ailes modifiées. Par exemple, les Abeilles et les Guêpes ont deux paires d'ailes reliées qu'elles font battre comme une seule paire. Les Papillons obtiennent le même résultat en faisant se chevaucher leurs ailes antérieures et postérieures. Chez les Coléoptères, les ailes postérieures servent à voler, tandis que les ailes antérieures se sont spécialisées de façon à couvrir et à protéger les vraies ailes lorsque l'Animal est au sol ou qu'il creuse.

La figure 29.37 montre l'anatomie d'un Insecte représentatif de cette classe, la Sauterelle. Le corps d'un Insecte se divise en trois parties : la tête, le thorax et l'abdomen. La segmentation est apparente sur le thorax et l'abdomen, mais les segments de la tête ont fusionné. Une paire d'antennes et une paire d'yeux composés ornent la tête. Plusieurs paires d'appendices forment la bouche ; ils se sont spécialisés pour que, par exemple, les Sauterelles puissent mastiquer et pour que certains autres Insectes puissent lécher, percer et sucer. Finalement, trois paires de pattes sont fixées au thorax.

L'intérieur du corps d'un Insecte contient plusieurs organes complexes. Le tube digestif montre des constrictions qui le divisent en plusieurs parties, chacune jouant un rôle précis dans la digestion et l'absorption des aliments. Comme les autres Arthropodes, les Insectes possèdent un système circulatoire ouvert, où le cœur pompe l'hémolymphe dans les sinus de l'hémocèle. Les déchets métaboliques sont éliminés de l'hémolymphe par des organes excréteurs uniques en leur genre, les **tubes de Malpighi**, dont le contenu se déverse dans le tube digestif. Les échanges gazeux sont assurés par un **système trachéal** composé de tubes ramifiés tapissés de chitine qui s'infiltrent dans tout le corps et acheminent l'oxygène directement aux cellules. Le système trachéal s'ouvre sur l'extérieur par des stigmates, des pores qui peuvent s'ouvrir ou se refermer de façon à régler le débit d'air et à limiter la vaporisation.

Le système nerveux des Insectes consiste en une paire de cordons nerveux ventraux entrecoupés d'une paire de ganglions nerveux à chaque segment ; les deux cordons se rejoignent dans la partie ventrale de la tête ; là, les ganglions de plusieurs segments antérieurs fusionnent en deux masses reliées par un collier nerveux oesophagien et forment un cerveau proche des antennes, des yeux et des autres organes des sens concentrés dans la tête. Les Insectes montrent des comportements complexes, même s'ils semblent en grande partie innés. Il semble même que le comportement social complexe des Abeilles et des Fourmis soit héréditaire. (Dans la septième partie de ce manuel, nous étudierons plus en détail la digestion, la circulation, l'excrétion, les échanges gazeux, la coordination nerveuse et le comportement.)

Un grand nombre d'Insectes se métamorphosent au cours de leur développement. Les Sauterelles et certains membres d'autres ordres subissent des **métamorphoses**

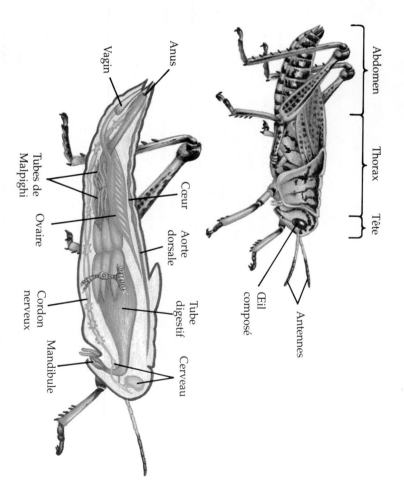

Abdomen
Thorax
Tête

Vagin
Anus
Tubes de Malpighi
Cœur
Ovaire
Aorte dorsale
Tube digestif
Cordon nerveux
Cerveau
Mandibule
Œil composé
Antennes

Figure 29.38
Métamorphose d'un Papillon. La larve (chenille) passe son temps à manger et à croître, muant à mesure qu'elle grossit. Après plusieurs mues, elle s'enferme dans un cocon et devient une chrysalide. Dans la chrysalide, les tissus larvaires spécialisés sont détruits et l'adulte se forme par des divisions et des différenciations cellulaires inhibées durant le stade larvaire. Finalement, l'adulte sort du cocon. Un liquide poussé dans les nervures fait déployer les ailes, puis est évacué des nervures, qui durciront à l'air et serviront d'armature aux ailes. L'Insecte peut maintenant s'envoler et se reproduire. Il puise une grande partie de son énergie dans les réserves qu'il a entreposées durant le stade larvaire.

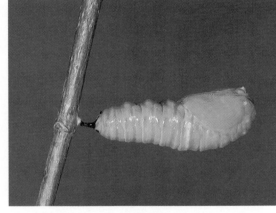

incomplètes, le corps du jeune ressemblant à un adulte même s'il est plus petit et proportionné différemment. Une série de mues successives amènent le jeune à ressembler de plus en plus à l'adulte à mesure qu'il se rapproche de sa taille définitive. Les autres Insectes subissent des **métamorphoses complètes**, c'est-à-dire qu'ils passent par un stade larvaire, qu'on appelle entre autres asticot ou chenille, au cours duquel le corps du jeune diffère complètement de celui de l'adulte (figure 29.38). Le rôle principal de la larve est de manger et de croître, tandis que celui de l'adulte est de trouver un adulte de sexe opposé et de se reproduire. Ces adultes se rencontrent et reconnaissent les membres de leur espèce grâce à des couleurs brillantes (Papillons), des sons (Grillons) ou des odeurs (Phalènes). Après l'accouplement, la femelle pond ses œufs à même une source d'aliments dont les larves pourront se nourrir dès l'éclosion.

La reproduction des Insectes est habituellement sexuée, avec un mâle et une femelle. La fécondation est en général interne. Chez la plupart des espèces, le mâle dépose le sperme directement dans le vagin de la femelle pendant la copulation. Par contre, chez certaines espèces, le mâle dépose le sperme à côté de la femelle qui le ramasse ensuite. Elle emmagasine le sperme dans un réceptacle interne, la spermathèque, de façon à posséder suffisamment de sperme pour féconder plus d'une ponte. Bien que la plupart des espèces produisent une multitude d'œufs, certaines Mouches donnent naissance, un à la fois, à des organismes déjà vivants. Bon nombre d'Insectes ne s'accouplent qu'une fois dans leur vie.

Les Insectes sont tellement nombreux, divers et répandus qu'ils ont une influence sur tous les organismes terrestres, y compris l'Humain. D'une part, nous dépendons des Insectes pour la pollinisation de beaucoup de nos cultures et de nos vergers. D'autre part, les Insectes transportent des maladies, comme le paludisme et la maladie du sommeil. De plus, les Insectes et les Humains se font concurrence pour la nourriture. Ainsi, dans certaines régions d'Afrique, les Insectes consomment près de 75 % des récoltes. Aux États-Unis, les agriculteurs dépensent des milliards de dollars chaque année pour l'achat de pesticides destinés à réduire leurs pertes. Ils pulvérisent ainsi des doses massives de certains des poisons les plus mortels jamais inventés. Malgré toutes ses tentatives,

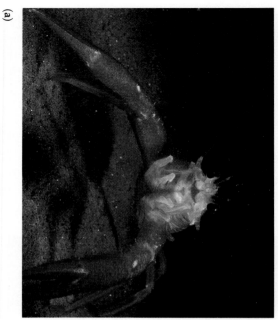

(a)

(b)

(c)

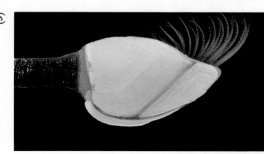

Figure 29.39
Crustacés. (a) Les Crabes, les Homards, les Écrevisses et les Crevettes sont les Crustacés les plus connus. On aperçoit ici un Crabe rouge. **(b)** Le Krill est constitué de minuscules Crustacés planctoniques apparentant aux Euphausiacés que les Baleines et autres gros organismes filtreurs consomment en quantité phénoménale. On voit en mortaise un Euphausiacé, lequel ressemble à une Crevette sans toutefois en être une (sur la photo, le Krill est l'essaim de minuscules bâtonnets qu'on voit dans l'eau). **(c)** L'Anatife (*Lepas anatifera*) est un Crustacé sessile pourvu d'une coquille (exosquelette) dure constituée de calcaire. Remarquez les appendices articulés (cirres) qui sortent de la coquille : ils servent à capturer du petit plancton et des particules organiques en suspension dans l'eau.

l'Humain ne peut ébranler la suprématie des Insectes et des Arthropodes en général. Thomas Eisner, de l'Université Cornell, présente le problème de cette façon : « Les Insectes n'hériteront pas de la Terre. Ils la possèdent déjà. Il vaudrait donc mieux faire la paix avec les propriétaires. »

Crustacés Pendant que les Arachnides et les Insectes prospéraient sur terre, la plupart des Crustacés sont restés dans les mers et les étangs, où on en retrouve environ 40 000 espèces (figure 29.39).

Les nombreux appendices des Crustacés sont très spécialisés. Les Homards et les Écrevisses, par exemple, possèdent un ensemble de 19 paires d'appendices (voir la figure 29.29). Les Crustacés sont les seuls Arthropodes à posséder deux paires d'antennes. Trois paires d'appendices ou plus forment des pièces buccales, notamment des mandibules rigides. Leurs pattes émergent du thorax, et, contrairement aux Insectes, ils possèdent des appendices sur l'abdomen. Les Crustacés peuvent régénérer un appendice perdu.

Les petits Crustacés effectuent les échanges gazeux par diffusion à travers les régions minces de leur cuticule, tandis que les plus grands Crustacés possèdent des branchies. Le système circulatoire ouvert comprend un cœur qui pompe l'hémolymphe dans des artères, vers des sinus situés à l'intérieur des organes. Les petits Crustacés excrètent les déchets azotés par diffusion à travers les régions minces de leur cuticule, tandis que les grands Crustacés le font par les branchies. Une paire de glandes maintient l'équilibre salin de l'hémolymphe.

Les individus sont unisexués chez la plupart des Crustacés. Pendant la copulation, le Homard mâle utilise une paire d'appendices spécialisés pour transférer le sperme dans le pore reproducteur de la femelle. La plupart des Crustacés aquatiques passent par un ou plusieurs stades larvaires avant de devenir adultes.

Les Homards, les Écrevisses, les Crabes et les Crevettes sont tous des Crustacés relativement gros appartenant à l'ordre des Décapodes. Leur exosquelette, ou cuticule, est durci par du carbonate de calcium. La section qui couvre la partie dorsale du céphalothorax forme un bouclier portant le nom de carapace. La majorité des Décapodes vivent en milieu marin. Par contre, les Écrevisses vivent en eau douce et certains Crabes des tropiques vivent sur la terre ferme.

Les Isopodes sont pour la plupart de petits Crustacés marins. Les Cloportes, petits Animaux terrestres familiers, font aussi partie de ce groupe. Ils vivent principalement dans les sols et les endroits humides.

Un autre groupe de petits Crustacés, les Copépodes, constitue un des groupes d'Animaux les plus nombreux. On les trouve dans le plancton, qui constitue la base de la chaîne alimentaire, tant en eau douce qu'en eau salée. On trouve aussi dans le plancton les larves d'un grand nombre de Crustacés. Un autre groupe de Crustacés, ressemblant à des Crevettes mais appartenant à un autre ordre, forme le **Krill**, principale source alimentaire de beaucoup d'espèces de Baleines (figure 29.39b).

Les Anatifes et les Balanes sont des Crustacés sessiles, dont certaines parties de la cuticule sont durcies par le calcaire. Ils se nourrissent en filtrant leur nourriture à l'aide de leurs appendices articulés appelés cirres (figure 29.39c).

(a)

(b)

Lophophore

Lophophore

ARTIOZOAIRES : DEUTÉROSTOMIENS

À première vue, les Lophophoriens et les Échinodermes semblent avoir peu de caractéristiques en commun avec les membres de l'embranchement des Cordés, qui incluent les Oiseaux et les Mammifères. Cependant, tous ces Animaux possèdent les traits caractéristiques des Deutérostomiens ou Enterocelomates : la segmentation radiaire, le développement du coelome à partir de l'archentéron et, à une exception près, la formation de la bouche à l'extrémité de l'embryon opposée au blastopore.

Lophophoriens

Lorsqu'on a subdivisé les Coelomates en Protostomiens et Deutérostomiens, trois embranchements (les Phoronidiens, les Bryozoaires et les Brachiopodes) ont été difficiles à classer. On regroupe ces trois embranchements sous le nom de **Lophophoriens**, puisqu'ils possèdent tous une structure appelée **lophophore** (figure 29.40). Cette structure est un repli de l'enveloppe corporelle, en forme d'anneau ou de fer à cheval, qui porte des tentacules ciliés entourant la bouche de l'Animal. L'anus se trouve à l'extérieur de la couronne de tentacules. Les cils de ces Animaux filtreurs créent un mouvement qui entraîne l'eau vers la bouche. Les tentacules contribuent alors à retenir les particules de nourriture. La présence de cet organe complexe chez les Lophophoriens laisse supposer que les trois embranchements qu'ils regroupent sont apparentés. Cependant, d'autres caractéristiques communes, comme la forme en U du tube digestif et l'absence d'une tête distincte, sont des adaptations à un mode de vie sessile qui a peut-être évolué de façon convergente.

En raison de leur développement embryonnaire, les Lophophoriens s'apparentent davantage aux Deutérostomiens qu'aux Protostomiens. Chez les Phoronidiens, tou-

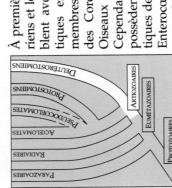

DEUTÉROSTOMIENS
PROTOSTOMIENS
PSEUDOCOELOMATES
ACOELOMATES
RADIAIRES
PARAZOAIRES
ARTIOZOAIRES
EUMÉTAZOAIRES
PROTOZOAIRES

tefois, la bouche se développe à partir du blastopore comme chez les Protostomiens. À cause de cette caractéristique et de certaines autres, il s'avère difficile de situer les Lophophoriens dans le cours de l'évolution. En s'appuyant sur les données qui existent, on peut se permettre de penser que ces Animaux ont bifurqué très tôt dans la lignée des Deutérostomiens et qu'ils ont, de ce fait, conservé certains caractères des Protostomiens.

Les **Phoronidiens** sont des Animaux marins au corps vermiforme qui habitent dans des tubes et dont la taille varie entre 1 mm et 50 cm. Certains d'entre eux vivent ensevelis sous le sable dans un tube de chitine. Ils sortent leur lophophore par l'ouverture du tube et le ramènent dans le tube lorsqu'ils se sentent menacés. Il existe à peine 15 espèces de Phoronidiens répartis en deux genres.

Les **Bryozoaires** (du grec *bruon* « mousse », et *zôon* « animal ») sont de minuscules Animaux vivant en colonies, et ressemblant à des Mousses. Chez la plupart des espèces, la colonie est enfermée dans un exosquelette dur dont les pores permettent aux Animaux de faire sortir leurs lophophores (figure 29.40a). La majeure partie des 5000 espèces de Bryozoaires vivent dans la mer, où ils constituent un des groupes d'Animaux sessiles les plus répandus. Plusieurs espèces sont d'importants constructeurs de récifs de Corail.

Les **Brachiopodes** sont des Animaux marins qui ressemblent un peu à des Palourdes et à des Bivalves, sauf que la position des valves diffère : chez les Brachiopodes, une valve est dorsale et l'autre ventrale, tandis que celles des Palourdes sont latérales (figure 29.40b). Le Brachiopode vit attaché à son substrat par un pédoncule. Il entrouvre sa coquille afin de faire circuler l'eau entre les deux valves et dans le lophophore. Les Brachiopodes sont les derniers représentants d'un embranchement autrefois très important. On a recueilli 30 000 espèces fossiles datant du Paléozoïque et du Mésozoïque, mais seules 330 espèces connues existent encore de nos jours. Le genre *Lingula*, qui a peu changé en 400 millions d'années, témoigne de ce lointain passé.

Embranchement des Échinodermes

Les Étoiles de mer et la plupart des autres **Échinodermes** (du grec *ekhinos* « hérisson », et *derma* « peau ») sont des

(a)

(c)

Figure 29.41
Échinodermes. Exclusivement marins, la plupart des Échinodermes sédentaires ou se déplaçant lentement sont caractérisés par une symétrie radiaire et un squelette intradermique constitué de plaques calcaires ; de plus, ces Animaux possèdent des pieds ambulacraires aquifères qui leur permettent de se déplacer, de se nourrir et, dans certains cas, d'effectuer des échanges gazeux. **(a)** Étoile de mer (classe des Astérides) sur du Corail. **(b)** Ophiure (classe des Ophiurides). **(c)** Oursin (classe des Échinides). **(d)** Lis de mer (classe des Crinoïdes). **(e)** Concombre de mer (classe des Holothurides).

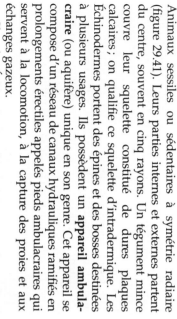

Animaux sessiles ou sédentaires à symétrie radiaire (figure 29.41). Leurs parties internes et externes partent du centre, souvent en cinq rayons. Un tégument mince couvre leur squelette constitué de dures plaques calcaires ; on qualifie ce squelette d'intradermique. Les Échinodermes portent des épines et des bosses destinées à plusieurs usages. Ils possèdent un **appareil ambulacraire** (ou aquifère) unique en son genre. Cet appareil se compose d'un réseau de canaux hydrauliques ramifiés en prolongements érectiles appelés pieds ambulacraires qui servent à la locomotion, à la capture des proies et aux échanges gazeux.

Chez les Échinodermes, les mâles et les femelles libèrent leurs gamètes dans l'eau de la mer. Les larves, à symétrie bilatérale, subissent une métamorphose qui les

(b)

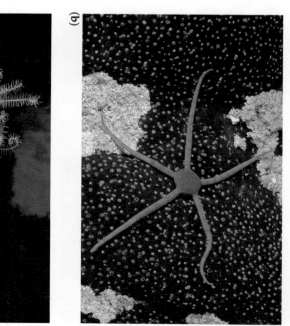

(d)

(e)

transforme en adultes à symétrie radiaire. Le développement embryonnaire des Échinodermes permet de les regrouper avec les Deutérostomiens.

Les quelque 7000 Échinodermes, tous marins, se divisent en six classes : les Astérides (Étoiles de mer), les Ophiurides (Ophiures), les Crinoïdes (Lis de mer), les Échinides (Oursins et Dollars des sables), les Holothurides (Concombres de mer) et les Concentricycloïdes (sea daisies). La découverte de ce dernier groupe est récente. Les Concentricycloïdes sont de petites créatures étranges qui vivent sur des morceaux de bois au fond de la mer.

Les Étoiles de mer possèdent un disque central d'où rayonnent cinq bras et parfois plus (figure 29.42). La face inférieure des bras porte des pieds ambulacraires. Chacun

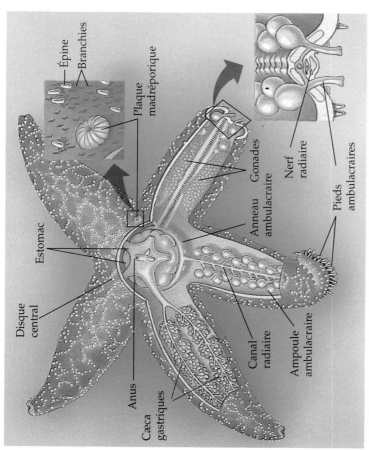

Figure 29.42

Anatomie d'une Étoile de mer. La surface d'une Étoile de mer est recouverte d'épines qui lui permettent de se défendre contre les prédateurs. Elle est aussi recouverte de branchies qui serviraient davantage à l'osmorégulation qu'à la respiration. Les organes internes se trouvent suspendus par des mésentères dans un cœlome bien développé. Un court tube digestif part de la bouche au fond du disque central et se rend jusqu'à l'anus au-dessus du disque. Les cæca gastriques sécrètent des sucs digestifs et contribuent à l'absorption et à l'entreposage des nutriments. Le disque central possède un anneau nerveux, d'où rayonnent des cordons nerveux vers les bras. L'appareil ambulacraire consiste en un anneau, d'où rayonnent aussi cinq canaux radiaires dans des sillons situés le long des bras. L'appareil est relié à l'extérieur par la plaque madréporique. Chaque canal radiaire se ramifie en centaines de pieds ambulacraires, à l'intérieur desquels se trouve du liquide qui circule partout dans l'appareil. Chaque pied ambulacraire porte une vésicule appelée ampoule ambulacraire qui contribue à son fonctionnement. L'appareil ambulacraire assume les fonctions locomotrice et respiratoire.

Épine
Branchies
Plaque madréporique
Nerf radiaire
Pieds ambulacraires
Gonades
Anneau ambulacraire
Canal radiaire
Ampoule ambulacraire
Cæca gastriques
Anus
Estomac
Disque central

de ces pieds se termine par une ventouse ; un système hydraulique et musculaire complexe permet de créer ou de relâcher la succion. L'Étoile de mer coordonne les mouvements de ses pieds ambulacraires pour adhérer aux rochers ou pour ramper lentement. Ses pieds s'étendent, s'agrippent, se contractent et se relâchent, pour ensuite recommencer. L'Étoile de mer utilise aussi ses pieds ambulacraires pour capturer ses proies, par exemple une Palourde ou une Huître. Elle enlace d'abord le Bivalve fermé avec ses bras, puis s'y accroche fermement avec les ventouses de ses pieds ambulacraires. Les appareils musculaire et ambulacraire font contracter les pieds, ce qui crée une traction suffisante pour entrouvrir la coquille. Ensuite, l'Étoile de mer dévagine son estomac par la bouche et l'introduit entre les valves du Bivalve. Le tube digestif de l'Étoile de mer sécrète alors des sucs qui amorcent la digestion du corps mou du Mollusque toujours à l'intérieur de sa coquille.

Les Étoiles de mer et certains autres Échinodermes possèdent une grande capacité de régénération. Les Étoiles de mer peuvent régénérer des bras perdus, mais le processus est très lent. Il existe même un genre (*Linckia*) qui peut régénérer un corps entier à partir d'un seul bras.

Chez l'Ophiure, le disque central est une structure distincte des bras, longs et flexibles. Ses pieds ambulacraires ne possèdent pas de ventouses, aussi l'Ophiure se déplace-t-elle en exécutant des mouvements ondulatoires avec ses bras. Le mode de nutrition varie d'une espèce à l'autre.

Les Oursins et les Dollars des sables ne possèdent pas de bras, mais ils ont cinq rangées de pieds ambulacraires qui leur permettent de se déplacer lentement. Afin de faciliter leur déplacement, ces Échinodermes utilisent aussi leurs longues muscles pour faire pivoter leurs longues épines. Chez l'Oursin, la bouche comporte un anneau de

structures complexes ressemblant à des mâchoires. L'Oursin peut ainsi manger des Algues marines et d'autres aliments. L'Oursin est sphérique, tandis que le Dollar des sables est discoïde.

Certains Lis de mer (Crinoïdes) vivent attachés à un substrat par des pédoncules. D'autres rampent grâce à leurs longs bras flexibles, qu'ils utilisent aussi pour se nourrir. Les bras encerclent la bouche qui pointe vers le haut, à l'opposé du substrat. La classe des Crinoïdes est ancienne et a peu évolué. D'ailleurs, les Lis de mer fossilisés il y a 500 millions d'années pourraient passer pour des membres actuels de cette classe.

À première vue, les Concombres de mer ne ressemblent pas beaucoup aux autres Échinodermes. Leur endosquelette intradermique est réduit à de minuscules spicules (bâtonnets) épars. De plus, ils ont une forme allongée dans l'axe oral-aboral, d'où leur nom de Concombre, caractéristique contribuant à camoufler leur parenté avec les Étoiles de mer et les Oursins. Toutefois, un examen attentif révèle cinq rangées de pieds ambulacraires, éléments de l'appareil ambulacraire propre aux Échinodermes. Certains des pieds ambulacraires qui ceinturent la bouche sont des tentacules spécialisés qui servent à nourrir l'Animal.

Embranchement des Cordés

L'embranchement des Cordés, auquel nous appartenons, contient deux sous-embranchements d'Invertébrés (Urocordés et Céphalocordés) en plus du sous-embranchement des Vertébrés, les Animaux pourvus d'une colonne vertébrale. Bien que les Cordés et les Échinodermes soient regroupés sous les Deutérostomiens sur la base des similitudes de leur développement embryonnaire, on ne doit pas en déduire qu'un embranchement est l'ancêtre de l'autre. Les Cordés et les Échinodermes ont évolué

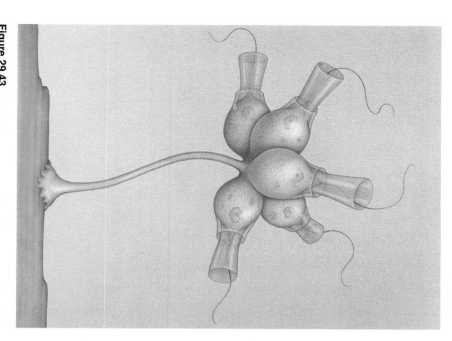

Figure 29.43
Choanoflagellés coloniaux. Certains zoologistes croient que ces Protistes, semblables aux cellules à collerette (choanocytes) des Éponges, ressemblent aux ancêtres du règne animal. L'examen au microscope électronique a montré que les mitochondries des Choanoflagellés sont très différentes de celles des autres Protistes, mais qu'elles s'apparentent beaucoup à celles des cellules animales.

en tant qu'embranchements distincts durant un demi-milliard d'années. Si les similitudes de leur développement résultent d'ancêtres communs, alors la séparation des deux embranchements doit avoir eu lieu très tôt. Nous étudierons au chapitre 30 la phylogenèse des Cordés, et plus particulièrement l'histoire des Vertébrés. Pour conclure le présent chapitre, examinons brièvement l'origine de la diversification du règne animal et résumons l'histoire évolutive des groupes que nous avons étudiés.

ORIGINE ET DIVERSIFICATION DES ANIMAUX

Depuis la révolution darwinienne, les zoologistes s'interrogent sur les ancêtres unicellulaires des Animaux. Une hypothèse, l'**hypothèse syncytiale**, soutient que les Animaux viennent de Protistes polynucléés (peut-être des Ciliés) que des membranes auraient subdivisés en plusieurs cellules. Selon cette hypothèse, les premiers Animaux ressemblaient à des Vers acœlomates, un groupe de Vers plats sans cavité digestive. Cependant, cette hypothèse permet difficilement d'expliquer, entre autres, comment les Éponges et les Cnidaires à symétrie radiaire

pourraient provenir d'un Ver plat à symétrie bilatérale. La plupart des zoologistes penchent donc pour une seconde hypothèse, l'**hypothèse coloniale**. Selon cette hypothèse, les ancêtres des Animaux étaient des organismes flagellés hétérotrophes vivant en colonie. Ces organismes nageurs auraient été des sphères creuses dotées d'une orientation antéropostérieure et composées de cellules hétérotrophes, les cellules reproductrices se distinguant des cellules somatiques. Un grand nombre de zoologistes pensent qu'un groupe de Protistes existant encore, les Choanoflagellés, méritent notre attention (figure 29.43). Leurs cellules portent une collerette et un flagelle, comme les choanocytes des Éponges.

La plupart des partisans de l'hypothèse coloniale pensent que tous les Animaux, y compris les Éponges, les Cnidaires à symétrie radiaire et les organismes à symétrie bilatérale, ont évolué à partir de colonies creuses d'organismes flagellés. Cependant, plusieurs innovations ont dû se produire dans ces colonies avant qu'elles ne deviennent des Eumétazoaires. Des couches de cellules, caractéristique fondamentale des Animaux, ont pu se former lors de proliférations cellulaires au centre des colonies creuses

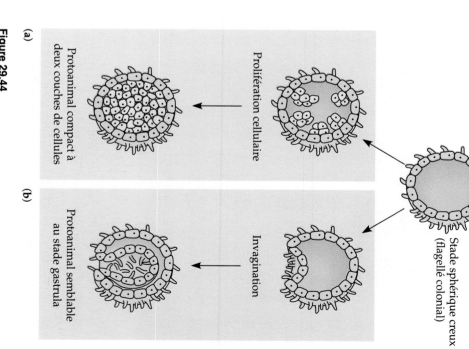

Figure 29.44
Modèles de l'évolution des protoanimaux issus d'une sphère creuse constituée de cellules flagellées coloniales. (a) Formation d'un planuloïde ancestral par prolifération interne des cellules. **(b)** Autre modèle montrant la formation par invagination d'un organisme semblable au stade gastrula.

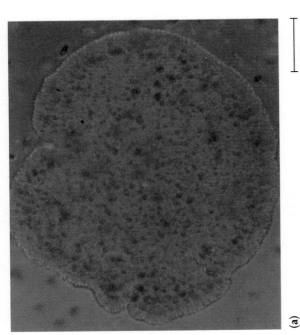

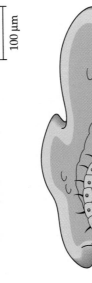

Figure 29.45
Trichoplax adhærens (embranchement des Placozoaires).
(a) *Trichoplax* est l'Animal le plus simple qu'on connaisse. Il s'agit d'un organisme marin, plat et minuscule, dont l'épiderme cilié couvre une masse compacte de cellules relativement peu spécialisées (vue dorsale, MP). (b) L'Animal ne possède pas d'intestin, mais lorsqu'il rampe sur une particule de nourriture, il voûte son épithélium dorsal de façon à former une cavité digestive temporaire autour de la particule. Les cellules de l'épithélium ventral sécrètent des enzymes et, après une prédigestion externe, elles phagocytent les particules dont certaines atteignent la cavité digestive temporaire. Il se peut que ce genre de processus ait été à l'origine de la première cavité gastrique.

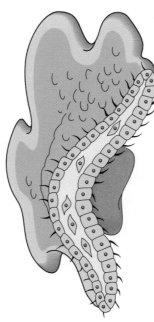

Figure 29.46
Fossiles d'Animaux primitifs. (a) L'empreinte que cet Animal a laissé sur le grès à Ediacaran Hills, au sud de l'Australie, remonte à près de 650 millions d'années. Bien que cet Animal à symétrie radiaire ressemble à une Méduse, le lien évolutif entre la faune édiacarienne et les Animaux du Cambrien demeure incertain. (b) La poussée évolutive du Cambrien qui a débuté il y a environ 570 millions d'années a produit presque tous les embranchements animaux connus aujourd'hui. Ce fossile d'un Ver de la classe des Polychètes a été découvert dans les schistes de Burgess, en Colombie-Britannique, un des plus riches gisements cambriens.

ancestrales. Le protoanimal (Animal primitif) ainsi produit aurait été composé d'une couche externe de cellules flagellées locomotrices et d'une masse interne de cellules digestives et reproductrices. Cet organisme hypothétique, appelé planuloïde, aurait été constitué d'une masse compacte de cellules et aurait ressemblé à la larve planula de certains Cnidaires (figure 29.44a). Selon un autre modèle, des couches de cellules se seraient formées par invagination de la colonie creuse. Le protoanimal ainsi produit aurait possédé deux couches et aurait ressemblé au stade gastrula du développement animal (figure 29.44b). Une dernière hypothèse se fonde sur l'existence d'un Animal contemporain, *Trichoplax adhærens*, qui ressemble aux formes animales les plus anciennes.

Il se peut que toutes ces hypothèses rendent compte de l'évolution réelle des Animaux ou qu'aucune d'entre elles ne s'en approche, mais l'aspect des protoanimaux demeure un mystère, car on n'a encore trouvé aucun fossile témoignant de formes transitoires entre les organismes unicellulaires et les Eumétazoaires. En fait, les premiers fossiles des premiers Animaux, divers et relativement complexes, ressemblent peu aux fossiles de leurs prédécesseurs, les Protistes. Les premières diversifications que les Animaux ont subies représentent un problème phylogénétique aussi difficile à résoudre que de savoir comment les Protistes se sont transformés en Animaux.

C'est durant la **période édiacarienne**, qui a commencé il y a environ 700 millions d'années pour se terminer il y a environ 590 millions d'années et qui correspond dans l'histoire de la Terre à la fin de l'ère précambrienne, que la faune la plus ancienne a existé. (Le nom de cette période vient de Ediacara Hills, en Australie, où ces fossiles ont

été étudiés en détail.) Quelques fossiles de cette période ont aussi été retrouvés en Afrique et dans le sud de la Chine. La faune édiacarienne a été surnommée le stade ver-méduse de l'évolution animale ; la plupart des organismes possédaient des corps mous qui ressemblaient superficiellement à des méduses de Cnidaires, à des Cnidaires coloniaux appelés *sea pens* et à des Annélides.

Durant la période cambrienne qui a marqué le début de l'ère paléozoïque, il y a environ 570 millions d'années, une seconde poussée évolutive a produit une faune beaucoup plus diverse. L'augmentation de la diversité animale a provoqué une explosion dans l'évolution des Animaux à coquilles et à squelettes rigides, leur permettant de s'adapter à de nouveaux milieux et de révolutionner les relations prédateur-proie. Presque tous les embranchements modernes sont représentés dans les fossiles du

Cambrien, en plus de nombreux embranchements qui ont disparu. La figure 29.46 compare des fossiles d'un Animal de la période cambrienne avec un fossile représentant la faune de la période édiacarienne.

Qu'elle soit due à une révolution explosive ou à une transition graduelle, la poussée évolutive du Cambrien a produit presque toutes les structures fondamentales qu'on peut observer chez les Animaux modernes. Au cours du dernier demi-milliard d'années, l'évolution des Animaux a principalement généré de nouvelles variantes de l'ancien plan d'organisation corporelle. Nous en avons traité au cours de ce chapitre afin de retracer l'évolution de l'organisation corporelle des Animaux vivant actuellement. Au prochain chapitre, nous retracerons l'évolution des membres de l'embranchement des Cordés.

RÉSUMÉ DU CHAPITRE

1. Le début de la vie animale remonte au Précambrien, avec l'apparition des organismes pluricellulaires marins qui se nourrissaient d'autres organismes.

2. L'évolution a ensuite généré une grande diversité d'Animaux, regroupés en 35 embranchements environ. Près de 95 % des espèces animales sont des Invertébrés (Animaux dépourvus de colonne vertébrale).

Définition de l'organisme animal (p. 598-599)

1. Les Animaux sont des eucaryotes pluricellulaires hétérotrophes qui se nourrissent par ingestion.

2. Les cellules animales ne possèdent pas de paroi et emmagasinent leurs réserves de glucides sous forme de glycogène. Chez la plupart des Animaux, les cellules s'organisent en tissus, puis en organes et finalement en systèmes.

3. Les Animaux se reproduisent de façon sexuée. Leur cycle de développement est dominé par le stade diploïde, les gamètes étant habituellement les seules cellules haploïdes. Le bourgeonnement asexué et la régénération existent chez certaines espèces.

4. Au cours de la reproduction sexuée, un spermatozoïde flagellé féconde un ovule. La segmentation transforme ensuite le zygote en une sphère creuse composée de cellules et appelée blastula.

5. Un grand nombre d'Animaux subissent une métamorphose, c'est-à-dire un second stade de développement qui transforme une larve sexuellement immature en adulte d'aspect différent.

6. Les Animaux sont les seuls à posséder des muscles et des nerfs qui régissent le mouvement.

Clés pour comprendre la phylogenèse animale (p. 599-603)

1. Les taxinomistes se fient principalement à l'anatomie et à l'embryologie comparatives pour retracer la phylogenèse des Animaux.

2. Les Eumétazoaires (tous les Animaux sauf les Éponges) ont formé dès le début de leur existence deux lignées, les Radiaires et les Artiozoaires. Les Radiaires (sédentaires ou planctoniques) possèdent une symétrie radiaire. Les Méduses et les organismes apparentés en font partie. Les Artiozoaires se caractérisent par une symétrie bilatérale et une céphalisation.

3. Les embryons des Artiozoaires sont faits de trois feuillets embryonnaires concentriques : un endoderme interne, un ectoderme externe et un mésoderme médian.

4. Le corps des Artiozoaires ne possède pas de cavité, comme chez les Acœlomates, ou possède une cavité qui sépare le tube digestif de la paroi externe. Chez les Pseudocœlomates, la cavité est incomplètement tapissée par le mésoderme embryonnaire. Les Cœlomates possèdent un vrai cœlome, c'est-à-dire une cavité corporelle complètement tapissée par le mésoderme.

5. Selon les caractéristiques de leur développement embryonnaire, les Cœlomates se divisent en deux groupes : les Protostomiens, qui comprennent les Annélides, les Mollusques et les Arthropodes, et les Deutérostomiens, qui comprennent les Lophophoriens, les Échinodermes et les Cordés.

Parazoaires (p. 603-604)

1. Les Éponges sont les Animaux les plus simples. Elles ne possèdent ni tissus ni organes tels que les muscles et les nerfs.

2. Les Éponges se nourrissent par filtration en amenant l'eau à travers des pores inhalants vers leur spongocoele central. L'eau sort ensuite de l'Animal par l'oscule.

Eumétazoaires (p. 604-632)

Radiaires (p. 604-608)

1. Les membres de l'embranchement des Cnidaires sont des carnivores marins qui possèdent des tentacules armés de cnidoblastes piquants dont le rôle est de défendre l'Animal et de capturer des proies. De structure simple, leur corps à symétrie radiaire existe sous forme de polype sessile ou de méduse flottante (certaines espèces alternent entre les deux stades). Ils possèdent une cavité gastrovasculaire centrale pourvue d'une seule ouverture servant à la fois d'anus et de bouche.

2. Les Cnidaires se divisent en trois classes. Les membres de la classe des Hydrozoaires alternent entre la forme polype, plus visible, et la forme méduse. Cependant, l'Hydre n'existe que sous la forme polype. Les Méduses appartiennent à la classe des Scyphozoaires, où la forme méduse domine. Les Anémones de mer et les Coraux appartiennent à la classe des Anthozoaires et n'existent que sous la forme polype. Les Coraux sécrètent des squelettes externes de calcaire qui contribuent à la formation des récifs.

3. Les Cydippes font partie de l'embranchement des Cténaires. Ce sont des Animaux transparents qui se déplacent grâce à huit rangées de cils.

Artiozoaires : Acœlomates (p. 608-610)

1. Les Vers plats constituent l'embranchement des Plathelminthes. Ces Animaux de forme rubanée sont les Artiozoaires

les plus simples. Ils ne possèdent qu'une seule ouverture donnant accès à leur cavité gastrovasculaire. L'embranchement se divise en trois classes principales. La classe des Turbellariés se compose d'espèces surtout marines et vivant à l'état libre. La classe des Trématodes comprend les Douves et les Bilharzies qui parasitent les Animaux. Enfin, la classe des Cestodes comprend les Ténias ; ces Vers plats parasites possèdent une sorte de tête, appelée scolex, reliée à un ruban d'anneaux détachables, les proglottis, qui comportent les organes reproducteurs.

2. Les membres de l'embranchement des Némertes possèdent une trompe, appelée proboscis, qu'ils utilisent pour se défendre et pour capturer leurs proies. Les Némertes ont un système circulatoire simple et un tube digestif complet pourvu d'une bouche et d'un anus.

Artiozoaires: Pseudocœlomates (p. 610-611)

1. Les membres de l'embranchement des Rotifères sont de minuscules Animaux possédant une couronne de cils qui amènent la nourriture dans la bouche.

2. L'embranchement des Némathelminthes (Vers ronds) est celui qui compte le plus grand nombre d'individus et d'espèces. Les Vers de cet embranchement sont effilés aux deux extrémités. Certaines espèces vivent à l'état libre, tandis que d'autres vivent en parasites, comme le Nématode qui cause la trichinose.

Artiozoaires: Protostomiens (p. 611-626)

1. L'embranchement des Mollusques comprend une grande variété d'espèces au corps mou. Les Mollusques possèdent un pied musculeux (qui varie d'une espèce à l'autre), une masse viscérale et un manteau. Chez beaucoup d'espèces, le manteau sécrète une coquille calcaire. Un grand nombre de Mollusques possèdent une radula, organe rugueux qui sert à raper la nourriture tapissant les rochers.

2. La classe des Gastéropodes, la plus peuplée, comprend les Escargots, les Limaces et les organismes apparentés. Bon nombre de Gastéropodes sont protégés par une coquille en spirale. La torsion que le corps du Gastéropode subit au cours de son développement embryonnaire est sa caractéristique la plus marquante. Les Palourdes et les organismes apparentés font partie de la classe des Bivalves. Ceux-ci possèdent une coquille formée de deux moitiés reliées par une charnière. Ils sont sédentaires, n'ont pas de tête et se nourrissent par filtration. Ils utilisent leurs branchies à la fois pour se nourrir et pour effectuer les échanges gazeux. Les Calmars et les Pieuvres, enfin, font partie de la classe des Céphalopodes. Ces carnivores ont une puissante mâchoire chitineuse placée au centre de tentacules qui proviennent d'un pied modifié. Selon le genre, la coquille est soit réduite, soit absente.

3. L'embranchement des Annélides comprend des Animaux au corps segmenté. Les Annélides se déplacent par mouvements ondulatoires en contractant alternativement leurs muscles longitudinaux et circulaires contre leur cœlome compartimenté et rempli de liquide. Les Annélides ont un système nerveux et un système régulateur bien développés. Beaucoup sont hermaphrodites mais recourent à la fécondation croisée. Les Annélides se divisent en trois classes. Les Vers de terre et diverses espèces aquatiques font partie des Oligochètes. Les Polychètes, eux, ont des parapodes vascularisés qui servent de branchies et contribuent à la locomotion. Enfin, la classe des Hirudinées comprend les Sangsues, dont certaines vivent en parasites et sucent le sang d'autres Animaux.

4. L'embranchement des Arthropodes comprend plus d'espèces connues que tous les autres embranchements réunis. Les Arthropodes ont des appendices articulés variés et un exosquelette qu'ils doivent abandonner lors des mues de crois-

sance. Ils possèdent aussi des organes sensoriels bien développés, un système circulatoire ouvert et une variété d'organes spécialisés dans les échanges gazeux.

5. La segmentation des Arthropodes autorise à penser que les Annélides sont leurs ancêtres. Les Chélicérates ont des appendices munis de pinces ou de crochets. Une autre lignée a produit des Arthropodes pourvus de mandibules. Le sous-embranchement des Uniramiens comprend les Insectes, les Centipèdes et les Millipèdes, qui possèdent une paire d'antennes et des appendices non ramifiés (uniramés). Le sous-embranchement des Crustacés comprend des organismes surtout aquatiques possédant deux paires d'antennes et des appendices ramifiés. Voici les caractéristiques des cinq principales classes d'Arthropodes.

6. La classe des Arachnides comprend les Araignées, les Tiques, les Scorpions et les Mites. Ces Chélicérates possèdent des yeux simples, deux paires d'appendices qui servent à l'alimentation et quatre paires de pattes locomotrices.

7. La classe des Diplopodes comprend les Millipèdes, tandis que la classe des Chilopodes comprend les Centipèdes. Leur segmentation atteste qu'ils proviennent de la lignée des Annélides. Les Millipèdes, végétariens, ont deux paires de pattes locomotrices par segment, tandis que les Centipèdes, carnivores, n'en ont qu'une paire, mais portent en plus des griffes empoisonnées sur le premier segment.

8. Sur le plan de la diversité des espèces, les Insectes surpassent toutes les autres formes de vie combinées. On les retrouve dans presque tous les habitats de la Terre. Leur capacité de voler et leur relation avec les Plantes à fleurs expliquent en partie ce succès. Leur tête, qui comprend une paire d'antennes, des yeux composés et des pièces buccales spécialisées, est reliée à un thorax et à un abdomen modifiés. Le thorax porte trois paires de pattes locomotrices et, souvent, une ou deux paires d'ailes. Chez un grand nombre d'espèces, les jeunes subissent une métamorphose complète ou incomplète.

9. Les Homards et les Écrevisses appartiennent à la classe des Crustacés. Ils possèdent plusieurs appendices dont deux paires d'antennes et des appendices spécialisés pour pincer, mastiquer, se mouvoir et copuler.

Artiozoaires: Deutérostomiens (p. 627-630)

1. Les membres des embranchements des Phoronides, des Bryozoaires et des Brachiopodes sont tous des Lophophoriens. Ils seraient apparus dès le début de la lignée des Deutérostomiens. Ils sont tous dotés d'un lophophore, organe en forme de fer à cheval portant des tentacules ciliés qui amènent la nourriture à la bouche.

2. Les Étoiles de mer et les organismes apparentés font partie des six classes de l'embranchement des Échinodermes. Ces Animaux à symétrie radiaire sont dotés d'un appareil ambulacraire (ou aquifère) qui se termine par des pieds ambulacraires qu'ils utilisent pour se mouvoir et se nourrir. Un mince tégument bosselé ou épineux recouvre leur squelette calcaire intradermique.

3. L'embranchement des Cordés, dont il sera question au chapitre 30, comprend deux sous-embranchements d'Invertébrés et un sous-embranchement de Vertébrés, auquel l'Humain appartient.

Origine et diversification des Animaux (p. 630-632)

On pense que les organismes flagellés coloniaux sont les ancêtres des Éponges qui datent de la période Édiacarienne.

AUTO-ÉVALUATION

1. Quels organismes font partie du sous-règne des Parazoaires ?
   a) Les Éponges à symétrie radiaire, les Méduses et les organismes apparentés.
   b) Les Animaux qui ne se nourrissent pas par ingestion.

c) Les Animaux qui ont le même développement que les Protostomiens.
d) Les Choanoflagellés coloniaux.
e) Les Animaux qui n'ont ni tissu ni organe.

2. Qu'est-ce qui caractérise les Acœlomates ?
a) Des cavités gastrovasculaires.
b) Une cavité corporelle appelée hémocœle.
c) Le développement des Deutérostomiens.
d) Un cœlome qui n'est pas complètement tapissé de mésoderme.
e) Un corps compact sans cavité pour entourer les organes internes.

3. Laquelle de ces caractéristiques ne concerne *pas* les Deutérostomiens ?
a) La segmentation radiaire.
b) La segmentation déterminée.
c) La formation par entérocœlie de la cavité corporelle.
d) Le développement du blastopore en anus.
e) Les Échinodermes et les Cordés.

4. Quelle est la caractéristique commune des Eumétazoaires radiaires et bilatéraux ?
a) La céphalisation.
b) La symétrie bilatérale des formes larvaires.
c) La prédominance du stade diploïde.
d) Un tube digestif complet muni d'une bouche et d'un anus séparés.
e) Un développement à partir de trois feuillets embryonnaires.

5. Qu'ont en commun un Escargot terrestre, une Palourde et une Pieuvre ?
a) Un manteau.
b) Une torsion de l'embryon.
c) Une radula.
d) Une céphalisation distincte.
e) Des branchies.

6. Laquelle de ces caractéristiques ne *s'applique pas* aux Annélides ?
a) Un squelette hydrostatique.
b) La segmentation.
c) Des métanéphridies.
d) Un pseudocœlome.
e) Un système circulatoire fermé.

7. À quoi la cuticule est-elle habituellement associée chez les Arthropodes ?
a) Un environnement aquatique.
b) La mue.
c) La segmentation.
d) La fécondation externe.
e) Des branchies ou un système trachéal pour échanger les gaz.

8. Quel énoncé ne concerne *pas* les Chélicérates ?
a) Ils possèdent des antennes.
b) Leur corps se divise en céphalothorax et un abdomen.
c) La Limule est le seul organisme marin survivant de ce groupe.
d) Les Tiques, les Scorpions et les Araignées en font partie.
e) Leurs appendices antérieurs sont modifiés en pinces ou en crochets.

9. Laquelle de ces associations entre un embranchement et ses caractéristiques est *inexacte* ?
a) Némertes – Vers à proboscide, tube digestif complet.
b) Némathelminthes – Vers ronds, Pseudocœlomates.
c) Cnidaires – symétrie radiaire, formes méduse et polype.
d) Plathelminthes – Vers plats, cavité gastrovasculaire, Acœlomates.
e) Spongiaires – cavité gastrovasculaire, bouche issue du blastopore.

10. Quelle subdivision du règne animal contient tous les individus à symétrie bilatérale ?
a) Les Protostomiens.
b) Les Artiozoaires.
c) Les Parazoaires.
d) Les Cœlomates.
e) Les Deutérostomiens.

QUESTIONS À COURT DÉVELOPPEMENT

1. Dans un tableau, comparez les fonctions de digestion, d'excrétion, de circulation, de régulation nerveuse et de soutien (squelette) concernant les embranchements suivants : Plathelminthes, Mollusques, Annélides, Arthropodes, Échinodermes.

2. a) Pourquoi l'origine du règne animal demeure-t-elle un mystère ?
b) Décrivez les hypothèses énoncées à ce propos.

3. Définissez les concepts suivants : mue, métamorphose complète, métamorphose incomplète, segmentation déterminée et segmentation indéterminée.

RÉFLEXION-APPLICATION

1. Choisissez un membre représentatif de chacun des groupes suivants, les Acœlomates, les Pseudocœlomates et les Cœlomates, et expliquez une des différences embryologiques qui existent entre ces trois catégories d'Animaux ?

2. Vous découvrez un organisme totalement inconnu dans la taxinomie moderne. Établissez, par ordre de priorité, les critères qui vous permettront de le classifier.

3. Dans quelle circonstance devrions-nous considérer les Insectes comme des Animaux nuisibles ? Exposez vos arguments favorables ou défavorables à l'utilisation de pesticides dans certaines situations.

SCIENCE, TECHNOLOGIE ET SOCIÉTÉ

LECTURES SUGGÉRÉES

Bonis, L. de, *Évolution et extinction dans le règne animal*, Paris, Masson, 1991. (Mécanismes et facteurs intervenant dans l'extinction des espèces.)

Bouguet, d. et coll., « L'insolite nanisme de crustacés parasites », *La Recherche*, n° 253, avril 1993. (Remarquablement adaptés à leur mode de vie, des Crustacés minuscules sont réduits à une simple fonction de fécondation.)

Delattre, P. et coll., « L'échinococcose alvéolaire », *La Recherche*, n° 230, mars 1991. (Informations concernant la maladie et le cycle de développement du Ver plat concerné, le Ténia *Echinicoccus multilocularis*.)

Desbruyères, D., « La vie au fond des océans », *Pour la Science*, n° 192, octobre 1993. (Les Invertébrés des abysses épargnés par les grandes extinctions de l'évolution animale.)

Gould, S.J., *La Vie est belle : les surprises de l'évolution*, Paris, Éditions du Seuil, 1991. (Le succès de librairie de Gould sur l'imprévisible et l'évolution des Animaux.)

Grassé, P.-P. et D. Doumenc, *Zoologie : 1. Invertébrés*, Paris, Masson, 1993. (Un abrégé de zoologie qui rend compte des données essentielles en anatomie, embryologie et taxinomie.)

Leborgne, R. et A. Pasquet, « Comment réussir sa vie d'araignée », *La Recherche*, n° 245, juillet-août 1992. (Découverte chez les Araignées d'une capacité d'intégration d'éléments environnementaux qui oriente leur choix.)

Rossion, P., « Le vampire de Quiberon », *Science & Vie*, n° 895, avril 1992. (Des Huîtres détruites par un Gastéropode, le Bigorneau perceur.)

Vollrath, F., « Les araignées, leurs toiles et leurs soies », *Pour la Science*, n° 175, mai 1992. (Informations concernant la nature des soies, le mode de construction d'une toile et les divers modèles.)

30 | LA GÉNÉALOGIE DES VERTÉBRÉS

EMBRANCHEMENT DES CORDÉS

SOUS-EMBRANCHEMENT DES PROCORDÉS

SOUS-EMBRANCHEMENT DES VERTÉBRÉS

CARACTÉRISTIQUES DES VERTÉBRÉS

CLASSE DES AGNATHES

CLASSE DES PLACODERMES

CLASSE DES CHONDRICHTHYENS

CLASSE DES OSTÉICHTHYENS

CLASSE DES AMPHIBIENS

CLASSE DES REPTILES

CLASSE DES OISEAUX

CLASSE DES MAMMIFÈRES

ANCÊTRES DE L'HUMAIN

La majorité d'entre nous s'intéressent à la généalogie. Nous aimerions tous en savoir un peu plus long sur nos ancêtres. Mais quand on étudie la biologie, on veut aller plus loin ; on cherche la trace des ancêtres de l'Humain et la situation de ce dernier dans le contexte plus large de l'évolution du règne animal. On doit alors se poser certaines questions. À quoi nos ancêtres ressemblaient-ils ? Quel lien nous unit aux autres Animaux ? Quels sont nos plus proches parents ? Dans ce chapitre, nous étudierons la phylogenèse des Vertébrés, ce groupe qui comprend les Humains et les Mammifères, les Oiseaux, les Reptiles, les Amphibiens et les Poissons. On les appelle **Vertébrés** parce qu'ils possèdent une colonne vertébrale ainsi que plusieurs caractéristiques communes (figure 30.1). Suivant en cela le schéma des autres chapitres de cette partie, nous traiterons des aspects de l'anatomie et de la physiologie des Vertébrés en rapport avec leur évolution. Une étude plus poussée de la structure et du fonctionnement des Animaux fera l'objet de la septième partie. Pour bien établir la généalogie des Vertébrés, nous déterminerons tout d'abord la place que ces derniers occupent au sein du règne animal.

EMBRANCHEMENT DES CORDÉS

Les Vertébrés forment un sous-embranchement de l'embranchement des **Cordés**, qui comprend également le sous-embranchement des Procordés, c'est-à-dire les Céphalocordés et les Urocordés.

Caractéristiques des Cordés

Étant donné certaines similitudes dans leur développement embryonnaire, les Cordés appartiennent aux Deutérostomiens au même titre que les Échinodermes (voir le chapitre 29). Bien que leur aspect varie beaucoup, tous les Cordés présentent à une étape ou à une autre de leur vie — au stade embryonnaire bien souvent — quatre structures anatomiques qui les distinguent des autres embranchements (figure 30.2).

1. La **corde dorsale**. Les embryons de tous les Cordés possèdent une *corde dorsale*, à savoir une tige flexible longitudinale située entre l'intestin et le tube neural. La

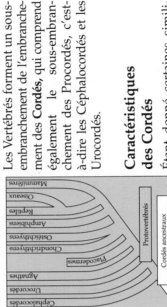

Mammifères
Oiseaux
Reptiles
Amphibiens
Ostéichthyens
Chondrichthyens
Placodermes
Agnathes
Urocordés
Céphalocordés
Protovertébrés
Cordés ancestraux

Figure 30.1
Un trait distinctif des Vertébrés. Comme le montre ce squelette de Serpent, les Vertébrés se caractérisent par leur colonne vertébrale, formée d'une série de vertèbres. Ce chapitre retrace l'évolution des Vertébrés.

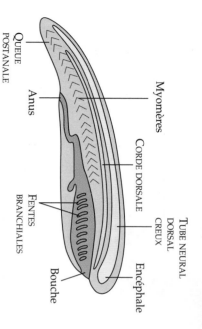

Figure 30.2
Caractéristiques des Cordés. Tous les Cordés possèdent les quatre caractéristiques propres à leur embranchement : une corde dorsale, un tube neural dorsal creux, des fentes branchiales et une queue postanale.

corde dorsale se compose de volumineuses cellules remplies de liquide et recouvertes d'un tissu fibreux assez rigide. Elle forme un squelette relativement simple qui s'étend sur presque toute la longueur de l'Animal. Cette structure est d'ailleurs à l'origine du nom des Cordés. Chez certains Procordés et certains Vertébrés primitifs, la corde dorsale demeure la structure de soutien de l'adulte. Cependant, chez la plupart des Vertébrés, elle cède la place à un squelette articulé plus complexe, l'adulte ne conservant que des résidus de la corde dorsale embryonnaire (la matière gélatineuse des disques intervertébraux chez l'Humain, par exemple).

2. Le *tube neural dorsal creux*. Le tube neural de l'embryon d'un Cordé se développe à partir d'un feuillet de l'ectoderme qui s'enroule à l'arrière de la corde dorsale. Ce tube neural dorsal creux est propre aux Cordés. Les Animaux des autres embranchements ont des cordons neuraux pleins, situés habituellement dans la partie ventrale. Le tube neural des Cordés forme le système nerveux central, qui comprend l'encéphale et la moelle épinière.

3. Les *fentes branchiales*. Chez presque tous les Cordés, le tube digestif de l'embryon s'ouvre sur l'extérieur grâce à plusieurs paires de fentes situées sur les côtés du pharynx, à l'arrière de la bouche. Chez un grand nombre de Procordés, ces fentes servent à filtrer les aliments. Au cours de l'évolution des Vertébrés, cette fonction s'est modifiée de façon à permettre, entre autres, les échanges gazeux.

4. La *queue postanale*. La plupart des Cordés possèdent une queue qui s'étend au-delà de l'anus. La queue des Cordés comprend des éléments squelettiques et musculaires et fournit une bonne partie de la force propulsive d'un grand nombre d'espèces aquatiques.

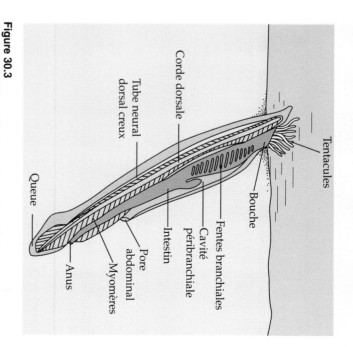

Figure 30.3
Amphioxus (*Branchiostoma lanceolatum*), classe des Céphalocordés. Ce petit Procordé possède les quatre caractéristiques des Cordés. Il utilise ses fentes branchiales pour se nourrir par filtration. L'eau passe dans le pharynx, traverse des fentes, entre dans la cavité péribranchiale et ressort par le pore abdominal. Les particules de nourriture restent prises dans un filet de mucus et sont acheminées par des cils dans le tube digestif. Grâce à ses myomères (muscles segmentés), cet Amphioxus se déplace en mouvements sinusoïdaux.

SOUS-EMBRANCHEMENT DES PROCORDÉS

Classe des Céphalocordés

Les **Céphalocordés** ressemblent beaucoup au Cordé type représenté à la figure 30.2. Chez ces Animaux, comme l'Amphioxus (*Branchiostoma lanceolatum*), la corde dorsale, le tube neural dorsal creux, de nombreuses fentes branchiales et la queue postanale sont également présents au stade adulte (figure 30.3).

L'Amphioxus, aussi appelé Lancelet, est un minuscule Animal marin d'à peine quelques centimètres de long. Il se tortille à reculons dans le sable, ne laissant sortir que sa partie antérieure. Il se nourrit en faisant pénétrer de l'eau de mer dans sa bouche grâce au mouvement de succion provoqué par les battements de ses cils. Les minuscules particules de nourriture sont alors retenues par le filet muqueux qui recouvre les fentes branchiales. L'eau sort par les fentes, alors que les particules de nourriture retenues se dirigent vers le tube digestif.

L'Amphioxus quitte fréquemment son terrier et nage vers un nouveau site. Même s'il est piètre nageur, il utilise, de façon rudimentaire, la même technique de nage que les Poissons. Il contracte de manière coordonnée les

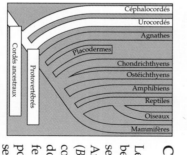

(a) Tunicier

Figure 30.4
Tunicier (classe des Urocordés).
(a) L'Ascidie adulte (*Ascidia sp.*), ce Tunicier souvent appelé Outre de mer, est un Animal sessile en forme de U. **(b)** Chez l'Ascidie adulte, les fentes branchiales permettent à

Siphon buccal
Pharynx pourvu de nombreuses fentes branchiales
Tunique
Cavité péribranchiale
Siphon cloacal
Anus
Intestin
Œsophage
Estomac

(b) Anatomie d'un Tunicier adulte

Queue
Corde dorsale
Tube neural dorsal creux
Anus
Intestin
Estomac
Cavité péribranchiale
Pharynx pourvu de fentes branchiales
Bouche

(c) Anatomie d'une larve de Tunicier

l'Animal de se nourrir par filtration. Les trois autres caractéristiques des Cordés ont disparu. **(c)** Chez la larve d'un Tunicier, qui nage librement et se nourrit par filtration, les caractéristiques des Cordés sont bien visibles. Certains Urocordés, les Appendiculaires, ne possèdent pas de stade adulte sessile ; ils vivent sous forme de larves nageuses pendant toute leur vie.

muscles disposés en chevrons successifs (<<<) le long de sa corde dorsale, ce qui permet à cette dernière de fléchir en un mouvement sinusoïdal (~) latéral. Cette musculature constituée d'une série de myomères témoigne de la segmentation de l'Amphioxus. Les myomères se développent à partir de blocs de mésoderme appelés **métamères**, qui se trouvent de chaque côté de la corde dorsale de l'embryon des Cordés. La segmentation des cordés a subi une évolution indépendante de celle des Annélides et des Arthropodes.

Classe des Urocordés

Les **Urocordés** portent aussi le nom de **Tuniciers**. La plupart d'entre eux sont des Animaux sessiles marins qui vivent fixés aux rochers, aux quais et aux bateaux (figure 30.4a). D'autres espèces vivent parmi le plancton. D'autres encore vivent en colonies. L'eau de mer pénètre à l'intérieur de l'Animal par un siphon buccal, puis passe par les fentes du pharynx dilaté jusqu'à un compartiment appelé cavité péribranchiale, d'où elle sort par un siphon cloacal (figure 30.4b). Les particules de nourriture qui se trouvent dans l'eau sont filtrées par un filet de mucus, puis acheminées par des cils dans l'intestin. Le contenu de l'anus se déverse ensuite dans le siphon cloacal. L'Animal est entièrement revêtu d'une tunique (d'où le nom de Tunicier) constituée de tunicine, un glucide semblable à la cellulose.

Un Urocordé adulte ressemble très peu à un Cordé, sauf en ce qui concerne les Appendiculaires. Il ne présente aucune trace de corde dorsale, de tube neural ou encore de queue. Seules ses fentes branchiales permettent de supposer qu'il s'apparente aux autres Cordés.

Cependant, les quatre caractéristiques des Cordés sont toutes manifestes chez la larve de certains groupes d'Urocordés (figure 30.4c). À sa naissance, la larve nage jusqu'à ce que sa tête se fixe à un substrat, après quoi elle se métamorphose et perd la plupart des caractéristiques des Cordés.

SOUS-EMBRANCHEMENT DES VERTÉBRÉS

On trouve les plus anciens fossiles de Cordés, comme ceux de la plupart des Animaux, dans les roches de la période cambrienne. (Pour plus de détails concernant l'échelle des temps géologiques, revoir le tableau 23.1.) Dans les schistes de Burgess, en Colombie-Britannique, des paléontologues ont découvert des fossiles d'Invertébrés ressemblant à des Céphalocordés. Ces fossiles datent de 550 millions d'années, c'est-à-dire qu'ils ont environ 50 millions d'années de plus que les fossiles des plus anciens Vertébrés connus. L'analyse de ces roches demeure trop incomplète pour nous permettre de suivre l'évolution des Vertébrés à partir d'ancêtres invertébrés. Il est toutefois possible, grâce aux études d'anatomie et d'embryologie comparatives, d'émettre des hypothèses concernant leur évolution.

La plupart des zoologistes pensent que les premiers Vertébrés étaient des Animaux filtreurs (mangeurs de particules en suspension) qui possédaient les quatre caractéristiques fondamentales des Cordés. Peut-être ressemblaient-ils aux Amphioxus, mais on croit que les Céphalocordés ne représentent qu'une ramification dans

l'arbre évolutif qui a donné naissance aux Vertébrés. Les premiers Vertébrés proviendraient plutôt d'ancêtres ressemblant à des Urocordés, peut-être proches des larves planctoniques nageuses de ces derniers (voir la figure 30.4c).

CARACTÉRISTIQUES DES VERTÉBRÉS

favorisé l'évolution de premiers Vertébrés pourvus d'un cerveau et d'organes sensoriels fins.

Les Vertébrés possèdent d'autres caractéristiques en plus de celles qui sont propres aux Cordés. Tout d'abord, ils présentent une céphalisation marquée. La plupart d'entre eux ont également des organes sensoriels bien développés, reliés à un encéphale distinct situé à l'extrémité antérieure du tube dorsal. De plus, le tube neural de la majorité des Vertébrés est entouré d'une colonne composée d'unités squelettiques disposées en série, les **vertèbres** (voir la figure 30.1). Chez la plupart des Vertébrés adultes, la colonne vertébrale est le signe le plus évident de la segmentation. L'encéphale est aussi enfermé dans une structure squelettique appelée crâne. Le crâne et la colonne vertébrale constituent la majeure partie du squelette axial, les autres éléments de ce squelette étant chez beaucoup de Vertébrés les côtes et le sternum. La plupart des Vertébrés sont aussi pourvus d'un squelette appendiculaire qui soutient deux paires d'appendices : les nageoires ou les membres, selon le cas (voir le chapitre 45). L'endosquelette des Vertébrés peut être constitué d'une substance osseuse dure, d'une substance cartilagineuse flexible ou d'une combinaison des deux. Bien que le squelette se compose principalement d'une matière inerte, il renferme des cellules vivantes qui sécrètent la matrice et l'entretiennent. Ainsi, l'endosquelette d'un

Les points de repère les plus importants de l'évolution des premiers Vertébrés remontent probablement au début du Cambrien. À cette époque, un phénomène appelé **pédogenèse**, l'accession précoce d'une larve à la maturité sexuelle, pourrait avoir eu un effet important sur l'évolution des Vertébrés. Des zoologistes émettent l'hypothèse que certaines des premières formes larvaires semblables aux Urocordés atteignaient la maturité sexuelle et se reproduisaient avant de se métamorphoser en Urocordés adultes sessiles. Si ces larves capables de se reproduire parvenaient ainsi à se perpétuer, la sélection naturelle a peut-être favorisé ce type de reproduction au détriment de la métamorphose, ce qui aurait donné naissance à un cycle de développement semblable à celui des Vertébrés. (Ainsi, certaines espèces actuelles d'Urocordés, tels les Appendiculaires, qui n'existent qu'au stade de larve nageuse seraient des survivants d'une époque lointaine.) Par la suite, certaines de ces formes larvaires capables de se reproduire auraient développé des muscles segmentés ainsi qu'une structure squelettique plus solide dans leur queue, ce qui leur aurait permis de s'alimenter plus efficacement. Comme ces formes larvaires doivent lutter contre les courants pour se déplacer et doivent échapper à leurs prédateurs, la sélection naturelle aurait

Tableau 30.1 Classes de Vertébrés

Classe	Caractéristiques	Exemples
Agnathes	Vertébrés sans mâchoires ; squelette cartilagineux ; corde dorsale permanente ; fécondation externe ou interne ; développement externe de l'embryon ; vivent en eau salée et en eau douce ; absence de paires d'appendices chez les espèces actuelles.	Lamproies, Myxines
Chondrichthyens	Poissons cartilagineux ; squelette cartilagineux ; mâchoires ; corde dorsale remplacée par des vertèbres chez l'adulte ; respiration assurée par des branchies ; fécondation interne ; développement externe ou interne de l'embryon ; bonne acuité sensorielle et présence de la ligne latérale (organe sensoriel).	Requins, Raies
Ostéichthyens	Poissons osseux ; squelette osseux ; mâchoires ; fécondation et développement embryonnaire externes chez la plupart des espèces, qui pondent un grand nombre d'œufs ; respiration assurée par des branchies, sauf chez de rares exceptions ; un grand nombre possèdent une vessie natatoire ; vivent en eau salée et en eau douce.	Achigans, Truites, Perches, Thons
Amphibiens	Tétrapodes à mâchoires ; larves aquatiques se métamorphosant en adultes terrestres (chez beaucoup d'espèces) ; fécondation et développement embryonnaire externes pour la plupart ; respiration assurée par les poumons et/ou la peau chez l'adulte et par des branchies chez la larve.	Salamandres, Tritons, Grenouilles, Crapauds
Reptiles	Tétrapodes terrestres à mâchoires ; peau écaillée, respiration assurée par des poumons ; fécondation interne ; développement embryonnaire externe pour la plupart, dans un œuf amniotique.	Serpents, Lézards, Tortues, Crocodiles
Oiseaux	Tétrapodes à mâchoires ; dotés de plumes ; membres supérieurs modifiés en ailes ; respiration assurée par des poumons ; endothermes ; fécondation interne ; développement embryonnaire externe dans un œuf amniotique ; grande acuité visuelle.	Hiboux, Bruants, Pingouins, Aigles
Mammifères	Tétrapodes à mâchoires ; les jeunes sont nourris par les glandes mammaires des femelles ; diaphragme permettant la ventilation des poumons ; endothermes ; fécondation interne ; développement embryonnaire interne pour la plupart ; possèdent des poils.	Monotrèmes (Ornithorynques), Marsupiaux (Kangourous), Placentaires (Rongeurs)

FIGURE 30.5 (page 639)

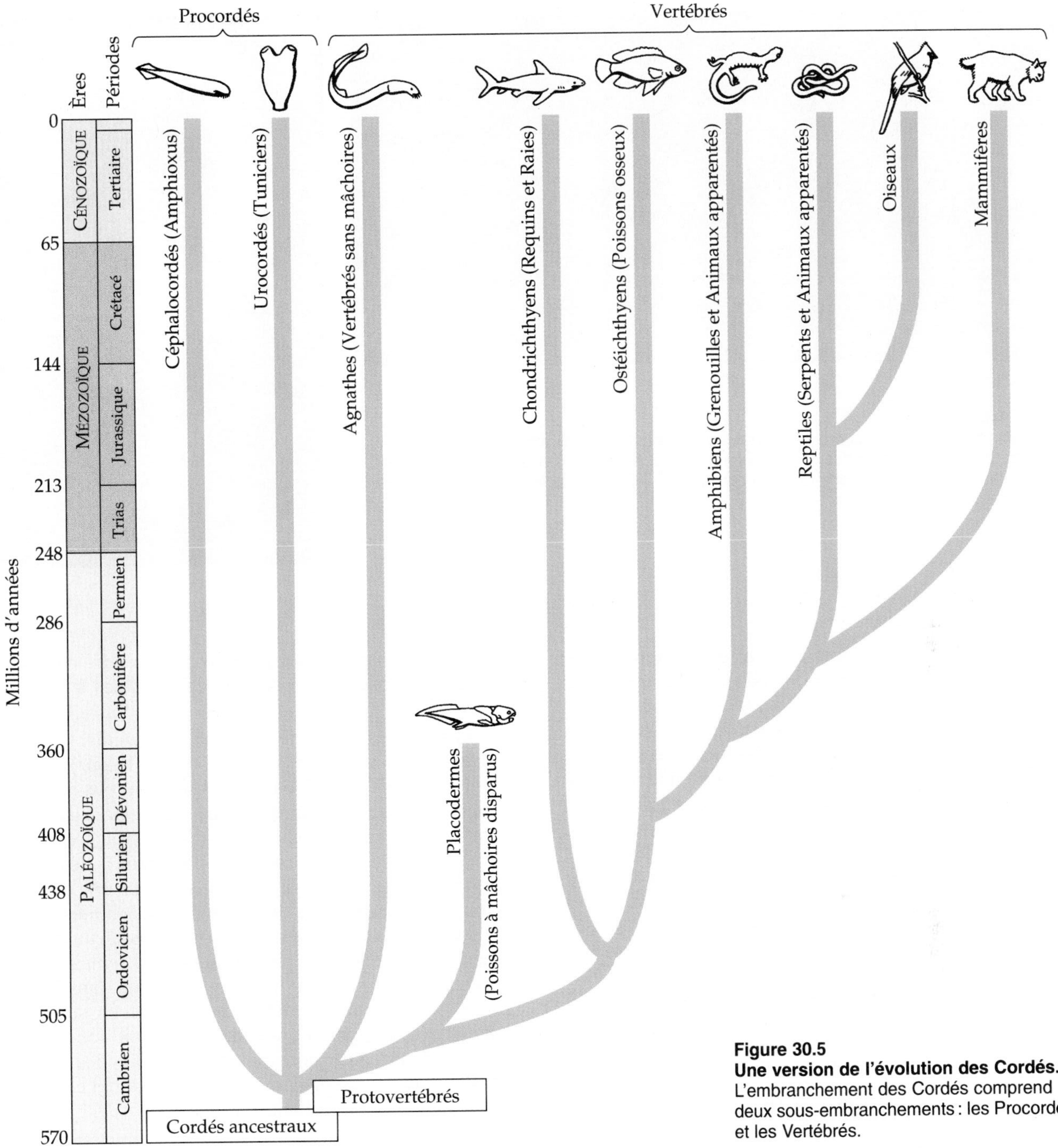

Procordés

Vertébrés

Céphalocordés (Amphioxus)

Urocordés (Tuniciers)

Agnathes (Vertébrés sans mâchoires)

Placodermes
(Poissons à mâchoires disparus)

Chondrichthyens (Requins et Raies)

Ostéichthyens (Poissons osseux)

Amphibiens (Grenouilles et Animaux apparentés)

Reptiles (Serpents et Animaux apparentés)

Oiseaux

Mammifères

Cordés ancestraux

Protovertébrés

Ères	Périodes	Millions d'années
CÉNOZOÏQUE	Tertiaire	0 / 65
MÉZOZOÏQUE	Crétacé	144
	Jurassique	213
	Trias	248
PALÉOZOÏQUE	Permien	286
	Carbonifère	360
	Dévonien	408
	Silurien	438
	Ordovicien	505
	Cambrien	570

Figure 30.5
Une version de l'évolution des Cordés.
L'embranchement des Cordés comprend deux sous-embranchements : les Procordés et les Vertébrés.

Vertébré peut croître avec l'Animal, contrairement à l'exosquelette des Arthropodes.

Les Vertébrés possèdent un système circulatoire fermé. Dans ce système, un cœur ventral compartimenté fait circuler le sang dans les artères jusqu'aux capillaires microscopiques qui nourrissent presque toutes les cellules du corps. Après avoir circulé dans les capillaires, le sang retourne au cœur par les veines. L'oxygène est transporté par les globules rouges (hématies), qui contiennent de l'hémoglobine. Le sang est oxygéné lorsqu'il parvient à la peau ou aux membranes hautement vascularisées qui tapissent les branchies ou les poumons. Le sang se débarrasse des déchets lorsqu'il passe par des structures excrétrices qui forment des organes compacts, les reins.

La plupart des Vertébrés se reproduisent par voie sexuée et sont soit de sexe mâle, soit de sexe femelle. Chez certaines espèces de Vertébrés, des œufs peuvent toutefois se développer dans un individu sans qu'il y ait eu fécondation. Ce phénomène porte le nom de parthénogenèse. Selon les espèces, la fécondation peut être externe ou interne.

Le sous-embranchement des Vertébrés compte actuellement sept classes (tableau 30.1). Trois de ces classes comprennent ceux qu'on appelle communément les Poissons : Agnathes (Vertébrés sans mâchoires), Chondrichthyens (Requins et Raies) et Ostéichthyens (Poissons osseux). Les quatre autres classes, à savoir les Amphibiens (Grenouilles et Salamandres), les Reptiles, les Oiseaux et les

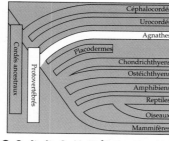

Céphalocordés
Urocordés
Agnathes
Placodermes
Chondrichthyens
Ostéichthyens
Amphibiens
Reptiles
Oiseaux
Mammifères

Protovertébrés
Cordés ancestraux

Mammifères, portent le nom collectif de **tétrapodes** (du grec *tetra* « quatre », et *podos* « pied »), parce qu'ils ont deux paires de membres sur lesquels ils prennent appui. Dans les pages qui suivent, nous ferons un survol de la diversité des organismes qui appartiennent à ces classes. De plus, nous soulignerons les principales tendances évolutives des Vertébrés. Enfin, nous décrirons brièvement une classe disparue de Vertébrés équipés de mâchoires, les Placodermes. Avant de commencer l'étude des divers groupes de Vertébrés, vous devriez jeter un coup d'œil sur l'arbre généalogique décrivant l'évolution des Vertébrés (figure 30.5). Cet arbre illustre une des écoles de pensée concernant les relations qui existent entre les diverses classes du sous-embranchement des Vertébrés. Tout le long de ce chapitre, vous verrez des portions de cet arbre, qui vous aideront à garder en mémoire la place qu'occupe chaque classe dans la généalogie des Vertébrés.

CLASSE DES AGNATHES

Les plus anciens fossiles de Vertébrés proviennent de créatures sans mâchoires appelées **Agnathes** (du grec *a* « sans », et *gnathos* « mâchoire »), dont faisaient partie les **Ostracodermes**, des Animaux pisciformes qui étaient recouverts d'une armure de plaques osseuses. On a trouvé des fossiles d'Agnathes dans les couches du Cambrien. Cependant, la plupart remontent aux périodes ordovicienne et silurienne, soit à environ 400 à 500 millions d'années. Les fossiles fournissent peu d'indices permettant d'établir un lien direct entre les Agnathes et leurs ancêtres invertébrés. L'échantillonnage n'est pas non plus assez complet pour rendre compte de l'énorme expansion prise par les Agnathes à la fin du Silurien.

Les premiers Agnathes étaient généralement de petits Animaux mesurant moins de 50 cm. Il semble qu'un grand nombre d'entre eux ne possédaient pas de nageoires, et habitaient les fonds marins ou se laissaient porter par les courants. Il en existait d'autres plus actifs qui, grâce à leur paire de nageoires, vivaient à des profondeurs moins grandes. Ils possédaient tous une ouverture circulaire ou une fente dépourvue de mâchoires qui leur servait de bouche. La majorité se nourrissaient probablement par succion ou par filtration, les fentes de leurs branchies retenant la nourriture contenue dans les sédiments vaseux ou les débris organiques en suspension dans l'eau. L'appareil branchial continuait donc de jouer un rôle dans la nutrition, mais les branchies des Agnathes avaient sans doute également pour fonction d'effectuer la majeure partie des échanges gazeux.

Le déclin et l'extinction des Ostracodermes et de la plupart des groupes d'Agnathes ont eu lieu durant le Dévonien. Seules 60 espèces de Vertébrés sans mâchoires ont survécu. Il s'agit d'espèces appartenant aux Lamproies et aux Myxines (figure 30.6) qui, comme un grand nombre d'Agnathes disparus, ne possèdent pas d'appendices appariés. De plus, elles ne possèdent pas l'armure externe des Ostracodermes. La Lamproie marine a la forme d'une Anguille. Elle se nourrit en se cramponnant avec sa bouche circulaire contre le flanc d'un poisson vivant et en utilisant sa langue râpeuse pour pénétrer l'épiderme de sa proie afin de sucer son sang. La Grande Lamproie (*Petromyzon marinus*), qui peut atteindre 1 m de long, passe plusieurs années à l'état larvaire en eau douce. Lorsqu'elle devient adulte, elle migre vers la mer ou un lac. La larve se nourrit, par filtration, d'organismes en suspension et ressemble beaucoup à un Amphioxus (Céphalocordé).

(a)

Figure 30.6
Agnathe. (a) La Grande Lamproie (*Petromyson marinus*) fait partie de la classe des Agnathes, caractérisée par l'absence de mâchoires. (b) Cet Animal, qui vit autant en prédateur qu'en parasite, utilise sa bouche râpeuse pour percer un trou dans le flanc d'un Poisson afin de se nourrir de son sang.

(b)

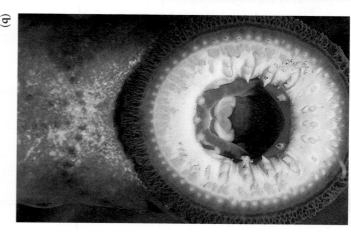

Certaines espèces de Lamproies ne se nourrissent qu'à l'état larvaire; après avoir passé plusieurs années dans des ruisseaux, elles atteignent leur maturité sexuelle, se reproduisent et meurent quelques jours plus tard.

Les Myxines ont à peu près le même aspect que les Lamproies. Toutefois, alors que les Lamproies se nourrissent en suçant le sang ou en filtrant les particules en suspension, les Myxines sont généralement nécrophages. Leur bouche est dépourvue de langue râpeuse. Certaines espèces se nourrissent de Poissons malades ou morts, tandis que d'autres se nourrissent de Vers marins. Les Myxines ne traversent pas de stade larvaire et passent leur vie entière dans l'eau salée.

CLASSE DES PLACODERMES

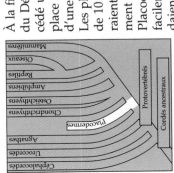

À la fin du Silurien et au début du Dévonien, les Agnathes ont cédé une grande partie de leur place à des Poissons porteurs d'une armure, les **Placodermes.** Les plus longs mesuraient plus de 10 m, mais la plupart mesuraient moins de 1 m. Contrairement aux Ostracodermes, les Placodermes pouvaient nager facilement parce qu'ils possédaient des nageoires appariées.

Ils avaient également une bouche pourvue de mâchoires qui n'était pas qu'un simple orifice fixe servant à râper et à ramasser des sédiments. C'est donc grâce à leurs nageoires appariées et à leurs mâchoires articulées qu'un grand nombre de Placodermes ont été des prédateurs actifs, capables de poursuivre leur proie et de lui arracher de gros morceaux de chair. Ces deux modifications de la structure des premiers Vertébrés ont permis une diversification des modes de vie et des sources de nourriture.

Certaines modifications du squelette au niveau de la bouche des Vertébrés ont donné naissance aux mâchoires articulées; ce sont les arcs branchiaux soutenant les fentes branchiales antérieures qui se sont transformés en mâchoires (figure 30.7). Les autres fentes branchiales n'étant plus utiles pour la filtration de la nourriture, elles sont devenues des organes spécialisés dans les échanges gazeux avec le milieu.

La transformation de certains éléments squelettiques en mâchoires constitue un phénomène adaptatif de premier plan chez les Vertébrés et illustre une des caractéristiques générales du changement évolutif: les nouvelles adaptations proviennent généralement d'une modification de structures déjà existantes. Des mâchoires articulées sont également apparues chez les Arthropodes, mais leur origine était complètement différente de celle des mâchoires des Vertébrés (voir le chapitre 29). Les mâchoires des Arthropodes sont des appendices modifiés qui s'articulent latéralement, tandis que les mâchoires des Vertébrés s'articulent de haut en bas.

Il y a environ 350 à 400 millions d'années, soit durant le Dévonien, aussi appelé l'âge des Poissons, les Placodermes et un autre groupe de Poissons pourvus de mâchoires (les Acanthodidés, qui font partie d'une classe à part) se sont diversifiés. Un grand nombre de nouvel-

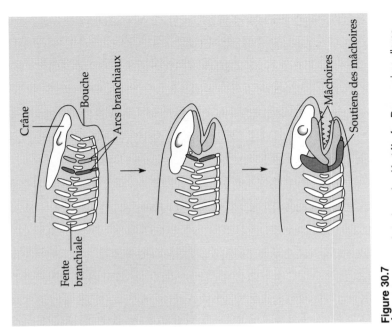

Figure 30.7
Évolution des mâchoires des Vertébrés. Deux paires d'arcs branchiaux situés entre les fentes branchiales, près de la bouche, se sont transformés pour former les mâchoires et leurs soutiens. Les paires d'arcs branchiaux situés à l'avant des mâchoires ont disparu ou se sont incorporées aux mâchoires.

les formes ont évolué tant en eau douce qu'en eau salée. Cependant, au début du Carbonifère, il y a 350 millions d'années, les Placodermes et les Acanthodidés avaient presque complètement disparu. C'est pendant le Dévonien, ou même avant, que les ancêtres des Placodermes et des Acanthodidés auraient donné naissance aux Poissons cartilagineux (Requins et Raies, classe des Chondrichthyens). Ces mêmes ancêtres auraient aussi donné naissance, il y a 425 à 450 millions d'années, à un autre groupe de grands Poissons prédateurs à mâchoires: les Poissons osseux qui forment la classe des Ostéichthyens. Les Poissons cartilagineux et les Poissons osseux sont les Vertébrés qui règnent actuellement dans les océans qui couvrent les deux tiers de la surface de la Terre.

CLASSE DES CHONDRICHTYENS

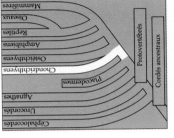

Les Requins et leurs proches parents sont des Poissons cartilagineux; leur squelette flexible se compose de cartilages plutôt que d'os. Cette classe comprend près de 750 espèces modernes. Les mâchoires et les nageoires appariées, apparues chez les Placodermes, sont bien développées chez les Poissons cartilagineux. Les Requins et les Raies sont les groupes les plus

(a)

(b)

Figure 30.8
Poissons cartilagineux. (a) Les Requins sont des nageurs rapides dotés d'une grande acuité sensorielle et de mâchoires puissantes qui conviennent bien à leur mode de vie de prédateur. Chez ce Requin à pointes noires (*Carcharhinus melanopterus*) on peut observer la disposition des nageoires. **(b)** La plupart des Raies sont aplaties et se nourrissent de Mollusques et de Crustacés qu'elles broient avec leurs mâchoires. La majorité vivent au fond de l'eau, mais certaines espèces, comme ce Diable de mer (*Mobula mobular*), se déplacent en eau libre.

diversifiés et les plus répandus de la classe des Chondrichthyens (figure 30.8).

La plupart des Requins ont un corps hydrodynamique. Ils nagent rapidement, certes, mais leurs manœuvres sont un peu gauches. La nageoire caudale rigide (nageoire de la queue) permet la propulsion. Les nageoires dorsales assurent la stabilité de l'Animal, tandis que les nageoires appariées pectorales (à l'avant) et pelviennes (à l'arrière) assurent sa portance. Bien que la flottabilité du Requin soit augmentée parce que son foie volumineux emmagasine une grande quantité d'huile, le Requin possède une masse volumique plus grande que celle de l'eau, et il coule dès qu'il cesse de nager. En nageant continuellement, il s'assure que l'eau pénètre dans sa bouche et sort par ses branchies, où les échanges gazeux ont lieu. Cependant, certains Requins ainsi qu'un grand nombre de Raies et de Torpilles passent beaucoup de temps à se reposer au fond de l'eau. Ils doivent alors aspirer l'eau activement jusqu'à leurs branchies.

Les Requins et les Raies les plus volumineux se nourrissent en filtrant le plancton. Par exemple, le Requin-Baleine (*Rhinodon typicus*) doit filtrer un million de litres d'eau à l'heure pour subvenir à ses besoins énergétiques. La plupart des Requins sont toutefois carnivores. Ils avalent leur proie en entier ou se servent de leurs puissantes mâchoires et de leurs dents tranchantes pour déchirer la chair des Animaux qu'ils ne peuvent avaler d'un morceau. Les dents des Requins sont probablement issues de la transformation évolutive des écailles dentelées qui couvrent leur peau abrasive. Chez un grand nombre de Requins, le tube digestif est proportionnellement plus petit que le tube digestif de beaucoup d'autres Vertébrés. Cependant, l'intestin possède une valvule spirale, c'est-à-dire un repli en forme de tire-bouchon qui accroît la surface de l'intestin et ralentit le passage des aliments dans l'intestin.

Le mode de vie actif des Requins carnivores résulte de certaines adaptations qui se traduisent par une grande acuité sensorielle. Les Requins carnivores ont une bonne vision, mais ils ne peuvent discerner les couleurs. Les narines des Requins ne servent pas à la respiration, puisqu'elles se terminent par une impasse et ne peuvent donc conduire l'eau vers les branchies. Elles constituent plutôt des organes olfactifs, comme chez la plupart des Poissons. Sous la peau de la tête et du rostre du Requin, il y a des récepteurs particuliers, les *ampoules de Lorenzini* ; ces récepteurs détectent le champ magnétique terrestre et des potentiels électriques aussi faibles que cinq nanovolts engendrés par les contractions musculaires des Poissons et autres Animaux qui entourent le Requin. Le long de chaque flanc se trouve l'**organe sensoriel de la ligne latérale**, qui consiste en une rangée de récepteurs microscopiques sensibles aux variations de la pression ambiante. Ainsi, le Requin peut détecter les moindres vibrations (voir le chapitre 45). Il peut aussi entendre en percevant les chocs grâce à des organes auditifs. Les Requins et autres Poissons ne possèdent pas de tympans, ces structures qui transmettent aux organes auditifs les ondes sonores voyageant dans l'air chez les Vertébrés terrestres. Chez le Requin, les sons parviennent à l'oreille interne par l'intermédiaire de tout le corps, qui sert de récepteur.

Les Requins sont des Animaux à fécondation interne. Grâce à une paire d'appendices copulateurs (les ptérygopodes) placés sur le bord interne des nageoires pelviennes, le mâle peut transférer son sperme dans le système reproducteur de la femelle. Certaines espèces de Requins sont **ovipares**, c'est-à-dire que les femelles pondent des œufs qui vont éclore en dehors de leur corps. Avant de libérer ses œufs, la femelle les enveloppe d'une couche protectrice. D'autres espèces sont **ovovivipares**, c'est-à-dire que les femelles retiennent les œufs fécondés dans l'oviducte. L'embryon se nourrit du vitellus de l'œuf et il éclot à l'intérieur de l'utérus. Enfin, quelques espèces sont **vivipares**, c'est-à-dire que l'embryon se développe dans l'utérus et se nourrit, jusqu'à la naissance, des nutriments qui lui parviennent du placenta le reliant au sang de sa mère. Les conduits du système reproducteur aboutissent à une chambre appelée **cloaque**, où se terminent

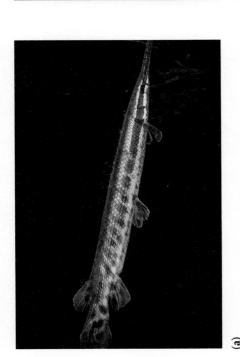

(a)

(b)

Figure 30.9
Poissons osseux. Ces photos nous montrent des Actinoptérygiens, c'est-à-dire des Poissons dont les nageoires portent des rayons, un des trois groupes de Poissons osseux apparus à la fin du Dévonien. **(a)** Lépisostée osseux (*Lepisosteus osseus*). **(b)** Perchaude (*Perca flavescens*).

également le système excréteur et le tube digestif. Le cloaque s'ouvre sur l'extérieur par un seul orifice.

Le mode de vie de la Raie diffère grandement de celui du Requin, même s'ils ont des liens de parenté très étroits. La plupart des Raies vivent au fond de l'eau. De forme aplatie, elles se nourrissent de Mollusques et de Crustacés qu'elles broient avec leurs mâchoires. Les nageoires pectorales des Raies sont très allongées et servent à la propulsion. La queue ressemble souvent à un fouet et, chez un grand nombre d'espèces, elle porte un dard venimeux qui aide l'Animal à se défendre.

CLASSE DES OSTÉICHTHYENS

De toutes les classes de Vertébrés, la classe des Ostéichthyens, composée de Poissons osseux, est celle qui compte le plus grand nombre d'individus et d'espèces (près de 30 000). Ces Poissons pullulent dans les mers et presque tous les plans d'eau douce. Leur taille varie entre 1 cm et plus de 6 m. La plupart des Poissons que nous connaissons appartiennent d'ail-

leurs aux Ostéichthyens (figure 30.9).

Contrairement aux Poissons cartilagineux, les Poissons osseux possèdent un squelette dont la structure est renforcée par une matrice qui contient du phosphore et du calcium. Leur peau est souvent recouverte d'écailles osseuses plates, tandis que la peau des Requins est recouverte d'écailles dont la composition ressemble à celle de leurs dents. La viscosité de la peau des Poissons osseux est due à des glandes cutanées qui sécrètent un mucus. Cette adaptation réduit la friction pendant les déplacements. Les Poissons osseux ont en commun avec les Requins l'organe sensoriel de la ligne latérale, composé

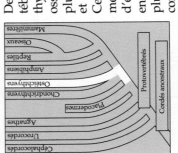

d'une rangée de minuscules dépressions bien visibles de chaque côté du corps, et au fond desquelles se trouvent des récepteurs sensibles à la pression.

La respiration des Poissons osseux est assurée par quatre ou cinq paires de branchies situées dans des cavités recouvertes d'une plaque ossifiée appelée **opercule.** L'eau entre par la bouche, passe par le pharynx et traverse les branchies, d'où elle est expulsée par le mouvement de l'opercule et les contractions des muscles qui se trouvent dans les cavités branchiales. De cette façon, les Poissons osseux peuvent respirer même lorsqu'ils sont immobiles.

Autre adaptation importante dont les Requins ne bénéficient pas et qui est venue améliorer le sort de la plupart des Poissons osseux : la **vessie natatoire,** une poche d'air qui permet au Poisson de modifier à sa guise sa flottabilité (figure 30.10). Par un mécanisme d'échanges gazeux entre le sang et la vessie natatoire, le Poisson peut régler sa masse volumique. Ainsi, contrairement aux Requins, de nombreux Poissons osseux peuvent demeurer en position quasi stationnaire et réduire au minimum leurs dépenses énergétiques.

Les Poissons osseux nagent habituellement avec une grande souplesse ; leurs nageoires flexibles permettent des déplacements mieux dirigés et une meilleure propulsion que les nageoires rigides des Requins. Les plus rapides, capables d'atteindre 80 km/h sur de courtes distances, ont cependant la même structure fusiforme que le Requin. En fait, cette structure fuselée aux deux extrémités est commune à tous les Poissons rapides ainsi qu'aux Mammifères aquatiques comme les Phoques et les Baleines. Parce que la masse volumique de l'eau est près de mille fois plus grande que celle de l'air, toute bosse entraînant une résistance gêne davantage un Poisson qu'un Oiseau. Les lois de l'hydrodynamique étant universelles, il n'est pas surprenant que tous les Animaux qui se déplacent rapidement sous l'eau aient une forme semblable, peu importe qu'ils appartiennent aux Poissons ou aux Mammifères. Il s'agit simplement d'un autre exemple d'évolution convergente.

Le mode de reproduction des Poissons osseux varie d'une espèce à l'autre. La plupart des espèces sont ovipares, c'est-à-dire qu'il y a fécondation externe après la ponte d'une grande quantité de petits œufs par la femelle. Cependant, la fécondation et le développement embryonnaire internes existent chez d'autres espèces. Nous verrons au chapitre 50 que certains Poissons osseux montrent des rituels d'accouplement complexes.

Les Poissons osseux et les Poissons cartilagineux se sont grandement diversifiés pendant le Dévonien et le Carbonifère. Les Requins sont apparus dans la mer, alors que les Poissons osseux ont probablement vu le jour dans l'eau douce. La vessie natatoire provient d'une évolution des poumons, qui servaient à augmenter le volume des branchies; cette adaptation améliorait les échanges gazeux, probablement parce que les Poissons osseux vivaient dans des eaux stagnantes pauvres en oxygène. La fin du Dévonien a vu l'émergence de trois sous-classes distinctes de Poissons osseux: les Poissons dont les nageoires sont soutenues par des rayons (sous-classe des Actinoptérygiens); les Poissons dont les nageoires en forme d'éventail sont rétrécies à la base (sous-classe des Crossoptérygiens); les Poissons qui possèdent un poumon en plus des branchies (sous-classe des Dipneustes).

La presque totalité des Poissons que nous connaissons font partie des **Actinoptérygiens,** comme les différentes espèces d'Achigan, de Truite, de Perche, de Thon et de Hareng. Leurs nageoires, soutenues par de longs rayons flexibles, se sont modifiées pour accroître la souplesse, assurer la défense et remplir d'autres fonctions. Au cours de leur longue histoire, ces Poissons sont passés de l'eau douce à l'eau salée. Les adaptations qui leur ont permis de résoudre les problèmes osmotiques rencontrés en eau salée sont abordées au chapitre 40.

Au cours de leur évolution, de nombreuses espèces d'Actinoptérygiens sont retournées vivre en eau douce. Certaines de ces espèces, comme les Saumons, revivent

Figure 30.10
Anatomie d'un Poisson osseux représentatif, la Truite.

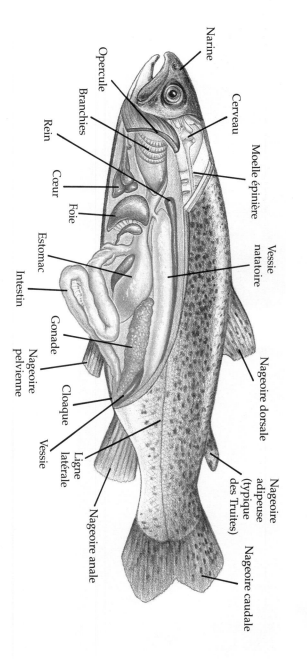

Narine

Opercule

Branchies

Rein

Cœur

Foie

Estomac

Intestin

Gonade

Nageoire pelvienne

Cloaque

Vessie

Ligne latérale

Nageoire anale

Cerveau

Moelle épinière

Vessie natatoire

Nageoire dorsale

Nageoire adipeuse (typique des Truites)

Nageoire caudale

d'ailleurs ce passage de l'eau douce à la mer et le retour à l'eau douce au cours de leur cycle de développement.

Contrairement aux Actinoptérygiens, la plupart des **Crossoptérygiens** et les **Dipneustes** ont continué à vivre en eau douce, où ces derniers utilisaient leur poumon pour améliorer l'efficacité de leurs branchies. Ces Poissons possédaient des nageoires pectorales et pelviennes musculeuses et charnues qui prenaient appui sur leur squelette osseux. Ces nageoires permettaient à beaucoup de ceux qui habitaient les fonds d'effectuer des déplacements proches de la marche. Certains de ces Poissons ont peut-être été en mesure de se déplacer sur la terre ferme.

Il existe de nos jours trois genres de Dipneustes dans l'hémisphère sud. On les trouve généralement en eau stagnante, dans les étangs et les marais. Ils remontent à la surface pour remplir d'air leur poumon très vascularisé,

Figure 30.11
Un Cœlacanthe (*Latimeria chalumnæ*). Le Cœlacanthe est le seul représentant vivant de la sous-classe des Crossoptérygiens, des Poissons à nageoires en forme d'éventail. Il vit dans les profondeurs de la mer, près de Madagascar.

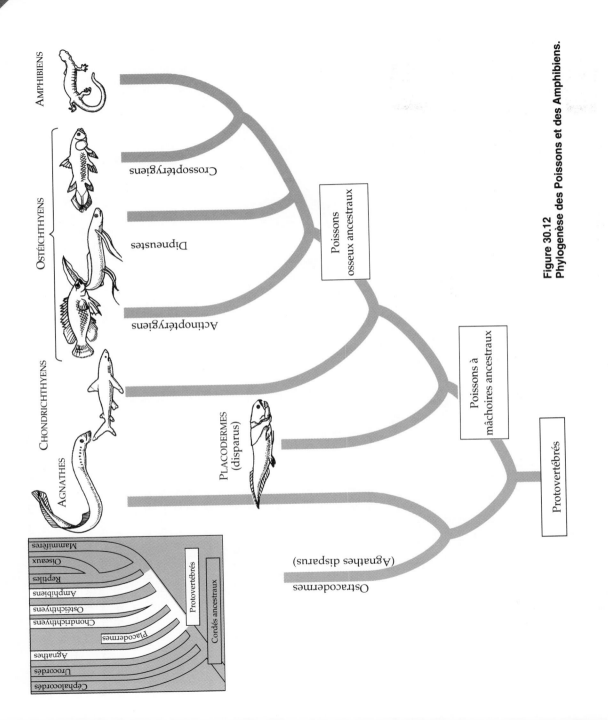

Figure 30.12
Phylogenèse des Poissons et des Amphibiens.

connecté au pharynx du système digestif. Pendant la sai-son sèche, les Dipneustes s'enfouissent dans la vase et entrent en estivation, c'est-à-dire qu'ils vivent dans un état d'engourdissement comparable à l'état d'hiber-nation.

Une seule espèce, le Cœlacanthe (*Latimeria chalumnæ*), représente de nos jours la sous-classe des Crossop-térygiens. Même si, pendant la période dévonienne, la majorité de ces Poissons possédaient probablement des poumons et vivaient en eau douce, le Cœlacanthe a perdu ses poumons au cours de son évolution et est allé habiter la mer (figure 30.11).

Il est maintenant très rare de voir des Dipneustes ou des Crossoptérygiens, car ils sont aujourd'hui beaucoup moins nombreux que les Actinoptérygiens. Cependant, les Crossoptérygiens du Dévonien revêtent une grande importance dans la généalogie des Vertébrés, puisqu'ils sont les ancêtres des Amphibiens (figure 30.12).

CLASSE DES AMPHIBIENS

Les Amphibiens ont été les premiers Vertébrés à envahir la terre ferme. Cette classe totalise environ 4000 espèces parmi lesquelles se trouvent les Grenouilles, les Crapauds, les Salamandres et les Cécilies (Animaux tropicaux vermifor-mes).

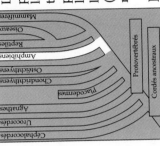

Premiers Amphibiens

À certains endroits du monde dévonien, comme c'est encore le cas de nos jours, la Terre subissait en alternance des cycles de sécheresse et de pluies abondantes. Dans ces endroits, certains Poissons d'eau douce se sont adaptés

(a) Crossoptérygiens

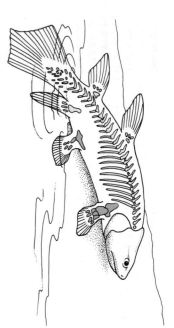

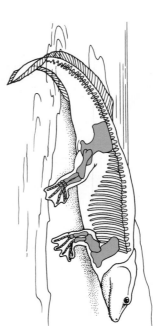

les, ils ont pu se déplacer sur terre. Certains fossiles de Crossoptérygiens, comme *Eusthenopteron*, montrent beaucoup d'autres similitudes avec les plus anciens Amphibiens. C'est pourquoi ce sont d'excellents aspirants au titre d'ancêtres des Tétrapodes (figure 30.13a).

Les plus anciens fossiles d'Amphibiens remontent à la fin du Dévonien, soit à environ 370 millions d'années (figure 30.13b). Ces Amphibiens ont accédé à de nouvelles zones adaptatives en envahissant la terre. Ils bénéficiaient ainsi d'une grande abondance de nourriture encore inexploitée par les Vertébrés. Au début, les Amphibiens se nourrissaient d'Insectes et d'autres Invertébrés qui les avaient précédés sur terre. En se dispersant, les premiers Amphibiens se sont adaptés à leur milieu et se sont diversifiés. Beaucoup d'espèces du Carbonifère ressemblaient un peu aux Reptiles. La taille de certaines d'entre eux atteignait même 4 m. Les Amphibiens ont été les seuls Vertébrés terrestres depuis la fin du Dévonien jusqu'au début du Carbonifère. On dit d'ailleurs de cette époque qu'elle était l'« âge des Amphibiens ». À la fin du Carbonifère, leur nombre a commencé à diminuer. Au milieu du Trias, il y a 230 millions d'années, à l'aube de l'ère mésozoïque, les survivants des Amphibiens ressemblaient déjà aux espèces actuelles.

Amphibiens modernes

De nos jours, il existe trois ordres d'Amphibiens (figure 30.14) : les Urodèles (« présence d'une queue » ; Salamandres), les Anoures (« absence de queue » ; Grenouilles, Crapauds et Rainettes) et les Apodes (« absence de pattes » ; Cécilies ou Gymnophiones).

Il n'existe qu'environ 400 espèces d'**Urodèles**. Certaines d'entre elles vivent uniquement dans l'eau, tandis que d'autres vivent sur terre toute leur vie ou seulement à l'âge adulte. La plupart des Salamandres terrestres marchent en se dandinant d'un côté à l'autre, comme le faisaient les premiers Amphibiens. Les Salamandres aqua-

(b) Amphibien primitif

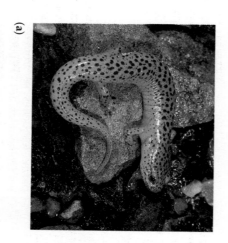

Figure 30.13
Émergence des Amphibiens. (a) Les ancêtres des Tétrapodes étaient des Crossoptérygiens, comme *Eusthenopteron*, dont les nageoires musculeuses soutenues par une ossature leur fournissaient un appui sur la terre ferme. **(b)** L'étude des fossiles du Dévonien a permis de tracer cette silhouette d'un des premiers Amphibiens.

aux conditions instables. Ce sont d'ailleurs les espèces à nageoires en éventail et possédant des poumons (Crossoptérygiens) qui dominaient. On croit que, grâce à la structure squelettique de leurs paires de nageoires ventra-

---

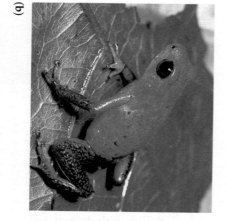

(a)   (b)   (c)

Figure 30.14
Ordres d'Amphibiens modernes. (a) Les Urodèles (Salamandres) conservent leur queue même à l'âge adulte. Certains d'entre eux vivent exclusivement dans l'eau, alors que d'autres vivent sur terre. Cette Salamandre de la grande famille des Pléthodontidés, dont les membres ont perdu leurs poumons

au cours de l'évolution. Les échanges gazeux ne s'effectuent qu'à travers les surfaces humides de sa peau et de leur bouche. **(b)** Les Anoures perdent leur queue à l'âge adulte. Les Grenouilles comme cette espèce de Dendrobate (*Dendrobates pumilio*) habitent les forêts tropicales, mais leur population décroît depuis que l'Humain

détruit ces forêts. Leurs glandes cutanées sécrètent des toxines mortelles qui attaquent les nerfs et que les autochtones d'Amérique centrale et d'Amérique du Sud emploient pour enduire le bout de leurs flèches. **(c)** Les Apodes, comme cette Cécilie du Sri Lanka, ne possèdent pas de pattes. Ils vivent dans des terriers.

Figure 30.15
Cycle de développement d'une Grenouille rousse (*Rana temporaria*). **(a)** En agrippant la femelle, le mâle stimule la ponte des œufs. La ponte et la fécondation ont lieu sous l'eau, car les œufs, dépourvus de coquille, se dessécheraient à l'air libre. Ils sont en revanche recouverts de gelée. **(b)** Le têtard est un herbivore aquatique possédant des branchies internes et une nageoire caudale. **(c)** Pendant la métamorphose, les branchies et la queue se résorbent, tandis que les pattes se développent.

tiques nagent en effectuant un mouvement sinusoïdal ou marchent au fond des cours d'eau et des étangs.

Les **Anoures** comptent près de 3500 espèces. Ils sont mieux adaptés que les Urodèles aux déplacements sur la terre ferme. Les Grenouilles adultes utilisent leurs puissantes pattes postérieures pour sauter et déploient leur langue gluante fixée à l'avant de la bouche pour attraper des Insectes. Elles ont acquis une grande variété de caractéristiques qui les empêchent de se faire dévorer par des prédateurs plus gros qu'elles. Comme d'autres Amphibiens, certaines Grenouilles affichent des couleurs qui leur permettent de se camoufler et elles peuvent sécréter, à l'aide de glandes sous-cutanées, un mucus désagréable ou parfois même toxique (voir la figure 30.14b).

Il existe environ 150 espèces d'**Apodes,** ou Cécilies. Ces Amphibiens ne possèdent pas de pattes, sont presque aveugles et ressemblent à des Vers de terre (voir la figure 30.14c). La plupart des espèces de Cécilies creusent le sol humide des forêts tropicales, mais quelques-unes vivent dans les étangs et les ruisseaux d'Amérique du Sud.

Le terme *amphibien* signifie « deux vies » et fait référence à la métamorphose qui a lieu chez beaucoup de Grenouilles (figure 30.15). Le stade larvaire de la Grenouille est le têtard. Celui-ci est habituellement un herbivore aquatique possédant des branchies internes, un organe sensoriel de la ligne latérale semblable à celui des Poissons, et une longue queue palmée. Dépourvu de pattes, le têtard nage en effectuant un mouvement ondulatoire semblable à celui des ancêtres pisciformes des Amphibiens. Pendant la métamorphose qui conduit l'Ani-

mal à sa « seconde vie », les pattes se développent tandis que les branchies et la ligne latérale disparaissent. Finalement, grâce à des poumons, à une paire de tympans externes et à un système digestif capable d'assimiler des protéines animales, le jeune Tétrapode monte sur la rive et entreprend sa vie de prédateur terrestre. Malgré leur nom, un grand nombre d'Amphibiens, dont certaines Grenouilles, ne connaissent pas le stade aquatique de têtard, et beaucoup ne vivent pas de « double vie ». On trouve, parmi les trois ordres d'Amphibiens, des espèces exclusivement aquatiques et des espèces exclusivement terrestres. De plus, chez les Urodèles et les Cécilies, les larves ont presque la même forme que les adultes et sont carnivores comme eux. Le phénomène de pédogenèse est répandu chez certains groupes d'Urodèles. Par exemple, les Protéidés, représentés par les genres *Necturus* en Amérique du Nord et *Proteus* dans le sud de l'Europe, conservent leurs branchies et d'autres caractéristiques de leur stade larvaire lorsqu'ils atteignent la maturité sexuelle.

La plupart des Amphibiens vivent près de l'eau. Les habitats humides tels que les marais et les forêts tropicales sont les endroits où ils abondent. Même les Grenouilles qui se sont adaptées à des habitats plus secs passent une bonne partie de leur temps dans des terriers ou sous des feuilles mouillées, où le taux d'humidité est élevé. Les Amphibiens adultes possèdent généralement de petits poumons peu efficaces, ou alors ils n'en possèdent pas du tout. La plupart des espèces utilisent donc leur peau pour compléter les échanges gazeux. C'est pourquoi ceux qui vivent sur terre doivent se débrouiller pour maintenir leur peau suffisamment humide pour

permette la diffusion des gaz, qui s'effectue aussi à travers les muqueuses humides de la bouche chez un grand nombre d'espèces.

Les œufs des Amphibiens n'étant pas protégés par une coquille, ils se déshydratent rapidement à l'air libre. La fécondation a lieu à l'extérieur du corps : le mâle agrippe la femelle et répand son sperme sur les œufs à mesure que la femelle les pond (voir la figure 30.15a). Les Amphibiens ovipares déposent habituellement leurs œufs dans des milieux humides comme les étangs et les marais. Certaines espèces pondent une très grande quantité d'œufs, ce qui compense le taux de mortalité élevé. Souvent, les Grenouilles du désert se reproduisent en grand nombre dans des étangs temporaires. Par contre, on trouve des espèces qui pondent une quantité restreinte d'œufs auxquels elles dispensent divers soins parentaux. Les mâles ou les femelles, selon l'espèce, incubent leurs œufs sur leur dos, dans leur bouche ou même dans leur estomac. Certaines Grenouilles vivant sur les arbres tropicaux déposent leurs œufs dans des nids mousseux, dont le taux d'humidité assure une protection contre le dessèchement. Il existe aussi des espèces ovovivipares et même des espèces vivipares chez lesquelles la femelle porte les œufs dans son corps reproducteur, où les embryons se développent sans risquer de se dessécher.

Les Amphibiens, surtout les Anoures, manifestent des comportements sociaux complexes et diversifiés, particulièrement pendant la saison des amours. Les Grenouilles sont habituellement des Animaux calmes. Toutefois, durant la période de reproduction, elles deviennent très bruyantes. Les mâles émettent des sons pour défendre leur territoire d'accouplement ou pour attirer des femelles. Certaines espèces terrestres migrent vers des sites d'accouplement spécifiques en utilisant la communication vocale, ou en s'orientant d'après les étoiles ou des stimuli chimiques.

CLASSE DES REPTILES

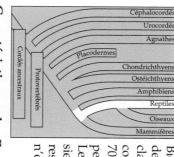

Céphalocordés
Urocordés
Agnathes
Placodermes
Chondrichthyens
Ostéichthyens
Amphibiens
Reptiles
Oiseaux
Mammifères
Cordés ancestraux
Protovertébrés

Bien que la majorité des lignées de Reptiles aient disparu, la classe des Reptiles est variée et compte aujourd'hui près de 7000 espèces de Lézards, Serpents, Tortues et Crocodiliens. Les Reptiles ont connu plusieurs adaptations à la vie terrestre que les Amphibiens n'ont pas connues.

Caractéristiques des Reptiles

Les Reptiles possèdent des écailles contenant de la kératine, une protéine qui imperméabilise la peau et les protège de la déshydratation. La peau kératinisée des Reptiles est l'équivalent de la cuticule chitineuse des Insectes et de la cuticule cireuse des Végétaux terrestres. Puisque leur peau sèche ne permet pas les échanges d'oxygène, la plupart des Reptiles respirent à l'aide de poumons. Chez beaucoup de Tortues, les surfaces humides du cloaque servent aussi aux échanges gazeux.

Bien qu'il existe de nombreux Reptiles vivipares, la plupart des espèces pondent des œufs sur le sol. Une coquille parcheminée protège l'embryon du dessèchement. L'embryon se développe dans le liquide d'un sac amniotique. C'est grâce à l'**œuf amniotique**, renfermant du liquide amniotique, que les Vertébrés ont traversé toutes les étapes de leur cycle de développement hors de l'eau et qu'ils ont coupé le dernier lien qui les reliait au monde aquatique. (On peut constater, au chapitre 27, que la graine a joué le même rôle que l'œuf dans l'évolution des Végétaux terrestres.) La fécondation est interne. Elle doit se produire avant que la coquille ne forme la coquille pendant le passage de l'œuf dans le système reproducteur de la femelle ne soit sécrétée.

C'est à tort qu'on appelle les Reptiles «Animaux à sang froid», puisque leur température interne dépasse la plupart du temps celle de leur environnement. Disons plutôt qu'ils utilisent habituellement peu leur métabolisme pour produire leur chaleur corporelle. Cependant, les Reptiles adoptent certains comportements qui leur permettent d'adapter leur température corporelle. Ainsi, un grand nombre de Lézards se font chauffer sous les rayons du Soleil lorsque l'air est frais (lézarder signifie d'ailleurs «paresser au soleil»), mais cherchent l'ombre si l'air devient trop chaud. Les Reptiles sont donc des **ectothermes**, c'est-à-dire qu'ils absorbent la chaleur externe plutôt que de générer entièrement leur propre chaleur. (La régulation de la température corporelle est traitée au chapitre 40.) En se servant de l'énergie solaire comme source de chaleur, les Reptiles peuvent survivre avec moins de 10 % de l'apport énergétique utilisé par les Mammifères de même taille ; ces derniers dépensent beaucoup d'énergie à produire leur chaleur corporelle, ce qui les oblige à s'alimenter plus souvent. Puisque les Reptiles ont des besoins énergétiques relativement modestes et qu'ils sont bien adaptés aux conditions arides, bon nombre d'entre eux vivent bien dans le désert.

Âge des Reptiles

L'ère mésozoïque porte aussi le nom d'«âge des Reptiles», car ceux-ci étaient alors beaucoup plus nombreux, répandus et diversifiés que de nos jours.

Origine et radiation adaptative des Reptiles Les plus anciens fossiles de Reptiles datent de la fin du Carbonifère, soit d'environ 300 millions d'années. Leurs ancêtres faisaient partie des Amphibiens du Dévonien. À la fin du Carbonifère, on trouvait énormément de Reptiles de formes diverses appelés **Cotylosauriens**. Plutôt petits, ces mangeurs d'Insectes qui ressemblaient à des Lézards constituent la souche ancestrale des différents ordres de Reptiles. Pendant plus de 200 millions d'années, au cours desquelles ont eu lieu deux grands mouvements de radiation adaptative, les Reptiles ont donné tous les autres Vertébrés terrestres.

Le premier mouvement de radiation a eu lieu pendant le Permien et a donné naissance, entre autres, à des prédateurs terrestres appelés **Synapsidés** (figure 30.16), qui ressemblaient un peu à des Mammifères. On croit d'ailleurs

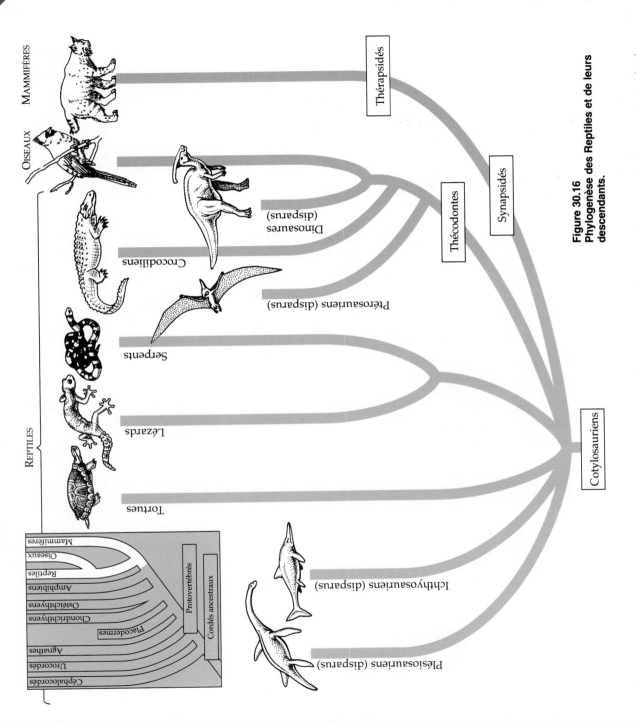

Figure 30.16
Phylogenèse des Reptiles et de leurs descendants.

que les Mammifères proviennent de cette lignée. Les premiers Thérapsidés étaient de grands prédateurs de la taille d'un Chien. Au cours du Permien, une grande variété de formes ont vu le jour. Certains Cotylosauriens sont retournés vivre dans l'eau et ont engendré les lignées des Plésiosauriens et des Ichthyosauriens, qui avaient respectivement la forme de Phoques ou de Poissons. Les **Thécodontes** ont formé un autre groupe issu des Cotylosauriens au cours de cette période de radiation. L'intérêt particulier que suscitent ces anciens Reptiles vient du fait qu'ils sont les ancêtres des Dinosaures, des Crocodiliens et des Oiseaux. Les Synapsidés et les Thécodontes ont survécu aux extinctions massives du Permien (voir le chapitre 23). En fait, les Thérapsidés carnivores et herbivores sont restés dominants pendant une bonne partie du Trias.

Les Dinosaures et les Ptérosauriens   Le deuxième grand mouvement de radiation adaptative des Reptiles a eu lieu à la fin du Trias, il y a un peu plus de 200 millions d'années. Comme nous venons de le voir, les Thécodontes

sont à l'origine de plusieurs lignées, y compris de deux groupes de Reptiles : les Dinosaures, qui vivaient sur terre, et les Ptérosauriens, qui volaient (voir la figure 30.16). Ces Vertébrés terrestres ont dominé pendant des millions d'années. Les Dinosaures formaient un groupe extrêmement divers chez qui la taille, la forme du corps et l'habitat variaient considérablement. Ils comprenaient les plus grands Animaux à jamais avoir habité sur la terre ferme. Au Nouveau-Mexique, on a découvert récemment des fossiles de Dinosaures géants pesant probablement près de 100 tonnes. Les ailes des Ptérosauriens étaient formées d'une membrane de peau étirée à partir du corps ; cette membrane était attachée aux membres antérieurs jusqu'au bout d'un doigt allongé. La peau des ailes se composait de fibres rigides qui la rendaient plus solide.

On a longtemps cru que les Dinosaures étaient des Animaux lents et apathiques, mais les recherches montrent maintenant que beaucoup d'entre eux étaient probablement agiles, rapides et endothermes. (**L'endothermie** est le maintien de la température corporelle par le métabolisme.) De même, une réévaluation des fossiles

Chapitre 30 : La généalogie des Vertébrés   **649**

Figure 30.17
Reptiles contemporains. (a) Les Tortues ont peu changé depuis leur apparition au début de l'ère mézozoïque. Cette espèce est la Tortue peinte ornée (*Pseudemys scripta*). **(b)** Les Lézards, comme ce Lézard à collier (*Crotaphytus collaris*), forment le groupe de Reptiles le plus nombreux et le plus diversifié. **(c)** Les Serpents descendent peut-être de Lézards qui s'étaient adaptés au fouissement. Ce Serpent est un Boa (*Boa sp.*). **(d)** Les Crocodiles, les Caïmans et les Alligators sont les Reptiles qui ressemblent le plus aux Dinosaures, avec lesquels ils partagent un ancêtre commun (Thécodonte). Ce Reptile est un Alligator américain (*Alligator mississippiensis*).

(c)

(b)

(d)

de Ptérosauriens montre nettement qu'un grand nombre de ces Reptiles étaient des Animaux endothermes qui volaient activement plutôt que des ectothermes qui planaient inefficacement. Malgré les nombreuses données anatomiques qui soutiennent cette hypothèse, certains experts demeurent sceptiques. Pendant l'ère mézozoïque, le climat était relativement chaud et constant, et il suffisait peut-être aux Dinosaures terrestres de se laisser chauffer au soleil pour maintenir leur température corporelle. De plus, les grands Dinosaures possédaient un faible rapport surface/volume, ce qui réduisait les effets des fluctuations quotidiennes de la température ambiante sur la température interne de l'Animal.

La crise du Crétacé Pendant le Crétacé, dernière période du Mézozoïque, le climat refroidit et devint plus fluctuant. C'est à cette époque que des extinctions massives eurent lieu, dans des circonstances qu'on ignore encore et qui font actuellement l'objet de débats passionnés. Le quart des familles d'Invertébrés marins disparurent, et la crise qui sévissait alors mit fin au règne des Dinosaures. À la fin de l'ère mézozoïque, il y a près de 65 millions d'années, ils avaient presque tous disparu.

On a découvert récemment des fossiles de certains Dinosaures qui ont survécu jusqu'au début de l'ère cénozoïque. Des données indiquent que l'extinction des Dinosaures s'est déroulée sur 5 à 10 millions d'années. Même si cette période semble longue, elle représente un temps relativement court, à l'échelle géologique, pour expliquer l'extinction d'un groupe dominant aussi diversifié que les Dinosaures. Le chapitre 23 traite d'ailleurs de la disparition des Dinosaures, un des mystères les plus fascinants de l'histoire de la vie.

Reptiles contemporains

De nos jours, les trois ordres de Reptiles les plus importants et les plus diversifiés sont les **Chéloniens** (Tortues), les **Squamates** (Lézards et Serpents) et les **Crocodiliens** (Alligators, Caïmans et Crocodiles).

Les Cotylosauriens ont donné naissance aux Tortues pendant l'ère mézozoïque, et ces dernières ont peu changé depuis (figure 30.17a). Leur carapace le plus souvent rigide, une adaptation destinée à les protéger des prédateurs, a certainement contribué à leur survie pendant une aussi longue période. Les Tortues sont retournées vivre

dans l'eau au cours de l'évolution mais pondent leurs œufs sur la terre ferme.

Aujourd'hui, les Lézards (sous-ordre des Lacertiliens) forment, et de loin, le groupe de Reptiles le plus important et le plus diversifié (figure 30.17b). La plupart d'entre eux étant relativement petits, ils ont peut-être réussi à survivre aux difficultés du Crétacé en se cachant dans les crevasses et en réduisant leurs activités pendant les périodes froides. De nos jours, un grand nombre de Lézards adoptent encore ces comportements.

Les Serpents (sous-ordre des Ophidiens) descendent apparemment de Lézards qui se sont adaptés au fouissement (figure 30.17c). Bien qu'ils vivent sur terre, ils ne possèdent pas de membres. Les vestiges d'os de bassin et de membres chez des Serpents primitifs comme les Boas montrent que les Serpents descendent de Reptiles pourvus de pattes.

Les Serpents sont carnivores et présentent des adaptations qui favorisent la prédation. Ils possèdent des chimiorécepteurs et des thermorécepteurs très sensibles et, bien qu'ils n'aient pas de tympans, ils peuvent sentir les vibrations du sol et détecter ainsi le mouvement de leurs proies. Les Vipéridés, comme le Serpent à sonnettes, possèdent entre leurs yeux et leurs narines des détecteurs de chaleur grâce auxquels ils perçoivent d'infimes variations de température ; cette adaptation permet à ces chasseurs nocturnes de localiser leurs proies. Les Serpents venimeux, eux, injectent les neurotoxines contenues dans leurs glandes à venin au moyen d'une paire de dents ou de crochets creux et pointus. Leur langue n'administre pas le venin : elle contribue plutôt à acheminer les odeurs vers les organes olfactifs situés dans la paroi supérieure de la cavité buccale. La majorité des Serpents possèdent des mâchoires lâchement fixées au crâne qui leur permettent d'avaler des proies plus grandes que le diamètre de leur corps.

Les Crocodiles, les Caïmans et les Alligators se classent parmi les plus grands Reptiles actuels (certaines Tortues sont par ailleurs plus lourdes) (figure 30.17d). Ils descendent des Thécodontes. Ce sont donc les Reptiles modernes qui ressemblent le plus aux Dinosaures. Cependant, les seuls Animaux contemporains qui semblent descendre d'un groupe de Dinosaures ne sont pas les Reptiles, mais bien les Oiseaux.

Le Québec se situe à des latitudes qui ne permettent pas, à cause du climat, l'adaptation d'une grande variété de Reptiles. Il en existe une quinzaine d'espèces, parmi lesquelles on trouve des Tortues et des Serpents inoffensifs pour l'Humain.

CLASSE DES OISEAUX

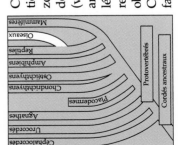

C'est pendant la grande radiation adaptative de l'ère mézozoïque qu'un ancêtre reptilien a donné naissance aux Oiseaux (voir la figure 30.16). Les œufs amniotiques et les pattes écaillées sont deux des vestiges reptiliens que nous pouvons observer chez les Oiseaux. Cependant, avec leur structure faite pour le vol, les Oiseaux

Figure 30.18
Le vol. Les adaptations particulières qui ont permis aux Oiseaux de voler s'ajoutent aux caractéristiques de leurs ancêtres reptiliens. Les Oiseaux peuvent atteindre de grandes vitesses et parcourir d'énormes distances. Les plus rapides appartiennent à la famille des Martinets, qui peuvent voler à 170 km/h. Au sud du Québec, nous connaissons de cette famille le Martinet ramoneur (*Chaetura pelagica*). La Sterne arctique (*Sterna paradisea*), elle, est l'Oiseau qui parcourt la plus grande distance lors de ses migrations annuelles. Elle voyage du Pôle Nord au Pôle Sud, et vice-versa. Cette photo nous montre une Hirondelle des granges (*Hirundo rustica*) s'abreuvant en vol.

ressemblent peu aux Lézards et aux autres Reptiles (figure 30.18).

Caractéristiques des Oiseaux

En général, les Oiseaux présentent une anatomie adaptée au vol. Les os, tout d'abord, ont une structure lacunaire qui les rend solides mais légers. Par exemple, le squelette de la Frégate superbe (*Fregata magnificens*) a une envergure de plus de 2 m, mais ne pèse qu'environ 115 g. L'absence de certains organes est également une adaptation qui réduit la masse des Oiseaux. Les femelles, par exemple, n'ont qu'un seul ovaire. De plus, les Oiseaux n'ont pas de dents, ce qui diminue la masse de leur tête. Ils ne peuvent donc pas mâcher les aliments dans leur bouche, mais ils les broient dans le gésier, organe digestif situé près de l'estomac. (Les Crocodiliens possèdent également un gésier, et certains Dinosaures en avaient un.) Au cours de l'évolution, le bec des Oiseaux, constitué de kératine, a pris de nombreuses formes différentes en fonction de leur régime alimentaire.

Le vol nécessite un métabolisme actif qui permet de grandes dépenses d'énergie. Les Oiseaux étant endothermes, ils utilisent l'énergie produite par leur métabolisme pour maintenir une température corporelle élevée et constante. Les plumes et la couche de gras qui enveloppent leur corps contribuent également à la thermorégulation (figure 30.19). Les Oiseaux possèdent un cœur pourvu de quatre cavités qui séparent le sang bien oxygéné du sang faiblement oxygéné. Ce système circulatoire permet de maintenir la vitesse métabolique élevée de leurs cellules. Les poumons, efficaces, sont reliés à de

motrice bien développées de leur cerveau assurent en outre une coordination précise des mouvements.

Dotés d'un cerveau proportionnellement plus gros que ceux des Reptiles et des Amphibiens, la plupart des Oiseaux manifestent des comportements très complexes, surtout pendant la saison de reproduction. Puisque les œufs sont déjà enveloppés dans une coquille quand la femelle les pond, la fécondation doit être interne. La copulation est quelque peu particulière, car le mâle de la plupart des espèces n'a pas de pénis. Pour féconder la femelle, il doit monter sur le dos de celle-ci et lui relever la queue de façon que son cloaque s'abouche avec celui de la femelle. Une fois l'œuf pondu, l'embryon doit demeurer au chaud. Aussi, la femelle, le mâle ou les deux, selon l'espèce, vont-ils couver les œufs.

Les ailes constituent la structure d'adaptation au vol la plus manifeste. Leur allure profilée rappelle les ailes d'avions, qui obéissent aux mêmes principes d'aérodynamique. Les Oiseaux battent des ailes en contractant leurs grands muscles pectoraux (de la poitrine), reliés par un bréchet au sternum. Ils développent ainsi la force nécessaire pour voler. Certains Oiseaux, comme les Buses et les Éperviers, ont des ailes adaptées au vol plané; ils se laissent porter par les courants d'air et ne battent des ailes qu'occasionnellement. D'autres Oiseaux, comme le Colibri, doivent battre des ailes continuellement pour demeurer dans les airs. Dans tous les cas, le profil de l'aile est fonction de la forme et de la disposition des plumes.

Comme le prouve leur extrême légèreté et leur très grande résistance, les plumes constituent une des adaptations les plus remarquables des Vertébrés (figure 30.20).

Figure 30.19
Manchots empereurs (*Aptenodytes forsteri*) dans l'Antarctique. Les Oiseaux sont endothermes. Les plumes et la couche de gras qui les enveloppe leur fournissent l'isolation qui permet de ralentir les pertes de chaleur corporelle.

minuscules tubes conduisant à des sacs qui permettent la déperdition de chaleur et contribuent à réduire la masse volumique de l'Oiseau.

Pour bien voler, les Oiseaux doivent avoir des sens aiguisés, notamment une bonne acuité visuelle. Les Oiseaux possèdent de fait d'excellents yeux, peut-être les meilleurs de tous les Vertébrés. L'aire visuelle et l'aire

Figure 30.20
Structure des plumes. La plume est constituée d'un axe central creux, la hampe, elle-même composée du calamus et du rachis auquel sont fixés deux vexilles. Chaque vexille se compose de barbes, d'où partent de petites ramifications appelées barbules. Les Oiseaux portent deux sortes de plumes : des plumes de contour et des plumules. Les plumes de contour, rigides, donnent leur forme à l'aile et au corps de l'Oiseau. Les barbules de ces plumes possèdent des crochets qui s'agrippent aux barbules de la barbe voisine. Quand l'Oiseau lisse ses plumes, il passe son bec sur toute la longueur de la plume, remettant en place les crochets de façon à unir les barbes et à leur donner une forme précise. Par contre, les plumules ne possèdent pas de crochets. La disposition désorganisée de leurs barbes forme un duvet qui retient l'air et fournit une excellente isolation.

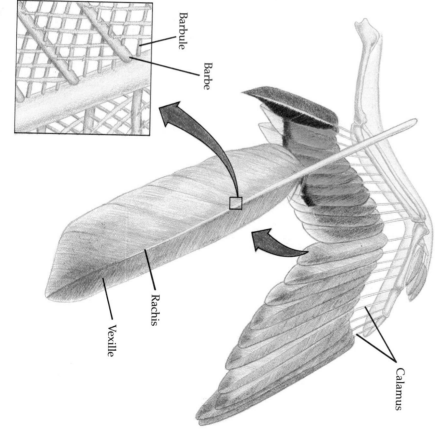

Barbule

Barbe

Vexille

Rachis

Calamus

La kératine est la protéine qui constitue la matière première des plumes, de nos cheveux, de nos ongles et des écailles des Reptiles. Au cours de l'évolution, les plumes ont peut-être servi dans un premier temps à créer un isolant qui favorise l'endothermie. Ce n'est que plus tard qu'elles ont servi au vol. En plus de contribuer à la portance et à la forme des ailes, les plumes peuvent s'orienter de façon à permettre une meilleure maîtrise des déplacements de l'air autour de l'aile.

Origine des Oiseaux

Selon un grand nombre de zoologistes, la présence de plumes suffit pour classer un Animal parmi les Oiseaux. Évidemment, si nous désirons retracer les ancêtres des Oiseaux, nous devons chercher les plus anciens fossiles porteurs de plumes. Des fossiles d'un ancien Oiseau, l'Archéoptéryx (*Archæopteryx lithographica*), ont été découverts en Allemagne, dans des sédiments jurassiques datant d'environ 150 millions d'années. Contrairement aux Oiseaux contemporains, l'Archéoptéryx possédait des membres supérieurs munis de griffes, des dents et une longue queue contenant des vertèbres, comme les Reptiles. En fait, n'eût été de ses plumes, on aurait classé l'Archéoptéryx avec un groupe de Reptiles appelé **Théropodes.** Un grand nombre d'anciens Reptiles, parmi lesquels on peut inclure certains Théropodes, étaient probablement endothermes, construisaient des nids et prenaient soin de leurs petits, comme les Oiseaux. Certains zoologistes pensent d'ailleurs que les Oiseaux modernes devraient faire partie de la classe des Reptiles.

Les paléontologues ne considèrent pas que l'Archéoptéryx est l'ancêtre des Oiseaux ; ils le placent plutôt sur une branche parallèle à celle de la lignée des Oiseaux. Néanmoins, l'Archéoptéryx vient probablement du même ancêtre que les Oiseaux contemporains. L'anatomie de son squelette montre qu'il volait difficilement, ou plutôt qu'il planait de branche en branche, ce qui a pu être le premier type de vol. Un fossile récemment découvert en Espagne semble être le représentant d'un ancien stade de l'évolution des Oiseaux. Vieux d'environ 125 millions d'années, ce fossile possède une queue semblable à celle des Oiseaux contemporains et des membres supérieurs permettant de voler avec plus de force et d'énergie que l'Archéoptéryx. Un autre fossile, découvert aux États-Unis en 1986, a provoqué une controverse quant à l'origine des Oiseaux. Ce fossile, nommé *Protoavis* (« premier oiseau »), possède un mélange des caractéristiques des Dinosaures et des Oiseaux. Cependant, il vivait 75 millions d'années avant l'Archéoptéryx. L'origine des Oiseaux reste donc incertaine.

Le vol, qui a nécessité une modification radicale de la forme du corps, procure de nombreux avantages : il permet la reconnaissance aérienne qui favorise la chasse et la découverte de charognes ; il rend possible la prédation des Insectes volants, qui constituent une abondante source d'aliments hautement nutritifs ; il permet de fuir rapidement devant des prédateurs terrestres et, dans certains cas, de voyager sur de grandes distances afin d'exploiter d'autres sources de nourriture et des zones de reproduction saisonnières.

Oiseaux modernes

Il existe environ 8600 espèces d'Oiseaux classées dans environ 28 ordres. La plupart des espèces volent, mais quelques-unes, comme les Autruches (*Struthio camelus*), les Kiwis (*Apteryx australis*) et les Émeus (*Dromiceius novaehollandiae*), sont incapables de voler. Ces derniers portent le nom collectif de Ratites (du latin « sternum plat ») parce que leur sternum est dépourvu de bréchet. Les Ratites ne possèdent pas non plus les grands muscles pectoraux qui se fixent au bréchet du sternum et assurent la puissance du vol des Oiseaux.

Contrairement aux Ratites, les autres Oiseaux possèdent un bréchet sternal, ou carène, dont ils tirent leur nom collectif de Carinates. Les exigences du vol ont uniformisé les Carinates, encore qu'un observateur expérimenté peut distinguer un grand nombre d'espèces selon leur silhouette. Les Carinates montrent aussi une grande variété dans leurs caractéristiques : plumage, forme du bec et des pieds, comportement et aptitude au vol (figure 30.21). Près de 60 % des espèces d'Oiseaux actuelles appartiennent à un ordre des Carinates appelé Passériformes ou Oiseaux percheurs, parmi lesquels on compte les Geais, les Hirondelles, les Bruants, les Parulines et beaucoup d'autres Oiseaux (figure 30.21d). Un des Carinates les plus surprenants est le Pingouin, qui ne vole pas mais utilise ses puissants pectoraux pour nager (voir la figure 30.19).

CLASSE DES MAMMIFÈRES

Il existe environ 4500 espèces de Mammifères sur la Terre. Cette classe de Vertébrés nous concerne plus que les autres, puisque nous en faisons partie. Examinons certaines des caractéristiques que nous avons en commun avec les autres Mammifères.

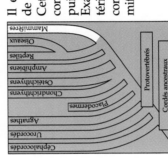

Caractéristiques des Mammifères

En tant que caractéristique, les poils sont aux Mammifères ce que les plumes sont aux Oiseaux. Les deux sont faits de kératine, mais les zoologistes ne sont pas certains de l'origine des poils. Comme les plumes, les poils isolent le corps de l'Animal et aident à maintenir sa température corporelle. Les Mammifères sont endothermes. Leur métabolisme actif est alimenté par un système respiratoire efficace qui utilise un muscle aplati appelé **diaphragme**, facilitant la ventilation des poumons. Le cœur des Mammifères, grâce à ses quatre cavités, empêche le sang riche en oxygène de se mélanger avec le sang pauvre en oxygène.

Les glandes mammaires qui produisent du lait sont une caractéristique aussi distinctive que les poils (figure 30.22). Toutes les femelles mammifères nourrissent leurs petits de leur lait, lequel constitue un régime équilibré riche en lipides, en glucides, en protéines, en minéraux et en vitamines.

(a)

(b)

(c)

(d)

Figure 30.21

Carinates. (a) Le Canard arlequin (*Histrioni-cus histrionicus*), qui niche dans le nord-est du Québec, sur la Côte-Nord et en Gaspésie, possède une caractéristique commune à un grand nombre d'espèces : la différence de couleur entre les sexes. **(b)** La plupart des Oiseaux se font la cour et exécutent des rituels d'accouplement pendant la saison des amours. Le Grèbe élégant (*Æchmophorus occidentalis*) marche pratiquement sur l'eau lorsqu'il courtise la femelle. Cet oiseau niche dans les Prairies canadiennes. **(c)** Ce Colibri roux (*Selasphorus rufus*) demeure stationnaire pendant qu'il se nourrit de nectar, car il possède de courtes ailes rigides qu'il peut manier, comme des hélices, dans presque toutes les directions. **(d)** Le Tangara à tête rouge (*Piranga ludoviciana*) est un membre de l'ordre des Passériformes. Ces derniers portent aussi le nom d'Oiseaux percheurs, parce que leurs doigts peuvent s'agripper autour d'une branche d'arbre, leur permettant ainsi de demeurer longtemps immobiles.

Figure 30.22

Traits distinctifs des Mammifères. La présence de poils et de glandes mammaires qui fournissent le lait aux petits sont des traits typiquement mammaliens.

à la mastication de différents types d'aliments. Notre dentition, par exemple, inclut des incisives (dents en forme de lame), qui servent à trancher, et des molaires (dents en forme de meule), qui servent à broyer.

Évolution des Mammifères

Les Mammifères viennent d'une souche reptilienne encore plus ancienne que celle des premiers Oiseaux. Les plus anciens fossiles d'Animaux qui pourraient avoir été des Mammifères datent du Trias, soit d'environ 220 millions d'années. Les ancêtres des Mammifères faisaient partie de Reptiles semblables aux Mammifères, les Thérapsidés (figure 30.23). Ces derniers ont disparu au cours du règne des Dinosaures, mais leurs descendants mammifères ont coexisté avec les Dinosaures pendant tout le Mézozoïque. Les Mammifères du Mézozoïque étaient très petits, environ de la taille de la Musaraigne, et se nourrissaient d'Insectes. Certains indices, comme la grosseur de l'orbite oculaire, permettent de croire que ces petits Animaux étaient nocturnes.

L'extinction des Dinosaures, à la fin de l'ère mézozoïque, a libéré un grand nombre de zones adaptatives pour d'autres Animaux. Les Mammifères ont alors connu une radiation adaptative qui a rempli ce vide considérable. Pendant ce temps, la flore aussi se modifiait. Durant le Crétacé, le nombre de Plantes à fleurs (Angiospermes) a augmenté suffisamment pour qu'elles supplantent les Gymnospermes, qui avaient été jusqu'alors les Plantes dominantes à peu près partout. (Certains scientifiques ont émis l'hypothèse que cette transformation de la végétation a contribué au déclin des Dinosaures, dont le régime se composait principalement de Gymnospermes.) Les bouleversements qui ont caractérisé le Crétacé ont

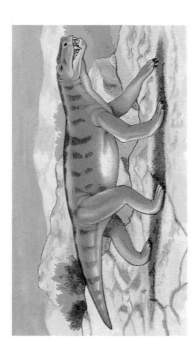

Figure 30.23
Un Thérapsidé : Reptile à l'apparence mammalienne.

Plutôt que de pondre des œufs, la plupart des Mammifères accouchent de petits. La fécondation est interne et l'œuf devient un embryon à l'intérieur de l'utérus de la femelle. Chez les Mammifères placentaires, une partie de la muqueuse utérine maternelle et des membranes embryonnaires forment ensemble le **placenta**, à travers lequel les nutriments diffusent vers le sang de l'embryon.

Les Mammifères ont un cerveau plus gros que les autres Vertébrés de même taille. Ils semblent aussi être les plus doués pour l'apprentissage. Comme les parents doivent passer un temps relativement long à dispenser des soins à leur progéniture, ils ont amplement l'occasion de leur enseigner d'importantes habiletés.

Les Mammifères se caractérisent également par la différenciation de leurs dents. Tandis que les dents des Reptiles sont généralement coniques et de taille uniforme, la taille et la forme des dents des Mammifères sont adaptées

(c) Placentaire

(b) Marsupial

(a) Monotrème

Figure 30.24
Les trois principales sous-classes de Mammifères. (a) Les Monotrèmes, comme cet Échidné à bec droit (*Tachyglossus aculeatus*), sont les seuls Mammifères à pondre des œufs (en mortaise). Ils portent des poils et sécrètent du lait, mais ne possèdent pas de mamelons. Les petits doivent laper le lait qui s'écoule par des pores à la surface de la peau de leur mère. (b) Le jeune Marsupial, comme ce petit Kangourou roux (*Macropus rufus*), naît prématurément et finit sa croissance en tétant une mamelle à l'intérieur de la poche ventrale de sa mère. (c) Le jeune Placentaire, comme ce Zèbre de Chapmann (*Hippotigris quagga chapmannæ*), se développe dans l'utérus de sa mère. Il y est nourri par le sang maternel qui circule dans le réseau des capillaires du placenta. Le placenta est la partie rougeâtre qui colle à ce nouveau-né.

mis fin à l'ère mézozoïque. Au début de l'ère cénozoïque, les Mammifères ont continué leur diversification, qui s'est poursuivie jusqu'à nos jours et a donné trois groupes importants: les Monotrèmes (Mammifères qui pondent des œufs), les Marsupiaux (Mammifères munis d'une poche ventrale) et les Placentaires (Mammifères dotés d'un placenta) (figure 30.24).

Monotrèmes

Les **Monotrèmes**, dont l'Ornithorynque et les Échidnés (deux genres), sont les seuls Mammifères qui pondent des œufs (figure 30.24a). Leurs œufs ressemblent à ceux des Reptiles sur le plan de la structure et du développement. Ils contiennent suffisamment de vitellus pour assurer le développement de l'embryon. Bien que la température interne de la plupart des Mammifères varie entre 30 et 39 °C, celle de l'Ornithorynque (*Ornithorhynchus anatinus*) n'est que de 30 °C. Cependant, les Monotrèmes possèdent des poils et fabriquent du lait pour leurs petits, deux traits distinctifs des Mammifères. La mère porte sur son ventre des glandes spécialisées qui sécrètent le lait, mais elle ne possède pas de mamelons. Lorsque le bébé sort de l'œuf, il suce le lait qui coule sur la fourrure de sa mère. Ce mélange de caractéristiques propres aux anciens Reptiles et aux Mammifères laisse supposer que les Monotrèmes viennent d'une très ancienne lignée dans la généalogie des Mammifères. De nos jours, on ne trouve des Monotrèmes qu'en Australie et en Nouvelle-Guinée.

Marsupiaux

Les Opossums, les Kangourous et les Koalas sont des **Marsupiaux**. Ces Mammifères terminent leur développement embryonnaire dans une poche ventrale maternelle appelée **marsupium** (figure 30.24b). L'œuf contient une petite quantité de vitellus qui ne permet de nourrir l'embryon que quelques jours dans le système reproducteur de la mère. Les Marsupiaux naissent donc prématurément. Par exemple, le Kangourou roux a la taille d'une Abeille à sa naissance, 33 jours seulement après la fécondation. Ses pattes postérieures sont à peine formées, mais ses pattes antérieures sont suffisamment fortes pour lui permettre de ramper de la sortie du système reproducteur jusqu'à la poche de sa mère. Ce périple ne dure que quelques minutes. Une fois dans la poche, le nouveau-né fixe sa bouche à un mamelon et complète son développement en s'allaitant.

En Australie, les Marsupiaux se sont répandus et ont occupé les niches que les Placentaires ont occupé dans d'autres parties du monde. Comme il fallait s'y attendre, l'évolution convergente a donné naissance à une diversité de Marsupiaux qui ressemblent à leurs équivalents placentaires et qui jouent le même rôle écologique (voir le chapitre 23). L'Opossum d'Amérique (*Didelphis virginiana*) est le seul Marsupial en Amérique du Nord; au Québec, on le trouve dans le sud-ouest, près de la frontière avec les États-Unis. Cet Opossum et ses cousins de l'Amérique du Sud sont les seuls Marsupiaux vivant ailleurs que dans la région australienne. (Il existait toutefois une faune marsupiale diverse en Amérique du Sud pendant la période tertiaire.) La répartition des Marsupiaux contemporains et des anciens Marsupiaux s'explique à l'aide des théories de la tectonique des plaques et de la dérive des continents. D'après des études récentes des fossiles, les Marsupiaux seraient d'abord apparus dans ce qui constitue aujourd'hui l'Amérique du Nord et seraient descendus vers le sud lorsque les continents ne faisaient qu'un. Après la dislocation de la Pangée en plusieurs continents, l'Amérique du Sud et l'Australie sont devenues des îles et les Marsupiaux s'y sont diversifiés indépendamment des Placentaires, qui ont vécu une radiation adaptative sur les continents nordiques. Pour sa part, l'Australie n'est entrée en contact avec aucun autre continent depuis le début de l'ère cénozoïque, soit depuis environ 65 millions d'années. Par contre, la faune de l'Amérique du Sud n'a pas subi d'isolement, et les Mammifères placentaires ont pu migrer en Amérique du Sud tout au long du Cénozoïque. Les migrations les plus importantes ont eu lieu en une première vague il y a 12 millions d'années, puis en une deuxième vague il y a 3 millions d'années, alors que les deux Amériques se réunissaient par l'isthme de Panama. Ce pont naturel a permis la circulation des Animaux dans les deux sens. La répartition des Mammifères constitue un autre exemple de l'interdépendance de l'évolution biologique et géologique.

Placentaires

Chez les **Placentaires**, l'embryon se développe complètement dans l'utérus, où un placenta le relie à sa mère (figure 30.24c). La radiation adaptative de la fin du Crétacé et du début du Tertiaire (ayant commencé il y a 70 millions d'années et s'étant terminée il y a 45 millions d'années) a produit les ordres de Placentaires que nous connaissons de nos jours (tableau 30.2, pages 658-659). Le lien phylogénétique entre les Marsupiaux et les Placentaires n'est pas évident, mais les scientifiques croient que ces deux types de Mammifères ont des liens plus étroits entre eux qu'avec les Monotrèmes. L'étude des fossiles montre que les Placentaires et les Marsupiaux ont peut-être même eu un ancêtre commun, il y a 80 à 100 millions d'années.

Les liens évolutifs entre les différents ordres de Placentaires sont eux aussi, pour la plupart, incertains. La majorité des mammalogues optent pour une généalogie expérimentale qui reconnaît au moins quatre principales lignées évolutives chez les Placentaires.

La première branche comprend les Chiroptères (Chauves-Souris) et les Insectivores (Musaraignes), qui ressemblent aux premiers Mammifères. Les Chauves-Souris, dont les membres antérieurs sont devenus des ailes, viennent probablement d'Insectivores se nourrissant d'Insectes volants. En plus de ces espèces insectivores, certaines Chauves-Souris mangent des fruits, tandis que d'autres mordent des Mammifères et sucent leur sang. La plupart des Chauves-Souris sont nocturnes.

La deuxième branche est constituée d'herbivores de taille moyenne qui ont connu une radiation adaptative spectaculaire au cours de la période tertiaire. De ces herbivores sont issus plusieurs ordres modernes: Lagomorphes (Lapins et autres), Périssodactyles (Ongulés possédant un nombre impair de doigts, comme les Chevaux et les Rhinocéros; les Ongulés marchent sur le bout des doigts); Artiodactyles (Ongulés possédant un nombre pair de doigts, comme les Cerfs et les Porcs), Siréniens (Lamantins), Proboscidiens (Éléphants) et Cétacés (Marsouins et Baleines). Les Marsouins et certaines Baleines se

La quatrième lignée, enfin, vient d'une radiation adaptative très étendue qui a produit le complexe Primates-Rongeurs. L'ordre des Rongeurs inclut les Rats, les Écureuils et les Castors. L'ordre des Primates comprend les Singes, les Singes anthropoïdes et les Humains. La figure 30.25 nous donne une version de l'évolution des Primates.

ANCÊTRES DE L'HUMAIN

Nous venons d'établir la généalogie des Vertébrés jusqu'à l'ordre des Primates, qui inclut l'*Homo sapiens* et ses plus proches parents. Pour bien comprendre ce que nous sommes, nous devons remonter notre ascendance jusqu'à la vie dans les arbres, où des adaptations à ce type d'existence ont donné naissance à certaines de nos caractéristiques les plus précieuses.

Tendances évolutives des Primates

Les premiers Primates étaient probablement de petits Mammifères arboricoles. Leur dentition donne à penser que ce sont des Insectivores qui leur ont donné naissance à la fin du Crétacé. Un fossile appelé *Purgatorius unio*, découvert aux États-Unis dans les couches marquant la fin du Crétacé et le début du Tertiaire, est considéré par un grand nombre de chercheurs comme le plus vieux Primate connu. Ainsi donc, à la fin de l'ère mézozoïque, soit il y a 65 millions d'années, les Primates avaient déjà acquis, par sélection naturelle, les caractéristiques qu'imposait la vie dans les arbres.

Par exemple, les Primates ont des épaules articulées qui permettent la **brachiation** (déplacement à l'aide des bras par balancement d'une branche à l'autre). La dextérité des Primates leur permet de s'accrocher aux branches et de manipuler la nourriture. Les griffes ont cédé la place aux ongles chez un grand nombre d'espèces, et les doigts sont très sensibles. Les yeux des Primates, rapprochés sur le devant de la face, procurent un avantage lors de la brachiation: le chevauchement des champs de vision accroît la vision stéréoscopique (vision du relief). Les Primates jouissent également d'une excellente coordination entre les mouvements des yeux et des mains, ce qui améliore le déplacement dans les arbres.

Ces Animaux menant une existence arboricole, les parents doivent prodiguer les soins essentiels à la survie de leurs petits. Les Mammifères dépensent plus d'énergie à prendre soin de leurs petits que la plupart des autres Vertébrés. De tous les Mammifères, les Primates font d'ailleurs partie des parents les plus dévoués à leurs petits. La plupart des Primates ont un seul petit à la fois et s'occupent longtemps de leur progéniture. Même si nous ne vivons pas dans les arbres, nous avons conservé un grand nombre des caractéristiques des Primates.

Primates modernes

Les sous-ordres de Primates reconnus par la communauté scientifique sont les Prosimiens et les Simiens ou Anthropoïdés. Les Prosimiens («avant les Singes») ressemblent probablement aux premiers Primates arboricoles. Les Makis de Madagascar ainsi que les Loris, les Tupaïas et les Tarsiers d'Afrique tropicale et du sud de

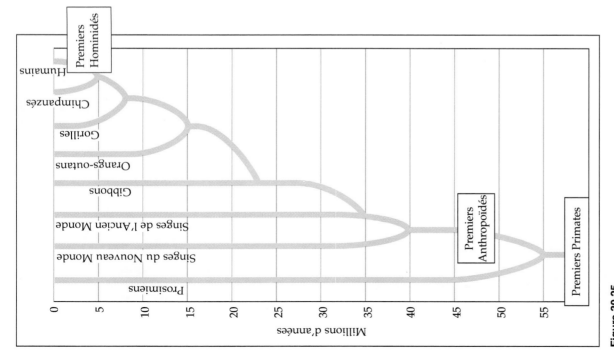

Figure 30.25
Une version parmi d'autres de l'évolution des Primates.

nourrissent de Poissons et de Calmars, mais les plus grosses Baleines se nourrissent par filtration. Elles ingurgitent d'énormes quantités de Crustacés planctoniques qu'elles filtrent à travers les fanons suspendus à leur mâchoire supérieure. Certaines Baleines bleues mesurent plus de 30 m et pèsent jusqu'à 105 tonnes environ. Ce sont les plus gros Animaux de tous les temps. Les Cétacés semblent très intelligents et sociables. Ils utilisent des ultrasons pour communiquer. Les Baleines envoient des sons de hautes fréquences, comme ceux dont on se sert pour la navigation au sonar.

La troisième branche évolutive des Placentaires a donné l'ordre des Carnivores, dans lequel on trouve les Chats, les Chiens, le Raton laveur, les Mouffettes et les Pinnipèdes (Phoques, Otaries et Morses). Les Carnivores sont probablement apparus au début de l'ère cénozoïque. Pour leur part, les Phoques et leurs proches parents viennent d'un carnivore ayant existé au milieu du Cénozoïque et qui se serait adapté à la nage.

Tableau 30.2 Principaux ordres de Placentaires

Ordre	Caractéristiques principales	Exemples	
Artiodactyles	Possèdent des sabots avec un nombre pair de doigts à chaque pied ; herbivores.	Moutons, Porcs, Bovins, Cerfs, Girafes	Mouflon d'Amérique
Carnivores	Carnivores ; possèdent des canines pointues et tranchantes et des molaires pour déchiqueter.	Chiens, Loups, Ours, Chats, Belettes, Loutres, Phoques, Morses	Coyote
Cétacés	Animaux marins pisciformes ; possèdent des membres antérieurs en forme de pagaie ; ne possèdent pas de membres postérieurs ; couche de graisse épaisse.	Baleines, Dauphins, Marsouins	Lagénorhynque à flanc blanc
Chiroptères	Adaptés au vol ; possèdent un grand repli de peau qui s'attache aux doigts allongés et s'étend au corps et aux pattes.	Chauves-Souris	Noctilion bec-de-lièvre
Xénarthres (Édentés)	Vertèbres dorsales et lombaires portant des apophyses articulaires surnuméraires ; absence de dents ou dents de taille réduite jamais situées sur la partie antérieure des mâchoires ; corps recouvert de poils ou d'écailles.	Paresseux, Fourmiliers, Tatous	Tamandua à quatre doigts
Insectivores	Mammifères de taille généralement petite se nourrissant d'insectes et d'autres petits invertébrés ; denture complète ; dents jugales portant des tubercules aigus qui servent à perforer les carapaces d'insectes.	Taupes, Musaraignes, Hérissons	Condylure étoilé
Lagomorphes	Possèdent des incisives tranchantes ; pattes postérieures adaptées pour le saut, plus longues que les pattes antérieures.	Lapins, Lièvres, Pikas	Lièvre à queue noire

Tableau 30.2 *suite*

Ordre	Caractéristiques principales	Exemples	
Périssodactyles	Possèdent des sabots avec un nombre impair de doigts à chaque pied; herbivores.	Chevaux, Zèbres, Tapirs, Rhinocéros	Rhinocéros unicorne de l'Inde
Primates	Pouce opposable aux autres doigts; yeux dirigés vers l'avant; cortex cérébral bien développé; omnivores.	Makis, Singes, Anthropoïdes, Humains	Petit Singe-Lion
Proboscidiens	Possèdent une longue trompe musculeuse; peau épaisse et lâche; incisives supérieures allongées en défenses.	Éléphants	Éléphant d'Afrique
Siréniens	Herbivores aquatiques; possèdent des membres antérieurs en forme de nageoires, mais pas de membres postérieurs.	Lamantins, Dugongs	Lamantin
Rongeurs	Possèdent des incisives tranchantes qui poussent constamment.	Écureuils, Castors, Rats, Porcs-épics, Souris	Écureuil roux

l'Asie sont membres des Prosimiens (figure 30.26). Par ailleurs, les Singes et les Humains font partie des Anthropoïdes.

Les fossiles des premiers Anthropoïdés montrent des Primates qui ressemblaient à des Singes et qui venaient probablement d'une souche prosimienne, vieille d'environ 45 millions d'années en Afrique et davantage en Asie. À cette époque, l'Afrique et l'Amérique du Sud s'étaient déjà séparées. On ne sait pas au juste si les ancêtres des Singes du Nouveau Monde ont traversé l'océan de l'Afrique à l'Amérique du Sud sur des troncs d'arbres ou d'autres débris ou s'ils ont migré de l'Amérique du Nord vers le sud. Une chose est certaine, les Singes du Nouveau Monde (Platyrhiniens) et les Singes de l'Ancien Monde (Catarhiniens) ont suivi des routes évolutives différentes pendant des millions d'années (figure 30.27).

Figure 30.26
Prosimien.
Cet Animal au corps grêle est un Loris paresseux (*Nycticebus coucang*).

Figure 30.27
Comparaison entre les Singes du Nouveau Monde et les Singes de l'Ancien Monde.
(a) Les Singes du Nouveau Monde, comme les Singes-Araignées, les Ouistitis et les Capucins, possèdent une queue préhensile et des narines qui s'ouvrent sur les côtés du nez. On aperçoit sur cette photo le Singe-Araignée à ventre blanc (*Ateles belzebuth*) qui vit au Mexique.
(b) Les Singes de l'Ancien Monde, comme les Macaques, les Mandrills, les Babouins et les Singes Rhésus, n'ont pas de queue préhensile et leurs narines s'ouvrent vers l'avant et le bas. Ils sont les seuls à posséder des callosités fessières, c'est-à-dire de larges épaississements cornés de la peau des fesses. L'illustration montre une famille de Babouins verts (*Papio anubis*).

(a)

(b)

Tous les Singes du Nouveau Monde sont arboricoles, tandis que les Singes de l'Ancien Monde, auxquels appartiennent les Singes anthropoïdes, comprennent des espèces arboricoles et des espèces terrestres. La plupart des Singes des deux groupes sont diurnes (actifs durant le jour), vivent en bandes et mènent une existence régie par des comportements sociaux.

Comme le montre la figure 30.28, il existe quatre genres de Singes anthropoïdes : *Hylobates* (Gibbons), *Pongo* (Orangs-outans), *Gorilla* (Gorilles) et *Pan* (Chimpanzés). Les Singes anthropoïdes modernes ne vivent que dans les régions tropicales de l'Ancien Monde. À l'exception des Gibbons, les Singes anthropoïdes modernes sont plus gros que les autres Singes. Ils possèdent des membres antérieurs plus longs que les postérieurs et n'ont pas de queue. Bien qu'ils soient tous capables de se déplacer par brachiation, seuls les Gibbons et les Orangs-outans ont conservé une existence principalement arboricole. L'organisation sociale varie d'un genre à l'autre. Ainsi, les Gorilles et les Chimpanzés ont une organisation sociale très évoluée. Les Singes anthropoïdes sont dotés d'un cerveau plus gros que celui des autres Singes, ce qui explique leur plus grande adaptabilité.

Apparition du genre humain

Des nombreux rebondissements marquent l'histoire de la paléoanthropologie, l'étude des origines et de l'évolution de l'Humain. Jusqu'à il y a environ 20 ans, les chercheurs donnaient souvent de nouveaux noms à des fossiles qui appartenaient pourtant sans contredit aux mêmes espèces que les fossiles découverts par d'autres chercheurs. On a souvent élaboré des théories à partir de quelques dents seulement ou d'un fragment de mâchoire. Au début du XXe siècle, des suppositions sans fondement ont engendré des idées fausses concernant l'évolution de

l'Humain. Même si ces mythes ont été balayés depuis longtemps par la découverte de nouveaux fossiles, ils persistent encore dans l'esprit d'une grande partie de la population.

Les mythes les plus courants Premièrement, débarrassons-nous de ce mythe qui dit que nous descendons du Chimpanzé ou de tout autre Singe anthropoïde moderne. Les Chimpanzés et les Humains font partie de deux branches divergentes de l'arbre évolutif des Anthropoïdés. De façon plus précise, les Chimpanzés font partie de la famille des Pongidés et les Humains de celle des Hominidés. Ces deux familles appartiennent à la super-famille des Hominoïdés, eux-mêmes compris dans les Catarhiniens ou Singes de l'Ancien Monde.

Un autre mythe veut que l'évolution de l'Humain se compare à une route unique sur laquelle un ancêtre Anthropoïde s'est lentement transformé en *Homo sapiens*. Vous avez sûrement déjà vu ces illustrations montrant des Hominidés (membres de la famille des Humains) qui défilent un derrière l'autre, des plus primitifs aux plus modernes. Si on veut comparer l'évolution de l'Humain à une sorte de défilé, on doit préciser que ce défilé est plutôt désordonné, puisque plusieurs groupes ont bifurqué et disparu. À certaines époques de l'histoire de l'Humain, plusieurs espèces humaines différentes ont coexisté (figure 30.29). Il est plus exact de comparer la phylogenèse de l'Humain à un arbre ramifié, notre espèce étant au sommet de la seule branche dont les membres vivent encore. Si ce mode d'évolution intermittent a donné naissance aux Humains, cela est davantage dû aux changements engendrés par l'arrivée de nouvelles espèces qu'aux changements subis par les membres d'une même lignée.

Un dernier mythe qu'il vaut mieux dissiper est la notion voulant que différentes caractéristiques propres

Figure 30.28
Singes anthropoïdes. (a) Les Gibbons possèdent de longs bras et figurent parmi les Primates les plus acrobatiques. Ce Gibbon lar (*Hylobates lar*) fait partie du seul genre monogame parmi les Singes anthropoïdes. **(b)** L'Orang-outan (*Pongo pygmæus*) est un Animal solitaire et timide qui vit dans les forêts tropicales de Sumatra et de Bornéo. Il passe le plus clair de sa vie dans les arbres mais, à l'occasion, il s'aventure au sol. **(c)** Le Gorille (*Gorilla gorilla*) est le plus grand Singe anthropoïde : certains mâles atteignent près de 2 m et pèsent environ 200 kg. Ces doux herbivores sont confinés à l'Afrique, où ils vivent en petits groupes de 10 à 12 individus. **(d)** Le Chimpanzé (*Pan troglodytes*) vit en Afrique tropicale. Il se nourrit et dort dans les arbres, mais passe beaucoup de temps au sol. Le Chimpanzé est intelligent, communicatif et sociable. Certaines études biochimiques indiquent que le Chimpanzé s'apparente davantage à l'Humain qu'aux autres Singes anthropoïdes.

Premiers Anthropoïdés Les plus anciens fossiles d'Anthropoïdés appartiennent au genre *Ægyptopithecus*. Ces Anthropoïdés de la taille d'un Chat vivaient dans les arbres voilà à peu près 35 millions d'années. À l'époque du Miocène, qui a commencé il y a environ 25 millions d'années, les descendants des premiers Anthropoïdés se sont diversifiés et ont commencé à peupler l'Eurasie. Il y a environ 20 millions d'années, la plaque indienne est entrée en collision avec la plaque eurasienne, et elles ont formé la chaîne de montagnes himalayenne. Le climat s'est alors asséché et la superficie des forêts d'Afrique et d'Asie a diminué. À la fin du Miocène et au début du Pliocène, certains Anthropoïdés ont abandonné leur existence arboricole pour vivre au sol à la lisière de la forêt.

aux Humains, comme la station verticale et le développement du cerveau, aient évolué parallèlement. L'image qui nous vient à l'esprit est celle de l'Humain des cavernes, voûté et peu intelligent. En réalité, l'évolution des différentes caractéristiques ne s'est pas faite au même rythme, mais plutôt selon un processus appelé **évolution en mosaïque.** Ainsi, la posture verticale a précédé bien d'autres caractéristiques. Certains de nos ancêtres étaient déjà bipèdes, mais possédaient un cerveau aussi petit que celui d'un Singe anthropoïde.

Maintenant que nous avons écarté ces mythes sur l'évolution de l'Humain, nous devons tout de même admettre que nous sommes loin de tout savoir sur nos origines.

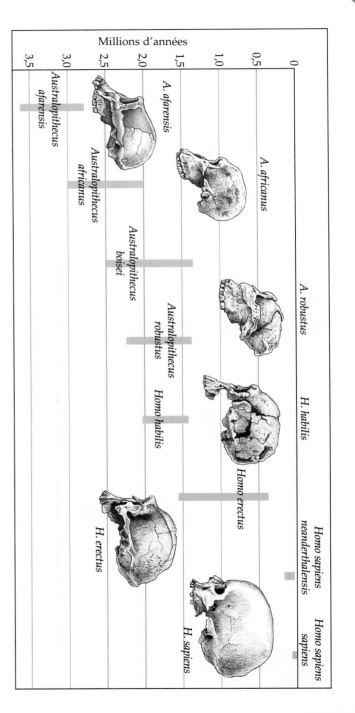

Figure 30.29
Quelques espèces d'Hominidés. Ce graphique nous permet de constater que deux Hominidés ou plus ont coexisté à certaines époques de l'histoire de l'évolution de l'Humain.

Ils fourrageaient dans la savane (prairie herbeuse parsemée d'arbres) adjacente pour se nourrir. Un de ces Anthropoïdés africains serait l'ancêtre des Humains. En examinant les données fossiles et en comparant l'ADN des Humains et des Chimpanzés, la plupart des anthropologues s'accordent aujourd'hui pour dire que les Humains et les Singes anthropoïdes n'ont vu leur lignée diverger qu'il y a 5 millions d'années.

Australopithèques : les premiers Humains En 1924, l'anthropologue britannique Raymond Dart annonça

qu'un crâne fossilisé découvert dans une carrière en Afrique du Sud provenait d'un des premiers Humains. Il nomma son « homme-singe » *Australopithecus africanus* (« Anthropoïdé du sud de l'Afrique »). La découverte d'autres fossiles confirma que l'Australopithèque était un Hominidé qui marchait en station verticale et qui possédait des mains et des dents semblables à celles des Humains. Cependant, le cerveau de l'Australopithèque avait le tiers du volume de celui de l'Humain actuel. L'Australopithèque a commencé à fourrager dans la savane africaine il y a au moins 3 millions d'années et il a

Figure 30.30
Début de la station verticale. (a) « Lucy » (*Australopithecus afarensis*) et ses semblables vivaient il y a entre 2,8 et 3,6 millions d'années. Ils se déplaçaient debout mais avaient de nombreux traits simiens, comme les pieds et les orteils incurvés. **(b)** Les empreintes de pieds de Laetoli, vieilles de plus de 3,5 millions d'années, confirment que la station verticale est apparue relativement tôt dans l'évolution des Hominidés.

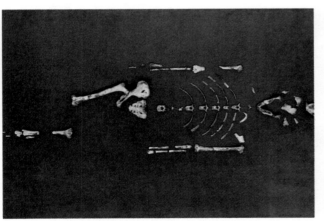

(a)

(b)

poursuivi cette existence pendant près de 2 millions d'années. Il en existait deux formes, une svelte et l'autre plus robuste, que certains paléontologues répartissent en deux espèces différentes.

En 1974, dans la région d'Afar en Éthiopie, on découvrit le squelette (40 % des os) d'un Australopithèque (figure 30.30). «Lucy» — c'est le nom qu'on donna au fossile — était menue : elle ne mesurait qu'un mètre et sa tête était grosse comme un pamplemousse. Lucy et les fossiles qui lui ressemblaient étaient suffisamment différents d'*Australopithecus africanus* pour faire partie d'une autre espèce, appelée *Australopithecus afarensis* (du nom de la région d'Afar). Le fait de placer *A. afarensis* dans la lignée des Hominidés a soulevé de nombreux débats. Lucy vivait il y a environ 3 millions d'années, mais on a également découvert des fossiles vieux de 4 millions d'années qui proviendraient de la même espèce. Cela voudrait dire qu'*A. afarensis* est le plus ancien Australopithèque connu. Selon une des hypothèses émises, *A. afarensis* serait l'ancêtre commun de deux ramifications d'Hominidés, l'une menant à *A. africanus*, l'autre à *Homo*. Selon une autre hypothèse, énoncée par des anthropologues qui doutent que Lucy et les plus vieux fossiles d'Anthropoïdes fassent partie d'une même espèce, *A. afarensis* (Lucy) appartiendrait à une ramification qui s'était déjà séparée de la lignée de notre genre, *Homo*. Quoi qu'il en soit, la découverte de Lucy confirme que la station verticale a existé assez tôt dans l'histoire des Hominidés. Cette importante conclusion s'appuie sur la découverte, à Laetoli, en Tanzanie, d'empreintes de pieds fossilisées datant de plus de 3,5 millions d'années.

L'Australopithèque s'est déplacé en station verticale pendant plus d'un million d'années sans que son cerveau ne se développe de façon substantielle. Peut-être que la station verticale lui a permis d'avoir les mains libres pour ramasser sa nourriture et prendre soin de ses bébés. La fabrication d'outils n'a commencé que plus tard. Stephen Jay Gould a d'ailleurs écrit dans un de ses essais : «L'Homme s'est d'abord mis debout, puis il est devenu intelligent.»

La première constatation du développement du cerveau humain a été faite sur des fossiles datant des derniers Australopithèques, soit d'environ 2 millions d'années. Leur capacité crânienne était de 650 cm³, alors que celle d'*Australopithecus africanus* était de 500 cm³. On découvre souvent des outils rudimentaires en pierre près de fossiles de ceux qui avaient un plus gros cerveau. Certains paléoanthropologues considèrent que cette progression est suffisamment importante pour qu'on regroupe ces fossiles avec ceux du genre *Homo*. Ils leur donnent alors le nom d'*Homo habilis* («homme adroit»). Par contre, d'autres scientifiques croient que *Homo habilis* n'était qu'une variante des Australopithèques et que ces derniers ont été les premiers Hominidés à utiliser et à fabriquer des outils. Peu importe qui a raison, les fossiles nous indiquent clairement qu'après avoir adopté la station verticale pendant plus d'un million d'années les Hominidés ont enfin commencé à utiliser leur cerveau et leurs mains pour façonner des outils.

Homo habilis et les Australopithèques, qui avaient un cerveau plus petit (dont *Australopithecus robustus* qui était trapu et possédait un crâne lourd), ont coexisté pendant près d'un million d'années. Peut-être qu'ils ne vivaient pas en concurrence directe, mais tous cherchaient de la nourriture, chassaient des Animaux et cueillaient des fruits et des légumes. Selon une des théories sur l'origine de l'Humain, les derniers Australopithèques et *Homo habilis* faisaient partie de lignées d'Hominidés distinctes, aucun n'étant l'ancêtre de l'autre. Si cette théorie est exacte, *A. africanus* a évolué vers un cul-de-sac, tandis que *H. habilis* était dans la lignée conduisant à *Homo erectus*, puis à *Homo sapiens*, pour finalement aboutir à l'Humain actuel.

Homo erectus et ses descendants   Le premier Hominidé à quitter l'Afrique pour l'Asie et l'Europe a été *Homo erectus* («homme debout»). Les fossiles connus sous le nom d'Homme de Java et d'Homme de Beijing (Pékin) appartiennent à *H. erectus*. Ce dernier était plus grand et avait une capacité crânienne plus importante que *H. habilis*. L'âge des fossiles de *H. erectus* varie entre 1,6 million d'années et 300 000 ans. Au cours de cette période, le cerveau a continué à se développer et a atteint une capacité de 1200 cm³, soit la limite inférieure de la capacité du cerveau de l'Humain actuel.

Afin de survivre aux conditions climatiques froides du nord, ces Humains devaient utiliser leur intelligence. Ainsi, *H. erectus* habitait dans des cavernes ou dans des huttes, faisait du feu, se vêtait avec des peaux d'Animaux et fabriquait des outils de pierre qui étaient déjà plus complexes que ceux de *H. habilis*. Les adaptations anatomiques et physiologiques de *H. erectus* n'étaient pas destinées à lui permettre de vivre ailleurs que sous les tropiques. Il a dû compenser ces déficiences par l'intelligence et la coopération sociale. Certaines populations africaines, asiatiques, européennes et australasiennes (populations de l'Indonésie, de la Nouvelle-Guinée et de l'Australie) de *H. erectus* ont donné naissance à des descendants qui différaient selon les régions et qui possédaient même des cerveaux plus gros.

Parmi les descendants de *H. erectus*, on trouve *H. sapiens neanderthalensis*, qui a vécu en Europe, au Moyen-Orient et dans certaines parties de l'Asie durant la période qui commence il y a 130 000 ans et se termine il y a 35 000 ans environ. (Il porte le nom de Néanderthalien parce qu'on a découvert ses fossiles pour la première fois dans la vallée de Néanderthal, en Allemagne.) Quand on le compare à l'Humain actuel, on constate que le Néanderthalien possédait une arcade sourcilière légèrement plus épaisse et un menton moins prononcé. Cependant, son cerveau était en moyenne légèrement plus gros que le nôtre. Le Néanderthalien était habile dans la fabrication des outils. De plus, il accomplissait des rituels d'enterrement et d'autres rituels nécessitant une forme de pensée abstraite. Une bonne partie de la recherche actuelle sur les crânes de Néanderthaliens soulève une question fascinante: possédaient-ils les structures anatomiques nécessaires à la parole?

Les plus anciens fossiles d'Hominidés apparus après *Homo erectus* datent de plus de 300 000 ans et se trouvent en Afrique. Un grand nombre de paléoanthropologues regroupent ces fossiles africains avec le Néanderthalien et divers fossiles asiatiques et australasiens, et considèrent comme les premières formes de l'espèce à laquelle nous appartenons, *Homo sapiens*. Ces descendants

d'*Homo erectus* provenant de diverses régions sont parfois appelés *Homo sapiens* primitifs.

Apparition d'*Homo sapiens* Quel a été le sort des Néanderthaliens et de leurs contemporains qui ont peuplé les différentes parties du monde? De nombreux anthropologues soutiennent que les *H. sapiens* primitifs ont donné naissance à l'Humain actuel. Selon ce modèle, appelé **modèle multirégional**, les Humains ont évolué parallèlement dans différentes régions du monde. Si cela s'avère exact, la diversité géographique des humains remonte à l'époque où *Homo erectus* a quitté l'Afrique pour émigrer vers d'autres continents, il y a plus d'un million d'années. Selon les partisans de ce modèle, les traits et les autres caractéristiques anatomiques des populations biologiques actuelles résultent de l'apparition de différents *Homo sapiens* en divers coins du monde. Ce modèle attribue l'immense ressemblance génétique qui existe de nos jours entre tous les Humains, à des accouplements occasionnels entre membres de populations voisines ayant donné lieu à une circulation des gènes à travers toute l'étendue du territoire peuplé par les Humains (voir le chapitre 21).

En interprétant différemment les données fossiles, des paléoanthropologues tels que Christopher Stringer du University College de Londres ont commencé, au cours des dix dernières années, à remettre en question le modèle multirégional. Le débat porte en partie sur les liens entre les Néanderthaliens et les Humains modernes de l'Europe et du Moyen-Orient. Les plus célèbres fossiles d'*Homo sapiens*, dont les crânes et les autres ossements ressemblent essentiellement à ceux des Humains d'aujourd'hui, sont les restes de l'Homme de Cro-Magnon. Ces fossiles, vieux d'environ 35 000 ans, portent le nom des cavernes françaises où on les a découverts. Cependant, les plus anciens fossiles d'*Homo sapiens* vraiment modernes, qui sont vieux d'environ 100 000 ans, se trouvent en Afrique. D'autres fossiles semblables, à peu près aussi anciens, ont été découverts dans des cavernes en Israël. On a trouvé ces fossiles israéliens près d'autres cavernes contenant des fossiles semblables à ceux des Néanderthaliens et ayant de 120 000 à 60 000 ans. La coexistence de ces deux types d'Humains dans cette région signifie que ces deux types d'Humains ne se sont pas reproduits entre eux. Si cette interprétation des données sur les fossiles israéliens est exacte, alors les Néanderthaliens de cette région ne peuvent pas être les ancêtres des Humains modernes qui partageaient le même territoire. En fait, en se basant sur les données recueillies à partir des ossements israéliens et des données fossiles, Stringer avance que les Néanderthaliens et les autres *Homo sapiens* primitifs vivant hors de l'Afrique ont connu l'extinction. Les anthropologues qui appuient cette interprétation des faits prétendent que les Humains modernes descendent des *Homo erectus* qui d'abord apparus en Afrique. Ils ont ensuite émigré vers les autres continents, où ils ont pris la place des Néanderthaliens et des autres descendants d'*Homo erectus* qui

s'y étaient établis. Ce modèle, appelé **modèle monogénétique**, s'oppose nettement au modèle multirégional. Selon le modèle monogénétique, l'humanité moderne n'est pas apparue simultanément en de nombreuses parties du monde, mais a plutôt vu le jour en Afrique, d'où elle ne se serait dispersée que relativement récemment. Si cette hypothèse est exacte, la diversification géographique des Humains modernes qui a conduit à ce que nous appelons aujourd'hui les populations biologiques n'aurait pris que 100 000 ans (comparativement à environ un million d'années d'après le modèle multirégional).

À la fin des années 1980, Rebecca Cann et d'autres généticiens œuvrant au laboratoire de feu Allan Wilson à l'Université de Californie à Berkeley ont fait les manchettes en publiant des résultats de recherche qui semblaient appuyer le modèle monogénétique des origines de l'Humain. Plutôt que d'exécuter des fouilles à la recherche d'ossements, l'équipe de Wilson a examiné l'ADN d'êtres humains vivants afin de trouver des indices sur nos origines. Plus précisément, ces scientifiques ont comparé l'ADN mitochondrial d'un échantillon de plus de 100 personnes représentant les diverses populations biologiques des quatre continents. Plus l'ADN mitochondrial de deux personnes diffère, plus il s'est écoulé de temps depuis qu'elles ont divergé de leur source commune. Après avoir analysé leurs données à l'aide d'ordinateurs, les généticiens du groupe de Berkeley ont établi que la source de l'ADN mitochondrial de tous les Humains se trouvait en Afrique. Fait surprenant, cependant, leurs calculs indiquaient que le moment où la divergence avait commencé remontait à 200 000 ans, c'est-à-dire beaucoup trop tard pour rendre compte de la dispersion d'*Homo erectus*. Les défenseurs du modèle monogénétique y voyaient la preuve d'une seconde dispersion, plus tardive, de formes d'Humains d'origine africaine.

En 1992, plusieurs chercheurs ont contesté la façon dont le groupe de Berkeley avait interprété les données sur l'ADN mitochondrial. Ils ont remis en question les méthodes de comparaison des ADN mitochondriaux utilisées pour construire des arbres évolutifs, et se sont demandé s'il était fiable d'utiliser les changements subis par cet ADN pour situer dans le temps les points de ramification de ces arbres phylogénétiques (voir le chapitre 23). Ces critiques ont encouragé les partisans du modèle multirégional, comme Milford Wolpoff de l'Université du Michigan. Wolpoff et de nombreux autres paléoanthropologues continuent d'affirmer que le modèle évolutif multirégional est davantage conforme aux données fournies par les fossiles que le modèle monogénétique. Ils considèrent certains fossiles de diverses parties du monde comme des liens entre les formes régionales des *Homo sapiens* primitifs et les personnes qui y vivent maintenant. De plus, les défenseurs du modèle multirégional ne croient pas que les fossiles israéliens soient des preuves de la longue coexistence des Néanderthaliens et des Humains modernes dans cette région. Ils interprètent plutôt que ces fossiles ont été laissés par des populations croisées d'*Homo sapiens* primitifs qui ont émigré vers une région commune avant de donner naissance à une des formes locales d'Humains modernes.

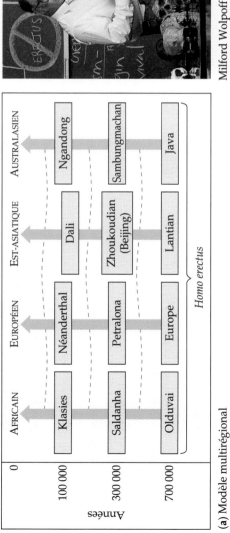

Milford Wolpoff

Rebecca Cann

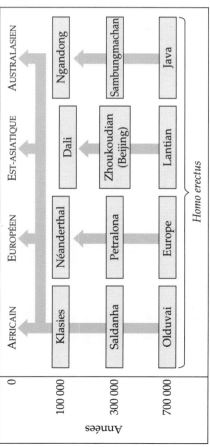

(a) Modèle multirégional

(b) Modèle monogénétique

Figure 30.31
Deux modèles décrivant l'origine de l'Humain actuel. (a) D'après le modèle multirégional, l'Humain actuel a évolué dans de nombreuses parties du monde et descend d'*Homo erectus* régionaux qui s'étaient dispersés hors de l'Afrique il y a près d'un million d'années. Les noms encadrés indiquent la région où on a trouvé des fossiles. Les lignes pointillées symbolisent les reproductions croisées et la circulation des gènes entre les différentes populations. Milford Wolpoff de l'Université du Michigan représente les nombreux paléoanthropologues qui trouvent que le modèle multirégional est celui qui explique le mieux les données recueillies sur les fossiles humains. **(b)** Selon un grand nombre de paléoanthropologues, les données recueillies sur les fossiles humains appuient plutôt le modèle monogénétique de l'origine de l'Humain. D'après ce modèle, seuls les descendants africains d'*Homo erectus* ont donné naissance à l'Humain actuel. Tous les autres descendants régionaux d'*H. erectus*, dont les Néanderthaliens, se seraient éteints sans avoir contribué au patrimoine génétique de l'Humain actuel. Les défenseurs du modèle monogénétique affirment que les Humains modernes ont commencé à émigrer d'Afrique il y a 100 000 ans seulement, et qu'ils ont alors donné naissance aux différentes populations contemporaines. Rebecca Cann, généticienne à l'Université d'Hawaii, s'est jointe aux défenseurs du modèle monogénétique à la suite de ses recherches sur l'ADN mitochondrial.

Ainsi se poursuit le débat sur nos origines (figure 30.31). On peut reformuler le problème de cette façon : est-ce que tous les Humains modernes sont plus apparentés entre eux que ne l'est une population originaire d'un continent par rapport aux *Homo sapiens* primitifs qui peuplaient ce même continent ? Les modèles monogénétique et multirégional répondent différemment à cette question. Toutefois, on pense que les chercheurs seront bientôt en mesure de tester ces deux modèles. En effet, des biochimistes tentent actuellement de prélever des échantillons d'ADN dans les crânes fossilisés des Néanderthaliens et des autres *Homo sapiens* primitifs. La prochaine étape consisterait à utiliser la réaction en chaîne de la polymérase (PCR) sur des traces de cet ADN de manière à en produire suffisamment, pour pouvoir le comparer ensuite à celui de personnes vivantes (voir le chapitre 19). Les spécialistes de la biolo-

gie moléculaire et de la paléontologie unissent leurs efforts dans l'espoir de débrouiller les origines de l'Humain. Mais peu importe où, quand et comment elle a eu lieu, l'évolution de l'Humain a transformé l'environnement dans toutes les parties du monde.

L'évolution culturelle, un nouveau paramètre dans l'histoire de la vie La station verticale représente la transformation anatomique la plus importante de notre évolution ; elle a nécessité un remaniement considérable des pieds, du bassin et de la colonne vertébrale. Le développement du cerveau, la deuxième transformation en importance, a eu lieu grâce au prolongement de la période de croissance du crâne et de son contenu. Le cerveau du fœtus mammifère se développe rapidement, mais sa croissance ralentit et cesse généralement peu après la naissance. Le cerveau du Primate, lui, continue

de croître après la naissance. Chez l'Humain, la période de croissance est plus longue que chez les autres Primates. Cette prolongation du développement humain force les parents à prendre soin plus longtemps de leur progéniture, ce qui permet à l'enfant d'améliorer sa capacité de reproduire les expériences des générations passées. Ce processus constitue l'essence même de la culture : transmettre les connaissances accumulées d'une génération à l'autre. Le principal moyen de transmission de la culture est le langage, qui s'exprime par l'écriture et la parole.

La première étape de notre évolution culturelle remonte au temps où les nomades vivaient de chasse et de cueillette dans les prairies africaines. Ils fabriquaient des outils, organisaient des activités communautaires et se répartissaient les tâches. La deuxième étape correspond au développement de l'agriculture en Eurasie et dans les Amériques, il y a environ 10 000 à 15 000 ans. Parallèlement à l'agriculture, les premiers groupements humains permanents et les premières villes ont vu le jour. La troisième étape est la Révolution industrielle qui commença au XVIIIᵉ siècle. Depuis lors, les nouvelles technologies se sont multipliées et la population a augmenté de façon exponentielle. On a assisté au vol des frères Wright et à la marche sur la Lune de Neil Armstrong. Pendant toute cette évolution culturelle, c'est-à-dire depuis l'époque où l'Humain vivait de chasse et de cueillette jusqu'à l'avènement des sociétés technologiques et surpeuplées, nous n'avons guère changé sur le plan biologique. Nous ne sommes probablement pas plus intelligents que nos ancêtres qui vivaient dans les cavernes d'Afrique et d'Eurasie. Le tailleur de pierres d'hier fabrique maintenant des puces électroniques. Le savoir-faire nécessaire à la construction de gratte-ciels et de vaisseaux spatiaux ne réside pas dans nos gènes, mais dans la somme des expériences qu'ont accumulées des centaines de générations d'Humains et

qui nous sont transmises par les parents, les enseignants, les médias et les livres.

Si l'évolution du cerveau a nécessité des transformations anatomiques plus simples que l'acquisition de la station verticale, les conséquences qu'elle a entraînées sont énormes. L'évolution culturelle a fait de l'*Homo sapiens* une puissance dominante dans l'histoire des êtres vivants, puisqu'il peut repousser ses limites physiques et court-circuiter son évolution biologique. En effet, nous n'avons pas besoin d'attendre que la sélection naturelle nous permette de nous adapter à notre environnement, nous le modifions tout simplement pour le rendre conforme à nos besoins. De tous les grands Animaux, nous sommes les plus nombreux et les mieux répartis dans le monde. Comme nous l'avons vu dans cette partie du manuel, l'histoire de la vie raconte l'évolution biologique sur une planète en transformation. Mais jamais aussi rapidement que depuis l'arrivée des Humains. L'évolution culturelle surpasse de beaucoup l'évolution biologique. Nous changeons peut-être la planète à une vitesse plus rapide que celle à laquelle la planète peut s'adapter. D'ailleurs, le taux d'extinction des espèces pour les 100 dernières années est cinquante fois plus élevé que la moyenne des derniers 100 000 ans.

Ce taux élevé d'extinction des espèces est principalement dû à la destruction d'habitats et à la pollution chimique, deux conséquences des changements culturels et de la surpopulation humaine. Afin de se nourrir, de se vêtir et de se loger, les 5,6 milliards et plus de Terriens mettent à dure épreuve la viabilité de la planète. De nos jours, ce ne sont pas uniquement les espèces qui se voient sérieusement menacées, mais des écosystèmes entiers, l'atmosphère au complet et les océans. Parmi les nombreuses crises de l'évolution de la vie, la plus récente et potentiellement la plus dévastatrice est le fait d'une seule espèce : *Homo sapiens*.

RÉSUMÉ DU CHAPITRE

Embranchement des Cordés (p. 635-636)

Les Cordés constituent un groupe divers de Deutérostomiens qui présentent tous les quatre structures suivantes à un stade ou l'autre de leur développement : une corde dorsale, un tube neural dorsal creux, des fentes branchiales et une queue postanale.

Sous-embranchement des Procordés (p. 636-637)

1. La classe des Céphalocordés forme un groupe d'individus sans colonne vertébrale, appelés Amphioxus, qui possèdent les caractéristiques des Cordés.

2. La classe des Urocordés ou Tuniciers se compose aussi d'Animaux invertébrés, dont les Ascidies ou Outres de mer, espèces marines qui se nourrissent par filtration.

Sous-embranchement des Vertébrés (p. 637-638)

Les premiers Vertébrés seraient apparus au début du Cambrien, issus d'ancêtres qui se nourrissaient par filtration et ressemblaient à des larves de Tuniciers ayant atteint la maturité sexuelle avant leur métamorphose.

Caractéristiques des Vertébrés (p. 638-640)

1. Un des traits distinctifs des Vertébrés est le développement d'un encéphale hautement spécialisé.

2. La plupart des Vertébrés possèdent une colonne vertébrale qui entoure le tube neural. Le crâne et la colonne vertébrale font partie d'un endosquelette osseux ou cartilagineux.

3. Chez les Vertébrés, le cœur fait circuler le sang dans un système circulatoire fermé. Le sang se rend ainsi vers les branchies, la peau et les poumons, où il s'oxygène. Les déchets contenus dans le sang sont éliminés par les reins.

4. La reproduction est presque toujours sexuée, chaque animal étant soit mâle, soit femelle. La fécondation est soit externe, soit interne.

Classe des Agnathes (p. 640)

Les plus anciens fossiles de Vertébrés sont des Agnathes, une classe d'Animaux sans mâchoires, à bouche ronde ou en forme de fente. Les Ostracodermes recouverts d'une armure faisaient partie de cette classe. De nos jours, les Lamproies et les Myxines sont les seuls représentants des Agnathes.

Classe des Placodermes (p. 641)

Classe disparue, les Placodermes étaient des Poissons du Dévonien, recouverts d'une armure, qui possédaient des nageoires appariées ainsi que des mâchoires articulées et capables de mordre, résultat de la transformation des arcs branchiaux.

Classe des Chondrichthyens (p. 641-642)

1. Les Requins et les Raies sont les membres les plus nombreux de cette classe, qui se caractérise par des nageoires paires, un squelette cartilagineux et des mâchoires articulées.

2. Principalement carnivores, dotés d'un profil hydrodynamique, les Requins jouissent d'une bonne acuité visuelle, olfactive, auditive et électroréceptive. En outre, l'organe sensoriel de la ligne latérale permet aux Requins de percevoir des vibrations très faibles.

3. Les Requins utilisent la fécondation interne. Ils peuvent être ovipares, ovovivipares ou vivipares.

Classe des Ostéichthyens (p. 643-644)

1. Les Ostéichthyens constituent la classe de Vertébrés qui compte le plus grand nombre d'espèces. Les Poissons osseux possèdent un squelette constitué de phosphore et de calcium; leur peau visqueuse diminue la friction et est généralement recouverte d'écailles osseuses plates.

2. Contrairement aux Requins qui doivent se déplacer pour respirer, les Poissons osseux peuvent respirer même lorsqu'ils sont immobiles; il leur suffit de faire bouger un opercule qui contribue à acheminer l'eau dans la bouche et ensuite dans la cavité branchiale.

3. Grâce à une structure unique appelée vessie natatoire, les Poissons osseux peuvent modifier leur masse volumique et régler ainsi leur flottabilité.

4. Bien que la fécondation externe et l'oviparité soient fréquentes, les modes de reproduction varient considérablement chez les Poissons osseux.

5. L'ancêtre des Poissons osseux était probablement une espèce d'eau douce qui, à la fin du Dévonien, se divisait en trois sous-classes: les Actinoptérygiens, les Crossoptérygiens et les Dipneustes.

6. Les Poissons que nous connaissons le mieux appartiennent aux Actinoptérygiens qui possèdent des nageoires polyvalentes soutenues par de longs rayons flexibles. Au cours de leur évolution, différentes espèces d'Actinoptérygiens ont migré vers la mer pour ensuite revenir à l'eau douce.

7. La plupart des Crossoptérygiens sont demeurés en eau douce. Ils possèdent deux paires de nageoires ventrales rétrécies à la base et qui prennent la forme d'un éventail. Ils utilisent un poumon pour assister leurs branchies, comme les Dipneustes. Des Crossoptérygiens du Dévonien sont à l'origine des Amphibiens.

Classe des Amphibiens (p. 645-648)

1. Les Amphibiens ont été les premiers Vertébrés à envahir la terre ferme, à la fin du Dévonien.

2. Le mode de vie et le cycle de développement des Amphibiens modernes témoignent de leur héritage aquatique. Les échanges gazeux s'effectuent à travers la peau humide et par les poumons chez la plupart. Les espèces ovipares pondent des œufs sans coquille dans les milieux humides. Il existe aussi des espèces ovovivipares et vivipares. La plupart des Amphibiens commencent leur vie par un stade larvaire aquatique et se métamorphosent en adulte terrestre.

3. Les Salamandres font partie de l'ordre des Urodèles. Parmi ces Animaux pourvus d'une queue, certains vivent sur terre, tandis que les autres vivent dans l'eau. Ils ne subissent pas de métamorphose.

4. Les Grenouilles, les Crapauds et les Rainettes appartiennent à l'ordre des Anoures, caractérisés par l'absence de queue au stade adulte. Chez ces Anoures, la fécondation est externe et il y a habituellement métamorphose.

5. Les Apodes ou Cécilies sont petits, dépourvus de pattes, presque aveugles et vermiformes. Ils vivent dans l'eau ou dans les sols humides.

Classe des Reptiles (p. 648-651)

1. La classe des Reptiles est un groupe diversifié qui comprend aujourd'hui les Lézards, les Serpents, les Tortues et les Crocodiliens. Ils ont développé de nombreuses adaptations terrestres qu'on ne trouve pas chez les Amphibiens.

2. Les Reptiles possèdent des poumons, sont recouverts d'écailles imperméables et pondent des œufs amniotiques enveloppés d'une coquille, ce qui permet à l'embryon de se développer dans des milieux secs.

3. La fécondation est interne chez les espèces vivipares et ovipares.

4. Les Reptiles sont ectothermes, c'est-à-dire que des modifications de leur comportement leur permettent d'accroître ou de réduire l'absorption de la chaleur ambiante pour assurer leur propre équilibre thermique.

5. L'âge des Reptiles a débuté pendant le Carbonifère avec l'arrivée des Cotylosauriens, Animaux insectivores ressemblant à des Lézards et issus d'Amphibiens du Dévonien.

6. Le premier mouvement important de radiation adaptative pendant la période permienne a donné naissance aux Synapsidés, un groupe de prédateurs terrestres qui ont engendré les Thérapsidés, d'aspect mammalien. Les Thécodontes, autres descendants des Cotylosauriens, ont survécu, avec les Synapsidés, aux extinctions massives du Permien. Ils sont les ancêtres des Dinosaures, des Crocodiliens et des Oiseaux.

7. Au cours du deuxième grand mouvement de radiation adaptative des Reptiles, pendant le Trias, les Thécodontes ont produit les Ptérosauriens volants et les Dinosaures terrestres.

8. Les chercheurs se demandent encore si les Dinosaures étaient endothermes. Cependant, il est certain que pendant le Crétacé, alors que le climat était instable et plus frais, un cataclysme a provoqué l'extinction rapide de ces magnifiques Reptiles.

9. Les principaux ordres de Reptiles qui ont réussi à traverser la crise du Crétacé sont les Chéloniens, les Squamates et les Crocodiliens.

10. Depuis que les Cotylosauriens ont donné naissance aux Chéloniens (les Tortues), ces derniers n'ont guère changé. Ils possèdent une carapace dure et pondent leurs œufs sur la terre ferme.

11. Les Squamates comprennent les Lézards et les Serpents. Les Lézards sont de nos jours le groupe de Reptiles le plus nombreux et le plus diversifié. Les Serpents sont les descendants de Lézards fouisseurs.

12. Les Crocodiliens (Crocodiles, Caïmans et Alligators) ressemblent aux Dinosaures. On ne les trouve que dans les régions chaudes de la planète.

Classe des Oiseaux (p. 651-653)

1. Les œufs amniotiques et les pattes écailleuses des Oiseaux attestent de leur héritage reptilien: ils descendent des Dinosaures.

2. Presque toutes les parties de l'anatomie des Oiseaux sont conçues de façon à faciliter le vol.

3. La structure lacunaire de leurs os et l'absence de certains organes bilatéraux réduisent la masse volumique de leur corps.

4. Le vol nécessite un métabolisme actif et endotherme. Afin de produire suffisamment d'énergie, les Oiseaux possèdent un cœur qui sépare le sang richement oxygéné du sang faiblement oxygéné, ainsi que des poumons hautement efficaces reliés à des sacs d'air.

5. Le vol requiert également une excellente coordination et des sens aiguisés. Les Oiseaux possèdent la meilleure vision de tous les Vertébrés. Ils ont aussi un cerveau relativement développé et manifestent des comportements complexes, particulièrement lors de l'accouplement.

6. La fécondation est interne. Une fois pondus, les œufs sont couvés jusqu'à ce qu'ils éclosent.

7. Seuls les Oiseaux ont des plumes, qui donnent un profil aérodynamique à leurs ailes et assurent ainsi la propulsion et la portance.

Classe des Mammifères (p. 653-657)

1. Les poils et les glandes mammaires sont les deux traits distinctifs des Mammifères. Comme les plumes, les poils se composent de kératine et contribuent à isoler le corps.

2. Un cœur pourvu de quatre cavités et un système respiratoire activé par un muscle, le diaphragme, soutiennent le métabolisme actif endotherme des Mammifères.

3. La fécondation est interne. La plupart des embryons mammifères se développent dans l'utérus de leur mère avant de naître.

4. Les Mammifères ont le plus gros cerveau et la meilleure capacité d'apprentissage de tous les Vertébrés. Les parents passent un temps relativement long à dispenser des soins à leur progéniture; cette période leur permet de transmettre diverses habiletés.

5. Les Mammifères se caractérisent également par la différenciation de leurs dents, faites pour mastiquer différents types d'aliments.

6. Les Thérapsidés ont donné naissance à de petits Mammifères insectivores qui ont coexisté avec les Dinosaures pendant le Mézozoïque. L'extinction des Dinosaures a libéré un grand nombre de zones adaptatives et a favorisé une très grande radiation des Mammifères.

7. Les Monotrèmes sont des Mammifères qui pondent des œufs; ils sont aujourd'hui représentés par les Ornithorynques et les Échidnés, qui vivent en Australie et en Nouvelle-Guinée.

8. Les Marsupiaux comptent dans leurs rangs les Opossums, les Kangourous et les Koalas. L'embryon de Marsupial termine son développement à l'intérieur d'une poche ventrale maternelle, appelée marsupium, où il s'allaite en fixant sa bouche à un mamelon. Confinés à l'Australie, les Marsupiaux sont un exemple d'évolution convergente avec les Placentaires, qui ont peuplé les autres parties du monde.

9. Les Placentaires sont les plus répandus et les plus diversifiés de tous les Mammifères. L'embryon d'un Placentaire se développe à l'intérieur de l'utérus de la mère, à laquelle il est relié par le placenta. Les Placentaires et les Marsupiaux ont probablement eu le même ancêtre, il y a entre 80 et 100 millions d'années. La lignée des Placentaires s'est ensuite ramifiée en plusieurs lignées évolutives.

Ancêtres de l'Humain (p. 657-666)

1. Les premiers Primates étaient probablement de petits Animaux arboricoles, issus d'Insectivores de la fin du Crétacé. La vie dans les arbres nécessitait plusieurs caractéristiques : des épaules articulées; des mains et des doigts sensibles et adroits; des yeux rapprochés permettant le chevauchement des deux champs visuels afin d'augmenter la vision du relief; une excellente coordination entre les mains et les yeux; des soins parentaux prolongés. Les Primates modernes possèdent toutes ces caractéristiques.

2. Les sous-groupes de Primates modernes sont les Prosimiens (Makis et Animaux apparentés) et les Anthropoïdes (Simiens). Ces derniers descendent probablement d'une souche de Prosimiens qui s'est séparée rapidement en deux lignées évolutives distinctes, les Singes du Nouveau Monde et les Singes de l'Ancien Monde. Les Singes anthropoïdes modernes, les Gibbons, les Orangs-outans, les Gorilles et les Chimpanzés sont confinés à l'Ancien Monde.

3. Le plus ancien Singe anthropoïde connu est *Aegyptothecus*, un Primate arboricole de la taille d'un Chat qui a eu divers descendants, dont un était l'ancêtre des Singes anthropoïdes modernes et des Humains.

4. La découverte du premier fossile ressemblant à un Humain est celle d'*Australopithecus africanus*, un Hominidé au petit cerveau qui se déplaçait en station verticale et qui possédait des mains et des dents semblables à celles des Humains. Par la suite, la découverte d'*Australopithecus afarensis*, un petit fossile qu'on a appelé « Lucy », a confirmé l'ancienneté de la station verticale chez les Hominidés.

5. L'accroissement du volume du cerveau et l'apparition d'outils de pierre rudimentaires remontent à environ 2 millions d'années. C'est ce qu'indiquent les fossiles d'*Homo habilis*, une espèce qui a coexisté avec les Australopithèques au cerveau plus petit, et qui a donné naissance à *Homo erectus*.

6. *Homo erectus* a été le premier Hominidé à quitter les tropiques pour des climats plus froids. Son intelligence et son aptitude à la coopération lui ont permis de survivre.

7. *Homo erectus* a donné naissance à des formes régionales diverses d'*Homo sapiens* primitifs, dont les Néanderthaliens.

8. Selon le modèle multirégional, des Néanderthaliens et d'autres *Homo sapiens* primitifs ont donné naissance, en plusieurs endroits, aux Humains modernes. Par contre, le modèle monogénétique considère que seuls les *Homo sapiens* primitifs africains ont donné naissance aux Humains, les autres souches ayant disparu. D'après ce modèle, une dispersion relativement récente (vieille de 100 000 ans) des Humains modernes (d'origine africaine) a conduit à la diversité humaine actuelle.

9. La station verticale est considérée comme la plus importante transformation anatomique que l'Humain ait connue au cours de son évolution. Cependant, ce sont l'accroissement du volume de son cerveau et le temps qu'il met à atteindre son plein développement, nécessitant une longue période de soins parentaux, qui ont favorisé l'émergence du langage et du développement culturel. La première étape de l'évolution culturelle a commencé en Afrique avec la chasse et la cueillette, et a mené à une deuxième étape: le développement de l'agriculture, il y a 15 000 ans. La troisième étape de cette évolution a été la Révolution industrielle, qui se poursuit de nos jours sous la forme d'une révolution technologique. L'explosion démographique menace à présent les écosystèmes terrestres.

AUTO-ÉVALUATION

1. Laquelle des caractéristiques suivantes ne constitue *pas* une caractéristique générale de l'embranchement des Cordés ?

a) Un tube neural dorsal creux.
b) Une colonne vertébrale.
c) Une corde dorsale.
d) Des fentes branchiales.
e) Une queue postanale.

2. Lequel de ces groupes a complètement disparu ?
   - a) Les Céphalocordés.
   - b) Les Agnathes.
   - c) Les Placodermes.
   - d) Les Crossoptérygiens.
   - e) Les Ratites (Oiseaux).

3. Quels ont été les premiers Animaux à avoir des œufs amniotiques ?
   - a) Les Poissons osseux.
   - b) Les Amphibiens.
   - c) Les Reptiles.
   - d) Les Oiseaux.
   - e) Les Mammifères.

4. Laquelle de ces caractéristiques n'est *pas* commune aux Oiseaux et aux Mammifères ?
   - a) L'endothermie.
   - b) Un ancêtre reptile.
   - c) Un cœur pourvu de quatre cavités.
   - d) Des dents adaptées à différents régimes.
   - e) La possibilité qu'ont certaines espèces de voler.

5. Quelle caractéristique vous permettrait de savoir si une espèce de Singe aperçue dans un zoo provient du Nouveau Monde ?
   - a) La présence de callosités fessières.
   - b) Des yeux rapprochés sur le devant du visage.
   - c) Une queue préhensile.
   - d) La marche bipède occasionnelle.
   - e) L'orientation des narines vers le bas.

6. Généralement, une espèce animale qui possède un diaphragme a aussi :
   - a) des poils.
   - b) des plumes.
   - c) des écailles.
   - d) une peau sèche.
   - e) une peau humide.

7. Qu'est-ce qui caractérise à la fois les Monotrèmes et les Marsupiaux, mais pas les Placentaires ?
   - a) L'absence de mamelons.
   - b) Une partie du développement embryonnaire se fait hors de l'utérus de la mère.
   - c) Ils pondent des œufs.
   - d) Ils vivent uniquement en Afrique et en Australie.
   - e) Ils sont exclusivement insectivores et herbivores.

8. Que signifie le concept d'évolution en mosaïque ?
   - a) Les Reptiles ont traversé deux périodes importantes de radiation adaptative.
   - b) Des structures déjà existantes deviennent souvent spécialisées dans de nouvelles fonctions.
   - c) Les différentes caractéristiques anatomiques d'une espèce évoluent à des rythmes différents.
   - d) Certains Poissons d'eau douce sont allés en mer pour ensuite retourner à l'eau douce.
   - e) Les descendants de groupes ayant évolué dans des endroits distincts du globe ont des formes semblables à ceux qui partagent la même niche écologique.

9. Lequel de ces Animaux n'est *pas* considéré comme un ancêtre des Humains ?
   - a) Un Reptile.
   - b) Un Poisson osseux.
   - c) Un Primate.
   - d) Un Amphibien.
   - e) Un Oiseau.

10. Lorsque l'Humain s'est distingué des autres Primates, qu'est-ce qui est apparu en premier ?
    - a) Le développement culturel.
    - b) Le langage.
    - c) La station verticale.
    - d) La fabrication d'outils.
    - e) L'accroissement du volume du cerveau.

QUESTIONS À COURT DÉVELOPPEMENT

1. Pourquoi les Procordés se rapprochent-ils davantage des Vertébrés que des Invertébrés ?

2. Chez les différentes classes de Vertébrés, trouvez les différences et les ressemblances entre les œufs et précisez l'endroit où ils se développent.

3. En vous basant sur trois caractères (par exemple, le revêtement externe de l'Animal), comparez les Poissons, les Amphibiens, les Reptiles, les Oiseaux et les Mammifères.

4. Décrivez les adaptations des Vertébrés à la vie hors de l'eau.

5. Définissez les concepts suivants et donnez un exemple animal pertinent : endothermie, ectothermie, Agnathes, Marsupial, brachiation.

6. a) Opposez les deux modèles relatifs à l'origine des Humains modernes.
   b) « Les Humains ont pour ancêtre le Chimpanzé. » Prouvez ou réfutez cet énoncé.

RÉFLEXION-APPLICATION

1. Trouvez le plus grand nombre de ressemblances et de différences possibles entre une Chauve-Souris et un Oiseau, deux Vertébrés volants.

2. Au cours de l'évolution des Cordés, de nombreuses structures déjà en place ont acquis une spécialisation. Décrivez plusieurs cas de préadaptation de ce type.

SCIENCE, TECHNOLOGIE ET SOCIÉTÉ

Les parcs zoologiques présentent une grande variété d'Animaux qui, pour la plupart, ne se reproduisent pas en captivité. On y trouve même des espèces menacées d'extinction. À votre avis, devrait-on favoriser l'expansion de ces parcs ou, au contraire, lancer une campagne visant à les faire disparaître ?

LECTURES SUGGÉRÉES

Coppens, Y., « Une Histoire de l'origine des hominidés », *Pour la Science*, n° 201, juillet 1994. (Les racines africaines des Hominidés.)

Rossion, P., « L'Arbre généalogique des mammifères, revu et corrigé », *Science & Vie*, n° 901, octobre 1992. (Précisions sur la généalogie des Mammifères suite à la découverte de nouveaux fossiles et grâce à la biologie moléculaire.)

Stringer, C., « L'Émergence de l'homme moderne », *Pour la Science*, n° 160, février 1991. (Les questions laissées en suspens par les modèles multirégional et monogénétique.)

Tattersall, I., « Les Lémuriens de Madagascar », *Pour la Science*, n° 185, mars 1993. (L'étude de ces Primates révèle certains aspects de l'évolution des Mammifères.)

Thorne, A. et M. Wolpoff, « L'Évolution multirégionale de l'Homme », *Pour la Science*, n° 176, juin 1992. (L'étude des fossiles et des gènes montrerait que plusieurs groupes humains sont nés où ils vivent aujourd'hui.)

Tiberti, M., « Les Appendiculaires, ces éboueurs des mers », *Science & Vie*, n° 888, octobre 1991. (Comment ces Urocordés filtrent l'eau et participent au cycle du carbone.)

Wellnhofer, P., « L'Archéoptérix », *Pour la Science*, n° 147, janvier 1990. (Reconstitution d'Archéoptérix à partir de six fossiles, ses liens avec *Protoavis* et l'évolution des Oiseaux.)

Wilson, A. et R. Cann, « L'Afrique, berceau récent de l'Homme moderne », *Pour la Science*, n° 176, juin 1992. (Hypothèse selon le modèle monogénétique basé sur l'étude de l'ADN mitochondrial.)

ENTRETIEN AVEC VIRGINIA WALBOT

Virginia Walbot a demandé que notre entretien ait lieu dans son champ de Maïs à l'Université de Stanford, et j'ai compris les raisons de son choix au terme de notre rencontre. La professeure Walbot étudie certes le Maïs, mais elle a établi avec ces Végétaux des liens tels que ses recherches ont acquis une dimension à la fois ludique et intense. Professeure de biologie à Stanford, Virginia Walbot s'inscrit dans la lignée des chercheurs qui considèrent le Maïs comme l'organisme expérimental idéal pour mener des recherches liées à certaines questions fondamentales sur la génétique et le développement. C'est chez le Maïs que Barbara McClintock, décédée en 1992, a découvert les éléments génétiques transposables, et elle a reçu le prix Nobel lorsque les biologistes ont reconnu l'importance de cette découverte. Pour sa part, George Beadle, corécipiendaire du prix Nobel avec Edward Tatum pour leur hypothèse « un gène-une enzyme », a vécu plusieurs étés dans une petite maison située près d'un champ de Maïs (la même que celui de Virginia Walbot) afin de vivre près des Plantes qui inspiraient ses recherches. Au cours de l'après-midi que nous avons passé dans ce champ, la professeure Walbot nous a fait partager ses enseignements qui elle a d'ores et déjà tirés de la génétique et du développement des Végétaux.

Depuis quand vous intéressez-vous aux Végétaux ?

J'ai passé quelques-unes de mes années de formation dans le jardin maraîcher familial, dans le sud de la Californie. J'ai toujours porté un grand intérêt aux Végétaux ; je me suis toujours occupée d'un jardin. Au cours de mes premières années à Stanford, m'a véritablement fascinée. Plus tard, pendant mes études de troisième cycle, j'ai travaillé dans le laboratoire de Ian Sussex à Yale ; on y rencontrait des gens qui s'intéressaient aussi bien à la biologie moléculaire qu'à la génétique des Végétaux et aux phénomènes de croissance. Ces diverses influences m'ont donné accès à l'ensemble de l'univers biologique. Je pense d'ailleurs que l'un des points forts de mon travail réside dans mon aptitude à intégrer mes recherches dans une problématique globale.

Quelle est l'importance de ce champ de Maïs dans vos recherches ?

Dans mon laboratoire, nous étudions la biologie moléculaire de l'expression des gènes du Maïs. Nous travaillons plus préci-sément sur certains aspects de la régulation de chaque gène pendant le développement du Maïs. On peut aborder cette question de deux façons. La première consiste à isoler des gènes et à les étudier en laboratoire. La deuxième consiste à provoquer des mutations (ou à laisser la Plante produire ses propres mutations) qui altèrent l'expression génique, et à observer ensuite le comportement du gène au cours de la vie de la Plante. Les manipulations géné-tiques sont d'un intérêt remarquable : elles permettent de modifier aisément des gènes dans une éprouvette afin d'étudier leur comportement dans certaines conditions. Par exemple, nous cherchons à isoler une mutation chez le Maïs, puis nous en obser-vons les conséquences. Nous pouvons ensuite procéder en laboratoire à dix ou vingt mutations apparentées.

Pourquoi le Maïs se révèle-t-il un organisme particulièrement approprié pour ce genre de recherche ?

C'est chez le Maïs que l'on peut isoler le plus facilement des gènes mutants et les étudier. Il suffit d'observer un plant de Maïs pour en constater les avantages. L'épi contient les sacs embryonnaires qui renfer-ment les oosphères, tandis que la panicule (la partie terminale de la tige) porte le pollen dans lequel se trouvent les sperma-tozoïdes. Nous couvrons chaque épi avec un sac afin d'éviter tout contact entre les oosphères et le pollen ; puis nous couvrons les panicules avec d'autres sacs. Nous exer-çons ainsi aisément une régulation sur chaque croisement. Un généticien peut effectuer 300 croisements en une matinée ; chaque épi compte quelques centaines de graines et les divers croisements peuvent donner une population de 20 000, 50 000, voire 100 000 graines. En une semaine, on peut obtenir un million de graines. Cette manière de procéder permet d'observer un type d'événement très rare, par exemple une mutation spécifique, sans avoir beau-coup de manipulations à pratiquer.

Il y a plus de 40 ans, cette approche génétique du Maïs a permis à Barbara McClintock de découvrir les éléments génétiques transposables (transposons), qui font maintenant l'objet de vos recherches. Que sont les transposons et comment influent-ils sur le dévelop-pement des Végétaux ?

Un transposon est un segment d'ADN capable de se séparer lui-même du chro-mosome et de s'insérer ailleurs, d'où son surnom de « gène sauteur ». Nous étudions la famille des transposons appelés gènes mutateurs. Le Maïs nous permet de visua-liser plus facilement l'activité du trans-poson lorsque nous étudions son mode d'excision. Ainsi, dans le Maïs à grains violets et à grains beiges (voir la photogra-phie à la page suivante), le fond beige apparaît lorsque le transposon bloque un gène qui exprime le pigment violet appelé anthocyanine. Lorsque le transposon change de place durant le développement de la graine, le gène de l'anthocyanine est réactivé. Le transposon est donc compa-rable à un interrupteur. Sa proximité rend le gène inactif, mais son éloignement per-met au gène de s'exprimer et de modifier la couleur du grain. Les transposons peuvent occuper n'importe quelle partie du gène et le forcer à se manifester quand il ne le devrait pas ou, au contraire, empêcher son expression. Ils sont ainsi en mesure d'altérer les organes dans lesquels se mani-festent ces gènes.

Ces expériences vous permettent-elles de répondre à certaines questions liées au développement des Végétaux ?

Le synchronisme du développement est le sujet qui me passionne le plus. Il est étonnant de constater que les gènes mutateurs ne deviennent actifs qu'après le début de la formation d'un organe telle une feuille. La modification des gènes par les transposons n'a lieu qu'après que les cellules d'un organe en croissance se sont engagées dans un processus précis de développement. On peut ainsi étudier une question fondamentale en biologie du développement : qu'est-ce qui distingue une cellule indifférenciée, qui possède diverses possibilités de développement, d'une cellule différenciée, dont la destinée est déterminée (par exemple, une cellule qui contribuera à former l'épiderme) ? L'étude des transposons nous aide à comprendre le programme et la nature des modifications. De plus, avec le Maïs, la couleur des grains nous indique les modifications qui ont eu lieu. Le développement continu des Végétaux nous permet d'observer ces étapes de croissance dans un organisme intact.

Qu'entendez-vous par développement continu ?

Les Végétaux fabriquent continuellement de nouveaux organes au cours de leur croissance. Ainsi, chaque jour, une nouvelle feuille apparaît et s'engage dans le processus de développement qui produit une feuille complète. C'est un peu comme si de nouveaux bras surgissaient sans cesse de notre corps. Des ébauches de bras deviendraient des bras normalement constitués pourvus de doigts. Nous pouvons donc observer le développement répété du même type d'organe au cours de la vie d'une seule Plante.

Ce développement continu s'effectue-t-il de manière différente chez les Végétaux et les Animaux ?

Effectivement, et cela s'observe surtout chez les Vertébrés et les Angiospermes. Chez un Animal, par exemple un Mammifère, tous les organes et tissus de l'adulte sont en quelque sorte formés au cours du développement embryonnaire. Après la naissance, il ne nous reste plus qu'à croître. Par contre, l'embryon d'une Plante n'est pas un adulte en miniature : il se compose uniquement des premiers organes de la Plante, comme la radicule et les premières feuilles. Cependant, l'embryon possède un génome qui lui permet de produire des organes subséquents tout au long de son existence.

Comment cette différence entre le développement des Végétaux et celui des Animaux est-elle reliée au mode de vie de ces organismes ?

La différence tient dans la façon dont les Végétaux et les Animaux répondent au

stress et aux changements de leur milieu. Par exemple, les Mammifères peuvent utiliser une combinaison de comportements, telle la fuite, et de transformations à long terme dans leur physiologie et même leur développement lors de changements écologiques (comme l'épaississement de la fourrure en cas de baisse de la température). Par contre, à cause de leur paroi cellulaire, les Végétaux sont très rigides et ne se déplacent pas ; l'endroit où ils germent ne varie pas. Je crois que les Végétaux n'affichent aucun comportement. Mais ils possèdent une qualité que les Animaux n'ont pas : ils répondent au stress par une modification de leur développement. Nous avons tous déjà acheté à la pépinière une Plante qui poussait sous une faible lumière et qui avait de grandes feuilles vert foncé. Placée près d'une fenêtre ensoleillée, la Plante perdait rapidement toutes ses belles feuilles vert foncé. Que s'est-il passé ensuite ? La Plante a produit de petites feuilles vert pâle, parfaitement adaptées à ce nouveau milieu. La Plante manifeste donc une capacité de modifier son développement ; elle fabrique continuellement des feuilles à partir du même génome, mais modifie l'apparence de ses feuilles selon les conditions extérieures. Ce degré de flexibilité du développement de la Plante n'existe pas chez les Animaux supérieurs.

Quelles sont les autres différences importantes entre le développement des Végétaux et celui des Animaux ?

La lignée des cellules à l'origine de chacun des systèmes d'un Vertébré est déjà présente chez l'embryon, ce qui n'est pas le cas chez les Plantes. Les méristèmes situés à l'extrémité des pousses produisent continuellement des feuilles, mais ils peuvent aussi fabriquer des fleurs, où seront formés des gamètes. Cependant, ils attendent pour cela des stimuli extérieurs les avertissant que la saison et les conditions sont propices à la production d'une fleur. La Plante modifie alors son développement pour se reproduire, tout comme elle modifie ses feuilles selon les conditions saisonnières.

L'alternance de générations haploïde et diploïde chez les Végétaux constitue une autre différence étonnante. Chez les Animaux, les cellules haploïdes (l'ovule et le spermatozoïde) restent passives du point de vue de la biologie moléculaire, parce que leurs caractéristiques sont déjà programmées par les gènes de leurs précurseurs diploïdes. Chez les Végétaux, en revanche, les gamètes sont produits par un gamétophyte, un petit organisme haploïde. Les cellules haploïdes de ce gamétophyte expriment leurs propres gènes, ce qui procure aux Végétaux une capacité stupéfiante que les Animaux ne possèdent pas. Si, par exemple, une mutation se produisait dans notre corps, nos gamètes pourraient porter cette mutation et il serait impossible de s'en débarrasser si elle s'avérait récessive : en effet, la cellule précurseur diploïde qui donne naissance aux gamètes pourrait masquer la mutation récessive. Cependant, chez les Végétaux, chaque allèle subit un test dans un organisme haploïde, le gamétophyte. Ainsi, la phase du gamétophyte et l'alternance des générations ne constituent pas qu'une complication superflue des schémas d'un manuel de biologie ; elles

Entretien avec Virginia Walbot

671

permettent en fait d'éliminer la plupart des mutations récessives délétères avant que ces dernières ne se fixent dans une population.

L'alternance des générations présente un avantage crucial si l'on considère la position des gamètes dans une Plante. Chez un Mammifère, la lignée des cellules reproductrices se différencie à l'intérieur de l'embryon, lequel est situé à l'intérieur du corps de sa mère. De cette façon, les gamètes se trouvent à l'abri des radiations cosmiques ou d'autres dangers, ce qui réduit le taux de mutation. Par ailleurs, les méristèmes situés à l'extrémité des pousses d'une Plante subissent continuellement des mitoses et sont exposés à la chaleur, au froid, aux rayons ultraviolets du Soleil et à toutes sortes d'autres dangers. L'alternance des générations supprime tous les gènes récessifs nuisibles au moyen d'une sélection qui agit sur le gamétophyte. Le génome de la Plante passe à la prochaine génération diploïde, le sporophyte, ne s'avère pas nécessairement parfait, mais plusieurs mutations en ont été éliminées.

Comment conciliez-vous cette idée avec l'existence des transposons qui entraînent des mutations chez les Végétaux ?

Comme les Végétaux ont besoin de se modifier au fil du temps, je pense qu'ils possèdent un mécanisme inscrit dans leur génome qui engendre la diversité. Les transposons assument cette fonction, particulièrement chez le Maïs. Les Végétaux peuvent augmenter leur taux de mutations parce qu'ils disposent d'un moyen, l'alternance des générations, afin d'éliminer tout ce qui est nuisible. Si l'on connaît peu de transposons actifs chez les Mammifères, on en trouve un grand nombre chez les Végétaux.

Existe-t-il une preuve de l'adaptabilité de ce mécanisme de modification du génome, c'est-à-dire qu'il constitue une réponse aux changements écologiques ?

La Gueule-de-Loup représente probablement le meilleur exemple de ce mécanisme, puisque mille fois plus de transposons s'y expriment lors d'un stress causé par le froid. Dans son discours prononcé lors de la réception de son prix Nobel, Barbara McClintock a traité de la réponse du génome de la Plante aux variations physiques du milieu. Ses réflexions portaient essentiellement sur l'existence de certaines marges de tolérance, par exemple aux écarts de température, à l'intérieur desquelles les Végétaux se développent normalement ; arrivés aux limites de ces marges, par exemple une température critique, plusieurs processus sont déséquilibrés, y compris certains de ceux qui se déroulent à l'échelle des chromosomes. Je crois qu'il s'agit là d'un point charnière entre la génétique et la physiologie.

J'ajouterais que cette façon de penser va à l'encontre des idées en vogue qui réfutent la théorie de Lamarck. J'ai donné des conférences au cours desquelles on m'a reproché d'adhérer au lamarckisme. Je ne m'en offusque pas, car Lamarck soulignait l'importance de la relation entre l'organisme et le milieu. Cela ne veut pas dire qu'on abonde dans le sens de ses propos ultérieurs. Je crois que les généticiens ont toujours refusé l'idée que les conditions du milieu pouvaient influer sur le processus génétique.

En ce sens, nous pourrions parler d'adaptation ?

En effet. Ce sont les moyens mis en œuvre par les organismes en vue de s'adapter que nous devons clarifier. Si vous étiez un plant de Maïs placé dans des conditions idéales, pourquoi effectueriez-vous des mutations ? Vous devriez être très conservateur. En cas de changements globaux, le fonctionnement de l'ancien génome perdrait son efficacité. Il vous faudrait un mécanisme qui permettrait des transformations génétiques rapides, vous auriez besoin d'évoluer. Ainsi, on pense actuellement que l'on ne provoque pas des mutations spécifiques adaptatives, mais que l'on a besoin de mutations pour s'adapter.

Vous avez mentionné plus tôt le potentiel qu'offrent les manipulations génétiques. Comment le clonage de l'ADN peut-il aider un embryologiste ?

Un embryologiste doit connaître étape par étape la progression du développement cellulaire et doit pouvoir subdiviser ce processus en le plus grand nombre d'étapes possibles. Il est plus compliqué d'apprendre en une seule fois le trajet à suivre entre

Palo Alto et New York que de s'y rendre par étapes, c'est-à-dire de Palo Alto à San Francisco, puis de San Francisco à Sacramento et ainsi de suite. Le fait qu'un grand nombre de types de cellules et de tissus ne diffèrent pas grandement sur le plan anatomique, d'une saison à l'autre, complique l'étude des Végétaux. Il existe peu de points de repère dans le processus de développement de ces cellules. Cependant, en biologie moléculaire, vous pouvez obtenir des clones de gènes produisant des protéines spécifiques que l'on peut associer à certaines étapes du développement. On utilise les gènes clonés pour développer différentes sondes moléculaires afin de détecter l'ARN ou les protéines qui apparaissent dans la cellule lorsque le gène s'exprime. On est ainsi en mesure de suivre le développement grâce à une échelle de changements plus fine que si on observait une cellule ou un tissu cellulaire. L'étude du plus grand nombre d'étapes possibles permet d'approfondir nos connaissances sur le déclenchement et la succession des processus cellulaires.

Pourquoi un aussi grand nombre de chercheurs qui utilisent des techniques moléculaires choisissent-ils l'Arabette des dames (*Arabidopsis thaliana*) pour étudier le développement des Végétaux ?

Il est certain que j'aime travailler sur le Maïs, mais sa taille pose des difficultés. Il est difficile d'exercer une régulation précise sur la croissance du Maïs tout au long de son cycle de développement. Si, par exemple, vous désirez obtenir une mutation thermosensible qui modifiera la floraison, le Maïs ne constitue pas l'espèce idéale. Par contre, *Arabidopsis thaliana* est une petite Plante qui tolère très bien la promiscuité. Il est possible de faire pousser des dizaines de milliers de plants sur un plateau placé dans une chambre de croissance et de faire varier de façon précise les conditions du milieu, ce qui est très avantageux. Les chercheurs qui n'ont pas la chance d'avoir un champ peuvent ainsi effectuer des travaux sur la génétique des Végétaux sans trop de soucis d'encombrement.

De plus, puisque *Arabidopsis* est manipulée par des centaines de personnes et qu'elle possède un petit génome, elle représente un complément logique au Programme Génome Humain. Cette Plante sert de modèle pour la cartographie complète d'un génome. L'utilisation d'autres espèces comme le Maïs, qui possède un génome cinquante fois plus grand, nécessiterait une recherche cinquante fois plus longue afin d'en cartographier le génome. Je crois qu'un chercheur doit définir précisément l'objet de ses recherches avant de choisir l'organisme qui s'y prêtera le mieux. En ce qui concerne mes recherches, le Maïs est l'organisme expérimental idéal.

Les manipulations génétiques ont aussi permis de développer de nouvelles techniques. Comment la manipulation du génome d'une Plante peut-elle s'avérer utile en agriculture ?

La technique de reproduction traditionnelle des Végétaux a été très efficace dans le développement de cultures qui conviennent particulièrement bien aux méthodes de production courantes. De plus, cette technique nous a permis de satisfaire des besoins, telle l'obtention des caractéristiques idéales d'une fraise, en ce qui concerne sa dimension, son odeur, sa forme et sa texture. Cependant, pour répondre à des problèmes particuliers, comme à des agents pathogènes ou à des modifications du sol, on constate qu'une autre espèce de Plante représente la solution. La biotechnologie permet d'effectuer le clonage d'un gène d'une espèce et de le transférer à une autre espèce. Les applications commerciales auxquelles on pense immédiatement sont les transferts de gènes qui confèrent une résistance à certaines maladies. Grâce à la technique de reproduction traditionnelle, on peut sélectionner, les espèces d'innombrables croisements, les espèces qui offrent plus de résistances. La biotechnologie permet de brûler les étapes en isolant le gène qui confère la résistance voulue chez une autre espèce. Je pense que, dans le domaine de l'agriculture, les objectifs visés par la biotechnologie recouvrent ceux que les techniques traditionnelles de reproduction ont toujours poursuivis : nous désirons

obtenir de meilleurs aliments, moins chers et plus sûrs. Il s'agit donc d'un nouvel outil qui accélère le rythme du changement.

Pensez-vous qu'il existe des risques, écologiques ou autres, reliés à la modification des génomes des Plantes et au transfert de gènes d'une espèce à l'autre ?

Je pense que les risques encourus ne diffèrent guère de ceux qui sont inhérents aux techniques de reproduction traditionnelles. Les manipulations d'organismes, tout au moins en agriculture, existent depuis longtemps. Lorsqu'on découvre une variété végétale qui offre un bon rendement, on tend vers la monoculture, avec ou sans l'aide de la biotechnologie. En privilégiant un patrimoine génétique limité, nous accentuons la vulnérabilité de nos sources d'aliments aux nouvelles maladies et aux conditions écologiques nuisibles pour cette espèce. De même qu'avec la reproduction normale, je crois qu'il faut s'assurer qu'il existe de nombreuses variétés de Plantes possédant de nouvelles caractéristiques. Peut-être surmonterons-nous cette difficulté grâce à la biotechnologie ; en effet, il est maintenant plus facile de transférer des gènes dans un grand nombre de variétés, plutôt que de chercher la variété qui possède déjà la caractéristique souhaitée.

Nous avons déjà parlé de Barbara McClintock. A-t-elle joué un rôle de mentor pour vous ?

Absolument. Vous savez, en génétique des Plantes, on peut dire qu'après Mendel il y a eu Barbara. Je n'ai vraiment entrepris mes recherches sur le Maïs que lorsque je suis devenue professeure assistante à l'Université de Washington à Saint Louis. L'Université du Missouri ne se trouvait qu'à deux heures de route, si bien que j'ai pu collaborer avec des chercheurs de cette institution. Nous avons appris comment déterminer la séquence des modifications apparaissant au cours de la croissance du Maïs. J'ai donné une conférence à l'Université Rockefeller, alors que mes connaissances sur le sujet étaient limitées. Des amis de Barbara lui ont rapporté mes propos, et elle m'a contactée. Nous avons eu de nombreuses conversations téléphoniques, et elle m'a invitée à Cold Spring Harbor. Cela se passait dans les années 1970, à une époque où elle pouvait encore échanger non seule-

ment des idées mais du matériel. Elle m'a beaucoup apporté. Elle était une personne remarquable.

Qu'est-ce qui amène des personnes comme vous, Barbara McClintock et d'autres scientifiques à travailler de manière si intense ?

La réponse est simple : j'aime vraiment ce que je fais. Je fais mon travail quotidien à la manière de Picasso, qui nettoyait ses pinceaux, exécutait des esquisses sur canevas, effectuait toutes les tâches d'ordre technique qui précédent l'élaboration d'une œuvre. Pour ma part, je prends un grand plaisir à toutes les tâches, de l'ensemencement au sarclage du champ de Maïs. En fait, le travail n'a pas de fin. Vous atteignez un objectif après dix ans d'effort, par exemple le clonage de l'élément autonome du système mutateur, et vous vous émerveillez. Vous célébrez l'événement au champagne. Ces festivités sont aussi le point de départ du prochain défi. Il n'y a jamais de fin. C'est une des raisons pour lesquelles je me passionne pour ce travail.

Comment les étudiants peuvent-ils découvrir leur vocation en sciences et espérer réussir ?

Rien ne remplace un emploi d'été dans un laboratoire. Je pense que les jeunes étudiants devraient essayer de discuter une fois par semaine pendant une heure avec un enseignant sur un sujet qui les passionne tous les deux. Je l'ai fait souvent. L'intérêt de l'étudiant dicte les limites. En revanche, les enseignants ne peuvent guère suggérer à une classe de 500 étudiants de venir les rencontrer. Je pense qu'il appartient à l'étudiant de découvrir ses propres goûts et ses compétences, et de parvenir à les développer. Il faut avoir envie d'aller travailler tous les jours. Un joueur de baseball s'est exclamé : « Je ne peux pas croire qu'on me paie pour jouer. » L'essentiel, en fait, c'est de se sentir en parfaite harmonie avec son travail. Je ressens le besoin d'approfondir mes connaissances sur le Maïs et son histoire afin de me sentir plus proche de ma recherche. Je crois que ce qui motive les étudiants, c'est la découverte d'un sujet qui les passionne. De cette façon, on n'éprouve pas le sentiment de *devoir* travailler si fort, on a *envie* de le faire.

Entretien avec Virginia Walbot **673**

INTRODUCTION À LA BIOLOGIE VÉGÉTALE
MORPHOLOGIE DES ANGIOSPERMES : OPTIQUE ÉVOLUTIONNISTE
CELLULES ET TISSUS VÉGÉTAUX
CROISSANCE DES VÉGÉTAUX : CARACTÉRISTIQUES GÉNÉRALES
CROISSANCE PRIMAIRE
CROISSANCE SECONDAIRE

L es Végétaux sont les piliers sur lesquels reposent la plupart des écosystèmes terrestres (figure 31.1). Les Végétaux utilisent la photosynthèse pour assurer leur croissance et leur maintien et constituent, directement ou non, la source de nourriture d'organismes divers. Même si la plupart d'entre nous vivent désormais loin des écosystèmes naturels et des fermes, nous dépendons encore largement des Végétaux pour le bois d'œuvre, les tissus, le papier, les médicaments et, principalement, pour notre alimentation. L'étude des Végétaux a débuté lorsque les premiers Humains ont appris à distinguer les Plantes comestibles des Plantes vénéneuses, et lorsqu'ils ont commencé à fabriquer des objets à partir du bois et d'autres composants végétaux. L'aspect pragmatique de la biologie végétale moderne joue toujours un rôle important (par exemple, on effectue des recherches dans le but d'améliorer la productivité des cultures), mais nombre de scientifiques sont motivés par le pur plaisir de la découverte. La biologie végétale est peut-être la plus ancienne branche des sciences ; les facteurs qui sous-tendent son étude sont le désir de connaître le fonctionnement des Végétaux et le besoin d'appliquer judicieusement ces connaissances afin de nourrir, de vêtir et de loger une population humaine en pleine croissance.

INTRODUCTION À LA BIOLOGIE VÉGÉTALE

L'intérêt pour la biologie végétale connaît un renouveau considérable. De nouvelles méthodes et un choix astucieux d'organismes expérimentaux suscitent un grand nombre de recherches. Ainsi, beaucoup de scientifiques dont l'intérêt porte sur la régulation génique du développement des Plantes utilisent *Arabidopsis thaliana* également appelée Arabette des dames, une « mauvaise herbe » minuscule de la famille des Crucifères (figure 31.2). *Arabidopsis* constitue un excellent modèle d'étude génétique du fait de sa taille (cette Plante peut croître dans une éprouvette) et de son court cycle de développement (six semaines). En outre, la petite taille de son génome soulève l'intérêt des biologistes ; en effet, il contient la plus petite quantité d'ADN par cellule de tous les Végétaux. Cette caractéristique permet de faire correspondre facilement des fonctions génétiques précises à certaines régions de l'ADN. Les chercheurs vont probablement achever la cartographie de l'ensemble du génome d'*Arabidopsis* d'ici la fin de la décennie. En biologie végétale, on a d'ores et déjà réussi à localiser certains gènes responsables du développement des fleurs, et on a aussi découvert les fonctions de ces gènes (figure 31.2b et c). Cette

Figure 31.1
Les Végétaux jouent le rôle de producteurs dans la plupart des écosystèmes. Les Végétaux dominent la plupart des paysages, comme cette forêt tropicale du Costa Rica. Sans les Végétaux, les écosystèmes s'effondreraient rapidement. La photosynthèse est le processus métabolique qui permet à l'énergie emmagasinée sous forme de matière organique de pénétrer dans un écosystème. La plupart des autres organismes, y compris l'Humain, sont des consommateurs dont l'existence dépend des Végétaux. Il est essentiel de comprendre le fonctionnement des Végétaux pour comprendre la vie sur la Terre. Dans cette partie, nous traiterons de la biologie végétale moderne. Le présent chapitre porte sur l'anatomie et la croissance des Végétaux.

(b)

(a)

(c)

Figure 31.2

***Arabidopsis*, une « mauvaise herbe » minuscule, permet aux biologistes de répondre à d'importantes questions liées au développement d'une Plante. (a)** Les biologistes considèrent que cette minuscule Plante de la famille des Crucifères est un des organismes qui se prêtent le mieux aux études expérimentales sur la régulation génique du développement végétal. Selon les chercheurs, les caractéristiques les plus importantes d'*Arabidopsis* sont sa petite taille, son court cycle de développement et son génome relativement petit. À l'heure actuelle, de nombreux laboratoires établissent la cartographie du génome de cette Plante et identifient les fonctions associées à plusieurs de ses gènes. À l'aide de ce modèle, les biologistes espèrent découvrir la façon dont les gènes et le milieu interagissent pour transformer le zygote en une Plante. **(b)** Une bonne part des recherches porte sur le développement des fleurs. Chaque fleur d'*Arabidopsis* possède normalement quatre verticilles : les sépales, les pétales, les étamines et les carpelles (voir le chapitre 27). **(c)** Les chercheurs ont identifié plusieurs mutations à l'origine du développement de fleurs anormales. Ainsi, cette fleur possède un verticille supplémentaire de pétales à la place des étamines, et une fleur interne là où se situent les carpelles de la Plante normale.

recherche ne représente qu'un exemple de ce qui semble une percée importante de la biologie végétale moderne : établir un rapport entre les événements aux niveaux moléculaire et cellulaire, et ce que nous pouvons observer dans l'ensemble de la Plante. Nous nous trouvons une fois de plus en présence d'une organisation structurale hiérarchique, qui illustre la façon dont les propriétés d'une Plante sont déterminées par la disposition précise de ses parties et par les interactions entre ces dernières.

Les autres thèmes biologiques traités dans ce livre orienteront notre étude des Végétaux. Les structures et les fonctions végétales sont façonnées de deux manières par les interactions avec le milieu. Au cours du long processus évolutif qui les a menés de la vie marine à la vie terrestre, les Végétaux se sont adaptés, grâce à la sélection naturelle, aux problèmes spécifiques posés par les milieux terrestres. L'évolution des tissus, tels les tissus ligneux qui soutiennent les arbres, en constitue un exemple (voir le chapitre 27). À courte échéance, chaque Plante produit des réponses structurales et physiologiques aux stimuli extérieurs. La croissance des branches d'arbres illustrée à la figure 31.3 montre comment l'adaptation *structurale* se fait plus facilement chez les Plantes que chez les Animaux. Les Végétaux, comme les Animaux, font aussi preuve d'adaptations évolutives qui sont des réponses *physiologiques* à des changements subits. Par exemple, les stomates (pores à la surface de la feuille) d'un grand nombre de Végétaux se referment pendant la période la plus chaude de la journée : il s'agit là d'une adaptation physiologique qui permet à la Plante d'économiser son eau (voir le chapitre 10). Au cours de notre ana-

lyse des adaptations évolutives des Végétaux en réponse à leur milieu, nous mettrons en évidence le thème de la corrélation entre la structure et la fonction. Nous verrons ainsi de quelle façon l'ouverture et la fermeture du stomate relèvent de la structure des cellules stomatiques qui bordent les pores.

L'étude des structures et des fonctions des Végétaux nous amène à établir des comparaisons parfois utiles avec le règne animal. Les Végétaux et les Animaux font souvent face aux mêmes problèmes, qu'ils peuvent résoudre de façon différente. Par exemple, l'Éléphant d'Afrique (*Loxodonta africana*) et le Séquoia géant (*Sequoiadendron giganteum*) ont des charpentes différentes qui leur permettent de soutenir leur masse considérable. Les os soutiennent l'Éléphant, tandis que le bois (fibres ligneuses) soutient l'arbre. Dans certains cas, les Végétaux et les Animaux semblent apporter une solution identique à un problème commun. Ainsi, de grands organismes ont besoin de systèmes internes pour transporter l'eau et d'autres substances entre leurs différents organes ; c'est pourquoi des réseaux de canaux et de conduits se sont développés tant chez les Végétaux que chez les Animaux. Toutefois, dans le langage de la biologie, ces ressemblances sont de nature analogue et non homologue. La distinction entre le mode de nutrition autotrophe et hétérotrophe a placé les Végétaux et les Animaux sur des lignées évolutives divergentes. Nous étudierons donc séparément les Végétaux et les Animaux dans ce manuel. Pour entreprendre ce survol de la biologie végétale, nous aborderons dans ce chapitre la structure des Plantes à fleurs en commençant par l'étude de leur morphologie. Nous constaterons que l'architecture des

tions évolutives de ces Plantes avec les Angiospermes.
des Fougères et des Gymnospermes ainsi que les rela-
des Bryophytes (les Mousses et les Plantes apparentées),
de ce manuel, nous avons étudié la structure des Algues,
aussi appelées Angiospermes. Dans la cinquième partie
nous traiterons de la morphologie des Plantes à fleurs,
cellules et des tissus d'une feuille. Dans cette section,
ture interne d'une Plante, par exemple la disposition des
ces florales. **L'anatomie végétale** est l'étude de la struc-
externe d'une Plante, par exemple la disposition des piè-
(du grec *morphê* « forme ») est l'étude de la structure
la morphologie et l'anatomie. La **morphologie végétale**
Il existe deux niveaux d'étude de l'architecture végétale :

MORPHOLOGIE DES ANGIOSPERMES : OPTIQUE ÉVOLUTIONNISTE

par leurs réponses aux stimuli extérieurs.
lement façonnée par leur mode de croissance génétique et
Plantes est dynamique, c'est-à-dire qu'elle est continuel-

malléable.
En revanche, la morphologie des Animaux est beaucoup moins
phologie des Végétaux se révèle particulièrement impressionnant.
le développement de tous les organismes, son impact sur la mor-
vents violents. Bien que le milieu ait un effet sur la croissance et
une adaptation qui réduit le nombre de branches brisées lors de
côté de l'arbre exposé aux vents, qui inhibe la croissance de branches du
provoquées par le vent, qui inhibe la croissance de branches du
en Oregon, aux États-Unis, résulte des perturbations physiques
drapeau » de ces Sapins, qui croissent au sommet du mont Hood,
Effet du milieu sur la morphologie des Végétaux. L'aspect « en
Figure 31.3

Les Angiospermes se caractérisent par les fruits et les
fleurs, qui sont des adaptations évolutives permettant la
reproduction et la dispersion des graines. Les Angiospermes regroupent environ 235 000 espèces connues, et sont
de loin les Végétaux les plus diversifiés et les plus répandus. Les taxinomistes divisent les Angiospermes en deux
classes : les **Monocotylédones**, qui ne possèdent qu'un
cotylédon (feuille embryonnaire), et les **Dicotylédones**,
qui possèdent deux cotylédons. On constate aussi plusieurs différences structurales entre les Monocotylédones
et les Dicotylédones (figure 31.4).

La morphologie fondamentale des Végétaux reflète
leur histoire évolutive sur la terre ferme (voir le chapitre 27). Les Algues, les ancêtres des Végétaux, baignaient
dans une solution contenant des minéraux comme les
trioxocarbonates, qui fournissait le CO_2 nécessaire à la
photosynthèse en milieu aquatique. Au contraire, les
Végétaux terrestres ont besoin des ressources qu'ils
trouvent dans leur habitat, c'est-à-dire le sol et l'air. Ils
tirent l'eau et les minéraux du sol, et ils prélèvent le CO_2
dans l'air. Par ailleurs, la lumière pénètre peu dans le sol.
Pour pallier la dispersion des ressources, les Végétaux
terrestres ont privilégié deux systèmes principaux au
cours de leur évolution : le **système racinaire** souterrain
et le **système caulinaire** aérien qui comprend les tiges, les
feuilles et les fleurs (figure 31.5). Aucun de ces systèmes
ne peut fonctionner seul. En l'absence de chloroplastes et
de lumière, les racines, qui requièrent des glucides et
d'autres nutriments organiques fabriqués dans les tissus
photosynthétiques du système caulinaire, ne pourraient
se développer. Quant aux tissus du système caulinaire, ils
ont besoin de l'eau et des minéraux absorbés par les racines. Les tissus conducteurs forment un réseau dans toute
la Plante et transportent les nutriments entre les racines
et les pousses. Chaque nervure possède deux sortes de
tissu conducteur, le **xylème** (*bois*), qui achemine l'eau et
les minéraux des racines aux feuilles, et le **phloème**
(*liber*), qui achemine les nutriments fabriqués dans les
feuilles vers les racines et les autres parties non photosynthétiques du système caulinaire. Nous allons étudier
en détail la morphologie des systèmes racinaire et caulinaire, ce qui nous permettra de mieux comprendre leur
adaptation à la vie terrestre.

Système racinaire

Les racines fixent solidement la Plante au sol, absorbent
les minéraux et l'eau, transportent l'eau et les nutriments
et emmagasinent des réserves nutritives. La structure des
racines est bien adaptée à ces fonctions.

Un grand nombre de Dicotylédones possèdent un **système racinaire pivotant** constitué d'une large racine verticale, la racine pivotante, qui donne naissance à de nombreuses petites racines secondaires (voir les figures 31.4 et
31.5). La racine pivotante pénètre profondément dans le
sol et fixe solidement la Plante, comme vous avez pu le
constater si vous avez déjà tenté d'arracher un Pissenlit ou
un plant de Moutarde. Certains légumes à racine pivotante, comme la carotte, le navet, la betterave sucrière et
la pomme de terre, sont conçus de façon à emmagasiner
une quantité exceptionnellement importante de matières
nutritives. La Plante utilise ces réserves lorsqu'elle fleurit
et produit des fruits. C'est pourquoi on récolte ces racines
alimentaires avant la floraison.

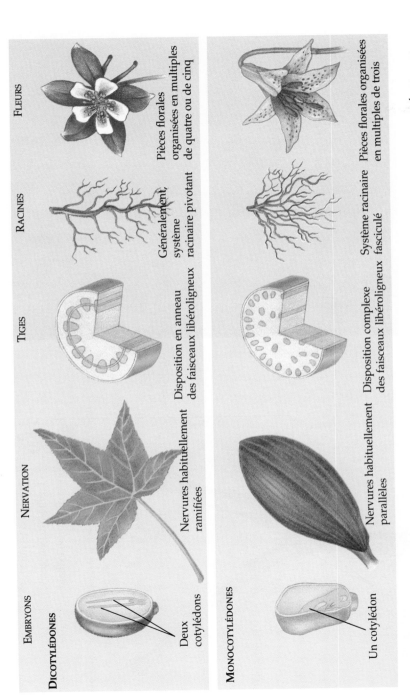

Figure 31.4
Comparaison entre les Monocotylédones et les Dicotylédones. On classe les Angiospermes en fonction du nombre de cotylédons, les feuilles embryonnaires présentes dans les graines des Végétaux. Les Orchidées, les Palmiers, les Lis et les Graminées, comme les Bambous, le Blé, le Maïs et le Riz, sont des Monocotylédones. Les Roses, les Haricots, les Tournesols, les Érables et les Chênes sont des Dicotylédones. Nous examinerons dans ce chapitre la plupart des structures qui apparaissent sur cette figure.

DICOTYLÉDONES

MONOCOTYLÉDONES

EMBRYONS — Deux cotylédons / Un cotylédon

NERVATION — Nervures habituellement ramifiées / Nervures habituellement parallèles

TIGES — Disposition en anneau des faisceaux libéroligneux / Disposition complexe des faisceaux libéroligneux

RACINES — Généralement, système racinaire pivotant / Système racinaire fasciculé

FLEURS — Pièces florales organisées en multiples de quatre ou de cinq / Pièces florales organisées en multiples de trois

Figure 31.5
Morphologie de base d'une Angiosperme. La morphologie d'une Plante comporte un système racinaire et un système caulinaire, reliés par des tissus conducteurs continus. Le système racinaire de cette Dicotylédone se compose d'une racine pivotante et de plusieurs racines latérales. Le système caulinaire comprend la tige, les pousses axillaires, les feuilles et les fleurs. Le limbe, la partie élargie de la feuille, est lié à la tige ou à une pousse axillaire par un pétiole. Les nœuds, points d'attache des feuilles, sont séparés par des entre-nœuds. À l'extrémité de la tige et des pousses axillaires se trouve un bourgeon terminal, zone principale de croissance de chacune des pousses. Les bourgeons axillaires se trouvent dans la partie supérieure du point d'attache des feuilles. La plupart de ces bourgeons axillaires sont en dormance. Ils peuvent se développer en pousses axillaires foliées ou en fleurs.

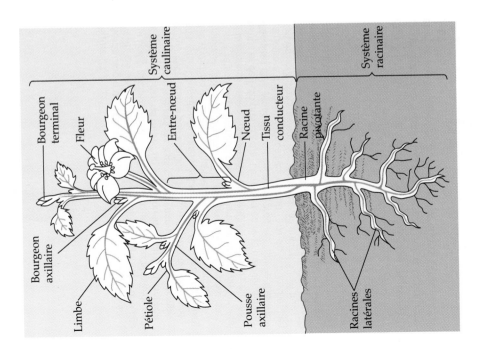

Bourgeon terminal
Fleur
Entre-nœud
Nœud
Tissu conducteur
Racine pivotante
Système caulinaire
Système racinaire
Bourgeon axillaire
Limbe
Pétiole
Pousse axillaire
Racines latérales

Les Monocotylédones, dont font partie l'Oignon (famille des Liliacées) et le Mil (famille des Graminées), possèdent généralement un **système racinaire fasciculé** composé de plusieurs racines équivalentes sur le plan morphologique. Le système racinaire fasciculé permet à la Plante de disposer d'une grande surface de contact avec l'eau et les minéraux du sol et de s'ancrer solidement au sol. Étant donné que le système racinaire des Graminées se concentre à quelques centimètres de la surface du sol, leur excellente couverture prévient l'érosion du sol.

Bien que ce soit le système racinaire complet qui aide la Plante à bien s'ancrer au sol, la plus grande partie de l'absorption de l'eau et des minéraux s'effectue près des extrémités des racines. Il s'y trouve en effet un très grand nombre de minuscules **poils absorbants** qui augmentent considérablement la surface des racines (figure 31.6). Au cours d'une saison de croissance de quatre mois, un seul plant d'Ivraie vivace (*Lolium perenne*) produit environ 600 km de racines, dont les poils absorbants constituent la plus grande partie.

Outre les racines souterraines, certains Végétaux possèdent des racines qui surgissent des tiges aériennes et même des feuilles. Ces racines sont dites **adventives** (du latin *adventicius* « qui vient du dehors »). Les racines adventives de certains Végétaux comme le Maïs (une Monocotylédone) et le Géranium commun (une Dicotylé-

done) jouent le rôle de tuteurs. Ces racines illustrent la façon dont des structures remplissant une fonction précise se sont adaptées à d'autres fonctions (voir le chapitre 23).

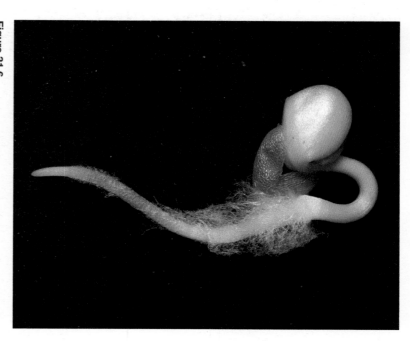

Figure 31.6
Poils absorbants d'un jeune plant de Radis. Les poils absorbants poussent par milliers juste avant l'extrémité de chaque racine. Ils se fixent fermement aux particules du sol et augmentent la surface d'absorption de la racine.

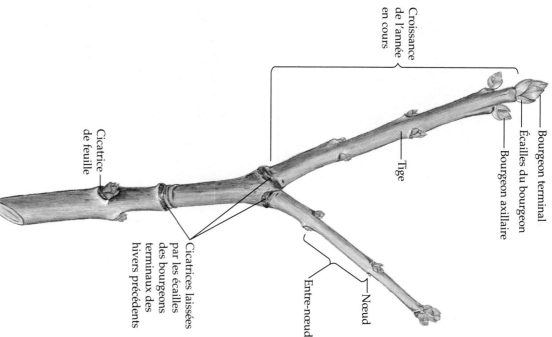

Figure 31.7
Morphologie de l'extrémité d'une branche en hiver. Durant l'hiver, on peut observer certaines structures externes d'une tige sur une branche d'arbre à feuilles caduques. À l'extrémité de cette branche de Lilas se trouve un bourgeon terminal en dormance ; ses écailles protègent les tissus embryonnaires. Au printemps, le bourgeon perdra ses écailles et commencera sa croissance en formant des nœuds et des entre-nœuds. Plus bas, on trouve des verticilles de cicatrices laissées par les écailles qui enfermaient le bourgeon terminal de l'hiver précédent. On constate que la région de la branche comprise entre le bourgeon terminal et le premier anneau d'écailles a été produite au cours du printemps et de l'été précédents. La région entre le premier anneau d'écailles et le prochain anneau a été produite l'année d'avant. Le nombre d'anneaux d'écailles indique l'âge de la branche. Les nœuds sont marqués par des cicatrices à l'endroit où se trouvaient les feuilles avant qu'elles ne soient tombées à l'automne. Au-dessus de chaque cicatrice, on trouve un bourgeon axillaire ou une branche produite à partir d'un bourgeon axillaire.

Croissance
de l'année
en cours

Bourgeon terminal
Écailles du bourgeon
Bourgeon axillaire

Tige

Cicatrices laissées
par les écailles
des bourgeons
terminaux des
hivers précédents

Cicatrice
de feuille

Nœud

Entre-nœud

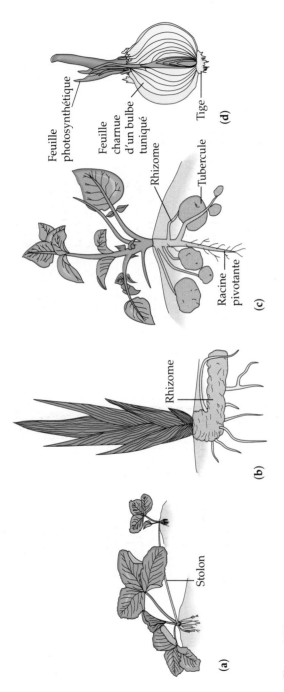

Figure 31.8
Les tiges modifiées. (a) Les stolons de ce Fraisier croissent à la surface du sol. **(b)** Le rhizome de cet Iris est une tige horizontale qui croît près de la surface. **(c)** Les tubercules constituent l'extrémité renflée des rhizomes et sont spécialisés dans l'accumulation des réserves nutritives. **(d)** Les bulbes sont des pousses verticales souterraines composées surtout de feuilles charnues accumulant des réserves. Cette coupe longitudinale d'un Oignon montre le grand nombre de feuilles charnues fixées à la courte tige.

Système caulinaire

Le système caulinaire se compose des pousses végétatives (la tige et ses ramifications), qui portent des feuilles, et de l'inflorescence, c'est-à-dire les organes reproducteurs. Dans cette section, nous étudierons la tige et les feuilles. (Nous nous pencherons sur l'inflorescence au chapitre 34).

Tiges Une tige possède des **nœuds**, qui sont les points d'attache des feuilles, et des **entre-nœuds**, qui sont les segments de tige entre chaque nœud (figure 31.7; voir aussi la figure 31.5). À l'intersection d'une feuille et de la tige se trouve un **bourgeon axillaire** composé de tissu embryonnaire. Mais la plupart des bourgeons axillaires restent en dormance. La croissance se concentre à l'**apex** (extrémité) d'une pousse, où se trouve un **bourgeon terminal** comprenant des feuilles en développement et une série très compacte de nœuds et d'entre-nœuds. La présence de bourgeons terminaux est en partie responsable de l'inhibition de la croissance des bourgeons axillaires. Ce phénomène porte le nom de **dominance apicale.** Grâce à cette dominance, qui est une adaptation évolutive, la Plante utilise ses ressources pour s'allonger et augmenter son exposition à la lumière, en particulier là où la végétation est dense. Cependant, il faut également que la Plante se ramifie afin d'augmenter son aire d'exposition au milieu. Dans des conditions adéquates, les bourgeons axillaires commencent leur croissance. Certains d'entre eux deviennent des pousses portant des fleurs, tandis que d'autres deviennent des pousses axillaires complètes possédant des bourgeons terminaux, des feuilles et des bourgeons axillaires. Dans certains cas, on peut stimuler la croissance des bourgeons axillaires en enlevant le bourgeon terminal. On utilise ce principe dans la taille des arbres et des arbustes et lorsqu'on pince les pousses des Plantes d'intérieur afin de les rendre plus touffues.

Un grand nombre de Végétaux possèdent des tiges modifiées aux fonctions diverses, et on les confond souvent avec les racines (figure 31.8). Les stolons sont des tiges horizontales qui croissent à la surface du sol, tels les stolons de l'*Agrostis blanc* (*Agrostis alba*, une Graminée répandue dans tout le Québec) et du Fraisier des champs (*Fragaria virginiana*, une Plante commune au Québec). Les rhizomes, tels ceux des Iris, sont des tiges horizontales qui croissent sous terre, près de la surface. Certains rhizomes se terminent par des tubercules qui emmagasinent des matières nutritives, comme chez la Pomme de terre. Les bulbes sont des pousses verticales souterraines composées de feuilles qui emmagasinent des nutriments. Le *bulbe écailleux* des Lis présente de nombreuses feuilles étroites et charnues disposées comme les écailles d'un bourgeon; le *bulbe tuniqué* des Oignons et des Tulipes contient de nombreuses feuilles charnues qui entourent complètement les autres feuilles plus internes.

Feuilles Même si les tiges vertes effectuent aussi la photosynthèse, la feuille est le principal organe photosynthétique de la plupart des Végétaux. La forme des feuilles varie considérablement. La feuille se compose d'un limbe plat et d'une queue, le **pétiole**, qui relie la feuille au nœud de la tige (voir la figure 31.5). Les Graminées et la plupart des autres Monocotylédones ne possèdent pas de pétioles, mais à la base de la feuille se trouve une gaine qui enveloppe la tige.

La disposition des nervures principales, ou faisceaux libéroligneux, des feuilles des Monocotylédones diffère de celle des Dicotylédones (voir la figure 31.4). Les feuilles de la plupart des Monocotylédones possèdent des nervures principales parallèles qui traversent le limbe en longueur. Les feuilles des Dicotylédones disposent plutôt d'un réseau ramifié de nervures principales. Toutes les feuilles ont de nombreuses nervures diagonales

Figure 31.9
La morphologie d'une feuille. (**a**) Les feuilles sont disposées de diverses façons sur la tige. Deux feuilles situées sur un même nœud et disposées à 180 degrés sont dites opposées. Une feuille est dite alterne lorsqu'une seule feuille apparaît à chaque nœud et que les feuilles s'orientent différemment en alternance. Lorsque trois feuilles ou plus s'attachent à un nœud, on qualifie cette disposition de verticillée. (**b**) Une feuille simple possède un seul limbe continu, à l'extrémité d'un pétiole non ramifié. Lorsque le pétiole se ramifie, portant à chacune de ses extrémités un limbe (ou une foliole) totalement indépendant des autres limbes, on qualifie la feuille de composée (plusieurs folioles). (Il est possible de distinguer une feuille composée d'une tige portant plusieurs feuilles simples rapprochées en cherchant les bourgeons axillaires. On ne trouve pas de bourgeon à la base d'une foliole, mais il y en a un à la jonction du pétiole d'une feuille composée et de la tige.) (**c** à **e**) Les feuilles diffèrent aussi par la forme, la marge et la nervation.

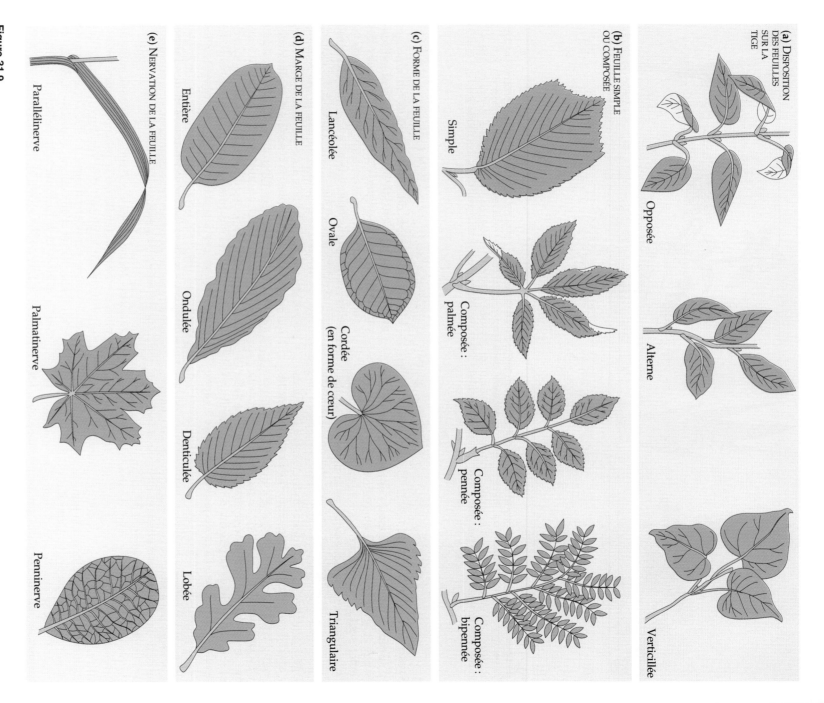

(**a**) Disposition des feuilles sur la tige

Opposée

Alterne

Verticillée

(**b**) Feuille simple ou composée

Simple

Composée : palmée

Composée : pennée

Composée : bipennée

(**c**) Forme de la feuille

Lancéolée

Ovale

Cordée (en forme de cœur)

Triangulaire

(**d**) Marge de la feuille

Entière

Ondulée

Denticulée

Lobée

(**e**) Nervation de la feuille

Parallélinerve

Palmatinerve

Penninerve

(a)

(b)

Figure 31.10
Les feuilles modifiées. (a) La tige du Concombre utilise une vrille, qui est une feuille modifiée, pour s'accrocher à un support. **(b)** Les épines de Cactus, tel ce Figuier de Barbarie, sont en fait des feuilles ; la photosynthèse s'effectue principalement dans les

tiges vertes charnues. **(c)** Un grand nombre de Plantes grasses, comme cette Ficoïde glaciale (*Mesembryanthemum crystallinum*), ont des feuilles modifiées qui emmagasinent l'eau. **(d)** Les feuilles aux couleurs

(c)

(d)

éclatantes d'un grand nombre de Plantes attirent les pollinisateurs vers la fleur. Les « pétales » rouges du Poinsettia (*Euphorbia pulcherrima*) sont des feuilles qui entourent une grappe de fleurs.

secondaires. La disposition des nervures, la forme de la feuille et l'insertion des feuilles sur la tige font partie des caractéristiques auxquelles les taxinomistes se réfèrent pour identifier ou classer les Végétaux (figure 31.9).

Bien que la plupart des feuilles soient spécialisées dans la photosynthèse, les feuilles de certains Végétaux ont développé d'autres fonctions au cours de l'évolution (figure 31.10).

Nous avons examiné jusqu'ici la structure générale de la Plante. Nous allons maintenant explorer son organisation microscopique.

CELLULES ET TISSUS VÉGÉTAUX

Vous allez apprendre dans cette section comment les cellules végétales remplissent certaines fonctions grâce à leurs spécialisations structurales. Nous verrons aussi de quelle façon les cellules sont organisées en tissus pour former trois organes des Végétaux : la racine, la tige et la feuille. Nous avons décrit au chapitre 7 la structure générale des cellules végétales ; la figure 31.11 en présente un résumé. Nous allons maintenant nous pencher sur les différents types de cellules végétales.

Chapitre 31 : Anatomie et croissance des Végétaux **681**

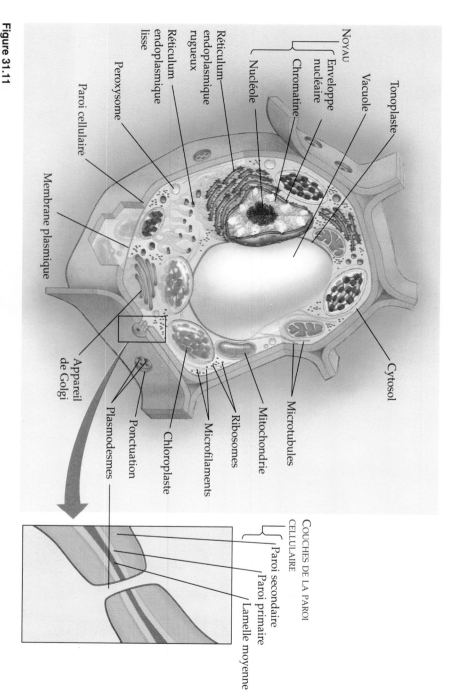

Figure 31.11

Structure d'une cellule végétale : révision. La cellule végétale est constituée d'un protoplaste entouré d'une paroi cellulaire. Une membrane plasmique délimite le protoplaste. À l'extérieur de la membrane plasmique se trouve la paroi cellulaire primaire, entourée d'une paroi cellulaire secondaire formée d'une paroi cellulaire secondaire formée de fibres de cellulose et d'autres substances chez les cellules matures. Entre les parois cellulaires primaires de deux cellules adjacentes se trouve la lamelle moyenne, une couche adhésive qui cimente les deux cellules. Des plasmodesmes, des canaux cytoplasmiques qui traversent les parois, relient les protoplastes de cellules voisines (voir la figure 7.34). Les plasmodesmes sont parfois concentrés dans des régions appelées ponctuations, où l'épaisseur réduite des parois rapproche les protoplastes voisins. Lorsqu'elles ont atteint la maturité, la plupart des cellules végétales possèdent une grande vacuole centrale qui occupe environ 80 % du volume du protoplaste. Une membrane, le tonoplaste, sépare le contenu de la vacuole centrale du reste du cytoplasme, dans lequel on trouve les mitochondries, les plastes et autres organites. La vacuole centrale contient une solution aqueuse de composition complexe. Le volume de cette solution permet de maintenir la turgescence centrale de la cellule (voir le chapitre 8).

Étiquettes de la figure : Tonoplaste — Vacuole — Noyau { Enveloppe nucléaire, Chromatine } — Nucléole — Réticulum endoplasmique rugueux — Réticulum endoplasmique lisse — Peroxysome — Paroi cellulaire — Membrane plasmique — Cytosol — Microtubules — Mitochondrie — Ribosomes — Microfilaments — Chloroplaste — Ponctuation — Plasmodesmes — Appareil de Golgi

COUCHES DE LA PAROI CELLULAIRE { Paroi secondaire, Paroi primaire, Lamelle moyenne }

Types de cellules végétales

Nous avons vu au chapitre 26 que la caractéristique qui permet de distinguer un organisme pluricellulaire d'une colonie de cellules est la répartition du travail entre des cellules dont la structure et la fonction diffèrent. Lorsqu'on observe chaque type de cellule, on constate que les adaptations structurales qu'elles ont subies leur permettent de réaliser des fonctions spécifiques. Dans certaines cellules, les traits distinctifs se trouvent dans le protoplaste (le contenu de la cellule végétale, sans la paroi cellulaire). Par exemple, seul le protoplaste des cellules photosynthétiques contient des chloroplastes. Dans d'autres cellules, ce sont les modifications de la paroi cellulaire qui déterminent le type de fonctionnement.

Cellules des parenchymes Puisque les cellules des tissus appelés parenchymes sont les moins différenciées de toutes les cellules végétales, on les qualifie souvent de cellules typiques (figure 31.12a). La plupart des **cellules des parenchymes** (ou cellules parenchymateuses) ne possèdent pas de paroi cellulaire secondaire; leur paroi cellulaire primaire demeure mince et flexible, même lorsque la cellule a atteint la maturité. Une grande vacuole occupe généralement le centre du protoplaste.

La majeure partie du métabolisme de la Plante s'effectue dans les cellules des parenchymes. Ces cellules synthétisent et emmagasinent diverses substances organiques. Par exemple, la photosynthèse se produit à l'intérieur des chloroplastes dans les cellules parenchymateuses des feuilles (ou des tiges chez certains Végétaux). Certaines cellules localisées dans les tiges et les racines possèdent des plastes incolores qui emmagasinent l'amidon. La pulpe de la plupart des fruits se compose surtout de cellules parenchymateuses.

Tous les types de cellules végétales en croissance possèdent la structure des cellules parenchymateuses. Elles se modifient plus tard tant sur le plan de la structure que sur celui de la fonction. Les cellules parenchymateuses matures ne subissent généralement pas de division cellulaire. Elles ont cependant la capacité de se diviser et de se différencier en d'autres types de cellules végétales dans des conditions spécifiques (après une

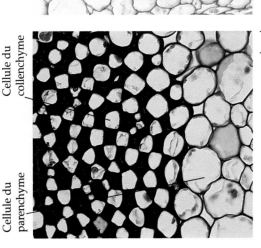

Cellule du
collenchyme

Cellule du
parenchyme

(a) Parenchyme et collenchyme

100 μm

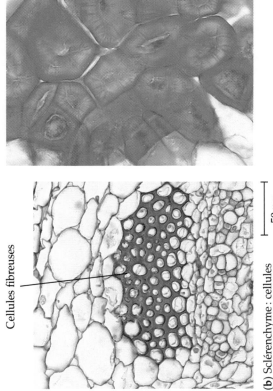

Cellules fibreuses

(b) Sclérenchyme : cellules
fibreuses (à gauche)
et sclérites (à droite)

50 μm

10 μm

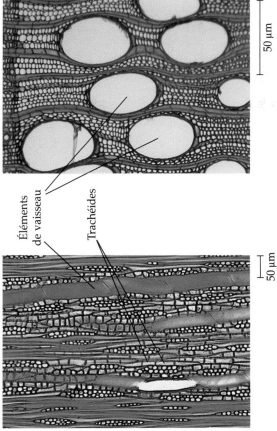

Éléments
de vaisseau

Trachéides

(c) Le xylème, avec des éléments de vaisseau et des trachéides en
coupe longitudinale (à gauche) et en coupe transversale (à droite)

50 μm

50 μm

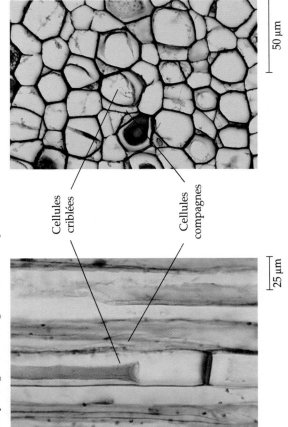

Cellules
criblées

Cellules
compagnes

(d) Le phloème, avec des tubes criblés et des cellules compagnes en
coupe longitudinale (à gauche) et en coupe transversale (à droite)

50 μm

25 μm

Figure 31.12

Types de cellules végétales. (a) Les cellules des parenchymes sont relativement
peu spécialisées et ne possèdent généralement pas de paroi secondaire. Elles constituent le siège de la plupart des fonctions
métaboliques de la Plante. Les cellules du
collenchyme possèdent une paroi primaire
inégale et fournissent un soutien aux parties
de la Plante en croissance. **(b)** Les cellules
du sclérenchyme se spécialisent dans le
soutien. Elles possèdent une paroi secondaire rigide composée de lignine et peuvent
mourir (absence de protoplaste) lorsqu'elles
atteignent la maturité, tout en restant fonctionnelles. Les cellules fibreuses allongées
qui apparaissent sur la micrographie de
gauche, en coupe transversale, forment des
fibres servant au soutien. Les sclérites
(à droite) sont des cellules du sclérenchyme
de forme irrégulière possédant une paroi
lignifiée très épaisse. **(c)** Les cellules du
xylème servant à la circulation de la sève
brute comprennent les trachéides fuselées
(à gauche) et les éléments de vaisseau
(à droite) mis bout à bout. Les deux types
de cellules possèdent une paroi secondaire.
Elles meurent à leur maturité, tout en restant
fonctionnelles. Chez les Gymnospermes, les
trachéides cumulent les tâches de soutien et
de transport de la sève brute. Chez la
plupart des Angiospermes, les éléments de
vaisseau et les trachéides transportent la
sève brute, tandis que les cellules fibreuses
assurent le soutien. **(d)** Les cellules qui
assurent la circulation des nutriments dans
le phloème forment les tubes criblés. Elles
sont placées bout à bout et séparées par
une paroi perforée (crible). Ces cellules
criblées restent vivantes après leur maturité,
mais elles ont perdu leur noyau et certains
organites. Une cellule compagne nucléée
se trouve le long de chaque cellule criblée.
(MP)

blessure par exemple, elles peuvent contribuer à la réparation et au remplacement des organes). Il est même possible de procéder en laboratoire à la régénération d'une Plante complète à partir d'une seule cellule de parenchyme.

Cellules du collenchyme Les **cellules du collenchyme** (ou cellules collenchymateuses) composent le tissu de soutien appelé collenchyme. Comme les cellules des parenchymes, les cellules du collenchyme possèdent un protoplaste entouré uniquement d'une paroi cellulaire primaire. Par contre, la paroi cellulaire primaire, d'épaisseur variable, offre plus de robustesse que celle des cellules des parenchymes grâce à un supplément de cellulose (figure 31.12a). Les cellules du collenchyme forment des cylindres ou des fibres entrecroisées et fournissent ainsi un support aux jeunes parties de la Plante. La base des jeunes tiges est donc souvent constituée d'un cylindre de cellules collenchymateuses. Étant donné que les cellules du collenchyme ne possèdent ni paroi secondaire ni agent durcisseur (tel la lignine), elles assurent un soutien à la Plante tout en permettant sa croissance. Elles s'allongent en même temps que les tiges et les feuilles.

Cellules du sclérenchyme Les **cellules du sclérenchyme** (ou cellules scléreuses) composent le tissu de soutien appelé sclérenchyme; ces cellules concourent aussi au soutien de la Plante. Leur paroi secondaire épaisse constituée de lignine leur assure une plus grande rigidité que celle des cellules du collenchyme. Les cellules du sclérenchyme apparaissent dans des régions de la Plante où la croissance en longueur a cessé, car elles ne peuvent s'allonger après leur maturité. Leur spécialisation dans le soutien de la Plante est telle qu'un grand nombre d'entre elles perdent leur protoplaste à maturité. Ainsi privée de son protoplaste, la cellule morte lègue sa paroi rigide à la charpente d'un plant, ce qui permet à ce dernier de résister à la gravitation.

Les cellules du sclérenchyme forment des fibres ou des sclérites (ou scléréides). Organisées en faisceaux, les **fibres** sont longues, minces et fuselées (figure 31.12b). On utilise certaines fibres végétales comme le chanvre dans la fabrication de la corde, et le lin dans le tissage de la toile. Les **sclérites** sont plus courtes que les fibres et de forme irrégulière. La présence de sclérites confère une certaine dureté à la coquille d'une noix et à l'enveloppe d'une graine. Ce sont les sclérites qui, dans la chair d'une poire, donnent une texture graveleuse.

Trachéides et éléments de vaisseau: cellules spécialisées dans la circulation de la sève brute La *sève brute* contient surtout de l'eau (environ 99 %) et des ions nitrates (NO_3^-, NH_4^+, K^+, Ca^{2+}, PO_4^{3-}); accessoirement, elle contient des acides aminés produits par la réduction des nitrates dans la racine et d'autres substances organiques puisées dans les réserves au cours de l'ascension. Les cellules allongées du xylème qui servent à la circulation de la sève brute sont les **trachéides** et les **éléments de vaisseau** (figure 31.12c). Ces deux types de cellules composent une paroi secondaire pendant que le protoplaste est encore en vie et ne deviennent fonctionnelles qu'à leur mort. Dans les parties de la Plante qui s'allongent encore, la paroi secondaire se dépose inégalement en spi-

rale ou en anneau, permettant ainsi à la paroi de s'étirer comme un ressort à mesure que la cellule croît. Cette paroi renforce les cellules servant à la circulation de la sève brute dans la Plante. (Nous étudierons cette fonction plus en détail au chapitre 32.) Les trachéides et les éléments de vaisseau qui se forment dans des parties de la Plante qui ont cessé leur croissance possèdent habituellement une paroi secondaire pourvue de **ponctuations**, des régions moins épaisses où seule la paroi primaire est présente. Les trachéides et les vaisseaux

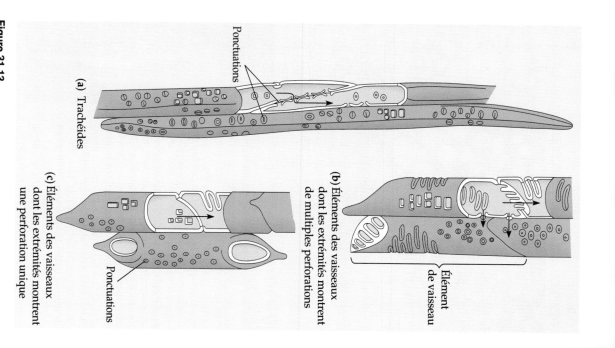

Figure 31.13
Cellules spécialisées dans la circulation de la sève brute dans le xylème. Les flèches indiquent le sens de la circulation de la sève brute. **(a)** Les trachéides sont des cellules fuselées pourvues de ponctuations qui permettent à la sève brute de circuler d'une cellule à l'autre. **(b)** Les vaisseaux sont constitués de cellules individuelles (éléments de vaisseau) reliées bout à bout. La sève brute circule d'une cellule à l'autre à travers les parois perforées des extrémités. La sève brute peut aussi circuler latéralement vers des vaisseaux voisins à travers les ponctuations. **(c)** Dans certains vaisseaux du xylème, la résistance à la circulation de la sève brute est diminuée par l'absence totale de paroi aux extrémités réunissant les cellules du vaisseau.

Ponctuations

(a) Trachéides

(b) Éléments des vaisseaux dont les extrémités montrent de multiples perforations

Élément de vaisseau

(c) Éléments des vaisseaux dont les extrémités montrent une perforation unique

Ponctuations

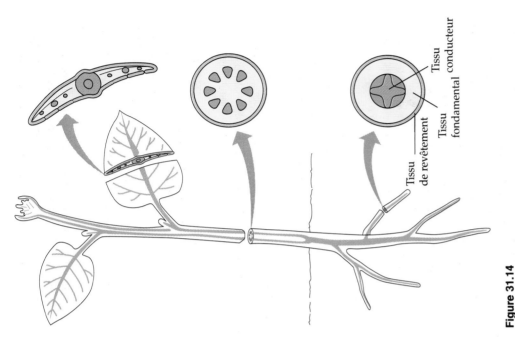

Tissu conducteur

Tissu fondamental

Tissu de revêtement

complètent leur différenciation lorsque le protoplaste se désintègre. Il ne subsiste alors qu'un conduit inerte à travers lequel la sève brute circule (figure 31.13).

Les trachéides sont de longues cellules minces aux extrémités fuselées et en cul-de-sac. La sève brute circule d'une cellule à l'autre par l'intermédiaire de ponctuations pourvues de plasmodesmes qui traversent la paroi primaire. Puisque les trachéides possèdent une paroi secondaire durcie par la lignine, elles assurent tant le soutien de la Plante que la circulation de la sève brute. Les éléments de vaisseau sont généralement plus larges et plus courts que les trachéides, et ont une paroi plus mince et des extrémités moins fuselées. Comme les trachéides, les éléments de vaisseau comportent des ponctuations. Les extrémités des éléments de vaisseau sont ouvertes, de façon que la sève brute circule librement à travers la longue chaîne d'éléments qui forment un des vaisseaux du xylème. La plupart des Gymnospermes ne possèdent que des trachéides, tandis que les Angiospermes possèdent généralement des trachéides et des vaisseaux. Les vaisseaux assurent une circulation plus efficace de la sève brute et se sont probablement développés à partir des trachéides d'Angiospermes ancestrales (voir le chapitre 27).

Cellules criblées : cellules spécialisées dans la circulation de la sève élaborée   Le saccharose, des acides aminés, des hormones, certains ions et un peu d'eau composent la *sève élaborée*. Le phloème des Angiospermes transporte la sève élaborée à travers une succession de cellules criblées formant un **tube criblé** (voir la figure 31.12d). Contrairement aux cellules qui assurent la circulation de la sève brute dans le xylème, les cellules criblées restent vivantes à leur maturité. Toutefois, certains organites tels le noyau, les ribosomes et la vacuole centrale ont disparu du protoplaste. Chez les Angiospermes, les **cribles**, les parois poreuses qui joignent les extrémités de deux cellules d'un tube criblé, facilitent la circulation de la sève élaborée d'une cellule à l'autre. La concentration des pores aux extrémités de la cellule est une adaptation structurale propre aux Angiospermes. Dans le phloème des autres Vasculaires, comme les Fougères et les Gymnospermes, les pores sont répartis sur toute la surface de la cellule.

Le long d'un tube criblé se trouvent les **cellules compagnes** (figure 31.12d). Une cellule compagne communique avec une cellule criblée par l'intermédiaire de nombreux plasmodesmes. Le noyau et les ribosomes de la cellule compagne compensent l'absence de ces organites dans la cellule criblée adjacente.

Les trois catégories de tissus différenciés d'une Plante

Les cellules différenciées d'une Plante, c'est-à-dire les cellules non embryonnaires, se classent en trois catégories tissulaires : les tissus de revêtement, les tissus conducteurs et les tissus fondamentaux. Chaque catégorie se retrouve à tous les niveaux de la Plante, même si les caractéristiques spécifiques des tissus et leurs positions relatives varient d'un organe à l'autre (figure 31.14). Nous allons maintenant décrire brièvement les trois catégories tissulaires telles qu'elles se présentent dans une jeune Plante non ligneuse.

Figure 31.14
Les trois catégories de tissus. Les tissus de revêtement, ou épidermes, se composent d'une unique couche de cellules qui recouvre la surface entière d'un jeune plant. Les tissus conducteurs parcourent toute la Plante, mais s'organisent différemment dans chaque organe. Les tissus fondamentaux s'insèrent entre les deux autres tissus.

Les **tissus de revêtement**, ou **épidermes**, se composent normalement d'une seule couche de cellules serrées qui recouvrent et protègent toutes les parties d'un jeune plant en contact avec le milieu extérieur. En plus des fonctions générales de protection, un épiderme possède certaines caractéristiques compatibles avec la fonction de l'organe qu'il recouvre. Par exemple, les poils absorbants nécessaires à l'absorption de l'eau et des minéraux sont des extensions des cellules de l'épiderme localisées près des extrémités des racines. L'épiderme des feuilles et de la plupart des tiges s'est adapté à la vie terrestre en sécrétant une couche de substance cireuse appelée **cuticule**, qui permet à la Plante de conserver l'eau. Cependant, l'épiderme des jeunes racines qui absorbent l'eau du sol ne sécrète généralement pas de cuticule.

Le xylème et le phloème répartis dans toute la Plante sont les **tissus conducteurs** qui assurent le transport des nutriments et le soutien. Nous étudierons dans la prochaine section l'organisation spécifique des tissus conducteurs de la tige et de la racine.

Les **tissus fondamentaux** constituent la majeure partie de la jeune Plante. Ces tissus comblent l'espace entre les

tissus de revêtement et les tissus conducteurs. Au nombre de ces tissus figurent les parenchymes, le collenchyme et le sclérenchyme. La photosynthèse, l'entreposage et le soutien font partie des fonctions assurées par les tissus fondamentaux.

Chacune des catégories précédentes comporte aussi des *cellules sécrétrices* (de tanin, de résine, de latex, de nectar, etc.) parfois regroupées en tissu. L'étude de la croissance d'une Plante va nous permettre de comprendre l'organisation tissulaire dans ses différents organes.

CROISSANCE DES VÉGÉTAUX

Au fil des saisons et des années, la croissance végétale modifie notre milieu, qu'il s'agisse des jardins, des parcs, des terrains vacants ou des boisés. Il est fascinant d'observer les transformations que subit une Plante avant de devenir une Plante. Nous étudierons au chapitre 34 les premiers stades de croissance (la germination de la graine et l'apparition du jeune plant). Nous allons traiter ci-dessous des stades de croissance d'une Plante après l'apparition de la tige et des racines.

Une **croissance indéfinie** caractérise la plupart des Végétaux puisqu'elle dure toute leur vie. Par ailleurs, la plupart des Animaux connaissent une **croissance définie**, c'est-à-dire que leur croissance cesse dès qu'ils atteignent une certaine taille. Les Végétaux croissent de façon illimitée parce qu'ils produisent constamment des tissus embryonnaires appelés **méristèmes**. Les cellules du méristème sont indifférenciées. Certaines d'entre elles, les **cellules initiales**, se divisent afin de régénérer le méristème ; les autres cellules, les **cellules dérivées**, se spécialisent et s'incorporent aux tissus de la Plante en croissance. Néanmoins, alors que l'ensemble de la Plante connaît une croissance indéfinie, certains organes, comme la feuille et la fleur, connaissent une croissance définie.

Le mode de croissance d'une Plante dépend de l'emplacement des méristèmes (figure 31.15). Les **méristèmes apicaux**, situés à l'extrémité des racines et dans les bourgeons des pousses axillaires et de la tige, fournissent les cellules nécessaires à la croissance en longueur. Ce type d'élongation porte le nom de **croissance primaire**. Il permet aux racines d'étendre leurs ramifications dans le sol et aux pousses d'accroître leur exposition à la lumière et au dioxyde de carbone. Les Plantes herbacées (non ligneuses) ne connaissent que la croissance primaire. Les Plantes ligneuses ont en outre une **croissance secondaire.** Il se produit alors un élargissement progressif des racines et des pousses. La croissance secondaire s'effectue grâce aux **méristèmes latéraux**, qui sont des formations cylindriques de cellules en division qui s'étendent en périphérie dans les racines et les différentes pousses. Ces méristèmes latéraux remplacent l'épiderme par un tissu de revêtement secondaire plus épais et plus solide et produisent des couches de tissus conducteurs supplémentaires. Le bois est le xylème secondaire qui s'accumule au fil des ans.

Une Plante ligneuse connaît à certains endroits une croissance primaire et à d'autres, une croissance secondaire. La croissance primaire s'effectue dans les parties plus jeunes de la Plante, soit à l'extrémité des racines et des

pousses, là où se trouvent les méristèmes apicaux. La croissance secondaire a lieu dans les parties légèrement plus vieilles de la Plante, là où la croissance primaire produit une élongation des racines et des pousses, tandis que la croissance secondaire épaissit et renforce les parties plus vieilles de la Plante. Dans les deux prochaines sections, une étude plus détaillée des croissances primaire et secondaire vous permettra de mieux comprendre la morphologie et l'anatomie des Végétaux.

La croissance indéfinie ne signifie pas qu'une Plante est immortelle ; son génome détermine sa longévité. Par contre, l'espérance de vie de certaines Plantes est liée au milieu ; lorsqu'on règle la température et l'intensité lumineuse et qu'on les protège des Insectes, ces Plantes peuvent vivre beaucoup plus longtemps qu'en pleine nature. Les **Plantes annuelles** complètent leur cycle de développement — de la germination à la production de graines, en passant par la floraison — en un an ou moins. Un grand nombre de Plantes sauvages et de Plantes alimentaires, comme celles qui nous donnent les céréales et les légumes, sont des Plantes annuelles. Les **Plantes bisannuelles** complètent leur cycle de développement en deux ans. Au cours de la première année, la Plante subit une croissance végétative. La floraison n'a lieu qu'au cours de la deuxième année. Les Betteraves et les Carottes sont des Plantes bisannuelles dont nous voyons rarement la

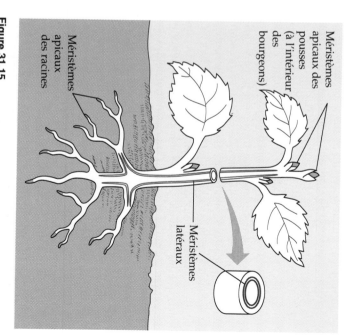

Figure 31.15
Vue d'ensemble de la croissance d'une Plante montrant l'emplacement des principaux méristèmes. Les méristèmes constituent une population renouvelable de cellules qui se divisent et fournissent des cellules à la Plante en croissance. Les méristèmes apicaux, situés près des extrémités des pousses et des racines, assurent la croissance primaire (croissance en longueur). Les Plantes ligneuses possèdent en outre des méristèmes latéraux qui assurent la croissance secondaire responsable de l'augmentation de la circonférence des racines et des pousses.

Méristèmes apicaux des pousses (à l'intérieur des bourgeons)

Méristèmes apicaux des racines

Méristèmes latéraux

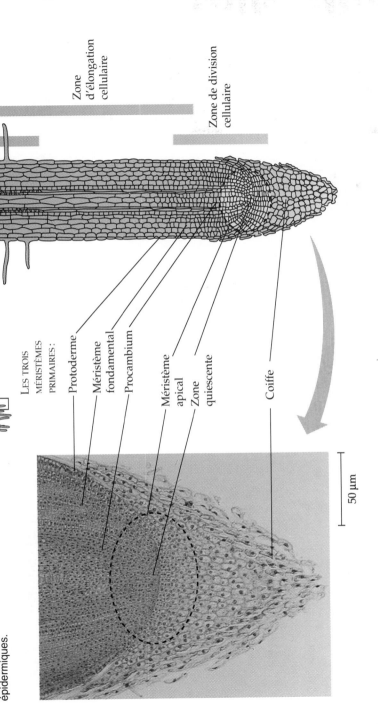

Figure 31.16

La croissance primaire d'une racine. Le méristème apical et les trois méristèmes primaires se situent dans la zone de division cellulaire, siège de nombreuses mitoses. Le méristème apical comble les pertes cellulaires de la coiffe en produisant de nouvelles cellules (MP). En cas de dommages au méristème apical, la zone quiescente s'active et le régénère grâce à la division cellulaire. La majeure partie de la croissance cellulaire prend place dans la zone d'élongation cellulaire. Les cellules deviennent matures dans la zone de différenciation cellulaire, appelés aussi zone pilifère, puisque c'est dans cette zone que les poils absorbants émergent des cellules épidermiques.

Écorce Stèle

Épiderme

Poil absorbant

Zone de différenciation cellulaire

Zone d'élongation cellulaire

Zone de division cellulaire

LES TROIS MÉRISTÈMES PRIMAIRES :

Protoderme

Méristème fondamental

Procambium

Méristème apical

Zone quiescente

Coiffe

50 µm

floraison puisque nous les retirons de terre avant la deuxième année. Les **Plantes vivaces**, comme les arbres, les arbustes et certaines Graminées, peuvent vivre de nombreuses années. Certaines Plantes herbacées des Prairies canadiennes existeraient depuis 10 000 ans ; elles auraient germé à la fin de la dernière glaciation. Ces Plantes vivaces ont peut-être le potentiel qui leur permettra de survivre et de continuer à croître durant des milliers d'années encore. Pour ce faire, elles devront échapper aux maladies, à des accidents comme les inondations et les feux, aux changements climatiques et à la prolifération humaine.

CROISSANCE PRIMAIRE

La croissance primaire produit la **structure primaire** d'une Plante, qui se compose des tissus de revêtement, des tissus conducteurs et des tissus fondamentaux (voir la figure 31.14). On peut observer la structure primaire dans les Plantes herbacées et les nouvelles parties d'une Plante ligneuse. Les méristèmes apicaux sont responsables de la croissance primaire des racines et des différentes pousses. Cependant, la croissance primaire des racines diffère de celle des pousses.

Croissance primaire des racines

La croissance primaire permet aux racines de s'enfoncer dans le sol. L'extrémité d'une racine est recouverte d'une **coiffe** semblable à un dé à coudre, dont la fonction consiste à protéger le méristème fragile contre la rugosité du sol dans lequel il s'enfonce. De plus, la coiffe sécrète un polysaccharide de nature visqueuse qui lubrifie le sol autour de l'extrémité des racines en croissance. La croissance en longueur s'effectue près de l'extrémité des racines, où l'on identifie trois zones de croissance primaire. À partir de la coiffe, on compte successivement la zone de division cellulaire, la zone d'élongation cellulaire et la zone de différenciation cellulaire. Cependant, la transition entre chaque zone ne se distingue pas nettement (figure 31.16).

La **zone de division cellulaire** comprend le méristème apical et les méristèmes primaires qui en dérivent. Le méristème apical se trouve au cœur de la zone de division cellulaire. Il donne naissance aux cellules des méristèmes primaires et remplace les cellules qui se détachent de la coiffe. La **zone quiescente**, qui se trouve au centre du méristème apical, se compose de cellules dont le rythme de division cellulaire est beaucoup plus lent que

Chapitre 31 : Anatomie et croissance des Végétaux **687**

celui des autres cellules du méristème. Les cellules de la zone quiescente résistent relativement bien aux dommages causés par les radiations et les produits chimiques toxiques. Elles représentent une réserve qui sert à reconstituer le méristème en cas de dommages. Lorsqu'on procède à des expériences au cours desquelles on enlève une partie du méristème apical, on constate que les cellules de la zone quiescente se divisent à un rythme plus rapide et fabriquent un nouveau méristème. Les cellules du méristème apical continuent à se diviser et forment trois cylindres concentriques de cellules méristématiques. Ces trois méristèmes primaires, le *protoderme*, le *procambium* et le *méristème fondamental*, se développent au-dessus du méristème apical. Ils constitueront les trois catégories de tissus primaires de la racine : les tissus de revêtement, les tissus conducteurs et les tissus fondamentaux.

Au-dessus de la zone de division cellulaire se trouve la **zone d'élongation cellulaire**, où les cellules deviennent environ dix fois plus longues. Le méristème apical ajoute de nouvelles cellules à la racine, mais c'est surtout grâce à l'élongation des cellules que l'apex de la racine s'enfonce dans le sol. Le méristème apical soutient l'effort de croissance en fournissant continuellement des cellules au début de la zone d'élongation. Avant d'avoir terminé leur croissance, les cellules commencent à se spécialiser. Elles acquièrent une structure et une fonction particulière en pénétrant dans la **zone de différenciation cellulaire**. Les trois catégories tissulaires complètent leur différenciation dans cette zone.

Tissus primaires des racines   Les trois méristèmes primaires donnent naissance aux trois catégories de tissus

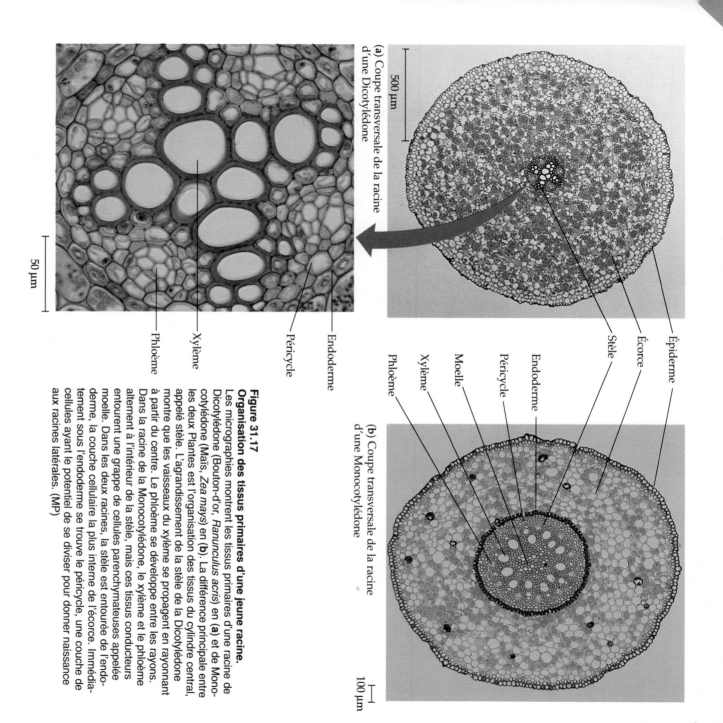

(a) Coupe transversale de la racine d'une Dicotylédone

500 μm

Phloème
Xylème
Péricycle
Endoderme

50 μm

Figure 31.17
Organisation des tissus primaires d'une jeune racine.
Les micrographies montrent les tissus primaires d'une racine de Dicotylédone (Bouton-d'or, *Ranunculus acris*) en (**a**) et de Monocotylédone (Maïs, *Zea mays*) en (**b**). La différence principale entre les deux Plantes concerne l'organisation des tissus du cylindre central, appelé stèle. L'agrandissement de la stèle de la Dicotylédone montre que les vaisseaux du xylème se propagent en rayonnant à partir du centre. Le phloème se développe entre les rayons. Dans la racine de la Monocotylédone, le xylème et le phloème alternent à l'intérieur de la stèle, mais ces tissus conducteurs entourent une grappe de cellules parenchymateuses appelée moelle. Dans les deux racines, la stèle est entourée de l'endoderme, la couche cellulaire la plus interne de l'écorce. Immédiatement sous l'endoderme se trouve le péricycle, une couche de cellules ayant le potentiel de se diviser pour donner naissance aux racines latérales. (MP)

(b) Coupe transversale de la racine d'une Monocotylédone

Épiderme
Écorce
Stèle
Endoderme
Péricycle
Moelle
Xylème
Phloème

100 μm

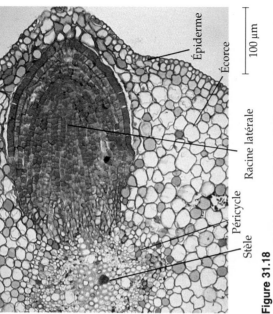

Épiderme

Écorce

100 μm

Racine latérale

Péricycle

Stèle

Figure 31.18
La formation des racines latérales. Cette coupe transversale d'une racine montre le développement d'une racine latérale à partir du péricycle, la couche externe de la stèle (MP).

primaires des racines, comme le montre la figure 31.17. Le **protoderme**, le méristème primaire externe, se transforme en épiderme, une couche unique de cellules qui couvre les racines. L'eau et les minéraux du sol doivent donc traverser l'épiderme pour pénétrer dans la Plante. Les poils absorbants à la surface de la cellule augmentent considérablement sa capacité d'absorption.

Le **procambium** est le précurseur du cylindre central, la **stèle**, dans laquelle le xylème et le phloème se développent. La disposition particulière des deux tissus conducteurs varie. Chez la plupart des Dicotylédones, les cellules du xylème rayonnent du centre de la stèle, tandis que les cellules du phloème se développent dans les zones délimitées par les rayons. Par ailleurs, la stèle des Monocotylédones possède généralement un noyau central de cellules parenchymateuses, appelé la **moelle**; ce noyau est entouré d'un anneau de tissus conducteurs dans lequel alternent le xylème et le phloème.

Le **méristème fondamental**, situé entre le protoderme et le procambium, fournit les tissus fondamentaux. Les tissus fondamentaux, constitués principalement de cellules parenchymateuses, remplissent l'**écorce**, la région de la racine située entre la stèle et l'épiderme. Les cellules des tissus fondamentaux racinaires emmagasinent les nutriments. Leur membrane plasmique absorbe activement les minéraux, qui pénètrent dans les cellules sous forme de solution. La couche la plus interne de l'écorce est l'**endoderme**, une couche cylindrique de cellules entre l'écorce et la stèle. L'endoderme joue un rôle de barrière sélective qui règle le passage des substances provenant du sol dans le tissu conducteur de la stèle. (Nous étudierons la structure et la fonction de l'endoderme plus en détail au chapitre 32.)

D'une racine primaire peuvent surgir des **racines latérales** (figure 31.18). Le **péricycle** est une couche de cellules située à l'intérieur de l'endoderme; il peut se transformer en méristème et recommencer à se diviser. Des divisions mitotiques des cellules du péricycle produisent des grappes de cellules qui s'allongent dans l'écorce jusqu'à ce que la racine latérale sorte de la racine primaire. La stèle de la racine latérale demeure reliée à la stèle de la racine primaire et assure ainsi la continuité des tissus conducteurs dans tout le système racinaire.

entre-nœuds formés dans le bourgeon. Cette croissance résulte tant de la division cellulaire que de l'élongation des cellules à l'intérieur de l'entre-nœud. Chez certaines Plantes, telles les Graminées, la croissance des entre-nœuds se prolonge d'un bout à l'autre de la pousse, parce qu'elles possèdent des **méristèmes intercalaires** à la base de chaque entre-nœud.

Les bourgeons axillaires formeront ultérieurement les pousses axillaires du système caulinaire (voir la figure 31.5). Une racine et une tige ne forment pas leurs ramifications latérales de la même façon. Les racines latérales émergent du péricycle qui fait partie de la stèle, profondément enfoui à l'intérieur d'une racine principale (voir la figure 31.18). En émergeant de la stèle, les racines latérales peuvent se lier aux tissus conducteurs de la Plante. En revanche, les pousses axillaires du système caulinaire proviennent du bourgeon axillaire situé à la surface de la tige. Comme les tissus conducteurs de la tige se trouvent près de la surface (voir la figure 31.14), la pousse axillaire peut s'y relier facilement, sans devoir prendre naissance au cœur du système.

Tissus primaires de la tige Les tissus conducteurs se prolongent dans la tige et forment plusieurs îlots de conduits appelés **faisceaux libéroligneux**, situés en périphérie de la tige ou distribués inégalement dans toute la tige (figure 31.20). Un faisceau libéroligneux indique la présence du phloème (ou *liber*) et la présence du xylème (ou bois) contenant la *lignine*. Dans la racine, les faisceaux libéroligneux se concentrent dans la stèle, c'est-à-dire au cœur de la racine. Au point de jonction entre la tige et la racine, les faisceaux libéroligneux convergent vers la stèle.

Chaque faisceau libéroligneux d'une tige est entouré de tissus fondamentaux. Chez la plupart des Dicotylédones, les faisceaux forment un anneau entre la moelle et l'écorce. La moelle et l'écorce font partie des tissus fondamentaux. Le xylème des faisceaux libéroligneux se trouve du côté de la moelle et le phloème, du côté de l'écorce.

Croissance primaire des pousses

Le méristème apical d'une pousse est une masse bombée de cellules en division à l'extrémité du bourgeon terminal (figure 31.19a). Le méristème apical de la pousse, comme celui de la racine, produit les trois méristèmes primaires, soit le protoderme, le procambium et le méristème fondamental, dont les cellules se différencient et deviennent les trois catégories de tissus. Lorsque les feuilles surgissent, elles forment de minuscules renflements, appelés primordiums foliaires, à côté du méristème apical bombé. Le bourgeon axillaire se développe à partir d'un îlot de cellules déposées par le méristème apical à la base du primordium foliaire.

Dans un bourgeon, les nœuds supportant les primordiums foliaires s'entassent les uns sur les autres à cause de la petite longueur des entre-nœuds (figure 31.19b). L'élongation d'une pousse est due à la croissance des premiers

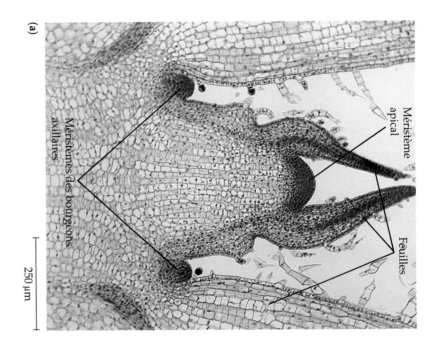

Méristème
apical

Méristèmes des bourgeons
axillaires

Feuilles

250 μm

(b)

Figure 31.19
Bourgeon terminal et croissance primaire d'une pousse.
(a) Les primordiums foliaires proviennent des flancs du méristème apical bombé. Ce dernier donne naissance au protoderme, au procambium et au méristème fondamental, soit les précurseurs des trois catégories de tissus. Cette micrographie montre une coupe longitudinale de l'extrémité d'une pousse de *Coleus* (MP).
(b) Cette micrographie en plongée de la région apicale d'une pousse de Céleri montre que les feuilles se forment rapidement l'une à la suite de l'autre (MEB). Sous cette région apicale, la division et la croissance des cellules permettront l'allongement des entre-nœuds.

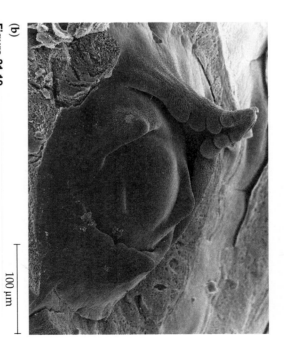

100 μm

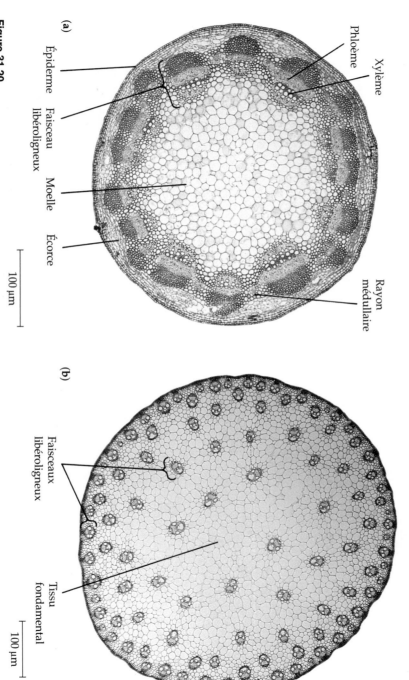

(a)

Épiderme

Phloème

Xylème

Faisceau
libéroligneux

Moelle

Écorce

Rayon
médullaire

100 μm

(b)

Faisceau
libéroligneux

Faisceaux
libéroligneux

Tissu
fondamental

100 μm

Figure 31.20
Organisation des tissus primaires de jeunes tiges. (a) Cette illustration montre les faisceaux libéroligneux disposés en anneau dans la tige d'une Dicotylédone (Tournesol). Les tissus fondamentaux se composent de l'écorce (encerclant l'anneau de faisceaux libéroligneux) et de la moelle (au centre). Des rayons de la moelle (rayons médullaires) s'insèrent entre les faisceaux libéroligneux (MP). **(b)** Cette illustration montre les faisceaux libéroligneux répartis inégalement à travers les tissus fondamentaux de la tige d'une Monocotylédone (Maïs) (MP).

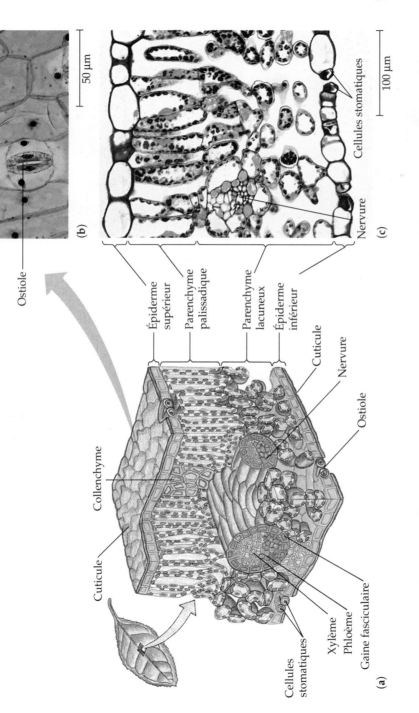

Figure 31.21

Anatomie d'une feuille. (a) Cette coupe d'une feuille montre l'organisation des trois catégories de tissus : tissus de revêtement (épiderme), tissus conducteurs (phloème et xylème) et tissus fondamentaux (parenchymes palissadique et lacuneux). **(b)** Cette vue en plan d'une feuille de Monocotylédone, la *Tradescantia*, montre des cellules épidermiques et des stomates formés de deux cellules épidermiques spécialisées, les cellules stomatiques (MP). **(c)** On peut observer les parenchymes palissadique et lacuneux du mésophylle de la feuille d'un Lilas, une Dicotylédone (MP).

Des rayons de moelle rejoignent l'écorce et séparent ainsi les faisceaux. Dans la tige de la plupart des Monocotylédones, les faisceaux libéroligneux sont dispersés dans les tissus fondamentaux au lieu de former un anneau ; dans ce cas, la tige ne comprend ni moelle ni écorce. Le collenchyme sous l'épiderme et le parenchyme composent les tissus fondamentaux des tiges (voir la figure 31.12a).

Le protoderme du bourgeon terminal donne naissance à l'épiderme, qui recouvre la tige, les pousses axillaires et les feuilles (voir la figure 31.14).

Organisation des tissus de la feuille L'épiderme masque l'organisation des cellules de la feuille, qui sont imbriquées en réalité à la façon des pièces d'un casse-tête (figure 31.21). L'épiderme de la feuille, comme celui de notre peau, constitue la première ligne de défense contre les blessures et les agents pathogènes. De plus, la cuticule cireuse de l'épiderme empêche les pertes d'eau de la Plante. Cette barrière n'est interrompue que par des complexes pluricellulaires épidermiques, les **stomates**, dont le centre montre une ouverture, l'**ostiole**. On appelle **cellules stomatiques** (ou cellules de garde) les deux cellules spécialisées de l'épiderme qui bordent l'ostiole et qui en règlent l'ouverture. D'autres cellules épidermiques, les *cellules annexes*, entourent les cellules stomatiques. Un

stomate permet les échanges gazeux entre l'air ambiant et les cellules photosynthétiques de la feuille. Il ouvre aussi un passage pour l'élimination d'un trop-plein d'eau : ce phénomène porte le nom de **transpiration**. Nous étudierons le mécanisme d'ouverture et de fermeture du stomate au chapitre 32.

Les tissus fondamentaux de la feuille prennent place entre l'épiderme supérieur et l'épiderme inférieur. Ils portent le nom de **mésophylle** (du grec *mesos* « au milieu » et *phullon* « feuille »). Des parenchymes, constitués de cellules photosynthétiques, composent principalement le mésophylle. Les feuilles d'un grand nombre de Dicotylédones possèdent deux régions distinctes dans le mésophylle (figure 31.21c). Dans la partie supérieure de la feuille se trouve une (ou deux) couche de parenchyme palissadique constituée de cellules cylindriques. Sous la région palissadique se trouve le parenchyme lacuneux, qui doit son nom aux espaces d'air (lacunes) qui forment un labyrinthe dans le tissu. Les lacunes permettent au dioxyde de carbone et à l'oxygène de circuler autour des cellules photosynthétiques de forme irrégulière du parenchyme lacuneux et de se rendre vers la région palissadique. Les lacunes sont particulièrement volumineuses à proximité des stomates, là où se produisent les échanges gazeux avec l'air ambiant.

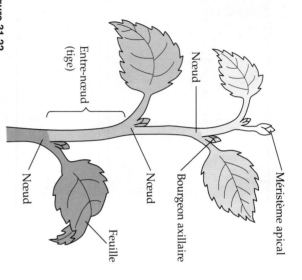

Figure 31.22
Le développement modulaire d'une pousse. La croissance primaire produit une succession de segments ou modules (l'illustration les indique par des teintes différentes) constitués d'un nœud avec une ou plusieurs feuilles, d'un bourgeon axillaire à l'aisselle de chaque feuille et d'un entre-nœud. Les modules miniatures croissent dans le méristème apical et déplacent l'apex plus loin, où le prochain module va se former, et ainsi de suite.

Labels : Entre-nœud (tige) · Nœud · Nœud · Bourgeon axillaire · Nœud · Feuille · Méristème apical

Chez la plupart des Végétaux, les stomates sont plus nombreux sur la face inférieure que sur la face supérieure des feuilles (voir la figure 31.21c). Ce type d'adaptation réduit au minimum les pertes d'eau, qui sont plus abondantes par les stomates situés sur la face supérieure de la feuille, exposée au soleil. La structure fonctionnelle de la Plante reflète l'adaptation évolutive à la vie sur la terre ferme.

Les tissus conducteurs d'une feuille communiquent avec le xylème et le phloème de la tige. Les *traces foliaires*, des ramifications provenant des faisceaux libéroligneux de la tige, traversent le pétiole pour se rendre à la feuille. À l'intérieur de la feuille, les nervures, composées de tissus conducteurs, se subdivisent et se ramifient dans tout le mésophylle. Le xylème et le phloème se trouvent ainsi en contact direct avec les tissus photosynthétiques. Le xylème amène l'eau et les minéraux depuis les racines, tandis que le phloème achemine le saccharose et les substances organiques de la feuille vers les autres parties de la Plante. Les tissus conducteurs jouent aussi le rôle de squelette en offrant un soutien au mésophylle de la feuille (voir la figure 31.21).

Disposition modulaire des pousses et modifications de phase au cours de la croissance Le développement en série des nœuds et des entre-nœuds dans la pousse apicale, suivi de l'élongation des entre-nœuds, donne naissance à une pousse présentant une disposition modulaire, c'est-à-dire une succession de segments comprenant chacun une tige et une ou plusieurs feuilles portant un bourgeon axillaire à l'aisselle (figure 31.22). Chez certains Animaux, la formation de tous les organes s'effectue dans l'embryon. Par contre, chez les Végétaux, les organes s'ajoutent aux extrémités des pousses tout au long de leur vie. Contrairement aux segments du Ver de terre qui ont tous le même âge, l'âge des modules d'une Plante augmente en fonction de la distance qui les sépare du méristème apical.

Notre étude des pousses apicales et de la croissance primaire nous fait penser que le méristème produit une succession de modules identiques aussi longtemps que la pousse est vivante. En réalité, le méristème apical peut passer d'une étape de développement à une autre au cours de sa vie. Une de ces étapes consiste en une transition graduelle d'un état végétatif juvénile (la formation de feuilles) à un état végétatif mature. La modification de la morphologie des feuilles constitue généralement le signe le plus évident du changement de phase. La figure 31.23, par exemple, permet de comparer les feuilles de régions juvéniles avec celles de régions matures d'un Eucalyptus. Une fois que le méristème a donné naissance à des nœuds et à des entre-nœuds juvéniles, ces derniers conservent leur statut juvénile tant que la pousse continue à s'allonger. Par la suite, le méristème passe à la phase mature. Si un bourgeon axillaire devient une branche, cette nouvelle pousse adopte la phase de développement modulaire de la pousse dont elle provient. La transition de l'état juvénile à l'état mature souligne encore une fois la différence entre le développement végétal et le développement animal. Chez les Animaux, la transition s'effectue dans l'organisme tout entier. Chez les Végétaux, les changements de phase des méristèmes apicaux aboutissent à la coexistence des régions juvéniles et des régions matures dans l'axe de chaque pousse.

Figure 31.23
Changement de phase dans le système caulinaire de l'Eucalyptus. Cet Eucalyptus (*Eucalyptus polyanthemos*) porte **(a)** des feuilles juvéniles rondes et **(b)** des feuilles matures lancéolées. Ce feuillage différent reflète un changement de phase dans le développement du méristème apical de chaque pousse. Dans sa phase végétative juvénile, un méristème produit des modules développant des feuilles rondes. À mesure que le méristème entre dans la phase végétative mature, ses feuilles deviennent de plus en plus lancéolées. Une fois le module formé, sa phase de développement reste fixe, qu'elle soit juvénile ou mature ; en d'autres termes, les feuilles rondes ne peuvent pas devenir lancéolées. La phase de développement des bourgeons axillaires est fixée au moment où le méristème apical les forme.

(a)

(b)

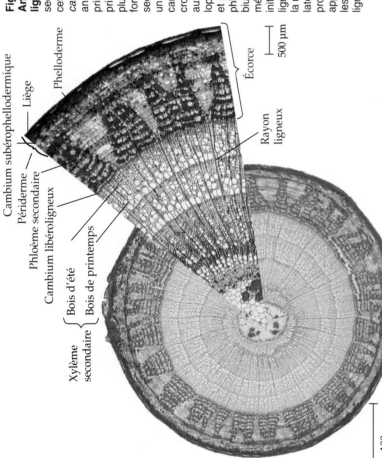

Figure 31.24
Anatomie de la tige d'une Dicotylédone ligneuse. Grâce aux anneaux de croissance secondaire, on peut déterminer l'âge de cette tige de Tilleul d'Amérique (*Tilia americana*), vue en coupe transversale. Chaque année de croissance développe un bois de printemps suivi d'un bois d'été. Le bois de printemps montre un xylème secondaire plus tendre, avec un tissu conducteur de fort calibre ; le bois d'été montre un xylème secondaire plus compact et résistant, avec un tissu conducteur de petit calibre. Le cambium libéroligneux est responsable de la croissance secondaire. Il donne naissance aux cellules initiales fusiformes, qui se développent dans les faisceaux libéroligneux et produisent le xylème secondaire et le phloème secondaire. Les cellules du cambium qui se développent dans les rayons médullaires portent le nom de cellules initiales des rayons et engendrent les rayons ligneux qui assurent le transport latéral et la mise en réserve. Un deuxième méristème latéral, le cambium subérophellodermique, produit une couche protectrice externe appelée périderme. L'écorce comprend tous les tissus à l'extérieur du cambium libéroligneux. (MP)

Dans certains cas, une pousse apicale traverse une deuxième phase de transition de l'état végétatif mature à l'état reproducteur (la formation de fleurs). Contrairement à la croissance végétative, qui est en perpétuel renouvellement, la production d'une fleur par un méristème apical met un terme à la croissance primaire de l'extrémité de cette pousse. Nous étudierons le développement de la fleur plus en détail au chapitre 34. Nous verrons ensuite au chapitre 35 de quelle façon s'exerce la régulation du passage de la croissance végétative d'une pousse à la production de fleurs.

CROISSANCE SECONDAIRE

En plus de la croissance primaire (en longueur), la plupart des Vasculaires subissent une croissance secondaire (en diamètre). Les tissus secondaires produits au cours de la croissance en diamètre constituent la **structure secondaire** d'une Plante. Deux méristèmes latéraux interviennent au cours de la croissance secondaire : le cambium libéroligneux, qui donne le xylème et le phloème secondaires, et le cambium subérophellodermique, qui engendre une couche résistante destinée à remplacer l'épiderme des tiges et des racines. On observe une croissance secondaire chez toutes les Gymnospermes et chez la plupart des Dicotylédones parmi les Angiospermes, mais rarement chez les Monocotylédones.

Croissance secondaire des tiges

Cambium libéroligneux Le **cambium libéroligneux** se forme à partir de cellules des parenchymes, qui deviennent méristématiques en acquérant la capacité de se diviser. Cette transition s'opère dans une couche cellulaire située entre le xylème primaire et le phloème primaire de chaque faisceau libéroligneux et dans les rayons médullaires (figure 31.24). Le cambium libéroligneux prend ainsi la forme d'un cylindre de cellules en division entourant le xylème primaire et la moelle de la tige. Les cellules du cambium situées dans les rayons médullaires portent le nom de **cellules initiales des rayons.** Elles produisent des bandes de cellules parenchymateuses appelées **rayons ligneux,** qui sont des liens vivants permettant le transport latéral de l'eau et des nutriments ainsi que la mise en réserve de l'amidon et d'autres substances. Les cellules du cambium à l'intérieur des faisceaux libéroligneux portent le nom de **cellules initiales fusiformes** à cause de leur forme allongée, qui suit l'axe de la tige, et de la forme effilée de leurs extrémités. Ces cellules du cambium produisent un nouveau tissu conducteur vers l'intérieur, le xylème secondaire, et un autre tissu conducteur vers l'extérieur, le phloème secondaire (figure 31.25).

Au fil des ans, les couches de xylème secondaire s'accumulent et deviennent ce que nous appelons du bois. Le bois se compose principalement de trachéides, de vaisseaux (chez les Angiospermes) et de fibres. Ces cellules, mortes à maturité, possèdent une épaisse paroi lignifiée qui confère au bois sa dureté et sa résistance. Dans les régions tempérées, la croissance secondaire des Plantes vivaces est interrompue au cours de l'hiver lorsque le cambium libéroligneux entre en dormance. Quand la croissance secondaire reprend au printemps, les premières trachéides et les premiers vaisseaux qui apparaissent ont habituellement un grand diamètre et une paroi mince si on les compare au xylème secondaire produit plus tard au cours de l'été. C'est pourquoi il est possible de distinguer un bois formé au printemps d'un bois

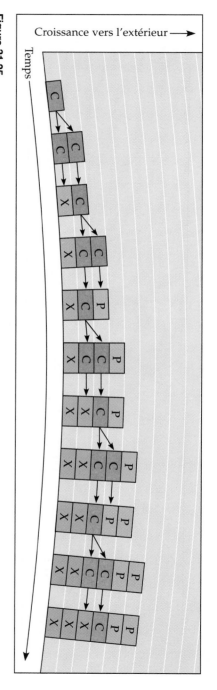

Figure 31.25
Production du xylème secondaire et du phloème secondaire par le cambium libéroligneux. Ce diagramme montre le développement du cambium libéroligneux à partir d'une cellule initiale fusiforme. La cellule du cambium (C) produit le xylème (X) à l'intérieur et le phloème (P) à l'extérieur. À chaque division d'une cellule initiale fusiforme, une des cellules filles conserve le potentiel initial de la cellule mère, tandis que l'autre se différencie et devient soit une cellule du xylème soit une cellule du phloème. À mesure que les couches de xylème s'ajoutent, le cambium s'éloigne du centre de la tige.

Croissance vers l'extérieur →

Temps

formé l'été (voir la figure 31.24). Si on observe la coupe transversale d'un tronc d'arbre des régions tempérées, on peut voir des anneaux de croissance qui résultent du cycle annuel du cambium libéroligneux : cambium en dormance, production de bois de printemps et production de bois d'été. La démarcation visible entre chaque année de croissance permet d'évaluer l'âge d'un arbre en comptant ses anneaux.

Le phloème secondaire qui se trouve à l'extérieur du cambium libéroligneux ne s'accumule pas au fil des années. À mesure que l'arbre croît en épaisseur, le phloème secondaire le plus ancien (à l'extérieur) et tous les tissus encore plus à l'extérieur de l'écorce, qui plus tard se fendille et tombe du tronc de l'arbre.

Cambium subérophellodermique L'épiderme produit pendant la croissance primaire se fendille, sèche et se détache de la tige au cours de la croissance secondaire. Il est remplacé par un nouveau tissu protecteur produit par le **cambium subérophellodermique** (ou phellogène), un tissu méristématique de forme cylindrique qui prend place dans l'écorce externe de la tige (figure 31.26 ; voir aussi la figure 31.24). Les cellules initiales fusiformes du cambium subérophellodermique se divisent chacune en deux cellules filles ; la cellule fille qui occupe la place de la cellule mère conserve un état méristématique alors que l'autre cellule fille s'ajoute au tissu voisin. Si elle apparaît vers la périphérie de la tige, elle contribue à la formation du *suber*, communément appelé *liège*. Si elle apparaît vers le centre de la tige, elle contribue à la formation du *phelloderme*. Le liège se compose de cellules aplaties et empilées sans interstices. Dès leur apparition, ces cellules sécrètent une substance lipidique (une cire) imperméable, la *subérine*, qui se dépose dans la paroi cellulaire. Sans échanges avec l'extérieur, ces cellules meurent rapidement et se remplissent d'air, ce qui explique la légèreté du liège. Ce dernier forme une barrière protectrice contre les agressions du milieu et les agents pathogènes. La composition cireuse de la couche externe du liège prévient les pertes d'eau des tiges.

Le phelloderme est un parenchyme typique, composé de cellules (parfois chlorophylliennes) à paroi mince. Ce tissu occupe généralement moins de volume que le liège. Le phelloderme, le liège et le cambium subérophellodermique qui les génère, constituent le **périderme**, la couche protectrice de la structure secondaire de la Plante qui remplace l'épiderme de la structure primaire. Le terme **écorce** recouvre tous les tissus situés à l'extérieur du cambium libéroligneux. L'écorce comprend donc le phloème, le cambium subérophellodermique et le liège, soit le phloème et le périderme.

Contrairement au cambium libéroligneux dont le diamètre croît, le cambium subérophellodermique original est un cylindre dont la taille reste stable. Après quelques semaines de production de liège et de phelloderme, le cambium subérophellodermique perd son activité méristématique, et les cellules qui le composent deviennent à leur tour du liège. L'expansion des tiges provoque le fendillement du périderme original. On peut se demander de quelle façon le périderme poursuit sa croissance secondaire. Un nouveau cambium subérophellodermique se forme de plus en plus profondément dans l'écorce, jusqu'à ce qu'il n'y ait plus d'écorce. Par la suite, le cambium subérophellodermique se développe à partir des cellules parenchymateuses du phloème secondaire.

Le transport de la sève élaborée ne s'effectue que dans le phloème secondaire le plus récent, qui est situé du côté interne du cambium subérophellodermique. Le phloème secondaire le plus ancien, situé du côté externe du cambium subérophellodermique, meurt et protège la tige jusqu'à son détachement de l'écorce au cours des saisons de croissance secondaire. Grâce aux régions lacuneuses de l'écorce, appelées **lenticelles**, les cellules vivantes du tronc peuvent échanger des gaz respiratoires avec l'extérieur.

L'examen de la coupe transversale d'un vieux tronc d'arbre (voir la figure 31.26) permet d'observer l'aboutissement de nombreuses années de croissance secondaire des tiges. La figure 31.27 présente un résumé des liens qui unissent la croissance primaire et secondaire des différents tissus.

Croissance secondaire des racines
Les deux méristèmes latéraux, le cambium libéroligneux et le cambium subérophellodermique, jouent également

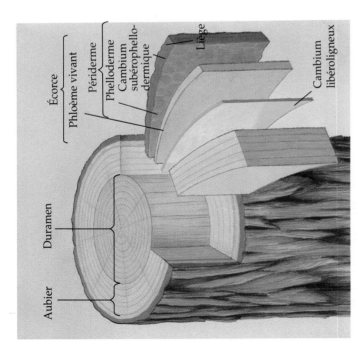

Aubier · Duramen · Écorce · Phloème vivant · Périderme · Phelloderme · Cambium subérophellodermique · Liège · Cambium libéroligneux

Figure 31.26
Anatomie d'un tronc d'arbre. La coupe transversale d'un tronc d'arbre nous permet de distinguer plusieurs couches, du centre vers l'extérieur. L'aubier et le duramen constituent le xylème secondaire. Le duramen (le cœur de l'arbre) est plus vieux et n'assure plus le transport de la sève brute ; les parois lignifiées de ses cellules mortes forment une colonne centrale qui soutient l'arbre. Ce bois doit sa riche couleur aux résines et aux autres substances qui obstruent les cavités cellulaires et qui contribuent à protéger le noyau de l'arbre des Mycètes et des Insectes. L'aubier se compose de cellules du xylème secondaire qui assurent encore le transport d'eau et de minéraux (sève brute). Puisque chaque nouvelle couche de xylème secondaire possède une circonférence plus grande, la croissance secondaire permet au xylème de transporter une plus grande quantité de sève brute chaque année afin de fournir aux feuilles plus nombreuses l'eau et les minéraux dont elles ont besoin. Le cambium libéroligneux est situé près des cellules les plus jeunes du xylème secondaire qu'il engendre. Le cambium libéroligneux donne aussi naissance au phloème secondaire, mais ce dernier s'accumule vers l'extérieur. Les couches les plus vieilles, situées à l'extérieur, sont étirées et se fendent sous l'effet de l'expansion du xylème secondaire. Le périderme, la couche protectrice de la structure secondaire des Végétaux, comprend le cambium subérophellodermique et ses dérivés, le phelloderme et le liège. Enfin, l'écorce comprend tous les tissus situés à l'extérieur du cambium libéroligneux, soit le phloème et le périderme.

un rôle dans la croissance secondaire des racines. Le cambium libéroligneux se forme à l'intérieur de la stèle ; dans la partie interne, il produit le xylème secondaire et dans la partie externe, le phloème secondaire. À mesure que le diamètre de la stèle augmente, l'écorce et l'épiderme se fendent et se détachent de la racine. Le péricycle de la stèle donne naissance à un cambium subérophellodermique, lequel produit à son tour le périderme, soit le tissu de revêtement secondaire. Contrairement à l'épiderme d'une jeune racine, le périderme est imperméable. Seules les plus jeunes racines constituant la structure primaire de la Plante absorbent l'eau et les minéraux du sol. Les plus vieilles racines composant la structure secondaire ne servent qu'à enraciner la Plante et à assurer le transport des liquides des jeunes racines au système caulinaire.

Au cours des années, les racines deviennent plus ligneuses. On peut aussi voir les anneaux qui se forment dans le xylème secondaire. Les tissus situés à l'extérieur du cambium libéroligneux constituent une écorce épaisse

et solide. Après une croissance secondaire prolongée, les vieilles tiges et les vieilles racines présentent une structure semblable.

*   *   *

Lorsque nous disséquons une Plante pour en examiner les différentes parties, comme nous venons de le faire dans ce chapitre, nous devons nous rappeler que la Plante est un organisme dont les parties forment un tout et non un ensemble hétérogène de cellules, de tissus et d'organes indépendants. Les chapitres suivants vous permettront de mieux saisir la façon dont s'effectuent le transport des substances, l'absorption des nutriments, la reproduction et le développement ainsi que la coordination des diverses fonctions de la Plante. Vous serez en mesure de comprendre le fonctionnement d'une Plante si vous retenez que ses structures et ses fonctions sont en interrelation et que les interactions avec le milieu influent sur son anatomie et sa physiologie.

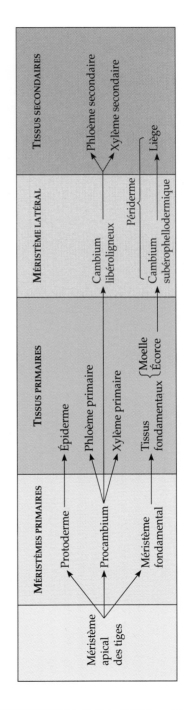

Méristèmes primaires	Tissus primaires	Méristème latéral	Tissus secondaires
Protoderme →	Épiderme		
Procambium →	Phloème primaire	Cambium libéroligneux →	Phloème secondaire
	Xylème primaire		Xylème secondaire
Méristème fondamental →	Tissus fondamentaux { Moelle / Écorce	Périderme { Cambium subérophellodermique →	Liège

Méristème apical des tiges

Figure 31.27
Résumé de la croissance primaire et secondaire d'une tige ligneuse.

RÉSUMÉ DU CHAPITRE

Les Végétaux jouent le rôle de producteurs principaux dans la plupart des écosystèmes terrestres.

Introduction à la biologie végétale (p. 674-676)

1. Une Plante constitue un ensemble dont la structure et la fonction se sont adaptées à la vie terrestre grâce aux changements évolutifs et aux transformations individuelles provoquées par le milieu.

2. Les Végétaux et les Animaux terrestres font face à de nombreuses agressions extérieures semblables, mais ils ont développé des mécanismes d'adaptation différents.

Morphologie des Angiospermes : optique évolutionniste (p. 676-681)

1. Les Angiospermes (Plantes à fleurs) sont les Plantes les plus répandues et les plus diversifiées parmi les Végétaux. Les différences anatomiques nous permettent de diviser les Angiospermes en deux classes, les Monocotylédones et les Dicotylédones.

2. La différenciation de la structure de la Plante en un système caulinaire et un système racinaire résulte d'une adaptation aux conditions terrestres. De cette façon, la Plante puise l'eau et les nutriments du sol qu'elle achemine vers l'appareil photosynthétique, lequel capte la lumière et le dioxyde de carbone.

3. Les tissus conducteurs relient les différentes parties de la Plante. L'eau et les minéraux absorbés du sol montent dans le xylème, tandis que le saccharose produit dans les parties photosynthétiques descend dans le phloème.

4. La structure des racines permet à la Plante de s'ancrer, d'absorber et d'acheminer l'eau et les minéraux, ainsi que d'entreposer les nutriments. Les minuscules poils absorbants situés près de l'extrémité des racines augmentent la surface d'absorption.

5. Le système caulinaire comprend la tige, les pousses axillaires, les feuilles et les fleurs.

6. Un pétiole relie chaque feuille au nœud de la tige. La croissance des bourgeons axillaires, c'est-à-dire les pousses embryonnaires formées à l'angle créé à la jonction du pétiole et de la tige, est maintenue en dormance par la dominance des bourgeons terminaux. Lorsque les bourgeons axillaires sont stimulés, ils développent des fleurs ou des pousses axillaires. Les stolons, les rhizomes et les bulbes sont des tiges modifiées.

7. Les feuilles sont les principaux organes photosynthétiques. Elles ont une morphologie très variable. La disposition des nervures des feuilles des Monocotylédones diffère de celle des Dicotylédones.

Cellules et tissus végétaux (p. 681-686)

1. Les cellules des parenchymes sont les cellules végétales les moins différenciées. Elles assurent les fonctions métaboliques de la Plante et elles synthétisent et emmagasinent diverses substances organiques. De plus, elles possèdent aussi la capacité de se diviser et de se différencier en d'autres types de cellules lorsque cela s'avère nécessaire.

2. Les cellules du collenchyme adoptent une forme cylindrique ou fibreuse afin de soutenir les jeunes parties de la pousse sans restreindre sa croissance. L'absence de paroi cellulaire secondaire leur permet de s'allonger à mesure que les tiges et les feuilles croissent.

3. Les cellules du sclérenchyme possèdent une épaisse paroi secondaire lignifiée, mais un grand nombre d'entre elles n'ont pas de protoplaste ; elles ne peuvent donc plus s'allonger lorsqu'elles sont parvenues à maturité. Sous forme de fibres ou de sclérites, elles servent d'armature à la Plante.

4. Le xylème sert au transport de la sève brute, constituée surtout d'eau et d'ions et, accessoirement, de quelques substances organiques. Le xylème se compose de trachéides et de vaisseaux allongés qui meurent une fois parvenus à maturité, tout en conservant leurs capacités fonctionnelles. Les trachéides sont des cellules longues et minces aux extrémités fuselées. Elles assurent le soutien de la Plante et permettent à la sève brute de circuler latéralement d'une cellule à l'autre à travers des dépressions appelées ponctuations. Les éléments de vaisseau sont plus courts, plus larges et possèdent une paroi plus mince dont l'extrémité perforée permet à la sève brute de circuler vers l'extrémité des pousses.

5. Les tubes criblés se composent de cellules vivantes qui forment le phloème dans lequel sont transportés le saccharose, d'autres substances organiques, un peu d'eau et de minéraux (le tout compose la sève élaborée). Ces cellules n'ont ni noyau ni ribosomes, mais possèdent une paroi cellulaire dont les extrémités perforées portent le nom de crible. Chaque cellule criblée est reliée à une ou plusieurs cellules compagnes grâce à des plasmodesmes.

6. Les tissus des Végétaux sont répartis en trois catégories de tissus continus. Les tissus de revêtement offrent une protection. Les tissus conducteurs assurent le transport et le soutien. Les tissus fondamentaux comprennent les parenchymes, le collenchyme et le sclérenchyme, et se chargent de la photosynthèse, de l'entreposage et du soutien.

Croissance des Végétaux (p. 686-687)

1. Contrairement aux Animaux, les Végétaux subissent une croissance indéfinie parce qu'ils possèdent en permanence des méristèmes, ou tissus embryonnaires.

2. Les méristèmes apicaux à l'extrémité des racines et des pousses déclenchent la croissance primaire (la croissance en longueur) et la formation des trois catégories de tissus. Les méristèmes latéraux sont responsables de la croissance secondaire (la croissance en épaisseur).

3. Les Plantes annuelles terminent leur cycle de développement en un an, les Plantes bisannuelles, en deux ans ; les Plantes vivaces vivent de nombreuses années.

Croissance primaire (p. 687-693)

1. La croissance primaire engendre la structure primaire de la Plante, constituée des trois catégories de tissus.

2. L'extrémité des racines, protégée par la coiffe, croît et se développe grâce à l'activité des cellules qui traversent successivement les zones de division, d'élongation et de différenciation cellulaires.

3. Les trois méristèmes primaires des racines se trouvent juste derrière le méristème apical, dans la zone de division cellulaire. Le protoderme produit l'épiderme, le procambium produit la stèle avec ses tissus conducteurs, et le méristème fondamental produit les tissus fondamentaux de l'écorce. Les racines latérales surgissent du péricycle.

4. Le méristème apical est une masse bombée de cellules, située à l'extrémité des bourgeons terminaux ; il est responsable de l'élongation des pousses. Les primordiums foliaires situés sur les côtés de la masse bombée apicale deviennent des feuilles. Les bourgeons axillaires surgissent d'un îlot de cellules méristématiques situé à la base des primordiums foliaires.

5. Contrairement à la stèle unique de la racine, les tissus conducteurs des tiges se composent de faisceaux libéroligneux,

c) Les pièces florales sont organisées en multiples de trois chez les Monocotylédones ; les pièces florales sont organisées en multiples de quatre ou de cinq chez les Dicotylédones.

d) Les Monocotylédones ne subissent qu'une croissance primaire ; de nombreuses Dicotylédones subissent de plus une croissance secondaire.

e) Il n'existe qu'un cotylédon chez les Monocotylédones ; il en existe deux chez les Dicotylédones.

3. Les racines latérales d'une jeune Dicotylédone proviennent :
a) du péricycle de la racine pivotante.
b) de l'endoderme des racines fibreuses.
c) des cellules méristématiques du protoderme.
d) du cambium libéroligneux.
e) de l'écorce des racines.

4. Dans quelle zone de croissance de la racine les cellules d'un tube criblé perdent-elles leur noyau ?
a) Dans la zone de division cellulaire.
b) Dans la zone d'élongation cellulaire.
c) Dans la zone de différenciation cellulaire.
d) Dans la zone de prolifération cellulaire.
e) Aucune de ces réponses ; à maturité, les cellules conservent leur noyau.

5. De quelle partie de la structure primaire d'une Plante les trachéides sont-elles issues ?
a) Du protoderme.
b) Du procambium.
c) Du méristème fondamental.
d) Des rayons ligneux.
e) Du cambium subérophellodermique.

6. Le Lierre (*Hedera helix*), comme l'Eucalyptus, subit une modification graduelle en passant de l'état juvénile à l'état mature. Il en résulte que les feuilles matures portées par les pousses supérieures ont une forme différente de celle des feuilles juvéniles portées par les pousses inférieures. Complétez la proposition suivante. Si ces modifications sont les mêmes pour le Lierre et l'Eucalyptus, les bourgeons latéraux des pousses inférieures peuvent se développer et former des pousses _____ et les bourgeons latéraux des pousses supérieures peuvent se développer et former des pousses _____.
a) uniquement juvéniles ; uniquement matures
b) uniquement matures ; uniquement juvéniles
c) juvéniles ou matures ; uniquement juvéniles
d) uniquement matures ; juvéniles ou matures
e) juvéniles ou matures ; uniquement matures

7. Contrairement à la croissance primaire, la croissance secondaire dans les racines et les tiges :
a) est indéfinie.
b) produit le xylème et le phloème.
c) met en jeu le cambium libéroligneux et le cambium subérophellodermique.
d) se traduit par une augmentation rapide de la longueur de la racine et de la tige.
e) est une fonction du tissu méristématique.

8. Quelle partie *n'est pas* comprise dans l'écorce d'un vieil arbre ?
a) Le liège.
b) Le cambium subérophellodermique.
c) Les lenticelles.
d) Le xylème secondaire.
e) Le phloème secondaire.

6. Les feuilles sont recouvertes d'un épiderme cireux. Elles possèdent des stomates, qui sont des ouvertures permettant les échanges gazeux et la transpiration. Chaque stomate possède deux cellules stomatiques régissant une ouverture, l'ostiole. Le tissu fondamental de la feuille, le mésophylle, est situé entre l'épiderme supérieur et l'épiderme inférieur. Il comprend surtout des cellules parenchymateuses pourvues de chloroplastes.

7. Une pousse se compose d'une succession de modules, dont chacun comprend un nœud avec des feuilles, un bourgeon axillaire et un entre-nœud. Les modifications de phase dans le développement de l'extrémité de la pousse ont des répercussions sur la morphologie des modules.

Croissance secondaire (p. 693-695)

1. La croissance secondaire engendre la structure secondaire de la Plante, constituée de tissus qui augmentent le diamètre de la Plante.

2. De nouvelles cellules produites par les deux méristèmes latéraux, le cambium libéroligneux et le cambium subérophellodermique, entraînent l'augmentation de la circonférence des tiges et des racines.

3. Le cambium libéroligneux est un cylindre de cellules méristématiques situé entre le xylème et le phloème. Il produit le xylème secondaire vers l'intérieur de l'organe et le phloème secondaire vers l'extérieur. Dans les régions tempérées, la production saisonnière du bois se traduit par des anneaux de croissance. Le phloème secondaire externe finit par se fendiller et se détacher de l'arbre au cours de la croissance.

4. Le cambium subérophellodermique est un cylindre méristématique situé dans l'écorce externe. Il produit du phelloderme vers l'intérieur et du liège vers l'extérieur. Le phelloderme, le cambium subérophellodermique et le liège constituent le périderme, qui remplace l'épiderme à mesure que ce dernier se détache pendant la croissance secondaire. Le phloème secondaire donne naissance à un nouveau cambium subérophellodermique une fois que l'écorce originale s'est détachée.

5. Dans les racines, le cambium libéroligneux surgit entre le xylème et le phloème de la stèle. Il fonctionne de la même façon que le cambium libéroligneux des tiges. Le cambium subérophellodermique, produit par le péricycle de la stèle, forme le périderme qui remplace l'écorce et l'épiderme. La structure des vieilles racines et des vieilles tiges est semblable, et on distingue chez elles les mêmes anneaux de croissance.

AUTO-ÉVALUATION

1. La majeure partie de l'absorption de l'eau et des minéraux dissous s'effectue au niveau :
a) des racines adventives.
b) des stolons.
c) des racines pivotantes.
d) des coiffes.
e) des poils absorbants.

2. Laquelle des différences suivantes entre les Monocotylédones et les Dicotylédones *n'est pas* correctement formulée ?
a) Les nervures des feuilles sont parallèles chez les Monocotylédones ; elles sont ramifiées chez les Dicotylédones.
b) Les faisceaux libéroligneux sont dispersés dans les tiges des Monocotylédones ; la stèle vasculaire est centrale chez les Dicotylédones.

9. Lorsque la trace foliaire sort du faisceau libéroligneux d'une tige de Dicotylédone, quelle disposition les tissus conducteurs adoptent-ils dans les nervures de la feuille ?

a) Le xylème se trouve au-dessus du phloème.

b) Le phloème se trouve au-dessus du xylème.

c) Le xylème entoure le phloème.

d) Le phloème entoure le xylème.

e) Le xylème et le phloème se confondent.

10. Trouvez l'association erronée entre le tissu (ou la structure) et le méristème.

a) Épiderme – protoderme.

b) Stèle – procambium.

c) Écorce – méristème fondamental.

d) Phloème secondaire – cambium subérophellodermique.

e) Les trois méristèmes primaires – méristème apical.

QUESTIONS À COURT DÉVELOPPEMENT

1. Dans un tableau, comparez une racine, une tige et une feuille en regard des cinq fonctions suivantes : l'entreposage, le soutien, la protection, le transport et les échanges avec le milieu.

2. On vous présente une coupe transversale d'un organe végétal. On vous demande d'identifier ce que représente cette coupe. Sur quels critères vous baserez-vous pour déterminer s'il s'agit d'une coupe de tige ou de racine, appartenant à une Monocotylédone ou à une Dicotylédone ?

3. À l'aide d'arguments d'ordre anatomique, confirmez ou infirmez l'énoncé suivant : « La croissance en diamètre se déroule au cœur d'un arbre. »

4. Dressez un schéma de concepts des méristèmes et des tissus qu'ils développent au cours de la croissance primaire et de la croissance secondaire d'une tige ligneuse.

RÉFLEXION-APPLICATION

1. Vous construisez, sur l'une des grosses branches d'un arbre, une maisonnette avec une échelle pour vos enfants. Au cours des cinq prochaines années, l'arbre gagnera facilement un ou deux mètres en hauteur. Devrez-vous ajouter des barreaux à l'échelle ? Expliquez votre réponse.

2. Pourquoi les feuilles ont-elles généralement une face plus verte que l'autre ?

3. Le printemps venu, un voisin décide d'entailler les gros Érables à sucre entourant sa maison. Inexpérimenté en acériculture, il vous demande s'il obtiendra une meilleure récolte en pratiquant une entaille jusqu'au cœur du tronc. À la lumière des notions acquises dans ce chapitre, que lui répondrez-vous ?

SCIENCE, TECHNOLOGIE ET SOCIÉTÉ

Dressez une liste des produits végétaux, alimentaires ou autres que vous utilisez au cours d'une journée normale. Croyez-vous que le nombre de produits végétaux utilisés quotidiennement a augmenté ou diminué au cours du siècle dernier ? Croyez-vous que ce nombre augmentera ou diminuera à l'avenir ? Pourquoi ?

LECTURES SUGGÉRÉES

Bell, A. D., *Les Plantes à fleurs*, Paris, Masson, 1993. (Un guide morphologique abondamment illustré, pour mieux comprendre l'organisation et le développement des organes végétaux.)

Demalsy, P. et M. J. Feller-Demalsy, *Les Plantes à graines*, Ville Mont-Royal, Décarie, 1990. (Notions de base sur la morphologie, l'anatomie et les mécanismes de croissance.)

Dubrana, D., « Pourquoi les arbres poussent droit », *Science & Vie*, n° 880, janvier 1991. (Autocorrection de la structure de l'arbre, en fonction de la gravitation, au fur et à mesure de sa croissance.)

Génin, A., *La Botanique appliquée à l'horticulture*, Paris, Tec & Doc-Lavoisier, 1990. (Les chapitres 2, 3 et 4, pour découvrir la morphologie et l'anatomie végétales.)

Gorenflot, R., *Biologie végétale, plantes supérieures*, 3e éd., tome 1, *Appareil végétatif*, Paris, Masson, 1990. (Les chapitres 2 à 6 expliquent l'anatomie, la croissance primaire et la croissance secondaire des Végétaux.)

Lafon, J. P., C. Tharaud-Prayer et G. Levy, *Biologie des plantes cultivées*, tome 1, Paris, Tec & Doc-Lavoisier, 1988. (L'anatomie de l'appareil végétatif, au chapitre 2 de la première partie du manuel.)

Lüttge, U., M. Kluge et G. Bauer, *Botanique-Traité fondamental*, Paris, Tec & Doc-Lavoisier, 1992. (Les chapitres 21 à 23 étudient les structures et les fonctions de la racine, de la tige et de la feuille.)

Roland, J. C., *Atlas de biologie végétale. Organisation des plantes à fleurs*, 5e éd., tome 2, Paris, Masson, 1992. (Traité d'anatomie, de morphologie et de croissance végétale.)

32 LE TRANSPORT DES NUTRIMENTS CHEZ LES VÉGÉTAUX

MÉCANISMES DE TRANSPORT CHEZ LES VÉGÉTAUX :
CARACTÉRISTIQUES GÉNÉRALES

ABSORPTION DE L'EAU ET DES MINÉRAUX PAR LES RACINES

MONTÉE DE LA SÈVE BRUTE DANS LE XYLÈME

RÉGULATION DE LA TRANSPIRATION

TRANSPORT DE LA SÈVE ÉLABORÉE DANS LE PHLOÈME

Les ancêtres des Végétaux, les Algues, baignaient dans l'eau et les minéraux dissous, et leurs cellules se trouvaient par conséquent en contact direct avec ces substances nutritives (voir le chapitre 27). Lorsque les Végétaux se sont répandus sur la terre ferme, leur corps a dû se différencier en racines, qui absorbent l'eau et les minéraux du sol, et en pousses, qui captent les rayons du Soleil et le CO_2 de l'air. Cette structure permet aux Végétaux de survivre dans un environnement où les substances chimiques appartiennent à deux milieux, le sol et l'air. Cependant, le changement morphologique que les Végétaux ont subi en vue de s'adapter à ce double environnement les a placé face à une difficulté majeure : le transport des substances entre leurs racines et l'extrémité des pousses. Comme le montre la figure 32.1, les feuilles du Tremble se trouvent à plus de 20 m des racines. Ces organes éloignés sont reliés au travers de l'arbre par des tissus conducteurs qui assurent le transport de la sève (voir le chapitre 31). D'une part, l'eau et les minéraux absorbés par les racines sont acheminés vers les pousses par le xylème. D'autre part, les glucides produits dans les feuilles par photosynthèse sont acheminés vers les autres organes par l'intermédiaire du phloème. L'arbre tout entier dépend de ces échanges de substances pour coordonner les activités de ses organes spécialisés (figure 32.2). Le présent chapitre étudie les mécanismes de transport des nutriments chez les Végétaux.

MÉCANISMES DE TRANSPORT CHEZ LES VÉGÉTAUX

Le transport s'effectue à trois niveaux chez les Végétaux : (1) la captation de l'eau minéralisée et la sécrétion des solutés à l'échelle cellulaire, telle l'absorption de l'eau et des minéraux du sol par les poils absorbants des cellules d'une racine ; (2) le transport de nutriments d'une cellule à l'autre dans un tissu ou un organe, tel le transport de glucides des cellules photosynthétiques d'une feuille jusqu'aux tubes criblés du phloème ; et (3) le transport de la sève dans le xylème et le phloème de la Plante entière.

Transport au niveau cellulaire

Nous avons traité dans le chapitre 8 du transport des solutés et de l'eau à travers les membranes biologiques. Dans la présente section, nous allons examiner en détail certains mécanismes de transport reliés spécifiquement aux cellules végétales.

Figure 32.1
Nécessité du transport interne chez les Végétaux. La distance entre les feuilles et les racines de ces Trembles nous permet de comprendre pourquoi les Végétaux requièrent un transport interne. L'apparition de tissus conducteurs, le xylème et le phloème, qui acheminent les différentes substances à travers la Plante, a constitué une étape fondamentale de l'histoire des Végétaux. Ce chapitre traite de la façon dont le transport des substances s'effectue chez les Végétaux.

Figure 32.2
Transport des nutriments chez les Végétaux: vue d'ensemble.
① Les racines absorbent l'oxygène (O₂) qui y sont dissous. ② Les racines absorbent aussi l'oxygène (O_2) contenu dans les poches d'air du sol et rejettent du dioxyde de carbone (CO_2). Ces échanges gazeux permettent la respiration cellulaire des racines. ③ L'eau et les minéraux circulent dans le xylème, depuis les racines vers la tige et vers les pousses axillaires qui portent les feuilles. ④ La vaporisation de l'eau par les feuilles, appelée transpiration, s'effectue surtout par les stomates; elle a pour conséquence de créer un mouvement ascendant de la sève brute dans le xylème. ⑤ Les feuilles réalisent également des échanges gazeux par les stomates. Elles retirent le dioxyde de carbone de l'air, dont elles utilisent le carbone (C) dans la photosynthèse et rejettent l'oxygène. ⑥ Dans les feuilles, la photosynthèse produit des glucides ⑦ qui sont acheminés par le phloème vers les racines et les parties non photosynthétiques de la Plante.

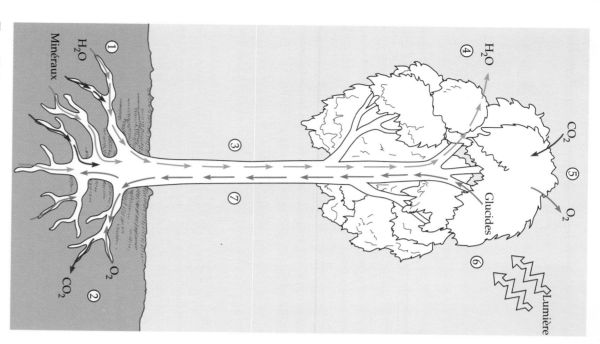

Transports actif et passif des solutés La perméabilité sélective de la membrane plasmique des cellules végétales exerce une régulation sur le transport des solutés à travers cette membrane. Les solutés tendent à diffuser à travers la membrane plasmique selon un gradient de concentration. On appelle ce mode de transport *passif* parce qu'il s'effectue sans que la cellule ait à dépenser de l'énergie. La plupart des solutés diffusent très lentement à travers la membrane, à moins qu'ils puissent traverser grâce à des **protéines de transport** spécifiques intégrées à cette dernière. Certaines de ces protéines facilitent la diffusion en se liant, d'un côté de la membrane, de manière sélective à un soluté, puis en le relâchant de l'autre côté. Le passage de ces solutés nécessite une modification de la forme de la protéine de transport. Par ailleurs, d'autres protéines affectées au transport forment des **canaux sélectifs**. Contrairement aux protéines de transport qui véhiculent des solutés, ces canaux protéiques constituent simplement des passages sélectifs à travers la membrane. Par exemple, les membranes de la plupart des cellules végétales possèdent des canaux sélectifs pour le potassium, qui permettent le passage des ions potassium (K^+), mais pas celui d'autres ions semblables, tel le sodium (Na^+). Certains canaux sélectifs s'ouvrent et se ferment en réponse aux stimuli extérieurs. Nous verrons ultérieurement de quelle façon la régulation des canaux sélectifs à potassium permet l'ouverture ou la fermeture des stomates dans les membranes des cellules stomatiques.

Nous avons vu que le *transport actif* achemine des solutés à travers la membrane à l'encontre du gradient de concentration de ces solutés. Ce type de transport est qualifié d'actif parce que la cellule utilise de l'énergie fournie par son métabolisme, habituellement sous forme d'ATP, pour transporter un soluté dans la direction opposée à celle de la diffusion normale de ce soluté. La **pompe à protons** est un important mécanisme de transport dans les cellules végétales: elle utilise l'énergie de l'hydrolyse de l'ATP pour expulser les protons (H⁺) de la cellule ou d'un thylakoïde (une structure membraneuse qui effectue la photosynthèse dans un chloroplaste). On se trouve alors en présence d'un gradient de protons résultant d'une concentration en H⁺ plus élevée à l'extérieur de la cellule ou du thylakoïde qu'à l'intérieur. Ce gradient est une forme d'énergie emmagasinée, puisque les protons tendent à diffuser suivant le gradient de concentration vers l'intérieur de la cellule ou du thylakoïde. En transportant vers l'extérieur des charges positives (H⁺), la pompe à protons génère un *potentiel de membrane*, c'est-à-dire une tension créée par la séparation de charges opposées. Les pompes à protons rendent l'intérieur de la cellule végétale négatif par rapport à l'extérieur de la cellule. Cette tension constitue une réserve d'énergie que la cellule utilisera pour exécuter certaines tâches.

Les cellules végétales utilisent l'énergie contenue dans le gradient électrochimique de protons afin de transporter un grand nombre de solutés différents (figure 32.3). Examinons, par exemple, un des mécanismes auxquels les cellules des racines ont recours pour absorber le potassium en solution dans le sol. Les ions potassium étant chargés positivement et l'intérieur de la cellule étant chargé négativement, le potentiel de membrane facilite l'entrée de l'ion K⁺ dans la cellule selon son gradient électrochimique est passive. En revanche, le transport actif de H⁺ assure le maintien du potentiel de membrane, si bien que la cellule peut accumuler des ions K⁺. En d'autres circonstances, l'énergie accumulée

principe-clé de la chimiosmose est le gradient trans-membranaire, ce dernier couplant des processus qui engendrent de l'énergie à d'autres qui la consomment. Ainsi, nous avons vu aux chapitres 9 et 10 que les mito-chondries et les chloroplastes ont recours à la chimiosmose. L'ATP-synthétase, l'enzyme qui associe la diffusion de protons à la synthèse d'ATP pendant la respiration cellulaire et la photosynthèse, fonctionne un peu comme une pompe à protons insérée dans la membrane plasmique de la cellule végétale. Mais, contraire-ment aux ATP-synthétases, les pompes à protons utilisent l'énergie fournie par l'ATP pour transporter un proton contre son gradient. Dans les deux cas, cependant, les gradients de protons sont les engrenages métaboliques qui permettent à un mécanisme d'en engendrer un autre. La chimiosmose est le processus qui régit les dépenses énergétiques cellulaires. Dans le cas étudié ici, la chimiosmose explique plus précisément de quelle façon les cellules végétales transportent les solutés à travers leur membrane.

Potentiel hydrique et osmose L'osmose, le transport passif de l'eau à travers une membrane, permet à une cellule de gagner ou de perdre de l'eau. Dans quel sens l'osmose a-t-elle lieu lorsqu'une cellule baigne dans une solution particulière? Dans le cas d'une cellule animale, il suffit de savoir si la solution extracellulaire est hypoto-nique (faible concentration de solutés) ou hypertonique (forte concentration de solutés) comparativement au cytoplasme de la cellule: l'eau se déplace par osmose de la solution hypotonique à la solution hypertonique. Dans une cellule végétale, cependant, la paroi cellulaire place l'osmose sous la dépendance d'un deuxième facteur, la pression. La mesure de l'effet combiné de ces deux fac-teurs — le gradient de concentration des solutés et la pression — détermine le **potentiel hydrique,** dont l'abré-viation est la lettre grecque *psi* (ψ). L'eau provenant de la solution où le potentiel hydrique est le plus élevé tra-verse la membrane et rejoint la solution où le potentiel hydrique est le plus bas. Ainsi, lorsqu'une cellule végé-tale se trouve immergée dans une solution possédant un potentiel hydrique plus grand, l'osmose fait gonfler la cellule.

Pourquoi la tendance relative de l'eau à s'éloigner d'un endroit porte-t-elle le nom de *potentiel*? L'eau, en se déplaçant, peut effectuer un travail (faire gonfler une cellule, par exemple). Le *potentiel* hydrique signifie l'énergie potentielle de l'eau, c'est-à-dire sa capacité d'effectuer un travail lorsqu'elle se déplace d'un endroit où le ψ est plus élevé vers un endroit où le ψ est moins élevé. Le potentiel hydrique est lié à l'énergie libre (voir le chapitre 6). Les biologistes mesurent ψ en unités de pression appelées **mégapascals** (MPa). Un MPa équivaut à une pression de 10 atmosphères environ. (1 atmosphère = 101,3 kPa ou anciennement 760 mm Hg.) Les deux exemples suivants vous donneront une meilleure idée de ce que représente un mégapascal: la pression à laquelle on gonfle le pneu d'une auto est d'environ 0,2 MPa; la pression d'eau dans la plomberie d'une maison se situe à environ 0,25 MPa.

Voyons maintenant de quelle façon la concentration de solutés et la pression influent sur le potentiel hydrique. À titre de comparaison, le potentiel hydrique de l'eau dis-

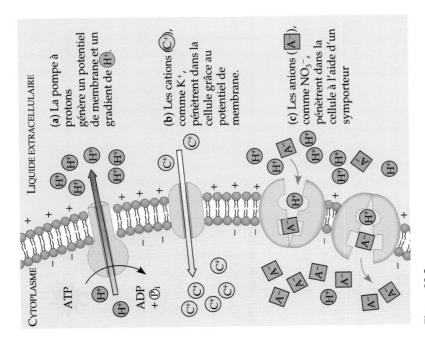

Figure 32.3
Modèle chimiosmotique du transport des solutés dans les cellules végétales. (a) La plus grande partie du transport des solutés à travers la membrane plasmique d'une cellule végétale s'effectue indirectement à l'aide des pompes à protons (transport actif), qui maintiennent un gradient électrochimique de H+ de part et d'autre de cette membrane. **(b)** Le potentiel de membrane achemine les cations, par exemple K+, dans la cellule. **(c)** La cellule peut utiliser l'énergie emmagasinée par le gradient de H+ pour accumuler des anions, par exemple NO3−, qui traversent la membrane *contre* leur gradient électrochimique. Une protéine de transport, de type symport, permet l'accumulation de l'anion couplé au H+; il s'agit d'une diffusion facilitée (transport passif). Ces mécanismes de transport font partie de la chimiosmose.

après le transport actif des protons peut être utilisée pour assurer le transport de solutés *contre* leur gradient électrochimique. En effet, de nombreuses substances minérales chargées négativement, comme les nitrates (NO3−), pénètrent dans les cellules des racines grâce à des protéines de transport qui permettent aussi au pro-ton d'entrer à nouveau dans la cellule. Ce mécanisme porte le nom de **cotransport.** Une protéine de transport associe le passage transmembranaire d'un soluté (H+) « selon » son gradient électrochimique et le passage d'un autre soluté (NO3− , dans cet exemple) « contre » son gradient. Ce type de transport couplé autorise aussi l'absorption du saccharose (un glucide) par les cellules végétales. En effet, c'est grâce à une protéine intramem-branaire que peut avoir lieu le cotransport du saccha-rose et d'un proton qui se déplace selon son gradient électrochimique.

Le rôle des pompes à protons s'inscrit dans un mécanisme appelé **chimiosmose** (voir le chapitre 9). Le

Figure 32.4

Le potentiel hydrique et l'osmose : modèle mécanique. Grâce à l'osmose, l'eau traverse une membrane à perméabilité sélective, du côté où le potentiel hydrique est le plus élevé au côté où il est le plus bas. Le potentiel hydrique (ψ) de l'eau distillée à la pression atmosphérique est 0 MPa. L'ajout de solutés dans l'eau réduit le potentiel hydrique de la solution (la valeur de ψ devient négative), mais l'exposition à une pression externe en augmente le potentiel. Si l'on connaît l'amplitude de la pression externe (P) et celle de la pression osmotique (π, qui représente la tendance de l'eau à entrer dans une solution selon sa concentration de solutés), on peut déterminer le potentiel hydrique d'une solution grâce à l'équation suivante : $P - \pi = \psi$. **(a)** Dans ce tube en U, une membrane à perméabilité sélective sépare de l'eau distillée d'une solution à 0,1 mol/L contenant un soluté qui ne peut traverser cette membrane. Le phénomène d'osmose fait traverser l'eau vers la solution, dont le volume augmente. (Les valeurs de π et de ψ sont données pour les conditions initiales, avant que le volume ne change.) **(b)** Si, à l'aide d'un piston, on applique uniquement la pression externe nécessaire pour compenser la pression osmotique et amener le potentiel hydrique de la solution à 0, on n'observe aucun déplacement d'eau à travers la membrane. (On peut d'ailleurs utiliser cette méthode pour déterminer la pression osmotique d'une solution ; voir la figure 8.12.) **(c)** Si la pression externe appliquée est plus grande que la pression osmotique, l'eau de la solution traverse la membrane et se retrouve dans le compartiment de l'eau distillée. **(d)** Une « pression négative », appelée tension, réduit la valeur du potentiel hydrique. Ainsi, si on tire sur le piston plutôt que de le pousser, on réduit le potentiel hydrique de l'eau distillée de façon qu'il atteigne une valeur négative et qu'une quantité additionnelle d'eau passe de la solution au compartiment contenant l'eau distillée.

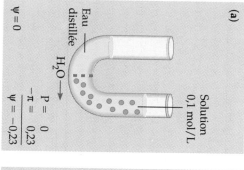

(a) Eau distillée — H₂O → — ψ = 0 | Solution 0,1 mol/L — $P = 0$; $-\pi = 0,23$; $\psi = -0,23$

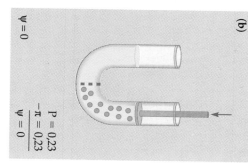

(b) ψ = 0 | $P = 0,23$; $-\pi = 0,23$; $\psi = 0$

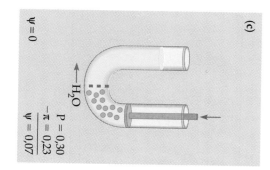

(c) ψ = 0 | $P = 0,30$; $-\pi = 0,23$; $\psi = 0,07$ — H₂O →

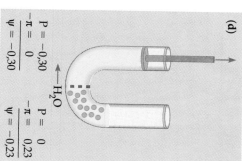

(d) H₂O → — ψ = 0 | $P = -0,30$; $-\pi = 0$; $\psi = -0,30$ et $P = 0$; $-\pi = 0,23$; $\psi = -0,23$

traverser la membrane vers le compartiment contenant l'eau distillée. Il est aussi possible d'exercer une « pression négative », ou **tension**, sur la solution. Par exemple, si vous retirez le piston d'une seringue, la tension à l'intérieur de la seringue peut servir à aspirer une solution par l'aiguille. Le mouvement de l'eau créé par la différence de pression entre deux endroits est appelé **courant de masse**. Le courant de masse est habituellement plus rapide que l'osmose.

Les effets contraires exercés par la pression et la concentration d'une solution sur le potentiel hydrique s'expriment par l'équation suivante :

$$\psi = P - \pi$$

P étant la pression et π étant la pression osmotique. La pression osmotique mesure la tendance que montre l'eau à pénétrer dans une solution à cause des solutés présents. Dans une solution 0,1 mol/L, π vaut 0,23 MPa. C'est pourquoi, en l'absence de pression externe (P = 0), le potentiel hydrique (ψ) de cette solution égale −0,23 MPa. Si nous exerçons sur la solution une pression externe équivalant à +0,23 MPa, nous faisons passer son potentiel hydrique d'une valeur négative à 0 (ψ = 0,23 −0,23); cela a pour effet de maintenir les volumes constants de part et d'autre de la membrane. Si, finalement, nous augmentons la pression P à +0,3 MPa, le potentiel hydrique de la solution deviendra +0,07 MPa (ψ = 0,3 −0,23), ce qui provoquera le passage d'eau de la solution dans le

tillée dans un contenant ouvert équivaut à zéro mégapascal (ψ = 0 MPa). L'ajout de solutés diminue le potentiel hydrique. Par conséquent, puisque le ψ de l'eau distillée est étalonné à 0 MPa, toute solution conservée à la pression atmosphérique possède un potentiel hydrique négatif dû à la présence de solutés. Par exemple, une solution à 0,1 mol/L de n'importe quel soluté possède un potentiel hydrique de −0,23 MPa. Si cette solution est séparée de l'eau distillée par une membrane à perméabilité sélective, l'eau pénétrera par osmose dans la solution, se déplaçant de l'endroit où le ψ est le plus élevé (0 MPa) vers l'endroit où le ψ est le moins élevé (−0,23 MPa). Il s'agit simplement d'une façon d'exprimer le mouvement de l'eau d'une solution hypotonique vers une solution hypertonique. Il reste toutefois à quantifier l'influence de la pression sur le potentiel hydrique.

La pression est directement proportionnelle au potentiel hydrique. Ainsi, lorsqu'on augmente la pression, la valeur de ψ augmente aussi. Cette équation s'explique par le fait que ψ mesure la tendance relative que possède l'eau à quitter un endroit en faveur d'un autre. Si l'on exerce une pression externe, telle la pression exercée sur le piston d'une seringue emplie d'eau, l'eau fuit par toutes les sorties possibles. Si une membrane à perméabilité sélective sépare une solution et de l'eau distillée, la pression externe exercée sur la solution peut contrer sa tendance naturelle à attirer l'eau par osmose. Ainsi, à la limite, une grande pression forcera l'eau de la solution à

Figure 32.5

Les cellules végétales et la diffusion de l'eau. Au cours de ces deux expériences, les cellules flasques passent d'un environnement isotonique à un environnement hypertonique ou hypotonique. (Dans une cellule flasque, la membrane plasmique, poussée par le cytoplasme, longe la paroi cellulaire, mais sans appliquer de pression qui déforme la paroi ; voir le chapitre 8.) **(a)** Dans un environnement hypertonique, la cellule possède au début un potentiel hydrique plus grand que le milieu extracellulaire. Elle perd donc de l'eau et subit une plasmolyse qui, une fois terminée, lui donne un potentiel hydrique identique à celui du milieu extracellulaire. **(b)** Dans un environnement hypotonique, la cellule possède au début un potentiel hydrique plus faible que le milieu extracellulaire. Grâce à l'osmose, l'eau pénètre dans la cellule, la rendant turgescente. Lorsque la tendance de l'eau à pénétrer dans la cellule est compensée par la pression de la paroi cellulaire élastique, le potentiel hydrique de cette cellule devient identique à celui du milieu extracellulaire.

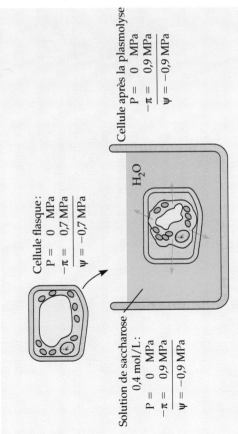

Cellule flasque :

$$P = 0 \text{ MPa}$$
$$\underline{-\pi = 0{,}7 \text{ MPa}}$$
$$\psi = -0{,}7 \text{ MPa}$$

Solution de saccharose
0,4 mol/L :

$$P = 0 \text{ MPa}$$
$$\underline{-\pi = 0{,}9 \text{ MPa}}$$
$$\psi = -0{,}9 \text{ MPa}$$

Cellule après la plasmolyse

$$P = 0 \text{ MPa}$$
$$\underline{-\pi = 0{,}9 \text{ MPa}}$$
$$\psi = -0{,}9 \text{ MPa}$$

H$_2$O

(a) Environnement hypertonique

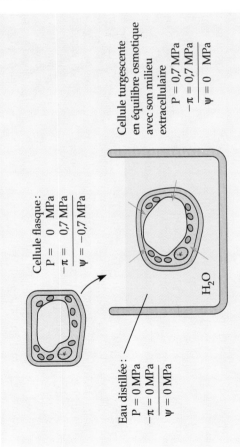

Cellule flasque :

$$P = 0 \text{ MPa}$$
$$\underline{-\pi = 0{,}7 \text{ MPa}}$$
$$\psi = -0{,}7 \text{ MPa}$$

Eau distillée :

$$P = 0 \text{ MPa}$$
$$\underline{-\pi = 0 \text{ MPa}}$$
$$\psi = 0 \text{ MPa}$$

Cellule turgescente
en équilibre osmotique
avec son milieu
extracellulaire

$$P = 0{,}7 \text{ MPa}$$
$$\underline{-\pi = 0{,}7 \text{ MPa}}$$
$$\psi = 0 \text{ MPa}$$

H$_2$O

(b) Environnement hypotonique

---

compartiment contenant l'eau distillée. En évaluant les effets opposés qu'exercent la pression et le gradient de concentration des solutions sur le potentiel hydrique, il nous faut garder à l'esprit ce point fondamental : l'eau traverse une membrane vers le côté où se trouve le potentiel hydrique le moins élevé. La figure 32.4 décrit le concept du potentiel hydrique.

Nous allons maintenant appliquer le concept du potentiel hydrique aux mouvements d'entrée et de sortie d'eau dans les cellules végétales (figure 32.5). Imaginons dans un premier temps une cellule flasque (où $P = 0$) baignant dans une solution où la concentration de solutés est plus élevée que celle de la cellule. Puisque la solution externe possède le potentiel hydrique le plus faible, l'eau sortira de la cellule par osmose ; la cellule rétrécira (ce phénomène porte le nom de plasmolyse) et sa membrane plasmique s'éloignera de sa paroi cellulaire. Plaçons maintenant cette cellule flasque dans de l'eau distillée ($\psi = 0$). La présence de solutés dans la cellule rend son potentiel hydrique plus faible que l'extérieur ; l'eau entre dans la cellule par osmose. La cellule gonflera et le cytoplasme, entouré de la membrane plasmique, commencera à pousser contre la paroi cellulaire de façon à produire une **pression de turgescence**. La paroi cellulaire étant partiellement élastique, elle comprimera le contenu cellulaire. Lorsque la pression de cette paroi sera suffisamment grande pour s'opposer à l'entrée d'eau dans la cellule à cause de la présence des solutés, alors $P = \pi$ et ψ (ou $P - \pi$) $= 0$. Le potentiel hydrique du contenu de la cellule égalera celui du milieu extracellulaire (dans cet exemple, il vaut 0 MPa). Un équilibre dynamique a été atteint, qui fait cesser tout mouvement net de l'eau, même s'il existe toujours un échange rapide de molécules d'eau à travers la membrane.

Rôle du tonoplaste Le **tonoplaste** entoure la vacuole centrale ; comme toute membrane, il se compose de protéines et de phospholipides. Les protéines de transport qui font partie du tonoplaste exercent une régulation sur le mouvement des solutés entre le cytosol et la vacuole. Ainsi, le tonoplaste possède des pompes à protons qui font passer les protons du cytosol à l'intérieur de la vacuole. Ce transport augmente la capacité des pompes à protons de la membrane plasmique à maintenir une faible concentration en H$^+$ dans le cytosol. L'activité des pompes à protons dans le tonoplaste engendre aussi un potentiel de membrane ; cependant, contrairement à la membrane plasmique, l'intérieur du tonoplaste se charge positivement si on le compare à l'extérieur (le cytosol). Outre les protons, les protéines de transport du tonoplaste

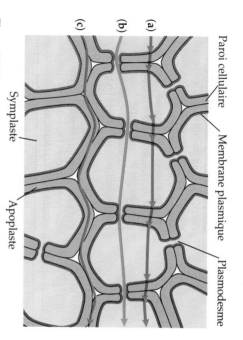

Paroi cellulaire

Membrane plasmique

Plasmodesme

Symplaste

Apoplaste

(a)

(b)

(c)

Figure 32.6
Les trois voies du transport radial dans les tissus et les organes végétaux. (a) Les solutés et l'eau peuvent traverser un organe en franchissant à plusieurs reprises la membrane plasmique et la paroi des cellules qui se trouvent sur leur parcours. **(b)** Une fois que des substances ont pénétré dans une cellule, elles peuvent traverser un organe par l'intermédiaire du symplaste, soit l'ensemble du cytoplasme des cellules mises en réseau par des plasmodesmes. **(c)** L'eau et les solutés peuvent aussi traverser un tissu ou un organe par l'intermédiaire de l'apoplaste, la voie continue formée par les parois cellulaires, les interstices qu'elles délimitent et les cellules mortes du xylème. Dans ce diagramme, les substances semblent n'emprunter que l'une ou l'autre voie ; en réalité, les substances peuvent utiliser l'une ou l'autre voie pendant leur séjour dans un organe.

échangent divers solutés entre la vacuole et le cytosol, selon les différents gradients électrochimiques. En fait, le tonoplaste transporte des substances selon les règles qui s'appliquent à la membrane plasmique.

Transport radial dans les tissus et les organes

Comment l'eau et les solutés atteignent-ils les tissus périphériques des organes d'une Plante ? Par quel mécanisme l'eau et les minéraux absorbés par les cellules externes d'une racine se rendent-ils aux cellules internes de cette même racine ? Ce type de transport à courte distance porte le nom de transport radial, puisque la direction habituellement empruntée suit l'axe radial des organes végétaux plutôt que leur axe vertical.

Le transport radial emprunte trois voies différentes (figure 32.6). La première voie permet aux substances de sortir d'une cellule et de pénétrer dans la cellule voisine, en traversant les membranes plasmiques et les parois cellulaires.

La deuxième voie, le **symplaste**, est l'ensemble du cytoplasme des cellules mises en réseau par des **plasmodesmes** ; ces derniers sont des canaux cytoplasmiques qui relient deux cellules adjacentes à travers des perforations pratiquées dans les parois (voir le chapitre 7).

La troisième voie, l'**apoplaste**, comprend l'ensemble des interstices que les parois cellulaires délimitent ainsi que les cellules mortes du xylème. Avant même de pénétrer dans une cellule, l'eau et les solutés peuvent emprunter les chemins tracés entre les parois cellulaires et se rendre d'un point à l'autre dans une racine ou un autre organe.

Au cours de leur séjour dans un organe, l'eau et les solutés peuvent changer de voie. Par exemple, les minéraux absorbés par une racine se déplacent dans l'apoplaste sur une certaine distance et empruntent ensuite la voie du symplaste après qu'ils ont pénétré dans une cellule de la racine. La diffusion, déterminée par les gradients électrochimiques, et le courant de masse, déterminé par les différences de pression, établissent le sens du transport radial à l'intérieur des tissus et des organes d'une Plante.

Transport vertical dans l'ensemble de la Plante

La diffusion s'effectue trop lentement pour rendre possible le transport de substances sur de longues distances. C'est le courant de masse, le mouvement d'un fluide sous pression, qui permet à l'eau et aux solutés de se déplacer dans les vaisseaux du xylème et les tubes criblés du phloème. Par exemple, dans le phloème, une pression s'exerce à une extrémité du tube criblé, ce qui force la sève à se rendre à l'autre extrémité du tube. Dans le xylème, c'est la tension qui permet le transport vertical sur de longues distances. La transpiration, réalisée au niveau des feuilles, réduit la pression dans le xylème, créant ainsi une tension qui fait monter la sève brute dans tout le xylème à partir des racines.

Après cette vue d'ensemble des mécanismes de transport chez les Végétaux, nous allons étudier plus en détail les quatre fonctions associées au transport des nutriments : l'absorption de l'eau et des minéraux par les racines, l'ascension de la sève brute dans le xylème, la régulation de la transpiration et le transport de la sève élaborée dans le phloème.

ABSORPTION DE L'EAU ET DES MINÉRAUX PAR LES RACINES

L'eau et les minéraux traversent l'épiderme des racines, franchissent l'écorce, entrent dans la stèle (le cylindre central) et empruntent finalement les vaisseaux du xylème pour se rendre vers les feuilles. Dans cette section, nous allons étudier de quelle façon les substances provenant du sol traversent l'épiderme, l'écorce et la stèle des racines.

La plus grande partie de l'absorption de l'eau et des minéraux s'effectue près de l'extrémité des racines, à l'endroit où l'épiderme est perméable à l'eau et où se situent les poils absorbants. (Les parties plus vieilles des racines, localisées au-dessus des extrémités, sont très peu perméables et jouent un rôle mineur dans l'absorption.) Les poils absorbants, qui sont en fait des prolongements de cellules épidermiques, constituent la plus grande partie de la surface des racines (voir le chapitre 31). Les poils absorbants adhèrent fermement aux particules du sol, qui sont normalement recouvertes d'eau et de minéraux dissous. Les solutions traversent la paroi hydrophile des cellules épidermiques et circulent librement dans l'apoplaste de l'écorce de la racine. Toutes les cellules parenchymateuses de l'écorce absorbent alors les solutions à travers leur membrane plasmique, de la même façon que les

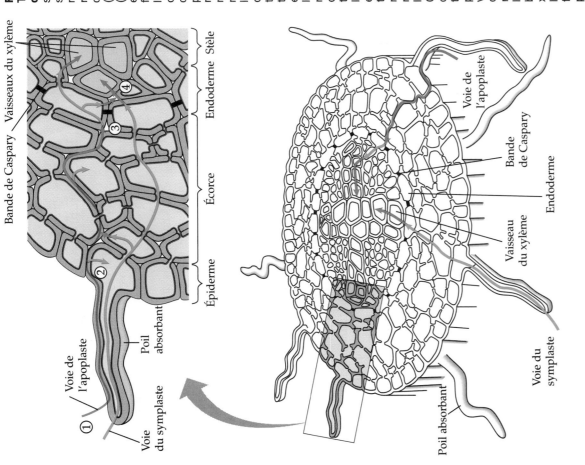

Figure 32.7

Transport radial des minéraux et de l'eau dans les racines. Les minéraux dissous sont absorbés à la surface des racines, surtout par les poils absorbants. L'eau et les minéraux traversent ensuite l'écorce pour se rendre jusqu'à la stèle en empruntant une combinaison des voies de l'apoplaste (voie extracellulaire) et du symplaste (voie empruntant le cytoplasme des cellules et les plasmodesmes qui les relient) (voir la figure 32.6). ① Les parois hydrophiles de l'épiderme permettent l'entrée de la solution du sol et ouvrent la voie de l'apoplaste, ce qui permet à l'eau et aux minéraux de pénétrer dans l'écorce le long de cette matrice de parois cellulaires. L'eau et les minéraux qui traversent la membrane plasmique des poils absorbants pénètrent dans le symplaste. ② À mesure que la solution du sol circule le long de l'apoplaste, certaines molécules d'eau et de minéraux sont transportées dans les cellules de l'épiderme et de l'écorce, et se déplacent ensuite vers l'intérieur dans le symplaste. ③ L'eau et les minéraux qui circulent dans l'apoplaste en direction de l'endoderme ne peuvent pénétrer dans la stèle par cette voie extracellulaire. L'intérieur de la paroi de chaque cellule endodermique est recouvert d'une substance cireuse (représentée ici par le trait noir) qui bloque le passage de l'eau et des minéraux dissous. Cette barrière à la voie de l'apoplaste porte le nom de bande de Caspary. Seuls les minéraux qui se trouvent déjà dans le symplaste ou ceux qui empruntent cette voie en traversant la membrane plasmique d'une cellule endodermique peuvent éviter la bande de Caspary et se rendre dans la stèle. Ainsi, le transport des minéraux dans la stèle est discriminatoire ; seuls les minéraux qui ont pu traverser les membranes sélectives ont accès aux tissus du xylème. ④ Les cellules endodermiques et les cellules parenchymateuses de la stèle font passer l'eau et les minéraux dans leur paroi qui, étant donné qu'elle fait partie de l'apoplaste, est en continuité avec le tissu conducteur du xylème. L'eau et les minéraux absorbés du sol peuvent alors être acheminés vers les feuilles.

cellules de l'épiderme ; puis les solutions empruntent la voie du symplaste. La membrane plasmique assure l'absorption sélective des minéraux. Même si les solutions du sol sont normalement très diluées, les racines peuvent accumuler certains minéraux essentiels à des concentrations des centaines de fois plus élevées. Par exemple, grâce aux protéines de transport sélectives de la membrane plasmique et du tonoplaste, les cellules des racines peuvent extraire le K^+, un minéral essentiel, tandis qu'elles rejettent la plupart des ions Na^+, dont la concentration est beaucoup plus élevée que celle du K^+ dans les solutions en provenance du sol.

L'endoderme, la couche cellulaire interne de l'écorce des racines, entoure la stèle. Il exerce une dernière régulation sélective des minéraux avant leur arrivée dans les tissus du xylème (figure 32.7). Les minéraux qui circulent déjà dans le symplaste lorsqu'ils atteignent l'endoderme traversent les plasmodesmes des cellules endodermiques

et pénètrent dans la stèle. Dans ce cas, la sélection des minéraux a eu lieu dans l'écorce, au moment de leur traversée de la membrane plasmique. Les minéraux qui atteignent l'endoderme par la voie de l'apoplaste butent contre une barrière qui les empêche de pénétrer dans la stèle sans régulation sélective. Dans la paroi de chaque cellule endodermique se trouve en effet une substance cireuse, la subérine, imperméable à l'eau et aux minéraux dissous. Cet anneau de cire, appelé **bande de Caspary,** est tangent à la stèle. Ainsi, l'eau et les minéraux ne peuvent emprunter la voie de l'apoplaste pour traverser l'endoderme et se rendre dans les tissus du xylème. La seule voie possible consiste à traverser la membrane plasmique d'une cellule endodermique et à pénétrer dans la stèle par le symplaste. La bande de Caspary joue un rôle important dans l'endoderme : elle oblige les minéraux à atteindre le xylème de la racine en traversant les membranes, dont la sélectivité est l'une des propriétés. Si les

minéraux ne pénètrent pas dans les cellules de l'écorce par l'intermédiaire de l'apoplaste, ils doivent entrer dans les cellules endodermiques pour atteindre le xylème. La structure confirme son rôle de sentinelle à la frontière entre l'écorce et la stèle. Ce rôle permet aux racines de transporter de manière préférentielle certains minéraux du sol au xylème. La bande de Caspary empêche également le reflux de l'eau et des minéraux de la stèle vers l'écorce.

Le dernier segment de la voie menant du sol au xylème est celui qui permet à l'eau et aux minéraux d'atteindre les cellules qui forment les trachéides et les vaisseaux du xylème. Ces cellules conductrices ne possèdent pas de protoplaste. Par conséquent, la lumière et la paroi de ces cellules font partie de l'apoplaste. Par ailleurs, nous venons de voir que l'eau et les minéraux pénètrent dans la stèle par le cytoplasme des cellules endodermiques. Ainsi, l'entrée de l'eau et des minéraux dans le xylème nécessite leur transfert du symplaste à l'apoplaste. Les cellules endodermiques et les cellules parenchymateuses de la stèle font passer les minéraux dans leur paroi. Ce transfert de solutés du symplaste à l'apoplaste s'effectue probablement grâce à des mécanismes de diffusion et de transport actif. L'eau et les minéraux peuvent ensuite entrer librement dans les trachéides et les vaisseaux du xylème. L'eau et les minéraux dont nous avons suivi le parcours du sol au xylème peuvent maintenant s'insérer dans la sève brute du xylème et se rendre dans les feuilles. (Rappelons que la sève brute se compose aussi d'acides aminés produits par la réduction des nitrates dans la racine ainsi que d'autres substances organiques puisées dans les réserves au cours de l'ascension.)

MONTÉE DE LA SÈVE BRUTE DANS LE XYLÈME

La sève brute contient de la sève dans les vaisseaux au rythme de 15 m à l'heure environ. Les nervures se ramifient dans chaque feuille de telle sorte que les vaisseaux du xylème côtoient chaque cellule. Les feuilles dépendent de l'efficacité de ce système d'approvisionnement en eau. Les Plantes perdent une quantité étonnante d'eau par **transpiration** (la vaporisation de l'eau par les feuilles et les autres parties aériennes de la Plante). Par exemple, un Érable de taille moyenne perd 200 L d'eau par heure durant l'été. Autrement dit, une feuille qui transpire activement remplace toute son eau en une heure. À moins que l'eau perdue par transpiration ne soit remplacée par l'eau provenant des racines, les feuilles se dessèchent progressivement et finissent par mourir. La circulation ascendante de la sève brute dans le xylème apporte l'eau et les minéraux qui servent à nourrir les feuilles.

La sève brute doit combattre la gravitation pour monter dans le xylème, sans l'aide d'une quelconque pompe mécanique. Elle réussit tout de même à atteindre le sommet des plus grands arbres qui mesurent parfois plus de 100 m, tels les Séquoias. La sève brute est-elle *poussée* vers le haut à partir des racines ou est-elle *aspirée* par les feuilles ? Nous allons évaluer ci-dessous la contribution relative de chacun de ces mécanismes.

Poussée exercée par la pression racinaire sur la sève brute du xylème

La stèle d'une racine fonctionne un peu comme un osmomètre (voir le chapitre 8). Durant la nuit, lorsque la transpiration est très faible ou inexistante, les cellules de la racine dépensent encore de l'énergie pour acheminer les minéraux dans la stèle. L'endoderme qui entoure la stèle empêche le reflux des minéraux qu'elle contient. L'accumulation de minéraux dans la stèle réduit son potentiel hydrique. L'eau pénètre alors dans la stèle, générant une pression qui entraîne l'ascension du liquide dans le xylème. Cette poussée ascendante de la sève brute dans le xylème porte le nom de **pression racinaire.**

La pression racinaire provoque la **guttation,** c'est-à-dire l'écoulement de gouttes d'eau que l'on peut observer le matin à l'extrémité des brins d'herbe ou sur la bordure des feuilles de certaines Dicotylédones herbacées (non ligneuses). Au cours de la nuit, lorsque la Plante transpire peu, ses racines continuent d'accumuler des minéraux, et la pression racinaire pousse la sève brute du xylème vers les feuilles. La feuille absorbe alors plus d'eau qu'elle n'en perd par transpiration. L'excès d'eau est poussé à travers des structures spécialisées appelées *hydathodes,* qui fonctionnent comme des soupapes d'échappement.

Chez la plupart des Végétaux, la pression racinaire ne constitue pas le principal mécanisme de la montée de sève brute dans le xylème. Au mieux, cette pression peut pousser l'eau sur quelques mètres seulement. D'ailleurs, un grand nombre de Végétaux, dont certains des plus grands arbres, ne génèrent aucune pression racinaire. Même chez les plus petites Plantes produisant la guttation, la pression racinaire ne peut suffire à compenser la transpiration après le lever du soleil. La poussée de la sève brute vers le haut par la pression racinaire est un phénomène moins important que l'effet d'aspiration créé par les feuilles.

Effet aspirant du mécanisme de transpiration-cohésion-tension sur la sève brute du xylème

Lorsque vous désirez déplacer un objet vers le haut, vous pouvez pousser sous cet objet ou le tirer par le haut. Mais on conçoit moins facilement que l'on puisse tirer un liquide vers le haut dans un tuyau. C'est néanmoins ce qui a lieu dans les vaisseaux du xylème. L'étude de ce mécanisme de transport va nous montrer que la transpiration provoque un effet aspirant et que la cohésion exercée par les liaisons hydrogène entre les molécules d'eau transmet le mouvement ascendant sur toute la longueur du xylème.

L'effet aspirant de la transpiration Les stomates, les ouvertures microscopiques situées à la surface d'une feuille, donnent accès à un réseau de lacunes qui conduit l'air jusqu'aux cellules du mésophylle ; ces dernières y puiseront le dioxyde de carbone nécessaire à la photosynthèse (figure 32.8). L'air contenu dans les lacunes est saturé en vapeur d'eau parce qu'il se trouve en contact avec la paroi humide des cellules. La plupart du temps,

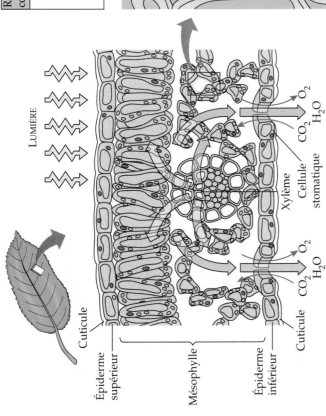

Rayon de courbure (µm)	Pression hydrostatique (MPa)
a = 1,00	a = −0,15
b = 0,10	b = −1,50
c = 0,01	c = −15,00

LUMIÈRE

Cuticule

Épiderme supérieur

Mésophylle

Épiderme inférieur

Cuticule

Cytoplasme

Ménisque

AIR

Vaporisation de l'eau

Pellicule d'eau

Vacuole

Xylème

Cellule stomatique

CO₂ O₂

H₂O

CO₂ O₂

H₂O

Figure 32.8

Effet aspirant de la transpiration dans une feuille. La vapeur d'eau qui se trouve dans les lacunes remplies d'air humide diffuse vers l'extérieur plus sec en passant par les stomates de la feuille, des ouvertures microscopiques entourées de deux cellules stomatiques. (Les stomates assurent aussi l'échange de CO_2 et d'O_2 entre les tissus photosynthétiques et l'atmosphère.) La vaporisation de la pellicule d'eau tapissant les cellules du mésophylle maintient un degré élevé d'humidité dans les lacunes. Cette perte d'eau modifie la courbure de la pellicule d'eau, qui forme un ménisque qui devient de plus en plus concave à mesure que le rythme de transpiration s'accélère.

La formation d'un ménisque produit une tension inversement proportionnelle à son rayon de courbure. Ainsi, lorsque la pellicule d'eau s'estompe et que le rayon de son ménisque décroît (devient plus concave), la tension qui s'applique sur la pellicule d'eau augmente. La tension est une force qui éloigne l'eau de l'endroit subissant la plus grande *pression hydrostatique* (la force exercée par la masse d'un volume d'eau contre la paroi d'une cellule végétale). La tension de l'eau qui tapisse les lacunes de la feuille constitue donc la manifestation physique de l'effet aspirant de la transpiration, qui soutire l'eau du xylème et la conduit à travers les tissus du mésophylle

vers les stomates. La cohésion de l'eau due aux liaisons hydrogène permet à la transpiration de faire monter l'eau dans les vaisseaux et les trachéides étroits du xylème, tout en maintenant cette colonne d'eau intacte. En réalité, l'effet aspirant de la transpiration, appuyé par la cohésion de l'eau, se transmet des feuilles aux racines. Le courant de masse de l'eau jusqu'au sommet de l'arbre est généré par l'énergie solaire, puisque l'absorption des rayons du Soleil par les feuilles provoque la vaporisation qui entraîne l'effet aspirant de la transpiration.

l'air est plus sec à l'extérieur de la feuille. Par conséquent, la vapeur d'eau, qui diffuse selon son gradient de concentration, quitte la feuille par les stomates au cours du phénomène de transpiration.

Comment la transpiration se convertit-elle en une force d'attraction qui fait circuler l'eau dans une Plante? Cette force dépend de la création, dans la feuille, d'une tension due aux propriétés de l'eau. La vaporisation de la mince pellicule d'eau tapissant les lacunes du mésophylle remplace la vapeur d'eau perdue par la transpiration. À mesure que l'eau s'évapore, le reste de la pellicule d'eau se retire dans la paroi cellulaire hydrophile (figure 32.8). Au même moment, la force de cohésion des molécules d'eau résiste à une augmentation de la surface de la pellicule (un des effets de la tension superficielle, voir le chapitre 3). L'effet combiné sur la pellicule d'eau de deux forces (l'adhérence à la paroi et la tension superficielle) forme un ménisque, c'est-à-dire une surface de forme concave. Ainsi, la pellicule d'eau à la surface des cellules de la feuille possède une pression inférieure à la pression atmosphérique. Plus les ménisques sont concaves, plus la différence de pression

s'accentue. La tension est la force d'attraction qui retire l'eau du xylème de la feuille, la conduit dans le mésophylle et l'achemine dans les lacunes menant aux stomates. Le passage de l'eau dans le mésophylle emprunte les voies de l'apoplaste et du symplaste. Cette circulation d'eau correspond à l'équation du potentiel hydrique, décrite plus haut, selon laquelle une tension diminue le potentiel. Puisque l'eau se déplace à partir du compartiment où le potentiel est plus élevé vers celui où il est plus faible, les cellules du mésophylle perdront de l'eau au profit de la pellicule qui tapisse les lacunes, lesquelles perdront de l'eau à leur tour par transpiration. En résumé, l'eau perdue par les stomates est remplacée par l'eau en provenance du xylème de la feuille.

Cohésion et adhérence de l'eau L'effet aspirant exercé par la transpiration sur la sève brute se propage dans tout le xylème à partir des feuilles jusqu'à l'extrémité des racines et même jusqu'à la solution contenue dans le sol. La cohésion de l'eau due aux liaisons hydrogène autorise l'aspiration d'une colonne de sève brute par le haut sans

que les molécules d'eau se séparent. Les molécules d'eau qui quittent le xylème pour entrer dans la feuille tirent sur les molécules adjacentes. Cet effet aspirant se trouve relayé d'une molécule d'eau à l'autre jusqu'au bas de la colonne d'eau. Par ailleurs, la forte adhérence des molécules d'eau à la paroi hydrophile des cellules du xylème (grâce encore aux liaisons hydrogène) constitue un autre phénomène qui permet de contrer la gravitation. Le très petit diamètre des trachéides et des vaisseaux facilite aussi la lutte contre la gravitation.

L'effet aspirant exercé sur la sève brute crée une tension dans le xylème. Une pression exercée sur un tuyau élastique causerait la dilatation de ce tuyau. Par contre, une tension provoquerait sa contraction. (Pendant une journée chaude où l'effet aspirant de la transpiration crée une tension, il est possible de mesurer la diminution du diamètre d'un tronc d'arbre.) Les anneaux des parois secondaires (voir la figure 31.26) empêchent les vaisseaux du xylème de s'affaisser, un peu comme des anneaux de fil métallique empêchent l'affaissement du tuyau d'un aspirateur. L'effet aspirant de la transpiration crée une tension dans tout le xylème, même dans celui des plus grands arbres. Cette tension réduit suffisamment le potentiel hydrique dans le xylème des racines pour entraîner un mouvement passif de l'eau du sol, qui traverse alors l'écorce des racines jusqu'à la stèle.

L'effet aspirant de la transpiration ne peut se transmettre aux racines que si la chaîne de molécules d'eau reste intacte. Elle peut se briser lorsque, par exemple, la sève brute gèle l'hiver et qu'une poche de vapeur d'eau se forme dans un vaisseau du xylème. La formation de cette poche porte le nom de *cavitation*. Au printemps, les petites Plantes peuvent utiliser la pression racinaire pour remplir les vaisseaux du xylème. Par contre, la pression racinaire ne peut pousser l'eau jusqu'au sommet des arbres ; c'est pourquoi un vaisseau entravé par une cavitation ne peut plus remplir son rôle de conduite d'eau. Cependant, la circulation engendrée par la transpiration peut dans ce cas favoriser l'utilisation d'une voie d'évitement par les ponctuations des vaisseaux adjacents du xylème. De plus, la croissance secondaire ajoute chaque année une couche de nouveaux vaisseaux dans le xylème. Seuls les plus jeunes anneaux de croissance situés le plus à l'extérieur du xylème de certains feuillus, comme les Chênes et les Ormes, transportent l'eau ; la plus vieille partie du xylème ne sert plus alors qu'à soutenir l'arbre (voir le chapitre 31).

Transport à distance de l'eau grâce au courant de masse engendré par l'énergie solaire

Le mécanisme de transpiration-cohésion-tension qui assure le transport de la sève brute du xylème contre la gravitation constitue un excellent exemple pour montrer de quelle façon les principes physiques s'appliquent aux situations biologiques. Le transport à distance de l'eau qui monte des racines aux feuilles est assuré par le courant de masse, c'est-à-dire le déplacement d'un liquide engendré par une différence de pression aux deux extrémités d'un conduit. Dans une Plante, les conduits sont les vaisseaux du xylème ou les chaînes de trachéides. La différence de pression est générée à l'extrémité où se trouve la feuille par l'effet aspirant de la transpiration,

qui diminue la pression (augmente ainsi la tension) à l'extrémité supérieure du xylème. À plus petite échelle, les gradients de potentiel hydrique régissent le déplacement osmotique de l'eau d'une cellule à l'autre dans les tissus des racines et des feuilles. La différence de concentration de solutés et la différence de pression des deux côtés d'une paroi favorisent le transport à l'échelle microscopique. Par contre, le courant de masse, le mécanisme qui assure le transport sur de longues distances dans les vaisseaux du xylème, ne dépend que de la pression. De cette façon, grâce au courant de masse, la Plante n'utilise aucunement l'énergie de son métabolisme pour faire monter l'eau vers les feuilles. L'absorption de la lumière du Soleil fait transpirer la Plante, qui à son tour maintient la tension présente dans la feuille. Cette tension fait monter la sève du xylème dans la feuille. L'ascension de la sève brute du xylème est donc provoquée par l'énergie solaire.

RÉGULATION DE LA TRANSPIRATION

Sans une régulation de la transpiration, une feuille risquerait chaque jour la déshydratation et la mort. En effet, outre les énormes pertes d'eau occasionnées par la transpiration, la Plante utilise une quantité importante d'eau pour réaliser la photosynthèse. Afin d'éviter le dessèchement de ses feuilles, la Plante tient compte des conditions du milieu et adapte l'amplitude de sa transpiration. Dans des conditions favorables, la transpiration provoque dans les vaisseaux du xylème une circulation d'eau qui atteint une vitesse aussi élevée que 75 cm par minute. Dans des conditions défavorables, la Plante réduit la transpiration par la fermeture des stomates. Ainsi, quelles que soient les conditions, la Plante s'efforce de maintenir son capital hydrique.

Compromis entre la photosynthèse et la transpiration

Pour produire des aliments, une Plante doit déployer ses feuilles en direction du Soleil et capter le CO_2 de l'air. Les stomates permettent au dioxyde de carbone de diffuser dans la feuille, et à l'oxygène formé au cours de la photosynthèse d'en sortir (voir la figure 32.8). Les stomates conduisent au réseau de lacunes dans lesquels le CO_2 diffuse vers les cellules photosynthétiques du mésophylle. La surface interne de la feuille peut être de 10 à 30 fois supérieure à la surface externe visible. Cette particularité structurale des feuilles favorise la photosynthèse du fait de l'augmentation de leur surface exposée au CO_2. Cette grande surface favorise aussi la vaporisation de l'eau, qui s'effectue librement lorsque les stomates de la Plante sont ouverts. Environ 90 % de l'eau perdue par une Plante s'échappe par les stomates, même si ces derniers ne représentent que 1 à 2 % de la surface externe des feuilles. La cuticule cireuse limite les pertes d'eau à la surface de la feuille. Les stomates se situent surtout sur la face inférieure des feuilles. Cette caractéristique réduit la transpiration parce que la face inférieure se trouve moins exposée aux rayons du Soleil que la face supérieure.

Le quotient de transpiration, c'est-à-dire la masse d'eau (en grammes) perdue par gramme de CO_2 assimilé dans des substances organiques au cours de la photosynthèse, permet d'évaluer la capacité d'une Plante à utiliser l'eau. Le rapport normal est de 600/1. En d'autres termes, la Plante évacue par transpiration 600 g d'eau pour chaque gramme de CO_2 qui se transforme en glucide. Cependant, le Maïs et d'autres Végétaux qui assimilent le CO_2 de l'air par la voie photosynthétique de type C_4 possèdent un quotient de transpiration de 300 environ. Avec les mêmes concentrations de CO_2 dans les lacunes de la feuille, les Plantes de type C_4 peuvent assimiler le CO_2 à un rythme plus élevé que les Plantes de type C_3. Étant donné que la perte d'eau représente la monnaie d'échange qui permet au CO_2 de diffuser dans la feuille, le gain photosynthétique pour chaque gramme d'eau sacrifié est plus grand chez les Plantes qui assimilent le CO_2 à un rythme plus élevé.

Outre le transport de l'eau, la transpiration permet à la Plante d'acheminer les minéraux et d'autres substances des racines jusqu'aux pousses et aux feuilles. Par ailleurs, la transpiration a un effet de refroidissement par évaporation sur la Plante et diminue la température d'une feuille de 10 à 15 °C par rapport à la température ambiante. De cette façon, la température de la feuille n'atteint pas une valeur susceptible d'inhiber le fonctionnement des enzymes qui catalysent les réactions photosynthétiques ou celui d'autres enzymes du métabolisme de la feuille. Les feuilles des Plantes grasses du désert, qui transpirent peu, permettent à ces Plantes de supporter des températures élevées ; chez ces Plantes, la perte d'eau due à la transpiration constitue une menace plus importante qu'une température très élevée.

La transpiration ne cause pas de problème tant que les feuilles sont en mesure de remplacer ces pertes par un apport d'eau en provenance du sol. Cependant, lorsque l'eau perdue par transpiration excède l'apport d'eau par le xylème, en période de sécheresse par exemple, les feuilles se flétrissent à mesure que la turgescence diminue dans les cellules. Le taux de transpiration est plus élevé pendant les jours ensoleillés, chauds, secs et venteux, parce que ces facteurs climatiques augmentent la vaporisation de l'eau. Par ailleurs, les Plantes disposent de certaines ressources pour contrer les éléments, car elles peuvent s'adapter à leur milieu. Parmi les compromis qui influent sur la photosynthèse et la transpiration, citons le mécanisme qui règle la dimension de l'ouverture des stomates et permet le maintien de l'équilibre.

Ouverture et fermeture des stomates

Chaque stomate est encadré par deux cellules stomatiques qui présentent la forme d'un rein chez les Dicotylédones et la forme d'un haltère chez les Monocotylédones. Les cellules stomatiques sont accolées aux cellules épidermiques voisines et s'ouvrent sur une chambre d'air qui communique avec un réseau de lacunes.

Lorsque les cellules stomatiques absorbent de l'eau par osmose, elles deviennent turgescentes (gonflent). La modification de la forme des cellules stomatiques fait varier le diamètre de l'ostiole, c'est-à-dire l'ouverture du stomate (figure 32.9a). La structure de ces cellules explique que ce changement de forme. En effet, la paroi cellulaire qui borde l'ostiole est plus épaisse que la paroi située du côté épidermique. Par ailleurs, les extrémités de deux cellules stomatiques sont reliées. Enfin, la paroi d'une cellule stomatique comporte des microfibrilles de cellulose à orientation radiale, c'est-à-dire qu'elles agissent comme une gaine, à l'instar de bandes élastiques ajustées autour d'un doigt. Ces trois adaptations structurales permettent la déformation des cellules stomatiques en état de turgescence, ce qui augmente la dimension de l'ostiole. Ainsi, lorsque l'eau pénètre dans la cellule stomatique, la paroi épaissie bordant l'ostiole résiste à l'augmentation de pression ; la poussée de l'eau s'exerce alors vers les zones plus minces de la paroi qui offrent moins de résistance, c'est-à-dire du côté épidermique et aux extrémités de la cellule stomatique. Or, les extrémités de deux cellules stomatiques se font face et poussent également l'une sur l'autre, ce qui empêche toute déformation de la paroi dans cette zone. La pression de l'eau s'exerce donc davantage sur la paroi située du côté épidermique, plus susceptible de se déformer. (Rappelons que la paroi comporte des microfibrilles disposées circulairement de façon à relier les deux faces de la cellule stomatique ; par conséquent, une déformation de la face épidermique entraîne une déformation de la face bordant l'ostiole.) Lorsque les cellules stomatiques perdent de l'eau et deviennent flasques, la pression sur la paroi diminue ; sa partie épaisse reprend sa position initiale et referme ainsi l'ostiole.

Nous venons d'expliquer comment le stomate s'ouvre et se ferme mécaniquement. Nous allons nous pencher maintenant sur le mécanisme qui provoque l'osmose et, par conséquent, le changement de pression à l'origine de la déformation mécanique des cellules stomatiques. La variation dans la turgescence des cellules stomatiques, qui entraîne l'ouverture et la fermeture des stomates, dépend de la captation et de la perte réversible d'ions potassium (K^+). Les stomates s'ouvrent lorsque les vacuoles des cellules stomatiques accumulent du K^+ en provenance des cellules épidermiques voisines (figure 32.9b). Cet apport de solutés diminue le potentiel hydrique à l'intérieur des cellules stomatiques et l'eau y entre par osmose, augmentant ainsi la turgescence. Afin de maintenir le potentiel de membrane qui résulte de cette situation, l'entrée de K^+, qui rend la cellule plus positive, est compensée par une entrée de chlore (Cl^-) et par une sortie de protons relâchés par des acides organiques. La fermeture des stomates est causée par une sortie de K^+ des cellules stomatiques, laquelle conduit à une perte osmotique d'eau. Le flux d'ions K^+ à travers la membrane des cellules stomatiques est probablement associé à la génération d'un potentiel de membrane par la pompe à protons. L'ouverture des stomates correspond donc à la sortie par transport actif de protons des cellules stomatiques. Le potentiel de membrane ainsi obtenu transporte le K^+ dans la cellule par l'intermédiaire des canaux spécifiques de la membrane plasmique (voir la figure 32.3). L'encadré de la page 711 présente une technique particulière qui permet d'étudier la régulation des cellules stomatiques par les pompes à protons et les canaux à K^+.

Normalement, les stomates sont ouverts le jour et fermés la nuit. De cette façon, la Plante ne perd pas d'eau lorsqu'il fait trop sombre pour assurer la photosynthèse.

Figure 32.9
Régulation de l'ouverture et de la fermeture d'un stomate. (a) Cette illustration montre les cellules stomatiques en état turgescent lorsque le stomate est ouvert, et flasque lorsque le stomate est fermé. La présence de microfibrilles radiales dans la paroi et l'épaisseur inégale de la paroi causent la déformation vers l'extérieur des cellules stomatiques turgescentes. Ces cellules répondent à un ensemble de stimuli complexes, en provenance du milieu ou de la Plante elle-même. Le gain ou la perte d'eau conduit chaque cellule à modifier sa forme, d'où l'agrandissement ou le rétrécissement de l'ouverture (ostiole) située entre les deux cellules stomatiques. Cette réponse modifie le rythme de la photosynthèse et exerce une régulation sur la transpiration. **(b)** Le transport de K+ (ions potassium), à travers la membrane plasmique et le tonoplaste, modifie la turgescence des cellules stomatiques. Les stomates s'ouvrent lorsque les cellules stomatiques accumulent du potassium (les points rouges ici), ce qui diminue le potentiel hydrique des cellules et favorise l'entrée d'eau par osmose. Les cellules stomatiques deviennent alors turgescentes. Par contre, lorsque les ions K+ sortent des cellules stomatiques, les stomates se ferment à la suite d'une perte d'eau par osmose.

À l'aube, trois facteurs au moins stimulent l'ouverture des stomates. Premièrement, la lumière favorise l'accumulation de potassium dans les cellules stomatiques, qui deviennent turgescentes. Cette réponse est déclenchée par la lumière bleue qui excite des récepteurs, situés probablement dans la membrane plasmique. L'activation de ces récepteurs stimule les pompes à protons qui accentuent le potentiel de membrane, favorisant alors l'entrée des ions K+. La lumière peut aussi causer l'ouverture des stomates en déclenchant la photosynthèse dans les chloroplastes des cellules stomatiques, libérant ainsi de l'ATP afin d'assurer le transport actif des protons. Deuxièmement, le manque de CO_2 dans les lacunes de la feuille favorise l'ouverture des stomates ; cette carence survient lorsque la photosynthèse se produit dans le mésophylle. On peut ainsi forcer l'ouverture des stomates la nuit en plaçant la Plante dans une pièce dépourvue de CO_2. Troisièmement, la présence d'une horloge interne dans les cellules stomatiques cause l'ouverture des stomates : une Plante conservée dans une pièce obscure continue à subir le cycle quotidien d'ouverture et de fermeture des stomates (voir la première question dans la section réflexion-application au chapitre 10). Tous les eucaryotes comportent une horloge interne qui possède la notion du temps et régit les rythmes biologiques. On appelle **rythmes circadiens** les cycles dont l'intervalle est d'environ 24 heures. Nous étudions les rythmes circadiens et les horloges biologiques qui les règlent au chapitre 35.

Des agressions extérieures de toutes sortes peuvent provoquer la fermeture des stomates pendant la journée.

Par exemple, lorsque la Plante manque d'eau, la turgescence des cellules stomatiques diminue. De plus, l'acide abscissique, une hormone produite dans les cellules du mésophylle en réponse à une carence en eau, commande aux cellules stomatiques de fermer les stomates. Cette réponse des stomates réduit la déshydratation de la feuille mais ralentit également le processus de la photosynthèse, d'où la diminution du rendement des cultures en période de sécheresse. Les températures élevées entraînent aussi la fermeture des stomates, en stimulant probablement la respiration cellulaire et en augmentant la concentration de CO_2, dans les lacunes de la feuille. Une température élevée et une transpiration excessive peuvent concourir à fermer les stomates pendant une courte période du milieu de la journée. Ainsi, en intégrant un ensemble de stimuli internes et externes, les cellules stomatiques régissent à chaque instant les processus combinés de la photosynthèse et de la transpiration.

Adaptations évolutives réduisant la transpiration

Les xérophytes sont des Plantes qui se sont adaptées à des climats arides. Leurs feuilles ont subi diverses modifications afin de réduire le taux de transpiration. Un grand nombre de xérophytes possèdent de petites feuilles épaisses. Il s'agit là d'une adaptation qui limite les pertes d'eau en réduisant la surface exposée par rapport au volume de la feuille. Une cuticule épaisse confère à certaines de ces feuilles l'aspect du cuir. Les stomates de ces Plantes se

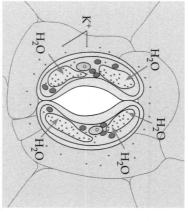

CELLULES TURGESCENTES/STOMATE OUVERT

CELLULES FLASQUES/STOMATE FERMÉ

Microfibrilles de cellulose à orientation radiale

Ostiole

Vacuole

Cellules stomatiques

H_2O

(a) Relation entre le changement de forme des cellules stomatiques et l'ouverture ou la fermeture du stomate

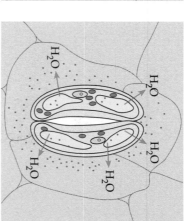

K+

H_2O

(b) Rôle du potassium dans l'ouverture et la fermeture du stomate

TECHNIQUES : ENREGISTREMENT DU TRANSPORT IONIQUE MEMBRANAIRE

En 1991, Erwin Neher et Bert Sakmann de l'institut Max Planck, en Allemagne, ont reçu le prix Nobel de physiologie et de médecine pour l'invention d'une technique particulière appelée *patch clamping*. Cette technique permet au chercheur d'enregistrer la circulation d'ions à travers les canaux spécifiques d'une membrane. Il est possible d'isoler un minuscule morceau de membrane et d'étudier le mouvement ionique à travers un seul type de canal, comme un canal à K⁺ ou un canal à H⁺.

Cette technique s'applique aussi aux cellules végétales, mais on doit en tout premier lieu éliminer la paroi cellulaire. On utilise habituellement des enzymes qui digèrent les parois pour obtenir les protoplastes. La figure a montre une micrographie photonique de protoplastes extraits des cellules stomatiques d'une feuille de Tabac (*Nicotiana tabacum*).

L'instrument qui permet d'isoler un morceau de membrane est une micropipette dont l'extrémité mesure environ 1 µm de diamètre. On utilise une pipette plus large pour maintenir en place la cellule (figure b). On provoque ensuite une légère succion afin que la membrane forme une cloque dans l'ouverture de la micropipette. Le bord de la micropipette adhère alors à la membrane et en isole ainsi un petit morceau. La micropipette, reliée à un appareillage approprié comportant deux microélectrodes, contient l'une d'elles et enregistre la circulation d'ions à travers la membrane.

On peut alors choisir parmi plusieurs possibilités pour étudier le transport d'ions à travers ce morceau de membrane. En maintenant la cellule entière fixée à la micropipette grâce au joint créé en bordure du morceau de membrane, on peut enregistrer le transport d'ions entre le cytoplasme et la solution artificielle contenue dans la micropipette (figure c). Une autre possibilité consiste à arracher le morceau de membrane en éloignant la micropipette de la cellule (figure d), afin de permettre au chercheur de choisir la composition ionique des solutions qu'il placera des *deux* côtés du morceau de membrane. Dans ces conditions, on peut enregistrer le transport passif d'un seul type d'ion à travers des canaux sélectifs ou son transport actif par les pompes membranaires. Le graphique de l'enregistrement du transport de H⁺ à travers un morceau de membrane d'une cellule stomatique apparaît à la figure e. Le passage des protons (H⁺) à travers la membrane génère un courant électrique mesurable. Le graphique indique le courant engendré par la circulation de protons pendant plusieurs minutes. Au cours de cette expérience, on a mesuré l'effet de la lumière bleue, qui augmente le courant généré par le passage des protons (H⁺) à travers la membrane.

Cette expérience d'enregistrement du transport ionique membranaire, ainsi que d'autres constatations, appuient l'hypothèse suivante : la lumière bleue et d'autres stimuli assurent la régulation des cellules stomatiques en agissant sur les pompes à protons (H⁺) de la membrane.

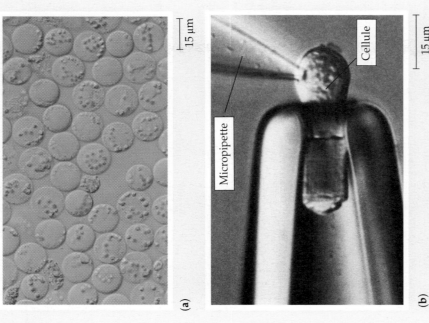

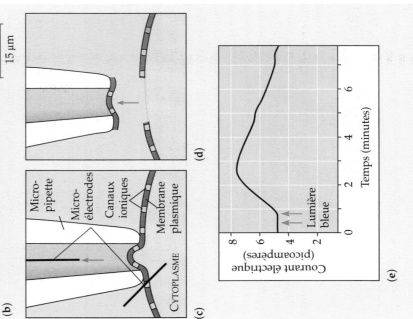

(a)

(b)

(c)

(d)

(e)

15 µm

15 µm

Micropipette

Cellule

Micropipette

Micro-électrodes

Canaux ioniques

Membrane plasmique

CYTOPLASME

Courant électrique (picoampères)

Lumière bleue

Temps (minutes)

concentrent sur la face inférieure des feuilles. Ils se situent souvent dans des dépressions semblables à des cryptes qui les protègent des vents secs (figure 32.10). Au cours des mois les plus secs de l'année, certaines Plantes du désert perdent leurs feuilles. D'autres, tels les Cactus, les conservent grâce aux réserves que la Plante a emmagasinées dans sa tige charnue durant la saison des pluies. (Ces tiges modifiées sont les organes photosynthétiques des Cactus ; les feuilles sont les épines.)

Les Plantes grasses de la famille des Crassulacées s'adaptent d'une manière sophistiquée aux habitats arides. Ces Plantes et quelques espèces d'autres familles, comme les Ananas, assimilent le CO_2 grâce à un processus photosynthétique alternatif appelé métabolisme acide crassulacéen (CAM, *crassulacean acid metabolism*) (voir le chapitre 10). Les cellules du mésophylle d'une Plante de type CAM possèdent des enzymes qui incorporent le CO_2, sous forme d'acides organiques au cours de la nuit. Durant le jour, les acides organiques se dégradent, relâchent le CO_2 dans ces mêmes cellules, et les glucides sont ensuite synthétisés par la voie photosynthétique habituelle. Puisque la feuille absorbe le CO_2 pendant la nuit, les stomates peuvent se refermer au cours de la journée, au moment où la transpiration risque d'être plus importante. Le rythme circadien d'ouverture des stomates des Plantes de type CAM est déphasé d'environ 12 heures par rapport à celui des autres Plantes. Si l'on observe le comportement des stomates, on constate aussi bien la présence d'ajustements physiologiques que d'adaptations évolutives.

TRANSPORT DE LA SÈVE ÉLABORÉE DANS LE PHLOÈME

La sève élaborée se compose principalement de saccharose, qui lui confère sa consistance sirupeuse ; elle comprend également des acides aminés, des hormones, certains ions et un peu d'eau. La sève élaborée circule dans le phloème, l'autre tissu conducteur qui relie toutes les parties de la Plante, dans la direction opposée à celle de la sève brute dans le xylème. Chez les Angiospermes, les cellules spécialisées du phloème qui assurent le transport sont disposées bout à bout et forment les tubes criblés (figure 32.11). Des parois poreuses, les cribles, séparent les cellules d'un tube criblé et facilitent ainsi la circulation de la sève élaborée.

Transport d'un organe source à un organe cible

Contrairement au transport unidirectionnel de la sève brute, soit des racines aux feuilles et aux organes en croissance, le transport de la sève élaborée emprunte plusieurs directions, toujours d'un organe source à un organe cible. Un **organe source** est le siège de production des glucides, par photosynthèse ou par hydrolyse de l'amidon. Les feuilles sont habituellement des organes sources. Un **organe cible** consomme ou emmagasine les glucides. Les racines en croissance, l'extrémité des pousses axillaires et de la tige, les fleurs et les fruits constituent des organes cibles que le phloème alimente en glucides. Un organe d'entreposage, tels un tubercule ou un bulbe, est, selon la saison, un organe source ou un organe cible. Au cours de l'été, lorsque l'organe d'entreposage assure le stockage des glucides, il est un organe cible. Au début du printemps, après la dormance, l'organe d'entreposage devient un organe source puisque

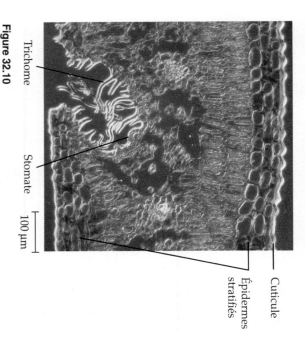

Figure 32.10
Adaptations structurales des feuilles aux conditions arides. Les stomates de ce Laurier-Rose (*Nerium oleander*), une xérophyte, sont enfoncés dans des cryptes munies d'un ensemble de poils appelé trichome (MP). Grâce à cette adaptation structurale, les stomates se trouvent protégés des vents chauds et secs. Chaque épiderme possède plusieurs couches de cellules (épiderme stratifié) ; cette autre adaptation contribue à réduire les pertes d'eau.

Trichome
Stomate
100 µm
Cuticule
Épidermes stratifiés

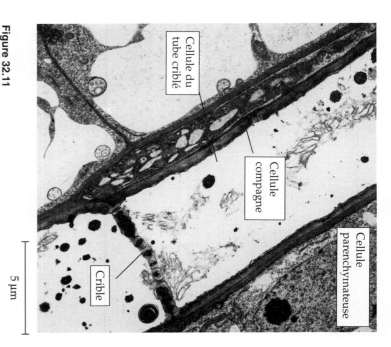

Figure 32.11
Les tubes criblés et le transport de la sève élaborée. La sève circule d'une cellule de tube criblé à l'autre en traversant des cribles poreux. À côté de chaque cellule du tube criblé se trouve une cellule compagne. On trouve aussi des cellules des parenchymes dans les tissus du phloème (MET).

Cellule du tube criblé
Cellule compagne
Crible
Cellule parenchymateuse
5 µm

Figure 32.12

Remplissage du phloème en saccharose. (a) Le saccharose produit dans les cellules du mésophylle peut emprunter la voie du symplaste (flèches bleues) pour se rendre aux tubes criblés. Chez certaines espèces, le saccharose sort du symplaste (flèche rouge) près des tubes criblés, passe dans l'apoplaste et s'accumule dans les tubes criblés et leurs cellules compagnes. Quelques cellules compagnes, comme celle présentée ici, comportent des modifications qui leur permettent de jouer un rôle de cellules de transfert ; ces cellules possèdent des replis de la paroi qui augmentent la surface membranaire interne affectée au transport des solutés. **(b)** Un mécanisme chimiosmotique est responsable du transport du saccharose dans les cellules compagnes et les tubes criblés. Les pompes à protons génèrent un gradient électrochimique de H+ qui provoque le passage à travers la membrane du saccharose accumulé à l'aide d'une protéine intramembranaire (un symporteur) qui couple le transport de saccharose à la diffusion des protons.

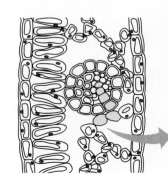

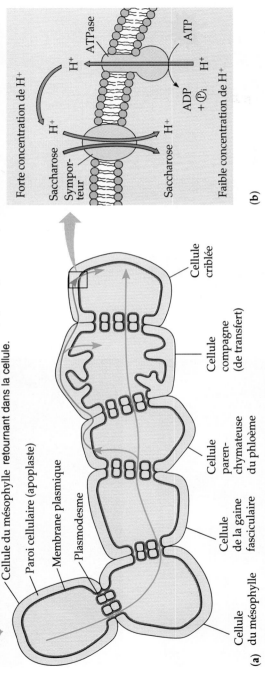

Cellule du mésophylle (apoplaste)

Paroi cellulaire (apoplaste)

Membrane plasmique

Plasmodesme

Cellule du mésophylle

Cellule de la gaine fasciculaire

Cellule parenchymateuse du phloème

Cellule compagne (de transfert)

Cellule criblée

(a)

Forte concentration de H+

Saccharose

Symporteur

ATPase

H+

H+

ADP + Ⓟi

ATP

H+

Saccharose H+

Faible concentration de H+

(b)

---

l'amidon qu'il contient est dégradé en glucides, qui sont ensuite acheminés dans le phloème vers les bourgeons en croissance.

Les autres solutés peuvent être transportés vers les organes cibles avec les glucides. Par exemple, les minéraux qui empruntent le xylème pour atteindre les feuilles peuvent ensuite passer dans le phloème et atteindre un fruit en formation.

Un organe cible est habituellement alimenté par les organes sources les plus proches. Les feuilles supérieures d'une branche peuvent envoyer les glucides à l'extrémité de la pousse, tandis que les feuilles les plus basses envoient les glucides aux racines. Les besoins nutritifs d'un fruit en croissance sont tels qu'il monopolise tous les organes sources qui l'entourent. Un tube criblé dans un faisceau libéroligneux peut transporter la sève dans une direction, alors qu'un autre tu·be criblé du même faisceau libéroligneux transporte la sève dans la direction opposée. La direction du transport dans chaque tube criblé ne dépend que des endroits où se trouvent l'organe source et l'organe cible qu'il relie. La direction peut d'ailleurs changer selon les saisons ou le stade de développement de la Plante.

Remplissage et vidange du phloème

Les glucides produits dans les cellules du mésophylle d'une feuille doivent se rendre dans les tubes criblés avant d'être acheminés vers les organes cibles. Chez certaines espèces de Menthes et de Courges, le saccharose peut circuler tel quel du mésophylle aux tubes criblés en empruntant le symplaste, et passe donc d'une cellule à l'autre par les plasmodesmes. Chez d'autres espèces, le

saccharose atteint les tubes criblés en empruntant un circuit passant par le symplaste et l'apoplaste (figure 32.12a). Par exemple, dans les feuilles du Maïs, le saccharose diffuse à travers le symplaste des cellules du mésophylle jusqu'aux nervures. De nombreuses molécules de glucides sortent des cellules lorsqu'elles se rapprochent des tubes criblés et des cellules compagnes, et empruntent alors la voie de l'apoplaste. Ce saccharose traverse la paroi des tubes criblés et de leurs cellules compagnes où il s'accumule. Les cellules compagnes transportent ensuite le saccharose dans les tubes criblés par l'intermédiaire des plasmodesmes. Chez certains Végétaux, la paroi des cellules compagnes forme de nombreux replis intracellulaires. Ce type d'adaptation augmente la surface de contact et favorise le transfert de solutés entre l'apoplaste et le symplaste. Ces cellules compagnes modifiées portent le nom de **cellules de transfert.**

Chez le Maïs et de nombreux autres Végétaux, les tubes criblés emmagasinent le saccharose jusqu'à ce qu'il atteigne des concentrations deux ou trois fois plus élevées que dans le mésophylle. Le remplissage du phloème nécessite alors, indirectement, un transport actif. La pompe à protons exécute le travail qui permet aux cellules d'accumuler du saccharose (figure 32.12b). Les pompes (grâce à l'ATP) font sortir les protons de la cellule et emmagasinent l'énergie en maintenant un gradient électrochimique des deux côtés de la membrane plasmique. Une autre protéine intramembranaire, qui agit comme cotransporteur, utilise cette source d'énergie pour transporter le saccharose dans la cellule en même temps qu'elle y rapporte les protons.

Le phloème se décharge de son saccharose lorsqu'il atteint l'extrémité du tube criblé, près de l'organe cible.

Figure 32.13

Le courant de masse dans un tube criblé. ① L'apport de glucides dans le tube criblé situé à proximité de l'organe source réduit le potentiel hydrique dans les cellules du tube criblé, ce qui induit l'entrée d'eau provenant des tissus environnants par osmose. ② L'absorption d'eau génère une pression hydrostatique qui pousse la sève à circuler dans le tube. ③ Le gradient de pression dans le tube criblé est augmenté par le transport de glucides et d'eau dans l'organe cible, à l'autre extrémité du tube criblé. Les glucides ne s'emmagasinent pas dans les cellules de l'organe cible, parce qu'ils sont utilisés par le métabolisme ou convertis en substance de réserve comme l'amidon. ④ Le xylème rapporte ensuite l'eau à l'organe source.

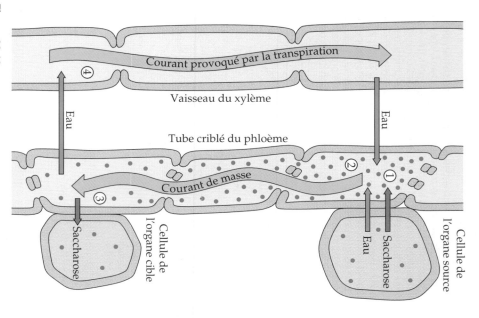

Chez certains Végétaux, le saccharose peut sortir du phloème grâce au transport actif. Chez d'autres, la diffusion suffit à faire passer le saccharose du phloème aux cellules avoisinantes de l'organe cible. Dans ce dernier, les molécules de saccharose empruntent les voies du symplaste et de l'apoplaste pour leur distribution.

Courant de masse de la sève élaborée dans le phloème

La sève élaborée du phloème circule de l'organe source à l'organe cible à une vitesse qui peut atteindre 1 m à l'heure ; on estime que cette vitesse est trop élevée pour n'être causée que par la diffusion ou la cyclose. La sève élaborée se déplace grâce au courant de masse, qui est entraîné par une pression. Le remplissage du phloème survient en présence d'une forte concentration de solutés à l'extrémité du tube criblé, près de l'organe source ; à ce

moment, le potentiel hydrique diminue dans le tube criblé et il y a entrée d'eau par osmose (figure 32.13). Le tube criblé subit une pression hydrostatique plus grande à proximité de l'organe source que près de l'organe cible. À l'extrémité où se trouve l'organe cible, la pression diminue du fait de la perte d'eau qui suit de peu le

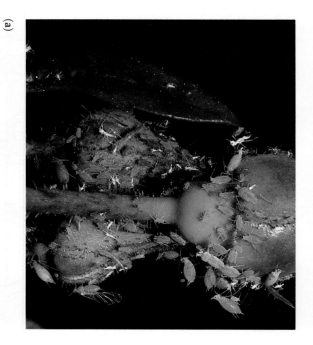

(a)

(b)

Figure 32.14

Ponction de sève élaborée à l'aide d'un Puceron. (a) Des Pucerons se nourrissent sur un bouton de Rose. **(b)** Le Puceron insère une pièce buccale modifiée, appelée stylet, dans la Plante et explore l'intérieur jusqu'à ce que cet organe pénètre dans une cellule de tube criblé (MP). La pression interne du tube criblé pousse la sève élaborée dans le stylet, et le Puceron gonfle au point d'atteindre une taille plusieurs fois supérieure à la normale. Tandis que le Puceron se nourrit, on peut l'anesthésier et le séparer de son stylet, qu'on laisse dans la Plante pour permettre au chercheur de se servir de ce minuscule robinet et faire couler la sève élaborée pendant des heures. Plus le stylet se trouve près d'une source de glucides, plus la sève élaborée coulera rapidement et plus sa concentration en glucides sera grande. En règle générale, une pression générée à l'extrémité d'un tube situé près de l'organe source provoque un courant de masse vers l'autre extrémité.

passage du saccharose hors du tube criblé. Dans les cellules de certains organes cibles, la dégradation métabolique des glucides et leur entreposage sous forme d'amidon maintient une faible concentration de glucides des tubes criblés. L'accumulation de pression à une extrémité du tube et la diminution de pression à l'autre extrémité amènent l'eau chargée de glucides à circuler de l'organe source à l'organe cible. L'eau retourne ensuite à l'organe source par l'intermédiaire des vaisseaux du xylème.

Ce modèle de pression qui crée un courant permet d'expliquer pourquoi la sève élaborée du phloème circule toujours de l'organe source à l'organe cible, quel que soit les endroits où ils se trouvent dans la Plante. Des biologistes ont imaginé plusieurs expériences dans le but d'évaluer ce modèle. Certaines de ces expériences innovatrices utilisent même des sondes à glucides naturelles, c'est-à-dire des Pucerons qui se nourrissent de la sève élaborée du phloème (figure 32.14). Ce modèle s'applique particulièrement bien aux Angiospermes, mais on ignore s'il en va de même pour les Gymnospermes.

Notre étude de la circulation de la sève élaborée chez les Végétaux nous a permis de mettre en évidence des exemples de transport à trois niveaux : le transport à travers les membranes plasmiques au niveau cellulaire (l'accumulation de saccharose dans les cellules du phloème); le transport radial dans les organes sur de courtes distances (le déplacement du saccharose qui emprunte le symplaste et l'apoplaste pour passer du mésophylle au phloème); le transport entre les organes sur de longues distances (le courant de masse dans les tubes criblés).

* * *

Les botanistes ont encore beaucoup à apprendre sur les mécanismes de transport liés au xylème et au phloème. William Harvey, un éminent physiologiste du XVIIe siècle, pensait que les Végétaux et les Animaux possédaient des systèmes circulatoires semblables. L'idée fut délaissée lorsque la dissection des Plantes révéla qu'elles ne possédaient pas de cœur. Nous commençons à peine à comprendre comment la sève circule dans les tissus conducteurs de la Plante sans l'aide d'un organe servant de pompe.

RÉSUMÉ DU CHAPITRE

La vie d'une Plante terrestre dépend d'un système intégré de transport entre les racines et les parties aériennes de la Plante.

Mécanismes de transport chez les Végétaux (p. 699-704)

1. Il existe un transport de la sève au niveau cellulaire, un transport radial (sur de courtes distances) dans les organes de la Plante et un transport vertical (sur de longues distances) dans le xylème et le phloème. Ces niveaux de transport font intervenir différents mécanismes.

2. Au niveau cellulaire, les solutés traversent les membranes grâce au transport passif (la diffusion) et au transport actif. Un mécanisme chimiosmotique est responsable de la plus grande partie du transport actif: les pompes à protons emmagasinent l'énergie sous forme d'un gradient de H^+ à travers la membrane; des protéines de transport spécifiques couplent la diffusion de H^+ au déplacement des autres solutés.

3. Les différences de potentiel hydrique (ψ) provoquent l'entrée de l'eau dans les cellules végétales ou sa sortie par osmose. La présence de solutés diminue le potentiel hydrique, et la pression l'augmente. Lorsqu'une cellule végétale se trouve dans un environnement hypotonique, la diminution du potentiel hydrique dans la cellule, en raison de sa concentration de solutés plus élevée, provoque l'entrée d'eau par osmose. Enfin, la pression exercée par la paroi élastique équilibre le potentiel hydrique de la cellule avec celui de son milieu. L'entrée et la sortie d'eau s'équilibrent dans la cellule turgescente.

4. Le transport radial des solutés et de l'eau dans les organes des Végétaux peut s'effectuer par le symplaste (réseau des cytoplasmes reliés par les plasmodesmes), par l'apoplaste (réseau des parois cellulaires) ou par une combinaison de ces voies.

5. Le transport vertical de la sève dans le xylème et le phloème s'effectue grâce au courant de masse (le mouvement d'un liquide généré par une pression).

Absorption de l'eau et des minéraux par les racines (p. 704-706)

1. L'eau et les solutés du sol atteignent les racines en traversant les parois cellulaires des cellules épidermiques. Les poils absorbants des racines en contact avec les parois de l'écorce des racines permettent à l'eau et aux solutés d'emprunter la voie de l'apoplaste pour traverser l'écorce. Les minéraux qui ont quitté l'apoplaste par l'intermédiaire des cellules de l'écorce empruntent la voie du symplaste.

2. La bande de Caspary de l'endoderme bloque l'entrée dans la stèle de l'eau et des minéraux qui empruntent la voie de l'apoplaste. Parmi tous les minéraux qui atteignent la bande de Caspary par l'apoplaste, seuls ceux qui peuvent traverser les membranes plasmiques des cellules endodermiques atteignent le xylème. L'endoderme contribue donc à la régulation de la composition des minéraux dans la sève brute du xylème.

Montée de la sève brute dans le xylème (p. 706-708)

1. La circulation ascendante de la sève brute du xylème apporte aux minéraux aux différentes parties de la Plante et remplace l'eau perdue par la transpiration.

2. Le mécanisme de transpiration-cohésion-tension assure le transport de la sève brute dans le xylème. La perte d'eau causée par la vaporisation pendant la transpiration génère une tension superficielle de la pellicule d'eau tapissant les lacunes du mésophylle. Cette tension crée un courant de masse qui fait sortir l'eau des vaisseaux du xylème. La cohésion de l'eau due aux liaisons hydrogène transmet l'effet aspirant de la transpiration à toutes les molécules d'eau du xylème, jusqu'aux racines.

Régulation de la transpiration (p. 708-712)

1. La présence de stomates permet aux Végétaux d'exercer une régulation sur les gaz échangés et les pertes d'eau.

2. Le rapport entre la transpiration et la photosynthèse permet de déterminer la capacité d'une Plante à utiliser l'eau. Puisque la perte d'eau est le compromis qui permet au dioxyde de carbone de diffuser dans la feuille, une Plante possédant

Chapitre 32 : Le transport des nutriments chez les Végétaux

3. un faible quotient de transpiration est avantagée dans un climat aride.

Les Végétaux assurent l'équilibre entre la photosynthèse et la transpiration en réglant la dimension de l'ouverture des stomates grâce aux modifications de pression de turgescence des cellules stomatiques. Ces modifications physiques sont imputables aux flux des ions potassium qui sont couplés à la génération de potentiels de membrane par les pompes à protons des cellules stomatiques.

4. À l'aube, les cellules stomatiques ouvrent normalement les stomates sous les effets combinés d'un manque de CO_2, d'un rythme circadien interne et d'un mouvement ionique déclenché par des récepteurs sensibles à la lumière.

5. Un manque d'eau et des températures élevées causent la fermeture des stomates vers le milieu du jour.

6. Les xérophytes des climats secs possèdent des feuilles qui ont connu des adaptations morphologiques et physiologiques afin de réduire la transpiration.

Transport de la sève élaborée dans le phloème (p. 712-715)

1. Le phloème achemine les produits de la photosynthèse dans plusieurs directions dans toute la Plante. Chez la plupart des Végétaux, le saccharose est le soluté le plus abondant circulant dans le phloème.

2. Les tubes criblés du phloème transportent les nutriments d'un organe source à un organe cible. Un organe source est un organe qui produit les glucides par photosynthèse ou par hydrolyse de l'amidon, tandis qu'un organe cible consomme ou emmagasine les glucides.

3. Chez de nombreux Végétaux, les pompes à protons des cellules des tubes criblés et des cellules compagnes assurent le chargement du saccharose par un couplage chimiosmotique.

4. La pression crée un courant de masse qui pousse la sève élaborée dans les tubes criblés du phloème. La pression est générée à l'extrémité d'un tube criblé, où se trouve l'organe source, lorsque l'accumulation de saccharose entraîne l'entrée d'eau par osmose. Du côté de l'organe cible, la pression dans le tube criblé est réduite par la sortie du saccharose et de l'eau.

AUTO-ÉVALUATION

1. Lequel des facteurs suivants *ne* contribue *pas* à faire entrer l'eau dans la cellule d'une Plante?
a) Une augmentation du potentiel hydrique de la solution environnante.
b) Une diminution de π dans la solution environnante.
c) L'absorption de solutés par la cellule.
d) Une diminution du ψ cytoplasmique.
e) Une augmentation de la tension dans la solution environnante.

2. Dans lequel des phénomènes suivants l'osmose devient-elle accessoire?
a) Le transport sur de longues distances de la sève du xylème.
b) Le gonflement des cellules stomatiques.
c) L'absorption d'eau par les cellules immergées dans une solution isotonique.
d) La pression racinaire.
e) Le déplacement de l'eau entre des cellules voisines de l'écorce des racines.

3. Les stomates s'ouvrent lorsque les cellules stomatiques :
a) détectent une augmentation de CO_2 dans les lacunes de la feuille.
b) perdent leur turgescence.
c) deviennent plus turgescentes à cause d'une entrée de K^+, suivie d'une entrée d'eau par osmose.
d) inversent le rythme circadien.
e) accumulent de l'eau par transport actif.

4. a) La vaporisation de l'eau des cellules du mésophylle, qui entraîne l'aspiration des molécules d'eau situées dans les cellules voisines et, enfin, de celles qui sont dans le xylème.
b) Le transfert de cet effet aspirant d'une molécule d'eau à l'autre grâce à la cohésion créée par les liaisons hydrogène.
c) Les parois hydrophiles des trachéides et des vaisseaux du xylème qui aident à maintenir la colonne d'eau malgré la gravitation.
d) Le pompage actif de l'eau dans le xylème des racines.
e) La diminution du potentiel hydrique dans la pellicule d'eau à la surface des cellules du mésophylle suite à l'augmentation de la tension superficielle.

5. Complétez la phrase suivante : _____ et _____ sont des organes cibles.
a) une racine en croissance ; un fruit en formation
b) une feuille où se produit la photosynthèse ; une racine en croissance
c) l'extrémité d'une pousse en croissance ; un tubercule qui hydrolyse l'amidon
d) une feuille où se produit la photosynthèse ; un fruit en formation
e) un tubercule qui hydrolyse l'amidon ; l'extrémité d'une pousse en croissance

6. Lequel des transports suivants s'effectue sans intervention (directe ou indirecte) d'une forme de transport actif?
a) Le déplacement des minéraux de l'apoplaste au symplaste.
b) Le déplacement des minéraux dans les cellules de l'écorce des racines.
c) Le déplacement des glucides d'une cellule à l'autre dans un tube criblé.
d) La captation du K^+ par les cellules stomatiques pendant l'ouverture des stomates.
e) Le déplacement des glucides des cellules du mésophylle aux cellules des tubes criblés chez le Maïs.

7. Le déplacement de la sève élaborée d'un organe source à un organe cible :
a) s'effectue dans l'apoplaste des cellules des tubes criblés.
b) peut transporter les glucides obtenus par hydrolyse de l'amidon, de l'endroit où ce dernier est emmagasiné jusqu'aux pousses en croissance.
c) est semblable à la circulation de la sève brute dans le xylème, laquelle dépend de la tension.
d) dépend du pompage actif de l'eau dans les tubes criblés à l'extrémité où se trouve l'organe source.
e) est principalement causé par la diffusion.

8. Complétez la phrase suivante et expliquez votre réponse. La productivité d'une culture décroît lorsque les feuilles commencent à se flétrir, surtout parce que :
a) la chlorophylle des feuilles qui se flétrissent se décompose.
b) les cellules flasques du mésophylle ne peuvent plus effectuer de photosynthèse.

c) les stomates se referment, empêchant le CO_2 de pénétrer dans la feuille.

d) la photolyse, l'étape où la molécule d'eau est dégradée, ne peut avoir lieu lorsqu'il y a un manque d'eau.

e) l'accumulation de CO_2 dans la feuille inhibe les enzymes de la photosynthèse.

9. Vous coupez un bourgeon et en examinez la surface de coupe au moyen d'une loupe binoculaire. Après avoir localisé les tissus conducteurs, vous observez une gouttelette de liquide qui grossit. De quoi se compose ce liquide? Expliquez votre réponse.

a) De sève élaborée du phloème.

b) De sève brute du xylème.

c) De liquide provenant de la guttation.

d) De liquide du courant de transpiration.

e) De suc provenant de la lyse des vacuoles cellulaires.

10. Quelle structure ou quel compartiment *ne fait pas* partie de l'apoplaste dans une Plante?

a) La lumière d'un vaisseau du xylème.

b) La lumière d'un tube criblé.

c) La paroi cellulaire d'une cellule du mésophylle.

d) La paroi cellulaire d'une cellule de transfert.

e) La paroi cellulaire d'un poil absorbant.

QUESTIONS À COURT DÉVELOPPEMENT

1. Expliquez les forces en action dans la montée de la sève brute du xylème.

2. Démontrez l'importance du transport membranaire dans le mécanisme d'ouverture et de fermeture du stomate.

3. Décrivez le mécanisme de la circulation de la sève élaborée dans un tube criblé du phloème.

RÉFLEXION-APPLICATION

1. Un botaniste a utilisé un appareil appelé dendromètre afin de mesurer les faibles variations de diamètre d'un tronc d'arbre causées par le mouvement de l'eau dans le xylème. Les mesures qui apparaissent sur le graphique ci-dessous ont été effectuées à des hauteurs différentes sur le même arbre. Expliquez le tracé qui exprime les variations quotidiennes du diamètre. Ces données suggèrent-elles que l'eau est «poussée» ou «aspirée» vers le haut du tronc? Expliquez.

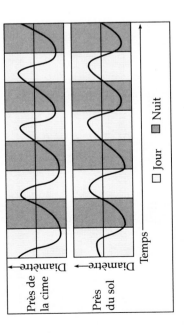

2. Le vent souffle sur les feuilles, augmente la transpiration et réapprovisionne la feuille en dioxyde de carbone nécessaire à la photosynthèse. Les stomates se referment lorsque la concentration de dioxyde de carbone augmente dans la feuille. Il y a donc un lien entre la réponse des stomates au dioxyde de carbone et la vitesse du vent. Quelle est la valeur adaptative de cette relation?

3. Décrivez les conditions extérieures qui pourraient minimiser le quotient de transpiration pour une Plante de type C_3.

4. Vous suspendez des jardinières autour de votre maison, de telle sorte qu'elles se trouvent exposées au Soleil tout au long de la journée. Vous avez suffisamment enrichi la terre des jardinières. Afin de maximiser le rendement de vos Plantes, devriez-vous les arroser tôt le matin, à midi ou au crépuscule? Donnez des raisons d'ordre anatomique, physiologique ou physicochimique pour appuyer votre choix.

SCIENCE, TECHNOLOGIE ET SOCIÉTÉ

1. Lorsqu'on emploie le procédé de l'osmose inverse, on applique une pression sur une solution, forçant ainsi l'eau à traverser une membrane sélective sans que les solutés la franchissent. Pourquoi ce procédé porte-t-il le nom d'osmose inverse? Faites le lien entre l'osmose inverse et la notion de potentiel hydrique traitée dans ce chapitre. Quelles seraient les applications de l'osmose inverse?

2. Bon nombre de scientifiques croient qu'une augmentation du dioxyde de carbone dans l'atmosphère peut causer le réchauffement du climat de la planète dans les prochaines décennies. Ce réchauffement pourrait avoir un sérieux impact sur l'agriculture. Imaginez que vous êtes responsable d'un projet en génie génétique, destiné à mettre au point des cultures végétales capables de croître sous une plus grande chaleur et pendant une courte sécheresse. Quels gènes tenteriez-vous d'intégrer à un plant de Maïs ou de Blé afin de les adapter à ces nouvelles conditions de l'environnement?

LECTURES SUGGÉRÉES

Heller, R. et coll., *Abrégé de physiologie végétale – Nutrition*, tome 1, Paris, Masson, 1991. (Étude des aspects les plus significatifs, aux niveaux cellulaire et organique, de la nutrition et du transport chez les Végétaux supérieurs.)

Lafon, J. P., C. Tharaud-Prayer et G. Levy, *Biologie des plantes cultivées*, tome 1, Paris, Tec & Doc-Lavoisier, 1988. (Le premier chapitre de la troisième partie traite de la physiologie de la circulation des nutriments.)

Lüttge, U., M. Kluge et G. Bauer, *Botanique – Traité fondamental*, Paris, Tec & Doc-Lavoisier, 1992. (Les chapitres 21 à 23 étudient les structures et les fonctions de la racine, de l'axe caulinaire et de la feuille.)

Neher, E. et B. Sakmann, «La Technique du patch-clamp», *Pour la Science*, n° 175, mai 1992. (Un exposé détaillé de cette technique par ses concepteurs.)

Richter, G., *Métabolisme des Végétaux*, Lausanne, Presses PUR, 1993. (Approche biochimique de la physiologie végétale, notamment sur les transports.)

Salisbury, F. B. et C. W. Ross, *Plant Physiology*, 4e éd., Belmont, CA, Wadsworth, 1992. (Un manuel comprenant d'excellents chapitres sur le transport chez les Végétaux.)

BESOINS NUTRITIFS DES VÉGÉTAUX

SOL

ASSIMILATION DE L'AZOTE PAR LES VÉGÉTAUX

ADAPTATIONS NUTRITIVES PROPRES À CERTAINS VÉGÉTAUX

Figure 33.1
La surface de contact d'une Plante avec son milieu est considérable. Les ramifications de ce Géranium lui assurent une surface de contact considérable lui permettant de capter les nutriments inorganiques du sol (l'eau et les minéraux) et de l'air (le dioxyde de carbone). Ce chapitre traite des besoins nutritifs des Végétaux et se penche sur les adaptations évolutives qui facilitent l'assimilation des nutriments inorganiques.

U n organisme est un système ouvert, relié à son milieu par des échanges d'énergie et de matières (voir le chapitre 6). Les Végétaux et les autres organismes autotrophes régissent l'étape cruciale de la transformation des substances inorganiques en substances organiques. Cette transformation permet la circulation de l'énergie et les cycles de matières assurant l'équilibre d'un écosystème. Un organisme autotrophe n'est pas nécessairement autonome. Il va de soi que les Végétaux ont besoin du Soleil, qui leur fournit l'énergie nécessaire à la photosynthèse. Ils ont aussi besoin de matières premières sous forme de substances inorganiques, comme le dioxyde de carbone, l'eau et divers minéraux présents dans le sol sous forme d'ions, pour synthétiser des substances organiques. Grâce à son système racinaire ramifié et à son système caulinaire, une Plante établit un réseau étendu avec son milieu (le sol et l'air, qui lui fournissent tous ses nutriments inorganiques) (figure 33.1). Ce chapitre traite de façon plus approfondie des besoins nutritifs des Végétaux et des adaptations structurales et physiologiques qu'ils ont connues afin d'assurer leur nutrition.

BESOINS NUTRITIFS DES VÉGÉTAUX

Composition chimique des Végétaux

Il suffit d'observer une minuscule graine se transformant en une grande Plante pour se demander d'où provient toute cette masse. Aristote croyait que c'était le sol qui fournissait à la Plante la substance nécessaire à sa croissance, puisqu'elle semblait en émerger. Il pensait aussi que le rôle des feuilles consistait à donner de l'ombre aux fruits en développement. Au XVIIe siècle, un médecin belge, Jean-Baptiste van Helmont, mit au point une expérience visant à vérifier si la croissance végétale s'effectuait grâce à l'absorption des constituants du sol. Il planta un semis de Saule dans un pot contenant 90,9 kg de sol. Cinq ans après, le Saule était devenu un arbre pesant 76,8 kg. Cependant, il ne manquait que 0,06 kg de sol dans le pot. Van Helmont en conclut que la croissance du Saule était principalement due à l'eau qu'il avait ajoutée régulièrement. Un siècle plus tard, un physiologiste britannique, Stephen Hales, émettait l'hypothèse que les Végétaux se nourrissaient principalement d'air.

Il s'avère qu'aucun de ces concepts ne décrit correctement le phénomène de la nutrition des Végétaux (figure 33.2). Il est vrai que les Végétaux extraient leurs minéraux essentiels du sol, mais, ainsi que l'avait découvert van Helmont, ceux-ci ne fournissent qu'une petite contribution à la masse totale de la Plante. Une Plante

éléments constitutifs des glucides, soit le carbone, l'hydrogène et l'oxygène, sont les plus abondants. L'azote, le soufre et le phosphore, présents dans certaines molécules organiques, sont aussi relativement abondants.

On a identifié plus de 50 éléments qui forment les substances inorganiques présentes chez les Végétaux. Il est improbable par contre que ces éléments soient tous essentiels. L'absorption sélective des minéraux par les racines permet à la Plante d'accumuler des éléments essentiels présents dans le sol en très faible quantité (voir le chapitre 32). Cependant, les minéraux contenus dans une Plante reflètent jusqu'à un certain point la composition du sol dans lequel elle pousse. Par exemple, une Plante poussant sur des résidus miniers peut contenir de l'or ou de l'argent. L'étude de la composition chimique des Végétaux fournit des indications sur leurs besoins nutritifs. On doit néanmoins faire la distinction entre les éléments essentiels et ceux qui sont tout simplement présents dans la Plante.

Éléments essentiels

Un **élément essentiel** est un élément chimique dont une Plante a besoin durant son cycle de développement, qui consiste à passer de l'état de graine à la production d'une autre génération de graines. La **culture hydroponique**, communément appelée «culture sans sol», permet de déterminer quels sont les minéraux essentiels (voir l'encadré à la page 720). Grâce à cette technique, on a pu identifier 17 éléments essentiels à toute Plante et quelques autres essentiels uniquement à certains groupes végétaux (tableau 33.1). Puisque la plupart des recherches portent sur les espèces qu'on utilise en agriculture, on connaît peu les besoins nutritifs des espèces non cultivées (ou indigènes), pas même ceux des Conifères dont l'intérêt commercial est pourtant grand.

Les **éléments majeurs** sont les éléments essentiels dont la Plante a besoin en quantité relativement importante. On en dénombre neuf, y compris les six constituants majeurs des substances organiques : le carbone, l'oxygène, l'hydrogène, l'azote, le soufre et le phosphore. Les trois autres éléments majeurs sont le calcium, le potassium et le magnésium (le tableau 33.1 dresse la liste de leurs fonctions).

Les **éléments mineurs** sont les éléments essentiels dont la Plante a besoin en très petite quantité. Les huit éléments mineurs sont le fer, le chlore, le cuivre, le manganèse, le zinc, le molybdène, le bore et le nickel. Ces éléments n'ont une certaine utilité qu'à titre de cofacteurs des réactions enzymatiques (voir le chapitre 6). Le fer, par exemple, est le constituant métallique des cytochromes, les protéines mises en œuvre dans les chaînes de transport d'électrons des chloroplastes et des mitochondries. Puisque ces éléments ne jouent que des rôles catalytiques dans une Plante, ils ne sont nécessaires qu'en de très faibles quantités. Ainsi, le besoin en molybdène s'avère tellement faible qu'on ne trouve dans une Plante séchée que un atome de cet élément pour 16 millions d'atomes d'hydrogène. Malgré tout, une carence en molybdène ou en un autre élément mineur peut affaiblir, voire tuer, une Plante.

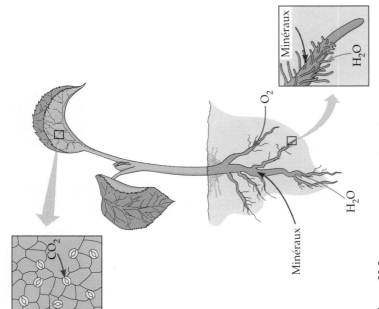

Figure 33.2
Absorption des nutriments par une Plante : vue d'ensemble. Les racines absorbent l'eau et les minéraux du sol grâce aux poils absorbants qui augmentent considérablement la surface de l'épiderme. Le dioxyde de carbone de l'air, qui fournit le carbone nécessaire à la photosynthèse, diffuse dans les feuilles par les stomates. (Une Plante a aussi besoin d'un apport d'oxygène pour effectuer la respiration cellulaire, même si elle en libère.) À partir d'éléments inorganiques, la Plante peut produire toutes les substances organiques dont elle a besoin.

herbacée (non ligneuse) se compose d'environ 80 à 85 % d'eau. En réalité, la croissance des Végétaux résulte principalement de l'accumulation d'eau dans les vacuoles centrales de leurs cellules. En outre, on peut attribuer à l'eau le rôle de nutriment, puisqu'elle fournit la plus grande part de l'hydrogène et une part de l'oxygène nécessaires à la formation de substances organiques par photosynthèse. Cependant, une petite quantité seulement des atomes de l'eau qui pénètre dans la Plante entrent dans la composition de substances organiques. En général, plus de 90 % de l'eau absorbée par les Végétaux est perdue par la transpiration. Pour l'essentiel, l'eau que la Plante retient sert de solvant, autorise l'allongement cellulaire et, en favorisant leur turgescence, permet aux tissus mous de conserver leur forme. La masse de substances organiques représentent environ 95 % de la masse sèche, tandis que les minéraux inorganiques comblent les 5 % restants. Les glucides, dont la cellulose qui compose les parois cellulaires, forment la plupart des substances organiques. Ainsi, les

Il est possible de mesurer la quantité d'eau contenue dans une Plante ; il suffit de comparer sa masse initiale avec celle obtenue après une déshydratation complète. On peut alors analyser la composition chimique des résidus secs. Les substances organiques représentent environ 95 % de la masse sèche, tandis que les minéraux inorganiques comblent les 5 % restants. Les glucides, dont la cellulose qui compose les parois cellulaires, forment la plupart des substances organiques. Ainsi, les

Les racines d'une Plante baignent dans des solutions où divers minéraux se trouvent dissous à des concentrations connues. Un système d'aération de l'eau fournit aux racines l'oxygène indispensable à la respiration cellulaire. On peut évaluer si un élément particulier, comme le potassium, est essentiel en omettant de l'ajouter au milieu nutritif.

Si l'élément supprimé de la solution est un élément nutritif essentiel, l'aspect de la Plante expérimentale sera anormal, comparativement à la Plante témoin qui croît dans un milieu nutritif complet. Les symptômes de carence les plus courants sont le ralentissement de la croissance et la décoloration des feuilles.

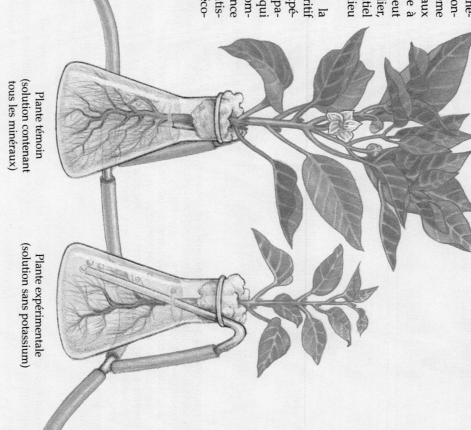

Plante témoin
(solution contenant
tous les minéraux)

Plante expérimentale
(solution sans potassium)

Carences en minéraux

Les symptômes d'une carence en un élément dépendent en partie du rôle nutritif de cet élément nutritif dans la Plante. Par exemple, une carence en magnésium, un constituant de la chlorophylle, provoque un jaunissement des feuilles appelé **chlorose** (figure 33.3). Dans certains cas, la relation entre la carence en un élément et son symptôme est moins directe. Ainsi, bien que la chlorophylle ne contienne pas de fer, une déficience en fer peut également causer la chlorose, parce que le fer est un cofacteur dans une des étapes de la synthèse de la chlorophylle.

Les symptômes d'une carence en un élément dépendent non seulement du rôle nutritif de cet élément dans la Plante, mais aussi de sa mobilité dans celle-ci. Si un élément se déplace quasi librement d'une partie à l'autre de la Plante, les symptômes entraînés par la carence apparaîtront d'abord dans les plus anciens organes : en effet, les jeunes tissus en croissance ont une meilleure

capacité d'attirer les éléments peu disponibles que les tissus à maturité. Ainsi, une Plante privée de magnésium montrera un premier temps des signes de chlorose sur ses plus vieilles feuilles. Le magnésium, qui se déplace assez bien dans la Plante, est alors acheminé de préférence vers les jeunes feuilles. Par contre, une carence en un élément relativement immobile apparaîtra en premier lieu sur les nouvelles parties de la Plante. Les plus vieux tissus peuvent déjà posséder une quantité suffisante de cet élément qu'ils ont la capacité de retenir lorsqu'il se fait rare. Une carence en fer, un élément qui voyage difficilement dans la Plante, provoquera le jaunissement des jeunes feuilles avant que cet effet ne se fasse sentir sur les feuilles plus vieilles.

Les symptômes d'une carence en un élément sont souvent suffisamment distincts pour qu'un botaniste ou un agriculteur en diagnostiquent la cause. En analysant le contenu en minéraux d'une Plante et du sol où elle

Tableau 33.1 Les éléments essentiels aux Végétaux

Élément	Forme(s) disponible(s)	Fonction(s) principale(s)
Éléments majeurs		
Oxygène	O_2, CO_2, H_2O	Constituant essentiel des substances organiques des Végétaux.
Carbone	CO_2	Constituant essentiel des substances organiques des Végétaux.
Hydrogène	H_2O	Constituant essentiel des substances organiques des Végétaux.
Azote	NO_3^-, NH_4^+	Constituant des acides nucléiques, des protéines, de certaines hormones non protéiques et des coenzymes.
Potassium	K^+	Cofacteur nécessaire à la synthèse des protéines ; soluté essentiel au bilan hydrique ; fonctionnement des stomates.
Calcium	Ca^{2+}	Important pour la formation et la stabilité de la paroi cellulaire ; maintien de la structure et de la perméabilité des membranes ; activation de certaines enzymes ; régulation de nombreuses réponses cellulaires à des stimuli.
Magnésium	Mg^{2+}	Constituant de la chlorophylle ; activation de plusieurs enzymes.
Phosphore	$H_2PO_4^-$, HPO_4^{2-}	Constituant des acides nucléiques, des phospholycérolipides, de l'ATP et de plusieurs coenzymes.
Soufre	SO_4^{2-}	Constituant des protéines et des coenzymes.
Éléments mineurs		
Chlore	Cl^-	Activation des éléments photosynthétiques ; rôle dans le bilan hydrique.
Fer	Fe^{3+}, Fe^{2+}	Constituant des cytochromes ; activation de certaines enzymes.
Bore	$H_2BO_3^-$	Cofacteur dans la synthèse de la chlorophylle ; peut jouer un rôle dans le transport des glucides et dans la synthèse des acides nucléiques.
Manganèse	Mn^{2+}	Aide à la synthèse des acides aminés ; activation de certaines enzymes.
Zinc	Zn^{2+}	Aide à la synthèse de la chlorophylle ; activation de certaines enzymes.
Cuivre	Cu^+, Cu^{2+}	Constituant de plusieurs enzymes d'oxydoréduction et d'enzymes assurant la synthèse de la lignine.
Molybdène	MoO_4^{2-}	Essentiel à la fixation de l'azote ; cofacteur nécessaire à la réduction des nitrates.
Nickel	Ni^{2+}	Cofacteur d'une enzyme participant au métabolisme des composés azotés.

Figure 33.3
Carence en magnésium dans un plant de Tabac (*Nicotiana tabacum*). En le comparant avec le plant témoin **(a)**, on peut observer que le plant expérimental **(b)** montre les signes d'une carence en magnésium. Le jaunissement des feuilles (chlorose) résulte de son incapacité à synthétiser la chlorophylle sans magnésium.

(a)

(b)

pousse, on peut confirmer le diagnostic d'une carence en un élément spécifique. Les carences en azote, en potassium et en phosphore surviennent le plus souvent. Les pénuries en éléments mineurs sont les plus rares ; on observe surtout dans des zones géographiques où la composition du sol présente des variations. Habituellement, il suffit d'une faible quantité d'éléments mineurs pour pallier une carence. Par exemple, une carence en zinc des arbres fruitiers peut se corriger en enfonçant tout simplement quelques clous de zinc dans chaque tronc d'arbre. Il faut cependant procéder avec modération, car des doses excessives peuvent s'avérer toxiques.

Une façon de maximaliser l'apport de minéraux est d'avoir recours à la culture hydroponique des Plantes en employant des solutions ayant une concentration précise de nutriments (figure 33.4). La culture hydroponique est une pratique commerciale courante, mais elle fonctionne à une échelle réduite parce qu'elle nécessite un équipement et une main-d'œuvre qui la rendent plus coûteuse que la culture en sol.

Figure 33.4
La culture hydroponique. Une solution contenant des nutriments circule dans cet appareil de façon à baigner les racines des plants de Laitue qui poussent sur un treillis. Un jour, les astronautes séjournant dans une station spatiale pourront faire pousser leurs légumes grâce à la culture hydroponique. Cependant, à cause de son coût élevé, il est peu probable que ce genre de culture permette bientôt de remédier à la faim dans le monde.

SOL

La texture et la composition chimique du sol constituent les principaux facteurs qui déterminent les espèces végétales pouvant croître dans un endroit particulier, qu'il s'agisse d'un écosystème naturel ou d'une région agricole. (Le climat est évidemment un autre facteur important.) Les Plantes qui vivent dans un certain type de sol se sont adaptées à sa composition et à sa texture, et peuvent en absorber l'eau et en extraire les nutriments essentiels. Cependant, il ne faut pas considérer les Plantes comme un facteur d'appauvrissement du sol ; au contraire, elles contribuent à l'enrichir grâce à la matière organique qu'elles fabriquent. En fait, nous verrons plus loin que les Plantes et le sol sont en interaction constante.

Texture et composition des sols

Le sol provient de l'altération de la roche mère sous-jacente. Cette dernière s'effrite à cause des infiltrations d'eau qui gèle dans les fissures durant l'hiver, fracturant la roche. De plus, les acides dissous dans l'eau contribuent à la désagrégation de la roche mère. Lorsque des organismes peuvent envahir cette dernière, ils en accélèrent la décomposition. La présence de Lichens, de Mycètes, de Bactéries, de Mousses et de racines végétales, qui se faufilent dans les fissures, et l'expansion des racines, qui sécrètent tous des acides, brisent la roche mère et les blocs de pierre. Le résultat de cette activité est la formation d'un **sol**, qui comprend en fait un mélange de fragments de roche de textures variées, d'organismes et d'humus (le résidu de matière organique partiellement décomposée). Les différentes couches ou **horizons** d'un sol en forment le *profil* ; on peut observer différents profils de sol dans les gravières et les sablières, dans un fossé fraîchement creusé ainsi que le long des rivières et des routes encaissées (figure 33.5).

La texture d'un sol dépend de la taille des particules qui s'y trouvent. On les classe selon une échelle qui varie du sable grossier aux particules microscopiques de la

Figure 33.5
Les horizons du sol. Ce profil de sol montre trois couches appelées horizons. L'horizon A (ou horizon de surface) est un mélange de fragments de roches de granulométrie variée, d'organismes et de matières organiques en décomposition ; il s'agit de la fraction fine du sol. L'horizon A subit des modifications physico-chimiques importantes causées par les phénomènes climatiques. L'horizon B contient beaucoup moins de matières organiques et se trouve moins altéré que l'horizon A. Les particules de glaise et les minéraux lessivés provenant de l'horizon A peuvent s'accumuler dans l'horizon B. L'horizon C constitue la matière première des couches supérieures du sol. Cet horizon se compose principalement de cailloux grossiers partiellement altérés.

A
B
C

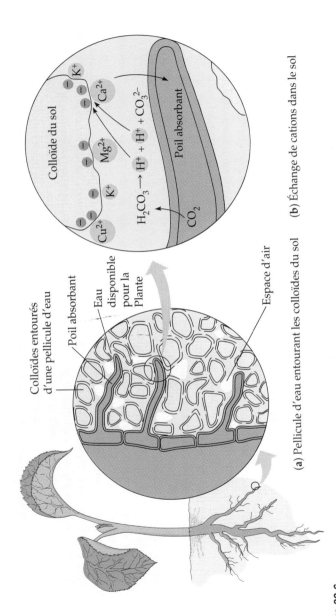

Colloïdes entourés
d'une pellicule d'eau

Poil absorbant

Eau
disponible
pour la Plante

Espace d'air

(a) Pellicule d'eau entourant les colloïdes du sol

K$^+$

Cu^{2+}

K$^+$

Mg^{2+}

Ca^{2+}

Colloïde du sol

H$_2$CO$_3$ → H$^+$ + H$^+$ + CO$_3^{2-}$

CO$_2$

Poil absorbant

(b) Échange de cations dans le sol

Figure 33.6
Disponibilité de l'eau et des minéraux du sol. (a) Une Plante ne peut absorber toutes les molécules d'eau du sol parce que certaines d'entre elles sont retenues fermement aux colloïdes hydrophiles. Les molécules d'eau « libres » absorbées passent par les poils absorbants (les prolongements des cellules épidermiques des racines). **(b)** Les protons en solution dans le sol contribuent à rendre disponibles certains éléments en remplaçant des minéraux chargés positivement qui étaient liés fermement à la surface des colloïdes. La Plante contribue à la concentration molaire volumique de H$^+$ dans le sol. La respiration cellulaire des racines libère du CO$_2$ dans le sol, où le CO$_2$ réagit avec l'eau (H$_2$O) pour former de l'acide carbonique (H$_2$CO$_3$). La dissociation de cet acide augmente le nombre de protons dans le sol.

glaise. Les sols les plus fertiles sont les **limons argilosableux** (aussi appelés « terre franche » au Québec) ; ils se composent d'un mélange de sable (particules de plus de 50 μm), de limon (particules mesurant entre 2 μm et 50 μm) et d'argile (particules d'un diamètre inférieur à 2 μm, ou colloïdes). Les sols riches en limon argilosableux contiennent suffisamment de particules fines auxquelles adhèrent les minéraux et l'eau pour assurer une grande surface de rétention. L'entassement des plus grosses particules laisse des interstices contenant l'oxygène utilisé par les racines pour la respiration cellulaire. Si le drainage du sol est insuffisant, les interstices se remplissent d'eau, entraînant la suffocation des racines. Un sol détrempé peut également favoriser l'attaque des racines par des Moisissures. Ces problèmes surviennent fréquemment chez les Plantes d'intérieur cultivées dans des pots sans drainage et que l'on arrose trop. Certaines Plantes sont adaptées à des sols détrempés. Par exemple, le Palétuvier et de nombreuses autres Plantes qui habitent les marécages possèdent des racines modifiées, en forme de tubes creux ; ces racines remontent à la surface et conduisent l'oxygène de l'air vers le bas, comme s'il s'agissait de tubas. Les conditions du sol influent sur le type de végétation qui domine dans un environnement particulier ; le genre de drainage requis par une Plante en constitue l'un des nombreux facteurs.

Le sol abrite une quantité et une variété étonnantes d'organismes. Une cuiller à café de sol contient environ cinq milliards de Bactéries qui partagent cet habitat avec des Mycètes, des Algues et d'autres Protistes, Insectes, Vers de terre, Nématodes et racines de Végétaux. Les activités de tous ces organismes ont un effet sur les proprié-

tés physiques et chimiques du sol. Les Vers de terre, par exemple, aèrent le sol en le creusant. De plus, ils sécrètent un mucus qui maintient les fines particules du sol ensemble. Le métabolisme des Bactéries modifie la composition minérale du sol. Les racines des Végétaux en extraient l'eau et les minéraux, mais elles agissent aussi sur le pH du sol et le protègent de l'érosion.

L'**humus** est la matière organique en décomposition, d'origine animale ou végétale, transformée par l'action des Bactéries et des Mycètes. Il empêche la glaise de se tasser et forme un sol friable qui retient l'eau, mais il est suffisamment poreux pour permettre une bonne aération des racines. Il constitue aussi une réserve nutritive d'éléments minéraux qui retournent graduellement au sol à mesure que les microorganismes décomposent la matière organique.

Disponibilité de l'eau et des minéraux du sol

Après une pluie abondante, l'eau s'infiltre dans le sol, et les colloïdes (particules d'un diamètre inférieur à 2 μm et en suspension dans le sol) dont la surface est chargée électriquement la retiennent. Certaines molécules d'eau adhèrent si fermement aux colloïdes hydrophiles du sol que les Plantes ne peuvent les extraire. Cependant, dans les plus petits interstices du sol, on trouve une pellicule d'eau qui se lie moins fermement aux colloïdes du sol ; il s'agit de l'eau dont les Plantes peuvent généralement disposer (figure 33.6a). Cette eau n'est pas pure ; en fait, les racines absorbent une solution contenant des minéraux dissous (voir le chapitre 32).

De nombreux minéraux du sol, en particulier ceux qui portent une charge positive comme le potassium (K$^+$), le

calcium (Ca^{2+}) et le magnésium (Mg^{2+}), sont attirés par les surfaces chargées négativement des colloïdes argileux auxquels ils adhèrent. En retenant ces minéraux, l'argile contribue à prévenir le lessivage (l'écoulement) des nutriments lors des pluies abondantes ou sous l'effet de l'irrigation. Les minéraux chargés négativement, comme le nitrate (ou trioxonitrate, NO_3^-), le phosphate (ou tétraoxophosphate, PO_4^{3-}) et le sulfate (ou tétraoxosulfate, SO_4^{2-}), ne sont habituellement pas liés fermement aux colloïdes et tendent ainsi à être lessivés plus rapidement. Par ailleurs, les colloïdes doivent relâcher les minéraux qui leur sont liés au profit de la solution du sol qui alimente les racines. Ainsi, la Plante peut absorber des minéraux chargés positivement lorsque les protons du sol viennent remplacer ces minéraux à la surface des colloïdes. Ce processus, appelé **échange de cations**, est stimulé par les racines qui possèdent la capacité de diffuser des protons en solution dans le sol (figure 33.6b).

Exploitation du sol

Il faut parfois plusieurs centaines d'années pour qu'un sol devienne fertile par suite de la décomposition et de l'accumulation de matières organiques. Cependant, une mauvaise exploitation du sol peut le rendre inculte pour longtemps. Par contre, une exploitation appropriée peut préserver sa fertilité et maintenir une productivité agricole élevée.

Afin de comprendre le concept d'exploitation du sol, nous devons établir la prémisse que l'agriculture n'est pas un phénomène naturel. Dans les forêts, les prairies et les autres écosystèmes naturels, les nutriments sont habituellement recyclés par la décomposition des matières organiques. En revanche, lorsqu'un agriculteur récolte les fruits de son labeur ou qu'un jardinier munit sa tondeuse d'un sac pour recueillir le gazon, les éléments essentiels sont détournés de leurs cycles biogéochimiques. En général, l'agriculture appauvrit le sol en minéraux. Afin de faire pousser une tonne métrique de grains de Blé, le sol doit se départir de 18,2 kg d'azote, de 3,6 kg de phosphore et de 4,1 kg de potassium. La fertilité du sol diminue donc chaque année, à moins que l'on répande des fertilisants pour remplacer les minéraux perdus. De nombreuses cultures ont besoin de beaucoup plus d'eau que la végétation naturelle de l'endroit. Les agriculteurs doivent donc irriguer. Une fertilisation appliquée avec prudence, une irrigation effectuée avec sérieux et la prévention de l'érosion sont les trois plus importants objectifs de la gestion du sol.

Les fertilisants Au cours de la préhistoire, les agriculteurs ont peut-être commencé de fertiliser leurs champs après avoir constaté que les Graminées poussaient plus rapidement et devenaient plus luxuriantes aux endroits où les Animaux avaient déféqué. Les Romains utilisaient le fumier dans le but de fertiliser leurs cultures, tandis que les Amérindiens enterraient des Poissons avec les graines de Maïs qu'ils semaient. De nos jours, la plupart des agriculteurs des pays développés emploient des fertilisants industriels contenant des minéraux qui sont soit le fruit d'une extraction, soit conçus par des procédés industriels. Ces fertilisants sont habituellement plus riches en azote, en phosphore et en potassium, les trois éléments dont la carence dans les terres cultivées survient le plus fréquemment.

Le fumier, le guano des Oiseaux ou des Poissons, et le compost constituent des fertilisants dits « organiques » parce qu'ils ont une origine biologique et qu'ils contiennent des matières organiques en voie de décomposition. Cependant, avant que les éléments présents dans le compost puissent être de quelque utilité aux Végétaux, la matière organique doit se décomposer en nutriments inorganiques de sorte que les racines puissent les absorber. En fin de compte, les minéraux que les Végétaux absorbent ont la même forme, qu'ils proviennent d'une source organique ou qu'ils aient été produits en usine. Le compost relâche graduellement les minéraux, alors que les minéraux présents dans les fertilisants industriels sont immédiatement disponibles, même si le sol ne peut les retenir longtemps. Les fertilisants industriels non absorbés sont rapidement perdus par lessivage. Dans le cas où ils rejoignent la nappe phréatique ou atteignent les cours d'eau, ils polluent. Les chercheurs en agriculture tentent de mettre au point des façons de réduire l'utilisation de fertilisants industriels sans nuire au rendement des cultures.

Afin de procéder à une fertilisation judicieuse, l'agriculteur doit surveiller attentivement le pH du sol. L'acidité n'influe pas seulement sur l'échange de cations, mais aussi sur la forme chimique des minéraux. Un élément essentiel peut se trouver en abondance dans le sol, mais sous une forme que la Plante ne peut assimiler. Par ailleurs, le maintien du pH du sol est une opération délicate. Ainsi, une modification de la concentration de protons peut améliorer la disponibilité d'un élément tandis qu'elle en rendra un autre moins disponible. A pH 8, par exemple, la Plante peut absorber le calcium, mais il lui est presque impossible d'assimiler le fer. Le pH du sol doit être ajusté aux besoins particuliers en minéraux de la culture. Si le sol est trop alcalin, on ajoutera du sulfate pour réduire le pH; s'il est trop acide, le chaulage (ajout de $CaCO_3$ ou de $CaOH$) élèvera le pH.

L'irrigation La disponibilité de l'eau, davantage que les carences en minéraux, influe sur la croissance des Végétaux. L'irrigation peut transformer un désert en jardin, mais l'agriculture en région aride agit comme un énorme drain sur les ressources en eau. Le débit d'un grand nombre de rivières du sud-ouest des États-Unis a été réduit à but d'irriguer des terres. (L'eau potable nécessaire aux populations croissantes des villes complique encore la situation.) Par ailleurs, l'irrigation en région aride peut augmenter graduellement la salinité du sol au point de le rendre infertile (figure 33.7a). Les sels dissous dans l'eau d'irrigation s'accumulent dans le sol à mesure que l'eau se vaporise. Le sel a pour effet de rendre la solution du sol hypertonique; ainsi, les cellules des racines perdent de l'eau plutôt qu'elles n'en absorbent. Toutefois, plus la population mondiale croît, plus on devra cultiver les sols désertiques. De nouvelles méthodes d'irrigation permettent de réduire la consommation d'eau et d'éviter l'accumulation de sel. Par exemple, l'irrigation goutte à goutte a remplacé l'inondation des champs d'un grand nombre de cultures et de vergers en Israël et dans l'ouest des États-Unis (voir la figure 33.7b). Les scientifiques

(a)

(b)

Figure 33.7
L'irrigation. (a) Irrigation par inondation. Une grande quantité d'eau se vaporise d'un champ inondé, laissant ses sels s'accumuler à la surface du sol. **(b)** Irrigation goutte à goutte. Plutôt que d'inonder le champ ou de remplir des fossés avec de l'eau, des tuyaux perforés laissent l'eau s'échapper lentement dans le sol, près des racines de la Plante. L'irrigation goutte à goutte réduit la perte d'eau causée par l'évaporation et le drainage. Les deux photographies montrent des bosquets d'agrumes dans un désert du sud de la Californie.

Figure 33.8
Agriculture intégrée et « engrais vert ». Le Trèfle d'odeur (*Melilotus sp.*) est l'« engrais vert » qui sert de paillis sur le sol de cette ferme de l'État de Washington. Tous les trois ans, on sème du Trèfle d'odeur qui est ensuite enfoui par le labourage. Cette pratique améliore la structure physique du sol et enrichit son contenu en nutriments. Pendant les deux autres années de ce cycle, on peut cultiver du Blé et d'autres céréales. Certaines actions contribuent au développement de l'agriculture intégrée ; citons l'emploi d'engrais verts à la place d'additifs chimiques, le recours à des Insectes prédateurs qui se nourrissent d'Insectes nuisibles, ce qui évite l'emploi d'insecticides, et le choix de cultures adaptées à la pluviosité et aux autres conditions climatiques de l'endroit.

proposent, pour résoudre certains problèmes propres aux terres cultivées en climat aride, de créer des espèces végétales nécessitant moins d'eau ou qui peuvent tolérer une plus grande salinité.

Érosion Chaque année, aux États-Unis, l'érosion causée par l'eau et le vent fait perdre des milliers d'hectares de sol cultivable. On peut cependant prendre certaines précautions en vue de réduire ces pertes. Des rangées d'arbres entre les champs constituent des abat-vent efficaces. De plus, le terrassement d'une petite digue peut éviter le lessivage du sol lors de pluies abondantes. Par ailleurs, certaines cultures comme la Luzerne et le Blé procurent une bonne couverture au sol et le protègent mieux que le Maïs et les cultures normalement semées en rangs.

Si le sol est convenablement exploité, il renouvellera ses ressources, ce qui permettra aux agriculteurs de fournir des aliments aux générations à venir. L'objectif prôné est de favoriser une **agriculture intégrée** à l'aide de diverses méthodes de culture basées sur la conservation des ressources, et dont la rentabilisation ne remettra pas en cause l'équilibre de l'environnement (figure 33.8).

ASSIMILATION DE L'AZOTE PAR LES VÉGÉTAUX

De tous les minéraux, l'azote est celui dont la carence restreint le plus la croissance des Végétaux et le rendement des cultures. L'azote est un élément essentiel des protéines, des acides nucléiques et d'autres molécules organiques importantes. Il peut paraître curieux que des Végétaux souffrent parfois d'une carence en azote, alors même que l'atmosphère se compose d'environ 80 % d'azote. Or, l'azote atmosphérique se trouve sous une forme gazeuse (N_2) que les Végétaux ne peuvent utiliser. Il ne devient assimilable que lorsqu'il subit une transformation en ammonium (NH_4^+) ou en nitrate (NO_3^-).

Figure 33.9
Rôle des Bactéries du sol dans la nutrition azotée des Végétaux. L'ammonium est fabriqué par les Bactéries qui fixent le N_2 atmosphérique (Bactéries fixatrices d'azote) et par celles qui décomposent les matières organiques (Bactéries ammonifiantes). Bien que les Végétaux absorbent certaines molécules d'ammonium du sol, ils absorbent principalement des nitrates, produits par les Bactéries nitrifiantes à partir de l'ammonium. L'azote est transporté dans la Plante vers le système caulinaire sous des formes variées, selon les espèces. La plupart du temps, les nitrates s'incorporent aux substances organiques, tels les acides aminés présents dans les racines.

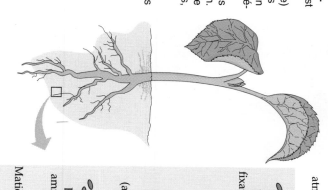

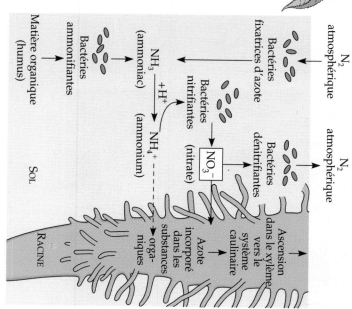

Contrairement aux autres minéraux, NH_4^+ et NO_3^- ne proviennent pas de la désagrégation de la roche mère. La décomposition de l'humus par les microorganismes constitue, à court terme, la source principale de minéraux azotés (figure 33.9). C'est ainsi que l'azote présent dans les substances organiques, telles les protéines, est dégradé en substances inorganiques qui sont recyclées lorsqu'elles sont absorbées par les racines. Une partie de l'azote retourne à l'atmosphère après la transformation de NO_3^- en N_2 par certaines Bactéries, dites *dénitrifiantes*. Par ailleurs, les **Bactéries fixatrices d'azote** emmagasinent l'azote dans le sol en transformant N_2 en NH_3 (ammoniac). Ce processus métabolique porte le nom de **fixation de l'azote.** Nous étudions en détail, au chapitre 49, le cycle complexe de l'azote dans les écosystèmes. Nous allons maintenant nous pencher sur la fixation de l'azote et les autres étapes qui permettent l'assimilation de l'azote par les Végétaux.

Fixation de l'azote

L'ensemble de la vie sur Terre dépend de la fixation de l'azote, une fonction assumée exclusivement par certains procaryotes. Le sol abrite plusieurs espèces de Bactéries libres qui font partie des procaryotes fixateurs d'azote. La transformation de l'azote de l'atmosphère (N_2) en ammoniac (NH_3) constitue un processus complexe faisant intervenir plusieurs étapes. Il est toutefois possible de simplifier ce processus en ne signalant que les réactifs et les produits qui entrent en jeu dans la réaction:

$$N_2 + 8\ e^- + 8\ H^+ + 16\ ATP \longrightarrow 2\ NH_3 + H_2 + 16\ ADP + 16\ \textcircled{P}_i$$

Un complexe enzymatique, la **nitrogénase,** catalyse la séquence complète des réactions au cours de laquelle la réduction de N_2 par ajout d'électrons et de protons conduit à la formation de NH_3. La fixation de l'azote entraîne une dépense très élevée d'énergie métabolique à la Bactérie, qui doit utiliser 16 moles d'ATP pour synthétiser chaque mole d'ammoniac. C'est d'ailleurs dans les sols riches en substances organiques (qui fournissent l'énergie de la respiration cellulaire) que l'on trouve la plus grande quantité de Bactéries fixatrices d'azote.

L'ammoniac relâché dans le sol s'approprie un autre proton et forme l'ammonium (NH_4^+), que les Végétaux peuvent absorber. Cependant, les Végétaux obtiennent l'azote principalement sous forme de nitrate (NO_3^-), produit dans le sol par une Bactérie qui oxyde l'ammonium (voir la figure 33.9). Après l'absorption du nitrate par les racines, l'azote est habituellement incorporé dans des substances organiques. La plupart des espèces végétales acheminent l'azote jusqu'à l'extrémité des pousses, sous forme d'acides aminés et d'autres substances organiques.

Fixation symbiotique d'azote

La famille des Légumineuses, comme les Pois, les Haricots, le Soja, les Arachides, la Luzerne et le Trèfle, vit en symbiose avec des Bactéries fixatrices d'azote (figure 33.10). Leurs racines portent des renflements appelés **nodosités,** qui se composent de cellules végétales renfermant des Bactéries fixatrices d'azote du genre *Rhizobium* («racine vivante»). Dans une nodosité, les *Rhizobium* sp. deviennent des **bactéroïdes,** c'est-à-dire qu'elles s'agrandissent, prennent une forme irrégulière et activent la nitrogénase pour fixer l'azote. Chaque Légumineuse s'associe avec une espèce particulière de *Rhizobium.* On peut observer, à la figure 33.11, les étapes du développement des nodosités.

Le *mutualisme* caractérise la relation symbiotique (les deux partenaires en bénéficient) existant entre une Légumineuse et la Bactérie fixatrice d'azote. Celle-ci fournit à la Légumineuse l'azote fixé, tandis que la Légumineuse lui procure les glucides et les autres substances organiques. La Légumineuse et la Bactérie synthétisent chacune

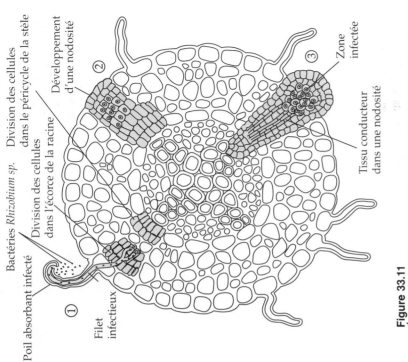

Poil absorbant infecté

Bactéries *Rhizobium sp.* Division des cellules dans le péricycle de la stèle

Division des cellules dans l'écorce de la racine

Développement d'une nodosité

②

③ Zone infectée

Filet infectieux

Tissu conducteur dans une nodosité

①

Figure 33.11

Étapes du développement d'une nodosité dans la racine d'un plant de Soja. Les activités coordonnées d'une Légumineuse et d'une Bactérie du genre *Rhizobium* dépendent des réactions chimiques entre les deux partenaires symbiotiques. ① L'infection constitue la première étape. Les racines sécrètent des substances chimiques qui attirent les Bactéries *Rhizobium sp.* du voisinage. La Bactérie émet à son tour un signal chimique qui stimule l'allongement des poils absorbants et leur enroulement autour de la population bactérienne. La Bactérie pénètre dans l'écorce par un filet infectieux. Au même moment, la racine commence à répondre à l'infection par une division des cellules de l'écorce et du péricycle de la stèle. Les vésicules contenant les Bactéries bourgeonnent dans les cellules de l'écorce à partir de l'extrémité du filet infectieux ramifié. ② La croissance se poursuit dans les régions infectées de l'écorce et du péricycle, jusqu'à ce que ces deux masses de cellules fusionnent et forment la nodosité. ③ La nodosité continue sa croissance, alors que le tissu conducteur reliant la nodosité au xylème et au phloème de la stèle se développe. Ce tissu conducteur apporte à la nodosité les glucides et les autres substances organiques nécessaires au métabolisme cellulaire ; il transporte aussi les composés azotés produits dans la nodosité vers la stèle, qui les distribuera dans toute la Plante.

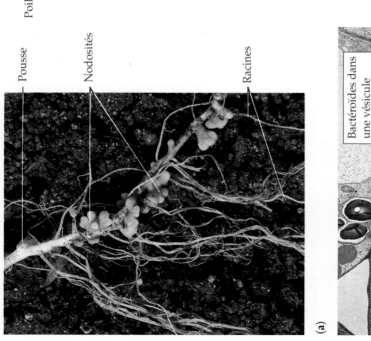

Pousse

Nodosités

Racines

Figure 33.10

Nodosités sur les racines d'une Légumineuse. (a) Les nodosités de cette racine de Pois contiennent des Bactéries symbiotiques fixatrices d'azote qui se nourrissent des produits photosynthétiques de la Plante. **(b)** Sur cette micrographie électronique, on peut observer de nombreux bactéroïdes dans cette cellule d'une nodosité racinaire du Soja (MET). Par ailleurs, les cellules voisines ne sont pas infectées.

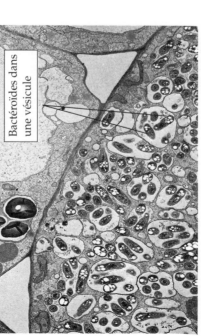

Bactéroïdes dans une vésicule

5 µm

(b)

une partie d'une molécule appelée **leghémoglobine.** Cette coopération montre le degré de raffinement du processus d'évolution qu'ont connu ces organismes associés. La leghémoglobine (le préfixe « leg » vient de Légumineuse) est une protéine renfermant du fer qui, comme l'hémoglobine des globules rouges humains, lie l'oxygène de façon réversible. Elle relâche ensuite l'oxygène mis en œuvre dans l'intense processus de respiration cellulaire qui est requis pour produire tout l'ATP nécessaire à la fixation de l'azote. Par ailleurs, la leghémoglobine maintient la concentration d'oxygène libre dans les nodosités des racines à un niveau très faible : ce rôle s'avère particulièrement important puisque l'oxygène libre inhibe la nitrogénase.

La plus grande partie de l'ammonium produit par la fixation symbiotique d'azote sert à la fabrication d'acides aminés dans les nodosités ; ces acides aminés sont ensuite transportés par le xylème vers les ramifications du système caulinaire. Dans des conditions favorables, les nodosités des racines fixent une si grande quantité d'azote qu'elles sécrètent alors dans le sol un excès d'ammonium, augmentant ainsi la fertilité du sol pour les Végétaux qui ne sont pas des Légumineuses. Ce phénomène est à la base du principe de la rotation des cultures. Si l'on sème une Plante non légumineuse comme le Maïs, une année, on sèmera l'année suivante de la Luzerne (ou certaines autres Légumineuses) dans le but d'augmenter la concentration d'azote fixé dans le sol. Plutôt que de récolter

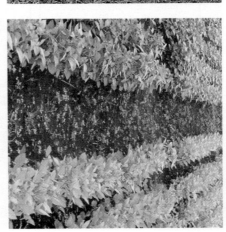

Figure 33.12
Application agricole de l'infection à *Rhizobium*. (a) Cet agriculteur rwandais mélange les graines d'une Légumineuse à l'inoculer approprié de *Rhizobium* afin de leur inoculer ces Bactéries fixatrices d'azote. **(b)** Ce champ expérimental permet de comparer des plants provenant de graines inoculées (à gauche) à des plants témoins qui présentent les signes d'une carence en azote.

les Légumineuses, on les enterre souvent durant le labour de sorte que leur décomposition produise de l'«engrais vert» qui élèvera encore la teneur de l'azote fixé dans le sol (voir la figure 33.8). Afin de s'assurer que les Légumineuses entrent en contact avec le *Rhizobium* spécifique, on trempe les graines dans une culture bactérienne ou on les saupoudre de spores bactériennes avant de les semer (figure 33.12).

Quelques groupes de Plantes non légumineuses, comme les Aulnes et certaines Graminées tropicales, sont les hôtes d'Actinomycètes fixateurs d'azote (voir le chapitre 25). Le Riz, dont l'importance commerciale s'avère primordiale, tire un avantage indirect de la fixation symbiotique d'azote. Les agriculteurs cultivent une Fougère aquatique appelée *Azolla* dans les rizières. Celle-ci est associée à une Cyanobactérie symbiotique qui fixe l'azote et augmente la productivité de la rizière. En grandissant, le plant de Riz ombrage *Azolla* et la tue. La décomposition de sa matière organique ajoute encore plus de minéraux azotés à la rizière.

Amélioration du rendement protéique des cultures

La capacité qu'ont les Végétaux d'incorporer l'azote fixé dans les protéines et les autres substances organiques joue un rôle majeur dans la nutrition des Humains : en effet, la carence en protéines constitue la forme la plus courante de malnutrition chez les Humains. Par choix ou par nécessité, la majorité des habitants de notre planète ont une alimentation principalement végétarienne. En outre, les habitants des pays en développement dépendent principalement des Végétaux pour combler leurs besoins en protéines. Or, de nombreux Végétaux contiennent malheureusement peu de protéines, et celles qui sont présentes peuvent manquer d'un ou de plusieurs acides aminés nécessaires à l'alimentation des Humains. L'amélioration de la qualité des protéines et de leur quantité dans les Plantes cultivées est l'un des principaux objectifs de la recherche en agriculture.

L'hybridation a produit de nouvelles variétés de Maïs, de Blé et de Riz enrichis en protéines. Cependant, un bon nombre de ces «super» variétés requièrent une très grande quantité d'azote, normalement fournie par des fertilisants industriels. La production industrielle d'ammoniac et de nitrate à partir de l'azote atmosphérique demande beaucoup d'énergie, au même titre que la fixation biologique d'azote. Une usine de fabrication de fertilisants consomme donc beaucoup de combustibles fossiles. Malheureusement, ce sont généralement les pays qui ont le plus besoin de cultures à rendement élevé en protéines qui ont des difficultés à payer la facture des combustibles.

Une autre stratégie pour augmenter le rendement des cultures consiste à améliorer l'efficacité de la fixation symbiotique d'azote. Normalement, l'accumulation d'azote fixé dans les nodosités des Légumineuses désactive les gènes bactériens qui contiennent le code des nitrogénases et d'autres enzymes mises en jeu dans la fixation de l'azote. Les microbiologistes ont isolé des souches mutantes de *Rhizobium* qui continuent à produire ces enzymes même en cas d'accumulation excessive de l'azote fixé. Il est possible que les agriculteurs puissent un jour faire pousser des plants infectés avec la Bactérie mutante ; cette percée augmenterait la quantité de protéines des Légumineuses et fournirait au sol une plus grande quantité d'azote fixé. Les généticiens cherchent aussi à améliorer l'efficacité de la fixation symbiotique d'azote. Le rendement alimentaire total d'une culture de Légumineuses est souvent relativement faible, parce qu'une très grande quantité de glucides produits par la photosynthèse est transformée en énergie nécessaire à la fixation de l'azote. Si l'on pouvait sélectionner des Légumineuses et des souches de *Rhizobium* capables de fixer l'azote à un faible coût énergétique, la nutrition des Humains en bénéficierait largement.

Récemment, en Chine et en Australie, des chercheurs ont réussi à provoquer la formation de nodosités dans les racines de Plantes non légumineuses comme le Riz et le Blé. Ils faisaient face à un problème de taille : l'élimination de la première étape dans l'infection à *Rhizobium* d'une Légumineuse, ce qui nécessite une liaison spécifique entre les Bactéries symbiotiques et les racines de surface. La solution qu'ils ont trouvée consiste à traiter les racines des Plantes non légumineuses avec des produits chimiques qui endommagent les parois cellulaires de l'épiderme. Les Bactéries fixatrices d'azote peuvent ainsi infecter directement l'écorce et déclencher la formation de nodosités.

Figure 33.13
Les Plantes parasites. (a) Du Gui poussant sur un Chêne. **(b)** Cuscute poussant sur une Cactée de Californie. **(c)** Coupe transversale d'une tige de la Plante hôte parasitée par la Cuscute. On y aperçoit un suçoir (une racine modifiée) du parasite qui perce le tissu conducteur de la Plante hôte dont il soutire l'eau et les nutriments (MP).

Cuscute

Cuscute
Suçoir

1 mm

Certaines expériences effectuées sur du Blé ont permis aux nodosités de fixer l'azote. Il faut procéder à d'autres recherches afin de mieux comprendre le processus de fixation de l'azote et de déterminer la quantité d'azote fixé assimilée dans les protéines de la Plante hôte.

Le génie génétique permettra un meilleur rendement en protéines des cultures. Grâce à la biologie moléculaire, on a déjà réussi à transférer certains gènes responsables de la fixation de l'azote de *Rhizobium* à d'autres Bactéries. Il sera aussi possible de créer des variétés de *Rhizobium* capables d'infecter des Plantes non légumineuses. L'insertion de gènes qui détiennent le code de la fixation de l'azote dans le génome des Végétaux offre une autre piste d'amélioration. Dans cette technique, on utilise des plasmides bactériens comme véhicules de transfert génique ; le gène introduit provoque le développement d'une galle formée de cellules aptes à fixer l'azote ou soutenant les Bactéries appropriées (voir le chapitre 19). Cependant, il reste beaucoup de travail à accomplir avant que cette recherche n'aboutisse à des résultats concrets ; les chercheurs gardent bon espoir que, un jour, ils trouveront le moyen de faire fixer l'azote par le Blé, les Pommes de terre et d'autres Plantes non légumineuses.

ADAPTATIONS NUTRITIVES PROPRES À CERTAINS VÉGÉTAUX

La fixation symbiotique de l'azote met en relief la relation existant entre les Végétaux et leur environnement, à

laquelle participent aussi les autres organismes qui entrent en interaction avec les Végétaux. Nous terminons ce chapitre en explorant trois autres types d'adaptations qui permettent à des Végétaux d'améliorer leur nutrition grâce à des interactions avec d'autres organismes. Certains Végétaux en parasitent d'autres, certains sont des prédateurs d'Animaux et la plupart utilisent les Mycètes pour l'absorption des minéraux. Une simple observation de la structure anatomique de ces Végétaux met en évidence le lien existant entre structure et fonction.

Plantes parasites

Dans la nature, le Gui que l'on place au-dessus des portes pendant les fêtes de fin d'année parasite les Chênes et d'autres arbres (figure 33.13a). Le Gui peut effectuer la photosynthèse, mais il complète sa nutrition en se servant de digitations, appelées *suçoirs* (ou haustoria), qui lui permettent d'aspirer la sève brute du xylème de l'hôte. Certaines Plantes parasites, telle la Cuscute (*Cuscuta europaea*, voir la figure 33.13b et c), ne sont pas photosynthétiques et doivent donc tirer tous leurs nutriments de leur hôte. Au Québec, la Plante parasite la plus commune, l'Épifage de Virginie, se nourrit de la sève circulant dans les racines du Hêtre. La flore laurentienne comprend deux autres parasites plus rares et localisés dans l'ouest de la province ; il s'agit de l'Orobanche uniflore, qui parasite les racines de Plantes diverses dont la Verge d'or, et de la Conopholis d'Amérique, qui semble parasiter spécifiquement les racines du Chêne rouge.

(b)

Figure 33.14
Les Plantes carnivores. (a) La Dionée attrape-mouches (*Dionæa muscipula*) porte des feuilles modifiées possédant deux lobes qui se replient assez rapidement pour capturer un insecte. L'insecte qui pénètre dans le piège touche les soies tactiles, lesquelles provoquent un influx électrique déclenchant la fermeture du piège. Le mouvement du piège correspond à une accumulation d'eau qui accroît très rapidement le volume des cellules situées dans les régions externes de chaque lobe. Ces modifications de la forme

des lobes permet à leurs bordures de s'accoler. Les glandes situées à l'intérieur du piège sécrètent ensuite des enzymes digestives qui permettent l'absorption des nutriments par la feuille modifiée. Malgré son nom, la Dionée attrape-mouches capture plutôt des Fourmis et des Sauterelles que des Mouches. **(b)** Le Rossolis (*Drosera sp.*) capture ses proies grâce à un liquide gluant qui agit comme un papier tue-mouches. Les poils du piège se replient sur l'insecte qui s'y colle et la feuille entière se

(c)

referme alors autour de la proie. Les poils sécrètent ensuite des enzymes digestives. **(c)** La Sarracénie pourpre (*Sarracenia purpurea*) capture les Insectes dans ses feuilles en forme de vase. Lorsque les Insectes s'aventurent dans la feuille, ils se trouvent emprisonnés par des poils dirigés vers le fond du vase qui bloquent leur ascension. L'insecte se noie dans le liquide qui remplit la feuille et il est digéré par des enzymes.

On confond souvent les Plantes qualifiées d'épiphytes (du grec *epi* «sur», et *phuton* «plante») avec les parasites. Une Plante épiphyte a la capacité de se nourrir elle-même, mais elle croît sur une autre Plante, habituellement les branches ou le tronc d'un arbre. Elle se sert du substrat vivant comme support, mais absorbe l'eau et les minéraux contenus dans la pluie qui se dépose sur ses feuilles. Certaines Mousses ainsi que de nombreuses espèces de Broméliées et d'Orchidées sont des exemples d'épiphytes.

Plantes carnivores

Les Plantes qui complètent leur alimentation en se nourrissant occasionnellement d'Animaux vivent dans les tourbières acides et d'autres habitats où le sol est pauvre, particulièrement en azote. Les Plantes carnivores fabri-

quent des glucides grâce à la photosynthèse, mais elles soutiennent une partie de l'azote et des minéraux dont elles ont besoin en tuant et en digérant des Insectes. Certaines modifications des feuilles ont permis le développement de différents types de pièges à Insectes (figure 33.14), qui sont habituellement munis de glandes qui sécrètent des enzymes digestives.

Mycorhizes

La plupart des Végétaux possèdent des racines modifiées appelées **mycorhizes** (du grec *mukês* «Mycète» et *rhiza* «racine»), qui constituent en fait une association mutualiste entre les racines et les Mycètes. Nous examinons au chapitre 28 les caractéristiques des Mycètes. Ces Mycètes qui jouent un rôle dans un mycorhize. Ces Mycètes sécrètent des substances qui stimulent la croissance et la ramification des

racines. Dans le processus transformant une jeune racine en mycorhize, le Mycète recouvre d'abord la racine et fait pénétrer ses hyphes entre les cellules de l'écorce ou encore les enfonce directement dans les cellules de la racine (voir la figure 28.13). L'autre extrémité du mycélium permet à la racine d'augmenter considérablement sa surface afin d'absorber de l'eau et des minéraux, surtout le phosphate. Les Mycètes ont la capacité d'absorber plus efficacement ces substances là où elles sont rares ; de plus, ils sécrètent des acides qui augmentent la solubilité de certains minéraux. Les minéraux absorbés par le Mycète sont transférés à la Plante, laquelle nourrit le Mycète grâce aux produits de la photosynthèse. Le Mycète protège aussi la Plante contre les agents pathogènes présents dans certains sols.

Presque tous les Végétaux peuvent former un mycorhize s'ils sont en présence de l'espèce appropriée de Mycète. Dans la plupart des écosystèmes naturels, les Mycètes appropriés sont présents dans le sol et l'association s'effectue dès l'apparition des jeunes plants. Par contre, lorsque les graines provenant d'un certain environnement sont semées dans des sols étrangers, les Végétaux peuvent montrer des signes de malnutrition en raison de l'absence d'un associé fongique. Des chercheurs ont observé des résultats similaires au cours d'expériences où le sol dans lequel poussent des Végétaux contient des Mycètes nocifs (figure 33.15). Les agriculteurs et les forestiers mettent déjà en application les leçons tirées de ces recherches. Par exemple, l'inoculation des graines de Pin avec des spores de Mycètes provoque la formation de mycorhizes sur les jeunes plants. Ces derniers ont une croissance plus vigoureuse que ceux qui n'ont pu bénéficier d'une telle association.

Des fossiles montrent que les mycorhizes existaient déjà sur les plus anciens Végétaux qui ont envahi la terre

Figure 33.15
Avantages des mycorhizes. Le plant de Soja à gauche pousse dans un sol dépourvu de Mycètes. Une carence en phosphore retarde sa croissance. Le sol des autres plants contient des mycorhizes qui permettent une meilleure absorption de phosphate et d'autres minéraux.

ferme (voir le chapitre 27). Cette symbiose des Végétaux et des Mycètes a permis aux racines d'extraire du sol une quantité suffisante de minéraux pour combler tous les besoins de la Plante ; elle a contribué à la colonisation de la terre ferme. La compréhension de la nutrition des Végétaux et de tout ce qui concerne la vie sur Terre nécessite l'examen des organismes dans leur contexte écologique. Chaque organisme constitue une unité fonctionnelle qui s'est adaptée, au cours de l'évolution, aux caractéristiques physiques et biologiques de son milieu.

RÉSUMÉ DU CHAPITRE

À titre d'autotrophes, les Végétaux produisent toutes leurs substances organiques à partir de nutriments inorganiques sous forme de dioxyde de carbone, d'eau et de minéraux.

Besoins nutritifs des Végétaux (p. 718-722)

1. L'eau, le constituant le plus important de la plupart des Végétaux, est un nutriment essentiel à la photosynthèse. L'absorption d'eau assure également la majeure partie de la croissance des Végétaux.

2. Le dioxyde de carbone atmosphérique sert à la synthèse des substances organiques de la Plante par l'intermédiaire des glucides.

3. L'absorption des minéraux (substances inorganiques) du sol s'effectue de façon sélective par les racines. La culture hydroponique a permis de dresser la liste des minéraux essentiels à la croissance végétale.

4. Les Végétaux ont besoin d'une assez grande quantité des neuf éléments majeurs.

5. Les Végétaux ont besoin d'une très petite quantité des huit éléments mineurs. Ces derniers agissent principalement comme cofacteurs des réactions enzymatiques.

6. Les carences en minéraux reflètent la composition du sol et une série de symptômes qui sont fonction du rôle d'un nutriment manquant et de sa mobilité dans la Plante.

Sol (p. 722-725)

1. La texture du sol dépend de la taille des particules qui le composent. La plupart des sols fertiles sont habituellement constitués de limon argilosableux ; ce limon contient des particules fines, qui retiennent adéquatement l'eau et les minéraux, ainsi que des grosses particules, qui permettent un drainage adéquat.

2. Une quantité et une variété extraordinaires d'organismes habitent le sol. Certains de ces organismes participent à la production d'humus en décomposant les matières organiques, ce qui améliore la texture du sol et augmente son contenu en minéraux.

3. Les fines particules d'argile du sol sont chargées négativement et attirent ainsi l'eau et les cations. Les racines sécrètent des acides pour libérer ces substances grâce à un processus appelé échange de cations.

4. Contrairement aux écosystèmes naturels, l'agriculture non intégrée réduit la quantité de minéraux dans le sol,

compromet les réserves d'eau et favorise l'érosion. Une exploitation appropriée du sol empêche le gaspillage de précieuses ressources.

Assimilation de l'azote par les Végétaux (p. 725-729)

1. La quantité d'azote disponible dans le sol est souvent un facteur limitant la croissance des Végétaux et le rendement des cultures. Rappelons que l'azote est un élément essentiel des protéines et des acides aminés.

2. Même si l'atmosphère est riche en azote, les Végétaux ont besoin des Bactéries vivant dans le sol pour obtenir l'azote sous une forme qu'ils peuvent utiliser. Les Bactéries fixatrices d'azote possèdent des nitrogénases, les enzymes qui transforment l'azote atmosphérique en ammoniac. Ce dernier est ensuite transformé dans le sol en nitrate ou en ammonium que la Plante peut absorber.

3. Les racines des Légumineuses forment des nodosités qui renferment des Bactéries fixatrices d'azote; l'évolution de ces dernières auprès des Végétaux a mené à une relation symbiotique mutualiste.

4. L'amélioration de la qualité des protéines et de leur quantité dans les cultures peut apporter une solution partielle au problème de malnutrition causé par des carences en acides aminés essentiels. Les recherches visant à produire des hybrides riches en protéines et à augmenter la fixation de l'azote sont susceptibles d'aboutir à des résultats bénéfiques pour les populations sous-alimentées.

Adaptations nutritives propres à certains Végétaux (p. 729-731)

1. Parmi les Végétaux, on trouve des parasites photosynthétiques ou non qui puisent des nutriments dans les tissus conducteurs de leur hôte.

2. Les sols pauvres des tourbières acides ont contribué à l'évolution des Végétaux carnivores. Ces derniers utilisent divers moyens pour tuer et digérer des Insectes dont ils tirent de l'azote et des minéraux.

3. Les mycorhizes, qui sont formés par la relation mutualiste entre les racines et les Mycètes, favorisent l'absorption des nutriments et de l'eau, ainsi que la résistance aux agents pathogènes. Les Végétaux les plus anciens possédaient des mycorhizes.

AUTO-ÉVALUATION

1. De quelle substance chimique provient la plus grande partie de la matière organique d'une Plante?
   a) De l'eau.
   b) Du dioxyde de carbone.
   c) Des minéraux du sol.
   d) De l'oxygène atmosphérique.
   e) De l'azote.

2. Pourquoi les éléments mineurs ne sont-ils nécessaires qu'en très petites quantités?
   a) Parce que la plupart d'entre eux sont mobiles dans la Plante.
   b) Parce que la plupart d'entre eux servent de cofacteurs enzymatiques et non d'éléments structuraux.
   c) Parce que la plupart d'entre eux existent en quantités suffisamment importantes dans les graines.
   d) Parce qu'ils jouent un rôle mineur dans la santé des Végétaux.
   e) Parce qu'ils ne sont nécessaires qu'aux parties végétales en croissance.

3. Quelle affirmation suivante décrit correctement la fixation de l'azote?
   a) Les Végétaux convertissent l'azote atmosphérique en ammoniac.
   b) L'ammoniac est transformé en nitrate, soit la forme d'azote que la Plante absorbe le plus facilement.
   c) Les Bactéries emmagasinées dans les mycorhizes peuvent produire de l'ammonium.
   d) Les souches mutantes de *Rhizobium* peuvent sécréter des protéines en excès dans le sol.
   e) L'enzyme nitrogénase réduit N_2 pour former de l'ammoniac.

4. Quelle affirmation suivante *ne* décrit *pas* correctement les fertilisants organiques et chimiques?
   a) Les fertilisants organiques fournissent les nutriments aux Végétaux plus lentement que les fertilisants chimiques.
   b) Il coûte généralement plus cher de produire des fertilisants chimiques que des fertilisants organiques.
   c) Les fertilisants chimiques sont lessivés plus facilement dans le sol que les fertilisants organiques.
   d) Les fertilisants organiques fournissent aux Végétaux des molécules organiques déjà formées, tandis que les fertilisants chimiques ne fournissent que des éléments inorganiques.
   e) Les fertilisants chimiques ont une formule habituellement plus riche en azote, en phosphore et en sodium.

5. Complétez la phrase suivante: Les mycorhizes sont:
   a) des nodosités contenant des Bactéries fixatrices d'azote qu'on trouve dans les racines des Légumineuses.
   b) des extensions cellulaires d'une Plante parasite qui pénètrent dans les tissus conducteurs de l'hôte.
   c) des Végétaux qui en utilisent d'autres comme substrat, mais qui ne soutirent pas de nutriments de l'hôte.
   d) des associations symbiotiques entre des racines et des Mycètes.
   e) des poils absorbants ressemblant aux hyphes des Mycètes.

6. Quel élément suivant est incorrectement apparié à sa fonction dans une Plante? (Consultez le tableau 33.1.)
   a) Calcium – formation de la paroi cellulaire.
   b) Magnésium – constituant de la chlorophylle.
   c) Fer – constituant de la chlorophylle.
   d) Potassium – rôle important dans la régulation osmotique.
   e) Phosphore – constituant des acides nucléiques.

7. La majeure partie de l'eau absorbée par une Plante:
   a) fournit les électrons et des protons au cours de la photosynthèse.
   b) se perd par les stomates pendant la transpiration.
   c) est absorbée par les cellules qui s'allongent.
   d) retourne au sol par osmose des racines.
   e) est incorporée directement dans les substances organiques.

8. Dans quelle situation une carence en minéraux influera-t-elle sur les feuilles plus vieilles plutôt que sur les feuilles plus jeunes?
   a) Lorsque le minéral est un élément mineur.
   b) Lorsque le minéral est très mobile dans la Plante.
   c) Lorsque le minéral est nécessaire à la synthèse de la chlorophylle.
   d) Lorsque la carence persiste longtemps.
   e) Lorsque les plus vieilles feuilles sont directement éclairées par le Soleil.

9. Les adaptations carnivores des Végétaux compensent la carence de quel nutriment?
   a) Le potassium.
   b) L'azote.
   c) Le calcium.
   d) L'eau.
   e) Le phosphate.

10. D'après vous, la célèbre expérience de van Helmont sur la croissance d'un Saule a démontré que :
    a) la masse de l'arbre a principalement augmenté grâce à l'absorption d'eau.
    b) l'augmentation de la masse de l'arbre ne peut être mise sur le compte de la consommation des nutriments du sol.
    c) la plus grande partie de l'augmentation de la masse de l'arbre provient de l'absorption de O_2.
    d) le sol procure un support physique à l'arbre sans lui fournir ses nutriments.
    e) les arbres n'ont pas besoin d'eau pour croître.

QUESTIONS À COURT DÉVELOPPEMENT

1. Dressez un schéma de concepts (voir l'annexe 4) sur les besoins nutritifs d'une Plante.

2. Énumérez les propriétés d'un sol fertile.

3. Démontrez que l'assimilation de l'azote par les Végétaux repose en grande partie sur le métabolisme bactérien.

RÉFLEXION-APPLICATION

1. Expliquez pourquoi un hectare de Maïs fournit au total plus de protéines qu'un hectare de Soja. (Rappelez-vous que sur le plan du métabolisme, la fixation de l'azote nécessite de grandes quantités d'énergie sous forme d'ATP.)

2. Cette photographie d'une jeune pousse de Blé montre des racines portant des nodosités. Des chercheurs de l'Université de Sydney ont traité ces racines avec un produit chimique qui ramollit la paroi cellulaire. De cette façon, une Bactérie fixatrice d'azote vivant normalement à l'état libre dans le sol, peut infecter l'écorce de la racine des jeunes pousses. Puisque les nodosités fixent l'azote, concevez une expérience utilisant de l'azote radioactif qui vous permettrait de déterminer si l'azote fixé dans ces nodosités est ensuite incorporé dans les protéines des feuilles. En supposant que les résultats soient négatifs (absence d'incorporation de protéines dans les feuilles), proposez deux ou trois hypothèses expliquant l'absence d'azote fixé dans les protéines des feuilles. De quelle façon évalueriez-vous ces hypothèses ?

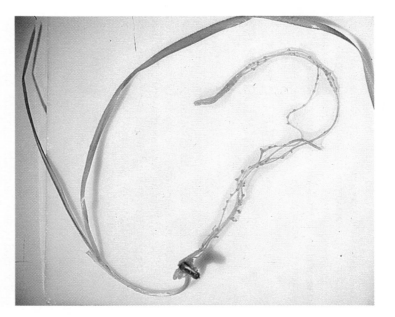

SCIENCE, TECHNOLOGIE ET SOCIÉTÉ

1. Une fois la lecture de ce chapitre terminée, énoncez certains problèmes auxquels aura à faire face la population mondiale pour assurer la production d'aliments, et envisagez certaines solutions. Quels seront les coûts économiques et environnementaux associés à chacune de ces solutions ?

2. Pendant des siècles, de petits agriculteurs ont fait pousser des Végétaux à l'aide de méthodes de culture organique. Aux États-Unis, certaines grandes entreprises agricoles commencent à utiliser ce genre de méthodes ; des produits de culture organique apparaissent déjà sur les rayons des supermarchés. Qu'est-ce que l'agriculture organique ? Est-ce que les produits de la culture organique diffèrent des aliments produits par des méthodes de culture inorganique ? Précisez les avantages et les inconvénients de l'agriculture organique.

LECTURES SUGGÉRÉES

Dupuy, N. et coll., « Les Acacias fixateurs d'azote du Sahel », *La Recherche*, n° 233, juin 1991. (Découverte de Bactéries mutualistes fixatrices d'azote, qui apporte un espoir en ce qui concerne l'agriculture et la foresterie au Sahel.)

Jolivet, P. et J. Vasconcellos-Neto, « Convergence chez les plantes carnivores », *La Recherche*, n° 253, avril 1993. (Découverte récente de Monocotylédones carnivores.)

Meyer, C., B. Hirel, J.-F. Morot-Gaudry et M. Caboche, « L'Utilisation de l'azote par les plantes », *La Recherche*, n° 257, septembre 1993. (Mécanismes enzymatiques entrant en jeu dans l'assimilation du nitrate.)

Sallé, G., H. Frochot et C. Andary, « Le Gui », *La Recherche*, n° 260, décembre 1993. (Le cycle de développement du Gui et la résistance de certaines espèces d'Arbres à ce parasite.)

Truchet, G., J.-C. Promé et J. Dénarié, « Symbioses bactéries-légumineuses : un dialogue moléculaire », *La Recherche*, n° 250, janvier 1993. (Comment la synthèse de facteurs NOD joue un rôle essentiel dans la formation des nodosités.)

REPRODUCTION SEXUÉE DES ANGIOSPERMES

REPRODUCTION ASEXUÉE

COMPARAISON ENTRE LA REPRODUCTION SEXUÉE ET LA REPRODUCTION ASEXUÉE : OPTIQUE ÉVOLUTIONNISTE

ASPECTS CELLULAIRES DU DÉVELOPPEMENT DES VÉGÉTAUX

Figure 34.1
Hampe florale de l'Agave. Après des décennies de croissance végétative, l'Agave fleurit une seule et unique fois en consommant toutes ses réserves de nourriture. Dans le présent chapitre, vous apprendrez comment les Végétaux se reproduisent et comment leurs descendants se développent.

Q uelqu'un a dit qu'un Chêne est pour un gland le moyen de produire d'autres glands. Dans l'optique darwinienne, effectivement, l'adaptabilité d'un organisme se mesure uniquement à sa capacité d'engendrer une descendance saine et féconde, semblable à lui. L'Agave passe des décennies sans fleurir puis, un printemps, il émet une hampe aussi haute qu'un poteau de téléphone (figure 34.1). Cette saison-là, l'Agave produit des graines, flétrit et meurt, ayant consacré toutes ses réserves de nutriments et d'eau à la floraison. Bien que toutes les Angiospermes ne se sacrifient pas leur existence à la reproduction, la majorité de leurs autres fonctions peuvent être considérées, au sens darwinien le plus large, comme des mécanismes d'appui à la propagation.

Les modifications de la reproduction ont été des adaptations cruciales permettant aux Végétaux issus d'ancêtres aquatiques de se répandre dans une myriade d'habitats terrestres. Chez la plupart des Algues, des cellules flagellées apparaissent à un moment ou un autre et souvent elles servent à la reproduction ; les descendants se développent dans l'eau, sans protection. Chez les Conifères et les Angiospermes, les Végétaux les plus répandus aujourd'hui sur la terre ferme, le pollen transporté par le vent ou les Animaux s'est substitué aux cellules flagellées ; les zygotes deviennent des embryons protégés à l'intérieur des graines. Le pollen et les graines sont deux des principales adaptations des Végétaux à la vie terrestre. D'autre part, beaucoup de Végétaux se multiplient grâce à des mécanismes asexués qui favorisent la propagation dans des milieux particuliers. Le présent chapitre porte sur la reproduction et le développement des Angiospermes. (Nous avons traité du cycle de développement des autres Végétaux et de celui des Algues aux chapitres 26 et 27.) Après avoir comparé la reproduction sexuée et la reproduction asexuée, nous examinerons quelques-uns des mécanismes cellulaires du développement végétal. Nous verrons au chapitre 35 que la morphologie et la physiologie végétales sont déterminées par des rapports complexes entre des hormones et des facteurs extérieurs qui participent à la régulation de leur action.

REPRODUCTION SEXUÉE DES ANGIOSPERMES

Dans cette section, vous apprendrez comment les Angiospermes produisent des graines et comment ces graines se transforment en Végétaux. Nous présentons les caractéristiques générales du cycle de développement des Angiospermes, après quoi nous nous pencherons de plus près sur ses stades principaux.

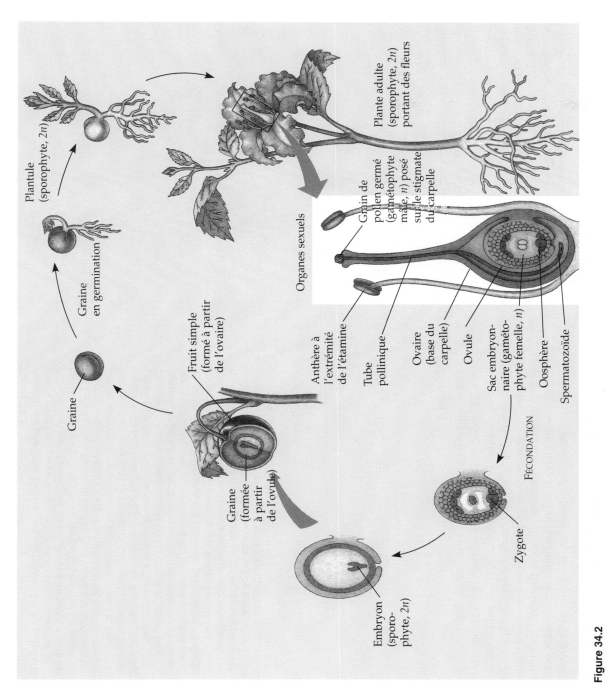

Figure 34.2
Le cycle de développement des Angiospermes : résumé. À l'intérieur de l'ovaire d'une fleur, l'oosphère d'un ovule est fécondée par un spermatozoïde tombé d'un tube pollinique. L'oosphère fait partie du sac embryonnaire, le gamétophyte femelle, et le grain de pollen est le gamétophyte mâle immature. Après la fécondation, l'ovule se transforme en une graine contenant un embryon, et l'ovaire devient un fruit, une structure qui facilite la dissé-mination de la graine. Si la graine tombe dans un habitat approprié, elle germe et l'embryon qu'elle contient se transforme en jeune plant.

Labels in figure:
Plantule (sporophyte, 2*n*)

Graine en germination

Graine

Fruit simple (formé à partir de l'ovaire)

Anthère à l'extrémité de l'étamine

Tube pollinique

Ovaire (base du carpelle)

Ovule

Sac embryon-naire (gaméto-phyte femelle, *n*)

Oosphère

Spermatozoïde

FÉCONDATION

Zygote

Embryon (sporo-phyte, 2*n*)

Graine (formée à partir de l'ovule)

Plante adulte (sporophyte, 2*n*) portant des fleurs

Grain de pollen germé (gamétophyte mâle, *n*) posé sur le stigmate du carpelle

Organes sexuels

Le cycle de développement des Angiospermes : caractéristiques générales

La figure 34.2 montre les principaux stades du cycle de développement d'une Angiosperme, un sujet que nous avons abordé sous l'angle de l'évolution au chapitre 27. Le cycle de développement des Angiospermes et des autres Végétaux se caractérise par l'**alternance de générations** : une génération haploïde (*n*) alterne avec une génération diploïde (2*n*) (voir la figure 27.2). La Plante diploïde, appelée **sporophyte**, élabore des spores haploïdes par méiose dans des cavités spécialisées nom-mées sporanges. Une spore se divise par mitose et donne un **gamétophyte** pluricellulaire mâle ou femelle, qui cor-respond à la génération haploïde. La mitose des gaméto-

phytes produit des gamètes (des spermatozoïdes et des oosphères), et la fécondation engendre des zygotes diploïdes. Ceux-ci se divisent par mitose et forment de nouveaux sporophytes. Chez les Angiospermes, le sporo-phyte est la génération la plus visible.

Les fleurs constituent les organes reproducteurs des sporophytes chez les Angiospermes. Les fleurs provien-nent de pousses comprimées portant quatre verticilles de feuilles modifiées séparés par de très courts entre-nœuds. Ces feuilles modifiées composent quatre ensembles de pièces florales ; il s'agit, de l'extérieur vers l'intérieur, des **sépales**, des **pétales**, des **étamines** et du **pistil** (voir la figure 34.3). Chez la plupart des Gymnospermes et bon nombre d'Angiospermes, le pistil (ou gynécée) comporte un seul carpelle ; chez les autres, le pistil se compose de

plusieurs carpelles. Les gamétophytes mâles, c'est-à-dire, les grains de pollen contenant les spermatozoïdes, se forment dans les sporanges de l'anthère, à l'extrémité des étamines. Le gamétophyte femelle, c'est-à-dire le sac embryonnaire contenant l'oosphère, se développe à l'intérieur de l'ovule, lui-même enfermé dans l'ovaire qui constitue la base d'un carpelle. Les étamines et le pistil sont donc les pièces fertiles des fleurs, tandis que les sépales et les pétales sont les pièces stériles.

La pollinisation a lieu lorsque l'un des grains de pollen libérés par les anthères et transportés par le vent ou les Animaux se pose sur le stigmate gluant situé au sommet d'un carpelle (de la même fleur, d'une autre fleur de la même Plante ou d'une autre Plante). Le tube pollinique du grain de pollen s'enfonce dans le carpelle et déverse ses deux spermatozoïdes dans le sac embryonnaire. L'oosphère se fait alors féconder par l'un des deux spermatozoïdes ; nous connaîtrons la destinée de l'autre spermatozoïde un peu plus loin. Si l'ovaire contient plusieurs ovules, alors plusieurs grains de pollen enfoncent un tube pollinique dans le sommet du carpelle, et le processus se poursuit. Chaque zygote produit un embryon et, à mesure que celui-ci se développe, l'ovule qui l'entoure se transforme en graine. L'ovaire, pendant ce temps, forme un fruit contenant une ou plusieurs graines, selon l'espèce. Les fruits, transportés par le vent ou les Animaux, servent de véhicules de dissémination aux graines. Si les graines tombent sur un sol humide, elles germent : les embryons qu'elles contiennent forment une nouvelle génération de sporophytes à fleurs. La génération de gamétophytes suivante naît dans les anthères et le pistil des nouveaux sporophytes, et le cycle de développement complexe des Angiospermes se poursuit.

Fleurs

D'innombrables variations ont marqué les fleurs au cours des 130 millions d'années d'existence des Angiospermes (voir le chapitre 27). Certaines fleurs ont perdu une ou plusieurs de leurs pièces fondamentales (les sépales, les pétales, les étamines ou le pistil). Les botanistes distinguent les **fleurs complètes**, celles qui possèdent les quatre ensembles de pièces florales, des **fleurs incomplètes**, celles à qui il en manque au moins un. Les fleurs de la plupart des Plantes herbacées, par exemple, n'ont pas de pétales.

Une **fleur parfaite** possède des étamines et un pistil, même si, faute de sépales ou de pétales, on la qualifie d'incomplète. Les **fleurs imparfaites** sont dépourvues soit d'étamines soit de pistil. Ces fleurs unisexuées sont dites staminées ou pistillées, suivant l'organe sexuel qu'elles possèdent. Si l'on trouve des fleurs staminées et des fleurs pistillées sur une même Plante, l'espèce est **monoïque** (du grec *monos* « un seul » et *oïkos* « maison »). Le Maïs est une Plante monoïque ; les épis dérivent de grappes de fleurs pistillées, et les panicules se composent de fleurs staminées. Si l'on trouve des fleurs staminées et des fleurs pistillées sur des individus distincts (à l'instar des testicules et des ovaires chez des Animaux distincts), l'espèce est **dioïque**. Les Dattiers sont dioïques. Les producteurs cultivent principalement des arbres pistillés (femelles), car ceux-ci produisent les dattes. Quelques arbres staminés (mâles) seulement produisent suffisamment de pollen pour féconder des centaines d'arbres femelles.

Les fleurs ne se distinguent pas seulement par le nombre de leurs organes, loin de là (figure 34.4). Leurs différences représentent en grande partie des adaptations aux pollinisateurs. De fait, la présence d'Animaux dans le milieu a été un facteur déterminant de l'évolution des Angiospermes (voir le chapitre 27).

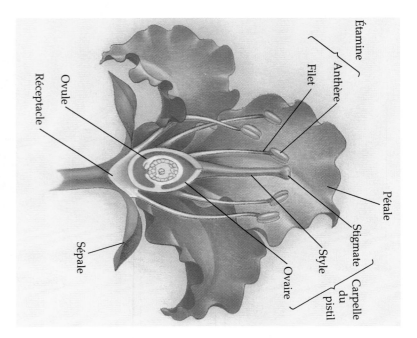

Étamine — Anthère — Filet — Pétale — Réceptacle — Ovule — Sépale — Stigmate — Style — Ovaire — Carpelle du pistil

Figure 34.3
Anatomie d'une fleur. Les sépales, les pétales, les étamines et le pistil forment quatre verticilles rattachés au réceptacle situé à l'extrémité d'une tige modifiée. Généralement de couleur verte, les sépales de la plupart des fleurs ont gardé plus que les autres pièces florales l'apparence de feuilles. Les pétales, plus vivement colorés que les sépales, attirent les insectes et les autres pollinisateurs vers la fleur. Les étamines et le pistil (constitué ici d'un seul carpelle) sont les parties fertiles de la fleur. Chaque étamine se compose d'une tige appelée filet et d'une structure terminale appelée anthère. L'anthère contient quatre cavités où les grains de pollen (les gamétophytes mâles) se développent. Un carpelle comporte un corps mince, le style, qui débouche sur un ovaire. L'ovaire renferme un ou plusieurs ovules, à l'intérieur desquels se développe un sac embryonnaire (le gamétophyte femelle) contenant l'oosphère. Le sommet du carpelle porte un stigmate gluant, qui sert de plate-forme d'atterrissage au pollen apporté par le vent ou les Animaux. On trouve tant de variantes de cette morphologie parmi les quelque 235 000 espèces d'Angiospermes qu'il n'existe pas de fleur vraiment typique.

(a)

(b)

(c)

(d)

(e)

(f)

Figure 34.4

Quelques exemples de la diversité des fleurs. (a) La fleur d'un Lis est complète, c'est-à-dire qu'elle comprend des sépales, des pétales, des étamines et un pistil. Ses sépales et ses pétales ont la même apparence. **(b)** L'inflorescence en grappe caractérise le Lupin. **(c)** Le Tournesol fait partie d'une famille caractérisée par ses fleurs composées. Ce qui apparaît comme une fleur unique est en réalité formé de centaines de fleurs complètes. Le disque central se compose de minuscules fleurs complètes ; il est entouré

non pas de pétales mais de fleurs imparfaites appelées fleurs ligulées. **(d)** Les formes, les couleurs et les odeurs des fleurs constituent des adaptations aux différents modes de pollinisation. L'Hibiscus, par exemple, se fait polliniser par les Colibris attirés par sa couleur rouge. Notez que les étamines (jaunes) sont rattachées au style, près du stigmate de l'unique carpelle du pistil. Pendant que le Colibri aspire le nectar d'un Hibiscus, il se charge de son pollen et, en même temps, dépose sur le stigmate

gluant le pollen d'autres Hibiscus. **(e)** Le Maïs est une Plante monoïque ; chaque individu porte à la fois des fleurs staminées (mâles) et pistillées (femelles). Les fleurs staminées forment la panicule située à l'extrémité de la Plante. L'épi, quelques nœuds plus bas, est une grappe de grains (de fruits à une graine), et il provient de fleurs pistillées fécondées. **(f)** La Sagittaire est une Plante dioïque : ses fleurs staminées (à gauche) et pistillées (à droite) se trouvent sur des individus distincts.

Figure 34.5
Développement des gamétophytes (grain de pollen et sac embryonnaire) des Angiospermes. (a) Les grains de pollen (gamétophytes mâles) se développent dans les sporanges (sacs polliniques) de l'anthère, à l'extrémité de l'étamine. Chaque sac contient de nombreuses cellules diploïdes appelées cellules mères de pollen, qui produisent chacune par méiose quatre microspores haploïdes. Chaque microspore subit ensuite une mitose qui fournit un grain de pollen, un gamétophyte mâle immature composé d'une cellule génératrice (productrice de spermatozoïdes), et d'une cellule végétative (productrice d'un tube pollinique). Le grain de pollen a une paroi épaisse et résistante. **(b)** Le sac embryonnaire (gamétophyte femelle) se développe dans l'ovule, lui-même enfermé dans l'ovaire situé à la base d'un carpelle. Une cellule diploïde, la cellule mère du sac embryonnaire, se divise par méiose et produit quatre cellules, dont une seule survit et devient la mégaspore. (Dans la formation du pollen, les quatre microspores issues de la méiose forment des gamétophytes.) La mégaspore subit trois mitoses et forme le sac embryonnaire, un gamétophyte pluricellulaire femelle. Le sac embryonnaire contient, à l'une de ses extrémités, l'oosphère et les deux synergides et, à l'autre, trois antipodes. La grosse cellule centrale contient deux noyaux appelés noyaux polaires. L'ovule est alors composé du sac embryonnaire et de ses téguments (tissus protecteurs).

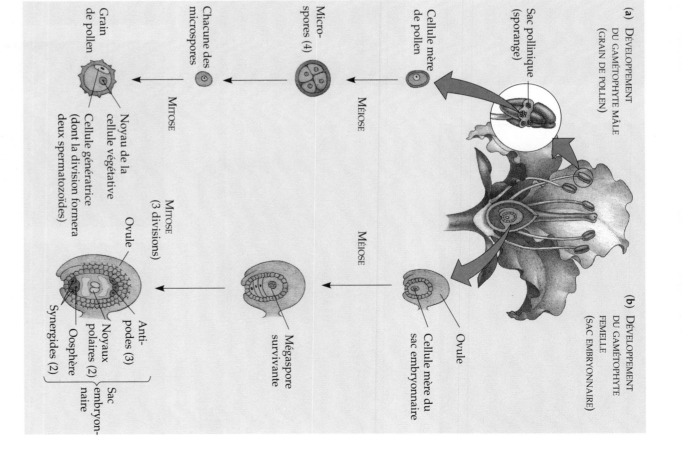

(a) DÉVELOPPEMENT DU GAMÉTOPHYTE MÂLE (GRAIN DE POLLEN)

Sac pollinique (sporange)

Cellule mère de pollen

MÉIOSE

Micro-spores (4)

Chacune des microspores

MITOSE

Grain de pollen

Noyau de la cellule végétative

Cellule générative (dont la division formera deux spermatozoïdes)

(b) DÉVELOPPEMENT DU GAMÉTOPHYTE FEMELLE (SAC EMBRYONNAIRE)

Ovule

Cellule mère du sac embryonnaire

MÉIOSE

Mégaspore survivante

MITOSE (3 divisions)

Ovule

Anti-podes (3)

Noyaux polaires (2)
Oosphère
Synergides (2)
} Sac embryon-naire

Dans les sections qui suivent, nous décrivons en détail le développement du pollen et des ovules, et nous expliquons comment la pollinisation donne lieu à la fécondation et à la formation des graines et des fruits. En lisant ces sections, consultez fréquemment les figures qui schématisent les différents processus et leurs rapports. (Notez cependant que ces processus varient d'une espèce à l'autre.)

Grain de pollen

À l'intérieur des sporanges (sacs polliniques) d'une anthère, des cellules diploïdes appelées cellules mères de pollen subissent une méiose et forment chacune quatre **microspores** haploïdes (figure 34.5a). Chaque microspore se divise une fois par mitose et produit deux cellules : une cellule génératrice qui donnera deux spermatozoïdes et une cellule végétative qui développera le tube pollinique.

La structure bicellulaire est entourée d'une épaisse paroi aux motifs caractéristiques de chaque espèce végétale ; le tout forme un grain de pollen, c'est-à-dire un gamétophyte mâle immature.

Les grains de pollen sont d'une remarquable résistance. La composition chimique de leur enveloppe rigide diffère de celle des autres parois cellulaires végétales, et les protège contre la biodégradation. Le pollen fossilisé, du reste, a fourni d'importants renseignements sur l'évolution des Angiospermes.

Ovule

L'ovule, qui contient un seul sporange, se forme dans la cavité de l'ovaire. Une cellule appelée cellule mère du sac embryonnaire croît dans le sporange de l'ovule, puis produit par méiose quatre **mégaspores** haploïdes (figure 34.5b). Chez la plupart des Angiospermes, une cellule végétative qui développera le tube pollinique.

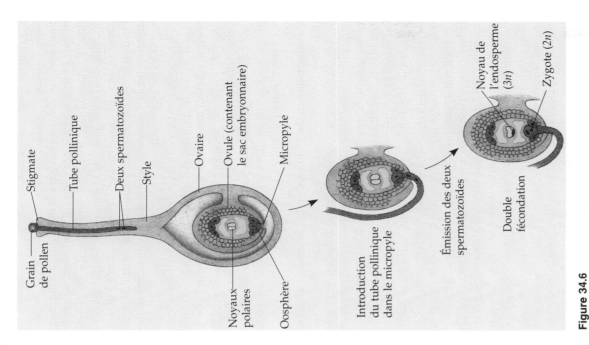

Grain de pollen

Stigmate

Tube pollinique

Deux spermatozoïdes

Style

Ovaire

Ovule (contenant le sac embryonnaire)

Micropyle

Oosphère

Noyaux polaires

Introduction du tube pollinique dans le micropyle

Émission des deux spermatozoïdes

Noyau de l'endosperme (3n)

Zygote (2n)

Double fécondation

Figure 34.6
Croissance du tube pollinique et double fécondation chez les Angiospermes. Après que le vent ou un Animal a déposé un grain de pollen sur le stigmate, un long tube pollinique s'enfonce dans le style, jusqu'à l'ovaire. Le tube déverse deux spermatozoïdes dans l'ovule. L'un d'eux féconde l'oosphère et cette union forme le zygote ; l'autre s'unit aux deux noyaux polaires et le tout forme une cellule triploïde qui produira un tissu nutritif appelé endosperme.

pollinique pénètre dans l'ovaire, s'introduit dans le micropyle (un orifice percé dans les téguments) et déverse les deux spermatozoïdes dans le sac embryonnaire. Un spermatozoïde féconde l'oosphère et cette union forme le zygote. L'autre spermatozoïde s'unit aux deux noyaux polaires et le tout forme un noyau triploïde (3n) au milieu de la grosse cellule centrale du sac embryonnaire. Cette grosse cellule donnera naissance à un tissu nutritif appelé **endosperme** (ou albumen). L'union des deux spermatozoïdes et des deux cellules du sac embryonnaire est appelée **double fécondation.** (Ce processus existe seulement chez les Angiospermes et chez une famille de Gymnospermes.) Après la fécondation, chaque ovule se transforme en graine, et l'ovaire devient un fruit qui enveloppe la graine (ou les graines, selon l'espèce).

mégaspore seulement survit sur les quatre. Son noyau se divise trois fois par mitose, donnant une grosse cellule dotée de huit noyaux haploïdes. Ensuite, des membranes divisent cette masse en une structure pluricellulaire appelée **sac embryonnaire,** c'est-à-dire le gamétophyte femelle. À l'une des extrémités du sac embryonnaire, on trouve trois cellules : l'oosphère et, de part et d'autre, deux cellules appelées synergides. Ces dernières sécréteraient des substances chimiques qui guident le tube pollinique (chimiotaxie positive). À l'autre extrémité, on distingue trois autres cellules, les antipodes. Les deux autres noyaux, les noyaux polaires, ne sont pas séparés par des membranes ; ils partagent le cytoplasme de la grosse cellule centrale du sac embryonnaire. L'ovule, qui deviendra la graine, est alors composé du sac embryonnaire (gamétophyte femelle) et de ses téguments (tissus protecteurs).

Pollinisation et fécondation

Pour que l'oosphère soit fécondée, le gamétophyte mâle et le gamétophyte femelle doivent se rencontrer et unir leurs gamètes. La première étape de ce processus, la **pollinisation,** se traduit par le dépôt de pollen sur le stigmate d'un carpelle. Certains Végétaux, dont les Plantes herbacées et de nombreux arbres, ont le vent pour agent pollinisateur. Elles compensent le côté aléatoire de ce mode de dissémination en libérant d'énormes quantités de pollen, comme le savent si bien les personnes allergiques à cette substance. Beaucoup d'Angiospermes entretiennent des relations avec des Animaux qui transportent directement le pollen entre les fleurs. Nous avons traité au chapitre 27 de la coévolution des Angiospermes et de leurs pollinisateurs.

La majorité des Angiospermes possède des mécanismes qui entravent ou empêchent l'autopollinisation. Dans certains cas, les étamines et le pistil des fleurs atteignent la maturité à des moments différents. Beaucoup de fleurs pollinisées par des Animaux ont une morphologie telle que le pollinisateur a peu de chances de transférer le pollen de leurs anthères à leur stigmate. D'autres fleurs sont **autostériles :** si un grain de pollen produit par une de leurs anthères se pose sur le stigmate, un processus biochimique empêche le pollen de terminer son développement et de féconder l'oosphère. L'autostérilité est codée par un seul gène dont il existe plusieurs allèles dans une population de Végétaux. Si le pollen et le stigmate ont des allèles identiques (ce qui se produit s'ils proviennent du même individu), le pollen reste inactif. Les Végétaux dioïques, bien entendu, ne peuvent s'autopolliniser, car ils sont unisexués (staminés ou pistillés). Les mécanismes qui empêchent l'autopollinisation favorisent la variation génétique, car ils font en sorte que les spermatozoïdes qui fécondent les oosphères proviennent d'individus distincts.

Après avoir adhéré à un stigmate gluant, le grain de pollen émet un tube qui s'enfonce entre les cellules du style jusqu'à l'ovaire (figure 34.6). La cellule génératrice se divise par mitose et forme deux spermatozoïdes, les gamètes mâles. Le grain de pollen, dorénavant pourvu d'un tube contenant deux spermatozoïdes, constitue le gamétophyte mâle mature. Dirigée par une affinité chimique, avec le calcium habituellement, l'extrémité du tube

Endosperme Le développement de l'endosperme commence généralement avant celui de l'embryon. Après la double fécondation, le noyau triploïde de la cellule centrale de l'ovule se divise et forme une « supercellule » plurinucléée de consistance laiteuse. Cette masse, l'endosperme, devient pluricellulaire et se solidifie au moment où la cytocinèse forme des membranes et des parois entre les noyaux.

L'endosperme est riche en nutriments destinés à l'embryon. Chez la plupart des Monocotylédones, l'endosperme contient aussi des réserves de nutriments pour la plantule issue de la germination. Chez beaucoup de Dicotylédones, les réserves de nourriture de l'endosperme se reforment dans les cotylédons avant que la graine ne termine son développement ; par conséquent, la graine mature est dépourvue d'endosperme.

Développement de l'embryon La première division mitotique du zygote s'effectue transversalement ; elle sépare l'oosphère fécondée en une cellule basale et une cellule terminale (figure 34.7). Chez beaucoup d'espèces, seule la cellule terminale participe à la formation de l'embryon. La cellule basale continue de se diviser transversalement et produit une chaîne de cellules appelée suspenseur qui ancre l'embryon et lui fournit des nutriments provenant de la Plante mère. Pendant ce temps, la cellule terminale se divise à quelques reprises et forme un proembryon sphérique attaché au suspenseur. Les cotylédons apparaissent sous forme de protubérances du proembryon. À ce stade, une Dicotylédone, avec ses deux cotylédons, rappelle la forme d'un cœur. Les Monocotylédones possèdent un cotylédon seulement.

Peu de temps après l'apparition des ébauches de cotylédons, l'embryon allonge. L'apex de la tige embryonnaire est pris entre les cotylédons. À l'autre extrémité de l'axe embryonnaire, au site d'ancrage du suspenseur, se trouve l'apex de la racine embryonnaire qui est également porteur de méristème. Après la germination, le méristème apical situé à l'extrémité de la tige et de la racine servira à la croissance en longueur pendant toute la vie de la Plante. Les trois méristèmes primaires (le protoderme, le procambium et le méristème fondamental) sont déjà présents dans l'embryon.

Notez que la polarité tige-racine de l'embryon est déterminée dès la première division du zygote. En effet, les organites et les substances chimiques sont répartis de manière hétérogène dans le cytoplasme de l'oosphère, mais la division du zygote distribue différents composants cytoplasmiques aux cellules embryonnaires. Bien que ces cellules possèdent des noyaux équivalents, elles n'ont ni la même composition cytoplasmique ni la même position dans la masse embryonnaire. Ces deux caractéristiques concourent à déterminer la destinée d'une cellule embryonnaire, car elles influent sur son génome. Les mécanismes extracellulaire et intracellulaire par lesquels les milieux cytoplasmique et extracellulaire influent sur l'activation sélective des gènes pendant la différenciation cellulaire constituent un sujet des plus captivants en biologie.

Structure de la graine mature Au cours des derniers stades de sa maturation, la graine se déshydrate jusqu'à

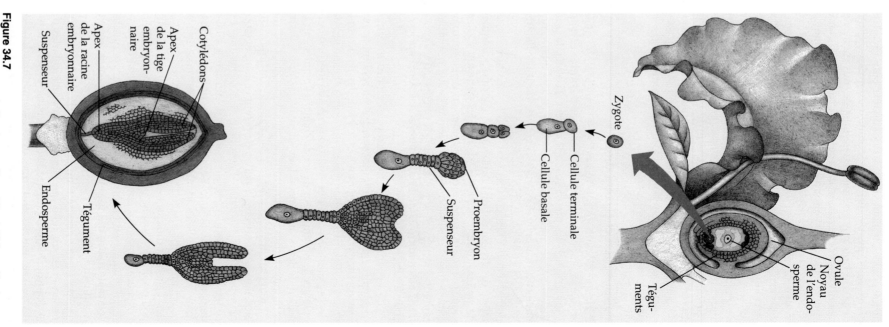

Figure 34.7
Développement de l'embryon d'une Dicotylédone. En devenant une graine mature, le zygote a donné naissance aux tissus embryonnaires de la tige et de la racine.

Zygote

Cellule terminale

Cellule basale

Ovule
Noyau de l'endosperme

Tégu-
ments

Proembryon

Suspenseur

Cotylédons

Apex de la tige embryon-
naire

Apex de la racine embryonnaire

Suspenseur

Endosperme

Tégument

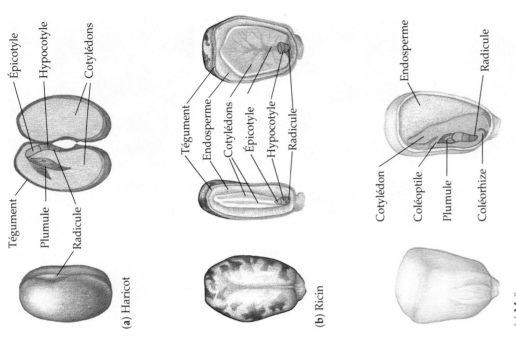

(a) Haricot

(b) Ricin

(c) Maïs

Figure 34.8
Structure d'une graine. (a) Les cotylédons charnus du Haricot emmagasinent la nourriture qu'ils ont absorbée de l'endosperme pendant le développement de la graine. **(b)** La graine de Ricin a des cotylédons membraneux qui absorbent la nourriture de l'endosperme au moment de la germination. **(c)** Le Maïs comprend un seul cotylédon (scutellum). La tige embryonnaire est enveloppée dans le coléoptile.

ce que l'eau ne représente plus que 5 à 15 % de sa masse. L'embryon a alors cessé de croître, et il restera quiescent jusqu'à ce que la graine germe. L'embryon est entouré de ses cotylédons ou de l'endosperme, ou des deux. Un **tégument** enveloppe l'embryon et sa réserve de nourriture.

Examinons de près la graine d'une Dicotylédone, le Haricot (figure 34.8a). À ce stade, une structure allongée, l'axe embryonnaire, constitue l'embryon attaché aux cotylédons charnus. Au-dessous du point d'attache des cotylédons, l'axe embryonnaire porte le nom d'**hypocotyle** (du grec *upo* « au-dessous »). L'hypocotyle se termine dans la **radicule**, ou racine embryonnaire. La partie de l'axe embryonnaire située au-dessus du point d'attache des cotylédons est appelée **épicotyle** (du grec *epi* « au-dessus »). L'extrémité de l'épicotyle porte la plumule (ou gemmule), composée de l'extrémité de la tige et d'une paire de feuilles miniatures.

Les cotylédons du Haricot sont charnus avant la germination, car ils ont absorbé la nourriture de l'endosperme pendant le développement de la graine. Les cotylédons transfèrent les nutriments à l'embryon au cours de la germination. Dans les graines de certaines Dicotylédones, tel le Ricin (*Ricinus communis*), la réserve de nourriture demeure dans l'endosperme, et les cotylédons restent très minces (figure 34.8b).

La graine d'une Monocotylédone comme le Maïs comprend un seul cotylédon (figure 34.8c), aussi appelé **scutellum.** Ce cotylédon est très mince et très étendu, ce qui lui permet d'absorber les nutriments de l'endosperme pendant la germination. L'embryon est entouré d'une gaine appelée **coléorhize,** pour la partie qui recouvre la racine, et **coléoptile,** pour la partie qui enserre la tige embryonnaire.

Fruit

Pendant que les ovules forment des graines, l'ovaire de la fleur produit un **fruit** qui protège les graines et facilite leur dissémination par le vent ou les Animaux. Chez certaines Angiospermes, d'autres pièces florales contribuent à la constitution de ce que nous appelons communément un fruit. La partie charnue de la pomme, par exemple, provient essentiellement de la fusion du réceptacle et de la paroi ovarienne situés à la base de la fleur, et seul le cœur constitue véritablement un fruit, c'est-à-dire un ovaire à maturité.

Le développement du fruit s'amorce après la pollinisation, au moment où des changements hormonaux provoquent une croissance spectaculaire de l'ovaire (figure 34.9). La paroi de l'ovaire forme le **péricarpe,** la paroi dure et ligneuse du fruit. Chez beaucoup de Végétaux, les autres parties de la fleur flétrissent à mesure que l'ovaire croît. Cette transformation de la fleur, appelée fructification, suit en parallèle le développement des graines. Si une fleur n'a pas été pollinisée, la fructification n'a pas lieu ; la fleur entière flétrit et tombe.

Selon leur origine, les fruits se divisent en plusieurs catégories (figure 34.10). Un fruit issu d'un seul ovaire est un **fruit simple.** Un fruit simple peut être charnu (c'est le cas de la cerise) ou sec (comme la gousse de Soja). Un **fruit composé** (ou agrégé), une fraise par exemple, provient d'une seule fleur possédant plusieurs ovaires distincts. Un **fruit multiple** tel un ananas, se développe à

partir d'une inflorescence, un groupe de fleurs serrées les unes contre les autres. Les parois des nombreux ovaires épaississent, fusionnent et forment un fruit unique.

Habituellement, le fruit mûrit au moment où les graines qu'il contient terminent leur développement. Pour un fruit sec, le mûrissement équivaut ni plus ni moins à la sénescence (vieillissement) des tissus, qui provoque l'ouverture du fruit et la libération des graines. Le mûrissement d'un fruit charnu présente un processus plus élaboré, et des interactions hormonales complexes en dictent les étapes (voir le chapitre 35). Le fruit comestible attire les Animaux qui disséminent les graines. La « pulpe » du fruit ramollit sous l'action d'enzymes qui dégradent les composants de la paroi cellulaire. Généralement, la couleur passe du vert au rouge, à l'orangé ou au jaune. La teneur en fructose (un isomère du glucose) d'un fruit mûr peut atteindre 20 %, à la suite de la conversion d'acides organiques ou de molécules d'amidon

en fructose. Le goût aigre des fruits «verts» résulte de la forte concentration d'acide.

Au moyen de l'amélioration génétique, l'Humain a fait de la production de fruits comestibles une activité commerciale. Les pommes, les oranges et beaucoup d'autres fruits que nous achetons à l'épicerie sont, en versions améliorées, des fruits charnus naturels. Or, la base de l'alimentation humaine repose sur les fruits des Graminées, que l'on récolte liés à la Plante. Contrairement à ce que beaucoup de gens croient, les grains du Blé, du Riz, du Maïs et d'autres Graminées ne sont pas des graines mais des fruits dont le péricarpe sec adhère fermement au tégument de leur unique graine.

Germination

Pour bien des gens, la germination symbolise le début de la vie. Or, une graine contient en réalité une Plante miniature dotée d'une racine et d'une tige embryonnaires. La germination marque non pas le commencement de la vie, mais la reprise de la croissance et du développement, interrompus pendant la maturation de la graine. Certaines graines germent aussitôt qu'elles se trouvent dans un milieu approprié. D'autres, même semées en milieu adéquat, ne sortent de leur dormance que sous l'effet d'un facteur extérieur particulier.

Dormance des graines L'apparition de la graine a été l'un des principaux facteurs de l'adaptation des Végétaux aux problèmes posés par la vie et la reproduction sur la terre ferme (voir le chapitre 27). Les habitats terrestres s'avèrent généralement moins stables que les lacs et les océans, et les conditions écologiques comme la température et l'humidité y varient plus fortement. La dormance augmente les chances que la germination se produise à un moment et à un endroit favorables au jeune plant. Les graines des Plantes désertiques, par exemple, germent seulement après des précipitations abondantes. Si elles germaient après une petite averse, le sol serait déjà trop sec lors de l'émergence des jeunes plants. Là où les incendies naturels sont fréquents, beaucoup de graines ont besoin d'une chaleur intense pour sortir de leur dormance, si bien que les jeunes plants apparaissent après qu'un feu a éliminé leurs concurrents. Dans les régions où l'hiver se montre rigoureux, les graines doivent subir une longue exposition au froid avant de germer; les graines semées pendant l'été ou l'automne ne germent qu'au printemps suivant. Les très petites graines, comme celles de quelques variétés de Laitue, ont besoin de lumière pour germer, et elles ne sortent de leur dormance que si on les sème peu profondément. Certaines graines sont recouvertes d'un tégument qui ne peut être rompu que par les sucs digestifs des Animaux; par conséquent, elles germent loin de la Plante mère.

Le laps de temps pendant lequel une graine en dormance reste viable et apte à la germination varie de quelques jours à quelques dizaines d'années ou plus, suivant l'espèce et les conditions extérieures. La plupart des graines offrent assez de résistance pour durer un an ou deux. Le sol contient donc une réserve de graines non germées. C'est l'une des raisons pour lesquelles la végétation repousse si rapidement après un incendie, une sécheresse ou une inondation.

(a)

(b)

(c)

(d)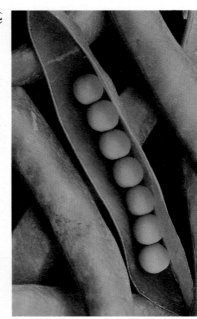

Figure 34.9
Développement du fruit. La fleur du Pois se transforme en un fruit (une gousse) à mesure que la paroi de l'ovaire s'allonge et s'épaissit.

De la graine à la plantule La germination débute généralement par l'**imbibition**, l'absorption d'eau due au faible potentiel hydrique de la graine sèche (voir le chapitre 32). À la suite de l'hydratation, la graine se dilate et s'ouvre, et l'embryon subit des changements métaboliques qui réamorcent sa croissance. Des enzymes commencent à dégrader les réserves contenues dans l'endosperme ou dans les cotylédons, et les nutriments parviennent aux régions en croissance de l'embryon. Prenons comme exemple une Graminée pour expliquer la mobilisation des réserves de nourriture (figure 34.11). Peu après l'imbibition, l'*aleurone*, la mince couche extérieure de l'endosperme, commence à produire de l'amylase α et d'autres enzymes, qui dégradent l'amidon emmagasiné dans l'endosperme en petits glucides. (Notre salive contient une enzyme semblable à l'amylase α qui nous aide à digérer le pain et les autres aliments provenant de l'endosperme amylacé de graines de Graminées non germées.) Par ailleurs, si on extrait l'embryon de la graine avant l'imbibition, l'aleurone ne produit aucune enzyme; cela indique que l'embryon envoie luimême un message chimique à l'aleurone pour lui faire sécréter l'amylase α et les autres enzymes. Ce messager est une gibbérelline, l'une des hormones dont nous traiterons en détail au chapitre 35.

Le premier organe à émerger de la graine, la radicule, constitue la racine embryonnaire (figure 34.12). Ensuite, la plumule doit sortir à la surface du sol. Chez le Haricot et de nombreuses autres Dicotylédones, l'hypocotyle s'incurve, et la croissance le pousse hors du sol. Stimulé par la lumière, l'hypocotyle se redresse, ce qui relève les cotylédons et l'épicotyle. La pousse délicate et les cotylédons massifs se trouvent donc tirés hors du sol abrasif à l'envers plutôt que de le traverser la tête la première. L'épicotyle étend ensuite ses premières feuilles; elles grandissent, verdissent et commencent à fabriquer de la nourriture par photosynthèse. Les cotylédons flétrissent et tombent du jeune plant, car l'embryon a consommé leur réserve de nourriture.

Il semble que ce soit principalement la lumière qui indique à la plantule qu'elle a percé le sol. L'épicotyle d'un Haricot ne commence à s'allonger qu'au moment où l'hypocotyle redressé capte la lumière. On peut amener une plantule de Haricot à se comporter comme si elle était toujours ensevelie en faisant germer la graine dans l'obscurité, mais ce traitement conduit à l'étiolement de la plantule. L'hypocotyle incurvé d'une plantule étiolée s'allonge exagérément et les premières feuilles ne verdissent pas. Après avoir épuisé ses réserves de nourriture, la plantule chétive meurt.

Bien que le Pois appartienne à la même famille que le Haricot, il germe différemment. L'épicotyle du Pois s'incurve d'abord; puis, son élongation et son redressement tirent délicatement l'extrémité de la pousse hors du sol. Les cotylédons du Pois, contrairement à ceux du Haricot, restent dans le sol.

Chez les Monocotylédones comme le Maïs, le coléoptile (la gaine qui enveloppe et protège la tige embryonnaire) perce le sol et atteint l'air libre. Ensuite, l'extrémité de la plantule pousse à travers le conduit formé par le coléoptile tubulaire.

La germination d'une graine, à l'instar de la naissance ou de l'éclosion d'un Animal, représente une phase

Figure 34.10
Types de fruits. (a) La cerise est un fruit simple et charnu dérivé d'un ovaire unique. **(b)** La gousse de Soja est un fruit simple et sec. **(c)** La fraise est un fruit multiple issu de plusieurs ovaires. **(d)** L'ananas est un fruit composé formé à partir de plusieurs fleurs.

Figure 34.11
Mobilisation des nutriments pendant la germination d'une Graminée. Après l'imbibition, l'embryon produit une hormone (acide gibbérellique ou AG) qui signale à l'aleurone de synthétiser et de sécréter de l'amylase α et d'autres enzymes ; ces enzymes hydrolysent la nourriture emmagasinée dans l'endosperme en de petits glucides solubles. Les nutriments que le scutellum (cotylédon) a tirés de l'endosperme servent à la transformation de l'embryon en plantule.

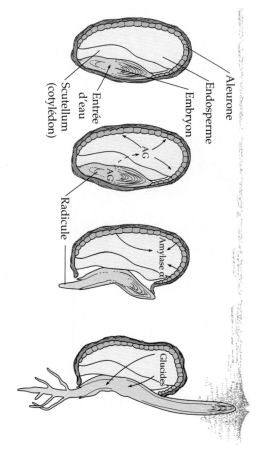

Aleurone
Endosperme
Embryon
Entrée d'eau
Scutellum (cotylédon)
Radicule
AG
AG
Amylase α
Glucides

critique du cycle de développement. La graine résistante donne naissance à une plantule fragile qui se trouve exposée aux prédateurs, aux parasites, au vent et à de nombreux autres dangers. Dans la nature, une petite proportion seulement des plantules subsistent assez longtemps pour se reproduire à leur tour. La production d'un grand nombre de graines et de fruits compense les aléas de la survie individuelle et permet à la sélection naturelle de favoriser les meilleures combinaisons génétiques. Néanmoins, la floraison et la fructification consomment énormément de ressources. La reproduction asexuée s'avère généralement plus simple et moins risquée pour la descendance que la reproduction sexuée.

REPRODUCTION ASEXUÉE

Imaginez que quelques-uns de vos doigts se séparent de votre corps, commencent à vivre de façon autonome et forment des copies complètes de vous-même. Le phénomène serait un exemple de reproduction asexuée : un seul individu aurait produit des descendants sans recourir à la recombinaison génétique. Le résultat donnerait un clone, une population d'organismes génétiquement identiques. Certains Animaux ont la capacité de se reproduire de manière asexuée, et beaucoup d'espèces végétales se clonent par reproduction asexuée, aussi appelée **multiplication végétative.**

Mécanismes naturels de la multiplication végétative

La multiplication végétative est un corollaire de l'aptitude à la croissance indéfinie des Végétaux (voir le chapitre 31). Rappelez-vous que les Végétaux possèdent des méristèmes (tissus embryonnaires) composés de cellules indifférenciées capables de soutenir et de réamorcer indéfiniment la croissance. De plus, les cellules parenchymateuses réparties dans la Plante peuvent se diviser et se différencier en divers types de cellules spécialisées, ce qui permet à la Plante de régénérer les parties perdues. Des fragments détachés de certaines Plantes ont la capacité de former des individus entiers ; une tige coupée, par exemple, peut émettre des racines adventives qui régénèrent la Plante. Le **bouturage**, la séparation d'une Plante mère en

parties qui reforment des Plantes entières, constitue l'un des modes les plus répandus de multiplication végétative (figure 34.13a). Une variante de ce processus s'observe chez certaines espèces de Dicotylédones : le système racinaire d'une seule Plante mère émet de nombreuses racines adventives qui deviennent des systèmes caulinaires distincts. Il en résulte un clone formé par reproduction asexuée d'un individu (figure 34.13b). Cette forme de propagation asexuée a produit, dans le désert Mojave, en Californie, le plus ancien des clones végétaux connus, un anneau de buissons de l'espèce *Larrea divaricata* âgé d'au moins 12 000 ans.

Le Pissenlit et quelques autres Végétaux ont un mode de reproduction asexuée appelé **apomixie** : ils produisent des graines sans fécondation des fleurs. Une cellule diploïde de l'ovule donne naissance à l'embryon, les ovules deviennent des graines et, dans le cas du Pissenlit, le vent dissémine les fruits. La reproduction asexuée s'accompagne donc chez ces Végétaux d'une adaptation généralement associée à la reproduction sexuée, soit la dissémination des graines.

Multiplication végétative en agriculture

En cherchant à améliorer les Plantes potagères, les arbres fruitiers et les Plantes ornementales, l'Humain a mis au point diverses méthodes de multiplication végétative. La plupart se fondent sur la capacité des Plantes de former des racines ou des pousses adventives.

Bouturage Le bouturage est un procédé de reproduction asexuée qu'on utilise pour la plupart des Plantes d'intérieur, des Plantes ornementales ligneuses et des arbres fruitiers. Il consiste à couper un fragment, ou bouture, d'une pousse ou d'une tige. Une masse de cellules indifférenciées appelée **cal** se forme sur la cicatrice et émet des racines adventives. Pour certaines Plantes, dont les Violettes africaines, on peut utiliser des feuilles comme boutures. Pour d'autres Plantes encore, on prélève les boutures dans des tubercules. Par exemple, on sème un morceau de pomme de terre portant un bourgeon axillaire, communément appelé « œil », afin d'obtenir une Plante entière.

Une variante du bouturage consiste à greffer une ramille ou un bourgeon d'une Plante sur un individu

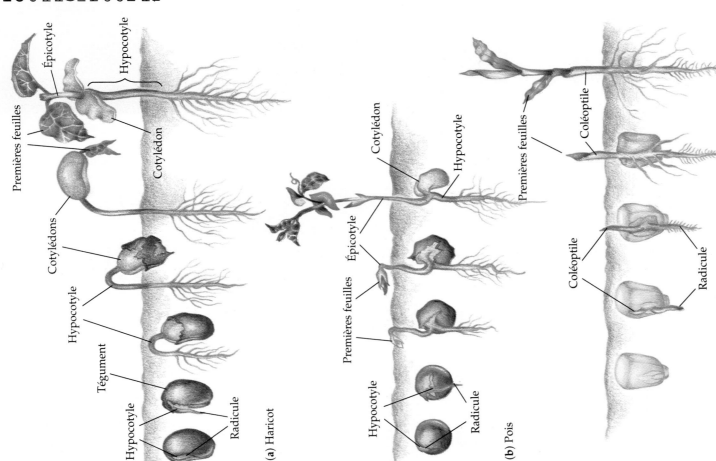

Figure 34.12

Germination. La radicule, la racine embryonnaire, émerge de la graine en premier. Ensuite, la pousse perce le sol par l'un des mécanismes suivants : **(a)** chez le Haricot, le redressement de l'hypocotyle tire la tige et les cotylédons hors du sol ; **(b)** chez le Pois, c'est l'épicotyle recourbé qui se redresse, et les cotylédons restent dans le sol ; **(c)** chez le Maïs et d'autres Monocotylédones, la pousse croît à la verticale, à l'intérieur du tube du coléoptile.

(a) Haricot

Premières feuilles
Épicotyle
Hypocotyle
Cotylédon
Hypocotyle
Cotylédons
Hypocotyle
Tégument
Hypocotyle
Radicule

(b) Pois

Cotylédon
Hypocotyle
Premières feuilles
Épicotyle
Premières feuilles
Hypocotyle
Radicule

(c) Maïs

Premières feuilles
Coléoptile
Coléoptile
Radicule

---

d'une espèce étroitement apparentée ou d'une autre variété de la même espèce. Grâce à la greffe, on réunit chez un seul individu les principales qualités d'espèces ou de variétés différentes. La greffe s'effectue généralement sur un très jeune sujet. On appelle **porte-greffe** la Plante qui fournit le système racinaire, et **greffon** la ramille ou le bourgeon implanté. Par exemple, les viticulteurs greffent sur des variétés de Vignes américaines résistantes à certaines maladies des ramilles de Vignes françaises qui produisent des raisins de qualité supé-

rieure. La composition génétique du porte-greffe ne diminue pas la qualité du fruit que les gènes du greffon déterminent. Dans certains cas, cependant, le porte-greffe peut modifier les caractéristiques du système caulinaire issu du greffon. Ainsi, on produit des arbres fruitiers nains en greffant des ramilles normales sur des porte-greffes nains qui retardent la croissance végétative du système caulinaire. Comme les graines dérivent du greffon, elles donneraient naissance à des individus de l'espèce du greffon si elles étaient plantées.

(a)

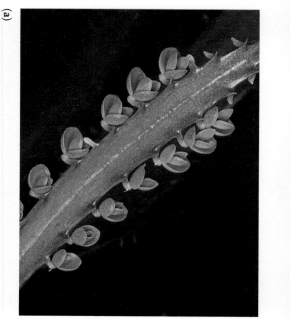

(b)

Figure 34.13
Mécanismes naturels de multiplication végétative. (a) Une multitude de plantules croissent sur le bord des feuilles de *Kalanchoe*. Produites de manière asexuée, elles se détachent de la Plante mère et deviennent des individus autonomes. (b) Certains bosquets de Peupliers, tel celui-ci, se forment par reproduction asexuée à partir du système racinaire d'un seul individu. Des différences génétiques font que les clones prennent leurs couleurs automnales et perdent leurs feuilles à des moments différents.

Clonage in vitro et techniques analogues Depuis quelque temps, on emploie des techniques in vitro pour créer et cloner des variétés de Végétaux. En effet, il est possible de produire des individus entiers à partir de petits explants (des morceaux de tissu prélevés sur la Plante mère) ou même de cellules parenchymateuses cultivées dans un milieu artificiel contenant des hormones ainsi que des nutriments organiques et inorganiques (figure 34.14). Les cellules cultivées se divisent et forment un cal indifférencié. Grâce à une induction hormonale, le cal produit les systèmes racinaire et caulinaire composés de cellules pleinement différenciées. Ensuite, on réplique les plantules obtenues in vitro dans le sol, où leur croissance se poursuit. On est en mesure d'obtenir des milliers de copies d'une Plante en subdivisant les cals. Cette tech-

nique s'emploie pour le clonage des Orchidées et des Pins dont le bois se forme à une vitesse exceptionnelle.

Les explants de certains Végétaux produisent des structures semblables à des embryons qui s'avèrent plus simples et plus petites que des plantules. Ces structures, appelées embryons somatiques, dérivent de manière asexuée de cellules somatiques (non sexuelles). Les biotechniciens fabriquent des graines artificielles en enfermant des embryons somatiques dans un gel de polysaccharides riche en nutriments (figure 34.15).

La culture de tissu végétal facilite aussi la modification génétique des Végétaux (voir le chapitre 19). La plupart des techniques d'introduction de gènes étrangers dans des Végétaux nécessitent au départ des cellules végétales ou de petits morceaux de tissu végétal. La culture in vitro permet aux chercheurs de produire des Végétaux génétiquement modifiés à partir d'une unique cellule contenant de l'ADN étranger. Ainsi, les chercheurs ont eu recours à la technique de l'ADN recombiné pour transférer le gène d'une protéine de Haricot dans des cellules cultivées de Tournesol. Le procédé a amélioré la qualité protéique des graines de Tournesol récoltées sur les individus transgéniques. (Au chapitre 19, nous traitons en détail des conséquences possibles du génie génétique sur l'agriculture.)

Les chercheurs combinent une technique appelée **fusion de protoplastes** aux méthodes de culture de tissus en vue de créer des variétés de Végétaux aptes au clonage. Les protoplastes sont des cellules végétales débarrassées de leur paroi. Avant de les cultiver, il est possible de les analyser afin d'y détecter des mutations susceptibles d'améliorer la valeur agricole d'une culture. Dans certains cas, on peut fusionner deux protoplastes issus d'espèces différentes et sexuellement incompatibles, puis cultiver les protoplastes hybrides. Chacun des nombreux protoplastes a la capacité de régénérer sa paroi et de former une plantule hybride. Cette technique a produit un hybride de la Pomme de terre et d'une Plante sauvage apparentée appelée Morelle noire (*Solanum nigrum*). La Morelle noire résiste à un herbicide fréquemment utilisé pour détruire les mauvaises herbes. Les hybrides offrent aussi cette résistance, de sorte que les agriculteurs peuvent utiliser l'herbicide dans leurs champs de Pommes de terre sans détruire leur culture.

Avantages et inconvénients de la monoculture Du fait de ses interventions, l'Humain a pratiquement éliminé la variabilité génétique de nombreuses cultures. Les chercheurs ont sélectionné des variétés de Graminées qui s'autopollinisent. Dans la mesure du possible, on a recours à la multiplication végétative pour cloner des Végétaux exceptionnels. L'uniformité génétique fait en sorte que tous les individus d'un champ croissent à la même vitesse, que les fruits de tous les arbres d'un verger mûrissent à l'unisson et que les rendements restent prévisibles. Il ne fait pas de doute que la **monoculture**, la culture d'une unique variété sur de grandes étendues de terre arable, a grandement aidé les agriculteurs à nourrir l'humanité. En revanche, les fermes modernes demeurent des écosystèmes très fragiles. Une faible variabilité génétique suppose une faible adaptabilité. Un clone constitue en quelque sorte un super-organisme; du point de vue de la sélection naturelle, il constitue un organisme unique. Ce qui s'avère bon pour l'un est bon pour tous et ce qui

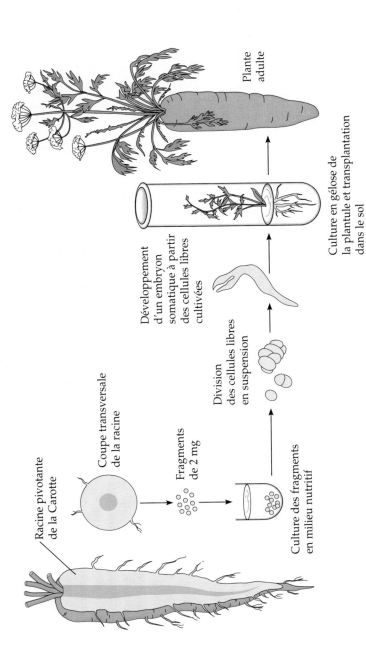

Figure 34.14
Clonage in vitro de Carottes. Lors d'expériences classiques réalisées dans les années 1950 à l'Université Cornell, F. C. Steward et ses étudiants montrèrent que la régénération de Plantes entières était

Racine pivotante de la Carotte

Coupe transversale de la racine

Fragments de 2 mg

Culture des fragments en milieu nutritif

Division des cellules libres en suspension

Développement d'un embryon somatique à partir des cellules libres cultivées

Culture en gélose de la plantule et transplantation dans le sol

Plante adulte

possible à partir de cellules somatiques (non sexuelles) extraites de la racine pivotante d'une Carotte. Les nouveaux individus sont des répliques génétiques de la Plante mère. Cette technique de multiplication végétative

a trouvé de nombreuses applications en agriculture. Ainsi, on utilise le clonage in vitro pour reproduire des arbres fruitiers exceptionnels et en fournir des milliers de copies aux fruiticulteurs.

Figure 34.15
Germination de graines artificielles. Ces capsules contiennent des embryons somatiques de Luzerne provenant d'explants génétiquement identiques, issus d'un seul individu aux caractères exceptionnels. Les chercheurs ont enfermé les embryons, avec des nutriments et une minuscule quantité d'engrais, dans un tégument artificiel constitué d'un gel de polysaccharides. Les graines artificielles montrées ici ont germé. Les plantules issues de graines artificielles atteignent la maturité en même temps, ce qui simplifie la récolte. Le principal inconvénient des graines artificielles est leur coût élevé.

devient mauvais pour l'un menace le clone entier. Ainsi, la monoculture fut un des principaux facteurs de la famine qui sévit en Irlande au XIXᵉ siècle, lorsqu'une épidémie de mildiou détruisit les récoltes de pommes de terre (voir le chapitre 26). Les explorateurs espagnols rapportèrent la Pomme de terre d'Amérique du Sud à la fin du XVIᵉ siècle. Les Européens utilisèrent la multiplication végétative pour produire ce « nouvel » aliment qui devint la base du régime alimentaire des Irlandais. Au moment de l'épidémie, deux siècles plus tard, les Pommes de terre étaient génétiquement uniformes et, par conséquent, toutes vulnérables au parasite. Les botanistes craignent qu'une maladie ne dévaste encore des milliers d'hectares d'une monoculture importante. Pour éviter ce désastre, les généticiens ont constitué des banques de gènes où ils gardent un assortiment de graines afin de pouvoir, éventuellement, produire de nouveaux hybrides.

COMPARAISON ENTRE LA REPRODUCTION SEXUÉE ET LA REPRODUCTION ASEXUÉE : OPTIQUE ÉVOLUTIONNISTE

Le dilemme de la monoculture nous fait mieux comprendre la reproduction sexuée et asexuée dans la nature. Beaucoup de Végétaux sont capables des deux modes de reproduction, et chacun présente des avantages dans

certaines situations. La reproduction sexuée favorise la variation dans une population, et la variation représente un atout en milieu instable (voir le chapitre 21). En outre, la reproduction sexuée a l'avantage de produire des graines qui peuvent se disséminer et germer seulement au moment où les conditions deviennent favorables. D'un autre côté, une Plante bien adaptée à un milieu stable peut utiliser la reproduction asexuée pour produire de nombreuses copies d'elle-même. Les descendants issus de la multiplication végétative sont moins fragiles que les plantules engendrées par la reproduction sexuée. Un clone d'une espèce herbacée des prairies peut couvrir un territoire de manière si dense que les plantules des autres espèces ont peu de chances de se développer, mais le sol renferme une réserve de graines qui n'attendent que l'occasion de germer. Après qu'un incendie, une sécheresse ou une autre perturbation a dénudé des parcelles du terrain, les jeunes plants d'autres espèces ont enfin leur chance. Ils ne possèdent pas tous les mêmes caractères, car leurs génomes dérivent de la recombinaison sexuée. Une nouvelle compétition s'amorce ; certaines espèces végétales prospéreront et se propageront de manière asexuée. La reproduction sexuée et la reproduction asexuée ont toutes deux joué un rôle capital dans la vie de l'organisme.

ASPECTS CELLULAIRES DU DÉVELOPPEMENT DES VÉGÉTAUX

La reproduction et le développement sont étroitement liés. Qu'une Plante provienne de la reproduction sexuée ou de la multiplication végétative, sa transformation en un individu complet dépend de mécanismes qui façonnent ses organes et qui disposent les cellules et les tissus spécialisés à l'intérieur de ces organes. Le **développement** représente l'ensemble des changements qui élaborent progressivement la constitution d'un organisme. Dans la présente section, vous étudierez quelques-uns des mécanismes cellulaires du développement des Végétaux.

Développement des Végétaux : caractéristiques générales

Un zygote est une cellule qui ne ressemble en rien à l'organisme qu'elle formera. Trois processus président à la transformation du zygote en Plante: la croissance, la morphogenèse et la différenciation cellulaire.

La **croissance**, qui se définit comme une augmentation irréversible de la taille, résulte de la division et du grossissement des cellules. En une série de mitoses, le zygote donne naissance à l'embryon pluricellulaire contenu dans une graine (voir la figure 34.7). Après la germination, la mitose reprend, et elle se concentre dans le méristème apical situé à l'extrémité des racines et de la tige (voir le chapitre 31). Or, c'est le grossissement des cellules nouvellement formées qui produit l'essentiel de l'augmentation de la taille.

Si le développement se limitait à un phénomène de croissance, le zygote se transformerait en une boule de cellules. Mais la croissance s'accompagne de la **morpho-**

genèse, c'est-à-dire la création de la forme. L'embryon enfermé dans une graine possède un ou deux cotylédons ainsi qu'une racine et une tige rudimentaires ; ces structures résultent des mécanismes morphogénétiques amorcés lors de la première division du zygote. Après la germination, la morphogenèse continue de façonner les systèmes racinaire et caulinaire. À l'extrémité de la tige, par exemple, la morphogenèse établit la position des feuilles et d'autres caractéristiques morphologiques. L'une des grandes différences entre les Végétaux et les Animaux réside dans leur morphogenèse : la plupart des Animaux *se déplacent* dans leur milieu, tandis que les Végétaux y *croissent*. La morphogenèse et la croissance d'un Végétal s'effectuent continuellement dans les zones caulinaires et racinaires dont les extrémités restent embryonnaires tout au long de la vie de l'organisme (figure 34.16).

Bien entendu, la forme n'est pas le seul facteur qui permet à un organe végétal d'accomplir ses fonctions. Chaque organe contient divers types de cellules spécialisées et fixées en certains endroits. Ainsi, les cellules stomatiques qui bordent les stomates des feuilles n'ont ni la même structure ni la même fonction que les cellules épidermiques qui les entourent. De même, le xylème et le phloème du cambium ne se développent pas de la même façon au cours de la croissance secondaire. Nous avons mentionné au chapitre 31 que le cambium donne naissance au xylème à l'intérieur et au phloème à l'extérieur. L'acquisition des caractéristiques structurales et fonctionnelles d'une cellule est appelée **différenciation cellulaire** (voir le chapitre 18).

Bien que nous ayons traité séparément de la croissance, de la morphogenèse et de la différenciation cellulaire, soulignons que ces processus se déroulent simultanément. Vous le constaterez lorsque nous étudierons quelques-uns des mécanismes cellulaires du développement des Végétaux.

Rôles de la division et de l'expansion cellulaires dans la morphogenèse

La figure 34.16 révèle un principe fondamental de la morphologie végétale : la forme d'un organe végétal dépend principalement de l'orientation spatiale de la division et de l'expansion cellulaires. À l'extrémité de la racine, par exemple, les jeunes cellules sortent en file du méristème apical. En effet, la plupart des divisions cellulaires qui ont lieu dans cette zone s'orientent perpendiculairement à l'axe longitudinal de la racine. La croissance des nouvelles cellules s'effectue surtout en longueur ; autrement dit, leur expansion se fait parallèlement à l'axe longitudinal de la racine.

Nous abordons ici une importante différence entre le développement des Végétaux et celui des Animaux. La morphogenèse animale se traduit elle aussi par une division et une croissance cellulaires orientées, mais la migration des cellules joue un rôle important. Les cellules végétales, quant à elles, ne peuvent se déplacer individuellement dans un organe en développement, car elles sont immobilisées par leur paroi cellulaire. Il s'ensuit que la division et l'expansion cellulaires orientées constituent les principaux mécanismes de la morphogenèse végétale. Les biologistes ont découvert que le cytosquelette gouverne ces processus.

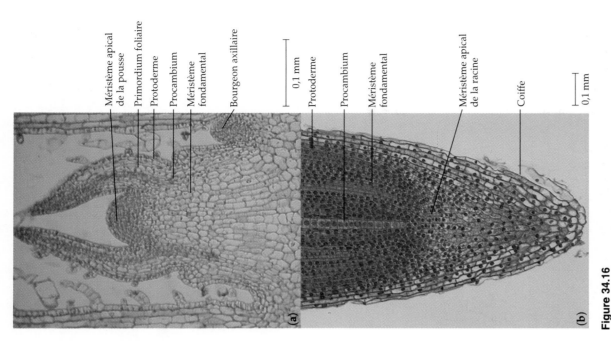

Méristème apical de la pousse
Primordium foliaire
Protoderme
Procambium
Méristème fondamental
Bourgeon axillaire

0,1 mm

(a)

Protoderme
Procambium
Méristème fondamental
Méristème apical de la racine
Coiffe

0,1 mm

(b)

Figure 34.16
Morphogenèse continue chez les Végétaux. Contrairement aux Animaux, les Végétaux croissent et génèrent de nouveaux organes tout au long de leur vie. Pour l'élaboration des tissus primaires, les centres de la morphogenèse continue se situent aux extrémités de la Plante, dans les zones du méristème apical **(a)** d'une pousse et **(b)** d'une racine. La morphogenèse se manifeste particulièrement à l'apex de la pousse, où le méristème donne naissance à une succession de modules (voir le chapitre 31) composés d'un nœud portant au moins une feuille, d'un bourgeon axillaire à l'aisselle d'une feuille et d'un entre-nœud (MP).

Cytosquelette et plan de la division cellulaire Le plan dans lequel une cellule se divise est déterminé à la fin de l'interphase (G₂ du cycle cellulaire, voir le chapitre 11). La redisposition du cytosquelette constitue le premier signe de cette orientation spatiale. Les microtubules de la partie périphérique du cytoplasme forment un anneau appelé **bande préprophasique** (figure 34.17). La bande disparaît avant la métaphase, mais elle a le temps de déterminer le plan de la division cellulaire. En effet, elle laisse derrière elle un réseau ordonné de microfilaments d'actine. Ces microfilaments maintiennent le noyau en place jusqu'à la formation du fuseau ; ultérieurement, ils dirigent le mouvement des vésicules qui produisent la plaque cellulaire. (Nous expliquons au chapitre 11 le rôle de la plaque cellulaire dans la division des cellules végétales.) Lorsque la cellule se divise enfin, les parois qui séparent les cellules filles se forment dans le plan défini plus tôt par la bande préprophasique. À l'heure actuelle, les biologistes cherchent à comprendre ce qui régit l'élaboration de la bande préprophasique.

Cytosquelette et orientation de l'expansion cellulaire
La forme d'un organe végétal résulte de la croissance orientée de ses cellules, et nous verrons bientôt comment le cytosquelette la dirige. Mais dans un premier temps, nous devons nous pencher sur la *manière* dont les cellules végétales croissent.

Dans une région de croissance active, telle la zone d'élongation des racines, le volume initial des cellules peut se multiplier par 50. Cette expansion se produit quand la paroi cellulaire cède à la pression de turgescence de la cellule. L'acide sécrété par la cellule provoque des changements chimiques qui affaiblissent les ponts transversaux entre les microfibrilles de cellulose de la paroi. La cellule est hypertonique par rapport à la solution environnante et, une fois sa paroi affaiblie, elle absorbe un surplus d'eau et se dilate. La croissance se poursuit jusqu'à ce que la pression de turgescence redevienne assez résistante pour contrer la pression de turgescence. Encore une fois, il convient de souligner une différence entre les Végétaux et les Animaux. La croissance des cellules animales repose principalement sur la synthèse de cytoplasme riche en protéines, un processus coûteux du point de vue métabolique. La croissance des cellules végétales passe aussi par l'ajout de matière organique dans le cytoplasme, mais l'absorption d'eau représente typiquement 90 % de l'expansion cellulaire. La majeure partie de cette eau se concentre dans une grande vacuole formée par la fusion de nombreuses petites vacuoles au cours de la croissance de la cellule. Une Plante croît rapidement et à peu de frais, car une petite quantité de cytoplasme peut durer longtemps. Les pousses de Bambou, par exemple, s'allongent de plus de 2 m par semaine. L'élongation rapide des racines et des pousses favorise l'exposition à la lumière et l'augmentation de la surface d'absorption en contact avec le sol, ce qui représente une importante adaptation évolutive à l'immobilité des Végétaux.

Les cellules végétales croissent rarement de façon uniforme dans toutes les directions. Ainsi, les cellules situées près de l'extrémité de la racine peuvent multiplier par 20 leur longueur initiale, mais elles s'élargissent relativement peu. On attribue cette différence à l'orientation des microfibrilles de cellulose dans les couches profondes de

la paroi cellulaire (figure 34.18). Les microfibrilles offrent une faible élasticité, et la croissance cellulaire se produit perpendiculairement à elles. Les microfibrilles se font synthétiser par des complexes enzymatiques enchâssés dans la membrane plasmique (figure 34.19). La disposition des microfibrilles dans la paroi rappelle celle des microtubules situés du côté cytoplasmique de la membrane. Certains ont avancé que ces microtubules dirigent le déplacement des enzymes productrices de cellulose dans la membrane. La direction de l'expansion cellulaire

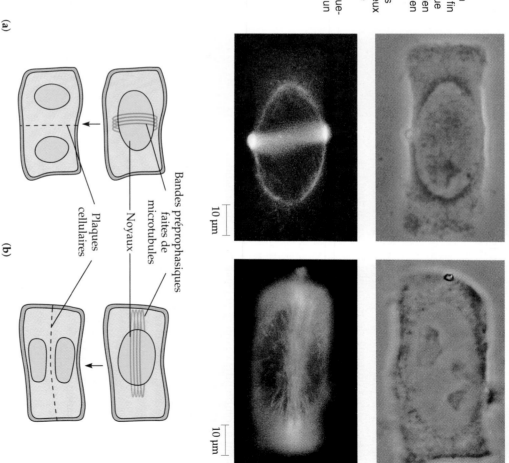

Figure 34.17
Bande préprophasique et plan de la division cellulaire. La bande est un anneau de microtubules qui se forme en dessous de la membrane plasmique à la fin de l'interphase. Son emplacement indique le plan que suivra la division cellulaire. Bien que les deux cellules montrées en **(a)** et en **(b)**, aient une forme semblable, elles se diviseront selon des plans différents. Les micrographies de gauche montrent les deux cellules non colorées, et celles de droite montrent les deux cellules traitées avec un colorant fluorescent qui se lie spécifiquement aux microtubules. Ceux-ci forment un « halo » (bande préprophasique) autour du noyau (MP).

(a)

(b)

10 µm

10 µm

Bandes préprophasiques faites de microtubules

Noyaux

Plaques cellulaires

---

serait donc en bout de ligne déterminée par l'orientation des microtubules. Mais, comme dans le cas de la bande préprophasique, une question demeure: qu'est-ce qui régit l'orientation des microtubules dans le cytoplasme? De nombreux biologistes cherchent la réponse.

Différenciation cellulaire

Il est remarquable que des cellules aussi différentes que celles des stomates, des tubes criblés (dans le phloème) et des vaisseaux (dans le xylème) descendent toutes d'une même cellule, le zygote. La différenciation cellulaire, c'est-à-dire l'apparition des structures et des fonctions spécialisées d'une cellule, est l'un des sujets de recherche les plus captivants de la biologie moderne.

La différenciation résulte de la synthèse de protéines différentes. Ainsi, une cellule d'un vaisseau en développement synthétise les enzymes qui produisent la lignine, la substance qui durcit sa paroi cellulaire. Les cellules stomatiques, quant à elles, ne fabriquent pas les mêmes enzymes et leur paroi reste flexible. Le contenu enzymatique détermine une différence structurale en rapport avec les fonctions de la cellule. Les cellules des vaisseaux servent au soutien (et au transport), et leur paroi rigide permet cette fonction. Les cellules stomatiques, pour leur part, régissent la taille des stomates en

changeant de forme, une fonction qui nécessite une paroi flexible (voir le chapitre 32). Au dernier stade de sa différenciation, une cellule de vaisseau libère des enzymes hydrolytiques qui détruisent le protoplaste, ne laissant que la paroi. Aucun processus métabolique semblable ne se produit pendant la différenciation d'une cellule stomatique.

Le constat suivant rend l'étude de la différenciation cellulaire particulièrement fascinante: les cellules d'un organisme en développement ont des structures et des fonctions différentes, et pourtant elles ont le même génome. Le clonage de Végétaux à partir de cellules somatiques prouve que le génome d'une cellule différenciée n'a pas changé (voir la figure 34.14). Si une cellule mature tirée d'une racine ou d'une feuille se «dédifférencie» en culture et donne naissance aux divers types de cellules d'une Plante, c'est qu'elle possède tous les gènes nécessaires à leur élaboration. Il s'ensuit que la différenciation cellulaire dépend dans une large mesure de la régulation de l'expression génique, autrement dit de la régulation de la transcription et de la traduction. Des cellules contenant le même génome connaissent des destinées différentes parce qu'elles expriment certains gènes à des moments précis de leur différenciation. Une cellule stomatique con-tient les gènes qui programment la destruction du proto-plaste d'une cellule de vaisseau, mais elle ne les exprime

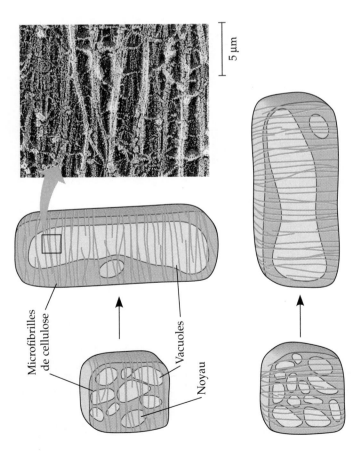

Figure 34.18
Orientation de la croissance des cellules végétales. Les cellules végétales croissent surtout perpendiculairement aux microfibrilles de cellulose de la paroi. Les microfibrilles sont insérées dans une matrice comportant d'autres polysaccharides (non cellulosiques), dont quelques-uns forment les ponts transversaux visibles sur cette micrographie (MET). Le relâchement des ponts transversaux affaiblit la paroi ; la cellule turgescente peut alors absorber un surplus d'eau et se dilater. Les petites vacuoles, qui renferment la majeure partie de l'eau, fusionnent et forment la vacuole centrale de la cellule.

Microfibrilles
de cellulose

Vacuoles

Noyau

5 μm

Champs morphogénétiques et information de positionnement

La différenciation cellulaire a une dimension spatiale. Les tissus de chaque organe végétal et les cellules de chaque tissu ont une disposition caractéristique. Pour vous en rendre compte, regardez la figure 31.14, qui compare pas. Une cellule de vaisseau les exprime, mais seulement à un moment précis de sa différenciation, après qu'elle a allongé et produit sa paroi secondaire. Les chercheurs commencent à lever le voile sur les mécanismes moléculaires qui activent et désactivent les gènes à des moments critiques du développement d'une cellule (voir les chapitres 18 et 43).

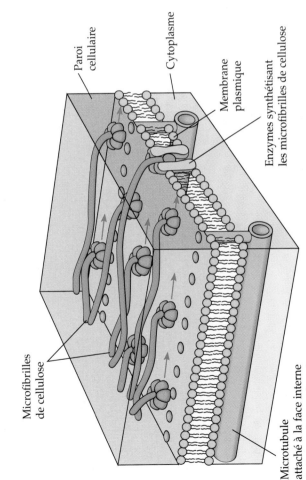

Figure 34.19
Mécanisme hypothétique quant à l'orientation des microfibrilles de cellulose. Les microfibrilles de cellulose sont synthétisées à la surface de la cellule par des complexes enzymatiques qui peuvent se déplacer dans le plan de la membrane plasmique. Une hypothèse veut que les microtubules forment des « rails » qui forcent les enzymes à se déplacer dans une direction précise. Chaque complexe enzymatique avance le long d'un de ces rails, à mesure que la microfibrille qu'il produit s'immobilise grâce à ses ponts transversaux qui rejoignent d'autres microfibrilles.

Paroi cellulaire

Cytoplasme

Membrane plasmique

Enzymes synthétisant les microfibrilles de cellulose

Microfibrilles de cellulose

Microtubule attaché à la face interne de la membrane plasmique

l'anatomie d'une racine à celle d'une tige de Dicotylé-done. À plus grande échelle, la dimension spatiale de la différenciation cellulaire se révèle dans la disposition des organes d'une Plante, dans celle des parties d'une fleur par exemple. Le développement de structures précises en des endroits précis qui créent la forme d'un organisme relèvent des **champs morphogénétiques.**

Les champs morphogénétiques tiennent compte de l'**information de positionnement** composée de signaux qui précisent la position de chaque cellule dans une structure embryonnaire. Ces signaux influent sur la vitesse de division et sur les plans de division et d'expansion cellulaires, et ils font en sorte que des organes comme les primordiums foliaires apparaissent sous formes d'éminences à certains endroits de la Plante. Dans un organe en développement, chaque cellule reçoit l'information de positionnement et se différencie sous son influence.

Beaucoup d'embryologistes pensent que l'information de positionnement prend la forme de gradients de **substances morphogènes.** Ils croient par exemple qu'une substance morphogène qui diffuse du méristème apical d'une tige «informe» les cellules situées plus bas de la distance qui les sépare de l'apex. On peut imaginer que les cellules estiment leurs positions radiales dans l'organe en développement en détectant une seconde substance morphogène qui émane des cellules périphériques. Le gradient de ces deux substances morphogènes suffirait à indiquer à chaque cellule sa position par rapport aux axes longitudinal et radial de l'organe rudimentaire. Le concept de substance morphogène diffusible est l'une des nombreuses hypothèses que les embryologistes étudient pour découvrir comment une cellule embryonnaire détecte sa position.

Mutations homéotiques au cours du développement des fleurs : à la recherche du fondement génétique des champs morphogénétiques

Le développement d'une Plante comprend un épisode particulièrement étonnant: la transformation d'une pousse végétative en méristème floral. Pendant la période végétative d'une pousse, son apex croît indéfiniment, développant module après module. Mais si l'apex se transforme en fleur, la pousse devient déterminée. La formation des primordiums des sépales, des pétales, des étamines et du pistil consume son méristème.

Une fois que le méristème se consacre à la production de la fleur, qu'est-ce qui régit la disposition des pièces florales? Vous connaissez déjà une partie de la réponse. L'information de positionnement destine les primordiums à former une pièce florale ayant une structure et une fonction précises, une étamine avec ses anthères par exemple. Les biologistes commencent à découvrir les

gènes qui, régis par l'information de positionnement, interviennent dans l'établissement de la morphologie florale. Les mutations de ces gènes, appelées **mutations homéotiques,** placent une pièce florale là où une autre devrait se trouver. Ainsi, une mutation homéotique peut faire apparaître un verticille supplémentaire de sépales là où les pétales se situent normalement. On en déduit que les allèles de phénotype sauvage de ces gènes, appelés **gènes homéotiques,** contiennent le code du développement de la morphologie florale normale.

Beaucoup de botanistes qui s'intéressent aux gènes homéotiques ont fait d'*Arabidopsis thaliana* leur organisme expérimental de prédilection. Nous avons mentionné au chapitre 31 que le génome de cette Plante sauvage est relativement petit, une caractéristique qui facilite la recherche de gènes particuliers (voir la figure 31.2). Les chercheurs ont trouvé plusieurs mutations homéotiques qui perturbent le développement de la fleur chez *Arabidopsis* (figure 34.20), et ils ont utilisé les techniques de l'ADN recombiné pour cloner quelques gènes homéotiques. Ils ont aussi trouvé des gènes homéotiques très semblables chez une espèce de Gueule-de-Loup (*Antirrhinum majus*) qui n'est pourtant pas étroitement apparentée à *Arabidopsis*. Il semble donc que l'évolution a limité la variété de gènes qui régissent le développement de la morphologie de base des Angiospermes.

Les gènes homéotiques possèdent le code des protéines régulatrices appelées facteurs de transcription (voir le chapitre 18). Ces protéines concourent à régir l'expression d'*autres* gènes en se liant à des sites précis de l'ADN dans le génome et en modifiant le taux de la synthèse de l'ARN (transcription). Il se peut que l'information de positionnement détermine le gène homéotique qui s'exprimera dans l'ébauche d'une pièce florale et que le facteur de transcription produit entraîne l'expression des gènes responsables de l'édification de cette pièce florale. Il s'agit d'une des hypothèses qui orientent la recherche sur le fondement génétique des champs morphogénétiques. À l'aide d'excellents organismes expérimentaux comme *Arabidopsis* et des puissantes techniques de la cytologie moderne, les botanistes comprennent chaque jour un peu mieux comment une cellule devient une Plante.

* * *

Tout au long de notre étude de la reproduction et du développement des Végétaux, nous avons fait appel au rôle du milieu. Pourtant, comme nous l'avons mentionné au chapitre 31, les facteurs extérieurs comme la lumière et le milieu ont une influence considérable sur la morphologie et les fonctions des Végétaux. Au chapitre suivant, vous apprendrez comment les Végétaux adaptent leur morphologie et leur physiologie au monde extérieur.

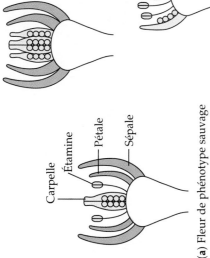

Carpelle
Étamine
Pétale
Sépale

(a) Fleur de phénotype sauvage

(b) Deux mutants homéotiques

Figure 34.20
Mutations homéotiques modifiant la fleur d'*Arabidopsis*.
En vous aidant du code de couleurs, comparez la fleur de phénotype sauvage (a) et deux fleurs mutantes d'*Arabidopsis* (b). (Ces fleurs ont subi une mutation homéotique, c'est-à-dire que certaines pièces florales n'occupent pas leur emplacement normal et se substituent d'autres.) L'une de ces fleurs mutantes possède un verticille supplémentaire de sépales à l'emplacement habituel des pétales, et des carpelles surnuméraires à l'emplacement normal des étamines. L'autre fleur mutante a des carpelles à la place des sépales et des étamines à la place des pétales. (La substitution des organes n'est pas parfaite ; ainsi, les carpelles déplacés diffèrent subtilement des carpelles normaux.)

RÉSUMÉ DU CHAPITRE

Reproduction sexuée des Angiospermes (p. 734-744)

1. Les fleurs des Angiospermes sont des structures composées de feuilles modifiées et spécialisées en vue de la reproduction. Une fleur comprend des pièces stériles, les sépales et les pétales, ainsi que des pièces fertiles, les étamines et le pistil.

2. Le cycle de développement des Angiospermes se caractérise par l'alternance de générations : une génération haploïde (gamétophyte) alterne avec une génération diploïde dominante (sporophyte). Les spores se transforment à l'intérieur de la fleur en minuscules gamétophytes haploïdes, soit le grain de pollen mâle et le sac embryonnaire femelle.

3. Le pollen se développe à l'intérieur des sporanges de l'anthère.

4. Dans un ovule, une mégaspore haploïde se divise par mitose et forme le sac embryonnaire, le gamétophyte femelle.

5. La fécondation succède à la pollinisation, le dépôt de pollen sur le stigmate d'un carpelle.

6. Le grain de pollen émet un tube pollinique qui s'enfonce dans le style et atteint le sac embryonnaire. Le tube pollinique déverse dans l'ovaire deux spermatozoïdes. La double fécondation produit un zygote diploïde et un endosperme triploïde.

7. Le zygote se transforme en embryon doté de méristèmes apicaux et d'un ou deux cotylédons.

8. La division mitotique de l'endosperme triploïde produit une masse pluricellulaire riche en nutriments qui nourrit l'embryon puis la plantule.

9. Les couches extérieures de l'ovule forment le tégument qui entoure l'embryon et sa réserve de nourriture.

10. Un fruit est un ovaire mature qui enveloppe et protège les graines et qui favorise leur dissémination par le vent ou les Animaux.

11. La germination commence au moment où la graine s'imbibe d'eau. L'imbibition dilate la graine, rompt son tégument et déclenche des changements métaboliques qui réamorcent la croissance de l'embryon.

12. La racine embryonnaire, ou radicule, est la première structure qui émerge de la graine. Ensuite, la tige embryonnaire sort à la surface du sol.

Reproduction asexuée (p. 744-747)

1. La reproduction asexuée (clonage) produit des descendants génétiquement identiques à partir d'un seul individu.

2. Étant donné que le méristème et le parenchyme contiennent des cellules indifférenciées, une bouture peut régénérer une Plante entière.

3. Le bouturage est une technique de propagation asexuée utilisée en horticulture et en agriculture. Il consiste à produire une Plante entière à partir de fragments (boutures).

4. On peut produire en laboratoire un grand nombre d'exemplaires (clone) de Végétaux exceptionnels en cultivant de petits explants ou des cellules parenchymateuses.

5. Bien que la monoculture ait grandement favorisé la productivité agricole, l'absence de variation génétique comporte des risques.

Comparaison entre la reproduction sexuée et la reproduction asexuée : optique évolutionniste (p. 747-748)

La reproduction sexuée et la reproduction asexuée ont joué un rôle important dans l'adaptation des Végétaux à leurs milieux, car chacune comporte des avantages dans certaines situations. La reproduction asexuée permet à une Plante bien adaptée à un milieu stable de produire de nombreuses copies d'elle-même. La reproduction sexuée engendre une variation génétique propice à l'adaptation.

Aspects cellulaires du développement des Végétaux (p. 748-753)

1. Le développement des Végétaux comprend trois processus : la croissance, la morphogenèse et la différenciation cellulaire.

2. Pendant la croissance d'une Plante, les plans de division et d'expansion cellulaires déterminent la forme de chaque organe.

3. Le cytosquelette détermine le plan de la division cellulaire en formant une bande préprophasique.

4. Le cytosquelette régit la direction de l'expansion cellulaire en déterminant l'orientation des microfibrilles de cellulose sécrétées dans la paroi.

5. Le problème que pose la différenciation cellulaire est d'expliquer comment des cellules possédant des génomes

Chapitre 34 : Reproduction et développement des Végétaux

identiques assument des structures et des fonctions différentes.

6. L'émergence d'organes et de tissus en des endroits précis (champs morphogénétiques) repose sur la capacité des cellules à détecter l'information de positionnement et à y réagir.

7. Pour découvrir le fondement génétique des champs morphogénétiques, les biologistes étudient les mutations homéotiques qui placent une pièce florale là où une autre devrait se trouver.

AUTO-ÉVALUATION

1. On qualifie une fleur d'imparfaite si elle :
   a) est incomplète.
   b) est dépourvue de sépales.
   c) appartient à une espèce monoïque.
   d) est staminée.
   e) ne peut s'autopolliniser.

2. Quelle cellule diploïde, au cours du développement du pollen, se divise par méiose et donne naissance à toutes les autres ?
   a) La cellule végétative.
   b) La cellule mère du pollen.
   c) Le spermatozoïde.
   d) La cellule génératrice.
   e) La microspore.

3. Une graine se forme à partir :
   a) d'une oosphère.
   b) d'une cellule génératrice.
   c) d'un ovule.
   d) d'un ovaire.
   e) d'un embryon.

4. Un fruit est :
   a) un ovaire mature.
   b) un ovule mature.
   c) formé par une graine et son tégument.
   d) formé par des carpelles fusionnés.
   e) un sac embryonnaire hypertrophié.

5. Laquelle des conditions suivantes est nécessaire à la germination de presque toutes les graines ?
   a) L'exposition à la lumière.
   b) L'imbibition.
   c) L'abrasion du tégument.
   d) L'exposition au froid.
   e) Un sol fertile.

6. Lequel des phénomènes suivants n'est pas un exemple de reproduction asexuée ?
   a) Le bouturage, c'est-à-dire la division d'une Plante en parties qui formeront des individus entiers.
   b) L'émergence de racines à la base d'une tige coupée.
   c) L'apomixie, c'est-à-dire la production asexuée de graines.
   d) La culture in vitro de cals divisés.
   e) La production de fruits sans fécondation chez certaines Plantes.

7. Laquelle des structures suivantes se trouve seulement dans les graines des Monocotylédones ?
   a) Le coléoptile.
   b) La radicule.
   c) Le tégument.
   d) L'endosperme.
   e) Le cotylédon.

8. Lequel des phénomènes suivants ne semble pas avoir d'effet important sur la morphologie d'une Plante ?
   a) La division cellulaire.
   b) Les facteurs extérieurs.
   c) La migration cellulaire.
   d) L'expansion cellulaire.
   e) L'expression sélective de gènes.

9. L'orientation de l'expansion d'une cellule semble dépendre dans une large mesure :
   a) de la taille et de la position de la vacuole centrale.
   b) d'un anneau de microfilaments d'actine situé dans le cytoplasme.
   c) de l'emplacement de la bande préprophasique.
   d) de la répartition des solutés dans le cytoplasme.
   e) de l'orientation de microtubules dans la membrane plasmique.

10. La destinée d'une cellule végétale embryonnaire semble déterminée par :
    a) une perte sélective de gènes.
    b) la position finale de la cellule dans l'organe en développement.
    c) le trajet de la migration de la cellule.
    d) la vitesse à laquelle la cellule se divise et croît.
    e) la lignée méristématique de la cellule.

QUESTIONS À COURT DÉVELOPPEMENT

1. Dressez un schéma de concepts expliquant le cycle de développement d'une Angiosperme.
2. Illustrez l'anatomie d'une fleur.
3. Précisez ce que signifie la double fécondation chez une Angiosperme.
4. Décrivez la germination d'une graine de Dicotylédone jusqu'au stade de plantule.

RÉFLEXION-APPLICATION

1. Quels avantages y a-t-il à utiliser la reproduction asexuée pour multiplier des Plantes d'intérieur ?
2. Imaginez que vous faites partie d'une équipe de biologistes qui ont isolé et purifié ce qu'ils croient être une substance morphogène végétale. La substance est sécrétée uniquement par le méristème floral, et elle diffuse sur les bords de l'apex des pousses. Votre équipe a réussi à cultiver des fragments de méristème floral, à les traiter avec la substance morphogène et à entraîner la formation de pièces florales. Selon vous, quelles pièces florales se développeront à des concentrations relativement fortes et faibles de la substance morphogène ?

SCIENCE, TECHNOLOGIE ET SOCIÉTÉ

Il existe des sociétés qui recueillent des graines dans toutes les parties du monde et qui, au moyen de croisements et de la biotechnologie, élaborent de nouvelles espèces comestibles et médicinales. Or, c'est dans les tropiques qu'on trouve la plus grande diversité de Végétaux potentiellement utiles. Les pays tropicaux en développement n'ont pas les moyens de conserver les Végétaux et d'inventer des produits agricoles, mais ils n'apprécient guère que de grandes sociétés exploitent leurs ressources végétales et leur revendent des graines. Que suggérez-vous pour résoudre ce conflit et pour permettre aux deux parties de profiter de la découverte, de la conservation et de la culture de Végétaux utiles ?

LECTURES SUGGÉRÉES

Bell, A. D., *Les Plantes à fleurs*, Paris, Masson, 1993. (Un guide morphologique abondamment illustré, pour mieux comprendre l'organisation et le développement des organes végétaux.)

Collin, S., « Une nouvelle arme dans la guerre des semences », *La Recherche*, n° 249, décembre 1992. (Retour à la fertilité de Plantes mâles stériles grâce au génie génétique.)

Dumas, C., « Fécondation in vitro chez les plantes à fleurs ! », *La Recherche*, n° 268, septembre 1994. (Description de cette technique désormais possible chez les Angiospermes.)

Dumas, C. et coll., « L'auto-incompatibilité des plantes à fleurs : des secrets bien gardés », *La Recherche*, n° 253, avril 1993. (Précisions sur le mécanisme empêchant le pollen d'une Plante de féconder ses propres fleurs.)

Demalsy P. et M. J. Feller-Demalsy, *Les Plantes à graines*, Ville Mont-Royal, Décarie, 1990. (Les chapitres 6, 12 et 13 traitent de l'anatomie florale, de la reproduction et de la production de graines ou de fruits.)

Gantet, P. et M. Dron, « Les couleurs des fleurs », *La Recherche*, n° 256, juillet-août 1993. (Manipulations des gènes de la couleur des fleurs et applications en horticulture et en agriculture.)

Gasser, C. et R. Fraley, « Les Plantes transgéniques », *Pour la Science*, n° 178, août 1992. (Création de Plantes résistantes aux Insectes nuisibles grâce au génie génétique.)

Gorenflot, R., *Biologie végétale, plantes supérieures*, tome 1 : *L'Appareil végétatif*, 3ᵉ éd., Paris, Masson, 1990. (Le chapitre 9 traite de la multiplication végétative.)

Handel, S. et A. Beattie, « La dispersion des graines par les fourmis », *Pour la Science*, n° 156, octobre 1990. (Propagation de milliers d'espèces végétales grâce aux Fourmis.)

Lüttge U., M. Kluge et G. Bauer, *Botanique – Traité fondamental*, Paris, Tec & Doc-Lavoisier, 1992. (Le chapitre 19 étudie la reproduction des Angiospermes.)

Moinet, M.-L., « Bébés-éprouvettes chez le maïs », *Science & Vie*, n° 922, juillet 1994. (Première fécondation des gamètes mâle et femelle du Maïs réalisée en dehors de la fleur femelle.)

Ozenda, P., *Les Organismes végétaux*, tome 2 : *Végétaux supérieurs*, Paris, Masson, 1991. (Le chapitre 4 traite de la reproduction et de la croissance des Angiospermes.)

Roland, J. C., *Atlas de biologie végétale : Organisation des plantes à fleurs*, tome 2, 5ᵉ éd., Paris, Masson, 1992. (Traité d'anatomie, de morphologie et de croissance végétales.)

Savidan, Y. et M. Dujardin, « Apomixie : la prochaine révolution verte ? », *La Recherche*, n° 241, mars 1992. (Production de graines sans reproduction sexuée, pour venir en aide aux régions agricoles pauvres de la planète.)

À LA RECHERCHE D'UNE HORMONE VÉGÉTALE :
LA DÉMARCHE SCIENTIFIQUE À L'ŒUVRE
FONCTIONS DES HORMONES VÉGÉTALES
MOUVEMENTS DES VÉGÉTAUX
RYTHMES CIRCADIENS ET HORLOGE BIOLOGIQUE
PHOTOPÉRIODISME
CIRCULATION DE L'INFORMATION DANS LES CELLULES VÉGÉTALES

T out au long de sa vie, une Plante perçoit son milieu et y réagit de manière coordonnée. Ses diverses parties communiquent entre elles. Ainsi, le bourgeon terminal d'une pousse peut inhiber la croissance de bourgeons axillaires situés à plusieurs mètres de lui. Les Plantes ont la notion du temps. Elles détectent la force gravitationnelle et la provenance de la lumière, et elles ont, face à ces stimuli, des réactions qui nous semblent parfaitement appropriées. Une Plante d'intérieur ne choisit pas consciemment de tourner ses feuilles vers une fenêtre afin de capter plus de lumière, elle y parvient parce que les cellules croissent plus rapidement sur le côté sombre des tiges et des pétioles que sur le côté éclairé, ce qui fait ployer les organes en direction de la lumière (figure 35.1). La sélection naturelle a favorisé les mécanismes propices au succès reproductif, et ceux-ci fonctionnent sans aucune planification de la part de la Plante.

Pendant que vous étudiez les mécanismes de régulation des Végétaux, gardez à l'esprit que l'adaptation au milieu s'inscrit sur deux échelles. Les Plantes et les autres organismes ont des réactions adaptatives immédiates aux évènements qui surviennent autour d'eux, mais leurs mécanismes de régulation sont des adaptations apparues au cours de milliers d'années d'interactions des espèces avec le milieu.

En règle générale, les réactions des Plantes diffèrent de celles des Animaux face aux stimuli du milieu. Les Animaux réagissent surtout de manière comportementale : ils s'approchent des stimuli favorables et s'éloignent des stimuli nuisibles. Les Plantes, quant à elles, passent toute leur vie au même endroit, et elles réagissent aux stimuli en modifiant le cours de leur croissance et de leur développement. Comme le programme de développement des Plantes autorise une certaine plasticité, il existe beaucoup plus de variations morphologiques entre les individus d'une espèce végétale qu'entre ceux d'une espèce animale. Tous les Lions ont quatre pattes, et les adultes présentent les mêmes proportions ; chez les Chênes, cependant, le nombre et la forme des branches varient considérablement.

Une Plante ajuste sans cesse sa morphologie et sa physiologie, en réponse aux stimuli de son environnement, grâce à des interactions complexes de facteurs extérieurs et de signaux internes. Des messagers chimiques appelés hormones constituent les signaux les plus importants.

À LA RECHERCHE D'UNE HORMONE VÉGÉTALE : LA DÉMARCHE SCIENTIFIQUE À L'ŒUVRE

Le mot *hormone* vient d'un verbe grec qui signifie « exciter ». Les **hormones** sont des messagers chimiques

Figure 35.1
Les Végétaux reçoivent des stimuli et réagissent à leur environnement. Les tiges de cette Plante d'intérieur se tournent vers la lumière, une réaction appelée phototropisme. Dans le présent chapitre, vous étudierez les systèmes de régulation qui permettent aux Végétaux de s'adapter aux variations du milieu.

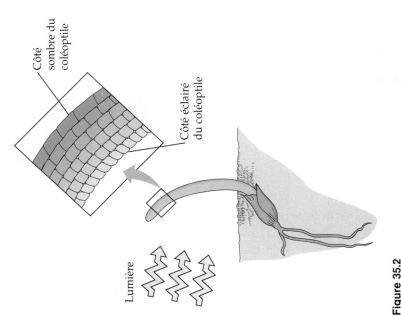

Côté sombre du coléoptile

Côté éclairé du coléoptile

Lumière

Figure 35.2
Phototropisme. Le coléoptile d'une plantule d'Avoine croît en direction de la lumière parce que les cellules s'allongent plus rapidement du côté sombre que du côté éclairé.

qui participent à la régulation des diverses parties chez de nombreux organismes pluricellulaires. Selon la définition que donnent les spécialistes de la physiologie animale, une hormone est un composé organique produit dans une partie du corps qui, après son transport, déclenche des réactions dans les cellules cibles. Les hormones ont ceci de caractéristique qu'une concentration infime de ces messagers chimiques suffit à déclencher des changements substantiels.

Une série d'expériences classiques portant sur les réactions des tiges à la lumière a mis les scientifiques sur la piste des hormones végétales. Une Plante d'intérieur posée sur le rebord d'une fenêtre pousse en direction de la lumière (voir la figure 35.1). Si on tourne la Plante, elle a tôt fait de réorienter sa croissance jusqu'à ce que ses feuilles se trouvent à nouveau face à la fenêtre. Ce phénomène est appelé **phototropisme** positif (le phénomène par lequel une Plante s'écarte de la lumière est nommé phototropisme négatif). Dans un écosystème naturel comme une forêt dense, le phototropisme oriente les plantules vers la lumière dont elles ont besoin pour la photosynthèse. Quel est le mécanisme de cette réaction adaptative? La majeure partie de nos connaissances sur le phototropisme nous vient de recherches sur les plantules de Graminées, et particulièrement d'Avoine. Une gaine appelée coléoptile enveloppe la pousse d'une plantule de Graminée; le coléoptile croît à la verticale dans l'obscurité ou sous un éclairage uniforme de tout côté. Si on éclaire le coléoptile d'un seul côté, il s'incurve vers la lumière. En effet, les cellules situées du côté sombre s'allongent plus rapidement que les cellules situées du côté éclairé (figure 35.2).

À la fin du XIXe siècle, Charles Darwin et son fils Francis furent parmi les premiers à réaliser des expériences sur le phototropisme. Ils observèrent qu'une plantule de Graminée ne pliait vers la lumière qu'en possession de l'apex de son coléoptile (figure 35.3). S'ils enlevaient l'apex ou le recouvraient d'un capuchon opaque, le coléoptile ne s'incurvait pas. En revanche, le phototropisme subsistait si les chercheurs plaçaient un capuchon transparent sur l'apex du coléoptile ou s'ils entouraient une autre partie du coléoptile d'une gaine opaque. Les Darwin conclurent que l'apex du coléoptile percevait la lumière. Toutefois, la réaction de croissance à proprement parler, soit la courbure du coléoptile, se produisait en dessous de l'apex. Charles et Francis Darwin supposèrent que l'apex transmettait un message à la région du coléoptile en élongation. Quelques dizaines d'années plus tard, un scientifique danois nommé Peter Boysen-Jensen vérifia cette hypothèse et démontra que le message était une substance mobile. Il isola l'apex du reste du coléoptile par un cube de gélatine qui empêchait le contact cellulaire mais non la diffusion des substances chimiques. Ses plantules plièrent normalement vers la lumière. Par contre, si Boysen-Jensen isolait l'apex du reste du coléoptile par une barrière imperméable de mica, aucun phototropisme ne se produisait.

En 1926, F. W. Went, un jeune spécialiste hollandais de la physiologie végétale, a extrait le messager chimique du phototropisme en modifiant l'expérience de Boysen-Jensen (figure 35.4). Went coupa l'apex du coléoptile et le plaça sur un cube d'agar, une matière gélatineuse tirée des Algues rouges et qui reste poreuse à l'état solide.

Went se disait que le messager chimique provenant de l'apex diffuserait dans l'agar et que l'agar devrait ensuite pouvoir se substituer à l'apex du coléoptile. Went plaça des cubes d'agar ayant absorbé le messager chimique sur des coléoptiles décapités qu'il garda dans l'obscurité. Si le cube était centré au sommet du coléoptile, la tige poussait à la verticale. Mais si le cube était décentré, le coléoptile pliait dans la direction opposée, comme s'il se tournait vers la lumière. Went tira plusieurs conclusions de ces expériences: le cube d'agar contenait une substance chimique produite dans l'apex du coléoptile; cette substance stimulait la croissance en descendant dans le coléoptile; un coléoptile pliait vers la lumière à cause d'une plus forte concentration de la substance du côté sombre. Went donna à ce messager chimique, ou hormone, le nom d'auxine (du grec *auxein* « accroître »). Plus tard, Kenneth Thimann et ses collègues du California Institute of Technology isolèrent l'auxine et déterminèrent sa structure. Depuis lors, on a découvert d'autres hormones végétales.

FONCTIONS DES HORMONES VÉGÉTALES

Nous connaissons cinq catégories d'hormones végétales: les auxines, les cytokinines, les gibbérellines, l'acide abscissique et l'éthylène (tableau 35.1). En général, ces hormones régissent la croissance et le développement en influant sur la division, l'élongation et la différenciation des cellules. Chaque hormone a une multitude d'effets,

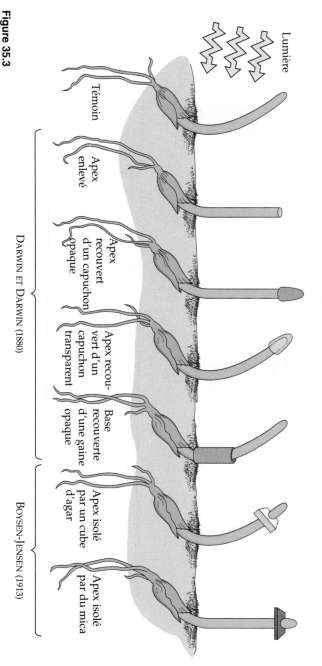

Figure 35.3
Premières expériences sur le phototropisme. Seul l'apex du coléoptile perçoit l'orientation de la lumière, mais la réaction de courbure se produit en dessous. Un signal quelconque doit donc se propager de l'apex vers le bas. Ce signal peut traverser une barrière perméable (un cube d'agar) mais non une barrière imperméable (mica), ce qui laisse supposer qu'il s'agit d'une substance chimique mobile et soluble.

Lumière

DARWIN ET DARWIN (1880)

Témoin

Apex enlevé

Apex recouvert d'un capuchon opaque

Apex recouvert d'un capuchon transparent

Base recouverte d'une gaine opaque

BOYSEN-JENSEN (1913)

Apex isolé par un cube d'agar

Apex isolé par du mica

Figure 35.4
Les expériences de Went. Une substance chimique (représentée en rose) capable de traverser un cube d'agar stimule l'élongation du coléoptile lorsqu'on remplace l'apex par le cube. Si le cube est décentré sur le coléoptile sectionné et gardé dans l'obscurité, le coléoptile plie comme s'il réagissait à un éclairage latéral. La substance est une hormone appelée auxine, et elle stimule l'élongation des cellules du coléoptile.

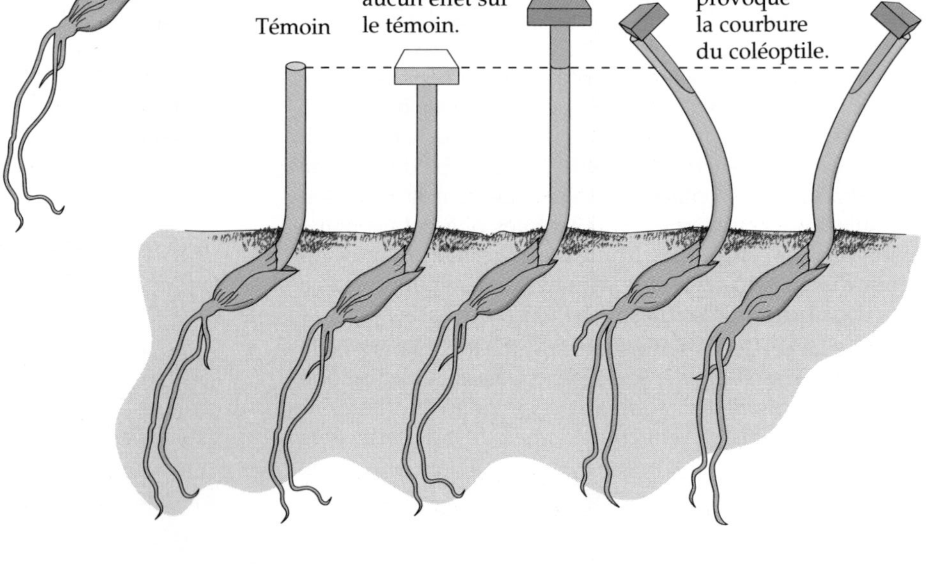

L'apex coupé est placé sur un cube d'agar.

L'auxine diffuse dans l'agar.

Le cube d'agar sans auxine n'a aucun effet sur le témoin.

Le cube d'agar imprégné d'auxine stimule la croissance.

Témoin

Le cube décentré provoque la courbure du coléoptile.

Tableau 35.1 Fonctions des hormones végétales

Hormones	Principales fonctions	Sites de synthèse ou d'action
Auxines (comme l'acide indolacétique) 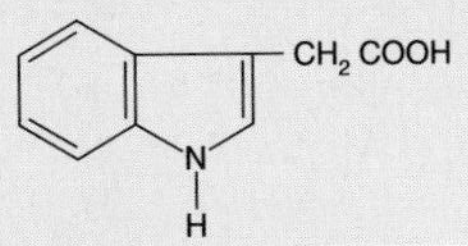	Stimule l'élongation de la tige, la croissance des racines, la différenciation, la ramification et la fructification ; dominance apicale ; phototropisme et géotropisme.	Embryon ; méristème des bourgeons terminaux ; feuilles
Cytokinines (comme la zéatine) 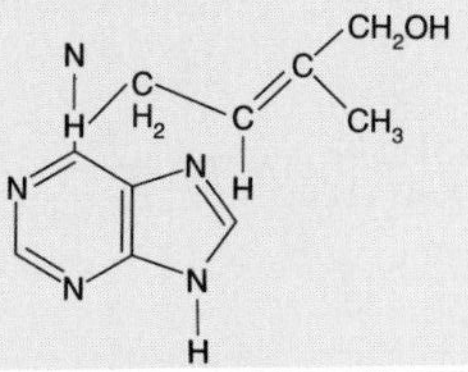	Influent sur la croissance des racines et sur la différenciation ; stimulent la division et la croissance cellulaires, la germination et la floraison ; retardent la sénescence.	Synthétisées dans les racines et transportées dans les divers organes
Gibbérellines (comme l'acide gibbérellique) 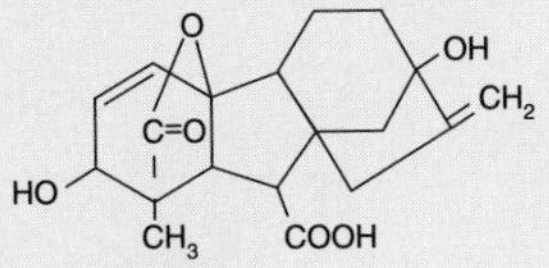	Favorisent la germination, le bourgeonnement, l'élongation de la tige et la croissance des feuilles ; stimulent la floraison et la fructification ; influent sur la croissance des racines et sur la différenciation.	Méristème des bourgeons terminaux racinaires et caulinaires ; jeunes feuilles ; embryon
Acide abscissique 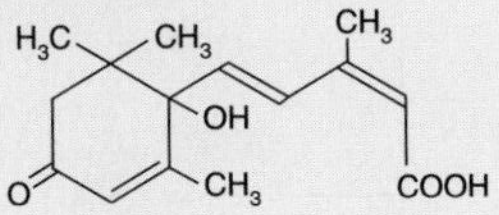	Inhibe la croissance ; ferme les stomates en période de sécheresse ; déclenche la dormance.	Feuilles ; tige ; fruits verts
Éthylène 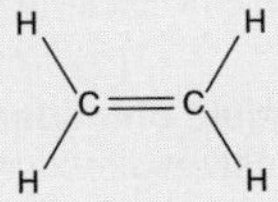	Favorise la maturation des fruits ; s'oppose à certains effets de l'auxine ; favorise ou inhibe, selon les espèces, la croissance et le développement des racines, des feuilles et des fleurs.	Tissus des fruits en cours de maturation ; nœuds de la tige ; feuilles sénescentes

suivant sa concentration, son site d'action et le stade de développement de la Plante. Le tableau 35.1 montre que toutes les hormones végétales sont des molécules relativement petites. Souvent, elles passent d'une cellule à l'autre en traversant les parois cellulaires, une voie impraticable pour les grosses molécules.

Les hormones végétales sont produites en très faibles concentrations, mais une quantité infime a un effet considérable sur la croissance et le développement d'un organe végétal. En effet, un petit nombre de molécules d'hormone influe sur l'expression des gènes, sur l'activité d'enzymes ou sur les propriétés des membranes et modifie ainsi le métabolisme et le développement d'une cellule.

Habituellement, l'effet d'une hormone dépend non pas tant de la quantité absolue de l'hormone que du rapport entre sa concentration et celle d'autres hormones. C'est l'équilibre hormonal plus que l'action isolée de chaque hormone qui régit la croissance et le développement de la Plante. Les paragraphes qui suivent feront ressortir les interactions entre les hormones végétales.

Auxines

Le terme **auxine** désigne toute substance chimique qui favorise l'élongation des coléoptiles. L'auxine naturelle que l'on extrait des Végétaux est un composé appelé acide indolacétique :

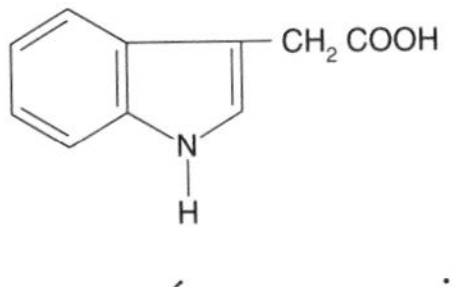

Quelques autres composés, y compris des substances synthétiques, ont le même effet que l'auxine naturelle. Dans ce chapitre, cependant, le terme auxine désigne spécifiquement l'acide indolacétique. Bien que l'auxine influe sur plusieurs aspects du développement des Végétaux, l'une de ses principales fonctions consiste à stimuler l'élongation des cellules dans les pousses.

Auxine et élongation cellulaire L'auxine est principalement synthétisée dans le méristème apical des pousses. À mesure que l'auxine migre dans la région d'élongation cellulaire (voir le chapitre 31), elle stimule la croissance des cellules. L'auxine n'a d'effet que si sa concentration se situe entre 10^{-8} et 10^{-3} mol/L environ. À plus forte concentration, elle inhibe l'élongation cellulaire. On croit qu'une forte concentration d'auxine entraîne la synthèse d'une autre hormone, l'éthylène, qui a généralement un effet inhibiteur sur l'élongation cellulaire.

L'auxine descend dans la tige à la vitesse d'environ 10 mm par heure; ceci représente une vitesse dix fois moindre que celle de la sève élaborée dans le phloème. Il semble qu'elle circule directement à travers les cellules parenchymateuses du phloème. Elle ne circule que de l'extrémité d'une pousse vers la base, jamais dans le sens inverse, un phénomène appelé **transport polaire**. Le transport polaire n'a rien à voir avec la gravitation, car l'auxine monte lorsqu'on place une pousse ou un coléoptile à l'envers. La figure 35.5 montre comment des pompes à protons, mues par l'ATP, couplent l'énergie métabolique au transport de l'auxine. Notez une importante caractéristique de ce modèle: l'auxine sort des cellules grâce à des protéines de transport spécifiques situées seulement à l'extrémité basale des cellules. Le mécanisme du transport polaire de l'auxine offre un autre exemple de travail cellulaire fourni par la chimiosmose, c'est-à-dire l'exploitation des gradients de H+ produits par les pompes à protons.

Les pompes à protons situées dans la membrane plasmique interviennent aussi dans la réaction de croissance provoquée par l'auxine. Dans la région d'élongation d'une pousse, l'auxine active les pompes à protons, et le pH de la paroi diminue. L'acidification rompt les ponts transversaux entre les microfibrilles de cellulose et affaiblit la trame de la paroi. Une fois sa paroi relâchée, la cellule absorbe un surplus d'eau par osmose et s'allonge (voir le chapitre 34). Cette **hypothèse de la croissance acidodépendante** se confirme par des résultats expérimentaux. Le mécanisme est relativement rapide. Le relâchement de la paroi et l'élongation des cellules se déclenchent dans les 20 minutes suivant l'application d'auxine à de jeunes tiges. Pour que la croissance se poursuive après cette poussée initiale, les cellules doivent synthétiser du cytoplasme et agrandir leur paroi. L'auxine favorise aussi cette étape de la croissance. Nous verrons plus loin comment les cellules détectent l'auxine et les autres signaux, et nous expliquerons comment ces stimuli provoquent des réactions précises.

Autres effets de l'auxine En plus de stimuler l'élongation cellulaire pour la croissance primaire, l'auxine contribue à la croissance secondaire en induisant la division cellulaire dans le cambium libéroligneux et en influant sur la différenciation du xylème secondaire. Elle favorise également la formation de racines adventives à la base d'une tige coupée, un effet qu'exploitent les horticulteurs en plongeant les boutures dans un milieu contenant des auxines synthétiques. Par ailleurs, l'auxine synthétisée par les graines en développement favorise la fructification. Les plants de Tomate sur lesquels on a pulvérisé des auxines synthétiques fructifient sans pollinisation. On peut donc produire des tomates sans graines en substituant une auxine synthétique à celle que les graines auraient normalement produite.

L'un des herbicides les plus couramment utilisés, le 2,4-D, est une auxine synthétique qui perturbe l'équilibre normal de la croissance végétale. Les Dicotylédones s'avèrent plus sensibles que les Monocotylédones à cet herbicide; par conséquent, on l'emploie pour éliminer les Pissenlits qui poussent sur les pelouses, sans affecter ces dernières qui se composent surtout de Graminées appartenant aux Monocotylédones.

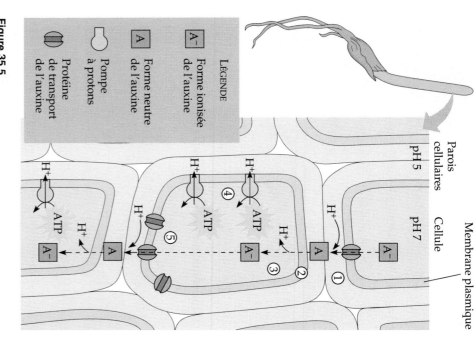

LÉGENDE

A⁻ Forme ionisée de l'auxine

A Forme neutre de l'auxine

Pompe à protons

Protéine de transport de l'auxine

Membrane plasmique

Parois cellulaires   Cellule

pH 5   pH 7

Figure 35.5
Transport polaire de l'auxine: modèle chimiosmotique. Dans les pousses, le transport de l'auxine est unidirectionnel et s'oriente de l'apex vers la base. L'hormone entre dans une cellule par son extrémité apicale, sort de la cellule par son extrémité basale, diffuse à travers la paroi et pénètre dans l'extrémité apicale de la cellule voisine. La différence de pH entre la paroi cellulaire (de pH 5 environ) et le cytoplasme (de pH 7) contribue au transport de l'auxine. Dans le milieu de pH 7 de la cellule, l'auxine est un anion. ① Quand l'auxine atteint le milieu acide de la paroi, la molécule capte un proton et devient électriquement neutre. ② Sous forme d'une molécule neutre et de petite taille, l'auxine traverse la membrane plasmique (voir le chapitre 8). ③ Une fois à l'intérieur de la cellule, où le pH est de 7, l'auxine s'ionise. Elle se trouve alors temporairement enfermée dans la cellule, car la membrane plasmique est moins perméable aux ions qu'aux molécules neutres de même taille. ④ Des pompes à protons activées par l'ATP maintiennent la différence de pH entre l'intérieur et l'extrémité cellule. ⑤ L'auxine ne peut sortir de la cellule que par l'extrémité basale, où des protéines de transport spécifiques sont enchâssées dans la membrane. Les pompes à protons contribuent à la sortie de l'auxine en produisant un potentiel de membrane qui favorise l'expulsion des anions. Revenue dans le milieu acide de la paroi, elle capte un proton et entre dans la cellule voisine sous forme de molécule électriquement neutre. Le transport polaire de l'auxine est une application d'un mécanisme fondamental de couplage de l'énergie dans les cellules. Ce mécanisme, la chimiosmose, utilise des pompes à protons pour emmagasiner l'énergie sous forme de gradient de H+ et de potentiel de membrane, puis exploite cette source d'énergie pour effectuer un travail cellulaire.

Cytokinines

Les **cytokinines** furent découvertes alors que les chercheurs tâtonnaient pour trouver des additifs chimiques qui auraient favorisé la croissance et le développement des cellules végétales dans les cultures tissulaires. Dans les années 1940, Johannes van Overbeek, qui travaillait au Cold Spring Harbor Laboratory, à New York, s'aperçut qu'il pouvait stimuler la croissance d'embryons végétaux en ajoutant du lait de coco, l'endosperme liquide de la gigantesque graine du Cocotier, à son milieu de culture. Dix ans plus tard, Folke Skoog et Carlos O. Miller, à l'Université du Wisconsin, provoquèrent la division de cellules de Tabac en ajoutant des échantillons dégradés d'ADN dans leurs cultures. Il apparut que les ingrédients actifs des deux additifs expérimentaux étaient des formes modifiées d'adénine, l'une des composantes des acides nucléiques. Ces régulateurs de la croissance furent nommés cytokinines, car ils stimulaient la cytocinèse (partage du cytoplasme entre deux cellules filles) et, par conséquent, la division cellulaire. La plus répandue des nombreuses cytokinines végétales naturelles est la zéatine, ainsi nommée parce qu'elle a été découverte dans le Maïs (*Zea mays*).

Il existe actuellement plusieurs cytokinines synthétiques. Il importe de se rappeler que d'autres hormones, l'auxine en particulier, stimulent ou inhibent l'action des cytokinines.

Régulation de la division et de la différenciation cellulaires Les cytokinines sont produites dans les tissus en croissance active, en particulier dans les racines, les embryons et les fruits. Celles qui sont élaborées dans les racines atteignent leurs tissus cibles en montant dans la Plante mêlées à la sève brute du xylème. Conjointement avec l'auxine, les cytokinines stimulent la division cellulaire et influent sur la différenciation.

Les effets des cytokinines observés sur des cellules en culture permettent de comprendre leurs effets sur une Plante intacte. Si on cultive sans y ajouter de cytokinine un morceau de parenchyme prélevé d'une tige, les cellules deviennent très grosses mais ne se divisent pas. Si on ajoute seulement de la cytokinine dans la culture, l'hormone n'a aucun effet. Mais si on ajoute de la cytokinine et de l'auxine, les cellules se divisent. En outre, le rapport des concentrations de la cytokinine et de l'auxine régule la différenciation des cellules. Si les concentrations des deux hormones s'équivalent, la masse de cellules continue de croître, mais elle reste indifférenciée. S'il y a plus de cytokinine que d'auxine, des pousses émergent du cal. Si, enfin, la concentration d'auxine dépasse celle de la cytokinine, ce sont des racines qui se forment. Il est étonnant que l'on puisse influer si fortement sur l'expression des gènes en manipulant les concentrations de deux messagers chimiques seulement.

On croit que les cytokinines déclenchent la division cellulaire et agissent sur la différenciation parce qu'elles stimulent la synthèse de l'ARN et des protéines. Il se peut

que les protéines nouvellement synthétisées interviennent dans la division cellulaire.

Régulation de la dominance apicale Les cytokinines et l'auxine interagissent aussi dans la régulation de la dominance apicale, c'est-à-dire la capacité du bourgeon terminal d'inhiber le développement des bourgeons axillaires (voir le chapitre 31). Dans ce cas, les deux hormones sont antagonistes. L'auxine transportée du bourgeon terminal vers le bas de la tige empêche la croissance des bourgeons axillaires, ce qui provoque l'élongation de la tige aux dépens de la ramification latérale. Si on enlève le bourgeon terminal, la Plante se ramifie (figure 35.6). Toutefois, les cytokinines qui migrent des racines vers le système caulinaire bloquent l'action de l'auxine en signalant aux bourgeons axillaires de commencer leur croissance. Une fois que la croissance de ces bourgeons s'amorce, l'auxine ne peut pas l'inhiber. Les bourgeons situés au bas d'une tige sortent généralement de leur dormance avant les bourgeons situés près de l'apex, car ils sont plus proches de la source de cytokinine que de la source d'auxine.

La régulation qu'exercent l'auxine et les cytokinines sur la ramification latérale constitue peut-être l'un des mécanismes qui coordonnent la croissance des systèmes racinaire et caulinaire. À mesure que les racines s'étendent, l'augmentation de la concentration de cytokinines signalerait au système caulinaire de se ramifier. Les rôles des deux hormones s'inversent pour le développement des racines latérales ; l'auxine stimule la ramification des racines, tandis que les cytokinines l'inhibent.

Il se peut que l'auxine et les cytokinines régulent indirectement la croissance des bourgeons axillaires en modifiant la concentration d'une troisième hormone, l'éthylène. Les concentrations des différents nutriments dans un bourgeon influent probablement aussi sur ses réactions aux hormones.

Retard de la sénescence Les cytokinines retardent le vieillissement de certains organes végétaux, et on croit qu'elles le font en inhibant la dégradation des protéines, en stimulant la synthèse de l'ARN et des protéines et en mobilisant les nutriments des tissus environnants. Si on trempe des feuilles détachées d'une Plante dans une solution de cytokinine, elles restent vertes beaucoup plus longtemps qu'en temps normal. Il est probable que les cytokinines ralentissent aussi la détérioration des feuilles des Plantes intactes. Étant donné ces effets, on pulvérise de la cytokinine sur les fleurs coupées pour conserver leur fraîcheur. Les cytokinines peuvent aussi prolonger la durée des fruits et des légumes sur les rayons, bien que leur utilisation à cette fin n'ait pas encore reçu l'approbation de la Direction générale de la protection de la santé (Santé Canada).

Gibbérellines

Au siècle dernier, les agriculteurs d'Asie trouvèrent dans leurs rizières des plants si hauts et si grêles qu'ils ployaient avant même d'avoir fleuri. Les Japonais appelèrent cette aberration de la croissance *bakanae*, ou « maladie des jeunes plants fous ». En 1926, un scientifique japonais nommé E. Kurosawa découvrit que la maladie était causée par un Mycète du genre *Gibberella*.

Figure 35.6

La dominance apicale. (a) L'auxine produite dans le bourgeon terminal inhibe la croissance des bourgeons axillaires. Elle favorise ainsi l'élongation de la tige principale au détriment de la ramification. Les cytokinines, transportées des racines vers le haut, stimulent la croissance des bourgeons axillaires. C'est pourquoi, chez la plupart des Végétaux, les bourgeons axillaires situés près de l'extrémité de la tige apparaissent après les bourgeons situés près de la racine. (b) Le retrait du bourgeon terminal provoque la ramification. Les cytokinines ont alors libre cours et elles stimulent la croissance des bourgeons axillaires, lesquels produisent les pousses latérales du système caulinaire.

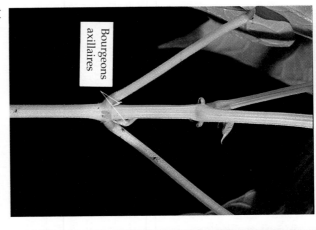

(a)

Bourgeons axillaires

(b)

Tige privée de son bourgeon terminal

Pousses latérales

Dans les années 1930, les scientifiques japonais déterminèrent que le Mycète sécrétait une substance qui reçut le nom de **gibbérelline**. Les scientifiques occidentaux n'entendirent parler de la gibbérelline qu'à la fin de la Seconde Guerre mondiale. Au cours des 30 dernières années, les scientifiques ont répertorié plus de 70 gibbérellines, naturelles pour la plupart. Toutes les gibbérellines présentent des variations subtiles d'une même molécule de base, mais certaines formes sont beaucoup plus actives que d'autres chez les Végétaux. C'est le cas notamment de l'acide gibbérellique de type AG₃ :

Les plants de Riz fous, semble-t-il, souffraient d'une surdose de régulateurs de la croissance normalement présents en quantités moindres. Les gibbérellines ont toutes sortes d'effets sur les Végétaux.

Élongation des tiges Les gibbérellines sont produites en abondance dans les racines et les jeunes feuilles. Elles stimulent la croissance des feuilles et de la tige, mais elles ont peu d'effet sur la croissance de la racine. Dans une tige en croissance, les gibbérellines et l'auxine ont vraisemblablement une action simultanée et synergique que nous ne comprenons pas encore. Nous savons cependant que les gibbérellines stimulent l'élongation cellulaire et la division cellulaire dans la tige.

On peut constater l'effet d'élongation qu'ont les gibbérellines sur la tige en donnant de ces hormones à certaines variétés naines. Ainsi, les plants de Pois nains (dont ceux que Mendel a étudiés ; voir le chapitre 13) atteignent une hauteur normale après un traitement aux gibbérellines. Il y a une corrélation entre la taille qu'atteignent les Plantes naines et la concentration de l'hormone ajoutée (voir l'encadré à la page suivante). Si on donne des gibbérellines à des Plantes de taille normale, on n'obtient souvent

aucune réaction. Apparemment, ces Plantes produisent déjà une dose optimale de l'hormone. Il se peut que les gibbérellines atteignent une concentration faible ou nulle dans les variétés naines de certaines espèces, ou encore que les cellules cibles ne puissent les utiliser.

La **montée en graines**, c'est-à-dire l'apparition d'une tige florale, représente un cas particulier d'élongation rapide causée par les gibbérellines. Avant de fleurir, certaines Plantes prennent la forme d'une rosette : elles restent basses et leurs entre-nœuds sont très courts : elles. Ces Plantes entrent en croissance reproductive après qu'une sécrétion massive de gibbérellines a entraîné l'élongation rapide de tiges florales. On a sélectionné les Choux de manière à leur faire garder la forme de rosettes, mais un traitement aux gibbérellines provoque chez eux une montée en graines (figure 35.7).

Fructification Le développement des fruits constitue un autre processus soumis à la régulation de l'auxine et des gibbérellines. Chez certains Végétaux, les deux hormones sont nécessaires à la fructification. La production de raisins Thompson sans pépins est la principale application commerciale des gibbérellines. Pulvérisées sur les grappes, les gibbérellines favorisent le grossissement et l'espacement des fruits.

Germination On trouve une forte concentration de gibbérellines dans beaucoup de graines, et particulièrement dans les embryons. Après l'imbibition d'eau, l'embryon libère des gibbérellines qui signalent à la graine de sortir de sa dormance et de germer. Certaines des graines qui ont besoin pour germer de conditions spéciales, telle l'exposition à la lumière ou au froid, quittent leur dormance après un traitement aux gibbérellines. Dans la nature, les gibbérellines contenues dans la graine constituent probablement le trait d'union entre le stimulus extérieur et les processus métaboliques qui réamorcent la croissance de l'embryon.

Les gibbérellines favorisent la croissance des plantules de Graminées en stimulant la synthèse d'enzymes digestives

TECHNIQUES : DOSAGE BIOLOGIQUE

Un dosage biologique est une expérience dans laquelle on détermine la concentration d'une substance chimique en mesurant la réaction de la matière vivante. Ici, on détermine la concentration de gibbérelline d'après la réaction quantitative de la Plante. On applique un échantillon de concentration inconnue à des plants de

Pois nains et, après un certain laps de temps, on compare leur hauteur à celle de plants nains traités avec une série de concentrations connues de gibbérelline. Un autre dosage biologique consiste à déterminer la concentration d'auxine d'après le degré de courbure d'un coléoptile vers la lumière.

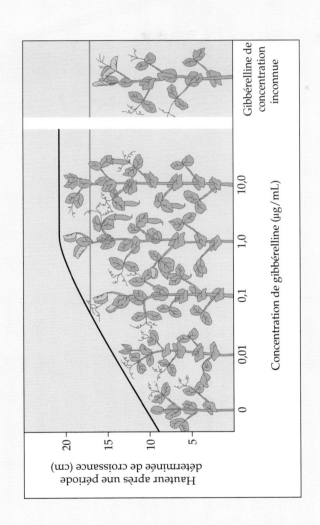

Concentration de gibbérelline (μg/mL)

Gibbérelline de concentration inconnue

Hauteur après une période déterminée de croissance (cm)

qui, telle l'amylase α, mobilisent les réserves de nutriments (voir le chapitre 34). Avant même que ces enzymes n'apparaissent, les gibbérellines déclenchent la synthèse de l'ARN messager qui transporte le code de l'amylase α. Cet effet est un exemple d'influence hormonale sur l'expression des gènes, mais il convient de souligner que la molécule d'hormone n'agit pas directement sur le génome. (Nous aborderons dans la dernière section les voies par lesquelles les messagers hormonaux parviennent aux gènes.)

Les gibbérellines font reprendre la croissance des bourgeons terminaux au printemps. Qu'il s'agisse de la dormance des graines ou de celle des bourgeons, elles agissent en antagonisme avec une hormone qui inhibe la croissance végétale, l'acide abscissique.

Acide abscissique

En règle générale, les hormones que nous avons étudiées jusqu'à maintenant (l'auxine, les cytokinines et les gibbérellines) stimulent la croissance végétale. Or, une Plante manifeste parfois ses capacités d'adaptation en ralentissant sa croissance et en entrant en dormance. L'**acide abscissique**, une hormone produite dans le

bourgeon, ralentit la croissance et provoque la transformation des primordiums foliaires en écailles protectrices.

De plus, il inhibe la division cellulaire dans le cambium libéroligneux. Par conséquent, l'acide abscissique interrompt la croissance primaire et secondaire et prépare ainsi la Plante pour l'hiver. L'hormone a reçu son nom à l'époque où l'on croyait qu'elle causait l'abscission (du latin *abscissio* « retranchement ») des feuilles à l'automne, mais ce rôle n'a jamais été démontré clairement.

Il se pourrait aussi que l'acide abscissique soit l'agent inhibiteur qui détermine l'entrée en dormance des graines. Les graines germent à la suite de son inactivation, de son élimination ou d'une intensification de l'activité des gibbérellines. Les graines de certaines Plantes désertiques, par exemple, germent après qu'une pluie abondante a emporté l'acide abscissique qu'elles contenaient. Dans d'autres graines, c'est un stimulus comme la lumière qui déclenche la dégradation de l'acide abscissique. (Tel que mentionné au chapitre 34, beaucoup

d'autres facteurs extérieurs peuvent influer sur la germination.) Dans la plupart des cas, le rapport de l'acide abscissique aux gibbérellines détermine si la graine restera dormante ou germera. De même, la dormance des bourgeons terminaux est davantage régie par l'équilibre des régulateurs de la croissance que par leurs concentrations absolues. Chez les Pommiers, par exemple, la concentration d'acide abscissique est plus élevée dans les bourgeons en croissance que dans les bourgeons en dormance, mais un excès de gibbérellines annihile l'effet de l'hormone inhibitrice.

En plus d'inhiber la croissance, l'acide abscissique joue le rôle d'une «hormone de stress»: il aide l'individu à résister aux conditions défavorables. Quand une Plante commence à flétrir, par exemple, cet acide s'accumule dans les feuilles et provoque la fermeture des stomates, ce qui réduit la transpiration et les pertes d'eau. Chez une variété de Tomates pauvre en acide abscissique et affligée d'un flétrissement chronique, l'ajout expérimental de l'hormone vide les cellules stomatiques de leur potassium et ferme les stomates (voir le chapitre 32). Cette réaction montre l'effet qu'une petite quantité d'hormone peut causer lorsqu'elle agit sur une membrane.

Figure 35.7
Montée en graines du Chou consécutive à un traitement aux gibbérellines. Grâce à la sélection artificielle, la tige de Chou ne monte pas en graines, sauf si elle a reçu des doses importantes de gibbérellines.

Éthylène

Au début du siècle, on faisait mûrir les agrumes en les plaçant dans des entrepôts chauffés par des poêles au kérosène. Les maraîchers croyaient que c'était la chaleur qui faisait mûrir les fruits, mais ils n'obtinrent aucun résultat lorsqu'ils remplacèrent le kérosène par un combustible plus propre. Les botanistes découvrirent que le mûrissement était dû à l'**éthylène**, un sous-produit gazeux de la combustion du kérosène.

On sait aujourd'hui que les Végétaux produisent eux-mêmes de l'éthylène et que cette hormone provoque plusieurs réactions en plus de la maturation des fruits. Seule hormone végétale à exister sous forme gazeuse, l'éthylène diffuse dans les lacunes qui séparent les cellules. Dans certains cas, il inhibe l'élongation cellulaire. On croit maintenant que plusieurs des effets inhibiteurs autrefois attribués à l'auxine proviennent de l'éthylène, dont la synthèse est provoquée par une forte concentration d'auxine. Ainsi, c'est probablement l'éthylène qui inhibe l'élongation de la racine et le développement des bourgeons axillaires en présence d'une quantité excessive d'auxine. Non seulement l'éthylène inhibe-t-il la croissance, mais il est aussi associé à divers processus de vieillissement.

Sénescence Le vieillissement, ou **sénescence**, est une suite de changements irréversibles qui aboutissent à la mort. Étape normale du développement des Végétaux, la sénescence touche les cellules, les organes ou l'individu entier. Les trachéides et les cellules du liège vieillissent et meurent avant d'assumer leurs fonctions spécialisées. Les feuilles d'automne et les pétales flétris sont des organes sénescents. Les Plantes annuelles vieillissent et meurent peu de temps après avoir fleuri.

L'éthylène joue vraisemblablement un rôle important dans tous ces cas de sénescence, mais on a surtout étudié ses effets sur deux autres processus de vieillissement, soit la maturation des fruits et l'abscission des feuilles.

Maturation des fruits Plusieurs changements structuraux et métaboliques accompagnent la transformation d'un ovaire en fruit (voir le chapitre 34). Certains de ces changements, dont la dégradation de la paroi cellulaire, qui ramollit le fruit, et la diminution de la teneur en chlorophylle, qui fait disparaître la couleur verte, sont amorcés ou hâtés par des processus de vieillissement. L'éthylène amorce ces détériorations et cause aussi la chute de certains fruits mûrs. Une réaction en chaîne se produit au cours de la maturation: l'éthylène déclenche la sénescence, et les cellules vieillissantes libèrent un surcroît d'éthylène. Étant donné la nature volatile de l'éthylène, le signal de maturation se propage même de fruit en fruit. Il est vrai qu'une pomme pourrie gâte tout le panier. Si vous cueillez ou achetez un fruit vert, vous pouvez accélérer sa maturation en l'enveloppant dans un sac de plastique où l'éthylène s'accumulera. À l'instar des maraîchers qui font mûrir des fruits dans d'énormes conteneurs où ils injectent de l'éthylène, les producteurs font mûrir beaucoup de fruits dès le début du siècle. À l'inverse, il leur arrive aussi de retarder la maturation due à l'éthylène naturel. Par

H
\
C == C
/
H

H
\
/
H

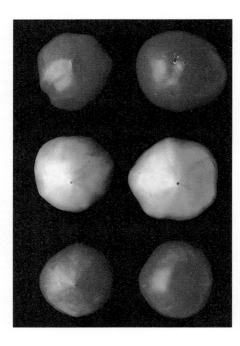

Figure 35.8
Régulation artificielle de la maturation des fruits. Les tomates montrées à gauche ont mûri naturellement sous l'effet de l'éthylène qu'elles ont produit. Des spécialistes de la biologie moléculaire ont empêché la maturation des tomates du centre à l'aide d'un ARN antisens, qui entrave la transcription d'un des gènes possédant le code de la synthèse de l'éthylène (voir le chapitre 19). On peut faire mûrir ces tomates au moment opportun en les traitant à l'éthylène (tomates de droite). Une fois perfectionnée, cette technique protégera les fruits et les légumes des effets d'une maturation trop rapide, un problème qui coûte actuellement aux producteurs nord-américains près de la moitié de leurs récoltes.

exemple, ils entreposent les pommes dans des caissons où ils introduisent du dioxyde de carbone. La circulation de l'air empêche l'accumulation de l'éthylène, et le dioxyde de carbone inhibe l'action de l'éthylène encore présent. Grâce à cette méthode, les pomiculteurs vendent pendant l'été les pommes qu'ils ont cueillies l'automne précédent. Récemment, une équipe de spécialistes de la biologie moléculaire a trouvé comment manipuler l'expression d'un des gènes responsables de la synthèse de l'éthylène (figure 35.8).

Abscission des feuilles   La chute des feuilles à l'automne est une adaptation qui prévient la dessiccation des arbres feuillus pendant l'hiver, saison où les racines ne peuvent absorber d'eau dans le sol gelé.

Avant l'abscission des feuilles, plusieurs de leurs éléments essentiels dérivent vers les tissus nutritifs de la tige. Ces nutriments retourneront dans les jeunes feuilles au printemps. Les feuilles d'automne cessent de produire de la chlorophylle et perdent leur couleur verte. Les couleurs automnales des feuilles résultent d'un mélange de pigments fabriqués à l'automne et de pigments déjà existants, que la chlorophylle masquait pendant l'été.

Lors de la chute automnale, une surface d'abscission se forme près de la base des pétioles (figure 35.9). La paroi des petites cellules parenchymateuses de cette zone devient très mince, et aucune fibre n'entoure le tissu conducteur. En outre, des enzymes hydrolysent les polysaccharides de la paroi cellulaire, affaiblissant encore la zone d'abscission. Enfin, la masse de la feuille et l'action du vent provoquent la rupture du pétiole. Avant même la chute de la feuille, une couche de liège cicatrise la ramille pour empêcher les agents pathogènes d'envahir l'arbre.

L'abscission résulte d'une modification de l'équilibre entre l'éthylène et l'auxine. Une feuille vieillissante produit de moins en moins d'auxine, et les cellules de la zone d'abscission deviennent plus sensibles à l'éthylène. Le déséquilibre s'accentue à mesure que la production d'éthylène s'accroît dans les cellules de la zone d'abscission et inhibe la synthèse d'auxine dans la feuille. Quand l'éthylène prédomine dans la zone d'abscission, les cellules produisent des enzymes qui dégradent la cellulose et d'autres composantes de la paroi cellulaire.

Le raccourcissement de la photopériode et la baisse des températures constituent les stimuli externes de l'abscission. Cette relation entre les stimuli externes d'une part et les stimuli hormonaux d'autre part nous amène à une charnière importante de notre étude de la régulation végétale. Comment les Végétaux détectent-ils les changements de leur milieu ? Les botanistes abordent ce problème en étudiant les mouvements des Végétaux.

MOUVEMENTS DES VÉGÉTAUX

Aux yeux du profane, les Végétaux ne paraissent pas très dynamiques. Or, les films au ralenti révèlent qu'ils exécutent deux types de mouvements assez précis, les tropismes et les mouvements issus d'une variation de turgescence.

Tropismes

Le milieu a une influence considérable sur la forme des Végétaux. Un **tropisme** (du grec *tropos* « tour ») est une réaction de croissance qui rapproche ou éloigne des organes végétaux entiers de certains stimuli. Le tropisme résulte d'une différence entre les taux d'élongation des cellules situées sur les côtés opposés des organes. Parmi les stimuli qui déclenchent le tropisme et, par le fait même, certains changements morphologiques, on trouve la lumière (phototropisme), la gravitation (géotropisme) et les contacts (thigmotropisme ou haptotropisme).

Phototropisme   Nous avons déjà traité des mécanismes hormonaux qui courbent les tiges vers la lumière. Les cellules situées du côté sombre d'une tige s'allongent plus vite que les cellules situées du côté éclairé, car l'auxine qui descend de l'apex se répartit inégalement dans la tige. Mais quelle est donc la cause de cette répartition inégale ? Des expériences ont montré que l'illumination latérale d'un coléoptile faisait migrer l'auxine du côté éclairé vers le côté sombre. On ne sait pas encore comment la lumière déclenche la redistribution de l'auxine. En revanche, on sait que le photorécepteur de l'apex est surtout sensible à la lumière bleue et qu'il s'agit probablement d'un pigment jaune analogue à la riboflavine (une vitamine). On pense que ce récepteur participe également à l'ouverture des stomates et à quelques autres réactions des Végétaux à la lumière.

Géotropisme   Si vous couchez une plantule sur le côté, sa tige se courbera vers le haut et sa racine, vers le bas. La réaction des racines à la gravitation est appelée **géotropisme** positif, tandis que celle des tiges est un géotropisme négatif. Le géotropisme se manifeste dès la germination, de sorte que la racine s'enfonce dans le sol et que la pousse recherche la lumière, peu importe la position de la graine.

Figure 35.9
Abscission d'une feuille d'Érable. L'abscission résulte d'une modification de l'équilibre entre l'éthylène et l'auxine. La zone d'abscission apparaît ici sous forme de bande verticale à la base du pétiole (MP). Après la chute de la feuille, une couche protectrice ferme la cicatrice, ce qui empêche les agents pathogènes d'envahir l'arbre.

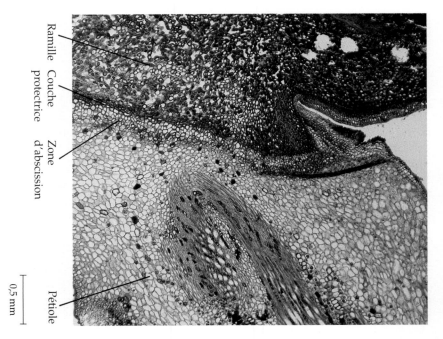

Ramille
Couche protectrice
Zone d'abscission
Pétiole

0,5 mm

Les Végétaux distinguent le haut du bas parce que des **statolithes**, des plastes spécialisés (amyloplastes) contenant des grains d'amidon denses, se déposent dans la partie inférieure des cellules (figure 35.10). Dans les racines, les statolithes se situent à l'intérieur de certaines cellules de la coiffe. Une hypothèse veut que l'agrégation des statolithes dans les parties inférieures des cellules déclenche la redistribution du calcium, ce qui provoque le transport latéral de l'auxine dans la racine. Le calcium et l'auxine s'accumulent du côté inférieur de la zone d'élongation. Comme ces substances sont dissoutes, elles ne réagissent pas à la gravitation, et elles se déplacent par transport actif. À forte concentration, l'auxine inhibe l'élongation cellulaire. Par conséquent, les cellules du côté supérieur de la racine s'allongent plus vite que les cellules du côté inférieur, et la racine s'incurve. Ce tropisme agit jusqu'à ce que la racine descende verticalement. Les chercheurs des générations futures ne manqueront pas de modifier cette hypothèse et finiront par expliquer le mécanisme du géotropisme caulinaire, mal connu jusqu'ici.

Thigmotropisme La plupart des Plantes grimpantes portent des vrilles qui s'enroulent autour des objets. Ces organes préhensiles ont une forme rectiligne jusqu'à ce que, au contact d'un objet, les cellules de leurs côtés opposés se mettent à croître à des rythmes différents. On appelle **thigmotropisme** (du grec *thigma* « toucher ») la réaction d'orientation consécutive au contact.

La stimulation mécanique peut aussi causer une réaction plus générale. Une expérience a en effet démontré que les tiges qu'on frotte à quelques reprises avec un bâton sont plus courtes et plus larges que les tiges témoins. Dans la nature, le vent a un effet semblable, et les Plantes rabougries résistent mieux aux rafales que les Plantes hautes. Les arbres qui poussent sur un versant exposé au vent, par exemple, ont généralement un tronc plus court et plus large que les arbres de la même espèce qui poussent à l'abri du vent. Le phénomène de raccourcissement et d'élargissement des tiges causé par une perturbation mécanique est appelé **thigmomorphogenèse**. Il résulte généralement d'un accroissement de la production d'éthylène.

Mouvements issus d'une variation de turgescence

En plus des changements morphologiques relativement durables que les tropismes génèrent, les Végétaux présentent des mouvements réversibles. Ces mouvements résultent de variations de la pression de turgescence survenant dans des cellules spécialisées à la suite de stimuli.

Mouvements rapides des feuilles Lorsqu'on touche la feuille composée de la Sensitive (*Mimosa pudica*), ses folioles se referment (figure 35.11). Cette réaction, qui se produit une ou deux secondes seulement après le contact, résulte d'une diminution rapide de la turgescence

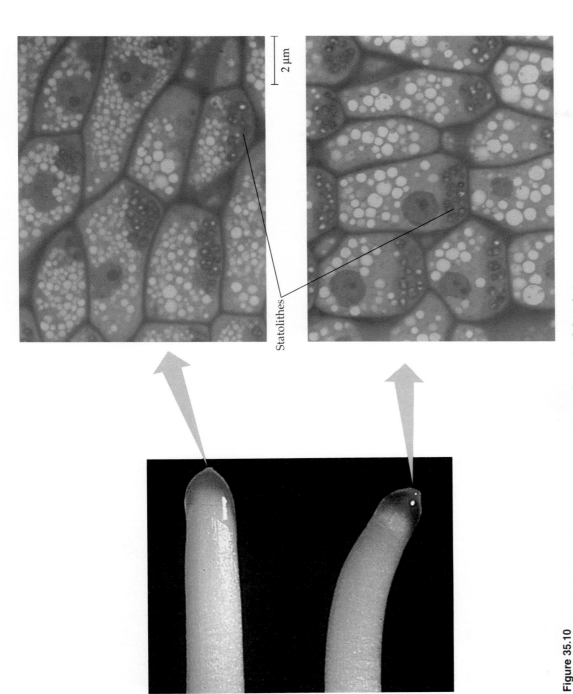

Figure 35.10

Statolithes et géotropisme. Ces racines de Maïs ont été placées sur le côté et photographiées avant (en haut) et 90 minutes après la réaction géotropique, à l'aide d'un microscope photonique. On aperçoit les statolithes, des plastes modifiés, dans les cellules de la coiffe. L'accumulation des statolithes dans la partie inférieure des cellules constitue peut-être le mécanisme de détection de la gravitation qui entraîne la redistribution de l'auxine. Après la redistribution de l'auxine, les cellules du côté supérieur de la racine s'allongent plus vite que les cellules du côté inférieur.

dans les cellules des pulvini, des organes moteurs spécialisés situés dans les articulations de la feuille. Les cellules motrices perdent leur potassium, se vident de leur eau par osmose et deviennent soudainement flasques. Au bout d'environ 10 minutes, les cellules retrouvent leur turgescence et la feuille reprend sa forme naturelle. La fonction de cette réaction reste encore obscure. On imagine que le repli des feuilles et la diminution de leur surface préviennent la déshydratation par vents forts. On présume aussi que la réaction décourage les herbivores, car la contraction des feuilles découvre les épines de la tige.

Les mouvements rapides des feuilles ont ceci de remarquable que le stimulus se propage dans toute la Plante. Si on touche une feuille de Sensitive avec une aiguille chaude, elle se replie, puis la feuille adjacente en

fait autant et ainsi de suite jusqu'à la dernière feuille. À partir du point de contact, le stimulus se propage comme une onde dans toute la Plante à la vitesse d'environ 1 cm par seconde. La transmission est vraisemblablement assurée par des messagers chimiques, mais on détecte aussi une impulsion électrique au moyen d'électrodes fixées à la Plante. Cette impulsion, appelée **potentiel d'action,** ressemble aux messages nerveux détectés chez les Animaux, mais elle est des milliers de fois plus lente. Le potentiel d'action, présent chez un grand nombre d'Algues et de Végétaux, constitue peut-être une forme de communication interne très répandue. Chez la Dionée attrape-mouches (*Dionæa muscipula*), par exemple, les potentiels d'action se propagent des poils sensitifs du piège aux cellules qui le ferment.

(a)

Figure 35.11
Sensitive (*Mimosa pudica*). (a) En l'absence de stimulation, les folioles de la Sensitive sont déployées. (b) Une seconde ou deux après un contact, les folioles se referment.

(b)

Mouvements nyctinastiques Les feuilles des Haricots et de nombreuses autres Légumineuses s'abaissent le soir et se relèvent à l'horizontale le matin (figure 35.12). Ces **mouvements nyctinastiques** résultent de variations de la pression de turgescence dans les cellules motrices des pulvini, comme les mouvements de la Sensitive. Le jour, les cellules situées d'un côté du pulvinus sont turgescentes, tandis que les cellules situées du côté opposé restent flasques, et les feuilles gardent l'horizontale. La situation s'inverse la nuit, et les feuilles ploient. Ces variations s'accompagnent d'une migration massive d'ions potassium d'un côté à l'autre du pulvinus. Le potassium servirait d'agent osmotique qui amène les cellules motrices à absorber et à rejeter l'eau. À cet égard, le mécanisme des mouvements nyctinastiques s'apparente à celui de l'ouverture et de la fermeture des stomates. Les mouvements nyctinastiques, comme beaucoup d'autres réactions, sont gouvernés par l'horloge biologique des Végétaux.

RYTHMES CIRCADIENS ET HORLOGE BIOLOGIQUE

Chez l'Humain, le pouls, la pression artérielle, la température, le nombre de divisions cellulaires, la quantité de globules sanguins, la vigilance, la composition de l'urine, la vitesse du métabolisme, la libido et la sensibilité aux médicaments fluctuent au cours de la journée. Certains Insectes deviennent plus vulnérables aux insecticides dans l'après-midi que dans la matinée. On trouve des Mycètes qui produisent leurs spores pendant les mêmes heures chaque jour. Les Algues unicellulaires luminescentes brillent à heure fixe. Les Végétaux présentent aussi des comportements rythmiques, tels les mouvements nyctinastiques des Légumineuses ainsi que l'ouverture et la fermeture des stomates. Tous ces phénomènes cycliques et beaucoup d'autres dépendent d'horloges biologiques internes qui marquent le temps de

manière précise. Il semble que tous les organismes eucaryotes possèdent des horloges biologiques, et ce sont des recherches en physiologie végétale qui révélèrent l'existence des rythmes biologiques.

Un cycle physiologique qui a une période (une durée) d'environ 24 heures est un **rythme circadien** (du latin *circa* « environ » et *dies* « jour »). Les rythmes circadiens constituent-ils simplement des réactions

Figure 35.12
Mouvements nyctinastiques du Haricot. Position des feuilles à midi (en haut) et à minuit (en bas). Ces mouvements résultent de changements réversibles de la pression de turgescence dans des cellules des deux côtés des pulvini, régions renflées du pétiole.

quotidiennes à un cycle extérieur, comme la rotation de la Terre sur elle-même, ou relèvent-ils plutôt d'une horloge biologique interne qui les déclenche? Les rythmes circadiens persistent chez les organismes qu'on isole des stimuli extérieurs. Un plant de Haricot, par exemple, présente des mouvements nyctinastiques même si on l'expose à une clarté ou à une obscurité constantes; par conséquent, ses feuilles ne font pas que réagir au lever et au coucher du Soleil. Tous les organismes gardent une activité rythmique, qu'on les place au fond d'une mine ou en orbite autour de la Terre. Toutes les recherches réalisées jusqu'à maintenant indiquent que l'horloge des rythmes circadiens est endogène (interne). Cette horloge, toutefois, se règle précisément sur une période de 24 heures grâce aux stimuli extérieurs quotidiens. Chez un organisme gardé en milieu stable, la période varie entre 21 et 27 heures, selon la réaction considérée. Par exemple, les mouvements nyctinastiques d'un plant de Haricot ont une période de 26 heures en milieu stable.

L'allongement et le raccourcissement des périodes ne signifient pas une défaillance de l'horloge biologique. Elle marque encore le temps parfaitement, mais elle n'est plus synchronisée avec le monde extérieur. Le cycle de la clarté et de l'obscurité dû à la rotation de la Terre sur elle-même constitue le stimulus qui règle la plupart des horloges biologiques. Si on modifie ce stimulus en laboratoire, l'horloge met quelques jours à s'ajuster. Par conséquent, une Plante gardée dans l'obscurité pendant quelques jours se désynchronise des Plantes soumises aux conditions normales. Un phénomène semblable se produit chez les voyageurs qui traversent plusieurs fuseaux horaires en avion. Il est probable que tous les eucaryotes mettent un certain temps à s'adapter au décalage horaire.

La plupart des biologistes croient aujourd'hui que les organismes possèdent une horloge endogène, mais ils n'en connaissent pas encore la nature. Où l'horloge se trouve-t-elle et comment fonctionne-t-elle? Si nous voulions apporter à ces questions des réponses précises, nous devrons veiller à faire la distinction entre l'horloge et les processus rythmiques qu'elle régit. Les mouvements nyctinastiques représentent les «aiguilles» de l'horloge, mais non ses rouages. Si on attache les feuilles d'un plant de Haricot pendant quelques heures afin de les empêcher de bouger, aussitôt déliées elles prennent la position appropriée au moment de la journée. Nous pouvons entraver un rythme biologique, mais jamais les engrenages de l'horloge. La plupart des scientifiques qui étudient les rythmes circadiens situent l'horloge à l'échelon cellulaire, soit dans les membranes, soit dans le processus de la synthèse des protéines.

PHOTOPÉRIODISME

L'alternance des saisons influe sur le cycle de développement de la plupart des Végétaux. La germination, la floraison ainsi que le début et la fin de la dormance des bourgeons représentent des stades de développement qui, généralement, prennent place à des moments précis de l'année. La photopériode, c'est-à-dire la durée de l'éclairement diurne, est le stimulus extérieur qui sert de calendrier à la majorité des Végétaux. Une réaction physiologique à la durée de l'éclairement diurne, la floraison par exemple, est un photopériodisme.

Régulation photopériodique de la floraison

En 1920, W. W. Garner et H. A. Allard levèrent le voile sur le mécanisme qui permet aux Végétaux de détecter la succession des saisons. Les deux scientifiques étudiaient une variété exceptionnelle de Tabac, appelée Maryland Mammoth, qui atteignait une hauteur hors du commun mais qui, contrairement aux variétés normales, ne fleurissait pas pendant l'été. Les plants finirent par fleurir en serre, au mois de décembre. Après avoir tenté de déclencher la floraison en faisant varier la température, l'humidité et l'apport de nutriments minéraux, Garner et Allard s'aperçurent que c'était le raccourcissement des jours qui faisait apparaître les fleurs. S'ils gardaient les plants dans des boîtes noires et qu'ils simulaient le jour à l'aide de lampes, ils n'obtenaient une floraison qu'à condition que la durée du jour soit de 14 heures ou moins. Les plants de Maryland Mammoth ne fleurissaient pas en été parce que, à la latitude du Maryland, les jours sont trop longs pendant la belle saison.

Garner et Allard qualifièrent la variété Maryland Mammoth de Plante de jour court, car elle semblait avoir besoin pour fleurir d'une période de clarté inférieure à une durée critique. Parmi les Plantes de jour court, on trouve les Chrysanthèmes, les Poinsettias et certaines variétés de Soja; ces Plantes fleurissent à la fin de l'été, à l'automne ou en hiver. Les Plantes de jour long fleurissent seulement quand la période de clarté dépasse une durée critique. L'Épinard, par exemple, fleurit lorsque les jours durent plus de 14 heures; le Radis, la Laitue, l'Iris et de nombreuses variétés de Graminées fleurissent généralement à la fin du printemps ou au début de l'été. Un troisième groupe, les Plantes indifférentes, ne subissent pas l'influence de la photopériode. Les Tomates, les Pois, le Riz et le Pissenlit, par exemple, fleurissent quand ils atteignent la maturité, peu importe la durée de l'éclairement diurne à ce moment.

Durée critique de la nuit Dans les années 1940, on découvrit que la durée de la nuit, et non celle du jour, régissait la floraison et d'autres réactions photopériodiques. Les chercheurs étudiaient la Lampourde (Xanthium pennsylvanicum), une Plante de jour court qui fleurit uniquement quand les jours durent moins de 16 heures (et les nuits plus de 8 heures). S'ils interrompaient la période de clarté par une brève exposition à l'obscurité, les Lampourdes fleurissaient quand même. Mais s'ils interrompaient la période d'obscurité, à une faible lumière, elles ne fleurissaient pas (figure 35.13). Les Lampourdes ont donc besoin d'au moins huit heures d'obscurité continue pour fleurir. Il serait plus exact d'appeler les Plantes de jour court «Plantes de nuit longue», mais le jargon de la botanique a consacré l'expression «Plantes de jour court». De même, les Plantes de jour long sont en réalité des Plantes de nuit courte. Normalement, les longues périodes d'obscurité entravent leur floraison. Mais si on interrompt les longues périodes d'obscurité, à n'importe quel moment, par quelques minutes de clarté, les Plantes de

jour long fleurissent. Par conséquent, les réactions photopériodiques dépendent d'une durée critique de la nuit. Les Plantes de jour court fleurissent si la nuit est *plus longue* qu'une durée critique (huit heures pour les Lampourdes), et les Plantes de jour long fleurissent si la nuit est *plus courte* qu'une durée critique. Forts de ces renseignements, les horticulteurs produisent des fleurs hors saison. Les Chrysanthèmes, par exemple, sont des Plantes de jour court qui fleurissent normalement à l'automne; pour retarder la floraison des Chrysanthèmes jusqu'à la fête des Mères, en mai, les horticulteurs ponctuent chaque longue nuit d'un éclair qui la transforme en deux courtes nuit.

Notez que la distinction entre Plantes de jour long et Plantes de jour court repose *non pas* sur la durée absolue de la nuit mais sur le fait que la floraison exige un nombre d'heures d'obscurité maximal (Plantes de jour court) ou minimal (Plantes de jour long).

Certaines Plantes fleurissent après une seule exposition à la photopériode convenant à la floraison. D'autres ont besoin de quelques jours successifs de la durée appropriée. D'autres encore réagissent à la photopériode seulement après avoir été exposées à un premier stimulus extérieur, telle une période de froid. Le Blé d'hiver, par exemple, ne fleurit qu'après une exposition de plusieurs semaines à des températures inférieures à 10 °C. On appelle **vernalisation** l'application d'un traitement au froid nécessaire à la floraison. Quelques semaines après la vernalisation du Blé d'hiver, les jours longs (les nuits courtes) entraînent la floraison.

Figure 35.13
Régulation photopériodique de la floraison. Une Plante de jour court (de nuit longue) fleurit quand la période d'obscurité dépasse une durée critique. Si on interrompt la période d'obscurité par un bref éclair, on empêche la floraison. Une Plante de jour long (de nuit courte) fleurit seulement quand la période d'obscurité est plus courte qu'une durée critique. On peut raccourcir artificiellement la période d'obscurité par un éclair.

Preuves à l'appui de l'existence d'une hormone de la floraison Les bourgeons produisent des fleurs, mais ce sont les feuilles qui détectent la photopériode. Pour déclencher la floraison d'une Plante de jour court ou d'une Plante de jour long, il suffit dans bien des cas d'exposer une seule feuille à la photopériode appropriée. De fait, même s'il ne reste qu'une feuille attachée à la Plante, cette feuille détecte la photopériode et les boutons floraux se développent. Une Plante qui a perdu toutes ses feuilles, cependant, ne détecte pas la photopériode. Il semble que le message de la floraison se transmette des feuilles aux boutons floraux. La plupart des botanistes pensent que ce message est une hormone qu'ils ont nommée florigène (figure 35.14). On croit que le signal de la floraison est de même nature chez les Plantes de jour court et les Plantes de jour long, bien que des conditions photopériodiques différentes déclenchent son émission.

Les botanistes aimeraient conclure à l'existence du florigène, mais l'hormone n'a pas encore été isolée. Il se peut qu'un dosage particulier de plusieurs hormones, et non pas une substance unique, soit le signal de la floraison.

Phytochrome

La durée de la nuit conditionne les réactions saisonnières des Végétaux, mais la découverte de ce facteur soulève une question: Comment une Plante mesure-t-elle la durée de la nuit? On a trouvé la réponse à l'occasion d'études sur l'influence des différentes couleurs de la

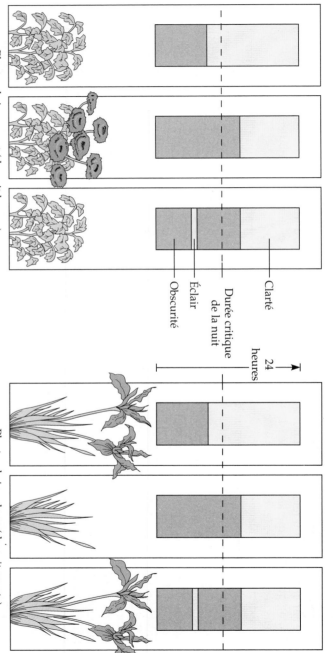

Plantes de jour court (de nuit longue)

Plantes de jour long (de nuit courte)

24 heures

Clarté

Durée critique de la nuit

Éclair

Obscurité

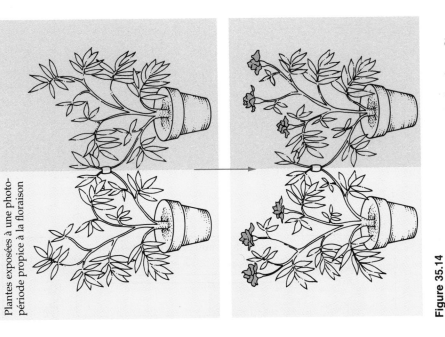

Plantes exposées à une photo-période propice à la floraison

Figure 35.14
Preuve de l'existence d'une hormone de la floraison. Si on prend une Plante dont la floraison a été déclenchée par la photo-période et qu'on la greffe à une Plante dont la floraison n'a pas été amorcée, les deux Plantes fleurissent. Dans certains cas, le phé-nomène se produit même si l'une des Plantes est de jour court et l'autre, de jour long.

lumière sur la floraison, la germination et d'autres réactions photopériodiques : grâce à un pigment protéique appelé **phytochrome**.

La lumière rouge, qui possède une longueur d'onde de 660 nm, interrompt le plus efficacement la durée de la nuit. Une Plante de jour court exposée à des nuits de durée critique ne fleurit pas si on interrompt la période d'obscurité par un éclair de lumière rouge. Inversement, un éclair de lumière rouge produit pendant la période d'obscurité entraîne la floraison d'une Plante de jour long, même si la durée totale de la nuit excède le nombre d'heures critique. (Les Plantes de jour long, rappelez-vous, ont besoin de nuits plus courtes qu'une durée critique.) L'éclair de lumière rouge a pour effet de raccourcir la durée de la nuit perçue par la Plante.

On peut annuler l'effet de la lumière rouge en exposant brièvement la Plante à une lumière dont la longueur d'onde se situe dans l'infrarouge à 730 nm environ. Si un éclair de lumière rouge (R) produit pendant la période d'obscurité précède un éclair de lumière infrarouge (IR), la Plante ne perçoit aucune interruption de la nuit. Une Plante de jour court ne fleurit pas si un éclair R interrompt une nuit d'une durée critique, mais elle fleurit si elle reçoit deux éclairs, un R d'abord, et un IR ensuite. La séquence inverse, IR-R, empêche la floraison. Les deux longueurs d'onde s'annulent. Quel que soit le nombre d'éclairs émis, seule la longueur d'onde du dernier influe sur la perception de la Plante. Par conséquent, la séquence d'éclairs R-IR-R-IR-R empêche la floraison des Plantes de jour court, mais non la séquence R-IR-R-IR-R-IR. Bien entendu, l'inverse se produit avec les Plantes de jour long (figure 35.15).

Le photorécepteur à l'origine des effets réversibles de la lumière rouge et de la lumière infrarouge est le phytochrome, une protéine qui porte à l'une de ses extrémités un chromophore (un complexe organique qui absorbe la lumière). Le phytochrome alterne entre deux formes structurales très semblables, mais dont l'une absorbe la lumière rouge et l'autre, la lumière infrarouge. Les deux formes du phytochrome, P_r (celle qui absorbe le rouge), et P_{ir} (celle qui absorbe l'infrarouge), sont dites photoréversibles :

Lumière rouge

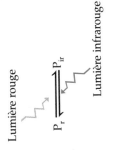

$$P_r \rightleftharpoons P_{ir}$$

Lumière infrarouge

L'interconversion $P_r \rightleftharpoons P_{ir}$ sert de commutateur aux divers événements de la vie des Végétaux (figure 35.16).

Le phytochrome a notamment pour fonction d'indiquer à la Plante la présence de lumière. Les Végétaux le synthétisent sous la forme P_r et, s'il reste dans l'obscurité, le pigment conserve cette forme. Lorsque le phytochrome reçoit de la lumière solaire, une partie du P_r se transforme en P_{ir}, car le pigment reçoit la lumière rouge (comme toutes les autres longueurs d'onde de la lumière solaire) pour la première fois. L'apparition du

P_{ir} est l'un des indicateurs grâce auxquels les Végétaux détectent la lumière solaire. La forme P_{ir} du phytochrome déclenche plusieurs réactions des Végétaux, telle la germination des graines qui ont besoin de lumière pour sortir de leur dormance. Le phytochrome renseigne aussi la Plante sur la *qualité* de la lumière. La lumière solaire comprend à la fois des rayonnements dans le rouge et dans l'infrarouge. Pendant le jour, par conséquent, la transformation $P_r \rightleftharpoons P_{ir}$ atteint un équilibre dynamique où le rapport entre les deux formes du phytochrome traduit les quantités respectives de lumière rouge et de lumière infrarouge. Ce mécanisme de détection permet aux Végétaux de s'adapter aux variations des conditions de lumière. Songez par exemple à un arbre héliophile, c'est-à-dire un arbre qui a besoin d'une intensité lumineuse relativement forte. Si d'autres arbres lui font de l'ombre, le rapport entre les deux formes du phytochrome penche en faveur de P_r, car le couvert de la forêt filtre plus de lumière rouge que de lumière infrarouge. Ce signal pousse l'arbre à consacrer la majeure partie de ses ressources à la croissance en hauteur.

D'autres photorécepteurs s'ajoutent au phytochrome pour ajuster la croissance et le développement des Végétaux au milieu. Nous avons déjà vu, par exemple, que

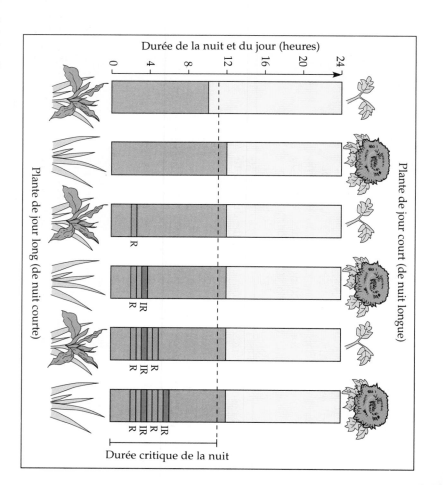

Figure 35.15
Effets réversibles de la lumière rouge et de la lumière infrarouge sur la réaction photopériodique. Un éclair de lumière rouge raccourcit la période d'obscurité. Un éclair subséquent de lumière infrarouge annule l'effet de l'éclair rouge.

Durée de la nuit et du jour (heures)

0 4 8 12 16 20 24

Plante de jour court (de nuit longue)

Plante de jour long (de nuit courte)

Durée critique de la nuit

---

l'extrémité des tiges contient un pigment qui absorbe la lumière bleue et qui joue le rôle de récepteur dans le phototropisme.

Rôle de l'horloge biologique dans le photopériodisme

Dans l'obscurité, le rapport entre les deux formes du phytochrome penche graduellement en faveur du P_r. On attribue en partie le phénomène au renouvellement de la réserve globale de phytochrome. Le pigment se fait synthétiser sous la forme P_r, et les enzymes dégradent plus de P_{ir} que de P_r (voir la figure 35.16). Chez certaines espèces végétales, en outre, un processus biochimique convertit lentement en P_r le P_{ir} présent au coucher du Soleil. Puis, au lever du Soleil, la concentration de P_{ir} s'élève soudainement, à la suite d'une conversion photochimique rapide du P_r. La conversion du phytochrome marque le commencement et la fin de la période d'obscurité. La conversion graduelle du P_{ir} en P_r dans l'obscurité pourrait constituer un sablier chimique qui mesure la durée de la nuit, mais la conversion se termine généralement quelques heures après le coucher du Soleil. Si la Plante se fiait à la disparition du P_{ir} pour mesurer la période d'obscurité, elle perdrait la notion du temps au milieu de la nuit. Par conséquent, ce n'est pas le phytochrome mais bien l'horloge biologique qui mesure la

durée de la nuit. Le phytochrome a pour rôle, dans le photopériodisme, de synchroniser l'horloge avec le milieu en indiquant le lever et le coucher du Soleil.

Si les conditions photopériodiques de la floraison sont remplies, l'horloge indique aux feuilles d'envoyer le stimulus de la floraison (le florigène peut-être) aux boutons floraux. Les Plantes mesurent très exactement la durée de la nuit. Certaines Plantes de jour court ne fleurissent pas s'il manque seulement une minute à la durée critique de la nuit; d'autres Plantes fleurissent chaque année le même jour. Selon l'hypothèse présentée ici, les Plantes utilisent l'horloge biologique, réglée à l'aide du phytochrome, pour mesurer la photopériode et, par le fait même, reconnaître les saisons.

Nous terminerons notre étude des systèmes de régulation des Végétaux en nous penchant sur la manière dont les stimuli hormonaux et extérieurs se propagent dans les cellules, des récepteurs jusqu'aux organites effecteurs.

CIRCULATION DE L'INFORMATION DANS LES CELLULES VÉGÉTALES

En 1990, des chercheurs de l'Université Stanford qui étudiaient la croissance d'*Arabidopsis* firent par hasard une découverte heureuse. Les chercheurs pulvérisaient des hormones sur des plants pour vérifier si elles avaient un

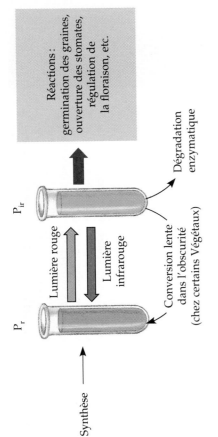

Synthèse

P$_r$

Lumière rouge

Lumière infrarouge

P$_{ir}$

Réactions :
germination des graines,
ouverture des stomates,
régulation de
la floraison, etc.

Conversion lente
dans l'obscurité
(chez certains Végétaux)

Dégradation
enzymatique

Figure 35.16
Le phytochrome. Les éprouvettes représentées ici contiennent en solution l'une des deux formes réversibles du phytochrome. L'absorption de lumière rouge transforme le P$_r$ bleuâtre en P$_{ir}$ turquoise. La lumière infrarouge inverse cette conversion. Dans la plupart des cas, c'est la forme P$_{ir}$ du pigment qui déclenche les réactions physiologiques des Végétaux.

effet quelconque sur l'expression des gènes. Effectivement, le traitement intensifiait la transcription de cinq gènes, mais l'activité des mêmes gènes augmentait également chez les plants témoins sur lesquels les chercheurs ne pulvérisaient que de l'eau. De plus, les chercheurs ont découvert que le simple fait de toucher les plants une ou deux fois par jour produisait le même effet. C'était la stimulation mécanique, et non les hormones ou l'eau, qui intensifiait la transcription des cinq gènes. Le contact influait aussi sur la morphologie des individus (thigmomorphogenèse). Les Plantes mécaniquement stimulées devenaient plus trapues que les Plantes témoins (figure 35.17). On suppose que les gènes activés par le contact détiennent le code des protéines qui participent à la réaction de croissance. Le stimulus tactile doit donc être converti en un message intracellulaire qui parvient jusqu'au noyau et qui modifie l'expression des gènes. La séquence d'événements survenant entre un stimulus et une réaction dans les cellules constitue un **processus de conversion et d'amplification.**

Les hormones et les stimuli externes agissent tous sur les Végétaux par l'intermédiaire d'un processus de conversion et d'amplification. Les botanistes commencent à peine à comprendre ce processus, mais ils savent déjà que, fondamentalement, il ressemble à ceux des cellules animales. Au début du chapitre, nous avons dit que les Végétaux et les Animaux réagissaient différemment aux variations du milieu. Mais, à l'échelon cellulaire, nous constatons entre les Végétaux et les Animaux des ressemblances étonnantes.

La circulation de l'information comporte trois grandes étapes : la réception, un processus de conversion et d'amplification et l'induction. La réception correspond à la détection d'un stimulus externe ou d'une hormone. Dans le cas des réactions à la lumière, la photoconversion du phytochrome en est un exemple, l'étape de la réception correspond à l'absorption d'une longueur d'onde particulière par un pigment contenu dans la cellule. Dans le cas de la réaction à une hormone, l'étape de la réception correspond à la liaison de l'hormone à un récepteur spécifique, généralement une protéine (figure 35.18). Le

récepteur peut être dissous dans le cytoplasme, associé à un organite ou intégré à la membrane plasmique, auquel cas l'hormone déclenche des réactions dans la cellule sans même y pénétrer. Une hormone ne peut influer que sur les cellules qui possèdent le récepteur approprié, c'est-à-dire les **cellules cibles.** Ainsi, on soupçonne les cellules de la zone d'élongation des tiges de posséder des récepteurs spécifiques à l'auxine, qui amorce le processus de la croissance. L'étape de la réception s'avère l'une des clés de la spécificité des réactions aux hormones.

L'étape de la conversion et de l'amplification transforme le stimulus (premier messager) en de nombreuses molécules d'une substance chimique capable de provoquer des réactions de la cellule, le **second messager.** Même si le récepteur est une protéine membranaire, le second messager achemine le stimulus hormonal à des sites intracellulaires. Ainsi, l'arrivée d'une hormone amène le récepteur ou les protéines intramembranaires associées à catalyser une réaction chimique qui produit le second messager du côté cytoplasmique de la membrane. Les biologistes sont à peu près convaincus que les ions calcium (Ca^{2+}) servent de second messager dans beaucoup de réactions des Végétaux. Un stimulus interne (hormone) ou externe (lumière rouge) fait augmenter la concentration de Ca^{2+} cytoplasmique. Le stimulus provoque chez l'organite récepteur la libération de ces ions ou cause l'ouverture, dans la membrane plasmique, de canaux protéiques spécifiques au calcium, ce qui occasionne un afflux de Ca^{2+} extracellulaire dans la cellule. Le Ca^{2+} se lie ensuite à une protéine appelée **calmoduline.** Au cours d'une réaction en chaîne, le complexe calmoduline-Ca^{2+} active d'autres molécules cibles dans la cellule. Tel est, probablement, le mode d'action de la lumière rouge sur les cellules contenant du phytochrome. L'absorption de la lumière rouge convertit le P$_r$ en P$_{ir}$. Ensuite, le P$_{ir}$ agit sur la membrane de façon que la concentration cytoplasmique de Ca^{2+} s'élève. Le Ca^{2+} se combine à la calmoduline, et leur union déclenche une cascade d'activation de protéines qui se traduit par les réactions que nous observons.

Notez que pendant la circulation de l'information, un stimulus subit une amplification. La liaison d'une seule molécule d'hormone à un récepteur produit une multitude de molécules de second messager, et ces molécules activent un nombre encore plus grand de protéines et d'autres molécules cellulaires. L'étape de la conversion et de l'amplification du stimulus contribue à la spécificité de la réaction. Deux types de cellules qui possèdent les récepteurs d'une hormone donnée ne réagissent pas de la même façon, car ils contiennent des protéines cibles différentes. Bien que nous ayons choisi le calcium comme exemple, il existe plusieurs autres seconds messagers (voir le chapitre 41).

À la troisième étape de la circulation de l'information, celle de l'induction, le stimulus amplifié déclenche les réactions spécifiques de la cellule au stimulus. Certaines de ces réactions sont relativement rapides. L'acide abscis-

sique, par exemple, mène à la fermeture des stomates en quelques minutes, à la suite d'une sortie de K+ des cellules stomatiques. De même, l'auxine entraîne rapidement l'acidification de la paroi cellulaire, ce qui facilite son élongation. Par contre, les réactions mises en jeu dans la modification de l'expression génique se déroulent lentement. Vous savez par exemple que l'auxine provoque l'élongation des cellules en activant les gènes qui contiennent le code des protéines nécessaires à la synthèse de la paroi cellulaire. De même, vous avez appris que le toucher modifie la morphologie des Végétaux en agissant sur le génome. L'étude de ces processus nous permettra de mieux comprendre l'adaptation des Végétaux à leur milieu. Les chercheurs qui se consacrent à leur élucidation perpétuent une tradition séculaire de recherche sur l'anatomie et la physiologie des organismes producteurs qui constituent le premier maillon des chaînes alimentaires.

Figure 35.17
Modification de l'expression des gènes par le toucher chez *Arabidopsis*. La Plante trapue, à gauche, a été touchée deux fois par jour. Comparez sa hauteur à celle de la Plante de droite, qui n'a pas été touchée. Les chercheurs ont découvert que cette réaction au toucher est associée à l'activation de cinq gènes. La stimulation mécanique des cellules ouvre un processus de conversion et d'amplification qui relaie le message au génome contenu dans le noyau.

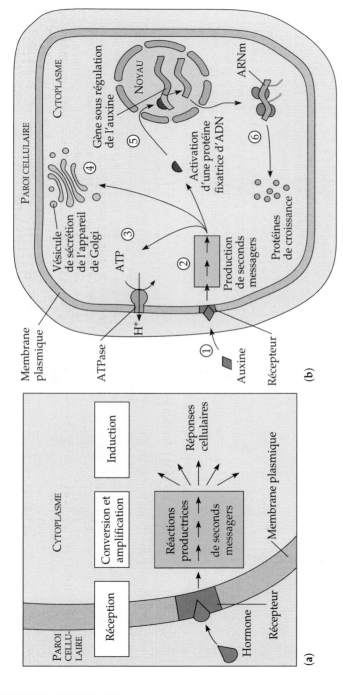

Figure 35.18
Circulation de l'information dans les cellules végétales. (a) Modèle général. La liaison d'une hormone à son récepteur entraîne la production d'un second messager qui provoque les diverses réponses de la cellule au stimulus initial. Dans le diagramme, le récepteur se situe à la surface de la cellule cible. Il existe aussi des cas où les récepteurs se trouvent à l'intérieur de la cellule. En plus des hormones, des stimuli externes (lumière, température, contact, etc.) peuvent amorcer un processus de conversion et d'amplification. **(b)** Exemple particulier : mécanisme hypothétique de la stimulation de l'élongation cellulaire par l'auxine. ① L'hormone se lie à un récepteur. ② Dans la cellule, ce stimulus est converti en un second messager qui entraîne diverses réactions. ③ Les pompes à protons sont activées, la sécrétion d'acide ramollit la paroi et la cellule s'allonge. ④ L'appareil de Golgi libère des vésicules contenant des matériaux destinés à épaissir la paroi cellulaire. ⑤ Un second messager active aussi des protéines fixatrices d'ADN qui entraînent la transcription de certains gènes. ⑥ La cellule produit les protéines nécessaires au maintien de sa croissance.

RÉSUMÉ DU CHAPITRE

Les Végétaux modifient leur croissance et leur développement en réponse à des stimuli extérieurs.

À la recherche d'une hormone végétale : la démarche scientifique à l'œuvre (p. 756-757)

1. Les hormones sont des messagers chimiques mobiles qui participent à la régulation des fonctions entre les parties éloignées d'un organisme.

2. La découverte de la première hormone végétale, l'auxine, eut lieu lors d'expériences sur le phototropisme.

Fonctions des hormones végétales (p. 757-765)

1. Cinq catégories d'hormones régissent la croissance et le développement des Végétaux en influant sur la division, l'élongation et la différenciation des cellules. Les réactions qu'elles provoquent dépendent de leur site d'action, de leur concentration ainsi que du stade de développement des individus.

2. L'équilibre hormonal, plus que l'action isolée de chaque hormone, régule la croissance et le développement des Végétaux.

3. L'auxine, produite principalement dans le méristème apical des pousses, stimule l'élongation cellulaire dans les différents tissus ciblés. À forte concentration, l'auxine provoque la synthèse d'éthylène et inhibe la croissance.

4. Un mécanisme de transport polaire achemine l'auxine de l'extrémité à la base des pousses.

5. Selon l'hypothèse de la croissance par voie d'acidification, l'auxine active des pompes à protons qui acidifient la paroi cellulaire. L'acidification rompt les ponts transversaux des microfibrilles de cellulose de la paroi. La cellule peut alors absorber un surcroît d'eau et s'allonger.

6. L'auxine influe sur la croissance secondaire et sur la différenciation, provoque la formation de racines adventives et favorise la croissance des fruits.

7. Les cytokinines, dérivées de l'adénine, stimulent la division cellulaire.

8. Les tissus en croissance active, tels les embryons, les racines et les fruits, sont riches en cytokinines. Conjointement avec l'auxine, les cytokinines stimulent la division cellulaire et influent sur la différenciation. Les variations ténues du rapport entre les cytokinines et l'auxine ont des effets précis sur le développement des Végétaux.

9. Les cytokinines et l'auxine interagissent de manière complexe pour régir la dominance apicale.

10. Les cytokinines retardent le vieillissement de certains organes végétaux, car elles prolongent la synthèse des protéines et mobilisent les nutriments.

11. Les gibbérellines produites dans les racines et les jeunes feuilles stimulent la croissance des feuilles et des tiges. De concert avec l'auxine, elles favorisent l'élongation des tiges.

12. Les gibbérellines et l'auxine favorisent le développement des fruits.

Chapitre 35 : La régulation chez les Végétaux **775**

13. Les gibbérellines facilitent la germination en stimulant la synthèse des enzymes qui mobilisent les nutriments emmagasinés dans la graine.

14. L'acide abscissique ralentit la croissance végétale et favorise la dormance : il provoque le développement d'écailles autour des bourgeons, inhibe la division cellulaire dans le cambium libéroligneux et interrompt la croissance des bourgeons et des graines. La fin de la dormance des bourgeons et des graines dépend du rapport entre l'acide abscissique et les gibbérellines. L'acide abscissique est aussi une « hormone de stress » qui aide les Végétaux à affronter les conditions défavorables.

15. L'éthylène, une hormone gazeuse, diffuse dans les lacunes et se répand dans toute la Plante. Il inhibe la croissance des racines et le développement des bourgeons axillaires en présence d'une forte concentration d'auxine. De plus, l'éthylène stimule la maturation des fruits et entraîne divers phénomènes de sénescence dans les cellules et les organes végétaux.

16. L'abscission des feuilles résulte d'une diminution de la production d'auxine et d'une augmentation de la production d'éthylène.

Mouvements des Végétaux (p. 765-768)

1. Le tropisme est une réaction de croissance qui rapproche ou écarte des organes végétaux entiers de certains stimuli.

2. La lumière déclenche la redistribution de l'auxine et provoque ainsi le phototropisme.

3. Le géotropisme repose vraisemblablement sur des plastes modifiés appelés statolithes.

4. Le thigmotropisme est une réaction d'orientation des vrilles consécutive au contact. L'élargissement des tiges constamment exposées à des vents violents illustre la thigmomorphogenèse.

5. Les mouvements issus d'une variation de la pression de turgescence constituent des réactions rapides et réversibles à des stimuli, dans des cellules spécialisées.

6. Les mouvements nyctinastiques des Légumineuses résultent des changements de la pression de turgescence dans les pulvini.

Rythmes circadiens et horloge biologique (p. 768-769)

1. Des horloges biologiques régissent les mouvements nyctinastiques et les autres réactions cycliques des Végétaux.

2. Les rythmes circadiens sont des cycles physiologiques qui ont une période d'environ 24 heures. L'absence de stimuli externes fait raccourcir ou allonger la période de quelques heures, mais elle ne modifie pas les cycles. La durée des périodes de clarté et d'obscurité du cycle règle vraisemblablement la plupart des horloges biologiques.

Photopériodisme (p. 769-772)

1. Le photopériodisme, l'ensemble des réactions à la durée du jour et de la nuit, concourt à réguler les stades de développement des Végétaux.

2. La régulation photopériodique de la floraison repose sur une durée critique de la nuit. Cette durée fixe un nombre d'heures d'obscurité minimal (Plantes de jour court) ou maximal (Plantes de jour long) pour la floraison. La floraison des Plantes indifférentes ne subit aucunement l'influence de la photopériode.

3. Un stimulus provenant des feuilles provoque l'apparition des boutons floraux. De nombreux scientifiques croient que ce stimulus est une hormone appelée florigène.

4. Le phytochrome, une substance protéique qui prend deux formes réversibles, indique aux Végétaux le lever et le cou-cher du Soleil. L'horloge biologique mesure la durée réelle de la nuit.

Circulation de l'information dans les cellules végétales (p. 772-775)

1. Les hormones stimulent les cellules en se liant à des récepteurs spécifiques (réception).

2. La réception déclenche la production d'un second messager dans la cellule (conversion et amplification).

3. Le second messager amorce une chaîne d'événements qui provoquent la réponse spécifique de la cellule (induction).

AUTO-ÉVALUATION

1. Laquelle des associations suivantes est incorrecte ?
   a) Auxine – stimule l'élongation cellulaire dans les pousses.
   b) Cytokinine – provoque la sénescence.
   c) Gibbérelline – stimule la germination des graines et l'éclosion des bourgeons.
   d) Acide abscissique – favorise la dormance des graines et des bourgeons.
   e) Éthylène – inhibe l'élongation cellulaire.

2. L'application d'un mélange d'auxine et de gibbérellines :
   a) favorise la croissance des fruits.
   b) détruit les Dicotylédones non graminéennes.
   c) prévient la sénescence.
   d) favorise la maturation des fruits.
   e) sert à traiter le nanisme chez les Végétaux.

3. Il arrive souvent que des bourgeons et des pousses se forment sur les souches. Selon vous, laquelle des hormones suivantes favorise le phénomène ?
   a) L'auxine.
   b) Les cytokinines.
   c) L'acide abscissique.
   d) L'éthylène.
   e) Les gibbérellines.

4. Lequel des énoncés suivants *n'est pas* conforme à l'hypothèse de la croissance par voie d'acidification ?
   a) L'auxine active les pompes à protons dans les membranes cellulaires.
   b) La baisse du pH rompt les ponts transversaux entre les microfibrilles de cellulose.
   c) La trame de la paroi se relâche (devient élastique).
   d) Les pompes à protons activées par l'auxine stimulent la division cellulaire dans le méristème.
   e) La pression de turgescence de la cellule vainc la résistance de la paroi relâchée, la cellule absorbe de l'eau et s'allonge.

5. Une Plante de jour long sécrète prématurément une hormone hypothétique appelée florigène si on l'expose expérimentalement à un éclair de:
   a) lumière infrarouge pendant la nuit.
   b) lumière rouge pendant la nuit.
   c) lumière rouge suivi d'un éclair de lumière infrarouge pendant la nuit.
   d) lumière infrarouge pendant le jour.
   e) lumière rouge pendant le jour.

6. Le phytochrome, qui concourt à régler l'horloge biologique, indique à la Plante la présence de lumière lorsque:
   a) le P_r est rapidement converti en P_{ir}
   b) le P_{ir} est lentement converti en P_r
   c) les concentrations de P_r et de P_{ir} sont égales.
   d) le P_{ir} absorbe la lumière rouge.

e) la production photosynthétique d'ATP alimente la conversion du phytochrome.

7. La montée en graines des tiges florales est déclenchée par une forte concentration :
a) d'auxine.
b) de gibbérellines.
c) de cytokinines.
d) de florigène.
e) d'éthylène.

8. Si la durée critique de la nuit est de 9 heures pour une Plante de jour court et une Plante de jour long, lequel des cycles de 24 heures suivants *empêche* sa floraison?
a) 16 heures de clarté et 8 heures d'obscurité.
b) 14 heures de clarté et 10 heures d'obscurité.
c) 15,5 heures de clarté et 8,5 heures d'obscurité.
d) 4 heures de clarté, 8 heures d'obscurité, 4 heures de clarté et 8 heures d'obscurité.
e) 8 heures de clarté, 8 heures d'obscurité, éclair de lumière et 8 heures d'obscurité.

9. Les organes qui mesurent la photopériode pour la régulation de la floraison sont :
a) les boutons floraux.
b) les bourgeons latéraux.
c) les feuilles.
d) les racines.
e) l'apex des tiges.

10. L'auxine provoque l'acidification de la paroi cellulaire, et l'acidification entraîne une croissance rapide suivie d'une élongation cellulaire soutenue et durable. Lequel des énoncés suivants explique le mieux le double effet de l'auxine?
a) L'auxine se lie à des récepteurs différents dans les diverses cellules.
b) Selon ses concentrations, l'auxine a des effets différents.
c) L'auxine amène un second messager à activer les pompes à protons et certains gènes.
d) Les deux effets en question sont causés par des auxines différentes.
e) Les effets de l'auxine sont modifiés par ceux d'hormones antagonistes.

QUESTIONS À COURT DÉVELOPPEMENT

1. Expliquez le mécanisme de transport polaire de l'auxine.
2. Le mouvement chez les Végétaux constitue une réponse et une adaptation à leur environnement. Expliquez le mécanisme de deux tropismes.

3. Dressez un schéma de concepts qui montre l'influence de la photopériode et de l'horloge biologique sur la floraison.
4. Décrivez la circulation de l'information dans les cellules végétales.

RÉFLEXION-APPLICATION

1. Expliquez les interactions possibles de la photopériode, du phytochrome, de l'horloge biologique, des gibbérellines et de l'acide abscissique dans la germination d'une graine plantée juste en dessous de la surface du sol.

2. Dans quelles circonstances une Plante de jour court et une Plante de jour long poussant au même endroit peuvent-elles fleurir le même jour?

SCIENCE, TECHNOLOGIE ET SOCIÉTÉ

1. Imaginez qu'un botaniste découvre une substance synthétique qui imite les effets d'une hormone végétale. On peut pulvériser cette substance sur les pommes avant la récolte pour prévenir la dégradation de la cire naturelle qui se forme sur la « peau » (exocarpe) du fruit. On obtient ainsi des pommes brillantes et d'un beau rouge sombre. Selon vous, quelles questions devrait-on se poser avant de laisser les pomiculteurs utiliser la substance?

2. Certains herbicides perturbent la croissance en imitant l'action d'hormones végétales. Le 2,4-D, par exemple, est une auxine synthétique. Pour détruire seulement les mauvaises herbes dans les champs, on peut rendre les cultures résistantes aux herbicides à l'aide des techniques de l'ADN recombiné. Quels avantages et inconvénients ces manipulations génétiques apportent-elles?

LECTURES SUGGÉRÉES

Darnell, J., Lodish, H. et D. Baltimore, *Biologie moléculaire de la cellule*, 2e éd. Bruxelles, De Boeck-Wesmael, 1993. (Le chapitre 18 traite des phytochromes, le chapitre 19, de l'influence des hormones végétales sur la croissance.)

Desbiez, M. O. et coll., « Les messages de croissance chez les plantes », *La Recherche*, n° 240, février 1992. (Article mettant l'accent sur la sensibilité végétale, le développement induit et les messagers chimiques.)

Lüttge, U., M. Kluge et G. Bauer, *Botanique*, Paris, Tec & Doc-Lavoisier, 1992. (Les chapitres 26 à 28 traitent de la régulation végétale.)

Meller, Y., « Des protéines qui défendent les plantes », *La Recherche*, n° 263, mars 1994. (Production de protéines « PR » à la suite d'une infection par des microorganismes.)

Rossion, P., « Comment le haricot trouve sa rame », *Science & Vie*, n° 877, octobre 1990. (Un exemple de la circulation de l'information dans la cellule végétale.)

ENTRETIEN AVEC LISE THIBODEAU

L'évolution a permis l'émergence de niveaux d'organisation complexes, tel celui des systèmes. Les Animaux sont les êtres qui possèdent l'organisation systémique la plus diversifiée, et leur survie dépend du bon fonctionnement de chacun de leurs systèmes. Le système immunitaire est chargé de protéger tous les autres contre les agressions par des agents pathogènes susceptibles de perturber leur fonctionnement.

Lise Thibodeau est biologiste. Elle a choisi de se spécialiser en virologie et s'applique à découvrir de nouvelles approches qui aideraient le système immunitaire à combattre les agents infectieux comme le Virus à l'origine du sida. Elle a fait ses études à l'Université de Montréal, qui lui a décerné un baccalauréat en sciences (biologie, option physiologie animale), une maîtrise en biologie moléculaire et un doctorat en biochimie. Elle a complété cette riche formation par deux stages postdoctoraux : le premier, en Belgique, axé sur la réparation de l'ADN et le second, en virologie, à l'Institut Armand-Frappier où elle a depuis concentré ses activités de recherche. En lisant cet entretien, vous découvrirez toute la curiosité et la ferveur qui animent Lise Thibodeau dans sa quête incessante de savoir et de compréhension des phénomènes biologiques.

Pendant votre formation, vous vous êtes intéressée à plusieurs domaines de la biologie. Voulez-vous nous préciser ce que vous avez fait dans chacun d'eux?

Après mes études de premier cycle en physiologie animale, j'ai entrepris une maîtrise qui m'a permis d'étudier l'ADN des chloroplastes, afin de voir s'il dérivait de l'ADN nucléaire, ou si les chloroplastes, la machine énergétique des Plantes, étaient des endosymbiontes lointains qui s'étaient spécialisés au point de ne conserver que leur appareil photosynthétique et le matériel génétique nécessaire à leur reproduction. J'ai ensuite complété un doctorat pour lequel j'ai fait une recherche sur une enzyme de réparation de l'ADN qui s'oppose aux transformations cancéreuses. J'ai démontré que cette enzyme, une endonucléase particulière, jouait un rôle important dans l'entretien et la réparation de l'ADN. Puis, j'ai effectué un stage postdoctoral de quatre ans en Belgique, où j'ai continué à travailler sur la réparation de l'ADN. En 1979, à l'Institut Armand-Frappier, j'ai amorcé une spécialisation en virologie, au cours d'un stage postdoctoral dont l'objectif était de développer une nouvelle génération de vaccins sous-unitaires et très immunogènes. J'ai travaillé sur une glycoprotéine de surface des Virus de la rubéole et de l'influenza (grippe). Cette sous-unité compose l'enveloppe virale (ce que le système immunitaire voit en premier) et est capable d'induire la formation d'anticorps aptes à neutraliser l'infectivité du Virus et de protéger contre la maladie. Notre objectif était de construire un faux Virus. J'ai utilisé au point de départ des liposomes préformés, des sortes de petites vésicules phospholipidiques à la surface desquelles on ancre la glycoprotéine virale. J'ai choisi de présenter au système immunitaire un liposome, c'est-à-dire une particule, parce que, depuis des millions d'années, le système immunitaire n'évolue pas dans le sens de la défense contre une variété de peptides et de protéines en solution. Tous les pathogènes qui existent dans le monde sont des particules, notamment les Virus et les Bactéries. Il s'agissait donc de présenter au système immunitaire un faux Virus qui n'a pas de pouvoir réplicatif et dont on connaît la composition précise. J'ai créé un tel vaccin contre l'influenza, et il a très bien fonctionné. Comme vous pouvez le constater, l'immunologie m'a servi de toile de fond dans ma formation en virologie. Je suis surtout intéressée à la recherche fondamentale, mais je m'intéresse beaucoup à l'application de la recherche ; c'est ça qui me stimule au fond. J'ai comme objectif de faire une recherche qui peut améliorer la santé des gens en les protégeant contre certaines maladies.

Dans quelles circonstances avez-vous décidé de faire de la recherche sur le Virus de l'immunodéficience humaine (VIH)?

Avant de m'intéresser au VIH, j'ai travaillé cinq ans, en collaboration avec des chercheurs de l'Institut Pasteur, au développement d'un vaccin sous-unitaire contre la rage, sous forme d'un immunosome. On appelle immunosome un faux Virus, parce qu'il a toutes les apparences d'un vrai Virus, qu'il est construit sur un liposome et qu'il est très immunogène. Nous avons mis au point un vaccin antirabique et nous avons démontré que cet immunosome-rage était capable de protéger plusieurs modèles animaux en préexposition et également en postexposition. Puis, le Professeur Montagnier, lui aussi de l'Institut Pasteur, a pris connaissance de mes travaux. Il est entré en contact avec moi et m'a fait part de son intérêt pour l'approche immunosome dans le développement d'un vaccin contre le VIH, on ne peut pas administrer un vaccin inactivé ou atténué comme tous les autres vaccins que nous connaissons. Il est donc impératif, particulièrement dans le cas du sida, d'administrer un vaccin sous-unitaire. Nous avons par conséquent établi une collaboration avec le Professeur Montagnier pour élaborer un immunosome-VIH. Avec le VIH, la recherche devenait plus compliquée. Nous n'avions pas assez de Virus au départ. J'ai dû mettre au point une méthode pour produire le VIH dans des cultures cellulaires à très haute densité, puis nous avons créé un immunosome-VIH et nous avons étudié ses propriétés sur le plan de l'induction d'anticorps, de la réponse humorale et de la réponse

cellulaire. Vers la fin de 1989 ou au début de 1990, des essais cliniques avec la glycoprotéine purifiée ont été mis en place. Les essais cliniques ont duré quelques années, malheureusement sans grand succès.

Mais on vaccinait en parentéral, c'est-à-dire qu'on donnait des injections intramusculaires. À la fin de 1989, lors du congrès des Cent-Gardes à Paris, auquel assistaient tous les ténors de la recherche sur le sida, j'ai dit : « Si vous ne voulez pas que le chat entre dans le salon, ce n'est pas dans la cuisine qu'il faut mettre la barrière ». Il faut la mettre à l'endroit où le Virus entre : puisque le VIH est transmis sexuellement, il faut renforcer l'immunité mucosale par des IgA sécrétoires au niveau des muqueuses génitales si on veut avoir une chance de réussir. Après la présentation de mon papier, le président de la séance a demandé s'il y avait des questions et il n'y a en a pas eu une seule. Pourquoi ? Parce que j'étais en avance sur mon temps. Mais un an et demi plus tard, tout le monde travaillait sur l'immunité mucosale. Au moment de ma communication, je me suis sentie très mal à l'aise ! Imaginez, pas une seule question !

J'ai donc développé un vaccin intra-génital, qu'on commence à tester chez le Macaque, et que j'ai testé chez le Lapin. Ce vaccin se présente sous la forme d'un petit ovule que l'on introduit dans le vagin. J'ai également mis au point des capsules entériques ; ce sont des capsules de gélatine enrobées contenant des antigènes.

Quel axe de recherche explorez-vous présentement avec le Professeur Montagnier ?

En dehors du vaccin contre le VIH, je travaille avec lui sur l'apoptose, c'est-à-dire la mort cellulaire programmée. C'est lui le premier à avoir proposé cette hypothèse. L'étape ultime dans la mort cellulaire programmée, c'est la fragmentation de l'ADN par une endonucléase. Je poursuis deux axes de recherche, la prévention et la pathogenèse. Dans le volet pathogenèse, je m'intéresse énormément à l'apoptose, et il y a des tas d'evidences qui montrent que l'apoptose joue effectivement un rôle. Mon objectif, c'est d'isoler la fameuse enzyme qui coupe l'ADN en petits morceaux, de la cloner, de l'exprimer par recombinaison génétique et d'étudier son mécanisme moléculaire. J'ai établi une collaboration avec le Pr Montagnier dans ce domaine-là parce que c'est lui le père de l'apoptose, mais le travail d'isolement, de purification et de caractérisation physicochimique de l'enzyme, tout ça va se faire ici à l'Institut Armand-Frappier, avec mon équipe.

Dans le domaine de la recherche, a-t-on avantage à établir des contacts avec d'autres spécialistes ou, au contraire, doit-on garder son projet secret par crainte de se faire damer le pion par un compétiteur ?

Bien sûr, il y a des tas de gens qui travaillent sur le développement des vaccins. Si on travaille seul, on fait face à une compétition extrêmement féroce, notamment par les laboratoires américains, qui disposent de moyens tellement supérieurs aux nôtres. Ici au Québec, c'est très dur et on ne peut plus travailler de façon isolée. Si je travaille avec une équipe de 5 à 10 personnes et qu'un laboratoire américain en compte 25 ou 30, il y a de bonnes chances qu'ils obtiennent des résultats avant moi. L'équipe du professeur Montagnier est une très grosse équipe et je pense qu'il est important de travailler en collaboration avec elle.

Pensez-vous arriver, avec beaucoup de travail, à élaborer à court ou à moyen terme un vaccin contre le sida ?

Les gens me demandent souvent c'est pour quand le vaccin. Je n'ai pas de boule de cristal, alors je ne sais pas. Mais, j'ai confiance. Je sais qu'il est possible de développer un vaccin contre le VIH. Ce sera difficile, mais ce n'est pas une tâche impossible. La plupart des vaccins protègent contre une maladie, mais avec le VIH il faut protéger contre l'infection. Le VIH est un Rétrovirus, et il prolifère dès qu'il infecte une cellule. Par la suite, il va intégrer son génome dans un très grand nombre de cellules et chacune d'elles avec son ADN proviral devient un cheval de Troie en puissance, c'est-à-dire qu'elle est susceptible de donner l'information virale aux générations qui la suivront. Donc, c'est l'infection initiale qu'il faut prévenir et ça, c'est très compliqué avec le VIH.

En quoi consistera ce vaccin ?

Ce sera une particule, sous forme d'immunosome. Parce que le vaccin à l'essai clinique présentement, c'est la glycoprotéine de l'enveloppe en solution, qui est très peu immunogène. De plus, les anticorps engendrés par cette protéine restent spécifiques de la souche virale. Si vous avez une autre souche, même apparentée, ces anticorps deviennent inefficaces. Depuis un bon nombre d'années, il se fait des essais cliniques de phase I et II. Une phase III devait commencer auprès de 15 000 à 25 000 personnes, en Thaïlande, en Afrique et, éventuellement, en Inde, mais le NIH (National Institutes of Health) a décidé de mettre un moratoire sur la phase III. Bref, il faut retourner dans nos laboratoires et continuer à travailler si l'on veut arrêter cette pandémie. Il faut trouver autre chose ! Allons-y plutôt par le biais de l'immunité mucosale, moi je suis tout à fait d'accord avec ça.

Entretien avec Lise Thibodeau

La recherche sur des souches de VIH présente-t-elle des risques pour votre santé ?

Il est certain que nous travaillons dans des conditions en confinement D, c'est-à-dire qui comportent des niveaux de protection très élevés. Notre laboratoire comporte une pression négative pour protéger aussi les personnes de l'extérieur ; on y travaille vêtu de couvre-chaussures, d'un bonnet, masqué et ganté jusqu'aux coudes. En fait, ce travail pourrait présenter des risques pour une personne qui n'a pas une formation adéquate en virologie. Mais si on suit les directives et qu'on travaille sous les hottes à flot laminaire... C'est toute une cérémonie que de travailler avec ce Virus-là. De plus, quand on travaille avec le VIH, tout coûte trois fois plus cher et prend trois fois plus de temps qu'avec tout autre Virus, parce que tout le matériel ne sert qu'une seule fois avant sa destruction. Il faut faire très attention, surveiller toutes nos manipulations. Il faut que nos trois cent milliards de neurones soient concentrés sur l'action immédiate, parce qu'une erreur ne pardonnerait probablement pas. Il n'y a pas vraiment de risque, car nous travaillons dans de bonnes conditions, mais il faut rester attentif.

À partir de quel moment les spécialistes des domaines médical et de la recherche ont-ils été sensibilisés à l'existence du sida ? Et d'où vient le Virus ?

En 1980, le centre des maladies infectieuses d'Atlanta recevait de nombreux diagnostics de pneumonie à *Pneumocystis carinii*, une forme de pneumonie extrêmement rare. On savait déjà à l'époque que cette maladie atteignait les personnes immunosupprimées, par exemple celles qui venaient de subir une transplantation d'organe et une neutralisation de leur système immunitaire afin de prévenir le rejet du greffon. Après avoir examiné ces patients, on a observé que leur taux de lymphocytes T auxiliaires, les chefs d'orchestre de la réponse immunitaire, avait chuté considérablement et que cette chute était due à un Virus. D'où vient le Virus ? Personne ne le sait. On a des raisons de croire qu'il a une origine africaine, à cause de la forte prévalence dans certaines régions d'Afrique, mais ça demeure une pure hypothèse.

Comment le VIH parvient-il à détruire le système immunitaire ?

Après l'infection, c'est-à-dire trois semaines à trois mois plus tard, la virémie (la présence de Virus dans le sang) apparaît, puis augmente rapidement. Le système immunitaire s'active et déclenche une réponse humorale (anticorps anti-VIH) et une réponse à médiation cellulaire (lymphocytes T). Cette contre-attaque du système immunitaire abaisse considérablement la virémie, mais il est trop tard : à ce stade,

le VIH a déjà réussi à s'infiltrer dans les lymphocytes T auxiliaires, qui jouent un rôle prépondérant dans les réponses humorale et à médiation cellulaire. Le VIH pénètre dans un lymphocyte T auxiliaire grâce à la complémentarité d'une glycoprotéine (gp120) à la surface du VIH et d'un récepteur protéique (CD4) situé à la surface du lymphocyte T. Par suite de la baisse de la virémie, la personne infectée

entre dans une longue phase asymptomatique. Il n'en reste pas moins que le VIH, caché dans les cellules du système immunitaire et à l'abri des attaques de ce dernier, détruit lentement les lymphocytes T auxiliaires et les centres germinatifs des ganglions lymphatiques.

Pour mieux comprendre ce processus de destruction, il faut regarder comment le génome viral se réplique. Le génome du VIH contient deux molécules d'ARN, chacune étant associée à une protéine, la transcriptase inverse, la fameuse enzyme qui transforme l'ARN viral en ADN proviral dans la cellule hôte, en l'occurrence le lymphocyte T auxiliaire. L'ADN proviral s'intègre ensuite au génome de la cellule hôte et devient par le fait même invisible pour le système immunitaire. Par la suite, chaque réplication de l'ADN lymphocytaire va permettre la réplication de l'ADN proviral. Et les occasions de réplication sont multiples. En effet, les lymphocytes T auxiliaires portent de très nombreux récepteurs T, chacun étant spécifique à un antigène particulier. Il suffit que le lymphocyte T infecté rencontre n'importe quel antigène compatible avec un de ses récepteurs pour qu'il s'active, se réplique et entraîne une prolifération clonale. Il aura ainsi une progéniture virale incroyable. Puis, un beau jour, l'ADN proviral prend la commande du métabolisme de la cellule hôte et l'oblige à fabriquer des VIH. Les lymphocytes T infectés meurent et les VIH nouvellement formés s'attaquent aux lymphocytes T sains. On assiste ensuite à une

dégradation rapide du système immunitaire.

La lutte contre le VIH comporte-t-elle d'autres difficultés ?

Un autre phénomène vient compliquer la lutte contre le VIH, celui des mutations. Vous le savez, le VIH est un Virus à ARN, et il s'avère que les Virus à ARN ont un taux de mutation extrêmement élevé. Ces mutations se manifestent entre autres dans les glycoprotéines de l'enveloppe, notamment la gp120. Cette glycoprotéine comporte une boucle immunodominante qu'on appelle V3 et c'est cette boucle qui varie énormément. Si vous fabriquez des anticorps pour une souche comportant une gp120 d'un type donné, votre travail est toujours à recommencer, puisqu'il apparaît continuellement de nouvelles souches comportant une gp120 différente.

Le plus grand défi concernant le VIH consiste à développer un vaccin qui soit sous-unitaire et immunogène. Présentement, le seul vaccin sous-unitaire qui existe, et il est tout récent, est le vaccin contre l'hépatite B, avec l'antigène de surface du Virus de l'hépatite B.

À quelles activités de recherche vous consacrez-vous cette année ?

Je mène de front cinq projets de recherche. Il y a bien sûr celui concernant le vaccin sous-unitaire contre le VIH. Un autre projet porte sur la pathogenèse et l'apoptose ; dans ce projet, je cherche à isoler l'endonucléase qui catalyse la dernière étape du suicide cellulaire, quand la cellule coupe son matériel génétique en petits morceaux. Pourquoi focaliser sur cette endonucléase ? Parce que même si la cellule a reçu tous les signaux pour se suicider, elle ne le fera pas si on bloque l'activité de cette endonucléase. Je veux développer des inhibiteurs de cette endonucléase pour être capable de renverser le processus de suicide cellulaire.

Cette activité a des implications très importantes à deux niveaux. On croit de plus en plus que l'apoptose joue un rôle déterminant dans le cancer. Si on créait des inhibiteurs de l'endonucléase en cause et qu'on transférait cette technologie aux cellules cancéreuses, on pourrait faire des progrès extraordinaires. Ça pourrait avoir une incidence intéressante aussi dans le phénomène du vieillissement. Remarquez que l'apoptose existe depuis toujours. Par exemple, au cours de l'embryogenèse, les cellules qui ont rempli leur rôle reçoivent un message de suicide, puis elles disparaissent. Pensons à la métamorphose du têtard au cours de laquelle les cellules de la queue, devenues inutiles, subissent l'apoptose.

Le troisième projet, sur lequel je travaille avec Lucie Lamontagne de l'Université du Québec à Montréal, porte sur le mécanisme de la pathogenèse de l'hépatite. Nous tra-

vaillons sur un modèle animal, le MHV3 (*murine hepatitis virus type 3*), grâce auquel nous étudierons à fond l'apoptose chez la Souris. Ce modèle présente beaucoup d'analogies avec le VIH. En effet, le Virus de l'hépatite B cause une immunodéficience et des désordres neurologiques qui ressemblent à la démence causée par le VIH.

L'autre projet a trait à l'immunité mucosale. Dans ce projet, on cherche à savoir comment on induit de l'immunité mucosale. Quel est le rôle des cellules M pour capter les antigènes dans la lumière intestinale et les livrer aux lymphocytes T au niveau des plaques de Peyer? Quel est le signal qui dit aux lymphocytes B de changer de production d'anticorps et de libérer des IgA sécrétoires, plutôt que des IgG et des IgM?

Finalement, je travaille à l'élaboration d'antiviraux. C'est bien beau de vouloir développer un vaccin, mais un vaccin n'aidera pas ceux qui sont déjà infectés. Il existe déjà plusieurs antiviraux, par exemple l'AZT, le ddC et le ddI, mais ils sont extrêmement toxiques. Ils inhibent la transcriptase inverse, ce qui diminue la réplication virale. Malheureusement, ils favorisent la sélection des mutants qui leur sont résistants, ce qui laisse le patient encore plus vulnérable qu'il ne l'était. Pour cette raison, mon objectif n'est pas seulement de tuer le Virus; tant qu'on ne fera que tuer le Virus qui s'exprime, on n'ira nulle part. Moi je veux surtout trouver un moyen de faire sortir l'ADN viral des cellules qui le portent, et ça, je vous assure, ce n'est pas évident.

Avec tous les projets que vous menez de front, vous reste-t-il du temps à consacrer à des activités autres que la recherche?

Très peu. Je travaille toujours 65 à 70 heures par semaine. Lorsque je me permets des loisirs, c'est dans les arts que je les trouve. J'aime beaucoup la musique, la peinture. De la musique, j'en écoute en permanence, elle constitue ma nourriture spirituelle; lorsque je rédige un article, une demande de fonds ou un protocole, je le fais en écoutant une symphonie de Beethoven ou un concerto de violon de Mozart.

Qu'est-ce que vous trouvez de si fascinant dans la recherche?

J'ai développé pour la recherche une passion absolument «dévastatrice». Mais moi, je suis une personne qui veut savoir: je veux faire, je veux comprendre et je ne veux pas subir. J'ai toujours été comme ça. Pendant mon enfance, à la campagne l'été chez mes grands-parents, je regardais une fleur et je voulais savoir comment elle était faite, pourquoi il y avait une rosette jaune dans les Marguerites, pourquoi il y a des œufs dans les nids des Oiseaux, pourquoi ceci, pourquoi cela. Donc, ma passion pour la recherche vient de cette passion innée de connaître, de chercher à comprendre le pourquoi des choses. C'est une soif qui ne peut jamais être satisfaite.

Dans votre profession de chercheuse, il vous arrive sûrement de vivre des moments exaltants et d'autres de déception. À quoi correspondent ces moments pour vous?

Bien sûr, il y a souvent des moments sombres dans la recherche. Les choses ne vont pas toujours comme on l'avait prévu ni aussi vite qu'on le voudrait. À un moment donné, vous travaillez sur un sujet depuis assez longtemps et vous complétez votre bibliographie. Vous vous rendez alors compte que quelqu'un a eu la même idée que vous, comme en fait foi sa publication. C'est terminé! Vous ne le publierez pas ce papier-là, ou si vous voulez le publier, vous allez l'envoyer à un journal de seconde classe pour dire que vous confirmez les résultats de quelqu'un d'autre. Ce n'est pas très glorieux pour quelqu'un qui est fier le moindrement. Il y a une pression incroyable dans le domaine de la recherche qui vous contraint à publier pour avoir des fonds. Cette pression engendre des publications de qualité inégale: certaines révèlent des découvertes très importantes tandis que d'autres ne sont que des redites de publications antérieures, comportant quelques modifications mineures pour la forme. D'autres fois, vous avez passé des mois à élaborer une hypothèse intéressante, à la vérifier en laboratoire et voilà que tout d'un coup vous obtenez des résultats attendus. Là, c'est l'euphorie qui vous élève au septième ciel et qui précède la bouteille de champagne. C'est un moment indescriptible, aussi extraordinaire que les plus beaux moments de l'amour.

Quelles sont les étapes d'élaboration d'un projet de recherche et quel temps consacrez-vous à chacune de ces étapes?

On commence par élaborer l'hypothèse. À partir de l'hypothèse, vous faites un certain nombre de prédictions. Vous devrez par la suite valider ces prédictions en laboratoire. Vous déterminez comment vous allez les tester. Après, c'est l'étape de la rédaction des protocoles. Et mettre un protocole au point n'est pas une mince affaire. Il ne s'agit pas d'aller faire du mouvement brownien dans le laboratoire: il faut s'assurer que les protocoles sont précis et complets. Après la validation des protocoles, vous expérimentez en laboratoire. Après les expérimentations, c'est l'étape de la mise en forme des résultats, en tableaux et en graphiques. Puis vous les interprétez et tant mieux pour vous s'ils vont dans le sens de vos prédictions, ce qui n'est pas toujours le cas. Vous les mettez de côté quelques jours, avant de les ressortir pour les considérer comme ceux de votre plus grand compétiteur et pour essayer de les démolir tous azimuts. Si vous y arrivez, vos travaux comportent une faille quelque part et ça vous amène à refaire vos devoirs. Si vous n'y arrivez pas, vous rédigez un article et vous publiez. Ce papier sera lu par plusieurs de vos compétiteurs qui, eux aussi, vont essayer de le démolir.

Le milieu de la recherche fait-il de plus en plus de place aux femmes de nos jours?

C'est un petit peu moins difficile que c'était, mais je crois que c'est presque énoncer un lieu commun que de dire que ce n'est pas toujours facile pour une femme en recherche. Bien sûr, il y a plus de femmes qui font de la recherche aujourd'hui qu'il n'y en avait il y a vingt-cinq ans. En recherche comme ailleurs, je pense que nous vivons encore dans un monde d'hommes fait par les hommes et pour les hommes. Par exemple, si vous soumettez une demande de fonds à un organisme subventionnaire, il y a de fortes chances que le comité décisionnel soit constitué uniquement d'hommes. Je ne crois pas que cette situation avantage les femmes.

Encouragez-vous les jeunes du secondaire et du collégial à faire carrière dans le domaine des sciences?

Certainement que je les encourage, et je leur dis que c'est une aventure intellectuelle absolument merveilleuse. Et la beauté de savoir, de connaître, ça vaut tous les efforts. Mais il faut avoir cette passion pour bien vivre la recherche, pour être capable d'en toucher et d'en goûter la récompense. Et j'encourage les filles à y aller. Mais je dois leur dire que si elles désirent un jour trouver des fonds de recherche, diriger un laboratoire, un groupe de recherche ou des étudiants diplômés, il ne faudra pas qu'elles soient aussi bonnes que les gars, il faudra qu'elles soient meilleures et prêtes à se battre pour prendre la place qui leur revient.

NIVEAUX D'ORGANISATION STRUCTURALE

TAILLE, MORPHOLOGIE ET MILIEU EXTERNE

MILIEU INTERNE DE L'ANIMAL

Figure 36.1
Corrélation entre la structure et la fonction. L'intestin de ce Ver plat (*Bdelloura candida*) possède de fines ramifications le dotant d'une grande surface pour l'absorption et la distribution des nutriments. Nous allons établir des corrélations entre la structure et la fonction tout au long de notre étude comparée de l'anatomie et de la physiologie animales. Dans ce chapitre d'introduction, vous allez apprendre quelques principes de base concernant la structure et la fonction animales.

0,5 mm

De nombreux élèves qui suivent un cours de bio-logie générale manifestent un grand intérêt pour l'anatomie et la physiologie humaines. Dans les chapitres de la présente partie, qui traite de la structure et de la fonction animales, vous allez acquérir un grand nombre de connaissances sur le fonctionnement de votre corps. Mais l'objet de cette partie du manuel ne se limite pas aux seuls Humains, ni même aux Vertébrés. Grâce à une approche comparative, nous verrons comment certains pro-blèmes communs — l'échange de gaz respiratoires (O_2 et CO_2) avec le milieu environnant, par exemple — ont été résolus par des organismes de complexité et d'origine diverses, des Protozoaires aux Vertébrés. (Bien que les Pro-tozoaires appartiennent aux Protistes unicellulaires, nous les inclurons ici afin d'établir un parallèle entre leur fonction-nement et certains processus qui se produisent à des niveaux supérieurs de l'organisation animale.)

Lorsque nous essayons de comprendre le fonctionne-ment de *tout* organisme, deux thèmes reviennent cons-tamment. Le premier est la corrélation entre la structure et la fonction (figure 36.1). Le second est la capacité des êtres vivants de s'adapter à leur milieu sur deux échelles de temps : à court terme, au moyen de réactions physio-logiques, et à long terme, grâce à l'adaptation par sélec-tion naturelle (voir le chapitre 21). Ces thèmes serviront de fil conducteur à notre étude comparée de la structure et de la fonction animales tout au long de cette partie.

Le présent chapitre constitue une introduction à cer-tains niveaux pluricellulaires d'organisation de la struc-ture animale. La structure d'un Animal — sa morphologie, sa symétrie, son organisation interne, etc. — résulte d'un mode de développement programmé par son génome, lui-même le produit de millions d'années d'évolution par sélection naturelle.

NIVEAUX D'ORGANISATION STRUCTURALE

Le monde vivant se caractérise par une hiérarchie d'ordre structural (voir le chapitre 1). Les atomes forment des molécules, les molécules s'assemblent et composent des organites tels que la membrane plasmique et les riboso-mes, et ces structures à leur tour s'organisent en unités vivantes appelées cellules. La cellule occupe une place particulière dans la hiérarchie des êtres vivants, car elle constitue l'unité structurale la plus simple capable de vivre en tant qu'organisme. Les Protozoaires, par exem-ple, possèdent des organites spécialisés dans des tâches précises, qui leur permettent de digérer des aliments, de se mouvoir, de percevoir les changements externes,

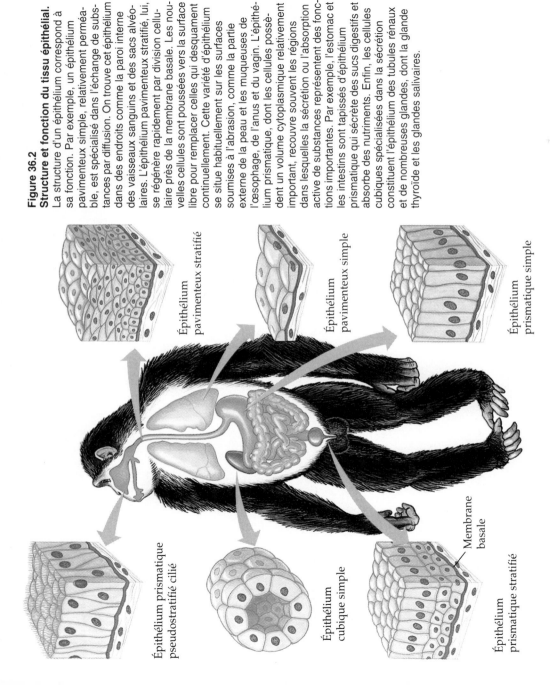

Figure 36.2
Structure et fonction du tissu épithélial.
La structure d'un épithélium correspond à sa fonction. Par exemple, un épithélium pavimenteux simple, relativement perméable, est spécialisé dans l'échange de substances par diffusion. On trouve cet épithélium dans des endroits comme la paroi interne des vaisseaux sanguins et des sacs alvéolaires. L'épithélium pavimenteux stratifié, lui, se régénère rapidement par division cellulaire près de la membrane basale. Les nouvelles cellules sont poussées vers la surface libre pour remplacer celles qui desquament continuellement. Cette variété d'épithélium se situe habituellement sur les surfaces soumises à l'abrasion, comme la partie externe de la peau et les muqueuses de l'œsophage, de l'anus et du vagin. L'épithélium prismatique, dont les cellules possèdent un volume cytoplasmique relativement important, recouvre souvent les régions dans lesquelles la sécrétion ou l'absorption active de substances représentent des fonctions importantes. Par exemple, l'estomac et les intestins sont tapissés d'épithélium prismatique qui sécrète des sucs digestifs et absorbe des nutriments. Enfin, les cellules cubiques constituent l'épithélium des tubules rénaux et de nombreuses glandes, dont la glande thyroïde et les glandes salivaires.

Épithélium pavimenteux stratifié

Épithélium pavimenteux simple

Épithélium prismatique simple

Épithélium prismatique pseudostratifié cilié

Épithélium cubique simple

Épithélium prismatique stratifié

Membrane basale

d'éliminer les déchets et de se reproduire, tout cela à l'intérieur d'une seule et même cellule. Les Protozoaires représentent le niveau cellulaire de l'organisation structurale, l'échelon le plus simple pour un organisme. Les organismes pluricellulaires, dont les Animaux, comprennent des cellules spécialisées regroupées en tissus ; ces tissus représentent l'échelon suivant dans la hiérarchie de structure et de fonction. Chez la majorité des Animaux, les divers tissus s'organisent en unités fonctionnelles appelées organes. Chez les Animaux les plus complexes, les organes travaillent de concert pour constituer ce que l'on appelle les systèmes de l'organisme. Par exemple, notre propre système digestif se compose de l'estomac, du gros intestin et de l'intestin grêle, de la vésicule biliaire et de plusieurs autres organes, chacun étant une association de différents types de tissu.

Tissus animaux

Un **tissu** est un ensemble de cellules dotées d'une structure et d'une fonction communes. Pour former un tissu, les cellules adhèrent les unes aux autres grâce aux substances qui les recouvrent (voir le chapitre 7) ou grâce à l'entrelacement de leurs fibres extracellulaires. Le terme *tissu* vient d'ailleurs du mot latin *texere* signifiant « tisser ».

Les histologistes, c'est-à-dire les biologistes spécialisés dans l'étude des tissus, distinguent quatre sortes de tissus animaux : le tissu épithélial, le tissu conjonctif, le tissu musculaire et le tissu nerveux. On trouve tous ces tissus, en plus ou moins grande quantité, chez tous les Animaux, à l'exception des plus simples tels les Éponges. Cependant, notre étude ici se limite aux tissus des Vertébrés.

Tissu épithélial Constitué par un ou plusieurs feuillets de cellules très rapprochées, le **tissu épithélial** tapisse la surface externe du corps ainsi que les organes et les cavités internes. Les cellules d'un épithélium libèrent peu d'espace entre elles, de sorte que peu de matière ou de liquide interstitiel les sépare. Dans de nombreux épithéliums, les cellules sont réunies par des jonctions serrées comme celles décrites au chapitre 7. (Voir la figure 7.35.) Cet assemblage convient bien au rôle de protection de l'épithélium contre les lésions mécaniques, l'entrée de microorganismes et la perte de liquides d'un organisme. Les cellules à la surface de l'épithélium se trouvent exposées à l'air ou au liquide, tandis que les cellules situées à la base reposent sur une **membrane basale**, une couche compacte de matériau extracellulaire.

On classe un épithélium selon deux critères : le nombre de couches cellulaires et la forme des cellules superficielles (figure 36.2). L'**épithélium simple** possède une

seule couche de cellules, alors que l'**épithélium stratifié** en compte plusieurs. L'épithélium pseudostratifié ne possède qu'une couche de cellules, mais il a l'aspect d'un épithélium stratifié parce que ses cellules sont de différentes longueurs. La forme des cellules situées à la surface d'un épithélium peut être **cubique** (comme un dé), **prismatique** (comme une brique debout), ou **pavimenteuse** (comme les dalles d'un pavage). En combinant les caractéristiques relatives à la forme des cellules et au nombre de couches, nous obtenons des expressions comme *épithélium cubique simple, épithélium pavimenteux stratifié*, etc.

Tout en protégeant les organes qu'ils tapissent, certains épithéliums sont spécialisés dans l'absorption ou la sécrétion de solutions. Par exemple, les cellules épithéliales qui revêtent la paroi intérieure du tube digestif et des voies respiratoires forment une tunique appelée **muqueuse**, parce qu'elles sécrètent une solution visqueuse nommée mucus qui lubrifie la surface et conserve son humidité. La muqueuse de l'intestin grêle sécrète également des enzymes digestives et absorbe des nutriments. Les cellules superficielles de certaines muqueuses possèdent des cils vibratiles qui font glisser la pellicule de mucus le long de la surface interne d'un organe. L'épi-

thélium cilié de nos voies respiratoires contribue à nettoyer nos poumons, car il capte la poussière et autres particules et les chasse vers l'extérieur du corps.

Tissu conjonctif La fonction du **tissu conjonctif** consiste surtout à fixer et à soutenir les autres tissus. Contrairement aux épithéliums dont les cellules sont très rapprochées, les tissus conjonctifs comprennent une population peu abondante de cellules, dispersées dans une **matrice** extracellulaire. Cette matrice se compose généralement d'un réseau de fibres enchâssé dans une substance fondamentale homogène qui est soit liquide, soit gélatineuse, soit solide. Dans la majeure partie des cas, les cellules du tissu conjonctif sécrètent les substances de la matrice, c'est-à-dire le liquide interstitiel et les protéoglycanes. Ces derniers se composent d'un ou plusieurs polysaccharides, appelés glycosaminoglycanes, greffés sur une protéine. Les principales variétés de tissu conjonctif chez les Vertébrés sont le tissu conjonctif lâche, le tissu adipeux, le tissu conjonctif fibreux, le tissu cartilagineux, le tissu osseux et le tissu sanguin. Chacune de ces variétés possède une structure adaptée à sa spécialisation.

Le tissu conjonctif le plus répandu chez les Vertébrés est le **tissu conjonctif lâche** (figure 36.3). Ce tissu sert à

Figure 36.3
Quelques variétés de tissu conjonctif. Région de l'articulation du genou.

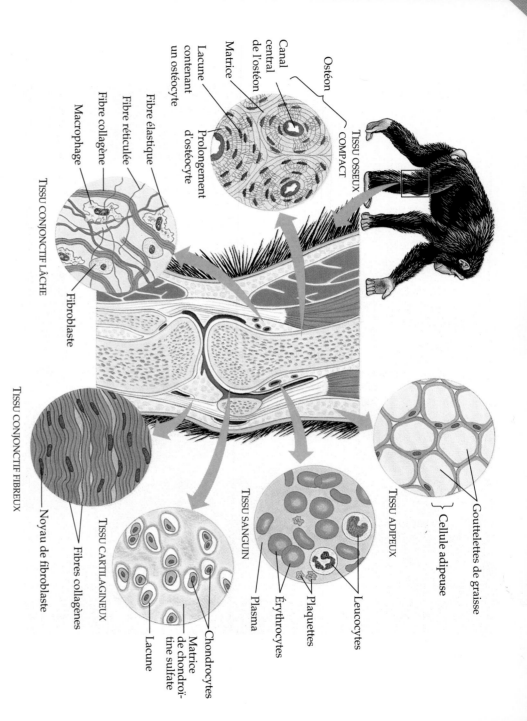

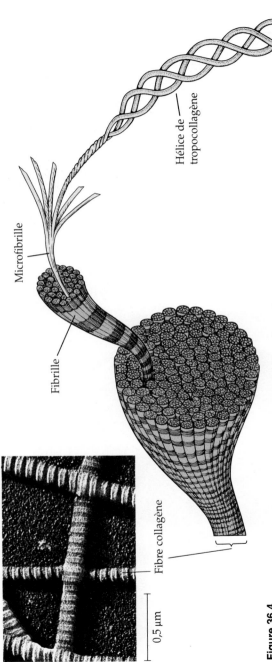

Figure 36.4
Structure du collagène. Une fibre collagène (en mortaise, MET) constitue un faisceau de nombreuses fibrilles, chacune de ces fibrilles étant elle-même un faisceau de microfibrilles. Une microfibrille se compose de nombreuses hélices de tropocollagène, et chaque hélice contient trois chaînes polypeptidiques torsadées.

Microfibrille

Fibrille

Hélice de tropocollagène

Fibre collagène

0,5 µm

fixer l'épithélium aux tissus sous-jacents et à envelopper les organes pour les maintenir en place. On qualifie ce tissu conjonctif de lâche parce que ses fibres s'entrelacent de manière espacée. Composées de protéines, ces fibres sont de trois sortes : les **fibres collagènes**, les fibres élastiques et les fibres réticulées. Les fibres collagènes sont constituées de collagène, probablement la protéine la plus abondante du règne animal. La fibre collagène est un faisceau de nombreuses fibrilles ; une fibrille comporte plusieurs microfibrilles, constituées chacune d'un grand nombre d'hélices de tropocollagène ; chaque hélice comprend trois chaînes polypeptidiques torsadées (figure 36.4). Les fibres collagènes ont une grande force de tension, ce qui signifie qu'elles ne se rompent pas facilement lorsqu'on les soumet à la traction ; en fait, elles offrent une plus grande résistance qu'une fibre d'acier de même calibre. Si vous pincez et tirez la peau au dos de votre main, ce sont principalement les fibres collagènes qui vous empêchent d'arracher la peau des muscles. Les **fibres élastiques** sont de longs fils composés d'une protéine appelée élastine. Comme leur nom l'indique, ces fibres ne résistent pas à l'étirement, contrairement aux fibres collagènes. Les fibres élastiques confèrent au tissu conjonctif lâche une souplesse qui complète la tension des fibres collagènes. Lorsque vous pincez le dos de votre main et que vous relâchez, les fibres élastiques redonnent rapidement à votre peau sa forme originale. Les **fibres réticulées** sont ramifiées et forment un réseau compact qui lie le tissu conjonctif aux tissus adjacents. Deux types de cellules dispersées dans la trame fibreuse du tissu conjonctif lâche prédominent : les fibroblastes et les macrophages. Les **fibroblastes** sécrètent les substances protéiques des fibres extracellulaires. Les **macrophages** sont des cellules amiboïdes qui parcourent le dédale de fibres dans le but de détruire par phagocytose les Bactéries et les débris de cellules mortes (voir le chapitre 8). Ils font partie d'un système de défense complexe que vous étudierez plus en détail au chapitre 39.

Le **tissu adipeux** est une forme spécialisée de tissu conjonctif lâche qui emmagasine les graisses (triacylglycérols) dans les cellules adipeuses disséminées dans sa matrice. Le tissu adipeux sert à isoler le corps, à amortir les chocs et à emmagasiner de l'énergie. Chaque cellule adipeuse renferme une grosse gouttelette de graisse qui gonfle lorsque l'organisme emmagasine des lipides et rétrécit lorsque l'organisme en utilise comme source d'énergie. L'hérédité constitue un facteur important de l'obésité, mais certaines recherches indiquent que le nombre de cellules adipeuses dans notre tissu conjonctif est en partie déterminé par la quantité de graisse que nous avons emmagasinée durant notre petite enfance. Cette découverte a de quoi décourager les adultes au régime qui présentaient de l'embonpoint en bas âge, car elle laisse supposer qu'ils ont plus de cellules adipeuses que les personnes ayant pris quelques kilos superflus au cours de leur vie.

Le **tissu conjonctif fibreux** est compact, car il contient beaucoup de fibres collagènes. Ces fibres constituent des faisceaux parallèles, un arrangement qui porte au maximum la force de tension. On trouve cette variété de tissu conjonctif dans les **tendons**, qui attachent les muscles aux os, et dans les **ligaments**, qui unissent les os à la hauteur des articulations.

Le **tissu cartilagineux**, ou **cartilage**, une autre variété de tissu conjonctif, contient de nombreuses fibres collagènes, enchâssées dans une substance fondamentale constituée d'un glycosaminoglycane particulier appelé chondroïtine-sulfate. La chondroïtine-sulfate et le collagène proviennent de cellules indifférenciées appelées **chondroblastes**. Après avoir sécrété la matrice, les chondroblastes deviennent matures et moins actifs, on les appelle alors chondrocytes. Les **chondrocytes** se trouvent emprisonnés dans des espaces nommés lacunes, qui parsèment la substance fondamentale. Grâce à cette association entre les fibres collagènes et la chondroïtine-sulfate, le cartilage constitue un matériau de soutien à la

Figure 36.5
Variétés de muscles chez les Vertébrés.
Le muscle squelettique se compose de faisceaux de longues cellules appelées fibres musculaires ; chaque fibre consiste en un faisceau de brins appelés myofi-brilles. Les myofibrilles sont des assemblages linéaires de sarcomères, les unités contractiles fondamentales du muscle. L'alignement des sous-unités de sarcomères dans les myofibrilles (micro-fibrilles musculaires) adjacentes forment des bandes, ou stries, claires et sombres. Le muscle cardiaque, également strié, possède des propriétés contractiles semblables à celles du muscle squelettique. Contrairement aux fibres du muscle squelettique, toutefois, les fibres du muscle cardiaque se ramifient et sont reliées par des disques intercalaires qui contribuent à synchroniser la contraction cardiaque. Le muscle lisse se compose de cellules fusiformes dépourvues de stries.

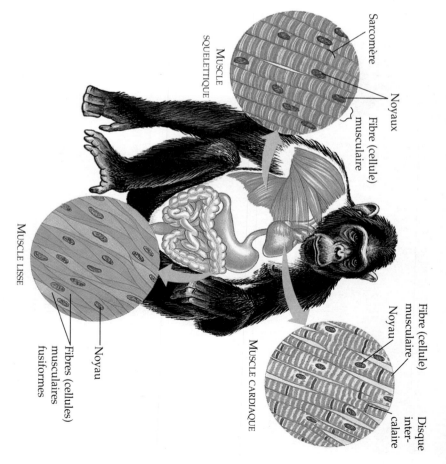

MUSCLE SQUELETTIQUE — Sarcomère — Noyaux — Fibre (cellule) musculaire

MUSCLE LISSE — Noyau — Fibres (cellules) musculaires fusiformes

MUSCLE CARDIAQUE — Fibre (cellule) musculaire — Noyau — Disque inter-calaire

fois résistant et flexible. Le squelette du Requin se compose de cartilage. D'autres Vertébrés, dont les Humains, possèdent un squelette cartilagineux au cours de leur stade embryonnaire, mais ce squelette durcit pour former du tissu osseux à mesure que l'embryon se développe. Nous conservons néanmoins du cartilage qui sert de matériau de soutien flexible dans certains endroits comme le nez, les oreilles, les anneaux qui renforcent la trachée, les disques qui servent d'amortisseurs entre nos vertèbres, ainsi que les extrémités de certains os.

Chez la plupart des Vertébrés, le squelette qui soutient le corps se compose de **tissu osseux**, ou **os**, un tissu conjonctif minéralisé. Des cellules appelées **ostéoblastes** sécrètent une matrice de collagène, mais elles libèrent également des sels à base de calcium, de phosphore, de magnésium, de potassium et de sodium qui durcissent la matrice. On appelle hydroxyapatite le sel le plus abondant dans la matrice ; il contient notamment du calcium et du phosphore $[3Ca_3 (PO_4)_2 \bullet Ca(OH)_2]$. La cristallisation de l'hydroxyapatite, combinée à la souplesse du collagène, rend les os plus durs que le cartilage sans qu'ils deviennent friables. La structure microscopique du tissu osseux compact chez un Mammifère présente une succession d'unités appelées **ostéons** (anciennement systèmes de Havers). Chaque ostéon possède des couches concentriques de matrice minéralisée, déposées autour d'un canal central contenant des vaisseaux sanguins nourriciers et des neurofibres régulatrices. Après avoir sécrété la matrice, les ostéoblastes maturent en ostéocytes ; ces derniers se trouvent dans des lacunes, espaces entourés par la matrice dure et reliés les uns aux autres par de longs et fins prolongements cellulaires périphériques. Dans les os longs, comme le fémur de la cuisse, seule la

région externe dure se compose de tissu osseux compact formé d'ostéons. L'intérieur de ces os renferme du tissu osseux spongieux, aussi appelé moelle osseuse. Les globules sanguins sont élaborés dans la moelle rouge située près des extrémités des os longs et dans les os plats du tronc. (Vous en apprendrez davantage sur les os et les squelettes au chapitre 45.)

Bien que le **tissu sanguin**, ou **sang**, fonctionne différemment des autres tissus conjonctifs, il satisfait au critère qui consiste à posséder une matrice extracellulaire étendue. Dans le cas du tissu sanguin, la matrice est un liquide, appelé plasma, composé d'eau, de sels et de diverses protéines solubles. Trois catégories de globules sanguins baignent dans le plasma : les érythrocytes (globules rouges), les leucocytes (globules blancs) et les plaquettes. Les globules rouges transportent l'oxygène, les globules blancs assurent la défense contre les Virus, les Bactéries et autres envahisseurs, et les plaquettes jouent un rôle dans la coagulation du sang. Les chapitres 38 et 39 traitent en détail de la composition et des fonctions du sang.

Tissu musculaire Le **tissu musculaire** se compose de cellules allongées, excitables et dotées d'une contractilité considérable. Le cytoplasme des cellules musculaires abrite un grand nombre de microfilaments, disposés en parallèle, qui sont constitués de protéines contractiles, l'actine et la myosine (voir le chapitre 7). Chez la majorité des Animaux, le tissu musculaire s'avère le tissu le plus abondant, conformément à l'importance que le tissu musculaire revêt dans leur cas. Ce tissu représente les deux tiers environ de la masse d'un Humain en bonne condition physique.

main, vos muscles vous obéiront ; mais les muscles lisses qui pétrissent le contenu de votre estomac ou contractent vos artères le font à votre insu. Vous en apprendrez davantage sur le fonctionnement et la contraction des muscles au chapitre 45.

Tissu nerveux Le **tissu nerveux** perçoit les stimuli et transmet des messages (les influx nerveux) d'une partie de l'Animal à une autre. L'unité fonctionnelle du tissu nerveux est le **neurone**, ou cellule nerveuse, spécialisé dans la production et la conduction d'influx (figure 36.6). Le neurone comporte un corps d'où partent deux ou plusieurs prolongements, qui peuvent atteindre 1 m de longueur chez l'Humain : les dendrites acheminent les influx vers le corps du neurone, et l'axone transmet les influx issus du corps du neurone. Vous étudierez la structure et la fonction des neurones plus en détail au chapitre 44.

Organes et systèmes

Chez tous les Animaux à l'exception des plus simples (Éponges et Cnidaires), différents tissus constituent, selon une organisation précise, des centres de fonction spécialisés appelés **organes.** Certains organes comprennent plusieurs couches de tissus. L'estomac, par exemple, possède quatre couches tissulaires principales (figure 36.7). La cavité est tapissée d'un épithélium épais qui sécrète le mucus et les sucs digestifs. À l'extérieur de cette couche se trouve une zone de tissu conjonctif, elle-même recouverte d'une couche épaisse de muscle lisse. Enfin, l'estomac est complètement enveloppé d'une autre couche de tissu conjonctif. Cette stratification caractérise également l'épiderme, la partie externe de la peau.

Chez les Vertébrés, de nombreux organes sont suspendus, au moyen de feuillets de tissu conjonctif appelés **mésentères,** dans des cavités remplies de liquide. Les Mammifères possèdent une **cavité thoracique** supérieure séparée de la **cavité abdominale** inférieure par une couche musculaire appelée diaphragme. Nous avons étudié au chapitre 29 l'origine embryonnaire de la cavité corporelle (cœlome) et des mésentères.

Il existe un niveau d'organisation supérieur à celui des organes. Chez les Vertébrés et la plupart des Invertébrés, les fonctions relèvent des **systèmes de l'organisme,** dont chacun comporte plusieurs organes. Les systèmes digestif, circulatoire, respiratoire et excréteur en constituent des exemples. Chacun de ces systèmes assure des fonctions spécifiques, mais tous doivent fonctionner de manière coordonnée pour que l'Animal survive. Par exemple, les nutriments absorbés par le tube digestif sont distribués dans tout l'organisme grâce au système circulatoire. Mais le cœur qui fait circuler le sang dans le système circulatoire a besoin des nutriments absorbés par le tube digestif et aussi de l'oxygène véhiculé par le système respiratoire. Tout organisme est une entité plus grande que la somme de ses parties.

TAILLE, MORPHOLOGIE ET MILIEU EXTERNE

La taille, la morphologie et la symétrie d'un Animal constituent des caractéristiques fondamentales de la structure et de la fonction qui déterminent le mode d'interaction

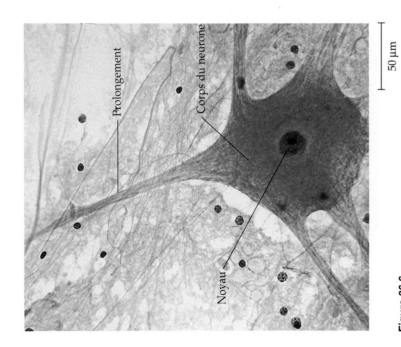

Figure 36.6
Cellule nerveuse. Ce neurone de la moelle épinière possède un corps volumineux et de multiples prolongements qui transmettent les influx nerveux (MP).

Il existe trois variétés de tissu musculaire dans le corps des Vertébrés : le tissu musculaire squelettique, le tissu musculaire cardiaque et le tissu musculaire lisse (figure 36.5). Fixé aux os par des tendons, le **tissu musculaire squelettique** intervient généralement dans les mouvements volontaires du corps et dans les mouvements réflexes associés à l'équilibre statique et dynamique. Les adultes possèdent un nombre fixe de cellules musculaires ; l'haltérophilie et les exercices de musculation n'augmentent pas le nombre de cellules musculaires mais simplement leur volume. L'arrangement juxtaposé des microfilaments d'actine et de myosine dans le tissu musculaire squelettique donne aux cellules une apparence rayée (striée) au microscope.

Le **tissu musculaire cardiaque** forme la paroi contractile du cœur. Il est strié comme le tissu musculaire squelettique, mais ses cellules se ramifient. Les extrémités des cellules sont réunies par des structures appelées disques intercalaires ; il s'agit de jonctions ouvertes qui transmettent d'une cellule cardiaque à l'autre l'influx nerveux qui provoque la contraction musculaire.

Le **tissu musculaire lisse,** ainsi appelé parce qu'il ne présente pas de stries, se trouve dans la paroi du tube digestif, de la vessie, des artères et d'autres organes internes. Ses cellules sont fusiformes. Elles se contractent plus lentement que celles des muscles squelettiques, mais leur contraction dure plus longtemps.

Les muscles squelettiques et lisses sont commandés par des types de nerfs différents. On qualifie les muscles squelettiques de «volontaires» parce qu'un Animal peut habituellement les contracter volontairement, ce qui n'est pas le cas des muscles lisses. Si vous décidez de lever la

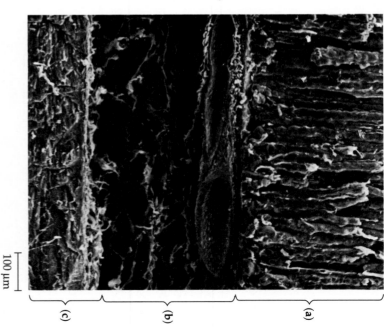

(a)

(b)

(c)

100 μm

Figure 36.7
Couches tissulaires de l'estomac, un organe du système digestif. Chaque organe du système digestif possède une paroi formée de quatre couches tissulaires principales : la muqueuse, la sous-muqueuse, la musculeuse et la séreuse. Les trois premières couches sont visibles sur cette micrographie électronique à balayage de la paroi stomacale, en coupe transversale. **(a)** La muqueuse est une couche épithéliale qui tapisse la cavité stomacale. **(b)** La sous-muqueuse est une matrice de tissu conjonctif qui contient des vaisseaux sanguins et des nerfs. **(c)** La musculeuse comprend une couche musculaire circulaire interne et une couche musculaire longitudinale externe. À l'extérieur de la musculeuse se trouve la séreuse, une mince couche de tissu conjonctif et de tissu épithélial. (Tiré de *Tissues and Organs : A Text-Atlas of Scanning Electron Microscopy*, de Richard G. Kessel et Randy H. Kardon, W. H. Freeman and Company, copyright © 1979.)

d'un Animal avec son milieu. Par exemple, pour absorber de l'oxygène et d'autres substances, et pour éliminer les déchets, l'Animal doit posséder une organisation telle que chaque cellule baigne dans un milieu aqueux. C'est seulement dans un tel milieu, en effet, que les substances dissoutes peuvent diffuser à travers la membrane plasmique. En raison de sa très petite taille, un Protozoaire vivant dans un environnement aqueux dispose d'une surface membranaire suffisante pour desservir l'ensemble de son cytoplasme (figure 36.8a). Les lois de la géométrie imposent des limites quant à la taille possible d'une seule et même cellule. Une grosse cellule possède une surface moindre par rapport à son volume qu'une petite cellule de forme identique (voir le chapitre 7). C'est l'une des raisons pour lesquelles presque toutes les cellules sont microscopiques. Un Animal pluricellulaire se compose de cellules microscopiques, dont chacune est dotée de sa propre membrane plasmique qui sert de plateforme de chargement et de déchargement pour un petit

volume de cytoplasme. Toutefois, ces échanges ne peuvent fonctionner que si toutes les cellules de l'Animal ont accès à un milieu aqueux approprié. L'Hydre d'eau douce, un Invertébré sacciforme (en forme de sac), possède une enveloppe corporelle de deux couches cellulaires seulement d'épaisseur (figure 36.8b). Comme sa cavité corporelle s'ouvre sur l'extérieur, les couches cellulaires externe et interne baignent dans l'eau. La forme corporelle plane de certains organismes constitue une autre façon de maximiser le contact avec le milieu externe. Par exemple, les Ténias peuvent mesurer plusieurs mètres de long, mais ils sont très minces de sorte que la majorité de leurs cellules baignent dans le liquide intestinal de leur hôte vertébré.

Les organismes plats et les organismes sacciformes à deux couches cellulaires ont une morphologie qui leur procure une grande surface de contact avec le milieu externe, mais ces formes simples ne laissent pas beaucoup de place à la complexité dans l'organisation interne. La plupart des Animaux sont plus volumineux et présentent

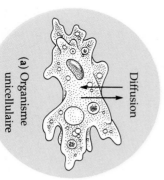

Diffusion

(a) Organisme unicellulaire

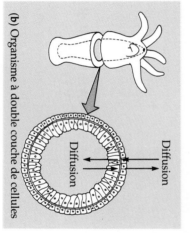

Diffusion

Diffusion

(b) Organisme à double couche de cellules

Figure 36.8
Contact avec le milieu. (a) Chez un organisme unicellulaire, comme cette Amibe, toute la surface est en contact avec le milieu. En raison de sa petite taille, la cellule possède une grande surface par rapport à son volume, surface à travers laquelle elle peut échanger des substances avec le monde extérieur. **(b)** Chez cette Hydre constituée d'une double couche de cellules, chaque cellule est en contact direct avec le milieu et échange des substances avec ce dernier.

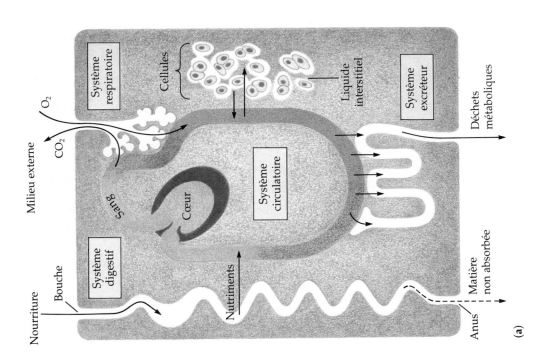

Nourriture

Bouche

Milieu externe

O₂

CO₂

Sang

Cœur

Système respiratoire

Cellules

Liquide interstitiel

Système excréteur

Déchets métaboliques

Système circulatoire

Système digestif

Nutriments

Anus

Matière non absorbée

(a)

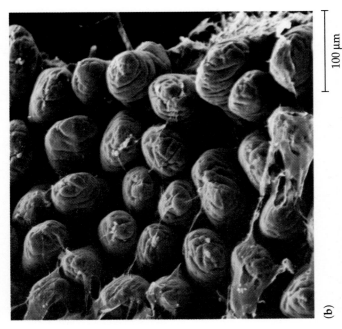

100 µm

(b)

Figure 36.9

Surfaces d'échange internes des Animaux complexes.
(a) Plutôt que d'utiliser leur surface corporelle externe, la plupart des Animaux complexes utilisent des surfaces spécialisées pour échanger des substances avec le milieu. Habituellement internes, mais reliées au milieu externe par des ouvertures sur le corps, ces surfaces d'échange sont accrues par des ramifications ou des replis. Un système circulatoire transporte les substances vers les diverses surfaces internes et les autres parties de l'organisme.
(b) La muqueuse de l'intestin grêle d'un Mammifère possède de nombreuses saillies, appelées villosités, qui dotent l'organe d'une très grande surface spécialisée dans l'absorption des nutriments (MEB).

un faible rapport surface/volume. En comparaison, le rapport surface/volume d'une Baleine est des millions de fois plus petit que celui d'un Protozoaire; pourtant chaque cellule de la Baleine doit baigner dans un liquide et être approvisionnée en oxygène, en nutriments et autres ressources.

La plupart des Animaux complexes possèdent des surfaces internes spécialisées dans l'échange de substances avec le milieu (figure 36.9a). Grâce à de nombreux replis ou à des ramifications étendues, ces membranes internes humides ont des surfaces d'échange accrues. La membrane interne de vos poumons, par exemple, est spécialisée dans l'absorption d'oxygène et l'élimination du dioxyde de carbone; elle tapisse des millions de cavités aériennes dont la surface totale s'élève à environ 100 m², soit approximativement la superficie d'un court de tennis. La surface interne du rein d'un Vertébré, constituée d'environ un million de tubules microscopiques, filtre les déchets du sang. Une autre surface, la muqueuse de l'intestin, absorbe les nutriments. L'intestin humain mesure à peu près 6 m de long, et sa muqueuse ondulée possède une surface d'échange équivalant à celle d'un terrain de basketball (figure 36.9b). Les substances se déplacent d'une surface d'échange à l'autre grâce au système circulatoire.

Bien que l'organisation des échanges avec le milieu soit plus complexe dans le cas d'un Animal de forme compacte que dans le cas d'un Animal dont toutes les cellules entrent en contact direct avec son milieu, la forme compacte offre certains avantages particuliers. Tout d'abord, elle permet à l'Animal de vivre sur la terre ferme puisque sa surface externe n'a pas besoin de baigner dans l'eau. En outre, comme le milieu immédiat des cellules est le liquide interne, l'Animal peut régir la qualité de la solution qui baigne ses cellules.

MILIEU INTERNE DE L'ANIMAL

Il y a plus d'un siècle, le physiologiste français Claude Bernard fit la distinction entre le milieu externe dans lequel un Animal vit et le milieu interne dans lequel les cellules de cet Animal vivent. Le milieu interne des Vertébrés s'appelle **liquide interstitiel**. Ce liquide, qui remplit les espaces entre nos cellules, facilite les échanges de nutriments et de déchets avec le sang contenu dans des vaisseaux microscopiques nommés capillaires. Claude Bernard souligna également la capacité de nombreux Animaux de maintenir des conditions internes relativement constantes, même lorsque le milieu externe change. L'Hydre qui habite les étangs est incapable de modifier la température du liquide dans lequel baignent ses cellules, mais l'Humain peut maintenir son «étang interne» à une température de 37 °C environ. Il peut également

maintenir précisément le pH de son sang et du liquide interstitiel à 7,4, au dixième près, et aussi régler la concentration molaire volumique de son glucose sanguin de façon que celui-ci ne s'écarte jamais longtemps de la normale (5 mmol/L). Parfois, évidemment, des changements majeurs dans le milieu interne doivent se produire au cours de la croissance d'un Animal. Par exemple, chez l'Humain, la concentration d'hormones dans le sang change radicalement pendant la puberté. Pourtant, la stabilité du milieu interne demeure remarquable.

De nos jours, le « milieu interne constant » de Claude Bernard est intégré dans le concept d'**homéostasie**, ou « état d'équilibre ». Un des principaux objectifs de la physiologie moderne consiste à nous apprendre comment les Animaux maintiennent l'homéostasie. Un système de régulation homéostatique possède toujours trois composantes fonctionnelles : un récepteur, un centre de régulation et un effecteur (figure 36.10a). Le *récepteur* détecte les changements qui se produisent dans les variables du milieu interne de l'Animal, par exemple un changement de la température corporelle. Le *centre de régulation* traite l'information que lui envoie le récepteur et dicte la réponse appropriée à *l'effecteur*, qui agira de manière à apporter un changement afin que l'organisme maintienne son homéostasie. Pour mieux comprendre le rôle de ces composantes dans l'homéostasie, faisons une analogie avec un mécanisme du monde inanimé : la régulation de la température d'une pièce dans une maison (figure 36.10b). Dans ce cas, le récepteur (thermomètre) et le centre de régulation se situent tous les deux dans un appareil appelé thermostat. Lorsque la température ambiante descend en dessous d'une **valeur de référence**, disons 20 °C, le thermomètre met en action un interrupteur qui démarre le système de chauffage (l'effecteur). Lorsque le thermomètre (récepteur) informe le centre de régulation du thermostat que la température

s'est élevée au-dessus de la valeur de référence, le chauffage s'arrête. On appelle **rétro-inhibition** ce mécanisme de régulation parce qu'un changement dans la variable sous régulation déclenche une réponse qui contrebalance la variation initiale. En raison du décalage entre la perception du changement et la réponse, la variable s'écarte de la valeur de référence vers le haut et vers le bas, mais les variations sont mineures. Les mécanismes de rétro-inhibition empêchent les grands écarts autour d'une variable. La plupart des mécanismes homéostatiques connus chez les Animaux fonctionnent selon ce principe de rétro-inhibition.

Notre propre température corporelle se maintient près d'une valeur de référence de 37 °C grâce à l'intervention de plusieurs mécanismes de rétro-inhibition. L'un d'eux fait intervenir la transpiration comme moyen de refroidir le corps. Voici comment il agit dans les grandes lignes. Une partie de l'encéphale appelée hypothalamus règle la température du sang. Si l'hypothalamus, qui tient lieu de thermostat, détecte une augmentation de la température corporelle au-dessus de la valeur de référence, il envoie par un réseau nerveux des influx qui ordonne aux glandes sudoripares d'accroître leur production de sueur afin de diminuer la température corporelle par vaporisation (voir le chapitre 3); par la même occasion, l'hypothalamus va réguler la vasodilatation des artérioles de la peau afin d'amener plus d'eau contenant de l'énergie thermique à vaporiser. Lorsque la température corporelle chute sous la valeur de référence, l'hypothalamus cesse d'envoyer des influx aux glandes. Dans les chapitres qui suivent, nous verrons comment les Animaux utilisent d'autres mécanismes de rétro-inhibition pour assurer le maintien de leur milieu interne.

Il existe également des exemples physiologiques de **rétroactivation**, où un changement dans une variable

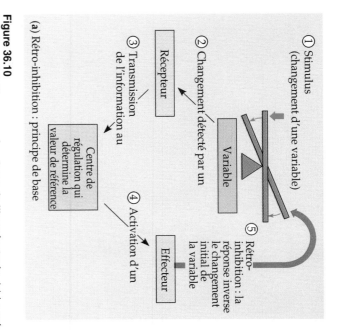

Figure 36.10
La rétro-inhibition, un mécanisme de l'homéostasie. (a) Le mécanisme de rétroaction rétablit l'équilibre de certaines variables en s'opposant aux changements. **(b)** La régulation de la température d'une pièce dans une maison repose sur la rétro-inhibition.

(a) Rétro-inhibition : principe de base

① Stimulus (changement d'une variable)
② Changement détecté par un Récepteur — Variable
③ Transmission de l'information au Centre de régulation qui détermine la valeur de référence
④ Activation d'un Effecteur
⑤ Rétro-inhibition : la réponse inverse le changement initial de la variable

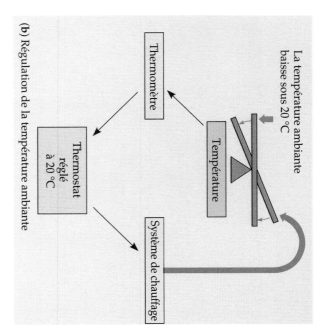

(b) Régulation de la température ambiante

La température ambiante baisse sous 20 °C
Thermomètre — Température
Thermostat réglé à 20 °C
Système de chauffage

déclenche des mécanismes qui amplifient le changement plutôt que de l'inverser. Au cours d'un accouchement, par exemple, la pression que la tête du bébé exerce contre des récepteurs spécifiques situés près de l'orifice de l'utérus stimule les contractions utérines, lesquelles entraînent une plus grande pression contre l'orifice utérin ; les contractions amplifiées provoquent une pression encore plus grande. La rétroactivation amène ainsi l'accouchement à son terme ; cette fonction épisodique constitue un processus très différent de celui qui maintient l'équilibre physiologique.

Il importe de ne pas exagérer le concept de « milieu interne constant ». En fait, il existe des changements certains cas, ces changements ont lieu de façon cyclique, comme la fluctuation des concentrations hormonales qui déterminent le cycle menstruel chez la femme (voir le chapitre 42). Dans d'autres cas, le changement qui se produit répond à une situation imprévue. Par exemple, le corps humain réagit à certaines infections en augmentant

légèrement la valeur de référence de sa température, et la fièvre qui apparaît alors aide à combattre les infections. Remarquez qu'à court terme, durant la période de fièvre, les mécanismes homéostatiques continuent de maintenir la température corporelle proche de la valeur de référence élevée, même s'ils permettent des changements plus grands qu'en situation normale. Mais à long terme, les mécanismes homéostatiques empêchent l'apparition fréquente de telles variations dans le milieu interne du corps, illustrant ainsi un des thèmes de la biologie : la capacité d'adaptation des organismes.

* * *

Maintenant que nous avons examiné quelques principes généraux concernant l'anatomie et la physiologie animales, nous allons voir comment divers Animaux remplissent des fonctions telles que la digestion, la circulation, les échanges gazeux, l'excrétion des déchets, la reproduction et la régulation.

RÉSUMÉ DU CHAPITRE

Notre étude des Animaux va nous permettre d'aborder deux thèmes fondamentaux de la biologie : la corrélation entre la structure et la fonction, et la capacité de s'adapter au milieu par une réaction physiologique et par la sélection naturelle.

Niveaux d'organisation structurale (p. 782-787)

1. L'organisation des Animaux résulte de l'assemblage de cellules spécialisées en tissus, des tissus en organes et des organes en systèmes dans un organisme.

2. Le tissu épithélial recouvre l'extérieur du corps et tapisse les organes et les cavités internes. Pour remplir leur rôle de barrière, les cellules du tissu épithélial sont étroitement juxtaposées et reposent sur une membrane basale. On qualifie les différentes variétés d'épithéliums d'après le nombre de couches cellulaires (épithélium simple ou stratifié) et d'après la forme des cellules superficielles (épithélium cubique, prismatique ou pavimenteux).

3. Certains épithéliums sont spécialisés dans l'absorption et la sécrétion. Par exemple, la muqueuse des systèmes digestif et respiratoire sécrète du mucus qui lubrifie et humidifie les surfaces internes de ces systèmes.

4. Le tissu conjonctif relie et soutient d'autres tissus. Contrairement aux cellules du tissu épithélial, les cellules du tissu conjonctif sont clairsemées dans une matrice extracellulaire formée de fibres et de substance fondamentale.

5. Le tissu conjonctif lâche, qui sert à lier et envelopper, se compose de fibroblastes et de macrophages répartis parmi des fibres collagènes, des fibres élastiques et des fibres réticulées. Le tissu adipeux est une variété de tissu conjonctif lâche spécialisé dans l'accumulation de graisses. Le tissu conjonctif fibreux, présent dans les tendons et les ligaments, comprend des faisceaux denses et parallèles de fibres collagènes. Le tissu cartilagineux, le tissu osseux et le tissu sanguin constituent aussi des variétés de tissu conjonctif. Le cartilage est un matériau de soutien solide mais flexible qui se compose de fibres collagènes et d'une substance fondamentale malléable sécrétée par les chondroblastes. Les ostéoblastes du tissu osseux sécrètent du collagène et des

sels minéraux. Après avoir maturé en ostéocytes, ils restent enchâssés dans une succession d'unités appelées ostéons.

6. Le tissu musculaire se compose de longues cellules excitables contenant des microfilaments parallèles de protéines contractiles. Chez les Vertébrés, il existe trois variétés de tissu musculaire : squelettique, cardiaque et lisse ; ces tissus diffèrent par leur morphologie, leur degré de striation et par le type de régulation nerveuse qu'ils subissent.

7. Le neurone est l'unité fonctionnelle du tissu nerveux. Son anatomie correspond parfaitement aux fonctions sensorielle et de transmission d'information du tissu nerveux. Le neurone se compose d'un corps doté de prolongements appelés dendrites et axone qui transmettent les influx.

8. Chez tous les Animaux à l'exception des plus simples, les tissus sont organisés en organes, unités fonctionnelles à la structure complexe. Chez les Vertébrés, de nombreux organes sont suspendus par des mésentères à l'intérieur de cavités corporelles remplies de liquide. Chaque système de l'organisme se compose d'organes et possède une fonction spécifique. Tous les systèmes doivent travailler de façon coordonnée pour assurer le bon fonctionnement de l'organisme.

Taille, morphologie et milieu externe (p. 787-789)

1. Chez un Animal pluricellulaire, toutes les cellules doivent baigner dans un milieu aqueux, condition qui détermine la morphologie corporelle. Chez les organismes sacciformes à double couche de cellules et chez les organismes de forme aplatie, les cellules se trouvent en contact direct avec le milieu externe. Les structures corporelles compactes et plus complexes possèdent des surfaces internes humides dotées de nombreux replis et spécialisées dans l'échange de substances avec le milieu. Le système circulatoire transporte ces substances vers toutes les parties de l'Animal.

Milieu interne de l'Animal (p. 789-791)

1. Le milieu interne dans lequel vivent les cellules est habituellement très différent du milieu externe dans lequel vit l'Animal. En outre, le milieu interne se trouve sous la

régulation directe de mécanismes qui contribuent à l'homéostasie.

2. Les mécanismes homéostatiques font habituellement intervenir la rétro-inhibition. Ces mécanismes permettent également des changements régulés qui sortent de l'ordinaire, en réagissant à des modifications occasionnelles des valeurs de référence corporelles pour certaines variables comme la température. Ces changements découlent de la capacité d'adaptation des êtres vivants.

AUTO-ÉVALUATION

1. Comment un histologiste décrirait-il l'épithélium plat, squameux et constitué de plusieurs couches de la peau humaine ?
a) Pavimenteux simple.
b) Pavimenteux stratifié.
c) Prismatique stratifié.
d) Cubique pseudostratifié.
e) Prismatique cilié.

2. Parmi les structures ou matériaux suivants, lequel est *incorrectement* associé à un tissu ?
a) Ostéon — os.
b) Plaquettes — sang.
c) Fibroblastes — tissu musculaire squelettique.
d) Chondroïtine-sulfate — cartilage.
e) Membrane basale — épithélium.

3. Quelles structures contribuent le plus à la force de tension du tissu conjonctif lâche ?
a) Les fibres élastiques.
b) Les myofibrilles.
c) Les fibres collagènes.
d) La chondroïtine-sulfate.
e) Les fibres réticulées.

4. Les muscles involontaires qui font avancer la nourriture dans notre intestin sont des :
a) muscles striés.
b) muscles cardiaques.
c) muscles squelettiques.
d) muscles lisses.
e) muscles intercalaires.

5. Parmi les termes suivants, lequel *ne* désigne *pas* un tissu ?
a) Le cartilage.
b) La muqueuse qui tapisse l'estomac.
c) Le sang.
d) Le cerveau.
e) Le muscle cardiaque.

6. Comment s'appellent les membranes qui servent à suspendre les organes des Vertébrés dans la cavité corporelle ?
a) Les muscles lisses.
b) Les tissus conjonctifs lâches.
c) Les membranes coelomiques.
d) Les ligaments.
e) Les mésentères.

7. En comparant une petite cellule avec une cellule plus grosse de même forme, on constate que la grosse cellule a :
a) une surface moins grande que la petite cellule.
b) une surface moindre par unité de volume.
c) le même rapport surface/volume que la petite cellule.
d) une distance moyenne inférieure entre ses mitochondries et la source externe d'oxygène.
e) un rapport cytoplasme-noyau inférieur.

8. Parmi les systèmes suivants, chez un Vertébré, lequel *ne* s'ouvre *pas* sur le milieu externe ?
a) Le système digestif.
b) Le système circulatoire.
c) Le système excréteur.
d) Le système respiratoire.
e) Le système reproducteur.

9. La plupart de nos cellules sont entourées :
a) de sang.
b) d'un liquide de composition semblable à celle de l'eau de mer.
c) de liquide interstitiel.
d) d'eau pure.
e) d'air.

10. Parmi les réactions physiologiques suivantes, laquelle illustre la *rétroactivation* ?
a) Une augmentation de la concentration de glucose dans le sang incite le pancréas à sécréter de l'insuline, une hormone qui abaisse la concentration sanguine du glucose.
b) Une concentration élevée de dioxyde de carbone dans le sang provoque une respiration plus profonde et plus rapide pour expulser le dioxyde de carbone.
c) La stimulation d'une cellule nerveuse provoque l'entrée massive d'ions sodium dans la cellule, ce qui génère un influx nerveux dont la propagation fait entrer encore plus de sodium dans la cellule.
d) La production d'érythrocytes, qui transportent l'oxygène depuis les poumons vers les autres organes, est stimulée par une faible concentration d'oxygène.
e) L'adénohypophyse sécrète une hormone appelée TSH, laquelle incite la glande thyroïde à sécréter une autre hormone appelée thyroxine. Une concentration élevée de thyroxine inhibe la sécrétion de TSH par l'adénohypophyse.

QUESTIONS À COURT DÉVELOPPEMENT

1. Plusieurs couches de tissus différents forment les organes.
a) Quelle sorte de tissu animal retrouve-t-on dans tous les organes ?
b) Dans quels types d'organes figureront les autres sortes de tissus ?

2. Comment les cellules d'un Animal qui a un très faible rapport surface/volume parviennent-elles à effectuer des échanges avec le milieu externe de cet Animal ?

RÉFLEXION-APPLICATION

1. Les érythrocytes captent l'oxygène en passant dans les capillaires (vaisseaux sanguins microscopiques) des poumons et le libèrent en passant dans les capillaires des autres organes. En tenant compte de cette fonction, expliquez pourquoi il est préférable pour notre sang de contenir d'énormes quantités de très petits érythrocytes plutôt qu'une petite quantité de gros érythrocytes. (Supposez que le volume *total* d'érythrocytes est le même dans les deux cas.)

2. Choisissez trois tissus de Vertébrés et décrivez la corrélation entre leur structure et leur fonction.

3. Identifiez chacun des tissus illustrés ci-dessous (MP). Répondez de la façon la plus précise possible.

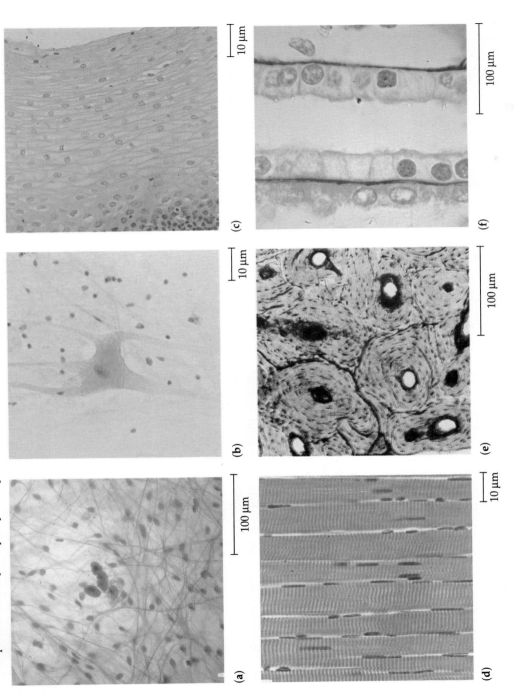

(a)

(b)

(c)

(d)

(e)

(f)

SCIENCE, TECHNOLOGIE ET SOCIÉTÉ

Les chercheurs en médecine explorent la possibilité d'utiliser des tissus artificiels pour remplacer divers tissus humains. On parle par exemple d'utiliser un liquide qui servirait de « sang artificiel » ou d'avoir recours à un tissu qui tiendrait lieu temporairement de peau artificielle pour les grands brûlés. Dans quelles autres situations pourrait-on utiliser du sang et de la peau artificiels ? Quelles caractéristiques ces substituts devraient-ils présenter pour fonctionner efficacement dans l'organisme ? Pourquoi les vrais tissus fonctionnent-ils mieux ? Si tel est le cas, pourquoi donc ne pas utiliser les vrais tissus ? Quels autres tissus artificiels pourrait-on mettre au point ? Selon vous, quels problèmes pourraient nuire à leur mise au point et leur application poseraient-elles ?

LECTURES SUGGÉRÉES

Bentolila, V., « La charpente et les muscles », *Science & Vie*, hors série, n° 187, juin 1994. (Photographies à l'appui, description de plusieurs tissus étudiés dans ce chapitre.)

Dadoune, J.-P., *Histologie*, Paris, Flammarion, 1991. (Ouvrage exhaustif sur les tissus, un manuel de référence.)

Gartner, L. P. et J. L. Hiatt, *Atlas d'histologie*, Bruxelles, De Boeck-Wesmael, 1992. (Les chapitres 2 à 7 traitent les tissus que nous avons étudiés.)

Houston, C., « Le mal de montagnes », *Pour la Science*, n° 182, décembre 1992. (Les conséquences de l'altitude sur l'homéostasie.)

Marieb, E. N., *Anatomie et physiologie humaines*, Saint-Laurent, Éditions du Renouveau Pédagogique Inc., 1993. (Le chapitre 4 décrit les quatre sortes de tissus.)

Pagnier, J. et C. Poyart, « Le sang artificiel », *La Recherche*, n° 254, mai 1993. (Mise au point d'un substitut du sang, à l'aide du génie génétique.)

Rabaud, M., « Comment repriser des tissus humains ? », *La Recherche*, n° 250, janvier 1993. (La fabrication d'un biomatériau d'élastine-fibrine au service des techniques chirurgicales.)

RÉGIMES ALIMENTAIRES ET TYPES D'INGESTION

DIGESTION : INTRODUCTION À UNE ÉTUDE COMPARÉE

SYSTÈME DIGESTIF DES MAMMIFÈRES

ADAPTATIONS ÉVOLUTIVES DES SYSTÈMES DIGESTIFS

CHEZ LES VERTÉBRÉS

BESOINS NUTRITIONNELS

C haque repas que nous prenons nous rappelle que nous sommes des Animaux, tributaires d'un apport régulier d'aliments provenant d'autres organismes. En tant qu'hétérotrophes, les Animaux sont incapables de vivre uniquement de nutriments inorganiques ; ils doivent se nourrir d'aliments comprenant des composés organiques pour obtenir l'énergie et les matières premières indispensables à leur croissance et à la réparation de leurs tissus. La capacité de se nourrir se répercute de façon marquée sur le succès reproductif d'un Animal, et la sélection naturelle a produit des adaptations nutritionnelles fascinantes au cours de l'évolution du règne animal (figure 37.1). Dans ce chapitre, nous allons comparer les divers mécanismes par lesquels les Animaux se procurent leur nourriture et la transforment.

RÉGIMES ALIMENTAIRES ET TYPES D'INGESTION

La plupart des Animaux sont holotrophes, c'est-à-dire qu'ils ingèrent d'autres organismes, morts ou vivants, en entier ou par morceaux. (Certains Animaux parasites font exception, comme les Ténias qui absorbent des molécules organiques directement à travers leur enveloppe externe.) Les régimes alimentaires varient. Les **herbivores** (les mots latins *herba* et *vorare* signifient « herbe » et « manger »), tels les Gorilles, les Bœufs, les Koalas et les Poissons se nourrissant d'Algues, mangent des Végétaux. Les **carnivores**, comme les Requins, les Faucons, les Araignées et les Serpents, ingèrent d'autres Animaux (le mot latin *carnis* signifie « chair »). Les **omnivores** (du latin *omnis* « tout ») consomment et des Animaux et des Végétaux. Les Cafards, les Corneilles, les Ratons laveurs et les Humains, qui ont évolué comme chasseurs et cueilleurs, constituent des exemples d'omnivores.

Les mécanismes par lesquels les Animaux se procurent leur nourriture varient également. Beaucoup d'Animaux aquatiques se nourrissent de matières en suspension, c'est-à-dire qu'ils filtrent les particules d'aliments contenues dans l'eau. Ils utilisent un mécanisme d'**ingestion par filtration**. Les Palourdes et les Huîtres, par exemple, se servent de leurs branchies pour retenir les particules nutritives que des cils vibratiles propulsent ensuite vers la bouche en même temps qu'une pellicule de mucus. Les Baleines dépourvues de dents (Mysticètes), les plus gros Animaux de tous les temps, se nourrissent aussi de cette façon. Elles nagent la bouche grande ouverte pour ingérer des millions de petits Animaux qu'elles filtrent à partir de l'énorme quantité

Figure 37.1

L'ingestion, mode de nutrition animal. La majorité des Animaux se nourrissent en mangeant d'autres organismes. Le Koala cendré (*Phascolarctos cinereus*), un Marsupial australien, se procure presque toute sa nourriture et son eau en ingérant les feuilles de quelques espèces d'*Eucalyptus*. Ce n'est pas un régime très riche, mais les adaptations du tube digestif des Koalas leur permettent de se spécialiser dans une ressource nutritive pour laquelle il y a relativement peu de compétition de la part d'autres Animaux. Dans ce chapitre, vous vous familiariserez avec les divers régimes alimentaires, mécanismes de nutrition et adaptations digestives qui se sont développés dans le règne animal.

Figure 37.2
Ingestion par filtration d'eau : les Baleines à fanons (Mysticètes).
(a) Cette Baleine grise (*Eschrichtius gibbosus*) et les autres Mysticètes utilisent leurs fanons, semblables à des peignes suspendus à leur mâchoire supérieure, pour filtrer de petits Crustacés appelés Krill à partir d'énormes quantités d'eau. La Baleine ouvre sa bouche et emplit sa cavité buccale expansible, puis ferme sa bouche et contracte les muscles qui entourent sa cavité buccale. L'eau est alors expulsée de la bouche à travers les fanons, qui empêchent toutefois la sortie du Krill destiné à nourrir la Baleine. (b) Une adaptation comportementale permet au Rorqual à bosse (*Megaptera novaeangliæ*) de concentrer le Krill avant de le filtrer, comme le représente ce tableau de Richard Schlecht. La Baleine crée un « filet de bulles » en soufflant et en nageant en spirale vers le haut à partir d'une profondeur de 15 m environ. Le Krill et d'autres petits Animaux vivant en surface ont tendance à s'éloigner des bulles et se concentrent ainsi au milieu du filet. Après avoir rassemblé le Krill, la Baleine récolte sa prise en nageant la bouche grande ouverte au centre du cylindre de bulles.

d'eau poussée à travers leurs fanons, des lames cornées fixées à la mâchoire supérieure (figure 37.2).

D'autres Animaux se nourrissent par **ingestion du substrat**. Ils vivent sur leur source de nourriture ou à l'intérieur de celle-ci et se frayent un chemin en mangeant. Les Tordeuses de bourgeons ou de feuilles en constituent un exemple ; ces larves de divers Insectes creusent des galeries dans le mésophylle mou situé entre les deux épidermes des feuilles (figure 37.3). Les Vers de terre font également partie de cette catégorie, à la différence qu'ils se frayent un chemin en mangeant de la terre. Ils récupèrent ainsi des détritus, c'est-à-dire des matières organiques partiellement décomposées qu'ils ingèrent en même temps que la terre. Pour cette raison, on les qualifie de **saprophages**.

D'autres espèces ont recours à un mécanisme d'**ingestion par aspiration** de liquides riches en nutriments (figure 37.4). Les Pucerons, par exemple, puisent la sève du phloème des Végétaux, tandis que les Sangsues et les Moustiques sucent le sang des Animaux. Ces organismes nuisent à leurs hôtes, si bien qu'on les considère comme des parasites. Par contre, les Colibris et les Abeilles rendent service à leurs hôtes, car ils transportent le pollen quand ils visitent les fleurs à la recherche de nectar.

La plupart des Animaux, cependant, ne se procurent pas leur nourriture en filtrant l'eau, en se frayant un chemin dans le substrat qu'ils mangent ou en aspirant des liquides ; ils ingèrent plutôt des morceaux relativement gros de nourriture, voire la proie entière (figure 37.5). Ils accomplissent ainsi une **ingestion en vrac**. Ils utilisent diverses parties de leur anatomie pour tuer leur proie ou

déchirer la chair ou les matières végétales : tentacules, pinces, griffes, crochets venimeux, mâchoires et dents. Les Humains ingèrent de cette façon.

DIGESTION : INTRODUCTION À UNE ÉTUDE COMPARÉE

Peu importent son régime alimentaire et son mode d'ingestion, un Animal doit digérer sa nourriture. La **digestion** est le processus de dégradation de la nourriture

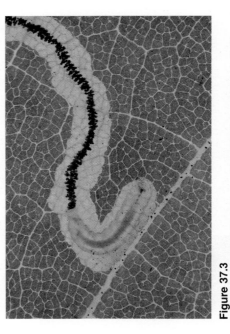

Figure 37.3
Tordeuse se nourrissant par ingestion du substrat. Cette Tordeuse, la larve d'un Papillon de nuit, se fraye un chemin en mangeant le mésophylle mou d'une feuille de Chêne et laisse une traînée de matières fécales sur son passage.

en molécules suffisamment petites pour être absorbées par l'organisme. La majeure partie de la matière organique des aliments se compose de protéines, de lipides et de glucides. Bien que ces substances constituent des matières premières appropriées, les Animaux ne peuvent pas les utiliser directement, et ce pour deux raisons. Premièrement, ces macromolécules sont trop grosses pour traverser les membranes et entrer dans les cellules de l'Animal. Deuxièmement, les macromolécules qui forment un Animal ne sont pas identiques à celles des aliments. Pour fabriquer leurs macromolécules, cependant, tous les organismes utilisent des monomères communs. Par exemple, le Blé, le Mouton et l'Humain assemblent tous leurs protéines à partir des mêmes 20 acides aminés (voir le chapitre 5). La digestion décompose les macromolécules en monomères que l'Animal peut alors utiliser pour assembler ses propres molécules. Ainsi, les polysaccharides et les disaccharides sont décomposés en glucides simples, les lipides en glycérol et en acides gras, les protéines en acides aminés, et les acides nucléiques en nucléotides. La digestion des macromolécules est catalysée par des enzymes particulières.

Hydrolyse enzymatique

Lorsqu'une cellule fabrique une macromolécule en liant des monomères, elle élimine une molécule d'eau pour chaque nouvelle liaison covalente formée (voir le chapitre 5). La digestion inverse ce processus : elle rompt des liaisons par fixation enzymatique d'eau. (En fait, un atome d'hydrogène est ajouté d'un côté de la liaison et un groupement hydroxyle de l'autre, ce qui correspond globalement à l'addition d'une molécule d'eau.) Ce processus de décomposition se nomme **hydrolyse** (lyse par l'eau). Des enzymes hydrolytiques (ou hydrolases) digèrent chacune des catégories de macromolécules qui composent les aliments. Cette décomposition chimique est habituellement précédée d'une fragmentation mécanique de l'aliment (au moyen de la mastication par exemple). La fragmentation d'un aliment en morceaux plus petits augmente la surface exposée aux sucs digestifs qui contiennent les enzymes hydrolytiques.

Chez un Animal, la digestion doit avoir lieu dans une cavité spécialisée où les enzymes peuvent attaquer les molécules d'aliments sans endommager les cellules de l'Animal. Une fois les aliments digérés, les acides aminés, les monosaccharides et les autres petites molécules sont absorbés, c'est-à-dire qu'ils passent à travers la muqueuse de la cavité digestive pour pénétrer dans les cellules de l'Animal. Les résidus non digérés sont ensuite expulsés de la cavité digestive.

Digestion intracellulaire dans les vacuoles digestives

La cavité digestive la plus simple est la vacuole digestive, un organite dans lequel une cellule peut digérer ses aliments sans que des enzymes hydrolytiques se mélangent avec son cytoplasme. Les Protozoaires digèrent leur

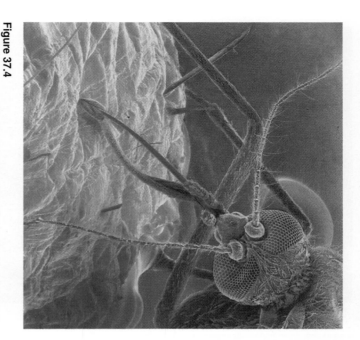

Figure 37.4
Ingestion par aspiration chez le Moustique. Ce parasite a perforé la peau de son hôte humain au moyen d'une pièce buccale ressemblant à une aiguille hypodermique, et il va se gaver de sang.

Figure 37.5
Ingestion en vrac chez le Python. La majorité des Animaux ingèrent des morceaux de nourriture relativement gros. Toutefois, ces morceaux sont rarement plus gros que l'Animal, contrairement à ce que l'on voit sur cette photographie. Dans cette scène étonnante, un Python de Séba (Python sebae) commence l'ingestion en vrac d'une Gazelle.

nourriture dans des vacuoles digestives, habituellement après avoir incorporé les aliments par endocytose ou phagocytose (voir le chapitre 8). Les vésicules formées par endocytose fusionnent avec des lysosomes, et deviennent des vacuoles nutritives. Ce mécanisme s'appelle **digestion intracellulaire** (figure 37.6). Les Éponges font partie des Animaux qui digèrent entièrement leurs aliments grâce à ce mécanisme intracellulaire (figure 37.7). Chez la plupart des Animaux, cependant, une partie au moins de l'hydrolyse s'effectue par digestion extracellulaire, à l'intérieur de cavités qui débouchent sur l'extérieur de l'organisme par deux ouvertures.

Digestion dans les cavités gastrovasculaires

Certains des Animaux les plus simples possèdent une cavité digestive pourvue d'une seule ouverture. Il s'agit de la **cavité gastrovasculaire**, qui sert à la fois à la digestion des nutriments et à leur circulation dans tout l'organisme (d'où la partie *vasculaire* du terme). L'Hydre, un Cnidaire, illustre bien le fonctionnement de la cavité gastrovasculaire (figure 37.8a). Cet Animal carnivore pique sa proie à l'aide d'organites spécialisés appelés nématocystes, puis il utilise des tentacules préhensiles pour porter la nourriture à sa bouche ; grâce à sa bouche extensible, l'Hydre peut recevoir un Animal plus gros qu'elle-même (voir le chapitre 29). Une fois que la nourriture est parvenue dans cette cavité gastrovasculaire, des cellules spécialisées du gastroderme (couche de tissu tapissant la cavité) sécrètent des enzymes digestives qui fragmentent les tissus mous de la proie. Les mouvements des flagelles qui se trouvent sur les cellules gastrodermiques empêchent le dépôt des particules de nourriture, et ils les répartissent dans toute la cavité. Les particules de nourriture entrent ensuite par phagocytose dans les cellules gastrodermiques, puis dans des vacuoles nutritives où elles sont

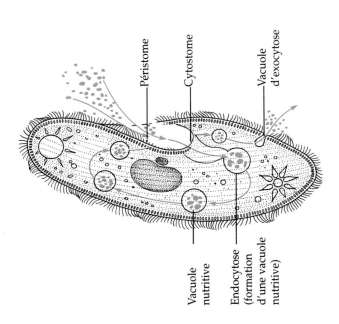

Figure 37.6
Digestion intracellulaire chez la Paramécie. La Paramécie possède une structure spécialisée dans l'ingestion, le péristome, qui conduit à la « bouche » de la cellule (cytostome). Les cils qui bordent le péristome entraînent l'eau et les particules de nourriture en suspension vers la bouche, où les particules sont absorbées par endocytose dans une vacuole nutritive, qui fonctionne comme une cavité digestive miniature après fusion avec un lysosome. La cyclose déplace la vacuole digestive dans la cellule, tandis que les enzymes hydrolytiques du lysosome procèdent à la digestion dans la vacuole. Lorsque les molécules d'aliments sont digérées, les nutriments (glucides, acides aminés et autres petites molécules) traversent la membrane de la vacuole et pénètrent dans le cytoplasme. Plus tard, la vacuole fusionne avec une région spécialisée de la membrane plasmique où les matières non digérées sont éliminées par exocytose.

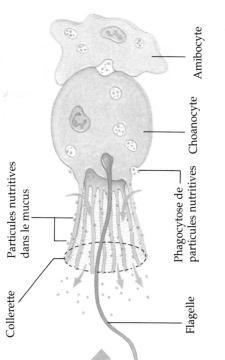

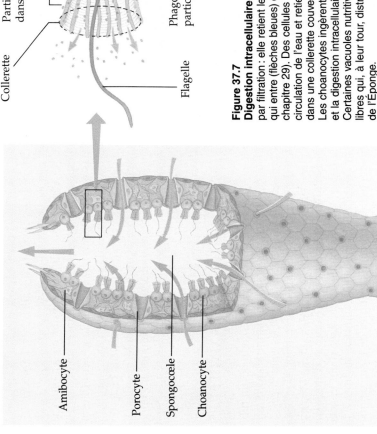

Figure 37.7
Digestion intracellulaire chez l'Éponge. L'Éponge ingère sa nourriture par filtration : elle retient les particules de nourriture contenues dans l'eau qui entre (flèches bleues) dans son corps par de petites ouvertures (voir le chapitre 29). Des cellules flagellées appelées choanocytes aident à la circulation de l'eau et retiennent également des particules de nourriture dans une collerette couverte de mucus qui entoure la base du flagelle. Les choanocytes ingèrent ensuite la nourriture par phagocytose, et la digestion intracellulaire se produit dans les vacuoles nutritives. Certaines vacuoles nutritives transfèrent leur contenu à des amibocytes libres qui, à leur tour, distribuent la nourriture aux autres cellules de l'Éponge.

Figure 37.8
Cavités gastrovasculaires. (a) Hydre d'eau douce. L'épiderme (couche externe de cellules) remplit des fonctions protectrices et sensorielles, tandis que le gastroderme (couche interne) est spécialisé dans la digestion. La mésoglée, une couche gélatineuse, sépare l'épiderme et le gastroderme. Dans la cavité gastrovasculaire, les enzymes libérées par des cellules glandulaires du gastroderme commencent la digestion, qui se poursuit dans les cellules gastrodermiques après que des particules d'aliments y sont entrées par phagocytose. Les déchets non digérés sortent par la bouche, seule ouverture de la cavité gastrovasculaire. **(b)** Planaire. La cavité gastrovasculaire d'une Planaire présente un mode de digestion semblable à celui de l'Hydre. Ses multiples ramifications accroissent la surface de digestion et transportent les nutriments dans toutes les parties de l'Animal.

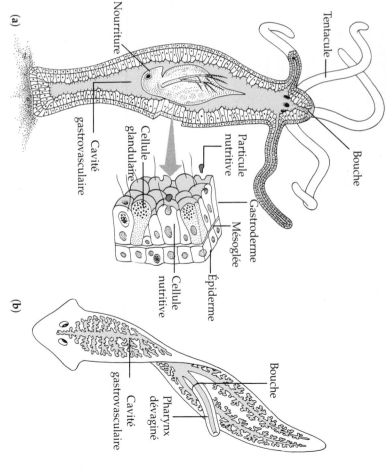

(a)

Tentacule
Bouche
Nourriture
Cavité gastrovasculaire
Particule nutritive
Cellule glandulaire
Mésoglée
Gastroderme
Épiderme
Cellule nutritive

(b)

Bouche
Pharynx dévaginé
Cavité gastrovasculaire

hydrolysées. La digestion extracellulaire qui a lieu dans la cavité gastrovasculaire amorce la dégradation des aliments, mais la majeure partie de l'hydrolyse des macromolécules s'effectue par digestion intracellulaire. Une fois que l'Hydre a digéré son repas, les matières non digérées qui restent dans sa cavité gastrovasculaire (les exosquelettes de petits Crustacés, par exemple) sont éliminées par l'unique orifice qui sert à la fois de bouche et d'anus.

Si les cellules gastrodermiques sont capables de phagocytose (et donc de digestion), à quoi sert une cavité extracellulaire? La phagocytose se limite au transport d'aliments microscopiques. Les cavités digestives extracellulaires constituent des adaptations qui permettent aux Animaux de dévorer une proie volumineuse et de la fragmenter en particules afin de nourrir les cellules.

La plupart des Vers plats possèdent également une cavité gastrovasculaire munie d'un seul orifice (figure 37.8b). Le pharynx, un tube musculeux qui peut être dévaginé par la bouche sur la face ventrale chez la Planaire, pénètre dans la proie et libère un suc digestif. La proie partiellement digérée est ensuite aspirée dans la cavité gastrovasculaire, laquelle possède trois branches principales et de nombreuses ramifications secondaires qui augmentent considérablement la surface de la cavité. Comme l'Hydre, la Planaire commence à digérer sa nourriture dans sa cavité gastrovasculaire, mais la digestion se poursuit dans les cellules qui absorbent, par phagocytose, les particules d'aliments.

Digestion dans le tube digestif

Contrairement aux Cnidaires et aux Vers plats, qui présentent une cavité gastrovasculaire, les Animaux plus complexes comme les Némathelminthes, les Annélides, les Mollusques, les Arthropodes, les Échinodermes et les Cordés possèdent un **tube digestif** qui relie deux ouvertures, la bouche et l'anus (figure 37.9). Comme la nourriture s'y déplace dans une seule direction, le tube digestif peut comprendre plusieurs régions spécialisées qui effectuent la digestion et l'absorption des nutriments par étapes. Certaines régions du tube digestif remplissent des fonctions identiques chez la majorité des espèces ; ces régions ont toutefois subi des adaptations pour des régimes alimentaires différents. La nourriture ingérée par la bouche et le pharynx passe par l'œsophage qui conduit au jabot, au gésier ou à l'estomac, selon l'espèce. Le jabot est habituellement un organe qui emmagasine les aliments, tandis que le gésier et l'estomac les broient. La nourriture réduite en morceaux entre ensuite dans un long conduit, l'intestin. Dans l'intestin, les enzymes digestives hydrolysent les molécules des aliments, et les nutriments sont absorbés dans le sang après avoir traversé la muqueuse de l'intestin. Les résidus sont évacués par l'**anus.**

SYSTÈME DIGESTIF DES MAMMIFÈRES

Le système digestif des Mammifères comprend un tube digestif et divers organes annexes, parmi lesquels certaines grosses glandes qui sécrètent les sucs digestifs dans le tube par l'intermédiaire de conduits. De l'œsophage jusqu'au gros intestin, le tube digestif des Mammifères possède une paroi de quatre couches d'épaisseur (voir la figure 36.7). La cavité est tapissée d'une couche de tissu épithélial, la muqueuse. Ensuite se trouve une sous-muqueuse, une couche constituée de tissu conjonctif traversé par des vaisseaux sanguins et des nerfs, suivie

de la musculeuse, une couche de muscle lisse. Enfin, la couche externe, la séreuse, consiste en une gaine de tissu conjonctif recouvert de tissu épithélial et attachée à un mésentère de la cavité corporelle. Le **péristaltisme**, c'est-à-dire les ondes rythmiques produites par la contraction des muscles lisses, force les aliments à avancer dans le tube digestif. À certains points de jonction des segments spécialisés du tube, la couche musculaire forme un anneau appelé **sphincter** (ou muscle sphincter) qui ferme le tube à la manière d'un nœud coulant pour régler le passage des aliments d'une cavité du tube à l'autre.

Outre le tube digestif lui-même, le système digestif des Mammifères comprend divers organes annexes tels que les **dents** (sauf de rares exceptions), la **langue**, la **vésicule biliaire** et les grosses glandes digestives (le **foie**, le **pancréas** et les trois paires de **glandes salivaires**). Les glandes digestives libèrent par des conduits les sucs digestifs. Elles apparaissent au cours du développement embryonnaire sous forme d'évaginations de l'archentéron (intestin primitif).

En nous appuyant sur l'exemple de l'Humain, nous allons maintenant suivre le trajet de la nourriture dans le tube digestif, et examiner en détail ce que deviennent les aliments à chacune des étapes du processus de la digestion (figure 37.10).

Cavité buccale

La digestion mécanique et la digestion chimique débutent toutes deux dans la bouche. Au cours de la mastication, les dents de diverses formes coupent, écrasent et broient les aliments afin de faciliter leur déglutition et augmenter leur surface. La présence d'aliments dans la **cavité buccale** (ou cavité orale) déclenche un réflexe nerveux qui incite les glandes salivaires à sécréter de la salive, laquelle parvient dans la cavité buccale par l'intermédiaire de conduits. Avant même que les aliments aient pénétré dans la bouche, la salivation peut se produire par anticipation en raison d'associations acquises entre l'action de manger et le moment de la journée, les odeurs de cuisson ou autres stimuli.

Chez l'Humain, les glandes salivaires sécrètent chaque jour plus de 1 L de salive dans la cavité buccale. En solution dans la salive se trouve la mucine, une glycoprotéine semi-liquide qui protège la muqueuse délicate de la bouche contre l'abrasion et lubrifie les aliments pour faciliter leur déglutition. La salive contient des solutions tampons qui aident à prévenir la carie dentaire en neutralisant l'acide dans la bouche. En outre, la salive comporte des agents antibactériens qui tuent ou empêchent la reproduction d'un grand nombre de Bactéries qui entrent dans la bouche en même temps que les aliments. Par ailleurs, la salive possède certaines enzymes : l'**amylase salivaire,** une enzyme digestive, hydrolyse le glycogène et l'amidon ; une lipase, qui provient de la glande linguale supérieure, scinde de 10 à 30 % des triacylglycérols au cours de son séjour dans l'estomac. L'étendue de pH propice à cette lipase se situe entre 2 et 7,5. L'amylase salivaire peut couper une liaison seulement sur deux dans le glycogène et l'amidon, de sorte que le produit le plus petit de la digestion est le maltose, un disaccharide. Habituellement, les aliments ne séjournent pas assez longtemps dans la bouche pour permettre à l'amylase de scinder

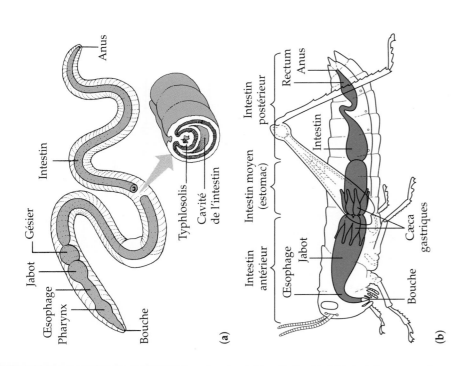

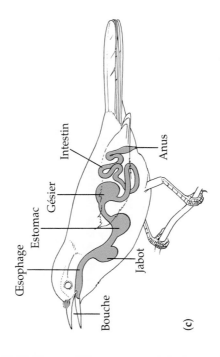

Figure 37.9
Différents tubes digestifs. (a) Le tube digestif d'un Ver de terre comprend cinq organes. Un pharynx musculeux aspire les aliments dans la bouche. La nourriture passe ensuite dans l'œsophage et est emmagasinée et humidifiée dans le jabot. Le gésier musculeux, qui contient de petits morceaux de sable et de gravier, broie les aliments. La digestion et l'absorption se produisent dans l'intestin dont le repli dorsal, appelé typhlosolis, augmente la surface destinée à l'absorption des nutriments. Enfin, les matières non digérées sont expulsées par l'anus. **(b)** La Sauterelle possède plusieurs cavités digestives regroupées en trois régions principales : l'intestin antérieur, l'intestin moyen et l'intestin postérieur. Les aliments sont humidifiés et emmagasinés dans le jabot, mais la majeure partie de la digestion s'effectue dans l'estomac (intestin moyen). Des cæca gastriques, des poches en prolongement de l'estomac, transfèrent les nutriments dans l'hémolymphe (sang) de la Sauterelle. **(c)** L'Oiseau possède trois cavités séparées : le jabot, l'estomac et le gésier. Dans l'estomac et le gésier, les aliments sont brassés et broyés avant de passer dans l'intestin.

Figure 37.10

Système digestif de l'Humain. Les aliments entrent dans le système digestif par la bouche, où ils sont mastiqués pendant quelques secondes avant d'être déglutis. Les aliments prennent de cinq à dix secon-

des pour descendre le long de l'œsophage et entrer dans l'estomac, où ils restent pendant deux à six heures pour être partiellement digérés. La digestion finale et l'absorption des nutriments se produisent

dans l'intestin grêle et durent de cinq à six heures. En 12 à 24 heures, tous les résidus de la digestion passent par le gros intestin, et les matières fécales sont expulsées par l'anus.

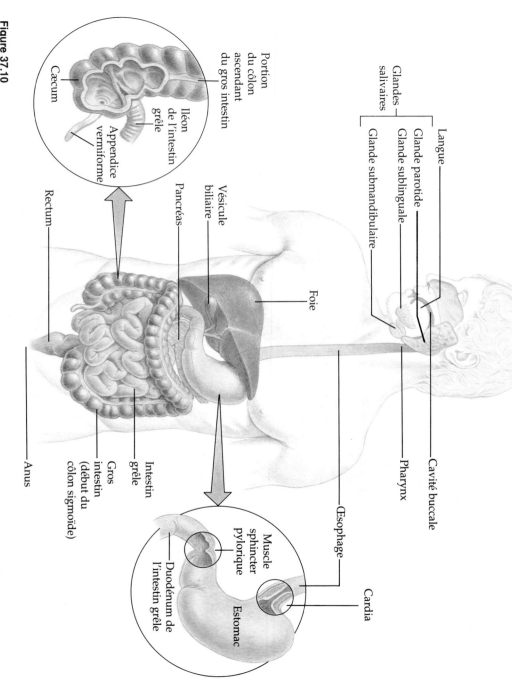

l'amidon et le glycogène en polysaccharides plus petits et compléter son processus de digestion ; la fonction principale de l'amylase consiste peut-être à prévenir l'accumulation d'amidon collant entre les dents.

La langue sert non seulement à goûter mais aussi à diriger les aliments pendant la mastication, puis à les façonner en une boule appelée **bol alimentaire.** Les aliments sont déglutis lorsque la langue pousse le bol alimentaire tout au fond de la cavité buccale et dans le pharynx.

Pharynx

Le **pharynx,** la région que nous appelons gorge, est un carrefour qui communique aussi bien avec l'œsophage qu'avec la trachée et la cavité nasale. Lorsque nous avalons, l'extrémité supérieure de la trachée bouge de telle façon que son ouverture est bloquée par un rabat cartilagineux appelé **épiglotte** (figure 37.11). On peut observer ce mouvement quand la « pomme d'Adam » monte et descend au cours de la déglutition. L'épiglotte et les cordes vocales qui se trouvent dans l'ouverture de la trachée

empêchent les aliments et les liquides de s'introduire dans les voies respiratoires. Normalement, le mécanisme de déglutition assure l'entrée du bol alimentaire dans l'œsophage.

Œsophage

L'**œsophage** est le segment du tube digestif qui fait passer les aliments du pharynx à l'estomac. Le péristaltisme comprime le bol alimentaire dans l'œsophage, un étroit conduit (voir la figure 37.11c). Seuls les muscles de l'extrémité supérieure de l'œsophage sont striés (volontaires). La déglutition commence donc volontairement, mais ce sont les ondes de contraction involontaire des muscles lisses qui prennent ensuite la relève.

Estomac

L'**estomac** se trouve du côté gauche de la cavité abdominale, juste sous le diaphragme. Comme ce gros organe peut emmagasiner un repas entier, nous n'avons pas à

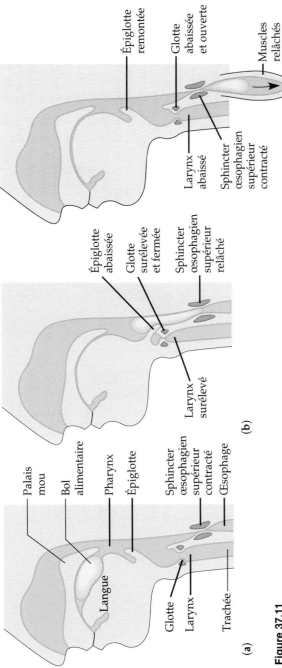

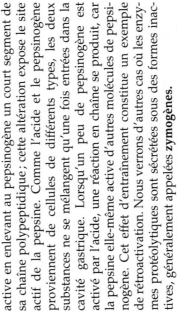

(a)

- Palais mou
- Bol alimentaire
- Pharynx
- Épiglotte
- Sphincter œsophagien supérieur contracté
- Œsophage
- Glotte
- Larynx
- Trachée
- Langue

(b)

- Épiglotte abaissée
- Glotte surélevée et fermée
- Sphincter œsophagien supérieur relâché
- Larynx surélevé

- Épiglotte remontée
- Glotte abaissée et ouverte
- Larynx abaissé
- Sphincter œsophagien supérieur contracté

- Muscles relâchés
- Muscles contractés
- Muscles relâchés
- Muscles contractés
- Estomac

(c)

Figure 37.11
De la bouche à l'estomac : réflexe de déglutition et péristaltisme œsophagien.
(a) Le réflexe de déglutition est déclenché par l'arrivée du bol alimentaire dans le pharynx. **(b)** Le sphincter œsophagien supérieur, ordinairement fermé par contraction musculaire, se relâche et permet au bol d'entrer dans l'œsophage. Le larynx, la partie supérieure des voies respiratoires, se déplace vers le haut et renverse l'épiglotte sur la glotte, ce qui empêche le bol alimentaire de s'introduire dans la trachée. **(c)** Après l'entrée du bol dans l'œsophage, le larynx s'abaisse et ouvre les voies respiratoires. Des ondes de contraction musculaire (péristaltisme) font descendre le bol dans l'œsophage jusqu'à l'estomac.

nous nourrir constamment. Doté d'une paroi très élastique et de replis en accordéon appelés plis gastriques, l'estomac peut s'étirer jusqu'à contenir environ 2 L d'aliments et de liquide.

L'épithélium qui délimite la cavité gastrique sécrète le **suc gastrique**, un liquide digestif qui se mélange avec les aliments. La concentration élevée de chlorure d'hydrogène confère au suc gastrique un pH situé entre 1,5 et 3,5, suffisamment acide pour dissoudre du fer. Une des fonctions de l'acide consiste à démanteler les tissus des aliments ; il rompt les liaisons covalentes qui retiennent les macromolécules constituant les substances adhésives intercellulaires, comme dans la viande.

En outre, le chlorure d'hydrogène tue la plupart des bactéries qui se trouvent dans le bol alimentaire. Le suc gastrique contient également de la **pepsine**, une enzyme qui hydrolyse les protéines. Toutefois, l'hydrolyse reste incomplète, puisque la pepsine ne peut briser que les liaisons peptidiques associant des acides aminés spécifiques. L'action de la pepsine provoque donc la dégradation des protéines en polypeptides plus petits. La pepsine fait partie des rares enzymes, avec les lipases linguales, à mieux agir en milieu fortement acide. En effet, le faible pH du suc gastrique dénature les protéines alimentaires et augmente ainsi l'exposition de leurs liaisons peptidiques à la pepsine. L'amylase salivaire elle-même cesse d'agir peu après son arrivée dans l'estomac, où elle est digérée en même temps que les protéines alimentaires.

Qu'est-ce qui empêche la pepsine de détruire les cellules de la muqueuse gastrique qui la produisent ? La pepsine est synthétisée et sécrétée sous une forme inactive appelée **pepsinogène** (figure 37.12). Le chlorure d'hydrogène du suc gastrique transforme le pepsinogène en pepsine

active en enlevant au pepsinogène un court segment de sa chaîne polypeptidique ; cette altération expose le site actif de la pepsine. Comme l'acide et le pepsinogène proviennent de cellules de différents types, les deux substances ne se mélangent qu'une fois entrées dans la cavité gastrique. Lorsqu'un peu de pepsinogène est activé par l'acide, une réaction en chaîne se produit, car la pepsine elle-même active d'autres molécules de pepsinogène. Cet effet d'entraînement constitue un exemple de rétroactivation. Nous verrons d'autres cas où les enzymes protéolytiques sont sécrétées sous des formes inactives, généralement appelées **zymogènes.**

Une couche de mucus élaboré par certaines cellules épithéliales contribue à empêcher la digestion de la muqueuse gastrique par la pepsine et l'acide contenus dans le suc gastrique. Malgré cette couche de mucus, l'épithélium se désagrège constamment, et la mitose doit générer suffisamment de cellules pour remplacer complètement la muqueuse gastrique tous les trois jours. Lorsque la pepsine et l'acide détruisent la muqueuse plus rapidement qu'elle ne se régénère, des lésions appelées ulcères gastriques apparaissent.

La sécrétion gastrique obéit à une combinaison d'influx nerveux et d'hormones. Lorsque nous voyons, sentons ou

goûtons des aliments, le cerveau transmet un message nerveux à l'estomac, qui amorce la sécrétion de suc gastrique. Certaines substances contenues dans les aliments, par exemple les courtes chaînes d'acides aminés et les polypeptides, incitent alors les cellules endocrines de la muqueuse gastrique à libérer dans le système circulatoire une hormone appelée **gastrine**. En retournant graduellement à la circulation sanguine vers la muqueuse de l'estomac, la gastrine entraîne une sécrétion accrue de suc gastrique. Ainsi, à l'heure du repas se produit une vague initiale de sécrétion gastrique, suivie par une sécrétion soutenue qui continue d'ajouter du suc gastrique aux aliments pendant quelque temps. Si le pH du contenu de l'estomac chute, l'acide inhibe la libération de gastrine, ce qui diminue la sécrétion de suc gastrique; voici un exemple de rétro-inhibition. Chaque jour, la muqueuse gastrique sécrète à peu près 3 L de suc gastrique.

Toutes les 20 secondes environ, les muscles lisses de l'estomac en brassent et pétrissent le contenu. Lorsqu'un estomac vide subit cette action, la faim se fait sentir par des tiraillements. (La sensation de faim est également déclenchée par l'hypothalamus, un des centres de l'encéphale qui surveille l'apport alimentaire du sang.) Quelquefois, l'estomac gargouille suffisamment fort pour se faire entendre sans le secours d'un stéthoscope. Le bol alimentaire qui se mélange au suc gastrique dans l'estomac devient rapidement une bouillie alimentaire appelée **chyme acide**.

La plupart du temps, l'estomac est fermé à ses deux extrémités (voir la figure 37.10). Le cardia, l'ouverture par laquelle l'estomac communique avec l'œsophage, ne se dilate habituellement qu'à l'arrivée d'un bol alimentaire poussé par péristaltisme. Parfois, le reflux de chyme acide dans la partie inférieure de l'œsophage cause des aigreurs («brûlures d'estomac»). (Si le reflux devient un

problème persistant, un ulcère peut se former dans l'œsophage.) Le cardia s'ouvre de façon intermittente à chaque vague de péristaltisme qui apporte un bol alimentaire. Dans la partie inférieure de l'estomac se trouve le **muscle sphincter pylorique**, qui contribue à faire passer le chyme de l'estomac à l'intestin grêle. Après un repas, l'estomac met entre deux à six heures pour se vider, un jet à la fois.

Intestin grêle

Il se produit une digestion restreinte de l'amidon dans la cavité buccale et une digestion partielle des protéines (par la pepsine) et des lipides (par les lipases linguales) dans l'estomac. Toutefois, la majeure partie de l'hydrolyse enzymatique des macromolécules alimentaires se déroule dans l'**intestin grêle**. D'une longueur de plus de 6 m, l'intestin grêle forme le segment le plus long du tube digestif (son nom vient de son petit diamètre en comparaison avec celui du gros intestin). L'intestin grêle est non seulement le principal organe de la digestion, mais aussi la partie du système digestif qui assure l'absorption de la plupart des nutriments et leur transport vers le système circulatoire.

Régulation des sécrétions digestives Plusieurs autres organes contribuent à la digestion dans l'intestin grêle en produisant, emmagasinant et sécrétant divers sucs digestifs. Un de ces organes, le pancréas, produit différentes hydrolases ainsi qu'une solution riche en ions hydrogénocarbonate (HCO_3^-). Ces ions dissous forment une solution tampon qui neutralise l'acidité du chyme de l'estomac.

Le foie, un autre organe annexe, remplit une grande variété de fonctions importantes dans l'organisme, dont la production de **bile**; un mélange de substances com-

Figure 37.12
Sécrétion de suc gastrique. (a) La muqueuse qui tapisse l'estomac se compose d'un épithélium prismatique simple organisé en glandes gastriques tubulaires. Les cryptes de l'estomac communiquent avec les glandes gastriques, qui possèdent trois types de cellules sécrétrices. Les cellules épithéliales qui recouvrent l'ouverture d'une glande gastrique sécrètent un mucus qui empêche l'estomac de se digérer lui-même. Plus profondément dans la glande, on trouve les cellules pariétales qui sécrètent le chlorure d'hydrogène, et les cellules principales qui élaborent le pepsinogène. **(b)** Dans les glandes gastriques, le chlorure d'hydrogène transforme le pepsinogène inactif en pepsine qui, par sa présence, stimule la sécrétion de pepsinogène et, par conséquent, la production de pepsine. Ce processus constitue un exemple de rétro-activation.

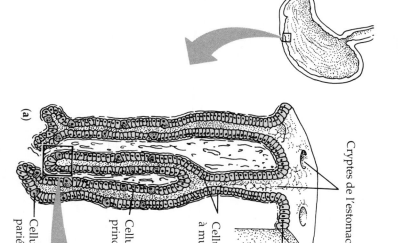

Cryptes de l'estomac
Muqueuse gastrique
Cellules à mucus
Cellules principales
Cellules pariétales
Pepsinogène
HCl
Pepsine
(a)
(b)

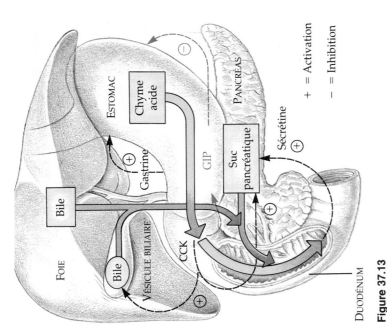

Figure 37.13
Régulation de la digestion. La production de sucs gastriques est stimulée par la libération de gastrine, elle-même déclenchée par des informations liées à l'introduction d'aliments dans l'estomac (présence de peptides, distension stomacale, sécrétion antérieure de gastrine). La majeure partie de la digestion a lieu dans le duodénum. Le chyme acide de l'estomac s'infiltre dans le duodénum et est d'abord neutralisé. La sécrétine sert de médiateur dans cette neutralisation, car elle déclenche la libération pancréatique d'ions hydrogénocarbonate. La présence de polypeptides ou de graisses dans le duodénum stimule la libération de cholécystokinine (CCK), laquelle déclenche la libération d'enzymes digestives par le pancréas et de bile par la vésicule biliaire. Enfin, le peptide inhibiteur gastrique (GIP) ralentit la digestion en inhibant le péristaltisme de l'estomac et la sécrétion d'acide lorsqu'un chyme acide riche en graisses (qui requiert un temps de digestion plus long) entre dans le duodénum.

pose la bile qui demeure emmagasinée dans un autre organe annexe, la vésicule biliaire, jusqu'à utilisation. La bile ne contient aucune enzyme digestive, mais plutôt des sels qui aident à l'émulsion et à l'absorption des triacylglycérols (graisses). Elle contient également des pigments, sous-produits de la dégradation des globules rouges dans le foie; ces pigments biliaires sont expulsés de l'organisme avec les matières fécales.

Les 25 premiers centimètres environ de l'intestin grêle forment le **duodénum,** dans lequel le chyme provenant de l'estomac se mélange avec les sucs digestifs sécrétés par le pancréas, le foie et les cellules des glandes de la muqueuse intestinale elle-même.

Au moins quatre hormones de régulation contribuent à assurer la présence des sécrétions digestives uniquement en cas de besoin (figure 37.13). Comme nous l'avons déjà vu, la muqueuse gastrique libère la gastrine en réponse à la présence d'aliments. Le pH acide du chyme qui entre dans le duodénum déclenche la libération par la muqueuse intestinale d'une deuxième hormone, la **sécrétine.** Cette hormone active la sécrétion d'ions hydrogénocarbonate par le pancréas afin de neutraliser le chyme acide. Une troisième hormone, la **cholécystokinine (CCK),** provient de certaines cellules de la muqueuse duodénale qui réagissent à la présence de graisses ou de polypeptides dans le chyme; la CCK incite la vésicule biliaire à se contracter et à libérer de la bile dans le duodénum. La CCK déclenche également la libération d'enzymes pancréatiques. Le chyme, surtout s'il est riche en graisses, entraîne aussi la sécrétion par le duodénum d'une quatrième hormone, le **peptide inhibiteur gastrique (GIP,** «gastric inhibitory peptide»), qui inhibe la sécrétion et le péristaltisme dans l'estomac et, par conséquent, ralentit l'entrée des aliments dans le duodénum.

Digestion dans l'intestin grêle Nous allons maintenant examiner la façon dont les enzymes du pancréas et de la muqueuse intestinale s'associent pour digérer les macromolécules. Le tableau 37.1 résume l'action des enzymes digestives dans l'ensemble du système digestif.

La digestion de l'amidon et du glycogène amorcée par l'amylase salivaire dans la cavité buccale se poursuit dans l'intestin grêle. Une amylase pancréatique hydrolyse l'amidon et le glycogène en maltose, un disaccharide. La digestion est achevée par la maltase, une enzyme qui scinde le maltose en deux molécules d'un monosaccharide, le glucose. La maltase est une enzyme appartenant à une famille de **disaccharidases,** chacune étant spécifique à l'hydrolyse d'un disaccharide différent. La saccharase, par exemple, hydrolyse le saccharose (sucre granulé), tandis que la lactase digère le lactose (provenant du lait). (En général, les adultes synthétisent beaucoup moins de lactase que les enfants. Dans quelques populations, comme certaines tribus africaines, la lactase est même complètement absente. Si ces individus buvaient du lait en grande quantité, ils souffriraient de crampes et de diarrhée.) Les disaccharidases ne sont pas sécrétées dans la cavité de l'intestin; elles se trouvent plutôt enchâssées dans la membrane et le revêtement (glycocalyx) des cellules de l'épithélium intestinal (la bordure en brosse mentionnée dans le tableau 37.1). Ainsi, les étapes finales de la digestion des glucides se produisent à leur site d'absorption.

Dans l'estomac, la pepsine prépare les protéines à la digestion en les morcelant, puis un groupe d'enzymes de l'intestin grêle décompose complètement les polypeptides en leurs composants, les acides aminés. La **trypsine** et la **chymotrypsine** agissent spécifiquement sur les liaisons peptidiques entre certains acides aminés; par conséquent, comme la pepsine, elles décomposent les polypeptides en chaînes plus courtes. Les **carboxypeptidases** (A et B) enlèvent un acide aminé à la fois, en commençant à l'extrémité du polypeptide qui porte un groupement carboxyle libre. L'**aminopeptidase** travaille à partir de l'autre extrémité. Remarquez que ni l'aminopeptidase, ni les carboxypeptidases ne pourraient à elles seules digérer complètement une protéine. Cependant, la collaboration de ces enzymes avec la trypsine et la chymotrypsine, qui attaquent l'intérieur de la protéine, accélère considérablement l'hydrolyse. La digestion des protéines se continue grâce à l'action de diverses **dipeptidases** fixées à la muqueuse intestinale, qui digèrent des fragments d'une longueur de deux ou trois acides aminés seulement.

Les enzymes protéolytiques, dont la trypsine, la chymotrypsine et les carboxypeptidases, sont sécrétées par le

Tableau 37.1 Digestion enzymatique dans le système digestif humain

	Digestion des glucides	Digestion des protéines	Digestion des lipides
Cavité buccale	Glycogène Amidon $\xrightarrow{\text{AMYLASE SALIVAIRE}}$ Maltose		
Estomac		Protéines $\xrightarrow{\text{PEPSINE}}$ Polypeptides plus petits	Triacylglycérols à chaînes courtes $\xrightarrow{\text{LIPASE LINGUALE}}$ Acides gras, diacylglycérols
Cavité de l'intestin grêle*	Polysaccharides intacts $\xrightarrow{\text{AMYLASE PANCRÉATIQUE}}$ Maltose	Polypeptides $\xrightarrow{\text{TRYPSINE, CHYMOTRYPSINE}}$ Polypeptides plus petits	Agrégats de triacylglycérols $\xrightarrow{\text{SELS BILIAIRES}}$ Triacylglycérols émulsionnés Triacylglycérols $\xrightarrow{\text{LIPASE PANCRÉATIQUE}}$ Glycérol, acides gras, monoacyl-glycérols Phospho-glycérolipides $\xrightarrow{\text{PHOSPHO-LIPASE}}$ Glycérol, acides gras, choline, acide phosphorique Esters de cholestérol $\xrightarrow{\text{CHOLESTÉROL-ESTÉRASE}}$ Cholestérol libre, acides gras
Bordure en brosse de l'intestin grêle**	Disaccharides $\xrightarrow{\text{MALTASE, SACCHARASE, LACTASE, ETC.}}$ Monosaccharides	Polypeptides $\xrightarrow{\text{AMINOPEPTIDASE, CARBOXYPEPTIDASES}}$ Acides aminés Petits polypeptides Dipeptides $\xrightarrow{\text{DIPEPTIDASES}}$ Acides aminés	

* Digestion des acides nucléiques : Acides nucléiques $\xrightarrow{\text{NUCLÉASES PANCRÉATIQUES}}$ Nucléotides

** Digestion des nucléotides : Nucléotides $\xrightarrow{\text{DIVERSES ENZYMES}}$ Bases azotées, désoxyribose, ribose, acide phosphorique

---

pancréas sous forme de zymogènes (proenzymes). Une enzyme intestinale appelée **entéropeptidase** déclenche l'activation de ces zymogènes dans la cavité de l'intestin grêle (figure 37.14).

Grâce à une attaque hydrolytique commune semblable à la digestion des protéines, un groupe d'enzymes appelées **nucléases pancréatiques** hydrolysent l'ADN et l'ARN, qui se trouvent dans les aliments, en nucléotides. Ces derniers subissent ensuite une hydrolyse par diverses enzymes (nucléotidase, hydrolase, phosphatase) de la bordure en brosse.

De 70 à 90 % des graisses (triacylglycérols) d'un repas atteignent l'intestin grêle sans avoir subi de digestion par les enzymes lipolytiques, ou **lipases.** Les lipases déversées dans l'intestin grêle comprennent la lipase pancréatique, la phospholipase et la cholestérolestérase. Le tableau 37.1 décrit l'action de ces lipases. L'hydrolyse des graisses représente un problème particulier, car leurs molécules sont insolubles dans l'eau. Les sels biliaires sécrétés dans le duodénum enrobent de minuscules gouttelettes de graisses et les empêchent de fusionner ; ce processus est appelé **émulsion.** Comme ces gouttelettes sont très petites, elles exposent une grande partie de leur aire de contact à la lipase pancréatique, une enzyme qui hydrolyse les molécules de triacylglycérol.

Ainsi, à mesure que le péristaltisme déplace le mélange de chyme et de sucs digestifs dans l'intestin grêle, les macromolécules des aliments sont complètement hydrolysées en leurs monomères par les enzymes. La majeure partie de la digestion est déjà terminée alors que le chyme se trouve encore dans le duodénum. Les deux derniers segments spécialisés de l'intestin grêle, le **jéjunum** et l'**iléon,** prennent en charge l'absorption des nutriments.

Absorption et distribution des nutriments D'un point de vue strictement topologique, la cavité du tube digestif se trouve à l'extérieur de l'organisme. Pour entrer dans l'organisme, les nutriments qui s'accumulent dans la

Figure 37.14
Activation des zymogènes dans l'intestin grêle. Le pancréas sécrète une forme inactive d'enzymes protéolytiques, qui seront activées dans le duodénum par l'entéropeptidase. Cette enzyme protéolytique, liée aux cellules de la muqueuse intestinale, transforme le trypsinogène en trypsine en coupant une partie du peptide précurseur (ou zymogène). La trypsine, elle-même une enzyme protéolytique, active alors d'autres zymogènes, les procarboxypeptidases et le chymotrypsinogène.

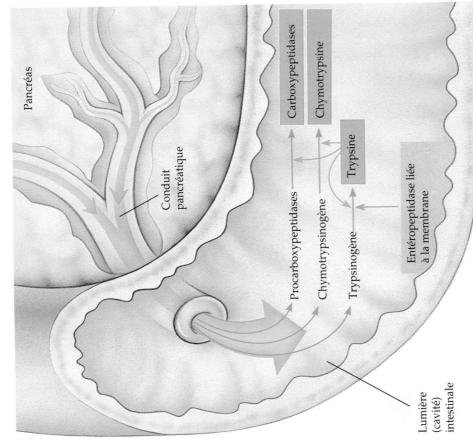

Pancréas

Conduit pancréatique

Lumière (cavité) intestinale

Carboxypeptidases

Chymotrypsine

Trypsine

Procarboxypeptidases

Chymotrypsinogène

Trypsinogène

Entéropeptidase liée à la membrane

cavité pendant la digestion doivent traverser la muqueuse du tube digestif. Un certain nombre de nutriments sont absorbés dans l'estomac et le gros intestin, mais la majeure partie de l'absorption se produit dans l'intestin grêle.

La muqueuse de l'intestin grêle possède une aire d'absorption considérable de 600 m², soit approximativement les dimensions d'un terrain de baseball. Les replis les plus proéminents sont les **plis circulaires** (ou valvules conniventes). Ils permettent au chyme de culbuter, ce qui facilite son mélange avec le suc intestinal ; de plus, ils ralentissent la progression du chyme afin de maximiser l'absorption des nutriments. Chaque pli circulaire (voir la figure 37.15) porte des prolongements digitiformes appelés **villosités intestinales**, et chaque cellule épithéliale d'une villosité possède de nombreux appendices microscopiques, les **microvillosités ;** ces dernières sont exposées au contenu de l'intestin et forment collectivement la *bordure en brosse.* D'un point de vue architectural, la bordure en brosse est bien adaptée à sa tâche d'absorption des nutriments.

Seulement deux couches simples de cellules épithéliales séparent de la circulation sanguine les nutriments qui se situent dans la cavité de l'intestin. Au centre de chaque villosité se trouve un réseau de vaisseaux sanguins microscopiques, les capillaires, qui entoure un minuscule vaisseau lymphatique appelé **vaisseau chylifère.** (En plus du système circulatoire, les Vertébrés ont un système accessoire, le système lymphatique, constitué

de deux parties : un réseau de vaisseaux lymphatiques qui transportent le liquide interstitiel clair appelé lymphe, et divers organes et tissus lymphatiques. La lymphe se déverse dans le système circulatoire à l'endroit où les deux systèmes se raccordent, à la hauteur des épaules). Les nutriments sont absorbés à travers l'épithélium, puis traversent la paroi unicellulaire des capillaires ou des vaisseaux chylifères. Dans certains cas, le transport s'effectue de façon passive. Par exemple, le fructose, un monosaccharide, est apparemment absorbé par diffusion facilitée selon son gradient de concentration, de la cavité de l'intestin jusque dans les cellules épithéliales, et des cellules épithéliales jusque dans les capillaires. D'autres nutriments, dont les acides aminés, les vitamines hydrosolubles, le glucose et plusieurs autres monosaccharides, sont transportés contre leur gradient par la membrane des cellules épithéliales. L'absorption de ces nutriments s'effectue par diffusion facilitée, dans laquelle une protéine de type symport se sert du gradient électrochimique du sodium pour transporter une autre substance simultanément. (Précisons que le symporteur fait partie d'un mécanisme de cotransport ; en effet, le transport électrochimique qui actionne le symporteur résulte d'un autre transport survenu antérieurement, soit le transport actif de sodium vers la cavité intestinale. Ainsi, le transport passif effectué par le symporteur est couplé au transport actif de sodium dans un mécanisme de cotransport ; voir le chapitre 8.)

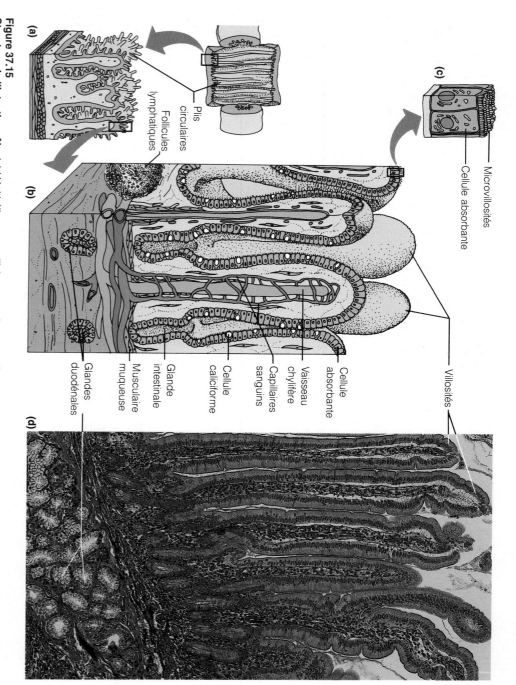

Figure 37.15
Structure de l'intestin grêle. (a) L'épithélium qui tapisse l'intestin grêle forme de grands plis circulaires. (b) Les villosités font saillie sur les plis circulaires. Chaque villosité possède un petit vaisseau lymphatique, appelé vaisseau chylifère, et un réseau de capillaires sanguins entouré par une couche de cellules épithéliales. (c) Les cellules épithéliales possèdent des prolongements microscopiques, les microvillosités, qui se projettent dans la cavité intestinale sous forme de « bordure en brosse ». Grâce aux microfilaments qu'elles contiennent, les microvillosités s'agitent dans le bouillon de nutriments qui se trouve dans l'intestin grêle. (d) La grande surface d'absorption que procurent les villosités est mise en évidence ici (MP).

Labels : Plis circulaires · Follicules lymphatiques · Cellule absorbante · Microvillosités · Villosités · Glandes duodénales · Musculaire muqueuse · Glande intestinale · Cellule caliciforme · Capillaires sanguins · Vaisseau chylifère · Cellule absorbante

Les acides aminés, les vitamines hydrosolubles et les monosaccharides traversent l'épithélium, pénètrent dans les capillaires et sont transportés hors de l'intestin dans la circulation sanguine. Les vitamines liposolubles entrent dans l'épithélium par diffusion simple. Après leur absorption par diffusion simple dans les lipides membranaires des cellules épithéliales, les monoacylglycérols, le glycérol et les acides gras se combinent de nouveau dans ces cellules pour former d'autres triacylglycérols. Ces derniers sont alors enrobés par des protéines particulières et deviennent de minuscules globules appelés **chylomicrons** ; ils quittent ensuite les cellules épithéliales par exocytose afin de s'introduire dans un chylifère. Certaines molécules de triacylglycérol, toutefois, sont liées à des protéines spécialisées et passent dans les capillaires sous forme de **lipoprotéines.**

Les capillaires qui emportent les nutriments absorbés par les villosités convergent tous vers le même vaisseau, la **veine porte hépatique,** qui mène directement au foie. Le débit de cette grosse veine est d'environ 1 L par minute. Cette voie rapide permet au foie, qui possède une polyvalence métabolique grâce à laquelle il synthétise et

dégrade diverses molécules organiques, d'avoir accès en premier aux nutriments absorbés après la digestion d'un repas. Le sang qui quitte le foie peut avoir une composition en nutriments très différente de celle du sang entré par la veine porte hépatique. Par exemple, le sang qui sort du foie a habituellement une concentration de glucose très près de 0,1 %, indépendamment du contenu en glucides de la nourriture ingérée. À partir du foie, le sang se rend au cœur, qui le fera circuler, avec les nutriments qu'il contient, vers toutes les parties de l'organisme.

Gros intestin

Le **gros intestin** se subdivise en cinq sections : le cæcum, l'appendice, le côlon, le rectum et le canal anal qui comporte l'anus. Le gros intestin s'abouche à l'iléon de l'intestin grêle par une jonction en forme de T. À ce point de jonction se trouve un sphincter qui, à la manière d'une valvule, règle le passage des matières. Une des deux branches du T forme une poche en cul-de-sac appelée **cæcum** (voir la figure 37.10). En comparaison de nombreux autres Mammifères, l'Humain possède un cæcum

relativement petit portant un prolongement digitiforme, l'**appendice vermiforme**, qui ne joue pas un rôle essentiel dans la digestion. (L'appendice, constitué de tissu lymphoïde, peut apporter une contribution mineure au système de défense, mais il est sujet à l'infection.) La seconde branche du T, le côlon, épouse la forme d'un U renversé de 1,5 m de long.

Une des fonctions du côlon consiste à absorber l'eau qui est entrée dans le tube digestif comme solvant pour les divers sucs digestifs. En tout, de 7 à 9 L de liquide sont sécrétés dans le tube digestif chaque jour. La majeure partie de l'absorption de l'eau se produit en même temps que l'absorption de nutriments dans l'intestin grêle. Le côlon termine la tâche en récupérant la majeure partie de l'eau demeurée dans la cavité du tube digestif. À eux deux, l'intestin grêle et le côlon absorbent environ 90 % de l'eau entrée dans le tube digestif. Les résidus de la digestion, qui formeront les **matières fécales**, deviennent plus solides à mesure qu'ils avancent dans le côlon par péristaltisme. Le mouvement est si lent, et il faut de 12 à 24 heures aux résidus pour traverser l'organe d'un bout à l'autre. En cas d'irritation de la muqueuse du côlon à la suite d'une infection virale ou bactérienne par exemple, il se produit une moins grande absorption d'eau, ce qui cause la diarrhée. Le problème contraire, la constipation, se présente lorsque le péristaltisme déplace les matières fécales trop lentement. Il en résulte une trop grande absorption d'eau, et les matières fécales deviennent compactes.

Le gros intestin héberge une riche flore de Bactéries presque toutes inoffensives. *Escherichia coli* est l'un des habitants communs du gros intestin humain ; il a fait l'objet de nombreuses recherches de la part des chercheurs en biologie moléculaire (voir le chapitre 17). Les Bactéries intestinales vivent de matière organique qui autrement serait éliminée avec les matières fécales. Comme sous-produits de leur métabolisme, les microorganismes émettent des gaz odorants, incluant le méthane et le sulfure d'hydrogène. Certaines Bactéries intestinales produisent de la vitamine K, que l'hôte absorbe. En fait, l'Humain tire probablement de cette source la majeure partie de son apport en vitamine K.

Les matières fécales contiennent de la cellulose et d'autres composants non digérés des aliments. Bien que les fibres de cellulose ne possèdent aucune valeur énergétique pour l'Humain, leur apport aide le bol alimentaire à se déplacer à un rythme adéquat dans le tube digestif. La couleur des matières fécales provient des pigments biliaires. Les matières fécales contiennent également des sels, excrétés en abondance par la muqueuse du côlon. Les Bactéries intestinales constituent la majeure partie de la masse sèche des matières fécales. La présence de *E. coli* dans les lacs et les ruisseaux indique une contamination par des eaux d'égout non traitées.

Le segment terminal du gros intestin est le **rectum**, où les matières fécales demeurent jusqu'à leur élimination. Le rectum rejoint le canal anal dans lequel se trouvent deux sphincters, l'un involontaire, le muscle sphincter interne de l'anus, l'autre volontaire, le muscle sphincter externe de l'anus. Une ou plusieurs fois par jour, de fortes contractions du côlon sigmoïde et du rectum provoquent le besoin d'aller à la selle. (Comme le savent tous les

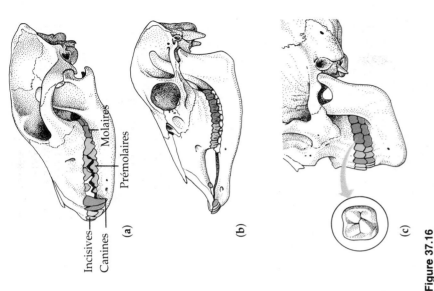

Incisives
Canines
Prémolaires
Molaires

(a)

(b)

(c)

Figure 37.16
Dentition et régime alimentaire. (a) Les Animaux carnivores, tels les Chiens et les Chats, possèdent généralement des incisives et des canines pointues qui servent à tuer une proie et à déchirer des morceaux de chair. Les prémolaires et les molaires irrégulières sont modifiées pour écraser et déchiqueter. **(b)** En revanche, les Mammifères herbivores, comme les Chevaux et les Bovins, possèdent habituellement des dents à la surface large et crénelée qui, à la manière de meules, broient la matière végétale résistante. Les incisives et les canines sont généralement modifiées pour couper des Végétaux. **(c)** Les Humains, des omnivores équipés pour manger à la fois des matières végétales et de la chair, possèdent une dentition relativement peu spécialisée. Chez l'adulte, le nombre de dents permanentes s'élève à 32. À partir du milieu du maxillaire (mâchoire supérieure) et de la mandibule (mâchoire inférieure), on trouve deux incisives en forme de lame pour couper, une canine pointue pour percer et déchirer, ainsi que deux prémolaires et trois molaires pour écraser et broyer.

parents, il n'est pas facile d'apprendre à un jeune enfant à exercer une régulation sur le sphincter volontaire.) Cet examen du trajet du bol alimentaire, de la bouche jusqu'à l'anus, termine notre étude du système digestif des Mammifères.

ADAPTATIONS ÉVOLUTIVES DES SYSTÈMES DIGESTIFS CHEZ LES VERTÉBRÉS

Les différents systèmes digestifs des Vertébrés sont des variations d'un même plan d'organisation, mais il existe de nombreuses adaptations remarquables, souvent associées au régime alimentaire de l'Animal. Nous allons en étudier quelques-unes.

La dentition, l'ensemble des dents d'un Animal, constitue un exemple de variation anatomique qui reflète le régime alimentaire, particulièrement chez les Mammifères. Comparez la dentition des herbivores, des carnivores et des omnivores à la figure 37.16. Les autres Vertébrés possèdent généralement une dentition moins spécialisée, mais il existe d'intéressantes exceptions. Par exemple, les Serpents venimeux, tels les Crotales, sont armés de crochets, des dents modifiées qui injectent du venin dans la proie. Certains crochets sont creux comme des seringues, alors que d'autres laissent tomber le poison goutte à goutte le long de rainures à la surface des dents. Les Serpents présentent une autre adaptation anatomique importante associée à l'alimentation : la mâchoire inférieure est fixée de manière lâche au crâne grâce à un ligament élastique qui permet à la bouche et à la gorge de s'ouvrir *très* grandes pour avaler une grosse proie (voir la figure 37.5).

La longueur du système digestif des Vertébrés est également associée au régime alimentaire. En général, les herbivores et les omnivores possèdent un tube digestif proportionnellement plus long que celui des carnivores, car les matières végétales sont plus difficiles à digérer que la chair à cause de la cellulose contenue dans la paroi cellulaire. Un tube digestif plus long permet une digestion plus lente et fournit une surface accrue pour l'absorption des nutriments. La Grenouille, qui change de régime alimentaire pendant le processus de métamorphose, constitue un bon exemple de ce mécanisme. Le têtard se nourrit d'Algues et possède un intestin enroulé, très long par rapport à sa taille. Au cours de la métamorphose, le reste du corps grossit davantage que l'intestin. À l'âge adulte, la Grenouille carnivore a un intestin proportionnellement plus court que celui qu'elle avait au stade de têtard.

Chez certains Vertébrés, la longueur *fonctionnelle* du tube digestif dépasse en fait la longueur apparente. Par exemple, le Requin, un carnivore, possède un intestin relativement court et droit comparativement à celui de l'Humain. Cependant, la muqueuse intestinale du Requin est dotée de replis qui forment une valvule spirale, un appareil semblable à un tire-bouchon qui augmente la surface d'absorption et assure un trajet beaucoup plus long que si les aliments devaient se déplacer en ligne droite dans le tube.

En plus d'être très long, le tube digestif de nombreux Mammifères herbivores présente des chambres de fermentation particulières où vivent des Bactéries et des Protozoaires mutualistes. Ces microorganismes produisent des enzymes capables de décomposer la cellulose, une substance que l'Animal lui-même ne peut digérer. Non seulement les microorganismes décomposent-ils la cellulose en monosaccharides, ils transforment aussi les glucides en divers nutriments essentiels à l'Animal. De nombreux herbivores, y compris les Chevaux, hébergent leurs microorganismes mutualistes dans un grand cæcum, une sorte de poche à la jonction du gros intestin et de l'intestin grêle. Les Bactéries mutualistes des Lapins et de certains autres Rongeurs vivent aussi bien dans le gros intestin que dans le cæcum. Toutefois, comme la majorité des nutriments sont absorbés par l'intestin grêle, ceux qui résultent de la fermentation bactérienne dans le gros intestin quittent

l'organisme en même temps que les matières fécales. Pour se procurer ces nutriments, les Rongeurs ingèrent une partie de leurs matières fécales et font ainsi passer à nouveau les aliments dans leur tube digestif. Le Koala possède lui aussi un gros cæcum où des Bactéries mutualistes procèdent à la fermentation des feuilles d'Eucalyptus finement déchiquetées. Les Ruminants, tels les Bovidés et les Moutons, présentent les adaptations évolutives les plus complexes au régime herbivore (figure 37.17).

Ces adaptations ne représentent que quelques-unes des nombreuses adaptations évolutives du système digestif des Animaux. Nous allons maintenant examiner les besoins nutritionnels proprement dits que l'alimentation et la digestion doivent satisfaire.

BESOINS NUTRITIONNELS

Un régime alimentaire équilibré satisfait trois besoins : il fournit l'énergie nécessaire à la respiration cellulaire ; il apporte la matière première organique que l'Animal utilise pour fabriquer bon nombre de ses propres molécules ; et il fournit les nutriments essentiels, c'est-à-dire les substances que l'Animal ne peut synthétiser lui-même et qu'il doit par conséquent aller chercher dans ses aliments.

La nourriture, source d'énergie

Les Animaux tirent leur énergie de l'ATP produit par l'oxydation de macromolécules (voir le chapitre 9), c'est-à-dire les glucides, les lipides et les protéines qui composent la majeure partie du régime alimentaire de la plupart des Animaux. Les monomères de n'importe laquelle de ces substances peuvent servir à alimenter la respiration cellulaire, bien que cette tâche revienne surtout aux glucides et aux lipides. (Les protéines ne deviennent la source d'énergie principale que lorsque les autres substances viennent à manquer.)

La valeur énergétique d'un aliment se mesure en joules (voir le chapitre 3). L'oxydation de 1 g de lipides libère environ 39,8 kJ, soit deux fois la quantité d'énergie libérée par 1 g de glucides ou de protéines.

Pour qu'un Animal reste en vie, son métabolisme doit absolument maintenir certaines fonctions, par exemple la respiration, les battements du cœur et, chez certains Animaux, la température corporelle. Chez un Animal au repos, le nombre de kilojoules requis pour soutenir ces fonctions vitales pendant une période donnée s'appelle **métabolisme basal**. Parmi les classes de Vertébrés, ce sont les Oiseaux et les Mammifères qui possèdent le métabolisme basal le plus élevé. Les Oiseaux et les Mammifères sont endothermes (homéothermes), c'est-à-dire qu'ils maintiennent leur température corporelle principalement au moyen de la chaleur générée par le métabolisme (voir le chapitre 30). Les Reptiles, les Amphibiens et les diverses classes de Poissons sont ectothermes (poïkilothermes), ce qui signifie qu'ils absorbent la majeure partie de leur chaleur corporelle à partir du milieu externe. (Le chapitre 40 traite en détail de la thermorégulation.) Le coût énergétique du réchauffement (ou du refroidissement) corporel se reflète dans la vitesse relativement élevée du métabolisme chez les Animaux endothermes. Chez les

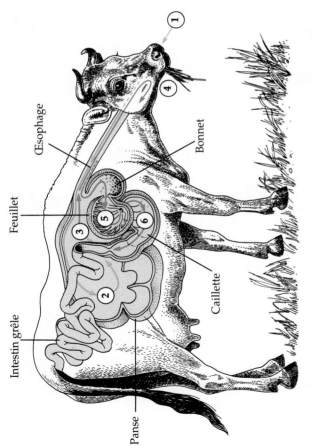

Figure 37.17

Digestion chez les Ruminants. L'estomac d'un Ruminant comporte quatre cavités, dont trois viennent probablement de modifications de la partie inférieure de l'œsophage. ① Lorsque la Vache mâche ses aliments pour la première fois et les déglutit, ils entrent à la fois ② dans la panse (ou rumen) et ③ le bonnet (ou réticulum), où des Bactéries mutualistes s'activent sur un repas riche en cellulose et libèrent en retour des acides gras. ④ La Vache régurgite périodiquement et rumine (c'est-à-dire mâche les aliments régurgités) ; cette rumination décompose davantage les fibres et les prépare à une action bactérienne plus poussée. La Vache avale alors définitivement la matière ruminée qui ⑤ se rend au feuillet (ou omasum) où l'eau est absorbée. ⑥ La matière ruminée passe finalement dans la caillette (ou abomasum) pour être digérée. Ainsi, le régime alimentaire à partir duquel le Ruminant absorbe réellement ses nutriments est beaucoup plus riche que le foin ou l'herbe qu'il ingère initialement.

En fait, le Ruminant se procure une bonne partie de ses nutriments en digérant des Bactéries mutualistes, qui se reproduisent assez rapidement dans la panse pour maintenir la stabilité de leur population.

Labels on figure: Intestin grêle · Œsophage · Feuillet · Bonnet · Caillette · Panse

---

endothermes, la quantité d'énergie requise pour maintenir chaque gramme de masse corporelle est inversement proportionnelle à la taille corporelle. Chaque gramme de Souris, par exemple, consomme environ dix fois plus d'énergie qu'un gramme d'Éléphant (même si globalement l'Éléphant utilise beaucoup plus d'énergie que la Souris). Rappelez-vous que plus l'Animal est petit, plus le rapport entre sa surface et son volume est élevé. Plus le rapport surface/volume est grand, plus l'échange (perte ou absorption) de chaleur avec le milieu externe est grand, et plus la quantité d'énergie requise pour maintenir la température corporelle sera grande. Cependant, le rapport inverse entre la masse corporelle et la vitesse du métabolisme s'applique également aux Vertébrés ectothermes, tels les Poissons, ainsi qu'aux Invertébrés et même aux Protozoaires. La régulation de la température corporelle n'est donc pas le seul facteur en jeu.

Chez l'Humain, le métabolisme basal moyen varie entre 6700 et 7500 kJ par jour pour les hommes adultes et entre 5400 à 6300 kJ par jour pour les femmes adultes (voir l'encadré, page 810). Ces besoins énergétiques se situent en deçà de la consommation d'énergie quotidienne d'une ampoule électrique de 100 watts, qui s'établit à 8640 kJ. Rappelez-vous qu'il s'agit ici du minimum, c'est-à-dire du nombre de joules que nous « brûlons » au repos, sans bouger. La moindre activité, par exemple écrire, représente une dépense d'énergie qui s'ajoute à celle du métabolisme basal. Plus l'activité s'avère ardue, plus la dépense énergétique est élevée.

Lorsqu'un Animal a un apport énergétique supérieur à ses besoins, l'énergie en excès est emmagasinée. Le foie et les muscles emmagasinent l'énergie sous forme de glycogène, un polymère du glucose semblable à l'amidon des Végétaux (voir le chapitre 5). L'Humain peut emmagasiner suffisamment de glycogène pour fournir

l'équivalent du métabolisme basal d'une journée. Si les réserves de glycogène sont saturées et que l'apport énergétique continue d'excéder la dépense, le surplus est emmagasiné dans le tissu adipeux sous forme de graisses. Ce phénomène se produit même si le régime alimentaire de l'Animal contient peu de lipides, car le foie transforme l'excès de glucides et de protéines en graisses, lesquelles sont ensuite distribuées et emmagasinées dans les tissus adipeux.

Entre les repas ou lorsque le régime est pauvre en énergie, l'Animal puise dans ses réserves l'énergie dont il a besoin. Habituellement, il dépensera d'abord ses réserves de glycogène, puis il puisera dans les réserves de graisses de ses tissus adipeux. La plupart d'entre nous ont suffisamment de graisses pour combler leurs besoins énergétiques pendant plusieurs semaines. Un Animal peut également utiliser ses propres protéines comme source d'énergie, mais cette situation se présente seulement en cas de famine ou de stress qui dure longtemps.

Lorsqu'un Humain ou un Animal a un régime alimentaire insuffisant durant une période prolongée, on parle de **sous-alimentation**. Ainsi que nous venons de le voir, si la carence énergétique persiste, l'organisme commence à dégrader ses propres protéines comme source d'énergie. Les muscles s'atrophient, et l'organisme finit par utiliser même les protéines de l'encéphale. Si la personne sous-alimentée survit, certaines des lésions s'avèrent irréversibles. Même un régime constitué d'un seul aliment de base tel que le riz ou le maïs suffit à fournir de l'énergie ; par conséquent, la sous-alimentation n'existe généralement que dans les endroits où une sécheresse, une guerre ou une crise quelconque a sérieusement interrompu l'approvisionnement en nourriture. On observe une autre cause alarmante de sous-alimentation, surtout

La vitesse du métabolisme d'un Animal est l'énergie utilisée par unité de temps. L'appareil montré sur la photographie de gauche permet d'évaluer la vitesse du métabolisme d'un Humain en mesurant la quantité d'oxygène utilisée par la respiration cellulaire, qui met en jeu l'oxydation des aliments (voir le chapitre 9). Pour

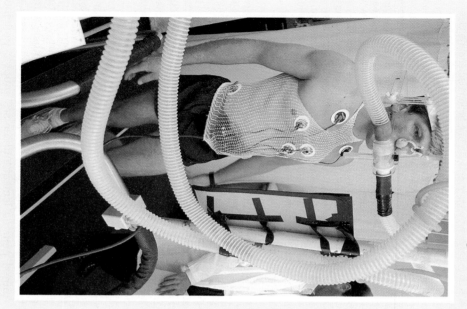

chaque litre d'oxygène utilisé, la respiration produit environ 20,2 kJ d'énergie à partir des molécules d'aliments. Si, par exemple, le sujet utilise 16 L d'oxygène à l'heure, la vitesse de son métabolisme s'élève alors à 323,3 kJ/h (16 L/h × 20,2 kJ/L). Mesurée lorsque le sujet est au repos et à jeun (la digestion demande de l'énergie), cette valeur représente le métabolisme basal.

Pour fins de comparaison, le métabolisme basal s'exprime en kilojoules par heure par kilogramme de masse corporelle, ou en kilojoules par mètre carré de surface corporelle. L'âge d'une personne, son sexe, son patrimoine génétique et de nombreux autres facteurs influent sur le métabolisme basal. Par ailleurs, la vitesse métabolique réelle excède habituellement le niveau métabolique basal selon le niveau d'activité physique. Par exemple, la vitesse métabolique de cet homme est mesurée pendant une épreuve sur tapis roulant.

Des techniques semblables peuvent servir à mesurer la vitesse métabolique chez d'autres Animaux. Le Crabe fantôme (*Ocypode ceratophthalma*) sur la photographie de droite marche sur un tapis roulant, enfermé dans une cage de plastique. L'air, de concentration connue en O_2, circule dans la cage, et on calcule la vitesse du métabolisme du Crabe d'après la différence entre la quantité d'oxygène qui entre dans la cage et celle qui en sort.

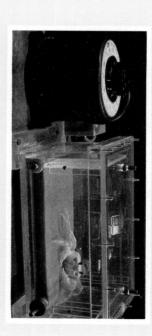

chez les adolescentes. Il s'agit de l'anorexie mentale, un syndrome psychiatrique caractérisé entre autres par le refus souvent inavoué de nourriture, une obsession de la minceur et un amaigrissement important. L'évolution du syndrome varie et dépend en grande partie des rapports familiaux.

Dans les pays industrialisés, la suralimentation, ou obésité, est un problème beaucoup plus courant que la sous-alimentation. L'obésité augmente le risque de crise cardiaque, de diabète et de plusieurs autres déséquilibres. Imaginez l'effort supplémentaire imposé à votre cœur si vous deviez transporter à longueur de journée une valise de 25 kg. On ne s'entend toujours pas sur le

poids qu'une personne peut prendre sans compromettre sa santé. Au cours des dernières années, on a popularisé le concept de « poids-santé » basé sur la taille et l'ossature, en s'appuyant sur des statistiques de compagnies d'assurances. Ces statistiques indiquent qu'un « léger embonpoint » ne représente pas nécessairement un risque pour la santé. Néanmoins, les milliards de dollars dépensés chaque année pour des livres ou des méthodes d'amaigrissement démontrent qu'une importante partie de la population aimerait perdre des kilos pour des raisons de santé et d'apparence. Malheureusement, il n'existe pas de recette miracle pour diminuer la masse corporelle, et certains régimes à la mode peuvent même

représenter un danger (par exemple ceux qui proposent de manger tout ce qu'on désire, pourvu qu'il s'agisse de glucides). Le maintien de la masse corporelle repose sur l'équilibre entre l'apport et la dépense d'énergie. Si l'apport excède la dépense, l'excès sera emmagasiné sous forme de graisse. Lorsque la dépense dépasse l'apport, nous équilibrons le déficit en puisant dans nos réserves de graisses. Notre masse corporelle se maintient lorsque l'apport énergétique égale la dépense énergétique. Pour perdre des kilos, donc, nous devons manger moins et faire plus d'exercice.

La nourriture, source de matières premières

Les hétérotrophes ne peuvent pas élaborer de molécules organiques à partir de matière première entièrement inorganique. Afin de synthétiser les molécules dont il a besoin pour sa croissance et le remplacement de ses tissus, l'Animal doit tirer les précurseurs organiques des aliments dont il se nourrit. À partir d'une source de carbone organique (des glucides, par exemple) et d'azote organique (comme les acides aminés produits par la digestion des protéines), l'Animal peut fabriquer une grande variété de molécules organiques. Pour ce faire, il utilise des enzymes qui réarrangent les squelettes moléculaires des précurseurs se trouvant dans les aliments. Par exemple, un seul et même type d'acide aminé peut fournir l'azote nécessaire à la synthèse de plusieurs autres types d'acides aminés qui ne se trouvent pas toujours dans les aliments. En outre, nous avons vu que les Animaux peuvent synthétiser des graisses à partir de glucides. Chez les Vertébrés, la transformation des nutriments s'effectue principalement dans le foie.

Bien qu'ils dépendent de leur nourriture pour se procurer le carbone et l'azote organiques dont ils ont besoin, les Animaux montrent beaucoup de souplesse dans la biosynthèse de leurs propres molécules organiques. Cependant, il existe un certain nombre de substances que l'Animal ne peut fabriquer à partir d'aucun précurseur.

Nutriments essentiels

En plus de fournir l'énergie et les matières premières nécessaires à la biosynthèse, le régime alimentaire d'un Animal doit également apporter certaines substances déjà assemblées. Ces substances chimiques dont un Animal a besoin et qu'il ne peut fabriquer lui-même s'appellent **nutriments essentiels.** Les nutriments essentiels varient d'une espèce à l'autre, selon les capacités de biosynthèse d'un Animal. Ainsi, une molécule donnée peut être un nutriment essentiel pour tel Animal et non pour tel autre, qui produit la molécule en question à partir d'un précurseur.

Lorsqu'un Animal a un régime qui ne lui fournit pas certains nutriments essentiels, on parle de **carence nutritionnelle** (rappelez-vous que la *sous-alimentation* désigne une déficience énergétique). Par exemple, les Bovidés et de nombreux autres herbivores peuvent présenter des carences en minéraux s'ils broutent des Végétaux qui poussent dans un sol déficient en minéraux essentiels. La carence nutritionnelle est beaucoup plus répandue que la sous-alimentation dans les populations humaines. Même un individu suralimenté peut souffrir de carence nutritionnelle.

Il existe quatre classes de nutriments essentiels : les acides aminés essentiels, les acides gras essentiels, les vitamines et les minéraux.

Acides aminés essentiels Sur les 20 sortes d'acides aminés nécessaires à la fabrication des protéines, environ la moitié peut être synthétisée par la plupart des Animaux, pourvu que leur régime alimentaire fournisse de l'azote organique. Les autres acides aminés doivent se trouver à l'état préassemblé dans les aliments. Huit acides aminés sont essentiels dans le régime alimentaire d'un Humain adulte (un neuvième est essentiel pour les nourrissons). Ne vous laissez pas induire en erreur par le terme *essentiel* : un Animal a besoin de chacun des 20 acides aminés, mais les acides aminés dits essentiels doivent figurer dans son régime alimentaire.

Un régime auquel il manque un ou plusieurs acides aminés essentiels entraîne une forme de carence généralement appelée carence protéique. La carence protéique, la déficience nutritionnelle la plus courante chez les Humains, se rencontre dans les régions où il existe un écart important entre la nourriture disponible et le nombre d'habitants. Les victimes, généralement des enfants (s'ils survivent à la petite enfance), risquent un retard dans leur développement physique et intellectuel. En Afrique, ce syndrome est appelé **kwashiorkor,** c'est-à-dire « maladie de l'enfant quand son cadet vient de naître » ; en effet, il apparaît chez le nourrisson qui, après la naissance d'un frère ou d'une sœur, est sevré et nourri aux féculents. Le problème de la carence protéique dans certains pays en voie de développement a été aggravé par la tendance à abandonner complètement l'allaitement au sein. On attribue en grande partie ce changement aux campagnes publicitaires des fabricants de préparations lactées pour nourrissons. Les mères sans ressources « allongent » souvent les préparations coûteuses en les diluant avec de l'eau, à tel point que le contenu en protéines devient insuffisant. De plus, à cause du manque d'information, les préparations sont souvent mélangées et entreposées dans de mauvaises conditions d'hygiène. En revanche, l'allaitement non seulement apporte un repas équilibré, mais il procure à l'enfant une immunité temporaire contre plusieurs maladies infectieuses.

Certains facteurs financiers contribuent à la carence protéique. Les sources les plus sûres d'acides aminés se trouvent dans la viande et autres produits animaux (par exemple, les œufs et le fromage), des aliments relativement coûteux. Les protéines animales sont complètes, c'est-à-dire qu'elles fournissent tous les acides aminés essentiels dans les proportions adéquates. La plupart des protéines végétales, par contre, sont incomplètes, car il leur manque un ou plusieurs acides aminés essentiels. La zéine, par exemple, la principale protéine du Maïs, ne contient pas de lysine. Une personne sans ressources qui se verrait obligé de tirer tout son apport énergétique du maïs commencerait à montrer des symptômes de carence protéique. Les personnes qui vivent principalement de riz, de blé, de pommes de terre ou de tout autre aliment de base unique présentent les mêmes symptômes. Une personne végétarienne peut toutefois se procurer des quantités suffisantes de tous les acides aminés essentiels (figure 37.18). Il lui suffit de combiner des aliments végétaux qui se complètent, en partant du principe que deux

Septième partie : Anatomie et physiologie animales

Figure 37.18
Acides aminés essentiels dans un régime végétarien. Le maïs comporte peu d'iso-leucine et de lysine, mais peu de tryptophane et de méthionine. Le haricot possède beaucoup d'isoleucine et de lysine, mais peu de tryptophane et de méthionine. Une personne peut se procurer les huit acides aminés essentiels en mangeant au même repas du maïs et des haricots.

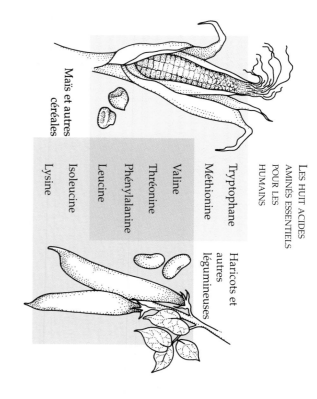

LES HUIT ACIDES AMINÉS ESSENTIELS POUR LES HUMAINS

Tryptophane
Méthionine
Valine
Thréonine
Phénylalanine
Leucine
Isoleucine
Lysine

Maïs et autres céréales

Haricots et autres légumineuses

Végétaux différents n'ont pas les mêmes déficiences en acides aminés. Le haricot, par exemple, fournit la lysine qui manque au maïs; ce dernier compense pour la méthionine absente dans le haricot. Un repas de haricots et de maïs peut donc fournir tous les acides aminés essentiels. Il faut cependant ingérer la combinaison d'aliments au même repas. En effet, l'organisme ne peut pas emmagasiner les acides aminés, de sorte qu'une carence en un seul acide aminé retarde la synthèse des protéines et limite l'usage des autres acides aminés. La plupart des cultures ont développé, par expérience, des régimes alimentaires équilibrés qui préviennent la carence protéique.

Acides gras essentiels Les Animaux ont la capacité de synthétiser la plupart des acides gras dont ils ont besoin, sauf certains acides gras insaturés (acides gras ayant des liaisons doubles; voir le chapitre 5). Chez les Humains, par exemple, l'acide linoléique doit faire partie du régime alimentaire. Cet acide gras essentiel sert à la fabrication de certains phosphoglycérolipides membranaires. La plupart des régimes alimentaires fournissent d'amples quantités d'acides gras essentiels. Les carences sont donc rares.

Vitamines Les **vitamines** sont des molécules organiques requises en très faibles quantités en comparaison des quantités relativement grandes d'acides aminés essentiels et d'acides gras dont les Animaux ont besoin. Des doses infimes de vitamines (entre 0,01 et 50 mg par jour, selon la vitamine) suffisent, car la majorité de ces molécules servent de coenzymes ou de parties de coenzymes, et ont par conséquent des fonctions catalytiques (voir le chapitre 6).

Bien que nos besoins en vitamines s'avèrent modestes, ces molécules sont absolument essentielles. Des carences peuvent causer des syndromes graves. En fait, on a découvert la première vitamine, la thiamine (vitamine B_1), à la suite de recherches sur les causes d'une maladie mystérieuse appelée béribéri. Ses symptômes comprennent la perte d'appétit, la fatigue et certains troubles nerveux. Le syndrome fut décrit pour la pre-

mière fois lorsque des soldats et des prisonniers tombèrent malades aux Indes néerlandaises, au XIXᵉ siècle. Des grains de riz décortiqués constituaient leur aliment de base (on enlevait le tégument, c'est-à-dire l'enveloppe des grains pour augmenter le temps de conservation.) On découvrit qu'on pouvait prévenir le béribéri chez ces personnes en ajoutant des grains entiers de riz à leur régime. Plus tard, on isola l'ingrédient actif contenu dans le tégument des grains de riz. Comme il fait partie de la famille chimique des amines, le composé fut nommé vitamine (amine vitale). Le terme est resté, même si de nombreuses vitamines découvertes par la suite ne contenaient pas d'amines.

Jusqu'à présent, on a isolé 13 vitamines essentielles pour les Humains (tableau 37.2). On les divise en deux catégories: les vitamines hydrosolubles et les vitamines liposolubles. Les vitamines hydrosolubles comprennent les vitamines du complexe B, qui consistent en plusieurs composés servant généralement de coenzymes dans des processus métaboliques importants. La vitamine C (acide ascorbique) est également nécessaire à la production de tissu conjonctif. Les excès de vitamines hydrosolubles sont excrétés dans l'urine. Un léger apport supplémentaire de ces vitamines est probablement inoffensif. Récemment, on a décrit un trouble nerveux lié à un apport excessif de vitamine B_6, mais chez des personnes ayant dépassé d'au moins mille fois l'apport quotidien recommandé.

Les vitamines liposolubles comprennent les vitamines A, D, E et K. La vitamine A est incorporée aux pigments visuels. La vitamine D contribue à l'absorption du calcium et à la formation des os. Quant à la vitamine E, on ne connaît pas encore ses fonctions exactes, mais il semble qu'elle protège de l'oxydation les vitamines A et C et les phosphoglycérolipides des diverses membranes de la cellule. Enfin, la vitamine K intervient dans la coagulation du sang et la respiration cellulaire. Les excès de vitamines liposolubles ne sont pas éliminés mais plutôt déposés dans les graisses corporelles, de sorte que les doses excessives peuvent entraîner une accumulation toxique de ces composés.

Tableau 37.2 Besoins en vitamines chez les Humains

Vitamine	Sources alimentaires/AQR (apport quotidien recommandé pour les adultes)	Fonctions principales	Effets possibles d'une carence
Hydrosoluble			
Vitamine B$_1$ (thiamine)	Porc, abats, grains entiers, légumineuses AQR : 1,5 mg	Coenzyme dans le métabolisme des glucides	Béribéri
Vitamine B$_2$ (riboflavine)	Lait principalement ; foie, blanc d'œuf, grains entiers, poisson, légumineuses, volaille AQR : 1,7 mg	Constituant de deux coenzymes participant au métabolisme énergétique (FAD et FMN)	Dermatite ; lésions à la bouche et troubles oculaires
Niacine (acide nicotinique)	Foie, viande maigre, céréales, légumineuses AQR : 200 mg	Constituant des coenzymes NAD$^+$ et NADP$^+$ participant au métabolisme énergétique	Pellagre (lésions cutanées et gastro-intestinales ; troubles nerveux et mentaux)
Vitamine B$_6$ (pyridoxine)	Viande, légumes, grains entiers AQR : 2 mg	Coenzyme participant au métabolisme des acides aminés, à la formation des anticorps et de l'hémoglobine	Irritabilité, convulsions, troubles digestifs, lésions cutanées
Acide pantothénique	Présent dans tous les aliments AQR : 10 mg	Constituant de la coenzyme A (voir le chapitre 9)	Fatigue, troubles du sommeil, de la coordination, perte d'appétit
Acide folique	Légumineuses, légumes verts, produits de blé entier, foie AQR : 0,4 mg	Composant de base des coenzymes du métabolisme des acides nucléiques et de celui des acides aminés	Anémie, troubles gastro-intestinaux, diarrhée
Vitamine B$_{12}$ (cyanocobalamine)	Viande, œufs, plusieurs produits laitiers AQR : 3-6 µg	Coenzyme dans le métabolisme des acides nucléiques ; maturation des globules rouges	Anémie pernicieuse, troubles neurologiques
Biotine	Légumineuses, légumes, viande AQR : non établi	Coenzyme dans le cycle de Krebs, le métabolisme des acides aminés, la formation du glycogène	Fatigue, dépression, nausée, dermatite, douleurs musculaires
Vitamine C (acide ascorbique)	Agrumes, tomates, poivrons verts, laitues AQR : 60 mg	Maintien de la matrice extracellulaire du tissu conjonctif ; important dans la synthèse du collagène	Scorbut (dégénérescence de la peau, des gencives et des vaisseaux sanguins)
Liposoluble			
Vitamine A (rétinol)	Provitamine A dans les légumes verts ; rétinol dans les produits laitiers AQR : femme, 4000 UI ; homme, 5000 UI	Constituant de la rhodopsine (pigment visuel) ; entretien des tissus épithéliaux	Cécité nocturne, lésions cutanées, opacification de la cornée
Vitamine D	Œufs, produits laitiers AQR : 400 UI	Facilite la croissance osseuse, la minéralisation ; augmente l'absorption du calcium	Rachitisme (difformités osseuses) chez les enfants, ostéomalacie chez les adultes
Vitamine E (tocophérol)	Grains entiers, légumes verts feuillus, huiles végétales AQR : 30 UI	Antioxydant empêchant les dommages aux membranes cellulaires	Problèmes de carence extrêmement rares, possibilité d'anémie
Vitamine K	Légumes verts feuillus ; petites quantités dans les céréales, les fruits et la viande AQR : femme, 55 µg ; homme, 70 µg	Coagulation du sang ; intermédiaire dans la chaîne de transport des électrons	Tendance aux ecchymoses et aux hémorragies internes

La question de l'apport vitaminique soulève des débats enflammés. Certains croient suffisants les apports vitaminiques qu'on recommande aux personnes en bonne santé. On a volontairement fixé les rations à des valeurs plus élevées que les besoins réels de la plupart des gens. D'autres trouvent que les rations quotidiennes recommandées de certaines vitamines sont trop basses, et que l'on devrait penser en termes de besoins *optimaux*. Ces questions restent controversées, particulièrement en ce qui concerne les doses optimales de vitamines C et E.

Chapitre 37 : La nutrition chez les Animaux **813**

Une chose demeure certaine pour l'instant : les personnes qui ont un régime alimentaire équilibré ont peu de chances de souffrir d'une carence vitaminique.

Les recherches qu'on mène sur des Animaux de laboratoire ne sont pas d'une grande utilité pour évaluer les besoins en vitamines des Humains, car un composé qui est une vitamine pour une espèce ne sera pas essentiel dans le régime alimentaire d'une autre espèce qui peut synthétiser elle-même ce composé. Par définition, une substance n'est pas elle-même une vitamine si l'Animal peut l'élaborer. De plus, dans certains cas, les microorganismes mutualistes vivant dans l'intestin d'un Animal peuvent produire des vitamines qui complètent ou remplacent la ration fournie par le régime alimentaire de l'Animal. Les

Tableau 37.3 Besoins en minéraux chez les Humains

Minéral	Sources alimentaires	Fonctions principales	Effets possibles d'une carence
Calcium	Lait, fromage, légumes verts, légumineuses; AQR : 1200 mg pour les 0-25 ans; après 25 ans, 800 mg	Formation des os et des dents; coagulation sanguine; transmission nerveuse	Retard de croissance et rachitisme chez les enfants, ostéoporose; tétanie musculaire
Phosphore	Lait, fromage, viandes, grains entiers, œufs, poisson, légumineuses; AQR : 800 mg	Formation des os et des dents; équilibre acido-basique; formation d'ATP, de phosphoglycérolipides membranaires, d'acides nucléiques	Faiblesse, rachitisme, déminéralisation des os, perte de calcium
Soufre	Protéines alimentaires ayant des acides aminés contenant du soufre; AQR : non établi	Constituant de composés organiques; développement du cartilage, des tendons et des os	Inconnus
Potassium	Viande, lait, de nombreux fruits, céréales, légumineuses; AQR : non établi	Équilibre acido-basique; équilibre hydrique de l'organisme; transmission de l'influx nerveux; synthèse protéique	Faiblesse musculaire; paralysie, nausées, diarrhées graves, insuffisance cardiaque
Chlore	Sel de table; AQR : non établi	Formation du suc gastrique; équilibre acido-basique	Crampes musculaires; apathie, diarrhées graves; diminution de l'appétit
Sodium	Sel de table, viandes, fromages; AQR : non établi	Équilibre acido-basique; équilibre hydrique de l'organisme; intervient dans le fonctionnement neuromusculaire	Crampes musculaires; diarrhée, sudation excessive, diminution de l'appétit
Magnésium	Grains entiers, légumes verts feuillus, légumineuses, produits laitiers; AQR : 300-350 mg	Active des enzymes; participe à la synthèse des protéines	Troubles neuromusculaires, spasmes
Fer	Œufs, viande, légumineuses, grains entiers, légumes verts feuillus; AQR : Femme, 15 mg; homme, 10 mg	Constituant de l'hémoglobine et des coenzymes participant au métabolisme énergétique	Anémie ferriprive; troubles gastro-intestinaux
Fluor	Eau fluorée, thé, fruits de mer; AQR : 1,5-4 mg	Important pour la structure des dents; préviendrait l'ostéoporose	Sensibilité accrue à la carie dentaire
Zinc	Très répandu dans les aliments; AQR : 15 mg	Constituant de plusieurs enzymes; essentiel à la cicatrisation	Arrêt de la croissance; déficit immunitaire
Cuivre	Viande, légumineuses, grains entiers; AQR : 2-3 mg	Constituant des enzymes associées au métabolisme du fer; essentiel à la synthèse d'hémoglobine	Anémie; altération des os
Manganèse	Grains entiers, jaunes d'œufs, légumes verts, fruits; AQR : 2,5-5 mg	Active plusieurs enzymes; nécessaire au fonctionnement nerveux normal	Aucun effet rapporté chez les Humains
Iode	Poissons et fruits de mer, produits laitiers; AQR : 0,15 mg	Constituant des hormones thyroïdiennes	Goitre (hypertrophie thyroïdienne); crétinisme chez les nourrissons
Cobalt	Viande, lait	Constituant de la vitamine B_{12}	Aucun effet rapporté chez les Humains

Lapins, par exemple, n'ont pas besoin de vitamine C dans leur régime, car leur flore intestinale produit des quantités suffisantes de ce composé.

Minéraux Les **minéraux** sont des nutriments inorganiques, habituellement requis en très petites quantités, de moins de 1 mg à environ 2500 mg par jour, selon le minéral (tableau 37.3). Comme pour les vitamines, les besoins en minéraux varient d'une espèce animale à l'autre. Les Humains et d'autres Vertébrés ont besoin de quantités relativement grandes de calcium et de phosphore pour la formation et l'entretien des os. Le calcium est également nécessaire au fonctionnement normal des nerfs et des muscles, et le phosphore entre dans la composition de l'ATP et des acides nucléiques. Le fer est un composant des cytochromes, qui interviennent dans la respiration cellulaire (voir le chapitre 9), et de l'hémoglobine, la protéine fixatrice d'oxygène des globules rouges. Le magnésium, le manganèse, le zinc et le cobalt sont des cofacteurs insérés dans la structure de certaines enzymes; le magnésium, par exemple, s'insère dans les enzymes qui coupent l'ATP. Les Vertébrés ont également besoin d'iode pour fabriquer la thyroxine, une hormone thyroïdienne qui règle la vitesse du métabolisme. Le sodium, le potassium et le chlore jouent un rôle important dans le fonctionnement des nerfs et influent considérablement sur l'équilibre osmotique entre les cellules et le liquide interstitiel. Les herbivores, comme les Cervidés et les Bovidés, semblent avoir un grand besoin de sel, car les Végétaux qu'ils consomment ne contiennent généralement qu'une faible concentration de chlorure de sodium. Les pierres à lécher, naturelles ou placées dans les pâturages par les fermiers, attirent le bétail (figure 37.19). La plupart des Humains, par contre, ingèrent beaucoup plus de sel qu'ils n'en ont besoin. En Amérique du Nord, une personne consomme en moyenne vingt fois trop de sel.

Pour résumer, disons qu'un régime équilibré doit satisfaire les besoins en énergie, en carbone et en azote organique pour les biosynthèses, ainsi que les besoins en nutriments essentiels.

Figure 37.19
Pierres à lécher naturelles. De nombreux herbivores ne peuvent tirer suffisamment de sodium et de chlorure des Végétaux dont ils se nourrissent. Ils complètent donc leur alimentation en léchant les dépôts de sel se trouvant sur des pierres, comme le font cette femelle du Mouflon (*Ovis canadensis*) et son agneau.

* * *

Ce chapitre traitait essentiellement de la nutrition et de la digestion, mais notre présentation a également porté sur les nerfs, les vaisseaux sanguins et les hormones. Aucun système ne fonctionne en solitaire. L'Animal forme un tout intégré, c'est-à-dire qu'il se compose d'un ensemble de systèmes qui travaillent en harmonie. Dans le prochain chapitre, nous étudierons les systèmes circulatoire et respiratoire.

RÉSUMÉ DU CHAPITRE

Régimes alimentaires et types d'ingestion (p. 794-795)

1. Tous les Animaux sont hétérotrophes et doivent consommer des molécules organiques pour se procurer leurs nutriments. La majorité des Animaux se nourrissent de Végétaux, d'Animaux ou des deux. On les dit respectivement herbivores, carnivores ou omnivores.

2. Plusieurs types d'ingestion caractérisent la nutrition animale: l'ingestion par filtration, l'ingestion du substrat, l'ingestion par aspiration et l'ingestion en vrac.

Digestion: introduction à une étude comparée (p. 795-798)

1. La nutrition animale fait intervenir la digestion et l'absorption. Sous l'effet d'enzymes, la digestion décompose les macromolécules des aliments en monomères. Cette transformation a lieu dans une cavité digestive et les monomères qui en résultent sont alors absorbés à travers les cellules formant les différentes couches de la cavité digestive. Les matières non digérées sont éliminées.

2. Dans la digestion intracellulaire, les grosses particules d'aliments sont absorbées par endocytose et digérées dans des vacuoles. Les Protozoaires et les Éponges utilisent exclusivement ce type de digestion. Dans la digestion extracellulaire, c'est-à-dire chez la plupart des Animaux, l'hydrolyse a lieu dans une cavité séparée, et ce sont des petites molécules d'aliments qui pénètrent dans les cellules.

3. La cavité gastrovasculaire des Animaux les plus simples possède une seule ouverture qui sert à la fois à l'entrée des aliments et à la sortie des déchets. L'Hydre d'eau douce amorce la digestion dans une cavité gastrovasculaire, mais la majeure partie de l'hydrolyse a lieu à l'intérieur de ses cellules lorsque les particules alimentaires sont suffisamment petites pour entrer dans les cellules gastrodermiques. Un processus similaire se produit chez les Vers plats.

4. Les Animaux plus complexes possèdent un tube digestif dans lequel les aliments se déplacent en sens unique; le tube digestif de ces Animaux comporte des régions spécialisées

Système digestif des Mammifères (p. 798-807)

1. Le tube digestif des Mammifères possède une paroi à quatre couches sur presque toute sa longueur. La couche de muscle lisse propulse le bol alimentaire dans le tube par péristaltisme et règle son passage en des points stratégiques au moyen de sphincters.

2. Les Mammifères possèdent de grosses glandes digestives, les glandes salivaires, le pancréas et le foie qui libèrent des sécrétions dans le tube par des conduits.

3. La digestion commence dans la cavité buccale, où les dents mastiquent les aliments en particules plus petites qui sont alors soumises à l'action de l'amylase, une enzyme salivaire qui digère l'amidon et le glycogène. La salive contient également des solutions tampons, des agents antibactériens et de la mucine qui lubrifie les aliments. De plus, elle comporte des lipases qui amorcent la digestion des lipides en milieu gastrique. La langue sert à goûter et à façonner les aliments en un bol prêt pour la déglutition.

4. Le pharynx forme l'intersection qui conduit à la trachée, à la cavité nasale et à l'œsophage. Normalement, l'épiglotte empêche les aliments d'entrer dans la trachée.

5. L'œsophage fait passer le bol alimentaire du pharynx à l'estomac grâce à des ondes péristaltiques involontaires.

6. L'estomac emmagasine le bol alimentaire et sécrète le suc gastrique qui transforme le bol alimentaire en chyme acide. Le suc gastrique contient du chlorure d'hydrogène et une enzyme, la pepsine. La motilité et la sécrétion gastriques obéissent à des influx nerveux et à une hormone appelée gastrine.

7. La majeure partie de la digestion et presque toute l'absorption se produisent dans l'intestin grêle, le segment le plus long du tube digestif.

8. Le pancréas, le foie et la vésicule biliaire déversent des sécrétions par l'intermédiaire de conduits dans le duodénum, la première partie de l'intestin grêle. Certaines hormones de régulation, telles la sécrétine et la cholécystokinine, modulent l'activité des glandes annexes.

9. La digestion des glucides, commencée dans la bouche, se continue dans le duodénum en présence d'une amylase pancréatique et sous l'effet des disaccharidases enchâssées dans la membrane plasmique des cellules épithéliales intestinales.

10. La trypsine, la chymotrypsine, les carboxypeptidases et l'aminopeptidase sont des enzymes pancréatiques qui, ensemble, hydrolysent les polypeptides. Elles sont sécrétées dans l'intestin grêle sous forme de zymogènes inactifs que l'entéropeptidase, une enzyme intestinale, active par la suite. Les dipeptidases situées sur les cellules intestinales achèvent la digestion des protéines en hydrolysant les petits fragments peptidiques.

11. Dans la cavité intestinale, les sels biliaires émulsifient les graisses, c'est-à-dire les dégradent en agrégats plus petits et donc mieux exposés aux lipases.

12. La majeure partie de la digestion a lieu dans le duodénum. Les autres parties de l'intestin grêle, le jéjunum et l'iléon, interviennent dans l'absorption.

13. L'intestin grêle a une anatomie parfaitement adaptée à sa fonction d'absorption. Les grands replis de sa muqueuse possèdent des villosités digitiformes, dont les cellules présentent elles-mêmes des microvillosités. Les villosités et les microvillosités augmentent énormément la surface d'absorption. Au centre de chaque villosité se trouvent un réseau de capillaires et un vaisseau chylifère qui absorbent et distribuent les nutriments.

14. La plupart des nutriments sont absorbés par diffusion simple ou diffusion facilitée. Après absorption, les acides aminés et les glucides passent directement dans les capillaires, mais le glycérol et certains acides gras sont réassemblés en triacylglycérols et recouverts de protéines pour former de minuscules chylomicrons à l'intérieur des cellules intestinales. À partir de là, les chylomicrons sont transportés par exocytose dans les chylifères qui vont se déverser dans la circulation sanguine à la hauteur des épaules. Certains lipides sont attachés à des protéines de transport et entrent directement dans les capillaires sous forme de lipoprotéines.

15. Le sang chargé de nutriments quitte les capillaires des villosités et chemine dans la grande veine porte hépatique jusqu'au foie, où les molécules organiques subissent une transformation et le contenu en nutriments du sang, une équilibration.

16. À la jonction de l'intestin grêle et du gros intestin se trouvent un sphincter et un cæcum portant l'appendice vermiforme. Le gros intestin aide l'intestin grêle à réabsorber l'eau, et il héberge des Bactéries dont certaines synthétisent la vitamine K. Les matières fécales, qui descendent dans le rectum et sortent par l'anus, contiennent les résidus non digérés des aliments, de la cellulose, des pigments biliaires, des sels excrétés par le côlon et des Bactéries intestinales.

Adaptations évolutives des systèmes digestifs chez les Vertébrés (p. 807-808)

1. La dentition d'un Mammifère est généralement adaptée à son régime alimentaire.

2. En général, les herbivores ont un tube digestif relativement long, car la digestion des matières végétales prend plus de temps que la digestion d'autres matières. De nombreux Mammifères herbivores possèdent des chambres de fermentation spéciales dans leur estomac, leur cæcum ou leur intestin. Ces chambres hébergent des microorganismes mutualistes qui digèrent la cellulose.

Besoins nutritionnels (p. 808-815)

1. Un régime alimentaire équilibré doit fournir de l'énergie pour la respiration cellulaire, des matières organiques pour la synthèse de macromolécules, et des nutriments essentiels.

2. Même au repos complet, un Animal a besoin d'énergie pour rester en vie ; cette dépense d'énergie minimale s'appelle métabolisme basal. Chez les Vertébrés, les Oiseaux et les Mammifères endothermes ont un métabolisme basal plus élevé que les Reptiles, les Amphibiens et les Poissons ectothermes. Dans la plupart des groupes d'Animaux, la vitesse du métabolisme est inversement proportionnelle à la masse corporelle.

3. Les Animaux emmagasinent les surplus énergétiques sous forme de glycogène dans le foie et les muscles, et sous forme de graisses dans le tissu adipeux. La sous-alimentation résulte d'un apport énergétique insuffisant.

4. Les nutriments essentiels doivent parvenir à l'organisme sous une forme déjà assemblée, car l'organisme ne peut pas les synthétiser. Les carences nutritionnelles apparaissent quand l'organisme ne reçoit pas en quantité suffisante un ou plusieurs nutriments essentiels.

5. Les acides aminés essentiels sont ceux que l'Animal ne peut pas fabriquer à partir de précurseurs contenant de l'azote.

6. Les Animaux peuvent synthétiser la plupart des acides gras nécessaires.

7. Les vitamines sont des molécules organiques qui servent de coenzymes ou de parties de coenzymes. L'organisme en a besoin en petites quantités.

8. Les minéraux sont des nutriments inorganiques requis en quantités variables, selon leurs rôles physiologique et métabolique.

AUTO-ÉVALUATION

1. Chez l'Humain, quelle partie ressemble le plus, au plan fonctionnel, à la vacuole digestive de la Paramécie ?
   a) La bouche.
   b) L'intestin grêle.
   c) L'œsophage.
   d) Le foie.
   e) L'estomac.

2. Parmi les Animaux suivants, lequel ne possède pas de système digestif complet ?
   a) Le Ver de terre.
   b) La Méduse.
   c) L'Insecte.
   d) Le Poisson.
   e) L'Oiseau.

3. Du point de vue de la fonction, quelle partie du Ver de terre est la plus analogue à la cavité buccale et à la dentition chez l'Humain ?
   a) L'intestin.
   b) Le pharynx.
   c) Le gésier.
   d) L'estomac.
   e) L'œsophage.

4. Laquelle des enzymes suivantes devient active au pH le plus bas ?
   a) L'amylase salivaire.
   b) La trypsine.
   c) La pepsine.
   d) L'amylase pancréatique.
   e) La lipase pancréatique.

5. Après l'ablation d'une vésicule biliaire infectée, une personne doit restreindre son apport alimentaire en :
   a) amidon.
   b) protéines.
   c) sucre.
   d) graisses.
   e) eau.

6. Le trypsinogène, un zymogène pancréatique sécrété dans le duodénum, peut être activé par :
   a) la chymotrypsine.
   b) le peptide inhibiteur gastrique
   c) la sécrétine.
   d) la trypsine.
   e) la pepsine.

7. Quelle caractéristique distingue les Ruminants des autres Animaux ?
   a) Ils possèdent une dentition adaptée au régime herbivore.
   b) Ils ont besoin de microorganismes pour digérer l'amidon.
   c) Ils possèdent un estomac compartimenté hébergeant des Bactéries mutualistes.
   d) Ils possèdent un cæcum dans lequel des Bactéries digèrent la cellulose.
   e) Ils mangent une partie de leurs matières fécales pour récupérer certains nutriments.

8. Qu'ont en commun le typhlosolis d'un Ver de terre, la valvule spirale d'un Requin et les villosités d'un Mammifère ?
   a) Il s'agit d'adaptations qui maximisent la digestion et l'absorption de la viande.
   b) Ce sont des adaptations de l'estomac.
   c) Ce sont des structures microscopiques.
   d) Ces structures augmentent la surface d'absorption de l'épithélium intestinal.
   e) Ce sont des structures homologues.

9. Quel Animal possède le métabolisme basal le plus élevé ?
   a) Le Lynx.
   b) L'Écureuil.
   c) Le Requin.
   d) La Baleine.
   e) L'Humain.

10. Si vous aviez à courir le 100 m quelques heures après un repas, quelle source d'énergie emmagasinée utiliseriez-vous ?
    a) Des protéines musculaires.
    b) Du glycogène musculaire.
    c) Des graisses emmagasinées dans le foie.
    d) Des graisses emmagasinées dans le tissu adipeux.
    e) Des protéines sanguines.

QUESTIONS À COURT DÉVELOPPEMENT

1. Constituez un tableau dans lequel vous indiquerez les événements mécaniques et chimiques qui se déroulent dans la cavité buccale, l'estomac et le petit intestin. En parallèle, précisez les sucs digestifs ainsi que les glandes ou les organes qui les sécrètent.

2. Schématisez, selon le modèle de la figure 36.10a, le mécanisme de régulation de la sécrétion de l'une des hormones produites par le système digestif.

3. Choisissez deux nutriments organiques de nature différente (acide aminé, acide gras, etc.) et expliquez comment ils traversent la paroi intestinale.

4. Dressez un schéma de concepts qui explique les besoins nutritionnels d'un Humain.

RÉFLEXION-APPLICATION

1. Suivez le trajet d'un sandwich au bacon, laitue et tomates dans le tube digestif d'un Humain en décrivant ce qui arrive aux aliments dans chaque segment du tube.

2. Énoncez votre propre hypothèse pour expliquer la relation inverse entre la taille du corps et la vitesse métabolique par gramme de tissu. Comment pourriez-vous vérifier votre hypothèse ?

SCIENCE, TECHNOLOGIE ET SOCIÉTÉ

La famine frappe actuellement plusieurs pays du monde. Certains croient qu'une distribution plus équitable de nourriture dans ces pays réduirait la famine, du moins pour un temps. D'autres répliquent que nous ne devons pas percevoir la faim comme un problème global, car les causes et les solutions à long terme sont habituellement régionales. Évaluez les aspects biologiques, politiques et éthiques de cette question.

LECTURES SUGGÉRÉES

Bader, J.-M., « La roulette russe du restaurant chinois », *Science & Vie*, n° 899, août 1992. (Le glutamate, un additif alimentaire, soupçonné d'être un rouage du diabète sucré et de favoriser la maladie d'Alzheimer.)

Groscolas, R., « De l'huile pour traiter l'obésité ? », *La Recherche*, n° 260, décembre 1993. (Expérience sur des Rats de laboratoire qui démontre l'action préventive et curative de l'huile de Poisson sur l'obésité.)

Lefèvre, A., « Comment nous transformons les aliments », *Science & Vie*, hors série, n° 187, juin 1994. (Article-synthèse des processus de digestion mécaniques et chimiques.)

Marieb, E. N., *Anatomie et physiologie humaines*, Saint-Laurent, Éditions du Renouveau Pédagogique Inc., 1993. (Les chapitres 24 et 25 traitent de la digestion et de la nutrition.)

Martineau, M., « Du beurre sans cholestérol », *Science & Vie*, n° 884, mai 1991. (Un article où il est surtout question du transport du cholestérol par des lipoprotéines.)

Science & Vie, « Les aliments et la santé », hors série, n° 182, juin 1994. (Un numéro complet sur la nutrition.)

TRANSPORT INTERNE CHEZ LES INVERTÉBRÉS

CIRCULATION CHEZ LES VERTÉBRÉS

SANG MAMMALIEN

MALADIES CARDIOVASCULAIRES

ÉCHANGES GAZEUX CHEZ LES ANIMAUX

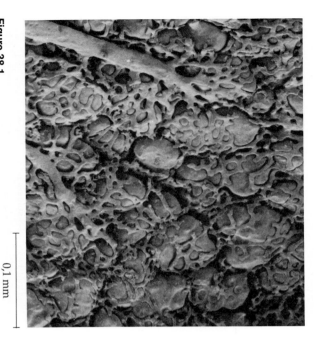

Figure 38.1

Vaisseaux sanguins et sacs alvéolaires d'un poumon humain. Cette micrographie montre le réseau de minuscules vaisseaux sanguins (capillaires) qui entourent les sacs alvéolaires microscopiques (alvéoles) dans un poumon (MEB). Le dioxygène diffuse des alvéoles aux capillaires, alors que le dioxyde de carbone diffuse en sens inverse. Le sang oxygéné dans les poumons se rend au cœur qui le propulse vers tous les autres organes. Dans le présent chapitre, vous verrez comment les différents systèmes circulatoires apparus au cours de l'évolution transportent les substances à l'intérieur des Animaux. Nous accorderons une importance particulière au lien qui existe entre la circulation et l'échange des gaz respiratoires.

0,1 mm

Tout organisme doit échanger des substances avec son environnement. Nous avons vu que ce « commerce » chimique se produit au niveau cellulaire ; les substances traversent la membrane plasmique qui sépare la cellule de son milieu immédiat. Cependant, ces substances ne peuvent franchir la membrane plasmique que sous forme de solutés dans l'eau ; en conséquence, toutes les cellules d'un organisme doivent baigner dans un milieu aqueux qui fournit le dioxygène, les nutriments et les autres ressources nécessaires à la cellule et qui sert également de site d'évacuation pour le dioxyde de carbone et d'autres déchets métaboliques rejetés hors de la cellule par diffusion. Pour un Protozoaire vivant dans un habitat aquatique, l'eau de l'étang ou l'eau de mer dans laquelle il baigne constitue ce milieu aqueux, et l'échange chimique s'effectue simplement par diffusion ou transport actif à travers la membrane plasmique. Comme le Protozoaire est très petit, sa surface externe suffit à pourvoir aux besoins de tout son organisme. Le même mécanisme s'applique aux Animaux pluricellulaires les plus simples, dont la structure corporelle permet d'exposer chaque cellule au milieu immédiat (voir le chapitre 36).

Le temps nécessaire à une substance chimique pour diffuser d'un endroit à un autre est proportionnel au carré de la distance à parcourir. Par exemple, s'il faut 1 seconde pour qu'une quantité donnée de glucose diffuse de 100 µm, il faudra 100 secondes à la même quantité pour se déplacer de 1 mm, et environ trois ans pour diffuser de 1 m ! Chez les Animaux, la diffusion n'est manifestement pas le moyen le plus efficace pour transporter des substances chimiques, car les distances sont relativement grandes (des poumons aux orteils chez l'Humain, par exemple).

Tous les Animaux à l'exception des plus simples possèdent des systèmes particuliers servant au transport interne des liquides organiques. Pour passer entre ce liquide (sang ou liquide interstitiel) et l'environnement, les substances chimiques traversent les minces épithéliums d'organes spécialisés dans les échanges gazeux, l'absorption des nutriments ou l'évacuation des déchets. Dans nos poumons, par exemple, le dioxygène (O_2) de l'air que nous inspirons diffuse à travers un mince épithélium et entre dans notre sang, alors que le dioxyde de carbone diffuse en sens inverse, selon son propre gradient de concentration (figure 38.1). Le système circulatoire transporte alors le sang riche en dioxygène et le distribue dans toutes les parties de l'organisme. Tandis que le sang parcourt nos tissus dans des vaisseaux microscopiques appelés capillaires, des substances chimiques passent entre le sang et le liquide interstitiel qui baigne

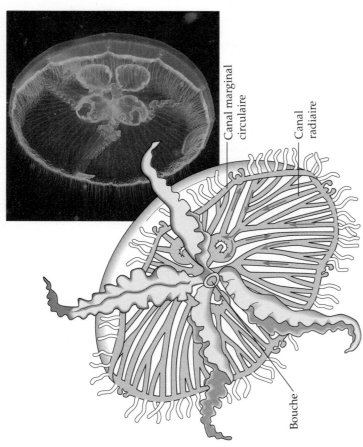

Figure 38.2
Transport chez la Méduse *Aurelia*.
La bouche conduit à une cavité gastrovasculaire complexe (représentée en jaune doré), dont les ramifications (canaux radiaires) aboutissent dans un canal marginal circulaire. Les cellules ciliées de la cavité font circuler le liquide dans les directions indiquées par les flèches. On voit ici la face inférieure (pôle oral de l'Animal).

Canal marginal circulaire

Canal radiaire

Bouche

directement nos cellules. Aucune substance n'a besoin de diffuser sur une longue distance pour entrer dans une cellule ou en sortir. Et comme le milieu aqueux (sang et liquide interstitiel) qui baigne nos cellules est interne, notre organisme peut en régir les propriétés physicochimiques. En faisant circuler notre sang continuellement dans des organes comme le foie et les reins, qui équilibrent le contenu du sang en nutriments et en déchets, le système circulatoire joue un rôle fondamental dans l'homéostasie (voir le chapitre 36).

Dans le présent chapitre, vous étudierez les mécanismes de transport interne chez les Animaux. Vous étudierez également un des principaux mécanismes de transfert chimique entre les Animaux et leur environnement : l'échange des gaz respiratoires, c'est-à-dire le dioxygène et le dioxyde de carbone. Dans un premier temps, nous allons examiner quelques systèmes de transport et leur évolution chez les Animaux.

TRANSPORT INTERNE CHEZ LES INVERTÉBRÉS

Cavité gastrovasculaire

En raison de leur structure sacciforme, l'Hydre et d'autres Cnidaires n'ont pas besoin d'un système spécialisé dans le transport interne. L'Hydre possède une enveloppe corporelle de deux couches cellulaires seulement qui renferme une cavité gastrovasculaire. Cette cavité sert à la fois à digérer des substances et à les distribuer dans tout l'organisme (voir la figure 37.8a). Le liquide présent dans la cavité communique avec l'eau de l'extérieur par un seul orifice ; ainsi, les couches cellulaires interne et externe de l'enveloppe corporelle baignent dans un liquide. Chez l'Hydre, de minces filaments de la cavité gastrovasculaire se prolongent dans les tentacules ; certaines Méduses sont

dotés d'une cavité gastrovasculaire encore plus complexe (figure 38.2). Quelques-unes des cellules qui tapissent la cavité ont des flagelles en mouvement qui brassent le contenu de la cavité, afin de mieux le distribuer dans l'ensemble de l'Animal. Comme la digestion débute dans la cavité, seules les cellules de la couche interne ont un contact direct avec les nutriments, mais ces derniers n'ont pas à diffuser sur une longue distance pour atteindre les cellules de la couche externe.

Les Planaires et autres Vers plats possèdent également une cavité gastrovasculaire qui échange des substances avec l'environnement par un seul orifice (voir la figure 37.8b). La forme aplatie de leur corps et les ramifications de leur cavité gastrovasculaire permettent à toutes leurs cellules de baigner dans un milieu approprié.

Systèmes circulatoires ouvert et clos

Chez les Animaux constitués de nombreuses couches de cellules, la présence d'une cavité gastrovasculaire ne peut pas assurer le transport interne, particulièrement s'ils vivent hors de l'eau. Chez les Arthropodes et la plupart des Mollusques, le sang baigne directement les organes internes. Dans ce **système circulatoire ouvert**, il n'existe pas de distinction entre le sang et le liquide interstitiel. On parle donc d'**hémolymphe** pour désigner le liquide organique. Les échanges chimiques entre le liquide et les cellules de l'organisme se produisent lorsque l'hémolymphe suinte par des **sinus**, les cavités entourant les organes. L'hémolymphe « circule » de façon limitée, propulsée par les mouvements corporels qui compriment les sinus et par la contraction de plusieurs cœurs, lesquels font habituellement partie d'un vaisseau dorsal (figure 38.3a). La contraction de ces cœurs propulse l'hémolymphe dans des vaisseaux qui débouchent dans un réseau de sinus. Lorsque les cœurs se relâchent, ils aspirent l'hémolymphe par des pores appelés ostioles et équipés de valves qui se ferment lorsque les cœurs se contractent.

Le Ver de terre (embranchement des Annélides) possède un **système circulatoire clos**, c'est-à-dire que le sang circule uniquement dans des vaisseaux (figure 38.3b). Il existe deux vaisseaux principaux, un dorsal et un ventral, à partir desquels se ramifient des vaisseaux plus petits qui apportent le sang aux différents organes. Le vaisseau dorsal joue le rôle de cœur principal et chasse le sang vers l'avant au moyen d'ondes péristaltiques. Près du pôle antérieur du Ver, des paires de vaisseaux s'enroulent autour du tube digestif et font communiquer les vaisseaux dorsal et ventral. Cinq paires de vaisseaux semblables, appelés cœurs latéraux, jouent le rôle de pompes auxiliaires. Le sang échange des substances avec le liquide interstitiel qui baigne les cellules. Les Vertébrés et certains Mollusques (Calmars et Pieuvres) possèdent eux aussi un système circulatoire clos.

Le sang circule plus lentement dans un système circulatoire ouvert que dans un système circulatoire clos. Comme la plupart des classes d'Animaux dépendent de leur système circulatoire pour transporter le dioxygène nécessaire à la respiration cellulaire, nous pourrions nous attendre à trouver des systèmes circulatoires ouverts uniquement chez les Animaux qui se déplacent lentement. Pourtant, les Insectes volants, qui figurent parmi les Animaux les plus actifs, ont un système circulatoire ouvert. Les Insectes n'utilisent toutefois pas le sang pour trans-

porter le dioxygène sur de longues distances. Le dioxygène s'infiltre plutôt dans leur corps par des conduits aériens microscopiques appelés trachées que nous allons étudier en détail plus loin dans ce chapitre.

CIRCULATION CHEZ LES VERTÉBRÉS

Chez les Humains et les autres Vertébrés, un système circulatoire clos, également appelé **système cardiovasculaire**, effectue le transport interne. Le système cardiovasculaire comprend le cœur, les vaisseaux sanguins et le sang. Le cœur se compose d'une ou deux **oreillettes**, des cavités qui reçoivent le sang retournant au cœur, et d'un ou deux **ventricules**, des cavités qui propulsent le sang hors du cœur. Les artères, les veines et les capillaires constituent les trois sortes de vaisseaux sanguins. Dans le corps humain, on estime qu'ils s'étendent sur une longueur totale d'environ 100 000 km. Les **artères** acheminent le sang du cœur à tous les organes du corps. Dans les organes, les artères se ramifient en **artérioles**, de minuscules vaisseaux qui donnent naissance aux capillaires. Les **capillaires** forment des réseaux de vaisseaux microscopiques qui irriguent chaque tissu. Les échanges de substances chimiques entre le sang et le liquide interstitiel entourant les cellules s'effectuent à travers la

Figure 38.3
Systèmes circulatoires ouvert et clos chez les Invertébrés. Ces diagrammes simplifiés comparent les principes fondamentaux de la circulation ouverte et de la circulation fermée.

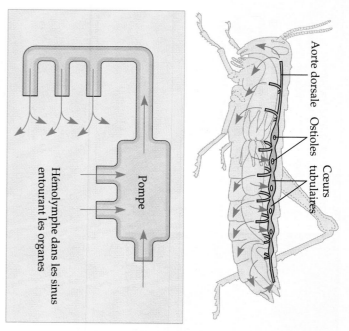

(a) **Système circulatoire ouvert.** Les Sauterelles et autres Arthropodes possèdent un système circulatoire ouvert dans lequel l'hémolymphe est en contact direct avec les tissus corporels. La circulation est assurée par la contraction et la décontraction des cœurs tubulaires, de même que par les mouvements de l'Animal. La décontraction des cœurs fait entrer l'hémolymphe par des pores appelés ostioles, alors que la contraction des cœurs chasse l'hémolymphe vers les sinus.

Aorte dorsale Ostioles

Cœurs tubulaires

Hémolymphe dans les sinus entourant les organes

Pompe

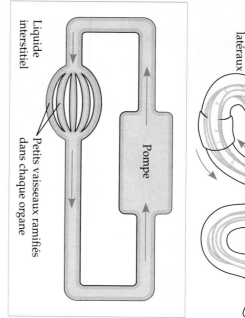

(b) **Système circulatoire clos.** Dans le système circulatoire clos du Ver de terre, le sang est confiné dans des vaisseaux. Les vaisseaux dorsal et ventral font circuler le sang vers l'avant et vers l'arrière, respectivement, et communiquent ensemble par cinq paires de gros vaisseaux et d'autres plus petits, tous situés autour du tube digestif. Le vaisseau dorsal sert de cœur principal. Les cinq paires de gros vaisseaux servent de pompes auxiliaires et on les appelle cœurs latéraux.

Liquide interstitiel

Petits vaisseaux ramifiés dans chaque organe

Pompe

Cœurs latéraux

Vaisseau dorsal (cœur principal)

Vaisseau ventral

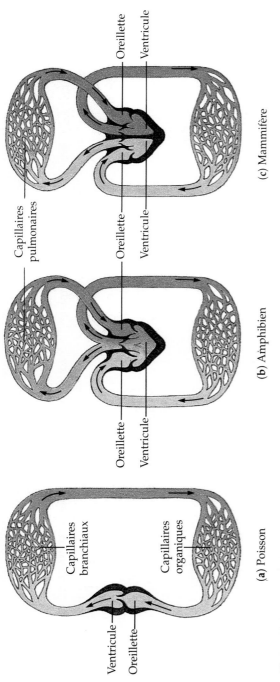

Figure 38.4
Schématisation du système circulatoire de différents Vertébrés. La couleur rouge symbolise le sang riche en dioxygène, tandis que la couleur bleue représente le sang pauvre en dioxygène. **(a)** Les Poissons possèdent un cœur à deux cavités et une circulation sanguine simple. **(b)** Les Amphibiens

(a) Poisson

(b) Amphibien

(c) Mammifère

ont un cœur à trois cavités et une double circulation : la circulation pulmonaire et la circulation systémique. Cette double circulation apporte le sang aux organes de tout le corps sous une pression élevée. Dans l'unique ventricule, le sang oxygéné et le sang désoxygéné se mélangent quelque peu.

(c) Les Mammifères sont dotés d'un cœur à quatre cavités et d'une double circulation. Dans le cœur, le sang riche en dioxygène demeure complètement séparé du sang pauvre en dioxygène.

---

mince paroi des capillaires. À leur extrémité «terminale», les capillaires se rejoignent pour constituer les **veinules,** et ces petits vaisseaux se réunissent pour donner les veines. Les **veines** ramènent le sang au cœur. Remarquez que les artères et les veines se distinguent par le *sens* dans lequel elles transportent le sang, et non par la qualité du sang qu'elles contiennent. Toutes les artères ne transportent pas du sang oxygéné, et toutes les veines ne transportent pas du sang pauvre en dioxygène. Par contre, toutes les artères transportent le sang du cœur aux capillaires, et seules les veines retournent le sang au cœur à partir des capillaires. Nous allons maintenant étudier les trajets de la circulation sanguine chez diverses classes de Vertébrés.

Systèmes circulatoires chez les Vertébrés : perspective évolutionniste

À partir du système cardiovasculaire que nous venons de décrire, plusieurs adaptations sont apparues au cours de l'évolution des différentes classes de Vertébrés.

Le Poisson possède un cœur à deux cavités : une oreillette et un ventricule (figure 38.4a). Le sang chassé du ventricule se dirige d'abord vers les branchies, où il capte le dioxygène et se débarrasse du dioxyde de carbone à travers la paroi des capillaires. Les capillaires branchiaux se rassemblent pour former un vaisseau qui achemine le sang oxygéné vers des lits capillaires dans toutes les autres parties de l'organisme. Le sang retourne ensuite dans les veines vers l'oreillette du cœur. Remarquez que chez le Poisson, le sang doit passer par *deux* lits capillaires à chaque circuit, le premier dans les branchies et le second dans un autre organe. Lorsque le sang circule dans un lit capillaire, c'est-à-dire la

pression hydrostatique qui propulse le sang dans les vaisseaux, chute de façon importante (pour des raisons expliquées plus loin). Par conséquent, le sang oxygéné qui quitte les branchies circule très lentement vers les autres organes du Poisson, mais le processus est assisté, durant la nage, par les mouvements de tout le corps.

La Grenouille, comme les autres Amphibiens, possède un cœur à trois cavités, soit deux oreillettes et un ventricule (figure 38.4b). Le ventricule chasse le sang dans une artère ramifiée qui dirige le sang dans deux circuits : la **circulation pulmonaire,** ou **petite circulation,** et la **circulation systémique,** ou **grande circulation.** La petite circulation conduit aux poumons et à la peau, où le sang s'enrichit en dioxygène en circulant dans les capillaires. Le sang oxygéné retourne alors vers l'oreillette gauche du cœur, qui en propulse la majeure partie dans la grande circulation. La grande circulation achemine le sang à tous les organes sauf aux poumons, puis retourne le sang vers l'oreillette droite par les veines. Cette organisation, appelée **double circulation,** assure un vigoureux débit sanguin à l'encéphale, aux muscles et aux autres organes, car le sang est «pompé» une seconde fois après avoir perdu de la pression dans les lits capillaires des poumons. La double circulation diffère nettement de la circulation simple du Poisson, chez qui le sang circule directement des organes respiratoires (branchies) aux autres organes sous pression réduite.

Dans l'unique ventricule de la Grenouille, le sang oxygéné en provenance des poumons se mêle quelque peu au sang faiblement oxygéné en provenance du reste de l'organisme. Cependant, le ventricule possède une crête qui dévie la majeure partie du sang oxygéné de l'oreillette gauche vers la circulation systémique, et la majeure partie du sang désoxygéné de l'oreillette droite

vers la circulation pulmonaire. Chez les Reptiles, le sang richement oxygéné se mélange encore moins avec le sang faiblement oxygéné. Le cœur des Reptiles possède trois cavités, mais une cloison divise partiellement l'unique ventricule. Chez les Crocodiles, une cloison complète sépare le ventricule en deux cavités.

Chez les Oiseaux et les Mammifères, le cœur possède quatre cavités : deux oreillettes et deux ventricules complètement séparés (figure 38.4c). Il existe une double circulation, comme chez les Amphibiens et les Reptiles, mais le cœur maintient une stricte séparation du sang riche en dioxygène du sang pauvre en dioxygène. Le côté gauche du cœur reçoit seulement le sang oxygéné, tandis que le côté droit reçoit et chasse seulement le sang plus pauvre en dioxygène. Étant donné que les deux sortes de sang ne se mélangent pas et que la double circulation rétablit la pression après le passage du sang dans les capillaires pulmonaires, la distribution du dioxygène à toutes les parties de l'organisme pour la respiration cellulaire se trouve accrue. Les Oiseaux et les Mammifères sont des endothermes (homéothermes), c'est-à-dire qu'ils utilisent la chaleur libérée par le métabolisme pour réchauffer leur corps ; ils requièrent donc plus de dioxygène par gramme de masse corporelle que d'autres Vertébrés de taille égale. Les Oiseaux et les Mammifères ayant des ancêtres reptiliens différents, le cœur des Oiseaux a évolué indépendamment de celui des Mammifères. Il s'agit d'un autre exemple d'évolution convergente. La figure 38.5 présente un diagramme plus détaillé de la circulation sanguine dans le système circulatoire mammalien.

Voyons maintenant comment le cœur fonctionne. Bien que le processus décrit fasse référence à l'Humain, le cœur de tous les Mammifères fonctionne essentiellement de la même façon.

Cœur

Le cœur humain est un organe en forme de cône, à peu près de la taille d'un poing, situé juste à l'arrière du sternum. Le péricarde, un sac à double paroi, l'enveloppe. Un liquide lubrifiant remplit la cavité péricardique localisée entre les deux feuillets du péricarde, ce qui leur permet de glisser l'un sur l'autre à chaque pulsation du cœur. La paroi du cœur lui-même se compose principalement de tissu musculaire cardiaque (voir le chapitre 36). Les oreillettes possèdent une paroi relativement mince et servent de réservoirs pour le sang qui retourne au cœur ; elles ne chassent le sang que sur la courte distance qui les sépare des ventricules. Les ventricules ont une paroi plus épaisse et sont beaucoup plus puissants que les oreillettes, particulièrement le ventricule gauche, qui doit envoyer le sang dans la circulation systémique (voir la figure 38.5).

Révolution cardiaque Chaque cycle de l'activité cardiaque est appelé **révolution cardiaque** et comprend deux phases alternantes, la systole et la diastole. Au moment de la **systole**, le muscle cardiaque se contracte et les cavités chassent le sang. (En réalité, la systole fait référence uniquement à la contraction des ventricules, mais nous inclurons dans cette phase la contraction des oreillettes.) Au cours de la **diastole**, les ventricules se remplissent. Chez un Humain de taille moyenne au repos, la

révolution cardiaque dure à peu près 0,8 s en tout et produit un pouls d'environ 65 à 80 battements par minute). La systole et la diastole ont une durée généralement égale, d'environ 0,4 s chacune. Au début de la systole et la diastole, ce qui comprime le sang dans les ventricules. Puis, par une lente mais puissante contraction, les ventricules chassent le sang dans les artères à la fin de la systole (durée 0,3 s). Pour l'ensemble de la révolution cardiaque, sauf au tout début (de 0 à 0,1 s), les oreillettes sont relâchées et se remplissent du sang qui arrive des veines. Durant la diastole, les ventricules se remplissent également, car, lorsque le cœur se relâche, le sang peut y pénétrer librement en provenance des oreillettes. En fait, vers la fin de la diastole, les ventricules sont remplis à environ 70 % de leur capacité, et la contraction auriculaire (des oreillettes) qui a lieu au début de la systole ne fait que terminer le travail de remplissage.

Valves cardiaques et bruits cardiaques Dans le cœur, quatre valves empêchent le sang de refluer lorsque les ventricules se contractent (voir la figure 38.5b). Entre chaque oreillette et ventricule se trouve une **valve auriculoventriculaire**. La **valve de l'aorte** se situe à la jonction de l'aorte et du ventricule gauche, tandis que la **valve du tronc pulmonaire** se trouve à la jonction de ce dernier et du ventricule droit. Les valves sont des replis de tissu conjonctif. Les valves auriculo-ventriculaires sont ancrées par de fins cordons de collagène, appelés cordages tendineux, qui les empêchent de se retourner. La pression hydrostatique générée par la puissante contraction des ventricules oblige les valves auriculo-ventriculaires à se fermer, ce qui empêche le sang de retourner dans les oreillettes. Les valves de l'aorte et du tronc pulmonaire s'ouvrent pendant la contraction ventriculaire qui éjecte le sang dans les artères. La paroi élastique des artères s'étire puis se resserre. Pendant que les ventricules se relâchent, la pression artérielle devient plus grande que la pression intraventriculaire. Le sang, poussé par la pression artérielle, tend à refluer vers les ventricules ; toutefois, il remplit au passage les trois valvules semi-lunaires, en forme de pochette, qui constituent les valves de l'aorte et du tronc pulmonaire. Ce remplissage des valvules entraîne la fermeture des valves.

Les bruits du cœur que l'on peut entendre à l'aide d'un stéthoscope proviennent du claquement produit par la fermeture des valves. (Vous pouvez les entendre sans stéthoscope en plaçant l'oreille contre le sternum d'une personne.) On évoque souvent ces bruits par l'onomatopée toc-tac.) Le premier bruit cardiaque (« toc »), plus sourd que le second, correspond au reflux du sang qui ferme les valves auriculo-ventriculaires pendant la forte contraction des ventricules. Le second bruit (« tac ») correspond au reflux du sang contre les valves de l'aorte et du tronc pulmonaire.

La présence d'une anomalie dans une ou plusieurs valves provoque un trouble appelé souffle cardiaque, qui peut se manifester par le sifflement que produit le jaillissement du sang qui reflue par une valve. Certaines personnes naissent avec un souffle cardiaque, tandis que d'autres subissent des dommages à leurs valves à la suite d'une infection (causée par le rhumatisme articulaire aigu, par exemple). La plupart des souffles cardiaques ne

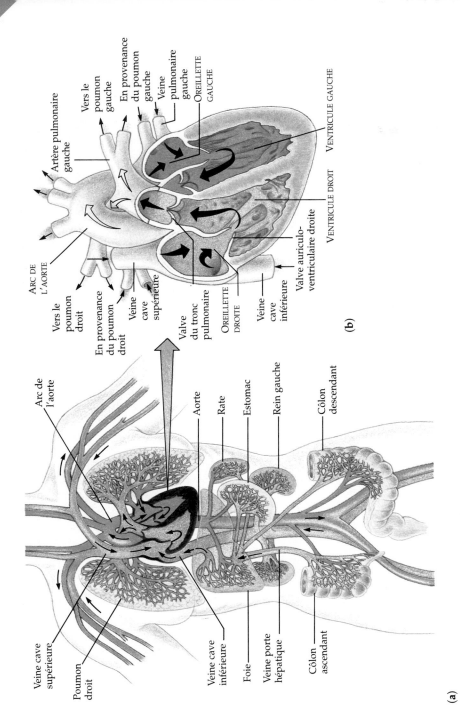

(a)

Veine cave supérieure

Poumon droit

Arc de l'aorte

Aorte

Rate

Estomac

Rein gauche

Côlon descendant

Veine cave inférieure

Foie

Veine porte hépatique

Côlon ascendant

(b)

En provenance du poumon gauche

Veine pulmonaire gauche

OREILLETTE GAUCHE

VENTRICULE GAUCHE

Vers le poumon gauche

Artère pulmonaire gauche

ARC DE L'AORTE

Vers le poumon droit

En provenance du poumon droit

Veine cave supérieure

Valve du tronc pulmonaire

OREILLETTE DROITE

Veine cave inférieure

Valve auriculo-ventriculaire droite

VENTRICULE DROIT

Figure 38.5
Système circulatoire de l'Humain.

(a) Dans le trajet de la circulation systémique, le ventricule gauche expulse le sang oxygéné dans l'aorte. Cette artère, au diamètre comparable à celui d'une pièce de vingt-cinq cents, constitue le plus gros vaisseau sanguin du corps. L'aorte passe au-dessus du cœur en formant un arc et donne naissance aux artères qui se dirigent dans tout le corps. Les premières ramifications de l'aorte sont les artères coronaires, qui apportent le sang au muscle cardiaque lui-même. Puis, viennent les ramifications conduisant à la tête et aux bras (ou membres antérieurs). L'arc (ou crosse) de l'aorte descend ensuite derrière le cœur et se ramifie en artères qui apportent le sang aux organes abdominaux et aux jambes (ou membres postérieurs). Dans chacun des organes, les artères se ramifient en

artérioles, qui à leur tour donnent naissance aux capillaires où le sang cède son dioxygène et reçoit le dioxyde de carbone produit par la respiration cellulaire. Les capillaires confluent ensuite pour former des veinules qui conduisent aux veines. Ces veines de la circulation systémique retournent le sang pauvre en dioxygène au cœur. Les veines ramenant le sang de la tête, du cou et des bras se jettent dans une grosse veine appelée veine cave supérieure (antérieure, chez les autres Mammifères). La veine cave inférieure (postérieure, chez les autres Mammifères) reçoit le sang du tronc et des jambes. Enfin, les deux veines caves se déversent dans l'oreillette droite. Ainsi se termine la circulation systémique.

Le rôle de la circulation pulmonaire consiste à oxygéner le sang en le faisant passer dans les poumons. Le sang ramené au

cœur par l'intermédiaire de la circulation systémique entre dans le ventricule droit, lequel l'éjecte dans le tronc pulmonaire. (Remarquez qu'ici, c'est une artère qui transporte du sang pauvre en dioxygène.) Le tronc pulmonaire se divise en deux branches, chacune se dirigeant vers un poumon ; il s'agit des artères pulmonaires gauche et droite. Quand le sang arrive dans les capillaires des poumons, il s'oxygène et rejette le dioxyde de carbone. La circulation pulmonaire est complétée lorsque le sang oxygéné retourne au cœur par les veines pulmonaires qui se déversent dans l'oreillette gauche. Ce sang est prêt à repartir dans la circulation systémique. Le diagramme **(b)** présente le trajet suivi par le sang dans le cœur.

---

réduisent pas l'efficacité du débit sanguin au point de justifier une intervention chirurgicale. Dans les cas les plus graves, cependant, on peut corriger le problème en remplaçant les valves endommagées par des valves artificielles ou des valves prélevées sur un cadavre humain.

Fréquence cardiaque et débit cardiaque La fréquence cardiaque correspond au nombre de battements cardiaques par minute. Vous pouvez facilement mesurer votre propre fréquence cardiaque en prenant votre **pouls**, c'est-à-dire en comptant les pulsations des artères dans votre poignet ou votre cou. À chaque révolution cardiaque, les

contractions des ventricules au cours de la systole projettent le sang avec une force telle que les artères élastiques se dilatent sous l'effet de la pression. Pour un Humain de taille moyenne au repos, le pouls atteint entre 65 et 80 battements par minute, mais les personnes qui font régulièrement de l'exercice présentent souvent un pouls plus lent au repos. Votre propre pouls varie selon plusieurs facteurs, dont votre degré d'activité.

En comparant les fréquences cardiaques de différents Mammifères, nous constatons une relation inversement proportionnelle entre la taille et le pouls. L'Éléphant, par exemple, a un pouls de 25 battements par minute

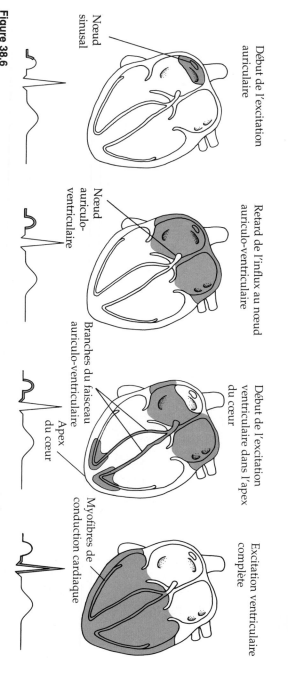

Nœud sinusal

Nœud auriculo-ventriculaire

Branches du faisceau auriculo-ventriculaire

Apex du cœur

Myofibres de conduction cardiaque

Début de l'excitation auriculaire

Retard de l'influx au nœud auriculo-ventriculaire

Début de l'excitation ventriculaire dans l'apex du cœur

Excitation ventriculaire complète

Figure 38.6
Excitation du cœur. Dans ces schémas, la couleur rouge permet de relier les étapes de l'excitation aux composantes correspondantes d'un électrocardiogramme.

seulement, alors que le cœur d'une Musaraigne, un Animal de très petite taille, s'emballe jusqu'à atteindre 600 battements par minute. Pour comprendre la signification de cette différence, rappelez-vous que la vitesse du métabolisme (et par conséquent, la consommation de dioxygène) par gramme de tissu est proportionnellement plus grande chez des Mammifères plus petits (voir le chapitre 37). Un pouls rapide représente une adaptation qui augmente la distribution de dioxygène pour la respiration cellulaire.

Le volume sanguin que le ventricule gauche éjecte par minute dans la circulation systémique s'appelle **débit cardiaque**. Ce volume dépend de deux facteurs : la fréquence cardiaque et le **volume systolique**, c'est-à-dire la quantité de sang expulsée par le ventricule gauche chaque fois qu'il se contracte. Le volume systolique moyen pour un Humain s'élève à 70 mL par battement. Une personne ayant au repos un volume systolique et un pouls au repos de 75 battements par minute a un débit cardiaque de 5,25 L/min. C'est à peu près l'équivalent du volume sanguin total du corps humain. Le débit cardiaque peut augmenter par un facteur cinq au cours d'un exercice très exigeant.

Excitation et régulation cardiaques Les cellules du muscle cardiaque sont excitables de façon intrinsèque ; elles peuvent se contracter sans aucun influx du système nerveux. Si on prélève le cœur d'une Grenouille et qu'on le place dans un bécher de solution d'électrolytes, il continuera de battre pendant une heure ou plus. Même des cellules cardiaques individuelles extraites du cœur et examinées au microscope peuvent battre, mais à des intervalles irréguliers. Bien que les cellules du muscle cardiaque possèdent la capacité intrinsèque de se contracter, elles doivent être coordonnées les unes avec les autres, et la fréquence des contractions doit être réglée par quelque tissu conducteur. C'est une région spécialisée du cœur appelée **nœud sinusal**, ou centre rythmogène, qui règle la fréquence de contraction. Le nœud sinusal se trouve dans la paroi de l'oreillette droite, près du point d'entrée de la veine cave supé-

rieure (figure 38.6). Il se compose de tissu musculaire spécialisé qui combine les caractéristiques des muscles et des nerfs. Le tissu nodal se contracte comme un muscle, mais ce faisant, il génère des influx électriques très semblables à ceux rencontrés dans le tissu nerveux. Chaque fois que le nœud sinusal se contracte, il amorce une onde d'excitation qui se propage dans la paroi du cœur. L'influx se déplace rapidement, et les deux oreillettes se contractent à l'unisson. (Les cellules musculaires cardiaques sont électriquement couplées par des disques intercalaires entre les cellules adjacentes ; voir le chapitre 36.) Au bas de la cloison interauriculaire (séparant les deux oreillettes) se trouve un autre amas de tissu nodal, le **nœud auriculo-ventriculaire**. Lorsque l'onde d'excitation atteint le nœud auriculo-ventriculaire, elle prend un retard d'environ 0,1 s, ce qui permet aux oreillettes de se contracter en premier et de se vider complètement avant le début de la contraction ventriculaire. Après ce retard, le signal de contraction se propage jusqu'à l'extrémité de chaque ventricule, le long des branches du faisceau auriculo-ventriculaire. L'onde d'excitation remonte ensuite et s'étend dans les parois ventriculaires par les myofibres de conduction cardiaque (voir la figure 38.6). Les influx qui se propagent dans le muscle cardiaque au cours de la révolution cardiaque engendrent des courants électriques que les liquides organiques conduisent vers la surface du corps. En appliquant des électrodes sur la peau, on peut détecter et enregistrer ces courants sous forme d'**électrocardiogramme (ECG)**.

La contraction du nœud sinusal établit la fréquence pour tout le cœur, mais le nœud lui-même obéit à différents stimuli. Tout d'abord, deux ensembles de nerfs s'opposent dans la régulation de la fréquence cardiaque ; l'un accélère le nœud sinusal, alors que l'autre le ralentit. En tout temps, la fréquence cardiaque résulte de l'action combinée de ces deux ensembles de nerfs antagonistes. Le nœud sinusal est également sous la dépendance d'hormones sécrétées dans le sang par des glandes endocrines. Par exemple, l'adrénaline, l'hormone de la « réaction de lutte ou de fuite » des glandes médullosurrénales, augmente la fréquence cardiaque (voir le chapitre 41). La

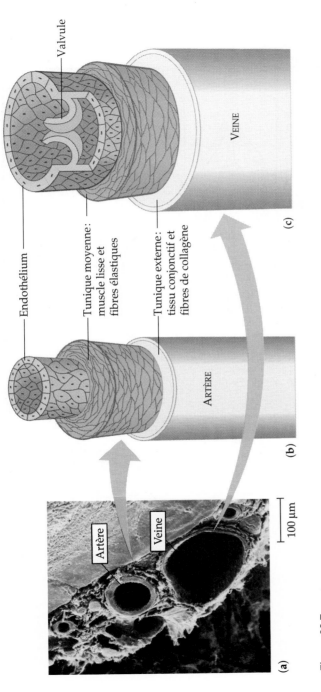

Figure 38.7
Structure des vaisseaux sanguins.
(**a**) Dans cette micrographie, on peut voir une artère près d'une veine à paroi plus mince (MEB). (**b**) La paroi d'une artère ou d'une veine se compose de trois tuniques : la tunique interne, constituée d'un endothélium ; la tunique moyenne, faite de muscle lisse et de fibres élastiques ; et la tunique externe, composée de tissu conjonctif associé à des fibres collagènes. Les capillaires ont un diamètre beaucoup plus petit que celui des artères et des veines, et leur paroi se compose d'une simple couche d'endothélium. (MEB tirée de *Tissues and Organs : A Text-Atlas of Scanning Electron Microscopy*, Richard G. Kessel et Randy H. Kardon, W. H. Freeman and Company, copyright © 1979.)

température corporelle constitue un autre facteur qui influe sur le nœud sinusal. Une élévation de la température de 1 °C seulement entraîne une accélération de la fréquence cardiaque d'environ 10 à 20 battements par minute. C'est la raison pour laquelle votre pouls augmente de façon importante lors d'une fièvre. L'exercice accélère également la fréquence cardiaque, en partie parce que la surcharge imposée au cœur par le retour de sang veineux stimule le nœud sinusal. Cette adaptation permet au système circulatoire de fournir le dioxygène supplémentaire nécessaire aux muscles sollicités par un travail.

Circulation sanguine

Structure des vaisseaux sanguins La paroi d'une artère ou d'une veine comprend trois couches, ou tuniques (figure 38.7). La tunique externe, composée de tissu conjonctif, contient des fibres collagènes qui permettent au vaisseau de se dilater et de reprendre sa forme initiale. En outre, la tunique externe des gros vaisseaux comporte des neurofibres et de minuscules vaisseaux sanguins. La tunique moyenne se compose de muscle lisse et de fibres élastiques. Elle est particulièrement épaisse dans les artères, qui doivent être plus résistantes et plus élastiques que les veines. (La paroi des principales artères est si épaisse qu'elle doit elle-même être vascularisée.) Enfin, la tunique interne est constituée d'un **endothélium**, une variété d'épithélium pavimenteux simple (voir le chapitre 36) doté d'une membrane basale et d'un mince anneau de tissu conjonctif. Dans les capillaires, les tuniques externe et moyenne disparaissent pour ne laisser qu'une paroi très mince composée uniquement d'endothélium.

Vitesse de la circulation sanguine Dans le système circulatoire, le sang ne s'écoule pas à une vitesse constante. Après avoir été chassé dans l'aorte par le ventricule gauche, il se déplace initialement à une vitesse d'environ 2 m/s. Au moment où il atteint les capillaires, cependant, il circule beaucoup plus lentement. Pour comprendre pourquoi le sang décélère, nous devons examiner la *loi de la continuité* (ou équation de continuité), le principe qui régit l'écoulement des fluides dans les conduits. Selon cette loi, la vitesse d'un fluide est maximale lorsque l'aire de la section transversale est minimale. Prenons comme exemple un conduit dont le diamètre varie sur sa longueur ; le fluide s'écoulera plus rapidement dans les segments plus étroits du conduit que dans les sections plus larges. Comme le *volume* d'écoulement par seconde doit être constant dans tout le conduit, le liquide doit circuler plus rapidement à mesure que le calibre du conduit se rétrécit. Comparez, par exemple, la vitesse de l'eau qui jaillit d'un tuyau d'arrosage avec et sans ajutage. En s'appuyant sur la loi de la continuité, on pourrait penser que le sang devrait circuler plus rapidement dans les capillaires que dans les artères, étant donné que le calibre des capillaires est beaucoup plus petit. Cependant, c'est l'aire de la section transversale *totale* des conduits qui détermine le débit. Bien qu'un capillaire pris individuellement soit très étroit, chaque artère donne naissance à un nombre très élevé de capillaires, de sorte que le calibre *total* des conduits est en fait beaucoup plus grand dans les lits capillaires que dans toute autre partie du système circulatoire. En outre, la friction dans les lits capillaires est plus importante, car le sang entre en contact avec une surface plus grande d'endothélium. Pour cette raison, le sang ralentit de manière considérable en

passant des artères aux capillaires, mais il accélère de nouveau lorsqu'il passe dans les veines, une conséquence de la réduction de l'aire de la section transversale totale (figure 38.8). Les capillaires constituent les seuls vaisseaux à paroi assez mince pour permettre le transfert de substances entre le sang et le liquide interstitiel, et l'écoulement lent du sang dans ces minuscules vaisseaux maximise cet échange chimique.

Pression sanguine La pression hydrostatique est la force qui déplace des fluides dans les conduits. On appelle **pression sanguine** la force hydrostatique que le sang exerce contre la surface représentée par la paroi d'un vaisseau (voir l'encadré à la page 827). Cette pression, beaucoup plus grande dans les artères que dans les veines, atteint un maximum dans les artères durant la systole, lors de la contraction du cœur (on l'appelle pression artérielle). Quand vous prenez votre pouls en plaçant les doigts sur votre poignet, vous sentez en fait le gonflement d'une artère à chaque battement de cœur. Cette onde pulsatile est en partie causée par le petit calibre des artérioles qui entravent la sortie du sang des artères. En conséquence, lorsque le cœur se contracte, le sang entre dans les artères plus vite qu'il ne peut en sortir, et les artères se dilatent sous la pression. La paroi élastique des artères revient en place durant la diastole, mais le cœur se contracte de nouveau avant que suffisamment de sang n'ait circulé dans les artérioles de manière à dissiper complètement la pression dans les artères. Cette force opposée par les artérioles s'appelle **résistance périphérique.** Étant donné que le travail des artères élastiques s'exerce contre la résistance périphérique, il existe une pression même au cours de la diastole, ce qui refoule continuellement le sang dans les artérioles et les capillaires.

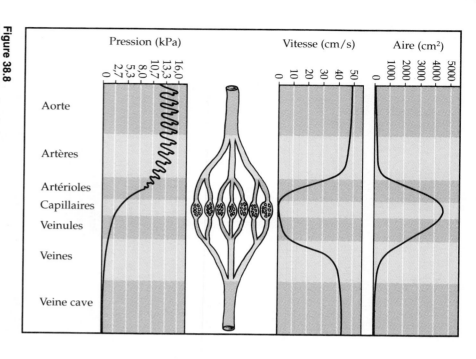

Figure 38.8
Vitesse de la circulation sanguine et pression sanguine. Le sang ralentit lorsqu'il passe dans un lit capillaire, en raison de la friction accrue et de l'augmentation de l'aire de la section transversale totale des nombreux vaisseaux microscopiques. La résistance à l'écoulement dans les artérioles et les capillaires réduit la pression sanguine et élimine les montées de pression causées par la systole.

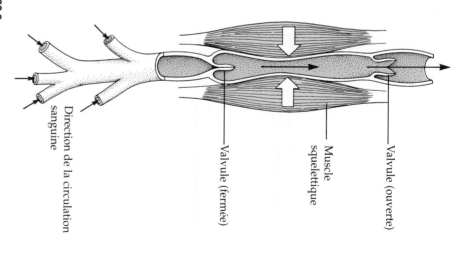

Figure 38.9
Circulation sanguine dans les veines. En se contractant, les muscles compriment les veines. Le sang est alors poussé vers le cœur. Des replis de la tunique interne servent de valvules à sens unique qui empêchent le sang de refluer. L'activité musculaire durant l'exercice physique augmente le débit de la circulation sanguine. Lorsque nous restons assis ou debout trop longtemps, le manque d'activité musculaire fait gonfler nos pieds à cause du sang qui stagne, incapable de retourner au cœur. Les coiffeurs, les ouvriers de chaînes de montage et toutes les personnes qui travaillent debout pendant de longues périodes sont sujets aux varices dans les jambes ; les varices se forment lorsque les valvules veineuses s'affaissent à cause de la force de gravitation constamment exercée sur le sang.

TECHNIQUES : MESURE DE LA PRESSION ARTÉRIELLE

On exprime la pression artérielle à l'aide de deux nombres séparés par une barre oblique ; la première valeur représente la pression systolique et la seconde, la pression diastolique. La pression artérielle d'une personne de 20 ans est d'environ 16/10,7 (figure a). L'unité à privilégier pour exprimer la pression artérielle est le kilopascal (kPa), bien qu'en milieu hospitalier on lui préfère encore le millimètre de mercure (mm Hg) ; dans ce dernier cas, la pression artérielle d'une personne de 20 ans équivaut à 120/80 environ. Pour mesurer la pression artérielle, on se sert d'un sphygmomanomètre, c'est-à-dire un manchon gonflable relié à un manomètre (figure b). On enroule le manchon autour de la partie supérieure du bras et on le gonfle jusqu'à ce que la pression ferme l'artère et arrête complètement la circulation sanguine en aval du manchon. À l'aide d'un stétho-scope, on écoute alors les bruits de la circulation sanguine sous le manchon afin de vérifier que l'artère est bel et bien fermée. Ensuite, on dégonfle progressivement le manchon jusqu'à ce que le sang recommence à circuler dans l'avant-bras et qu'on puisse entendre, avec le stéthoscope, les bruits causés par la pulsation du sang artériel dans l'avant-bras (figure c). Cela se produit quand la pression sanguine est plus grande que celle exercée par le manchon. La pression notée à ce moment correspond à la pression systolique, c'est-à-dire à la forte pression exercée par la contraction des ventricules. On continue à dégonfler le manchon jusqu'à ce que le sang s'écoule librement dans l'artère et que les bruits sous le manchon disparaissent. La pression notée à ce moment correspond à la pression diastolique, la pression résiduelle entre les contractions du cœur (figure d).

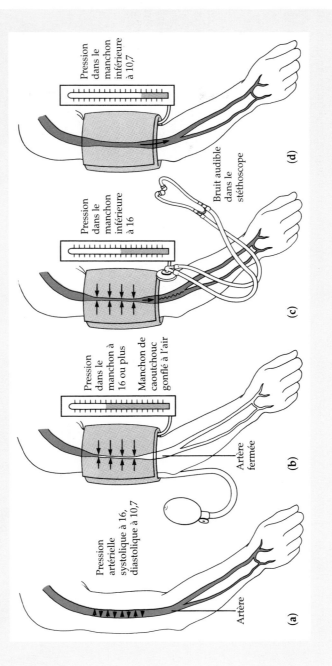

La pression sanguine dépend en partie du débit cardiaque et en partie du degré de résistance périphérique à l'écoulement sanguin due aux artérioles, les goulets d'étranglement du système circulatoire. Dans la paroi des artérioles se trouvent des muscles lisses ; la contraction de ces muscles comprime les artérioles, accroît la résistance et, par conséquent, augmente la pression artérielle. Lorsque les muscles se relâchent, les artérioles se dilatent et la pression artérielle chute. Les muscles des artérioles obéissent à des nerfs, à des hormones et à d'autres messagers. Le stress, tant physique qu'émotionnel, peut élever la pression sanguine en déclenchant des réactions nerveuse et hormonale qui compriment les vaisseaux sanguins.

Lorsque le sang atteint finalement les veinules et les veines, sa pression dépend très peu de la poussée exercée par le cœur. De fait, le sang rencontre tellement de résistance en passant par les millions de minuscules artérioles et capillaires que l'action de propulsion du cœur ne peut plus à elle seule faire avancer le sang rendu dans les veines. Comment, alors, le sang retourne-t-il au cœur, particulièrement lorsqu'il doit remonter des membres inférieurs contre la gravitation ? Les veines sont intercalées entre les muscles et, chaque fois que nous bougeons, nos muscles squelettiques compriment nos veines et font monter le sang dans les vaisseaux (figure 38.9). Dans les grandes veines, des replis de la tunique interne, les valvules veineuses, laissent le sang s'écouler seulement en

direction du cœur. (Il n'existe pas de telles valvules dans les artères, car la pression sanguine y propulse le sang dans la bonne direction.) L'activité musculaire durant l'exercice physique augmente la vitesse à laquelle le sang retourne au cœur, et cette charge accrue incite le cœur à accélérer. La respiration contribue également au retour du sang au cœur ; lorsque nous inspirons, il se produit un changement de pression dans la cavité thoracique (poitrine), et ce changement cause la dilatation et le remplissage de la veine cave et d'autres grosses veines voisines du cœur.

Microcirculation et irrigation　La microcirculation fait référence à la circulation du sang dans les réseaux de capillaires, entre les artérioles et les veinules (figure 38.10). Une partie du sang s'écoule directement des artérioles aux veinules en passant par des **métartérioles**, toujours ouvertes. Les capillaires vrais s'abouchent toujours à une métartériole. À l'entrée de chaque capillaire se trouve un sphincter précapillaire, une sorte d'anneau de muscle lisse qui règle le passage du sang.

L'irrigation des divers organes dépend de la dilatation et de la constriction des artérioles, ainsi que de l'ouver-

ture ou de la fermeture des sphincters précapillaires. En tout temps, de 5 à 10 % seulement des capillaires du corps contiennent du sang. Toutefois, grâce à leur très grand nombre de capillaires, les tissus sont toujours irrigués. L'apport de sang varie localement en raison de la dérivation occasionnelle du sang d'une destination à une autre. Après un repas, par exemple, les artérioles de la paroi du tube digestif se dilatent, les sphincters des capillaires s'ouvrent et le tube digestif est abondamment irrigué. Au cours d'un exercice physique intense, le sang est détourné du tube digestif pour aller irriguer plus généreusement les muscles squelettiques. (C'est une des raisons pour lesquelles une activité physique intense après un gros repas peut causer une indigestion.) La majeure partie du temps, les organes les plus irrigués par le sang sont l'encéphale, les reins, le foie et le cœur lui-même.

Échange capillaire

Nous allons maintenant étudier la fonction la plus importante du système circulatoire, soit l'échange de substances entre le sang et le liquide interstitiel qui baigne les cellules. Cet échange s'effectue à travers la mince paroi

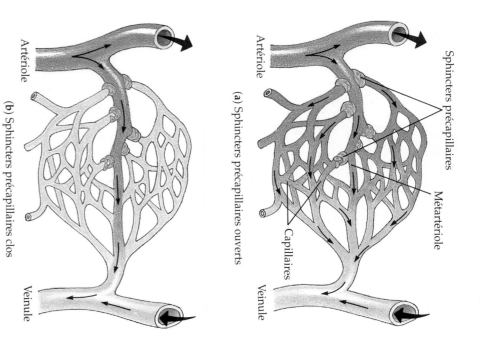

Figure 38.10
Microcirculation. Le sang s'écoule des artérioles aux veinules par les métartérioles, des vaisseaux toujours ouverts. **(a)** Lorsque les sphincters précapillaires s'ouvrent, le sang s'écoule également dans les capillaires. **(b)** Lorsque les sphincters précapillaires se ferment, le sang passe directement de l'artériole à la veinule par une métartériole.

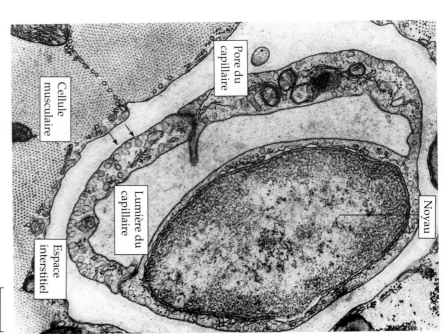

Figure 38.11
Paroi capillaire. Les cellules endothéliales, dont les bords se chevauchent, entourent la lumière du capillaire, comme on le voit sur cette micrographie (MP). Les espaces entre les cellules forment des pores capillaires. Les substances traversent la paroi capillaire par diffusion, par transport dans des vésicules (flèches) et par filtration sous l'action de la pression (courant de masse) dans les fentes intercellulaires.

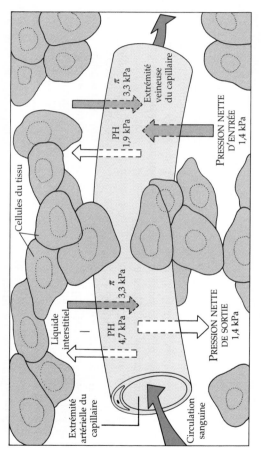

Figure 38.12
Mouvement du liquide dans les capillaires. Le liquide sort d'un capillaire dans la portion artérielle du lit capillaire et entre de nouveau dans un capillaire dans la portion veineuse du lit capillaire. En tout point dans le capillaire, la direction de l'écoulement du liquide dépend de la différence entre deux forces opposées : la pression hydrostatique (PH) et la pression osmotique (π). La pression hydrostatique, ou pression sanguine, tend à pousser le liquide hors du capillaire.

La pression osmotique est la tendance que possède l'eau à entrer dans un capillaire en raison de la concentration relativement élevée de soluté dans le sang. À l'extrémité artérielle du capillaire, la pression hydrostatique qui pousse le liquide à sortir excède la pression osmotique qui attire l'eau à l'intérieur, ce qui provoque une nette sortie de liquide hors du capillaire. En raison de sa perméabilité sélective, l'endothélium filtre le liquide de sorte que l'eau et les petits solutés

quittent le capillaire, tandis que la plupart des protéines demeurent dans le sang. Alors que le sang continue à s'écouler dans le lit capillaire, la pression hydrostatique diminue en raison de la résistance et de la perte de volume liquidien. À l'extrémité veineuse du lit capillaire, la tendance du liquide à entrer l'emporte sur la tendance du liquide à sortir, car la pression osmotique excède alors la pression hydrostatique.

des capillaires. La paroi d'un capillaire, rappelez-vous, se compose d'endothélium, une couche unique de cellules aplaties dont les bords se chevauchent (figure 38.11).

Pour pénétrer dans une cellule endothéliale, certaines substances sont transportées dans des vésicules qui se forment par endocytose sur un côté de la cellule puis libèrent leur contenu par exocytose sur le côté opposé ; d'autres substances diffusent simplement entre le sang et le liquide interstitiel. Les petites molécules diffusent à travers les membranes des cellules endothéliales en fonction de leurs gradients de concentration. La diffusion peut aussi s'effectuer par les fentes intercellulaires. Cependant, le passage par ces fentes s'effectue surtout grâce à un courant de masse, c'est-à-dire le mouvement des liquides dû à la pression. La pression hydrostatique (pression sanguine) qui existe dans le capillaire expulse le liquide à travers les fentes intercellulaires de l'endothélium. L'eau et les petits solutés, comme certains glucides, les sels, le dioxygène et l'urée, se déplacent librement dans ces fentes intercellulaires, mais les cellules sanguines et les protéines dissoutes dans le sang sont trop grosses pour traverser facilement l'endothélium.

Le liquide sort d'un capillaire dans la portion artérielle du lit capillaire, mais entre de nouveau dans la circulation dans la portion veineuse du lit capillaire. La figure 38.12 présente le mécanisme de cet échange de substances entre le sang et le liquide interstitiel. Environ 99 % du liquide qui quitte le sang à l'extrémité artérielle d'un lit capillaire ressort du liquide interstitiel à l'extrémité veineuse, et le 1 % restant de liquide perdu par les capillaires retourne plus tard au sang par l'intermédiaire des vaisseaux du système lymphatique.

Système lymphatique

Les capillaires ne perdent que 1 % environ de leur contenu en liquides, mais ils transportent une quantité telle de sang que la perte cumulative de liquide s'élève à environ 3 L par jour. Les capillaires perdent également une certaine quantité de protéines sanguines, même si leur paroi n'est pas très perméable à ces grosses molécules. Ce liquide et ces protéines que les capillaires laissent s'échapper retournent au sang par l'intermédiaire du **système lymphatique** (voir la figure 39.5). Pour entrer dans ce système, le liquide diffuse dans de minuscules capillaires lymphatiques qui s'insinuent entre les capillaires du vrai système circulatoire. Une fois dans le système lymphatique, le liquide est appelé **lymphe** ; sa composition est à peu près la même que celle du liquide interstitiel. Le système lymphatique se déverse dans le système circulatoire à deux endroits, près des épaules.

Si le liquide interstitiel s'accumule au lieu de retourner au sang par le système lymphatique, les tissus et les cavités corporelles deviennent gonflés, une affection appelée œdème. L'éléphantiasis est une forme grave d'œdème localisé, dû au blocage des vaisseaux lymphatiques par un Ver rond parasite, la Filaire de Bancroft (*Wuchereria bancrofti*). Une carence grave en protéines alimentaires peut également causer un œdème. En effet, lorsque l'organisme manque d'acides aminés, il consomme ses propres protéines sanguines. Il en résulte une réduction de la pression osmotique du sang, et le liquide interstitiel a alors tendance à s'accumuler dans les tissus corporels au lieu de retourner dans les capillaires. Un enfant qui souffre d'une carence en protéines peut avoir

le ventre très gonflé à cause de tout le liquide qui s'accumule dans la cavité corporelle.

Les vaisseaux lymphatiques, comme les veines, possèdent des valvules qui empêchent le liquide de refluer dans les capillaires. Comme les veines, les vaisseaux lymphatiques dépendent surtout du mouvement des muscles squelettiques pour comprimer le liquide et le faire avancer. Les contractions rythmiques de la paroi des vaisseaux contribuent également à attirer le liquide dans les capillaires lymphatiques.

Des renflements spécialisés appelés **ganglions lymphatiques** se trouvent le long des vaisseaux lymphatiques. Parce qu'ils filtrent la lymphe et hébergent des globules blancs qui luttent contre les Virus et les Bactéries, les ganglions jouent un rôle important dans la défense de l'organisme. Les ganglions lymphatiques renferment un «réseau réticulé» de tissu conjonctif dont les espaces sont occupés par des globules blancs. Lorsque l'organisme lutte contre une infection, ces cellules se multiplient rapidement, et les ganglions lymphatiques deviennent gonflés et sensibles (c'est pourquoi le médecin palpe les ganglions du cou).

Le système lymphatique contribue donc à la défense de l'organisme contre l'infection et équilibre le volume liquidien et la concentration protéique du sang. De plus, comme nous l'avons mentionné au chapitre 37, les capillaires lymphatiques pénètrent dans les villosités de l'intestin grêle et absorbent les graisses ; ainsi, le système lymphatique a également la tâche de transporter les graisses du tube digestif au système circulatoire.

SANG MAMMALIEN

Nous allons maintenant examiner la composition du sang lui-même. Le sang des Vertébrés est considéré comme un tissu conjonctif contenant plusieurs types de cellules en suspension dans une matrice liquide appelée **plasma**. Le corps humain moyen contient de 4 à 6 L de sang. Lorsqu'on prélève un échantillon de sang, on peut séparer les cellules du plasma en centrifugeant le **sang total**. (Il faut ajouter un anticoagulant pour éviter que le sang ne coagule.) Les cellules du sang (ou *éléments figurés*), qui occupent environ 45 % du volume sanguin, se déposent au fond de l'éprouvette et forment un dense culot rouge. Le plasma, plutôt transparent et de couleur jaune paille, constitue le surnageant (figure 38.13).

Plasma

Composé à 90 % d'eau, le plasma sanguin contient une grande variété de solutés en solution aqueuse. Parmi ces solutés, on trouve des sels inorganiques, parfois appelés **électrolytes**, présents dans le plasma sous forme d'ions dissous. La concentration totale de ces ions est un facteur important dans le maintien de l'équilibre osmotique du sang et du liquide interstitiel. Certains ions ont également un effet tampon qui contribue à maintenir le pH du sang, lequel se situe entre 7,35 et 7,45 chez les Humains. De plus, le bon fonctionnement des muscles et des nerfs dépend de la concentration des principaux ions dans le liquide interstitiel, laquelle reflète celle du plasma. Par un mécanisme homéostatique, les reins maintiennent les électrolytes du plasma à des concentrations précises.

Les protéines constituent une autre classe importante de solutés plasmatiques. Ensemble, elles ont un effet tampon qui contribue à maintenir le pH, à équilibrer la pression osmotique et à conférer au sang sa viscosité (consistance). Les divers types de protéines plasmatiques possèdent également des fonctions spécifiques. Certaines d'entre elles servent au transport des lipides, lesquels sont insolubles dans l'eau : elles se lient aux lipides (lipoprotéines) pour leur permettre de circuler dans le sang. Un autre type de protéines, les immunoglobulines, sont les anticorps qui aident à détruire les Virus et autres agents étrangers qui s'insinuent dans l'organisme (voir le chapitre 39). Un autre type de protéines plasmatiques, appelé fibrinogène, est un facteur de coagulation qui contribue à colmater les fuites lorsqu'un vaisseau sanguin subit une lésion. Le plasma sanguin auquel on a enlevé les facteurs de coagulation s'appelle sérum.

Le plasma contient également différentes substances en transit, qui utilisent le sang pour se déplacer d'une partie de l'organisme à une autre : ce sont, par exemple, les nutriments, les déchets métaboliques, les gaz respiratoires et les hormones. Le plasma sanguin et le liquide interstitiel ont une composition semblable, sauf que le plasma contient beaucoup plus de protéines que le liquide interstitiel (rappelez-vous que la paroi des capillaires n'est pas très perméable aux protéines).

Cellules sanguines

Trois types de cellules en suspension dans le plasma sanguin : les globules rouges (érythrocytes), dont la fonction consiste à transporter le dioxygène ; les globules blancs (leucocytes), qui constituent un des moyens de défense de l'organisme ; et les plaquettes, qui jouent un rôle dans la coagulation du sang.

Érythrocytes Les globules rouges, ou **érythrocytes**, sont de loin les cellules sanguines les plus nombreuses. Chaque litre de sang humain contient de 4 à 6 billions de globules rouges.

La structure d'un érythrocyte offre un autre exemple de la corrélation entre la structure et la fonction. Un érythrocyte humain a la forme d'un disque biconcave, plus mince en son centre qu'à ses extrémités. Les érythrocytes de Mammifères sont anucléés (dépourvus de noyau), une caractéristique inhabituelle pour des cellules vivantes (les autres classes de Vertébrés possèdent des érythrocytes nucléés). De plus, les érythrocytes ne possèdent pas de mitochondries et produisent leur ATP exclusivement au moyen d'un métabolisme anaérobie. Comme les érythrocytes servent principalement à transporter le dioxygène, ils ne seraient pas très efficaces s'ils avaient un métabolisme aérobie consommant le dioxygène en transit. Les érythrocytes ont aussi une petite taille qui convient bien à leur fonction. Pour que le dioxygène soit transporté, il doit diffuser à travers la membrane plasmique des érythrocytes. Or, dans un volume de sang donné, plus les globules sont petits, plus ils sont nombreux, et plus l'aire totale de membrane plasmique est grande. La forme biconcave des érythrocytes accroît également la surface d'échange.

Un érythrocyte, si petit soit-il, renferme environ 250 millions de molécules d'**hémoglobine**, une protéine

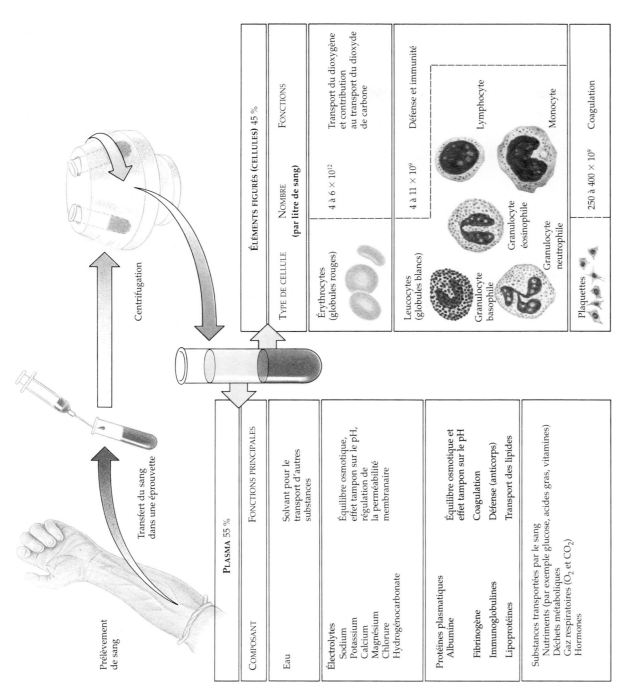

Figure 38.13
Composition du sang.

qui contient du fer. Lorsque le sang passe dans les lits capillaires des poumons, des branchies ou des autres organes respiratoires, le dioxygène diffuse dans les érythrocytes et l'hémoglobine fixe le dioxygène. Ce processus s'inverse dans les capillaires de la circulation systémique, où l'hémoglobine libère son chargement de dioxygène. (Nous décrirons en détail le transfert du dioxygène plus loin dans ce chapitre.)

Les érythrocytes sont fabriqués dans la moelle osseuse rouge, principalement dans les côtes, les vertèbres, le corps du sternum et le bassin. Dans la moelle se trouvent les **hémocytoblastes**, c'est-à-dire les cellules souches multipotentielles qui peuvent donner naissance à n'importe quel type de cellule sanguine (figure 38.14). La production de globules rouges dépend d'un mécanisme de rétro-inhibition sensible à la concentration de dioxygène qui atteint les tissus par l'intermédiaire du sang. Si les tissus ne reçoivent pas assez de dioxygène, le rein sécrète une hormone appelée **érythropoïétine** qui stimule la production d'érythrocytes dans la moelle osseuse. Inversement, un apport de dioxygène excessif réduira la sécrétion d'érythropoïétine et ralentira la production d'érythrocytes. En moyenne, les érythrocytes circulent pendant trois à quatre mois avant d'être détruits par des phagocytes situés principalement dans le foie. L'hémoglobine se dégrade, et les acides aminés qu'elle contenait sont incorporés dans d'autres protéines élaborées dans le foie. La moelle osseuse récupère une bonne partie du fer de l'hémoglobine et le réutilise pour produire des érythrocytes.

Leucocytes Il existe cinq principaux types de globules blancs, ou **leucocytes :** les monocytes, les granulocytes neutrophiles, les granulocytes basophiles, les granulocytes

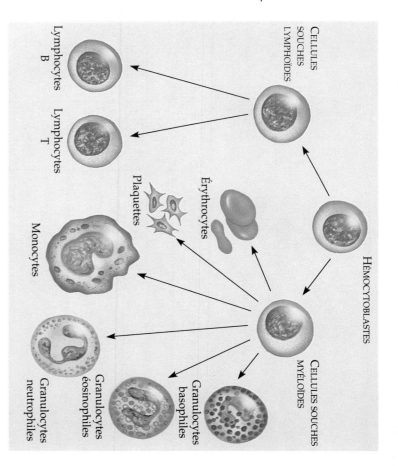

Figure 38.14
Formation des cellules sanguines. Toutes les cellules sanguines se différencient à partir d'hémocytoblastes, une population de cellules souches multipotentielles dans la moelle osseuse rouge. Cette population d'hémocytoblastes se renouvelle par mitose. Certaines de ces cellules deviennent des cellules souches lymphoïdes, lesquelles génèrent des lymphocytes B et des lymphocytes T, deux classes de lymphocytes qui interviennent dans la réponse immunitaire (voir le chapitre 39). Tous les autres hémocytoblastes deviennent des cellules souches myéloïdes, lesquelles se différencient en six classes de cellules.

HÉMOCYTOBLASTES

CELLULES SOUCHES LYMPHOÏDES

CELLULES SOUCHES MYÉLOÏDES

Lymphocytes B

Lymphocytes T

Érythrocytes

Plaquettes

Monocytes

Granulocytes neutrophiles

Granulocytes éosinophiles

Granulocytes basophiles

éosinophiles et les lymphocytes (figure 38.13). Leur fonction consiste à lutter contre les infections de diverses façons. Par exemple, les monocytes et les granulocytes neutrophiles sont des phagocytes qui ingèrent les Bactéries et les débris de nos cellules mortes. Certains lymphocytes donnent naissance aux cellules productrices d'anticorps, des protéines plasmatiques, qui réagissent contre les substances étrangères. Les leucocytes que nous voyons dans le sang sont en transit. En effet, les leucocytes passent la majeure partie de leur temps hors du système circulatoire, et patrouillent dans le liquide interstitiel où se déroulent la plupart des luttes contre les agents pathogènes. Les ganglions lymphatiques renferment également de nombreux leucocytes (voir le chapitre 39).

Les leucocytes sont fabriqués dans la moelle osseuse à partir des hémocytoblastes, qui peuvent également se différencier en érythrocytes. Certains lymphocytes quittent la moelle pour atteindre la maturité dans la rate, le thymus, les amygdales, les follicules lymphatiques du tube digestif et les ganglions lymphatiques. Normalement, un litre de sang humain contient environ 4 à 11×10^9 leucocytes, mais ce nombre augmente dès que l'organisme combat une infection.

Plaquettes Les **plaquettes** ne sont pas des cellules à proprement parler, mais des fragments de cellules de 2 à 4 μm de diamètre. Elles ne possèdent pas de noyau et résultent de la fragmentation du cytoplasme de cellules géantes dans la moelle osseuse. Une fois élaborées, les plaquettes pénètrent dans la circulation sanguine et interviennent dans l'important mécanisme de la coagulation.

Coagulation

De temps à autre, il nous arrive de nous couper ou de nous égratigner. Toutefois, nous ne perdons pas tout notre sang, car ce dernier contient un matériau adhésif qui colmate les vaisseaux lésés. Ce matériau est toujours présent dans notre sang sous forme inactive appelée **fibrinogène.** Un caillot ne se constitue que lorsque cette protéine plasmatique est transformée en sa forme active, la **fibrine,** laquelle s'agglutine en filaments composant le caillot. Le mécanisme de la coagulation commence habituellement quand les plaquettes libèrent des facteurs de coagulation et se déroule en une chaîne de réactions complexe qui transforme finalement la fibrinogène en fibrine (figure 38.15). On a découvert jusqu'à présent plus d'une douzaine de facteurs de coagulation, mais on ne comprend pas encore le mécanisme exact de la coagulation. L'**hémophilie,** une maladie héréditaire caractérisée par un saignement excessif provoqué par la moindre coupure ou blessure, est causée par l'absence d'un des facteurs de la coagulation.

En temps normal, les facteurs anticoagulants du sang empêchent la coagulation spontanée en l'absence de lésion. Quelquefois, cependant, des amas de plaquettes et la fibrine coagulent dans un vaisseau sanguin et bloquent la circulation du sang. Ce genre de caillot est appelé **thrombus.** Les personnes atteintes d'une maladie cardiovasculaire deviennent plus sujettes que d'autres à la formation d'un thrombus.

MALADIES CARDIOVASCULAIRES

Plus de la moitié des décès aux États-Unis sont provoqués par les **maladies cardiovasculaires,** c'est-à-dire des

Figure 38.15

Coagulation. (a) Le processus de coagulation débute quand l'endothélium d'un vaisseau subit une lésion et que le tissu conjonctif de sa paroi est exposé au sang. Les plaquettes adhèrent alors aux fibres collagènes du tissu conjonctif et libèrent une substance qui rend adhésives les plaquettes avoisinantes. Les plaquettes s'agglutinent pour former un « clou plaquettaire » qui apporte une protection d'urgence contre la perte de sang. Cette obturation est renforcée par un caillot de fibrine dans les cas de lésions plus graves. Certains facteurs de coagulation, libérés par les plaquettes agglutinées ou par les cellules endommagées, se mélangent avec d'autres facteurs de coagulation, ceux du plasma, pour former un activateur qui transforme la protéine plasmatique appelée prothrombine en sa forme active, la thrombine. Le calcium et la vitamine K font partie des facteurs plasmatiques nécessaires à cette étape. La thrombine elle-même est une enzyme qui catalyse l'étape finale du processus de coagulation, c'est-à-dire la conversion du fibrinogène en fibrine. En conséquence, dans une cascade de réactions, la présence d'une lésion active la prothrombine qui, par la suite, active le fibrinogène. Les filaments de fibrine s'entremêlent de façon à former un caillot. **(b)** Érythrocytes emprisonnés dans un caillot de fibrine (MEB colorée).

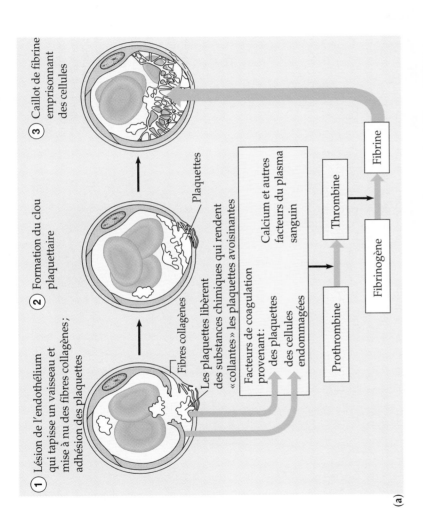

① Lésion de l'endothélium qui tapisse un vaisseau et mise à nu des fibres collagènes; adhésion des plaquettes

② Formation du clou plaquettaire

③ Caillot de fibrine emprisonnant des cellules

Fibres collagènes

Plaquettes

Les plaquettes libèrent des substances chimiques qui rendent « collantes » les plaquettes avoisinantes

Facteurs de coagulation provenant:
des plaquettes
des cellules endommagées

Calcium et autres facteurs du plasma sanguin

Prothrombine → Thrombine

Fibrinogène → Fibrine

(a)

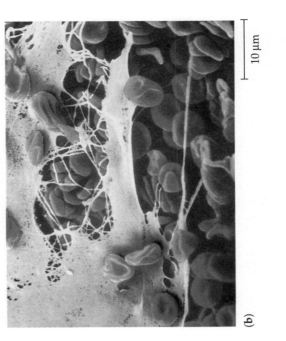

10 μm

(b)

affections qui touchent le cœur et les vaisseaux sanguins. Le plus souvent, la phase ultime d'une maladie cardiovasculaire se manifeste soit par une crise cardiaque, soit par un accident vasculaire cérébral. Ces accidents sont souvent associés à un thrombus. Si le thrombus bloque une artère coronaire qui acheminent le sang au muscle cardiaque, une crise cardiaque se produit. Un thrombus qui cause une crise cardiaque peut se former dans l'artère coronaire même, ou se développer ailleurs dans le système circulatoire et atteindre une artère coronaire par voie sanguine. Un tel caillot mobile est appelé embole. L'embole circule jusqu'à ce qu'il reste bloqué dans une artère trop petite pour permettre son passage. Le tissu musculaire cardiaque en aval de l'obstruction peut mou-

rir. Si la lésion se trouve à un endroit où elle interrompt la conduction des influx électriques dans le muscle cardiaque, le cœur peut se mettre à battre de façon irrégulière (arythmie) voire s'arrêter. (Toutefois, la victime peut survivre si on rétablit le rythme cardiaque par réanimation cardiorespiratoire ou toute autre intervention d'urgence dans les minutes qui suivent la crise.) De la même façon, de nombreux accidents vasculaires cérébraux sont associés à un thrombus ou à un embole qui bloque une artère du cerveau. Le tissu cérébral alimenté par cette artère meurt. Les effets de l'accident vasculaire cérébral et les chances de survie de la personne dépendent de l'ampleur et du siège de la lésion.

Malgré le caractère subit d'une crise cardiaque ou d'un accident vasculaire cérébral, le fait est que les artères de la

Figure 38.16
Athérosclérose. Ces micrographies photo-niques permettent de comparer une artère normale (à gauche) et une artère partielle-ment bloquée par un athérome (à droite). Un athérome se constitue lorsque des lipides comme le cholestérol s'introduisent dans une matrice de muscle lisse et de tissu conjonctif qui prolifère anormalement. Dans certains cas, les athéromes durcis par des dépôts de calcium provoquent une forme d'athérosclérose appelée artériosclérose, ou durcissement des artères.

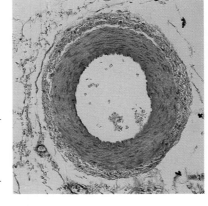

0,1 mm

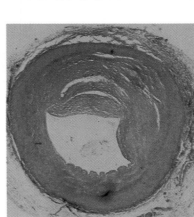

0,5 mm

plupart des victimes se détériorent d'abord graduel-lement à cause d'une maladie chronique appelée **athéro-sclérose** (figure 38.16). L'athérosclérose augmente considérablement le risque d'occlusion artérielle par un caillot sanguin. Au cours du développement de cette maladie cardiovasculaire, des dépôts lipidiques appelés **athéromes** se forment sur la tunique interne des artères et rétrécissent le calibre des vaisseaux. Un athérome se constitue lorsque des lipides s'introduisent dans une matrice anormalement épaisse de muscle lisse. Dans cer-tains cas, les athéromes durcissent à cause de dépôts de calcium, ce qui provoque une forme d'athérosclérose appelée **artériosclérose** ou plus communément, durcisse-ment des artères. Un embole a plus de chances de rester bloqué dans un vaisseau rétréci par des athéromes. En outre, les athéromes favorisent la formation de thrombus. Dans une artère saine, la tunique est lisse. L'artère tou-chée par l'athérosclérose possède une tunique rugueuse qui semble favoriser l'adhésion des plaquettes, ce qui déclenche le processus de coagulation.

À mesure que l'athérosclérose évolue, les athéromes obstruent de plus en plus les artères, et la menace d'une crise cardiaque ou d'un accident vasculaire cérébral s'accroît. Il y a parfois des signes. Par exemple, si une artère coronaire est partiellement bloquée par athéro-sclérose, la personne peut sentir des douleurs thora-ciques occasionnelles, une affection appelée angine de poitrine. La douleur ressentie indique qu'une partie du cœur ne reçoit pas suffisamment de dioxygène, et elle apparaît généralement quand le cœur travaille de manière intense en période de stress physique ou émo-tionnel. Cependant, de nombreuses personnes atteintes d'athérosclérose ignorent complètement leur maladie jusqu'à ce qu'une crise survienne.

L'hypertension (pression artérielle élevée) favorise l'athérosclérose et augmente le risque de crise cardiaque et d'accident vasculaire cérébral (et, réciproquement, l'athérosclérose tend à augmenter la pression artérielle en rétrécissant le calibre des vaisseaux et en réduisant leur élasticité). Selon une hypothèse, le mauvais traitement chronique que l'hypertension fait subir à la tunique des artères endommage l'endothélium et amorce la forma-tion d'athéromes. Agissant seules ou en association, l'hypertension et l'athérosclérose, les deux maladies car-

diovasculaires les plus fréquentes, causent la majorité des décès aux États-Unis et dans d'autres pays développés. On appelle parfois l'hypertension «tueur silencieux», car une personne atteinte de la maladie peut ne présenter aucun symptôme jusqu'à ce qu'un accident vasculaire cérébral ou une crise cardiaque se produise. Heureuse-ment, il est facile de diagnostiquer l'hypertension et de la stabiliser au moyen de médicaments, d'un régime parti-culier et d'exercice. Une pression diastolique supérieure à 12 kPa peut être préoccupante et une hypertension extrême, par exemple 26/16, est certainement dange-reuse.

Jusqu'à un certain point, la prédisposition à l'hyper-tension et à l'athérosclérose est héréditaire: certaines per-sonnes sont plus sujettes que d'autres aux maladies cardiovasculaires. Si nous n'avons guère de prise sur nos gènes, nous avons toutefois le pouvoir de préserver la santé de notre système cardiovasculaire. Le tabagisme, le manque d'exercice et un régime riche en graisses anima-les et en cholestérol font partie des facteurs de risque associés à la maladie cardiovasculaire.

Une concentration de cholestérol anormalement élevée dans le plasma sanguin constitue l'un des plus importants facteurs de risque de l'athérosclérose. Le cholestérol se déplace dans le sang surtout sous forme de **lipoprotéines de faible masse volumique (LDL,** *low-density lipoprotein*), des particules plasmatiques constituées de milliers de molécules de cholestérol et d'autres lipides liés à une pro-téine. Il existe une autre forme de protéines transporteuses de cholestérol, appelées **lipoprotéines de forte masse volumique (HDL,** *high-density lipoprotein*), Contrairement aux LDL, les HDL *réduisent* en fait le dépôt de cholestérol dans les athéromes. De nombreux chercheurs sont main-tenant d'avis que le rapport entre les LDL et les HDL constitue un indicateur de maladie cardiovasculaire imminente plus fiable que le cholestérol plasmatique total. L'exercice physique tend à augmenter le taux de HDL, alors que le tabagisme entraîne l'effet opposé sur le rapport entre les LDL et les HDL.

Pour clore le sujet, voici quelques bonnes nouvelles: au cours des 20 dernières années, le taux de mortalité attribuable aux maladies cardiovasculaires a diminué de plus de 25% aux États-Unis. Jusqu'à maintenant, les gref-fes du cœur, les pontages et autres méthodes radicales de

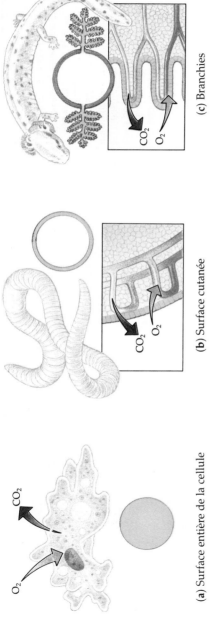

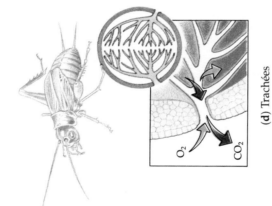

(a) Surface entière de la cellule

(b) Surface cutanée

(c) Branchies

(d) Trachées

(e) Poumons

Figure 38.17
Organes respiratoires. (a) Chez un organisme unicellulaire, les échanges gazeux se produisent sur l'ensemble de la surface externe. **(b)** Chez certains petits Animaux, comme les Vers de terre, toute la surface cutanée humide sert d'organe respiratoire. **(c)** Chez un grand nombre de gros Animaux aquatiques, comme cette Salamandre, les échanges gazeux ont lieu dans des organes respiratoires évaginés spécialisés appelés branchies. **(d)** Les Insectes possèdent un système étendu de tubes invaginés, appelés trachées, qui conduisent l'air directement aux cellules de l'organisme. **(e)** La plupart des Vertébrés terrestres échangent les gaz respiratoires à travers le revêtement des poumons, des surfaces invaginées très vascularisées.

traitement des maladies du cœur n'ont guère contribué, statistiquement parlant, à la diminution substantielle des décès dus aux crises cardiaques. Par contre, le diagnostic et le traitement de l'hypertension contribuent certainement à prévenir un grand nombre de crises cardiaques et d'accidents vasculaires cérébraux, et l'amélioration des soins intensifs donnés aux victimes de ces accidents augmente probablement leurs chances de survie. De plus, les gens se préoccupent davantage de leur santé; dans l'ensemble, nous fumons moins, nous faisons plus d'exercice et nous surveillons notre alimentation. L'éducation est un remède puissant.

ÉCHANGES GAZEUX CHEZ LES ANIMAUX

Une des fonctions principales du système circulatoire consiste à transporter le dioxygène et le dioxyde de carbone entre les organes respiratoires et les autres parties de l'organisme. Nous allons maintenant nous pencher sur l'échange de ces gaz entre les Animaux et leurs milieux.

Problèmes généraux d'échanges gazeux

Pour assurer la respiration cellulaire (voir le chapitre 9), les Animaux requièrent un approvisionnement continu en dioxygène (O_2) et doivent expulser le dioxyde de carbone (CO_2), le déchet de la respiration cellulaire. Il importe de ne pas confondre les échanges gazeux, c'est-à-dire le transfert des molécules de O_2 et de CO_2 entre l'Animal et son milieu, avec le processus métabolique de la respiration cellulaire. Les échanges gazeux assistent la respiration cellulaire en fournissant le dioxygène et en rejetant le dioxyde de carbone.

L'atmosphère, formée à environ 21 % de molécules de O_2, constitue le principal réservoir de dioxygène de la Terre. Les océans, les lacs et autres plans d'eau contiennent aussi du dioxygène (O_2 en solution). La source de

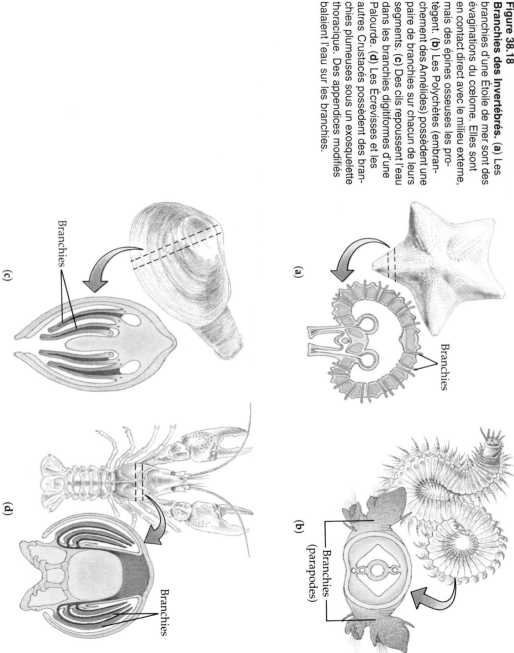

Figure 38.18
Branchies des Invertébrés. (a) Les branchies d'une Étoile de mer sont des évaginations du coelome. Elles sont en contact direct avec le milieu externe, mais des épines osseuses les protègent. **(b)** Les Polychètes (embranchement des Annélides) possèdent une paire de branchies sur chacun de leurs segments. **(c)** Des cils repoussent l'eau dans les branchies digitiformes d'une Palourde. **(d)** Les Écrevisses et les autres Crustacés possèdent des branchies plumeuses sous un exosquelette thoracique. Des appendices modifiés balaient l'eau sur les branchies.

dioxygène, appelée **milieu respiratoire**, est l'air pour un Animal terrestre et l'eau pour un Animal aquatique. La **surface respiratoire** est la surface corporelle d'un Animal où se produisent les échanges gazeux avec le milieu respiratoire. Le dioxygène et le dioxyde de carbone ne peuvent pas traverser les membranes sous forme de bulles ; ils peuvent diffuser seulement s'ils sont d'abord dissous dans l'eau qui recouvre la surface respiratoire. Chez les Animaux terrestres comme chez les Animaux aquatiques, la surface respiratoire doit donc être humide. Elle doit également être suffisamment étendue pour alimenter tout l'organisme en O_2 et le débarrasser du CO_2. L'évolution a fait apparaître diverses solutions à ce problème, adaptées surtout à la taille de l'Animal et à son habitat. Le plus souvent, une région localisée du corps s'est spécialisée et est devenue une surface respiratoire efficace fournissant le dioxygène à tout l'Animal.

Organes respiratoires : structure et fonction générales

La surface respiratoire formée par un poumon, une branchie ou un autre organe respiratoire est constituée d'un épithélium mince, humide et habituellement bien vascularisé (figure 38.17). Cette unique couche de cellules séparé le milieu respiratoire (air ou eau) du sang ou des capillaires.

Chez certains Animaux, l'ensemble de la surface cutanée sert d'organe respiratoire. Le Ver de terre, par exemple, échange des gaz par diffusion à travers toute sa surface corporelle. Immédiatement sous la peau se trouve un réseau compact de capillaires. Comme la surface respiratoire de tout Animal doit être humide, les Vers de terre et autres Animaux à respiration cutanée (tels que certains Amphibiens) doivent vivre dans l'eau ou dans des endroits humides.

La plupart des Animaux qui utilisent toute leur surface cutanée comme organe de respiration sont relativement petits, vermiformes ou plats, et présentent un rapport surface/volume élevé. Chez presque tous les autres Animaux, la surface cutanée ne suffit pas à assurer les échanges gazeux dans l'ensemble de l'organisme. La solution réside alors dans l'existence d'une région localisée dont les nombreux replis ou ramifications augmentent la surface respiratoire pour les échanges gazeux. La grande surface respiratoire de la plupart des Animaux aquatiques est externe et baigne soit dans l'eau douce, soit dans l'eau salée. On appelle **branchies** ces prolongements localisés de la surface corporelle. Les branchies ne conviennent généralement pas à un Animal terrestre, car

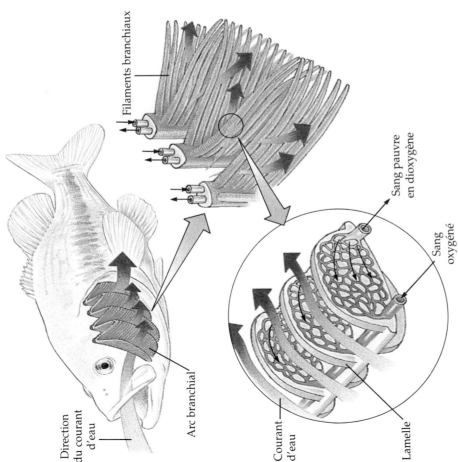

Figure 38.19

Physiologie des branchies et ventilation. Les Poissons aspirent continuellement de l'eau par la bouche et à travers les arcs branchiaux, à l'aide de mouvements synchronisés des mâchoires et de l'opercule (rabat sur les branchies). Chaque arc possède deux rangées de filaments branchiaux, sur lesquels font saillie de minuscules lamelles qui augmentent encore plus la surface d'échange (voir l'agrandissement). Le sang qui irrigue les capillaires des lamelles capte le dioxygène de l'eau. Remarquez que l'eau passe sur les lamelles dans la direction opposée à celle du débit sanguin ; il s'agit d'un processus appelé échange à contre-courant qui maximise le transfert de dioxygène (voir la figure 38.20).

Filaments branchiaux

Direction du courant d'eau

Arc branchial

Courant d'eau

Sang pauvre en dioxygène

Sang oxygéné

Lamelle

---

une surface étendue de membrane humide exposée à l'air perdrait trop d'eau par vaporisation. En outre, les branchies s'affaisseraient, car, l'eau ne soutenant plus leurs fins filaments, ces derniers finiraient par coller les uns aux autres. La plupart des Animaux terrestres ont donc une surface respiratoire invaginée qui ne s'ouvre sur l'atmosphère que par des tubes étroits. Les poumons des Vertébrés terrestres et les trachées des Insectes représentent deux variations de ce plan d'organisation. Nous allons maintenant examiner en détail les trois organes respiratoires les plus courants : les branchies, les trachées et les poumons.

Branchies : adaptations respiratoires des Animaux aquatiques

Les **branchies** sont des prolongements de la surface corporelle, spécialisés dans les échanges gazeux (figure 38.18). Dans certains cas, les branchies possèdent une forme simple. Celles des Étoiles de mer et d'autres Échinodermes, par exemple, ne sont que de petites vésicules claires qui font saillie à travers la face dorsale de l'exosquelette. Chez de nombreux Vers marins segmentés (embranchement des Annélides), les branchies sont des replis qui s'étendent sur les côtés de chaque segment. Au lieu de se répartir sur tout le corps, les branchies complexes occupent une région localisée où la peau finement disséquée forme une

surface respiratoire plumeuse très étendue. Bien que seule une région limitée du corps participe aux échanges gazeux, les branchies peuvent occuper une surface totale beaucoup plus grande que le reste de la surface corporelle. On trouve de telles branchies finement divisées chez la plupart des Mollusques, des Crustacés (embranchement des Arthropodes), des Poissons et chez certains Amphibiens (certaines Salamandres et les têtards de Grenouilles). Étant donné leur situation externe, les branchies délicates sont sujettes aux altérations physiques et aux attaques d'autres organismes ; dans la plupart des cas, une sorte de rabat protecteur les recouvre. Chez les Poissons osseux, par exemple, un rabat appelé opercule protège les branchies.

En tant que milieu respiratoire, l'eau présente à la fois des avantages et des inconvénients. Tout d'abord, l'eau a l'avantage de garder la surface respiratoire humide, puisque les branchies y baignent complètement. Toutefois, la concentration de dioxygène est beaucoup moins grande dans l'eau que dans l'air ; et plus l'eau est chaude et salée, moins il y a de dioxygène en solution. Les branchies doivent donc être très efficaces afin de puiser suffisamment de dioxygène dans l'eau. La **ventilation** contribue à l'efficacité des branchies. Il s'agit d'un processus qui accroît la circulation du milieu respiratoire (air ou eau) sur la surface respiratoire (poumons ou branchies). Les Écrevisses et les Homards, par exemple, assurent la ventilation en se servant de minuscules appendices abdominaux modifiés

maximise le transfert du dioxygène de l'eau au sang. (a) Si le sang circulait dans les capillaires dans la même direction que l'eau sur les lamelles, les branchies pourraient, au mieux, capter 50 % seulement du dioxygène en solution dans l'eau. À mesure que le dioxygène diffuserait de l'eau vers le sang, le gradient de concentration diminuerait de plus en plus jusqu'à ce que le sang et l'eau s'équilibrent à la même concentration de O_2. (b) Grâce au mécanisme d'échange à contre-courant, le sang continue de capter le dioxygène de l'eau tout le long du capillaire. À mesure que le sang avance dans le vaisseau, il devient de plus en plus chargé en dioxygène et passe près d'une eau toujours plus riche en O_2. Sur toute la longueur du capillaire, le sang peut capter par diffusion plus de 80 % du O_2 présent dans l'eau.

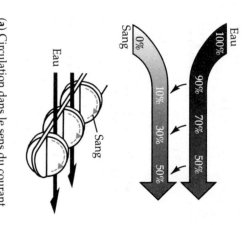

(a) Circulation dans le sens du courant

(b) Circulation à contre-courant

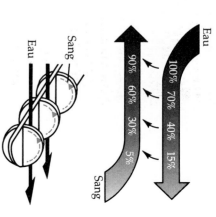

en pagaies, les pléopodes, qui produisent un courant d'eau sur les branchies. Chez les Poissons osseux, les branchies reçoivent continuellement un courant d'eau qui entre par la bouche, traverse le pharynx par des fentes, circule sur les branchies et sort à l'arrière de l'opercule (figure 38.19). Sans la ventilation, l'eau baignant les branchies deviendrait rapidement stagnante, pauvre en dioxygène et saturée en dioxyde de carbone. La ventilation réapprovisionne constamment les branchies en dioxygène frais et expulse le dioxyde de carbone par les branchies. Un Poisson doit dépenser beaucoup d'énergie pour ventiler ses branchies, car la masse volumique de l'eau est beaucoup plus grande que celle de l'air et contient considérablement moins de dioxygène par unité de volume.

La disposition des capillaires dans les branchies d'un Poisson favorise également les échanges gazeux. Le sang circule dans ces capillaires en direction opposée à celle de l'eau dans les branchies. Cette caractéristique permet de transférer le dioxygène au sang par un processus très efficace appelé **échange à contre-courant** (figures 38.19 et 38.20). Pendant son passage dans le capillaire, le sang devient de plus en plus chargé en dioxygène, mais, en même temps, il côtoie de l'eau de plus en plus concentrée en dioxygène parce qu'elle ne fait que commencer son passage dans les branchies. Cela signifie que, tout le long du capillaire, il existe un gradient de diffusion favorisant le transfert de dioxygène de l'eau au sang. Ce mécanisme d'échange à contre-courant est tellement efficace que les branchies peuvent capter plus de 80 % du dioxygène dissous dans l'eau qui circule sur la surface respiratoire. Le mécanisme d'échange à contre-courant intervient également dans la régulation de la température et dans plusieurs autres processus physiologiques, comme nous le verrons au chapitre 40.

Trachées : adaptations respiratoires des Insectes

Comme milieu respiratoire, l'air pose une série de problèmes différents de ceux de l'eau. L'air présente plusieurs avantages, dont celui non négligeable de posséder une concentration de dioxygène beaucoup plus élevée que l'eau. De plus, comme le O_2 et le CO_2 diffusent beaucoup plus vite dans l'air que dans l'eau, les surfaces respiratoires exposées à l'air n'ont pas besoin d'une ventilation aussi active que les branchies. À mesure que les surfaces respiratoires absorbent le dioxygène de l'air et expulsent le dioxyde de carbone, la diffusion apporte rapidement plus de dioxygène à la surface et élimine le dioxyde de carbone. Chez les Animaux terrestres, la ventilation nécessite une dépense énergétique moindre, parce que l'air est beaucoup plus facile à mobiliser que l'eau. Le milieu respiratoire aérien ne présente cependant pas que des avantages : la surface respiratoire, qui doit être étendue et humide, perd continuellement de l'eau par vaporisation. La solution réside en une surface respiratoire invaginée (repliée vers l'intérieur), plutôt qu'évaginée comme les branchies. Le système trachéen des Insectes constitue une variante de cette structure.

Les **trachées** sont de minuscules tubes aériens qui se ramifient dans tout le corps de l'Insecte (figure 38.21). Les plus petites ramifications atteignent la surface de presque chaque cellule, où les gaz sont échangés par diffusion à travers l'épithélium humide qui recouvre les extrémités terminales du système trachéen. Ce dernier s'ouvre sur l'extérieur par les **stigmates**, de minuscules pores répartis sur la surface corporelle de l'Insecte. Les petits Insectes s'en remettent à la diffusion pour faire entrer le O_2 de l'air dans le système trachéen et en faire sortir le CO_2. Certains Insectes plus gros ont cependant besoin de ventiler leur système trachéen par des mouvements rythmiques du corps qui compriment et dilatent les tubes aériens comme un soufflet.

Parce que le système trachéen expose toutes les cellules directement au milieu respiratoire et parce que le dioxygène diffuse tellement rapidement dans l'air, les Insectes n'ont pas besoin d'utiliser leur système circulatoire pour transporter le dioxygène et le dioxyde de carbone. Un système circulatoire ouvert, qui déplace le sang beaucoup plus lentement qu'un système circulatoire clos, suffit même aux Insectes volants les plus actifs.

Figure 38.21

Système trachéen. Les Insectes et quelques autres Arthropodes terrestres (certaines Araignées, par exemple) possèdent un système respiratoire qui apporte l'air directement aux cellules de l'organisme. **(a)** Les trachées se ramifient intensément et s'étendent à toutes les parties du corps. Des portions renflées des trachées forment des sacs aériens près des organes qui requièrent un apport élevé de dioxygène. **(b)** L'air entre dans le système respiratoire par des ouvertures appelées stigmates. Il traverse ensuite les trachées, les trachéoles et les cellules trachéolaires, qui entrent en contact avec la membrane plasmique des cellules individuelles d'un organe. Le liquide se trouvant dans les terminaisons des trachéoles sert à doser la quantité d'air qui vient en contact avec les cellules. Lorsque le besoin en dioxygène augmente, les trachéoles perdent un peu de liquide, ce qui augmente la surface de contact entre l'air et les cellules. **(c)** Cette micrographie de trachées chez un Cafard montre les anneaux de chitine qui renforcent les tubes aériens et les empêchent de s'affaisser (MP).

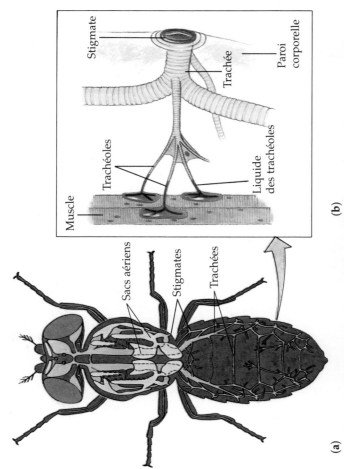

(a)

(b)

Stigmate

Trachée

Paroi corporelle

Trachéoles

Muscle

Liquide des trachéoles

Sacs aériens

Stigmates

Trachées

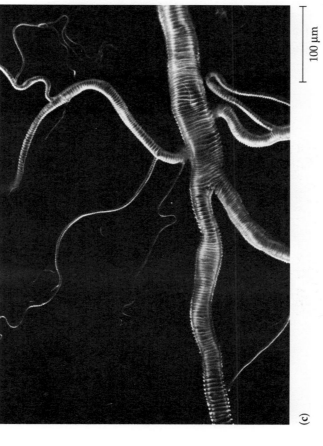

100 μm

(c)

Poumons : adaptations respiratoires des Vertébrés terrestres

Contrairement aux trachées qui se ramifient dans tout le corps de l'Insecte, les **poumons** sont des invaginations localisées de la surface corporelle. Comme la surface respiratoire d'un poumon n'est pas en contact direct avec toutes les parties du corps, l'organisme a besoin du système circulatoire pour transporter le dioxygène des poumons aux autres régions. Les poumons sont richement vascularisés par un réseau dense de capillaires situés juste sous l'épithélium qui compose la surface respiratoire. Cette solution au problème des échanges gazeux a évolué sous forme de manteau vascularisé chez les Escargots, de poumons lamellaires chez les Araignées

(voir le chapitre 29), et de poumons entiers chez la majorité des Vertébrés terrestres. Chez la plupart des Grenouilles, les poumons ont la forme de ballons et la surface respiratoire se limite à la paroi des poumons. Cette surface n'est pas grande, mais rappelez-vous que les Grenouilles obtiennent également une partie de leur dioxygène par diffusion à travers leur surface cutanée humide. Les poumons des Mammifères, eux, comportent des alvéoles ; ils possèdent une texture spongieuse et un épithélium qui occupe une surface totale beaucoup plus grande que la surface externe du poumon lui-même. La surface respiratoire totale chez un Humain égale à peu près la surface d'un court de tennis. Elle est entièrement recouverte d'une mince pellicule d'humidité dans laquelle le dioxygène de l'air inspiré se dissout

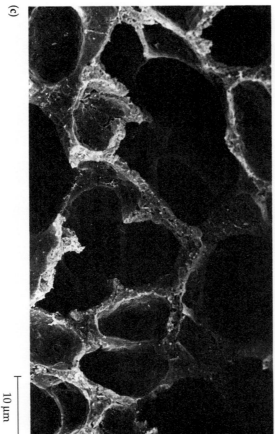

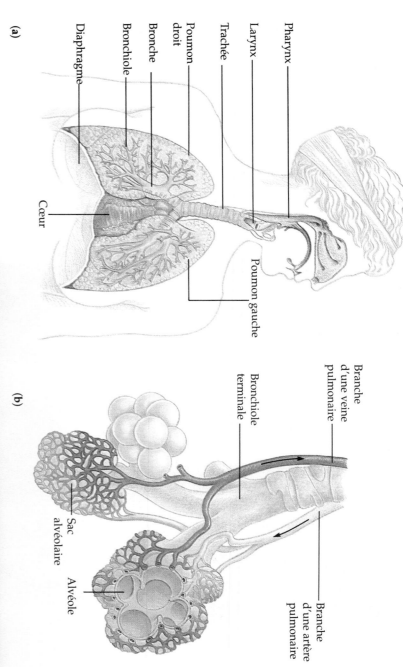

Figure 38.22
Système respiratoire des Mammifères.
(a) Organes du système respiratoire. L'air descend dans la trachée et les bronches jusqu'aux plus petites bronchioles, qui se terminent dans les sacs alvéolaires multi-lobés constitués d'alvéoles. (b) Structure des alvéoles. Le dioxygène qui se trouve dans un sac alvéolaire se dissout dans la pellicule humide recouvrant la surface respiratoire, et il diffuse à travers ce mince épithélium vers les capillaires entourant le sac. (c) Alvéoles (MEB).

avant de diffuser à travers l'épithélium et dans le sang. L'étroitesse des conduits reliant les sacs alvéolaires des poumons à l'air extérieur minimise la perte d'eau par vaporisation.

Anatomie du système respiratoire des Mammifères
Chez les Mammifères, les poumons occupent une partie de la cavité thoracique (poitrine), enfermés chacun dans une plèvre, une enveloppe à deux feuillets. Le feuillet viscéral de la plèvre adhère fermement à l'extérieur des poumons, et le feuillet pariétal de la plèvre, à la paroi de la cavité thoracique et à la face supérieure du diaphragme (figure 38.22). Les deux feuillets sont séparés par la cavité pleurale, un espace étroit rempli de liquide. À cause de la tension superficielle du liquide, les feuillets se comportent comme deux plaques de verre retenues l'une contre l'autre par une pellicule d'eau. Ils peuvent aisément glisser l'un sur l'autre mais ne se séparent pas facilement.

Un réseau de conduits ramifiés achemine l'air aux poumons. L'air pénètre dans ce réseau par les narines, où des poils le filtrent ; il se réchauffe, s'humidifie et abandonne ses effluves odorants en circulant dans le dédale d'espaces de la cavité nasale. Cette cavité conduit au pharynx, le carrefour des conduits aérien (trachée) et digestif (œsophage). Quand nous avalons des aliments, l'ouverture de la trachée (glotte) se ferme contre l'épiglotte, et la nourriture déviée emprunte l'œsophage pour descendre dans l'estomac (voir la figure 37.11). Le reste du temps, la

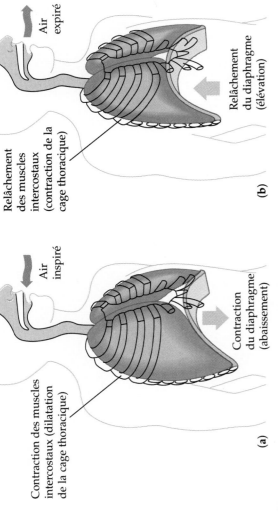

Contraction des muscles
intercostaux (dilatation
de la cage thoracique)

Air
inspiré

Contraction
du diaphragme
(abaissement)

(a)

Relâchement
des muscles
intercostaux
(contraction de la
cage thoracique)

Air
expiré

Relâchement
du diaphragme
(élévation)

(b)

Figure 38.23
Respiration à tension. Les Mammifères respirent en faisant varier la pression de l'air dans leurs poumons par rapport à la pression atmosphérique externe. Pour ce faire, ils modifient le volume de leur cavité thoracique à l'aide de leurs muscles intercostaux et de leur diaphragme. **(a)** Pour inspirer, un Mammifère augmente le volume de sa cavité thoracique en contractant le diaphragme et les muscles de la cavité thoracique. Cet ensemble de contractions dilate la cage thoracique et aplatit le diaphragme. La pression de l'air dans les poumons devient inférieure à la pression atmosphé-rique, et l'air s'engouffre dans les poumons. **(b)** L'expiration se produit lorsque les muscles intercostaux et le diaphragme se relâchent, ramenant ainsi la cavité thoracique à un plus petit volume.

glotte demeure ouverte, nous permettant ainsi de respirer. La glotte conduit au **larynx**, qui possède une charpente constituée de cartilages. Les Humains et de nombreux autres Mammifères utilisent le larynx comme organe de phonation. Lorsque l'air est expulsé des poumons au moment de l'expiration, une paire de **cordes vocales** vibre et produit des sons. La variation de la tension des cordes vocales détermine la hauteur du son.

En quittant le larynx vers les poumons, l'air passe dans la **trachée**. Des anneaux de cartilage maintiennent la forme de la trachée, de la même façon que des anneaux de métal empêchent un boyau d'aspirateur de s'affaisser. La trachée se divise en deux **bronches**, chacune conduisant à un poumon. Dans les poumons, les bronches se ramifient en conduits de plus en plus étroits appelés **bronchioles**. Tout le réseau de conduits aériens ressemble à un arbre à l'envers, la trachée faisant figure de tronc. L'épithélium tapissant les principales ramifications de cet arbre respiratoire est recouvert de cils vibratiles et d'une mince pellicule de mucus. Ce dernier emprisonne la poussière, le pollen et les autres contaminants, et le battement des cils fait remonter le mucus vers le pharynx où il peut être avalé ou expectoré. Ce processus contribue à nettoyer le système respiratoire.

Les plus petites bronchioles se terminent en amas de sacs aériens appelés **alvéoles**. Le mince épithélium qui recouvre les millions d'alvéoles pulmonaires sert de surface respiratoire. Le dioxygène de l'air apporté aux alvéoles par l'arbre respiratoire se dissout dans la pellicule humide et diffuse à travers l'épithélium vers les capillaires qui entourent chaque alvéole. Le dioxyde de carbone diffuse des capillaires, traverse l'épithélium de l'alvéole et passe dans la cavité de l'alvéole qui contient de l'air (voir la figure 38.1).

Ventilation des poumons Les Vertébrés assurent la ventilation pulmonaire au moyen de la **respiration**, c'est-à-dire par l'inspiration et l'expiration alternées de l'air. La ventilation maintient une concentration maximale de dioxygène et une concentration minimale de dioxyde de carbone dans les alvéoles.

La Grenouille inspire en poussant de l'air dans sa tra-chée. Elle abaisse d'abord le plancher de sa bouche, agrandissant ainsi la cavité buccale et aspirant de l'air par ses narines ouvertes. Puis, elle ferme ses narines et sa bouche et élève son plancher buccal, ce qui pousse l'air dans la trachée. La rétraction élastique des poumons, conjuguée à leur compression par la paroi musculaire corporelle, repousse ensuite l'air à l'extérieur des poumons au cours de l'expiration. Une petite quantité de dioxygène est également absorbée à travers la muqueuse de la bouche ventilée par le mouvement tremblotant de la gorge.

Contrairement aux Grenouilles, les Mammifères assurent la ventilation de leurs poumons par **respiration à tension** (faussement nommée respiration à pression négative), qui fonctionne sur le principe d'une pompe aspirante plutôt que d'une pompe foulante. La respiration à tension s'effectue grâce à la variation du volume de la cavité thora-cique qui loge les poumons (figure 38.23). La contraction des muscles intercostaux soulève les côtes par rapport à leur position normale, ce qui augmente le volume de la cage thoracique. Le mouvement des poumons suit celui de la cage thoracique, à cause de la tension superficielle du liquide situé dans l'espace étroit entre les deux feuillets de la plèvre qui enferme chacun des poumons. Quand la cage thoracique se dilate, les poumons en font autant. Comme ce mouvement augmente le volume des poumons, la pression de l'air dans les alvéoles s'abaisse jusqu'à une valeur inférieure à la pression atmosphérique. Et comme l'air

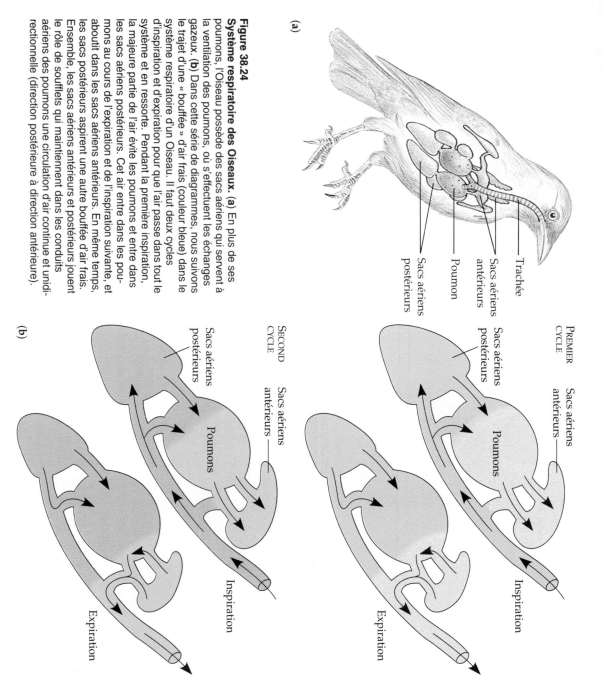

Figure 38.24
Système respiratoire des Oiseaux. (a) En plus de ses poumons, l'Oiseau possède des sacs aériens qui servent à la ventilation des poumons, où s'effectuent les échanges gazeux. **(b)** Dans cette série de diagrammes, nous suivons le trajet d'une « bouffée » d'air frais (couleur bleue) dans le système respiratoire d'un Oiseau. Il faut deux cycles d'inspiration et d'expiration pour que l'air passe dans tout le système et en ressorte. Pendant la première inspiration, la majeure partie de l'air évite les poumons et entre dans les sacs aériens postérieurs. Cet air entre dans les poumons au cours de l'expiration et de l'inspiration suivante, et aboutit dans les sacs aériens antérieurs. En même temps, les sacs postérieurs aspirent une autre bouffée d'air frais. Ensemble, les sacs aériens antérieurs et postérieurs jouent le rôle de soufflets qui maintiennent dans les conduits aériens des poumons une circulation d'air continue et unidirectionnelle (direction postérieure à direction antérieure).

circule toujours d'une région à pression élevée vers une région à plus faible pression, il s'engouffre dans les narines et descend dans le système respiratoire vers les alvéoles. Lorsque les muscles intercostaux se relâchent, les poumons subissent une compression, et l'augmentation de pression qui se produit alors dans les alvéoles repousse l'air vers l'entrée du système respiratoire et le fait sortir par les narines et la bouche. Lorsque nous respirons calmement, au repos par exemple, nous utilisons plus le diaphragme que les muscles intercostaux, qui sont davantage sollicités lors d'un exercice vigoureux. Le **diaphragme**, un muscle large, forme le plancher de la cavité thoracique. Quand il se relâche, le diaphragme prend la forme d'un dôme. Quand il se contracte, il se raidit et s'aplatit, augmentant ainsi le volume de la cavité thoracique. De cette façon, la contraction du diaphragme abaisse la pression dans les poumons et provoque l'inspiration. L'expiration a lieu lorsque le diaphragme se relâche pour reprendre la forme d'un dôme.

Le volume d'air qu'un Animal inspire et expire à chaque respiration s'appelle **volume courant.** Chez les Humains, il s'élève en moyenne à 500 mL. On appelle **capacité vitale** le volume maximal d'air inspiré et expiré au cours d'une respiration forcée ; il est d'environ 4800 mL chez un jeune homme adulte (un peu moins chez une femme). La capacité vitale dépend, entre autres, de l'élasticité des poumons. Les poumons retiennent en fait plus d'air que la capacité vitale, mais comme les alvéoles ne peuvent pas s'affaisser complètement, un **volume résiduel** d'air demeure dans les poumons, même après l'expiration du maximum d'air. Lorsque les poumons perdent leur élasticité à cause de l'âge ou d'une maladie (comme l'emphysème), le volume résiduel augmente aux dépens de la capacité vitale.

La ventilation la plus complexe revient aux Oiseaux (figure 38.24). En plus de leurs poumons, les Oiseaux possèdent huit ou neuf sacs aériens qui se prolongent dans l'abdomen, le cou et même les ailes. Outre leur fonction respiratoire, ces sacs aériens diminuent la masse volumique du corps de l'Oiseau, une adaptation importante pour le vol (voir le chapitre 30). Lorsque l'Oiseau inspire et expire, tout le système, poumons et sacs

aériens, est ventilé. La circulation d'air dans les poumons se fait toujours dans un même sens, que l'Oiseau inspire ou expire. Les alvéoles en cul-de-sac ne conviennent donc pas à un tel système. Les poumons des Oiseaux possèdent plutôt de fins conduits appelés **parabronches**, par lesquels l'air peut continuellement circuler dans une seule direction. Les sacs aériens ne participent pas directement aux échanges gazeux, mais ils servent de soufflets qui maintiennent l'écoulement de l'air dans les poumons.

Régulation de la respiration Bien que nous soyons capables de retenir notre respiration volontairement pour un court instant ou de respirer consciemment plus vite et plus profondément, notre respiration est normalement régie par des mécanismes automatiques. Le centre de régulation se situe dans le bulbe rachidien, la partie du tronc cérébral de forme conique qui s'unit à la moelle épinière. Nous inspirons lorsque les nerfs du **centre respiratoire** envoient des influx aux muscles intercostaux ou au diaphragme, les incitant à se contracter. L'activité rythmique de ces nerfs est incessante et produit une fréquence d'environ 12 à 18 respirations par minute lorsque nous sommes au repos. Un mécanisme de rétro-inhibition des poumons au centre respiratoire nous empêche de trop gonfler nos poumons lorsque nous prenons une respiration profonde. À mesure que l'inspiration se fait profonde, des récepteurs de tension sont stimulés par l'étirement du tissu pulmonaire et envoient des influx nerveux qui inhibent le centre respiratoire.

En plus de recevoir des influx du système nerveux, le centre respiratoire équilibre le pH sanguin, qui commence à chuter légèrement lorsque la quantité de dioxyde de carbone augmente (le dioxyde de carbone réagit avec l'eau pour former l'acide carbonique qui abaisse le pH). Quand le centre reçoit le signal d'une hausse de CO_2 (une diminution du pH), la fréquence et l'amplitude respiratoires augmentent. C'est ce qui se produit lorsque nous faisons de l'exercice. Le dioxygène a peu d'effet sur le centre respiratoire. Il existe certes des récepteurs de dioxygène, situés dans les principales artères, qui envoient des signaux d'alarme au centre respiratoire lorsque la concentration de dioxygène est trop basse, mais ces récepteurs ne réagissent que si la carence devient grave, à haute altitude par exemple. Heureusement, une hausse de la concentration de dioxyde de carbone est habituellement un bon indice d'une baisse de la concentration de dioxygène, car le CO_2 est produit par la respiration cellulaire, le même processus qui consomme le O_2. Il est cependant possible de tromper le centre respiratoire par hyperventilation. Une respiration rapide, excessivement profonde, élimine tellement de CO_2 du sang que le centre respiratoire cesse temporairement d'envoyer des influx aux muscles intercostaux et au diaphragme. La respiration cesse alors jusqu'à ce que la concentration de CO_2 augmente suffisamment pour réactiver le centre respiratoire.

Le centre respiratoire obéit donc à divers messages nerveux et chimiques, réglant la fréquence et l'amplitude respiratoires au gré des demandes fluctuantes de l'organisme. La régulation de la respiration n'est toutefois pas efficace que si elle s'harmonise avec la régulation du système circulatoire. Au cours d'un effort physique par exemple, le débit cardiaque s'ajuste à l'augmentation de la fréquence respiratoire, ce qui maximise l'apport de O_2 et l'élimination de CO_2 à mesure que le sang circule dans les poumons.

Échanges O_2 — CO_2 Pour comprendre comment s'effectuent les échanges gazeux à divers sites dans l'organisme, rappelez-vous que les gaz diffusent dans le sens de leur gradient de concentration. La diffusion d'un gaz, qu'il soit présent dans l'air ou dissous dans l'eau, dépend des variations de sa **pression partielle**. Au niveau de la mer, l'atmosphère exerce une pression totale de 101,3 kPa (760 mm Hg). Comme l'atmosphère se compose à 21 % de dioxygène (en volume), la pression partielle de O_2 équivaut à 0,21 × 101,3, soit environ 21,3 kPa. (C'est la partie de la pression atmosphérique due au dioxygène, d'où le terme *pression partielle*.) La pression partielle du dioxyde de carbone au niveau de la mer n'est que de 0,03 kPa. On symbolise ces pressions partielles par P_{O_2} et P_{CO_2}. Quand l'eau est en contact avec l'air, chaque gaz se dissout dans l'eau en proportion de sa pression partielle dans l'air et de sa solubilité dans l'eau. Au point d'équilibre, les molécules quittent et réintègrent la solution à la même vitesse. À ce moment, le gaz a la même pression partielle dans la solution et dans l'air. En conséquence, la P_{O_2} dans un verre d'eau exposée à l'air est de 21,3 kPa, et la P_{CO_2} est de 0,03 kPa. Un gaz diffuse toujours de la région où la pression partielle est la plus élevée vers la région où la pression partielle est la plus faible.

Le sang qui parvient à un poumon par l'artère pulmonaire possède une P_{O_2} plus faible et une P_{CO_2} plus élevée que leur pression partielle respective dans l'air des alvéoles (figure 38.25). Lorsque le sang entre dans un réseau de capillaires autour d'une alvéole, le dioxyde de carbone diffuse du sang à l'air se trouvant dans l'alvéole. Le dioxygène de l'air se dissout dans le liquide qui recouvre l'épithélium et diffuse à travers la surface jusque dans le capillaire. Au moment où le sang quitte les poumons par les veines pulmonaires, sa P_{O_2} a augmenté et sa P_{CO_2} a diminué. Après son retour au cœur, ce sang est chassé dans la circulation systémique. Dans les capillaires de la circulation systémique, les gradients de pression partielle favorisent la diffusion du dioxygène hors du sang et celle du dioxyde de carbone, vers le sang, car la respiration cellulaire épuise rapidement le contenu en dioxygène du liquide interstitiel et ajoute du dioxyde de carbone au liquide (encore une fois, par diffusion). Après avoir absorbé le dioxyde de carbone et rejeté le dioxygène, le sang retourne au cœur par les veines de la circulation systémique. Le sang est alors de nouveau expulsé vers les poumons, où s'effectuent les échanges gazeux entre le sang et l'air des alvéoles.

Pigments respiratoires et transport du dioxygène Étant donné la faible solubilité du dioxygène dans l'eau, le sang contient très peu de dioxygène dissous. Chez la plupart des Animaux, le dioxygène est transporté par des **pigments respiratoires** dans le sang. Ces pigments sont des protéines qui doivent leur couleur à des atomes de métaux contenus dans les molécules. Chez presque tous les Vertébrés, le pigment respiratoire est l'hémoglobine, une protéine qui contient du fer et se trouve dans les érythrocytes. En fait, c'est au fer de l'hémoglobine que se fixe le dioxygène. Chez certains Animaux, comme les

Vers de terre, l'hémoglobine est directement dissoute dans le plasma sanguin au lieu d'occuper les érythrocytes. On croit qu'il est plus avantageux que l'hémoglobine se trouve à l'intérieur de cellules plutôt que dans le plasma, car le sang peut contenir une plus grande concentration d'hémoglobine sans ajouter à la pression osmotique du plasma. En plus de l'hémoglobine, on trouve dans le sang de différents Invertébrés plusieurs autres protéines fixatrices d'oxygène. Dans l'une d'elles, appelée **hémocyanine**, c'est du cuivre et non du fer qui fixe le dioxygène et confère au sang une couleur bleue. L'hémocyanine est courante chez les Arthropodes et de nombreux Mollusques, et elle est toujours dissoute directe-

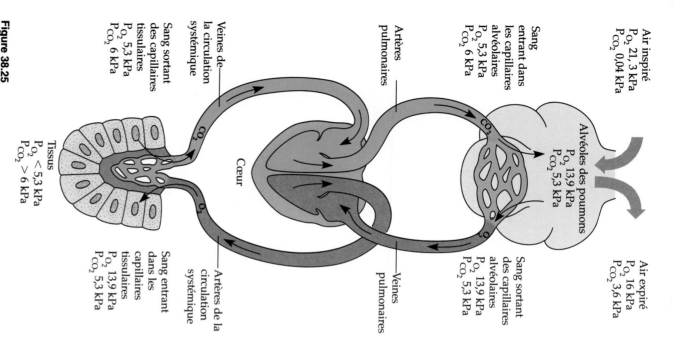

Air inspiré
PO_2 21,3 kPa
PCO_2 0,04 kPa

Sang entrant dans les capillaires alvéolaires
PO_2 5,3 kPa
PCO_2 6 kPa

Alvéoles des poumons
PO_2 13,9 kPa
PCO_2 5,3 kPa

Artères pulmonaires

Sang sortant des capillaires alvéolaires
PO_2 13,9 kPa
PCO_2 5,3 kPa

Veines pulmonaires

Air expiré
PO_2 16 kPa
PCO_2 3,6 kPa

Veines de la circulation systémique

Cœur

Artères de la circulation systémique

Sang sortant des capillaires tissulaires
PO_2 5,3 kPa
PCO_2 6 kPa

Tissus
PO_2 < 5,3 kPa
PCO_2 > 6 kPa

Sang entrant dans les capillaires tissulaires
PO_2 13,9 kPa
PCO_2 5,3 kPa

Figure 38.25
Échange O_2—CO_2. On symbolise les pressions partielles de O_2 et de CO_2 par PO_2 et PCO_2 respectivement. Chaque gaz diffuse de la région où la pression partielle est la plus élevée à la région où elle est la plus faible.

tement dans le plasma au lieu d'être contenue dans les cellules sanguines.

L'hémoglobine se compose de quatre sous-unités, dont chacune possède un cofacteur, appelé groupement hème, qui porte en son centre un atome de fer; par conséquent, chaque molécule d'hémoglobine peut transporter quatre molécules de O_2 (voir la figure 5.26b). Pour jouer son rôle de transporteur de dioxygène, l'hémoglobine doit se lier au gaz de façon réversible, captant le dioxygène dans les poumons ou les branchies et le libérant dans d'autres parties de l'organisme. Lorsqu'elles captent et libèrent le dioxygène, les quatre sous-unités de la molécule d'hémoglobine fonctionnent selon un mécanisme de coopérativité. (Voir le chapitre 6 afin de réviser la notion de coopérativité dans les enzymes allostériques.) La fixation du dioxygène à une sous-unité provoque un léger changement de forme des autres sous-unités, de sorte que leur affinité pour le dioxygène augmente. La lente fixation d'une première molécule de O_2 entraîne la fixation rapide de trois autres. Inversement, lorsqu'une sous-unité libère son dioxygène, les trois autres l'imitent rapidement, car un changement conformationnel diminue leur affinité pour l'oxygène. La **courbe de dissociation** de l'oxyhémoglobine (figure 38.26) représente clairement ce mécanisme de coopérativité lors de la fixation et de la libération de dioxygène. Dans l'intervalle de PO_2 compris entre 1,3 et 5,3 kPa, là où la courbe présente une pente abrupte, la moindre variation provoquera la fixation ou la libération de dioxygène par l'hémoglobine. Remarquez que la partie fortement inclinée de la courbe correspond à l'intervalle des PO_2 trouvées dans les tissus organiques. Lorsque les cellules d'une région particulière commencent à travailler intensément, pendant un exercice physique par exemple, la concentration de dioxygène (ou la pression partielle) baisse dans le voisinage, car la respiration cellulaire utilise plus de dioxygène. En raison de l'effet de coopérativité entre les sous-unités, une faible baisse de la concentration de O_2 suffit pour provoquer une augmentation relativement importante de la quantité de dioxygène libérée par le sang.

Comme dans le cas de toutes les protéines, divers facteurs environnementaux influent sur la conformation de l'hémoglobine. Une chute de pH, par exemple, diminue l'affinité de l'hémoglobine pour O_2, un phénomène appelé *effet Bohr* (voir la figure 38.26b). Étant donné que le CO_2 réagit avec l'eau pour former de l'acide carbonique, un tissu en activité diminuera le pH de ses environs et incitera l'hémoglobine à libérer plus de dioxygène pour les besoins de la respiration cellulaire. L'hémoglobine réagit parfaitement à son rôle de transporteur de dioxygène entre les zones de surplus et les zones de carence.

Transport du dioxyde de carbone Environ 7% du dioxyde de carbone libéré par la respiration cellulaire est transporté sous forme de CO_2 dissous dans le plasma sanguin. Un autre 23% se lie aux multiples groupements aminés de l'hémoglobine. Cependant, la majeure partie du dioxyde de carbone, environ 70%, circule dans le sang sous forme d'ions hydrogénocarbonate (HCO_3^-). Le dioxyde de carbone produit par la respiration cellulaire diffuse dans le plasma sanguin et ensuite dans les

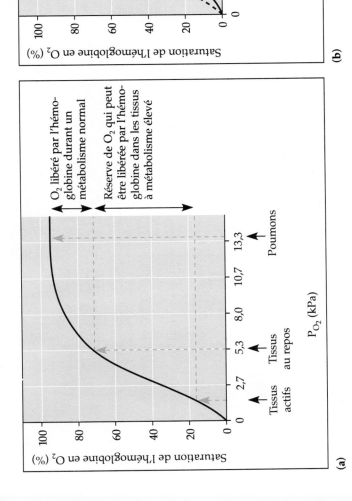

(a)

Figure 38.26

Courbes de dissociation de l'oxyhémoglobine. **(a)** Courbe de dissociation de l'oxyhémoglobine à 37 °C et à pH 7,4. La courbe montre les quantités relatives de dioxygène lié à l'hémoglobine lorsque le pigment est exposé à des solutions dont la pression partielle de dioxygène dissous varie. À une P_{O_2} de 13,3 kPa, caractéristique de celle dans les poumons, l'hémoglobine est à environ 98 % saturée en dioxygène. À une P_{O_2} de 5,3 kPa, fréquente autour des tissus, l'hémoglobine n'est saturée qu'à 70 %, c'est-à-dire qu'elle libère environ 28 % de son dioxygène. Remarquez que l'hémoglobine peut libérer sa réserve de dioxygène dans des tissus métaboliquement très actifs, comme le tissu musculaire durant un exercice physique. **(b)** Comme les protons influent sur la conformation de l'hémoglobine, une chute de pH déplace la courbe de dissociation du dioxygène vers la droite. Remarquez qu'à une P_{O_2} équivalente, sup-

(b)

posons 5,3 k Pa, l'hémoglobine libère plus de dioxygène à pH 7,2 qu'à pH 7,4, le pH normal du sang humain. Cela se produit dans des tissus très actifs parce que le CO_2 produit par la respiration réagit avec l'eau pour former de l'acide carbonique, abaissant ainsi le pH. L'hémoglobine libère alors plus de dioxygène, ce qui alimente un niveau élevé de respiration cellulaire.

érythrocytes, où il se transforme en hydrogénocarbonate. Une mole de dioxyde de carbone réagit d'abord avec une mole d'eau pour former une mole d'acide carbonique, qui se dissocie par la suite en une mole de protons (H^+) et une mole d'ions hydrogénocarbonate. La plupart des protons produits lors de cette réaction s'attachent à divers sites sur l'hémoglobine et d'autres protéines. De cette façon, l'hémoglobine sert de substance tampon, et le transport de CO_2 n'a qu'un effet minime sur le pH du sang (le sang veineux a un pH de 7,34 en comparaison de 7,4 pour le sang artériel). Lorsque le sang circule dans les poumons, le processus s'inverse. La diffusion de CO_2 hors du sang déplace l'équilibre chimique dans les érythrocytes en faveur de la conversion de l'hydrogénocarbonate en CO_2. La figure 38.27 illustre en détail le transport du dioxyde de carbone.

Adaptations des Mammifères marins Un exemple va nous permettre d'illustrer la diversité physiologique, soit les adaptations spéciales qui permettent aux Mammifères, comme certaines espèces de Phoques, de Baleines et de Dauphins, d'effectuer des plongées de longue durée à la recherche de nourriture. Le Phoque de Weddell (*Leptonychotes weddelli*), un grand prédateur de l'Antarctique (il pèse environ 400 kg à l'âge adulte), est l'un des Mammifères marins les plus étudiés. Le Phoque de Weddell attrape de grosses Morues et d'autres Poissons de haute

mer en plongeant à des profondeurs de 200 à 500 m pendant environ 20 minutes. Il reste parfois sous l'eau pendant plus d'une heure, probablement pour échapper aux prédateurs ou explorer de nouveaux chemins sous la glace (figure 38.28).

Une des adaptations à la plongée du Phoque de Weddell consiste à faire des réserves de dioxygène. Comparativement à l'Humain, le Phoque contient environ deux fois plus de dioxygène par kilogramme de masse corporelle, principalement dans le sang et les muscles. Chez l'Humain, environ 36 % du dioxygène total se trouve dans les poumons, et 51 % dans le sang. À l'opposé, le Phoque de Weddell garde seulement 5 % environ de son oxygène dans ses poumons relativement petits, et en partie de peut que le Phoque possède à peu près deux fois plus de sang que l'Humain par kilogramme de masse corporelle. L'énorme rate du Phoque, laquelle peut emmagasiner environ 24 L de sang, constitue une autre adaptation. La rate se contracte probablement une fois la plongée commencée, fortifiant ainsi le sang à l'aide d'érythrocytes supplémentaires chargés de dioxygène. Les Mammifères marins possèdent également dans leurs muscles une plus grande concentration de **myoglobine,** une protéine de mise en réserve du dioxygène, que la plupart des autres Mammifères ; le Phoque de Weddell peut entreposer environ 25 % de son dioxygène dans ses muscles, en

Figure 38.27
Transport du dioxyde de carbone dans le sang. Le dioxyde de carbone produit par les tissus diffuse dans le plasma puis dans les érythrocytes. Dans les érythrocytes, l'anhydrase carbonique, une enzyme, catalyse la conversion de une mole de CO_2 et de une mole de H_2O en une mole d'acide carbonique, qui se dissocie en une mole de protons (H^+) et une mole d'ions hydrogénocarbonate (HCO_3^-). Cette dernière diffuse hors de l'érythrocyte vers le plasma. Une mole d'ions chlorure passe du plasma à l'érythrocyte et maintient l'équilibre électrique de la cellule. Les protons de l'acide carbonique, qui possèdent la capacité d'acidifier le sang, sont pour la plupart liés à l'hémoglobine (Hb) dans les érythrocytes. La réversibilité de la transformation de l'acide carbonique en ion hydrogénocarbonate contribue également à tamponner le sang, libérant ou éliminant H^+, selon le pH (voir le chapitre 3). Les processus qui ont lieu dans les capillaires des tissus s'inversent dans les poumons. Le CO_2 se reconstitue et diffuse hors du sang et dans les poumons, puis une expiration l'expulse. Environ 70 % du dioxyde de carbone dans le sang est transporté sous forme d'ions hydrogénocarbonate. Le reste se déplace sous forme de CO_2 dissous ou de CO_2 lié aux groupements aminés des protéines.

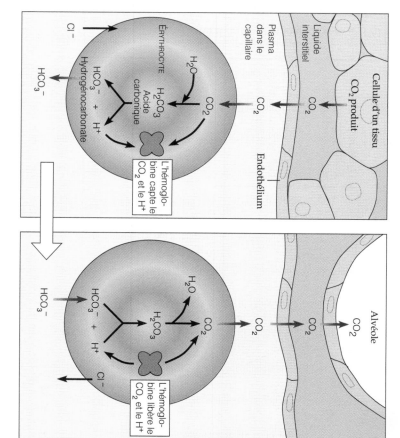

Figure 38.28
Le Phoque de Weddell, un Mammifère marin. Certaines adaptations des systèmes circulatoire et respiratoire permettent à ce Phoque de l'Antarctique de se déplacer sous l'eau pendant plus d'une heure.

comparaison de 13 % seulement chez l'Humain. Le Phoque de Weddell doit donc une partie de ses talents de plongeur à la richesse de son sang et de ses muscles en dioxygène.

Non seulement les Mammifères marins entreprennent-ils leurs voyages sous-marins avec une réserve relativement grande de dioxygène, mais ils conservent également ce dioxygène grâce à des adaptations. Ils possèdent un réflexe de plongée qui ralentit leur pouls, et la diminution du débit cardiaque entraîne alors une réduction globale de la consommation de dioxygène. Des mécanismes de régulation agissant sur la résistance périphérique dirigent la majeure partie du sang vers le SNC, les yeux, les glandes surrénales et le placenta (chez les femelles enceintes). L'apport sanguin aux muscles est restreint, et complètement coupé durant les longues plongées. Au cours des plongées de plus de 20 minutes, les muscles épuisent donc le dioxygène emmagasiné dans leur myoglobine, puis tirent leur ATP de la fermentation plutôt que de la respiration (voir le chapitre 9).

L'adaptation aux contraintes environnementales — à court terme par des réactions physiologiques et à long terme par la sélection naturelle — constitue un thème central dans notre étude des organismes, et les adaptations exceptionnelles des Mammifères marins l'illustrent bien.

* * *

Nous avons vu tout au long de ce chapitre que les systèmes circulatoire et respiratoire fonctionnent en étroite coopération. Dans le prochain chapitre, nous étudierons une autre activité de l'organisme qui repose sur le système circulatoire : le système de défense.

RÉSUMÉ DU CHAPITRE

1. L'échange de dioxygène, de dioxyde de carbone, de nutriments et de déchets métaboliques entre les cellules d'un organisme et leur milieu doit se produire à travers leur membrane plasmique baignant dans un liquide.

2. Chez tous les Animaux à l'exception des plus simples, le transport des substances dans l'organisme nécessite des systèmes spéciaux.

3. Le transfert des gaz, des nutriments et des déchets se produit à travers de minces épithéliums spécialisés qui séparent le sang ou le liquide interstitiel du milieu.

Transport interne chez les Invertébrés (p. 819-820)

1. Les Cnidaires et les Vers plats possèdent une cavité gastrovasculaire qui sert aussi bien à la circulation qu'à la digestion.

2. Les Arthropodes et la plupart des Mollusques possèdent un système circulatoire ouvert. Leurs tissus baignent directement dans l'hémolymphe expulsée dans des sinus par plusieurs cœurs.

3. Les Annélides possèdent un système circulatoire clos, le sang étant confiné dans des vaisseaux dont certains battent et fonctionnent comme des cœurs. Les Vertébrés et quelques Mollusques possèdent également un système circulatoire clos.

Circulation chez les Vertébrés (p. 820-830)

1. Chez les Vertébrés, le sang circule dans un système cardiovasculaire clos contenant des vaisseaux sanguins et un cœur qui possède de deux à quatre cavités. Le cœur a une ou deux oreillettes, qui reçoivent le sang des veines, et un ou deux ventricules qui chassent le sang dans les artères. Les artères se ramifient en artérioles qui donnent naissance aux capillaires, les sites d'échange chimique entre le sang et le liquide interstitiel. Les capillaires se rejoignent en veinules qui convergent dans des veines.

2. Chez les Poissons, un cœur à deux cavités chasse le sang aux branchies pour l'oxygénation, et le sang se déplace vers les autres lits capillaires de l'organisme avant de retourner au cœur.

3. Les Amphibiens et la plupart des Reptiles possèdent un cœur à trois cavités dans lequel un ventricule unique chasse le sang aux poumons et dans l'organisme par la circulation pulmonaire et la circulation systémique. Ces deux circuits retournent le sang à des oreillettes séparées. Cette double circulation chasse de nouveau le sang qui revient des lits capillaires du système respiratoire, assurant ainsi un fort débit sanguin au reste de l'organisme.

4. Les Oiseaux et les Mammifères, deux endothermes, possèdent un cœur à quatre cavités qui maintient la séparation complète du sang riche en dioxygène et du sang pauvre en dioxygène.

5. La révolution cardiaque consiste en une phase de contraction, appelée systole, et une phase de relaxation, appelée diastole.

6. Les valves du cœur imposent au sang un débit à sens unique dans le cœur.

7. Avec le volume systolique, la fréquence cardiaque (pouls) établit le débit cardiaque, c'est-à-dire le volume de sang chassé par un ventricule dans la circulation systémique par minute.

8. La contraction du muscle cardiaque est coordonnée par un système de conduction prenant naissance dans le nœud sinusal de l'oreillette droite. Le nœud sinusal amorce une onde d'excitation qui se répand aux deux oreillettes, s'arrête un moment au nœud auriculo-ventriculaire (AV),

9. puis continue vers les deux ventricules. Le nœud sinusal subit l'influence des nerfs, des hormones, de la température corporelle et des variations de volume de l'oreillette au cours d'un exercice physique.

10. Une couche unique de cellules forme l'endothélium qui tapisse tous les vaisseaux sanguins, y compris les capillaires. Les artères et les veines possèdent deux couches externes additionnelles composées de muscle lisse, de fibres élastiques et de tissu conjonctif dans des proportions variables.

11. La vitesse de la circulation sanguine varie dans le système circulatoire. Elle atteint sa plus basse valeur dans les capillaires en raison de leur résistance élevée et de la grandeur de l'aire de la section transversale totale des vaisseaux d'un lit capillaire. Ce débit lent favorise l'échange de substances entre le sang et le liquide interstitiel.

12. Le débit cardiaque et la résistance périphérique due à la constriction variable des artérioles déterminent la pression sanguine.

13. L'activité musculaire et les changements de pression qui ont lieu au cours de la respiration propulsent le sang vers le cœur dans les veines munies de valvules à sens unique.

14. La constriction variable des artérioles et des sphincters précapillaires détermine l'apport sanguin aux différents organes à chaque instant.

15. L'échange capillaire constitue la fonction ultime du système circulatoire. Les substances traversent l'endothélium dans des vésicules servant à l'endocytose ou à l'exocytose, par diffusion ou en solution dans des liquides expulsés par la pression sanguine à l'extrémité artérielle du capillaire. Le liquide exsudé pénètre de nouveau dans la circulation directement à l'extrémité veineuse du capillaire ou indirectement par l'intermédiaire du système lymphatique.

Sang mammalien (p. 830-832)

1. Le sang total se compose de cellules (éléments figurés) en suspension dans une matrice liquide appelée plasma.

2. Le plasma consiste en une solution aqueuse complexe d'électrolytes, de protéines, de nutriments, de déchets métaboliques, de gaz respiratoires et d'hormones.

3. Les protéines plasmatiques influent sur le pH du sang, sa pression osmotique et sa viscosité, et jouent un rôle dans le transport des lipides, l'immunité (anticorps) et la coagulation (fibrinogène).

4. Les globules rouges, ou érythrocytes, transportent le dioxygène. Pour remplir cette fonction, ils possèdent exactement les caractéristiques requises : une petite taille, une forme biconcave, un métabolisme anaérobie et de l'hémoglobine. Ce sont les hémocytoblastes de la moelle osseuse rouge qui donnent naissance à tous les types de cellules sanguines.

5. Cinq types de globules blancs, ou leucocytes, jouent un rôle dans le système de défense de l'organisme : ils phagocytent les Bactéries et les débris ou produisent des anticorps.

6. Les plaquettes sont des fragments de cellules produites dans la moelle osseuse. Elles jouent un rôle dans la coagulation du sang, en une cascade de réactions complexes qui transforment le fibrinogène du plasma en fibrine.

Maladies cardiovasculaires (p. 832-835)

1. Une des principales causes de mortalité aux États-Unis est la maladie cardiovasculaire, caractérisée par une détérioration du cœur et des vaisseaux sanguins. La formation graduelle d'athéromes au cours de l'athérosclérose ou de l'artériosclérose rétrécit le calibre des vaisseaux et entraîne la formation de thrombus ou d'emboles qui peuvent causer

une crise cardiaque ou un accident vasculaire cérébral en bloquant un vaisseau stratégique du cœur et du cerveau.

Échanges gazeux chez les Animaux (p. 835-846)

1. Le métabolisme nécessite un apport constant de dioxygène et une élimination tout aussi constante du dioxyde de carbone. Les Animaux requièrent de grandes surfaces respiratoires humides pour que les gaz respiratoires diffusent adéquatement entre les cellules et le milieu respiratoire, constitué d'eau ou d'air.

2. Une branchie est une évagination localisée de la surface corporelle et sert aux échanges gazeux. L'efficacité des échanges gazeux de certaines branchies, dont celles des Poissons, est augmentée par la ventilation et par un mécanisme d'échange à contre-courant entre le sang et l'eau.

3. Les trachées des Insectes sont de minuscules tubes ramifiés qui pénètrent dans le corps et acheminent le dioxygène directement aux cellules.

4. Les Vertébrés terrestres possèdent des poumons internes localisés.

5. Les poumons des Mammifères sont chacun enfermés dans une plèvre, une enveloppe à deux feuillets qui adhèrent aux poumons et à la cavité thoracique en plus d'adhérer l'un à l'autre. L'air inspiré par les narines passe par le pharynx et la glotte, descend dans la trachée, les bronches et les bronchioles, et aboutit dans les alvéoles, des culs-de-sac où se produisent les échanges gazeux.

6. Les poumons doivent être ventilés par la respiration. Les Mammifères assurent la ventilation de leurs poumons selon un mécanisme de respiration à tension en contractant et en relâchant les muscles intercostaux et le diaphragme, ce qui fait varier le volume et, par conséquent, la pression de la cavité thoracique et des poumons par rapport à celle de l'atmosphère.

7. Le volume courant, c'est-à-dire la quantité d'air normalement inspiré ou expiré, est moindre que la capacité vitale des poumons. Même après une expiration forcée, un volume résiduel d'air demeure dans les alvéoles.

8. Chez les Oiseaux, la ventilation des poumons se fait à sens unique grâce à un système de sacs aériens. Ces sacs servent également à diminuer la masse volumique de l'Oiseau et à dissiper la chaleur, deux adaptations importantes pour le vol.

9. La respiration se fait de façon automatique. Elle est régie par des systèmes de régulation complexes qui font intervenir un centre de la respiration dans le bulbe rachidien situé dans le tronc cérébral. Grâce aux influx nerveux rythmiques, au pH sanguin qui varie en fonction des concentrations de dioxyde de carbone, et aux récepteurs du dioxygène, la fréquence et l'amplitude de la respiration s'adaptent aux besoins métaboliques de l'organisme.

10. Le dioxygène et le dioxyde de carbone diffusent depuis l'endroit où leurs pressions partielles sont les plus élevées vers l'endroit où elles sont les plus faibles. Dans les poumons, le sang absorbe le dioxygène et rejette le dioxyde de carbone. Le sang pénètre ensuite dans le cœur par une veine pulmonaire et est chassé dans la circulation systémique où le processus de diffusion s'inverse dans le milieu métabolique des tissus.

11. Les pigments respiratoires augmentent la quantité d'oxygène transporté par le sang. Les Arthropodes et de nombreux Mollusques utilisent un pigment respiratoire appelé hémocyanine qui contient du cuivre, alors que les Vertébrés et quelques Invertébrés utilisent un pigment nommé hémoglobine, qui renferme du fer.

12. Les molécules d'hémoglobine possèdent quatre sous-unités contenant du fer, dont chacune a la capacité de lier une

13. La majeure partie du dioxyde de carbone générée durant le métabolisme est transportée sous forme d'ions hydrogéno-carbonate. Ces ions proviennent de la dissociation de l'acide carbonique formé dans les érythrocytes par la liaison chimique du dioxyde de carbone avec l'eau. Les protons provenant de la dissociation se lient à l'hémoglobine et à d'autres protéines, et servent à tamponner le sang. Tout ce processus s'inverse lorsque le sang entre dans les poumons, ce qui permet au dioxyde de carbone libre de diffuser vers le milieu extérieur.

14. Les Mammifères marins possèdent un volume élevé de sang, une forte concentration de myoglobine dans leurs muscles et un réflexe de plongée qui ralentit la fréquence cardiaque et détourne la circulation sanguine des muscles et des organes moins importants.

AUTO-ÉVALUATION

1. Lequel des systèmes respiratoires suivants n'est *pas* associé de près à l'apport sanguin ?
   a) Les poumons des Vertébrés.
   b) Les branchies des Poissons.
   c) Le système trachéen des Insectes.
   d) La surface cutanée d'un Ver de terre.
   e) Les parapodes d'un Ver polychète.

2. Chez les Mammifères, le sang qui retourne au cœur par une veine pulmonaire se déverse *d'abord* dans :
   a) la veine cave.
   b) l'oreillette gauche.
   c) l'oreillette droite.
   d) le ventricule gauche.
   e) le ventricule droit.

3. Le pouls est une mesure directe :
   a) de la pression artérielle.
   b) du volume systolique.
   c) du débit cardiaque.
   d) de la fréquence cardiaque.
   e) de la fréquence respiratoire.

4. Le milieu respiratoire s'écoule à sens unique sur la surface respiratoire dans les systèmes d'échanges gazeux des :
   a) Mammifères.
   b) Grenouilles.
   c) Oiseaux.
   d) Insectes.
   e) Étoiles de mer.

5. Dans la respiration à tension, l'inspiration résulte :
   a) de l'air poussé de la gorge vers les poumons.
   b) de la contraction du diaphragme.
   c) du relâchement des muscles de la cage thoracique.
   d) de l'utilisation des poumons pour dilater les alvéoles.
   e) de la contraction des muscles abdominaux.

6. Le volume d'air maximum que vous pouvez expulser après avoir pris la respiration la plus profonde possible est appelé :
   a) volume courant.

b) volume résiduel.
c) capacité vitale.
d) volume respiratoire total.
e) volume alvéolaire.

7. Une baisse de pH du sang humain causée par l'exercice physique devrait:
a) diminuer la fréquence respiratoire.
b) augmenter la fréquence cardiaque.
c) diminuer la quantité de O_2 libérée par l'hémoglobine.
d) diminuer le débit cardiaque.
e) diminuer la fixation de CO_2 à l'hémoglobine.

8. En comparaison du liquide interstitiel qui baigne les cellules d'un muscle actif, le sang artériel qui atteint ce muscle possède:
a) une P_{O_2} plus élevée.
b) une P_{CO_2} plus élevée.
c) une concentration plus élevée en ions hydrogénocarbonate.
d) un pH plus faible.
e) une pression osmotique plus grande.

9. Laquelle des réactions suivantes prédomine dans les érythrocytes se déplaçant dans les capillaires pulmonaires? (Hb = hémoglobine)
a) $Hb + 4\ O_2 \rightarrow Hb(O_2)_4$
b) $Hb(O_2)_4 \rightarrow Hb + 4\ O_2$
c) $CO_2 + H_2O \rightarrow H_2CO_3$
d) $H_2CO_3 \rightarrow H^+ + HCO_3^-$
e) $Hb + 4\ CO_2 \rightarrow Hb(CO_2)_4$

10. En comparaison d'un Humain, un Mammifère marin de taille égale possède:
a) moins de sang, une adaptation qui contribue à la conservation du dioxygène.
b) de plus gros poumons.
c) une rate plus grosse.
d) moins de dioxygène emmagasiné dans les muscles.
e) moins de dioxygène emmagasiné dans le sang.

QUESTIONS À COURT DÉVELOPPEMENT

1. À partir d'une coupe frontale du cœur humain, montrant les vaisseaux, les cavités et les valves,
a) identifiez les parties anatomiques.
b) indiquez le trajet du sang par des flèches.
c) hachurez les parties dans lesquelles circule un sang pauvre en dioxygène.

2. Dans un tableau, donnez les composantes du sang et leur fonction.

3. Dressez un schéma de concepts qui explique la nature, la fonction et la régulation de la pression sanguine.

4. Expliquez comment s'effectue le mouvement des liquides dans un lit capillaire.

5. Expliquez le mécanisme d'échange à contre-courant qui caractérise la respiration des Poissons.

6. Expliquez le principe qui, chez les Vertébrés sous-tend l'échange des gaz respiratoires entre les poumons et le sang, et entre le sang et les tissus.

RÉFLEXION-APPLICATION

1. Les Vertébrés terrestres consomment plus d'énergie pour la locomotion que ne le font les Poissons en nageant, parce qu'ils doivent supporter leur masse contre la gravitation et parce qu'ils doivent souvent produire une accélération de leurs membres à partir d'une position immobile. En d'autres termes, il faut plus d'énergie par gramme d'Animal pour effectuer un déplacement de 1 m sur la terre ferme qu'il n'en faut pour se déplacer de 1 m dans l'eau (en supposant, évidemment, que l'Animal est dans son habitat naturel, c'est-à-dire terre ou eau). Comment cette disparité s'intègre-t-elle dans l'évolution du système cardiovasculaire des Vertébrés?

2. L'hémoglobine d'un fœtus humain diffère de l'hémoglobine d'un adulte. Comparez les courbes de dissociation des deux hémoglobines dans le graphique suivant, puis expliquez la signification physiologique de cette différence.

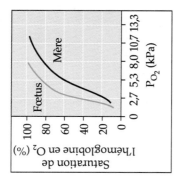

Saturation de l'hémoglobine en O_2 (%) — Fœtus — Mère — P_{O_2} — 0 2,7 5,3 8,0 10,7 13,3 (kPa)

SCIENCE, TECHNOLOGIE ET SOCIÉTÉ

1. L'incidence des maladies cardiovasculaires est beaucoup plus faible dans les pays méditerranéens (Espagne, Italie, Grèce, etc.) qu'en Amérique du Nord. Avancez quelques hypothèses susceptibles d'expliquer cette différence. Comment pourriez-vous vérifier vos hypothèses?

2. Des centaines d'études associent le tabac aux maladies cardiovasculaires et pulmonaires. Selon la majorité des experts en santé publique, le tabagisme est la principale cause de décès prématuré et évitable. Le gouvernement interdit la publicité sur les cigarettes à la télévision et exige que l'industrie du tabac appose des mises en garde sur les paquets et les annonces imprimées. Les groupes antitabac et les groupes de promotion de la santé ont proposé d'interdire totalement la publicité sur les cigarettes. Quels sont les arguments en faveur d'une interdiction de la publicité sur les cigarettes? Quels sont les arguments contre? Êtes-vous pour ou contre cette interdiction? Pourquoi?

LECTURES SUGGÉRÉES

Bernaudin, J.-F., «Les organes du souffle», *Science & Vie*, hors série, n° 187, juin 1994. (Article-synthèse du processus de la respiration.)

Borel, J.-P. et F.-X. Maquart, «La cicatrisation», *La Recherche*, n° 236, octobre 1991. (Description détaillée du processus de la cicatrisation.)

Golde, D., «Les cellules souches», *Pour la Science*, n° 172, février 1992. (Les cellules à l'origine de la production des éléments figurés.)

Jammes, Y. et H. Burnet, «La plongée à grande profondeur», *Pour la Science*, n° 166, août 1991. (Les adaptations cardiorespiratoires à la suite du changement des pressions partielles des gaz dans le sang.)

La Recherche, «Le sang», n° 254, mai 1993. (Un numéro spécial consacré au sang.)

Motais, R., «Comment les poissons s'adaptent au manque d'oxygène», *La Recherche*, n° 255, juin 1993. (Découverte d'une protéine membranaire qui contribue à l'adaptation au manque d'oxygène.)

Phillips, M., «Les tests respiratoires», *Pour la Science*, n° 179, septembre 1992. (Utilisation des tests respiratoires pour diagnostiquer plusieurs maladies et pour explorer les fonctions biochimiques basales.)

Robert, L., «Élasticité des tissus et vieillissement», *Pour la Science*, n° 201, juillet 1994. (L'artériosclérose et l'emphysème pulmonaire causés par la détérioration de l'élastine, une protéine.)

Swinguedauw, B., «Les pompes cardiaques et la circulation», *Science & Vie*, hors série, n° 187, juin 1994. (Description de l'anatomie et du cycle cardiaques.)

MÉCANISMES DE DÉFENSE NON SPÉCIFIQUES

SYSTÈME IMMUNITAIRE ET DÉFENSES SPÉCIFIQUES :
QUELQUES NOTIONS FONDAMENTALES

RÉACTION IMMUNITAIRE HUMORALE

RÉACTION IMMUNITAIRE À MÉDIATION CELLULAIRE

SYSTÈME DU COMPLÉMENT : UNE COMPOSANTE DES DÉFENSES
NON SPÉCIFIQUES ET SPÉCIFIQUES

SOI ET NON-SOI : QUELQUES APPLICATIONS

TROUBLES DU SYSTÈME IMMUNITAIRE

IMMUNITÉ CHEZ LES INVERTÉBRÉS

U n Animal doit se défendre contre les envahisseurs, c'est-à-dire contre les nombreux Virus,
Bactéries et autres agents pathogènes qui se trouvent dans l'air, la nourriture et l'eau. Il doit également
faire face aux cellules anormales qui apparaissent périodiquement dans son organisme et qui, si elles ne sont pas
éliminées, donnent naissance à un cancer (figure 39.1).

L'organisme animal possède deux systèmes de défense
qui agissent conjointement contre ces agresseurs. Un de
ces systèmes est de nature non spécifique, c'est-à-dire
qu'il ne distingue pas les agents infectieux les uns des
autres. Ce système non spécifique comprend deux lignes
de défense. La première ligne de défense est externe : elle se
compose des tissus épithéliaux qui recouvrent et tapissent
le corps (la peau et les muqueuses) et des sécrétions produites par ces tissus. La seconde ligne de défense est
interne : elle est déclenchée par des médiateurs chimiques et elle emploie des protéines antimicrobiennes et
des phagocytes pour attaquer sans discrimination tous
les envahisseurs qui traversent les barrières externes de
l'organisme. Dans certains cas, l'inflammation indique
l'activation de cette seconde ligne de défense.

L'autre système de défense, le système immunitaire,
réagit spécifiquement à chaque type d'envahisseur. La
réaction immunitaire comprend la production de protéines
défensives spécifiques appelées anticorps. Elle met également en œuvre la participation de plusieurs types de
cellules qui se différencient à partir de globules blancs
appelés lymphocytes (voir le chapitre 38). Le système
immunitaire forme la troisième ligne de défense, qui
intervient simultanément avec la deuxième (figure 39.2).
Dans ce chapitre, nous étudierons comment les défenses
non spécifiques et spécifiques d'un Animal travaillent
de concert pour protéger l'organisme. Nous porterons
notre attention principalement sur les mécanismes de
défense des Vertébrés, dont le système immunitaire est
très développé.

MÉCANISMES DE DÉFENSE NON SPÉCIFIQUES

Un agent envahisseur doit franchir la barrière externe
formée de la peau et des muqueuses, qui recouvrent le
corps de l'Animal et en tapissent les ouvertures (voir le
chapitre 36). S'il réussit à s'introduire dans l'organisme,
l'agent pathogène fait face à la seconde ligne de défense
non spécifique, soit les mécanismes interactifs qui comprennent la phagocytose, les protéines antimicrobiennes
et la réaction inflammatoire.

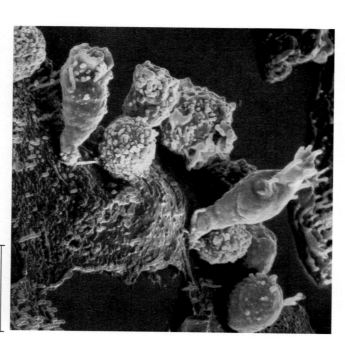

5 μm

Figure 39.1
**Cellules du système immunitaire attaquant une cellule cancé-
reuse.** La santé d'un Animal peut être menacée non seulement
par des microorganismes venant de l'extérieur, mais aussi par des
cellules de l'organisme lui-même, comme c'est le cas pour les
cellules cancéreuses. Le système immunitaire offre une protection
contre ces deux types d'agressions. Ici, un groupe de cellules
appelées lymphocytes T cytotoxiques (en blanc) attaquent une
cellule tumorale (MEB colorée). Dans ce chapitre, vous apprendrez comment le système immunitaire et d'autres mécanismes
de défense protègent l'organisme animal.

Mécanismes de défense non spécifiques		Mécanismes de défense spécifiques (système immunitaire)
Première ligne de défense	Deuxième ligne de défense	Troisième ligne de défense
• Peau • Muqueuses et leurs sécrétions	• Phagocytes • Protéines antimicrobiennes • Réaction inflammatoire	• Lymphocytes • Anticorps

Figure 39.2
Vue d'ensemble des défenses de l'organisme.

Peau et muqueuses

La peau intacte constitue une barrière normalement infranchissable pour les Bactéries et les Virus, qui peuvent toutefois passer par les plus petites écorchures. De la même façon, les muqueuses qui tapissent les voies digestives, respiratoires et urogénitales protègent l'organisme contre les microorganismes potentiellement dangereux. En plus de jouer le rôle de barrière physique, la peau et les muqueuses combattent les agents pathogènes à l'aide d'armes chimiques. Chez les Humains, par exemple, les sécrétions des glandes sébacées et sudorifères donnent à la peau un pH variant entre 3 et 5, suffisamment acide pour empêcher de nombreux microorganismes de s'y établir. (Les Bactéries qui composent la flore normale de la peau sont adaptées à cet environnement acide et relativement sec.) La salive, les larmes et les sécrétions des muqueuses lubrifient la surface des épithéliums exposés, emportant ainsi de nombreux agresseurs potentiels. En outre, ces sécrétions contiennent diverses protéines antimicrobiennes. L'une d'entre elles s'appelle **lysozyme**. Cette enzyme attaque la paroi cellulaire de nombreuses Bactéries et détruit de nombreux microorganismes qui s'introduisent dans les voies respiratoires supérieures et dans les ouvertures autour des yeux.

Le mucus, un liquide épais (visqueux) sécrété par les muqueuses, retient également les particules qui entrent en contact avec lui. Les microorganismes qui pénètrent dans les voies respiratoires supérieures restent souvent bloqués dans le mucus et sont ensuite avalés ou expectorés. Des cellules épithéliales spécialisées tapissent la trachée de cils dont les battements balaient vers l'extérieur les microorganismes et autres particules emprisonnés dans le mucus, ce qui empêche leur introduction dans les poumons (figure 39.3). Les microorganismes présents dans les aliments ou avalés avec le mucus des voies respiratoires supérieures doivent passer dans le suc gastrique. Ce suc très acide produit par la paroi gastrique détruit la majeure partie des microorganismes avant qu'ils n'entrent dans les voies intestinales.

Phagocytes et lymphocytes T cytotoxiques

Les mécanismes internes de défense non spécifique de l'organisme reposent principalement sur la **phagocytose**, c'est-à-dire l'ingestion de particules étrangères par certains types de leucocytes appelés phagocytes (voir la figure 8.25). Les phagocytes appelés **granulocytes neutrophiles** représentent environ 60 à 70 % de tous les leucocytes (globules blancs). Attirés par des médiateurs chimiques, les granulocytes neutrophiles peuvent quitter

le sang et s'introduire dans un tissu infecté, grâce à des mouvements amiboïdes, pour y détruire les microorganismes. (Cette migration vers la source d'un attractif chimique constitue un exemple de *chimiotaxie positive*; voir le chapitre 25.) Toutefois, les granulocytes neutrophiles ont tendance à s'autodétruire au cours du processus de destruction des particules étrangères, et ils ne vivent en moyenne que quelques jours.

Bien qu'ils ne représentent que 5 % des leucocytes, les **monocytes**, fournissent une arme phagocytaire encore plus efficace. Après maturation, les monocytes circulent dans le sang pendant quelques heures, puis migrent dans les tissus quand ils grossissent et se

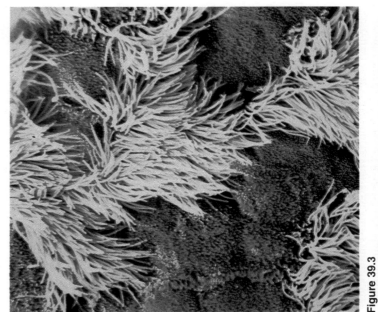

0,1 µm

Figure 39.3
Muqueuse ciliée. Une partie importante de la première ligne de défense de l'organisme se trouve dans la région supérieure du système respiratoire. Des cellules spécialisées (en orange) produisent un mucus qui emprisonne les microorganismes avant qu'ils ne puissent entrer dans les poumons. La muqueuse des voies respiratoires est également équipée de cellules ciliées, colorées ici en jaune (MEB). Les battements synchronisés des cils expulsent le mucus et les microorganismes emprisonnés.

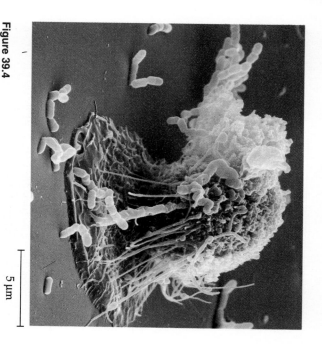

Figure 39.4
Phagocytose par un macrophage. Cette micrographie montre un macrophage (ou macrophagocyte) prenant au piège des Bactéries en forme de bâtonnets à l'aide de pseudopodes fibrillaires. Les Bactéries sont sur le point d'être englobées et détruites (MEB colorée).

5 µm

transforment en **macrophages** («gros mangeurs»). Les macrophages, les plus gros phagocytes, sont particulièrement efficaces et vivent longtemps. Ces cellules amiboïdes se servent de leurs pseudopodes pour capturer les microorganismes (figure 39.4), qu'elles détruisent à l'aide d'enzymes digestives et de radicaux libres. Certains microorganismes ont toutefois développé des mécanismes afin d'éviter la phagocytose. Certaines Bactéries, par exemple, possèdent des capsules spéciales que les macrophages ne peuvent pas saisir. D'autres ont acquis une résistance aux enzymes lytiques des macrophages et peuvent même se reproduire à l'intérieur de ces derniers. La présence ou l'absence d'une telle adaptation explique souvent pourquoi tel microorganisme est pathogène alors que tel autre ne l'est pas.

Certains macrophages résident en permanence dans les organes et les tissus conjonctifs. Dans les poumons, par exemple, on trouve les macrophages alvéolaires; dans le foie, ils s'appellent cellules de Kupffer. Bien qu'immobiles, ces macrophages se tiennent là où les agents infectieux circulant dans le sang et la lymphe les trouveront. Les macrophages immobiles sont particulièrement nombreux dans les ganglions lymphatiques et dans la rate, organes clés du système lymphatique (figure 39.5). D'autres macrophages circulent dans tous les tissus de l'organisme.

Environ 1,5 % des leucocytes sont des **granulocytes éosinophiles**. Ils ont une activité phagocytaire limitée, mais contiennent des enzymes destructives dans des granulations cytoplasmiques. Leur principale contribution à la défense consiste à s'opposer à des envahisseurs parasites plus gros, comme les Vers. Quand ils s'attaquent à un Ver, les granulocytes éosinophiles se placent contre la paroi externe du Ver, beaucoup plus gros

qu'eux, et déchargent les enzymes destructives de leurs granulations.

Les défenses non spécifiques de l'organisme incluent également les **lymphocytes T cytotoxiques** (ou cellules tueuses). Ces lymphocytes n'attaquent pas les microorganismes directement, ils détruisent plutôt les cellules infectées de l'organisme, notamment les cellules qui hébergent des Virus, lesquels ne peuvent se reproduire que dans les cellules de l'hôte. Les lymphocytes T cytotoxiques montent également à l'assaut des cellules aberrantes qui pourraient former des tumeurs. Le mode de destruction n'est pas la phagocytose; les lymphocytes T cytotoxiques attaquent la membrane de la cellule cible et provoquent la cytolyse (éclatement).

Protéines antimicrobiennes

Diverses protéines contribuent à la défense non spécifique en attaquant directement les microorganismes ou en entravant leur reproduction. Le complément et les interférons constituent des protéines antimicrobiennes particulièrement importantes. Le **complément** forme un ensemble d'au moins 20 protéines plasmatiques; on le nomme ainsi parce qu'il coopère avec d'autres mécanismes de défense et les complète. Les protéines du complément agissent ensemble dans une séquence d'étapes d'activation qui se termine par la lyse des microorganismes. Certains composants du complément jouent également un rôle dans la chimiotaxie positive des phagocytes en leur servant d'attractifs dans les sites d'infection. Comme le complément est une partie essentielle des deux systèmes de défense, non spécifique et spécifique, nous allons examiner son mécanisme après notre introduction aux deux systèmes.

Les **interférons** ont été identifiés pour la première fois en 1957, lorsque des chercheurs ont découvert que les cellules infectées par un Virus produisent une substance qui aide les autres cellules à résister au Virus. Il existe plusieurs types d'interférons. Grâce au génie génétique, on en fabrique maintenant quelques-uns en grandes quantités et on procède à des essais cliniques en vue du traitement des infections virales et du cancer (voir le chapitre 19). Dans l'organisme, une cellule infectée sécrétera des interférons pour assurer une défense non spécifique avant que n'apparaissent les anticorps spécifiques. Les interférons ne peuvent pas sauver la cellule infectée, mais ils diffusent vers les cellules voisines et y déclenchent la production d'autres protéines qui inhibent la réplication virale dans ces cellules. Une cellule infectée peut donc aider les cellules non infectées à se défendre. Ce mécanisme de défense n'a pas de spécificité virale; les interférons produits en réaction à une souche confèrent une résistance à d'autres Virus. Les interférons combattent de manière particulièrement efficace les infections de courte durée, comme le rhume et la grippe. Il existe un type d'interféron qui, en plus de jouer un rôle antiviral, active les phagocytes et augmente ainsi leur capacité à englober et à tuer des microorganismes.

Réaction inflammatoire

Les lésions tissulaires causées par une blessure physique (telle une égratignure) ou par la pénétration de microorganismes déclenchent une **réaction inflammatoire**

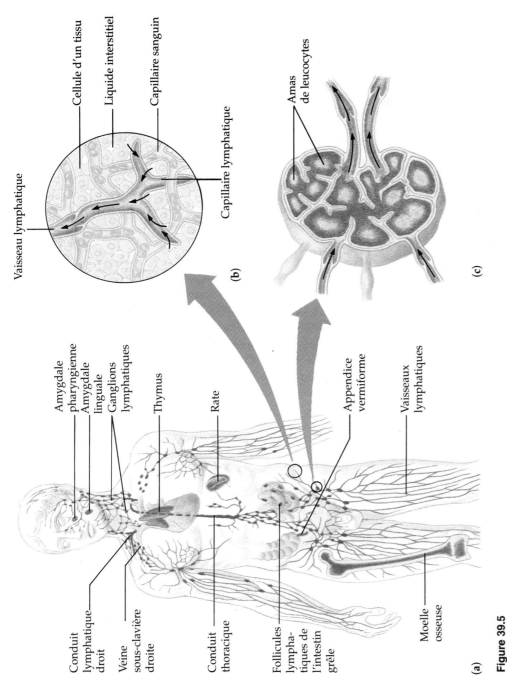

(a)

Amygdale pharyngienne
Amygdale linguale
Ganglions lymphatiques

Thymus

Rate

Appendice vermiforme

Vaisseaux lymphatiques

Conduit lymphatique droit
Veine sous-clavière droite

Conduit thoracique

Follicules lymphatiques de l'intestin grêle

Moelle osseuse

Vaisseau lymphatique

Capillaire lymphatique

(b)

Cellule d'un tissu
Liquide interstitiel
Capillaire sanguin

Amas de leucocytes

Capillaire lymphatique

(c)

Figure 39.5

Système lymphatique humain. (a) Le système lymphatique retourne le liquide des espaces interstitiels vers le système circulatoire (voir le chapitre 38). Outre les vaisseaux lymphatiques, le système comprend divers organes satellites qui jouent un rôle important dans le système immunitaire de l'organisme, dont le thymus, la moelle osseuse, la rate, les amygdales, l'appendice vermiforme, les follicules lymphatiques et les nombreux ganglions lymphatiques. **(b)** Les capillaires lymphatiques absorbent une partie du liquide interstitiel qui baigne les tissus. Le liquide, alors appelé lymphe, s'écoule dans les vaisseaux et finit par retourner dans le système circulatoire près des épaules, où le conduit lymphatique droit et le conduit thoracique se déversent dans des veines, comme la veine sous-clavière. **(c)** Sur son parcours, la lymphe traverse de nombreux ganglions lymphatiques dans lesquels tout agent pathogène présent dans la lymphe rencontre des macrophages et des lymphocytes, une autre classe de leucocytes assurant une fonction défensive.

(figure 39.6). De petits vaisseaux sanguins entourant la blessure se dilatent (vasodilatation) et augmentent l'apport sanguin vers la région lésée, ce qui provoque les signes caractéristiques de l'inflammation : rougeur et chaleur (*inflammare* «brûler»). Les vaisseaux sanguins dilatés deviennent également plus perméables ; du liquide s'échappe alors du sang et pénètre dans les tissus environnants, causant l'œdème (enflure) associé à l'inflammation.

Le déclenchement et le déroulement de la réaction inflammatoire dépendent de médiateurs chimiques. L'un d'eux, l'**histamine**, réside dans les leucocytes circulants appelés granulocytes basophiles et dans les mastocytes, des cellules présentes dans le tissu conjonctif. La lésion de ces cellules provoque la libération d'histamine, qui déclenche la vasodilatation locale et rend les capillaires avoisinants plus perméables. Les leucocytes et les cellules du tissu endommagé sécrètent également des prostaglandines (voir le chapitre 41) et d'autres substances qui accroissent le débit sanguin vers la lésion. La vasodilata-

tion et la perméabilité accrue des vaisseaux sanguins permettent aussi la libération de facteurs de coagulation dans la zone endommagée. La coagulation marque le début du processus de réparation et contribue à empêcher la propagation de microorganismes pathogènes vers les autres parties de l'organisme.

La migration des phagocytes du sang vers les tissus lésés, qui débute habituellement moins d'une heure après la blessure, constitue probablement l'élément le plus important de la réaction inflammatoire. La perméabilité des capillaires et l'augmentation du débit sanguin vers le siège de la lésion accroissent la migration des phagocytes dans le liquide interstitiel. Au cours de cette chimiotaxie positive, plusieurs médiateurs chimiques (y compris certaines protéines du complément) attirent les phagocytes vers le tissu endommagé. Les granulocytes neutrophiles arrivent les premiers au siège de la lésion, suivis des monocytes qui se transforment en macrophages. Les macrophages éliminent non seulement les

agents pathogènes, mais également les débris de cellules et les restes de granulocytes neutrophiles qui se sont détruits eux-mêmes après avoir éliminé de nombreux microorganismes. Le pus qui s'accumule souvent dans la zone infectée contient principalement des cellules mortes et du liquide qui a fui des capillaires au cours de la réaction inflammatoire. Si le pus demeure sur place, il est graduellement absorbé par l'organisme en quelques jours.

Les réactions inflammatoires décrites jusqu'ici sont localisées, comme dans le cas d'une infection causée par une écharde. Mais la réaction de l'organisme à une infection peut aussi être systémique, c'est-à-dire généralisée. Par exemple, les cellules endommagées produisent des molécules qui stimulent la libération d'autres granulocytes neutrophiles de la moelle osseuse, un appel aux renforts en quelque sorte. Après le début de la réaction inflammatoire, le nombre de leucocytes dans le sang peut augmenter de plusieurs fois en quelques heures. Cette augmentation spectaculaire du nombre de leucocytes indique souvent une grave infection, comme la méningite ou l'appendicite. La fièvre constitue une autre réaction systémique à l'infection. Les toxines produites par certains agents pathogènes peuvent déclencher la fièvre, mais certains leucocytes, les macrophages principalement, libèrent également des molécules appelées **pyrogènes**, qui règlent le thermostat de l'organisme à une température plus élevée. Une fièvre très forte peut s'avérer dangereuse, mais une fièvre modérée contribue à la défense. Elle inhibe la croissance de certains microorganismes, peut-être en partie parce qu'elle diminue la quantité de fer qui leur est disponible. La fièvre peut également faciliter la phagocytose et, en augmentant la vitesse des réactions de l'organisme, accélérer la réparation des tissus. Pour ces raisons, la consommation

précipitée d'analgésiques met un frein à la guérison en période de fièvre modérée.

Résumons les systèmes de défense non spécifiques de l'organisme : la première ligne de défense, la peau et les muqueuses, empêche la plupart des agents pathogènes de s'introduire dans l'organisme ; la deuxième ligne de défense met en jeu les phagocytes, les lymphocytes T cytotoxiques, les protéines antimicrobiennes et la réaction inflammatoire afin de combattre les agents pathogènes qui ont réussi à s'infiltrer dans l'organisme. On dit de ces deux lignes de défense qu'elles sont non spécifiques, parce qu'elles ne prennent pas pour cible des agents pathogènes spécifiques, une certaine espèce bactérienne par exemple.

SYSTÈME IMMUNITAIRE ET DÉFENSES SPÉCIFIQUES : QUELQUES NOTIONS FONDAMENTALES

Caractéristiques fondamentales du système immunitaire

La troisième ligne de défense de l'organisme, le **système immunitaire**, se distingue des défenses non spécifiques par quatre caractéristiques : spécificité, diversité, reconnaissance du soi ou du non-soi, et mémoire.

La *spécificité* fait référence à la capacité du système immunitaire de reconnaître et d'éliminer certains microorganismes et molécules étrangères, par exemple une certaine souche de Virus de la grippe. On appelle **antigène,** la substance étrangère qui provoque cette réaction immunitaire. Le système immunitaire réagit à un antigène en produisant des lymphocytes spécialisés et des protéines

**Figure 39.6
Représentation simplifiée de la réaction inflammatoire.** ① La réaction localisée se déclenche lorsque les cellules du tissu endommagé par une agression biologique ou physique libèrent des médiateurs chimiques tels que l'histamine et les prostaglandines. ② Ces médiateurs augmentent la perméabilité des capillaires, et le sang s'écoule alors vers la région affectée. L'organisme libère également certaines substances chimiques qui attirent les phagocytes et les lymphocytes. ③ Après leur arrivée au siège de la lésion, les phagocytes ingèrent les agents pathogènes et les débris cellulaires, et le tissu cicatrise.

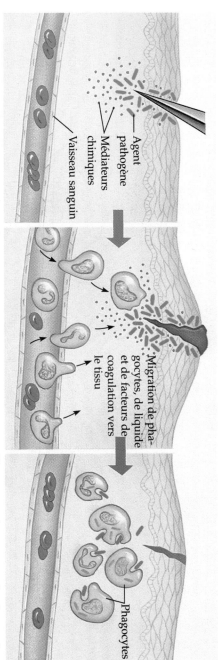

① Lésion du tissu ; libération de médiateurs chimiques (histamine et prostaglandines)

Agent pathogène
Médiateurs chimiques
Vaisseau sanguin

② Vasodilatation (augmentation du débit sanguin) ; augmentation de la perméabilité des vaisseaux ; migration des phagocytes

Migration de phagocytes, de liquide et de facteurs de coagulation vers le tissu

③ Ingestion des agents pathogènes et des débris cellulaires par les phagocytes (macrophages et granulocytes neutrophiles) ; cicatrisation du tissu

Phagocytes

spécifiques appelées **anticorps.** Les antigènes qui déclenchent une réponse immunitaire sont des molécules de Virus, de Bactéries, de Mycètes, de Protozoaires et de Vers parasites. Les antigènes marquent également la surface de corps étrangers comme le pollen, le venin d'Insectes et les tissus transplantés (peau ou organes). Chaque antigène possède une structure moléculaire unique et déclenche la production du type même d'anticorps qui combat cet antigène spécifique. Ainsi, contrairement aux défenses non spécifiques, chaque réaction du système immunitaire prend pour cible un agresseur spécifique, le distinguant d'autres molécules étrangères parfois très semblables.

La *diversité* correspond à la capacité du système immunitaire de réagir contre des millions de types d'agresseurs en reconnaissant chacun à ses marqueurs antigéniques. Cette capacité tient au fait que le système immunitaire possède une variété considérable de populations lymphocytaires, dont chacune peut combattre un antigène particulier. Parmi les lymphocytes producteurs d'anticorps, par exemple, chaque population est activée par un antigène spécifique et y réagit en synthétisant et en sécrétant le type approprié d'anticorps.

La *reconnaissance du soi et du non-soi* se rapporte à la capacité du système immunitaire de faire la distinction entre les molécules de l'organisme lui-même (le soi) et les molécules étrangères (le non-soi, les antigènes). L'incapacité de distinguer le soi du non-soi peut causer des affections auto-immunes, dans lesquelles le système immunitaire détruit les tissus de l'organisme même. Plus loin dans ce chapitre, nous étudierons le mécanisme de reconnaissance du soi et du non-soi et les affections auto-immunes.

Enfin, la *mémoire* fait référence à la capacité du système immunitaire de se rappeler les antigènes qu'il a rencontrés et d'y réagir promptement et efficacement lors d'expositions ultérieures. Cette caractéristique, appelée **immunité acquise,** a été découverte il y a environ 2400 ans par Thucydide, un historien athénien, qui écrivit que le soin des malades et des mourants au cours d'une épidémie de peste incombait à ceux qui en avaient guéri, «car personne n'était attaqué une seconde fois par cette maladie.» Ce concept vous est sans doute familier : si vous avez eu la varicelle dans votre enfance, il est peu probable que vous l'attrapiez de nouveau.

Comparaison entre immunité active et immunité passive

Lorsqu'une personne guérit d'une maladie infectieuse comme la varicelle, elle acquiert une immunité appelée **immunité active,** parce que cette immunité provient de la réaction de son propre système immunitaire. Dans ce cas, on dit que cette immunité active est *naturellement* acquise. L'immunité active peut également être acquise *artificiellement,* par la vaccination. Les vaccins se composent soit de toxines bactériennes, soit de microorganismes morts, soit de microorganismes vivants mais atténués. Ces agents ne peuvent plus causer la maladie, mais ils possèdent encore des propriétés antigéniques qui déclenchent une réponse immunitaire. Ainsi, grâce à la mémoire immunitaire, une personne vaccinée qui se trouve en contact avec le véritable agent pathogène

manifestera la même réaction rapide qu'une personne ayant déjà eu la maladie.

Une personne peut également acquérir une *immunité passive* en recevant les anticorps d'une autre personne. Cela se produit naturellement lorsque l'organisme d'une femme enceinte transmet quelques-uns de ses anticorps au fœtus par l'intermédiaire du placenta. Le système immunitaire du nouveau-né n'est pas totalement fonctionnel, mais si la mère est immunisée contre la varicelle, par exemple, le nourrisson sera aussi immunisé, quoique temporairement. Le nourrisson reçoit également certains anticorps par le lait de sa mère, notamment dans le colostrum (sécrétion mammaire jaunâtre des premiers jours suivant l'accouchement). L'immunité passive ne dure toutefois que quelques semaines ou quelques mois, après quoi le système immunitaire du nourrisson doit prendre la relève. On peut aussi créer artificiellement une immunité passive en introduisant chez un individu les anticorps d'un Animal ou d'un Humain déjà immunisé contre la maladie. Par exemple, chez les Humains, on traite la rage en injectant des anticorps de personnes déjà vaccinées contre la rage. Cette injection produit une immunité immédiate, ce qui est important car la rage évolue rapidement et la réponse à une vaccination prendrait trop de temps. Les anticorps injectés ne durent que quelques semaines, mais pendant cette période, le système immunitaire de la personne atteinte a eu le temps de produire ses propres anticorps contre le Virus de la rage.

La défense double du système immunitaire : aperçu de la réponse humorale et de la réponse à médiation cellulaire

Le système immunitaire peut, en fait, opposer deux types de réaction aux antigènes : une réponse humorale et une réponse à médiation cellulaire. L'**immunité humorale** entraîne la production d'anticorps. Sécrétés par certains lymphocytes, les anticorps circulent sous forme de protéines solubles dans le plasma sanguin et la lymphe, des liquides autrefois appelés humeurs. Au début du siècle, des chercheurs procédèrent au transfert de ces liquides d'un Animal à un autre afin de voir si l'immunité se transférait également. Ils découvrirent que l'immunité contre certaines affections ne pouvait se transmettre que si les lymphocytes étaient transférés. On appela **immunité à médiation cellulaire** ce second type d'immunité, qui repose sur l'action directe de cellules (certains types de lymphocytes) plutôt que sur celle des anticorps.

Les anticorps circulants du système humoral défendent principalement contre les toxines, les Bactéries libres et les Virus présents dans les liquides biologiques. Les lymphocytes du système à médiation cellulaire, eux, luttent contre les Bactéries et les Virus situés à l'intérieur des cellules de l'hôte et contre les Mycètes, les Protozoaires et les Vers. Le système à médiation cellulaire attaque également les cellules de tissu transplanté et les cellules cancéreuses, perçues comme «non-soi».

Lymphocytes B et lymphocytes T Un type de globules blancs, les **lymphocytes,** assurent l'immunité humorale et l'immunité à médiation cellulaire. Les Vertébrés possèdent deux classes principales de lymphocytes : les

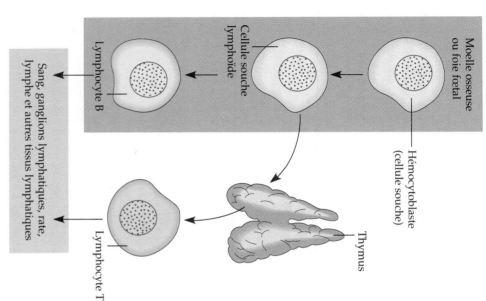

Moelle osseuse ou foie fœtal

Hémocytoblaste (cellule souche)

Cellule souche lymphoïde

Lymphocyte B

Thymus

Lymphocyte T

Sang, ganglions lymphatiques, rate, lymphe et autres tissus lymphatiques

Figure 39.7
Formation des lymphocytes. Comme les autres globules sanguins, les lymphocytes se différencient à partir des hémo-cytoblastes (cellules souches) de la moelle osseuse (voir la figure 38.14). Les lymphocytes qui poursuivent leur maturation dans la moelle osseuse se transforment en lymphocytes B, alors que ceux qui migrent vers le thymus et y terminent leur maturation se différencient en lymphocytes T. Ces deux classes de lympho-cytes peuplent d'autres organes lymphatiques, notamment les ganglions lymphatiques et la rate. Les lymphocytes B et T sont alors prêts à jouer leur rôle dans l'immunité humorale et l'immunité à médiation cellulaire, respectivement.

lymphocytes B, les soldats de l'immunité humorale, et les lymphocytes T, les défenseurs de l'immunité à médiation cellulaire. (Plus loin dans ce chapitre, nous verrons qu'une sous-classe de lymphocytes T participe également à l'immunité humorale en stimulant les lym-phocytes B.)

Comme tous les globules sanguins, les lymphocytes proviennent des hémocytoblastes (cellules souches) de la moelle osseuse (voir la figure 38.14) ou, dans le cas du fœtus, du foie. Initialement, tous les lymphocytes sont semblables, mais ils se différencient par la suite en lym-phocytes T ou en lymphocytes B, selon le site où ils pour-suivent leur maturation (figure 39.7). Les lymphocytes T qui migrent de la moelle osseuse vers le thymus, une glande située dans la partie supérieure du thorax, se transforment en lymphocytes T (T pour thymus). Quant aux lymphocytes qui demeurent dans la moelle osseuse

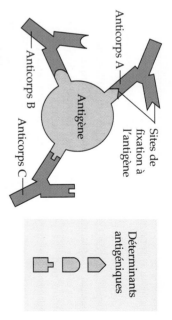

Sites de fixation à l'antigène

Anticorps A

Anticorps B Anticorps C

Antigène

Déterminants antigéniques

Figure 39.8
Déterminants antigéniques. Les anticorps se lient aux déter-minants antigéniques qui se trouvent sur la surface d'un antigène. Dans cet exemple, trois types d'anticorps spécifiques se lient aux différents déterminants antigéniques d'une même grosse molécule d'antigène.

et y continuent leur maturation, ils deviennent des lym-phocytes B. (La lettre B désigne la bourse de Fabricius, un organe exclusif aux Oiseaux, dans laquelle on a identifié les tout premiers lymphocytes B.)

Les lymphocytes B et les lymphocytes T se trouvent surtout dans les ganglions lymphatiques, dans la rate et dans les autres organes lymphatiques où les lymphocytes ont le plus de chances de rencontrer les antigènes (voir la figure 39.5). Les lymphocytes B et les lymphocytes T por-tent des **récepteurs antigéniques** spécifiques sur leurs membranes plasmiques. Les récepteurs antigéniques d'un lymphocyte B sont en fait des anticorps liés à la membrane plasmique et capables de réagir à un certain antigène. Bien qu'ils ne soient pas des anticorps, les **récepteurs du lymphocyte T** reconnaissent les antigènes de façon aussi spécifique. En conséquence, la spécificité et la diversité du système immunitaire dépend de la pré-sence, sur chaque lymphocyte B et chaque lymphocyte T, de récepteurs qui confèrent au lymphocyte la capacité de reconnaître un antigène particulier et d'y réagir.

Lorsqu'un antigène se lie au récepteur de surface d'un lymphocyte, le lymphocyte se divise et donne nais-sance à une population de **lymphocytes effecteurs**. Ce sont ces lymphocytes effecteurs qui défendent véritable-ment l'organisme dans une réaction immunitaire. Dans le cas d'une réaction humorale, le lymphocyte B activé par la liaison avec l'antigène donne naissance à des lym-phocytes effecteurs appelés **plasmocytes**. Les plasmo-cytes sécrètent des anticorps qui contribuent à éliminer l'antigène. Les cellules effectrices dérivées des lympho-cytes T comprennent les **lymphocytes T cytotoxiques**, qui détruisent les cellules infectées et les cellules cancé-reuses, et les **lymphocytes T auxiliaires**, qui jouent un rôle clé dans la stimulation de l'immunité humorale et de l'immunité à médiation cellulaire. Après cette présen-tation des notions fondamentales de l'immunologie, nous allons examiner plus en détail les réactions humo-rale et à médiation cellulaire.

Fondement moléculaire de la spécificité antigène-anticorps

La majorité des antigènes sont des protéines ou des polysaccharides. Ces molécules constituent souvent une

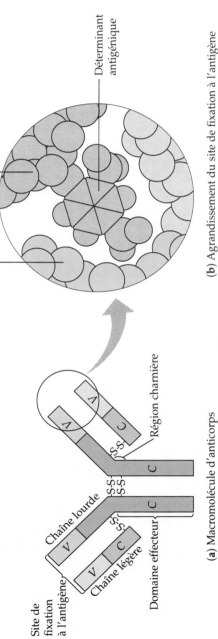

Site de fixation à l'antigène

Chaîne lourde

Chaîne légère

V V

C C

S-S S-S

Région charnière

Domaine effecteur

(a) Macromolécule d'anticorps

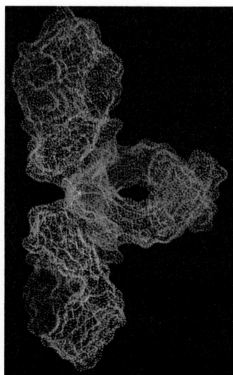

(c) Modèle d'une macromolécule d'anticorps

Déterminant antigénique

Antigène

Site de fixation à l'antigène

(b) Agrandissement du site de fixation à l'antigène

Figure 39.9
Structure caractéristique d'un anticorps.
(a) La structure en forme de Y (monomère) d'un anti-corps comporte deux chaînes légères et deux chaînes lourdes reliées par des ponts disulfure (S–S). La majeure partie de la structure, identique chez tous les anticorps de la même classe d'immunoglobulines, compose la région constante (C). Les séquences d'acides aminés des régions variables (V), qui constituent les deux sites de fixation à l'antigène identiques, diffèrent d'un type spécifique d'anticorps à l'autre, conférant à ces sites des formes spécifiques qui s'ajustent aux déterminants anti-géniques d'un antigène spécifique. Dans certains cas, le domaine effecteur (la base du Y) se lie à la surface d'une cellule. **(b)** Cet agrandissement montre un déterminant antigénique lié à un site de fixation. **(c)** Anticorps représenté par infographie.

composante externe de l'enveloppe ou de la capside des Virus, de la capsule et de la paroi cellulaire des Bactéries, et de la surface de nombreux autres types de cellules. Les molécules étrangères associées aux tissus et aux organes transplantés, ou aux globules sanguins provenant d'autres individus ou espèces, peuvent également provoquer une réaction immunitaire. La surface de substances étran-gères, comme le pollen, porte aussi des antigènes. Les anticorps ne reconnaissent généralement pas l'antigène dans son intégralité (figure 39.8). Ils reconnaissent plutôt une zone localisée à la surface de l'antigène, appelée **déterminant antigénique.** Un seul et même antigène, par exemple une protéine bactérienne, peut posséder plu-sieurs déterminants antigéniques effectifs, lesquels incite-ront le système immunitaire à produire plusieurs anticorps distincts contre lui. Il arrive aussi que diffé-rentes parties de la cellule bactérienne possèdent diffé-rents antigènes. En conséquence, le système immunitaire peut réagir à une espèce bactérienne particulière en pro-duisant plusieurs types d'anticorps aptes à réagir aux déterminants antigéniques qui marquent les antigènes de la paroi, de la capsule et des flagelles de la cellule bac-térienne.

Les anticorps constituent une catégorie de protéines appelées **immunoglobulines (Ig).** Chaque anticorps pos-sède au moins deux sites identiques qui se lient au déter-minant antigénique ayant provoqué sa formation. La figure 39.9a montre un anticorps typique. La structure en forme de Y de l'anticorps comporte quatre chaînes poly-peptidiques reliées : deux chaînes légères identiques et deux chaînes lourdes identiques. Les chaînes lourdes et légères possèdent des régions *constantes.* On dit que ces régions sont constantes parce que leurs séquences d'aci-des aminés varient peu parmi les anticorps responsables d'un même type de défense, malgré une grande variation dans la spécificité antigénique. Aux extrémités des deux bras de la molécule en Y se trouvent les régions *variables* des chaînes lourdes et légères. On qualifie ces régions de variables parce que leurs séquences d'acides aminés varient beaucoup d'un anticorps à l'autre. Ces extrémités du Y servent de *sites de fixation à l'antigène.* Les dimen-sions et les contours des sites de fixation sont déterminés par les séquences uniques d'acides aminés des régions variables des chaînes lourdes et légères. L'association entre un site de fixation à l'antigène et un déterminant antigénique ressemble à l'association entre une enzyme

Chapitre 39 : Les défenses de l'organisme **857**

Tableau 39.1   Les cinq classes d'immunoglobulines

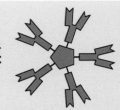

IgM (pentamère)

Les IgM sont les premiers anticorps circulants qui apparaissent en réaction à une exposition initiale à un antigène. Cependant, leur concentration dans le sang diminue rapidement. Cette caractéristique est très utile au plan diagnostique : la présence d'IgM indique habituellement une infection en cours due à l'agent pathogène qui cause sa formation. Une IgM se compose de cinq monomères en forme de Y disposés en une structure pentamérique. Ses nombreux sites de fixation à l'antigène la rendent très efficace dans l'agglutination des antigènes et dans les réactions qui font intervenir le système du complément. Les IgM, trop grosses pour traverser le placenta, ne confèrent pas d'immunité maternelle.

IgG (monomère)

L'IgG est le plus abondant des anticorps circulants. Elle traverse facilement la paroi des vaisseaux sanguins et pénètre dans les liquides tissulaires ; elle traverse également le placenta et donne une immunité passive au fœtus. L'IgG protège contre les Bactéries, les Virus et les toxines circulant dans le sang et la lymphe, et déclenche l'action du système du complément.

IgA (dimère)

L'IgA se compose principalement de deux monomères en Y (un dimère). Elle est produite par des cellules qui se trouvent en abondance dans les muqueuses. La principale fonction de l'IgA consiste à empêcher les Virus et les Bactéries de se fixer aux surfaces épithéliales. L'IgA se trouve également dans de nombreuses sécrétions de l'organisme, comme la salive, la sueur, les larmes et le colostrum (le premier lait d'un Mammifère, sécrété en fin de grossesse et peu après l'accouchement). Elle contribue ainsi à protéger le nourrisson des infections gastro-intestinales. On trouve aussi certaines IgA sous forme de monomère dans le plasma.

IgD (monomère)

Les IgD n'activent pas le système du complément et ne peuvent pas traverser le placenta. Elles se trouvent principalement sur les membranes externes des lymphocytes B et sont probablement des récepteurs d'antigènes nécessaires à la différentiation des lymphocytes B en formes de lymphocytes B, qui produisent des anticorps contre l'antigène.

IgE (monomère)

Les IgE sont légèrement plus grosses que les IgG et ne représentent qu'une très petite fraction de tous les anticorps du sang. Elles se trouvent principalement sur les membranes externes des lymphocytes B et sont probablement des récepteurs des lymphocytes B et sont probablement des récepteurs d'antigènes nécessaires à la différentiation des lymphocytes B en formes de lymphocytes B, qui produisent des anticorps contre l'antigène.

---

et son substrat : plusieurs liaisons faibles se forment entre des groupements chimiques contigus des molécules respectives (figure 39.9b).

Le site de fixation à l'antigène intervient dans la fonction de reconnaissance d'un anticorps, c'est-à-dire sa capacité de reconnaître le déterminant antigénique d'un antigène. La base d'un anticorps, formée des régions constantes des chaînes polypeptidiques, sert la fonction effectrice de l'anticorps, soit le mécanisme par lequel il inactive ou détruit un envahisseur antigénique. On appelle domaine effecteur la base de l'anticorps.

Il n'existe que cinq types de régions constantes, et ils déterminent les cinq classes principales des immunoglobulines mammaliennes : IgM, IgG, IgA, IgD et IgE. Le tableau 39.1 résume la structure et la fonction des classes d'immunoglobulines. Chaque classe se caractérise par un type de région constante qui permet aux anticorps de remplir certaines fonctions défensives. Par exemple, les IgA constituent la seule classe d'anticorps sécrétés à travers les épithéliums, et on les trouve dans la salive, la sueur et les larmes. Dans chaque classe d'Ig, il existe une variété considérable d'anticorps spécifiques possédant des sites de fixation uniques.

Sélection clonale : fondement cellulaire de la spécificité et de la diversité immunitaires

Nous pouvons imaginer deux mécanismes possibles par lesquels le système immunitaire d'un Animal pourrait réagir spécifiquement aux millions d'antigènes potentiels. Dans un premier scénario, chaque lymphocyte réagit de façon variable : il s'adapte à l'antigène qu'il rencontre, quel qu'il soit, et modifie son action en conséquence, par exemple en changeant le type d'anticorps qu'il sécrète. Nos connaissances actuelles indiquent plutôt le scénario suivant : chaque lymphocyte reconnaît un seul déterminant antigénique et réagit seulement à ce dernier, et la capacité du système immunitaire de lutter contre une variété presque infinie d'antigènes repose sur l'immense diversité des lymphocytes spécifiques à un antigène. (Nous avons étudié le fondement génétique de cette diversité immunitaire au chapitre 18.)

La spécificité de chaque lymphocyte pour une cible antigénique est prédéterminée de façon rigoureuse au cours du développement embryonnaire, bien avant que l'organisme rencontre cet antigène. Le récepteur antigénique que le lymphocyte porte à sa surface constitue la marque de cette spécificité. Le lymphocyte peut un jour entrer en contact avec l'antigène qui lui correspond, ou ne jamais le rencontrer. Si cet antigène *s'introduit* dans l'organisme et se lie aux récepteurs des lymphocytes spécifiques, alors ces lymphocytes (et seulement eux) s'activent et déclenchent une réaction immunitaire. Ces lymphocytes prolifèrent par division cellulaire et se transforment en un grand nombre de cellules effectrices identiques, c'est-à-dire un *clone* de cellules qui combattent toutes le même antigène : celui qui a provoqué la réaction. Par exemple, les plasmocytes qui se développent à partir d'un lymphocyte B activé sécrètent tous le même type d'anticorps, c'est-à-dire celui qui a servi de récepteur antigénique sur le lymphocyte B initial qui a le premier rencontré l'antigène. On appelle **sélection clonale** (figure 39.10) ce clonage spécifique de lymphocytes.

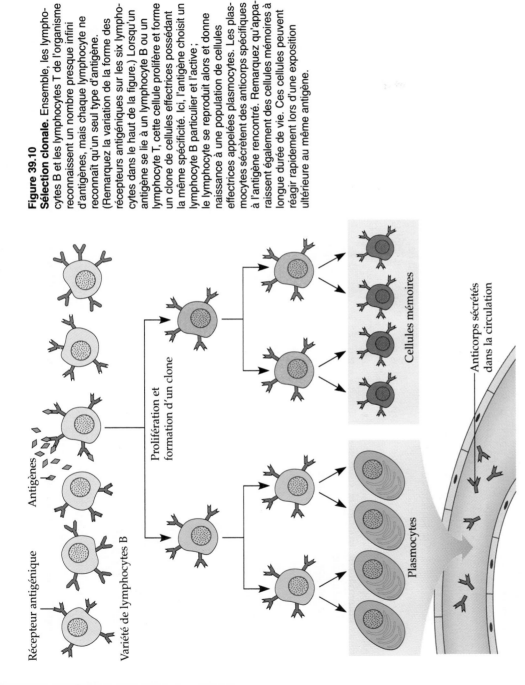

Figure 39.10

Sélection clonale. Ensemble, les lymphocytes B et les lymphocytes T de l'organisme reconnaissent un nombre presque infini d'antigènes, mais chaque lymphocyte ne reconnaît qu'un seul type d'antigène. (Remarquez la variation de la forme des récepteurs antigéniques sur les six lymphocytes dans le haut de la figure.) Lorsqu'un antigène se lie à un lymphocyte B ou un lymphocyte T, cette cellule prolifère et forme un clone de cellules effectrices possédant la même spécificité. Ici, l'antigène choisit un lymphocyte B particulier et l'active; le lymphocyte se reproduit alors et donne naissance à une population de cellules effectrices appelées plasmocytes. Les plasmocytes sécrètent des anticorps spécifiques à l'antigène rencontré. Remarquez qu'apparaissent également des cellules mémoires à longue durée de vie. Ces cellules peuvent réagir rapidement lors d'une exposition ultérieure au même antigène.

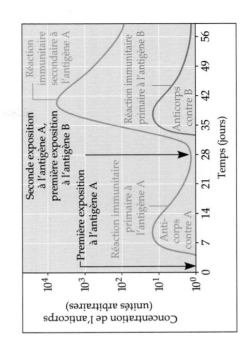

Figure 39.11

Mémoire immunitaire. Une première exposition à l'antigène A déclenche une réaction immunitaire primaire qui entraîne la production d'anticorps contre cet antigène. Remarquez le délai et la réaction relativement faible. Une deuxième exposition à l'antigène A 28 jours plus tard produit une réaction immunitaire secondaire plus rapide et prolongée. Si l'antigène B était également injecté à la 28e journée, la réaction à cet antigène serait une réaction primaire, et non secondaire. Cette expérience démontre la spécificité de la réaction secondaire, qui est due à la présence de cellules mémoires à longue durée de vie.

Le concept de sélection clonale est fondamental pour la compréhension de l'immunité; il vaut donc la peine de le reformuler. Chaque antigène active de manière sélective une petite fraction des cellules parmi les diverses populations de lymphocytes de l'organisme. Ce nombre relativement petit de cellules sélectionnées donne naissance à un clone de millions de cellules effectrices, toutes vouées à l'élimination de l'antigène spécifique qui a stimulé la réaction immunitaire humorale ou à médiation cellulaire. Comme la plupart des antigènes, telles les protéines bactériennes, possèdent de nombreux déterminants antigéniques, plusieurs clones différents de lymphocytes T effecteurs ou de plasmocytes peuvent se développer en réaction au même antigène.

Fondement cellulaire de la mémoire immunitaire

La prolifération sélective de lymphocytes qui mène à la formation de clones de cellules effectrices contre un antigène constitue la **réaction immunitaire primaire.** Entre l'exposition à un antigène et la production maximale de cellules effectrices, il y a un délai de cinq à dix jours. Durant ce délai, les lymphocytes sélectionnés par l'antigène se différencient en lymphocytes T effecteurs et en plasmocytes producteurs d'anticorps. Si l'organisme

rencontre le même antigène quelque temps plus tard, la réaction se produit plus rapidement (de trois à cinq jours seulement) et plus longuement que la réaction primaire. On parle alors de **réaction immunitaire secondaire** (figure 39.11). En outre, les anticorps élaborés lors de cette réaction se lient de manière plus efficace à l'antigène que les anticorps produits au cours de la réaction primaire.

La capacité du système immunitaire de reconnaître un antigène déjà rencontré s'appelle mémoire immunitaire. Cette capacité repose sur les **cellules mémoires**, élaborées en même temps que les lymphocytes effecteurs à durée de vie relativement courte de la réaction immunitaire primaire (voir la figure 39.10). Au cours de la réaction primaire, ces cellules mémoires ne sont pas actives. Cependant, elles survivent longtemps et prolifèrent rapidement lorsque l'organisme rencontre de nouveau l'antigène qui a causé leur formation. La réaction immunitaire secondaire donne naissance à un nouveau clone de cellules mémoires, de même qu'à de nouveaux lymphocytes effecteurs. Grâce à ce mécanisme, une exposition durant l'enfance à des maladies telles que la varicelle confère habituellement une immunité pour toute la vie.

Constitution de l'autotolérance

Nous avons vu que l'une des caractéristiques majeures du système immunitaire est sa capacité de distinguer le soi du non-soi. Vous savez également que les récepteurs antigéniques portés par les lymphocytes permettent de détecter les molécules étrangères qui s'introduisent dans l'organisme. Un Animal ne possède pas de récepteurs antigéniques pour ses *propres* molécules, et c'est ce qui explique l'**autotolérance**, c'est-à-dire l'absence de réaction immunitaire destructrice contre les cellules du soi. L'autotolérance se met en place avant la naissance, lorsque les lymphocytes portant des récepteurs antigéniques commencent à devenir matures dans l'embryon. Tout lymphocyte doté de récepteurs compatibles avec des molécules présentes dans l'organisme à ce moment est détruit. Seuls demeurent les lymphocytes porteurs de récepteurs antigéniques destinés aux molécules étrangères.

Les «marqueurs du soi» importants, c'est-à-dire les molécules de l'organisme même tolérées par le système immunitaire d'un individu, comprennent un groupe de molécules appelé **complexe majeur d'histocompatibilité (CMH)**. Ces molécules sont des glycoprotéines (protéines liées à des glucides) enchâssées dans les membranes plasmiques des cellules. Un ensemble de gènes code pour la partie protéique des glycoprotéines du CMH. Comme il existe au moins 20 gènes du CMH et au moins 50 allèles pour chaque gène, il est pratiquement impossible que deux personnes possèdent des séries assorties de marqueurs du CMH sur leurs cellules. Ainsi, le complexe majeur d'histocompatibilité est un caractère biochimique unique à chaque individu.

Deux principales classes de glycoprotéines du CMH marquent les cellules du «soi»: les glycoprotéines du **CMH de classe I** se trouvent sur toutes les cellules nucléées, donc sur presque chaque cellule de l'organisme, alors que les glycoprotéines du **CMH de classe II** ne se trouvent que sur les macrophages et les lymphocytes B. Ces dernières glycoprotéines jouent un rôle important

dans les interactions entre les cellules du système immunitaire. Vous en apprendrez davantage sur les fonctions du CMH dans la section suivante, qui traite en détail des réactions immunitaires humorale et à médiation cellulaire.

RÉACTION IMMUNITAIRE HUMORALE

Vous avez appris que la réaction immunitaire humorale se produit lorsque les lymphocytes B possédant des récepteurs spécifiques sont stimulés par un antigène et se différencient en un clone de plasmocytes qui commencent à sécréter des anticorps. Les anticorps sont plus efficaces contre les agents pathogènes circulant dans le sang et la lymphe, tels que les Bactéries et les Virus libres. Vous avez également appris que cette activation sélective des lymphocytes B dote l'organisme de cellules mémoires à durée de vie prolongée qui interviennent dans la réaction immunitaire secondaire. Dans la section qui suit, vous verrez que la réaction humorale met aussi en jeu d'autres cellules, comme les lymphocytes T. La défense humorale se distingue par la production d'anticorps, lesquels n'interviennent pas dans la défense à médiation cellulaire. Remarquez cependant que ces deux défenses travaillent souvent ensemble, si bien qu'il n'est pas toujours aisé de les distinguer.

Activation des lymphocytes B

Dans la majorité des cas, l'activation sélective des lymphocytes B pour former un clone de plasmocytes et de cellules mémoires est un processus à deux étapes. L'une des étapes, abordée précédemment dans ce chapitre, est la fixation de l'antigène aux récepteurs spécifiques des lymphocytes B. L'autre étape met en jeu deux autres types de cellules, les macrophages et les **lymphocytes T auxiliaires**. Après qu'un macrophage a englobé un agent pathogène par phagocytose, il expose sur sa surface des portions de molécules d'antigènes partiellement digérées. Dans ce contexte, le macrophage est appelé **cellule présentatrice d'antigènes**. Les fragments d'antigènes sont maintenus en place par les glycoprotéines du CMH de classe II enchâssées dans la membrane plasmique du macrophage. Les récepteurs spécifiques d'un lymphocyte T auxiliaire reconnaissent cette combinaison soi/non-soi formée par le CMH et un antigène particulier. Le contact entre le lymphocyte T auxiliaire et la cellule présentatrice d'antigènes active le lymphocyte T auxiliaire, qui prolifère alors et forme un clone de lymphocytes T auxiliaires adaptés à l'antigène spécifique. Les lymphocytes T auxiliaires stimulent ensuite de manière sélective les lymphocytes B qui ont déjà rencontré cet antigène particulier (figure 39.12). Le lymphocyte T auxiliaire utilise le même mécanisme pour reconnaître son lymphocyte B complémentaire que le mécanisme qu'il a utilisé pour reconnaître un macrophage présentant l'antigène. Lorsqu'un antigène se lie aux récepteurs d'un lymphocyte B, la cellule accueille quelques-unes des molécules étrangères et présente alors sur sa surface les fragments d'antigènes liés aux glycoprotéines du CMH de classe II. Le récepteur du lymphocyte T auxiliaire reconnaît ce complexe antigène-CMH et se lie à lui.

En conséquence, les macrophages et les lymphocytes B servent tous deux de cellules présentatrices d'antigènes

Figure 39.12
Réaction à un antigène T dépendant. ① Un macrophage englobe et digère partiellement les antigènes microbiens. ② Le macrophage devient alors une cellule présentatrice d'antigènes qui montre des portions d'antigènes à sa surface. Ces antigènes forment des complexes avec des glycoprotéines du CMH de classe II, des marqueurs du soi déjà à la surface du macrophage. ③ Un lymphocyte T auxiliaire portant un récepteur qui peut se lier spécifiquement à l'antigène présenté se lie au complexe soi/non-soi du macrophage. ④ Le lymphocyte T auxiliaire entre alors en contact avec un lymphocyte B, qui présente également à sa surface l'antigène étranger en même temps que les glycoprotéines du CMH de classe II. ⑤ Cette liaison active la transformation du lymphocyte B en plasmocyte, la cellule effectrice sécrétant les anticorps de l'immunité humorale.

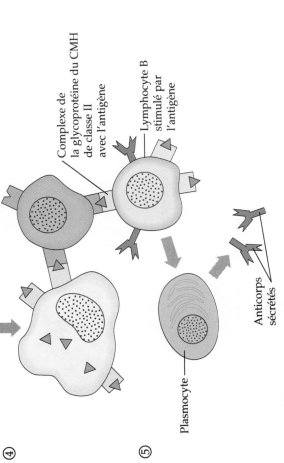

① Virus avec des antigènes T dépendants

Macrophage (cellule présentatrice d'antigènes)

② Glycoprotéine du CMH de classe II

Antigène étranger présenté par le macrophage

③ Récepteur du lymphocyte T

Lymphocyte T auxiliaire

④ Complexe de la glycoprotéine du CMH de classe II avec l'antigène

Lymphocyte B stimulé par l'antigène

⑤ Plasmocyte

Anticorps sécrétés

lors de leurs interactions avec les lymphocytes T auxiliaires, mais il existe une différence importante : chaque macrophage peut présenter différents antigènes, selon le type d'agent pathogène qu'il a phagocyté, alors que chaque lymphocyte B ne peut présenter qu'un type d'antigène puisque, étant spécifique, il ne peut se lier qu'à un seul type d'antigène. Les lymphocytes T auxiliaires sont également spécifiques à un antigène, et seuls les macrophages présentant l'antigène approprié à une glycoprotéine du CMH de classe II peuvent l'activer. De cette façon, la défense non spécifique fournie par les macrophages amplifie également la défense spécifique en activant de manière sélective les lymphocytes T auxiliaires, qui incitent alors les lymphocytes B appropriés à

déclencher une réaction immunitaire humorale contre un antigène donné.

Les antigènes qui provoquent la réaction de coopération que nous venons d'examiner sont appelés **antigènes T dépendants**, parce qu'ils ne peuvent pas stimuler la production d'anticorps sans la participation de lymphocytes T. La plupart des antigènes sont T dépendants. Cependant, certains types d'antigènes, appelés **antigènes T indépendants**, déclenchent des réactions immunitaires humorales sans la participation de macrophages ni de lymphocytes T. Ces molécules antigéniques sont généralement de longues chaînes d'unités en série, comme les polysaccharides ou les sous-unités protéiques. On les trouve dans les capsules bactériennes et les

Chapitre 39 : Les défenses de l'organisme **861**

flagelles bactériens. Il semble que les nombreuses sous-unités de ces antigènes se lient simultanément à un certain nombre de récepteurs antigéniques de surface des lymphocytes B. Cette liaison suffit à stimuler les lymphocytes B sans l'assistance de lymphocytes T. Cependant, la réaction humorale (production d'anticorps) aux antigènes T indépendants est généralement plus faible que la réaction aux antigènes T dépendants.

Une fois activé par un antigène T dépendant ou T indépendant, un lymphocyte B donne naissance à un clone de plasmocytes, et chacune de ces cellules effectrices sécrète jusqu'à 2000 anticorps à la seconde pendant les 4 à 5 jours où elles vivent. Ces immunoglobulines spécifiques contribuent à l'élimination de l'envahisseur.

Fonctionnement des anticorps

Habituellement, un anticorps ne détruit pas directement un envahisseur antigénique. La liaison des anticorps aux antigènes pour former un complexe antigène-anticorps constitue le fondement de plusieurs mécanismes effecteurs (figure 39.13). Le plus simple de ces mécanismes est la neutralisation, dans laquelle l'anticorps bloque certains sites sur un antigène et le rend ainsi inefficace. Par exemple, les anticorps neutralisent un Virus en se fixant aux sites que le Virus doit utiliser pour se lier à la cellule de l'hôte. De la même façon, un anticorps recouvrant une toxine bactérienne neutralise efficacement. Par la suite, des phagocytes éliminent le complexe antigène-anticorps. L'agglutination des Bactéries par les anticorps constitue un autre mécanisme effecteur: chaque molécule d'anticorps possède au moins deux sites de fixation des antigènes, ce qui lui permet d'effectuer des liaisons avec des antigènes adjacents, parfois situés sur des microorganismes distincts. Il est plus facile pour les phagocytes d'englober un amas de Bactéries plutôt qu'une seule. Il existe un mécanisme similaire, appelé précipitation, lors duquel les anticorps se lient à des molécules solubles d'antigènes (plutôt que les cellules) pour former

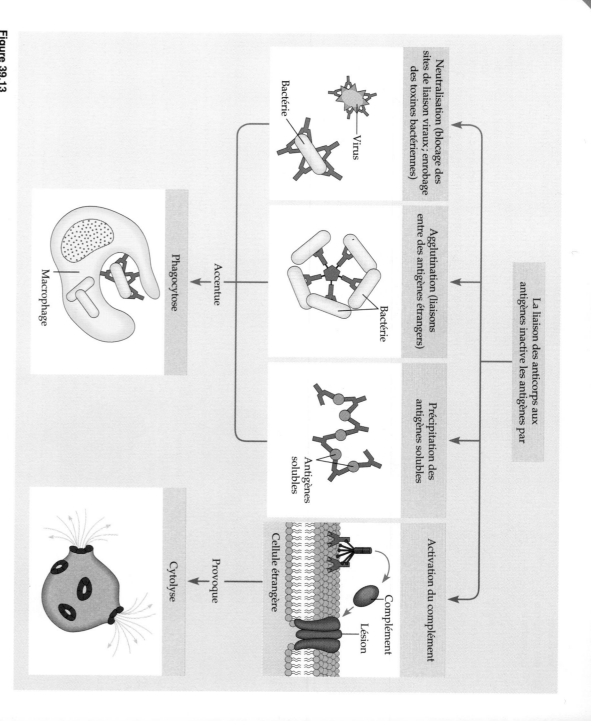

Figure 39.13
Mécanismes effecteurs de l'immunité humorale. La liaison des anticorps aux antigènes marque les cellules et les molécules étrangères et les condamne à la destruction par les phagocytes et le complément.

de gros complexes qui précipitent et qui sont capturés plus facilement par les phagocytes.

L'activation du système du complément par les complexes antigène-anticorps constitue l'un des mécanismes effecteurs les plus importants de la réaction humorale. Comme nous l'avons vu précédemment dans le chapitre, le complément est un groupe de glycoprotéines qui agissent en coopération avec des éléments des systèmes de défense non spécifique et spécifique. Les anticorps se combinent souvent avec les protéines du complément. Ils incitent ainsi le complément à produire des lésions dans la membrane de la cellule étrangère, et ces lésions provoquent la cytolyse (éclatement de la cellule). Nous allons examiner ce processus en détail plus loin.

Anticorps monoclonaux

Jusqu'à la fin des années 1970, le sang animal constituait la seule source d'anticorps pour la recherche ou le traitement des maladies. La méthode était coûteuse et inefficace. De plus, les Animaux possèdent des anticorps contre de nombreux antigènes différents circulant dans leur sang, et il était difficile de trouver la bonne combinaison. Ces problèmes furent résolus avec la mise au point d'une nouvelle technique permettant de fabriquer des **anticorps monoclonaux**. Le terme *monoclonal* signifie que toutes les cellules produisant de tels anticorps descendent d'une seule et même cellule; par conséquent, elles synthétisent toutes des anticorps identiques. Grâce à la technique des anticorps monoclonaux, on peut produire à l'échelle commerciale des anticorps purs à un coût relativement bas. Bon nombre des nouvelles méthodes diagnostiques utilisées pour la détection de microorganismes pathogènes dans des échantillons cliniques font appel à des anticorps monoclonaux. Les anticorps monoclonaux permettent également les tests de grossesse vendus sans ordonnance, qui détectent une hormone excrétée uniquement dans l'urine d'une femme enceinte.

L'utilisation thérapeutique des anticorps monoclonaux ira croissant: ils serviront, par exemple, à combattre des toxines bactériennes dans la circulation sanguine. On entrevoit aussi la possibilité d'utiliser les anticorps monoclonaux dans le traitement du cancer. La méthode consiste à produire des anticorps monoclonaux afin de lutter contre les cellules cancéreuses du patient et à fixer une toxine sur ces anticorps. Ce complexe anticorps-toxine, appelé immunotoxine, agit comme un «missile à tête chercheuse»: il trouve et détruit de manière sélective les cellules cancéreuses.

La technique qui permet de fabriquer des anticorps monoclonaux consiste en la fusion de deux cellules en une cellule hybride appelée **hybridome** (voir l'encadré à la page 864). Les deux types de cellules qui servent à élaborer un hybridome possèdent des caractéristiques distinctes ne pouvant être exploitées seules. Le premier type de cellule provient d'une tumeur cancéreuse appelée myélome. Ces cellules myélomateuses, contrairement aux cellules normales, peuvent être cultivées indéfiniment. L'autre type de cellule est un plasmocyte normal qui produit des anticorps et que l'on obtient à partir de la rate d'un Animal inoculé avec l'antigène recherché. Cette cellule se cultive pendant quelques générations seulement. La fusion du myélome avec le plasmocyte pour former un

hybridome réunit les caractéristiques clés des deux cellules: l'hybridome produit un seul type d'anticorps et peut être cultivé indéfiniment pour fabriquer en grandes quantités l'anticorps recherché.

RÉACTION IMMUNITAIRE À MÉDIATION CELLULAIRE

Rappelez-vous que la réaction spécifique de l'organisme aux antigènes comporte une défense *double*: l'immunité humorale et l'immunité à médiation cellulaire. De nombreux agents pathogènes, dont tous les Virus, sont des parasites intracellulaires obligatoires qui peuvent se reproduire uniquement dans les cellules de l'hôte. La réaction immunitaire humorale aide le réseau de défense à reconnaître et à détruire les agents pathogènes libres, mais c'est la réaction à médiation cellulaire qui combat les agents pathogènes déjà introduits dans les cellules. Les principaux soldats de l'immunité à médiation cellulaire sont les lymphocytes T qui terminent leur maturation dans le thymus. Rappelez-vous que les lymphocytes T matures migrent du thymus aux organes lymphatiques, comme les ganglions lymphatiques et la rate.

Contrairement aux lymphocytes B, les lymphocytes T ne peuvent pas être activés par les antigènes libres présents dans les liquides biologiques. Les lymphocytes T ne réagissent qu'aux déterminants antigéniques exposés à la surface des cellules de l'organisme. Les lymphocytes T reconnaissent ces déterminants grâce à leurs récepteurs, des protéines spécifiques enchâssées dans leur membrane plasmique. Nous avons déjà étudié un exemple de ce mécanisme quand nous avons vu que les lymphocytes T auxiliaires se fixent aux antigènes exposés à la surface des cellules présentatrices d'antigènes et des lymphocytes B lors de l'activation de l'immunité humorale (voir la figure 39.12). Vous savez que le récepteur du lymphocyte T reconnaît, en réalité, l'antigène combiné avec l'une des glycoprotéines du soi (CMH) de l'organisme. Ce n'est ni le déterminant antigénique seul ni la glycoprotéine du CMH que le récepteur du lymphocyte T «voit», mais plutôt un complexe soi/non-soi des deux molécules ensemble. La glycoprotéine du CMH qui présente l'antigène a la forme d'un hamac qui retient l'antigène comme dans un nid. Une glycoprotéine du CMH peut s'associer avec divers antigènes. Cependant, chaque combinaison CMH-antigène forme un complexe unique que peuvent reconnaître les lymphocytes T spécifiques possédant les récepteurs assortis.

Le complexe CMH-antigène constitue un drapeau rouge pour les lymphocytes T: il leur indique le moment de réagir contre les cellules infectées par l'agent pathogène représenté par l'antigène du complexe. Cette situation incite les lymphocytes T qui possèdent les récepteurs appropriés à proliférer pour former un clone de cellules effectrices spécialisées dans la lutte contre un agent pathogène particulier. En fait, deux principaux types de lymphocytes T — les **lymphocytes T auxiliaires** (T_A) et les **lymphocytes T cytotoxiques** (T_C) — passent à l'action.

Nous avons déjà étudié une des fonctions des lymphocytes T auxiliaires: ils incitent les lymphocytes B à sécréter des anticorps contre les antigènes T dépendants au cours des réactions humorales. Les lymphocytes T_A

TECHNIQUES : PRODUCTION D'ANTICORPS MONOCLONAUX À L'AIDE D'HYBRIDOMES

La technique que nous décrivons ici rend possible la production de grandes quantités d'anticorps purs qui réagissent contre un seul déterminant antigénique. L'application qui est illustrée concerne la préparation d'anticorps monoclonaux pour détecter la préparation d'anticorps monoclonaux pour détecter la gonadotrophine chorionique humaine (HCG), une hormone présente dans le sang ou l'urine des femmes enceintes. Tout d'abord, on inocule une Souris avec un déterminant antigénique caractéristique de l'HCG. La Souris commencera alors à produire des anticorps contre l'antigène. On prélève ensuite la rate et on isole les lymphocytes B. On mélange ces lymphocytes avec des cellules myélomateuses (cellules cancéreuses) qui possèdent une mutation les empêchant de survivre en l'absence d'un nutriment particulier présent dans le milieu de croissance. Certains lymphocytes fusionnent avec une cellule myélomateuse et deviennent des hybridomes. Pour iso-

ler les hybridomes, on cultive toutes les cellules dans un milieu qui ne possède pas le nutriment nécessaire aux cellules myélomateuses mutantes. Toutes les cellules myélomateuses non fusionnées meurent, mais les hybridomes survivent, parce que l'ADN lymphocytaire fournit le gène du nutriment nécessaire et son produit. On vérifie ensuite chaque clone d'hybridomes pour déterminer s'il produit les anticorps qui réagissent avec le déterminant antigénique visé. Les clones qui les produisent sont alors isolés et repiqués en culture afin de fabriquer l'anticorps à grande échelle.

Les anticorps monoclonaux contre l'HCG ont permis de mettre au point des tests de grossesse très sensibles. Une réaction positive entre les anticorps et le sang ou l'urine met en évidence la présence de l'antigène de l'HCG, indiquant que la femme qui a fourni l'échantillon est enceinte.

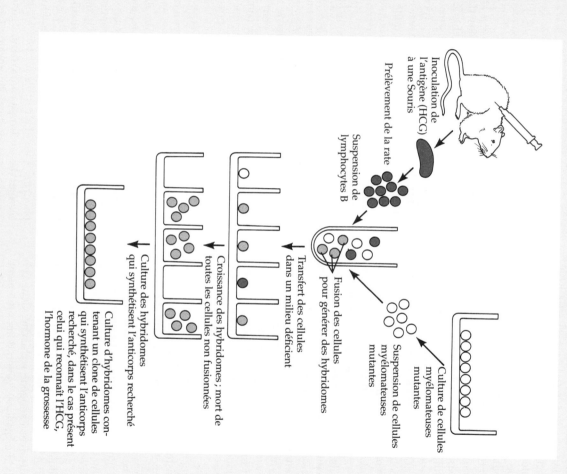

Inoculation de l'antigène (HCG) à une Souris

Prélèvement de la rate

Suspension de lymphocytes B

Culture de cellules myélomateuses mutantes

Suspension de cellules myélomateuses mutantes

Fusion des cellules pour générer des hybridomes

Transfert des cellules dans un milieu déficient

Croissance des hybridomes ; mort de toutes les cellules non fusionnées

Culture des hybridomes qui synthétisent l'anticorps recherché

Culture d'hybridomes contenant un clone de cellules qui synthétisent l'anticorps recherché, dans le cas présent celui qui reconnaît l'HCG, l'hormone de la grossesse

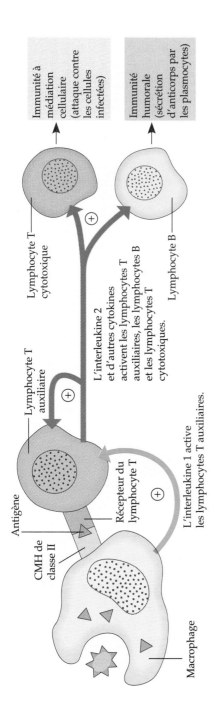

Macrophage

CMH de
classe II

Antigène

Récepteur du
lymphocyte T

L'interleukine 1 active
les lymphocytes T auxiliaires.

Lymphocyte T
auxiliaire

L'interleukine 2
et d'autres cytokines
activent les lymphocytes T
auxiliaires, les lymphocytes B
et les lymphocytes T
cytotoxiques.

Lymphocyte T
cytotoxique

Lymphocyte B

Immunité à
médiation
cellulaire
(attaque contre
les cellules
infectées)

Immunité
humorale
(sécrétion
d'anticorps par
les plasmocytes)

Figure 39.14
Rôle central des lymphocytes T auxi-
liaires. Les lymphocytes T auxiliaires
mobilisent une double défense du système
immunitaire : la réaction humorale et la réaction à médiation cellulaire. Le récepteur du
lymphocyte T auxiliaire reconnaît le complexe CMH-antigène présenté à la surface
de la cellule présentatrice d'antigènes,
habituellement un macrophage. Le macrophage sécrète l'interleukine 1, un médiateur

chimique qui contribue à l'activation des lymphocytes T auxiliaires. Les lymphocytes T
activés se développent et se multiplient,
produisant un clone de lymphocytes T auxiliaires qui portent des récepteurs adaptés
aux glycoprotéines du CMH combinées à
l'antigène spécifique qui a déclenché la
réaction. Les lymphocytes T auxiliaires
libèrent un second médiateur chimique,
l'interleukine 2, qui accentue la réaction à

médiation cellulaire en stimulant la prolifération et l'activité d'autres lymphocytes T
auxiliaires, tous spécifiques au même déterminant antigénique. L'interleukine 2 et
d'autres cytokines contribuent également à
l'activation des lymphocytes B, qui jouent un
rôle dans l'immunité humorale, et des lymphocytes T cytotoxiques, qui interviennent
dans la réaction à médiation cellulaire.

activent également d'autres types de lymphocytes T pour
déclencher les réactions à médiation cellulaire contre des
antigènes.

La capacité des lymphocytes T auxiliaires à stimuler
d'autres lymphocytes repose sur des médiateurs chimiques appelés cytokines. Une cytokine est une glycoprotéine sécrétée par une cellule pour renforcer l'action
des cellules avoisinantes du système immunitaire (voir le
chapitre 42). La liaison d'un lymphocyte T auxiliaire à un
macrophage présentateur d'antigènes provoque la libération par ce macrophage d'une cytokine appelée
interleukine 1. Cette dernière signale au lymphocyte T$_A$
de libérer une autre cytokine appelée **interleukine 2.** On
peut ici constater un autre exemple de rétroactivation
(voir le chapitre 36) : l'interleukine 2 incite les lymphocytes T$_A$ à croître et à se diviser plus rapidement, ce qui
augmente à la fois l'apport de lymphocytes T$_A$ et d'interleukine 2. L'interleukine 2 et d'autres cytokines libérées
par cette population croissante de lymphocytes T$_A$ contribuent également à l'activation des lymphocytes B, stimulant de la sorte la réaction humorale contre un antigène
spécifique. Par ailleurs, les cytokines des lymphocytes T$_A$
fournissent d'autres armes à la réaction à médiation
cellulaire : elles incitent une autre classe de lymphocytes
T à se différencier en cellules effectrices appelées lymphocytes T cytotoxiques (figure 39.14).

Les lymphocytes T cytotoxiques (T$_C$) sont en fait les
seules cellules qui tuent d'autres cellules (voir la
figure 39.1). Les cellules infectées par des virus ou d'autres
agents pathogènes intracellulaires montrent un complexe
formé d'antigènes et de glycoprotéines du CMH de
classe I, les marqueurs du soi présents sur toutes les cellules nucléées de l'organisme. Chaque lymphocyte T cytotoxique possède un récepteur qui peut reconnaître n'importe quel antigène combiné à une glycoprotéine du CMH

de classe I et s'y lier. Remarquez l'importante différence
entre les fonctions des récepteurs des cellules T$_A$ et T$_C$: les
lymphocytes T auxiliaires possèdent des récepteurs qui
leur permettent de stimuler l'immunité en se liant spécifiquement à des cellules présentatrices d'antigènes marquées par des glycoprotéines du CMH de *classe II*, comme
les macrophages et les lymphocytes B. Les lymphocytes T
cytotoxiques, eux, reconnaissent des antigènes spécifiques
associés aux glycoprotéines du CMH de *classe I* ; ils
peuvent donc se lier à n'importe quelle cellule de l'organisme infectée par cet envahisseur antigénique particulier. Lorsqu'un lymphocyte T$_C$ « s'arrime » à la surface
d'une cellule infectée, il libère de la *perforine*, une protéine
qui rompt la membrane de la cellule infectée. La cellule
infectée perd son cytoplasme par la lésion et meurt. Non
seulement la cellule meurt-elle, mais sa
destruction prive l'agent pathogène d'un endroit pour se
reproduire et l'expose aux anticorps circulants. Cette attaque de l'immunité à médiation cellulaire est essentielle au
système de défense global de l'organisme, car les anticorps
ne peuvent pas attaquer les agents pathogènes qui ont déjà
envahi les cellules de l'organisme. Après avoir détruit une
cellule infectée, le lymphocyte T$_C$ continue à vivre et peut
tuer de nombreuses autres cellules.

Les lymphocytes T cytotoxiques contribuent également à la défense contre le cancer. Des cellules cancéreuses apparaissent périodiquement dans l'organisme
et, comme elles portent des marqueurs moléculaires
distincts qui n'existent pas sur les cellules normales, le
système immunitaire les perçoit comme non-soi. Les
lymphocytes T cytotoxiques reconnaissent les cellules
cancéreuses et les détruisent (figure 39.15b). Les cancers
ont plus de chances de s'établir chez les individus qui
présentent un système immunitaire défectueux et chez
les personnes âgées dont l'immunité s'affaiblit.

Les lymphocytes T cytotoxiques font partie de la défense *non spécifique* de l'organisme et ne réagissent pas contre des antigènes spécifiques.

Il existe un troisième type de lymphocyte T, appelé **lymphocyte T suppresseur (T_S)**, dont le rôle n'est pas bien compris. (Certains immunologistes croient que les lymphocytes T_S sont en fait un type de T_A plutôt qu'une sous-classe distincte de lymphocytes T.) Les lymphocytes T_S servent probablement à arrêter la réaction immunitaire lorsqu'il n'y a plus d'antigène présent (d'où leur nom).

La figure 39.16 résume les réactions humorale et à médiation cellulaire, les deux armes avec lesquelles le système immunitaire attaque les envahisseurs étrangers. Ces réactions spécifiques se produisent parallèlement aux réactions non spécifiques de l'organisme. C'est en partie grâce aux protéines du complément

que les mécanismes de défense forment un système coopératif.

SYSTÈME DU COMPLÉMENT : UNE COMPOSANTE DES DÉFENSES SPÉCIFIQUES ET NON SPÉCIFIQUES

Les protéines du complément interagissent avec les défenses spécifiques et non spécifiques. En fait, elles sont essentielles au fonctionnement des deux systèmes. Le complément se compose d'une vingtaine de protéines qui circulent dans le sang sous forme inactive. Ces protéines sont activées en cascade, chacune déclenchant l'activation de la suivante.

La voie d'activation du complément dans le système de défense spécifique a été découverte en premier et est

Figure 39.15
Lymphocytes T cytotoxiques. Ces lymphocytes attaquent les cellules infectées et les cellules cancéreuses. **(a)** Un lymphocyte T cytotoxique (T_C) « s'arrime » à la surface d'une cellule infectée et libère une protéine appelée perforine, qui détruit la cellule infectée. **(b)** Le lymphocyte T_C vient de détruire une cellule cancéreuse (MEB). Voir également la figure 39.1.

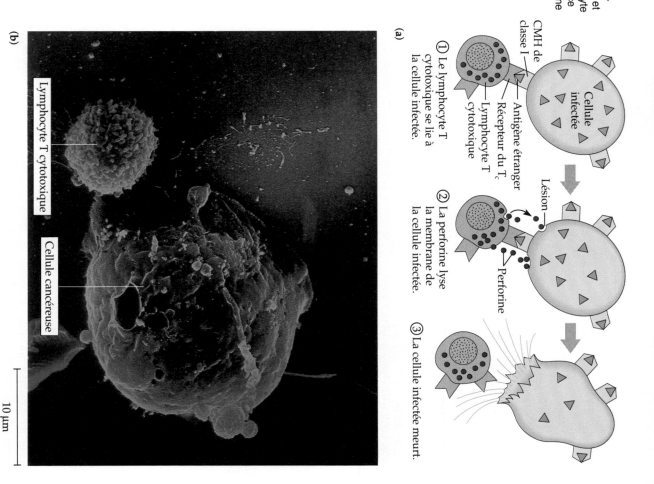

(a)

CMH de classe I

① Le lymphocyte T cytotoxique se lie à la cellule infectée.

Antigène étranger
Récepteur du T_C
Lymphocyte T cytotoxique
Cellule infectée

② La perforine lyse la membrane de la cellule infectée.

Lésion
Perforine

③ La cellule infectée meurt.

(b)

Lymphocyte T cytotoxique
Cellule cancéreuse

10 µm

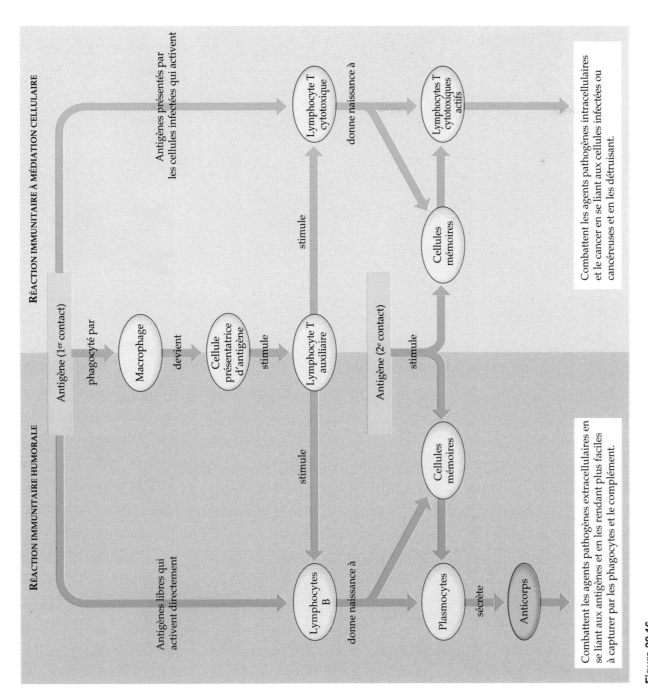

Figure 39.16
Résumé des réactions immunitaires. Dans ce diagramme simplifié, les flèches vertes indiquent la réaction primaire et les flèches bleues, la réaction secondaire.

appelée la *voie classique*. Cette voie est activée lorsque les anticorps du système immunitaire se lient à un envahisseur spécifique, comme une cellule bactérienne, ciblant la cellule pour la détruire. Quand cela se produit, une protéine du complément va lier deux molécules d'anticorps adjacentes. Cette association entre l'anticorps et le complément incite les protéines du complément à former un *complexe d'attaque membranaire* (figure 39.17). Le complexe produit une petite lésion dans la membrane de l'agent pathogène, qui meurt. La méthode ressemble à celle que les lymphocytes T$_C$ utilisent pour tuer les cellules infectées de l'organisme, sauf que la cible du complexe est l'envahisseur lui-même et non une cellule de l'organisme.

La *voie alterne* d'activation du complément n'exige pas la coopération des anticorps, et les cibles ne sont donc

pas spécifiques. Cette voie alterne du complément est elle aussi capable de générer un complexe d'attaque membranaire. De nombreuses Bactéries, Levures, Virus, cellules infectées par un Virus et Protozoaires parasites possèdent des substances qui incitent le complément à former ce complexe d'attaque sans le secours des anticorps. La voie alterne contribue également à l'inflammation. En se liant à des cellules contenant de l'histamine, les protéines du complément déclenchent la libération d'histamine, une alarme chimique qui indique aux systèmes de défense de l'organisme la présence d'une lésion locale. Plusieurs protéines du complément attirent également les phagocytes vers la région infectée.

En outre, le complément coopère à la phagocytose des agents pathogènes. Dans un processus appelé *opsonisation* (du latin signifiant « savourer »), les protéines du

complément se fixent aux cellules étrangères et incitent les phagocytes à englober ces cellules. (L'enrobage des agents pathogènes par des molécules d'anticorps peut avoir le même effet.) Il existe également un mécanisme appelé *immunoadhérence*, au cours duquel le complément, les anticorps et les phagocytes coopèrent: des anticorps et des protéines du complément enrobent un microorganisme de façon à le faire adhérer à des surfaces comme la paroi des vaisseaux sanguins et à le rendre ainsi plus facile à capturer par les phagocytes circulant dans le sang.

Maintenant que nous avons étudié le fonctionnement du système immunitaire, examinons quelques applications importantes.

SOI ET NON-SOI: QUELQUES APPLICATIONS

En plus de faire la distinction entre les cellules d'un Animal et les agents pathogènes tels que les Bactéries et les Virus, le système immunitaire attaque les cellules provenant d'autres individus de la même espèce. Par exemple, un fragment de peau qu'on transplante d'une personne à une autre aura une apparence saine pendant un jour ou deux, mais il sera ensuite détruit par le système immunitaire (sauf si le greffon provient d'un jumeau identique). Il est dès lors étonnant qu'une femme enceinte ne rejette pas son fœtus comme un corps étranger. Il semble que la relation anatomique entre la mère et son fœtus soit la clé de cette acceptation (voir la figure 42.18); la mère rejette le tissu fœtal se trouvant ailleurs dans son corps.

Dans cette section, nous allons aborder les problèmes qui peuvent survenir lors d'une transfusion sanguine ou

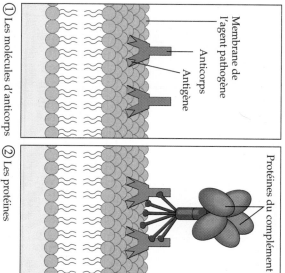

Membrane de l'agent pathogène — Anticorps — Antigène

Protéines du complément

① Les molécules d'anticorps se fixent aux antigènes sur la membrane plasmique de l'agent pathogène.

② Les protéines du complément se fixent à une paire d'anticorps.

③ Les protéines du complément activées se fixent à la membrane de l'agent pathogène, formant un complexe d'attaque membranaire.

Complexe d'attaque membranaire

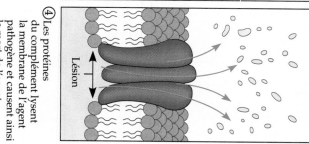

④ Les protéines du complément lysent la membrane de l'agent pathogène et causent ainsi la mort de l'agent pathogène.

Lésion

Figure 39.17
Voie classique du complément, aboutissant à la lyse de la cellule cible.

d'une transplantation d'organe, deux applications importantes de la réaction du système immunitaire au non-soi.

Groupes sanguins

Nous avons étudié le fondement génétique des **groupes du système ABO** au chapitre 13. Un individu du groupe sanguin A possède des antigènes A à la surface de ses érythrocytes (globules rouges). Les molécules A sont appelées ici antigènes A, parce qu'elles peuvent être considérées comme étrangères si elles se retrouvent dans l'organisme d'une autre personne; l'antigène du groupe A n'est *pas* antigénique pour le porteur, et un individu appartenant au groupe sanguin A ne produira pas d'anticorps contre les antigènes A (voir la figure 13.12). Cependant, une personne dont le sang est du groupe B produira des anticorps contre les antigènes A (anticorps anti-A). Par conséquent, si du sang du groupe A est introduit dans la circulation sanguine d'une personne de type B, les érythrocytes transfusés stimuleront la production d'anticorps anti-A, et les cellules transfusées seront détruites par cytolyse au moyen du complément (voir la figure 39.17). La situation inverse, c'est-à-dire la transfusion de cellules de type B dans une personne du groupe A, aurait un résultat également désastreux. Les individus du groupe O possèdent des érythrocytes qui ne portent ni antigènes A ni antigènes B. Les érythrocytes du groupe O ne provoquent donc pas la production d'anticorps anti-A ou anti-B chez une personne transfusée. Cependant, les individus du groupe O ne peuvent recevoir du sang que du groupe O; comme les antigènes A et B leur sont étrangers, ils produiraient des anticorps anti-A et anti-B. Chez les individus du groupe AB, les érythrocytes possèdent les deux antigènes, ils ne fabriquent ni anticorps anti-A, ni anticorps anti-B. Cependant, les

individus du groupe AB ne peuvent donner du sang qu'à d'autres individus du groupe AB.

Il existe un autre antigène des érythrocytes, le **facteur Rh**, bien connu pour son rôle dans les cas où les anticorps produits par une femme enceinte réagissent avec les érythrocytes de son fœtus. Cette situation survient chez une mère Rh négatif (dépourvue de facteur Rh), dont le fœtus, ayant hérité le facteur de son père, est Rh positif. La mère développe des anticorps contre le facteur Rh si de petites quantités de sang fœtal traversent le placenta et entrent en contact avec ses lymphocytes, habituellement vers la fin de la grossesse ou au cours de l'accouchement. De façon générale, la réaction de la mère à la première exposition est bénigne et sans conséquences médicales pour le bébé. Le véritable danger survient lors de grossesses ultérieures, après le déclenchement de la réaction immunitaire de la mère contre le facteur Rh et le passage de ses anticorps à travers la barrière placentaire pour détruire les érythrocytes d'un fœtus Rh positif. Afin d'éviter ce problème, on peut injecter à la mère des anticorps anti-Rh après l'accouchement de son premier bébé Rh positif. Ces anticorps détruisent les érythrocytes Rh positif introduits dans la circulation sanguine de la mère avant que son système immunitaire ne soit stimulé par des antigènes du système Rh.

Greffes de tissus et transplantations d'organes

Le complexe majeur d'histocompatibilité (CMH), l'«empreinte digitale» moléculaire unique qui distingue le soi de chaque individu, est responsable du rejet des greffes de tissus et d'organes. Les molécules d'un CMH étranger sont antigéniques et incitent les lymphocytes T à déclencher une réaction à médiation cellulaire contre le tissu ou l'organe reçu. Pour atténuer ce rejet, il faut obtenir un maximum de compatibilité entre le CMH du donneur d'organe et celui du receveur. Abstraction faite d'un jumeau identique, les frères et sœurs ou les parents présentent habituellement la compatibilité la plus proche. À la suite de la plupart des greffes, il est nécessaire d'utiliser divers médicaments pour supprimer la réaction immunitaire. Cette tactique comporte toutefois un inconvénient: le receveur d'organe devient plus sujet à l'infection, étant donné que les médicaments reçus inactivent son système immunitaire. Les médicaments comme la cyclosporine (un polypeptide cyclique extrait d'un Mycète) et le FK 506 (une substance polycyclique d'origine bactérienne) offrent l'avantage de supprimer que l'immunité à médiation cellulaire, sans affaiblir l'immunité humorale.

Remarquez que la réaction désastreuse de l'organisme à une transfusion de sang ou à une transplantation d'organe incompatibles ne constitue pas une déficience du système immunitaire, mais une réaction normale entreprise par un système immunitaire sain exposé à des antigènes étrangers incompatibles. Cependant, comme tout système complexe, le système immunitaire se dérègle chez certains individus et entraîne divers troubles graves.

TROUBLES DU SYSTÈME IMMUNITAIRE

Maladies auto-immunes

Parfois, pour des raisons que les immunologistes commencent à peine à comprendre, le système immunitaire se dérègle et se tourne contre lui-même, provoquant diverses **maladies auto-immunes.** Les personnes atteintes de lupus érythémateux disséminé, par exemple, ont des réactions immunitaires contre les composantes de leurs propres cellules, notamment les acides nucléiques libérés par la dégradation normale de la peau et d'autres tissus. La polyarthrite rhumatoïde est une maladie auto-immune invalidante caractérisée par une inflammation qui altère le cartilage et les os des articulations. Quant au diabète insulinodépendant, il semble lié à une réaction auto-immune qui cause la destruction des cellules productrices d'insuline du pancréas. Le rhumatisme articulaire aigu est une maladie auto-immune qui a autrefois fait des ravages chez les jeunes adultes et qui réapparaît aujourd'hui dans certaines régions. Les anticorps produits en réaction aux infections streptococciques (telles que l'angine streptococcique) provoquent également une réaction dans le tissu musculaire cardiaque chez certaines personnes, endommageant ainsi les valvules cardiaques. Si les infections streptococciques se répètent, le nombre d'anticorps augmente et endommage davantage le cœur. Dans la maladie de Basedow, les anticorps se fixent aux récepteurs de la glande thyroïde qui réagissent normalement à la thyréotrophine (TSH) produite par l'adéno-hypophyse. La liaison anormale des anticorps à ces récepteurs incite la glande thyroïde à produire des hormones thyroïdiennes en quantités excessives. Les personnes souffrant de la maladie de Basedow ont les yeux saillants et une glande thyroïde hypertrophiée.

Allergies

Les **allergies** sont des hypersensibilités du système de défense de l'organisme à certains antigènes présents dans l'environnement, appelés *allergènes*. Selon une hypothèse, les allergies seraient des reliquats de la réaction du système immunitaire aux Vers parasites. Dans le passé, les infestations par ces Vers représentaient peut-être un problème beaucoup plus commun. Le mécanisme de défense qui combat les Vers s'apparente à la réaction allergique qui provoque des affections telles que le rhume des foins ou l'asthme.

Les allergies les plus courantes sont liées aux IgE (voir le tableau 39.1). Par exemple, le rhume des foins et d'autres allergies causées par le pollen apparaissent lorsque les IgE reconnaissent cet allergène. Les IgE se fixent par le domaine effecteur aux mastocytes, des cellules immobiles du tissu conjonctif. C'est ainsi qu'une personne prédisposée devient sensibilisée à l'antigène spécifique du pollen. Par la suite, chaque fois qu'un grain de pollen lie les deux monomères d'IgE, le mastocyte oppose une réaction rapide appelée dégranulation, libérant de l'histamine et d'autres agents inflammatoires (figure 39.18). Rappelez-vous que l'histamine provoque la dilatation et l'augmentation de la perméabilité des capillaires sanguins. Dans le cas d'une allergie, la réaction à ces histamines comprend des symptômes tels que les éternuements, l'écoulement nasal et la contraction des muscles lisses ce qui entraîne souvent des difficultés respiratoires. Les antihistaminiques sont des médicaments qui contrent l'action de l'histamine.

La réaction allergique la plus grave et la plus dangereuse est le choc anaphylactique, une réaction à des

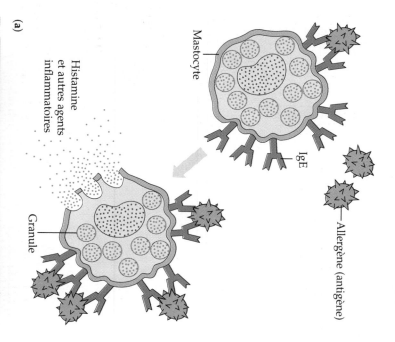

(a)

Mastocyte

IgE

Allergène (antigène)

Histamine
et autres agents
inflammatoires

Granule

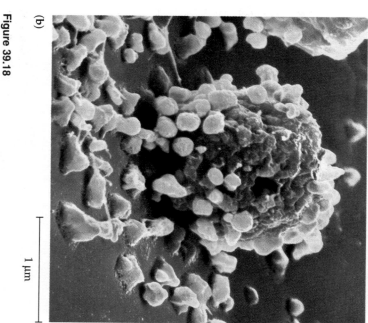

1 μm

(b)

Figure 39.18
Mastocytes et réactions allergiques. (a) Les mastocytes sont recouverts d'IgE attachées par la base du domaine effecteur. Lorsqu'un antigène, par exemple le pollen, lie deux de ces anticorps, il déclenche la dégranulation du mastocyte. La dégranulation libère de l'histamine, ce qui provoque la plupart des symptômes de l'allergie. **(b)** Cette micrographie montre la dégranulation d'un mastocyte (MEB colorée).

antigènes inoculés ou ingérés. L'hypersensibilité aux piqûres de Guêpes ou d'Abeilles en est un exemple. Le choc anaphylactique survient lorsque la dégranulation d'un mastocyte déclenche une soudaine dilatation des vaisseaux sanguins périphériques et provoque une chute brusque de la pression sanguine. La mort peut survenir en quelques minutes. Des personnes extrêmement allergiques à certains aliments, comme les arachides ou les fruits de mer, sont mortes après avoir ingéré d'infimes quantités de ces aliments. Les personnes sujettes à ces graves hypersensibilités se déplacent toujours avec une seringue contenant de l'adrénaline, une hormone qui neutralise la réaction allergique.

Immunodéficience

Chez certains individus, la défense humorale ou la défense à médiation cellulaire est intrinsèquement déficiente. Il existe même une affection congénitale appelée *syndrome d'immunodéficience combinée sévère*, dans laquelle les *deux* voies du système immunitaire ne fonctionnent pas. Pour les personnes atteintes de cette maladie génétique, la seule chance de survie à long terme réside dans la greffe d'une moelle osseuse qui fournira des lymphocytes fonctionnels. Cette sorte de greffe présente toutefois un risque important : les cellules transplantées risquent de considérer les cellules du receveur comme des cellules étrangères et de déclencher une attaque contre elles (réaction du greffon contre l'hôte).

L'immunodéficience n'est pas toujours un trouble inné. Certains cancers dépriment le système immunitaire, notamment la maladie de Hodgkin qui endommage le système lymphatique et rend le patient sujet à de nombreuses infections. Le sida, une maladie virale que nous aborderons dans la prochaine section, provoque lui aussi une dépression très grave du système immunitaire. Enfin, après une greffe d'organe, on déprime délibérément le système immunitaire à l'aide de médicaments afin d'atténuer le rejet du greffon ; ce traitement médicamenteux provoque également une immunodéficience.

Il y a près de 2000 ans, Galien, un médecin grec, rapportait que les gens atteints de dépression étaient plus susceptibles que d'autres d'avoir un cancer. À un moment ou à un autre, la plupart d'entre vous avez reçu le conseil de ne pas vous surmener sous peine de diminuer votre résistance et de tomber malades. De plus en plus d'études montrent en effet que le stress physique et émotionnel peut porter atteinte à l'immunité. (Voir l'entretien avec Rosemonde Mandeville au début de la deuxième partie de ce manuel.) Les hormones sécrétées par les glandes surrénales en période de stress diminuent le nombre de leucocytes (globules blancs) ; elles peuvent également inhiber le système immunitaire par d'autres moyens. Dans une étude, des étudiants ont été examinés immédiatement après les vacances et de nouveau au cours des examens finals. Leurs systèmes de défense étaient perturbés de diverses façons durant la semaine d'examen : le niveau d'interférons, par exemple, avait diminué.

Certaines études laissent croire qu'il existe un lien direct entre le système nerveux et le système immunitaire. Un réseau de fibres nerveuses pénètrent profondément dans le tissu lymphatique, y compris le thymus. On a aussi découvert, à la surface des lymphocytes, des

récepteurs pour les médiateurs chimiques libérés par des neurones. Lorsque nous sommes détendus et heureux, il semble que certains médiateurs sécrétés par nos neurones peuvent réellement améliorer notre immunité. Ces observations (et certaines hypothèses) ont poussé les physiologistes à se pencher sérieusement sur la façon dont la santé et l'état d'esprit influent sur l'immunité.

Syndrome d'immunodéficience acquise (sida)

En 1981, aux États-Unis, des professionnels de la santé ont remarqué une incidence accrue de la maladie de Kaposi, un cancer de la peau et des vaisseaux sanguins, et de la pneumonie à *Pneumocystis*, une infection respiratoire causée par un Protozoaire. Ces deux maladies, extrêmement rares dans la population en général, touchent surtout les individus gravement immunodéprimés. Leur incidence accrue a conduit à la reconnaissance d'un trouble du système immunitaire qu'on a appelé **syndrome d'immunodéficience acquise,** ou **sida.** En 1983, des virologistes américains et français ont réussi à isoler l'agent causal, un Rétrovirus maintenant appelé **Virus d'immunodéficience humaine,** ou **VIH.** Cet agent pathogène, qui cause un taux de mortalité avoisinant les 100 %, est peut-être le plus létal jamais mis à jour. Le VIH est probablement issu de l'évolution d'un autre Virus d'Afrique centrale et a peut-être provoqué dans cette région des cas méconnus de sida pendant de nombreuses années. On a d'ailleurs trouvé le VIH dans des échantillons de sang provenant de pays africains et d'Angleterre et remontant aussi loin que 1959.

Le VIH infecte certains lymphocytes T, dont les lymphocytes T auxiliaires, lesquels portent à leur surface un

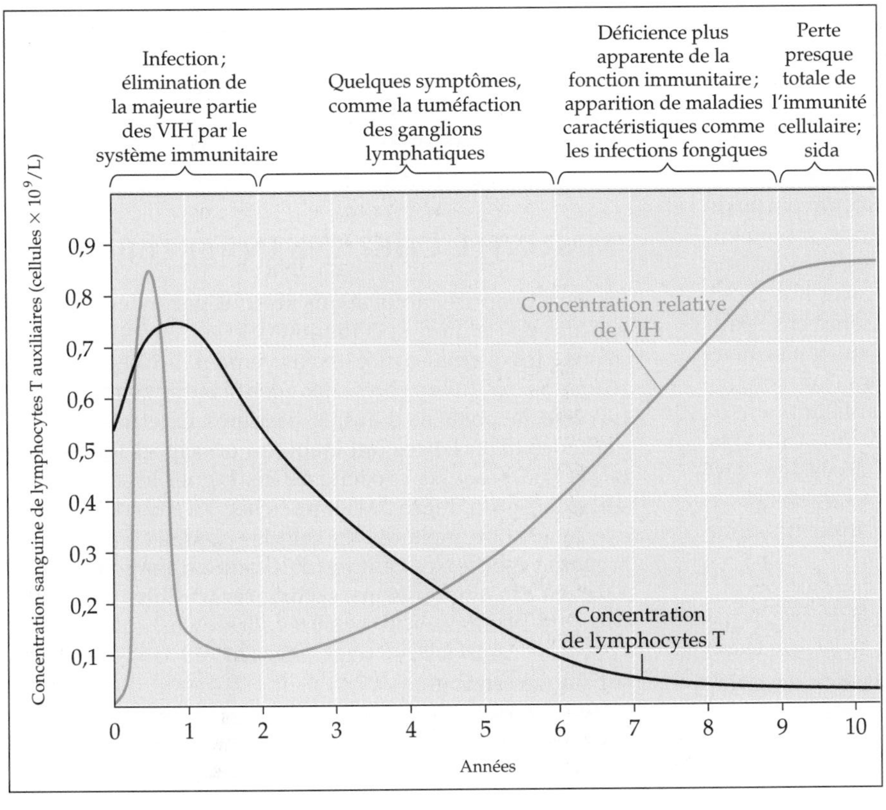

---

1 µm

Figure 39.19
Lymphocyte T infecté par le VIH. Les VIH (en gris-bleu) sortent par exocytose les uns à la suite des autres à la surface du lymphocyte T (en orangé ; MEB colorée). La cellule va mourir, mais seulement après avoir produit de nombreuses copies de son agresseur.

Figure 39.20
Stades de l'infection par le VIH. La concentration de VIH augmente rapidement après l'infection initiale, mais la réaction immunitaire l'élimine presque complètement. Toutefois, certains VIH survivent et leur concentration augmente lentement avec le temps, alors que la concentration de lymphocytes T auxiliaires diminue. Le sida est le dernier stade de ce processus.

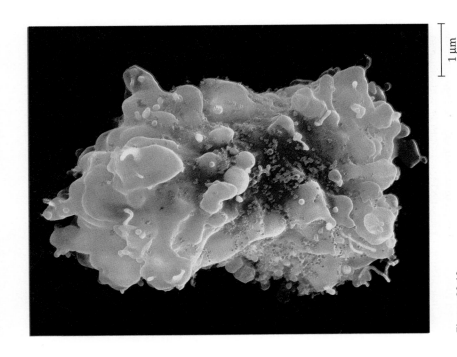

Infection ; élimination de la majeure partie des VIH par le système immunitaire

Quelques symptômes, comme la tuméfaction des ganglions lymphatiques

Déficience plus apparente de la fonction immunitaire ; apparition de maladies caractéristiques comme les infections fongiques

Perte presque totale de l'immunité cellulaire ; sida

Concentration relative de VIH

Concentration de lymphocytes T

Concentration sanguine de lymphocytes T auxiliaires (cellules × 10^9/L)

Années

récepteur appelé CD4. Le VIH possède sur son enveloppe des glycoprotéines (gp 160/120) qui se lient spécifiquement à ce récepteur (voir le chapitre 17). Le VIH peut aussi infecter d'autres cellules qui portent le CD4, dont certains macrophages et quelques sous-classes de lymphocytes B, de même que certains types de cellules tissulaires dépourvues de ce récepteur. Après s'être fixé au CD4 d'une cellule, le VIH pénètre dans la cellule et commence sa réplication. Les VIH nouvellement formés sortent de la cellule hôte, entrent dans la circulation et infectent d'autres cellules (voir la figure 39.19). Les cellules infectées peuvent produire de nouveaux VIH pendant une période prolongée ou peuvent être tuées rapidement, soit par le VIH, soit par la réaction du système immunitaire. Le VIH peut également demeurer latent pendant de nombreuses années sous forme de provirus assimilé dans le génome d'une cellule infectée. Ce provirus demeure invisible pour le système immunitaire. (Lire l'entretien avec Lise Thibodeau au début de cette partie du manuel.)

La capacité du VIH de demeurer latent constitue une des raisons pour lesquelles les anticorps anti-VIH ne peuvent pas éliminer la maladie. Il existe toutefois une raison sans doute plus importante encore : le VIH subit une mutation antigénique extrêmement rapide. En effet, chaque VIH présente probablement au moins une différence mineure par rapport à son parent. Le système immunitaire réagit d'abord efficacement contre une infection par le VIH, mais il finit par être incapable de faire face à l'accumulation de variantes toujours plus résistantes. À la figure 39.20, remarquez que le nombre de VIH augmente graduellement à mesure que la population de lymphocytes T auxiliaires (et par conséquent la protection de l'organisme) diminue. Lorsque l'atteinte au système immunitaire parvient à un certain point, l'immunité à médiation cellulaire s'effondre, et des maladies telles que la maladie de Kaposi et la pneumonie à *Pneumocystis* peuvent s'établir. Le sida est la phase finale de l'infection par le VIH. Il se caractérise par une réduction des lymphocytes T et par l'apparition d'infections secondaires caractéristiques.

La période qui s'écoule entre l'infection initiale par le VIH et l'apparition du sida varie, mais elle se situe en moyenne autour de dix ans. Pendant la majeure partie de cette période, la personne infectée manifeste seulement des signes mineurs de maladie, comme la tuméfaction des ganglions lymphatiques et, plus tard, des infections fongiques des muqueuses. Le sida évolue souvent beaucoup plus rapidement chez les nourrissons contaminés par leur mère durant la période intra-utérine. Les personnes infectées par le VIH possèdent des anticorps circulants contre le VIH, et la détection de ces anticorps constitue la méthode la plus courante de dépistage chez les individus infectés, que l'on dit alors « séropositifs ». On utilise cette épreuve de dépistage des anticorps pour vérifier les dons de sang, par exemple.

Le VIH se transmet par échange de liquides biologiques, comme le sang ou le sperme, qui contiennent des cellules infectées. Les relations sexuelles non protégées (sans condom) entre homosexuels et l'utilisation de seringues souillées chez les utilisateurs de drogues intraveineuses sont à l'origine de la plupart des cas de sida rapportés jusqu'à maintenant en Amérique du Nord et en Europe. Cependant, la transmission du VIH chez les hétérosexuels augmente rapidement à cause de relations sexuelles non protégées avec des partenaires infectés. En Afrique et en Asie, la transmission s'effectue principalement par les relations hétérosexuelles, surtout dans les régions où il y a une incidence élevée de maladies sexuellement transmissibles qui causent des lésions génitales. Ces lésions favorisent en effet la transmission du VIH, car la barrière cutanée (première ligne de défense) n'est plus intacte et les cellules sensibles au VIH, telles que les macrophages et les lymphocytes T, sont attirées vers cette région par la réaction inflammatoire.

Le VIH ne se transmet pas par simple contact physique ni même par le baiser. Le lait maternel, toutefois, est incriminé dans l'infection de nourrissons par leurs mères. Dans les pays développés, grâce à l'épreuve de dépistage des anticorps anti-VIH, la transmission par transfusion sanguine a pratiquement été éliminée. Ce genre d'épreuve ne garantira jamais un approvisionnement sanguin totalement sans risque, cependant, car une personne peut être infectée par le VIH depuis plusieurs semaines, voire des mois, avant que les anticorps ne deviennent décelables.

À ce jour, le sida est incurable. Certains médicaments antiviraux, comme l'AZT, le ddC et le ddI, peuvent prolonger la vie des patients, mais ils n'éliminent pas complètement le VIH. De nombreux médicaments s'avèrent utiles dans le traitement des infections opportunistes courantes chez les individus atteints du VIH, mais, rappelons-le, ces médicaments ne guérissent pas le sida. Les chercheurs essaient très activement de mettre au point un vaccin, mais la variabilité antigénique du VIH pose un problème considérable. Pour le moment, le meilleur moyen de ralentir la progression du sida semble résider dans la sensibilisation de la population aux pratiques qui transmettent le VIH, comme les relations sexuelles non protégées et l'utilisation de seringues souillées. Les condoms réduisent le risque de transmission du VIH, sans l'éliminer complètement. *Quiconque* a des relations sexuelles — vaginales, orales ou anales — avec un partenaire qui a eu des relations avec un autre individu au cours des quinze dernières années risque une exposition au VIH.

IMMUNITÉ CHEZ LES INVERTÉBRÉS

Dans ce chapitre, nous avons surtout parlé des défenses spécifiques et non spécifiques des Vertébrés, car nous avons des connaissances relativement limitées sur les réactions des Invertébrés aux agents pathogènes qui ont traversé la peau et d'autres barrières externes. Cependant, des expériences ont établi qu'un aspect fondamental de la défense, la capacité de distinguer le soi du non-soi, existe à un degré développé chez les Invertébrés. Par exemple, si on mélange les cellules de deux Éponges de la même espèce, les cellules de chaque Éponge se reconnaissent et s'agglomèrent, excluant les cellules de l'autre. Chez de nombreux Invertébrés, des cellules amiboïdes appelées amibocytes reconnaissent et détruisent les substances étrangères.

Des études sur les greffes de tissu chez les Vers de terre ont mis en évidence une mémoire immunitaire dans les systèmes de défense de ces Annélides. Lorsqu'une

portion de paroi corporelle est greffée d'un Ver à un autre. Si le donneur et le receveur appartiennent à la même population, le tissu greffé survit alors pendant environ huit mois avant un rejet complet. Cependant, si un Ver reçoit une greffe d'un donneur provenant d'un endroit éloigné (population différente), la greffe est rejetée en deux semaines seulement. Et si on tente une seconde greffe du même donneur au même receveur, il faut moins d'une semaine aux amibocytes pour éliminer le tissu étranger. Des recherches plus poussées sur les systèmes de défense des Invertébrés pourront aider les biologistes à comprendre comment le système immunitaire des Vertébrés a évolué.

* * *

La réaction immunitaire constitue l'un des nombreux mécanismes d'adaptation qui permettent aux Animaux de s'adapter aux contraintes du milieu. Le chapitre suivant décrit plusieurs autres processus qui contribuent au maintien de conditions internes adéquates chez les Animaux lorsqu'ils font face à des milieux extérieurs variables.

RÉSUMÉ DU CHAPITRE

Le système immunitaire des Vertébrés consiste en trois lignes de défense. Les deux premières lignes sont non spécifiques. La troisième ligne, le système immunitaire, réagit spécifiquement à chaque type d'envahisseur étranger.

Mécanismes de défense non spécifiques (p. 850-854)

1. La peau et les muqueuses intactes constituent la première ligne de défense. Cette défense comprend : la barrière physique formée par ces tissus, ainsi que l'enzyme, appelée lysozyme, qui s'attaque aux microorganismes dans les sécrétions biologiques ; le mucus qui emprisonne les particules ; les cellules ciliées qui tapissent le système respiratoire supérieur ; et les sucs gastriques qui tuent les microorganismes lorsqu'ils traversent l'estomac.

2. La seconde ligne de défense repose surtout sur les granulocytes neutrophiles et les macrophages (phagocytes se trouvant dans le sang et la lymphe). Les lymphocytes T cytotoxiques participent également à la défense non spécifique.

3. Les interférons et le complément constituent les protéines antimicrobiennes les plus importantes. Les interférons sont des protéines sécrétées par les cellules infectées par des Virus ; ils inhibent la fabrication de nouveaux Virus par les cellules avoisinantes. Le complément est un groupe de protéines qui interviennent dans la défense non spécifique et la défense spécifique.

4. La lésion d'un tissu déclenche une réaction inflammatoire locale. Les cellules endommagées libèrent de l'histamine, un médiateur chimique qui dilate les vaisseaux sanguins et augmente la perméabilité capillaire, laissant ainsi entrer de nombreux phagocytes dans le liquide interstitiel.

5. La fièvre fait partie de la réaction inflammatoire systémique de l'organisme.

Système immunitaire et défenses spécifiques : quelques notions fondamentales (p. 854-860)

1. Le système immunitaire de l'organisme perçoit les microorganismes, les toxines ou les tissus greffés étrangers comme des substances étrangères à lui-même et déclenche une réaction qui inactive ou détruit ce qu'il considère comme un agresseur.

2. Le système immunitaire se distingue de la défense non spécifique par quatre caractéristiques : spécificité, diversité de la réaction, reconnaissance du soi et du non-soi, et mémoire des agresseurs déjà rencontrés.

3. Une substance étrangère qui provoque une réaction immunitaire s'appelle antigène. Le système immunitaire réagit aux antigènes en produisant des lymphocytes spécialisés et des protéines spécifiques appelées anticorps.

4. L'immunité résulte de la réaction amplifiée du système immunitaire à un agent pathogène déjà rencontré. L'immunité active peut s'acquérir par exposition à une véritable maladie ou à un vaccin qui simule une maladie. L'immunité passive peut s'acquérir par l'administration d'anticorps formés chez d'autres individus, ou elle peut se transmettre de la mère à l'enfant par le placenta et le lait.

5. Le système immunitaire se compose de deux parties principales : l'immunité humorale et l'immunité à médiation cellulaire. L'immunité humorale repose sur la circulation d'anticorps dans le sang et la lymphe et combat les Virus libres, les Bactéries et autres agresseurs extracellulaires. L'immunité à médiation cellulaire combat les agents pathogènes intracellulaires en détruisant les cellules infectées. L'immunité à médiation cellulaire réagit également contre le tissu greffé et les cellules cancéreuses.

6. Les lymphocytes, qui se forment dans la moelle osseuse, sont les principales cellules du système immunitaire. Les lymphocytes B atteignent la maturité dans la moelle osseuse et interviennent dans l'immunité humorale. Les lymphocytes T se développent dans le thymus et jouent un rôle surtout dans l'immunité à médiation cellulaire. Une fois arrivés à maturité, les lymphocytes B et les lymphocytes T se trouvent en plus grande concentration dans les ganglions lymphatiques et les autres organes lymphatiques.

7. La fixation spécifique d'antigènes aux récepteurs des lymphocytes déclenche une réaction immunitaire, lors de laquelle les lymphocytes donnent naissance à des populations de cellules effectrices qui luttent contre l'infection.

8. La plupart des antigènes sont des protéines ou des polysaccharides ; ils peuvent présenter de nombreux déterminants antigéniques à leur surface.

9. Les anticorps constituent une classe de protéines appelées immunoglobulines (Ig). La région variable de la molécule d'Ig est différente pour chaque type d'anticorps. Chaque anticorps possède au moins deux sites de liaisons identiques, formés par la région variable, qui se lient spécifiquement à un seul déterminant antigénique.

10. La région constante de la molécule d'Ig est identique pour tous les anticorps de la même classe. Il existe cinq classes principales d'Ig : IgG, IgM, IgA, IgD et IgE.

11. La sélection clonale se produit lorsqu'un lymphocyte est activé par la liaison d'un antigène à son récepteur antigénique spécifique et prolifère pour produire un clone de cellules effectrices, toutes spécifiques à cet antigène particulier. Un lymphocyte T activé produit des lymphocytes T effecteurs, dont des lymphocytes T cytotoxiques, alors qu'un lymphocyte B activé produit des plasmocytes (cellules productrices d'anticorps).

12. La prolifération d'un clone lymphocytaire spécifique (réaction immunitaire primaire) produit également les cellules mémoires à longue durée de vie, lesquelles contribuent à la réaction amplifiée (réaction immunitaire secondaire) qui se déclenche lors d'une exposition ultérieure à l'antigène. La capacité du système immunitaire de reconnaître un antigène déjà rencontré s'appelle mémoire immunitaire.

13. L'autotolérance se développe chez l'embryon, lorsque les lymphocytes portant des récepteurs pour les molécules de l'embryon lui-même sont détruites. Les cellules du soi sont marquées par les glycoprotéines du complexe majeur d'histocompatibilité (CMH).

Réaction immunitaire humorale (p. 860-863)

1. Dans l'immunité humorale, la production de plasmocytes par un lymphocyte B repose souvent sur la coopération des macrophages transformés en cellules présentatrices d'antigènes et des lymphocytes T spécialisés appelés lymphocytes T auxiliaires. Le macrophage exhibe des fragments d'antigènes en même temps que des glycoprotéines du CMH de classe II. Le lymphocyte T auxiliaire peut lier la cellule présentatrice d'antigènes à un lymphocyte B, ce qui active le lymphocyte B. Le lymphocyte B se différencie alors en plasmocytes, qui produisent d'énormes quantités d'anticorps spécifiques.

2. Habituellement, un anticorps ne détruit pas directement un antigène. Il en fait plutôt une cible à viser par le complément et les phagocytes.

3. La production d'anticorps monoclonaux consiste à synthétiser des anticorps purs à l'échelle industrielle, qui seront utilisés pour des épreuves diagnostiques, des traitements et la recherche.

Réaction immunitaire à médiation cellulaire (p. 863-866)

1. L'immunité à médiation cellulaire fait surtout intervenir deux types de lymphocytes T : les lymphocytes T auxiliaires (T_A) et les lymphocytes T cytotoxiques (T_C).

2. Un lymphocyte T est activé lorsque son récepteur se lie à un complexe spécifique CMH-antigène.

3. Les sécrétions cellulaires appelées cytokines permettent aux lymphocytes T_A de stimuler l'immunité humorale aussi bien que l'immunité à médiation cellulaire. La cytokine appelée interleukine 1 est sécrétée par les macrophages ; elle incite les lymphocytes T auxiliaires à produire l'interleukine 2, qui stimule la prolifération de lymphocytes T_A, l'activation de lymphocytes B et la différenciation de lymphocytes T cytotoxiques.

4. Les lymphocytes T cytotoxiques tuent les cellules infectées ou cancéreuses en lysant leur membrane à l'aide de la perforine. Les lymphocytes T_C reconnaissent leurs cibles en se liant à une glycoprotéine du CMH de classe I qui forme un complexe avec un antigène spécifique.

5. Les lymphocytes T suppresseurs (T_S) peuvent arrêter la réaction immunitaire lorsque l'antigène a disparu.

Système du complément : une composante des défenses non spécifiques et spécifiques (p. 866-868)

1. Le complément, un groupe de protéines sanguines, peut tuer une cellule cible en se combinant aux anticorps (voie classique). Dans la voie alterne, le complément sert de défense antimicrobienne sans le secours des anticorps.

Soi et non-soi : quelques applications (p. 868-869)

1. Les antigènes se trouvant sur les érythrocytes déterminent si le sang d'une personne appartient au groupe A, B, AB ou O. La transfusion de sang incompatible stimule la production d'anticorps contre les antigènes étrangers, provoquant la lyse, par le complément, des cellules transfusées. Le facteur Rh, un autre antigène des érythrocytes, peut poser un problème lorsqu'une femme Rh négatif porte plus d'une fois un fœtus Rh positif.

2. Le système immunitaire rejette le tissu et les organes greffés qu'il considère comme des corps étrangers (non-soi) ; il faut donc utiliser des médicaments immunosuppresseurs après une greffe.

Troubles du système immunitaire (p. 869-872)

1. Parfois, le système immunitaire se dérègle et se tourne contre lui-même, causant des maladies auto-immunes comme la polyarthrite rhumatoïde et le diabète insulinodépendant.

2. Les allergies, comme le rhume des foins, se caractérisent par la libération d'histamine par les mastocytes. Cette libération (dégranulation) est déclenchée par un allergène, tel le pollen, qui comble l'espace entre deux anticorps attachés au mastocyte.

3. Certaines personnes naissent avec une déficience de la défense humorale ou de la défense à médiation cellulaire. Il arrive même que les deux soient déficientes. Certains cancers causent une immunodéficience. De même, les médicaments utilisés pour atténuer le rejet de greffes inhibent le système immunitaire.

4. Le syndrome d'immunodéficience acquise (sida) est causé par la destruction prolongée des lymphocytes T auxiliaires et d'autres cellules par le virus d'immunodéficience humaine (VIH). Le sida, stade final de l'infection par le VIH, se caractérise par une réduction du nombre de lymphocytes T et par l'apparition d'infections opportunistes.

Immunité chez les Invertébrés (p. 872-873)

1. Les Invertébrés possèdent eux aussi la capacité de distinguer le soi du non-soi. Des cellules amiboïdes appelées amibocytes peuvent reconnaître et détruire des substances étrangères. Des expériences effectuées sur des Vers de terre montrent que leurs systèmes de défense peuvent rejeter des tissus greffés et réagir à ces tissus grâce à une mémoire immunitaire.

AUTO-ÉVALUATION

1. Laquelle des associations suivantes (molécule-source) est fausse ?

a) Lysozyme — salive.

b) Histamine — cellules endommagées.

c) Interférons — cellules infectées par un Virus.

d) Immunoglobulines — granulocytes neutrophiles.

e) Interleukine 2 — lymphocyte T auxiliaire.

2. Parmi les énoncés suivants, lequel n'est *pas* caractéristique des premiers stades d'une réaction inflammatoire localisée ?

a) Augmentation de la perméabilité des capillaires.

b) Attaque par des lymphocytes T cytotoxiques.

c) Libération des protéines de la coagulation.

d) Libération d'histamine.

e) Dilatation des vaisseaux sanguins.

3. Quelle est la principale différence entre l'immunité humorale et l'immunité à médiation cellulaire ?

a) L'immunité humorale est non spécifique, tandis que l'immunité à médiation cellulaire est spécifique pour des antigènes particuliers.

b) Seule l'immunité humorale fait intervenir des lymphocytes.

c) L'immunité humorale ne peut pas fonctionner de façon autonome ; elle est toujours activée par l'immunité à médiation cellulaire.

d) L'immunité humorale combat les antigènes libres alors que l'immunité à médiation cellulaire lutte contre les agents pathogènes qui se sont introduits dans les cellules de l'organisme.
e) Seule l'immunité humorale possède une mémoire immunitaire.

4. Les anticorps monoclonaux sont:
a) produits par des clones formés à partir de cellules mémoires.
b) utilisés pour produire de grandes quantités d'interféron.
c) produits par des cultures d'hybridomes.
d) produits par des clones de lymphocytes T fusionnés à des cellules cancéreuses.
e) produits par des techniques du génie génétique.

5. Les déterminants antigéniques se fixent à quelle portion d'un anticorps?
a) La région variable.
b) La région constante.
c) Les chaînes légères seulement.
d) Les chaînes lourdes seulement.
e) La région du domaine effecteur.

6. Laquelle des molécules suivantes est *incorrectement* appariée à son action?
a) Interleukine 1 — stimule la division des lymphocytes T auxiliaires.
b) Interleukine 2 — augmente la prolifération des lymphocytes T auxiliaires et cytotoxiques.
c) Interféron — aide les cellules avoisinantes à résister à une infection virale.
d) Histamine — combat les réactions allergiques.
e) Lysozyme—attaque la paroi des Bactéries.

7. Laquelle des cellules suivantes est *incorrectement* appariée à sa fonction?
a) Plasmocyte — produit des anticorps.
b) Lymphocyte T auxiliaire — tue les cellules étrangères.
c) Cellule mémoire — prolifère rapidement en clones de cellules effectrices lors de la rencontre avec un antigène.
d) Macrophage — englobe les Bactéries et les Virus.
e) Lymphocyte T cytotoxique — libère la perforine qui tue les cellules infectées.

8. Trouvez l'événement qui caractérise le processus d'opsonisation.
a) Les mastocytes libèrent une forte dose d'histamine.
b) Les protéines du complément enrobent les agents pathogènes et incitent les phagocytes à attaquer ces cellules.
c) Les anticorps font adhérer les agents pathogènes à certaines surfaces, comme la paroi des vaisseaux sanguins.
d) Les anticorps causent l'agglutination des Bactéries.
e) Les protéines du complément perforent la membrane plasmique d'une cellule étrangère.

9. Le VIH met en danger le système immunitaire principalement en infectant les:
a) lymphocytes T cytotoxiques.
b) lymphocytes T auxiliaires.
c) lymphocytes T suppresseurs.
d) plasmocytes.
e) lymphocytes B.

10. Un antigène T indépendant
a) se lie directement à un anticorps sans l'aide d'un lymphocyte T auxiliaire.
b) active la production d'anticorps en se liant à un lymphocyte T auxiliaire.
c) correspond souvent à une longue molécule qui se lie à plusieurs sites récepteurs d'un lymphocyte B simultanément.
d) est une substance appartenant au complexe majeur d'histocompatibilité.
e) déclenche une maladie auto-immune.

QUESTIONS À COURT DÉVELOPPEMENT

1. Expliquez la corrélation entre la structure d'un anticorps et sa fonction.
2. Dressez un schéma de concepts expliquant les mécanismes de défense spécifiques.
3. Expliquez le processus de la sélection clonale.
4. Expliquez le processus de l'allergie.
5. Identifiez les classes d'immunoglobulines. Où les trouve-t-on dans l'organisme?

RÉFLEXION-APPLICATION

1. En supposant que la mémoire immunitaire est intacte, comment expliquer que des individus attrapent chaque année des rhumes ou des grippes?
2. Expliquez pourquoi l'immunité passive que le bébé a reçue in utero n'est que temporaire?

SCIENCE, TECHNOLOGIE ET SOCIÉTÉ

De nouveaux médicaments immunosuppresseurs ont permis aux chercheurs de greffer des tissus et des organes d'Animaux sur des Humains. En 1992, on a greffé pour la première fois un foie de Babouin à un Humain. Le patient était un homme de 35 ans dont le foie avait été détruit par l'hépatite B. Une greffe humaine n'était pas possible parce que le Virus aurait attaqué le nouveau foie. Les scientifiques croient que le Virus de l'hépatite B humaine n'infecte pas les Babouins. Des militants pour les droits des Animaux ont manifesté devant l'hôpital où s'est effectuée la transplantation. Ils scandaient «Les animaux ne sont pas des pièces de rechange» et portaient des pancartes proclamant «Les babouins et les humains: tous victimes» et «Les animaux ne nous appartiennent pas: pas de cobayes». Pensez-vous que le sacrifice d'un Animal est justifié dans ce cas? Expliquez. Que pensez-vous de l'utilisation systématique d'Animaux comme sources d'organes pour les Humains? Selon vous, quels autres usages scientifiques ou médicaux d'Animaux sont justifiés ou non? Pour quelles raisons?

LECTURES SUGGÉRÉES

Cochard, G., «La peau, un organe à part entière», *Science & Vie*, hors série, n° 187, juin 1994. (Description de l'anatomie de la peau et de son rôle dans la défense non spécifique.)

Engelhard, V., «La présentation des antigènes», *Pour la Science*, n° 204, octobre 1994. (Article à propos du complexe majeur d'histocompatibilité et de la reconnaissance spécifique.)

Johnson, H. et coll., «Les interférons contre les maladies», *Pour la Science*, n° 201, juillet 1994. (Utilité des interférons contre diverses maladies infectieuses et contre certains cancers.)

La Recherche, n° 237, novembre 1991. (Un numéro comportant plusieurs articles qui apportent des informations sur le processus de reconnaissance et les déficiences immunitaires, l'immunité antibactérienne et la vaccination.)

Lévy, Y., «Les anges gardiens de l'organisme», *Science & Vie*, hors série, n° 187, juin 1994. (Description anatomique et physiologique de certaines composantes du système immunitaire.)

Perrier, J-J., «SIDA: la route est encore longue», *La Recherche*, n° 269, octobre 1994. (Entretien avec Luc Montagnier qui dresse le bilan de la recherche sur le sida et en suggère les orientations.)

Pour la Science, n° 93, novembre 1993. (Un numéro consacré au système immunitaire et aux déséquilibres de l'immunité.)

OSMORÉGULATION

SYSTÈMES EXCRÉTEURS DES INVERTÉBRÉS

REIN DES VERTÉBRÉS

DÉCHETS AZOTÉS

RÉGULATION DE LA TEMPÉRATURE CORPORELLE

INTERACTION ENTRE LES SYSTÈMES DE RÉGULATION

40 | LA RÉGULATION DU MILIEU INTERNE CHEZ LES ANIMAUX

L a plupart des Animaux peuvent survivre à des variations du milieu externe qui excèdent la tolérance de leurs cellules individuelles. Les Artémies, qui habitent les lacs salés et les bassins de vaporisation, supportent des changements de salinité externe qui leur infligeraient un choc osmotique si les cellules de leur organisme les subissaient (figure 40.1). Un Poisson doré (*Carassius auratus*) peut tolérer une eau aussi acide que pH 3 ou aussi alcaline que pH 10 pendant une heure ou plus, alors que ses cellules mourraient si leur pH interne variait le moindrement. De même, un Humain peut s'exposer sans danger à des variations substantielles de la température ambiante, mais il meurt si sa température corporelle *interne* fluctue de plus de quelques degrés autour de la valeur moyenne de 37°C. Tous ces exemples montrent que les Animaux survivent à des variations du milieu externe en maintenant leur milieu interne dans les limites supportées par leurs cellules, un état appelé homéostasie (voir le chapitre 36). L'homéostasie se rapporte directement à l'un des thèmes principaux de notre étude des Animaux : la capacité des organismes de faire face à des changements du milieu, à court terme par des réactions physiologiques et à long terme par des adaptations fondées sur la sélection naturelle. (Ces deux formes d'adaptation à l'environnement sont, évidemment, apparentées. En fait, les mécanismes homéostatiques représentent des adaptations évolutives chez des populations confrontées à des problèmes environnementaux.) Un deuxième thème important en biologie, la corrélation entre la structure et la fonction, apparaît également de façon évidente dans la structure et la physiologie des tissus et des organes qui participent à l'homéostasie.

Chez la plupart des Animaux, la majorité des cellules ne sont pas en contact direct avec le milieu externe mais baignent dans un liquide biologique interne (les Éponges et les Cnidaires constituent des exceptions). Cette « mare » interne se compose essentiellement soit d'hémolymphe, comme chez les Artémies et les autres Animaux dotés d'un système circulatoire ouvert, soit de liquide interstitiel approvisionné en sang, comme chez les Vertébrés et les autres Animaux dotés d'un système circulatoire clos. (Remarquez que les Animaux ayant un système circulatoire clos possèdent *trois* compartiments liquidiens internes : le compartiment intracellulaire, constitué du cytosol des cellules, et deux compartiments extracellulaires, soit le plasma sanguin et le liquide interstitiel.) Les variations qui se produisent dans ces liquides organiques sont modérées grâce à divers systèmes de régulation (figure 40.2), qui font habituellement intervenir des mécanismes de rétroaction (déjà présentés au chapitre 36).

Figure 40.1
Survie dans un milieu changeant. Les Artémies (*Artemia salina*) abondent dans les bassins de vaporisation et les lacs salés (la photographie représente la mer Morte en Israël). Ces minuscules Crustacés peuvent tolérer des variations de salinité de l'eau allant jusqu'à un niveau dix fois supérieur à celui de l'eau de mer et survivre dans une solution saline saturée. Malgré des variations de la salinité du milieu externe, l'Artémie a la capacité de maintenir sa concentration interne de sels à un taux relativement stable. Dans ce chapitre, vous étudierez certains des mécanismes d'homéostasie qui régissent le milieu interne des Animaux.

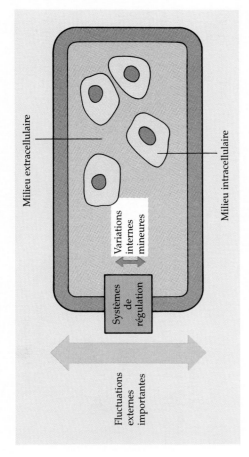

Figure 40.2

Homéostasie. Les systèmes de régulation protègent le milieu interne des effets des fluctuations du milieu externe. Par exemple, l'Artémie, qui habite un milieu très salin, ingurgite continuellement de l'eau salée, mais ses branchies chassent l'excès de sel de son organisme, réduisant ainsi les variations internes alors que la salinité du milieu externe fluctue.

En matière de régulation interne, les problèmes et les solutions varient en fonction de l'histoire phylogénétique de l'Animal et du milieu dans lequel l'espèce a évolué. Ce chapitre adopte une approche comparative de l'homéostasie ; nous allons étudier comment les Animaux parviennent à maintenir l'équilibre des solutés, le gain et la déperdition d'eau (**osmorégulation**), à se débarrasser des déchets métaboliques azotés comme l'urée (**excrétion**) et à maintenir la température interne à l'intérieur des limites vitales (**thermorégulation**).

OSMORÉGULATION

Pensez aux différentes façons dont l'eau entre dans votre organisme et en sort. Nous puisons la majeure partie de notre eau dans les aliments et les boissons et, pour une moindre part, dans le métabolisme oxydatif. (L'« eau métabolique » est produite par la respiration cellulaire lorsque les électrons et les protons s'additionnent au dioxygène (O_2) ; voir le chapitre 9.) Nous perdons de l'eau en urinant et en déféquant, et aussi par vaporisation due à la transpiration et à la respiration. Chez les Animaux aquatiques, la vaporisation compte pour peu : l'apport et la perte d'eau s'effectuent à travers leur surface corporelle grâce à l'osmose. Même dans le cas où l'Animal possède une enveloppe qui empêche les pertes ou les gains d'eau, les épithéliums spécialisés qui doivent absolument être exposés au milieu externe afin d'effectuer les échanges gazeux (comme les branchies, les poumons et les trachées) ne peuvent pas être imperméables.

Qu'un Animal vive sur la terre ferme, dans l'eau douce ou l'eau salée, un problème général existe : les cellules de l'Animal ne peuvent survivre à une perte ou à un gain importants d'eau. Malgré le processus continu d'entrée et de sortie de l'eau à travers la membrane plasmique d'une cellule animale, l'apport et la perte doivent s'équilibrer. Les cellules animales gonflent et éclatent s'il y a un gain important d'eau, ou se ratatinent et meurent s'il se produit une perte importante d'eau (voir le chapitre 8). Nous allons maintenant constater qu'il existe deux solutions de base à ce problème d'équilibre hydrique.

Osmolarité et osmorégulateurs

Comme nous l'avons vu au chapitre 8, l'osmose, un mécanisme particulier de diffusion, se définit comme le mouvement de l'eau à travers une membrane à perméabilité sélective. L'osmose se produit chaque fois que deux solutions séparées par une membrane diffèrent par leur concentration totale de solutés, ou **osmolarité** (concentration molaire volumique totale de solutés exprimée en moles de soluté par litre de solution ; voir le chapitre 3). L'osmolarité du sang humain, par exemple, s'élève à environ 300 mmol/L, alors que l'eau de mer possède généralement une osmolarité d'environ 500 mmol/L. On qualifie d'isotoniques deux solutions d'osmolarité égale. Il n'y a pas d'osmose *nette* entre deux solutions isotoniques. Si deux solutions diffèrent par leur osmolarité, celle qui possède la plus grande concentration de solutés est hypertonique et la plus diluée, hypotonique. L'eau traverse une membrane par osmose depuis la solution hypotonique vers la solution hypertonique.

Certains Animaux possèdent une osmolarité différente de celle de leur milieu externe. On les qualifie d'**osmorégulateurs,** parce qu'ils doivent soit éliminer l'excès d'eau s'ils vivent dans un environnement hypotonique, soit faire entrer continuellement de l'eau pour compenser la perte osmotique s'ils habitent dans un environnement hypertonique. Tous les Animaux d'eau douce et de nombreux Animaux marins sont des osmorégulateurs, c'est-à-dire qu'ils maintiennent une osmolarité interne différente de l'eau environnante. Les Humains et les autres Animaux terrestres, qui sont également des osmorégulateurs, doivent compenser les pertes d'eau. Après ce survol des mécanismes d'équilibre hydrique, nous pouvons maintenant étudier quelques exemples d'adaptations par osmorégulation.

Problèmes d'osmorégulation dans divers milieux

Organismes marins Les premiers Animaux ont d'abord vécu dans la mer, qui demeure le milieu de vie de la majorité des embranchements. La plupart des Invertébrés

marins possèdent des liquides biologiques isotoniques par rapport au milieu externe. Toutefois, les concentrations d'électrolytes des liquides de ces Animaux diffèrent de celles de l'eau de mer. La différence, habituellement légère, s'avère considérable dans certains cas. Un Animal soumis à un environnement changeant peut donc avoir à régir la concentration interne de ses ions.

Les Myxines, des Vertébrés sans mâchoires (classe des Agnathes), sont isotoniques par rapport à l'eau de mer environnante, mais la plupart des Vertébrés marins sont osmorégulateurs. Les Requins (classe des Chondrichtyens) maintiennent des concentrations en électrolytes relativement faibles en comparaison de celles de l'eau de mer, principalement grâce à l'utilisation de glandes rectales qui chassent par l'anus les électrolytes en excès dans l'organisme. Toutefois, le Requin possède une osmolarité proche de celle de l'eau de mer, une caractéristique due à la rétention d'une grande quantité de soluté organique sous forme d'urée, un déchet azoté (contenant de l'azote) que les autres Animaux excrètent au lieu de l'accumuler. (On doit faire tremper la chair de Requin dans l'eau douce avant de la manger afin d'éliminer cette forte concentration d'urée.) Les Requins produisent et retiennent un autre composé organique, l'oxyde de triméthylamine, qui contribue à protéger les protéines contre les effets dommageables de l'urée. À cause de la concentration élevée des solutés organiques dans leurs liquides, les Requins sont en fait légèrement hypertoniques par rapport à l'eau de mer. Ils ne boivent pas, et ils équilibrent l'apport osmotique d'eau en urinant abondamment. Parmi les autres osmorégulateurs qui maintiennent leurs liquides biologiques hypertoniques par rapport à l'eau de mer à cause de l'accumulation d'urée, on trouve certaines Grenouilles du Sud-Est asiatique, les seuls Amphibiens marins.

Les Poissons osseux (classe des Ostéichtyens) descendent d'ancêtres qui se sont adaptés aux habitats d'eau douce. Au cours de leur évolution, de nombreux groupes de Poissons osseux ont regagné la mer, mais l'osmolarité de leur milieu interne est demeurée semblable à celle de l'eau douce. Les Poissons osseux marins perdent constamment de l'eau par osmose dans leur environnement hypertonique. Ils compensent en buvant de grandes quantités d'eau de mer et en utilisant l'épithélium de leurs branchies pour se débarrasser du sel en excès. De la même façon, de nombreux Oiseaux de mer, comme les Mouettes, possèdent des glandes nasales (ou glandes à sel) qui débarrassent l'Animal de la majeure partie du sel qu'il absorbe en buvant l'eau de mer. Les Reptiles marins, tels que les Iguanes marins et les Tortues de mer, possèdent également des glandes à sel qui jouent un rôle dans l'osmorégulation.

Organismes d'eau douce   Les Animaux d'eau douce connaissent des problèmes d'osmorégulation inverses de ceux des Animaux marins. Les Animaux d'eau douce doivent continuellement absorber de l'eau par osmose, car l'osmolarité de leurs liquides biologiques est beaucoup plus élevée que celle de leur milieu immédiat. Les Protozoaires d'eau douce tels que l'Amibe et la Paramécie possèdent des vacuoles contractiles qui fonctionnent comme des pompes de cale (voir la figure 26.8c). De nombreux Animaux d'eau douce, tels les Poissons, rejet-

tent l'excès d'eau en excrétant de grandes quantités d'urine diluée. En excrétant de l'eau, toutefois, ils subissent une petite perte de sels. Ils compensent cette perte en ingérant des Végétaux et des Animaux dont les concentrations salines sont beaucoup plus élevées que celles de l'eau. De plus, les branchies de certains Poissons d'eau douce font passer dans le sang des ions sodium et des ions chlorure issus du milieu externe.

Le Saumon et les autres Poissons qui migrent de l'eau de mer à l'eau douce subissent des modifications de leur osmorégulation. Dans l'océan, le Saumon boit de l'eau de mer et excrète le sel en excès par ses branchies, assurant ainsi l'osmorégulation comme les autres Poissons marins.

Figure 40.3
Comparaison de l'osmorégulation chez les Poissons osseux marins et d'eau douce. (a) Les Poissons marins, comme cette Morue, sont hypotoniques par rapport à l'eau de mer environnante et perdent donc constamment de l'eau par osmose, principalement à travers l'épithélium des branchies. Ces Animaux compensent la perte de liquide en buvant de grandes quantités d'eau de mer et en éliminant ensuite le surplus d'électrolytes de leur organisme à travers l'épithélium des branchies. L'urine est peu abondante, et isotonique par rapport à leurs liquides biologiques. **(b)** Les Poissons d'eau douce, comme cette Perche, font face au problème inverse : ils accumulent continuellement, par osmose, l'eau de leur environnement hypotonique. Ils équilibrent l'apport d'eau par une excrétion abondante d'urine, qui est hypotonique par rapport à leurs liquides biologiques. Bien que l'urine soit diluée, ces Animaux perdent des électrolytes importants au cours de l'excrétion et compensent par l'apport actif d'ions à travers l'épithélium des branchies.

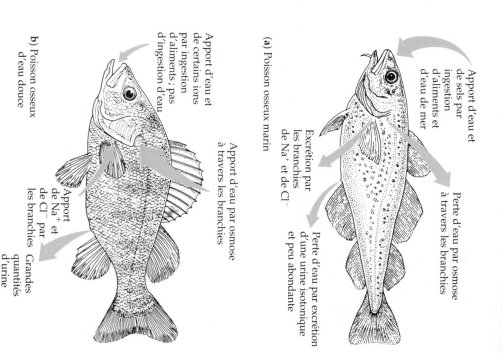

(a) Poisson osseux marin
Apport d'eau et de sels par ingestion d'aliments et d'eau de mer

Excrétion par les branchies de Na⁺ et de Cl⁻

Perte d'eau par osmose à travers les branchies

Perte d'eau par excrétion d'une urine isotonique et peu abondante

(b) Poisson osseux d'eau douce
Apport d'eau et de certains ions par ingestion d'aliments ; pas d'ingestion d'eau

Apport d'eau par osmose à travers les branchies

Apport de Na⁺ et de Cl⁻ par les branchies

Grandes quantités d'urine hypotonique

100 μm

(a)

(b)

Figure 40.4
Anhydrobiose. (a) Les Tardigrades habitent des étangs et des pellicules d'eau dans le sol, sur les Mousses et les Lichens. **(b)** Lorsque leur habitat s'évapore complètement, ces Invertébrés peuvent perdre plus de 95 % de leur eau corporelle et survivre dans un état de déshydratation pendant une décennie ou plus, totalement inactifs (MEB). (Le Tardigrade déshydraté que l'on voit à droite est en réalité plus petit que celui de gauche, comme on doit s'y attendre ; l'échelle de la photographie de droite est environ le double de celle de gauche.)

En migrant vers l'eau douce, le Saumon cesse de boire, et l'épithélium de ses branchies se transforme afin d'accumuler le sel du milieu dilué.

Organismes euryhalins La plupart des Animaux ne peuvent pas supporter des variations importantes dans l'osmolarité externe. Ces Animaux sont dits **sténohalins** (du grec *stenos* « étroit » ; *halin* se rapporte au sel). Cependant, certains Animaux, appelés **euryhalins** (du grec *eurys* « large »), survivent aux fluctuations radicales d'osmolarité dans l'eau environnante en s'adaptant aux changements ou en réglant leur osmolarité interne dans un écart étroit, alors même que l'osmolarité externe varie. L'Artémie (voir la figure 40.1) constitue un exemple d'Animal euryhalin osmorégulateur. Parmi les autres Animaux euryhalins, on trouve divers Invertébrés et Poissons qui habitent les eaux saumâtres des estuaires où la salinité change à chaque pluie et à chaque marée.

Anhydrobiose La déshydratation condamne la plupart des Animaux à une mort certaine. Cependant, certains Invertébrés aquatiques vivant dans des étangs et dans des pellicules d'eau entourant des particules de sol peuvent perdre presque toute l'eau de leur organisme et survivre dans un état d'inactivité lorsque leur habitat se dessèche. On appelle cette adaptation remarquable **anhydrobiose** (« vie sans eau »). Parmi les exemples les plus frappants figurent les Tardigrades, de minuscules Acariens (Arachnides) d'une longueur inférieure à 1 mm (figure 40.4). Lorsqu'ils sont actifs et hydratés, ces Animaux ont une masse se composant à environ 85 % d'eau, mais ils peuvent se déshydrater à moins de 2 % d'eau et survivre dans un état inactif, secs comme de la poussière, pendant une décennie ou plus. Il suffit d'ajouter de l'eau et, en quelques minutes, les Tardigrades se déplacent et se nourrissent de nouveau.

L'anhydrobiose est possible grâce à la production par l'Animal d'une grande quantité de disaccharides, notamment le tréhalose, un glucide constitué de deux unités de glucose. Grâce à leurs multiples groupements hydroxyle capables de former des liaisons hydrogène, il semble que les glucides remplacent l'eau associée aux membranes et aux protéines et protègent ainsi ces structures cellulaires et ces molécules contre toute déformation extrême au cours de la déshydratation.

Organismes terrestres Malheureusement, il existe peu d'Animaux terrestres véritablement capables d'anhydrobiose. L'Humain, par exemple, meurt s'il perd 12 % environ de son eau. La menace de déshydratation constitue peut-être le plus important problème auquel la vie terrestre, animale ou végétale, doit faire face. La gravité de ce problème représente probablement l'une des raisons pour lesquelles deux groupes seulement d'Animaux, les Arthropodes et les Vertébrés, ont colonisé la Terre avec grand succès. (D'autres embranchements possèdent des représentants terrestres, mais la plupart de leurs espèces sont aquatiques.)

Quelles *sont* les adaptations évolutives qui ont permis aux Animaux, composés en majeure partie d'eau, de survivre sur terre ? Tout comme les Végétaux terrestres survivent grâce, entre autres, à leur cuticule cireuse (voir le chapitre 27), la plupart des Animaux terrestres possèdent une enveloppe relativement imperméable qui contribue à empêcher la déshydratation. La couche cireuse de l'exosquelette de l'Insecte, la coquille de l'Escargot, les multiples couches de cellules cutanées kératinisées recouvrant la majorité des Vertébrés terrestres en offrent des exemples (voir le chapitre 30). Malgré leur enveloppe, la plupart des Animaux terrestres perdent une quantité considérable d'eau qu'ils doivent remplacer en buvant ou en ingérant des aliments contenant de l'eau. Chez les Animaux vivant sur la terre ferme, les adaptations du comportement, par exemple les mécanismes nerveux et hormonaux qui règlent la soif, constituent des mécanismes d'osmorégulation importants (nous les abordons plus loin dans ce chapitre). De nombreux Animaux terrestres, notamment dans les déserts, sont nocturnes, une autre adaptation comportementale qui réduit la déshydratation. Les reins et les autres organes excréteurs des Animaux terrestres présentent souvent des adaptations qui contribuent à conserver l'eau (nous parlerons également de ces adaptations plus loin dans ce chapitre). Certains Mammifères sont tellement bien adaptés au manque d'eau qu'ils peuvent survivre sans boire dans des déserts. Le Rat-Kangourou, par exemple, économise l'eau de manière si parcimonieuse qu'il peut en compenser les pertes en produisant de l'eau métabolique (principalement en combinant des électrons, des protons et du dioxygène dans la respiration cellulaire ; voir le chapitre 9) et en

Chapitre 40 : La régulation du milieu interne chez les Animaux **879**

Figure 40.5
Équilibre hydrique chez le Rat-Kangourou. Le Rat-Kangourou du désert du Sud-Ouest américain, survit sans boire d'eau en équilibrant ses liquides biologiques de manière très efficace. **(b)** L'Animal obtient 90 % de son eau sous forme de produits de réactions métaboliques ; les 10 % restants proviennent de l'eau libre présente dans sa nourriture. Le Rat-Kangourou excrète peu d'eau, car ses reins spécialisés peuvent concentrer l'urine. Ses matières fécales sont également relativement sèches. Le tableau compare les données de l'équilibre hydrique du Rat-Kangourou avec celles de l'Humain.

	Équilibre hydrique chez le Rat-Kangourou	Équilibre hydrique chez l'Humain
Apport d'eau (mL/jour)		
Ingérée avec les liquides	0	1500 (60 %)
Ingérée avec les aliments	6,0 (10 %)	750 (30 %)
Provenant du métabolisme	54,0 (90 %)	250 (10 %)
	60,0 (100 %)	2500 (100 %)
Perte d'eau (mL/jour)		
Vaporisation	43,9 (73 %)	900 (36 %)
Urine	13,5 (23 %)	1500 (60 %)
Matières fécales	2,6 (4 %)	100 (4 %)
	60,0 (100 %)	2500 (100 %)

Source : Les données sur le Rat-Kangourou sont tirées de Schmidt-Neilsen, *Animal Physiology : Adaptations and Environment*, 2e éd., Cambridge, Cambridge University Press, 1979, p. 324.

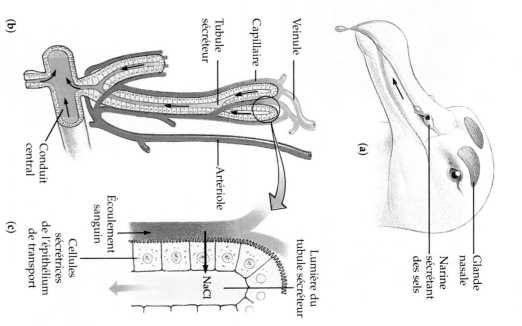

Figure 40.6
Glandes à sel chez les Oiseaux. (a) De nombreux Oiseaux de mer, comme cet Albatros, boivent de l'eau de mer et excrètent l'excès de sel par les glandes nasales, qui contiennent milliers de tubules ramifiés à partir d'un conduit central. **(b)** Une glande à sel possède de nombreux lobes, qui contiennent plusieurs milliers de tubules ramifiés à partir d'un conduit central. Chaque tubule est entouré de capillaires, dans lesquels le sang s'écoule à contre-courant des sécrétions salines (flèches). Ce mécanisme à contre-courant facilite le transfert de sel du sang au tubule (voir le cha-pitre 38). **(c)** Les cellules sécrétrices de l'épithélium de transport tapissant les tubules chassent le sel en excès du sang vers les tubules.

consommant de très petites quantités d'eau présentes dans sa nourriture (figure 40.5).

Épithéliums de transport et osmorégulation

Bien que l'équilibre hydrique pose un problème très dif-férent selon que l'Animal vit dans l'eau salée, dans l'eau douce ou sur terre, les solutions adoptées par les osmoré-gulateurs ont presque toutes un point commun : l'utilisa-tion d'épithéliums spécialisés, appelés **épithéliums de**

transport, qui règlent le transport des électrolytes (et, par conséquent, celui de l'eau qui suit le déplacement des solutés par osmose) entre les liquides internes de l'Ani-mal et le milieu externe.

Un épithélium de transport consiste généralement en un feuillet simple de cellules qui sont en contact avec le milieu externe ou avec un conduit débouchant sur l'extérieur par une ouverture de l'enveloppe corporelle (figure 40.6). Les cellules de l'épithélium sont liées par des jonctions serrées imperméables (voir la figure 7.35a) et forment ainsi une barrière continue à la frontière entre le tissu et le milieu. Cette configuration, qui illustre la corrélation entre la structure et la fonction, donne l'assurance que tous les solutés qui passent du liquide extracellulaire au milieu externe traversent les membranes sélectivement perméables des cellules. C'est

la composition moléculaire de la membrane plasmique de l'épithélium qui détermine les fonctions spécifiques de l'osmorégulation. La perméabilité à l'eau et aux sels, de même que le nombre, le type et l'orientation des protéines membranaires responsables du transport actif. Par exemple, les différences de structure et de fonction des membranes expliquent pourquoi les épithéliums de transport des branchies des Poissons marins rejettent le sel, alors que les branchies des Poissons d'eau douce l'absorbent.

Dans les glandes nasales des Oiseaux de mer, qui boivent de l'eau de mer et excrètent le sel en excès par les glandes à sel, se trouve l'un des épithéliums de transport les plus efficaces (voir la figure 40.6). Comme nous l'avons mentionné précédemment, les Requins aussi utilisent des glandes pour éliminer le surplus de sel; dans leur cas, ces glandes bordent l'épithélium du rectum.

Les épithéliums de transport des glandes à sel servent exclusivement à l'osmorégulation, c'est-à-dire au maintien de l'équilibre électrolytique et hydrique. Dans d'autres cas, les épithéliums de transport jouent un rôle à la fois dans l'excrétion des déchets azotés et dans l'osmorégulation. Dans le système excréteur de la plupart des

Animaux, les épithéliums de transport sont disposés en réseaux tubulaires dotés de grandes surfaces d'échange, comme dans le rein des Vertébrés et dans divers systèmes excréteurs des Invertébrés.

SYSTÈMES EXCRÉTEURS DES INVERTÉBRÉS

Protonéphridie : système à cellule-flamme des Vers plats

Le système excréteur tubulaire le plus simple est le **système à cellule-flamme** des Vers plats (embranchement des Plathelminthes). Ces Animaux ne possèdent ni système circulatoire, ni cœlome (voir le chapitre 29), de sorte que le système à cellule-flamme doit lui-même régler le contenu du liquide interstitiel. Le système consiste en un réseau ramifié de tubules parcourant tout le corps (figure 40.7). Chacun des plus petits tubules aux extrémités de cet arbre excréteur est coiffé d'une cellule bulbeuse appelée cellule-flamme. Le liquide interstitiel qui baigne les tissus de l'Animal traverse la cellule-flamme et pénètre dans le réseau de tubules. La cellule-

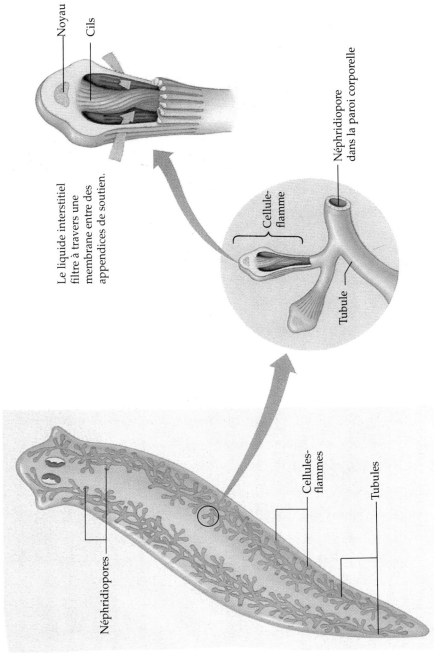

— Noyau

— Cils

Le liquide interstitiel filtre à travers une membrane entre des appendices de soutien.

Cellule-flamme

Tubule

Néphridiopore dans la paroi corporelle

Figure 40.7
Protonéphridies : système à cellule-flamme de la Planaire. Les protonéphridies sont des tubules excréteurs dépourvus d'ouvertures internes. Chez la Planaire, le liquide interstitiel est filtré à travers la membrane des cellules-flammes. Des cils vibratiles, partant des cellules-flammes vers

les tubules, maintiennent le mouvement du liquide dans le réseau de tubules, qui s'ouvre sur l'extérieur du corps par de nombreux pores. L'épithélium de transport qui tapisse les tubules sert à l'osmorégulation. Par exemple, l'épithélium du système à cellule-flamme du Ver plat dulcicole extrait

probablement les électrolytes du liquide tubulaire et les fait passer dans le liquide interstitiel, permettant ainsi à l'Animal d'excréter une urine diluée et d'équilibrer l'apport osmotique d'eau provenant de l'environnement hypotonique.

Néphridiopores

Cellules-flammes

Tubules

flamme possède une houppe de cils vibratiles qui se projettent dans le tube, et le battement de ces cils propulse le liquide le long du tubule, l'éloignant du cul-de-sac où se trouve la cellule-flamme. (Le battement de ces cils vibratiles fait penser au mouvement d'une flamme, d'où le nom de cellule-flamme.) Chez la Planaire, les tubules du réseau se déversent dans des conduits excréteurs qui se vident dans le milieu externe par l'intermédiaire de nombreux pores appelés néphridiopores.

Le liquide excrété est très dilué dans le cas des Vers plats dulcicoles (qui vivent en eau douce); cela contribue à équilibrer l'apport osmotique d'eau de l'environnement hypotonique. On ne connaît toutefois pas les mécanismes cellulaires de cette osmorégulation. Il semble que le revêtement des tubules est un épithélium de transport spécialisé dans la réabsorption de certains électrolytes avant que le liquide ne sorte de l'organisme. Le système à cellule-flamme des Vers plats dulcicoles sert principalement à l'osmorégulation; la plupart des déchets métaboliques sont excrétés dans la cavité gastrovasculaire et éliminés par la bouche (voir le chapitre 36). Cependant, certains Vers plats parasites, isotoniques par rapport aux liquides environnants de leur hôte, utilisent leur système de tubules surtout pour excréter des déchets azotés. Cette différence de fonction illustre comment, grâce à l'évolution, un équipement anatomique commun à un groupe d'organismes peut s'adapter de diverses façons au milieu.

Le système à cellule-flamme constitue un exemple d'un type simple de système excréteur appelé **protonéphridie**, c'est-à-dire un réseau de tubules clos dépourvus d'ouvertures internes. Outre les systèmes à cellule-flamme des Vers plats, d'autres organismes possèdent également des protonéphridies: les Rotifères, certains Annélides, les larves des Mollusques et les Amphioxus, qui sont des Procordés, c'est-à-dire des Cordés sans vertèbres. (Consulter les chapitres 29 et 30 pour revoir ces embranchements animaux.)

Figure 40.8
Métanéphridie des Annélides. Chaque segment d'un Ver de terre contient une paire de métanéphridies, qui drainent le segment antérieur adjacent. Le liquide pénètre dans le néphrostome, passe dans la métanéphridie et se vide dans une vessie de stockage qui s'ouvre sur l'extérieur par le néphridiopore. L'urine devient très diluée, car l'épithélium de transport renvoie certains électrolytes dans le sang du réseau de capillaires qui entoure la métanéphridie.

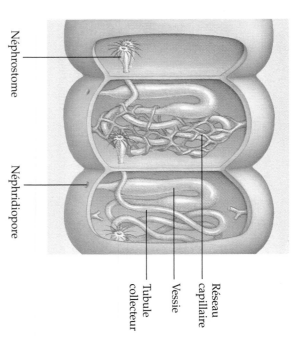

Néphrostome

Néphridiopore

Réseau capillaire

Vessie

Tubule collecteur

Métanéphridies des Vers de terre

Contrairement à la protonéphridie close, la **métanéphridie**, un autre type de tubule excréteur, possède des ouvertures internes qui recueillent les liquides biologiques. On trouve des métanéphridies chez la plupart des Annélides, dont les Vers de terre (figure 40.8). Chaque segment du Ver possède sa propre paire de métanéphridies, des tubules sinueux immergés dans le liquide cœlomique de ce segment. Comme chez la plupart des Animaux dotés d'un système circulatoire clos, les vaisseaux sanguins sont intimement associés aux tubules excréteurs du Ver de terre; un réseau de capillaires enveloppe chaque métanéphridie. Le tubule se vide à l'extérieur du corps par un néphridiopore. À l'autre extrémité d'une métanéphridie, on trouve le néphrostome, un entonnoir cilié qui recueille le liquide cœlomique provenant du segment corporel antérieur adjacent. (Rappelez-vous que la métanéphridie, contrairement à la protonéphridie des Vers plats, s'ouvre aux deux extrémités.) À mesure que le liquide circule dans le tubule, l'épithélium de transport bordant la lumière chasse hors du tubule les électrolytes essentiels, que le sang circulant dans les capillaires environnants réabsorbe. L'urine sortant par le néphridiopore est hypotonique par rapport aux liquides corporels du Ver de terre. En excrétant cette urine diluée, qui peut représenter jusqu'à 60 % de la masse du Ver par jour, les métanéphridies compensent l'osmose continue qui se produit à travers la peau de l'Animal dans un sol humide. (La peau doit être humide et perméable pour servir d'organe respiratoire; voir le chapitre 38.)

Tubes de Malpighi des Insectes

Les Insectes et autres Arthropodes terrestres possèdent un système circulatoire ouvert, et leurs tissus baignent directement dans l'hémolymphe contenue dans des sinus (voir le chapitre 38). Des organes excréteurs appelés

tubes de Malpighi éliminent les déchets azotés du sang et jouent un rôle dans l'osmorégulation (figure 40.9). Ces organes débouchent dans le tube digestif à la jonction de l'intestin moyen et de l'intestin postérieur. Les tubes de Malpighi, qui forment un cul-de-sac à leur extrémité distale, pendent dans le liquide de la cavité corporelle. L'épithélium de transport qui tapisse un tube fait passer certains solutés, dont des électrolytes et des déchets azotés, entre le sang et la lumière du tube. Le liquide dans le tube traverse alors l'intestin postérieur jusqu'au rectum. L'épithélium du rectum retourne la majeure partie des électrolytes au sang, et l'eau suit ces derniers par osmose. Les déchets azotés sont éliminés avec les matières fécales sous forme de résidus presque secs. Le système excréteur de l'Insecte constitue une adaptation qui a contribué au succès de ces Animaux sur la terre ferme, où la conservation de l'eau s'avère essentielle.

REIN DES VERTÉBRÉS

Contrairement aux néphridies des Vers de terre dispersées dans tout le corps, les tubules excréteurs des Vertébrés, appelés néphrons, s'entassent dans des organes compacts, les **reins**. Les reins débarrassent le sang des déchets azotés et participent à l'osmorégulation en réglant les concentrations sanguines de divers électrolytes. Le

système excréteur des Vertébrés comprend les reins, les vaisseaux sanguins qui les alimentent ainsi que les structures qui transportent hors de l'organisme l'urine formée dans les reins. Nous allons dans un premier temps examiner la version mammalienne du système excréteur, puis nous comparerons les systèmes excréteurs des diverses classes de Vertébrés.

Anatomie du système excréteur

Chez l'Humain, les reins sont des organes pairs, ayant la forme d'un haricot, d'une longueur d'environ 10 cm (figure 40.10a). Le sang pénètre dans chaque rein par l'**artère rénale** et le quitte par la **veine rénale**. Bien que les reins représentent moins de 1 % de la masse corporelle de l'Humain, ils reçoivent environ 20 % du sang propulsé par chaque battement de cœur. L'**urine**, le déchet liquide qui se forme dans les reins, sort de ces derniers par un conduit appelé **uretère**. L'uretère de chaque rein débouche dans une **vessie** commune. La vessie se vide périodiquement par miction ; cette excrétion finale de l'urine s'effectue par un conduit appelé **urètre**. L'urètre débouche près du vagin, chez la femme, et à l'extrémité du pénis, chez l'homme. Des muscles sphincters à proximité de la jonction de l'urètre et de la vessie empêchent l'écoulement d'urine entre les mictions.

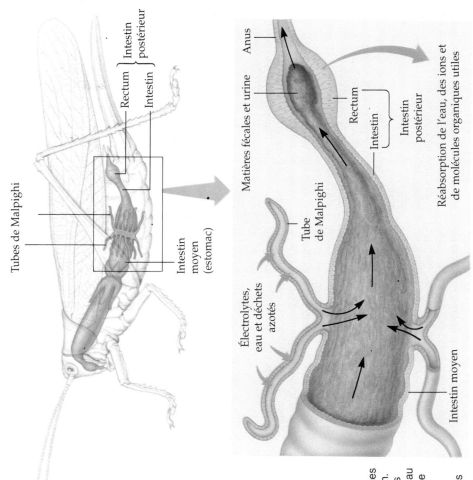

Figure 40.9
Tubes de Malpighi des Insectes. Les tubes de Malpighi sont des excroissances (cavités en forme de poche) de l'intestin. Ils accumulent les déchets azotés et les électrolytes du liquide cœlomique, et l'eau suit ces solutés par osmose. La majeure partie des électrolytes et de l'eau est réabsorbée par l'épithélium du rectum, et les déchets azotés secs sont éliminés avec les matières fécales.

Intestin postérieur
Rectum
Intestin

Tubes de Malpighi

Intestin moyen (estomac)

Anus
Matières fécales et urine
Rectum
Intestin
Intestin postérieur
Réabsorption de l'eau, des ions et de molécules organiques utiles
Tube de Malpighi
Électrolytes, eau et déchets azotés
Intestin moyen

Figure 40.10
Système excréteur humain. (a) Les reins équilibrent la composition du sang et produisent l'urine, que les uretères acheminent jusqu'à la vessie. La vessie se vide à l'extérieur du corps par l'urètre. L'artère rénale apporte au rein jusqu'à 2000 L de sang par jour, que la veine rénale retourne à la circulation systémique. Le cortex externe et la médulla interne sont les deux régions fonctionnelles du rein. L'urine constituée dans ces régions est évacuée dans un tube aplati et en forme d'entonnoir, le bassinet, qui conduit à l'uretère. **(b)** Des centaines de milliers de néphrons, disposés de façon radiale dans le rein, constituent les unités fonctionnelles du rein. Les néphrons juxtamédullaires possèdent de longues anses qui s'étendent

dans la médulla rénale. Les néphrons corticaux se trouvent seulement dans le cortex rénal. **(c)** Un néphron consiste en un corpuscule rénal et un tubule rénal entouré de vaisseaux sanguins. La capsule glomérulaire rénale, un renflement sphérique qui entoure le glomérule, forme avec ce dernier l'extrémité réceptrice, c'est-à-dire le corpuscule rénal. Les principales régions du tubule rénal sont le tubule contourné proximal, les parties descendantes et ascendantes de l'anse du néphron, et le tubule contourné distal qui se jette dans un tubule rénal collecteur desservant de nombreux autres néphrons. La capsule glomérulaire rénale enveloppe un bouquet de capillaires appelé glomérule. En raison de la pression arté-

rielle, l'eau et tous les petits solutés du plasma sanguin de ces capillaires se trouvent forcés de traverser la paroi de la capsule puis d'entrer dans la lumière du tubule rénal, formant ainsi un filtrat qui subit une transformation en se déplaçant dans le tubule. À partir du glomérule, le sang se déplace vers les capillaires péritubulaires et les vasa recta. Les substances qui passent entre le tubule rénal et les capillaires du néphron doivent continuellement traverser le liquide interstitiel baignant le néphron. La transformation du filtrat se poursuit dans le tubule rénal collecteur, et le produit final, alors appelé urine, se déverse dans le bassinet.

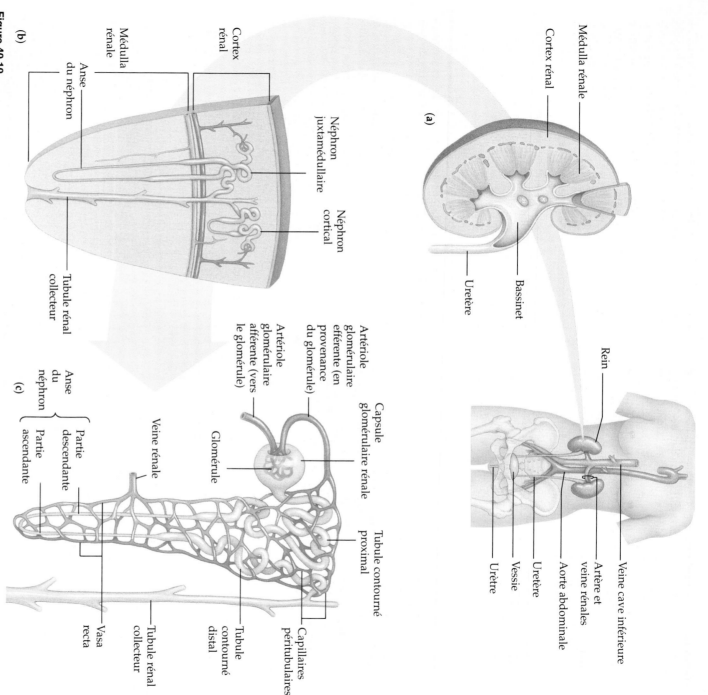

(a)

Médulla rénale
Cortex rénal
Bassinet
Uretère

Rein
Artère et veine rénales
Veine cave inférieure
Aorte abdominale
Uretère
Vessie
Urètre

(b)

Cortex rénal
Médulla rénale
Anse du néphron
Néphron juxtamédullaire
Néphron cortical
Tubule rénal collecteur

(c)

Artériole glomérulaire efférente (en provenance du glomérule)
Artériole glomérulaire afférente (vers le glomérule)
Capsule glomérulaire rénale
Glomérule
Tubule contourné proximal
Capillaires péritubulaires
Tubule contourné distal
Veine rénale
Tubule rénal collecteur
Vasa recta

Anse du néphron { Partie descendante / Partie ascendante

Structure du néphron

Le **néphron**, formé d'un **corpuscule rénal** et d'un **tubule rénal** entouré de vaisseaux sanguins, constitue l'unité fonctionnelle du rein (figure 40.10b et c). Le rein humain contient environ un million de néphrons, ce qui représente au total près de 80 km de tubules. L'eau, l'urée, les électrolytes et les autres petites molécules présentes dans le sang sortent des capillaires du corpuscule rénal et entrent dans le tubule rénal, où le liquide s'appelle alors **filtrat**. L'épithélium de transport tapissant le tubule rénal transforme le filtrat en urine, qui sera excrétée du rein. Des 1100 à 2000 L de sang qui passent chaque jour dans les reins, les néphrons en transforment environ 180 L en filtrat mais n'excrètent approximativement que 1,5 L d'urine. Le reste du filtrat, qui comprend 99 % d'eau, est réabsorbé dans le sang.

L'extrémité du néphron qui reçoit le filtrat du sang, est renflée en un réceptacle sphérique et creux nommé **capsule glomérulaire rénale** (ou capsule de Bowman). Cette capsule renferme un bouquet de capillaires, le **glomérule**. La capsule glomérulaire rénale et le glomérule forment le corpuscule rénal. À partir de la capsule glomérulaire, le filtrat passe successivement par trois régions principales du tubule rénal : le **tubule contourné proximal** ; l'**anse du néphron** (ou anse de Henle), une longue boucle aplatie formée d'une partie descendante et d'une partie ascendante ; et le **tubule contourné distal**. Cette dernière portion du tubule rénal déverse son filtrat dans un **tubule rénal collecteur**, qui reçoit le filtrat de nombreux autres tubules rénaux. Les nombreux tubules collecteurs du rein déversent ensuite le filtrat, alors appelé urine, dans le bassinet, un compartiment qui débouche dans l'uretère.

Les néphrons ont une orientation radiale dans le rein, et les anses du néphron et les tubules collecteurs sont perpendiculaires à la surface du rein. Les capsules glomérulaires rénales, les tubules contournés proximaux et les tubules contournés distaux se trouvent dans la zone externe du rein, le **cortex**. Dans le rein humain, 80 % environ des néphrons, les **néphrons corticaux**, possèdent des anses du néphron raccourcies et sont presque entièrement confinés au cortex. Les 20 % restants de néphrons, les **néphrons juxtamédullaires**, possèdent des anses bien développées qui pénètrent dans la zone interne du rein, la **médulla**. Seuls les Mammifères et les Oiseaux possèdent des néphrons juxtamédullaires ; les néphrons des autres classes de Vertébrés n'ont pas d'anses du néphron. Comme nous le verrons plus loin, les néphrons juxtamédullaires jouent un rôle important dans la capacité des Mammifères d'excréter une urine hypertonique par rapport aux liquides biologiques, une adaptation qui permet de conserver l'eau.

Chaque néphron est approvisionné en sang par une **artériole glomérulaire afférente**, une branche de l'artère rénale qui se ramifie pour former les capillaires du glomérule. À leur sortie de la capsule, les capillaires convergent en une **artériole glomérulaire efférente**, et ce vaisseau se subdivise à son tour en un second réseau de capillaires, les **capillaires péritubulaires**. Ces capillaires s'enchevêtrent avec les tubules contournés proximal et distal du néphron. Des capillaires additionnels s'allongent vers le bas pour former les **vasa recta**, qui constituent le système capillaire entourant l'anse du néphron.

Les vasa recta produisent aussi une anse, dont les vaisseaux descendant et ascendant transportent le sang dans des directions opposées.

Bien que le tubule rénal et les capillaires qui l'entourent soient étroitement associés, ils n'échangent pas de substances directement à travers leur paroi. Les tubules et les capillaires baignent directement dans le liquide interstitiel, à travers lequel diverses substances effectuent un aller-retour entre le plasma des capillaires et le filtrat des tubules rénaux.

En gardant à l'esprit la corrélation entre la structure et la fonction, nous allons maintenant examiner l'organisation complexe du tubule rénal et de ses vaisseaux sanguins, afin de comprendre le fonctionnement des néphrons.

Physiologie générale du néphron

Les néphrons équilibrent la composition du sang grâce à une combinaison de trois processus qui transfèrent des substances entre les néphrons et les capillaires qui leur sont associés :

1. *Filtration*. La pression artérielle pousse le liquide du glomérule à travers l'épithélium de la capsule glomérulaire vers la lumière du tubule rénal. Les capillaires glomérulaires sont poreux et, à l'aide des cellules spécialisées de la capsule appelées **podocytes**, ils fonctionnent comme un filtre, laissant passer l'eau et les petits solutés mais pas les globules sanguins ou les grosses molécules comme les protéines plasmatiques (figure 40.11). La **filtration** n'est pas sélective par rapport aux petites molécules ; toute substance suffisamment petite pour passer à travers la paroi capillaire sous l'action de la pression artérielle entre dans le tubule rénal. En conséquence, à ce moment, le filtrat contient un mélange de solutés comme les électrolytes, le glucose, les vitamines, les déchets azotés tels que l'urée, et d'autres petites molécules qui reflètent les concentrations de ces substances dans le plasma sanguin.

2. *Sécrétion*. Pendant que le filtrat circule dans le tubule rénal, des substances se trouvant dans le liquide interstitiel environnant traversent l'épithélium du tubule et se joignent au filtrat. Comme les petites molécules passent librement du plasma des capillaires au liquide interstitiel, l'effet global de la **sécrétion** rénale est l'ajout de solutés plasmatiques au filtrat dans le tubule. Les tubules contournés proximal et distal sont les sites de sécrétion les plus courants. Contrairement à la filtration non sélective qui se produit à l'interface glomérule-capsule, la sécrétion constitue un processus très sélectif mettant en jeu le transport actif et le transport passif. Par exemple, la régulation de la sécrétion qui fait passer des protons du liquide interstitiel au tubule rénal contribue de façon importante à maintenir constant le pH des liquides biologiques.

3. *Réabsorption*. Comme la filtration s'effectue de façon non sélective, il est important que les petites molécules essentielles à l'organisme retournent au liquide interstitiel et au plasma sanguin. On appelle **réabsorption** ce transport sélectif qui fait passer certaines substances du filtrat dans le liquide interstitiel à travers l'épithélium du tubule rénal. Les tubules contournés et l'anse du néphron contribuent tous à la réabsorption, ainsi

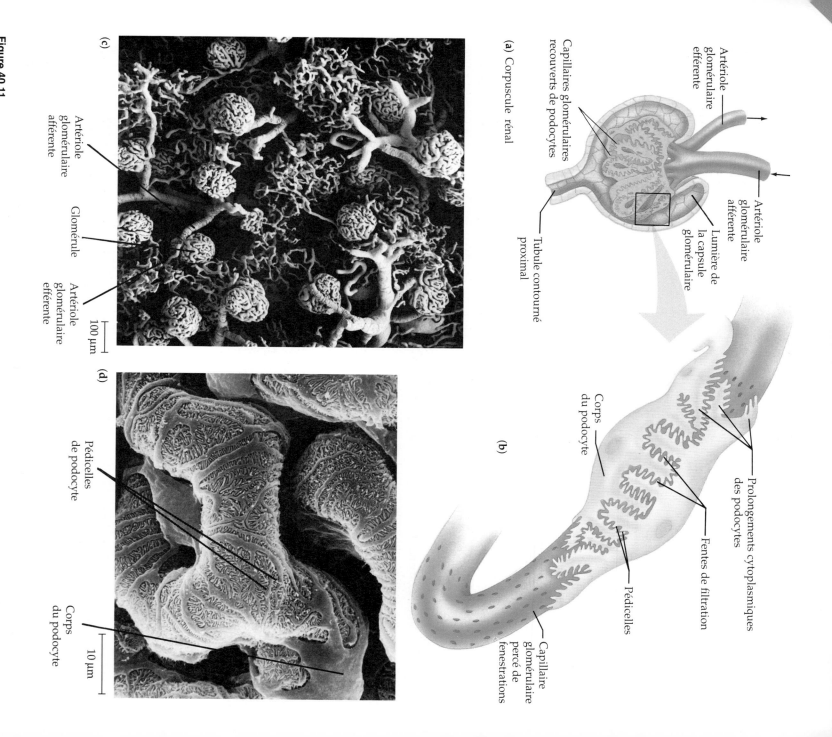

(a) Corpuscule rénal

Artériole glomérulaire efférente

Artériole glomérulaire afférente

Capillaires glomérulaires recouverts de podocytes

Lumière de la capsule glomérulaire

Tubule contourné proximal

(b)

Corps du podocyte

Prolongements cytoplasmiques des podocytes

Fentes de filtration

Pédicelles

Capillaire glomérulaire percé de fenestrations

(c)

Artériole glomérulaire afférente

Glomérule

Artériole glomérulaire efférente

100 µm

(d)

Pédicelles de podocyte

Corps du podocyte

10 µm

Figure 40.11
Membrane de filtration. (a) Une capsule glomérulaire rénale possède deux couches de cellules : un épithélium pavimenteux simple constituant sa paroi externe (voir le chapitre 36) et une couche interne de cellules appelées podocytes qui enveloppent les capillaires du glomérule. **(b)** Un podocyte est une cellule dont le corps se ramifie en pédicelles. Les pédicelles des podocytes

avoisinants s'emboîtent pour former des fentes de filtration. Ces fentes, ainsi que les nombreuses fenestrations des capillaires, servent à filtrer le sang. Elles laissent la pression artérielle pousser l'eau et les petits solutés dans la lumière de la capsule, mais empêchent le passage des globules sanguins et des macromolécules comme les protéines plasmatiques. **(c)** Glomérules, avec leurs

artérioles afférente (entrée) et efférente (sortie) (MEB). Les tubules rénaux ont été enlevés. (Tiré de *Tissues and Organs : A Text-Atlas of Scanning Electron Microscopy* par Richard G. Kessel et Randy H. Kardon, W. H. Freeman and Company, copyright © 1979.) **(d)** Les pédicelles des podocytes enveloppent les capillaires du glomérule, formant un réseau complexe de fentes (MEB).

que le tubule rénal collecteur qui reçoit le filtrat du tubule contourné distal. Presque tous les glucides, vitamines et autres nutriments organiques présents dans le filtrat initial sont réabsorbés. Chez les Oiseaux, presque toute l'eau du filtrat est réabsorbée dans les reins, ce qui permet à ces Animaux terrestres de conserver l'eau en diminuant le volume d'urine. Ensemble, les processus de la réabsorption et de la sécrétion équilibrent les concentrations de divers électrolytes dans les liquides biologiques et réagissent aux déséquilibres en amenant les reins à excréter une plus ou moins grande quantité d'un ion particulier.

La sécrétion et la réabsorption sélectives modifient donc la composition du filtrat en augmentant les concentrations de certaines substances et en diminuant les concentrations d'autres substances dans l'urine finalement excrétée. Pour mieux comprendre le rôle du néphron dans la composition des liquides biologiques, il faut examiner les fonctions spécialisées de l'épithélium de transport qui forme la paroi des diverses régions du tubule rénal.

Propriétés de transport du tubule rénal

Le filtrat obtenu par la filtration glomérulaire possède des concentrations de petits solutés et une osmolarité globale essentiellement identiques à celles du plasma sanguin. Le filtrat se transforme en urine après avoir subi une série de traitements en passant dans le tubule rénal (figure 40.12).

1. *Tubule contourné proximal.* L'épithélium de transport qui tapisse la paroi du tubule contourné proximal modifie substantiellement le volume et la composition du filtrat, à la fois par réabsorption et par sécrétion. Par exemple, l'ammoniac est sécrété en passant des capillaires péritubulaires au liquide interstitiel, puis en traversant l'épithélium du tubule pour s'ajouter au filtrat. Le tubule proximal contribue également à maintenir un pH constant dans les liquides biologiques par la régulation de la sécrétion de protons (H^+). Les médicaments et les substances toxiques que le foie a transformés sont sécrétés dans le filtrat par l'épithélium du tubule contourné proximal. Par contre, les nutriments, y compris le glucose et les acides aminés, sont activement transportés du filtrat au liquide interstitiel, puis au sang circulant dans les capillaires péritubulaires. Sans la réabsorption, ces nutriments seraient éliminés avec l'urine. Le potassium fait également l'objet d'une réabsorption.

La réabsorption du NaCl et de l'eau constitue une des fonctions les plus importantes du tubule contourné proximal. En fait, environ 75 % du NaCl et 70 % de l'eau qui, par filtration, passent du sang au tubule rénal sont réabsorbés à travers l'épithélium du tubule contourné proximal. Les cellules épithéliales qui tapissent cette région du tubule rénal possèdent une structure bien adaptée à cette réabsorption volumineuse. Du côté de la lumière du tubule se trouve une **bordure en brosse**, nommée ainsi en raison des nombreuses microvillosités faisant saillie sur les cellules épithéliales (ces microvillosités sont semblables à celles des cellules intestinales ; voir le chapitre 37). Grâce à cette adaptation, le tubule offre une

grande surface de réabsorption. Les électrolytes et l'eau présents dans le filtrat diffusent à travers la bordure en brosse et pénètrent dans les cellules épithéliales. Du côté opposé de l'épithélium, qui fait face au liquide interstitiel à l'extérieur du tubule, se produit le transport actif. Les membranes chassent le Na^+ des cellules vers le liquide interstitiel. Le transport passif de Cl^- à l'extérieur du tubule équilibre ce transfert de charges positives. Pendant que les électrolytes passent du filtrat au liquide interstitiel, l'eau suit de façon passive par osmose. La surface épithéliale exposée au liquide interstitiel possède une surface beaucoup plus petite que celle de la bordure en brosse, ce qui limite le retour des électrolytes et de l'eau dans le tubule. Ainsi, les électrolytes et l'eau peuvent désormais diffuser du liquide interstitiel aux capillaires péritubulaires.

2. *Partie descendante de l'anse du néphron.* La réabsorption de l'eau se poursuit alors que le filtrat se déplace dans le tubule vers la **partie descendante** de l'anse du néphron. À cet endroit, l'épithélium de transport est tout à fait perméable à l'eau, mais pas très perméable aux électrolytes et aux autres petits solutés. Pour que l'eau sorte du tubule par osmose, le liquide interstitiel baignant le tubule doit être hypertonique par rapport au filtrat. Et c'est ce qui se produit : l'osmolarité du liquide interstitiel augmente graduellement, devenant progressivement plus élevée le long d'un axe partant de la face externe du cortex vers la médulla interne du rein. (Nous aborderons plus loin le mécanisme qui maintient ce gradient.) En conséquence, le filtrat qui se déplace du cortex vers la médulla dans la partie descendante de l'anse du néphron continue à perdre de l'eau au profit du liquide interstitiel d'osmolarité croissante. En même temps, la concentration de NaCl du filtrat augmente à mesure que l'eau est éliminée par osmose.

3. *Partie ascendante de l'anse du néphron.* Le filtrat atteint la courbure de l'anse, située profondément dans la médulla rénale dans le cas des néphrons juxtamédullaires, puis remonte vers le cortex dans la **partie ascendante** de l'anse. Contrairement à celui de la partie descendante, l'épithélium de transport de la partie ascendante est perméable à certains électrolytes, mais pas très perméable à l'eau. En fait, la partie ascendante possède deux régions spécialisées : un segment mince près de l'extrémité de la courbure de l'anse et un segment épais conduisant au tubule contourné distal. À mesure que le filtrat monte dans le segment mince, le NaCl, devenu concentré dans la partie descendante, diffuse à l'extérieur du tubule vers le liquide interstitiel. Cette perte d'électrolytes contribue à l'osmolarité élevée du liquide interstitiel dans la médulla. L'exode de Na^+ et Cl^- du filtrat se poursuit dans le segment épais de la partie ascendante, mais grâce aux transports actif et passif. L'épithélium du segment épais chasse activement le Cl^- du tubule, et le Na^+ réagit à cette sortie de charges négatives en suivant passivement les ions Cl^-. En perdant ainsi des ions sans perdre d'eau, le filtrat se dilue progressivement à mesure qu'il remonte vers le cortex dans la partie ascendante de l'anse.

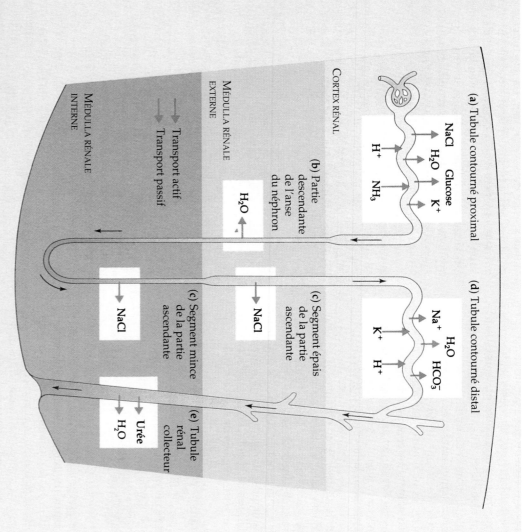

Figure 40.12
Tubule rénal : fonctions des différentes régions de l'épithélium de transport. Sur ce diagramme, les flèches violettes indiquent le transport passif et les rouges symbolisent le transport actif. **(a)** Le tubule contourné proximal joue un rôle important dans l'homéostasie grâce à une régulation de la sécrétion et de la réabsorption de plusieurs substances. Par exemple, environ 75 % du NaCl et 70 % de l'eau filtrés du sang vers le tubule rénal sont réabsorbés à travers l'épithélium du tubule contourné proximal. Cette région sert également à réabsorber des nutriments et à équilibrer le pH par la sécrétion de H⁺. **(b)** La partie descendante de l'anse du néphron est perméable à l'eau mais pas aux électrolytes. Le filtrat perd de l'eau par osmose à mesure que la partie descendante pénètre dans la médulla rénale, ce qui entraîne une plus grande concentration de NaCl dans le filtrat. **(c)** La partie ascendante de l'anse du néphron consiste en un segment mince et un segment épais. Les deux segments possèdent un épithélium relativement imperméable à l'eau. Le segment mince est perméable au NaCl, et le sel qui s'est concentré dans le filtrat en passant dans la partie descendante de l'anse du néphron diffuse maintenant à l'extérieur de la partie ascendante, augmentant ainsi l'osmolarité interstitielle dans la médulla rénale interne. Le segment épais poursuit le transfert de NaCl du filtrat vers le liquide interstitiel, mais par transport actif du Cl⁻ et transport passif du Na⁺. **(d)** Le tubule contourné distal constitue une autre région importante de la régulation de la sécrétion et de la réabsorption. Par exemple, ce segment du tubule rénal contribue à équilibrer le pH sanguin par la réabsorption d'ions hydrogénocarbonate (HCO₃⁻), un composant d'une solution tampon. Le tubule contourné distal joue aussi un rôle dans l'homéostasie en ce qui concerne les ions K⁺ et Na⁺. **(e)** L'épithélium du tubule rénal collecteur est spécialisé du tubule rénal collecteur est perméable à l'eau mais pas aux électrolytes. Le tubule fait repasser le filtrat dans la médulla rénale, et le filtrat devient de plus en plus concentré à mesure que l'eau pénètre dans le liquide interstitiel. Enfin, la portion inférieure du tubule rénal collecteur est perméable à l'urée, et le transfert de ce soluté dans le liquide interstitiel contribue à la forte osmolarité de la médulla rénale.

4. *Tubule contourné distal.* Le tubule contourné distal constitue un autre site important de sécrétion et de réabsorption sélectives. Par exemple, le tubule contourné distal joue un rôle clé dans la régulation de la concentration de K⁺ et de Na⁺ des liquides biologiques en variant la quantité de K⁺ sécrétée dans le filtrat et la quantité de Na⁺ réabsorbée du filtrat. Le tubule contourné distal contribue également à la régulation du pH, par la sécrétion de H⁺ et par la réabsorption des ions hydrogénocarbonate (HCO₃⁻), un composant important d'une solution tampon dans le sang et le liquide interstitiel.

5. *Tubule rénal collecteur.* Une fois dans le tubule rénal collecteur, le filtrat chemine vers la médulla et le bassinet. L'épithélium du tubule rénal collecteur est perméable à l'eau mais pas aux électrolytes. En conséquence, alors que le tubule rénal collecteur traverse le gradient

d'osmolarité qui existe dans le liquide interstitiel, le filtrat perd de plus en plus d'eau par osmose au profit du liquide hypertonique à l'extérieur du tubule. Cette perte d'eau concentre l'urée dans le filtrat, mais toute cette urée ne se rend pas immédiatement au bassinet dans l'urine. Au niveau inférieur du tubule rénal collecteur, dans la médulla interne, l'épithélium du tubule est perméable à l'urée. En raison de sa concentration élevée dans le filtrat à ce moment, une certaine partie de l'urée diffuse hors du tubule vers le liquide interstitiel, baignant les portions de néphrons qui se trouvent dans la médulla. Cette urée interstitielle est un soluté qui, avec le NaCl, contribue considérablement à l'osmolarité élevée du liquide interstitiel dans la médulla rénale. Et c'est cette osmolarité élevée du liquide interstitiel qui permet au rein de conserver l'eau en excrétant une urine hypertonique par rapport aux liquides biologiques en général.

Comment le rein de Mammifère conserve l'eau

L'osmolarité du sang humain s'élève à environ 300 mmol/L, mais le rein peut excréter une urine jusqu'à quatre fois plus concentrée, dont l'osmolarité peut atteindre 1200 mmol/L. L'anse du néphron et le tubule rénal collecteur coopèrent pour maintenir le gradient d'osmolarité dans le tissu interstitiel du rein, ce qui permet de concentrer l'urine. Les deux solutés qui fournissent ce gradient d'osmolarité sont le NaCl, déposé dans la médulla rénale par l'anse du néphron, et l'urée, qui traverse l'épithélium du tubule rénal collecteur vers la médulla interne.

Afin de mieux comprendre comment la physiologie du rein mammalien permet de conserver l'eau, examinons à nouveau le trajet du filtrat dans le tubule rénal, mais en insistant cette fois sur la façon dont les néphrons juxtamédullaires maintiennent un gradient d'osmolarité dans le rein et utilisent ce gradient pour excréter une urine hypertonique (figure 40.13). Quand le filtrat sort de la capsule glomérulaire pour aller vers le tubule contourné proximal, il possède une osmolarité d'environ 300 mmol/L, identique à celle du sang. Alors que le filtrat s'écoule dans le tubule contourné proximal, situé dans le cortex rénal, une grande quantité d'eau et de NaCl est réabsorbée; le volume de filtrat diminue donc substantiellement à ce stade, mais l'osmolarité demeure à peu près la même. Le filtrat commence alors son parcours sinueux : il descend dans la médulla par la partie descendante de l'anse du néphron, remonte dans le cortex par la partie ascendante, puis redescend à nouveau dans la médulla, cette fois par le tubule rénal collecteur.

À mesure que le filtrat s'écoule du cortex à la médulla par la partie descendante, l'eau sort du tubule rénal par osmose, et l'osmolarité du filtrat augmente alors que la concentration des solutés, dont le NaCl, s'accroît. Augmentant graduellement du cortex à la médulla, la concentration de NaCl du filtrat atteint un maximum dans la courbure de l'anse du néphron. La diffusion de NaCl vers l'extérieur du tubule rénal atteint ainsi un maximum lorsque le filtrat s'introduit dans la courbe et entre dans la partie ascendante qui, vous le savez, laisse s'échapper le NaCl mais pas l'eau. Les deux parties de l'anse du néphron agissent donc de concert dans le maintien du gradient d'osmolarité dans le liquide interstitiel rénal. La partie descendante produit un filtrat de plus en plus concentré en NaCl, et la partie ascendante met à profit cette concentration de NaCl pour maintenir une osmolarité élevée dans le liquide interstitiel de la médulla rénale.

Remarquez que l'anse possède certaines des qualités d'un mécanisme à contre-courant, semblable en principe à celui qui maximise l'absorption de dioxygène dans les branchies des Poissons (voir le chapitre 38). Même si les deux parties de l'anse du néphron ne se touchent pas, elles sont suffisamment proches pour que chacune influe sur les échanges chimiques de l'autre, lesquels s'effectuent d'ailleurs dans un liquide interstitiel commun. L'anse du néphron peut concentrer le NaCl dans la médulla interne uniquement parce que la circulation dans la partie descendante s'oppose au gradient d'osmolarité produit par la partie ascendante dans le liquide interstitiel.

Qu'est-ce qui empêche les capillaires de la médulla rénale de dissiper le gradient d'osmolarité en transportant le NaCl qui s'échappe de la partie ascendante vers le liquide interstitiel ? Comme le montre la figure 40.10, les vasa recta constituent également un mécanisme à contre-courant, avec des capillaires descendants et ascendants qui transportent le sang dans des directions opposées dans le gradient d'osmolarité du rein. Le sang perd de l'eau à mesure que le vaisseau descendant se transporte vers la médulla rénale interne, et le NaCl diffuse dans le sang. Ces flux s'inversent tout simplement quand le sang retourne au cortex rénal par le vaisseau ascendant, l'eau retournant au sang et le NaCl diffusant hors du sang. Les vasa recta peuvent donc fournir des nutriments et d'autres substances importantes transportées par le sang, sans interférer avec le gradient d'osmolarité qui permet au rein d'excréter une urine hypertonique.

Au moment où le filtrat termine son circuit dans l'anse du néphron, il n'est *pas* du tout hypertonique par rapport aux liquides biologiques, mais plutôt légèrement hypotonique, parce que le segment épais de la partie ascendante chasse activement le NaCl du tubule, ce qui dilue progressivement le filtrat. Une fois sorti de l'anse, le filtrat redescend dans la médulla, cette fois par le tubule rénal collecteur, qui, rappelez-vous, est perméable à l'eau mais pas au NaCl. En s'écoulant du cortex à la médulla, le filtrat perd de l'eau par osmose alors qu'il rencontre un liquide interstitiel d'osmolarité croissante. Cette perte d'eau concentre l'urée dans le filtrat, et une partie de cette urée s'échappe de la portion inférieure du tubule rénal collecteur, ce qui augmente considérablement l'osmolarité de la médulla rénale interne. (Cette urée est recyclée grâce à sa diffusion dans l'anse du néphron, mais la perte continue d'urée par le tubule rénal collecteur maintient une concentration interstitielle élevée de ce soluté.) L'urée qui demeure dans le tubule rénal collecteur est excrétée avec une perte minimale d'eau parce que l'osmose a pour effet de rendre égale l'osmolarité du filtrat dans le tubule rénal collecteur et celle du liquide interstitiel, laquelle peut s'élever jusqu'à 1200 mmol/L dans la médulla rénale interne. Remarquez que l'urine, à sa concentration la plus élevée, est en fait *isotonique* par rapport au liquide interstitiel de la médulla rénale interne, mais elle se trouve alors *hypertonique* par rapport au sang et au liquide interstitiel situés ailleurs dans l'organisme. Le néphron juxtamédullaire, doté de la capacité de concentrer l'urine,

Figure 40.13
Concentration de l'urine par le rein humain : modèle à deux solutés. Du cortex rénal jusqu'à la médulla rénale interne, l'osmolarité du liquide interstitiel passe de 300 à 1200 mmol/L environ. Deux solutés contribuent à ce gradient d'osmolarité : le NaCl et l'urée. L'anse du néphron maintient le gradient interstitiel de NaCl. La concentration de ce sel dans le filtrat augmente grâce à la perte d'eau progressive qui se produit dans la partie descendante, avant que la partie ascendante ne laisse s'échapper le NaCl dans le liquide interstitiel. Le segment épais de la partie ascendante laisse sortir davantage de Cl⁻ par transport actif, suivi du Na⁺ par transport passif. Le deuxième soluté, l'urée, entre dans le liquide interstitiel de la médulla rénale en diffusant hors du tubule rénal collecteur (l'urée restant dans le tubule rénal collecteur est excrétée). L'urée retourne dans le tubule en diffusant dans la partie ascendante de l'anse du néphron. En tout, le filtrat traverse trois fois le cortex et la médulla, d'abord en descendant, puis en remontant, et à nouveau en descendant dans le tubule rénal collecteur. À mesure que le filtrat s'écoule dans le tubule rénal collecteur, lui-même entouré d'un liquide interstitiel d'osmolarité croissante, de plus en plus d'eau sort du tubule par osmose, concentrant ainsi les solutés laissés dans le filtrat, y compris l'urée. Dans des conditions où le rein conserve un maximum d'eau, l'urine peut atteindre une osmolarité d'environ 1200 mmol/L, qui est considérablement hypertonique par rapport au sang (environ 300 mmol/L). Cette capacité d'excréter les déchets azotés en perdant un minimum d'eau constitue une adaptation clé chez les Mammifères terrestres.

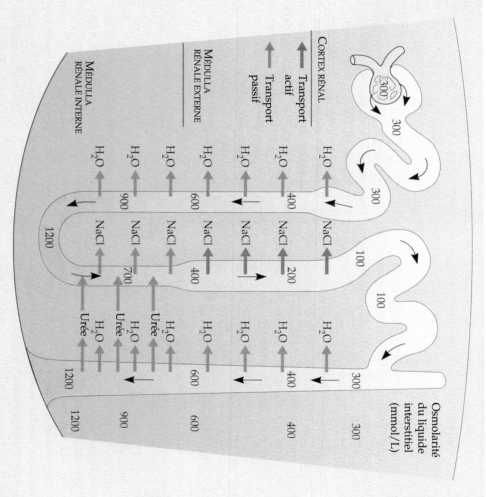

est une adaptation clé à la vie terrestre. Il permet aux Mammifères d'éliminer les déchets azotés sans gaspiller l'eau.

Régulation des reins

Même s'il est vrai que les reins *peuvent* excréter de l'urine hypertonique, il n'est pas toujours souhaitable qu'ils le fassent. Néanmoins, si vous êtes déshydraté et que vous ne pouvez pas boire, vos reins pourront excréter un petit volume d'urine hypertonique aussi concentrée que 1200 mmol/L. Votre organisme pourra ainsi éliminer des déchets en perdant un minimum d'eau. Si au contraire vous avez bu une quantité excessive de liquide, vos reins pourront en fait excréter un grand volume d'urine hypotonique aussi diluée que 70 mmol/L, ce qui permet à votre organisme d'éliminer beaucoup d'eau sans perdre d'électrolytes essentiels. Le rein est un organe d'osmorégulation doté d'une grande souplesse, dans lequel la réabsorption de l'eau et des électrolytes obéit à différents mécanismes de régulation nerveuse et hormonale. (Au chapitre 41, nous traitons en détail des hormones, les médiateurs chimiques entre divers organes du corps. Ici, nous ne nous intéressons qu'aux effets de quelques hormones sur les reins.)

L'**hormone antidiurétique**, ou **ADH** (« antidiuretic hormone ») constitue l'une des hormones importantes

de l'osmorégulation (figure 40.14a). Son élaboration s'effectue dans une région de l'encéphale appelée hypothalamus ; puis la neurohypophyse, un organe situé juste sous l'hypothalamus, l'emmagasine et la libère. Les **osmorécepteurs** situés dans l'hypothalamus surveillent l'osmolarité du sang et stimulent la libération d'ADH supplémentaire lorsque l'osmolarité sanguine dépasse 300 mmol/L (chez l'Humain). Par exemple, une perte d'eau excessive due à la transpiration ou à la diarrhée peut faire augmenter l'osmolarité sanguine. La neurohypophyse libère alors dans la circulation sanguine de l'ADH qui se rend au rein. Plus précisément, l'ADH se rend dans les tubules contournés distaux et les tubules rénaux collecteurs, où elle augmente la perméabilité de l'épithélium à l'eau. Cette perméabilité accrue amplifie la réabsorption de l'eau, ce qui empêche l'osmolarité sanguine de s'écarter davantage de la valeur de référence. Par rétro-inhibition, l'osmolarité décroissante du sang réduit l'activité des osmorécepteurs dans l'hypothalamus, et la sécrétion d'ADH diminue. Seule l'ingestion d'une plus grande quantité d'eau par l'intermédiaire d'aliments et de boissons peut ramener l'osmolarité à 300 mmol/L. Lorsque très peu d'ADH est libérée, par exemple quand un grand volume d'eau a abaissé l'osmolarité sanguine, les reins absorbent peu d'eau, ce qui résulte en une abondante excrétion d'urine diluée. (On appelle diurèse la production abondante d'urine et parce que l'ADH la diminue, elle est appelée hormone *anti-diurétique*.) L'alcool peut perturber l'équilibre hydrique en inhibant la libération d'ADH, ce qui cause une perte excessive d'eau dans l'urine et déshydrate l'organisme ; certains symptômes de la « gueule de bois » sont probablement dus à cette déshydratation. En temps normal, toutefois, l'osmolarité du sang, la libération d'ADH et la réabsorption de l'eau dans le rein sont liées dans un mécanisme de rétroaction qui contribue à l'homéostasie.

Il existe un second mécanisme de régulation rénale qui met en jeu un tissu spécialisé appelé **appareil juxtaglomérulaire,** situé dans le voisinage de l'artériole glomérulaire afférente qui apporte le sang au glomérule (figure 40.14b). Lorsque la pression artérielle dans l'artériole glomérulaire afférente chute, ou lorsque la concentration de Na$^+$ dans le sang devient trop faible, l'appareil juxtaglomérulaire libère dans la circulation sanguine une enzyme appelée **rénine.** Dans le sang, la rénine active une glycoprotéine plasmatique nommée **angiotensinogène.** La forme active de cette glycoprotéine, appelée angiotensine II, fonctionne comme une hormone, et ses effets multiples augmentent la concentration de Na$^+$ dans le sang et élèvent la pression artérielle. Par exemple, l'angiotensine II provoque une constriction généralisée des artérioles, qui fait s'élever la pression artérielle. La pression qui augmente alors dans les artérioles glomérulaires afférentes des néphrons accroît la vitesse de filtration. L'angiotensine II agit aussi à distance sur le rein en incitant les glandes surrénales, des organes situés au-dessus du rein, à libérer une autre hormone appelée **aldostérone.** Cette hormone agit sur les tubules contournés distaux des néphrons en stimulant la réabsorption de Na$^+$. Comme l'eau suit par osmose le Na$^+$ qui sort du tubule rénal, l'aldostérone augmente également la pression artérielle et le volume sanguin. Une chute de la pression artérielle ou une insuffisance de Na$^+$ constituent les premiers déclencheurs de la libération de rénine par l'appareil juxtaglomérulaire, et les diverses réactions augmentent la pression artérielle et la concentration de Na$^+$, réduisant de la sorte la libération de rénine : il s'agit là d'un autre exemple de mécanisme de rétro-inhibition dans l'homéostasie.

Les fonctions de l'ADH et de l'aldostérone peuvent sembler redondantes, mais tel n'est pas le cas. Certes, les deux hormones amplifient la réabsorption de l'eau, mais leur intervention vise à contrer des problèmes d'osmorégulation différents. La libération d'ADH se produit en réaction à une augmentation de l'osmolarité du sang, comme celle qui survient lorsque l'organisme se déshydrate (à cause d'un apport hydrique insuffisant, par exemple). Mais imaginez une situation qui causerait une perte excessive d'électrolytes et de liquides biologiques, par exemple une blessure ou une diarrhée grave. Ce genre de situation entraîne une réduction du volume sanguin sans augmentation de son osmolarité. L'aldostérone viendrait sauver la situation en augmentant la réabsorption d'eau et de Na$^+$ en réaction à la chute de volume sanguin causée par la perte de liquide. Normalement, l'ADH et l'aldostérone font équipe dans l'homéostasie ; l'ADH seule diminuerait la concentration sanguine de Na$^+$ en stimulant la réabsorption d'eau dans le rein, mais l'aldostérone contribue à maintenir l'équilibre en stimulant la réabsorption de Na$^+$.

D'autres hormones, les **atriopeptides natriurétiques,** s'opposent à la régulation rénine-angiotensine-II-aldostérone. La paroi de l'oreillette du cœur libère les atriopeptides natriurétiques en réaction à une augmentation de la pression artérielle et du volume sanguin ; ces hormones agissent en inhibant la libération de rénine par l'appareil juxtaglomérulaire et en réduisant directement la libération d'aldostérone par les glandes surrénales. Ces actions réduisent la réabsorption de Na$^+$ et diminuent la pression artérielle et le volume sanguin. En conséquence, l'ADH, le trio rénine-angiotensine-II-aldostérone et les atriopeptides natriurétiques forment un système complexe de régulation et d'équilibre qui règle la capacité du rein de maîtriser l'osmolarité, la concentration électrolytique, la pression artérielle et le volume sanguin.

Après avoir examiné en détail le rein des Mammifères et sa régulation, nous allons maintenant étudier la structure et la fonction des reins chez des Vertébrés appartenant à d'autres classes.

Physiologie comparée du rein

Il existe des variations dans la structure et la physiologie du néphron présent dans les reins de différents Vertébrés, selon leurs divers habitats, et qui ont une incidence sur l'osmorégulation. Nous avons vu, par exemple, que les néphrons du rein mammalien peuvent concentrer l'urine et conserver l'eau. Parmi les Mammifères, ceux qui peuvent excréter l'urine la plus hypertonique, comme les Rats-Kangourous et les autres Mammifères adaptés au désert, possèdent des anses du néphron exceptionnellement longues qui maintiennent des gradients osmotiques abrupts dans le rein. Il s'ensuit que l'urine devient très concentrée en passant du cortex rénal à la médulla rénale par les tubules rénaux collecteurs. À l'inverse, les Castors, qui font rarement face à des problèmes de

Chapitre 40 : La régulation du milieu interne chez les Animaux **891**

Figure 40.14
Régulation hormonale du rein. (a) L'hormone antidiurétique (ADH), produite dans l'hypothalamus et sécrétée par la neurohypophyse, accroît la rétention de liquide en augmentant la perméabilité à l'eau des tubules rénaux collecteurs. La libération de l'ADH se déclenche lorsque les osmorécepteurs de l'hypothalamus détectent une augmentation de l'osmolarité sanguine. Les osmorécepteurs provoquent également la soif. L'ingestion de liquides réduit l'osmolarité du sang et inhibe la sécrétion d'ADH, complétant ainsi la rétro-inhibition.

(b) L'appareil juxtaglomérulaire (AJG), un tissu spécialisé situé dans le voisinage des artérioles conduisant aux glomérules des reins, réagit à une diminution de la pression artérielle ou de la concentration de Na⁺ en libérant une enzyme, la rénine, dans la circulation sanguine. Dans le sang, la rénine amorce la conversion de l'angiotensinogène en sa forme active, l'angiotensine II. Cette hormone agit directement sur l'épithélium des tubules contournés distaux. La réabsorption de Na⁺ entraîne la réabsorption d'une plus grande quantité d'eau. Ainsi, la libération de rénine par l'appareil juxtaglomérulaire provoque une augmentation de la concentration sanguine de Na⁺, de la pression artérielle et du volume sanguin, des résultats qui complètent le mécanisme de rétro-inhibition en arrêtant la libération de rénine.

rer l'aldostérone, une hormone qui stimule la réabsorption active de Na⁺ par l'épithélium des tubules contournés distaux. La réabsorption de Na⁺ entraîne la réabsorption d'une plus grande quantité d'eau. Ainsi, la libération de rénine par l'appareil juxtaglomérulaire provoque une augmentation de la concentration sanguine de Na⁺, de la pression artérielle et du volume sanguin, des résultats qui complètent le mécanisme de rétro-inhibition en arrêtant la libération de rénine.

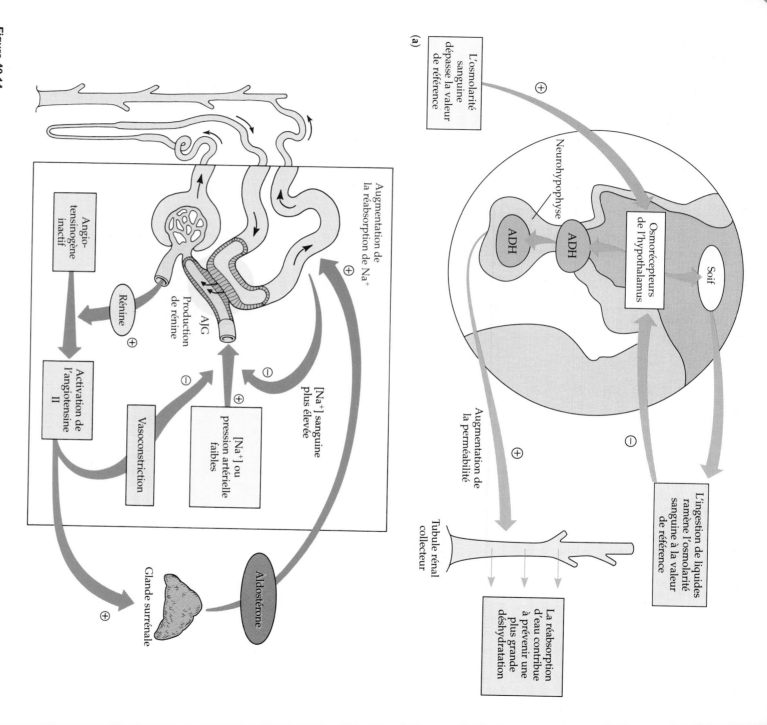

déshydratation, possèdent des néphrons avec des anses très courtes, ce qui donne une urine diluée.

Les Oiseaux, tout comme les Mammifères, possèdent des reins dotés de néphrons juxtamédullaires qui se spécialisent dans la conservation de l'eau. Cependant, les néphrons des Oiseaux ont une anse du néphron beaucoup plus courte que celle des néphrons mammaliens typiques, et ils sont incapables de concentrer l'urine pour atteindre les osmolarités obtenues par les reins des Mammifères.

Les reins des Reptiles, dotés seulement de néphrons corticaux, produisent de l'urine qui est, au mieux, isotonique par rapport aux liquides biologiques. Cependant, l'épithélium du cloaque (voir le chapitre 30) contribue à la conservation du liquide en réabsorbant une partie de l'eau présente dans l'urine et les matières fécales. En outre, la plupart des Reptiles terrestres excrètent des déchets azotés sous une forme insoluble appelée acide urique, qui aide à la conservation de l'eau parce qu'elle ne contribue pas à l'osmolarité de l'urine. (Cette adaptation est abordée plus en détail dans la prochaine section.)

Contrairement aux Mammifères et aux Oiseaux, les Poissons d'eau douce ont à faire face au problème de l'excrétion d'eau excédentaire parce que l'Animal est hypertonique par rapport à son milieu externe. Plutôt que de conserver l'eau, les néphrons utilisent des cils pour débarrasser l'organisme d'un grand volume d'urine très diluée. Les Poissons d'eau douce conservent les électrolytes grâce à une réabsorption efficace des ions à partir du filtrat dans les néphrons.

Les reins des Amphibiens fonctionnent de façon très semblable à celle des Poissons d'eau douce. Lorsque la Grenouille est dans l'eau douce, sa peau accumule certains ions tirés de l'eau par transport actif, et les reins excrètent une urine diluée. Sur terre, où la déshydratation constitue le problème d'osmorégulation le plus pressant, les Grenouilles conservent leur liquide biologique en réabsorbant l'eau à travers l'épithélium de la vessie.

Comme les Poissons vivant dans l'eau de mer sont hypotoniques par rapport à leur milieu, ils rencontrent les problèmes inverses de ceux des membres de leur classe habitant l'eau douce. Dans de nombreuses espèces, les néphrons sont dépourvus de glomérule et de capsule glomérulaire rénale, et il se forme de l'urine concentrée par la sécrétion d'ions dans les tubules rénaux. En conséquence, les reins des Poissons marins excrètent très peu d'urine et fonctionnent principalement pour se débarrasser des ions bivalents comme Ca^{2+}, Mg^{2+} et SO_4^{2-}, que le Poisson absorbe en ingérant sans arrêt de l'eau de mer. Comme nous l'avons mentionné précédemment, l'excrétion d'ions monovalents comme Na^+ et Cl^- s'effectue surtout par les branchies, de la même façon que la plupart des déchets azotés sous forme de NH_4^+ (ammonium).

L'osmorégulation, c'est-à-dire la régulation des équilibres électrolytique et hydrique, constitue la fonction initiale du rein. Au cours de l'évolution, l'excrétion des déchets azotés est devenue une seconde fonction.

DÉCHETS AZOTÉS

Le métabolisme élabore des sous-produits toxiques. Les déchets qui contiennent de l'azote provenant du métabolisme des protéines et des acides nucléiques comptent probablement parmi ceux qui causent le plus de problèmes. L'élimination de l'azote s'effectue par la dégradation de ces nutriments pour obtenir de l'énergie, ou par leur conversion en glucides ou en lipides. Les déchets azotés prennent la forme de l'ammoniac, une petite molécule très toxique. Certains Animaux excrètent leur ammoniac directement; d'autres le convertissent d'abord en déchets moins toxiques comme l'urée ou l'acide urique (figure 40.15). Nous allons voir que la forme de déchets azotés excrétés repose à la fois sur l'histoire évolutive de l'Animal et sur son habitat.

Ammoniac

La plupart des Animaux aquatiques excrètent des déchets azotés sous forme d'ammoniac. Les molécules d'ammoniac, en raison de leur petite taille et de leur grande solubilité dans l'eau, filtrent à travers les membranes. Chez les Invertébrés à corps mou, l'ammoniac diffuse à travers toute la surface corporelle dans l'eau environnante. Les Poissons éliminent la majeure partie de l'ammoniac sous forme d'ions ammonium (NH_4^+) à travers l'épithélium des branchies, les reins ne jouant qu'un rôle mineur dans l'excrétion des déchets azotés. Chez les Poissons d'eau douce, l'épithélium des branchies absorbe le Na^+ de l'eau en échange de NH_4^+, ce qui contribue au maintien des concentrations de Na^+ à des niveaux plus élevés que dans l'eau environnante.

Urée

L'excrétion d'ammoniac fonctionne bien dans l'eau, mais se révèle inadéquate pour l'élimination de déchets azotés sur terre. Pour se débarrasser de l'ammoniac, un Animal terrestre devrait uriner abondamment parce que le transport et l'excrétion d'un composé aussi toxique ne pourrait s'effectuer qu'en solution très diluée. Les Mammifères et la plupart des Amphibiens adultes excrètent plutôt de l'urée. (De nombreux Poissons et Tortues marines, qui doivent conserver l'eau dans leur environnement hypertonique, excrètent aussi de l'urée.) Cette substance peut se retrouver sous une forme beaucoup

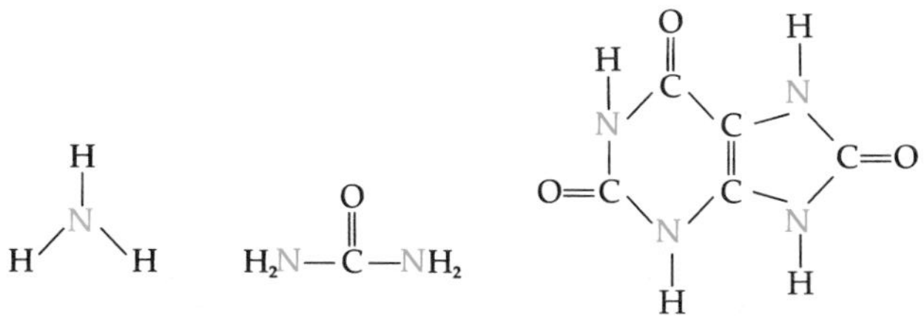

AMMONIAC   URÉE   ACIDE URIQUE

Figure 40.15
Déchets azotés. L'ammoniac, un sous-produit toxique, provient de la perte métabolique de l'azote (désamination) par les protéines et les acides nucléiques. La plupart des Animaux aquatiques se débarrassent de l'ammoniac en l'excrétant de leurs liquides biologiques. La plupart des Animaux terrestres transforment l'ammoniac en urée ou en acide urique, ce qui assure la conservation de l'eau parce que ces déchets moins toxiques peuvent être transportés dans l'organisme en concentrations plus élevées.

plus concentrée à cause de sa toxicité environ 100 000 fois moindre que celle de l'ammoniac. L'excrétion d'urée permet à l'Animal de perdre moins d'eau pour se débarrasser de ses déchets azotés, une adaptation importante à la vie sur terre.

Le foie élabore l'urée grâce à un cycle métabolique qui combine l'ammoniac et le dioxyde de carbone. Le système circulatoire transporte l'urée aux reins. Comme nous l'avons mentionné précédemment, toute l'urée n'est pas excrétée immédiatement par les reins des Mammifères; une partie est retenue par les reins, où elle contribue à l'osmorégulation en favorisant le maintien du gradient d'osmolarité de l'eau. Rappelez-vous que les Requins aussi produisent de l'urée, retenue en concentration relativement élevée dans le sang, ce qui contribue à l'équilibre de l'osmolarité des liquides biologiques avec celle de l'eau de mer environnante.

Les Amphibiens qui subissent une métamorphose passent généralement de l'excrétion d'ammoniac à l'excrétion d'urée au cours de leur transformation de larve aquatique à l'adulte terrestre. Cette modification biochimique, cependant, n'est pas nécessairement couplée à la métamorphose. Les Amphibiens qui demeurent aquatiques, comme le Dactylèthre du Cap (*Xenopus laevis*), continuent à excréter de l'ammoniac après leur métamorphose. Mais si ces Animaux sont forcés à demeurer hors de l'eau pendant plusieurs semaines, ils commencent à produire de l'urée. De même, les Dipneustes, des Poissons qui possèdent un poumon en plus des branchies, passent de l'excrétion d'ammoniac à celle d'urée si leur habitat se dessèche, ce qui les force à s'enfouir dans la boue et à devenir inactifs (voir le chapitre 30).

Acide urique

Les Escargots, les Insectes, les Oiseaux et certains Reptiles excrètent de l'**acide urique** comme principal déchet azoté. À cause de sa solubilité des milliers de fois moindre dans l'eau que celle de l'ammoniac ou de l'urée, l'acide urique peut être excrété sous forme de précipité après la réabsorption totale de l'eau de l'urine. Les Oiseaux et les Reptiles excrètent l'urine dans le cloaque et l'éliminent de l'intestin sous une forme semblable à une pâte, en même temps que les matières fécales.

L'acide urique et l'urée représentent deux adaptations différentes qui permettent aux Animaux terrestres d'excréter des déchets azotés avec une perte minimale d'eau. Le mode de reproduction semble un facteur important dans le choix de l'une de ces adaptations chez un groupe particulier d'Animaux. Les déchets solubles peuvent diffuser hors de l'œuf sans coquille d'un Amphibien ou peuvent être transportés par le sang de la mère dans le cas de l'embryon d'un Mammifère. Cependant, les Vertébrés qui excrètent de l'acide urique produisent des œufs avec des coquilles rigides, perméables aux gaz mais pas aux liquides. Si un embryon libérait de l'ammoniac ou de l'urée à l'intérieur d'un œuf à coquille, les déchets solubles s'accumuleraient jusqu'à atteindre des concentrations toxiques. L'acide urique précipité et peut être emmagasiné dans l'œuf sous forme solide jusqu'à l'éclosion.

Le classement des groupes de Vertébrés selon le type de déchets azotés qu'ils excrètent dépend aussi bien de leur phylogenèse que de leur habitat. Parmi les Reptiles, par exemple, les Lézards, les Serpents et les Tortues terrestres excrètent surtout de l'acide urique; les Crocodiles excrètent de l'ammoniac en plus de l'acide urique; et les Tortues marines excrètent à la fois de l'urée et de l'ammoniac. En fait, individuellement, les Tortues modifient leurs déchets azotés en fonction des variations du milieu externe. Une Tortue qui produit habituellement de l'urée peut passer à la production d'acide urique lorsque la température augmente et que l'eau devient moins disponible. Il s'agit d'un autre exemple montrant que la réaction au milieu se produit à deux niveaux: l'évolution détermine les limites des réactions physiologiques pour une espèce donnée, mais les organismes individuels subissent des adaptations à l'intérieur de ces contraintes physiologiques. Ce principe s'applique également à la régulation de la température corporelle.

RÉGULATION DE LA TEMPÉRATURE CORPORELLE

Le métabolisme est très sensible aux changements de température du milieu interne d'un animal. Par exemple, la vitesse de la respiration cellulaire augmente en même temps que la température jusqu'à une certaine limite, puis diminue lorsque les températures deviennent suffisamment élevées pour commencer à dénaturer les enzymes (voir le chapitre 6). Les propriétés des membranes varient également avec la température. Malgré les adaptations des diverses espèces animales à différents écarts de températures (certains Animaux survivent dans les déserts où les températures atteignent souvent 40 °C, et d'autres se plaisent dans un climat polaire glacial), chaque Animal tolère un certain écart de températures. À l'intérieur de ces limites, de nombreux Animaux peuvent maintenir une température interne constante tandis que la température externe varie. Pour comprendre les problèmes et les mécanismes de la thermorégulation, nous allons d'abord examiner l'échange thermique entre les organismes et leur milieu.

Production de chaleur et transfert de la chaleur entre les organismes et leur milieu

Un organisme, comme tout objet, échange la chaleur avec son milieu grâce à quatre processus physiques: la conduction, la convection, le rayonnement et la vaporisation.

La **conduction** est le transfert direct de la chaleur entre les molécules du milieu et celles de la surface corporelle, quand, par exemple, un Animal se tient dans une mare d'eau froide ou sur un rocher chaud. La conduction de la chaleur s'effectue toujours à partir du corps à température plus élevée vers celui à température plus faible (voir le chapitre 3). L'eau est beaucoup plus efficace que l'air pour conduire la chaleur. Il s'agit d'une des raisons pour lesquelles vous pouvez rafraîchir votre corps, par une journée chaude, en allant vous baigner.

La **convection** est le processus par lequel l'air ou un liquide qui se réchauffe à la surface d'un corps se dilate et tend à s'éloigner de ce corps, faisant place à l'air ou au

liquide plus froid. Par exemple, une brise contribue à la déperdition de chaleur de la peau d'un Animal (de la même façon qu'un ventilateur permet à un Humain de supporter une journée très chaude et sans vent). Le facteur éolien, par contre, aggrave la rigueur des températures froides de l'hiver.

Le **rayonnement** est l'émission d'ondes électromagnétiques produites par tous les objets plus chauds que le zéro absolu, y compris le corps d'un Animal et le Soleil. Le rayonnement peut transférer la chaleur entre des objets qui ne sont pas en contact direct, comme lorsqu'un Animal absorbe de la chaleur irradiée par le Soleil. Une adaptation unique pour tirer profit du rayonnement solaire a été récemment découverte chez les Ours polaires et les Phoques de l'Arctique. La fourrure de ces Animaux est en réalité claire, et non blanche. Chaque poil fonctionne un peu comme une fibre optique en transmettant le rayonnement ultraviolet à la peau noire, où l'énergie est absorbée et convertie en chaleur corporelle.

La **vaporisation** est la déperdition de chaleur à la surface d'un liquide d'où s'échappent quelques molécules sous forme de gaz. La vaporisation de l'eau d'un Animal entraîne un effet refroidissant significatif à sa surface (voir le chapitre 3).

Si vous restez au repos dans l'air calme à une température confortable plus froide que celle de votre corps (par exemple, une température de l'air d'environ 23 °C), 1 % seulement de la chaleur se perd par conduction, 40 % par convection, 50 % par rayonnement et 9 % par vaporisation. La convection et la vaporisation constituent les causes les plus variables de la perte de chaleur. Une brise de 15 km/h seulement accroît la déperdition de chaleur totale de façon substantielle en augmentant la convection par un facteur cinq. Le refroidissement par vaporisation est grandement amplifié par la production de sueur. Cependant, la vaporisation ne se produit que si l'air environnant n'est pas saturé en molécules d'eau (c'est-à-dire une humidité relative inférieure à 100 %). Par une journée très chaude et très humide, nous ne ressentons de l'inconfort, car nous ne pouvons pas perdre notre surplus de chaleur par vaporisation.

Ectothermes et endothermes

Une façon de catégoriser divers Animaux quant à leur thermorégulation consiste à mettre l'accent sur la principale source de chaleur corporelle. Les Animaux qui réchauffent leur corps surtout en absorbant la chaleur de leur milieu sont appelés **ectothermes** (ou poïkilothermes). Les Invertébrés, les Poissons, les Amphibiens et les Reptiles sont généralement des ectothermes. En revanche, les Animaux qui tirent la majeure partie de leur chaleur corporelle de leur propre métabolisme sont appelés **endothermes** (ou homéothermes). Les endothermes maintiennent habituellement une température interne constante malgré les fluctuations de la température du milieu (figure 40.16). Cependant, une température corporelle constante ne suffit pas nécessairement à distinguer les endothermes et les ectothermes ; par exemple, de nombreux Poissons et Invertébrés marins habitent une eau dont les températures sont tellement stables que ces Animaux possèdent des températures corporelles qui varient moins que celles des Humains et d'autres endo-

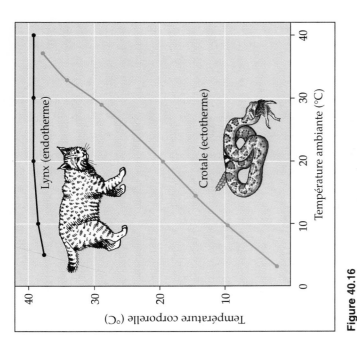

Figure 40.16
Relation entre température corporelle et température ambiante (du milieu) chez un ectotherme et un endotherme. Un ectotherme (un Crotale, par exemple) tire la majeure partie de sa chaleur corporelle de son milieu. Un endotherme (un Lynx, par exemple) tire sa chaleur corporelle surtout du métabolisme et utilise l'énergie métabolique pour les mécanismes de réchauffement *et* de refroidissement qui gardent la température corporelle relativement constante. (Tiré et adapté de P. T. Marshall et G. M. Hughes, *Physiology of Mammals and Other Vertebrates*, 2ᵉ éd., Cambridge, Cambridge University Press, 1980.)

thermes. Par ailleurs, les expressions *à sang froid* et *à sang chaud* sont trompeuses. De nombreux Lézards (ectothermes) possèdent des températures corporelles plus élevées que celles des Mammifères. Notez également que les termes *ectotherme* et *endotherme* ne sont pas basés sur la température corporelle mais plutôt sur la source principale de chaleur. Cependant, même cette distinction entre sources de chaleur du milieu et chaleur métabolique n'est pas absolue : de nombreux ectothermes, incluant les Poissons et les Insectes, obtiennent leur chaleur corporelle à partir de leur métabolisme ; les Oiseaux et les Mammifères, des endothermes, peuvent accroître leur chaleur corporelle en se dorant au Soleil.

L'endothermie résout certains problèmes de la vie sur la terre ferme ; elle permet aux Animaux terrestres de maintenir une température corporelle constante face à des fluctuations de la température du milieu, généralement plus importantes que celles rencontrées par un Animal aquatique. En général, les Vertébrés endothermes (les Oiseaux et les Mammifères) sont plus chauds que leur milieu, mais, dans un milieu chaud, ces Animaux possèdent également des mécanismes de refroidissement du corps. Une température corporelle constamment chaude requiert un métabolisme actif, mais, inversement, elle contribue à maintenir élevée la vitesse du métabolisme aérobie (respiration cellulaire) nécessaire pour supporter une activité physique intense. Pour cette raison, les endothermes supportent généralement une activité

vigoureuse plus longtemps que les ectothermes. Ces liens entre la température corporelle, le métabolisme aérobie et la mobilité représentent des éléments importants dans l'évolution de l'endothermie; se déplacer sur terre nécessite considérablement plus d'effort que se déplacer dans l'eau (voir le chapitre 45). On peut considérer les systèmes respiratoire et circulatoire efficaces des Oiseaux et des Mammifères comme des adaptations accompagnant l'évolution de l'endothermie et une vitesse métabolique élevée. Cela ne veut pas dire que l'ectothermie soit incompatible avec le succès terrestre. Parmi les ectothermes, les Amphibiens et les Reptiles possèdent leurs propres adaptations pour faire face à des changements de température des milieux terrestres. Dans la prochaine section, nous allons comparer les mécanismes qui déterminent la température corporelle chez divers endothermes et ectothermes.

Thermorégulation chez les Mammifères terrestres

Production de chaleur Le métabolisme génère l'énergie qui peut réchauffer le corps. Des couches isolantes de graisse et de fourrure aident à retenir la chaleur. Il existe deux moyens d'accroître la vitesse de production de chaleur : l'augmentation de la contraction musculaire (le mouvement ou le frisson) ou l'action de certaines hormones (notamment l'adrénaline et la thyroxine) qui augmentent la vitesse du métabolisme. On appelle **thermogenèse chimique** le déclenchement hormonal de la production de chaleur. Le processus se produit dans tout le corps; toutefois, certains Mammifères possèdent, dans le cou et entre les épaules, un tissu appelé **tissu adipeux brun** spécialisé dans la production rapide de chaleur (voir la figure 9.19).

L'endothermie a un effet libérateur, mais elle représente également un coût énergétique élevé, notamment dans un milieu froid. Par exemple, à 20 °C, un endotherme comme l'Humain possède un métabolisme basal qui requiert entre 5400 et 7500 kJ par jour (voir le chapitre 37). Par contre, un ectotherme de masse similaire, comme l'Alligator américain, possède un métabolisme basal qui requiert seulement 250 kJ par jour. En conséquence, les endothermes consomment généralement beaucoup plus de nourriture (mesurée en kilojoules) que les ectothermes de taille équivalente.

Mécanismes de thermorégulation Un Mammifère terrestre maintient une température corporelle relativement constante grâce à une combinaison d'adaptations physiologiques et comportementales qui se regroupent en quatre catégories générales :

1. *Variation de la vitesse de production métabolique de la chaleur*. De nombreux Animaux exposés au froid, par exemple, peuvent doubler ou tripler leur production métabolique de chaleur au moyen de l'augmentation de l'activité des muscles squelettiques et de la thermogenèse chimique.

2. *Ajustement de la vitesse d'échange thermique entre un Animal et son milieu*. Un tel mécanisme modifie la quantité de sang dans la région cutanée. Habituellement, la **vasodilatation** entraîne une augmentation du débit

sanguin. Dans ce processus, certains nerfs des vaisseaux sanguins superficiels (les vaisseaux près de la surface du corps) diminuent leur activité, ce qui cause une relaxation des muscles de la paroi des vaisseaux sanguins et une augmentation de la circulation dans les vaisseaux. Lorsque cela se produit, il y a augmentation du transfert de chaleur au milieu par conduction, convection et rayonnement. L'adaptation inverse, la **vasoconstriction** des vaisseaux sanguins superficiels, réduit le débit sanguin et la perte de chaleur au milieu. Chez le Lapin, par exemple, peu de sang circule dans ses grandes oreilles mal isolées, lorsque l'Animal se tient dans un milieu frais. Toutefois, si le Lapin s'active, augmentant ainsi sa production de chaleur et sa température corporelle, les vaisseaux sanguins de ses oreilles se dilatent, et le sang apporté dans cette région peut perdre l'excédent de chaleur dans le milieu. La vasodilatation et la vasoconstriction contribuent également aux différences de température entre les parties d'un Animal. Chez l'Humain, par exemple, la température dans les bras et dans les jambes peut se maintenir, par une journée fraîche, à plusieurs degrés au-dessous de celle du tronc, où se situent la plupart des organes vitaux. La fourrure joue également un rôle important dans la régulation de l'échange thermique entre un Mammifère et son milieu. La plupart des Mammifères terrestres réagissent au froid en hérissant leur fourrure pour la rendre plus isolante. (Les Humains n'ont pas que de la chair de poule, un héritage de nos ancêtres poilus. Malgré notre quantité de poils relativement petite, les muscles qui les relèvent dans le froid se contractent quand même.)

3. *Refroidissement par vaporisation*. Les Mammifères terrestres perdent de l'eau par la surface de leurs voies respiratoires et à travers leur peau. Le halètement peut accroître la vaporisation dans les voies respiratoires, tandis que la vaporisation dans les voies respiratoires, sous régulation nerveuse, (figure 40.17) peut l'augmenter à travers la peau. Quand l'humidité de l'air est assez basse, l'eau se vaporise et refroidit la peau. Chez les Mammifères ne possédant pas de glandes sudorifères, d'autres mécanismes favorisent le refroidissement par vaporisation dans le cas du stress intense causé par la chaleur. Certains Rongeurs, par exemple, étalent de la salive sur leur tête. Les Chauves-Souris utilisent de la salive et de l'urine pour se rafraîchir par vaporisation.

4. *Réactions comportementales*. Les Mammifères et de nombreux autres Animaux peuvent accroître ou diminuer la perte de chaleur en changeant de lieu. Ils se font dorer au Soleil en hiver, recherchent des endroits frais et humides en été, ou vont même jusqu'à migrer vers un climat plus propice (figure 40.18).

Thermostat Les neurones qui régissent la thermorégulation et ceux qui régissent d'autres aspects de l'homéostasie sont groupés dans l'hypothalamus (nous abordons ce sujet en détail au chapitre 44). Cette petite région de l'encéphale possède deux zones de régulation thermique (figure 40.19). L'une d'elles s'appelle **centre de la thermogenèse**, parce qu'elle régit la vasoconstriction des vaisseaux superficiels, l'érection des poils, le frisson et la thermogenèse chimique. L'autre zone est appelée **centre**

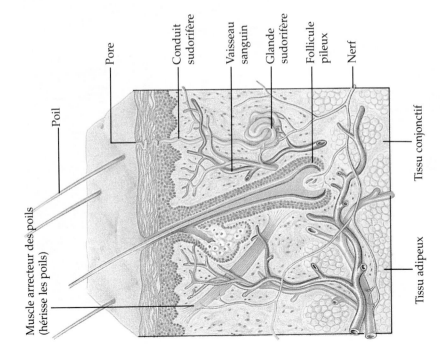

Poil

Muscle arrecteur des poils
(hérisse les poils)

Pore

Conduit
sudorifère

Vaisseau
sanguin

Glande
sudorifère

Follicule
pileux

Nerf

Tissu conjonctif

Tissu adipeux

Figure 40.17
La peau, organe de thermorégulation. Le tissu adipeux et les poils contribuent à l'isolation des Mammifères. La constriction et la dilatation des vaisseaux sanguins superficiels ainsi que le hérissement et le tassement de la fourrure peuvent doser la perte de chaleur dans le milieu. Les glandes sudorifères, sous régulation nerveuse, jouent un rôle dans le refroidissement par vaporisation.

de la thermolyse, parce qu'elle régit la vasodilatation et la transpiration (ou le halètement). Les neurones sensibles à la température se situent dans la peau, l'hypothalamus et certaines autres régions du système nerveux. Ces thermorécepteurs sont constitués de terminaisons dendritiques libres. Certains thermorécepteurs accroissent leur activité nerveuse lorsque la température augmente, alors que d'autres accroissent leur activité lorsque la température diminue. Les récepteurs sensibles au chaud excitent le centre de la thermolyse de l'hypothalamus et inhibent le centre de la thermogenèse, alors que les récepteurs sensibles au froid manifestent les effets exactement inverses sur les deux centres. Des mécanismes de rétro-inhibition règlent ainsi la température corporelle, l'hypothalamus jouant le rôle de thermostat déclencheur de la thermogenèse et de la thermolyse (voir le chapitre 36).

Adaptations de la thermorégulation chez les autres Animaux

Oiseaux La température corporelle moyenne d'un Oiseau est très élevée, autour de 40 °C. Des mécanismes de refroidissement empêchent leur température corporelle de dépasser l'écart optimal. Les Oiseaux ne possèdent pas de glandes sudorifères, et ils utilisent le halètement pour provoquer la perte de chaleur par vaporisation. Certaines espèces possèdent, dans le plancher buccal, un sac spécialisé très vascularisé, dont les battements peuvent augmenter la vaporisation.

Les Oiseaux ont également recours à des mécanismes pour réduire la perte de chaleur. Les plumes fournissent une excellente isolation. Toutes les espèces, particulière-

ment celles qui marchent dans l'eau ou nagent, font face au problème de la perte de grandes quantités de chaleur par les pattes. Le sang chaud de la partie centrale du corps doit s'écouler vers les cellules de ces extrémités. Une disposition particulière des artères et des veines constitue un **échangeur thermique à contre-courant** et réduit la perte de chaleur (figure 40.20a). Les artères qui transportent le sang chaud vers les pattes sont en contact étroit avec les veines qui retournent le sang, en sens opposé, vers le tronc. Ce mécanisme à contre-courant facilite le transfert de chaleur des artères vers les veines tout le long de la zone de contact. Près de l'extrémité de la patte, le sang artériel refroidi atteint une température de beaucoup inférieure à celle du tronc de l'Animal, mais supérieure à celle du sang veineux ; l'artère peut ainsi transférer la différence de chaleur au sang encore plus froid d'une veine juxtaposée (rappelez-vous que la chaleur ne passe que d'un endroit plus chaud à un endroit plus froid). En remontant, le sang veineux peut continuer à absorber de la chaleur parce que le sang artériel de plus en plus chaud circule vers le bas à partir du tronc. Lorsque le sang veineux atteint le haut de la patte, il est presque aussi chaud que le tronc ce qui réduit au minimum la perte de chaleur causée par l'apport de sang vers les pattes immergées dans l'eau froide. Chez certains Oiseaux, le sang peut entrer dans les membres soit au moyen d'un tel échangeur ou grâce à des vaisseaux qui contournent l'échangeur. La quantité relative de sang qui pénètre dans les membres par les deux voies différentes varie, réglant ainsi la quantité de perte de chaleur.

Mammifères marins Les Phoques et les Baleines maintiennent une température corporelle d'environ 36 à 38 °C,

Figure 40.18
Adaptations comportementales de la thermorégulation. (a) La baignade dans une eau fraîche apporte un soulagement immédiat à la chaleur et continue, pendant quelque temps, à rafraîchir la surface par vaporisation. **(b)** Se chauffer au Soleil constitue un mécanisme important pour réchauffer le corps par rayonnement, convection et conduction (sur des roches chaudes, par exemple), particulièrement chez les ectothermes comme ces iguanes marins qui peuplent les îles Galápagos. **(c)** Se vêtir en fonction de la température, comme ces Sibériens, constitue un comportement thermorégulateur particulier aux Humains.

(b)

(c)

semblable à celle des autres Mammifères. Tous les Mammifères marins vivent dans une eau plus froide que leur température corporelle, et un grand nombre vivent au moins une partie de l'année dans les eaux glaciales des océans Arctique ou Antarctique. Bien que la perte de chaleur dans l'eau se produise beaucoup plus rapidement que la perte de chaleur dans l'air, le métabolisme des mammifères marins n'est pas beaucoup plus élevé que celui des Mammifères terrestres de taille comparable, ce qui indique que les Mammifères marins conservent la chaleur de façon beaucoup plus efficace.

La couche d'isolant sous-cutanée très épaisse, que l'on appelle le blanc, constitue la principale adaptation pour retenir la chaleur corporelle dans un milieu froid et humide. Dans la queue et les nageoires, où il n'y a pas de blanc, il se produit un échange thermique à contre-courant entre le sang artériel et le sang veineux, comme dans les pattes des Oiseaux aquatiques (figure 40.20b).

Étant donné que de nombreux Mammifères marins se déplacent, dans leurs migrations annuelles, vers des milieux plus chauds, ils font face également au défi de dissiper la chaleur métabolique. Les vaisseaux sanguins qui irriguent la peau se dilatent, permettant le refroidissement, par l'eau environnante, de plus grandes quantités de sang ; même dans ces zones plus chaudes, la température de l'eau se situe généralement bien en deçà de la température corporelle.

Reptiles Les Reptiles sont de façon générale des ectothermes dont la vitesse métabolique relativement basse contribue peu à la température corporelle normale. Les Reptiles se réchauffent surtout grâce à des adaptations comportementales. Ils cherchent des endroits chauds, en s'orientant vers des sources de chaleur pour augmenter l'apport thermique et en accroissant la surface corporelle exposée. Toutefois, les Reptiles ne maximisent pas

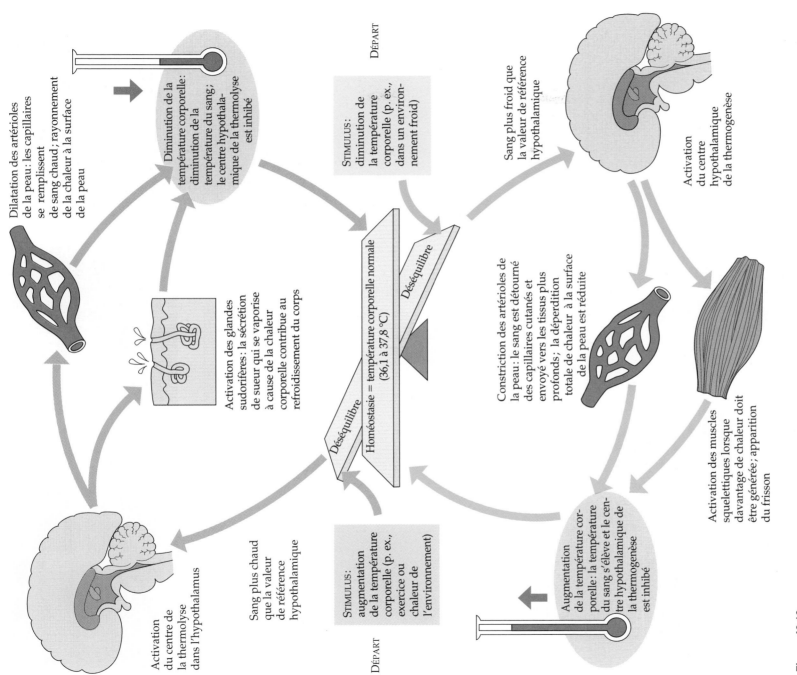

Dilatation des artérioles de la peau : les capillaires se remplissent de sang chaud ; rayonnement de la chaleur à la surface de la peau

Diminution de la température corporelle : diminution de la température du sang ; le centre hypothalamique de la thermolyse est inhibé

STIMULUS : diminution de la température corporelle (p. ex., dans un environnement froid)

DÉPART

Sang plus froid que la valeur de référence hypothalamique

Activation du centre hypothalamique de la thermogenèse

Activation des glandes sudoripares : la sécrétion de sueur qui se vaporise à cause de la chaleur corporelle contribue au refroidissement du corps

Déséquilibre

Homéostasie = température corporelle normale (36,1 à 37,8 °C)

Déséquilibre

Constriction des artérioles de la peau : le sang est détourné des capillaires cutanés et envoyé vers les tissus plus profonds ; la déperdition totale de chaleur à la surface de la peau est réduite

Activation des muscles squelettiques lorsque davantage de chaleur doit être générée ; apparition du frisson

Activation du centre de la thermolyse dans l'hypothalamus

Sang plus chaud que la valeur de référence hypothalamique

STIMULUS : augmentation de la température corporelle (p. ex., exercice ou chaleur de l'environnement)

DÉPART

Augmentation de la température corporelle : la température du sang s'élève et le centre hypothalamique de la thermogenèse est inhibé

Figure 40.19
Rôle de thermostat joué par l'hypothalamus et les mécanismes de rétro-inhibition dans la thermorégulation humaine.

Figure 40.20
Échange thermique à contre-courant.
(a) Certains Oiseaux, comme cette Bernache du Canada (*Branta canadensis*), possèdent dans leurs pattes un échangeur à contre-courant qui réduit la perte de chaleur. Les artères qui transportent le sang vers l'extrémité des pattes viennent en contact avec les veines qui ramènent le sang au tronc. Dans un milieu froid, le sang artériel transfère la chaleur au sang veineux qui retourne au tronc (flèches noires). La circulation à contre-courant facilite l'échange thermique en établissant un gradient thermique entre le sang artériel et le sang veineux sur toute la longueur de la zone de contact (voir le chapitre 38). En outre, la constriction des veines superficielles protège la température du tronc. **(b)** Dans les nageoires des Mammifères marins, comme ce Dauphin du Pacifique (*Tursiops gilli*), qui ne contiennent pas de blanc, plusieurs veines entourent chaque artère dans un échangeur à contre-courant, lequel permet un transfert thermique efficace entre le sang veineux et le sang artériel.

(a)

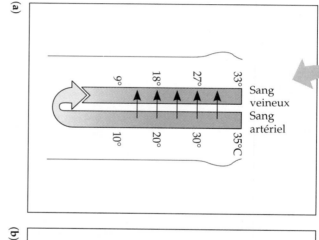

Sang veineux
Sang artériel

33°   35°C
27°   30°
18°   20°
9°   10°

(b)

Veine
Artère

simplement l'apport de chaleur ; ils peuvent se comporter de façon à réellement régler leur température à l'intérieur d'un écart. Si un endroit ensoleillé est trop chaud, par exemple, un Lézard s'installera alternativement au Soleil et à l'ombre, ou se tournera dans une autre direction afin de diminuer la surface exposée au Soleil. En cherchant des microclimats favorables dans le milieu, de nombreux Reptiles maintiennent des températures corporelles très stables.

Des indices permettent de croire que certains des mécanismes de régulation sophistiqués rencontrés chez les Mammifères existent chez les Reptiles, du moins dans un état rudimentaire. (Nous avons vu au chapitre 30 que les Mammifères et les Oiseaux ont évolué à partir des Reptiles.) Par exemple, les Reptiles plongeurs conservent la chaleur corporelle en dirigeant plus de sang vers le centre du corps au cours d'une plongée. Certains Reptiles peuvent aussi amplifier la thermogenèse, tout comme les Mammifères. Les Pythons femelles, par exemple, génèrent beaucoup de chaleur en grelottant, lorsqu'elles couvent leurs œufs.

Amphibiens L'écart de température optimale pour les Amphibiens varie de façon substantielle selon l'espèce. Par exemple, des espèces de Salamandres étroitement apparentées possèdent une température corporelle moyenne s'étendant de 7 à 25 °C. Les Amphibiens produisent très peu de chaleur, et la plupart la perdent rapidement par vaporisation sur leurs surfaces corporelles, ce qui rend difficile la régulation de la température. Cependant, des adaptations comportementales leur permettent de maintenir, la plupart du temps, une température corporelle dans un écart satisfaisant, en se déplaçant vers un lieu où la chaleur solaire est disponible ou en entrant dans l'eau. Dans un milieu trop chaud, les Animaux recherchent des micro-environnements, des zones ombragées, par exemple. Certains Amphibiens, comme le Ouaouaron (*Rana catesbeiana*) peuvent faire varier la quantité de mucus sécrétée à leur surface, une réaction physiologique qui régit le refroidissement par vaporisation.

Poissons La température corporelle de la plupart des Poissons se situe habituellement à moins de 1 ou 2 °C de la température de l'eau environnante. Cependant, certains gros Poissons actifs maintiennent une température élevée au centre de leur corps. Des spécialisations du système circulatoire retiennent la chaleur générée par leurs muscles commandant la nage. Les principaux vaisseaux sanguins du Thon rouge (*Thunnus thynnus*), par exemple,

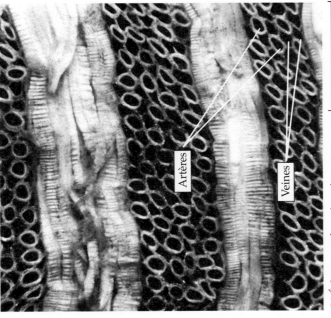

(a) Température interne chez le Thon rouge

**Figure 40.21
Thermorégulation chez les gros Poissons actifs. (a)** Le Thon rouge maintient une température interne beaucoup plus élevée que celle de l'eau environnante. La température maximale du Poisson se situe autour de ses muscles foncés commandant la nage (partie ombrée). Les valeurs de températures ont été mesurées chez un Thon dans une eau à 19 °C. **(b)** Le Requin, comme le Thon rouge, possède un échangeur thermique à contre-courant dans ses muscles commandant la nage qui réduit la perte de chaleur métabolique. Dans cette coupe transversale de l'échangeur à contre-courant, les veines (parois minces) entourent les artères (parois épaisses) (MP).

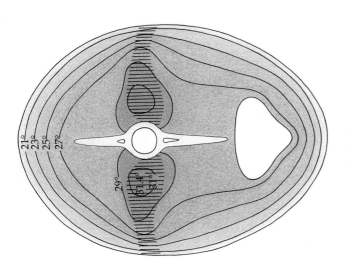

(b) Échangeur thermique à contre-courant chez le Requin

se situent tout juste sous la peau. Des ramifications apportent le sang vers les muscles profonds commandant la nage, où les petits vaisseaux sont disposés comme dans un échangeur thermique à contre-courant appelé **réseau admirable.** Le système stimule une activité vigoureuse en gardant les muscles de la natation à une température plus élevée de plusieurs degrés que celle des tissus superficiels de l'Animal, à peu près égale à celle de l'eau environnante (figure 40.21). De tels Animaux, appelés endothermes partiels, illustrent combien la distinction entre ectotherme et endotherme est parfois floue.

Invertébrés La plupart des Invertébrés possèdent peu de maîtrise sur leur température corporelle, mais certains adaptent la température grâce à des mécanismes comportementaux ou physiologiques. Par exemple, le Criquet migrateur qui vit dans les régions désertiques doit atteindre une certaine température pour devenir actif. Il s'oriente dans une direction qui maximise l'absorption de la lumière solaire.

Certaines espèces de gros Insectes volants, comme les Abeilles et les Papillons, peuvent créer leur propre chaleur. Ils « s'échauffent » avant de prendre leur envol en contractant simultanément tous leurs muscles alaires. Comme la plupart de ces muscles ont un effet antagoniste, seuls de légers mouvements des ailes se produisent, mais ils génèrent de grandes quantités de chaleur. (Cette fonction présente une analogie avec le frisson.) La température plus élevée des muscles alaires permet à

l'Insecte de soutenir l'activité intense nécessaire au vol (figure 40.22a). Ce mécanisme s'est perfectionné à un point tel chez le Bourdon que la température interne de l'abdomen se maintient au-dessus de la température ambiante en tout temps et non seulement en préparation d'un vol. Les adaptations endothermiques des Papillons hivernants sont également impressionnantes ; elles leur permettent de survivre et de voler pendant les mois d'hiver froids. Le thorax d'un Papillon hivernant, par exemple, possède un échangeur thermique à contre-courant qui contribue au maintien des muscles alaires à une température d'environ 30 °C, même par des nuits froides et enneigées (figure 40.22b).

Pour augmenter leur température, les Abeilles utilisent un mécanisme additionnel qui repose sur l'organisation sociale. Par temps froid, elles intensifient leurs mouvements et se serrent les unes contre les autres pour retenir leur chaleur. Elles maintiennent une température relativement constante en variant la densité de l'amas. Les individus se déplacent des bords extérieurs plus frais vers le centre plus chaud, puis retournent vers les bords et ainsi de suite ; de cette façon, les Abeilles circulent et répartissent la chaleur. Elles régissent également la température de leur ruche en y transportant de l'eau par temps chaud et en battant des ailes, ce qui favorise la vaporisation et la convection. Collectivement, la colonie d'Abeilles utilise de nombreux mécanismes de régulation de température que l'on observe chez d'autres organismes plus gros.

Acclimatation à la température

De nombreux Animaux peuvent s'adapter à un nouvel écart de température sur une période de plusieurs jours ou semaines, une réaction physiologique appelée **acclimatation**. Les variations saisonnières constituent un contexte dans lequel des adaptations physiologiques à un nouvel écart de température sont importantes. Par exemple, de nombreuses Grenouilles qui habitent des régions tempérées peuvent supporter des températures hivernales assez basses qui seraient fatales pour ces Grenouilles si elles survenaient l'été. La tolérance aux limites supérieures de température peut également être réglée. La Barbotte noire (*Ictalurus melas*), par exemple, peut survivre à des températures qui atteignent 36 °C en été, mais meurt à une température supérieure à 28 °C, en hiver.

L'acclimatation physiologique à un nouvel écart de température présente de nombreux aspects. Les cellules peuvent accroître la production de certaines enzymes, pour corriger la diminution d'activité de chaque molécule d'enzyme à des températures qui ne sont pas optimales. Dans d'autres cas, les cellules produisent des variantes des enzymes qui remplissent la même fonction mais à des températures optimales différentes (voir le chapitre 6). Les proportions de lipides saturés et insaturés contenus dans les membranes peuvent également varier. Cette réaction contribue à garder les membranes fluides à différentes températures (voir le chapitre 8). D'autres réactions physiologiques à un nouvel écart de température externe font intervenir des adaptations dans les mécanismes qui règlent la température interne de l'Animal.

Torpeur

La **torpeur** constitue un état physiologique alternatif, quotidien ou qui s'installe pour une période prolongée, au cours duquel le métabolisme diminue, et le système cardiorespiratoire ralentit. La plupart des Chauves-Souris et des Colibris, par exemple, entrent dans une torpeur quotidienne durant le jour et hibernent également pendant plusieurs semaines durant les mois d'hiver (voir la figure 9.19). L'**hibernation** représente un type de torpeur, durant laquelle la température corporelle est maintenue à un niveau inférieur à la normale (figure 40.23). L'hibernation permet à l'Animal de soutenir de longues périodes de températures froides et de pénurie de ressources alimentaires. L'**estivation**, qui permet à un Animal de survivre durant de longues périodes de températures élevées et de rareté de ressources alimentaires, constitue un autre type de torpeur caractérisée par un métabolisme lent et par l'inactivité.

De nombreux ectothermes entrent dans un état de torpeur lorsque leurs ressources alimentaires diminuent. Outre les autres changements physiologiques, leur écart de température optimale s'abaisse. Les variations du milieu propices à l'augmentation de l'apport alimentaire provoquent la sortie de ces Animaux de leur torpeur en quelques heures.

Certains endothermes manifestent également une torpeur qui semble adaptée à leur mode d'alimentation. Tous les endothermes qui connaissent une torpeur quotidienne, comme les Colibris, les Chauves-Souris et les Musaraignes, sont relativement petits et la vitesse de leur

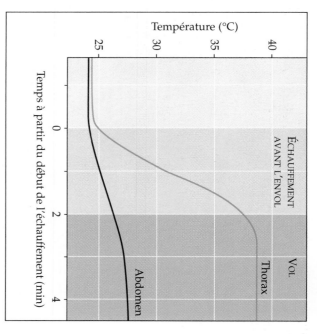

(a) Échauffement avant l'envol chez le Sphinx

(b) Température interne chez le Papillon hivernant

Figure 40.22
Thermorégulation chez certains Papillons. (a) Le Sphinx *Manduca sexta* représente l'une des nombreuses espèces d'insectes qui utilisent un mécanisme semblable au frisson pour réchauffer leurs muscles alaires avant de prendre leur envol. **(b)** La thermorégulation est particulièrement impressionnante chez certaines espèces de Papillons de la famille des Noctuidés (Noctuelles), actifs durant les mois d'hiver froids. Diverses adaptations, tel un échangeur thermique à contre-courant dans la région thoracique, contribuent à maintenir échauffés les muscles alaires, à une température de 30 °C, même sous une température ambiante inférieure au point de congélation. Une carte obtenue par thermographie, superposée à l'image d'un Papillon hivernant, montre la répartition de la chaleur juste après le vol. Le jaune, situé dans la région du thorax, indique la température la plus élevée. En allant vers l'extérieur à partir du thorax, les zones de couleurs variées correspondent aux régions de températures corporelles de plus en plus froides.

tre 35). En fait, le besoin de sommeil chez les Humains pourrait s'avérer un reliquat d'une torpeur quotidienne plus prononcée chez nos premiers ancêtres mammaliens.

Les variations saisonnières de la longueur du jour (ou photopériode) constituent souvent l'élément déclencheur de l'hibernation et de l'estivation. À mesure que les jours raccourcissent, certains Animaux mangent de grandes quantités de nourriture avant d'hiberner. Les Écureuils, par exemple, vont plus que doubler leur masse en un mois de gavage.

Figure 40.23
L'hibernation, un type de torpeur. Au cours de l'hibernation, la diminution substantielle de la vitesse du métabolisme et l'abaissement de la température corporelle constituent des adaptations qui permettent à l'Animal de survivre à de longues périodes froides lorsque la nourriture se fait rare. Vous voyez ici un Spermophile à mante dorée (*Citellus lateralis*) en état d'hibernation.

métabolisme est très élevée lorsqu'ils sont actifs. La période quotidienne de torpeur permet à l'Animal de survivre pendant les heures au cours desquelles il ne se nourrit pas. Cependant, il est possible que ce cycle d'activité suivi de torpeur ne soit pas déclenché par la disponibilité de la nourriture. Même si les aliments sont disponibles toute la journée, une Musaraigne passe quand même par sa période de torpeur quotidienne ; le cycle est un rythme intégré réglé par l'horloge biologique (voir le chapi-

INTERACTION ENTRE LES SYSTÈMES DE RÉGULATION

Faire la lumière sur les mécanismes des divers systèmes de régulation et sur leurs modes d'interaction constitue l'un des principaux défis de la physiologie animale. La régulation de la température corporelle, par exemple, met en jeu des mécanismes qui ont également un impact sur des paramètres du milieu interne comme l'osmolarité, la vitesse du métabolisme, l'oxygénation des tissus et la masse corporelle. Sous certaines conditions, habituellement les extrêmes physiques compatibles avec la vie d'un organisme, les demandes d'un système peuvent entrer en conflit avec celles des autres systèmes. Par exemple, dans des milieux très chauds et secs, la conservation de l'eau passe en priorité sur la perte de chaleur par vaporisation. En conséquence, de nombreux Animaux du désert tolèrent une hyperthermie occasionnelle (température corporelle anormalement élevée). Normalement, toutefois, les divers systèmes de régulation agissent de concert pour maintenir l'homéostasie dans le milieu interne. Les mécanismes de rétroaction qui intègrent l'homéostasie nécessitent la communication nerveuse et des hormones, qui sont les médiateurs chimiques transmis dans la circulation sanguine. Le prochain chapitre aborde la régulation hormonale chez les Animaux.

RÉSUMÉ DU CHAPITRE

1. De nombreux Animaux peuvent survivre à des fluctuations de leur milieu externe en utilisant des mécanismes homéostatiques pour maintenir un milieu interne relativement constant.

2. Des adaptations physiologiques, mettant habituellement en jeu des mécanismes de rétroaction, règlent les concentrations de substances de l'hémolymphe ou du liquide interstitiel qui baigne les cellules de l'organisme.

Osmorégulation (p. 877-881)

1. La consommation d'eau doit équilibrer sa perte, ce qui nécessite de nombreux mécanismes d'osmorégulation dans des milieux différents. Les osmorégulateurs règlent la consommation et la perte d'eau dans un environnement hypertonique ou hypotonique.

2. La plupart des Invertébrés marins sont isotoniques, alors que les Vertébrés marins règlent leur osmolarité. Les Requins possèdent une osmolarité légèrement supérieure à celle de l'eau de mer en raison de la rétention d'urée. Les Poissons osseux marins perdent de l'eau au profit de leur

milieu hypertonique et doivent compenser en buvant de grandes quantités d'eau de mer. Les Vertébrés marins excrètent l'excès de sel par leurs glandes rectales, l'épithélium des branchies ou par les glandes nasales et les reins.

3. Les organismes d'eau douce absorbent constamment de l'eau de leur milieu hypotonique. Les Protozoaires rejettent l'excès d'eau à l'aide de vacuoles contractiles, et les Animaux d'eau douce excrètent des quantités volumineuses d'urine diluée. La perte de sel est remplacée par ingestion de nourriture ou par l'absorption d'ions à travers l'épithélium des branchies.

4. Les Animaux euryhalins peuvent tolérer de grandes variations osmotiques dans leurs milieux, souvent en modifiant leurs mécanismes osmorégulateurs.

5. Les Animaux terrestres combattent la dessiccation en buvant et en ingérant des aliments contenant beaucoup d'eau, ainsi que grâce à la régulation nerveuse et hormonale de la soif, des adaptations comportementales et des organes excréteurs qui conservent l'eau.

Chapitre 40 : La régulation du milieu interne chez les Animaux **903**

6. L'osmorégulation est habituellement accomplie par le transport d'électrolytes à travers l'épithélium, suivi de l'osmose.

Systèmes excréteurs des Invertébrés (p. 881-883)

1. Le liquide extracellulaire est filtré dans la protonéphridie du système à cellule-flamme chez les Vers plats. Ces tubules en cul-de-sac excrètent un liquide dilué et jouent un rôle dans l'osmorégulation.

2. Chaque segment d'un Ver de terre possède une paire d'organes excréteurs tubulaires à deux ouvertures en étroite association avec les capillaires. Ces métanéphridies recueillent le liquide cœlomique, les épithéliums de transport rejettent les électrolytes pour la réabsorption, et l'urine diluée est excrétée par les néphridiopores.

3. Chez les Insectes, les tubes de Malpighi jouent un rôle dans l'osmorégulation et l'élimination des déchets azotés de l'hémolymphe. Les Insectes produisent des déchets sous forme de matière relativement sèche, une adaptation importante à la vie terrestre.

Rein des Vertébrés (p. 883-893)

1. Les néphrons, les tubules excréteurs des Vertébrés, sont disposés dans des organes compacts, les reins, qui, associés aux vaisseaux sanguins et aux conduits excréteurs, forment le système excréteur.

2. Les principales parties des tubules rénaux sont la capsule glomérulaire rénale, le tubule contourné proximal, l'anse du néphron, le tubule contourné distal et le tubule rénal collecteur qui achemine l'urine dans le bassinet. La majeure partie des néphrons sont disposés de façon radiale dans le cortex rénal ; les Mammifères et les Oiseaux possèdent également des néphrons juxtamédullaires avec des anses du néphron qui se prolongent dans la médulla rénale. L'approvisionnement en sang du néphron s'effectue par une artériole glomérulaire afférente, qui se divise en capillaires du glomérule. Une artériole glomérulaire efférente enlève le sang de la capsule glomérulaire rénale et se subdivise en capillaires péritubulaires entourant les tubules contournés. Les vasa recta constituent un système de capillaires qui enveloppent l'anse du néphron.

3. Les néphrons équilibrent la composition du sang par filtration, sécrétion et réabsorption. Au cours de la filtration, la pression artérielle filtre, de façon non sélective, dans la lumière du tubule du néphron, l'eau et les petits solutés du glomérule retenus dans la capsule glomérulaire. Des substances additionnelles destinées à l'excrétion sont directement sécrétées du liquide interstitiel dans le tubule par transport actif et transport passif. Les substances filtrées qui doivent retourner au sang, comme les nutriments vitaux et l'eau, sont réabsorbées en divers points le long du néphron.

4. La majeure partie des électrolytes et de l'eau filtrés du sang est réabsorbée par le tubule contourné proximal. De plus, l'ammoniac, les médicaments et les protons (servant à régler le pH de l'organisme) sont sécrétés sélectivement dans le filtrat ; le glucose et les acides aminés sont transportés activement hors du filtrat. La partie descendante de l'anse du néphron est perméable à l'eau mais pas aux électrolytes ; l'eau se déplace par osmose dans le liquide interstitiel hypertonique. Les électrolytes diffusent hors du filtrat concentré alors qu'ils se déplacent dans la partie ascendante perméable aux électrolytes de l'anse du néphron. Le tubule contourné distal est spécialisé pour une sécrétion et une réabsorption sélectives, et joue un rôle clé dans la régulation de la concentration du potassium et du pH sanguin. Le tubule rénal collecteur, qui est perméable à l'eau mais pas aux électrolytes, transporte le filtrat à travers le gradient d'osmolarité de la médulla, et davantage d'eau sort par osmose. L'urée diffuse également hors du tubule rénal collecteur et rejoint les électrolytes. Ces derniers et l'urée contribuent au gradient osmotique qui permet au rein de produire l'urine, qui est hypertonique par rapport au sang.

5. L'osmolarité du filtrat varie à mesure qu'il se déplace dans un néphron juxtamédullaire. Les perméabilités différentes du tubule rénal pour l'eau, le NaCl et l'urée, combinées au transport actif du NaCl, produisent l'augmentation du gradient osmotique dans la médulla rénale, lequel provoque la production d'urine hypertonique.

6. L'osmolarité de l'urine, qui peut varier beaucoup selon les besoins en hydratation de l'organisme, est réglée par un mécanisme nerveux et hormonal de la réabsorption de l'eau et des électrolytes dans les reins. L'hormone antidiurétique, libérée en réaction à une élévation de l'osmolarité sanguine signalée par les osmorécepteurs de l'hypothalamus, accroît la réabsorption de l'eau par le tubule rénal. L'appareil juxtaglomérulaire réagit à une diminution de la pression artérielle ou de la concentration de Na^+ par la libération de rénine, qui active l'angiotensinogène. Cette glycoprotéine sanguine activée, appelée angiotensine II, provoque la constriction des artérioles et la libération, par les glandes surrénales, d'aldostérone qui stimule la réabsorption de Na^+ et la réabsorption passive de l'eau du filtrat. La régulation par l'hormone antidiurétique et l'aldostérone provoquent la réabsorption d'eau et la formation d'une urine plus concentrée. Les atriopeptides natriurétiques, libérés par l'oreillette en réaction à une augmentation de pression artérielle, inhibent la libération de rénine et s'oppose à la régulation rénine-angiotensine II-aldostérone.

7. Les adaptations de la structure et de la fonction des néphrons chez les Vertébrés sont apparentées aux exigences de l'osmorégulation et de l'excrétion des déchets azotés dans divers habitats.

Déchets azotés (p. 893-894)

1. Le métabolisme des protéines et des acides nucléiques génère de l'ammoniac, un déchet toxique excrété sous une forme dépendant de l'habitat et de l'histoire évolutive de l'Animal.

2. La plupart des Animaux aquatiques excrètent de l'ammoniac, une molécule extrêmement toxique mais très soluble qui traverse facilement la surface corporelle ou l'épithélium des branchies vers l'eau environnante.

3. Le foie des Mammifères et de la plupart des Amphibiens adultes convertit l'ammoniac en urée moins toxique, qui est transportée par le système circulatoire vers les reins et excrétée sous une forme concentrée avec une perte minimale d'eau.

4. L'acide urique est un précipité insoluble que les Escargots, les Insectes, les Oiseaux et certains Reptiles excrètent dans l'urine, qui a une forme semblable à une pâte.

5. Le mode de reproduction des Animaux terrestres a un lien avec la forme de leurs déchets azotés. Les différences dans les déchets azotés d'Animaux dans un même embranchement reposent sur leur habitat ; certains organismes peuvent réellement changer la forme de leurs déchets azotés selon les conditions environnementales.

Régulation de la température corporelle (p. 894-903)

1. Le transfert de chaleur entre l'organisme et le milieu externe met en jeu les processus physiques de conduction, de convection, de rayonnement et de vaporisation.

2. Les ectothermes absorbent leur chaleur corporelle du milieu. Les endothermes, surtout les Mammifères et les Oiseaux, dépendent de la chaleur de leur propre métabolisme. L'endothermie permet aux Animaux terrestres de maintenir une température corporelle quasi constante et

a) une vitesse élevée du métabolisme aérobie qui facilite le déplacement sur terre.

3. Les processus physiologiques et comportementaux qui permettent aux Mammifères terrestres de régler leur température corporelle comprennent l'adaptation de la vitesse de production de chaleur métabolique par la thermogenèse, la vasodilatation ou la vasoconstriction des vaisseaux sanguins superficiels, la régulation de la déperdition de chaleur par vaporisation en haletant ou en transpirant, ainsi que diverses réactions comportementales.

4. Le centre de la thermogenèse et le centre de la thermolyse sont des régions thermorégulatrices de l'hypothalamus qui reçoivent des influx nerveux de thermorécepteurs sensibles au chaud et au froid, et qui réagissent en mettant en marche des processus soit de refroidissement, soit de réchauffement.

5. Les Oiseaux peuvent exercer une thermorégulation en haletant, en augmentant la vaporisation par un sac vascularisé dans la bouche, et en faisant circuler le sang vers les pattes par un échangeur thermique à contre-courant.

6. Les Mammifères marins maintiennent leurs températures corporelles élevées dans l'eau froide grâce à une couche épaisse de blanc très isolant et à l'échange thermique à contre-courant entre le sang artériel et le sang veineux. La vasodilatation des vaisseaux sanguins permet la dissipation de chaleur dans les eaux chaudes.

7. Les Reptiles et les Amphibiens maintiennent des températures internes dans des écarts tolérables principalement grâce à des adaptations comportementales variées.

8. Bien que la température corporelle de la plupart des Poissons approche celle du milieu externe, certaines grosses espèces actives maintiennent une température supérieure dans leurs muscles de la natation grâce à un échangeur thermique à contre-courant appelé réseau admirable.

9. Certains Invertébrés utilisent des mécanismes physiologiques, comme les contractions musculaires et les échangeurs thermiques à contre-courant, pour adapter leur température. Certains Insectes sociaux adoptent des comportements particuliers qui influent sur leur température.

10. De nombreux Animaux peuvent s'acclimater physiologiquement à un changement graduel de température, comme les variations saisonnières.

11. La torpeur, y compris l'hibernation et l'estivation, constitue un état physiologique caractérisé par une diminution de la vitesse du métabolisme et des fréquences cardiaque et respiratoire. Cet état permet à l'Animal de supporter, pour un temps, des températures variables non favorables ou un épuisement des ressources de nourriture et d'eau.

Interaction entre les systèmes de régulation (p. 903)

L'homéostasie est une réaction dynamique au milieu, intégrée par des mécanismes de rétroaction mettant en jeu la communication nerveuse et hormonale.

AUTO-ÉVALUATION

1. Parmi les organismes suivants, lequel est le plus susceptible d'être isotonique par rapport à son milieu ?
   a) Un Poisson osseux marin.
   b) Un Poisson osseux d'eau douce.
   c) Une Méduse.
   d) Un Protozoaire d'eau douce.
   e) Un Reptile marin.

2. *Contrairement* à la métanéphridie d'un Ver de terre, un néphron de Mammifère:
   a) est intimement associé à un réseau de capillaires.

b) produit de l'urine en changeant la composition du liquide à l'intérieur du tubule rénal.
c) joue un rôle à la fois dans l'osmorégulation et l'excrétion des déchets azotés.
d) filtre le sang plutôt que le liquide cœlomique.
e) possède un épithélium de transport.

3. La majeure partie de l'eau et des électrolytes filtrée dans la capsule glomérulaire rénale est réabsorbée par:
   a) la bordure en brosse des épithéliums de transport du tubule contourné proximal.
   b) la diffusion hors de la partie descendante de l'anse du néphron vers le liquide interstitiel hypertonique de la médulla rénale.
   c) transport actif à travers l'épithélium de transport du segment supérieur et plus épais de la partie ascendante de l'anse du néphron.
   d) sécrétion et diffusion sélectives à travers le tubule contourné distal.
   e) diffusion hors du tubule rénal collecteur dans le gradient osmotique croissant de la médulla rénale.

4. La concentration osmotique élevée de la médulla rénale est maintenue par tous les mécanismes suivants, *sauf:*
   a) la diffusion du NaCl hors de la partie ascendante de l'anse du néphron.
   b) le transport actif des ions chlorure à partir de la région supérieure de la partie ascendante.
   c) la disposition spatiale des néphrons juxtamédullaires.
   d) la diffusion de l'urée hors du tubule rénal collecteur.
   e) la diffusion du NaCl hors du tubule rénal collecteur.

5. L'hormone antidiurétique influe sur le rein en :
   a) stimulant la libération de rénine.
   b) resserrant les artérioles et en élevant ainsi la pression artérielle.
   c) accroissant la réabsorption de Na$^+$ dans les tubules contournés distaux.
   d) s'opposant à la régulation rénine-angiotensine II-aldostérone.
   e) amplifiant la perméabilité de l'eau dans le tubule rénal contourné distal et le tubule collecteur, augmentant ainsi l'osmolarité de l'urine.

6. L'ammoniac (ou ammonium) est excrété par la plupart des :
   a) Poissons osseux.
   b) organismes qui produisent des œufs à coquille.
   c) Amphibiens adultes.
   d) Escargots.
   e) Insectes.

7. La thermogenèse chimique est:
   a) une adaptation comportementale chez les ectothermes pour absorber la chaleur.
   b) une élévation de la vitesse du métabolisme déclenchée par une hormone, souvent associée à du tissu adipeux brun.
   c) un échange à contre-courant de la chaleur du sang se rendant aux membres.
   d) une méthode de production de chaleur du réseau admirable chez les gros Poissons actifs.
   e) la contraction musculaire que l'on observe chez les Papillons hivernants.

8. Les adaptations physiologiques ou l'acclimatation par un ectotherme à des températures saisonnières plus fraîches peut comprendre:
   a) une augmentation de la vitesse du métabolisme.

b) l'estivation.

c) des changements dans les composantes lipidiques des membranes cellulaires.

d) l'accroissement de la vasodilatation et de l'échange thermique à contre-courant.

e) l'hibernation.

9. Les tubes de Malpighi sont des organes excréteurs trouvés chez les :

a) Vertébrés.

b) Insectes.

c) Vers plats.

d) Annélides.

e) Méduses.

10. Lequel des processus suivants est *le moins* sélectif dans le néphron ?

a) La sécrétion.

b) La réabsorption.

c) Le transport à travers l'épithélium d'un tubule rénal collecteur.

d) La filtration.

e) Le transport des électrolytes par l'anse du néphron.

QUESTIONS À COURT DÉVELOPPEMENT

1. Dans un tableau, identifiez le type de système excréteur et de thermorégulation qui caractérise chacun des organismes suivants : Mammifère, Poisson osseux marin, Reptile, Ver de terre, Ver plat.

2. Expliquez le fonctionnement d'une glande à sel dans l'osmorégulation.

3. Dessinez grossièrement un néphron et identifiez son anatomie. À l'aide de flèches, indiquez les endroits de réabsorption ou de sécrétion des substances suivantes : NaCl, eau, glucose, urée, H^+, NH_3, K^+.

4. Expliquez la régulation hormonale de l'activité rénale.

5. Expliquez le mécanisme de la thermorégulation chez l'Humain.

RÉFLEXION-APPLICATION

1. Une grande partie du succès terrestre des Arthropodes et des Vertébrés est attribuable à leur capacité d'osmorégulation. Citez les ressemblances et les différences entre le tube de Malpighi et le néphron quant à l'anatomie, la relation avec la circulation et les mécanismes physiologiques de conservation de l'eau dans l'organisme.

2. À une centaine de mètres d'un étang, vous vous effrayez une Grenouille qui se met à fuir. Vous la pourchassez. Après avoir effectué quelques bonds, la Grenouille s'arrête et se laisse attraper sans trop résister. Expliquez, du point de vue biologique, ce comportement de la Grenouille.

SCIENCE, TECHNOLOGIE ET SOCIÉTÉ

1. Les reins éliminent de nombreux médicaments et drogues du sang, et ces substances se retrouvent dans l'urine. Certains employeurs exigent une analyse d'urine pour dépister la présence de drogues, au moment de l'embauche et périodiquement en cours d'emploi. Un employé chez qui cette épreuve de dépistage de drogue s'avère positive peut perdre son emploi. Donnez quelques arguments pour ou contre le dépistage de drogues chez les individus exerçant certains métiers.

2. Les reins furent les premiers organes greffés avec succès. Un donneur peut vivre une vie normale avec un seul rein, ce qui donne à certains individus la possibilité de faire don d'un rein à un parent souffrant, voire à une personne sans lien de parenté qui possède un type de tissu similaire. Dans certains pays, des gens pauvres *vendent* leurs reins, en vue de greffes à des receveurs, à des courtiers en organes. Citez quelques-uns des problèmes éthiques associés à ce commerce d'organes.

LECTURES SUGGÉRÉES

Guénard, H. (dir.) et coll., *Physiologie humaine*, Paris, Éditions Pradel, 1991. (Le chapitre 5 porte sur le rein et le milieu interne.)

Heinrich, B., « La thermorégulation chez les papillons hivernants », *Pour la Science*, n° 115, mai 1987. (Article à propos de l'endothermie chez les Insectes.)

Lamb, J. F. et coll., *Manuel de Physiologie*, Paris, Masson, 1990. (Le chapitre 8 traite du rein et de la miction.)

Marieb, E. N., *Anatomie et physiologie humaines*, Saint-Laurent, Éditions du Renouveau Pédagogique Inc., 1993. (Le chapitre 26 décrit le système excréteur humain.)

Lacave, R., « Filtres et liquides », *Science & Vie*, hors série, n° 187, juin 1994. (Un article qui décrit l'anatomie et la physiologie du rein.)

Libert, J.-P., « Température et sommeil », *Science & Vie*, hors série, n° 185, décembre 1993. (Modification du fonctionnement des mécanismes de thermorégulation durant le sommeil.)

Rieutort, M., *Physiologie animale : les grandes fonctions*, Paris, Masson, 1993. (Les chapitres 6 et 7 portent respectivement sur les régulations du métabolisme hydrominéral et la thermophysiologie.)

PRINCIPAUX MESSAGERS CHIMIQUES

MÉCANISMES D'ACTION HORMONALE À L'ÉCHELLE CELLULAIRE

HORMONES DES INVERTÉBRÉS

SYSTÈME ENDOCRINIEN DES VERTÉBRÉS

GLANDES ENDOCRINES ET SYSTÈME NERVEUX

On attribue souvent aux hormones les hurlements des Chats de gouttière ou les sautes d'humeur des Humains. Aux États-Unis, on administre de l'insuline à plus d'un million de diabétiques. On ajoute des hormones aux produits de beauté en vue d'adoucir la peau et aux aliments destinés aux Bovins pour les faire engraisser. Les hormones ont un effet sur le métabolisme, l'homéostasie, la croissance, le développement, les émotions et le comportement. Mais quelle est leur nature et comment agissent-elles ?

Chez les Animaux, l'activité des organes spécialisés est soumise à une régulation. Deux principaux systèmes de régulation sont apparus au cours de l'évolution : le **système nerveux** et le **système endocrinien**. Le système nerveux, que nous étudierons aux chapitres 44 et 45, achemine des informations à grande vitesse le long de cellules spécialisées appelées neurones. Ces messages rapides interviennent dans certaines réactions du corps à des modifications soudaines du milieu (main écartée vivement d'une flamme, par exemple). D'autres processus biologiques se déroulent selon des voies de communication plus lentes. Ainsi, les diverses parties de l'organisme doivent recevoir l'information qui détermine leur rythme de croissance et le moment d'apparition des caractéristiques qui, dans une espèce donnée, distinguent le mâle de la femelle ou le juvénile de l'adulte (figure 41.1). Dans certains cas, des cellules voisines communiquent grâce à des messagers chimiques qui diffusent simplement à travers le liquide interstitiel. Dans d'autres cas, plus nombreux, les messagers doivent parcourir des distances plus élevées pour atteindre leur cible. Une grande partie des informations de cette nature sont émises par le système endocrinien sous forme de substances chimiques appelées hormones. Le présent chapitre étudie la régulation hormonale qui s'exerce sur la morphologie et les fonctions des Animaux.

PRINCIPAUX MESSAGERS CHIMIQUES

On observe chez tous les Animaux une forme de régulation exercée par l'intermédiaire de messagers chimiques (figure 41.2). Les hormones du système endocrinien transmettent l'information entre les organes, et d'autres types de messagers chimiques servent à d'autres fonctions. Comme les hormones, les phéromones sont des messagers chimiques, mais elles assurent également la communication entre des individus différents, par exemple dans l'attraction sexuelle. Il existe aussi d'autres messagers qui agissent uniquement entre des cellules et à une échelle réduite. Les exemples les plus connus de ces régulateurs locaux sont les neurotransmetteurs, qui

Figure 41.1
Les hormones exercent une régulation sur la croissance, le développement, la reproduction et l'homéostasie. Chez les Insectes, ce sont des hormones qui déclenchent la métamorphose de la Chenille en Papillon. Ce Papillon appelé Monarque (*Danaus plexippus*) vient de sortir de son cocon. Dans le présent chapitre, vous allez apprendre comment les hormones et d'autres messagers chimiques assurent des fonctions de régulation et de communication chez les Animaux.

Figure 41.2

Transmission de l'information par des messagers chimiques : résumé. (a) Les cellules endocrines sécrètent leurs messagers, les hormones, dans le système circulatoire. Bien que la circulation sanguine distribue l'hormone dans tout l'organisme, seules les cellules spécialisées, ou cellules cibles, possèdent les récepteurs requis pour une hormone donnée, et elles seules peuvent répondre à ce message chimique.
(b) À l'échelle locale, la transmission de l'information peut s'effectuer selon deux mécanismes. Dans la transmission synaptique, la cellule nerveuse (neurone) libère un neurotransmetteur dans l'espace très étroit qui sépare le neurone d'une cellule cible unique. Dans la transmission paracrine, une cellule sécrétrice agit sur les cellules cibles voisines en libérant des messagers chimiques dans le liquide interstitiel.

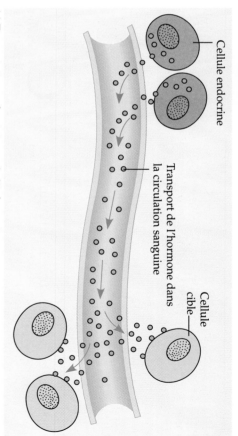

(a) Transmission endocrinienne de l'information : communication chimique sur une longue distance

Cellule endocrine

Transport de l'hormone dans la circulation sanguine

Cellule cible

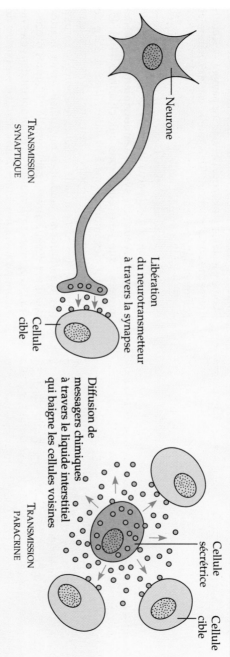

TRANSMISSION SYNAPTIQUE

Neurone

Libération du neurotransmetteur à travers la synapse

Cellule cible

TRANSMISSION PARACRINE

Diffusion de messagers chimiques à travers le liquide interstitiel qui baigne les cellules voisines

Cellule sécrétrice

Cellule cible

(b) Deux formes de transmission de l'information à l'échelle locale

font circuler l'information entre les cellules du système nerveux. Dans la présente section, nous allons comparer les différents types de messagers chimiques.

Hormones

Une **hormone** (du grec *hormôn* « exciter ») est un messager chimique transmis dans l'organisme animal par l'intermédiaire du système circulatoire. Une hormone atteint toutes les parties du corps, mais certaines cellules seulement, les **cellules cibles**, réagissent à sa présence. Une hormone donnée circule dans le flux sanguin provoque donc des réponses spécifiques (un changement du métabolisme, par exemple) dans les cellules cibles correspondantes, et aucune réponse dans les autres types de cellules. Les hormones sont de puissants régulateurs qui s'avèrent efficaces à des quantités infimes ; une légère modification de la concentration d'une hormone peut avoir un effet considérable sur l'organisme.

Les hormones sont sécrétées dans la circulation sanguine par des cellules spécialisées, les cellules endocrines, généralement regroupées dans des organes appelés glandes endocrines. Une glande est un organe qui produit une sécrétion ; on classe les glandes des Animaux en glandes exocrines et endocrines. Les **glandes exocrines**

fabriquent diverses substances, telles que la sueur, le mucus et les enzymes digestives, qui sont acheminées à un endroit spécifique par des canaux. Par contre, les **glandes endocrines** ne possèdent pas de canaux ; elles produisent des hormones et les sécrètent dans la circulation sanguine, qui les distribue dans l'ensemble de l'organisme. De nombreux organes assurent à la fois des fonctions endocrines et exocrines. Le pancréas, par exemple, sécrète au moins deux hormones directement dans le système circulatoire. Or, les cellules endocrines ne constituent que de 1 à 2 % de la masse totale du pancréas ; le reste de cet organe se compose de tissu exocrine et élabore des ions hydrogénocarbonate et des enzymes digestives, qui sont acheminés dans l'intestin grêle par l'intermédiaire d'un conduit (voir le chapitre 37).

La recherche actuelle en *endocrinologie*, l'étude des hormones, progresse à une telle rapidité que toute description des hormones et de leurs effets se doit de rester flexible. L'organisme humain possède plus de 50 hormones connues, et le système endocrinien des autres Animaux est tout aussi complexe. Du point de vue de leur structure chimique, on regroupe ces hormones en trois grandes classes. Les **hormones stéroïdes**, qui comprennent les hormones sexuelles, sont des molécules liposolubles fabriquées par l'organisme à partir du cholestérol

(voir le chapitre 5). Les **hormones dérivées d'acides aminés** comprennent les catégories suivantes de produits actifs : certains composés, comme l'adrénaline (aussi appelée épinéphrine) formés à partir d'un acide aminé (la tyrosine surtout) ; certains peptides (courtes chaînes d'acides aminés) comme les enképhalines ; certaines protéines (longs polymères d'acides aminés) comme l'insuline. La classe des hormones dérivées d'acides aminés offre une grande diversité, et ses molécules messagères sont hydrosolubles. Les **prostaglandines** constituent la troisième classe d'hormones ; ces molécules liposolubles proviennent d'un acide gras, l'acide arachidonique, et se terminent par un cycle à cinq atomes de carbone. Notez que notre classification regroupe les hormones selon les ressemblances dans leur structure chimique et indépendamment de leurs fonctions. Deux hormones appartenant à la même classe chimique peuvent avoir des fonctions totalement différentes.

Chaque hormone a une conformation spécifique que les cellules cibles peuvent reconnaître. La première étape de l'action d'une hormone consiste en la liaison spécifique du messager chimique avec un **récepteur hormonal** ; ce dernier est une protéine située à l'intérieur de la cellule cible ou intégrée à sa membrane plasmique. L'association entre l'hormone et son récepteur déclenche la réponse de la cellule au stimulus hormonal. Les cellules qui ne possèdent pas les récepteurs appropriés restent insensibles à la présence d'une hormone donnée.

Terminons cette présentation générale par le constat suivant : les effets d'une hormone se trouvent souvent contrebalancés par une hormone antagoniste (opposée), c'est-à-dire qui produit l'effet contraire. Par exemple, l'insuline fait diminuer la concentration de glucose dans le sang, alors que le glucagon (hormone antagoniste de l'insuline) la fait augmenter. Les mécanismes de rétroaction qui établissent l'équilibre entre ces deux hormones maintiennent la teneur en glucose du sang très près d'une valeur de référence (figure 41.3). Nous verrons plus loin de nombreux autres exemples d'homéostasie résultant de la présence d'hormones antagonistes.

Phéromones

Les **phéromones** sont des messagers chimiques dont le mode d'action ressemble beaucoup à celui des hormones, à un détail près : au lieu d'assurer la régulation au sein d'un organisme animal, les phéromones servent à la communication *entre des Animaux* d'une même espèce. On classe souvent les phéromones selon leur fonction en attractifs sexuels, marqueurs de territoire et substances d'alarme, pour ne nommer que quelques groupes. La substance royale (acide trans-9-oxo-2-décénoïque) émise par la reine d'une colonie d'Abeilles est un exemple de phéromone. Sous l'effet de cette phéromone, les ouvrières s'établissent près de la reine et se trouvent empêchées de procurer aux jeunes Abeilles le régime spécial qui leur permettrait de devenir de nouvelles reines. La substance royale s'avère donc essentielle à la stabilité sociale de la ruche.

Toutes les phéromones sont de petites molécules volatiles qui se dispersent facilement dans le milieu et qui, comme les hormones, sont actives en très petite quantité. Les attractifs sexuels de certains Insectes femelles peu-

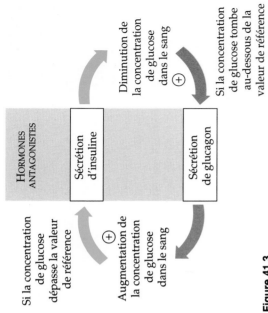

HORMONES ANTAGONISTES

Sécrétion d'insuline

Si la concentration de glucose dépasse la valeur de référence

Diminution de la concentration de glucose dans le sang

Si la concentration de glucose tombe au-dessous de la valeur de référence

Sécrétion de glucagon

Augmentation de la concentration de glucose dans le sang

Figure 41.3
Exemple d'hormones antagonistes et d'homéostasie. Les mécanismes de rétroaction, qui déterminent la sécrétion d'insuline et de glucagon en fonction de la concentration molaire volumique de glucose dans le sang, ont pour effet de maintenir une teneur en glucose voisine de la valeur de référence (5 mmol/L). Plus loin dans ce chapitre, nous étudierons plus en détail comment, dans cet exemple et dans d'autres, les hormones antagonistes assurent l'homéostasie.

vent être détectés par les mâles à plus d'un kilomètre et demi de distance. La phéromone émise par la Spongieuse femelle (*Lymantria dispar*) déclenche une réponse comportementale chez le mâle, et ce, à des concentrations aussi faibles que 1 molécule par 10^{17} molécules d'autres gaz dans l'air.

En comparaison avec la plupart des Animaux, les Humains ne possèdent pas un sens olfactif très développé, mais on peut se demander s'ils communiquent par l'intermédiaire de phéromones. Certaines preuves indirectes semblent en effet l'indiquer. Par exemple, on a observé que des femmes vivant en communauté pendant plusieurs mois, comme dans des dortoirs, des couvents ou des prisons, ont leurs menstruations au cours de la même période du mois : leurs cycles menstruels deviennent synchrones. Au chapitre 50, nous examinons plus en détail le rôle des phéromones dans le comportement social.

Régulateurs locaux

Les messagers chimiques qui agissent sur des cellules cibles adjacentes ou voisines du site de sécrétion jouent un rôle dans la régulation locale (voir la figure 41.2b). Les neurotransmetteurs constituent un groupe de régulateurs locaux bien connus. Ces substances transmettent l'information d'un neurone à l'autre, ou encore d'un neurone à une cellule située dans un muscle ou dans une glande, ou bien à une autre cellule cible. Dans la *transmission synaptique*, le neurone libère son neurotransmetteur dans une synapse, la zone de jonction avec une cellule cible. La libération d'un neurotransmetteur est donc la forme la plus directe de communication chimique. La *transmission paracrine* s'effectue de façon moins directe mais tout de même très localisée. Ce type de transmission se produit lorsqu'une cellule libère des substances régulatrices dans le liquide interstitiel dans lequel elle baigne,

n'agissant ainsi que sur les cellules cibles voisines. L'histamine et les interleukines sont des exemples de messagers dans une transmission paracrine ; elles font partie des régulateurs locaux qui coordonnent la réponse immunitaire (voir le chapitre 39). Les facteurs de croissance et les prostaglandines forment deux autres groupes de régulateurs locaux.

Facteurs de croissance Les tentatives visant à cultiver des cellules de Mammifères sur des milieux artificiels ont mené à la découverte de plusieurs **facteurs de croissance**, c'est-à-dire des protéines dont la présence dans le milieu extracellulaire est requise pour que certains types de cellules croissent et se développent normalement. Par exemple, les neurones embryonnaires ne forment leurs longues ramifications (axones) que si le milieu de culture contient une protéine appelée facteur de croissance des neurones (NGF, *nerve growth factor*). Le facteur de croissance épidermique (EGF, *epidermal growth factor*) est nécessaire aux cultures de cellules épithéliales mais, en dépit de son nom, il stimule aussi la croissance de nombreux autres types de cellules. On a découvert plusieurs autres facteurs de croissance.

Les expériences n'ont pas encore dévoilé le mode d'action des facteurs de croissance. On sait que les cellules cibles d'un facteur de croissance donné portent à leur surface des protéines qui agissent comme récepteurs de ce même facteur. C'est la liaison du facteur de croissance sur le récepteur qui déclenche la réponse de la cellule cible au stimulus chimique. Certains oncogènes (gènes qui jouent un rôle dans le développement du cancer ; voir le chapitre 18) détiennent le code pour des protéines membranaires qui imitent les récepteurs des facteurs de croissance. Cependant, ces récepteurs aberrants ne nécessitent pas la liaison d'un facteur de croissance pour stimuler la croissance et la division cellulaires, si bien que le tissu croît de façon anarchique et anormale.

Prostaglandines Les **prostaglandines** (PG) sont des acides gras modifiés, souvent des dérivés des lipides de la membrane plasmique. Libérées par la plupart des types de cellules dans le liquide interstitiel, les prostaglandines jouent le rôle de régulateurs locaux et agissent de diverses façons sur les cellules voisines.

On a découvert environ 16 prostaglandines, et constaté que des divergences ténues dans leur structure moléculaire entraînent des différences considérables dans leur mode d'action sur les cellules cibles. Par exemple, la prostaglandine E et la prostaglandine F ont des effets opposés sur les cellules des muscles lisses qui composent la paroi des vaisseaux sanguins des poumons. La PGE détend ces muscles, ce qui dilate les vaisseaux sanguins et facilite l'oxygénation du sang. La PGF cause la contraction des muscles, ce qui resserre les vaisseaux et réduit l'afflux de sang aux poumons. Ces deux messagers chimiques sont donc antagonistes, et les variations de leur concentration relative font partie des ajustements instantanés effectués par un Animal pour réagir aux circonstances du moment. L'équilibre entre messagers antagonistes constitue un mode de régulation courant, aussi bien dans la régulation chimique que dans la régulation nerveuse de l'organisme.

Certains des effets les plus connus des prostaglandines touchent le système reproducteur femelle. Par exemple, les prostaglandines sécrétées par les cellules du placenta provoquent la contraction des muscles utérins situés au voisinage, ce qui déclenche le travail lors de l'accouchement.

Les prostaglandines jouent également un rôle de régulateurs locaux dans les mécanismes de défense chez les Vertébrés. Plusieurs prostaglandines favorisent l'apparition de fièvre et d'inflammation et amplifient la sensation de douleur (laquelle contribue vraisemblablement à la défense de l'organisme en déclenchant une sorte de système d'alarme lorsqu'il se produit un phénomène préjudiciable). L'aspirine diminue peut-être l'intensité de ces symptômes de blessure et d'infection grâce à son action inhibitrice sur la synthèse des prostaglandines.

À l'heure actuelle, les biologistes n'ont probablement découvert que quelques-unes des diverses fonctions remplies par les prostaglandines en tant que régulateurs locaux des tissus animaux. Par ailleurs, les scientifiques ne cessent de découvrir de nouvelles hormones et d'autres messagers chimiques et de mieux comprendre leurs effets. En fait, l'une des questions principales en endocrinologie est la suivante : comment les hormones déclenchent-elles les changements que l'on observe ?

MÉCANISMES D'ACTION HORMONALE À L'ÉCHELLE CELLULAIRE

L'activité des hormones que nous connaissons jusqu'à présent semble obéir à un ensemble de principes généraux. Premièrement, les hormones peuvent agir à des concentrations très faibles. Deuxièmement, une hormone donnée peut exercer un effet différent sur les diverses cellules cibles d'un même Animal, et son action peut varier d'une espèce à l'autre. Prenons l'exemple de la thyroxine, une hormone sécrétée par la glande thyroïde. Chez les Humains et les autres Vertébrés, la thyroxine assure la régulation métabolique. Mais elle a aussi diverses fonctions dans le développement des Animaux. Dans le cas du têtard de Grenouille, la thyroxine stimule la résorption de la queue et cause d'autres modifications morphologiques pendant la métamorphose : elle mène ainsi à la formation d'une Grenouille adulte à partir du stade larvaire.

Bien que les réactions possibles à la présence d'hormones semblent varier à l'infini, il n'existe que deux mécanismes généraux par lesquels une hormone peut engendrer un changement dans une cellule cible. Certaines hormones, en particulier les hormones stéroïdes, pénètrent dans le noyau de la cellule cible et influent sur l'expression génique de cette cellule. Par contre, la plupart des autres hormones se lient à la surface de la cellule et modifient

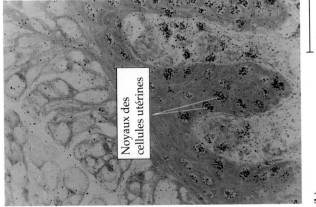

25 μm

Noyaux des cellules utérines

(b)

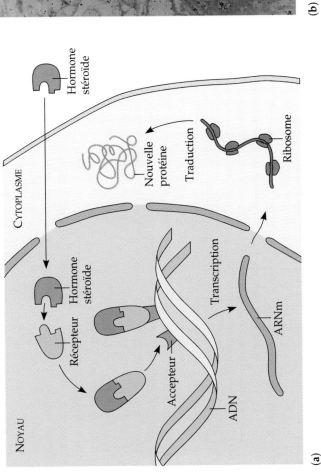

Hormone stéroïde

CYTOPLASME

Nouvelle protéine

Traduction

Ribosome

Hormone stéroïde

Récepteur

Transcription

Accepteur

ARNm

ADN

NOYAU

(a)

Figure 41.4
Mode d'action d'une hormone stéroïde.
(a) Dans ce modèle, l'hormone stéroïde liposoluble traverse la membrane plasmique et se lie à un récepteur protéique qui ne se trouve que dans les cellules cibles. Des études récentes permettent de penser que les récepteurs se situent dans le noyau et non dans le cytoplasme. Le complexe hormone-récepteur se lie alors à un accepteur protéique spécifique, qui reconnaît sur l'ADN certains sites amplificateurs et stimule ainsi l'expression de gènes particuliers. **(b)** Dans cet autoradiogramme (voir le chapitre 2), la progestérone, une hormone stéroïde, a été marquée par radioactivité (points noirs) et est concentrée dans les noyaux de cellules cibles spécifiques localisées dans l'utérus d'un Cobaye (MP). Les autres types de cellules utérines ne retiennent pas l'hormone.

l'activité intracellulaire grâce à des intermédiaires cytoplasmiques nommés seconds messagers. Dans les deux processus, les hormones se lient à des récepteurs. Ces récepteurs sont des protéines, et c'est en fait le complexe hormone-récepteur qui déclenche les effets de l'hormone. Dans la présente section, nous allons examiner chacun de ces deux mécanismes généraux, ou **processus de conversion et d'amplification**, soit la suite d'étapes intervenant entre la liaison hormone-récepteur et la réaction de la cellule cible. (Voir la présentation de la circulation de l'information chez les Végétaux, au chapitre 35.)

Hormones stéroïdes et expression génique

Les hormones stéroïdes traversent la membrane de la cellule cible et entrent dans le noyau, où elles influent sur la transcription de gènes spécifiques (voir le chapitre 18). (La thyroxine n'est pas un stéroïde, mais elle agit probablement de la même façon.) On a découvert que le processus général de conversion et d'amplification des hormones stéroïdes en étudiant deux catégories d'hormones de Vertébrés, les œstrogènes et la progestérone. Chez la plupart des Mammifères, y compris les Humains, la présence de ces hormones s'avère nécessaire au développement et au fonctionnement normal du système reproducteur de la femelle. Au début des années 1960, des chercheurs ont démontré que les cellules du système reproducteur chez les Rats femelles accumulaient des œstrogènes. On retrouvait des œstrogènes dans les noyaux de ces cellules, mais pas dans celles de certains tissus comme la rate, qui ne réagissent pas aux œstrogènes. La progesté-

rone pénètre aussi dans le noyau des cellules cibles. Ces observations ont mené à l'hypothèse selon laquelle les cellules sensibles à une hormone stéroïde contiendraient des molécules réceptrices qui se liaient spécifiquement à l'hormone en question. On sait aujourd'hui que les récepteurs de stéroïdes sont des protéines spécialisées localisées dans les cellules, peut-être même dans les noyaux de ces dernières.

La spécificité des récepteurs protéiques permet de mieux comprendre le mode d'action des hormones stéroïdes. Selon le modèle présenté à la figure 41.4a, une hormone stéroïde qui traverse la membrane de sa cellule cible se lie à un récepteur protéique situé à l'intérieur du noyau. Ce complexe hormone-protéine a alors la conformation voulue pour se lier à une autre protéine spécifique, soit un accepteur capable de reconnaître certaines régions de l'ADN. Les accepteurs protéiques sont probablement des facteurs de transcription qui stimulent la transcription de gènes particuliers en s'associant à des séquences amplificatrices situées sur l'ADN (voir le chapitre 18). C'est ainsi que l'information représentée par un stéroïde permet d'amorcer l'expression de certains gènes. Les molécules d'ARNm ainsi produites subissent une maturation et sont transportées vers le cytoplasme, où elles commandent la synthèse de nouvelles protéines. Par exemple, sous l'effet des œstrogènes, certaines cellules du système reproducteur d'un Oiseau femelle synthétisent de grandes quantités d'ovalbumine, la principale protéine de réserve entreposée dans le blanc de l'œuf. Les cellules hépatiques du même Animal fabriquent d'autres protéines en réponse aux œstrogènes.

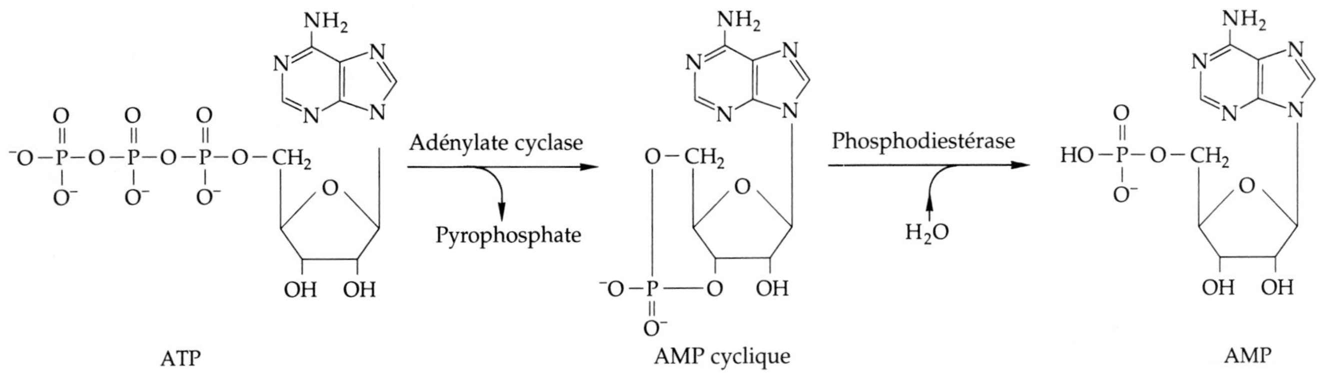

Comment deux types de cellules peuvent-ils réagir de façon différente au même messager chimique (les œstrogènes dans ce cas)? Le récepteur des œstrogènes est probablement le même protéine dans les deux cellules cibles, mais les protéines chromosomiques (facteurs de transcription) jouant le rôle d'accepteur du complexe hormone-récepteur reconnaissent des amplificateurs qui agissent sur des gènes différents dans chacune des deux sortes de cellules.

Hormones dérivées d'acides aminés et seconds messagers

La peau des Grenouilles, qui peut devenir plus ou moins foncée, offre un exemple frappant de l'action hormonale; il s'agit d'une adaptation qui permet à l'Animal de rester camouflé au fur et à mesure que la luminosité varie. Ces changements de teinte sont déterminés par une hormone polypeptidique nommée hormone mélanotrope (MSH, *melanocyte-stimulating hormone*), qui est sécrétée par l'adénohypophyse, une glande située à la base de l'encéphale. La forme α ou de la MSH comporte 13 acides aminés et la forme β, 18. Les mélanocytes sont des cellules spécialisées de la peau qui contiennent des organites cytoplasmiques, les mélanosomes, lesquels renferment un pigment brun foncé appelé mélanine. La peau de la Grenouille semble claire lorsque les mélanosomes sont regroupés de façon compacte autour du noyau cellulaire, et elle devient plus foncée lorsqu'ils sont répartis dans toute la cellule. Si l'on ajoute de l'hormone mélanotrope au liquide interstitiel qui entoure les cellules pigmentaires, les mélanosomes se dispersent. Par contre, si l'on injecte directement cette hormone dans les mélanocytes eux-mêmes, les mélanosomes ne se dispersent pas. Comment se fait-il que certaines hormones n'agissent pas directement de l'intérieur d'une cellule cible?

La plupart des hormones dérivées d'acides aminés ne peuvent pas traverser la membrane plasmique de leurs cellules cibles, mais elles influent sur leur activité. Contrairement aux stéroïdes, ces hormones se lient à des récepteurs spécifiques situés sur la surface externe de la cellule. Ces récepteurs hormonaux sont des protéines intégrées à la membrane plasmique. La surface d'une

cellule cible compte habituellement 10 000 récepteurs environ pour une hormone particulière. (Ce chiffre élevé pourrait faire croire que la membrane possède une forte densité de protéines pouvant recevoir un seul type de messager chimique. Or, ces 10 000 récepteurs ne représentent qu'un dix millième du nombre total de protéines incorporées à la membrane plasmique d'une cellule animale donnée.) Sur la surface extracellulaire de chacun des récepteurs protéiques se trouve un site de liaison qui s'adapte spécifiquement à une certaine molécule d'hormone. Cette liaison entre l'hormone et le récepteur provoque une augmentation brutale de l'activité biochimique intracellulaire. Mais comment une information de nature chimique reçue à l'*extérieur* de la cellule peut-elle influer sur le métabolisme à l'*intérieur* de la cellule? Ce processus s'effectue par l'intermédiaire du **second messager**, soit une information intracellulaire produite par la surface cytoplasmique de la membrane en réponse à la liaison extracellulaire de l'hormone (le premier messager). L'AMP cyclique et l'inositol triphosphate sont deux importants seconds messagers.

AMP cyclique Les recherches d'Earl W. Sutherland constituent le point de départ qui a permis d'arriver aux connaissances actuelles sur le mode d'action des hormones dérivées d'acides aminés et leur utilité en tant que seconds messagers; son travail de pionnier dans ce domaine lui a valu un prix Nobel en 1971. Sutherland et ses collaborateurs de l'Université Vanderbilt ont mené des expériences visant à comprendre de quelle façon l'adrénaline, une hormone, stimulait l'hydrolyse du glycogène dans les cellules hépatiques et musculaires. Le glycogène est un polysaccharide de réserve et son hydrolyse, qui produit un monosaccharide, le glucose 1-phosphate, fait augmenter la quantité d'énergie rendue disponible aux cellules. L'adrénaline est sécrétée par les glandes surrénales pendant les moments de tension physique ou mentale et a donc pour effet de mobiliser les réserves de combustible. L'équipe de chercheurs de Sutherland a découvert que l'adrénaline stimulait la dégradation du glycogène en activant une enzyme cytoplasmique nommée glycogène phosphorylase. Cependant, si l'on ajoutait de l'adrénaline dans une éprouvette

Figure 41.5
L'AMP cyclique, second messager. La liaison d'une hormone peptidique à son récepteur spécifique situé à la surface d'une cellule cible provoque la conversion d'ATP en AMP cyclique (AMPc) par l'adénylate cyclase, une enzyme insérée dans la membrane plasmique. L'AMPc assure la fonction de second messager et fait passer le message de la membrane aux outils métaboliques présents dans le cytoplasme. Lorsque le premier message, c'est-à-dire l'hormone, disparaît, le second message se trouve bientôt annulé par la phosphodiestérase, une enzyme qui convertit l'AMPc en AMP inactif.

ATP → (Adénylate cyclase) → Pyrophosphate → AMP cyclique → (Phosphodiestérase) + H_2O → AMP

Figure 41.6

Régulation de l'adénylate cyclase. Le complexe hormone-récepteur n'interagit pas directement avec l'adénylate cyclase : il passe par des intermédiaires appelés protéines G (parce qu'ils hydrolysent le guanosine triphosphate, ou GTP). La concentration cytoplasmique d'AMPc, le second messager de nombreuses hormones, résulte en partie des effets des protéines G stimulatrice et inhibitrice sur l'activité de l'adénylate cyclase.

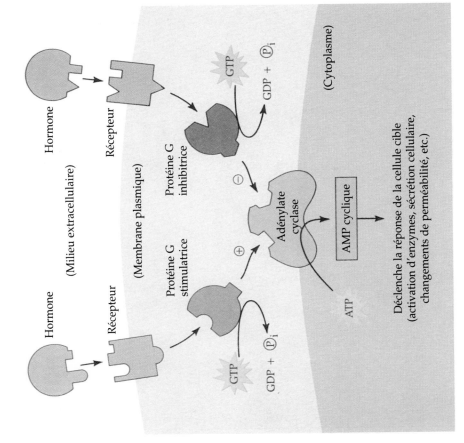

Hormone

(Milieu extracellulaire)

Récepteur

(Membrane plasmique)

Protéine G stimulatrice

Protéine G inhibitrice

GTP

GDP + P_i

GTP

GDP + P_i

Récepteur

Hormone

$\oplus$

$\ominus$

Adénylate cyclase

ATP

AMP cyclique

(Cytoplasme)

Déclenche la réponse de la cellule cible (activation d'enzymes, sécrétion cellulaire, changements de perméabilité, etc.)

---

contenant un mélange de phosphorylase et de son substrat, le glycogène, l'hydrolyse ne survenait pas. L'adrénaline ne pouvait activer la glycogène phosphorylase que lorsqu'on l'ajoutait à une solution extracellulaire dans laquelle baignaient des cellules intactes. Il fallait donc chercher un second messager responsable de la transmission de l'information de la membrane plasmique à l'appareillage métabolique du cytoplasme.

Sutherland a découvert que la liaison de l'adrénaline à la membrane plasmique d'une cellule hépatique faisait augmenter la concentration cytoplasmique d'un composé nommé adénosine monophosphate cyclique, ou **AMP cyclique (AMPc)** (figure 41.5). Une enzyme, l'**adénylate cyclase**, convertit l'ATP en AMPc en réponse à un message hormonal (l'adrénaline dans ce cas). L'adénylate cyclase est une protéine membranaire dont le site actif est tourné vers le cytoplasme. L'enzyme reste inactive jusqu'à son activation causée par la liaison de l'adrénaline au récepteur protéique. Le premier messager (l'hormone) déclenche donc la synthèse d'AMPc, qui joue le rôle de second messager et transmet l'information au cytoplasme. Ce n'est pas l'adrénaline elle-même, mais son messager cytoplasmique, l'AMPc, qui active l'hydrolyse du glycogène à l'intérieur de la cellule. Lorsque la concentration extracellulaire de l'hormone diminue, le second message disparaît. Les hormones s'associent à leurs récepteurs de façon réversible et au moyen de liaisons faibles ; par conséquent, à une baisse d'adrénaline correspond, à tout moment, une diminution des complexes hormone-récepteur requis pour activer l'adénylate cyclase. De même, le second messager ne reste

pas présent longtemps en l'absence du premier message, parce qu'une autre enzyme convertit l'AMPc en produit inactif. La concentration du second messager dans le cytoplasme s'accroîtra à nouveau à la prochaine poussée d'adrénaline. Une des nombreuses hormones dérivées d'acides aminés, l'adrénaline, fait intervenir l'AMPc comme second messager.

Des recherches subséquentes ont montré que le scénario de l'action hormonale par l'intermédiaire des seconds messagers faisait appel à d'autres acteurs. Bien que le récepteur hormonal et l'adénylate cyclase soient tous deux intégrés à la membrane plasmique, ils n'interagissent pas de façon directe. Comment la liaison entre l'hormone et le récepteur active-t-elle l'adénylate cyclase ? Une troisième protéine membranaire joue le rôle d'intermédiaire. On la nomme **protéine G** parce qu'elle se lie au GTP (guanosine triphosphate), un transporteur d'énergie apparenté de près à l'ATP (voir le chapitre 9). L'arrimage de l'hormone avec le récepteur active la protéine G, qui active l'adénylate cyclase, laquelle produit à son tour de l'AMPc (figure 41.6). L'énergie permettant de convertir le premier message en second message vient du GTP, que la protéine G hydrolyse en GDP + P_i (guanosine diphosphate ; ce processus exergonique est essentiellement le même que la réaction ATP → ADP + P_i).

La protéine G constitue un lien polyvalent entre divers récepteurs hormonaux et l'adénylate cyclase. La même protéine G qui stimule la production d'AMPc en réaction à l'adrénaline transmet aussi plusieurs autres messages hormonaux. La MSH par exemple, l'hormone qui déclenche la dispersion des pigments dans les mélanocytes de

Figure 41.7
Comment une cascade de réactions enzymatiques amplifie la réponse à la présence d'une hormone. Dans ce système, l'hormone appelée adrénaline passe par l'AMP cyclique pour activer une succession d'enzymes, ce qui mène à une forte hydrolyse du glycogène. En réalité, le nombre de molécules activées à chaque palier est beaucoup plus élevé que ce que l'on peut voir ici. Le message hormonal est amplifié à chaque étape, parce que chaque molécule d'enzyme peut activer un grand nombre de molécules de son substrat, lesquelles initient l'étape suivante de la cascade.

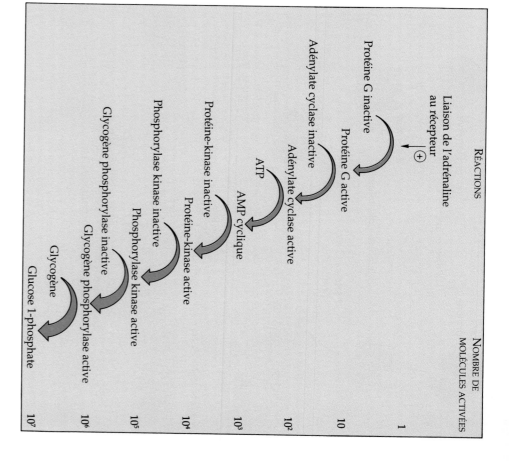

RÉACTIONS

Liaison de l'adrénaline au récepteur (+)

Protéine G inactive → Protéine G active

Adénylate cyclase inactive → Adénylate cyclase active

ATP → AMP cyclique

Protéine-kinase inactive → Protéine-kinase active

Phosphorylase kinase inactive → Phosphorylase kinase active

Glycogène phosphorylase inactive → Glycogène phosphorylase active

Glycogène → Glucose 1-phosphate

NOMBRE DE MOLÉCULES ACTIVÉES

1 — 10 — 10^2 — 10^3 — 10^4 — 10^5 — 10^6 — 10^7

Grenouille, agit par l'intermédiaire de la chaîne récepteur – protéine G – adénylate cyclase (les récepteurs, cependant, sont propres à chaque hormone).

L'activité de l'adénylate cyclase *diminue* (est inhibée) sous l'effet d'un deuxième type de protéine G. Si une hormone inhibitrice se lie au récepteur correspondant, cette protéine G ralentit l'activité de l'adénylate cyclase, ce qui abaisse la concentration cytoplasmique d'AMPc. Comme la régulation de l'adénylate cyclase s'exerce par l'action opposée des deux protéines G, la cellule est en mesure d'ajuster son métabolisme avec précision en fonction des légères variations de la quantité relative d'hormones antagonistes.

Après avoir étudié la façon dont les protéines membranaires transforment un stimulus hormonal en second message, nous allons voir comment l'AMPc est effectivement traduit en une réponse métabolique particulière par la cellule. Dans le cas de la mobilisation des glucides sous l'effet de l'adrénaline, on peut se demander plus précisément comment l'AMPc stimule l'activité de la glycogène phosphorylase, l'enzyme qui catalyse l'hydrolyse du glycogène. Cette stimulation se fait de manière indirecte et passe par deux intermédiaires (figure 41.7). En premier lieu, l'AMPc active une enzyme appelée **protéine-kinase** dépendante de l'AMPc, ce qui constitue le processus de phosphorylation. Suivant le type de protéine qui reçoit le groupement phosphate, la phosphorylation a

pour effet soit d'augmenter l'activité de la protéine en question. Pour ce qui est des cellules hépatiques qui répondent à l'adrénaline, la protéine-kinase dépendante de l'AMP cyclique stimule une *autre* enzyme, la phosphorylase kinase. Cette deuxième kinase ajoute un groupement phosphate à la glycogène phosphorylase, l'enzyme qui hydrolyse effectivement le glycogène. La réponse métabolique à l'adrénaline comprend donc **une cascade de réactions enzymatiques**, dans laquelle chaque étape active une enzyme qui active à son tour l'enzyme suivante : l'AMPc amorce la cascade dans le cytoplasme en activant la protéine-kinase, qui active la phosphorylase kinase ; cette dernière active à son tour la glycogène phosphorylase, qui mobilise alors le glucose en hydrolysant le glycogène.

Cette cascade complexe de réactions enzymatiques a un avantage important : en effet, elle amplifie la réponse à l'hormone. À chacune des étapes de la cascade, les produits activés sont bien plus nombreux qu'à l'étape précédente. Une quantité relativement faible de molécules d'adénylate cyclase peut fournir un grand nombre de molécules d'AMPc, qui activent un nombre encore plus élevé de molécules de protéine-kinase ; ces dernières activent à leur tour encore plus de molécules de phosphorylase kinase, et ainsi de suite. Grâce à cette amplification, la liaison de quelques molécules d'adrénaline sur les récepteurs de surface d'une cellule hépatique ou musculaire cause très rapidement la libération de millions de molécules de glucose à partir du glycogène.

Un tel mode indirect d'action hormonale présente un autre avantage. Chez un Animal, le même mécanisme de base peut servir à produire les réponses de divers types de cellules à un grand nombre d'hormones différentes. Nous avons déjà vu que deux hormones distinctes peuvent envoyer le même second message par l'intermédiaire de la même liaison de protéines G à l'adénylate cyclase. L'AMPc, le second messager, modifie l'activité de diverses protéines cytoplasmiques en activant une protéine-kinase dépendante de l'AMPc. Étant donné que les hormones ont des effets si généralisés, comment peut-on expliquer la spécificité des réponses des diverses cellules cibles aux stimuli hormonaux? Premièrement, un type donné de cellule ne réagit qu'à certaines hormones (celles qui s'adaptent aux récepteurs présents à la surface de ce type de cellule). Deuxièmement, la structure et la fonction des protéines-kinases dépendantes de l'AMPc changent quelque peu d'un tissu à l'autre. Troisièmement, les étapes de la cascade de réactions enzymatiques résultant de l'activation d'une protéine-kinase montrent des variations notables d'un type de cellule à l'autre. Les diverses sortes de cellules spécialisées contiennent différentes protéines pouvant être phosphorylées par la protéine-kinase. Dans une cellule hépatique qui réagit à l'adrénaline, la protéine-kinase active la phosphorylase kinase dans une cascade de réactions enzymatiques qui aboutit à la dégradation du glycogène. Dans un mélanocyte de Grenouille répondant à la MSH, il semble que la protéine-kinase active des protéines du cytosquelette qui interviennent dans la dispersion des pigments. Dans d'autres exemples, la protéine-kinase cause la phosphorylation de protéines membranaires, ce qui influe sur le transport de certaines substances à travers la membrane. Au fur et à mesure de leur différenciation, les cellules de chaque type acquièrent l'aptitude de répondre aux hormones dérivées d'acides aminés en produisant un ensemble unique de protéines-kinases qui sont soumises à la régulation des protéines-kinases dépendantes de l'AMP cyclique. De cette façon, le même second messager, soit l'AMP cyclique, revêt une signification différente selon le type de cellule.

Inositol triphosphate De nombreux messagers chimiques animaux, dont les neurotransmetteurs, les facteurs de croissance et certaines hormones, engendrent une réponse dans leurs cellules cibles en faisant augmenter la concentration cytoplasmique d'ions calcium (Ca^{2+}). La liaison du messager à un récepteur spécifique de la surface cellulaire provoque la libération de Ca^{2+} à partir d'un réservoir situé à l'intérieur de la cellule, habituellement le réticulum endoplasmique (voir le chapitre 7). Le Ca^{2+} qui est relâché dans le cytoplasme modifie l'activité de certaines enzymes soit directement, soit en se liant d'abord à une protéine appelée **calmoduline**; cette protéine se lie à son tour à d'autres protéines et influe sur leur activité. Sur la base de ces découvertes, on croyait autrefois que le calcium était un second messager pour les réactions des cellules aux stimuli extracellulaires. Cependant, des recherches plus poussées ont montré que le calcium est en fait un *troisième* messager. Le second messager, qui joue le rôle d'intermédiaire entre le stimulus hormonal et l'augmentation de la concentration cytoplasmique de Ca^+, est un composé appelé **inositol triphosphate (IP$_3$)**.

L'inositol triphosphate provient d'un certain type de phospholglycérolipide présent dans la membrane plasmique (figure 41.8). La production d'IP$_3$ résulte d'une séquence de réactions qui se produit dans la membrane et qui est analogue au mécanisme reliant le stimulus hormonal à la production d'AMPc. L'hormone se lie à son récepteur spécifique et le complexe hormone-récepteur active une protéine G située également dans la membrane. Cette protéine G diffère des protéines qui interviennent dans le système AMPc, et elle stimule une enzyme membranaire appelée phospholipase C. La phospholipase C dissocie alors un phosphoglycérolipide en deux produits, l'IP$_3$ et le diacylglycérol. Ces deux substances peuvent servir de second messager. Le diacylglycérol active une autre enzyme membranaire, la protéine-kinase C; cette enzyme déclenche certaines réponses cytoplasmiques à la présence de l'hormone en phosphorylant des protéines spécifiques (on peut comparer ce mécanisme à celui de la protéine-kinase dépendante de l'AMP cyclique, mais la protéine-kinase C n'active pas le même ensemble de protéines cytoplasmiques). L'IP$_3$ libéré de la membrane plasmique interagit probablement avec la membrane du réticulum endoplasmique pour permettre au Ca^{2+} de s'échapper du réticulum. Le message parvient finalement à diverses enzymes et à d'autres protéines grâce à l'augmentation de la concentration cytoplasmique de Ca^+; la cellule cible fournit alors les réponses spécifiques au stimulus hormonal.

Résumons les deux principaux modes d'action hormonale. Les hormones stéroïdes interviennent généralement en pénétrant dans le noyau de la cellule cible et en modifiant l'expression génique. Les hormones dérivées d'acides aminés se lient à la membrane plasmique de la cellule cible et agissent sur les enzymes du cytoplasme par l'intermédiaire de seconds messagers, le plus souvent l'AMPc ou l'IP$_3$. Rappelez-vous que les hormones stéroïdes influent principalement sur la *synthèse* des protéines, alors que les autres hormones font varier l'*activité* des enzymes et des autres protéines déjà présentes dans la cellule. Cette différence revêt une importance majeure. De façon générale, les cellules cibles réagissent plus lentement aux hormones stéroïdes qu'aux hormones dérivées d'acides aminés ou aux prostaglandines, mais les changements provoqués par les stéroïdes sont habituellement plus durables. En effet, les hormones stéroïdes interviennent souvent dans le développement des tissus. Par exemple, au cours de chaque cycle menstruel, les hormones stéroïdes sécrétées par l'ovaire de la femme stimulent la croissance graduelle de la paroi de l'utérus pendant quelques semaines. Par contre, il suffit de quelques minutes pour que la MSH, une hormone polypeptidique, déclenche la dispersion des pigments dans les mélanocytes de la peau d'une Grenouille.

Nous allons maintenant étudier les fonctions spécifiques de certaines hormones animales.

HORMONES DES INVERTÉBRÉS

Bien que plusieurs hormones d'Invertébrés jouent un rôle dans l'homéostasie (en assurant la régulation de l'équilibre hydrique, par exemple), les hormones qui ont été le plus étudiées sont celles qui interviennent dans la

Figure 41.8

L'inositol triphosphate comme second messager. Le premier messager, l'hormone, se lie à son récepteur spécifique, activant ainsi une protéine G qui stimule à son tour la phospholipase C, une enzyme située dans la membrane plasmique. La phospholipase C dissocie un phosphoglycérolipide de la membrane en deux produits, l'inositol triphosphate (IP₃) et le diacylglycérol. Le diacylglycérol stimule une autre enzyme membranaire, la protéine-kinase C, laquelle déclenche diverses réponses de la cellule cible en phosphorylant des protéines spécifiques. L'IP₃, qui se détache de la membrane sous l'effet du stimulus hormonal, provoque la libération de Ca^{2+} à partir du réticulum endoplasmique. En conséquence, la concentration cytoplasmique de Ca^{2+} est augmentée; le Ca^{2+} est un ion inorganique qui assure la régulation de l'activité de nombreuses protéines cellulaires, soit seul, soit en se liant d'abord à une protéine nommée calmoduline.

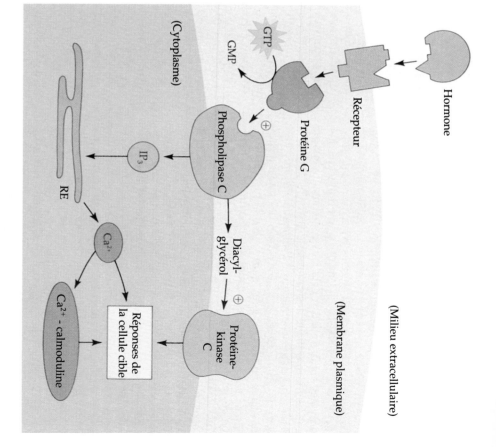

reproduction et le développement. Ainsi, chez l'*Hydre*, une même hormone stimule la croissance et le bourgeonnement (reproduction asexuée) mais empêche la reproduction sexuée. De même, les Annélides du genre *Nereis* produisent une hormone qui stimule la production d'œufs et inhibe la croissance. Les chercheurs ont manifesté un intérêt particulier pour l'étude de l'interaction nerveuse et hormonale dans la régulation de la physiologie et du comportement reproducteurs chez les Mollusques; ce mécanisme fait intervenir l'hormone de la ponte chez le Lièvre de mer (*Aplysia dactylomela*), un Mollusque de la classe des Gastéropodes. La sécrétion de cette hormone peptidique par des neurones sécrétoires déclenche presque immédiatement la ponte de milliers d'œufs. En même temps, l'hormone de la ponte inhibe l'ingestion de nourriture et la locomotion, autant d'activités qui nuisent à la reproduction.

Le système endocrinien est très développé chez tous les groupes d'Arthropodes. Les Crustacés, par exemple, ont des hormones qui contribuent à la croissance et à la reproduction, à l'équilibre hydrique, au mouvement des pigments dans les téguments et dans les yeux, ainsi que des hormones de régulation du métabolisme. Comme les Insectes constituent la classe d'Arthropodes la plus riche en espèces et qu'ils revêtent une grande importance économique, ils ont fait l'objet de nombreuses recherches. Les Insectes possèdent un exosquelette qui ne peut s'étirer; ils semblent grandir par à-coups, se débarrassant du vieil exosquelette et en sécrétant un nouveau à chaque mue. De plus, la plupart des Insectes acquièrent leurs

caractéristiques d'adulte lors d'une seule et dernière mue. En étudiant ces événements, les scientifiques ont montré comment l'interaction de trois hormones détermine le développement de l'Insecte (figure 41.9).

La mue de l'Insecte est déclenchée par l'**ecdysone**, une hormone stéroïde sécrétée par une paire de glandes prothoraciques situées juste derrière la tête. En plus de stimuler la mue, l'ecdysone favorise l'apparition des caractéristiques de l'adulte, par exemple au cours de la transformation de la Chenille en Papillon (voir la figure 41.1). L'ecdysone suit le même mode d'action que les hormones stéroïdes des Vertébrés, c'est-à-dire qu'elle stimule la transcription de gènes précis. La production d'ecdysone se trouve elle-même sous la régulation d'une deuxième hormone appelée **hormone prothoracotrope** (ou céphalique). Il s'agit d'un peptide en provenance du cerveau qui assure le développement en stimulant la sécrétion d'ecdysone par les glandes prothoraciques.

L'action de l'hormone prothoracotrope et de l'ecdysone est contrebalancée par l'**hormone juvénile (HJ)**, la troisième hormone de ce système. La HJ est sécrétée par une paire de petites glandes situées juste derrière le cerveau, les corps allates. L'hormone juvénile favorise la persistance des caractéristiques larvaires. En présence d'une concentration relativement élevée d'hormone juvénile, l'ecdysone peut encore provoquer la mue, mais il n'en résulte qu'une larve plus grosse. Ce n'est que lorsque la concentration d'hormone juvénile diminue que la mue déclenchée par l'ecdysone produit une pupe. À l'intérieur de

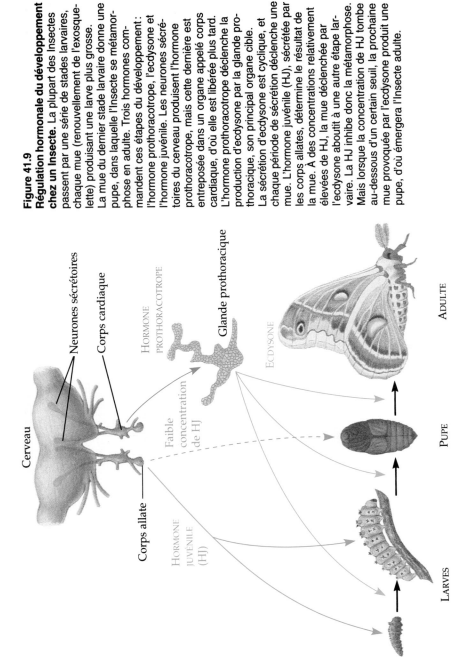

Cerveau

Neurones sécrétoires

Corps cardiaque

HORMONE PROTHORACOTROPE

Glande prothoracique

Corps allate

HORMONE JUVÉNILE (HJ)

Faible concentration de HJ

ECDYSONE

LARVES

PUPE

ADULTE

Figure 41.9
Régulation hormonale du développement chez un Insecte. La plupart des Insectes passent par une série de stades larvaires, chaque mue (renouvellement de l'exosquelette) produisant une larve plus grosse. La mue du dernier stade larvaire donne une pupe, dans laquelle l'Insecte se métamorphose en adulte. Trois hormones commandent ces étapes du développement : l'hormone prothoracotrope, l'ecdysone et l'hormone juvénile. Les neurones sécrétoires du cerveau produisent l'hormone prothoracotrope, mais cette dernière est entreposée dans un organe appelé corps cardiaque, d'où elle est libérée plus tard. L'hormone prothoracotrope déclenche la production d'ecdysone par la glande prothoracique, son principal organe cible. La sécrétion d'ecdysone est cyclique, et chaque période de sécrétion déclenche une mue. L'hormone juvénile (HJ), sécrétée par les corps allates, détermine le résultat de la mue. À des concentrations relativement élevées de HJ, la mue déclenchée par l'ecdysone aboutit à une autre étape larvaire. La HJ inhibe donc la métamorphose. Mais lorsque la concentration de HJ tombe au-dessous d'un certain seuil, la prochaine mue provoquée par l'ecdysone produit une pupe, d'où émergera l'Insecte adulte.

celle-ci, la métamorphose remplace l'anatomie larvaire par la forme adulte de l'Insecte. (On utilise aujourd'hui des formes synthétiques de la HJ comme insecticides pour empêcher les Insectes de devenir des adultes capables de se reproduire.)

Dans tous ces exemples portant sur des Invertébrés, nous constatons l'impact du système nerveux sur l'activité hormonale. Souvent, la frontière entre les systèmes endocrinien et nerveux devient floue. Nous verrons de nombreux cas de ce type d'interactions au cours de notre étude du système endocrinien des Vertébrés.

SYSTÈME ENDOCRINIEN DES VERTÉBRÉS

Chez les Vertébrés, plus d'une douzaine de tissus et d'organes sécrètent des hormones. Certaines de ces glandes sont spécialisées dans la sécrétion endocrinienne (leur fonction principale consiste en la production d'une ou de plusieurs hormones). La figure 41.10 présente la localisation des principales glandes endocrines de l'organisme humain ; le tableau 41.1 (page 919) résume les fonctions des principales hormones chez les Vertébrés.

La gamme des cibles de chacune des hormones varie grandement. Certaines hormones, comme les hormones sexuelles qui déterminent les caractéristiques mâles et femelles, agissent sur la plupart des tissus de l'organisme. D'autres ne touchent qu'un petit nombre de tissus, voire un seul. Certaines hormones ont des cibles d'autres glandes endocrines ; ces hormones, appelées **sti-**

mulines, revêtent une importance particulière pour la régulation chimique. En fait, nous allons commencer notre étude du système endocrinien des Vertébrés en examinant son mode de régulation principal.

Hypothalamus et hypophyse

L'**hypothalamus** joue un rôle capital dans l'intégration des systèmes endocrinien et nerveux. Cette région du diencéphale reçoit des informations en provenance des nerfs périphériques et des autres régions de l'encéphale, et elle amorce une régulation hormonale en fonction des conditions du milieu. Chez de nombreux Vertébrés, par exemple, le cerveau (les hémisphères cérébraux) transmet à l'hypothalamus, par l'intermédiaire d'influx nerveux, des informations sensorielles concernant les changements saisonniers ou la disponibilité d'un partenaire sexuel ; l'hypothalamus déclenche alors la libération des hormones sexuelles nécessaires à la reproduction.

Les cellules libératrices d'hormones hypothalamiques sont des neurones spécialisés qui diffèrent aussi bien des cellules sécrétrices de la plupart des glandes endocrines que des autres neurones. Ces cellules hypothalamiques, appelées **neurones sécrétoires,** sont spécialisées dans la synthèse et la libération d'hormones et dans la transmission d'influx nerveux. Elles reçoivent des informations en provenance d'autres cellules nerveuses mais, au lieu de les transmettre à des cellules nerveuses ou musculaires adjacentes, elles libèrent des hormones dans la circulation sanguine. (À la figure 41.9, notez que le cerveau des Insectes comprend aussi des neurones sécrétoires.) L'hypothalamus contient deux ensembles de neurones sécrétoires.

Corps pinéal
Hypothalamus
Hypophyse

Glande thyroïde
Glandes parathyroïdes
Thymus

Glandes surrénales

Pancréas

Ovaire (femme)

Testicule (homme)

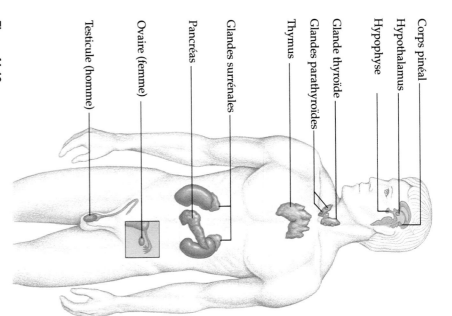

Figure 41.10
Glandes endocrines chez l'Humain dont il est question dans ce chapitre. (Nous avons présenté aux chapitres 37, 38 et 40 les fonctions endocriniennes de l'estomac, de l'intestin grêle, du cœur et des reins.)

L'un de ces ensembles produit les hormones neurohypophysaires et l'autre, les **hormones de libération et d'inhibition** qui assurent la régulation de l'adénohypophyse.

L'**hypophyse** est une petite excroissance située à la base de l'hypothalamus. Elle obéit aux stimuli hormonaux provenant de cet organe. L'hypophyse possède deux lobes, chacun doté d'une fonction différente (figure 41.11, page 920). Le **lobe postérieur**, ou **neurohypophyse**, est un prolongement de l'hypothalamus, où sont entreposées et sécrétées deux hormones peptidiques fabriquées par l'hypothalamus. Une fois libérées par la neurohypophyse, ces deux hormones exercent leur effet sur les muscles et les reins plutôt que sur d'autres glandes endocrines. Le **lobe antérieur**, ou **adénohypophyse**, fabrique ses propres hormones, dont plusieurs agissent comme des stimulines sur d'autres glandes endocrines. La figure 41.11 reprend le nom des hormones hypophysaires et énumère brièvement leurs cibles.

Hormones hypothalamiques de la neurohypophyse Les hormones hypothalamiques suivantes, l'**ocytocine** et l'**hormone antidiurétique (ADH)** sont entreposées et libérées dans la neurohypophyse. Il s'agit de peptides de neuf acides aminés, dont seulement deux diffèrent entre l'ocytocine et l'ADH. Ces hormones sont synthétisées par le corps des neurones sécrétoires de l'hypo-

thalamus et passent par l'axone de ces cellules pour atteindre la neurohypophyse. L'ocytocine provoque la contraction des muscles utérins lors de l'accouchement et déclenche l'éjection du lait par les glandes mammaires au cours de l'allaitement. L'ADH agit sur les reins afin d'augmenter la rétention d'eau et donc diminuer le volume d'urine.

L'ADH fait partie d'un mécanisme de rétroaction complexe qui permet d'ajuster l'osmolarité du sang. Nous avons présenté ce mécanisme au chapitre 40, mais nous allons en retracer les grandes lignes ici afin d'illustrer comment les hormones contribuent à l'homéostasie et comment la rétro-inhibition détermine la quantité d'hormones présentes. L'osmolarité du sang est perçue par un groupe de cellules nerveuses qui jouent le rôle d'osmorécepteurs dans l'hypothalamus. Lorsque l'osmolarité du plasma augmente, ces cellules rétrécissent légèrement (par osmose) et transmettent des influx nerveux à certains neurones sécrétoires de l'hypothalamus. Ces derniers répondent par la libération d'ADH dans la circulation sanguine à partir de leur extrémité neurohypophysaire. Lorsque l'ADH atteint les reins, elle se lie à des récepteurs de la surface des cellules qui recouvrent les tubules contournés distaux et les tubules rénaux collecteurs. Cette liaison augmente la perméabilité à l'eau de l'épithélium de ces tubules par l'intermédiaire d'un système de second messager faisant intervenir l'AMPc. Grâce à la perméabilité ainsi accrue, l'eau quitte les tubules et pénètre dans les capillaires voisins, ce qui empêche l'osmolarité du sang de s'éloigner encore plus de sa valeur de référence. Les osmorécepteurs de l'hypothalamus provoquent aussi la sensation de soif, et l'ingestion d'eau ramène l'osmolarité à une valeur normale. La réaction hormonale à une osmolarité sanguine élevée est donc complétée par une réponse comportementale déterminée par le système nerveux. Lorsque le sang plus dilué parvient à l'hypothalamus, ce dernier réagit à une baisse d'osmolarité en réduisant la libération d'ADH et en diminuant la sensation de soif. Ces réactions hormonale et comportementale (respectivement l'augmentation de la réabsorption d'eau par les reins et l'action de boire) empêchent une surcompensation en mettant fin à la sécrétion d'hormone et en faisant disparaître la soif. Cet exemple constitue un autre cas de maintien de l'homéostasie par rétro-inhibition (voir le chapitre 36). Il atteste également le rôle crucial de l'hypothalamus aussi bien dans le système endocrinien que dans le système nerveux.

Hormones adénohypophysaires L'adénohypophyse produit un grand nombre d'hormones protéiques et peptidiques différentes. Quatre d'entre elles font partie des stimulines et favorisent la synthèse et la libération d'hormones provenant d'autres glandes endocrines : la thyréotrophine (TSH) provoque la libération d'hormones thyroïdiennes ; la corticotrophine (ACTH) commande les corticosurrénales ; l'hormone lutéinisante (LH) et l'hormone folliculostimulante (FSH) régissent la reproduction en agissant sur les gonades. L'adénohypophyse fabrique également l'hormone de croissance (GH), la prolactine (PRL), l'hormone mélanotrope (MSH) ainsi que les endorphines et les enképhalines.

L'**hormone de croissance (GH,** *growth hormone)*, une protéine composée de 91 acides aminés, a un effet sur un

Tableau 41.1 Principales glandes endocrines des Vertébrés et leurs hormones

Glande	Hormone	Type de molécule	Principaux effets (chez les Mammifères)
Hypophyse Neurohypophyse (libère les hormones produites par l'hypothalamus)	Ocytocine	Peptide	Stimule la contraction des muscles utérins et des cellules des glandes mammaires.
	Hormone antidiurétique (ADH)	Peptide	Favorise la réabsorption d'eau par les reins.
Adénohypophyse	Hormone de croissance (GH)	Protéine	Stimule la croissance de l'individu, du squelette en particulier; influe sur les fonctions métaboliques.
	Prolactine (PRL)	Protéine	Stimule la production et la sécrétion de lait.
	Hormone folliculostimulante (FSH)	Glycoprotéine	Stimule la maturation du follicule ovarien et la spermatogenèse.
	Hormone lutéinisante (LH)	Glycoprotéine	Stimule la production d'œstrogènes et de progestérone et déclenche l'ovulation chez les femelles; stimule les cellules interstitielles chez les mâles à produire de la testostérone.
	Thyréotrophine (TSH)	Glycoprotéine	Stimule la sécrétion d'hormones par la glande thyroïde.
	Corticotrophine (ACTH)	Polypeptide	Stimule la sécrétion de glucocorticoïdes, de minéralocorticoïdes et d'androgènes par les corticosurrénales.
Thyroïde	Triiodothyronine (T_3) et thyroxine (T_4)	Condensation de 2 molécules de tyrosines iodées	Font augmenter la consommation d'oxygène et la production de chaleur; stimulent et entretiennent les processus métaboliques.
	Calcitonine	Polypeptide	Abaisse la concentration de calcium sanguin en inhibant la libération de calcium des os.
Parathyroïdes	Parathormone (PTH)	Polypeptide	Fait augmenter la concentration de calcium plasmatique en stimulant la libération de calcium des os.
Pancréas	Insuline	Protéine	Abaisse la glycémie; fait augmenter la quantité de glycogène entreposée dans le foie; stimule la synthèse de protéines.
	Glucagon	Polypeptide	Stimule la dégradation du glycogène dans le foie et augmente la glycémie.
Glandes surrénales Médullosurrénales	Adrénaline	Acide aminé modifié	Fait augmenter la glycémie, la fréquence cardiaque et la vitesse du métabolisme.
	Noradrénaline	Acide aminé modifié	Fait augmenter la pression artérielle, provoque la vasoconstriction périphérique.
Corticosurrénales	Glucocorticoïdes (p. ex.: cortisol)	Stéroïdes	Font augmenter la glycémie; réduisent la réaction inflammatoire; contribuent à la résistance au stress.
	Minéralocorticoïdes (p. ex.: aldostérone)	Stéroïdes	Favorisent la réabsorption du sodium et l'excrétion du potassium par les reins.
	Gonadocorticoïdes (p. ex.: androgènes, œstrogènes)	Stéroïdes	Effets incertains
Gonades Testicule	Androgènes (p. ex.: testostérone)	Stéroïdes	Maintiennent la spermatogenèse; font apparaître et entretiennent les caractères sexuels secondaires.
Ovaire (follicule)	Œstrogènes	Stéroïdes	Amorcent le développement de l'endomètre; font apparaître et entretiennent les caractères sexuels secondaires.
Ovaire (corps jaune)	Progestérone et œstrogènes	Stéroïdes	Favorisent la croissance continue de l'endomètre.
Corps pinéal	Mélatonine	Acide aminé modifié	Intervient dans les rythmes circadiens.
Thymus	Thymosine	Polypeptide	Stimule la formation des lymphocytes T.

Figure 41.11

Hormones de l'hypothalamus et de l'hypophyse. L'hypophyse, une glande située à la base de l'hypothalamus et entourée d'os (voir le schéma d'orientation), comporte un lobe postérieur (la neurohypophyse) et un lobe antérieur (l'adénohypophyse). Le lobe postérieur se forme à partir du plancher du cerveau en continuité avec l'hypothalamus, alors que le lobe antérieur provient de la partie supérieure de la cavité buccale. **(a)** Neurohypophyse. Les neurones sécréteurs de l'hypothalamus synthétisent l'hormone antidiurétique (ADH) et l'ocytocine, des hormones peptidiques qui sont transportées le long des axones jusqu'à la neurohypophyse, où elles sont entreposées. La neurohypophyse libère ces hormones dans le sang, par l'intermédiaire duquel elles circulent ; elles se lient aux cellules cibles des reins (ADH) ou des glandes mammaires et de l'utérus (ocytocine). **(b)** Adénohypophyse. Les cellules endocrines de l'adénohypophyse fabriquent un certain nombre d'hormones peptidiques et les sécrètent dans la circulation sanguine, mais la sécrétion se trouve sous la régulation de l'hypothalamus. Les neurones sécréteurs de l'hypothalamus relâchent des hormones de libération ou d'inhibition dans un réseau de capillaires situé dans l'éminence médiane, au-dessus de l'infundibulum de l'hypothalamus. Le sang qui contient les hormones de libération ou d'inhibition passe de l'éminence médiane dans de courtes veines portes, puis dans un second réseau de capillaires situé à l'intérieur de l'adénohypophyse. Il existe plusieurs hormones de libération ou d'inhibition qui, respectivement, stimulent ou inhibent la libération d'hormones spécifiques par les cellules adénohypophysaires.

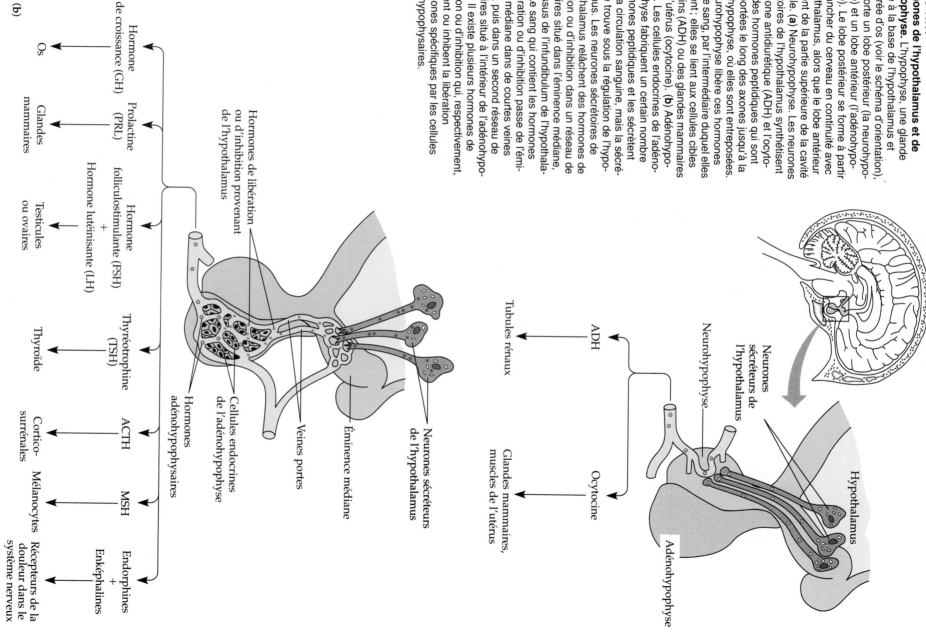

large éventail de tissus cibles. La GH facilite directement la croissance et stimule la synthèse d'autres facteurs de croissance. Par exemple, la GH est en mesure de faire croître les os et les cartilages en partie parce qu'elle fait produire par le foie des **somatomédines**, des hormones qui circulent dans le plasma sanguin et stimulent directement la croissance osseuse et cartilagineuse. (Cette réponse endocrinienne à l'hormone de croissance en fait une stimuline. Par ailleurs, comme le foie est le siège d'une sécrétion hormonale, il est donc une glande endocrine, en plus de ses nombreuses autres fonctions.) En l'absence de GH, la croissance squelettique d'un Animal immature cesse. Si l'on injecte de l'hormone de croissance à un Animal qui ne fabrique plus sa propre GH, la croissance reprend en partie.

Chez l'Humain, certains troubles de la croissance sont reliés à une production anormale de GH. Une trop forte production de GH au cours du développement peut mener au gigantisme, alors qu'un excès de GH à l'âge adulte cause un accroissement osseux anormal des mains, des pieds et de la tête, une maladie appelée acromégalie. Une insuffisance de GH pendant l'enfance peut provoquer le nanisme hypophysaire. On a traité avec des succès des enfants souffrant d'une déficience en GH en leur injectant des hormones de croissance humaines isolées à partir d'adénohypophyses prélevées sur des cadavres. Mais cette source d'approvisionnement ne suffit pas à la demande et les hormones de croissance provenant de la plupart des autres Animaux restent sans effet. L'une des prouesses les plus remarquables du génie génétique consiste en la synthèse de GH par l'intermédiaire de Bactéries, dans le génome desquelles on a épissé des gènes de GH humains (voir le chapitre 19). On se sert de ce produit pour traiter des enfants atteints de nanisme hypophysaire; d'autre part, certains sportifs ont l'imprudence d'utiliser la GH (légalement ou non) parce qu'elle favorise la synthèse des protéines.

La **prolactine** (**PRL**) est une protéine composée de 198 acides aminés semblable à la GH, à tel point que l'on a émis l'hypothèse que les deux hormones proviennent de gènes descendant du même gène ancestral. Cependant, elles ont des fonctions différentes. La prolactine se distingue surtout par la grande variété d'effets qu'elle engendre chez les diverses espèces de Vertébrés. Par exemple, la PRL stimule la croissance des glandes mammaires et la synthèse du lait chez les Mammifères ; elle assure la régulation tant du métabolisme des graisses que de la reproduction chez les Oiseaux ; chez les Amphibiens, elle retarde la métamorphose et elle peut jouer le rôle d'hormone de croissance larvaire ; elle assure également l'équilibre hydrique et électrolytique des Poissons d'eau douce. Il semble donc que la prolactine est une hormone ancienne dont les fonctions se sont diversifiées au cours de l'évolution des diverses classes de Vertébrés.

Trois des stimulines sécrétées par l'adénohypophyse sont chimiquement apparentées. L'hormone **folliculostimulante** (**FSH**, *follicle-stimulating hormone*), l'**hormone lutéinisante** (**LH**, *luteinizing hormone*) et la **thyréotrophine** (**TSH**, *thyroid-stimulating hormone*) se ressemblent et font toutes partie des glycoprotéines, soit des molécules constituées d'un glucide associé à une protéine. La

protéine de la FSH et celle de la LH contiennent 204 acides aminés, la protéine de la TSH en comprend 201. La FSH et la LH sont aussi appelées **gonadotrophines** parce qu'elles augmentent l'activité des gonades mâles et femelles, c'est-à-dire les testicules et les ovaires. La thyréotrophine stimule la production d'hormones par la glande thyroïde.

Les autres hormones élaborées par l'adénohypophyse proviennent toutes d'une seule molécule mère, une pro-hormone appelée **proopiomélanocortine**. Cette grande protéine est dissociée en plusieurs courts fragments à l'intérieur des cellules adénohypophysaires. Au moins quatre de ces fragments sont des hormones peptidiques actives. La **corticotrophine** (ACTH) est une stimuline qui génère la production et la sécrétion d'hormones stéroïdes par les corticosurrénales. Comme nous l'avons déjà indiqué, l'**hormone mélanotrope** (**MSH**) commande l'activité des cellules pigmentaires de la peau chez certains Vertébrés. L'adénohypophyse humaine sécrète de très petites quantités de MSH, mais on ignore encore ses véritables fonctions de cette hormone. Les deux autres types de dérivés de la proopiomélanocortine sont des catégories d'hormones appelées **endorphines** et **enképhalines**. Ces molécules sont aussi produites par certains neurones du système nerveux. On les appelle parfois les opiacés naturels de l'organisme parce qu'elles inhibent la perception de la douleur. En fait, l'héroïne et les autres drogues opiacées imitent les endorphines et se lient aux mêmes récepteurs de l'encéphale. (Voir l'entretien qui précède la première partie de ce manuel.)

Hormones de libération et d'inhibition hypothalamiques Revenons maintenant à l'hypothalamus et voyons comment il effectue la régulation de l'adénohypophyse. Les hormones de libération et d'inhibition, les messagers venant de l'hypothalamus, sont produites par les neurones sécrétoires et libérées dans les capillaires de l'**éminence médiane**, une région située à la base de l'hypothalamus (voir la figure 41.11b). Contrairement à la plupart des veines qui drainent les divers organes, les veines qui sortent de l'éminence médiane ne se trouvent pas en relation directe avec la veine cave. Au contraire, elles se ramifient pour former un deuxième lit de capillaires à l'intérieur de l'adénohypophyse. (Rappelez-vous qu'il existe de tels systèmes portes dans le foie et les reins; voir les chapitres 37 et 40, respectivement.) De cette façon, les hormones de libération et d'inhibition hypothalamiques ont un accès direct à la glande qu'elles commandent.

Les hormones d'inhibition *bloquent* la sécrétion d'hormones par l'adénohypophyse au lieu de la stimuler. Chaque hormone adénohypophysaire se trouve sous la régulation d'au moins une hormone de libération et, pour certaines d'entre elles, comme la prolactine et l'hormone de croissance, il existe à la fois une hormone de libération et une hormone d'inhibition.

Glande thyroïde

Chez les Humains et d'autres Mammifères, la **glande thyroïde** se compose de deux lobes situés sur la face antérieure de la trachée, juste au-dessous du larynx (voir

la figure 41.10). Chez d'autres Vertébrés, les deux moitiés de la glande peuvent se trouver plus éloignées et placées de chaque côté du pharynx. La glande thyroïde produit deux hormones très semblables dérivées de la condensation de deux molécules de l'acide aminé tyrosine : la triiodothyronine (T$_3$), qui contient trois atomes d'iode, et la thyroxine (T$_4$), qui en a quatre :

TRIIODOTHYRONINE (T$_3$)

THYROXINE (T$_4$)

Chez les Mammifères, T$_3$ est habituellement la plus active des deux hormones, bien que les deux aient les mêmes effets sur leurs cellules cibles.

La glande thyroïde joue un rôle crucial dans le développement et la maturation des Vertébrés. Cette glande est responsable de la métamorphose d'un têtard en grenouille, qui nécessite une réorganisation massive d'un grand nombre de tissus différents. La thyroïde s'avère tout aussi importante pour le développement humain. Une forme de déficience thyroïdienne héréditaire appelée crétinisme se manifeste par un retard de la croissance du squelette et une arriération mentale. On peut palier ces effets, au moins en partie, en soumettant l'individu à un traitement aux hormones thyroïdiennes dès le début de la vie. Des études menées sur les Animaux ont permis de démontrer l'importance des hormones thyroïdiennes, aussi bien dans le fonctionnement normal des cellules productrices de matière osseuse (ostéoblastes) que dans l'apparition de ramifications neuronales au cours du développement embryonnaire de l'encéphale.

La glande thyroïde assure également la régulation du métabolisme chez les Mammifères. Chez les Humains, une sécrétion excessive d'hormones thyroïdiennes, l'hyperthyroïdie, provoque des symptômes tels qu'une température corporelle élevée, des sueurs abondantes, une perte pondérale, l'irritabilité et l'hypertension. L'affection inverse, l'hypothyroïdie, peut provoquer le crétinisme chez les jeunes enfants et se manifester par des symptômes comme un gain pondéral, un état léthargique et une sensibilité aiguë au froid chez les adultes. Une déficience en hormone thyroïdienne peut aussi se traduire par un accroissement du volume de la thyroïde (goitre), qui résulte souvent d'un manque d'iode dans le régime alimentaire (voir le chapitre 2).

La sécrétion des hormones thyroïdiennes est commandée par l'hypothalamus et l'adénohypophyse, par l'intermédiaire d'un mécanisme de rétro-inhibition (figure 41.12). La glande thyroïde des Mammifères contient aussi des cellules endocrines qui sécrètent de la **calcitonine**. Ce polypeptide composé de 32 acides aminés cause une

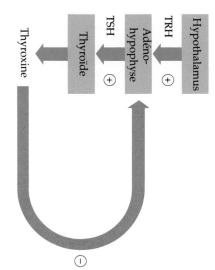

Figure 41.12
Mécanisme de rétro-inhibition régissant la sécrétion de thyroxine. L'adénohypophyse produit la thyréotrophine (TSH). Lorsque la TSH se lie à ses récepteurs dans la glande thyroïde, l'hormone génère de l'AMPc, qui joue le rôle de second messager dans les cellules cibles et déclenche la synthèse et la libération des hormones thyroïdiennes T$_3$ et T$_4$ (thyroxine). La sécrétion de TSH se trouve elle-même sous la régulation de la thyréolibérine (TRH), un peptide de 3 acides aminés qui provient de l'hypothalamus. L'équilibre endocrinien est assuré par les fortes concentrations de T$_3$ et de T$_4$ (qui diminuent la sensibilité des cellules adénohypophysaires à l'hormone de libération). Ce mécanisme de rétro-inhibition suggère pourquoi une déficience en iode provoque un goitre. En cas d'insuffisance en iode, la glande thyroïde ne peut pas synthétiser des quantités suffisantes de T$_3$ et de T$_4$. Par conséquent, l'adénohypophyse continue de sécréter de la TSH, ce qui fait gonfler la thyroïde.

diminution de la concentration de calcium sanguin (ou calcémie) ; il agit donc sur la régulation de la calcémie, que nous étudions dans la section suivante.

Glandes parathyroïdes

Les quatre **glandes parathyroïdes**, enchâssées à la surface de la thyroïde, assurent l'homéostasie en ions calcium. Elles sécrètent la **parathormone** (PTH) ; ce polypeptide de 84 acides aminés augmente la concentration de calcium sanguin et son effet s'oppose à celui de la calcitonine, une hormone thyroïdienne. La parathormone stimule la réabsorption de Ca^{2+} par le rein et commande aux cellules osseuses spécialisées, les ostéoclastes, de décomposer la matrice minérale des os et de libérer le Ca^{2+} dans le sang. La calcitonine a exactement l'effet inverse sur les reins et les os, et elle provoque donc une diminution de la concentration sanguine de Ca^{2+}. La vitamine D, qui est synthétisée dans la peau et activée dans de nombreux tissus, est indispensable au fonctionnement de la PTH, et sa présence s'avère donc nécessaire pour assurer l'équilibre calcique. Une déficience en PTH entraîne une forte baisse de la calcémie, d'où les contractions convulsives des muscles squelettiques que l'on peut observer. Si l'on n'y remédie pas, cet état, appelé tétanie, peut avoir des conséquences mortelles. L'ajustement de la calcémie est un exemple d'homéostasie résultant de l'équilibre entre deux hormones antagonistes, la PTH et la calcitonine en l'occurrence (figure 41.13).

une hormone polypeptidique (contenant 29 acides aminés) nommée **glucagon**, et une population de **cellules bêta (β)**, qui sécrètent l'**insuline**, une hormone protéique comportant 51 acides aminés regroupés dans deux polypeptides.

L'insuline et le glucagon sont des hormones antagonistes qui règlent la concentration de glucose sanguin ou glycémie (voir la figure 41.3). Cette fonction homéostatique s'avère cruciale parce que le glucose est l'une des principales sources d'énergie de la respiration cellulaire et constitue une réserve essentielle de carbone pour la synthèse d'autres composés organiques (voir le chapitre 9). L'équilibre métabolique ne peut exister que si la glycémie reste près de la valeur de référence, soit 5 mmol/L chez les Humains. Lorsque la concentration molaire volumique de glucose dans le sang dépasse ce seuil, l'insuline intervient pour faire diminuer la glycémie. Lorsque celle-ci tombe au-dessous de la valeur de référence, le glucagon augmente la concentration molaire volumique de glucose. Par un mécanisme de rétro-inhibition, la teneur en glucose du sang détermine les quantités relatives d'insuline et de glucagon sécrétées par les cellules des îlots pancréatiques, qui sont pourvues de récepteurs du glucose.

L'insuline et le glucagon modifient tous deux la glycémie au moyen de mécanismes multiples. L'insuline la fait diminuer en ordonnant aux cellules de nombreux tissus, y compris les cellules musculaires, d'absorber le glucose sanguin. L'insuline réduit aussi l'approvisionnement en glucose en ralentissant la dégradation du glycogène par le foie et en inhibant la conversion des acides aminés et des acides gras en glucose (figure 41.14). Pour sa part, le glucagon augmente l'apport de glucose dans la circulation sanguine en stimulant l'hydrolyse du glycogène et en favorisant la conversion d'acides aminés et d'acides gras en glucose par le foie. Le foie se trouve en mesure d'assurer ce rôle important de gestion du glucose grâce à l'aspect polyvalent de son métabolisme, et aussi parce que la veine porte hépatique, qui lui apporte le sang directement de l'intestin grêle, lui procure un accès direct aux nutriments absorbés.

Le dérèglement de ces mécanismes d'homéostasie concernant le glucose entraîne de graves conséquences. Le diabète sucré, le désordre endocrinien que l'on connaît peut-être le mieux, résulte d'une déficience en insuline ou d'une perte de sensibilité des cellules cibles à l'insuline. Il en résulte une glycémie (à un tel point que les reins d'une personne atteinte du diabète excrètent du glucose, ce qui explique pourquoi on peut détecter cette maladie en recherchant la présence de glucose dans les urines). Au fur et à mesure que la concentration de glucose dans l'urine s'accroît, de plus en plus d'eau l'accompagne, ce qui entraîne un volume d'urine excessif et une soif persistante. Étant donné que le glucose ne peut servir comme source principale d'énergie chez les diabétiques, ce sont surtout les graisses qui doivent alimenter la respiration cellulaire. Dans les cas de diabète grave, les métabolites acides formés par la dégradation des acides gras s'accumulent dans la circulation sanguine et mettent la vie du patient en danger parce qu'ils font diminuer le pH du sang.

Il existe en fait deux principales formes de diabète sucré dont les causes sont différentes. Le **diabète de type I**

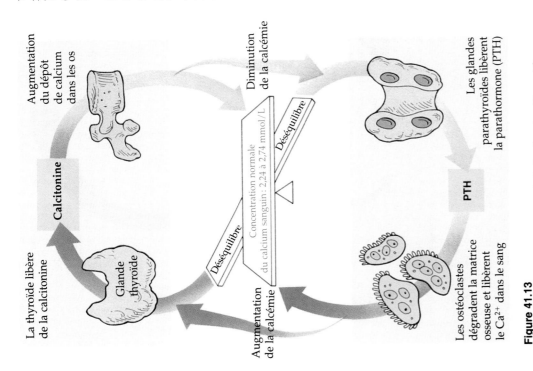

La thyroïde libère de la calcitonine

Augmentation du dépôt de calcium dans les os

Calcitonine

Diminution de la calcémie

Déséquilibre

Concentration normale du calcium sanguin : 2,24 à 2,74 mmol/L

Déséquilibre

Glande thyroïde

Augmentation de la calcémie

Les ostéoclastes dégradent la matrice osseuse et libèrent le Ca²⁺ dans le sang

PTH

Les glandes parathyroïdes libèrent la parathormone (PTH)

Figure 41.13
Régulation hormonale de la calcémie chez les Mammifères.
Un processus d'homéostasie faisant intervenir deux hormones antagonistes, la calcitonine et la parathormone (PTH), maintient la concentration molaire volumique de calcium sanguin (ou calcémie) à l'intérieur d'une marge très étroite allant de 2,24 à 2,74 mmol/L. En cas d'augmentation de la calcémie au-dessus de 2,74 mmol/L, la glande thyroïde sécrète de la calcitonine ; cette hormone a pour effet d'abaisser la concentration molaire volumique de Ca²⁺ en accélérant le dépôt de matière osseuse et en diminuant la réabsorption de Ca²⁺ par les reins (l'os est la seule cible représentée ici). Lorsque la calcémie tombe au-dessous de la valeur de référence, soit 2,24 mmol/L, les glandes parathyroïdes sécrètent de la PTH, qui a l'effet inverse sur les os et les reins. La calcémie commence à augmenter, mais cesse au moment où la thyroïde se met à sécréter davantage de calcitonine. Les deux hormones s'équilibrent mutuellement par un mécanisme de rétro-inhibition classique ; ce mécanisme limite les fluctuations de la concentration molaire volumique de calcium sanguin, un ion essentiel au fonctionnement normal de toutes les cellules.

Pancréas

Le **pancréas** se compose surtout de tissu exocrine ; ce tissu produit des enzymes digestives et les transporte vers l'intestin grêle par l'intermédiaire du conduit pancréatique (voir le chapitre 37). Les **îlots pancréatiques** (îlots de Langerhans), des amas de cellules endocrines, sont disséminés dans ce tissu exocrine. Chaque îlot comprend une population de **cellules alpha (α)**, qui sécrètent

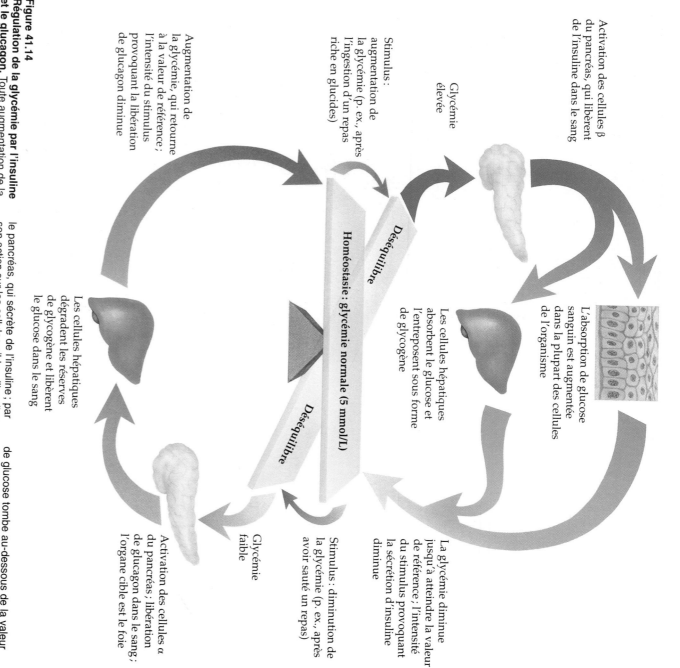

**Figure 41.14
Régulation de la glycémie par l'insuline et le glucagon.** Toute augmentation de la glycémie au-dessus de la valeur de référence (5 mmol/L chez les Humains) stimule

Activation des cellules β du pancréas, qui libèrent de l'insuline dans le sang

Glycémie élevée

Stimulus : augmentation de la glycémie (p. ex., après l'ingestion d'un repas riche en glucides)

Augmentation de la glycémie, qui retourne à la valeur de référence ; l'intensité du stimulus provoquant la libération de glucagon diminue

L'absorption de glucose sanguin est augmentée dans la plupart des cellules de l'organisme

Les cellules hépatiques absorbent le glucose et l'entreposent sous forme de glycogène

La glycémie diminue jusqu'à atteindre la valeur de référence ; l'intensité du stimulus provoquant la sécrétion d'insuline diminue

Déséquilibre

Homéostasie : glycémie normale (5 mmol/L)

Déséquilibre

Les cellules hépatiques dégradent les réserves de glycogène et libèrent le glucose dans le sang

Stimulus : diminution de la glycémie (p. ex., après avoir sauté un repas)

Activation des cellules α du pancréas ; libération de glucagon dans le sang ; l'organe cible est le foie

Glycémie faible

le pancréas, qui sécrète de l'insuline ; par son action sur les cellules cibles, l'insuline entraîne une diminution de la glycémie. Lorsque la concentration molaire volumique de glucose tombe au-dessous de la valeur de référence, le pancréas sécrète le glucagon, qui agit sur le foie pour faire augmenter la glycémie. (Voir le résumé à la figure 41.3.)

(diabète insulinodépendant ou juvénile) est une affection auto-immune dans laquelle le système immunitaire attaque les cellules bêta des îlots pancréatiques. (Le chapitre 39 présente les causes possibles des réactions auto-immunes.) Cette maladie survient généralement de façon plutôt soudaine pendant l'adolescence, et l'individu se trouve dans l'incapacité de produire de l'insuline. Le traitement consiste à faire des injections d'insuline, habituellement plusieurs fois par jour. Jusqu'à récemment encore, cette insuline était extraite de pancréas d'Animaux, mais le génie génétique permet à l'heure actuelle de fabriquer de l'insuline humaine à un coût relativement modeste grâce à l'insertion du gène de cette hormone dans des

Bactéries (voir le chapitre 19). Le **diabète de type II** (diabète non insulinodépendant ou de la maturité) se caractérise par une déficience en insuline ou, plus communément, par une diminution de la sensibilité des cellules cibles causée par une modification des récepteurs d'insuline. Le diabète de type II survient le plus souvent pendant la quarantaine et la probabilité de son apparition augmente au fil des années. Plus de 90 % des diabétiques souffrent du diabète de type II, et beaucoup d'entre eux parviennent à gérer leur glycémie simplement en faisant de l'exercice et en surveillant leur régime alimentaire. L'hérédité joue un rôle important dans le diabète de type II.

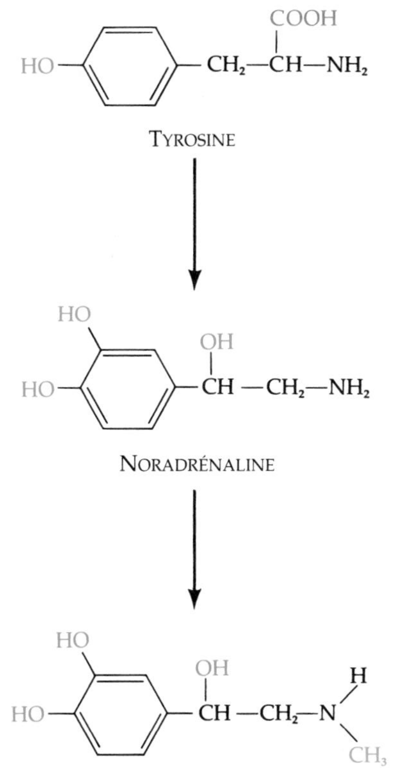

Figure 41.15
Synthèse des catécholamines. Les cellules chromaffines des médullosurrénales synthétisent les catécholamines (la noradrénaline et l'adrénaline) à partir d'un acide aminé, la tyrosine. La noradrénaline est produite par l'élimination d'un groupement carboxyle et l'addition de deux groupements hydroxyle. L'adrénaline est fabriquée à partir de la noradrénaline par l'ajout d'un groupement méthyle ($-CH_3$).

Glandes surrénales

Les **glandes surrénales** coiffent les reins. Chez les Mammifères, chaque glande surrénale comprend en fait deux portions dont les types de cellules, les fonctions et l'origine embryonnaire diffèrent : la **corticosurrénale,** ou portion externe, et la **médullosurrénale,** ou portion interne de la surrénale. Chez les Vertébrés autres que les Mammifères, les mêmes tissus sont disposés de façon entièrement différente.

Médullosurrénales Qu'est-ce qui fait que votre fréquence cardiaque augmente et que les extrémités de vos membres se glacent lorsque vous sentez un danger ou que vous vous préparez à affronter une situation difficile, comme parler en public ? Ces réactions font partie de la réaction « de lutte ou de fuite » provoquée par deux hormones élaborées par les médullosurrénales, l'**adrénaline** (aussi appelée épinéphrine) et la **noradrénaline** (ou norépinéphrine). Ces composés, nommés **catécholamines,** sont synthétisés à partir d'un acide aminé, la tyrosine (figure 41.15).

L'adrénaline est sécrétée en réponse à un facteur de stress positif ou négatif (pouvant aller d'un plaisir extrême à la prise de conscience d'un danger mortel). La libération d'adrénaline dans le sang exerce des effets rapides et importants qui font intervenir plusieurs cibles.

L'adrénaline, par l'intermédiaire d'un second messager, l'AMPc (voir la figure 41.7), mobilise le glucose présent dans les cellules des muscles squelettiques et du foie et stimule la libération d'acides gras par les cellules adipeuses. Les cellules peuvent utiliser ces acides gras comme combustible. En plus d'accroître la disponibilité des sources d'énergie, l'adrénaline et la noradrénaline ont des effets importants sur la contraction musculaire. Par exemple, elles font augmenter à la fois la fréquence cardiaque et le débit systolique (voir le chapitre 38). Elles provoquent aussi la contraction des muscles lisses de certains vaisseaux sanguins et le relâchement de certains autres, ce qui réduit l'apport de sang à la peau, à l'intestin et aux reins tout en augmentant le débit vers le cœur, l'encéphale et les muscles squelettiques.

Qu'est-ce qui déclenche la libération d'adrénaline lors de la réponse à une situation de stress ? Les médullosurrénales se trouvent sous la régulation des cellules nerveuses de la partie sympathique du système nerveux autonome (voir le chapitre 44). En fait, dans les médullosurrénales, les terminaisons nerveuses du système sympathique sont en contact très étroit avec des cellules individuelles nommées cellules chromaffines. Lorsque les cellules nerveuses reçoivent un stimulus généré par une forme quelconque de stress, elles sécrètent un neurotransmetteur, l'acétylcholine. L'acétylcholine s'associe aux récepteurs des cellules chromaffines, stimulant ainsi la libération d'adrénaline et de noradrénaline. La noradrénaline représente 20 % des catécholamines libérées et l'adrénaline, 80 %. L'adrénaline agit principalement sur le cœur et le métabolisme alors que la noradrénaline commande la vasoconstriction périphérique, ce qui a pour effet d'augmenter la pression artérielle. Dans le système nerveux, l'adrénaline et la noradrénaline jouent toutes deux le rôle de neurotransmetteurs, comme nous le verrons au chapitre 44.

Corticosurrénales

Les corticosurrénales, comme les médullosurrénales, réagissent au stress. Mais elles répondent à des signaux endocriniens et non à des messages nerveux. Sous l'effet d'un stimulus de stress, l'hypothalamus produit une hormone de libération, la corticolibérine (CRF, *corticotropin releasing factor*, un polypeptide constitué de 41 acides aminés ; la corticolibérine provoque la sécrétion d'ACTH (une stimuline) par l'adénohypophyse. Lorsque l'ACTH, un polypeptide de 39 acides aminés, atteint sa cible par l'intermédiaire de la circulation sanguine, elle agit sur les cellules des corticosurrénales, qui synthétisent et sécrètent une famille d'hormones stéroïdes appelées **corticostéroïdes.** Les concentrations élevées de corticostéroïdes dans le sang annulent la sécrétion d'ACTH, ce qui constitue un autre exemple de rétro-inhibition.

On a isolé une trentaine de corticostéroïdes élaborés par les corticosurrénales ; les deux types principaux, chez les Humains, sont les **glucocorticoïdes,** comme le cortisol, et les **minéralocorticoïdes,** comme l'aldostérone. La figure 41.16 présente les structures de ces stéroïdes et de plusieurs autres hormones importantes.

Les glucocorticoïdes ont avant tout un effet sur le métabolisme du glucose. Ils favorisent la synthèse du glucose à partir de substrats différents des glucides, tels les acides aminés et le glycérol, et rendent une plus

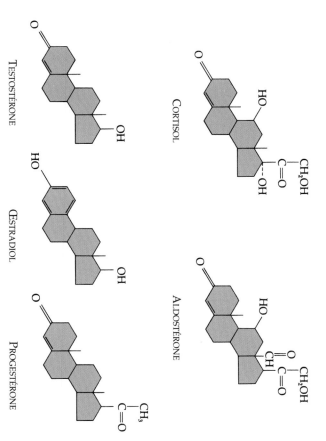

CORTISOL · ALDOSTÉRONE

TESTOSTÉRONE · ŒSTRADIOL · PROGESTÉRONE

grande quantité de glucose disponible comme source d'énergie en cas de situation stressante. Cet effet est plus lent mais plus durable que celui de l'adrénaline généré par le stress (figure 41.17).

Des doses anormalement élevées de glucocorticoïdes administrées sous forme de médicament agissent comme anti-inflammatoires et diminuent sensiblement la réponse immunitaire de l'organisme. On se sert des glucocorticoïdes pour traiter des maladies dans lesquelles une réaction inflammatoire excessive pose un problème. Autrefois, par exemple, on pensait que la cortisone était un médicament miracle qui pouvait venir à bout de certaines affections inflammatoires telles que l'arthrite. Cependant, il est devenu évident que l'usage prolongé de la cortisone peut entraîner une sensibilité accrue aux infections et aux maladies à cause de son action immunosuppressive.

Les minéralocorticoïdes agissent surtout sur l'équilibre des électrolytes (sels minéraux) et de l'eau. Dans le rein, par exemple, l'aldostérone favorise la réabsorption d'ions sodium à partir du filtrat, ce qui provoque aussi une réabsorption d'eau et une augmentation de la pression artérielle. La régulation de la sécrétion d'aldostérone s'exerce en grande partie indépendamment de l'adénohypophyse et de l'hypothalamus. Au contraire, elle dépend des hormones produites par le foie et les reins en réponse à la concentration ionique du plasma (voir le chapitre 40). Les corticosurrénales sécrètent aussi des gonadocorticoïdes, c'est-à-dire des hormones sexuelles. La testostérone s'avère la sécrétion la plus abondante, suivie de loin par celles d'œstrogènes et de progestérone. Cependant, la concentration de ces hormones surrénaliennes reste négligeable par rapport à celle des hormones gonadiques. Le rôle des gonadocorticoïdes demeure obscur. On observe toutefois que leur production devient substantielle pendant la vie prénatale et le début de la puberté.

Gonades

Les stéroïdes élaborés par les testicules des mâles et les ovaires des femelles ont un effet sur la croissance et le développement, et ils assurent la régulation des cycles et des comportements reproducteurs. Les gonades fabriquent trois grandes catégories de stéroïdes : les androgènes, les œstrogènes et les progestatifs (voir la figure 41.16). On trouve ces trois catégories d'hormones dans des proportions différentes chez les mâles et les femelles.

Les testicules synthétisent surtout des **androgènes**, la principale hormone de ce groupe étant la **testostérone**. De façon générale, les androgènes stimulent la formation et le maintien du système reproducteur mâle. Les androgènes produits au début du développement de l'embryon déterminent si le fœtus deviendra un individu mâle ou femelle. À la puberté, les concentrations élevées d'androgènes provoquent l'apparition des caractères sexuels secondaires masculins chez l'Humain, comme la pilosité et le timbre grave de la voix.

Les **œstrogènes**, parmi lesquels le plus important est l'œstradiol, jouent un rôle semblable dans le maintien du système reproducteur femelle et l'apparition des caractères sexuels secondaires féminins. Chez les Mammifères, les fonctions des **progestatifs**, dont la progestérone, ont surtout trait à la préparation et l'entretien de l'utérus, qui assure la croissance et le développement de l'embryon.

La synthèse des œstrogènes et des androgènes se trouve sous la dépendance des gonadotrophines adéno-hypophysaires, l'hormone folliculostimulante et l'hormone lutéinisante. Les sécrétions de FSH et de LH sont elles-mêmes régies par l'hormone de libération hypothalamique nommée gonadolibérine (ou LHRH, *luteinizing hormone-releasing hormone*), un polypeptide contenant 10 acides aminés. Au chapitre 42, nous décrivons en détail la régulation complexe qui détermine la sécrétion des stéroïdes par les gonades.

Autres organes endocriniens

De nombreux organes ayant une fonction principale non endocrinienne sécrètent aussi des hormones, et nous en avons identifié plusieurs dans les chapitres précédents.

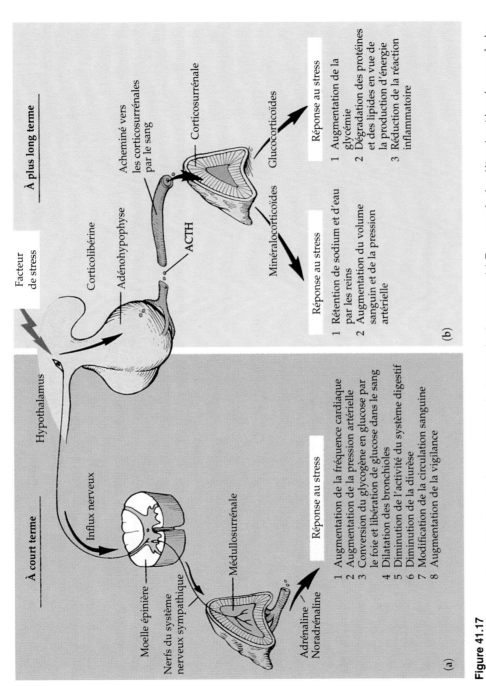

Figure 41.17
Le stress et les glandes surrénales. Sous l'effet de facteurs de stress, l'hypothalamus peut activer les médullosurrénales par l'intermédiaire d'influx nerveux et les

À court terme

Hypothalamus

Facteur de stress

Influx nerveux

Moelle épinière

Nerfs du système nerveux sympathique

Médullosurrénale

Adrénaline
Noradrénaline

Réponse au stress

1 Augmentation de la fréquence cardiaque
2 Augmentation de la pression artérielle
3 Conversion du glycogène en glucose par le foie et libération de glucose dans le sang
4 Dilatation des bronchioles
5 Diminution de l'activité du système digestif
6 Diminution de la diurèse
7 Modification de la circulation sanguine
8 Augmentation de la vigilance

(a)

À plus long terme

Corticolibérine

Adénohypophyse

ACTH

Acheminé vers les corticosurrénales par le sang

Corticosurrénale

Minéralocorticoïdes   Glucocorticoïdes

Réponse au stress

1 Rétention de sodium et d'eau par les reins
2 Augmentation du volume sanguin et de la pression artérielle

Réponse au stress

1 Augmentation de la glycémie
2 Dégradation des protéines et des lipides en vue de la production d'énergie
3 Réduction de la réaction inflammatoire

(b)

corticosurrénales par des hormones. **(a)** En cas de stress, les médullosurrénales produisent une réponse à court terme en libérant de l'adrénaline, alors que les cortico-surrénales déterminent les réponses à plus long terme en sécrétant les hormones stéroïdes.

Le système digestif, par exemple, produit au moins huit hormones, y compris la gastrine et la sécrétine (voir le chapitre 37). L'érythropoïétine, qui provient du rein, stimule la production de globules rouges (voir le chapitre 38). Les atriopeptides natriurétiques, sécrétés par le cœur, participent à la régulation de l'équilibre électrolytique et hydrique et à la régulation de la pression artérielle (voir le chapitre 40). Le corps pinéal et le thymus sont deux autres organes endocriniens qui méritent quelque attention.

Le **corps pinéal** est une petite masse de tissu épithélial glandulaire située près du centre de l'encéphale chez les Mammifères (plus près de la surface du cerveau chez certains autres Vertébrés). On connaît beaucoup mieux le corps pinéal aujourd'hui qu'à l'époque où Descartes l'appelait le siège de l'âme, mais cet organe recèle encore bien des mystères. Le corps pinéal sécrète l'hormone nommée **mélatonine**, un acide aminé modifié. La glande reçoit des informations transmises par les yeux, et la mélatonine qu'elle produit assure la régulation des fonctions associées à la luminosité et à la photopériode, c'est-à-dire la durée de l'éclairement diurne. Chez de nombreux Vertébrés, par exemple, la mélatonine, tout comme la MSH, influe sur la pigmentation de la peau. La plupart des fonctions du corps pinéal, cependant, sont liées aux rythmes biologiques qui interviennent dans la reproduc-

tion. Comme la sécrétion de mélatonine survient la nuit, la quantité produite dépend de la durée de l'obscurité. En hiver, par exemple, les jours courts et les nuits longues, stimulent une plus grande production de mélatonine. Cette hormone représente donc un lien entre l'horloge biologique et les activités quotidiennes ou saisonnières telle la reproduction. Cependant, on ne connaît pas encore le rôle exact de la mélatonine dans la détermination des rythmes.

Le **thymus** est une autre glande mystérieuse. On a découvert ses fonctions dans le système immunitaire au cours des années 1960. Cette glande, composée de deux lobes, se situe dans le thorax, à l'arrière du sternum chez l'Humain, et elle est assez volumineuse pendant l'enfance. À la puberté, une fois le système immunitaire bien développé, la taille du thymus diminue rapidement et cette glande disparaît presque à l'âge adulte. Le thymus sécrète plusieurs messagers, dont la **thymosine**, qui stimulent le développement et la différenciation des lymphocytes T (voir le chapitre 39).

GLANDES ENDOCRINES ET SYSTÈME NERVEUX

Dans ce chapitre, nous avons vu de nombreux exemples d'interaction entre le système endocrinien et le système

nerveux. En fait, nous avons constaté que les deux systèmes sont souvent indissociables et fonctionnent parfois comme une seule unité. Nous pouvons résumer ce que nous savons de la communication et de la régulation chimiques chez les Animaux en examinant trois types de relation entre les systèmes endocrinien et nerveux.

RÉSUMÉ DU CHAPITRE

Le système endocrinien agit à distance sur des organes cibles par l'intermédiaire de messagers chimiques appelés hormones.

En premier lieu, ces deux systèmes régulateurs ont une relation *structurale*. De nombreuses glandes endocrines se composent de tissu nerveux. L'hypothalamus et la neurohypophyse des Vertébrés et le cerveau des Insectes sont des tissus nerveux qui sécrètent des hormones dans le sang. D'autres glandes endocrines qui ne comprennent pas de tissu nerveux dans leur forme actuelle sont le produit de l'évolution du tissu nerveux. Les médullosurrénales proviennent d'un ganglion (amas de corps de neurones) modifié qui s'est séparé du système nerveux.

Deuxièmement, les deux systèmes sont apparentés *chimiquement*. Chez les Vertébrés, plusieurs hormones servent de messagers, aussi bien dans le système nerveux que dans le système endocrinien. L'adrénaline, par exemple, joue à la fois le rôle d'hormone surrénalienne et de neurotransmetteur du système nerveux.

Troisièmement, les deux systèmes sont reliés du point de vue *fonctionnel*. On peut distinguer deux types de relations fonctionnelles. D'une part, le système qui assure la régulation des processus physiologiques fait intervenir à la fois des composants nerveux et hormonaux qui surviennent en série. Par exemple, l'évacuation du lait chez la mère pendant l'allaitement résulte d'un réflexe neuroendocrinien: la succion stimule des cellules sensitives dans les mamelons, et les influx nerveux parvenant à l'hypothalamus déclenchent la libération d'ocytocine par la neurohypophyse. D'autre part, chacun des systèmes influe sur la réaction de l'autre. Nous avons vu à plusieurs reprises comment le système nerveux commande les glandes endocrines, y compris la stimulation des médullosurrénales. Mais le système endocrinien a aussi un effet à la fois sur le développement du système nerveux et sur le comportement qui en découle.

Les Animaux possèdent donc deux systèmes de régulation. Nous avons étudié le système endocrinien de façon assez détaillée, et nous avons abordé certains aspects du système nerveux. Nous poursuivrons l'étude du système nerveux dans les chapitres 44 et 45. Mais auparavant, dans les chapitres 42 et 43, nous allons nous pencher sur l'un des domaines fondamentaux de la biologie dans lequel le système endocrinien joue un rôle central, non seulement pour la survie de l'individu mais aussi pour la propagation de l'espèce. Il s'agit de la reproduction et du développement.

Principaux messagers chimiques (p. 907-910)

1. Une hormone est une molécule sécrétée habituellement par une glande endocrine et transportée dans la circulation sanguine jusqu'à une cellule cible, où elle se lie à des récepteurs spécifiques et provoque une réponse. On trouve des hormones antagonistes (à l'action opposée) dans de nombreux exemples d'homéostasie.

2. Les phéromones constituent des signaux de communication entre des individus de la même espèce.

3. Les régulateurs locaux comme les neurotransmetteurs, les facteurs de croissance et les prostaglandines agissent sur des cellules cibles qui se trouvent au voisinage immédiat de l'endroit où ces régulateurs sont sécrétés.

Mécanismes d'action hormonale à l'échelle cellulaire (p. 910-915)

1. Les hormones stéroïdes traversent la membrane plasmique et se lient à des récepteurs protéiques spécifiques situés dans le noyau. Les complexes hormone-récepteur s'associent alors à une protéine qui joue le rôle d'accepteur et qui se trouve sur un chromosome, et ils déclenchent la transcription.

2. Les hormones dérivées d'acides aminés, qui ne peuvent pas traverser la membrane cellulaire, se lient à des récepteurs spécifiques situés sur la membrane plasmique. Par l'intermédiaire de seconds messagers tels l'AMP cyclique et l'inositol triphosphate, ces hormones amorcent à l'intérieur des cellules une cascade de réactions métaboliques.

3. La liaison d'une hormone à un récepteur de surface active une protéine G, laquelle active à son tour une protéine membranaire, l'adénylate cyclase, qui produit l'AMPc. Ce dernier active alors la protéine-kinase dépendante de l'AMPc, une enzyme qui provoque la phosphorylation d'autres protéines.

4. L'inositol triphosphate (IP$_3$) sert de second messager pour les neurotransmetteurs, les facteurs de croissance et certaines hormones. La liaison d'une hormone à son récepteur active une protéine G, qui commande à une enzyme membranaire de dégrader un phosphoglycérolipide membranaire en IP$_3$ et en diacylglycérol. Le diacylglycérol active une protéine-kinase et IP$_3$ provoque la libération du Ca^{2+} entreposé dans le réticulum endoplasmique. Le Ca^{2+}, seul ou lié à la calmoduline, modifie l'activité de certaines enzymes.

Hormones des Invertébrés (p. 915-917)

1. Les hormones des Invertébrés régissent différents aspects du développement, de la reproduction et de l'homéostasie.

2. Les Arthropodes possèdent des systèmes endocriniens bien développés. Chez les Insectes, la mue et le développement sont déterminés par une interaction entre l'hormone prothoracotrope, l'ecdysone et l'hormone juvénile.

Système endocrinien des Vertébrés (p. 917-927)

1. L'hypothalamus intègre les fonctions endocrinienne et nerveuse en agissant sur l'hypophyse. Placée sous la régulation des hormones de libération et d'inhibition hypothalamiques, l'adénohypophyse produit plusieurs hormones qui ont un effet sur d'autres glandes endocrines. La neurohypophyse est un prolongement de l'hypothalamus où sont entreposées et libérées deux hormones peptidiques élaborées par l'hypothalamus.

2. La neurohypophyse est un réservoir d'ocytocine et d'hormone antidiurétique (ADH). L'ocytocine provoque les contractions utérines et l'évacuation du lait, alors que l'ADH favorise la réabsorption d'eau par les reins.

3. L'adénohypophyse produit un ensemble d'hormones protéiques et peptidiques : la thyréotrophine (TSH), l'hormone folliculostimulante (FSH), l'hormone lutéinisante (LH), l'hormone de croissance (GH), la corticotrophine (ACTH), l'hormone mélanotrope (MSH), les enképhalines et les endorphines.

4. Les stimulines qui sont chimiquement apparentées, c'est-à-dire la TSH et les gonadotrophines (FSH et LH), favorisent la production des hormones correspondantes par la glande thyroïde et les gonades.

5. La GH favorise la croissance soit directement, soit en stimulant la production d'autres facteurs de croissance.

6. La prolactine, ainsi nommée parce qu'elle stimule la lactation chez les Mammifères, exerce des effets différents chez d'autres Vertébrés.

7. Les quatre autres hormones adénohypophysaires, qui proviennent toutes d'une prohormone appelée proopiomélanocortine, comprennent : l'ACTH qui agit comme une stimuline sur les corticosurrénales, la MSH qui influe sur la pigmentation de la peau chez certains Vertébrés, les endorphines et les enképhalines, les opiacés naturels du système nerveux, qui inhibent la perception de la douleur.

8. Les hormones de libération hypothalamiques commandent la sécrétion d'hormones spécifiques par l'adénohypophyse. Les hormones d'inhibition hypothalamiques empêchent ces sécrétions hormonales.

9. La glande thyroïde produit des hormones qui contiennent de l'iode ; ces hormones stimulent le métabolisme et influent sur le développement et la maturation chez les Vertébrés. La thyroïde sécrète aussi de la calcitonine, qui abaisse la concentration de calcium sanguin (calcémie).

10. Les glandes parathyroïdes font augmenter la calcémie en sécrétant la parathormone (PTH). La PTH, de concert avec la calcitonine, assure l'homéostasie en agissant sur les os et les reins.

11. La partie endocrine du pancréas se compose des cellules des îlots pancréatiques, qui sécrètent l'insuline et le glucagon. Les fortes concentrations de glucose dans le sang activent la libération d'insuline ; l'insuline augmente l'absorption de glucose par les cellules, favorise la formation et l'entreposage de glycogène dans le foie et stimule la synthèse des protéines ainsi que l'entreposage des graisses. Les faibles glycémies déclenchent la libération de glucagon, qui stimule la conversion de glycogène en glucose par le foie et accélère la dégradation des lipides et des protéines, faisant ainsi augmenter la concentration de glucose dans le sang. Le diabète de type I est une maladie auto-immune qui se manifeste par une incapacité à produire de l'insuline. Le diabète de type II est habituellement causé par la perte de sensibilité des cellules cibles à l'insuline ou par une déficience en insuline.

12. Les glandes surrénales comprennent une portion corticale externe et une portion médullaire interne. Les médullosurrénales libèrent l'adrénaline et la noradrénaline en réponse à des influx provenant du système nerveux sympathique et provoqués par le stress. Ces hormones déclenchent un ensemble de réactions du type « lutte ou fuite ». Les corticosurrénales libèrent deux groupes principaux de corticostéroïdes, les glucocorticoïdes et les minéralocorticoïdes. Les glucocorticoïdes ont un effet sur le métabolisme du glucose et le système immunitaire ; les minéralocorticoïdes agissent sur l'équilibre électrolytique et hydrique.

13. Les gonades (testicules et ovaires) produisent en proportion variable des androgènes, des œstrogènes et des progestatifs ; ces hormones stéroïdes influent sur la croissance, le développement et la différenciation morphologique ainsi que sur les cycles et les comportements reproducteurs.

14. Le corps pinéal sécrète la mélatonine, qui détermine la pigmentation de la peau, les rythmes biologiques et la reproduction chez plusieurs Vertébrés.

15. Le thymus est une glande qui fonctionne au début de la vie et stimule la formation des lymphocytes T par l'intermédiaire de la thymosine et d'autres messagers chimiques.

Glandes endocrines et système nerveux (p. 927-928)

Les systèmes endocrinien et nerveux collaborent pour assurer la communication et la régulation chimique chez les Animaux.

AUTO-ÉVALUATION

1. Parmi les affirmations suivantes concernant les hormones, laquelle n'est *pas* exacte ?
   a) Les hormones sont des messagers chimiques qui atteignent leurs cellules cibles par l'intermédiaire du système circulatoire.
   b) Les hormones assurent souvent l'homéostasie grâce à leurs fonctions antagonistes.
   c) Les hormones de la même classe chimique ont habituellement des fonctions similaires.
   d) Les hormones sont sécrétées par des cellules spécialisées habituellement situées dans les glandes endocrines.
   e) Les hormones sont souvent assujetties à une régulation par des mécanismes de rétroaction.

2. La principale différence entre le mécanisme d'action des hormones stéroïdes et celui des hormones dérivées d'acides aminés est la suivante :
   a) les hormones stéroïdes influent principalement sur la synthèse des protéines, alors que les hormones dérivées d'acides aminés agissent principalement sur l'activité des protéines qui se trouvent déjà dans la cellule.
   b) les cellules cibles réagissent plus rapidement aux hormones stéroïdes qu'aux hormones dérivées d'acides aminés.
   c) les hormones stéroïdes pénètrent dans le noyau, alors que les hormones dérivées d'acides aminés restent dans le cytoplasme.
   d) les hormones stéroïdes se lient à un récepteur protéique, alors que les hormones dérivées d'acides aminés se lient à une protéine G.
   e) les hormones stéroïdes influent sur le métabolisme, alors que les hormones dérivées d'acides aminés modifient la perméabilité membranaire.

3. Parmi les séquences suivantes, laquelle décrit de façon exacte la suite des événements ou molécules qui interviennent dans la réponse d'une cellule à une hormone dérivée d'acides aminés ?
   a) Liaison de l'hormone à l'adénylate cyclase — protéine G — protéine-kinase — phosphorylation des enzymes.
   b) Liaison de l'hormone au récepteur — protéine G — facteur de transcription — protéine-kinase.
   c) Liaison de l'hormone à l'AMPc — protéine G — protéine-kinase dépendante de l'AMPc — adénylate cyclase.
   d) Liaison de l'hormone sur la protéine G — adénylate cyclase — protéine-kinase — phosphorylation des protéines.
   e) Liaison de l'hormone sur le récepteur — protéine G — adénylate cyclase — protéine-kinase.

4. Les facteurs de croissance sont des régulateurs locaux qui :
   a) sont produits par l'adénohypophyse.
   b) sont des acides gras modifiés qui stimulent la croissance des os et des cartilages.
   c) se trouvent à la surface des cellules cancéreuses et provoquent une division cellulaire anormale.

d) sont des protéines qui se lient aux récepteurs de surface et stimulent la croissance et le développement des cellules cibles.

e) comprennent les histamines et les interleukines et sont nécessaires à la différenciation cellulaire.

5. Parmi les hormones suivantes, laquelle n'est *pas* associée à son effet?

a) Ocytocine — stimule les contractions utérines pendant l'accouchement.

b) Thyroxine — stimule les processus métaboliques.

c) Insuline — stimule la dégradation du glycogène par le foie.

d) ACTH — stimule la libération des glucocorticoïdes par les corticosurrénales.

e) Mélatonine — influe sur les rythmes biologiques et la reproduction saisonnière.

6. Un exemple d'hormones antagonistes qui maintiennent l'homéostasie est:

a) la calmoduline et la parathormone dans l'équilibre calcique;

b) l'insuline et le glucagon dans le métabolisme du glucose;

c) les progestatifs et les œstrogènes dans la différenciation sexuelle;

d) l'adrénaline et la noradrénaline dans la réaction du type «lutte ou fuite»;

e) l'ocytocine et la prolactine dans la production de lait.

7. Parmi les maladies humaines suivantes, laquelle n'est *pas* associée à l'hormone correspondante?

a) Acromégalie — hormone de croissance.

b) Diabète — insuline.

c) Crétinisme — hormones thyroïdiennes.

d) Tétanie — PTH.

e) Nanisme hypophysaire — ACTH.

8. Une veine porte transporte le sang directement de l'hypothalamus:

a) à la thyroïde.

b) au corps pinéal.

c) à l'adénohypophyse.

d) à la neurohypophyse.

e) au thymus.

9. Un second messager dérivé d'un lipide membranaire est:

a) l'AMP cyclique.

b) la calmoduline.

c) l'inositol triphosphate.

d) la protéine-kinase.

e) le calcium.

10. Les principaux organes cibles des stimulines sont:

a) les muscles.

b) les vaisseaux sanguins.

c) les glandes endocrines.

d) les reins.

e) les nerfs.

QUESTIONS À COURT DÉVELOPPEMENT

1. Élaborez un schéma de concepts concernant le mécanisme de conversion et d'amplification des hormones stéroïdes et des hormones dérivées d'acides aminés.

2. Dans un tableau, dressez la liste des hormones hypothalamiques et adénohypophysaires, et précisez un effet sur l'organisme pour chacune d'elles.

RÉFLEXION-APPLICATION

1. Une femme qui souffre d'hypothyroïdie reçoit un traitement à la thyroxine. Comment le traitement modifiera-t-il probablement les concentrations de thyréotrophine (TSH) et de thyréolibérine (TRH)?

2. Décrivez trois exemples précis d'interaction entre le système nerveux et le système endocrinien.

3. Pendant votre sommeil profond, le bruit d'une forte explosion à proximité de votre demeure vous réveille en sursaut. Expliquez la réponse physiologique de votre organisme à ce stress.

4. Précisez la nature des prostaglandines ainsi que trois de leurs fonctions.

5. Expliquez la régulation hormonale de la métamorphose chez les Insectes.

3. À l'aide d'un schéma, décrivez un mécanisme de régulation de la glycémie ou de la calcémie.

SCIENCE, TECHNOLOGIE ET SOCIÉTÉ

La production de l'hormone de croissance (GH) par le génie génétique a permis à des centaines d'enfants atteints de nanisme hypophysaire de grandir normalement et d'atteindre une taille raisonnable. Maintenant que l'on peut disposer de l'hormone assez facilement et à un coût relativement peu élevé, de nombreux parents, qui s'inquiètent de la croissance un peu lente de leurs enfants, souhaitent avoir recours à la GH pour les faire grandir plus vite. Les effets secondaires possibles de ce traitement comprennent une réduction des graisses corporelles et un accroissement de la masse musculaire. Par ailleurs, on ne connaît pas encore les répercussions à long terme des injections de GH chez les individus qui ne souffrent pas d'insuffisance adénohypophysaire. Pensez-vous qu'il faudrait réglementer la thérapie à la GH? À votre avis, quels critères devraient permettre de déterminer dans quels cas un traitement à la GH ou un autre traitement hormonal est approprié?

LECTURES SUGGÉRÉES

Atkinson, M. et N. MacLaren, «Le développement du diabète», *Pour la Science*, n° 155, septembre 1990. (Une explication de la réaction auto-immune qui conduit au diabète insulinodépendant.)

Brandenberger, G., «L'écheveau du sommeil et des sécrétions hormonales», *Science & Vie*, hors série, n° 185, décembre 1993. (L'influence du cycle veille-sommeil sur certaines sécrétions.)

Lefèvre, A., «La chimie fine du foie et du pancréas», *Science & Vie*, hors série, n° 187, juin 1994. (Le rôle de ces deux glandes dans la régulation de la glycémie.)

Linder, M. et A. Gilman, «Les protéines G», *Pour la Science*, n° 179, septembre 1992. (Structure et rôle des protéines G membranaires dans les mécanismes de transmission des messages intracellulaires.)

Rossion, P., «Le diabète sans seringue», *Science & Vie*, n° 890, novembre 1991. (Projet israélien de manipulation génétique pour forcer des cellules autres que celles du pancréas à fabriquer de l'insuline.)

Snyder, S. et D. Bredt, «Les fonctions biologiques du monoxyde d'azote», *Pour la Science*, n° 177, juillet 1992. (Cette molécule assure de nombreuses fonctions comme neurotransmetteur.)

Sapolsky R., «Le stress chez les babouins», *Pour la Science*, n° 151, mai 1990. (Une explication des mécanismes neuroendocriniens déclenchés par le stress.)

Sinding, C., «Cerveau et hormones: une logistique sanguine», *Science & Vie*, hors série, n° 187, juin 1994. (Le système neuroendocrinien vu comme un système d'intégration de l'information.)

Sinding, C., «La grammaire de la communication cellulaire», *Science & Vie*, hors série, n° 184, septembre 1993. (Mécanismes cellulaires de reconnaissance des messagers chimiques.)

Weissmann, G., «L'aspirine», *Pour la Science*, n° 161, mars 1991. (Les méfaits de cet analgésique et de ses analogues dans la synthèse des prostaglandines.)

42 | LA REPRODUCTION CHEZ LES ANIMAUX

Modes de reproduction
Mécanismes de reproduction sexuée
Reproduction chez les Mammifères

es nombreux aspects morphologiques et fonctionnels que nous avons étudiés jusqu'ici chez les Animaux peuvent être considérés, dans un contexte plus large, comme autant d'adaptations contribuant au succès reproductif. Les individus sont des êtres éphémères. L'existence d'une population ne peut dépasser la durée de vie limitée des individus que par l'intermédiaire de la reproduction, soit la formation de nouveaux organismes à partir de ceux qui existent déjà (figure 42.1). Le présent chapitre traite de la reproduction animale. Nous comparerons dans un premier temps les divers processus de reproduction qui sont apparus au cours de l'évolution, puis nous nous pencherons plus en détail sur la reproduction chez les Mammifères, en particulier chez l'Humain.

MODES DE REPRODUCTION

Il existe deux principaux modes de reproduction chez les Animaux. On parle de **reproduction asexuée** lorsqu'un individu unique crée des descendants qui lui sont génétiquement identiques. Tous les Animaux génétiquement identiques et provenant d'une même lignée constituent un clone. Dans la **reproduction sexuée**, deux individus engendrent des descendants dont les gènes proviennent d'une combinaison de ceux des deux parents (voir les chapitres 12 et 34).

Reproduction asexuée

De nombreux Invertébrés se reproduisent de façon asexuée par scissiparité, c'est-à-dire en formant de nouveaux individus qui se détachent des Animaux existants, ou bien en se scindant en deux ou plusieurs descendants de taille égale (voir la figure 42.1). Certains Cnidaires et certains Urocordés offrent un exemple du premier de ces processus, que l'on appelle **bourgeonnement**. Dans ce type de reproduction asexuée, le nouvel individu se forme à partir de l'organisme du premier (voir la figure 12.2). Le descendant se détache de son parent ou bien les deux restent associés, et il finira par se former une importante colonie. Les Coraux vrais, dont le diamètre peut dépasser un mètre, sont des colonies de plusieurs milliers d'individus reliés ensemble. La **fragmentation** est un autre type de reproduction asexuée : le corps se dissocie en plusieurs morceaux, et chacun devient un adulte complet. Lorsque les Polychètes (Vers segmentés appartenant à l'embranchement des Annélides) se préparent à la fragmentation, il se forme des têtes et des organes sensoriels aux extrémités antérieures des futurs descendants, avant même que le parent se fragmente.

Figure 42.1
Deux individus à partir d'un seul : reproduction asexuée d'une Anémone de mer (*Anthopleura elegantissima*). Un des individus que l'on voit sur cette photographie subit une scissiparité et s'apprête à donner naissance à deux descendants plus petits. Dans ce chapitre, vous allez apprendre les divers mécanismes de reproduction asexuée et sexuée qui sont apparus dans l'évolution du règne animal.

Certains Invertébrés présentent une troisième forme de reproduction asexuée : ils libèrent des groupes spécialisés de cellules qui donnent naissance à de nouveaux individus. Chez les Éponges par exemple, des cellules de plusieurs catégories migrent ensemble à travers l'organisme de l'Animal et s'entourent d'un revêtement protecteur, constituant ainsi des **gemmules**. Enfin, la **régénération** qui suit une blessure constitue également un type de reproduction asexuée si elle produit deux ou plusieurs organismes là où il n'y en avait qu'un. Les Échinodermes fournissent un exemple de ce processus : lorsqu'on enlève un bras à une Étoile de mer, elle en forme un nouveau. Il ne s'agit pas encore de reproduction. Cependant, si on rattache un fragment du disque central, même petit, au bras qui a été coupé, ce dernier formera lui aussi une nouvelle Étoile de mer complète par régénération.

La reproduction asexuée autorise souvent l'apparition d'un grand nombre de descendants en peu de temps, ce qui en fait un mode de reproduction idéal lorsqu'il faut coloniser rapidement un habitat. Théoriquement, la reproduction asexuée est le processus le plus avantageux dans des milieux stables et propices parce qu'elle perpétue précisément les génotypes qui connaissent le succès.

Reproduction sexuée

Chez les Animaux, la reproduction sexuée s'effectue par la fusion de deux **gamètes** haploïdes, qui forment un **zygote** diploïde. Le gamète femelle, ou **ovule** (œuf non fécondé), est habituellement une cellule relativement grosse et immobile. Le gamète mâle, ou **spermatozoïde**, est généralement une petite cellule flagellée (les Arthropodes cependant produisent des spermatozoïdes immobiles qui doivent être placés près des voies génitales de la femelle).

La reproduction sexuée augmente la variabilité des descendants parce qu'elle forme des combinaisons uniques à partir des gènes provenant des deux parents (voir les chapitres 12 et 13). Comme la reproduction sexuée donne naissance à des descendants aux phénotypes variés, de nombreux biologistes pensent qu'elle favorise le succès reproductif des parents dans certaines circonstances (dans un environnement changeant, par exemple).

Cycles reproducteurs et types de reproduction

Chez la plupart des Animaux, l'activité de reproduction suit des cycles précis souvent associés aux changements saisonniers. Comme la reproduction est de nature périodique, les Animaux peuvent économiser leurs ressources et se consacrer à cette activité lorsqu'ils disposent de l'énergie nécessaire après avoir assuré les besoins de la simple survie, et lorsque les conditions du milieu favorisent l'existence des jeunes. Ainsi, les Brebis ont un cycle reproducteur de 15 jours et ovulent au milieu de chaque cycle. Mais ces cycles ne surviennent qu'à l'automne et au début de l'hiver, de sorte que les agneaux naissent au printemps. De même, les Animaux qui vivent dans des habitats apparemment stables, comme sous les tropiques ou dans l'océan, ne se reproduisent en général qu'à certains moments de l'année. Les cycles reproducteurs sont déterminés par un ensemble de facteurs hormonaux et saisonniers, y compris la température, les précipitations ou la longueur du jour (photopériode).

Les Animaux peuvent se reproduire exclusivement par voie asexuée ou sexuée, ou bien passer de l'une à l'autre. Chez les Pucerons, les Rotifères et les Daphnies (Crustacés d'eau douce) la femelle peut fabriquer deux sortes d'œufs selon les conditions du milieu, la saison par exemple. Une catégorie d'œuf est fécondée, mais l'autre se développe directement sans fécondation. Les adultes qui naissent par **parthénogenèse**, c'est-à-dire que l'œuf se développe directement sans fécondation. Les adultes qui naissent par parthénogenèse sont souvent haploïdes, et leurs cellules ne subissent pas de méiose pour donner de nouveaux œufs. Dans le cas des Daphnies, le passage de la reproduction asexuée au mode sexué s'effectue souvent en fonction de la saison. La reproduction est asexuée dans des conditions favorables, et sexuée en cas de stress venant du milieu.

La parthénogenèse joue un rôle important dans l'organisation sociale de certaines espèces d'Abeilles, de Guêpes et de Fourmis. Les mâles de l'Abeille, appelés Faux Bourdons, naissent par parthénogenèse, alors que les femelles, soit les ouvrières stériles et les femelles reproductrices (reines), proviennent d'œufs fécondés.

Chez les Vertébrés, plusieurs genres de Poissons, d'Amphibiens et de Lézards se reproduisent exclusivement par une forme complexe de parthénogenèse dans laquelle la méiose doit être suivie d'un doublement du nombre de chromosomes, ce qui crée des « zygotes » diploïdes. Par exemple, il existe environ 15 espèces de Lézards Queue-en-fouet (genre *Cnemidophorus*) qui se reproduisent uniquement par parthénogenèse. Chez ces espèces, il n'existe pas de mâles mais les individus imitent les comportements de parade nuptiale et d'accouplement que l'on observe chez les espèces sexuées du même genre. Pendant la saison de reproduction, une femelle dans chaque couple joue le rôle du mâle (figure 42.2a). Les rôles sont échangés deux ou trois fois au cours de la saison : chaque individu adopte le comportement femelle avant l'ovulation (libération des œufs) lorsque la quantité d'œstrogènes (les hormones sexuelles) augmente, et le comportement mâle après l'ovulation, lorsque la concentration d'œstrogènes diminue (figure 42.2b). En fait, l'ovulation a plus de chances de se produire si l'individu est monté par un pseudomâle pendant la période critique du cycle hormonal ; les Lézards isolés pondent moins d'œufs que les Lézards auxquels on permet d'accomplir les mouvements de l'accouplement. Il semble que ces Lézards parthénogénétiques, qui descendent d'espèces bisexuées, ont encore besoin d'une certaine stimulation sexuelle pour assurer le meilleur succès reproductif possible.

La reproduction sexuée présente un problème particulier aux Animaux sessiles ou fouisseurs, tels les Balanes et les Lombrics, ainsi qu'aux parasites comme les Ténias ; en effet, la rencontre avec un représentant de l'autre sexe peut s'avérer difficile. L'**hermaphrodisme** offre une solution. Chaque individu possède un système reproducteur femelle (*hermaphrodite* est la contraction de « Hermès » et « Aphrodite », le dieu et la déesse grecs). Bien que certains hermaphrodites se fécondent eux-mêmes, la plupart doivent s'accoupler avec un autre membre de leur espèce. Dans un tel cas, chaque Animal joue à la fois le rôle du mâle et de la femelle, c'est-à-dire qu'il donne du sperme et en reçoit.

femelles) et chez d'autres espèces, ils sont **protérandres** (d'abord mâles). Chez plusieurs espèces de Poissons des récifs appelés Labres, le changement de sexe dépend de l'âge et de la taille. Par exemple, la Girelle à tête-bleue (*Thalassoma bifasciatum*), un Labre qui vit dans les Caraïbes, est une espèce protérogyne dans laquelle seuls les individus les plus gros (habituellement les plus vieux) passent de l'état femelle à celui de mâle (figure 42.3). Ces Poissons vivent en «harems» composés d'un seul mâle et de plusieurs femelles. Si le mâle meurt ou si on l'ôte du milieu expérimental, la plus grosse femelle du harem change de sexe. En moins d'une semaine, l'individu ainsi transformé produit des spermatozoïdes au lieu d'œufs. Comme le mâle défend le harem contre les intrus, une grande taille présente peut-être un avantage plus important, du point de vue de la reproduction, pour les mâles que pour les femelles. Par contre, il existe des Animaux protérandres qui passent de l'état mâle à l'état femelle lorsque leur taille s'accroît. Dans de tels cas, une taille plus grande peut augmenter davantage le succès reproductif des femelles que celui des mâles. Par exemple, la production d'un nombre très élevé de gamètes représente un atout majeur pour les Animaux sédentaires, telles les Huîtres, qui les libèrent dans le milieu aquatique où ils vivent. Les œufs sont habituellement beaucoup plus gros que les spermatozoïdes, et les femelles produisent donc moins de gamètes que les mâles. Bien entendu, les grosses femelles fournissent plus d'œufs que les petites, et les espèces d'Huîtres dont les individus passent par l'hermaphrodisme successif sont généralement protérandres.

Tous les individus rencontrés sont des partenaires potentiels, et une telle union peut produire deux fois plus de descendants que la fécondation des ovules d'un seul individu.

L'**hermaphrodisme successif** est un autre type de reproduction remarquable caractérisé par le changement de sexe d'un individu au cours de sa vie. Chez certaines espèces, les individus sont **protérogynes** (d'abord

Figure 42.3
Changement de sexe dans un cas d'hermaphrodisme successif. Chez de nombreuses espèces de Labres (Poissons des récifs), le sexe peut changer au cours de la vie de l'individu. Il y a souvent une corrélation entre le changement de sexe et la taille. Sur cette photographie, un mâle de Girelle à tête-bleue, une espèce de Labre des Caraïbes, se nourrit d'un Oursin en compagnie de deux femelles, qui sont plus petites. Tous les Poissons de cette espèce naissent à l'état femelle, mais les individus les plus âgés et les plus gros changent de sexe et arrivent au terme de leur vie comme mâles.

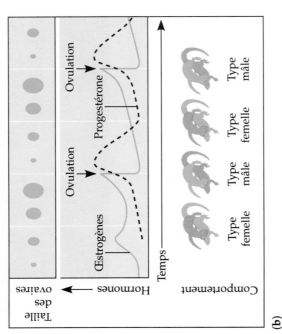

Figure 42.2
Pseudosexe chez les Lézards parthénogénétiques. Le Queue-en-fouet du désert semi-aride (*Cnemidophorus uniparens*) est une espèce composée uniquement de femelles. Ces Reptiles se reproduisent par parthénogenèse ; après la méiose, les œufs subissent un dédoublement des chromosomes et deviennent de nouveaux individus sans avoir été fécondés. Cependant, l'ovulation est favorisée par le rituel de parade et d'accouplement, qui imite le comportement d'espèces apparentées à reproduction sexuée. (a) Sur cette photographie, le Lézard du dessus est une femelle qui joue le rôle du mâle. Pendant la saison de reproduction, les individus changent de rôle toutes les deux ou trois semaines. (b) Il y a une corrélation entre le comportement pseudosexuel de *C. uniparens* et son cycle de sécrétion hormonale et d'ovulation. Pendant la période où la quantité d'œstrogènes croît et l'ovaire grossit, l'individu se comportera probablement comme une femelle. Après l'ovulation, le taux d'œstrogènes diminue et la concentration d'une autre hormone stéroïde, la progestérone, augmente ; l'Animal a alors tendance à se comporter comme un mâle. Les Lézards unisexués pondent moins d'œufs si on les isole.

Septième partie : Anatomie et physiologie animales

MÉCANISMES DE REPRODUCTION SEXUÉE

Modes de fécondation et de développement

La fécondation externe et la fécondation interne sont les deux principaux modes de fécondation apparus au cours de l'évolution. Chaque mécanisme possède ses propres caractéristiques adaptées au milieu et au comportement.

Union des gamètes Les modes de fécondation jouent un rôle important dans la reproduction sexuée. Dans le cas de la **fécondation externe**, les œufs sont libérés par la femelle et fécondés par le mâle dans le milieu externe (figure 42.4). Dans la **fécondation interne**, le sperme est déposé à l'intérieur (ou près) du système reproducteur de la femelle, et l'union des spermatozoïdes et des ovules prend place dans l'organisme de la femelle. Ces modes de fécondation dépendent du type d'habitat de chaque espèce et de sa position phylogénétique.

Comme la fécondation externe requiert un milieu favorable dans lequel l'œuf peut se développer sans se dessécher et souffrir d'un excès de chaleur, elle se produit presque exclusivement dans les habitats humides. De nombreux organismes aquatiques libèrent tout simplement leurs œufs et leurs spermatozoïdes dans le milieu externe, et la fécondation s'effectue sans contact physique des parents. Cependant, la rencontre des spermatozoïdes et des ovules mûrs demande une certaine coordination.

Il s'agit souvent de facteurs extérieurs tels que la température ou la photopériode, qui déclenchent la libération simultanée des gamètes par tous les individus d'une population ; par ailleurs, un individu qui libère ses gamètes sécrète des phéromones qui déclenchent le même phénomène chez les autres individus. Dans le sud du Pacifique, le Palolo (*Eunice viridis*, un Ver polychète) vit dans les crevasses des récifs de Corail et s'accouple à la surface de l'océan. Toute la population de Palolos se reproduit sur un récif des Samoa au cours de la même nuit d'automne, pendant une certaine phase de la lune. Tous les individus montent à la surface et relâchent leurs gamètes en même temps. Les habitants des îles voisines profitent de cette frénésie sexuelle pour pêcher les Vers, qui constituent un mets très apprécié.

La plupart des Poissons et des Amphibiens à fécondation externe présentent un comportement sexuel qui permet à un mâle de féconder les œufs d'une femelle. Pour les deux individus, la parade constitue un déclencheur provoquant la libération des gamètes, ce qui a deux conséquences : la fécondation a de meilleures chances de réussir et le choix du partenaire peut, dans une certaine mesure, se faire de façon sélective.

La fécondation interne nécessite une collaboration pour rendre l'accouplement possible. Dans certains cas, la sélection naturelle élimine de façon très directe tout comportement sexuel marginal ; par exemple, la femelle de certaines Araignées dévore le mâle s'il n'émet pas certains déclencheurs sexuels précis pendant l'accouplement. Au chapitre 50, nous étudierons plusieurs autres exemples de sélection sexuelle et de comportement sexuel.

La fécondation interne ne peut s'effectuer que s'il existe des systèmes reproducteurs assez complexes. Il faut en effet des organes copulateurs pour libérer les spermatozoïdes et des réceptacles pour les entreposer et assurer leur transport vers les œufs.

Les divers cycles reproducteurs et types de reproduction que nous observons dans le règne animal sont des adaptations apparues par suite de la sélection naturelle. Au cours de notre étude des différents mécanismes de reproduction sexuée, nous en verrons un grand nombre d'exemples.

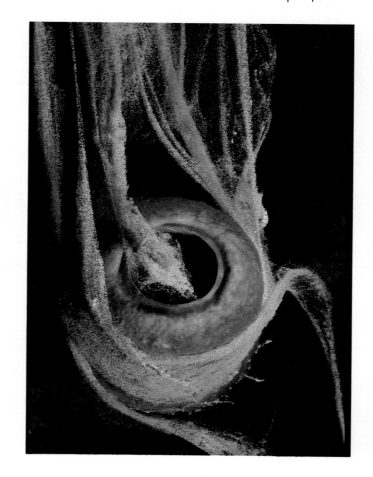

Figure 42.4
Production massive d'ovules par une Éponge. Les femelles chez cette Éponge tubulaire du genre *Agelas* libèrent des centaines de milliers d'œufs au mois de juillet, tandis que les mâles libèrent leurs spermatozoïdes. Un mucus collant empêche que les œufs soient emportés loin du récif par les courants marins.

Protection de l'embryon La fécondation externe produit habituellement un très grand nombre de zygotes, mais la proportion de zygotes qui survivent et poursuivent leur développement s'avère souvent très faible. La fécondation interne fournit généralement un nombre moins élevé de zygotes ; par contre, les embryons bénéficient d'une plus grande protection et les jeunes, de soins parentaux. Les principaux mécanismes de protection de l'embryon incluent la production d'œufs résistants, le développement de l'embryon dans les voies génitales de la femelle et la protection des œufs par les parents.

De nombreuses espèces d'Animaux terrestres pondent des œufs capables de résister à un milieu hostile. Chez les Vertébrés, on peut comparer les œufs des Poissons et des Amphibiens, dotés d'un seul revêtement gélatineux permettant les échanges de gaz et d'eau, et les œufs amniotiques comme ceux des Oiseaux et des Reptiles, dont la coquille constituée de sels de calcium et d'une protéine analogue au collagène empêche les pertes d'eau et les dommages physiques (voir le chapitre 30).

Au lieu de sécréter une coquille protectrice autour de l'œuf, de nombreux Animaux conservent l'embryon, qui se développe alors dans les voies génitales de la femelle. Chez les Mammifères, les Monotrèmes (Ornithorynque, Échidné) pondent des œufs qui rappellent ceux de leurs ancêtres reptiliens, tandis que les Marsupiaux comme les Kangourous et les Opossums abritent l'embryon dans leur utérus pendant un court laps de temps ; l'embryon rampe ensuite de lui-même jusqu'à l'extérieur, puis termine son développement fœtal accroché à une glande mammaire située dans la poche de la mère. Les embryons des Mammifères placentaires se développent entièrement à l'intérieur de l'utérus et absorbent les nutriments nécessaires grâce au système circulatoire maternel, par l'intermédiaire d'un organe particulier appelé placenta (voir le chapitre 30).

Lorsqu'un Oisillon éclôt, qu'un Kangourou sort de la poche de sa mère pour la première fois ou qu'un Humain vient au monde, le nouveau-né n'est pas encore en mesure de vivre de façon indépendante. On sait bien que les Oiseaux adultes nourrissent leurs Oisillons et que les Mammifères donnent la tétée, mais les Animaux qui dispensent des soins à leurs petits sont beaucoup plus nombreux qu'on ne le pense, et ce comportement se présente souvent sous une forme inattendue. Par exemple, chez une espèce de Grenouille sud-américaine, le Rhinoderme de Darwin (*Rhinoderma darwini*), le mâle transporte les têtards dans son sac vocal jusqu'à ce qu'ils se métamorphosent et ressortent d'eux-mêmes sous forme de jeunes Grenouilles. On connaît également de nombreux cas de soins prodigués par les parents chez les Invertébrés (figure 42.5).

Diversité des systèmes reproducteurs

La reproduction par voie sexuée requiert que les Animaux possèdent des systèmes permettant de fabriquer des gamètes aussi bien que de les mettre en présence de gamètes de l'autre sexe. Ces systèmes reproducteurs présentent une grande diversité. Dans les systèmes les plus simples, il n'existe même pas de **gonades**, les organes qui élaborent les gamètes chez la plupart des Animaux. Les systèmes reproducteurs les plus complexes comportent plusieurs ensembles de conduits et de glandes annexes

Figure 42.5
Soins prodigués aux jeunes chez un Invertébré. En comparaison avec la majorité des Arthropodes, la femelle du Scorpion produit relativement peu de descendants, mais la protection assurée aux jeunes améliore leurs chances de survie. Le mode de fécondation est interne et les œufs restent dans les voies génitales de la mère, où ils éclosent. Les petits (de couleur claire sur cette photographie) se regroupent alors sur le dos de leur mère et bénéficient encore de sa protection.

qui transportent et protègent les gamètes de même que les embryons en cours de développement. De manière générale, on peut dire que la complexité du système reproducteur dépend de la position phylogénétique de l'Animal ; ainsi, le système reproducteur des Plathelminthes parasites fait partie des systèmes les plus complexes du règne animal.

Systèmes reproducteurs chez les Invertébrés Divers systèmes reproducteurs sont apparus chez les Invertébrés. Nous allons en examiner trois exemples.

Les Annélides polychètes sont un groupe de Vers surtout marins chez lesquels les sexes sont séparés et dont le système reproducteur s'avère relativement simple. La plupart des Polychètes ne possèdent pas de gonades à proprement parler ; les œufs et les spermatozoïdes proviennent de cellules indifférenciées qui tapissent le cœlome. Au fur et à mesure que les gamètes arrivent à maturité, ils se détachent de la paroi corporelle et remplissent le cœlome. Selon l'espèce, les gamètes parvenus à maturité sont libérés par les ouvertures du système excréteur, ou bien le gonflement de la masse d'œufs fait éclater l'individu, ce qui provoque sa mort et l'éparpillement des œufs dans le milieu externe.

Les Insectes ont des sexes séparés et des systèmes reproducteurs complexes. Chez le mâle, les spermatozoïdes sont produits dans les testicules et cheminent dans un conduit pour se rendre dans les vésicules séminales, où ils sont entreposés. Les vésicules séminales se vident dans un conduit éjaculateur qui traverse le pénis. Il existe parfois une paire de glandes annexes qui ajoutent du liquide au sperme. Les ovules de la femelle passent des ovaires dans les oviductes et sont déposés dans le vagin (ou atrium génital), qui s'ouvre sur l'extérieur du corps (figure 42.6). Le système reproducteur de la femelle peut également comporter une **spermathèque**, une poche fermée qui permet l'entreposage des spermatozoïdes pendant un an ou plus quelquefois.

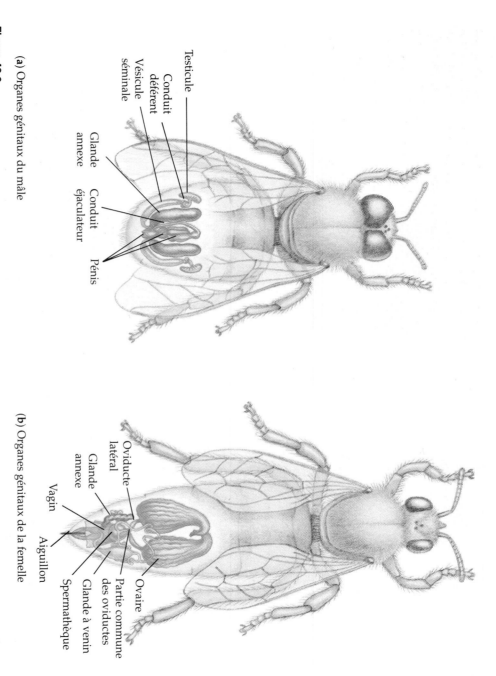

Testicule

Conduit déférent

Vésicule séminale

Glande annexe

Conduit éjaculateur

Pénis

(a) Organes génitaux du mâle

Oviducte latéral

Glande annexe

Vagin

Aiguillon

Ovaire

Partie commune des oviductes

Glande à venin

Spermathèque

(b) Organes génitaux de la femelle

Figure 42.6
Anatomie du système reproducteur d'un Insecte. (a) Abeille mâle. Les spermatozoïdes se forment dans les testicules, circulent dans le conduit déférent et sont entreposés dans les vésicules séminales. Au cours de l'éjaculation, le mâle libère des spermatozoïdes ainsi que du liquide provenant des glandes annexes. Certaines espèces d'Insectes et d'autres Arthropodes possèdent des appendices appelés gonopodes qui servent à retenir la femelle pendant l'accouplement. **(b)** Abeille femelle. Les ovules se développent dans les ovaires, passent dans les oviductes et sont déposés dans le vagin. Certaines espèces possèdent une spermathèque dans laquelle sont entreposés les spermatozoïdes. Ces derniers fécondent les ovules dans le vagin.

Les Vers plats (embranchement des Plathelminthes) sont des hermaphrodites dotés de systèmes reproducteurs extrêmement complexes (figure 42.7). Outre les structures que nous avons décrites chez les Insectes, la partie femelle du système reproducteur comprend des glandes vitellogènes et coquillières, ainsi qu'un utérus où a lieu la fécondation des ovules et où commence le développement chez certaines espèces. La partie mâle du système reproducteur comporte un organe génital complexe appelé parfois pénis (ou cirre). Chez les Plathelminthes, la copulation s'effectue habituellement de façon réciproque, chaque partenaire fécondant l'autre. Les mécanismes de fécondation vont de l'insertion du pénis dans le vagin à la fécondation hypodermique, c'est-à-dire que les spermatozoïdes sont introduits dans les tissus par l'intermédiaire du pénis et qu'ils migrent jusqu'au système reproducteur femelle.

Systèmes reproducteurs chez les Vertébrés Les systèmes reproducteurs de tous les Vertébrés présentent une structure générale assez semblable, mais il existe quelques variantes importantes. Chez la plupart des Mammifères, les systèmes digestif, excréteur et reproducteur ont des ouvertures distinctes, mais chez tous les autres Vertébrés, le **cloaque** constitue l'ouverture commune de ces trois systèmes (voir le chapitre 30). Chez la plupart des Vertébrés, l'utérus est bicorne, c'est-à-dire qu'il comporte deux branches distinctes. Chez les Humains et les autres Mammifères dont l'utérus n'abrite qu'un petit nombre d'embryons à la fois, ainsi que chez les Oiseaux et les Serpents, l'utérus ne possède qu'une branche. Les différences entre les systèmes reproducteurs mâles ont surtout trait aux organes génitaux. Les Vertébrés autres que les Mammifères n'ont pas de pénis bien développé et peuvent éjaculer par simple éversion du cloaque.

REPRODUCTION CHEZ LES MAMMIFÈRES

Pour illustrer la reproduction chez les Mammifères, nous nous servirons de l'exemple de l'Humain, dont le système reproducteur ressemble à celui des autres Mammifères par son anatomie.

Chez la plupart des Mammifères, la formation des spermatozoïdes ne peut s'effectuer à la température normale du corps, mais les testicules des Humains et de nombreux autres Mammifères sont situés à l'extérieur de la cavité pelvienne et abrités à l'extérieur de l'organisme (le scrotum, un repli de peau. La température du scrotum est d'environ 2 °C inférieure à celle de l'organisme. Les testicules se forment un peu plus haut dans la cavité pelvienne et descendent dans le scrotum juste avant la naissance. (Chez 1 à 2 % des garçons, les testicules ne descendent pas mais on peut y remédier par un traitement hormonal ou par voie chirurgicale.) Chez certains Mammifères (autres que les Humains), les testicules se rétractent à l'intérieur du corps entre les saisons de reproduction. Les Baleines et les Chauves-Souris font exception parce que leurs testicules restent à l'intérieur de la cavité pelvienne de façon permanente.

À partir des tubules séminifères des testicules, les spermatozoïdes pénètrent dans les canalicules efférents qui forment l'**épididyme**, où ils sont entreposés et terminent leur maturation. Au cours de l'**éjaculation**, les spermatozoïdes sont expulsés de l'épididyme par l'intermédiaire du **conduit déférent**, dont la paroi est tapissée de muscles. Ces conduits quittent le scrotum, contournent la vessie et se rejoignent derrière elle pour former un court **conduit éjaculateur.** Ce dernier aboutit dans l'**urètre**, un conduit qui draine à la fois le système excréteur et le système reproducteur. Chez l'homme, ces deux systèmes sont donc reliés mais, comme nous allons le voir, tel n'est pas le cas chez la femme. L'urètre pénètre dans le pénis et débouche sur l'extérieur par le méat urétral.

Outre les testicules et les conduits, le système reproducteur de l'homme comprend trois ensembles de glandes qui ajoutent leurs sécrétions au **sperme**, le liquide qui est éjaculé. Les **vésicules séminales** produisent environ 60 % du volume total du sperme. Cette paire de glandes se trouve en arrière et en dessous de la vessie, et leur sécrétion se déverse dans le conduit éjaculateur. Le liquide provenant des vésicules séminales, de consistance visqueuse et de couleur blanchâtre, renferme du mucus et des acides aminés ainsi que de grandes quantités de fructose (glucide) qui constituent une source d'énergie pour les spermatozoïdes. Les vésicules séminales sécrètent également des prostaglandines (voir le chapitre 41). Lorsque ces messagers chimiques se retrouvent dans le système reproducteur de la femme, ils provoquent des contractions des muscles utérins qui facilitent le mouvement du sperme vers le fond de l'utérus. Des protéines présentes dans le liquide séminal provoquent la coagulation du sperme déposé dans le système reproducteur de la femme, et les contractions des muscles utérins déplacent ainsi plus facilement le sperme.

La **prostate** est la plus grosse des glandes annexes. Elle entoure la partie supérieure de l'urètre et déverse directement ses sécrétions dans ce dernier par l'intermédiaire de plusieurs petits conduits. Le liquide prostatique est fluide, laiteux et relativement alcalin, ce qui a pour effet d'équilibrer l'acidité de l'urine restant dans l'urètre et l'acidité naturelle du vagin. La prostate cause certains problèmes médicaux assez répandus chez l'homme ayant dépassé la quarantaine. Plus de la moitié des hommes de ce groupe d'âge souffrent d'un gonflement bénin (non cancéreux) de la prostate.

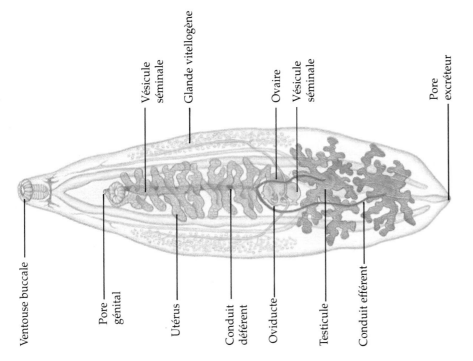

Figure 42.7
Anatomie du système reproducteur d'un Plathelminthe parasite. Les Plathelminthes (Vers plats) se reproduisent soit de façon asexuée par scissiparité, soit par voie sexuée. Pendant la saison de reproduction, le Plathelminthe forme à la fois des organes génitaux mâles et femelles qui s'ouvrent sur l'extérieur par un même pore génital. L'accouplement aboutit habituellement à une fécondation réciproque. Le Plathelminthe représenté ici est une Douve du foie (voir le chapitre 29).

Ventouse buccale
Pore génital
Utérus
Conduit déférent
Oviducte
Testicule
Conduit efférent
Vésicule séminale
Glande vitellogène
Ovaire
Vésicule séminale
Pore excréteur

Anatomie du système reproducteur chez l'Humain

Anatomie de l'homme Le système reproducteur de l'homme comprend deux ensembles d'organes, les organes génitaux internes et les organes génitaux externes. Le **scrotum** et le **pénis** composent les organes génitaux externes. Les organes génitaux internes comprennent les gonades, qui produisent les gamètes (spermatozoïdes) et des hormones, les glandes annexes, qui sécrètent des substances essentielles au mouvement des spermatozoïdes, et un réseau de conduits destinés au transport des spermatozoïdes et des sécrétions glandulaires (figure 42.8).

Les gonades mâles, appelées **testicules**, comportent chacune un réseau de conduits enroulés de façon compacte et entourés de plusieurs épaisseurs de tissu conjonctif. Il s'agit des **tubules séminifères** dans lesquels les spermatozoïdes sont formés. Les **cellules interstitielles du testicule** disséminées entre les tubules séminifères élaborent la testostérone et d'autres androgènes (hormones sexuelles masculines).

Figure 42.8
Anatomie du système reproducteur de l'homme. (a) Vue latérale. (b) Vue frontale.

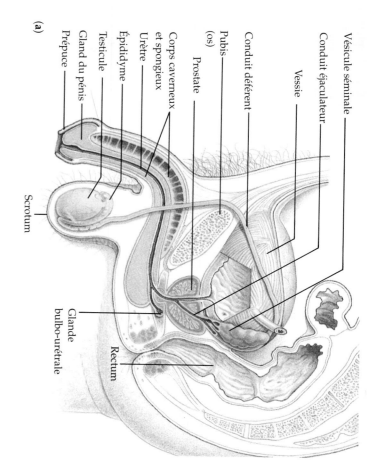

(a)

Vésicule séminale
Conduit éjaculateur
Vessie
Conduit déférent
Pubis (os)
Prostate
Corps caverneux et spongieux
Urètre
Épididyme
Testicule
Gland du pénis
Prépuce
Scrotum
Glande bulbo-urétrale
Rectum

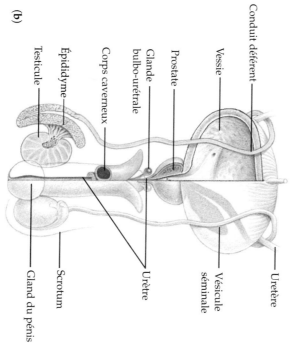

(b)

Conduit déférent
Vessie
Prostate
Glande bulbo-urétrale
Corps caverneux
Épididyme
Testicule
Urètre
Vésicule séminale
Uretère
Scrotum
Gland du pénis

Les **glandes bulbo-urétrales,** les dernières structures annexes, sont une paire de petites glandes situées le long de l'urètre, sous la prostate. On ne connaît pas encore leur fonction. Elles sécrètent un liquide visqueux avant l'éjaculation. On a suggéré que ce liquide joue le même rôle que le liquide prostatique ou qu'il sert à lubrifier le pénis et le vagin, mais le volume produit (une ou deux gouttes seulement) ne permet sans doute pas d'assurer cette dernière fonction de manière efficace. Comme le liquide bulbo-urétral entraîne quelques spermatozoïdes libérés avant l'éjaculation, le coït interrompu (une méthode visant à prévenir la fécondation) connaît un taux d'échec élevé.

Le pénis humain comprend trois cylindres de tissu érectile provenant de veines et de capillaires modifiés ; il

s'agit du corps spongieux qui entoure l'urètre et forme le gland, et des deux corps caverneux qui recouvrent en grande partie le corps spongieux à l'exception du gland. Au cours de l'excitation sexuelle, le tissu érectile s'emplit de sang artériel. L'augmentation de la pression bloque les veines qui drainent le pénis, lequel se gorge de sang. L'érection qui en résulte permet l'insertion du pénis dans le vagin. Les Rongeurs, les Ratons laveurs, les Morses et plusieurs autres Mammifères possèdent en outre un **baculum,** un os qui raidit le pénis.

Une peau relativement épaisse enveloppe le corps principal du pénis ; la peau qui entoure le **gland du pénis** (l'extrémité du pénis) est beaucoup plus fine, ce qui rend le gland beaucoup plus sensible à la stimulation. Chez l'homme, un repli de peau appelé **prépuce** recouvre le

Figure 42.9
Anatomie du système reproducteur
de la femme. (a) Vue latérale. (b) Vue
frontale.

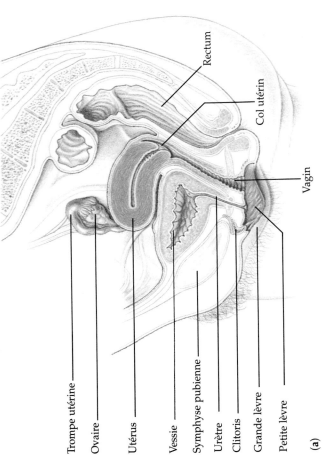

Trompe utérine

Ovaire

Utérus

Vessie

Symphyse pubienne

Urètre

Clitoris

Grande lèvre

Petite lèvre

Rectum

Col utérin

Vagin

(a)

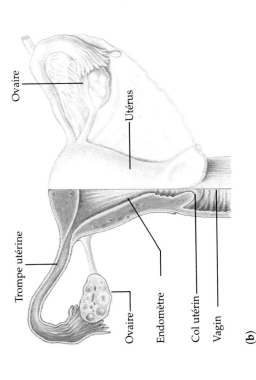

Ovaire

Utérus

Trompe utérine

Ovaire

Endomètre

Col utérin

Vagin

(b)

gland. On procède parfois à l'ablation du prépuce, ou circoncision, pour des raisons essentiellement religieuses. En effet, cette pratique n'a pas de justifications vérifiables du point de vue de la santé ou de l'hygiène.

Anatomie de la femme Les organes génitaux internes de la femme comportent une paire de gonades et un système de conduits et de cavités qui permettent le passage des gamètes et abritent l'embryon et le fœtus. Les organes génitaux externes de la femme sont le clitoris ainsi que les deux paires de lèvres localisées de part et d'autre du clitoris et de l'ouverture du vagin (figure 42.9). Les gonades femelles, appelées **ovaires**, se situent dans la cavité pelvienne de part et d'autre de l'utérus. Chaque ovaire est enveloppé d'une capsule protectrice résistante (albuginée fibreuse) et renferme un grand nombre de follicules. Chaque **follicule** se compose d'un œuf immature, appelé ovocyte, entouré d'une ou plusieurs couches de cellules folliculaires qui nourrissent et protègent l'ovo-

cyte en développement. Les 400 000 follicules qu'une femme portera durant sa vie entière sont tous formés dès sa naissance. De ce nombre, quelques centaines seulement seront libérées pendant les années où la femme sera en âge de procréer. À partir de la puberté et à chaque cycle menstruel, un follicule (plus rarement deux ou plusieurs) arrive à maturité et libère son ovocyte. Les cellules du follicule sécrètent aussi les œstrogènes, c'est-à-dire les hormones sexuelles féminines les plus importantes. Au cours de l'**ovulation**, l'ovocyte est expulsé du follicule (qui ressemble à un petit volcan) ; le reste du tissu folliculaire croît à l'intérieur de l'ovaire et se transforme en une masse compacte appelée **corps jaune.** Le corps jaune élabore la progestérone (l'hormone de la grossesse) et une quantité considérable d'œstrogènes. En cas de non-fécondation, le corps jaune dégénère et un nouveau follicule arrive à maturité au cycle suivant.

Le système reproducteur de la femme n'est pas entièrement fermé, et l'ovocyte est libéré dans la cavité

pelvienne près de l'ouverture de la **trompe utérine**, ou trompe de Fallope. Cette ouverture a une forme d'enton-noir, et les cils de l'épithélium interne de la trompe facili-tent le mouvement de l'ovocyte en aspirant le liquide de la cavité corporelle dans la trompe. Les cils font aussi avancer l'ovocyte le long de la trompe utérine et le con-duisent dans l'**utérus**. Cet organe épais et musculeux, de taille réduite, a à peu près la forme d'une poire renversée. L'utérus d'une femme qui n'a jamais été enceinte mesure environ 7 cm de longueur et 4 ou 5 cm à l'endroit le plus large. Grâce à la disposition très particulière des muscles qui tapissent la plus grande partie de la paroi utérine, l'utérus peut se détendre assez pour contenir un fœtus de 4 kg. L'**endomètre**, le revêtement interne de l'utérus, est richement vascularisé.

L'orifice étroit de l'utérus, appelé **col utérin**, communi-que avec le vagin. Le **vagin** est une cavité à la paroi mince, qui permet le passage du bébé lors de l'accouchement ; il reçoit aussi les spermatozoïdes au cours des rapports sexuels. La paroi du vagin est bien moins épaisse que celle de l'utérus, mais les muscles qui la composent peuvent se contracter ou se distendre suffisamment pendant le coït et l'accouchement.

Le vagin constitue la partie terminale du système reproducteur de la femme. Sur la face externe, deux paires de replis de peau entourent le vagin et forment le **vesti-bule**, qui contient l'orifice vaginal et l'ouverture de l'urè-tre. (Notez que, contrairement à ce que l'on observe chez l'homme, les systèmes reproducteur et excréteur de la femme ont des ouvertures distinctes.) À partir de la nais-sance et jusqu'aux premiers rapports sexuels ou la pra-tique d'un exercice physique vigoureux, l'orifice vaginal est recouvert par une fine membrane appelée **hymen**, dont on ignore la fonction. Le vestibule se trouve délimité par les **petites lèvres**, des replis de peau mince protégés par des replis de peau épaisse et adipeuse, les **grandes lèvres**. À l'instar du vagin, les petites lèvres se composent de tissu érectile et gonflent au cours de l'excitation

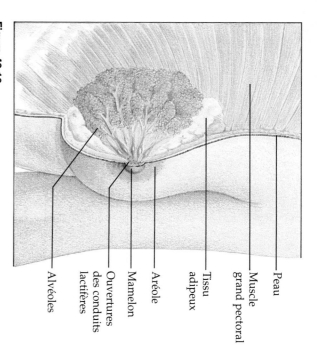

Peau
Muscle grand pectoral
Tissu adipeux
Aréole
Mamelon
Ouvertures des conduits lactifères
Alvéoles

Figure 42.10
Glande mammaire humaine.

sexuelle et du coït. À l'extrémité supérieure du vestibule se trouve un petit renflement de tissu érectile appelé **cli-toris**, l'homologue féminin du gland du pénis. Comme ce dernier, le clitoris comprend du tissu érectile et repré-sente l'un des points les plus sensibles à la stimulation sexuelle.

Les **glandes mammaires**, ou seins, jouent un rôle important dans la reproduction chez les Mammifères, bien que ces structures ne fassent pas partie du système reproducteur en tant que tel (figure 42.10). Les glandes mammaires comportent une série d'**alvéoles**, des petits sacs de tissu épithélial glandulaire qui sécrètent le lait. Les alvéoles déversent leur contenu dans un réseau de conduits lactifères qui s'ouvrent à la surface du mame-lon. Chez un Mammifère qui n'allaite pas, la plus grande partie de la masse de la glande mammaire se compose de tissu adipeux. Chez le mâle, la quantité réduite d'œstro-gènes produits par les corticosurrénales (voir le chapi-tre 41) empêche à la fois la formation des glandes alvéo-laires et le dépôt de graisses, de sorte que les seins ne se développent pas et que le mamelon n'est pas relié aux conduits.

Les organes génitaux externes se développent à partir des crêtes gonadiques, des structures embryonnaires non différenciées issues du mésoderme et communes aux deux sexes (figure 42.11). Les chromosomes sexuels déterminent les quantités d'hormones mâles et femelles présentes dans l'embryon, et cette proportion définit à son tour la différenciation des organes génitaux en organes mâles ou femelles. En présence d'androgènes, l'embryon sera de sexe masculin ; dans le cas contraire, l'embryon sera de sexe féminin.

Régulation hormonale de la fonction de reproduction chez les Mammifères

Caractéristiques chez les mâles Les **androgènes** sont les principales hormones sexuelles mâles, la plus impor-tante étant la **testostérone**. Les androgènes, des hormo-nes stéroïdes sécrétées par les cellules interstitielles des testicules, déterminent directement les caractères sexuels primaires et secondaires chez les mâles. Les caractères sexuels primaires sont liés au système reproducteur : ils régissent la formation des organes génitaux externes, des conduits déférents et autres conduits ainsi que la produc-tion de spermatozoïdes. Les caractères sexuels secondai-res sont les traits que nous associons à la virilité, mais ils n'ont pas de lien direct avec le système reproducteur. Ils comprennent le ton grave de la voix, la répartition de la pilosité sur les aisselles, la face et la région pubienne ainsi que la croissance des muscles (les androgènes stimulent la synthèse protéique). Les androgènes exercent égale-ment une forte influence sur le comportement des Mam-mifères et des autres Vertébrés. En effet, les androgènes favorisent certains comportements sexuels et renforcent la libido (pulsion sexuelle) ; en outre, ils augmentent le niveau général d'agressivité et déclenchent des phéno-mènes tels que le chant chez les Oiseaux et le coassement chez les Grenouilles. Les hormones libérées par l'adéno-hypophyse et l'hypothalamus régissent tant la sécrétion d'androgènes que la production de spermatozoïdes dans les testicules (figure 42.12).

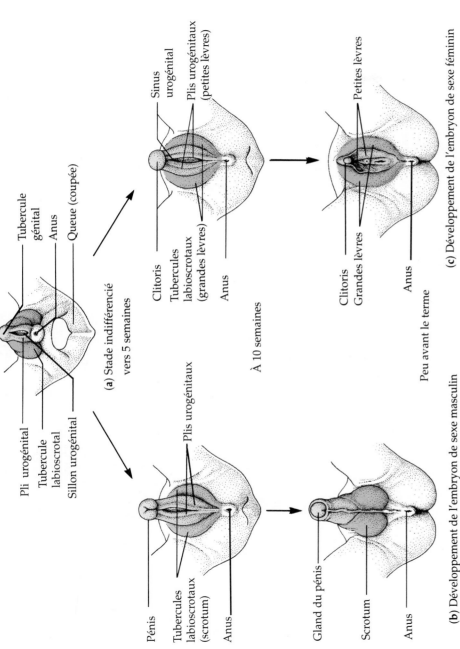

Pli urogénital
Tubercule labioscrotal
Sillon urogénital

Tubercule génital
Anus
Queue (coupée)

(a) Stade indifférencié
vers 5 semaines

Pénis
Tubercules labioscrotaux (scrotum)
Anus

Plis urogénitaux

Gland du pénis
Scrotum
Anus

(b) Développement de l'embryon de sexe masculin

Clitoris
Tubercules labioscrotaux (grandes lèvres)
Anus

Sinus urogénital
Plis urogénitaux (petites lèvres)

À 10 semaines

Clitoris
Grandes lèvres

Petites lèvres
Anus

Peu avant le terme

(c) Développement de l'embryon de sexe féminin

Figure 42.11

Formation des organes génitaux externes chez l'Humain. (a) Les organes génitaux externes et internes demeurent indifférenciés jusqu'à la huitième semaine de grossesse environ. Tous les embryons présentent une protubérance conique, le tubercule génital, dotée d'un léger renfoncement appelé sillon urogénital. Le sillon urogénital est bordé par les plis urogénitaux, eux-mêmes entourés par des tubercules labioscrotaux. Déterminée de façon génétique, la production d'hormones déclenche la différenciation sexuelle. **(b)** Chez l'embryon de sexe masculin, le sillon urogénital s'allonge et se referme complètement, et les plis urogénitaux forment le corps du pénis. Les tubercules labioscrotaux deviennent le scrotum. **(c)** Chez l'embryon de sexe féminin, le sillon urogénital reste ouvert et les plis urogénitaux se transforment en petites lèvres. Les tubercules labioscrotaux donnent naissance aux grandes lèvres.

Caractéristiques chez les femelles Le mécanisme des sécrétions hormonales qui déterminent les fonctions reproductives de la femelle diffère grandement de celui du mâle, et il reflète la nature cyclique de ces processus chez la femelle. Alors que les mâles produisent continuellement des spermatozoïdes, les femelles ne libèrent le plus souvent qu'un ovocyte à un certain moment de chaque cycle. La régulation de ce cycle s'effectue de manière beaucoup plus complexe que la régulation de la reproduction chez le mâle.

Il existe deux types de cycles chez les Mammifères femelles. Les femelles de nombreux Primates, dont les Humains, ont un **cycle menstruel**, alors que les autres Mammifères ont un **cycle œstral**. Dans les deux sortes de cycles, l'ovulation se déclenche quand l'endomètre a commencé à s'épaissir et est devenu plus vascularisé, ce qui prépare l'utérus à l'implantation éventuelle d'un embryon. L'une des principales différences entre les deux types de cycles réside en la destinée du revêtement de l'utérus s'il n'y a pas de grossesse. Dans le cycle menstruel, l'endomètre se détache de l'utérus et sort par le col et le vagin, ce qui produit un saignement appelé **menstruation.** Dans le cycle œstral, l'endomètre est réabsorbé par l'utérus et il n'y a pas de saignement.

Les deux sortes de cycles se différencient également par les modifications plus prononcées du comportement dans le cycle œstral que dans le cycle menstruel et les effets plus marqués de la saison et du climat dans le cas du cycle œstral. Alors que la femme peut se montrer réceptive à l'activité sexuelle tout au long de son cycle, la plupart des Mammifères ne s'accouplent qu'au moment de l'ovulation. Cette période d'activité sexuelle est appelée **œstrus** (mot latin signifiant « frénésie », « passion ») ou ruts (chaleurs) parce que la température corporelle augmente légèrement. La longueur et la fréquence des cycles reproducteurs varient beaucoup entre les espèces de Mammifères. Le cycle menstruel humain dure en moyenne 28 jours, alors que le cycle œstral du Rat n'est que de 5 jours. Les Ours et les Cerfs ont un cycle annuel, mais les Éléphants ont plusieurs cycles par année.

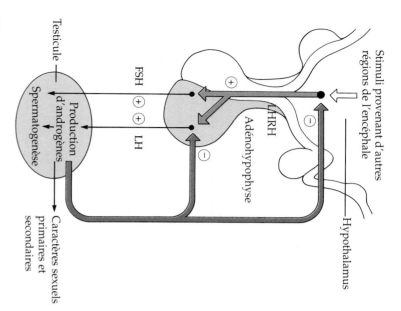

Stimuli provenant d'autres régions de l'encéphale

Hypothalamus

LHRH

Adénohypophyse

FSH

LH

Testicule

Production d'androgènes

Spermatogenèse

Caractères sexuels primaires et secondaires

Figure 42.12
Régulation hormonale dans les testicules. L'adénohypophyse sécrète deux hormones gonadotrophiques qui exercent des effets différents sur les testicules. L'hormone lutéinisante (LH) stimule la production d'androgènes par les cellules interstitielles. L'hormone folliculostimulante (FSH) augmente la production de spermatozoïdes (spermatogenèse) en agissant sur les tubules séminifères. Comme les androgènes s'avèrent aussi nécessaires à la production de spermatozoïdes, la LH stimule la spermatogenèse de façon indirecte. La LH et la FSH se trouvent elles-mêmes sous la régulation d'une seule hormone hypothalamique, la gonadolibérine (LHRH). On ignore encore de quelle façon la LHRH déclenche la libération des deux hormones distinctes à des moments différents. Les androgènes exercent une rétro-inhibition sur les concentrations sanguines de LH, de FSH et de LHRH. La LHRH subit aussi une rétro-inhibition des deux gonadotrophines adénohypophysaires. Chez les hommes, ces mécanismes de rétroaction font en sorte que la concentration de chaque hormone reste relativement constante, mais chez de nombreuses autres espèces de Mammifères, les concentrations hormonales suivent un cycle annuel en fonction de la saison de reproduction.

Examinons plus en détail le cycle menstruel de la femme, ce qui nous permettra d'étudier la coordination d'une fonction complexe par les hormones. Le cycle est en moyenne de 28 jours, mais 30 % seulement de femmes ont des cycles aussi réguliers, à un ou deux jours près. Les cycles varient d'une femme à l'autre et vont de 20 à 40 jours. Certaines femmes ont des cycles réguliers et d'autres, des cycles très variables.

Le terme *cycle menstruel* désigne les modifications qui surviennent dans l'utérus. Par convention, on appelle jour 1 le premier jour de la menstruation. La **phase menstruelle** du cycle, au cours de laquelle les saignements se produisent, dure habituellement de 1 à 5 jours (figure 42.13d). Puis l'endomètre commence à s'épaissir pendant une ou deux semaines, soit la **phase proliférative** du cycle menstruel. La phase suivante, appelée

phase sécrétoire, dure environ deux semaines ; l'endomètre continue de s'épaissir, devient plus vascularisé et sécrète un liquide riche en glycogène. Si aucun embryon ne s'est implanté dans l'endomètre à la fin de cette phase, un nouvel écoulement menstruel se déclenche, marquant ainsi le jour 1 du nouveau cycle.

Le **cycle ovarien** se déroule parallèlement au cycle menstruel (figure 42.13c). Il débute par la **phase folliculaire,** pendant laquelle plusieurs follicules de l'ovaire amorcent leur croissance. L'ovocyte grossit et le revêtement composé par les cellules folliculaires forme plusieurs couches. Habituellement, un seul des follicules qui ont commencé leur croissance continue de grossir et arrive à maturité ; les autres dégénèrent. Le follicule en cours de maturation constitue une cavité interne pleine de liquide et il devient très gros, au point de former une protubérance à la surface de l'ovaire. La deuxième phase, la **phase ovulatoire,** se termine par l'**ovulation,** c'est-à-dire que le follicule et la paroi adjacente de l'ovaire se rompent et libèrent l'ovocyte. Après l'ovulation, le tissu folliculaire restant dans l'ovaire se transforme en corps jaune, un tissu endocrine qui sécrète des hormones femelles pendant la phase suivante du cycle ovarien, la **phase lutéale.** Le cycle suivant commence avec une nouvelle croissance de follicules.

Les hormones assurent la régulation des cycles menstruel et ovarien afin de synchroniser la croissance du follicule et l'ovulation avec la préparation de l'endomètre en vue de l'implantation éventuelle d'un embryon. Cinq hormones participent à la régulation de ces cycles : il s'agit de la gonadolibérine (LHRH, « luteinizing hormone-releasing hormone »), produite par l'hypothalamus, de l'hormone folliculostimulante (FSH, « follicle-stimulating hormone ») et de l'hormone lutéinisante (LH, « luteinizing hormone »), les deux gonadotrophines sécrétées par l'adénohypophyse, ainsi que des œstrogènes et de la progestérone, les hormones sexuelles élaborées par l'ovaire. La figure 42.13a et b montre les concentrations d'hormones adénohypophysaires et ovariennes présentes dans le plasma sanguin, de même que les cycles ovarien et menstruel. Pour comprendre comment s'effectue la régulation du système reproducteur féminin, reportez-vous à cette figure tout en lisant la discussion ci-dessous.

Pendant la phase folliculaire du cycle ovarien, l'adénohypophyse sécrète des quantités relativement faibles de FSH et de LH en réponse à la stimulation exercée par la LHRH en provenance de l'hypothalamus. À ce moment-là, les cellules folliculaires immatures de l'ovaire possèdent des récepteurs pour la FSH mais pas pour la LH. La FSH stimule la croissance des follicules, et les cellules folliculaires sécrètent des œstrogènes. À la figure 42.13b, notez que la quantité d'œstrogènes sécrétée est encore faible ; comme une faible concentration d'œstrogènes inhibe la sécrétion d'hormones adénohypophysaires, les quantités de FSH et de LH s'avèrent aussi relativement modestes pendant la plus grande partie de la phase folliculaire. Puis la sécrétion d'œstrogènes par le follicule en croissance augmente fortement, ce qui a pour effet de modifier brutalement et de façon radicale les proportions existant entre les différentes hormones. Alors que la sécrétion des gonadotrophines adénohypophysaires restait basse en présence d'une *faible* concentration

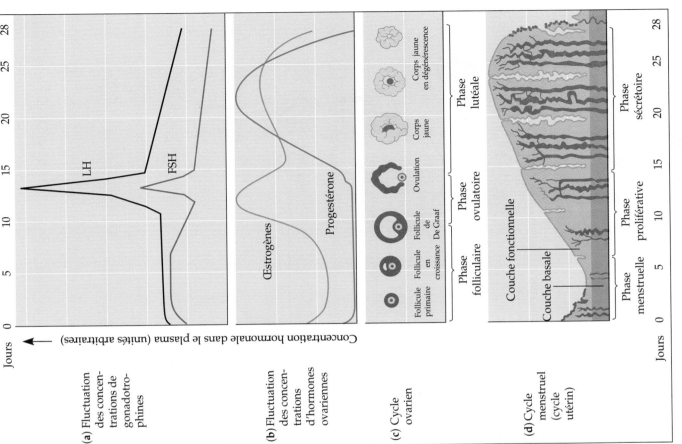

Jours 0   5   10   15   20   25   28

LH   FSH

Concentration hormonale dans le plasma (unités arbitraires)

(a) Fluctuation des concentrations de gonadotrophines

Œstrogènes   Progestérone

(b) Fluctuation des concentrations d'hormones ovariennes

Follicule primaire   Follicule en croissance   Follicule de De Graaf   Ovulation   Corps jaune   Corps jaune en dégénérescence

(c) Cycle ovarien

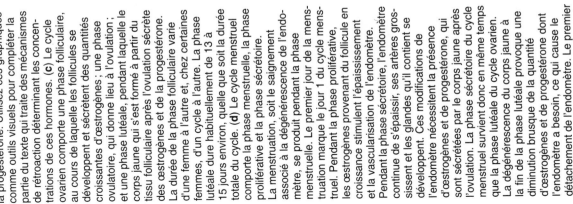

Couche fonctionnelle   Couche basale

Phase menstruelle   Phase proliférative   Phase sécrétoire

Phase folliculaire   Phase ovulatoire   Phase lutéale

Jours 0   5   10   15   20   25   28

(d) Cycle menstruel (cycle utérin)

Figure 42.13

Cycle reproducteur de la femme. Les hormones assurent la coordination des cycles ovarien et menstruel et préparent l'endomètre en vue de l'implantation de l'embryon, et ce avant même l'ovulation. Cette figure montre un cycle de 28 jours idéal, mais la durée des cycles reproducteurs réels varie de 20 à 40 jours. **(a)** Changements de concentration des deux gonadotrophines adénohypophysaires, la LH et la FSH, au cours du cycle reproducteur. **(b)** Changements de concentration des deux catégories d'hormones ovariennes, les œstrogènes (une famille d'hormones très apparentées) et la progestérone. Utilisez ces graphiques comme des outils visuels pour compléter la partie du texte qui traite des mécanismes de rétroaction déterminant les concentrations de ces hormones. **(c)** Le cycle ovarien comporte une phase folliculaire, au cours de laquelle les follicules se développent et sécrètent des quantités croissantes d'œstrogènes ; une phase ovulatoire, qui donne lieu à l'ovulation ; et une phase lutéale, pendant laquelle le corps jaune qui s'est formé à partir du tissu folliculaire après l'ovulation sécrète des œstrogènes et de la progestérone. La durée de la phase folliculaire varie d'une femme à l'autre et, chez certaines femmes, d'un cycle à l'autre. La phase lutéale dure habituellement de 13 à 15 jours environ, quelle que soit la durée totale du cycle. **(d)** Le cycle menstruel comporte la phase menstruelle, la phase proliférative et la phase sécrétoire.

La menstruation, soit le saignement associé à la dégénérescence de l'endomètre, se produit pendant la phase menstruelle. Le premier jour de la menstruation marque le jour 1 du cycle menstruel. Pendant la phase proliférative, les œstrogènes provenant du follicule en croissance stimulent l'épaississement et la vascularisation de l'endomètre.

Pendant la phase sécrétoire, l'endomètre nécessitent la présence d'œstrogènes et de progestérone, qui sont sécrétées par le corps jaune à la fin de la phase lutéale provoque une diminution brusque de la quantité d'œstrogènes et de progestérone dont l'endomètre a besoin, ce qui cause le détachement de l'endomètre. Le premier jour de la menstruation, qui correspond

au début du cycle suivant, survient généralement 13 à 15 jours environ après l'ovulation. Cependant, du fait que la phase folliculaire de l'ovaire, et donc la phase proliférative de l'utérus, ont une durée si variable, on ne peut habituellement pas prédire le temps qui s'écoulera entre la menstruation et l'ovulation suivante. (C'est l'un des problèmes qui se posent dans les méthodes de contraception par abstinence périodique.) En cas de grossesse, des mécanismes supplémentaires (présentés plus loin dans ce chapitre) maintiennent une forte concentration d'œstrogènes et de progestérone, empêchant ainsi la dégénérescence de l'endomètre.

d'œstrogènes, une *forte* concentration d'œstrogènes a l'effet inverse et *stimule* la sécrétion de gonadotrophines en agissant sur l'hypothalamus, qui intensifie sa production de LHRH. À la figure 42.13a, on peut constater que les quantités de FSH et de LH accusent une forte

croissance peu de temps après l'augmentation de la concentration d'œstrogènes. Cet effet est plus accentué dans le cas de la LH parce que la forte concentration d'œstrogènes, en plus de stimuler la sécrétion de LHRH, provoque une sensibilisation accrue des mécanismes

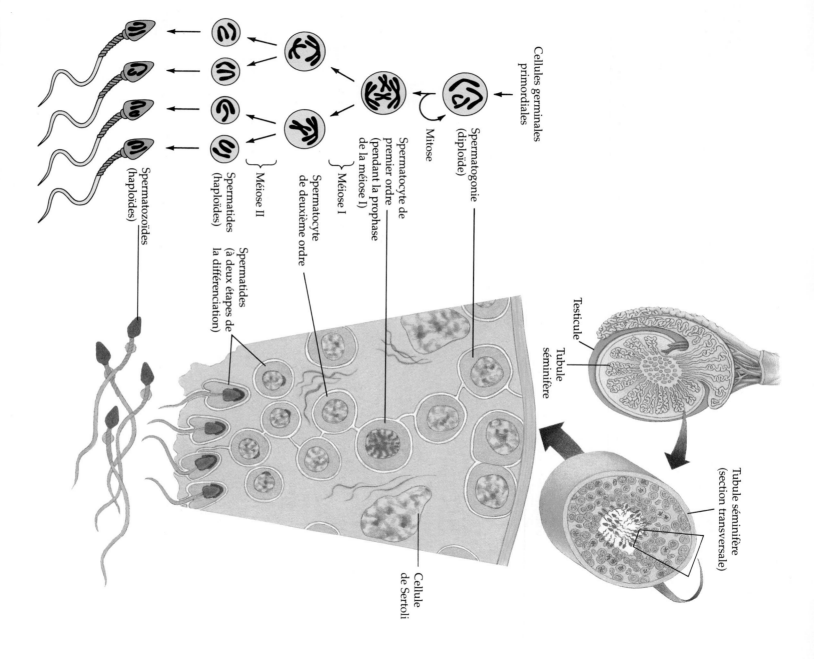

Figure 42.14
Spermatogenèse. Ces diagrammes montrent la corrélation entre les étapes de la méiose au cours de la formation des spermatozoïdes (à gauche) et l'histologie des tubules séminifères. Les cellules germinales primordiales des testicules de l'embryon se différencient en spermatogonies, ou cellules diploïdes précurseurs des spermatozoïdes. Situées près de la paroi externe des tubules séminifères, les spermatogonies subissent des mitoses successives, ce qui crée des populations nombreuses et renouvelables de spermatozoïdes potentiels. La méiose, dont résultent les gamètes haploïdes, s'effectue en deux étapes. En premier lieu, la méiose I engendre deux spermatocytes de deuxième ordre. Puis la seconde division méiotique donne naissance à quatre spermatides. Les spermatides se différencient alors en spermatozoïdes mûrs. Ce proces-sus nécessite l'association des spermatides avec les volumineuses cellules de Sertoli, qui leur transfèrent des nutriments. Pendant la spermatogenèse, les spermatozoïdes en formation sont peu à peu poussés vers le centre du tubule séminifère, puis amenés vers l'épididyme, où ils deviennent mobiles. Ce processus de différenciation entre la spermatogonie et le spermatozoïde mobile dure de 65 à 75 jours chez l'homme.

Cellules germinales primordiales

Spermatogonie (diploïde)

Mitose

Spermatocyte de premier ordre (pendant la prophase de la méiose I)

Méiose I

Spermatocyte de deuxième ordre

Méiose II

Spermatides (haploïdes)

Spermatides (à deux étapes de la différenciation)

Spermatozoïdes (haploïdes)

Cellule de Sertoli

Testicule

Tubule séminifère

Tubule séminifère (section transversale)

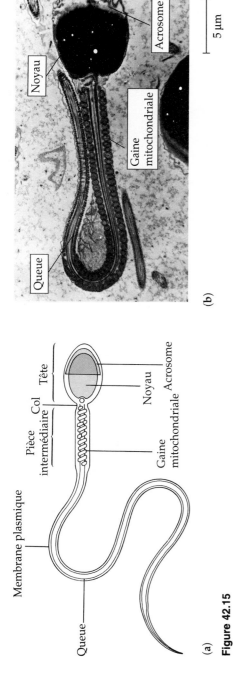

(a)

Membrane plasmique

Pièce Col Tête
intermédiaire

Queue

Pièce intermédiaire

Noyau
Acrosome

Gaine
mitochondriale

Queue

Figure 42.15
Spermatozoïde. (a) Structure d'un spermatozoïde humain. **(b)** Photographie d'un spermatozoïde de Singe Rhésus, qui ressemble beaucoup à celui d'un Humain (MET).

adénohypophysaires de libération de LH au messager hypothalamique (LHRH). Les follicules présentent maintenant des récepteurs pour la LH et peuvent réagir à la présence de cette hormone. Comme le follicule en croissance sécrète une quantité croissante d'œstrogènes, la concentration de LH augmente, ce qui provoque la maturation finale du follicule ; il s'agit ici d'un phénomène de rétroactivation. Puis l'ovulation survient environ un jour après l'augmentation de LH.

Après l'ovulation, la LH stimule la transformation du tissu folliculaire qui est resté dans l'ovaire ; ce tissu devient le corps jaune, une structure glandulaire (l'hormone lutéinisante [LH] doit son nom à sa fonction dans le développement du « corpus luteum », ou corps jaune). Sous l'effet de la LH, qui exerce une stimulation continue pendant la phase lutéale du cycle ovarien, le corps jaune sécrète les œstrogènes et une autre hormone stéroïde, la progestérone. Le corps jaune atteint habituellement son développement maximal 8 à 10 jours après l'ovulation. Au fur et à mesure que les concentrations de progestérone et d'œstrogènes s'accroissent, ces hormones combinent leurs effets pour exercer une rétro-inhibition sur l'hypothalamus et l'adénohypophyse, ce qui inhibe la sécrétion des gonadotrophines (LH et FSH). Lorsque la concentration de LH chute, le corps jaune, qui requiert la présence de LH pour fonctionner, commence à dégénérer. Par conséquent, vers la fin de la phase lutéale, les concentrations d'œstrogènes et de progestérone déclinent fortement. Cette diminution libère l'hypothalamus et l'adénohypophyse de l'inhibition exercée par les hormones ovariennes. L'adénohypophyse se met alors à sécréter une quantité suffisante de FSH pour stimuler la croissance de nouveaux follicules dans l'ovaire, et la phase folliculaire du cycle ovarien suivant est ainsi amorcée.

Comment le cycle ovarien est-il synchronisé avec le cycle menstruel ? Les œstrogènes, qui sont sécrétés en quantités de plus en plus importantes par les follicules en croissance, constituent un stimulus hormonal destiné à l'utérus qui provoque l'épaississement de l'endomètre. Il y a donc bien une coordination entre la phase folliculaire du cycle ovarien et la phase proliférative du cycle menstruel. *Avant* l'ovulation, l'utérus est déjà préparé à la pré-

sence éventuelle d'un embryon. Après l'ovulation, les œstrogènes et la progestérone sécrétés par le corps jaune stimulent la suite du développement et le maintien de l'endomètre. Ce processus inclut le grossissement des artères qui irriguent le revêtement utérin ainsi que la croissance des glandes de l'endomètre qui sécrètent un liquide contenant des nutriments ; les nutriments permettent au jeune embryon de survivre avant son implantation effective dans l'endomètre. La phase lutéale du cycle ovarien se trouve donc en coordination avec la phase sécrétoire du cycle menstruel. La chute rapide de la concentration d'hormones ovariennes pendant la dégénérescence du corps jaune provoque des spasmes dans les artères de l'endomètre, ce qui arrête son irrigation. La dégénérescence de l'endomètre cause l'apparition de la menstruation et le début d'un nouveau cycle menstruel. Entre-temps, les follicules ovariens qui stimuleront un nouvel épaississement de l'endomètre viennent de commencer leur croissance. À chaque cycle, la maturation et la libération des ovules par l'ovaire sont synchronisées avec les modifications de l'utérus, l'organe qui abritera l'embryon en cas de fécondation. En l'absence de grossesse, un nouveau cycle s'amorce. Nous verrons bientôt qu'il existe des mécanismes qui empêchent la dégénérescence de l'endomètre en cas de grossesse.

Outre leur rôle dans la coordination des cycles reproducteurs, les œstrogènes produisent les caractères sexuels secondaires féminins. Ces hormones provoquent le dépôt de graisses dans les seins et les hanches, augmentent la rétention d'eau, influent sur le métabolisme du calcium, stimulent le développement des seins et caractérisent le comportement sexuel féminin.

Formation des gamètes (gamétogenèse)

Spermatogenèse La formation de spermatozoïdes mûrs par le mâle adulte, appelée **spermatogenèse**, est un processus continu et très productif. Chez l'homme, chaque éjaculation libère environ 400 millions de spermatozoïdes, et le même individu peut éjaculer tous les jours sans réduction notable de sa fécondité. La spermatogenèse se déroule dans les tubules séminifères des testicules (figure 42.14).

Chapitre 42 : La reproduction chez les Animaux **945**

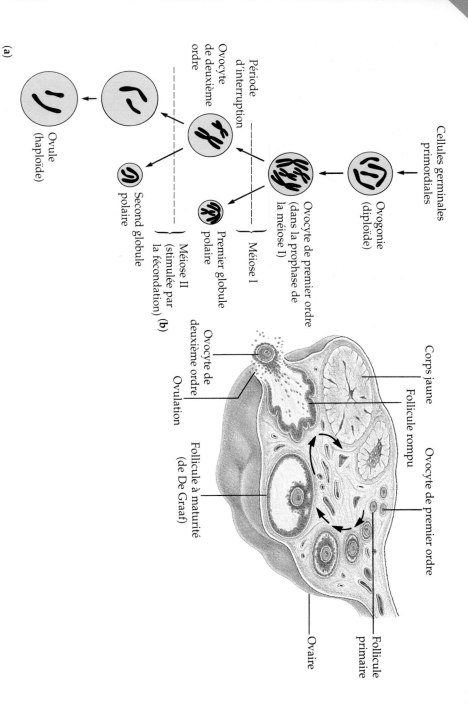

(a)

Cellules germinales primordiales

Ovogonie (diploïde)

Ovocyte de premier ordre (dans la prophase de la méiose I)

Période d'interruption

Ovocyte de deuxième ordre

Méiose I

Premier globule polaire

Second globule polaire

Méiose II (stimulée par la fécondation) (b)

Ovule (haploïde)

Corps jaune — Ovocyte de premier ordre

Follicule rompu

Ovocyte de deuxième ordre

Ovulation

Follicule à maturité (de De Graaf)

Follicule primaire

Ovaire

La structure d'un spermatozoïde est adaptée à sa fonction (figure 42.15). La tête épaisse renferme le noyau haploïde recouvert d'une structure spécifique, l'**acrosome**, où se trouvent les enzymes qui permettent au spermatozoïde de pénétrer dans l'ovocyte. Derrière la tête du spermatozoïde se situent de nombreuses mitochondries (ou une seule mitochondrie volumineuse chez certaines espèces) qui fournissent l'ATP nécessaire au mouvement de la queue (appelée aussi flagelle). La morphologie des spermatozoïdes de Mammifères varie fortement ; la tête peut présenter la forme d'une virgule étroite ou le contour ovale du spermatozoïde humain ou encore épouser la forme presque parfaite d'une sphère.

Ovogenèse La formation d'ovules (cellules haploïdes mûres), appelée **ovogenèse**, diffère de la spermatogenèse par trois aspects importants (figure 42.16). En premier lieu, pendant les divisions méiotiques de l'ovogenèse, la cytocinèse est inégale et presque tout le cytoplasme se retrouve dans une seule des cellules filles. Cette grosse cellule peut devenir l'ovule, alors que les trois cellules plus petites, appelées globules polaires, ne tardent pas à dégénérer. Au cours de la spermatogenèse, les quatre cellules issues des méioses I et II deviennent des spermatozoïdes mûrs (comparez les figures 42.14 et 42.16). Deuxièmement, les spermatogonies continuent leur division par mitose tout au long des années de reproduction de l'homme. Au contraire, dès la naissance, l'ovaire contient déjà à l'état latent tous ses ovocytes de premier ordre, chacun contenu dans un follicule primordial ; les ovules sont donc une ressource non renouvelable. Troisièmement, avant d'arriver à son terme, l'ovogenèse traverse de longues périodes d'interruption, contrairement à la spermatogenèse qui consiste en une

Figure 42.16
Ovogenèse. (a) Corrélation entre l'ovogenèse et la méiose. L'ovogenèse commence par la mitose des cellules germinales primordiales de l'embryon, qui donnent naissance aux ovogonies diploïdes, lesquelles deviennent les ovocytes de premier ordre. Au cours des divisions méiotiques suivantes, la cytocinèse est inégale, ce qui a pour effet de concentrer presque tout le cytoplasme dans un seul gros ovocyte. Les autres produits de la méiose sont de minuscules cellules appelées globules polaires qui finissent par dégénérer. (Ce processus diffère grandement de la spermatogenèse, qui donne quatre spermatozoïdes par spermatocyte de premier ordre ; voir la figure 42.14.)
(b) Coupe transversale d'un ovaire montrant les étapes de l'ovogenèse. La femme naît avec tous ses ovules potentiels déjà présents sous forme d'ovocytes de premier ordre. Entre la naissance et la puberté, ces ovocytes de premier ordre grossissent et les follicules qui les entourent s'accroissent. À chaque cycle reproducteur, un follicule s'agrandit sous l'influence de la FSH, et la première division méiotique produit un ovocyte de deuxième ordre et le premier globule polaire. À cette étape de l'ovogenèse, la LH déclenche l'ovulation de l'ovocyte de deuxième ordre. La seconde division méiotique ne se déclenche que si un spermatozoïde pénètre dans l'ovocyte de deuxième ordre. Une fois la méiose terminée, et lorsque le second globule polaire s'est détaché de l'ovule, il y a fusion des noyaux haploïdes du spermatozoïde et de l'ovule maintenant arrivé à maturité. Dans cette figure, nous avons représenté schématiquement sous forme de cycle la croissance du follicule, l'ovulation, la formation et la dégénérescence du corps jaune (les différentes étapes sont reliées par des flèches). En réalité, ces étapes ne prennent jamais place ensemble parce que le cycle ovarien se déroule dans le temps et non dans l'espace.

tinues ou rythmiques, y compris les contractions associées à l'orgasme.

On peut diviser la réponse sexuelle en quatre phases : l'excitation, le plateau, l'orgasme et la résolution. La **phase d'excitation** assure une fonction importante qui consiste à préparer le vagin et le pénis en vue du **coït** (rapport sexuel). Pendant cette phase, la vasodilatation se manifeste surtout par l'érection du pénis et du clitoris, le gonflement des testicules, des petites lèvres et des grandes lèvres ainsi que des seins, et par la lubrification du vagin. Il peut y avoir une myotonie provoquant l'érection des mamelons ou la tension des bras et des jambes.

La **phase en plateau** constitue le prolongement de ces réactions. Chez la femme, il y a une vasodilatation prononcée du tiers extérieur du vagin, alors que les deux tiers intérieurs se dilatent légèrement. Ce changement, accompagné de l'élévation de l'utérus, produit une dépression qui attire le sperme au fond du vagin. Certains organes des autres systèmes réagissent en même temps que la respiration s'accélère et que la fréquence cardiaque augmente (parfois jusqu'à 150 battements par minute) ; il ne s'agit pas d'une réaction à l'effort physique que représente l'activité sexuelle mais d'une réaction involontaire à la stimulation du système nerveux autonome (voir le chapitre 44).

L'**orgasme** se manifeste chez les deux sexes par des contractions rythmiques et involontaires de certaines parties du système reproducteur. L'orgasme masculin se déroule en deux étapes. L'éjaculation, soit la contraction des glandes et des conduits du système reproducteur, projette le sperme dans l'urètre. L'éjaculation survient lorsque l'urètre se contracte et que le sperme est expulsé. Pendant l'orgasme féminin, l'utérus et le tiers du vagin situé à proximité du vestibule se contractent, mais pas les deux tiers intérieurs du vagin. L'orgasme est la phase la plus courte de la réponse sexuelle et ne dure habituellement que quelques secondes. Chez les deux sexes, les contractions se suivent à intervalles d'environ 0,8 seconde et peuvent mettre en jeu le muscle sphincter externe de l'anus et plusieurs muscles abdominaux.

La **phase de résolution** termine le cycle et met un terme aux réactions des étapes précédentes. Les organes qui ont été le siège d'une vasodilatation retrouvent leur taille et leur couleur normales, et les muscles se détendent. La plupart des modifications qui surviennent pendant la résolution prennent fin en moins de 5 minutes. Cependant, la disparition de l'érection du pénis et du clitoris peut être plus longue. Le début de la perte d'érection, ou détumescence, se fait rapidement chez les deux sexes, mais le retour des organes à l'état de flaccidité peut durer jusqu'à une heure.

Conception, grossesse et naissance

On appelle **grossesse**, ou **gestation**, le fait de porter un ou plusieurs embryons dans l'utérus. Ce phénomène suit la **conception**, c'est-à-dire la fusion du noyau de l'ovule avec celui du spermatozoïde, et se poursuit jusqu'à la naissance du ou des nouveau-nés. La grossesse humaine dure en moyenne 266 jours (38 semaines) à partir de la conception, ou 40 semaines à partir du début du dernier

production ininterrompue de spermatozoïdes mûrs à partir de spermatogonies. Chez la femme, à partir de la puberté et à chaque cycle ovarien, quelques ovocytes primaires subissent la première division méiotique à l'intérieur des follicules en formation. En fait, l'ovocyte secondaire libéré au cours de l'ovulation n'a pas atteint l'état de maturité parce qu'il n'a encore subi la seconde division qui marque la fin de la méiose. Chez l'Humain, c'est la pénétration de l'ovocyte secondaire par le spermatozoïde qui déclenche la seconde division méiotique produisant l'ovule, et l'ovogenèse ne se termine qu'à ce moment-là.

Maturation sexuelle

Après leur naissance, les Mammifères ne peuvent se reproduire qu'après avoir connu une croissance et un développement importants. Par exemple, un petit garçon peut avoir une érection à sa naissance, mais il ne peut éjaculer aucun spermatozoïde. Chez les Humains, on appelle puberté le moment où l'individu devient capable de se reproduire. Il s'agit d'un processus graduel qui commence habituellement deux ans plus tôt environ chez les filles que chez les garçons. Entre les âges de 8 et 14 ans, selon l'individu, l'hypothalamus se met à sécréter des quantités de plus en plus élevées de LHRH, ce qui entraîne un accroissement de la concentration de FSH, puis de LH. Ces gonadotrophines provoquent la maturation du système reproducteur et l'apparition des caractères sexuels secondaires (en déclenchant la sécrétion d'hormones sexuelles par les gonades). La première manifestation de la puberté consiste en une poussée de croissance, suivie de la première menstruation vers l'âge de 11 à 13 ans chez les filles, ou de la première éjaculation de spermatozoïdes viables à l'âge de 13 ou 14 ans chez les garçons. L'âge de la puberté varie, et l'analyse récente de données historiques nous donne à penser que cet âge moyen a peu varié au cours de l'époque moderne.

Physiologie sexuelle de l'Humain

De nombreux Vertébrés et Invertébrés présentent des comportements sexuels très complexes, mais il s'agit habituellement d'interactions stéréotypées incluant des séquences particulières de comportements réciproques (voir le chapitre 50). La sexualité humaine se caractérise par la diversité des stimuli et des réponses. Cependant, les variantes du comportement sexuel s'appuient sur un modèle physiologique commun, souvent appelé réponse sexuelle. L'étude de la réponse sexuelle, tout comme celle de l'anatomie de la reproduction, de l'endocrinologie et de la gamétogenèse, souligne les similitudes et les différences entre les hommes et les femmes.

On trouve deux types de réactions physiologiques dans un sexe comme dans l'autre. La vasodilatation permet l'afflux de sang dans un tissu à la suite d'un accroissement du volume sanguin circulant dans les artères correspondantes. L'érection du pénis offre un exemple de vasodilatation, et des réactions semblables se produisent dans les testicules, les lèvres, le clitoris, le vagin et les seins. La **myotonie,** l'augmentation de la tension musculaire, est aussi un phénomène commun au cours de la réponse sexuelle. Les muscles squelettiques de même que les muscles lisses peuvent présenter des contractions con-

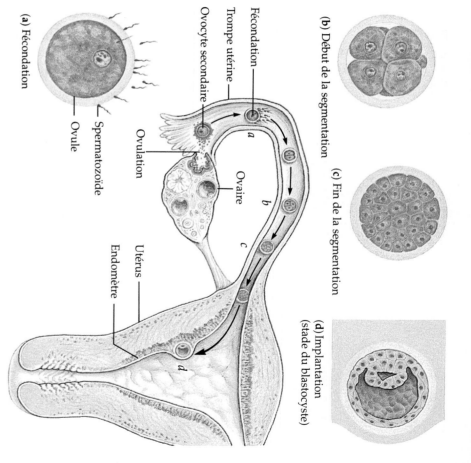

(a) Fécondation

Ovule

Spermatozoïde

Fécondation

Trompe utérine

Ovocyte secondaire

Ovulation

Ovaire

Utérus

Endomètre

a

b

c

d

(b) Début de la segmentation

(c) Fin de la segmentation

(d) Implantation (stade du blastocyste)

Figure 42.17
Évènements qui suivent la fécondation.
(a) Après la fécondation, le zygote descend dans la trompe utérine en direction de l'utérus. **(b)** Le zygote commence à se diviser 24 à 36 heures après la fécondation, puis les divisions se poursuivent rapidement (segmentation). **(c)** Quatre ou cinq jours après l'ovulation, l'embryon, une sphère composée de nombreuses cellules à ce stade, atteint l'utérus et flotte librement pendant quelques jours, nourri par le liquide que sécrètent les glandes de l'endomètre. **(d)** Arrivé au stade du blastocyste, l'embryon s'implante dans l'endomètre, soit 7 jours environ après l'ovulation.

cycle menstruel. La période de gestation chez les autres espèces varie en fonction de la taille de l'Animal et du développement relatif du jeune à sa naissance. La période de gestation chez de nombreux Rongeurs (Souris et Rats) est d'environ 21 jours, tandis que celle des Chiens s'étend sur près de 60 jours. Chez les Bovins, la période de gestation dure en moyenne 270 jours (presque comme chez l'Humain) ; elle est de 420 jours chez les Girafes et de plus de 600 jours chez les Éléphants.

Pour faciliter l'étude de la gestation humaine, on peut la diviser en trois périodes d'environ trois mois chacune, appelées **trimestres**. Les changements les plus importants surviennent pendant le premier trimestre. L'ovule est fécondé par le spermatozoïde dans la trompe utérine, et le zygote qui en résulte (l'ovule fécondé), poussé par les cils de la trompe utérine, arrive dans l'utérus (figure 42.17). La **segmentation**, c'est-à-dire la division cellulaire, commence 24 à 36 heures après la fécondation et se poursuit en s'accélérant. Ce processus s'amorce alors même que l'embryon avance dans la trompe utérine, ce qui dure de 4 à 5 jours. Quelques jours après avoir atteint l'utérus, soit une semaine environ après la fécondation, le zygote est devenu une sphère creuse composée de cellules, le **blastocyste**, et s'implante dans l'endomètre. La différenciation des structures organiques commence véritablement. (Nous décrivons en détail le développement embryonnaire au chapitre 43.) Au cours de l'implantation, le blastocyste s'enfonce dans l'endomètre, qui réagit en le recouvrant. Des tissus finissent par sortir de l'embryon en formation et par se mêler à l'endomètre,

formant ainsi le **placenta** (figure 42.18). Cet organe en forme de disque, qui contient du tissu embryonnaire et maternel, finit par atteindre un diamètre de 20 cm environ et pèse un peu moins de 1 kg. La zone de jonction entre les systèmes circulatoires maternel et embryonnaire permet l'échange de gaz respiratoires, le transfert de nutriments, d'hormones, d'anticorps, de certains médicaments et de Virus, ainsi que l'évacuation des déchets produits par l'embryon. Les mécanismes de transport membranaire (actif et passif) s'appliquent à cette zone de jonction (voir le chapitre 8). Le sang provenant de l'embryon atteint le placenta par l'intermédiaire des artères du cordon ombilical et repart par la veine ombilicale en passant par le foie embryonnaire.

L'**organogenèse**, c'est-à-dire la formation des organes, se produit essentiellement au cours du premier trimestre (figure 42.19). Le cœur commence à battre dès la quatrième semaine et on peut l'entendre au stéthoscope à la fin du premier trimestre. Âgé de 8 semaines, l'embryon, désormais appelé **fœtus**, possède les principales structures de l'adulte sous forme rudimentaire. À la fin du troisième mois, le fœtus déjà bien différencié ne mesure cependant que 5 cm de longueur. Comme l'embryon est le siège d'une organogenèse rapide pendant le premier trimestre, c'est à ce moment-là qu'il s'avère le plus vulnérable à certaines menaces telles que les radiations et les médicaments, qui peuvent provoquer des malformations.

Durant le premier trimestre, la mère subit également des changements rapides. L'embryon sécrète des hormones qui signalent sa présence et exercent une régulation

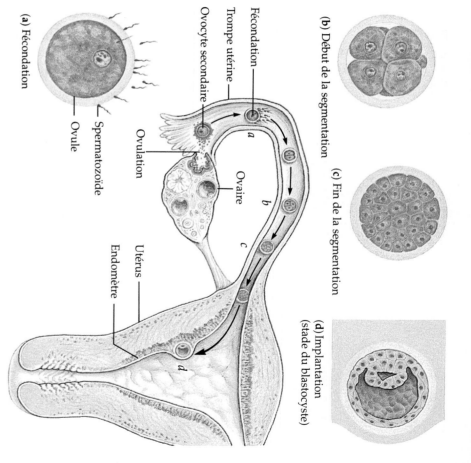 Septième partie : Anatomie et physiologie animales

Figure 42.18

Circulation fœtale. Pendant les deux premiers mois du développement, l'embryon est nourri directement par l'endomètre. À partir du troisième mois et jusqu'à la naissance, le placenta assure le transport des nutriments vers l'embryon (qui porte alors le nom de fœtus) et des déchets en provenance du fœtus. Le placenta, un organe composé de tissus maternels et fœtaux, permet l'échange d'oxygène, de dioxyde de carbone, de glucose, d'hormones et d'autres substances entre la mère et le fœtus.

Le sang maternel entre dans le placenta par des artères, traverse des espaces sanguins intervilleux situés dans l'endomètre et ressort par des veines. Le sang fœtal, qui reste dans des vaisseaux, pénètre dans le placenta par des artères, passe à travers les capillaires dans les villosités chorioniques en forme de doigts, où il absorbe l'oxygène et les nutriments, puis il ressort des villosités par un réseau veineux qui le ramène au fœtus. L'échange de substances entre le lit de capillaires du fœtus et les espaces sanguins intervilleux s'effectue par transport passif ou actif selon la nature des substances.

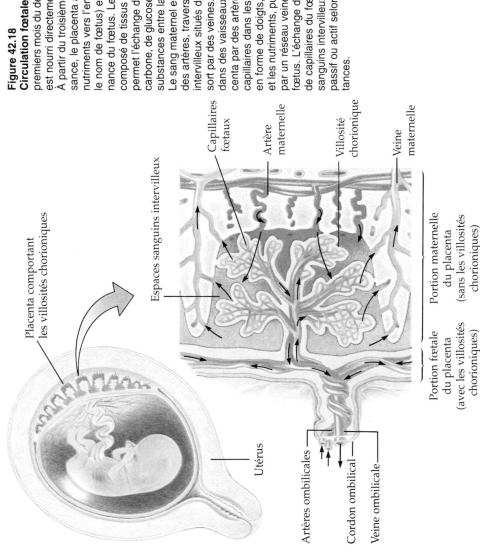

Placenta comportant les villosités chorioniques

Espaces sanguins intervilleux

Capillaires fœtaux

Artère maternelle

Villosité chorionique

Veine maternelle

Portion maternelle du placenta (sans les villosités chorioniques)

Portion fœtale du placenta (avec les villosités chorioniques)

Utérus

Artères ombilicales

Cordon ombilical

Veine ombilicale

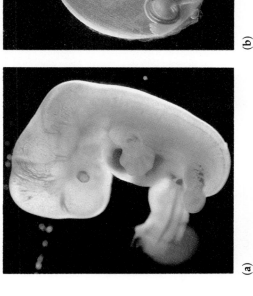

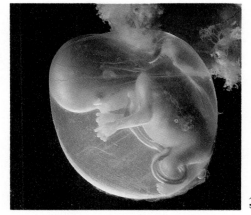

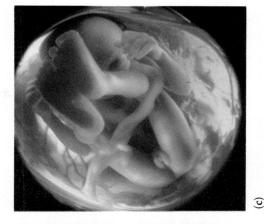

(a)

(b)

(c)

Figure 42.19

Développement du fœtus humain.
(a) À 5 semaines, les bourgeons des membres, les yeux, le cœur, le foie et les rudiments de tous les autres organes ont commencé à se former dans l'embryon, qui ne mesure que 1 cm de longueur. **(b)** La croissance et le développement du nouvel individu, maintenant appelé fœtus, se poursuivent pendant le deuxième trimestre. Ce fœtus est âgé de 14 semaines et mesure 6 cm environ. **(c)** Le fœtus photographié ici est âgé de 20 semaines. À la fin du deuxième trimestre (à 24 semaines), le fœtus atteint une longueur d'environ 30 cm.

sur le système reproducteur de la mère. L'une des hormones embryonnaires, la **gonadotrophine chorionique humaine** (HCG, «human chorionic gonatotropin»), agit de la même façon que la LH adénohypophysaire et maintient la sécrétion de progestérone et d'œstrogènes par le corps jaune tout au long du premier trimestre de la grossesse. En l'absence de HCG, la baisse de LH maternelle due à l'inhibition de l'adénohypophyse par la progestérone finirait par atteindre une concentration insuffisante pour le maintien du corps jaune, ce qui provoquerait l'apparition de la menstruation et l'avortement spontané de l'embryon. Le sang comprend une telle concentration de HCG qu'une certaine quantité de cette hormone est excrétée dans l'urine, où on peut la détecter lorsqu'on effectue des tests de grossesse. La forte concentration de progestérone dans le sang de la femme enceinte provoque diverses modifications de son système reproducteur. La quantité de mucus présente dans le col utérin augmente de manière considérable et forme un bouchon protecteur. On remarque également la croissance de la partie maternelle du placenta, une augmentation du volume de l'utérus et (par rétro-inhibition au niveau de l'hypothalamus et de l'adénohypophyse) l'arrêt de l'ovulation et du cycle menstruel. De plus, les seins grossissent rapidement et sont souvent assez sensibles.

Au cours du deuxième trimestre, le fœtus atteint rapidement la taille de 30 cm et se montre assez actif. La mère peut sentir ses mouvements durant la première partie du deuxième trimestre et on peut le voir bouger à travers la paroi abdominale vers le milieu de cette période. La concentration hormonale se stabilise en même temps que la quantité d'HCG diminue, le corps jaune se détériore et le placenta sécrète ses propres œstrogènes et progestérone, ce qui maintient la grossesse. Pendant le deuxième trimestre, l'utérus grossit suffisamment pour que la grossesse devienne évidente.

Durant le troisième et dernier trimestre, le fœtus croît rapidement et peut atteindre une masse de 3 à 3,5 kg et une longueur de 50 cm. L'activité du fœtus diminue à mesure qu'il remplit l'espace disponible à l'intérieur des membranes fœtales. Au fur et à mesure que le fœtus grossit et que l'utérus s'agrandit autour de lui, les organes abdominaux de la mère se trouvent comprimés et déplacés, ce qui l'oblige à uriner fréquemment, provoque des blocages du système digestif et une surcharge des muscles du dos.

L'accouchement, ou **parturition**, résulte d'une série de contractions fortes et rythmiques de l'utérus appelées communément **travail**. Pendant le travail, les prostaglandines sécrétées par l'utérus, l'ocytocine libérée par la neurohypophyse (voir le chapitre 41) et des réflexes nerveux interviennent dans la régulation des contractions. Durant le premier stade du travail, le col de l'utérus s'amincit (s'efface) et l'ouverture se dilate (figure 42.20a et b). La dilatation complète du col marque la fin du premier stade du travail. Le deuxième stade est la naissance de l'enfant. L'utérus étant solidement appuyé contre la paroi abdominale, les contractions vigoureuses et continues forcent le fœtus à descendre et à sortir de l'utérus et du vagin. On clampe et on sectionne alors le cordon ombilical. Le stade final consiste en l'expulsion du placenta, qui suit normalement la sortie de l'enfant.

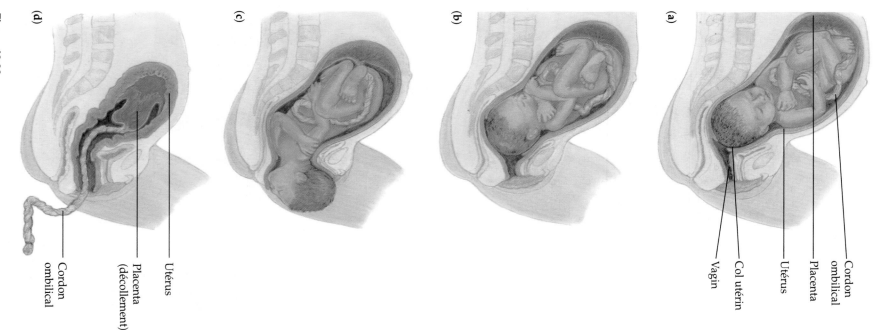

(a)

Cordon ombilical
Placenta
Utérus
Col utérin
Vagin

(b)

(c)

Utérus
Placenta (décollement)

(d)

Cordon ombilical

Figure 42.20
Étapes du travail. (a) Début de la dilatation du col utérin.
(b) Fin de la dilatation du col utérin. **(c)** Naissance de l'enfant.
(d) Délivrance : décollement et expulsion du placenta.

La **lactation** fait partie des soins postérieurs à la naissance caractéristiques des Mammifères. Après la naissance, la baisse de la concentration de progestérone annule la rétro-inhibition qui s'exerçait sur l'adénohypophyse et permet la sécrétion de prolactine. La prolactine stimule la production de lait après un délai de deux à trois jours. La production de lait par les glandes mammaires se trouve sous la régulation de l'ocytocine, une hormone que nous avons présentée au chapitre 41.

Immunologie de la reproduction Du point de vue immunologique, la grossesse constitue une énigme. La moitié des gènes de l'embryon lui viennent de son père et il possède par conséquent de nombreux antigènes étrangers à la mère. Pourquoi la mère ne rejette-t-elle pas ce corps étranger, comme elle rejetterait une greffe de tissu ou d'organe portant des antigènes venant d'une autre personne? Les immunologistes spécialistes de la reproduction commencent à peine à résoudre ce mystère. La présence d'une barrière physique apporte un élément de réponse. Un épithélium protecteur appelé trophoblaste empêche l'embryon d'entrer véritablement en contact avec les tissus maternels. Mais le trophoblaste se forme en même temps que l'embryon à partir des cellules du blastocyste, et il se peut que cette barrière protectrice, qui pénètre l'endomètre, représente aussi un corps étranger pour la mère. Certains ont émis l'hypothèse selon laquelle le trophoblaste *ne* porte *pas* les antigènes paternels et ne déclenche donc pas de réponse immunitaire chez la mère. Cependant, plusieurs laboratoires ont récemment découvert des antigènes paternels sur certaines régions du trophoblaste. Il semblerait que le trophoblaste envoie un messager chimique provoquant la formation d'une classe particulière de leucocytes (globules blancs) dans l'utérus, lesquels empêchent les autres leucocytes de s'attaquer au tissu étranger. Il se peut que ces lymphocytes suppresseurs agissent en sécrétant une substance qui bloque l'effet de l'interleukine 2, c'est-à-dire la lymphokine nécessaire à une réponse immunitaire normale (voir le chapitre 39). Selon une hypothèse, cette neutralisation locale de la réponse immunitaire ne survient paradoxalement qu'après la mise en œuvre par ces leucocytes voisins, soit l'identification du trophoblaste comme un tissu étranger et la mise en œuvre de la réponse immunitaire. Si cette réaction immunitaire n'est pas assez intense (parce que les antigènes cellulaires paternels ressemblent trop à ceux de la mère), il n'y a pas production de lymphocytes suppresseurs.

Certains chercheurs avancent que, si la réponse immunitaire initiale s'avère trop faible pour déclencher la formation des lymphocytes suppresseurs, les attaques immunologiques répétées contre le tissu étranger, même faibles, peuvent conduire à un avortement spontané. D'après cette hypothèse, l'absence de suppression de la réponse immunitaire dans l'utérus pourrait expliquer pourquoi de nombreuses femmes font des fausses couches multiples sans raison apparente. On a réussi à traiter des femmes sujettes aux fausses couches en sensibilisant leur système immunitaire aux antigènes de leur partenaire par immunisation (c'est-à-dire en leur injectant les antigènes appropriés avant la grossesse). On cherche ainsi à amplifier la réponse provoquée par la présence du tissu embryonnaire étranger de façon à déclencher le mécanisme de suppression. Certains opposants à ce point de vue pensent que le soutien psychologique procuré aux femmes au cours de ce traitement expérimental compte davantage que l'immunothérapie elle-même. Comment le système immunitaire d'une femme tolère-t-il la présence d'un organisme étranger volumineux qui se comporte comme un parasite pendant neuf mois? Seules des recherches plus poussées permettront de répondre à cette énigme et aux autres questions importantes qu'elle soulève.

Contraception Le mot contraception signifie littéralement «contre le fait de prendre». Le terme a fini par désigner l'action d'éviter une grossesse en ayant recours à différentes méthodes. Certaines de ces méthodes empêchent la libération d'ovocytes secondaires et de spermatozoïdes mûrs par les gonades, d'autres rendent la fécondation impossible en séparant les spermatozoïdes et les ovocytes, d'autres encore consistent à prévenir l'implantation de l'embryon ou à provoquer l'avortement (figure 42.21). La courte présentation ci-dessous traite des aspects biologiques de ces méthodes et ne se veut pas exhaustive. Pour obtenir des informations plus complètes, consultez un ouvrage consacré à la sexualité ou à la médecine humaine (voir les lectures suggérées à la fin du présent chapitre).

On peut éviter la fécondation en s'abstenant d'avoir des rapports sexuels ou en utilisant l'une des diverses méthodes de contraception qui empêchent les spermatozoïdes d'entrer en contact avec l'ovocyte secondaire. L'abstinence périodique, appelée souvent **méthode naturelle** de contraception, consiste à ne pas avoir de rapports sexuels pendant la période féconde. Comme l'ovocyte secondaire peut survivre dans la trompe utérine pendant 24 à 48 heures et le sperme jusqu'à 72 heures, un couple qui pratique l'abstinence périodique devrait éviter les rapports sexuels plusieurs jours avant et après la date de l'ovulation, que l'on ne peut prédire de façon absolue. En ce qui concerne la prévision de la date de l'ovulation, les méthodes les plus utilisées ont recours à plusieurs indicateurs, dont les modifications de la glaire cervicale et de la température corporelle durant le cycle menstruel. Comme les méthodes naturelles reposent sur la régularité des cycles menstruels et l'existence de changements qui ne sont pas forcément apparents chez toutes les femmes, elles s'avèrent moins efficaces que la plupart des autres techniques. On observe le plus souvent un taux d'échec de 10 à 20 % même si le couple respecte toutes les indications et même si le cycle menstruel de la femme est régulier. (Le taux d'échec représente le nombre de grossesses survenant par année pour 100 femmes qui utilisent une certaine méthode de contraception, ce nombre étant exprimé comme un pourcentage.)

Les différentes **barrières mécaniques**, qui empêchent les spermatozoïdes d'atteindre l'ovocyte secondaire, sont plus efficaces que la méthode naturelle et connaissent un taux d'échec inférieur à 10 %. Le **préservatif masculin**, ou **condom**, est une fine membrane naturelle ou un étui de latex qui s'ajuste sur le pénis de façon à recueillir le sperme. Le **diaphragme** est une coupole de caoutchouc mince que l'on place dans la partie profonde du vagin avant le rapport sexuel. L'efficacité de ces deux méthodes augmente lorsqu'on les utilise en même temps qu'une mousse ou un

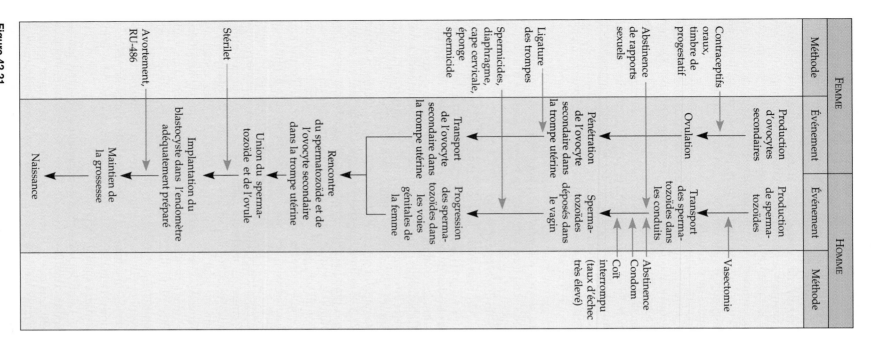

Figure 42.21
Mécanismes de certaines méthodes de contraception.
Les flèches de couleur rouge indiquent les étapes auxquelles les contraceptifs exercent leur action.

un gel spermicide (qui tue les spermatozoïdes). La **cape cervicale**, comme son nom l'indique, s'adapte étroitement au col utérin et peut rester longtemps en place par succion. Enfin, on peut avoir recours à l'éponge spermicide, que l'on introduit également au fond du vagin.

Le **dispositif intra-utérin** (DIU), ou **stérilet**, empêche probablement l'implantation du blastocyste dans l'utérus en causant une irritation de l'endomètre, mais on ne connaît pas exactement son mécanisme d'action. Les dispositifs intra-utérins se présentent sous diverses formes adaptées à la cavité utérine. Cette méthode a un faible taux d'échec, mais elle provoque de graves effets secondaires chez un petit nombre de femmes. Citons les cas de saignements vaginaux persistants, l'infection utérine, la perforation de l'utérus, la grossesse tubaire (implantation de l'embryon dans la trompe utérine) et l'expulsion spontanée du dispositif: ces problèmes ont occasionné de nombreuses poursuites contre les fabricants de stérilets. De nouveaux modèles font actuellement leur apparition.

Le coït interrompu (c'est-à-dire le retrait du pénis avant l'éjaculation) n'est pas une méthode de contraception fiable. Les sécrétions qui précèdent l'éjaculation peuvent contenir des spermatozoïdes et l'homme ne peut pas toujours faire preuve de la maîtrise de soi nécessaire.

À part l'abstinence complète, les méthodes visant à empêcher la libération des gamètes constituent les moyens de régulation des naissances les plus efficaces. Les **contraceptifs oraux** (la «pilule») connaissent un taux d'échec inférieur à 1 % et la stérilisation s'avère efficace à presque 100 %. Les contraceptifs oraux renferment un mélange d'œstrogènes et de progestatifs synthétiques (des hormones semblables à la progestérone). Ces deux catégories d'hormones exercent une rétro-inhibition sur l'hypothalamus et l'adénohypophyse, et bloquent ainsi la libération de LHRH ainsi que de FSH (effet des œstrogènes) et de LH (effet des progestatifs). En empêchant la libération de LH, les progestatifs empêchent l'ovulation. Par ailleurs, les œstrogènes inhibent la sécrétion de FSH, de sorte qu'aucun follicule ne se développe. Depuis 1990, on a approuvé dans certains pays une forme à long terme de ce type de contraception: il s'agit d'un petit timbre que l'on place sous la peau, où il libère un progestatif sur une période pouvant atteindre cinq ans.

Les contraceptifs oraux ont donné lieu à de nombreux débats, en particulier parce que les œstrogènes ont des effets nocifs à long terme. Il n'existe pas de preuve que la pilule provoque le cancer, mais les troubles cardiovasculaires (formation de caillots, athérosclérose et crises cardiaques) suscitent de fortes inquiétudes. L'usage du tabac associé à la contraception chimique multiplie par dix ou plus les risques de décès.

La stérilisation empêche la progression des gamètes dans les voies génitales de manière permanente. Cette intervention chirurgicale vise à bloquer l'accès des ovules à l'utérus et l'accès des spermatozoïdes à l'urètre chez l'homme. Chez la femme, on procède à la section des trompes utérines (**ligature des trompes**) et chez l'homme, à la section des conduits déférents (**vasectomie**). La stérilisation ne présente pratiquement aucun danger et ne compte pas d'effets secondaires notables. Dans les deux cas, les chances de succès d'une recanalisation chirurgicale

s'avèrent d'autant plus faibles que la période de stérilisation a été longue, et ces mesures devraient être considérées comme définitives.

L'avortement est l'interruption d'une grossesse en cours. L'avortement spontané, ou fausse couche, survient fréquemment (un cas sur trois pour l'ensemble des grossesses, souvent même avant que la femme sache qu'elle est enceinte). Il se distingue de l'avortement provoqué, causé de manière délibérée par divers moyens. En 1993 au Québec, environ 25 500 femmes ont eu recours à une interruption volontaire de grossesse. Aux États-Unis, le nombre d'avortements provoqués s'élève à 1,5 million par année. En France, les femmes peuvent utiliser une pilule abortive appelée RU-486 (ou mifépristone) si elles décident d'avorter dès les premières semaines de leur grossesse. Le RU-486 bloque les récepteurs de la progestérone situés dans l'utérus, dont il est l'analogue; il empêche ainsi la progestérone de maintenir la grossesse.

Parmi tous les contraceptifs actuellement disponibles, seuls les condoms en latex fournissent une protection contre les maladies sexuellement transmissibles, y compris le sida (voir le chapitre 39). Cependant, cette protection n'est pas efficace à 100 %.

Nouvelles techniques de procréation

Des découvertes scientifiques et techniques récentes ont permis des progrès spectaculaires en ce qui touche à la reproduction. Par exemple, il est maintenant possible de diagnostiquer de nombreux désordres génétiques chez le fœtus. L'**échographie** (technique d'exploration utilisant les ultrasons) permet d'évaluer sans risques la condition du fœtus. L'amniocentèse et la biopsie des villosités chorioniques sont des techniques plus invasives (voir la figure 13.17). Au cours de l'**amniocentèse**, on introduit une longue aiguille dans la cavité amniotique (délimitée par l'amnios, une enveloppe qui retient un liquide protecteur autour de l'embryon et du fœtus) et on retire une petite quantité de liquide amniotique. On cultive les cellules fœtales présentes dans le liquide pendant 2 à 4 semaines, puis on procède à la recherche de maladies génétiques et d'anomalies chromosomiques comme le syndrome de Down (voir le chapitre 14). La **biopsie des villosités chorioniques** est une technique plus récente qui consiste à prélever un petit échantillon des villosités chorioniques (la partie fœtale du placenta), en vue d'analyses génétiques et biochimiques. Cette technique comporte davantage de risques que l'amniocentèse (on observe 5 à 20 % d'avortements spontanés à la suite de l'épreuve, pour 1 % dans le cas de l'amniocentèse), mais on dispose des résultats en quelques jours au lieu de quelques semaines; par ailleurs, la biopsie des villosités chorioniques peut se faire plus tôt dans la grossesse.

L'échographie, l'amniocentèse et la biopsie des villosités chorioniques soulèvent d'importantes questions d'éthique. Jusqu'à présent, la plupart des maladies que l'on peut détecter s'avèrent impossibles à soigner dans l'utérus, et pour beaucoup d'entre elles il n'existe aucun traitement, même après la naissance. Les parents peuvent être amenés à prendre des décisions difficiles, à savoir mettre fin à la grossesse ou accepter d'avoir un enfant susceptible de souffrir d'une infirmité grave ou à l'espérance de vie limitée. Il n'est pas facile de répondre à de telles questions; elles exigent une réflexion éclairée associée au conseil génétique.

La **fécondation in vitro**, une autre innovation dans le domaine des techniques de procréation, a connu un grand retentissement. Réalisée pour la première fois en Angleterre en 1978, cette technique est maintenant pratiquée dans les grands centres médicaux du monde entier. On fait subir un traitement hormonal à des femmes dont les trompes utérines sont bloquées. On prélève ensuite par voie chirurgicale les ovocytes ainsi obtenus. Puis on féconde ces ovocytes en laboratoire dans des boîtes de Pétri. Deux jours et demi plus tard, lorsque le zygote a atteint le stade de huit cellules, il est réimplanté dans l'utérus. D'apparence aisée, la fécondation in vitro s'avère une technique difficile et coûteuse. À l'heure actuelle, une tentative seulement sur six réussit, et chaque tentative revient à 4000 $ ou plus. Ce taux de réussite peut paraître faible, mais il diffère probablement peu du taux de grossesses obtenues par fécondation in vivo (résultant de rapports sexuels). On introduit souvent plusieurs embryons dans l'utérus afin d'accroître les chances de succès. Aujourd'hui, plusieurs centaines d'enfants conçus par fécondation in vitro mènent une vie normale et rien ne permet de penser qu'il existe des anomalies liées à cette procédure.

De nombreuses recherches dans le domaine des techniques de procréation portent sur la contraception masculine. Les contraceptifs chimiques pour homme se sont révélés peu satisfaisants. La testostérone bloque la libération des gonadotrophines adénohypophysaires, mais elle stimule la spermatogenèse. Les œstrogènes ont une certaine efficacité, mais ils inhibent le libido et peuvent avoir des effets féminisants. Les produits les plus prometteurs jusqu'à présent sont les analogues de la LHRH, qui sont de puissants inhibiteurs de la spermatogenèse. D'autres traitements à l'étude incluent les progestatifs et le gossypol, un composé polyphénolique extrait des graines de coton qui perturbe certains processus métaboliques.

* * *

Dans le présent chapitre, nous avons étudié les bases structurales et physiologiques de la reproduction animale, et nous avons délaissé les mécanismes de développement qui font du zygote un Animal complet. Le prochain chapitre traite plus précisément de l'embryologie et d'autres aspects du développement animal.

asexuée au moyen des processus de bourgeonnement, de fragmentation et de régénération.

2. La reproduction sexuée nécessite la formation d'un zygote diploïde à partir de la fusion d'un gamète mâle et d'un

RÉSUMÉ DU CHAPITRE

Modes de reproduction (p. 931-934)

1. Dans la reproduction asexuée, un parent unique donne naissance à un ou des clones de descendants génétiquement identiques. Plusieurs Invertébrés se reproduisent par voie

3. Les Animaux peuvent se reproduire exclusivement par voie sexuée ou asexuée, ou ils peuvent passer d'un mode à l'autre selon les conditions du milieu. La parthénogenèse, l'hermaphrodisme et l'hermaphrodisme successif sont des variantes de ces deux modes de reproduction.

4. Les cycles reproducteurs sont déterminés par des hormones ainsi que par des changements saisonniers tels que la température, les précipitations ou l'éclairement diurne.

Mécanismes de reproduction sexuée (p. 934-936)

1. La fécondation externe nécessite une parfaite coordination, assurée par des déclencheurs venant du milieu, les phéromones, la parade ou plusieurs de ces facteurs réunis. La fécondation externe survient plus fréquemment dans les habitats aquatiques ou humides, où le zygote peut se développer sans subir les effets de la sécheresse ou de la chaleur.

2. La fécondation interne nécessite d'importantes interactions comportementales entre le mâle et la femelle ainsi que la présence d'organes génitaux compatibles.

Reproduction chez les Mammifères (p. 936-953)

1. L'anatomie du système reproducteur mâle comporte des organes génitaux internes et des organes génitaux externes (scrotum et pénis). Les gonades mâles, ou testicules, se situent dans le scrotum. Elles renferment des cellules interstitielles endocrines qui entourent les tubules séminifères, dans lesquels sont formés les spermatozoïdes; les tubules sont successivement reliés à l'épididyme, au conduit déférent, au conduit éjaculateur et à l'urètre, qui s'ouvre à l'extrémité du pénis. Les glandes annexes ajoutent leurs sécrétions au sperme.

2. L'anatomie du système reproducteur femelle comporte deux ovaires, des trompes utérines, un utérus, un vagin et des organes génitaux externes. Au moment de la naissance, les ovaires possèdent une réserve de follicules qui contiennent les gamètes. À partir de la puberté, un ou plusieurs follicules arrivent à maturité à chaque cycle menstruel. Après l'ovulation, le tissu restant dans le follicule forme un corps jaune qui sécrète de la progestérone et des œstrogènes pendant un laps de temps variable, selon qu'une grossesse se produit ou non.

3. Le gamète est attiré dans l'extrémité ouverte de la trompe utérine et transporté jusqu'à l'utérus par le mouvement de cils. Le col utérin fait communiquer l'utérus et le vagin, un organe pourvu de muscles qui reçoit les spermatozoïdes et permet le passage du bébé au cours de l'accouchement.

4. Bien qu'elle ne fasse pas partie du système reproducteur, la glande mammaire, ou sein, joue un rôle important dans la reproduction. Elle est apparue en même temps que les soins prodigués aux jeunes. Les alvéoles sécrétant le lait se déversent dans des conduits lactifères qui s'ouvrent dans le mamelon.

5. Chez l'embryon, les crêtes gonadiques communes aux deux sexes se développent en organes génitaux et deviennent des structures mâles ou femelles selon la présence ou l'absence d'androgènes.

6. Les androgènes élaborés par les testicules provoquent l'apparition des caractères sexuels primaires et secondaires chez le mâle. La sécrétion d'androgènes et la production de spermatozoïdes se trouvent toutes deux sous la régulation des hormones hypothalamiques et adénohypophysaires.

7. La sécrétion des hormones femelles s'effectue de façon rythmique, ce que reflètent les cycles menstruel ou œstral.

8. Dans les deux types de cycles, l'endomètre (revêtement de l'utérus) s'épaissit en vue de l'éventuelle implantation d'un embryon. Cependant, le cycle menstruel est marqué par le saignement de l'endomètre, et il n'existe pas de période de réceptivité sexuelle, contrairement à l'époque du rut propre au cycle œstral.

9. Le cycle menstruel humain comporte la phase menstruelle, la phase proliférative et la phase sécrétoire. Le cycle ovarien comprend les phases folliculaire, ovulatoire et lutéale.

10. Le cycle reproducteur féminin est déterminé par la sécrétion cyclique de LHRH (par l'hypothalamus) ainsi que de FSH et de LH (par l'adénohypophyse). Le follicule en développement produit des œstrogènes, et le corps jaune sécrète de la progestérone ainsi que des œstrogènes. Les variations de concentration de ces cinq hormones, qui coordonnent les cycles menstruel et ovarien, sont le résultat de mécanismes de rétro-inhibition et de rétroactivation.

11. La formation de spermatozoïdes par la spermatogenèse est un mécanisme continu et très productif.

12. Contrairement à la spermatogenèse, l'ovogenèse se déroule par étapes discontinues tout au long de la vie; elle entraîne une division inégale du cytoplasme pendant la méiose et produit un gros gamète fonctionnel par ovogonie.

13. La puberté est un processus graduel qui marque l'apparition des caractères sexuels secondaires et le début de la capacité de reproduction.

14. Malgré les différences apparentes et la grande diversité de la sexualité humaine, la réponse sexuelle obéit à un modèle physiologique unique. Chez les individus des deux sexes, la vasodilatation provoque l'érection de certains tissus de l'organisme, la tension musculaire s'accroît et le rapport sexuel aboutit à l'orgasme.

15. La grossesse humaine peut être divisée en trois trimestres. L'organogenèse est complète à la huitième semaine.

16. L'accouchement, ou parturition, résulte de contractions utérines rythmiques vigoureuses qui déclenchent les trois étapes du travail: dilatation du col utérin, naissance de l'enfant et expulsion du placenta.

17. Il est possible que l'organisme de la femme enceinte accepte la présence du fœtus, qui lui est «étranger», parce qu'il y a suppression de la réponse immunitaire dans l'utérus.

18. Les diverses mesures de contraception visant à prévenir la grossesse consistent à empêcher la libération de gamètes mûrs par les gonades, à interdire l'union des gamètes dans les voies génitales de la femme ou à faire en sorte que le zygote ne puisse s'implanter.

19. Grâce aux progrès techniques récents, on peut détecter les maladies fœtales au moyen de l'échographie, de l'amniocentèse et de la biopsie des villosités chorioniques. Les techniques actuelles rendent possible la fécondation in vitro et permettent d'espérer la mise au point d'innovations supplémentaires en matière de contraception.

AUTO-ÉVALUATION

1. Parmi les phénomènes suivants, lequel caractérise la parthénogenèse?
   a) Un individu peut changer de sexe pendant sa vie.
   b) Des groupes spécialisés de cellules peuvent être libérés et devenir de nouveaux individus.
   c) Un organisme est d'abord mâle, puis femelle.
   d) Un œuf se développe sans avoir été fécondé.
   e) Les deux partenaires sexuels possèdent des organes génitaux mâles et femelles.

2. Parmi les structures suivantes, laquelle n'est pas associée avec sa véritable fonction?
   a) Gonades – organes produisant les gamètes.

b) Spermathèque – organe de transport des spermatozoïdes, que l'on trouve chez les Insectes.

c) Cloaque – ouverture commune des systèmes reproducteur, excréteur et digestif.

d) Baculum – os qui raidit le pénis, présent chez certains Mammifères.

e) Endomètre – revêtement de l'utérus, forme la partie maternelle du placenta.

3. Parmi les structures mâles et femelles énumérées ci-dessous, lesquelles assurent des fonctions qui se ressemblent *le moins* ?
   a) Tubules séminifères – vagin.
   b) Cellules interstitielles des testicules – cellules folliculaires.
   c) Testicules – ovaires.
   d) Spermatogonies – ovogonies.
   e) Conduit déférent – trompe utérine (oviducte).

4. Quelle différence y a-t-il entre les cycles œstral et menstruel ?
   a) Les Vertébrés autres que les Mammifères ont des cycles œstraux, alors que les Mammifères ont des cycles menstruels.
   b) L'endomètre se détache pendant le cycle menstruel, mais il est réabsorbé dans le cycle œstral.
   c) Le cycle œstral se produit plus fréquemment que le cycle menstruel.
   d) Le cycle œstral n'est pas déterminé par des hormones.
   e) Dans le cycle œstral, l'ovulation se produit avant l'épaississement de l'endomètre.

5. Les pics de production de LH et de FSH se produisent :
   a) pendant la phase menstruelle du cycle menstruel.
   b) pendant la phase folliculaire du cycle ovarien.
   c) pendant la phase ovulatoire.
   d) à la fin de la phase lutéale du cycle ovarien.
   e) pendant la phase sécrétoire du cycle ovarien.

6. La fonction *immédiate* de la LHRH consiste à :
   a) stimuler la production d'œstrogènes et de progestérone.
   b) déclencher l'ovulation.
   c) inhiber la sécrétion des hormones adénohypophysaires.
   d) stimuler la sécrétion de LH et de FSH.
   e) déclencher la phase menstruelle du cycle menstruel.

7. Dans la gestation humaine, l'organogenèse se produit :
   a) pendant le premier trimestre.
   b) pendant le deuxième trimestre.
   c) pendant le troisième trimestre.
   d) pendant que l'embryon se trouve dans la trompe utérine.
   e) au stade du blastocyste.

8. En dehors de l'abstinence de tout rapport sexuel et de la stérilisation, la méthode de contraception qui s'avère la plus efficace est :
   a) le condom.
   b) le diaphragme.
   c) la pilule.
   d) le stérilet.
   e) le coït interrompu.

9. La fécondation chez l'Humain se produit le plus souvent dans :
   a) le vagin.
   b) l'ovaire.
   c) l'utérus.
   d) la trompe utérine.
   e) le conduit déférent.

10. Chez les Mammifères mâles, les systèmes excréteur et reproducteur ont en commun :
    a) les testicules.
    b) l'urètre.
    c) l'uretère.
    d) le conduit déférent.
    e) la prostate.

QUESTIONS À COURT DÉVELOPPEMENT

1. Décrivez le trajet des spermatozoïdes depuis le lieu de leur formation jusqu'à la sortie de l'urètre ; identifiez les organes mis en jeu et précisez leur fonction.

2. Expliquez le mécanisme de régulation du système reproducteur mâle.

3. Expliquez la régulation des sécrétions de LH et de FSH dans le cycle menstruel.

4. Comment explique-t-on que la mère ne rejette pas l'embryon ?

5. Décrivez la structure et la fonction du placenta.

RÉFLEXION-APPLICATION

1. Expliquez en quoi les mécanismes et les résultats de la reproduction sexuée et asexuée diffèrent.

2. Expliquez pourquoi il ne se produit ni menstruation ni ovulation pendant la grossesse.

3. Comparez l'ovogenèse et la spermatogenèse et précisez les différences.

SCIENCE, TECHNOLOGIE ET SOCIÉTÉ

Grâce aux nouvelles techniques de tri des spermatozoïdes, combinées à la fécondation in vitro ou à l'insémination artificielle, un couple peut décider du sexe de son enfant. Voudriez-vous faire ce choix si vous en aviez la possibilité ? Expliquez votre réponse. Selon vous, quels problèmes pourront survenir si cette technique devient disponible à grande échelle ?

LECTURES SUGGÉRÉES

Auroux, M., « S'aimer », *Science & Vie*, hors série, n° 187, juin 1994. (Un article-synthèse portant sur les systèmes reproducteurs humains, et plus précisément sur leur anatomie et physiologie.)

Byne, W., « Les limites des preuves biologiques de l'homosexualité », *Pour la Science*, n° 201, juillet 1994. (Une réfutation des arguments présentés par Levay et Hamer dans l'article cité plus bas.)

Duellman, W., « Les stratégies reproductrices des Amphibiens », *Pour la Science*, n° 179, septembre 1992. (Les soins et le rôle des parents pendant l'incubation et le développement des œufs.)

Germain, B. et P. Langis, *La sexualité, regards actuels*, Montréal, Éditions Études vivantes, 1990. (Synthèse concernant la sexualité d'aujourd'hui qui traite entre autres l'anatomie et la réponse sexuelles, les bases neurophysiologiques et hormonales de la sexualité, la conception et la contraception.)

Garnick, M., « Comment traiter le cancer de la prostate », *Pour la Science*, n° 200, juin 1994. (À propos de la nature du cancer de la prostate et des stades d'une variété de traitements jugés trop agressifs par certains.)

Landousy, M.-T., « Le nez des spermatozoïdes », *La Recherche*, n° 244, juin 1992. (Les spermatozoïdes posséderaient des récepteurs de type olfactif dans la perception à distance de l'ovocyte.)

Levay, S. et D. Hamer, « Pour une composante biologique de l'homosexualité », *Pour la Science*, n° 201, juillet 1994. (Existence d'une structure cérébrale et de gènes propres aux homosexuels masculins.)

Science & Vie, « L'un et l'autre sexe », hors série, n° 171, juin 1990. (Un numéro comportant des articles traitant l'anatomie, la différenciation et les hormones sexuelles.)

PROCESSUS DE DÉVELOPPEMENT : CARACTÉRISTIQUES GÉNÉRALES

FÉCONDATION

PREMIERS STADES DU DÉVELOPPEMENT EMBRYONNAIRE

EMBRYOLOGIE DES AMNIOTES

MÉCANISMES DU DÉVELOPPEMENT

Il nous est difficile d'imaginer que la vie de chacun d'entre nous a débuté sous la forme d'une cellule de la taille du point qui figure à la fin de cette phrase. Moins d'un mois après notre conception, notre cerveau prenait forme et notre cœur rudimentaire commençait à battre. Neuf mois environ ont suffi pour que le zygote se transforme en Humain. Comment un seul ovule fécondé peut-il donner naissance à une forme animale définie, composée de centaines de milliards de cellules différenciées regroupées en tissus et organes spécialisés ? Le présent chapitre traite du développement animal (figure 43.1), un prodige dont les biologistes commencent à peine à dévoiler les mécanismes.

Chez tous les Animaux, le développement se poursuit tout au long de la vie et s'accompagne de modifications structurales et fonctionnelles. Les étapes importantes de ce processus comprennent : le développement embryonnaire, la croissance et la maturation de l'Animal après sa naissance ou son éclosion, la métamorphose des Invertébrés et des Amphibiens qui présentent des stades larvaires, la régénération (remplacement de parties du corps qui ont été perdues), la cicatrisation et le vieillissement. Ce chapitre porte essentiellement sur le développement embryonnaire, mais les mêmes mécanismes cellulaires fondamentaux interviennent également dans le développement postembryonnaire.

PROCESSUS DE DÉVELOPPEMENT : CARACTÉRISTIQUES GÉNÉRALES

Si les nouvelles techniques de recherche ont placé l'étude du développement parmi les domaines de pointe de la biologie moderne, le questionnement sur la transformation de l'ovule en Animal a suscité nombre de débats pendant des siècles. Ainsi, les tenants de la **préformation** (une notion qui avait encore cours au XVIIIe siècle) soutenaient que l'ovule renfermait un minuscule embryon préformé qui grossissait au fur et à mesure de son développement. Dans cette optique, on finit par croire que ce même embryon contenait tous ses descendants, c'est-à-dire une série d'embryons de plus en plus petits enfermés dans d'autres embryons. Selon cette théorie de l'emboîtement, la dissection d'un ovule reviendrait, par analogie, à ouvrir une poupée gigogne dans laquelle on découvre toute une famille de poupées qui s'emboîtent les unes dans les autres. C'est ainsi qu'un théologien put supposer que, au paradis terrestre, Ève contenait l'ensemble de l'humanité à venir.

Deux mille ans auparavant, Aristote avait émis une hypothèse directement opposée à la notion de préfor-

Figure 43.1
Têtards d'une Rainette tropicale (*Hyla ebraccata*), gouttelettes vivantes. Ces têtards n'ont mis qu'une semaine à se développer depuis que leur mère a déposé sa masse d'œufs gélatineux sur la face inférieure de cette feuille. Lorsque les larves commencent à se débattre, les gouttelettes se détachent de la feuille et tombent dans l'eau du marais qui se trouve au-dessous, où les têtards se métamorphosent en adultes. Les minuscules Rainettes sortent ensuite du marécage et montent aux arbres. Bien que le développement de chaque espèce ait fait apparaître des caractéristiques qui lui sont propres, tous les zygotes se transforment en Animaux en suivant un certain nombre de processus communs. Dans le présent chapitre, vous allez apprendre les mécanismes fondamentaux du développement animal.

mation ; selon le philosophe, la structure d'un embryon apparaissait graduellement à partir d'un ovule relativement informe. Cette notion de l'apparition progressive des formes est appelée **épigenèse**. Au XIXe siècle, grâce aux progrès de la microscopie, les biologistes purent constater que les embryons se formaient effectivement de façon graduelle, et les embryologistes abandonnèrent la théorie de la préformation au profit de celle de l'épigenèse.

Bien entendu, la biologie moderne a complètement délaissé l'idée d'une personne minuscule vivant dans un ovocyte ou un spermatozoïde. Cependant, le concept de la préformation conserve une certaine valeur si on lui accorde une interprétation moins restrictive. Bien que l'embryon prenne forme peu à peu à partir de l'œuf fécondé, il y avait *effectivement* quelque chose de préformé dans le zygote. Le développement de l'organisme est déterminé en grande partie par le génome du zygote et par la structure du cytoplasme de l'ovocyte. L'ARN messager, les protéines et les autres composants sont répartis de façon hétérogène dans l'ovocyte non fécondé, ce qui influe fortement sur le développement du futur embryon dans la plupart des espèces animales. Après la fécondation, la division du zygote partage le cytoplasme de telle façon que les noyaux des différentes cellules de l'embryon se trouvent exposés à des environnements cytoplasmiques différents. À partir de ce cadre, les diverses cellules pourront exprimer des gènes différents. Au cours du développement embryonnaire, des mécanismes de régulation sélective de l'expression génique détermineront l'ordre d'apparition des caractères héréditaires dans l'espace et dans le temps (voir le chapitre 18).

Trois processus gouvernent le développement de l'embryon : la division cellulaire, la différenciation et la morphogenèse. Par une série de divisions mitotiques, le zygote engendre un grand nombre de cellules (des millions de millions dans le cas d'un nouveau-né humain). Cependant, la seule division cellulaire ne produirait qu'un gros amoncellement de cellules identiques ne ressemblant en aucune façon à un Animal. Au cours du développement embryonnaire, non seulement les cellules s'accroissent-elles en nombre, mais elles subissent en outre une **différenciation,** c'est-à-dire qu'elles deviennent des cellules spécialisées qui vont composer les tissus et les organes d'un Animal. Comment deux cellules possédant les mêmes gènes peuvent-elles devenir aussi différentes qu'un neurone et une cellule musculaire, par exemple ? Cette question demeure l'un des grands mystères de la biologie. Des mouvements de cellules et de tissus sont également nécessaires pour que la masse cellulaire du jeune embryon adopte la forme tridimensionnelle qui caractérise la forme larvaire ou juvénile de l'espèce. Le terme **morphogenèse** (littéralement, « construction de la forme ») désigne globalement ces mouvements et ces réorganisations.

Certains troubles humains qui surviennent en cas de dérèglement des mécanismes du développement soulignent l'importance d'une régulation précise de cette étape. Par exemple, la fente labiopalatine (communément appelée bec-de-lièvre) est une malformation due à un défaut de la morphogenèse au cours de laquelle la partie supérieure de la cavité buccale ne s'est pas complètement refermée. Certaines formes malignes de cancer apparaissant à un jeune âge, dont le rétinoblastome, un cancer mortel de la rétine, semblent résulter principalement de défauts de régulation de la division cellulaire, dont nous avons déjà parlé aux chapitres 11 et 18. Certains cancers des testicules représentent des exemples de troubles associés à des aberrations du processus de différenciation. Si l'on considère le nombre d'événements *susceptibles* de donner lieu à des erreurs pendant la division cellulaire, la différenciation et la morphogenèse, on ne peut que s'émerveiller du fait que la plupart des Animaux se développent normalement.

Ces trois mécanismes (division cellulaire soumise à une régulation, différenciation et morphogenèse) constituent le thème principal de notre étude du développement animal. Dans la première partie de ce chapitre, nous allons examiner le rôle de ces processus au cours des premiers stades du développement embryonnaire, c'est-à-dire lorsque l'essentiel de la structure de l'Animal prend forme. Dans la seconde partie du chapitre, nous nous pencherons sur les mécanismes cellulaires qui régissent le développement.

FÉCONDATION

Le développement embryonnaire commence par la **fécondation,** soit l'union d'un spermatozoïde et d'un ovocyte secondaire. Ces deux gamètes sont des cellules extrêmement spécialisées dont la production résulte d'une succession complexe d'événements intervenant dans les testicules et les ovaires des parents. L'une des fonctions de la fécondation consiste à regrouper deux assortiments chromosomiques haploïdes issus d'individus différents afin de former une cellule diploïde unique, le zygote. Elle joue aussi un rôle d'activation : le contact du spermatozoïde avec la surface de l'ovocyte déclenche à l'intérieur de ce dernier des réactions métaboliques qui amorcent le développement embryonnaire.

On a effectué en laboratoire de nombreuses recherches sur la fécondation en procédant à l'union de gamètes d'Oursins (lesquels fournissent une source abondante de spermatozoïdes et d'ovocytes). Bien que la fécondation présente d'innombrables variations selon les groupes d'Animaux, les Oursins (embranchement des Échinodermes) constituent un bon modèle pour l'étude des principaux événements qui composent la fécondation.

Réaction acrosomiale

La fécondation des ovocytes d'Oursins est externe et se produit après la libération des gamètes par les Animaux dans l'eau de mer où ils vivent. L'ovocyte se trouve enveloppé d'une couche gélatineuse soluble qui comprend certaines molécules ; lorsque ces molécules entrent en contact avec un spermatozoïde, l'acrosome, une vésicule située à la tête du spermatozoïde (voir le chapitre 42), se vide de son contenu par exocytose (figure 43.2). La réaction acrosomiale libère des hydrolases grâce auxquelles le **tubule acrosomial,** tout en s'allongeant, traverse le revêtement gélatineux de l'œuf. Une protéine appelée **bindine** tapisse la pointe du filament ; elle adhère à des glycoprotéines réceptrices spécifiques présentes sur la **membrane vitelline** qui

recouvre la membrane plasmique de l'ovocyte. Cette reconnaissance moléculaire du type «clé et serrure» joue un rôle essentiel: les œufs ne peuvent ainsi être fécondés que par des spermatozoïdes de la même espèce. Ce détail revêt une importance particulière en cas de fécondation externe dans un milieu aquatique, où il se trouve vraisemblablement des gamètes issus d'autres espèces animales.

Les enzymes situées sur le tubule acrosomial digèrent probablement la substance de la membrane vitelline. La pointe du tubule entre ensuite en contact avec la membrane plasmique de l'œuf. La membrane plasmique du spermatozoïde, qui recouvre le tubule acrosomial, fusionne avec la membrane plasmique du gamète femelle, et le noyau du spermatozoïde pénètre alors dans le cytoplasme de l'ovocyte.

Avant même que le noyau du spermatozoïde ne s'introduise dans l'ovocyte, la fusion des membranes des gamètes provoque dans la membrane plasmique de l'ovocyte un phénomène électrique semblable à ce que l'on peut observer dans un nerf. La fusion des membranes des deux gamètes ouvre des canaux ioniques qui permettent aux ions sodium de passer dans l'ovocyte, ce qui modifie le potentiel de membrane, c'est-à-dire le potentiel électrique de part et d'autre de la membrane (voir le chapitre 8). Cette réaction électrique, appelée dépolarisation de la membrane, empêche la fusion des autres spermatozoïdes avec la membrane plasmique. Ce phénomène commun chez les espèces animales est un **blocage rapide de la polyspermie** (il survient en moins d'une seconde) et prévient les fécondations multiples, qui produiraient un nombre de chromosomes aberrant et des mitoses anormales.

Réaction corticale

La réaction acrosomiale du spermatozoïde rend possible la fusion des membranes plasmiques des gamètes, et l'ovocyte répond à ce stimulus par une réaction corticale (figure 43.3). La fusion du spermatozoïde et de l'ovocyte provoque la libération, dans le cytoplasme, de calcium en provenance d'un réservoir situé à l'intérieur de l'ovocyte, probablement le réticulum endoplasmique (figure 43.4).

L'augmentation de la concentration cytoplasmique de Ca^{2+} cause la fusion de la membrane plasmique et de vésicules situées dans le cortex (une zone cytoplasmique extérieure gélatineuse, présente dans de nombreux types d'ovocytes). Ces **granules corticaux** libèrent leur contenu par exocytose dans l'espace périvitellin, c'est-à-dire entre la membrane plasmique et la membrane vitelline adjacente. Les substances ainsi sécrétées comprennent probablement des enzymes qui décollent la matière adhésive située entre les membranes plasmique et vitelline, de même qu'une forte concentration de macromolécules qui font enfler l'espace ainsi créé en y attirant de l'eau par osmose. Ce gonflement soulève la membrane vitelline. D'autres enzymes provoquent une polymérisation des molécules de la membrane vitelline ainsi soulevée, laquelle forme alors une **membrane de fécondation** dure, qui empêche l'entrée d'autres spermatozoïdes. À ce moment-là, habituellement une minute environ après la fusion des gamètes, le potentiel de membrane revient à la normale et le blocage rapide de la polyspermie disparaît. Mais la membrane de fécondation, de même que d'autres modifications de la surface de l'ovocyte, constitue un **blocage lent de la polyspermie**.

Activation de l'ovocyte

En plus de stimuler la réaction corticale, l'augmentation brutale de la concentration cytoplasmique de Ca^{2+} dans l'ovocyte provoque des modifications métaboliques à l'intérieur de ce dernier. L'ovocyte non fécondé a un métabolisme très lent, mais dans les quelques minutes qui suivent la fécondation, les taux de respiration cellulaire et de synthèse protéique augmentent de façon importante. On dit que l'ovocyte est **activé** lorsqu'il subit ces changements rapides. La stimulation produite par le calcium cause la sortie des protons (H^+) de l'ovocyte, ce qui fait passer le pH du cytoplasme de 6,8 à 7,3. Cette modification du pH semble causer indirectement une grande partie des réactions métaboliques de l'ovocyte qui se manifestent au cours de la fécondation. On a observé une augmentation de la concentration cytoplasmique de Ca^{2+} et du pH dans les ovocytes fécondés chez les Oursins et de nombreuses autres espèces, et peut-être

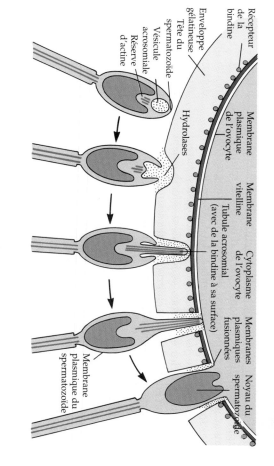

Figure 43.2
Réaction acrosomiale au cours de la fécondation chez l'Oursin. Cette réaction rapide est illustrée ici selon une séquence temporelle, de gauche à droite. Au moment du contact avec le revêtement gélatineux de l'ovocyte, la vésicule acrosomiale située dans la tête du spermatozoïde libère des protéines, y compris des hydrolases, qui creusent une ouverture dans l'enveloppe gélatineuse. La polymérisation de l'actine, une protéine, provoque l'allongement d'un tubule acrosomial. Les molécules de bindine, qui se trouvent à la surface du tubule acrosomial, se lient à des glycoprotéines réceptrices localisées sur la membrane vitelline de l'ovocyte, assurant ainsi la spécificité de la fécondation à l'espèce. Les membranes plasmiques des deux gamètes fusionnent et le noyau du spermatozoïde pénètre dans l'ovocyte.

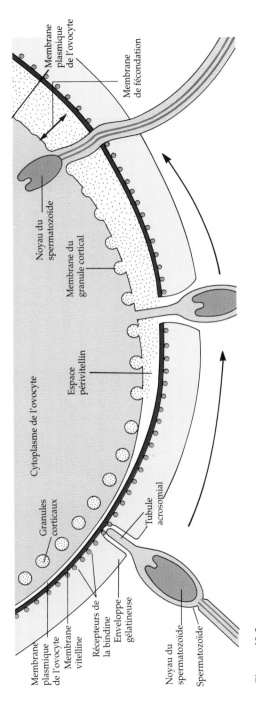

Figure 43.3
Réaction corticale au cours de la fécondation chez l'Oursin. Cette réaction est illustrée ici selon une séquence temporelle, de gauche à droite. Les granules du cortex visqueux de l'ovocyte (secondaire) fusionnent avec la membrane plasmique et déchargent leur contenu par exocytose. Les enzymes et autres substances libérées par les granules corticaux soulèvent la membrane vitelline et la rigidifient, formant ainsi une membrane de fécondation qui assure un blocage lent de la polyspermie.

s'agit-il ici d'éléments universels du mécanisme d'activation. Une autre modification importante apparaît à la suite de l'augmentation de la concentration cytoplasmique de Ca²⁺, soit la deuxième division de la méiose, qui transforme l'ovocyte secondaire en ovule (voir le chapitre 42).

La pénétration du spermatozoïde et l'activation de l'ovocyte sont des fonctions distinctes de la fécondation. On peut activer des ovocytes de façon artificielle par l'injection de calcium ou au moyen de traitements peu traumatisants, comme un choc thermique. Une telle activation artificielle déclenche les réactions métaboliques de l'ovocyte et son développement par parthénogenèse (en l'absence de fécondation par un spermatozoïde). Il est même possible d'activer un ovocyte dépourvu de noyau. (Bien entendu, le développement embryonnaire de cet ovocyte se terminera très tôt.) En cas d'activation, un ovocyte anucléé commence à synthétiser de nouvelles protéines, ce qui signifie que l'ARNm qui possède le code pour ces protéines est entreposé sous forme inactive dans le cytoplasme de l'ovocyte non fécondé. Il s'agit là d'un exemple de régulation de l'expression génique au niveau de la traduction plutôt que de la transcription (voir le chapitre 18). L'accélération de la synthèse protéique résulte d'un ensemble de mécanismes qui rendent les réserves d'ARNm disponibles en vue de la traduction, et l'efficacité des outils de synthèse protéique augmente de manière considérable.

Pendant que le métabolisme de l'ovule s'accélère, le noyau du spermatozoïde, qui se trouve dans l'ovule, commence à grossir. Au bout de 20 minutes environ, sa fusion avec le noyau de l'ovule crée le noyau diploïde du zygote. La réplication de l'ADN commence, et la première division cellulaire prend place (chez l'Oursin) en 90 minutes environ. La figure 43.5 résume les étapes de la fécondation.

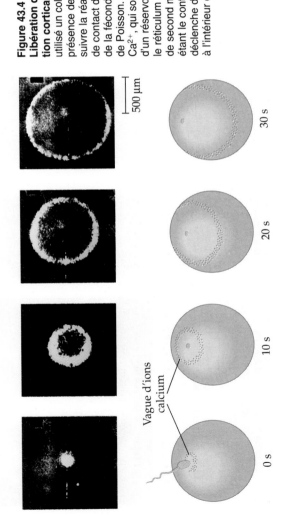

Figure 43.4
Libération de Ca²⁺ au cours de la réaction corticale. Dans cette expérience, on a utilisé un colorant qui devient fluorescent en présence de Ca²⁺ libre, ce qui permet de suivre la réaction corticale à partir du point de contact du spermatozoïde (0 s) au cours de la fécondation d'un ovocyte secondaire de Poisson. La vague produite par les ions Ca²⁺, qui sont libérés dans le cytosol à partir d'un réservoir intracellulaire (probablement le réticulum endoplasmique), joue le rôle de second messager (le premier messager étant le contact du spermatozoïde) qui déclenche des modifications métaboliques à l'intérieur de l'ovocyte.

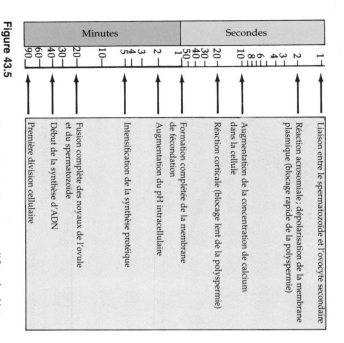

Figure 43.5
Chronologie de la fécondation des ovocytes d'Oursin. Notez que l'échelle est logarithmique.

Minutes	Secondes

Secondes :
- 1, 2 — Liaison entre le spermatozoïde et l'ovocyte secondaire
- 3, 4, 6, 8, 10 — Réaction acrosomiale ; dépolarisation de la membrane plasmique (blocage rapide de la polyspermie)
- 20 — Augmentation de la concentration de calcium dans la cellule
- Réaction corticale (blocage lent de la polyspermie)

Minutes :
- 1, 2 — Formation complète de la membrane de fécondation
- 3, 4, 5 — Augmentation du pH intracellulaire
- 10 — Intensification de la synthèse protéique
- 20 — Début de la synthèse d'ADN
- 30, 40, 50 — Fusion complète des noyaux de l'ovule et du spermatozoïde
- 60, 90 — Première division cellulaire

PREMIERS STADES
DU DÉVELOPPEMENT EMBRYONNAIRE

Bien que les mécanismes de morphogenèse créent les formes d'un Animal tout au long du développement embryonnaire, la structure générale de ce processus est déterminée dès les premiers stades de la segmentation. Ces stades clés sont la segmentation, pendant laquelle les divisions cellulaires produisent une sphère creuse composée de cellules et appelée blastula ; la gastrulation, durant laquelle les cellules de la blastula forment un embryon à plusieurs feuillets nommé gastrula ; et l'organogenèse, c'est-à-dire la formation d'organes rudimentaires. Pour passer en revue ces premiers évènements, nous allons examiner le développement embryonnaire de deux Animaux qui ont fait l'objet de nombreuses recherches, l'Oursin et le Dactylèthre du Cap (*Xenopus lævis*), un Amphibien (ordre des Anoures) qui vit en Afrique du Sud.

Segmentation

La fécondation est suivie de la **segmentation**, soit une succession rapide de divisions cellulaires qui, à partir du zygote, produisent une sphère de cellules (figure 43.6). Pendant la segmentation, les embryons d'Oursin et de *Xenopus* (ainsi que de la plupart des autres Animaux) se nourrissent de **vitellus**, c'est-à-dire des nutriments entreposés dans l'œuf. Au cours de cette étape du développement, l'embryon ne grossit pas ; le cytoplasme d'une grosse cellule est tout simplement partagé entre un grand nombre de cellules plus petites appelées **blastomères.** Les cellules passent alternativement de la phase S (synthèse d'ADN) à la phase M (mitose) de la division cellulaire et évitent les phases G_1 et G_2, qui donnent lieu habituellement à la plus grande partie de la croissance cellulaire (voir le chapitre 11).

En même temps que la segmentation subdivise le zygote en un grand nombre de blastomères plus petits, elle provoque l'augmentation du rapport surface/volume de chaque cellule, ce qui favorise l'absorption d'oxygène et facilite les autres processus d'échange essentiels avec le milieu. Par ailleurs, la segmentation réduit le volume de cytoplasme qui doit être commandé par chaque noyau. Enfin, la segmentation distribue dans des cellules distinctes les divers domaines (régions) du cytoplasme du zygote non segmenté qui existait au départ. Comme ces domaines peuvent contenir des composants cytoplasmiques différents, cette répartition

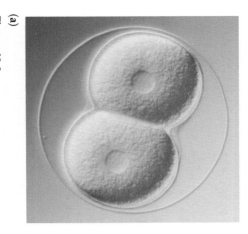

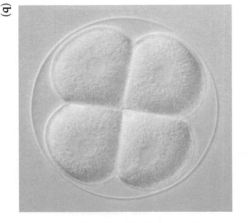

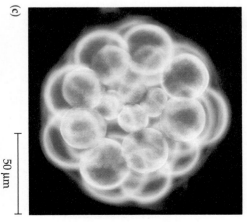

(a)

(b)

(c)

50 µm

Figure 43.6
Segmentation d'un zygote d'Échinoderme (Oursin). Les segmentations consistent en une suite relativement rapide de mitoses et de cytocinèses, sans croissance des cellules entre les divisions successives. Après la fécondation, la segmentation transforme le zygote, qui est une grosse cellule unique, en une sphère de cellules beaucoup plus petites. Ces illustrations sont des micrographies en contraste de phase d'embryons d'Oursins vivants. **(a)** Le stade à deux cellules suit la première segmentation, laquelle apparaît entre 45 et 90 minutes après la fécondation (notez que la membrane de fécondation est encore présente). **(b)** Stade à quatre cellules, qui se met en place après la deuxième segmentation. **(c)** Au bout de quelques heures, des segmentations répétées ont produit une sphère multicellulaire. L'embryon est encore emprisonné dans la membrane de fécondation, d'où la larve mobile formée par l'embryon finira par éclore.

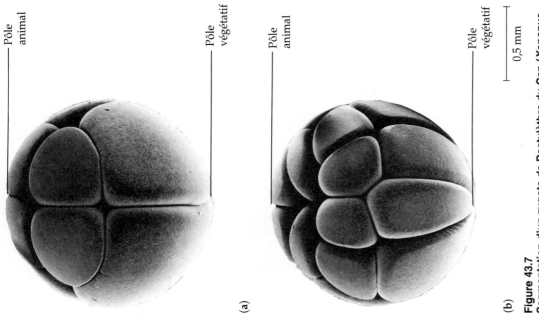

Pôle animal

Pôle végétatif

(a)

Pôle animal

Pôle végétatif

0,5 mm

(b)

Figure 43.7
Segmentation d'un zygote de Dactylèthre du Cap (*Xenopus laevis*). Le vitellus, concentré près du pôle végétatif du zygote, empêche la formation des sillons de division. **(a)** Après l'apparition de deux divisions polaires égales, la troisième segmentation est perpendiculaire à l'axe polaire mais le vitellus la repousse vers le pôle animal. Les quatre blastomères de l'hémisphère animal sont donc plus petits que ceux de la partie végétative. **(b)** Au fur et à mesure que la segmentation se poursuit, les cellules situées près du pôle animal se divisent plus souvent que celles de l'hémisphère végétatif, qui sont riches en vitellus. C'est la raison pour laquelle les blastomères du pôle animal sont plus petits et plus nombreux que ceux du pôle végétatif (MEB).

constitue la première base de la différenciation cellulaire, ainsi que nous le verrons plus loin dans ce chapitre.

Chez la plupart des Animaux, les œufs ont une polarité évidente et les plans de segmentation ont une certaine orientation par rapport à l'axe du zygote. Chez *Xenopus*, cet axe est défini par le point, appelé **pôle animal,** où le globule polaire forme un bourgeon pour sortir de la cellule (le globule polaire est le noyau maternel haploïde surnuméraire; voir le chapitre 42). Le point opposé du zygote est nommé **pôle végétatif.** Les hémisphères du zygote sont désignés d'après leurs pôles respectifs. Enchâssés dans le cortex de l'hémisphère animal se trouvent des granules de mélanine, qui lui confèrent une teinte gris foncé, alors que l'hémisphère végétatif contient le vitellus, qui est jaune. L'embryon d'Oursin possède également un axe animal-végétatif, mais aucun marqueur coloré ne le souligne (contrairement à la majorité des espèces); nous ne connaissons son existence que grâce à certaines expériences sur le développement que nous aborderons plus loin dans ce chapitre.

Chez les Oursins comme chez *Xénopus,* les deux premières segmentations sont polaires (verticales), et donnent quatre cellules qui s'étendent du pôle animal au pôle végétatif. La troisième division est équatoriale (horizontale) et produit un embryon à huit cellules formé de deux étages de quatre cellules chacun (figure 43.7a). Jusqu'ici, le processus général est le même chez les deux types d'embryons. En fait, les Échinodermes, les Cordés et les autres embranchements des Deutérostomiens ont en commun de nombreuses caractéristiques au début de leur développement embryonnaire (voir la figure 29.6). Ces ressemblances distinguent les Deutérostomiens de la branche évolutive des Protostomiens, qui comprend les Annélides, les Arthropodes et les Mollusques. Chez les Deutérostomiens, par exemple, la segmentation est radiaire, c'est-à-dire qu'au stade de huit cellules l'étage supérieur (pôle animal) de quatre cellules se trouve exactement aligné au-dessus de l'étage inférieur (pôle végétatif). Chez la plupart des Protostomiens par contre, la segmentation se fait en spirale et les cellules de l'étage supérieur sont intercalées dans les sillons situés entre les cellules de l'étage inférieur.

La succession de divisions cellulaires chez l'Oursin produit une sphère compacte de cellules appelée **morula** (d'un mot latin signifiant «mûre») (on peut voir une morula à la figure 43.6c). Au centre de la morula, il se forme une cavité remplie de liquide appelée **blastocèle,** et les cellules composent bientôt une couche épithéliale unique qui entoure le blastocèle. Ce stade du développement embryonnaire correspondant à une sphère creuse est appelé **blastula.** Dans le zygote de *Xenopus,* qui est plus gros et contient une quantité bien plus importante de vitellus, un blastocèle creux apparaît aussi, mais il est décentré vers l'hémisphère animal et l'épaisseur de la paroi de la blastula peut comprendre plusieurs couches de cellules. Les cellules de l'hémisphère végétatif, chargées de vitellus, sont beaucoup plus volumineuses que celles de l'hémisphère animal (figure 43.7b).

Gastrulation

La **gastrulation** est une réorganisation importante des cellules de la blastula et constitue l'un des phénomènes les plus intéressants de la morphogenèse. Les détails de la gastrulation varient d'un groupe animal à l'autre, mais cette restructuration embryonnaire est déterminée par un ensemble de modifications cellulaires communes. Ces mécanismes généraux comportent des changements de la motilité et de la forme des cellules ainsi que des modifications de l'adhésion des cellules entre elles et avec les molécules de la matrice extracellulaire (voir le chapitre 7). La gastrulation aboutit au même résultat chez tous les Animaux: certaines des cellules situées à l'intérieur ou près de la surface de la blastula, qui est une sphère creuse, se déplacent pour aller se fixer plus profondément dans la blastula. La blastula se transforme ainsi en un embryon à plusieurs feuillets nommé **gastrula.**

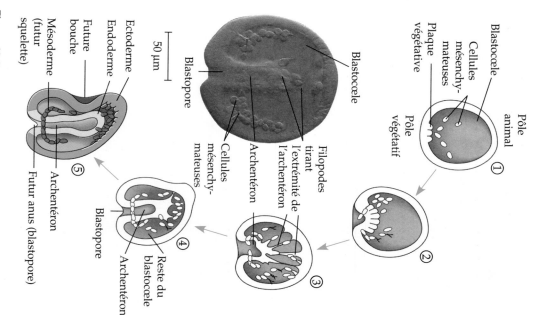

Figure 43.8
Gastrulation chez l'Oursin. ① La plaque végétative se forme et les cellules migratrices du mésenchyme se détachent de la paroi de la blastula. ② La plaque végétative s'invagine (s'incurve). ③ Les cellules de l'extrémité de l'archentéron forment des filopodes, qui recherchent le pôle animal et adhèrent aux cellules qui s'y trouvent (MP). ④ La contraction des filopodes a pour effet d'approfondir l'archentéron, qui devient le tube digestif de la larve. ⑤ Les trois feuillets embryonnaires primitifs sont maintenant en place : l'ectoderme (coloré en bleu dans le présent chapitre), le mésoderme (en rouge) et l'endoderme (en jaune).

Labels : Pôle animal · Blastocœle · Cellules mésenchymateuses · Plaque végétative · Pôle végétatif · Blastopore · Filopodes tirant l'extrémité de l'archentéron · Archentéron · Cellules mésenchymateuses · Ectoderme · Endoderme · Future bouche · Mésoderme (futur squelette) · Blastopore · Archentéron · Reste du blastocœle · Futur anus (blastopore) · 50 µm

Examinons maintenant la gastrulation d'un embryon d'Oursin (figure 43.8). Rappelez-vous que la paroi de la blastula d'Oursin se compose d'une seule couche de cellules. La gastrulation s'amorce au pôle végétatif, où les cellules s'aplatissent légèrement et forment une plaque qui s'incurve vers l'intérieur à la suite d'un processus appelé **invagination**. D'autres cellules situées près de cette plaque se détachent de la paroi de la blastula et deviennent des cellules migratrices, appelées cellules mésenchymateuses, qui pénètrent dans la blastocœle. Les cellules de la plaque végétative incurvée subissent alors un remaniement important, et ce processus transforme la légère invagination en une poche plus profonde et étroite, l'**archentéron**, qui deviendra l'intestin primitif. L'ouverture de l'archentéron, qui deviendra l'anus, est appelée **blas-**

topore. À ce stade, l'archentéron s'étend sur les deux tiers environ de la longueur du blastocœle. Quelques cellules mésenchymateuses supplémentaires migrent alors depuis l'extrémité de l'archentéron. D'autres cellules situées à l'extrémité de l'archentéron forment des excroissances cytoplasmiques, longues et fines, nommées filopodes. Lorsque les filopodes chercheurs entrent en contact avec le pôle animal, ils adhèrent à la paroi du blastocœle. Puis ils se contractent et étirent l'archentéron sur toute la longueur du blastocœle.

L'embryon devenu une gastrula comporte trois couches de cellules, ou **feuillets embryonnaires primitifs.** De l'extérieur vers l'intérieur, il s'agit de l'**ectoderme**, du **mésoderme** (dérivé des cellules migratrices du mésenchyme) et de l'**endoderme.** La structure organique triploblastique (à trois couches) qui caractérise la plupart des embranchements animaux est donc déterminée très tôt au cours du développement (voir le chapitre 30). Les feuillets embryonnaires primitifs constituent tous les systèmes de l'Animal. Chez l'Oursin, la gastrula finit par prendre l'aspect de la larve représentée à la figure 43.9. L'ectoderme est devenu la peau de la larve (épiderme), l'endoderme a donné naissance à la couche de cellules qui compose la paroi de l'intestin. L'extrémité de l'archentéron a fusionné avec la couche cellulaire externe près du pôle animal, formant ainsi la bouche, et le blastopore est devenu l'anus. Les muscles, les cellules pigmentaires et les spicules squelettiques de la larve d'Oursin proviennent du mésoderme.

Au cours du développement de *Xenopus*, la gastrulation aboutit également à la formation d'un embryon à trois feuillets pourvu d'un archentéron, comme on peut le voir à la figure 43.10. Chez *Xenopus*, le mécanisme de la gastrulation s'avère beaucoup plus complexe parce que l'hémisphère végétatif comprend de grosses cellules

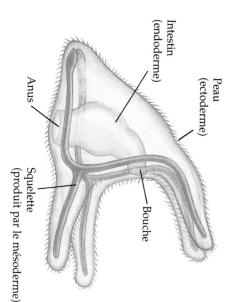

Figure 43.9
Larve d'Oursin. L'organisation générale produite par la gastrulation apparaît encore clairement chez cette larve en mesure de se nourrir. L'archentéron est devenu un tube digestif fonctionnel dont la paroi provient de l'endoderme. Le tube digestif comporte deux ouvertures : un anus correspondant au blastopore de la gastrula et une bouche formée par une ouverture secondaire. Certaines des cellules mésenchymateuses du mésoderme ont sécrété des minéraux qui constituent un squelette interne simple. La peau, issue de l'ectoderme, est ciliée. La larve flotte à la surface de la mer sous forme de plancton et se nourrit de Bactéries et d'Algues unicellulaires.

Labels : Peau (ectoderme) · Intestin (endoderme) · Anus · Squelette (produit par le mésoderme) · Bouche

riches en vitellus et parce que, chez la plupart des espèces, la paroi de la blastula comporte plusieurs couches de cellules. La gastrulation se manifeste d'abord par l'apparition d'un petit repli sur le côté de la blastula, à l'endroit où surgira le blastopore. Cette invagination est provoquée par des cellules qui subissent un changement de forme au cours de leur pénétration dans l'embryon. En effet, en s'enfonçant vers l'intérieur, elles restent pendant un certain temps attachées à la surface au moyen d'une longue excroissance qui leur confère la forme d'une bouteille. Le pli produit par l'invagination deviendra le bord supérieur, ou **lèvre dorsale**, du blastopore. L'emplacement de la lèvre dorsale permet de connaître le futur axe dorsoventral de l'Animal. Puis, selon un mécanisme appelé **involution**, les cellules superficielles roulent par-dessus le bord de la lèvre dorsale, s'introduisent dans l'embryon et continuent leur migration en longeant le toit du blastocele. Près du pôle animal, la paroi du blastopore s'étale sur une épaisseur de plusieurs cellules; ces cellules s'étalent de sorte que la superficie de l'embryon ne varie pas au fur et à mesure que les cellules situées au voisinage du blastopore s'invaginent et quittent la surface. Au cours de la gastrulation, un nombre croissant de cellules latérales accompagnent les cellules dorsales dans ce mouvement. Pendant le déroulement de ce processus, la lèvre du blastopore s'élargit, prend l'aspect d'un arc de cercle et finit par former un cercle complet.

À ce stade, la lèvre du blastopore entoure un **bouchon vitellin** composé de grosses cellules riches en nutriments et provenant du pôle végétatif de l'embryon. Les mouvements complexes de la gastrulation ont pratiquement fait disparaître le blastocele et ont donné naissance à l'archentéron, tapissé d'endoderme. Des cellules jusqu'alors situées à la surface ou près de la surface de l'embryon se trouvent maintenant à l'intérieur de l'embryon, où elles constituent le mésoderme; les cellules qui demeurent à la surface composent l'ectoderme. Les trois feuillets embryonnaires primitifs sont maintenant en place et les organes de l'embryon commencent à prendre forme.

Organogenèse

Pendant le processus de l'**organogenèse**, les diverses régions des feuillets embryonnaires primitifs deviennent les rudiments des organes. Chez les Amphibiens et les autres Cordés, les premiers organes embryonnaires qui commencent à prendre forme sont le tube neural et la corde dorsale. La corde dorsale constitue le premier support axial de l'embryon et elle caractérise tous les embryons de Cordés (voir le chapitre 30). La figure 43.11 montre le déroulement de ce début d'organogenèse chez *Xenopus*. La **corde dorsale**, aussi appelée notocorde, se constitue à partir du mésoderme dorsal situé juste au-dessus de l'archentéron, et le tube neural prend naissance sous forme de plaque d'ectoderme dorsal, placée immédiatement au-dessus de la corde dorsale en formation. La plaque neurale s'enroule bientôt sur elle-même pour donner le **tube neural**, qui deviendra le système nerveux central (encéphale et moelle épinière). Chez les Cordés, la corde dorsale s'allonge d'un bout à l'autre de l'embryon en suivant son axe antéropostérieur.

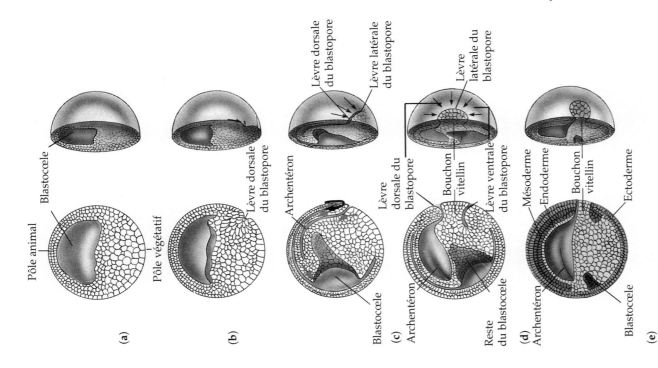

Figure 43.10
Gastrulation dans un embryon de *Xenopus lævis*. (a) Le blastocele de la blastula de *Xenopus* est décentré et entouré d'une paroi de plusieurs cellules d'épaisseur. **(b)** La lèvre dorsale du blastopore est constituée par l'enfoncement (flèche) des cellules en forme de bouteille. **(c)** Après le début de l'invagination, d'autres cellules roulent par-dessus le bord de la lèvre dorsale (involution) et s'enfoncent dans l'embryon. Les cellules du pôle animal s'étalent pour former une couche de plus en plus mince, tandis que les cellules voisines du blastopore disparaissent à l'intérieur de l'embryon. Au fur et à mesure que l'involution se poursuit, la lèvre du blastopore commence à s'étendre latéralement. **(d)** Le blastopore continue de s'arrondir jusqu'à ce qu'il entoure complètement un bouchon vitellin, lequel se compose de grosses cellules riches en vitellus et issues du pôle végétatif de l'embryon. À ce stade, un archentéron recouvert par les cellules qui ont subi l'involution a pris forme. **(e)** Les mouvements complexes de la gastrulation produisent un embryon qui comporte trois feuillets embryonnaires primitifs prêts à subir l'organogenèse.

Labels on figure (a): Pôle animal, Blastocele
(b): Pôle végétatif, Lèvre dorsale du blastopore
(c): Lèvre dorsale du blastopore, Lèvre latérale du blastopore, Archentéron, Blastocele
(d): Lèvre dorsale du blastopore, Bouchon vitellin, Lèvre latérale du blastopore, Lèvre ventrale du blastopore, Archentéron, Reste du blastocele
(e): Mésoderme, Endoderme, Bouchon vitellin, Ectoderme, Archentéron, Blastocele

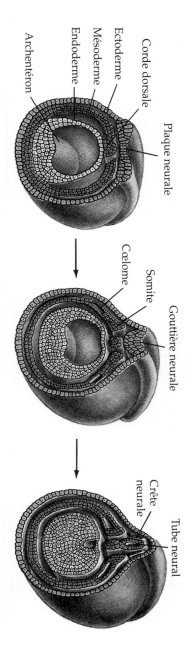

Figure 43.11
Début de l'organogenèse chez un embryon de *Xenopus lævis* (coupes transversales). Le mésoderme dorsal forme la corde dorsale. Des amas de mésoderme appelés somites flanquant la corde dorsale et donnent naissance à des structures segmentaires telles que les vertèbres et les muscles squelettiques disposés en série. Le mésoderme latéral se dédouble en deux couches de tissu qui tapissent le cœlome. L'ectoderme dorsal s'épaissit en plaque neurale et s'enroule pour devenir le tube neural. Le tissu situé près de la jonction des marges du tube se détache de ce dernier pour former la crête neurale ; la crête neurale constitue le point de départ de cellules migratrices qui finiront par composer un grand nombre de structures, dont les os et les muscles du crâne, les cellules pigmentées de la peau, les glandes médullosurrénales et les ganglions périphériques du système nerveux.

Labels : Plaque neurale — Corde dorsale — Ectoderme — Mésoderme — Endoderme — Archentéron — Cœlome — Somite — Gouttière neurale — Crête neurale — Tube neural

---

Les bandes de mésoderme situées de chaque côté de la corde dorsale se divisent en ensembles appelés **somites**, disposés en série de part et d'autre de la corde dorsale sur toute sa longueur (figure 43.12). Les cellules provenant des somites forment les vertèbres d'une part et les muscles associés au squelette axial d'autre part. Cette origine sérielle du squelette axial et de sa musculature vient appuyer notre étude des Cordés au chapitre 30, dans lequel nous avons vu que les Cordés étaient fondamentalement des Animaux segmentés, bien que la segmentation devienne moins évidente pendant la suite du développement. (Il existe des signes de cette segmentation chez l'adulte, par exemple les séries de vertèbres chez l'Humain ou les segments des muscles en forme de chevrons chez le Poisson.) Puis le mésoderme subit une division latérale par rapport aux somites ; les deux couches ainsi produites forment le revêtement de la cavité corporelle, ou cœlome.

Plus tard, elle formera un noyau autour duquel les cellules de mésoderme s'assembleront pour composer les vertèbres.

Au fur et à mesure que l'organogenèse se poursuit, de nombreux organes rudimentaires se développent à partir des feuillets embryonnaires primitifs. Outre le système nerveux, l'ectoderme va constituer le revêtement externe de l'Animal (épiderme) et les glandes associées ainsi que l'oreille interne et le cristallin de l'œil. Le mésoderme produit la corde dorsale et le revêtement du cœlome ainsi que les muscles, le squelette, les gonades, les reins et la plus grande partie du système circulatoire. L'endoderme donne naissance au revêtement du tube digestif et aux organes qui, à l'origine, apparaissent comme des évaginations de l'archentéron, tels le foie, le pancréas et (chez certains Vertébrés) les poumons.

Le long de la ligne où le tube neural se sépare de l'ectoderme, des cellules se détachent pour former la **crête neurale**, une bande de cellules propre aux embryons des Vertébrés. Puis, les cellules de la crête neurale migrent vers les différentes parties de l'embryon et donnent naissance aux cellules pigmentaires de la peau, certains des os et des muscles du crâne, les dents, les glandes médullosurrénales et les structures périphériques du système nerveux comme les ganglions sensitifs et sympathiques.

Le développement embryonnaire chez les Amphibiens aboutit à un stade larvaire, soit le têtard (voir la figure 43.1) qui émerge de l'enveloppe gélatineuse recouvrant l'ovocyte initial. Plus tard, l'Animal subira une métamorphose et passera de l'état de têtard aquatique et herbivore à celui d'Amphibien adulte terrestre et carnivore.

Les organes issus des feuillets embryonnaires primitifs seront perfectionnés par les processus de morphogenèse et de différenciation cellulaire, dont nous parlerons plus loin dans ce chapitre. Cependant, la structure générale de l'Animal, doté de ses trois feuillets concentriques, apparaît déjà clairement à la fin du stade gastrula.

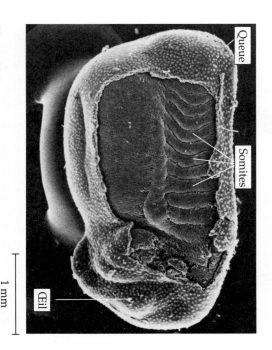

Figure 43.12
Origine de la segmentation chez un embryon de *Xenopus lævis*. À ce stade du développement, appelé stade du bourgeon caudal, les somites disposés en série apparaissent clairement de chaque côté de l'embryon. Ils donneront naissance à des structures segmentaires telles que les vertèbres et les muscles associés au squelette axial. On a enlevé une partie de l'ectoderme de cet embryon afin de montrer les somites (MEB).

Labels : Queue — Somites — Œil — 1 mm

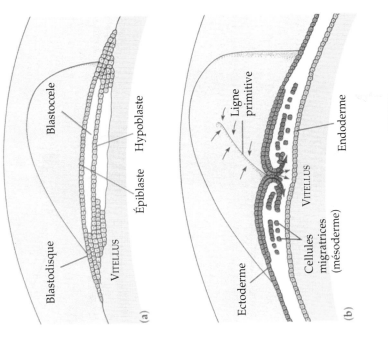

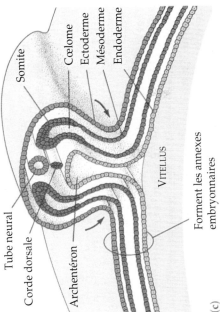

Figure 43.13

Segmentation et gastrulation chez un embryon d'Oiseau.
(a) Dans les œufs d'Oiseaux et de Reptiles, qui abritent des réserves importantes de vitellus, la segmentation est méroblastique, c'est-à-dire incomplète. La division cellulaire se limite à une petite zone du cytoplasme située au pôle animal. La segmentation produit un blastodisque reposant sur la volumineuse masse de vitellus, qui n'est pas divisée. Le blastodisque se structure en deux couches (épiblaste et hypoblaste), qui délimitent le blastocœle et forment ainsi le type de blastula propre aux Oiseaux. **(b)** Pendant la gastrulation, quelques cellules de l'épiblaste migrent (flèches) vers l'intérieur de l'embryon en traversant la ligne primitive, que l'on voit ici en coupe transversale. Certaines de ces cellules s'éloignent latéralement pour constituer le mésoderme alors que d'autres cellules envahissent l'hypoblaste et viennent s'ajouter à l'endoderme. **(c)** L'intestin primitif (archentéron) se forme lorsque les replis latéraux s'intercalent entre l'embryon et le vitellus. Un pédicule vitellin situé vers le milieu de l'embryon ancre ce dernier au vitellus. Les parties des feuillets embryonnaires primitifs qui se retrouvent hors de l'embryon même forment les annexes embryonnaires qui facilitent la suite du développement.

EMBRYOLOGIE DES AMNIOTES

Tous les embryons de Vertébrés ont besoin d'un milieu aqueux pour se développer. Dans le cas des Poissons et des Amphibiens, l'œuf est pondu dans la mer ou en eau douce et ne requiert aucune cavité remplie d'eau. Lorsque les Vertébrés ont commencé à vivre sur la terre ferme, ils ont dû affronter le problème de la reproduction en milieu sec; deux solutions sont apparues : les œufs à coquille des Reptiles et des Oiseaux et l'utérus des Mammifères placentaires. À l'intérieur de la coquille ou de l'utérus, les embryons d'Oiseaux, de Reptiles et de Mammifères se trouvent enfermés dans une poche pleine de liquide formée par une enveloppe membraneuse appelée amnios. C'est pour cette raison que l'on regroupe les Animaux de ces trois classes sous le nom d'**amniotes**. Nous avons déjà étudié le développement d'un embryon de Vertébré anamniote (non amniote), *Xenopus*. À titre de comparaison, nous allons maintenant examiner le début du développement embryonnaire chez deux amniotes, un Oiseau et un Mammifère. Bien que l'organogenèse se déroule de façon très semblable chez tous les Vertébrés, on remarque des différences importantes pendant les deux premiers stades du développement, soit la segmentation et la gastrulation.

Développement de l'Oiseau

La partie de l'œuf d'Oiseau que l'on appelle communément le jaune est en fait l'ovocyte gonflé par les réserves de nutriments qui constituent le vitellus. Cette énorme cellule baigne dans une solution riche en protéines (le blanc d'œuf), dans laquelle l'embryon en cours de croissance pourra puiser un supplément de nutriments. Dans l'œuf fécondé, la segmentation se limite à un petit cercle de cytoplasme dépourvu de vitellus et situé au pôle animal. Après la fécondation, ce cytoplasme sans vitellus se scinde à la suite des divisions cellulaires et finit par former une plaque de cellules appelée **blastodisque**; le blastodisque repose sur la volumineuse partie non divisée du zygote initial, qui contient le vitellus (figure 43.13a). Cette division incomplète d'un zygote riche en vitellus est appelée **segmentation méroblastique**. Elle s'oppose à la division complète de zygotes renfermant peu de vitellus (comme chez l'Oursin) ou une quantité modérée (comme chez *Xenopus*).

Dans l'œuf d'Oiseau, la segmentation du pôle animal est suivie d'une séparation des cellules du blastodisque en un feuillet supérieur et un feuillet inférieur, l'épiblaste et l'hypoblaste respectivement. La cavité créée entre ces deux feuillets est l'homologue du blastocœle chez les Oiseaux. Par ailleurs, ce stade du développement embryonnaire équivaut, chez l'Oiseau, à la blastula, bien que sa forme diffère de la sphère creuse qui caractérise le jeune embryon d'Amphibien.

Comme chez les Amphibiens, des cellules quittent la surface de l'embryon pendant la gastrulation pour pénétrer dans l'embryon. Chez les Oiseaux cependant, le parcours de cette migration cellulaire s'avère fort différent (figure 43.13b). Certaines cellules du feuillet cellulaire supérieur (épiblaste) se déplacent vers la ligne médiane du blastodisque, puis se détachent et s'enfoncent vers le vitellus. Le mouvement de ces cellules vers le milieu de

la surface, puis vers l'intérieur de l'embryon à partir de la ligne médiane du blastodisque, crée un sillon appelé **ligne primitive**. Au fur et à mesure que cette ligne s'allonge, elle établit le futur axe antéropostérieur de l'Oiseau. Par sa fonction, la ligne primitive est l'homologue de la lèvre du blastopore chez un Amphibien, mais elle a à la forme d'un repli linéaire et non d'un cercle. Après avoir traversé la ligne primitive, les cellules s'éloignent à nouveau vers les côtés et produisent un feuillet mésodermique central dans la cavité située entre l'épiblaste et l'hypoblaste. Cependant, quelques-unes de ces cellules migratrices continuent leur déplacement vers le bas et vont s'ajouter à l'hypoblaste, qui devient l'endoderme (posé sur le vitellus). Les cellules qui demeurent dans l'épiblaste constituent l'ectoderme. L'embryon d'Oiseau possède alors ses trois feuillets embryonnaires primitifs, lesquels forment un emplilement à ce stade. Les bords du disque embryonnaire s'incurvent vers le bas et finissent par se rejoindre, transformant ainsi l'embryon en un tube à trois couches qui reste ancré au vitellus grâce à un pédicule situé à mi-longueur (figure 43.13c). La formation du tube neural, le développement de la corde dorsale et des somites ainsi que les autres événements de l'organogenèse ressemblent beaucoup aux différents stades qui se succèdent dans l'embryon d'Amphibien (figure 43.14).

À la figure 43.13c, notez que seule une partie de chaque feuillet embryonnaire primitif est incluse dans l'embryon même. Les couches de tissu qui se forment à

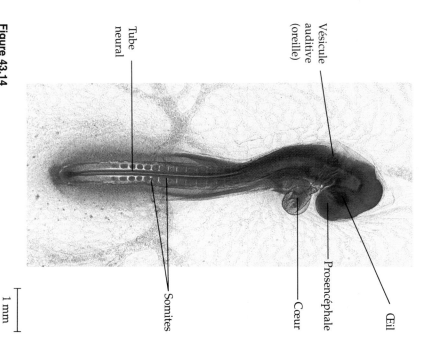

Figure 43.14
Organogenèse chez un embryon d'Oiseau. Les ébauches de la plupart des principaux organes sont déjà formées chez cet embryon, âgé d'environ 56 heures (MP).

Vésicule auditive (oreille)

Tube neural

Œil

Prosencéphale

Cœur

Somites

1 mm

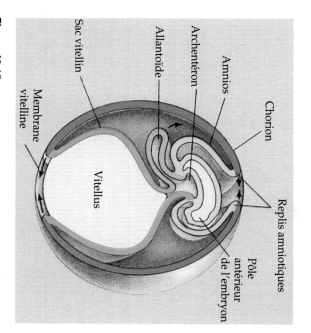

Figure 43.15
Formation des annexes embryonnaires chez un Poussin. Chacune des quatre annexes membraneuses qui assurent le soutien de l'embryon est issue de cellules épithéliales situées à l'extérieur de l'embryon. Le sac vitellin s'étend sur la surface de la masse vitelline. Les cellules du sac vitellin digèrent le vitellus, et les vaisseaux sanguins qui apparaissent à l'intérieur de cette annexe membraneuse acheminent les nutriments jusqu'à l'embryon. Les replis latéraux du tissu extra-embryonnaire recouvrent la partie supérieure de l'embryon et fusionnent en formant deux autres annexes, l'amnios et le chorion, elles-mêmes séparées par des prolongements extra-embryonnaires du cœlome. L'amnios constitue la paroi de la cavité amniotique remplie de liquide, qui protège l'embryon contre le dessèchement et les chocs. La quatrième annexe, l'allantoïde, se crée à partir d'une évagination de la partie postérieure de l'intestin primitif. Il s'agit d'une poche qui s'étend dans le cœlome extra-embryonnaire localisé entre le chorion et l'amnios. Elle sert de sac pour l'entreposage de l'acide urique, la forme de déchet azoté insoluble produite par l'embryon. Au fur et à mesure que l'allantoïde augmente en volume, elle pousse le chorion contre la membrane vitelline, le revêtement interne de la coquille. À eux deux, l'allantoïde et le chorion constituent l'organe respiratoire de l'embryon. Les vaisseaux sanguins formés dans l'allantoïde transportent l'oxygène jusqu'à l'embryon de Poussin. Les annexes embryonnaires des Reptiles et des Oiseaux représentent des adaptations qui ont permis de résoudre les problèmes posés par le développement sur la terre ferme.

Sac vitellin

Membrane vitelline

Amnios

Archentéron

Allantoïde

Chorion

Vitellus

Pôle antérieur de l'embryon

Replis amniotiques

l'extérieur de l'embryon deviennent les quatre **annexes embryonnaires**, qui contribuent à la suite du développement de l'embryon dans l'œuf. Ces quatre annexes membraneuses sont le **sac vitellin**, l'**amnios**, le **chorion** et l'**allantoïde** (figure 43.15).

Développement des Mammifères

Chez les Mammifères, la fécondation des ovocytes a lieu dans l'oviducte (la trompe utérine chez l'Humain) et les premiers stades du développement surviennent au cours du voyage de l'embryon le long de l'oviducte jusqu'à l'utérus (voir le chapitre 42). Contrairement aux gros ovocytes riches en vitellus que l'on trouve chez les Oiseaux et les Reptiles, les ovocytes des Mammifères placentaires sont assez petits et contiennent peu de nutriments. La segmentation du zygote est donc holoblastique chez les

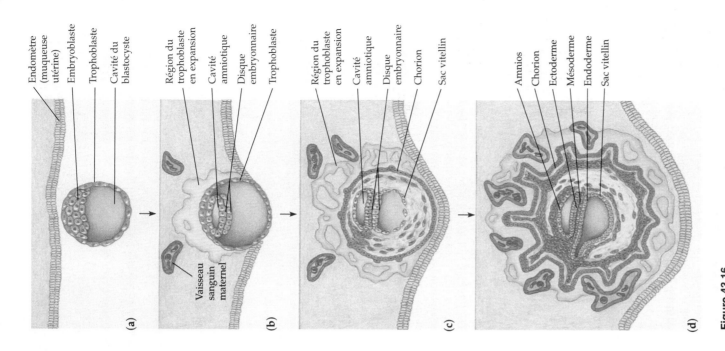

Figure 43.16
Début du développement d'un embryon humain et de ses annexes. (a) La segmentation produit un blastocyste, lequel comprend un trophoblaste entourant une cavité vide et un embryoblaste (agrégat cellulaire qui va devenir l'embryon) qui fait saillie sur un côté de la cavité. Le blastocyste s'implante dans l'endomètre. Bien que le développement des Mammifères placentaires prenne place à l'intérieur de l'utérus, et non dans un œuf pourvu d'une coquille et riche en vitellus, les annexes embryonnaires de leurs ancêtres reptiliens ont subsisté pendant l'évolution des Mammifères. (b) et (c) L'embryon de Mammifère proprement dit se forme à partir d'un disque embryonnaire plat, homologue du blastodisque chez le Poussin. (d) La gastrulation résulte du mouvement du mésoderme et de l'endoderme, qui s'enfoncent vers l'intérieur à travers la ligne primitive.

Mammifères, mais la gastrulation et le début de l'organogenèse suivent un cheminement semblable à ceux qui prennent place chez les Oiseaux et les Reptiles. (Nous avons vu au chapitre 30 que les Mammifères étaient les descendants de Reptiles ayant vécu au début du Mésozoïque.)

La segmentation des embryons de Mammifères se déroule de manière relativement lente. Dans le cas des Humains, la première division se termine 36 heures environ après la fécondation, la deuxième division quelque 60 heures après et la troisième, environ 72 heures après. Le zygote de Mammifère n'a pas de polarité apparente. Les plans de segmentation semblent orientés au hasard et tous les blastomères possèdent des dimensions identiques.

La figure 43.16 illustre la suite du développement de l'embryon humain. Cinq jours après la fécondation, l'embryon compte plus de 100 cellules. À ce stade, les cellules forment les jonctions serrées caractéristiques de l'épithélium compact (voir la figure 7.35a), qui se dispose autour de la cavité centrale. Ce stade embryonnaire est appelé **blastocyste** (voir le chapitre 42). Un amas de cellules nommé **embryoblaste** fait saillie à une extrémité de la cavité du blastocyste ; l'embryoblaste donnera naissance ultérieurement à l'embryon proprement dit et à quelques-unes des annexes embryonnaires. Le **trophoblaste**, l'épithélium externe qui entoure la cavité, constituera la portion fœtale du placenta.

L'embryon atteint l'utérus pendant le stade du blastocyste et s'y implante une semaine environ après la fécondation. Le trophoblaste sécrète des enzymes qui permettent au blastocyste de s'enfouir dans l'endomètre (muqueuse utérine). Le trophoblaste baigne alors dans le sang échappé des capillaires érodés de l'endomètre ; il s'épaissit et projette des excroissances digitiformes (en forme de doigts) dans le tissu maternel environnant. Le placenta se crée à partir de cette prolifération du trophoblaste et de la région de l'endomètre ainsi envahie (voir le chapitre 42). À peu près au moment où le blastocyste s'implante dans l'utérus, l'embryoblaste se transforme en un **disque embryonnaire** plat qui donnera l'embryon proprement dit. Le disque embryonnaire, qui est l'homologue du blastodisque chez les Oiseaux et les Reptiles, comprend un épiblaste et un hypoblaste. La gastrulation est produite par la migration des cellules de la couche supérieure, qui s'enfoncent vers l'intérieur à travers une ligne primitive et composent ainsi le mésoderme et l'endoderme, tout comme chez le Poussin.

Pendant le développement des Mammifères, il se forme quatre annexes embryonnaires homologues à celles que l'on observe chez les Reptiles et les Oiseaux (voir la figure 43.15). Le chorion, qui est issu du trophoblaste, enveloppe complètement l'embryon et les autres annexes embryonnaires. L'amnios apparaît d'abord comme un dôme situé au-dessus du disque embryonnaire et délimite une cavité amniotique remplie de liquide où baignera l'embryon. (Le liquide provenant de cette cavité constitue les « eaux » qui sont expulsées par le vagin de la mère lorsque l'amnios se déchire, juste avant l'accouchement.) En-dessous du disque embryonnaire se trouve une autre cavité remplie de liquide, elle-même enfermée dans le sac vitellin. Bien que cette cavité ne contienne pas

Tableau 43.1 Tissus ou organes dérivés des feuillets embryonnaires primitifs chez les Mammifères

Ectoderme	Mésoderme	Endoderme
Tous les tissus nerveux	Muscle squelettique, lisse et cardiaque	Épithélium du tube digestif (sauf celui des cavités buccale et anale)
Épiderme de la peau et dérivés de l'épiderme (poils et cheveux, follicules pileux, glandes sébacées et sudoripares, ongles)	Cartilage, os et autres tissus conjonctifs	Glandes dérivées du tube digestif (foie, pancréas)
Cornée et cristallin de l'œil	Sang, moelle osseuse et tissus lymphatiques	Épithélium des voies respiratoires
Épithélium des cavités nasale et buccale, des sinus paranasaux et du canal anal	Endothélium des vaisseaux sanguins et lymphatiques	Glandes thyroïde et parathyroïdes et thymus
Émail des dents	Séreuses de la cavité corporelle	Épithélium des conduits et des glandes du système reproducteur
Épithélium du corps pinéal, de l'hypophyse et des médullosurrénales	Organes des systèmes urinaire et reproducteur (uretères, reins, gonades, et conduits annexes)	Épithélium de l'urètre et de la vessie

Source : Adaptation de Elaine N. Marieb, *Human Anatomy and Physiology*, 2e éd., Redwood City, CA, Benjamin/Cummings, 1992.

de vitellus, la membrane qui l'entoure porte le même nom que la membrane homologue chez les Oiseaux et les Reptiles. La membrane du sac vitellin des Mammifères constitue le site de production des premiers globules sanguins, qui migrent ensuite vers l'embryon proprement dit. La quatrième annexe embryonnaire, l'allantoïde, se forme à partir d'une évagination de l'intestin primitif de l'embryon, comme chez le Poussin. L'allantoïde s'intègre au cordon ombilical, où elle donne naissance à des vaisseaux sanguins qui transportent l'oxygène et les nutriments du placenta à l'embryon et qui débarrassent ce dernier du dioxyde de carbone et des déchets azotés qu'il produit. Les annexes embryonnaires des œufs à coquille, dans lesquels les embryons se nourrissent de vitellus, ont donc été conservées lorsque les Mammifères ont divergé des Reptiles au cours de l'évolution, mais elles ont subi des modifications afin de permettre le développement à l'intérieur des voies génitales maternelles.

L'organogenèse commence par la formation du tube neural, de la corde dorsale et des somites. Chez l'Humain, à la fin du premier trimestre du développement, les ébauches des principaux organes sont formées à partir des trois feuillets embryonnaires primitifs (le tableau 43.1 en présente un résumé).

MÉCANISMES DE DÉVELOPPEMENT

Nous avons vu que les principales lignes de la structure d'un organisme animal sont tracées relativement tôt pendant son développement embryonnaire. Cependant, il ne suffit pas de décrire ces changements pour comprendre comment ils se produisent. En procédant à diverses manipulations expérimentales sur des embryons, les embryologistes ont découvert certains des mécanismes généraux qui déterminent la croissance embryonnaire chez plusieurs Animaux. On peut résumer ces découvertes par deux concepts de base :

1. *Chez de nombreuses espèces animales, la structure du cytoplasme de l'ovocyte non fécondé engendre des différences entre les diverses régions du jeune embryon.* En divisant le cytoplasme hétérogène du zygote, la segmentation distribue plusieurs substances (ARNm, protéines, etc.) à différents blastomères. Ces différences locales de composition cytoplasmique influent sur l'expression génique et déterminent en partie la destinée des cellules du jeune embryon au cours du développement (figure 43.17).

2. *Les interactions entre les cellules complètent l'effet de l'emplacement sur la destinée de la cellule pendant le développement.* Dans un embryon, une cellule donnée peut engendrer des modifications cytoplasmiques qui influent sur l'expression génique d'une cellule voisine. Ce mécanisme s'effectue par la transmission de messages chimiques ou, si les cellules sont effectivement en contact, par des interactions membranaires (figure 43.17b).

Gardez à l'esprit ces deux concepts connexes au cours de notre présentation de certaines recherches expérimentales portant sur le développement animal.

Polarité de l'embryon

Tout Animal à symétrie bilatérale présente un axe antéropostérieur, un axe dorsoventral ainsi qu'un côté gauche et un côté droit (voir le chapitre 29). Dans certains cas, ces trois polarités sont déjà établies au moment de la fécondation. Chez les Amphibiens, par exemple, les axes embryonnaires sont déjà fixés avant la première segmentation.

Rappelez-vous que, chez la plupart des Animaux, les zygotes sont déjà polarisés selon un axe animal-végétatif à cause de la distribution hétérogène des composants cytoplasmiques. Le zygote d'Amphibien possède un pôle végétatif, et des plaquettes vitellines, concentrées près du pôle végétatif, et des granules corticaux de mélanine, rassemblés autour

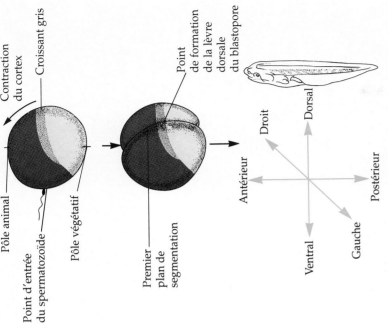

Pôle animal
Point d'entrée du spermatozoïde
Pôle végétatif
Contraction du cortex
Croissant gris

Premier plan de segmentation
Point de formation de la lèvre dorsale du blastopore

Antérieur
Droit
Postérieur
Gauche
Ventral
Dorsal

Figure 43.18
Établissement des axes embryonnaires chez les Amphibiens.
Au moment de la fécondation, un croissant gris se forme sur le côté du zygote qui se trouve opposé au point d'entrée du spermatozoïde. La rotation du cortex pigmentaire par rapport au vitellus sous-jacent fait apparaître le croissant en exposant le cytoplasme de couleur claire situé sous les granules de mélanine. La première segmentation divise le croissant gris ; plus tard, la lèvre dorsale du blastopore se formera à l'emplacement du croissant. Chacun des trois axes embryonnaires est donc établi avant même que la segmentation du zygote ne s'amorce.

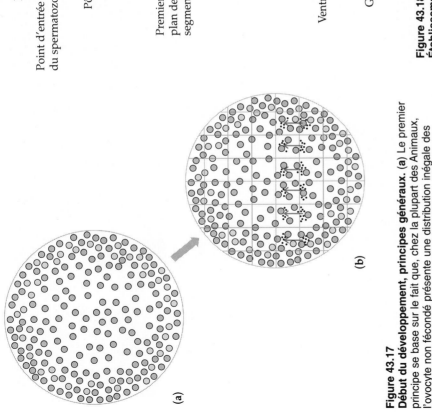

(a)

(b)

Figure 43.17
Début du développement, principes généraux. (a) Le premier principe se base sur le fait que, chez la plupart des Animaux, l'ovocyte non fécondé présente une distribution inégale des substances cytoplasmiques, indiquées ici par des points de différentes couleurs. (b) Au cours de la segmentation du zygote, la division de ce cytoplasme hétérogène produit des cellules embryonnaires dont la composition cytoplasmique diffère. Le cadre des variations régionales de l'expression génique se trouve ainsi fixé. Le début du développement obéit à un second principe de base, soit le rôle des interactions entre les cellules dans la détermination des destinées cellulaires au cours du développement. Les flèches indiquent le mouvement des messagers chimiques (petits points noirs) grâce auxquels certaines cellules provoquent des événements qui influent sur le développement de cellules voisines.

du pôle animal. Au moment de la fécondation de l'ovocyte d'Amphibien, il se produit un réagencement du cytoplasme (figure 43.18). Le cortex (partie externe du cytoplasme) du zygote subit une rotation en direction du point d'entrée du spermatozoïde, probablement parce que le centriole introduit dans la cellule par le spermatozoïde réorganise le cytosquelette. En se contractant, le cortex tire en direction du pôle animal la bordure de la couche pigmentaire qui se situe à l'opposé du point d'entrée du spermatozoïde, exposant ainsi le cytoplasme plus clair qui était masqué par le pigment. Cette contraction fait apparaître le **croissant gris**, une marque en demi-lune située près de l'équateur du zygote, du côté opposé au point d'entrée. La première segmentation divisera le croissant gris, et la lèvre dorsale du blastopore se formera plus tard à l'endroit où se trouvait le croissant gris sur le zygote.

Chacun des trois axes de l'embryon est donc défini avant le début de la segmentation. L'axe animal-végétatif du zygote devient l'axe antéropostérieur de l'embryon, et l'emplacement du croissant gris détermine à la fois l'axe

dorsoventral et l'axe droite-gauche. Lorsqu'on procède à des expériences sur le zygote de façon à empêcher la rotation du cortex qui fait apparaître le croissant gris, la gastrulation est anormale et les structures axiales telles que le tube neural ne se forment pas.

Bien que les axes embryonnaires soient déterminés au stade du zygote ou au début de la segmentation chez la plupart des Animaux, il existe d'importantes exceptions, les Mammifères en particulier. Nous avons vu que les zygotes des Mammifères n'ont pas de polarité apparente et que, au début de la segmentation, les divisions cellulaires sont orientées au hasard. Dans un embryon de Mammifère, il s'avère impossible de reconnaître une extrémité de l'autre avant le stade du blastocyste.

Déterminants cytoplasmiques localisés

Nous avons déjà vu que l'agencement du cytoplasme de l'œuf fécondé exerce une influence importante sur le début du développement chez la plupart des Animaux. Revenons sur ce point clé : si les composants du cytoplasme sont répartis de façon inégale dans l'œuf fécondé,

les premières segmentations diviseront le zygote en blastomères qui n'auront pas la même composition cytoplasmique (voir la figure 43.17). Les substances localisées que renferment les blastomères individuels jouent peut-être le rôle de **déterminants cytoplasmiques** qui fixent très tôt la destinée des différentes régions de l'embryon pour la suite du développement, en agissant probablement sur l'expression génique (voir le chapitre 18). Au cours du développement de nombreux Mollusques, par exemple, le zygote produit un lobe polaire qui, après la première segmentation, se trouve rattaché à un seul des deux blastomères (figure 43.19a). Si on sépare expérimentalement les deux blastomères, seule la cellule qui porte le lobe polaire devient un embryon normal. En outre, cette même cellule ne pourra se développer normalement si on excise le lobe polaire ; il manquera à la larve un cœur, des yeux et plusieurs organes dérivés du mésoderme chez les Mollusques. Apparemment, le lobe polaire contient les déterminants cytoplasmiques

nécessaires à la suite du développement de ces structures mésodermiques.

Même dans le cas où les déterminants cytoplasmiques sont répartis de façon inégale dans le zygote, la première segmentation peut survenir le long d'un axe qui produit deux blastomères dotés d'un potentiel de développement identique. Chez les Amphibiens, par exemple, les blastomères séparés expérimentalement au stade de deux cellules deviennent des têtards normaux. On dit que les cellules sont **totipotentes**, ce qui signifie qu'elles ont la capacité de former toutes les parties de l'Animal. Cependant, si on manipule expérimentalement le zygote d'Amphibien de sorte que le premier plan de segmentation passe à côté du croissant gris au lieu de le couper, seul le blastomère qui reçoit le croissant gris donnera un têtard normal (figure 43.19b). La destinée des cellules de l'embryon dépend donc du type de segmentation que subit le zygote ainsi que de la répartition des déterminants cytoplasmiques.

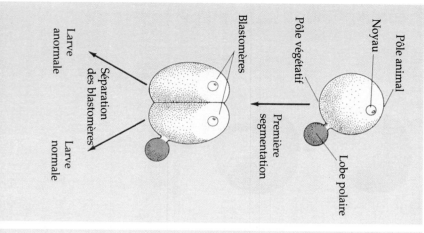

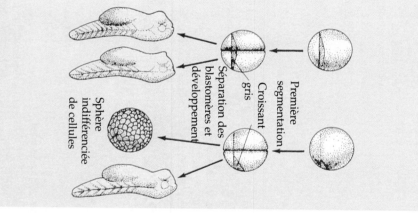

Figure 43.19
Déterminants cytoplasmiques. (a) Au cours du développement des Mollusques du genre *Dentalium*, un lobe polaire reste accroché à un seul des deux blastomères issus de la première segmentation. Apparemment, ce lobe comporte les déterminants nécessaires à l'apparition de certaines structures. La cellule qui ne possède pas ce lobe a donc perdu sa totipotence dès la première division cellulaire. **(b)** La première segmentation d'un zygote d'Amphibien partage habituellement le croissant gris entre les deux blastomères, qui conservent leur totipotence après cette division. Cependant, dans les expériences où l'on exerce une pression afin d'éviter que le plan de segmentation ne traverse le croissant, seul le blastomère qui reçoit le matériel provenant du croissant se développe normalement. **(c)** Les déterminants cytoplasmiques de l'Oursin ont apparemment une distribution polaire. Au stade de huit cellules, si on fragmente l'embryon selon un plan vertical, on obtient deux larves normales, mais si on le partage selon un plan horizontal, on obtient une larve présentant de légères défectuosités et une autre, des anomalies graves.

Développement en mosaïque et à régulation

On parle de développement en mosaïque ou à régulation selon le stade auquel les blastomères perdent leur totipotence. Le développement d'un Mollusque à partir d'un zygote pourvu d'un lobe polaire fournit un exemple de **développement en mosaïque**, parce que chacune des cellules ne pourra former que certaines parties de l'embryon, de la même façon qu'une pièce d'un casse-tête occupe une place précise dans l'ensemble. Dans le **développement à régulation**, les cellules conservent leur totipotence plus longtemps, et on peut modifier leur destinée de façon expérimentale. Cette distinction est quelque peu arbitraire, car la destinée de la plupart des cellules finit par se restreindre chez tous les Animaux. Par exemple, l'Oursin suit un développement à régulation jusqu'au stade à quatre cellules, mais le troisième plan de segmentation divise les déterminants cytoplasmiques de telle façon que certaines des cellules perdent leur totipotence (figure 43.19c).

Les embryons de Mammifères ont un développement à régulation qui dure beaucoup plus longtemps que chez la plupart des autres Animaux. Les cellules ne perdent leur totipotence qu'au moment où elles se répartissent entre le trophoblaste et l'embryoblaste du blastocyste. Cette longue période de développement à régulation est probablement reliée à l'absence de polarité du zygote et au caractère apparemment aléatoire des premiers plans de segmentation. Jusqu'au stade à huit cellules, les blastomères de Souris présentent le même aspect et chacun d'entre eux, si on l'isole, peut effectivement former un embryon complet. Inversement, on peut faire fusionner deux embryons de Souris au stade de huit cellules et obtenir une morula agrandie qui, après transplantation dans un utérus, donnera naissance à une Souris normale ayant les caractères des deux couples de parents. Les embryons à développement en mosaïque ne supportent pas ce type de manipulation.

Cartes des territoires présomptifs et analyse des lignées cellulaires

Chez les embryons dont les axes sont définis au début du développement, il devrait être possible de déterminer quelles parties de l'embryon seront issues de chacune des régions du zygote ou de la blastula. Dans les années 1920, l'embryologiste allemand W. Vogt a dessiné une **carte des territoires présomptifs** de l'embryon de Grenouille (figure 43.20a). Il a utilisé différents colorants vitaux (non toxiques) pour marquer les diverses régions de la surface de la blastula puis, après quelques divisions, a effectué des coupes sur l'embryon afin d'observer à quels endroits se retrouvaient les cellules colorées. En comparant les figures 43.20a et 43.10, notez que les différentes régions de l'embryon subissent un réagencement entre les stades blastula et gastrula. Ces changements sont causés par les mouvements complexes qui se produisent au cours de la gastrulation.

Grâce à de nouvelles techniques et à des choix judicieux d'organismes expérimentaux, les embryologistes ont pu établir des cartes de territoires présomptifs encore plus détaillées. Il existe plusieurs techniques per-

mettant de marquer un blastomère individuel lors de la segmentation, puis de suivre le marqueur au cours de sa distribution chez tous les descendants mitotiques de cette cellule (figure 43.20b). On appelle **analyse des lignées cellulaires** l'établissement de cartes de territoires présomptifs à cette échelle. Chez le Nématode *Cænorhabditis elegans*, les chercheurs ont cartographié la destinée de chacune des cellules tout au long du développement, et ce dès la première segmentation du zygote (figure 43.20c).

Mouvements morphogénétiques

Les migrations cellulaires et les modifications structurales des cellules constituent des mécanismes fondamentaux du développement morphologique de l'Animal. Trois propriétés des cellules (l'extension, la contraction et l'adhérence) interviennent dans les divers mouvements morphogénétiques qui donnent sa configuration à l'embryon, y compris la gastrulation et la formation du tube neural.

Les changements morphologiques de la cellule comprennent habituellement un réagencement du cytosquelette. Considérons, par exemple, les déformations des cellules de la plaque neurale au moment de l'apparition du tube neural (figure 43.21). Dans un premier temps, les microtubules allongent les cellules de la plaque selon l'axe dorsoventral de l'embryon. Puis des réseaux ordonnés de microfilaments font contracter l'extrémité apicale des cellules, leur conférant ainsi une forme de coin qui repousse l'épithélium vers l'intérieur. Des déformations similaires caractérisent les autres mouvements d'invagination (repliement vers l'intérieur) et d'évagination (repliement vers l'extérieur) des couches de tissu au cours du développement.

Le mouvement amiboïde, qui repose sur l'extension et la contraction, joue aussi un rôle important dans la morphogenèse. Durant la gastrulation de certains embryons, comme nous l'avons vu, l'invagination s'amorce par une déformation des cellules localisées à la surface de la blastula, qui prennent une forme de coin ; mais la suite de la pénétration des cellules vers l'intérieur de l'embryon résulte de la production de filopodes par les cellules situées à la tête du tissu en migration. Ces cellules amiboïdes tirent la couche d'épithélium vers l'intérieur du blastocœle, formant ainsi l'endoderme et le mésoderme de l'embryon. Par ailleurs, la morphogenèse met parfois en jeu la migration individuelle de cellules amiboïdes, telles les cellules de la crête neurale qui se dispersent dans l'ensemble de l'embryon.

La matrice extracellulaire oriente les mouvements morphogénétiques des cellules. Elle contient des substances adhésives et des fibres qui guident les cellules migratrices le long d'un certain itinéraire. Une famille de glycoprotéines extracellulaires, les **fibronectines**, composent un substrat auquel les cellules adhèrent pendant leur migration (figure 43.22). Il existe un lien étroit entre l'orientation des fibrilles de fibronectine dans la matrice extracellulaire et l'orientation des microfilaments contractiles du cytosquelette à l'intérieur des cellules migratrices. Les fibrilles extracellulaires sont elles-mêmes disposées selon l'orientation du cytosquelette des cellules qui sécrètent les substances extracellulaires. Ainsi,

Figure 43.20
Exemples de cartes de territoires présomptifs et d'analyse des lignées cellulaires. (a) Afin de déterminer les destinées des cellules d'un embryon de Grenouille, on a marqué les différentes régions de la surface de la blastula au moyen de divers colorants, puis on a localisé les cellules colorées dans la gastrula ou à des stades ultérieurs du développement (ici, au stade du tube neural). Coupe transversale (côté gauche) de la blastula, avec le futur pôle antérieur en haut à gauche. **(b)** Les schémas du haut représentent des embryons de Tunicier (un Urocordé, voir le chapitre 30) au stade de 64 cellules. On peut injecter dans une cellule individuelle un colorant servant de marqueur grâce auquel, plus tard, le chercheur reconnaîtra les cellules de l'embryon descendant de la cellule marquée. Les deux photographies de larves prises au microscope photonique montrent quelles régions se sont formées respectivement à partir de deux blastomères différents indiqués par les schémas. **(c)** La transparence du Nématode *Cænorhabditis elegans* à tous les stades de son développement a permis aux chercheurs de retrouver la lignée de chacune des cellules entre le stade du zygote et les 2000 cellules du Ver adulte (MP). Le diagramme montre seulement la lignée détaillée des cellules de l'intestin, qui proviennent exclusivement de l'une des quatre premières cellules formées au cours de la segmentation.

(a) Carte des territoires présomptifs d'un embryon de Grenouille

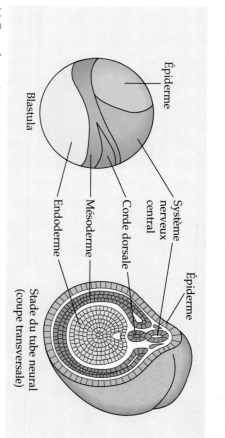

Épiderme

Blastula

Système nerveux central

Corde dorsale

Mésoderme

Endoderme

Épiderme

Stade du tube neural (coupe transversale)

(b) Analyse des lignées cellulaires chez un Tunicier

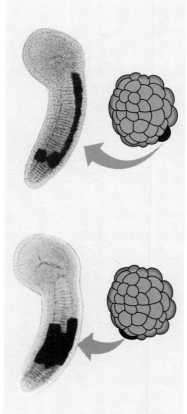

(c) Lignées cellulaires chez *Cænorhabditis elegans*

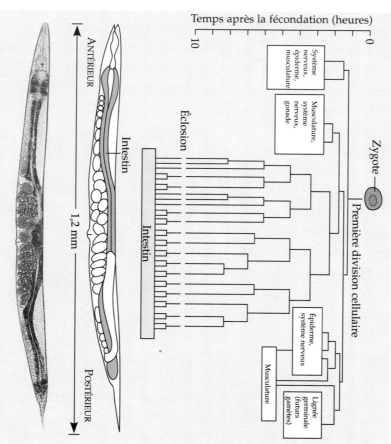

Temps après la fécondation (heures)

0

10

Zygote

Première division cellulaire

Éclosion

Système nerveux, épiderme, musculature

Musculature, système nerveux, gonade

Épiderme, système nerveux

Musculature

Lignée germinale (futurs gamètes)

Intestin

Intestin

ANTÉRIEUR

1,2 mm

POSTÉRIEUR

Figure 43.21
Changements morphologiques des cellules au cours de la morphogenèse.
On pense que les modifications du cytosquelette jouent un rôle dans l'invagination et l'évagination des couches d'épithélium. Pendant la formation du tube neural, les microtubules allongent les cellules de la plaque neurale, puis les microfilaments situés au sommet de chaque cellule se contractent, conférant ainsi à la cellule une forme de coin.

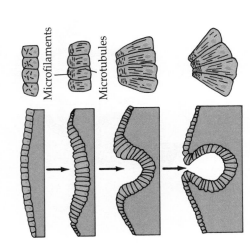

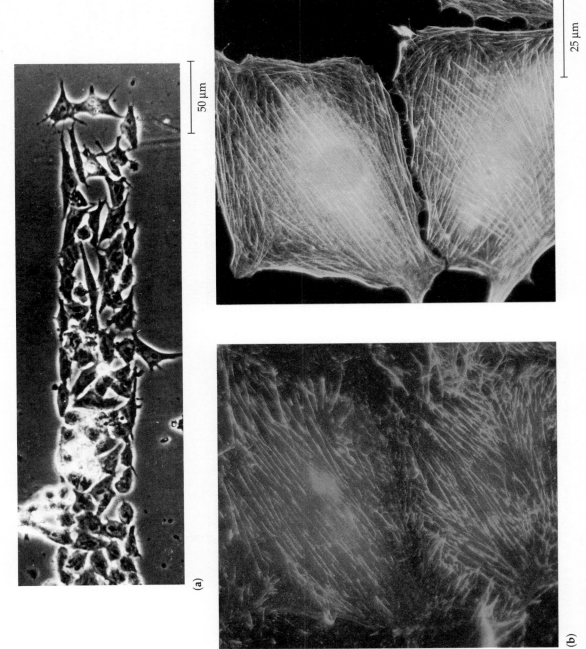

(a)

(b)

Figure 43.22
Matrice extracellulaire et migration cellulaire. (a) Les cellules provenant de la crête neurale migrent en suivant une bande de fibrilles de fibronectine placées sur un substrat artificiel (MP). **(b)** On a utilisé deux colorants fluorescents différents pour marquer les fibrilles de fibronectine du substrat (à gauche) et les microfilaments d'actine (à droite) situés dans ces deux cellules (MP). Notez que l'orientation des microfilaments intracellulaires et des fibrilles extracellulaires est identique.

au cours du développement des tissus et des organes, un groupe de cellules peut influer sur le trajet que suivra un autre groupe de cellules durant sa migration.

Les molécules adhésives qui retiennent ensemble certaines cellules pendant la formation des tissus ou des organes revêtent également une grande importance. Par exemple, si l'on sépare de manière expérimentale les cellules d'une gastrula, puis qu'on les laisse se regrouper, elles se disposent en trois feuillets, avec l'endoderme à l'intérieur, l'ectoderme à l'extérieur et le mésoderme entre les deux. Des substances présentes à la surface des cellules, appelées **molécules d'adhérence cellulaire**, contribuent à ce regroupement sélectif ; leur quantité et leur identité chimique varient d'un type de cellule à l'autre.

Induction

Après la formation de l'embryon à trois feuillets par les mouvements morphogénétiques de la gastrulation, les interactions entre les feuillets jouent un rôle important dans la genèse de la plupart des ébauches d'organes. On appelle **induction** la capacité d'un groupe de cellules d'influer sur le développement d'un autre groupe de cellules.

L'induction venant de l'ébauche de la corde dorsale est le mécanisme qui provoque l'épaississement de l'ectoderme dorsal de la gastrula en plaque neurale. Si l'on prélève le chordamésoderme, c'est-à-dire le mésoderme dorsal qui constitue la corde dorsale, et qu'on le transplante dans une autre partie de l'ectoderme dans un tube neural dans un endroit anormal. Au cours d'une série de transplantations expérimentales effectuées dans les années 1920, les biologistes allemands Hans Spemann et Hilde Mangold ont découvert que les interactions entre le chordamésoderme et l'ectoderme sus-jacent étaient déterminées par la lèvre dorsale du blastopore. Par exemple, si on transplante un petit morceau de la lèvre dorsale à un autre endroit de la surface d'une jeune gastrula d'Amphibien, il se forme deux cordes dorsales, qui provoquent la formation de deux tubes neuraux. Spemann a qualifié la lèvre dorsale du blastopore d'*organisateur* primaire de l'embryon à cause de son rôle au cours des premiers stades de l'organogenèse. Les embryologistes ont récemment identifié un facteur de croissance appelé **activine** ; il s'agit très probablement du stimulus chimique grâce auquel les cellules qui traversent la lèvre dorsale et parviennent à l'intérieur de l'embryon donnent naissance à la substance inductrice responsable de la formation de la plaque neurale par l'ectoderme sus-jacent.

L'induction de l'ectoderme dorsal en vue de la formation du tube neural ne constitue que la première d'un grand nombre d'interactions intercellulaires qui transforment les feuillets embryonnaires primitifs en systèmes. Ainsi, l'apparition de l'œil chez les Vertébrés se fait par une succession d'inductions réciproques entre l'ectoderme et les évaginations de l'encéphale rudimentaire (figure 43.23).

Différenciation

Au fur et à mesure que les organes d'un embryon prennent forme, leurs cellules amorcent leur spécialisation

structurale et fonctionnelle grâce à un processus appelé différenciation cellulaire. À l'échelle microscopique, les premiers signes de spécialisation sont des modifications de la structure cellulaire. À l'échelle moléculaire, la différenciation est marquée par l'apparition de **protéines tissulaires spécifiques**, c'est-à-dire des protéines présentes dans un certain type de cellules seulement.

Au cours de la différenciation, les cellules se spécialisent dans la fabrication de certaines protéines. Chez les Vertébrés, par exemple, les cellules du cristallin en formation synthétisent de grandes quantités de cristallines, des

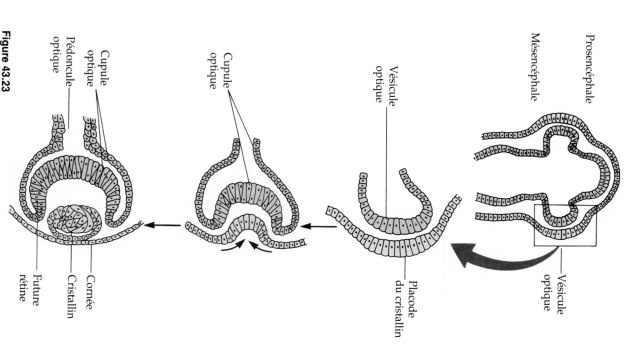

Figure 43.23
Induction pendant la formation de l'œil. L'œil se forme à partir de deux couches cellulaires différentes par une succession d'inductions réciproques. Il faut que la vésicule optique, une excroissance de l'encéphale rudimentaire, soit présente pour que l'ectoderme adjacent constitue un épaississement appelé placode du cristallin, lequel provoque à son tour l'invagination de la vésicule optique en cupule. La cupule optique cause alors l'invagination de la placode du cristallin ; la partie invaginée devient le cristallin et le reste de la cornée.

Prosencéphale

Mésencéphale

Vésicule optique

Vésicule optique

Placode du cristallin

Cupule optique

Cupule optique

Pédoncule optique

Cornée

Cristallin

Future rétine

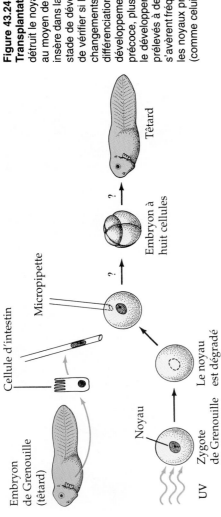

Figure 43.24
Transplantation de noyaux. Après avoir détruit le noyau d'un zygote de Grenouille au moyen de rayons ultraviolets (UV), on insère dans la cellule un noyau parvenu à un stade de développement plus avancé, afin de vérifier si les noyaux subissent des changements irréversibles au début de la différenciation cellulaire. Plus le stade du développement d'où provient le noyau est précoce, plus la probabilité qu'il permettra le développement augmente. Les noyaux prélevés à des stades très précoces s'avèrent fréquemment totipotents, alors que les noyaux prélevés à des stades ultérieurs (comme celui de têtard) le sont rarement.

Embryon de Grenouille (têtard)

Cellule d'intestin

Micropipette

Noyau

UV Zygote de Grenouille

Le noyau est dégradé

Embryon à huit cellules

?

Têtard

protéines qui s'assemblent pour former des fibres transparentes grâce auxquelles le cristallin transmet la lumière et la réfracte. Comme aucun autre type de cellule de Vertébré ne produit ces protéines, les cristallines permettent de suivre les progrès de la différenciation des cellules du cristallin. Dans ces cellules, les gènes des cristallines sont activés par l'induction provenant de la rétine, dont la formation n'est pas encore achevée (voir la figure 43.23). En réponse aux messages chimiques émis par les cellules de la rétine rudimentaire, les molécules d'ARNm qui possèdent le code pour les cristallines subissent une transcription et s'accumulent dans le cytoplasme de la cellule du cristallin en formation. Puis la synthèse des cristallines s'amorce, et les cellules du cristallin consacrent 80 % de leur capacité de synthèse protéique à fabriquer ce type de protéine. Les cellules s'adaptent à la présence des fibres de cristalline en s'allongeant et en s'aplatissant.

Équivalence génomique Une cellule de cristallin fabrique des cristallines, mais un globule sanguin n'en fabrique pas : cette constatation nous mène à la conclusion que la première exprime des gènes qui restent silencieux dans le globule. On pourrait expliquer de telles différences si les cellules perdaient des gènes non essentiels au cours de leur différenciation ; or, la plupart des indices dont on dispose suggèrent que presque toutes les cellules d'un organisme ont une **équivalence génomique,** c'est-à-dire qu'elles possèdent toutes les mêmes gènes. (Il existe quelques exceptions, comme nous l'avons vu au chapitre 18.) Qu'arrive-t-il à ces gènes lorsque la cellule commence à se différencier ? On peut apporter quelques éléments de réponse en se demandant si la différenciation est réversible.

Une façon d'étudier la réversibilité de la différenciation consiste à remplacer le noyau d'un ovocyte ou d'un zygote normal par le noyau d'une cellule différenciée. Si les gènes sont inactivés de façon irréversible au cours de la différenciation, le noyau transplanté ne pourra pas mener au développement d'un embryon normal. Dans les années 1950, les embryologistes américains Robert Briggs et Thomas King ont effectué des travaux de pionnier en matière de transplantation de noyaux ; plus tard, John Gurdon a continué leurs recherches. Ces chercheurs enlevaient ou détruisaient les noyaux d'ovocytes de Grenouilles ou de Crapauds, puis, en transplantant

dans les ovocytes anucléés des noyaux provenant de cellules d'embryons ou de têtards de la même espèce (figure 43.24). Ils ont constaté que la capacité des noyaux transplantés de conduire à un développement normal était fonction inverse de l'âge des embryons donneurs. Si les noyaux provenaient des cellules relativement indifférenciées d'un jeune embryon, la plupart des zygotes receveurs devenaient des têtards. Mais si les noyaux appartenaient aux cellules bien différenciées de l'intestin d'un têtard, moins de 2 % des œufs donnaient naissance à des têtards normaux, et la plupart des embryons ne dépassaient même pas les premières étapes du développement embryonnaire.

Les embryologistes ne s'accordent pas encore sur la signification de ces résultats, mais la plupart d'entre eux en ont tiré deux conclusions. Premièrement, il se produit *effectivement* un changement dans les noyaux lorsqu'ils se préparent pour la différenciation. (Nous avons vu au chapitre 18 que les génomes subissent plusieurs types de restructuration.) Deuxièmement, ce changement n'est pas toujours irréversible, ce qui tend à prouver que le noyau d'une cellule différenciée possède tous les gènes requis pour la formation de toutes les autres parties de l'organisme. Le clonage de Végétaux à partir de cellules somatiques confirme cette conclusion. Les cellules de l'organisme diffèrent par leur structure et leur fonction, non pas parce qu'elles contiennent des gènes différents, mais parce qu'elles expriment des parties différentes d'un même génome. Au chapitre 18, nous avons parlé des mécanismes possibles de cette forme d'expression génique spécifique à chacun des tissus.

Détermination Avant même qu'il y ait un indice moléculaire ou cytologique de la différenciation, il se peut que le développement de la cellule soit déjà engagé sur une certaine voie. On dit qu'une cellule est **déterminée** lorsqu'il est possible de prévoir sa destinée au cours du développement. Pour vérifier si des cellules sont déjà déterminées, on les transplante dans une autre partie de l'embryon afin d'étudier les possibilités de modification de leur destinée. Par exemple, les larves de Drosophiles et d'autres Insectes possèdent des structures appelées **disques imaginaux,** c'est-à-dire des îlots de cellules destinées à former divers organes lorsque la larve se métamorphosera en Insecte adulte. L'un des disques

Figure 43.25
Mutations homéotiques et formation d'un modèle anormal chez la Drosophile. Les mutations homéotiques affectent le développement des parties de l'organisme adulte de façon radicale pendant la métamorphose d'une larve de Drosophile (*Drosophila melanogaster*). Ces microphotographies montrent les différences entre les têtes de deux Drosophiles (MEB). Là où on voit de petites antennes chez la Drosophile normale (à gauche), un mutant homéotique a des pattes (à droite).

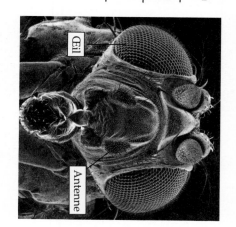

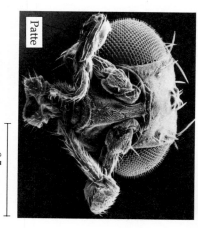

0,5 mm

imaginaux peut former une patte, un autre peut donner une antenne et un troisième peut devenir un œil. Chez la larve, les cellules du disque imaginal ne sont pas encore différenciées, mais elles *sont* déterminées ; si on prélève expérimentalement un disque qui forme ordinairement une antenne et qu'on le remplace par un autre disque qui devrait devenir une patte, l'individu adulte aura une patte posée sur la tête, à l'endroit où se trouverait normalement une antenne. (Nous verrons dans la prochaine section que des modifications génétiques appelées mutations homéotiques peuvent produire des résultats aussi bizarres.) La détermination a donc un élément de « mémoire ». Une cellule déterminée transmet l'information correspondante à ses cellules filles, et ces dernières « se souviennent » de ce qu'elles doivent devenir, même si on les place dans un nouvel environnement.

La détermination semble être un mécanisme qui se produit en série. À partir du zygote totipotent, les options des cellules quant à leur destinée se réduisent de plus en plus au fur et à mesure que le développement se poursuit. Lorsque la différenciation survient enfin, elle est le résultat de l'histoire du développement, qui remonte au début de la segmentation. Si on remplace l'ectoderme dorsal d'une jeune gastrula d'Amphibien par de l'ectoderme prélevé à un autre endroit, le tissu transplanté formera une plaque neurale au-dessus de la corde dorsale. Nous en concluons que l'ectoderme transplanté n'était pas encore déterminé pour se développer en épiderme et qu'il pouvait encore subir une induction qui le transformerait en plaque neurale. Par ailleurs, si on transplante l'ectoderme d'une gastrula avancée au même endroit, il ne répondra pas à l'induction et il n'y aura pas de plaque neurale. À un certain moment du stade gastrula, le potentiel de développement de l'ectoderme s'amenuise. Cependant, il existe encore une certaine flexibilité. Par exemple, l'ectoderme incapable de former une plaque neurale pourra peut-être encore se différencier soit en épiderme, soit en cristallin de l'œil, selon son emplacement. Si on place une vésicule optique assez tôt à un autre endroit, elle provoquera la formation d'un cristallin dans l'ectoderme sus-jacent. Si on procède plus tard à cette manipulation, il se formera de l'épiderme, et non un cristallin au-dessus de la vésicule optique transplantée.

Il semble que la détermination dépende de la régulation du génome par le milieu cytoplasmique de la cellule. Les messages d'origine cytoplasmique peuvent déter-

miner les cellules dès la première segmentation, comme dans le développement en mosaïque des Mollusques (voir la figure 43.19a). Étant donné que la segmentation divise le cytoplasme hétérogène du zygote, les noyaux des cellules se trouvent exposés à des déterminants cytoplasmiques différents, capables de décider quels gènes s'exprimeront à un stade ultérieur de la différenciation cellulaire. Les mouvements morphogénétiques jouent également un rôle dans la détermination et la différenciation, puisqu'ils placent les cellules dans des environnements physicochimiques différents au sein de l'embryon.

Champs morphogénétiques

Pour construire un organe spécialisé, la différenciation des cellules ne suffit pas. Un bras et une jambe ont la même combinaison de tissus (muscle, tissu conjonctif, cartilage, peau), mais ces tissus ont une disposition spatiale différente. Le développement d'un Animal et de chacune de ses parties repose sur l'existence de **champs morphogénétiques**, c'est-à-dire que l'organisme apparaît doté d'une certaine structure qui comporte des organes et des tissus à l'emplacement voulu. (Nous avons abordé la notion de champ morphogénétique dans notre étude du développement végétal au chapitre 34.)

Gènes homéotiques   Les bases génétiques d'un champ morphogénétique se trouvent dans les gènes qui déterminent la structure générale d'un organisme animal. Parmi ces gènes régulateurs, les **gènes homéotiques** commandent la destinée des groupes de cellules au cours du développement. On a identifié les gènes homéotiques pour la première fois chez la Drosophile (*Drosophila melanogaster*). Une mutation affectant un gène homéotique peut produire un individu porteur de caractères très étranges, par exemple une paire d'ailes supplémentaires, des segments de corps en plus ou en moins, ou bien encore des pattes poussant sur la tête à la place des antennes (figure 43.25).

L'analyse des séquences d'ADN des gènes homéotiques chez la Drosophile a permis de découvrir une séquence de 180 nucléotides de long, commune à tous ces gènes. On a mis en évidence cette séquence spécifique d'ADN, appelée **homéoboîte** (« homéobox »), dans d'autres gènes de la Drosophile intervenant dans le développement. Lorsque les biologistes ont recherché de telles séquences chez d'autres organismes, ils les ont d'abord

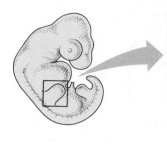

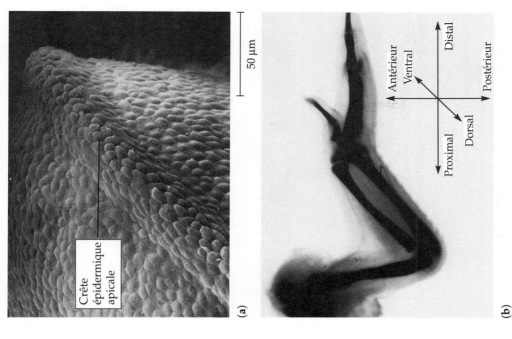

Crête épidermique apicale

50 μm

(a)

Antérieur
Ventral
Distal
Postérieur
Proximal
Dorsal

(b)

Figure 43.26
Champs morphogénétiques à l'origine du développement d'un membre de Vertébré. (a) Les membres des Vertébrés se forment à partir d'ébauches appelées bourgeons de membres (MEB). **(b)** Au fur et à mesure que le bourgeon devient un membre, comme cette aile d'embryon de Poussin, il apparaît un certain mode d'agencement des tissus. Pour ce faire, chaque cellule d'embryon doit recevoir une sorte d'information de positionnement qui lui indique son emplacement par rapport aux trois axes du membre.

Information de positionnement Le phénomène des champs morphogénétiques n'est pas circonscrit aux gènes régulateurs. À l'intérieur de chaque ébauche d'organe, on remarque une disposition particulière des tissus spécialisés, bien que toutes les cellules possèdent les mêmes

trouvées chez des Animaux dont le corps, comme celui de la Drosophile, se composait d'une série de segments. Certains chercheurs ont donc supposé que les homéoboîtes intervenaient dans la segmentation. Cependant, au cours des dernières années, on a décelé des homéoboîtes dans pratiquement tous les organismes eucaryotes examinés (de la Levure à l'Humain). Ces séquences d'ADN sont identiques, ou presque, chez tous ces organismes. Les spécialistes pensent désormais que la séquence des homéoboîtes joue un rôle plus étendu dans la détermination des modèles de développement.

Plusieurs indices semblent attester que les homéoboîtes assurent une fonction générale dans le développement. On trouve des séquences nucléotidiques d'homéoboîtes dans divers gènes portant le code pour des protéines (ces gènes sont pour la plupart reliés d'une façon ou d'une autre au développement). Ces séquences nucléotidiques sont traduites en séquences peptidiques de 60 acides aminés de long, appelées *homéodomaines*, qui ont la propriété de se lier à des séquences spécifiques de l'ADN. Il s'avère que toutes les protéines contenant des homéodomaines qui ont été examinées jusqu'à présent sont des facteurs de transcription qui activent ou répriment la transcription d'autres gènes en se liant à des régions activatrices de l'ADN (voir le chapitre 18). On peut penser qu'elles modulent le développement en coordonnant la transcription de groupes de gènes du développement, c'est-à-dire en les activant ou en les réduisant au silence. Chez la Drosophile, les cellules des diverses parties du jeune embryon possèdent différentes combinaisons de gènes à homéoboîte actifs et inactifs.

Bien qu'une grande partie des recherches effectuées sur les homéoboîtes ait porté sur les Insectes, deux découvertes récentes illustrent l'importance de ces séquences dans le développement chez les Vertébrés. Chez les Grenouilles, on a identifié un gène à homéoboîte qui, semble-t-il, détermine la position « postérieure ». Lorsque l'on place les cellules qui expriment ce gène au pôle antérieur d'un embryon, il se forme une Grenouille sans tête ; les biologistes ont fait une autre découverte tout aussi importante, quoique moins spectaculaire : un gène à homéoboîte intervient dans l'activation des gènes responsables de la formation d'anticorps chez l'Humain.

La séquence d'acides aminés de l'homéodomaine, bien qu'elle varie quelque peu d'un gène à l'autre et d'un organisme à l'autre, a été extrêmement bien conservée au cours de l'évolution. Par exemple, l'homéodomaine de la protéine qui, chez la Drosophile, produit le phénotype montré à la figure 43.25, diffère de l'un des homéodomaines de la Grenouille par un seul acide aminé sur les 60 (bien que les Mouches et les Grenouilles aient évolué de façon indépendante depuis des centaines de millions d'années). De plus, les homéodomaines des eucaryotes en général ont une certaine ressemblance avec les domaines liants de l'ADN que l'on trouve dans les protéines régulatrices chez les procaryotes. L'ensemble de ces indices permet de penser que les homéoboîtes sont toutes issues d'une même séquence nucléotidique apparue très tôt dans l'histoire de la vie, et qu'elles continuent d'avoir une importance primordiale pour la régulation de l'expression génique et du développement dans l'ensemble du monde vivant.

Figure 43.27
Information de positionnement modifiée par des expériences de greffe. Une région appelée zone d'activité de polarisation constitue le point de référence servant à déterminer la position des cellules par rapport à l'axe antéropostérieur d'un bourgeon de membre de Vertébré. La zone d'activité de polarisation se trouve sur le point d'attache de la marge postérieure du bourgeon sur le corps. Dans cette expérience, on ajoute une deuxième zone d'activité de polarisation sur la marge antérieure du bourgeon de membre en transplantant le tissu d'un donneur. Les cellules situées près de la zone d'activité de polarisation greffée, tout comme les cellules voisines de celle de l'hôte, reçoivent apparemment une information de positionnement correspondant à « postérieur ». Le modèle qui apparaît dans le membre en développement est une image symétrique dans laquelle la disposition des doigts équivaut à deux mains humaines reliées par les pouces.

Donneur

Greffe de la zone d'activité de polarisation

Hôte

Zone d'activité de polarisation

Zone d'activité de polarisation de l'hôte

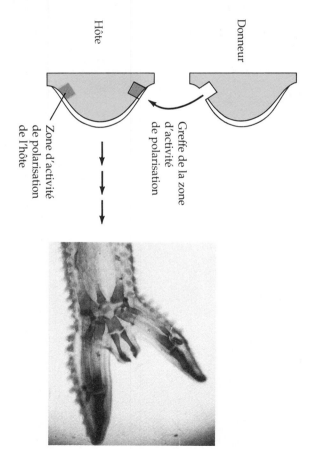

gènes, y compris les gènes régulateurs. Les gènes du développement doivent répondre à un type d'**information de positionnement** (des messages indiquant l'emplacement de la cellule par rapport aux autres cellules de la structure embryonnaire; voir le chapitre 34).

Lewis Wolpert et ses collaborateurs ont étudié le rôle de l'information de positionnement dans le développement des membres de Poussins. Les ailes et les pattes sont d'abord des bourgeons de membres indifférenciés qui finissent par atteindre leur forme caractéristique (figure 43.26). Chaque os, chaque muscle et chaque autre composante du membre a une orientation et une position précises par rapport à trois axes: l'axe proximodistal, qui va de la racine du membre à la pointe des doigts, l'axe antéropostérieur, qui joint le bord avant au bord arrière du membre, et l'axe dorsoventral, qui relie la face supérieure et la face inférieure du membre. Les cellules embryonnaires d'un bourgeon de membre doivent recevoir une certaine information de positionnement indiquant leur emplacement par rapport à ces trois axes.

Il semble qu'une certaine région du membre du Poussin, appelée *zone d'activité de polarisation* et située du côté postérieur de l'attache du bourgeon sur le corps, détermine l'agencement des tissus en développement le long de l'axe antéropostérieur. Les cellules les plus proches de cette zone forment les structures postérieures, tel le doigt qui est l'homologue de notre petit doigt; les cellules les plus éloignées produisent les structures antérieures, tel l'équivalent de notre index et de notre pouce chez l'Oiseau. La figure 43.27 représente l'une des expériences qui tendent à confirmer cette hypothèse. On pense qu'une autre région située à l'extrémité du bourgeon de l'aile, qui comporte du mésoderme juste au-dessous d'une *crête épidermique*, détermine la situation des tissus embryonnaires par rapport à l'axe proximodistal pendant la croissance du bourgeon de membre. L'information de positionnement selon l'axe dorsoventral dépend probablement de la distance relative entre le tissu en développement et l'ectoderme dorsal et ventral du bourgeon de membre. Dans les expériences où l'on sépare

l'ectoderme du mésoderme d'un bourgeon, puis où on le replace en le retournant à 180°, le membre se développe selon une orientation dorsoventrale inversée. (Ceci reviendrait à intervertir la paume et le dos de votre main.)

Ces expériences suggèrent que la régulation au niveau d'un champ morphogénétique est fonction des cellules qui reçoivent et interprètent des stimuli extérieurs, lesquels changent d'un endroit à l'autre. Il est possible qu'il s'agisse d'une substance chimique soumise à un gradient de concentration, ce qui permettrait aux cellules de connaître leur position le long de ce gradient. Une telle substance est appelée **substance morphogène** (voir le chapitre 34). Les gradients de plusieurs substances morphogènes le long des trois axes fourniraient toute l'information de positionnement dont une cellule a besoin pour déterminer son emplacement dans l'ensemble tridimensionnel que constitue un organe en formation. Jusqu'à une date récente, l'existence des substances morphogènes n'était pas avérée, mais en 1987, Christina Thaller et Gregor Eichele ont identifié une substance qui semble bien morphogène: il s'agit d'un dérivé de la vitamine A appelé acide rétinoïque. Si on applique ce produit sur la marge antérieure d'un bourgeon de membre, on obtient un résultat identique à celui qui suivrait la transplantation d'une zone d'activité de polarisation au même endroit: il se forme deux ensembles de doigts disposés de façon symétrique (voir la figure 43.27). De plus, les chercheurs ont démontré qu'il existait un gradient d'acide rétinoïque dans les bourgeons de membre des embryons de Poussins, et que la concentration de ce composé augmentait près de la zone d'activité de polarisation. Malgré ces indices, certains embryologistes doutent encore que l'acide rétinoïque soit une substance morphogène; des chercheurs poursuivent des expériences visant à déterminer les effets de l'acide rétinoïque sur l'expression génique, et leurs résultats devraient apporter des éclaircissements sur cette question.

D'autres expériences permettent de penser que l'information de positionnement joue un rôle dans le développement de la forme générale du corps, et pas seulement

loppement. Les chercheurs commencent à comprendre les bases génétiques qui gouvernent l'élaboration des champs morphogénétiques chez la Drosophile.

La polarité générale (axes antéropostérieur et dorsoventral) d'une Drosophile est déterminée par une distribution hétérogène des substances présentes dans l'ovocyte non fécondé. Les cellules nourricières entourant l'ovocyte sécrètent des molécules d'ARNm qui finissent par se retrouver dans le cytoplasme de l'ovocyte. Les gènes à l'origine de ces ARNm sont appelés gènes de polarité de l'ovocyte. Par exemple, les cellules nourricières situées à une extrémité de l'ovocyte sécrètent un ARNm à partir d'un gène qui détient le code pour une protéine dite bicoïde, ce qui définit le futur pôle antérieur de l'Animal. Il est possible que l'ARNm bicoïde soit maintenu en place par le cytosquelette. Lorsque l'embryon commence à se développer après la fécondation, l'ARNm bicoïde est traduit et le gradient de protéine bicoïde fournit l'information de positionnement, la tête se formant à l'extrémité où la concentration de protéine se trouve la plus élevée (figure 43.28). La protéine bicoïde est donc une substance morphogène qui détermine la structure de l'organisme au niveau le plus grossier. Ce premier stade d'élaboration des champs morphogénétiques fait aussi intervenir une substance morphogène «postérieure» et une substance morphogène «dorsoventrale». Au deuxième stade de l'élaboration des champs morphogénétiques, ces substances morphogènes engendrent des différences régionales dans l'expression des gènes de la segmentation, qui possèdent le code pour des protéines régissant l'élaboration de champs morphogénétiques à une plus petite échelle. Ces gènes déterminent le nombre de segments et l'élaboration de champs morphogénétiques généraux pendant le développement embryonnaire. Au troisième stade, les produits des gènes de segmentation déterminent quels gènes homéotiques seront exprimés dans chaque segment. Rappelez-vous que les gènes homéotiques déterminent quelles structures anatomiques se formeront dans chacun des segments. Le plan général de l'organisme de la Drosophile résulte donc d'une activation génique en cascade qui règle l'apparition de champs morphogénétiques à une échelle de plus en plus réduite.

* * *

Diverses expériences ont permis aux embryologistes de mieux comprendre comment l'information unidimensionnelle codée dans la séquence nucléotidique de l'ADN d'un zygote est traduite pour donner la forme tridimensionnelle d'un Animal. Cependant, les connaissances acquises ne font que susciter de nouvelles questions, qui vont sans nul doute occuper de nombreuses générations de chercheurs.

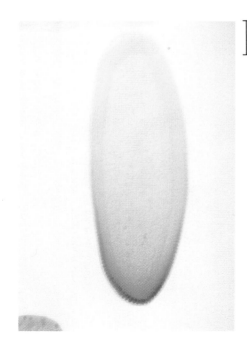

100 µm

Figure 43.28
Distribution de la protéine bicoïde chez un embryon de Drosophile. La protéine bicoïde est le produit d'un certain gène de polarité de l'ovocyte, qui détermine l'axe antéropostérieur de la Drosophile. Les cellules nourricières qui entourent l'ovocyte non fécondé déposent l'ARNm de la protéine bicoïde à une extrémité de l'ovocyte, si bien que cette région deviendra le pôle antérieur de l'Animal (MP). Après la fécondation, la protéine bicoïde, par son gradient, deviendra l'une des substances morphogènes qui détermineront l'élaboration des champs morphogénétiques dans l'embryon.

dans l'agencement de ses parties individuelles comme les membres. Dans l'une de ces expériences, un petit morceau de mésoderme de Poussin non différencié, prélevé sur la partie de la patte qui serait normalement devenue la cuisse, a été transplanté juste sous l'ectoderme, au sommet du bourgeon de l'aile. Le transplant n'est pas devenu un tissu de cuisse mal placé et n'a pas davantage formé les structures typiques des extrémités d'ailes, mais il a donné naissance à un doigt de patte. Apparemment, le mésoderme transplanté avait reçu son information de positionnement par étapes: il avait appris dans un premier temps qu'il se trouvait dans le bourgeon de membre postérieur (patte), puis il avait constaté qu'il se trouvait près de l'extrémité d'un membre en cours de développement.

Séquence d'élaboration des champs morphogénétiques
Dans l'embryon, il est probable que les stimuli fondés sur un gradient ne peuvent fonctionner sur de longues distances. Cependant, une information de positionnement livrée par étapes tout au long du développement permet de fixer la forme générale de l'Animal lorsque l'embryon est très petit («la tête sera à cette extrémité-ci, la queue à cette extrémité-là», etc.) et de régler les détails relatifs à chacune des parties au fur et à mesure du développement.

RÉSUMÉ DU CHAPITRE

Le développement comprend les changements de structure et de fonctions qui se produisent entre la conception et la mort.

Processus de développement : caractéristiques générales (p. 956-957)
L'embryon n'est pas préformé dans l'ovocyte; il se développe par épigenèse, c'est-à-dire l'apparition graduelle d'une forme régie par les gènes. La division cellulaire, la différenciation et la morphogenèse sont les trois principaux processus grâce auxquels un zygote unicellulaire se transforme en organisme pluricellulaire.

Fécondation (p. 957-959)
1. La fécondation a pour effet de rétablir la diploïdie et d'activer l'ovocyte, provoquant ainsi une chaîne de réactions

métaboliques qui amorcent le développement embryonnaire.

2. Au cours de la réaction acrosomiale, qui se produit lorsque le spermatozoïde rencontre l'ovocyte secondaire, il y a libération d'hydrolases, des enzymes qui percent les matériaux entourant l'ovocyte en les digérant.

3. La fusion des gamètes dépolarise la membrane cellulaire de l'ovocyte et établit un blocage rapide de la polyspermie.

4. La dépolarisation de l'ovocyte amorce également la réaction corticale, pendant laquelle les granules corticaux, stimulés par les ions calcium, fabriquent une membrane de fécondation qui assure le blocage lent de la polyspermie.

5. Dans la cellule fécondée, les ions calcium déclenchent aussi des changements du métabolisme, qui activent l'ovocyte en provoquant une forte augmentation de la respiration cellulaire et de la synthèse protéique. De plus, les ions calcium stimulent l'ovocyte secondaire à entreprendre la deuxième division de la méiose et à devenir l'ovule.

Premiers stades du développement embryonnaire (p. 960-964)

1. La structure générale de l'organisme animal est déterminée au cours des premières étapes de son développement.

2. La fécondation est suivie de la segmentation, c'est-à-dire une succession de divisions cellulaires rapides et sans croissance qui produisent un grand nombre de petites cellules appelées blastomères.

3. Les plans de segmentation ont habituellement une orientation précise par rapport aux pôles animal et végétatif du zygote.

4. La segmentation produit une sphère compacte de cellules appelée morula, qui formera un blastocèle rempli de liquide, lequel deviendra une blastula.

5. La gastrulation produit une invagination de la blastula, qui devient un embryon en forme de coupe et à trois feuillets appelé gastrula. À ce stade, l'embryon possède un archentéron doté d'une ouverture, le blastopore.

6. Une couche de mésoderme apparaît entre l'ectoderme (externe) et l'endoderme (interne), ce qui complète l'ensemble des trois feuillets embryonnaires primitifs à partir desquels toutes les structures de l'organisme se forment pendant l'organogenèse.

7. La corde dorsale est issue du mésoderme dorsal; le tube neural se développe à partir de la plaque neurale de l'ectoderme, située au-dessus de la corde dorsale.

Embryologie des amniotes (p. 965-968)

1. Les œufs à coquille des Oiseaux et des Reptiles possèdent un vitellus volumineux et ils subissent une segmentation méroblastique, c'est-à-dire limitée à un petit disque de cytoplasme situé au pôle animal. Il se forme une plaque de cellules appelée blastodisque, où la gastrulation commence par la formation de la ligne primitive. Outre l'embryon, les feuillets embryonnaires primitifs produisent les quatre annexes embryonnaires, c'est-à-dire le sac vitellin, l'amnios, le chorion et l'allantoïde.

2. Les ovocytes des Mammifères placentaires sont petits et contiennent peu de réserves de nutriments, leur segmentation est holoblastique et sans polarité apparente. Le mécanisme de la gastrulation et de l'organogenèse, cependant, ressemble à ce que l'on observe chez les Oiseaux et les Reptiles. Après la fécondation et le début de la segmentation, qui ont lieu dans l'oviducte (ou la trompe utérine chez l'Humain), le blastocyste s'implante dans l'utérus. Le trophoblaste amorce la formation de la portion fœtale du placenta, et l'embryon proprement dit est issu d'un disque embryonnaire homologue à celui des Oiseaux et des Reptiles accompagnant le développement intra-utérin.

Mécanismes de développement (p. 968-979)

1. Chez la plupart des Animaux, à l'exception des Mammifères, la polarité de l'embryon est fixée au début de la segmentation.

2. La répartition inégale des déterminants cytoplasmiques dans des blastomères particuliers influe très tôt sur la destinée des différentes régions de l'embryon au cours de son développement.

3. Dans le développement à régulation, les cellules restent totipotentes plus longtemps que les blastomères dans le développement en mosaïque.

4. Des cartes de territoires présomptifs d'embryons polaires établies de façon expérimentale ont montré que certaines régions du zygote ou de la blastula formaient des parties précises de l'embryon.

5. Les mouvements morphogénétiques reposent sur trois propriétés des cellules : l'extension, la contraction et l'adhérence. La morphogenèse, qui s'effectue par le réagencement du cytosquelette et par des mouvements amiboïdes, est facilitée par les fibrilles extracellulaires de fibronectine et par des molécules d'adhérence cellulaire situées à la surface des cellules.

6. Des expériences de transplantation ont permis de démontrer que certains groupes de cellules pouvaient influer par induction sur le développement des cellules contiguës. La lèvre dorsale du blastopore est un organisateur primaire chez l'embryon d'Amphibien.

7. La différenciation cellulaire obéit au processus de la détermination, qui se déroule en série et réduit progressivement les options de chacune des cellules pour la suite de son développement.

8. Grâce à la transplantation de noyaux et à d'autres expériences, on a montré que la plupart des cellules spécialisées avaient une équivalence génomique. La différenciation représente donc l'expression de divers gènes qui appartiennent à un même génome, mais qui sont actifs de façon sélective.

9. Les cellules sont disposées selon un système tridimensionnel précis, produisant des parties d'organisme et des organes particuliers grâce aux champs morphogénétiques ; pour ce faire, les cellules doivent recevoir et interpréter une information de positionnement qui varie selon l'emplacement.

10. Les embryologistes commencent à comprendre comment la séquence d'activations géniques gouverne l'élaboration des champs morphogénétiques chez la Drosophile. Les gènes homéotiques déterminent les types de structures qui se forment à certains emplacements de l'organisme de la Drosophile et d'autres Animaux.

AUTO-ÉVALUATION

1. La réaction corticale a un effet immédiat sur :
   a) la formation d'une membrane de fécondation.
   b) l'apparition d'un blocage rapide de la polyspermie.
   c) la libération d'hydrolases par le spermatozoïde.
   d) la production par l'ovocyte d'un courant électrique semblable à un influx nerveux.
   e) la fusion des noyaux de l'ovule et du spermatozoïde.

2. Parmi les éléments énumérés ci-dessous, lequel fait partie du développement des Oiseaux et des Mammifères ?
   a) La segmentation holoblastique.
   b) La ligne primitive.
   c) Le trophoblaste.

d) Le bouchon vitellin.
e) Le croissant gris.

3. L'archentéron devient :
   a) la bouche chez les Protostomiens.
   b) le blastocèle.
   c) l'endoderme.
   d) la lumière du tube digestif.
   e) le placenta.

4. Dans un embryon d'Amphibien, le blastocèle est :
   a) complètement rempli de plaquettes vitellines.
   b) tapissé d'endoderme pendant la gastrulation.
   c) situé principalement dans l'hémisphère animal.
   d) limité à l'hémisphère végétatif.
   e) la cavité qui, plus tard, formera l'archentéron.

5. Dans un œuf d'Oiseau, quelle est la membrane embryonnaire la plus proche de la coquille ?
   a) L'allantoïde.
   b) L'amnios.
   c) Le chorion.
   d) Le sac vitellin.
   e) L'endoderme.

6. Dans un embryon d'Amphibien, la bande de cellules que l'on appelle crête neurale :
   a) s'enroule pour former le tube neural.
   b) forme les principales régions de l'encéphale.
   c) donne naissance à des cellules amiboïdes qui migrent pour former les dents, les os du crâne et d'autres structures présentes dans l'embryon.
   d) est le centre organisateur de l'embryon en développement, d'après les expériences menées jusqu'à présent.
   e) provoque la formation de la corde dorsale.

7. Les résultats de la transplantation de noyaux de cellules de Grenouilles dans des zygotes anucléés permettent d'arriver à laquelle des conclusions suivantes ?
   a) Les Grenouilles ne peuvent pas être clonées.
   b) Toutes les cellules différenciées expriment en fait les mêmes gènes.
   c) Plus le stade embryonnaire est avancé, moins il est probable que des noyaux provenant de cellules parvenues à ce stade puissent assurer la formation d'un têtard à partir du zygote.
   d) En fait, certains des gènes qui se trouvent dans les autres types de cellules sont absents du noyau des cellules différenciées.
   e) L'état différencié est instable.

8. L'apparition des tissus et des organes selon une disposition exacte dans une partie de l'organisme telle qu'une patte repose principalement sur :
   a) les champs morphogénétiques.
   b) l'induction.
   c) la différenciation.
   d) la détermination.
   e) l'organogenèse.

9. Au début du développement d'un embryon d'Amphibien, l'organisateur est :
   a) le tube neural.
   b) la corde dorsale.
   c) le toit de l'archentéron.
   d) la lèvre dorsale du blastopore.
   e) l'ectoderme dorsal.

10. On pense que les gènes homéotiques jouent un rôle crucial dans la régulation du développement parce que :
    a) ils possèdent le code pour des protéines régulatrices qui peuvent se lier aux régions activatrices de l'ADN.
    b) il semble qu'ils provoquent la différenciation cellulaire.
    c) il semble qu'ils provoquent la détermination cellulaire.
    d) ils sont identiques dans tous les organismes eucaryotes.
    e) on les retrouve chez tous les Animaux segmentés.

QUESTIONS À COURT DÉVELOPPEMENT

1. Décrivez la réaction acrosomiale au cours de la fécondation.

2. Décrivez le processus de la gastrulation.

3. Comparez la segmentation, la blastula et la gastrulation chez l'Oursin, la Grenouille et l'Oiseau.

4. Utilisez les termes ou expressions suivantes, pour dresser un schéma de concepts établissant les relations entre ces termes ou expressions : champs morphogénétiques, déterminants cytoplasmiques, détermination, développement, différenciation, division cellulaire, information de positionnement, morphogenèse.

RÉFLEXION-APPLICATION

1. En vous appuyant sur l'exemple d'un Amphibien, décrivez avec précision la fonction des mouvements morphogénétiques dans la gastrulation.

2. Expliquez comment, chez certains Animaux comme la Drosophile, la répartition du cytoplasme de l'ovocyte non fécondé influe sur la forme de l'Animal adulte qui se développe après la fécondation.

SCIENCE, TECHNOLOGIE ET SOCIÉTÉ

Le débat sur l'avortement a suscité une controverse concernant le début de la vie humaine. À votre avis, quand la vie humaine commence-t-elle ? Croyez-vous que la poursuite des études portant sur le développement embryonnaire humain peut apporter une réponse définitive à cette question ? Pourquoi ?

LECTURES SUGGÉRÉES

Beardsley, T., « La régulation des gènes », *Pour la Science*, n° 168, octobre 1991. (Comment les gènes détectent leur position dans l'embryon.)

Constant, M., *Atlas d'échoembryologie*, Paris, Vigot-Maloine, 1993. (Évolution de l'embryon au cours du premier trimestre de la grossesse.)

DeRobertis, E. et coll., « Les gènes à homéobox et l'organisation du corps », *Pour la Science*, n° 155, septembre 1990. (Article à propos d'une famille de gènes qui déterminent les champs morphogénétiques à la base de l'organisation du corps.)

Le Moigne, A., *Biologie du développement*, Paris, Masson, 1989. (Un ouvrage de référence qui couvre les multiples aspects du développement.)

Marieb, E. N., *Anatomie et physiologie humaines*, Saint-Laurent (Québec), ERPI, 1993. (Le chapitre 29 décrit le développement prénatal.)

Martineau, M., « Les tortues finiront-elles la course ? », *Science & Vie*, n° 880, janvier 1991. (Influence des conditions du milieu dans la détermination du sexe pendant le développement embryonnaire.)

McGinnis, W. et M. Kuziora, « Les gènes du développement », *Pour la Science*, n° 198, avril 1994. (Expérience montrant que des mécanismes moléculaires quasi identiques dirigent la morphogenèse chez tous les organismes.)

Poirier, J. et coll., *Embryologie humaine*, Paris, Vigot-Maloine, 1993. (Description de l'embryogenèse, abondamment illustrée.)

Ricqlès, A. de, « Embryons et ancêtres », *Science & Vie*, hors série, n° 173, décembre 1990. (Rôle de l'évolution dans la biologie du développement.)

Thiery, J. P. et B. Boyer, « Les molécules adhésives et la communication cellulaire », *Pour la Science*, n° 179, septembre 1992. (Article à propos des molécules qui orchestrent la migration, la reconnaissance et l'agrégation des cellules chez les embryons et les adultes.)

Tuchmann-Duplessis, H. et coll., *Embryologie. Fascicule 1 : Embryogenèse, étapes initiales du développement*, Paris, Masson, 1991. (Étude de l'embryon dans l'espace et dans le temps, abondamment illustrée.)

CELLULES DU SYSTÈME NERVEUX

TRANSMISSION DE L'INFLUX NERVEUX LE LONG D'UN NEURONE

COMMUNICATION ENTRE LES CELLULES : LA SYNAPSE

SYSTÈMES NERVEUX DES INVERTÉBRÉS

SYSTÈME NERVEUX DES VERTÉBRÉS

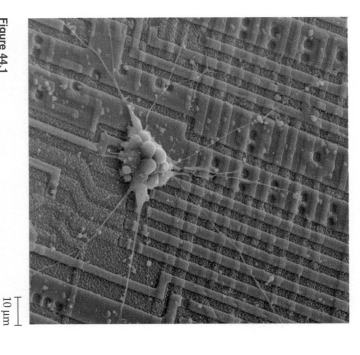

10 μm

Figure 44.1
Cellule nerveuse et microprocesseur. Cette micrographie plutôt originale présente ensemble les deux types de composants qui servent à traiter les données dans les ordinateurs et chez les Humains (MEB). On a prélevé dans un système nerveux une seule cellule nerveuse (neurone), que l'on a fait croître sur la surface d'un microprocesseur. Dans ce chapitre, vous allez apprendre comment le système nerveux constitué de neurones assure la régulation chez les Animaux.

A u hockey, l'attrapé d'un coup en flèche par le gardien de but constitue un exemple admirable de coordination. Dès que le lancer quitte la ligne bleue, le cerveau analyse la scène complexe qui se déroule, repère la rondelle floue qui s'approche à grande vitesse, calcule la vitesse et la trajectoire de celle-ci, détermine l'ensemble des mouvements nécessaires pour l'intercepter et commande à de très nombreux muscles d'étendre la main et de saisir la rondelle, le tout en une fraction de seconde. Bien entendu, les comportements coordonnés dont nous avons ici un exemple dépassent le cadre du simple jeu. Afin de survivre et de se reproduire, les Animaux doivent réagir rapidement et de façon appropriée aux événements qui surviennent dans leur milieu, et leur système nerveux a pour fonction de mener à bien ces interactions avec l'environnement.

Comme nous l'avons vu au chapitre 41, le système nerveux constitue l'un des deux systèmes de régulation chez les Animaux, l'autre étant le système endocrinien. Dans de nombreux cas, ces deux systèmes coopèrent et interagissent pour influer sur la physiologie et le comportement. Par exemple, lorsqu'un Animal répond à une menace ou à un stress par la lutte ou la fuite, des messages, issus du système nerveux, et des hormones entrent en jeu simultanément. Cependant, comme la structure du système endocrinien et celle du système nerveux diffèrent grandement, ces deux systèmes présentent d'importantes divergences sur le plan fonctionnel. Le système endocrinien se compose de glandes individuelles, disséminées dans l'ensemble de l'organisme, qui envoient leurs messagers chimiques (hormones) par l'intermédiaire de la circulation sanguine à des cellules cibles dispersées. En revanche, le système nerveux est un réseau de communication dont les ramifications acheminent directement l'information voulue, soit sous forme de commandes à des tissus cibles spécifiques situés dans diverses régions du corps, soit sous forme de messages qui en proviennent. Étant donné que les cellules du système nerveux (neurones) sont spécialisées dans la transmission rapide de messages par courants électriques, cette structure permet à l'information de voyager beaucoup plus rapidement que dans le système endocrinien. Les messages peuvent circuler le long des neurones à la vitesse de 100 m/s (360 km/h) : il suffit par exemple de quelques millisecondes pour relier le cerveau à la main d'un Humain (ou vice versa). On peut comparer cette vitesse à la réaction du système endocrinien, qui prend habituellement plusieurs secondes ou minutes.

Le système nerveux se caractérise également par l'extrême précision de son fonctionnement. Les hormones libérées par une glande endocrine sont distribuées dans tout l'organisme par l'intermédiaire du système cardiovasculaire, alors que le système nerveux peut donner lieu à des mouvements très fins en stimulant la contraction de quelques muscles, voire d'un seul, à un instant donné. Une troisième différence est l'extrême complexité structurale du système nerveux, qui lui permet d'intégrer une foule d'informations diverses et de déclencher un plus vaste éventail de réponses que le système endocrinien.

Le système nerveux est probablement la structure la plus complexe existant sur la Terre. Dans à peine 1 cm³ de cerveau humain peuvent se trouver plusieurs millions de neurones, et chacun peut entrer en communication avec des milliers d'autres ; le tout forme un réseau de traitement de l'information à côté duquel les circuits intégrés les plus perfectionnés jamais construits par l'Humain paraissent bien primitifs. Ces voies nerveuses déterminent chacune de nos perceptions et chacun de nos mouvements et, d'une certaine façon, rendent possibles l'apprentissage, la mémoire et la pensée. Les ordinateurs constitués de microplaquettes à circuits intégrés (figure 44.1) peuvent effectuer des tâches compliquées, mais votre centre de traitement de l'information composé de neurones accomplit un travail immensément plus compliqué au moment même où vous lisez ces lignes et assimilez leur signification.

De manière générale, le système nerveux possède trois fonctions qui se chevauchent : la réception d'informations sensorielles, l'intégration et l'émission de commandes motrices (figure 44.2). La première fonction permet d'acheminer les informations provenant des récepteurs sensoriels, telles les cellules photosensibles des yeux du joueur de hockey, vers les centres d'intégration de l'encéphale et de la moelle épinière. Les commandes motrices partent du centre de traitement, c'est-à-dire du système nerveux central, et se rendent aux **cellules effectrices**, soit les cellules des muscles ou des glandes qui donnent véritablement la réaction de l'organisme aux stimuli. Les nerfs qui transmettent les messages moteurs et sensitifs entre le système nerveux central et le reste de l'organisme sont appelés **système nerveux périphérique** (SNP). Du récepteur à l'effecteur, l'information passe d'un neurone à l'autre grâce à un ensemble de phénomènes électriques et chimiques qui constitueront l'un des principaux sujets d'étude de ce chapitre. Nous comparerons aussi la structure du système nerveux chez plusieurs types d'Animaux. Le chapitre 45 établit le lien entre le système nerveux et les messages qui y entrent ou qui en sortent et étudie les récepteurs sensoriels et la physiologie du mouvement.

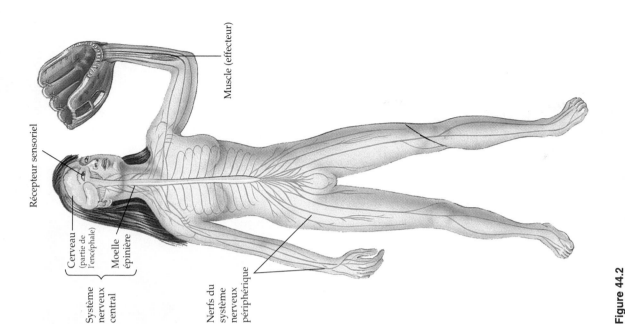

Récepteur sensoriel

Muscle (effecteur)

Cerveau (partie de l'encéphale)

Moelle épinière

Système nerveux central

Nerfs du système nerveux périphérique

Figure 44.2
Représentation générale du système nerveux humain.
L'encéphale et la moelle épinière constituent le système nerveux central, dans lequel s'effectue l'intégration de l'information. Le réseau de nerfs qui forme le système nerveux périphérique transmet l'information provenant des récepteurs sensoriels (voie sensitive) au système nerveux central, et achemine les commandes motrices issues du système nerveux central (voie motrice) aux divers organes cibles, ou effecteurs.

CELLULES DU SYSTÈME NERVEUX

Le système nerveux comporte deux catégories principales de cellules : les neurones et les cellules de soutien. Les neurones sont les cellules nerveuses qui acheminent les messages le long des voies nerveuses. Les cellules de soutien sont les plus nombreuses ; elles renforcent la structure du système nerveux, protègent et isolent les neurones et, de façon générale, les soutiennent.

Neurones

Les **neurones** sont les unités fonctionnelles du système nerveux ; ils sont spécialisés dans la transmission de

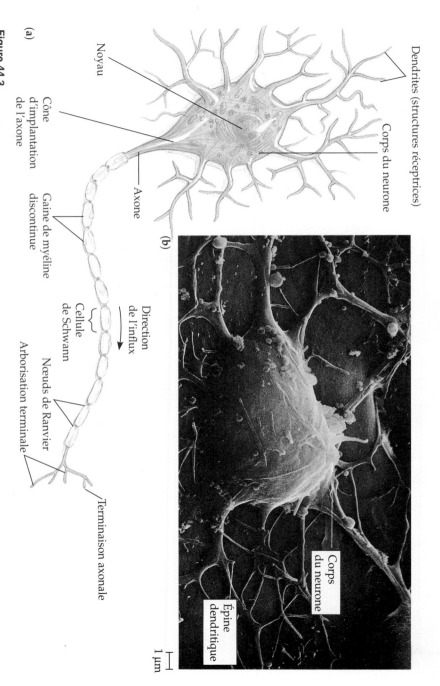

(a)

Dendrites (structures réceptrices)

Noyau

Corps du neurone

Cône d'implantation de l'axone

Axone

Direction de l'influx

Gaine de myéline discontinue

Cellule de Schwann

Nœuds de Ranvier

Arborisation terminale

Terminaison axonale

(b)

Corps du neurone

Épine dendritique

1 µm

Figure 44.3
Structure d'un neurone typique de Vertébré. (a) Le corps du neurone contient le noyau ainsi que d'autres organites, et donne naissance à plusieurs prolongements ramifiés qui sont de deux types, les dendrites et l'axone. Généralement, les dendrites reçoivent les messages et les acheminent vers le corps du neurone, alors que l'axone conduit l'influx en provenance de ce dernier. (La flèche indique la direction habituelle du cheminement de l'information.) À l'extrémité de l'axone se trouve un grand nombre de terminaisons par l'intermédiaire desquelles le neurone se trouve relié à d'autres neurones ou à d'autres cellules cibles. L'axone des neurones du système nerveux périphérique est entouré d'une gaine de myéline discontinue qui a des propriétés isolantes. Cette gaine discontinue provient de l'enroulement de cellules de Schwann autour de l'axone. Les petits intervalles amyélinisés situés entre les cellules de Schwann adjacentes sont appelés nœuds de Ranvier. **(b)** Micrographie électronique à balayage d'un neurone.

messages entre les différentes régions de l'organisme. Bien qu'il existe de nombreuses catégories de neurones, dont la structure varie selon le rôle qu'ils jouent dans le système nerveux, la plupart d'entre eux présentent certaines caractéristiques communes (figure 44.3). Le **corps du neurone** est relativement gros; il renferme le noyau et plusieurs autres organites cellulaires. La particularité la plus frappante des neurones tient à la présence de prolongements qui augmentent la distance sur laquelle la cellule peut faire circuler des influx. Il existe deux grands types de prolongements: les **dendrites**, qui acheminent les messages vers le corps du neurone, et les **axones**, qui conduisent les messages en provenance de ce dernier.

Les dendrites de la plupart des neurones, tel le neurone présenté à la figure 44.3a, sont nombreux et très ramifiés (leur nom vient du grec *dendron* «arbre»). Il s'agit donc d'adaptations structurales qui ont pour effet d'accroître la surface de l'«extrémité réceptrice» du neurone, par l'intermédiaire de laquelle les messages issus d'autres neurones parviennent à la cellule.

De nombreux neurones ne possèdent qu'un seul axone, parfois très long. Par exemple, le nerf sciatique de votre jambe est pourvu d'axones qui s'étendent de la partie inférieure de la moelle épinière jusqu'aux muscles de votre pied, soit sur une distance d'un mètre ou un peu plus. Le cône d'implantation est la partie du corps du neurone d'où part l'axone; comme nous le verrons plus loin, les influx qui cheminent dans l'axone prennent habituellement naissance dans cette région. Chez certains Vertébrés, l'axone de nombreux neurones du système nerveux périphérique est entouré d'une succession de cellules de soutien, appelées **cellules de Schwann** (ou neurolemmocytes), qui forment une couche isolante appelée **gaine de myéline**. L'axone peut comporter des ramifications et chacune d'entre elles a des centaines ou des milliers de terminaisons spécialisées, les **terminaisons axonales**; ces dernières transmettent l'information à d'autres cellules en libérant des messagers chimiques nommés neurotransmetteurs. Le point de rencontre entre une terminaison axonale et une cellule cible (soit un autre neurone, soit une cellule effectrice comme une cellule musculaire) porte le nom de **synapse**. La synapse est donc l'endroit où, dans une voie nerveuse, un neurone se trouve en communication avec un autre neurone ou une cellule effectrice.

La figure 44.3 montre les caractéristiques structurales communes des neurones chez les Vertébrés, mais les diverses catégories de neurones revêtent un grand

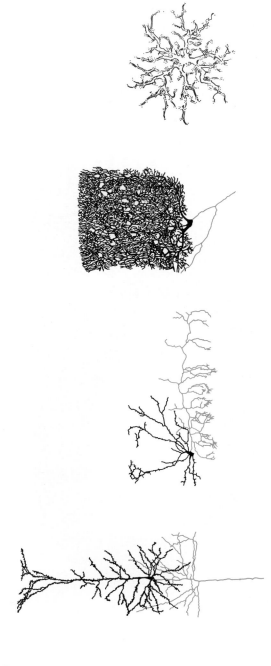

Figure 44.4
Diversité de formes des neurones.
Il existe de grandes différences entre les types de ramifications des neurones, selon leur fonction et leur emplacement dans le système nerveux. Dans chacun de ces exemples, on a représenté le corps du neurone et les dendrites en noir et l'axone en rouge. L'une de ces classes de neurones (le dernier à droite), présente dans la rétine, ne possède pas d'axone ; ses dendrites assurent la double fonction de réception et de transmission des messages.

nombre de formes différentes adaptées à leur fonction spécifique dans le système nerveux. La figure 44.4 présente un petit échantillon de la diversité des neurones.

Si le corps de la majorité des neurones se situe dans le système nerveux central (encéphale et moelle épinière), le corps de certaines catégories de neurones se trouve à l'extérieur du système nerveux central et forment des amas nommés ganglions. Il existe trois principales catégories de neurones, selon le type de cellules avec lesquelles ils forment des synapses. Les **neurones sensitifs** transmettent au système nerveux central (SNC) l'information relative aux milieux externe et interne qui provient des récepteurs sensoriels. Les **neurones moteurs** acheminent les influx issus du SNC jusqu'aux cellules effectrices. Les messages sensitifs et moteurs du système nerveux sont habituellement intégrés par les **interneurones,** qui se situent dans le SNC et possèdent des liens synaptiques avec d'autres neurones uniquement. Dans la plupart des voies nerveuses, les neurones sensitifs forment des synapses avec les interneurones, qui forment à leur tour des synapses avec les neurones moteurs (figure 44.5).

Cellules de soutien

Dans le système nerveux, le nombre des **cellules de soutien** est entre dix et cinquante fois plus élevé que celui des neurones. Bien que ces cellules ne conduisent pas des elles-mêmes les influx nerveux, elles sont essentielles à l'intégrité structurale du système nerveux et au fonctionnement normal des neurones.

Les cellules de soutien du système nerveux central sont appelées **cellules gliales** (littéralement, cellules « de colle »). Il existe plusieurs catégories de cellules gliales dans l'encéphale et la moelle épinière. Les **astrocytes** entourent les capillaires et les neurones dans le SNC ; ils contribuent à ancrer ces derniers à leur source de nutriment et à former la **barrière hématoencéphalique.** Cette

barrière limite l'entrée de la plupart des substances dans le SNC, ce qui permet une régulation précise du milieu chimique extracellulaire. Dans le système nerveux central, une gaine de myéline isolante, constituée par des cellules gliales appelées **oligodendrocytes,** enveloppe les axones de nombreux neurones à la fois. Dans le système nerveux périphérique, la gaine de myéline provient de l'enroulement des cellules de Schwann (cellules de soutien) autour de l'axone (voir la figure 44.3).

Au cours du développement du système nerveux, les neurones sont myélinisés lorsque les cellules de Schwann ou les oligodendrocytes croissent autour des axones, de telle sorte que leur membrane plasmique présente un grand nombre de couches concentriques (un peu comme un gâteau roulé). Ces membranes se composent surtout de lipides, qui sont de mauvais conducteurs électriques. La gaine de myéline enveloppant l'axone agit donc comme un isolant électrique analogue au revêtement de caoutchouc qui recouvre les fils de cuivre (figure 44.6). Plus loin dans ce chapitre, nous verrons que la gaine de

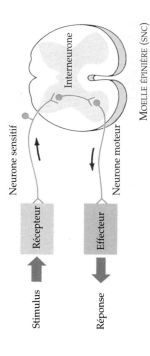

Figure 44.5
Voie nerveuse entre un récepteur et un effecteur.

myéline augmente la vitesse de propagation de l'influx nerveux. Dans la sclérose en plaques, une maladie dégénérative du système nerveux central, la gaine de myéline se détériore peu à peu ; les influx nerveux cheminent de moins en moins facilement, d'où une perte progressive de la coordination des mouvements entre autres symptômes. Les cellules de soutien jouent un rôle essentiel dans le bon fonctionnement du système nerveux. Nous allons maintenant étudier en détail le neurone et sa capacité de transmettre les influx.

TRANSMISSION DE L'INFLUX NERVEUX LE LONG D'UN NEURONE

L'influx nerveux transmis le long d'un neurone, de la dendrite ou du corps du neurone jusqu'à l'extrémité de l'axone, est un message électrique créé par le flux d'ions à travers la membrane plasmique de la cellule. Dans

cette section du chapitre, nous allons étudier comment un potentiel électrique apparaît dans la cellule, et nous expliquerons comment un flux d'ions passant *à travers* la membrane peut se transformer en un message qui se propage dans une direction perpendiculaire à ce flux, c'est-à-dire *le long* du neurone.

Origine du potentiel de membrane

Dans toutes les cellules vivantes, il y a une différence de charge entre les deux côtés de la membrane plasmique, le cytoplasme de la cellule étant plus négatif que le milieu extracellulaire. Cette différence de charge produit, de part et d'autre de la membrane, un gradient de potentiel électrique que l'on peut mesurer au moyen de microélectrodes (voir l'encadré). La différence de potentiel électrique mesurée à travers la membrane est appelé **potentiel de membrane** ; il se situe habituellement entre −50 et −100 mV dans une cellule animale. Par convention, le

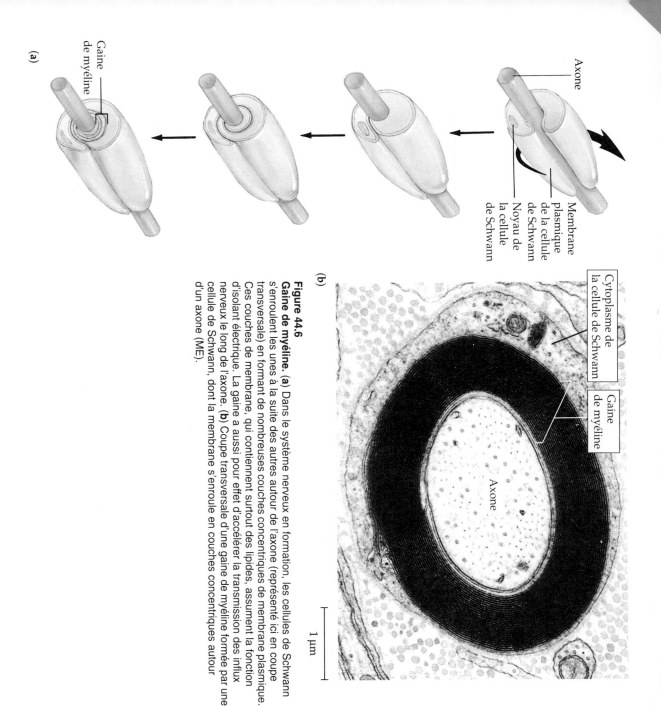

(a)

Axone

Membrane plasmique de la cellule de Schwann

Noyau de la cellule de Schwann

Gaine de myéline

(b)

Cytoplasme de la cellule de Schwann

Gaine de myéline

Axone

1 µm

Figure 44.6
Gaine de myéline. (a) Dans le système nerveux en formation, les cellules de Schwann s'enroulent les unes à la suite des autres autour de l'axone (représenté ici en coupe transversale) en formant de nombreuses couches concentriques de membrane plasmique. Ces couches de membrane, qui contiennent surtout des lipides, assument la fonction d'isolant électrique. La gaine a aussi pour effet d'accélérer la transmission des influx nerveux le long de l'axone. **(b)** Coupe transversale d'une gaine de myéline formée par une cellule de Schwann, dont la membrane s'enroule en couches concentriques autour d'un axone (ME).

TECHNIQUES : MESURE DES POTENTIELS DE MEMBRANE

Il existe une différence entre les concentrations relatives de cations et d'anions de part et d'autre de la membrane plasmique, si bien que le côté cytoplasmique contient plus de charges négatives que le côté extracellulaire. Cette différence de charge est appelée potentiel de membrane ou, dans le cas d'un neurone non stimulé, potentiel de repos.

Les spécialistes en électrophysiologie mesurent le potentiel de membrane au moyen de microélectrodes (présentées à la figure a) reliées à un voltmètre sensible ou à un oscilloscope. Par l'intermédiaire de dispositifs mécaniques de haute précision appelés micromanipulateurs (commandés par les gros boutons qu'actionne le chercheur de la figure b), on place l'une des microélectrodes dans le cytoplasme de la cellule afin d'établir une comparaison avec la microélectrode de référence, qui se trouve dans le milieu extracellulaire. Le voltmètre permet de connaître la valeur de la différence de potentiel électrique entre les deux côtés de la membrane, soit −70 mV environ dans le cas d'un neurone non stimulé. (Le signe moins signifie que le cytoplasme est plus négatif que le milieu extracellulaire.)

Les neurones géants de certains Invertébrés, comme les Calmars et les Homards, constituent des modèles particulièrement utiles pour l'étude de l'électrophysiologie des influx nerveux ; en effet, on peut insérer assez facilement des microélectrodes dans ces grosses cellules. Certains de ces neurones géants ont des axones dont le diamètre est d'environ 1 mm. Les microélectrodes permettent non seulement de mesurer le potentiel électrique au repos, mais aussi d'enregistrer les fluctuations de potentiel électrique engendrées par les courants ioniques qui surviennent pendant la transmission d'un influx nerveux.

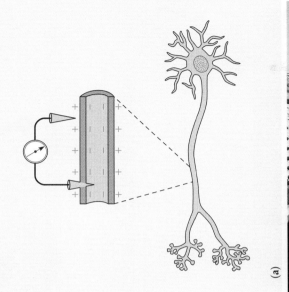

(a)

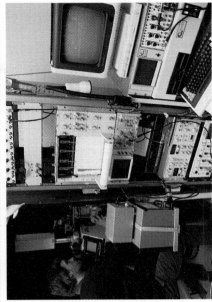

(b)

potentiel électrique est nul à l'extérieur de la cellule ; le signe « moins » indique donc que le cytoplasme est chargé négativement par rapport au milieu extracellulaire. Dans un neurone au repos (c'est-à-dire qui ne transmet aucun influx), le potentiel de membrane avoisine habituellement −70 mV. Pour indiquer que ce potentiel correspond à l'état de repos, on lui donne le nom de **potentiel de repos** du neurone. Bien que toutes les cellules aient un potentiel de membrane, seules certaines d'entre elles, comme les neurones et les cellules musculaires, ont la capacité de générer activement des modifications de leur potentiel de membrane, qu'elles utilisent pour transmettre des messages. Comme les cellules de ce type peuvent produire une impulsion électrique active sous l'effet d'un stimulus, on les appelle **cellules excitables**. Nous nous pencherons d'abord sur l'origine du potentiel de repos de la membrane, puis nous reviendrons aux caractéristiques propres aux cellules excitables.

Le potentiel de membrane est créé par les différences de composition ionique entre les liquides intracellulaire et extracellulaire, et il existe parce que la membrane plasmique, qui constitue la barrière entre ces deux milieux, possède une perméabilité sélective. Les liquides intracellulaire et extracellulaire contiennent diverses substances dissoutes, dont plusieurs sont chargées électriquement (ions). La figure 44.7 montre les compositions ioniques présentes à l'intérieur et à l'extérieur d'une cellule typique de Mammifère. Dans le milieu extracellulaire, le principal cation (ion à charge électrique positive) est le sodium (Na⁺), bien qu'il y ait aussi du potassium (K⁺) ; dans le cytoplasme, la situation est inversée, K⁺ étant le cation dominant et la concentration de Na⁺ étant beaucoup plus faible. Dans le milieu extracellulaire, le chlorure (Cl⁻) est l'anion (ion à charge électrique négative) présent en plus grande quantité ; le liquide extracellulaire renferme d'autres anions (phosphate, hydrogénocarbonate,

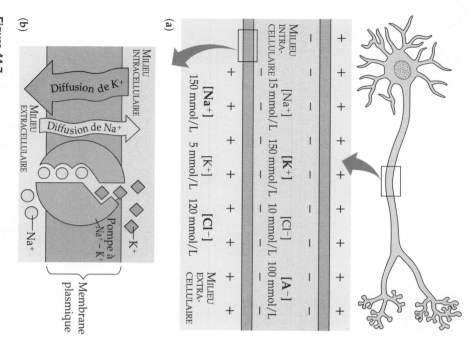

Figure 44.7
Paramètres à l'origine du potentiel de repos de la membrane.
(a) Les liquides intracellulaire et extracellulaire n'ont pas la même composition ionique. On a représenté ici les concentrations molaires volumiques approximatives (en millimoles par litre, en abrégé : mmol/L) de sodium ($[Na^+]$), de potassium ($[K^+]$), de chlorure ($[Cl^-]$) et d'anions protéiques internes ($[A^-]$) pour un neurone de Mammifère. (La concentration de chaque substance est indiquée par son symbole entre crochets ; par exemple, $[Na^+]$ désigne la concentration des ions sodium.) Les ions K^+ diffusent hors de la cellule en suivant leur gradient de concentration, mais les anions protéiques ne peuvent pas les suivre ; l'intérieur de la cellule accumule donc une charge négative. (b) Le potentiel de repos de la membrane est marqué par une diffusion régulière de K^+ vers l'extérieur (flèche orange) et une diffusion régulière, mais plus lente, de Na^+ vers l'intérieur (flèche beige) ; l'épaisseur des flèches indique la perméabilité relative de la membrane au K^+ et au Na^+. Avec le temps, la diffusion de Na^+ vers l'intérieur et de K^+ vers l'extérieur ferait disparaître les gradients ioniques représentés en (a). La pompe à sodium et à potassium permet d'éviter cette situation ; cette protéine utilise l'ATP pour effectuer un transport actif de Na^+ vers l'extérieur de la cellule et un transport passif de K^+ vers l'intérieur.

Nous avons vu au chapitre 8 que la membrane plasmique est une double couche de phosphoglycérolipides à laquelle sont associées des protéines intramembranaires. Comme les ions portent une charge électrique, ils ne peuvent se dissoudre dans les lipides et, par conséquent, il leur est impossible de diffuser directement à travers les

protéines, etc.), mais nous les laisserons de côté pour le moment. Le cytoplasme comporte également un peu de Cl^-, mais le principal anion (A^-) est en fait un ensemble de substances chargées négativement (protéines, acides aminés négatifs, sulfate, phosphate, etc.).

phosphoglycérolipides de la membrane plasmique. Pour traverser la membrane, les ions doivent soit passer par les canaux protéiques, qui sont des pores formés par des protéines intramembranaires spécifiques, soit être véhiculés par des protéines de transport. Il existe de nombreux types de canaux protéiques sélectifs ; certains permettent le passage des ions sodium uniquement, d'autres, celui des ions K^+, d'autres encore, celui des ions Cl^-. Donc, selon le nombre de canaux protéiques de chaque type existant dans la membrane plasmique, la membrane peut avoir des perméabilités très différentes à chacun des ions présents dans les liquides intracellulaire et extracellulaire. Les membranes cellulaires ont habituellement une perméabilité beaucoup plus grande au K^+ qu'au Na^+, ce qui suggère qu'elles comportent beaucoup plus de canaux spécifiques au potassium que de canaux spécifiques au sodium ; dans un neurone au repos, par exemple, la perméabilité au potassium est environ cinquante fois plus élevée que la perméabilité au sodium. Comme les anions internes (A^-) sont pour la plupart de grosses molécules organiques (protéines et acides aminés), ils ne peuvent traverser la membrane et constituent donc un réservoir de charges négatives.

Comment la composition ionique représentée à la figure 44.7 produit-elle un potentiel de membrane ? Prenons le cas des ions potassium. Un fort gradient de concentration tend à les faire diffuser hors de la cellule, et la membrane leur est très perméable. Le gradient de concentration crée donc un flux de K^+ vers l'extérieur (sortie d'ions). Comme les gros anions internes ne peuvent pas traverser la membrane, il leur est impossible de suivre le mouvement du potassium vers l'extérieur ; le cytoplasme de la cellule devient donc de plus en plus négatif par rapport au milieu extracellulaire, puisqu'il perd des charges positives alors que les charges négatives restent prisonnières. Notez que, au fur et à mesure que ce gradient électrique augmente, il s'oppose au mouvement de K^+ à travers la membrane : la charge négative interne de plus en plus forte tend à attirer les ions potassium à charge positive, ce qui fait apparaître un flux de K^+ vers l'intérieur, soit dans le sens du gradient électrique. Si seuls les ions K^+ pouvaient traverser la membrane, le potentiel électrique de part et d'autre de la membrane augmenterait jusqu'à ce que les entrées de K^+ suivant le gradient électrique compensent exactement les sorties de K^+ suivant le gradient de concentration. Il n'y aurait plus de transfert de charge à travers la membrane et le potentiel de membrane atteindrait une valeur de repos stable. Pour que le gradient de concentration du potassium représenté à la figure 44.7 soit exactement équilibré de la façon que nous venons de décrire, il faudrait un potentiel de membrane stable d'environ −85 mV. Cette valeur du potentiel de membrane est appelé **potentiel d'équilibre** du potassium, parce que c'est le potentiel auquel les sorties et les entrées de K^+ s'annulent (c'est-à-dire que le potassium est en état d'équilibre).

Cependant, si la membrane plasmique offre une très grande perméabilité au potassium, elle présente aussi une certaine perméabilité au sodium. Dans le cas du sodium, le gradient de concentration ($[Na^+]$ plus élevée dans le milieu extracellulaire) et le gradient électrique (milieu intracellulaire négatif par rapport au milieu

extracellulaire) ont tous deux tendance à faire entrer les ions sodium dans la cellule ; les charges positives portées par Na$^+$ s'écoulent lentement vers le cytoplasme, de sorte que la véritable valeur du potentiel de membrane est légèrement plus positive que −85 mV (la valeur que l'on devrait observer si la membrane n'était perméable qu'aux ions potassium). Cela explique pourquoi le potentiel de repos d'un neurone avoisine habituellement −70 mV et non −85 mV.

Avec le temps, l'entrée régulière de sodium produirait une augmentation progressive de la concentration interne de Na$^+$. De plus, comme l'entrée d'ions sodium rend l'intérieur de la cellule moins négatif que la valeur de −85 mV (valeur nécessaire pour équilibrer le gradient de concentration du potassium)), il y aurait une sortie régulière de K$^+$ et une diminution progressive de la concentration interne d'ions K$^+$. En d'autres termes, en l'absence de régulation, les gradients de concentration de Na$^+$ et de K$^+$ représentés à la figure 44.7 disparaîtraient peu à peu. Une autre protéine intramembranaire, la pompe à sodium et à potassium, permet d'éviter cette situation (voir le chapitre 8). Cette protéine utilise l'énergie de l'ATP pour renvoyer le sodium vers le milieu extracellulaire par transport actif, à l'encontre à la fois du gradient de concentration et du gradient électrique du sodium. Simultanément, la pompe achemine passivement (par diffusion facilitée) le potassium dans le cytoplasme, rétablissant ainsi le gradient de concentration de cet ion. On peut dire que la cellule utilise l'énergie métabolique stockée dans l'ATP pour maintenir certains gradients électrochimiques de part et d'autre de la membrane, ce qui engendre un potentiel de membrane.

Potentiel d'action

Les propriétés du potentiel de membrane exposées cidessus s'appliquent à toutes les cellules. Cependant, les neurones possèdent d'autres types de canaux protéiques spécifiques appelés **canaux protéiques à fonction active.** Ces canaux comportent une ou deux « vannes » qui en règlent l'ouverture. Ils sont généralement fermés, contrairement à d'autres canaux protéiques, à fonction passive, qui restent toujours ouverts. Les canaux protéiques à fonction active permettent aux neurones de modifier leur potentiel de membrane en réponse à des stimuli. Dans un neurone sensitif, le stimulus peut venir de l'environnement extérieur (par exemple la lumière dans le cas des photorécepteurs de l'œil ou les vibrations de l'air dans le cas des récepteurs de l'oreille). Dans les interneurones, les stimuli proviennent d'autres neurones. L'effet produit par le stimulus sur le neurone dépend du type de canaux protéiques à fonction active qui s'ouvrent à la suite du stimulus. Si le stimulus ouvre les canaux à potassium, les sorties de potassium augmentent, ce qui rend le potentiel de membrane encore plus négatif. Cet accroissement du gradient électrique de part et d'autre de la membrane est appelé **hyperpolarisation** (figure 44.8a). Si le stimulus ouvre des canaux à sodium, les entrées de Na$^+$ augmentent et le potentiel de membrane devient moins négatif. On nomme **dépolarisation** cette réduction du gradient électrique (figure 44.8b). Les changements localisés et brefs de potentiel électrique causés par une stimulation portent le nom de **potentiels gradués,** parce que

l'ampleur de la variation du potentiel électrique (qu'il s'agisse d'une hyperpolarisation ou d'une dépolarisation) dépend de l'intensité du stimulus : un stimulus fort ouvre un plus grand nombre de canaux et produit une plus grande variation de la perméabilité.

Dans une cellule excitable telle qu'un neurone, la réponse à un stimulus dépolarisant n'est graduée et proportionnelle à l'intensité du stimulus qu'en deçà d'un certain niveau de dépolarisation nommé **seuil d'excitation.** Si la dépolarisation atteint le seuil d'excitation, elle déclenche une réaction appelée **potentiel d'action** (figure 44.8c). Dans un neurone, un potentiel d'action qui se propage porte le nom d'**influx nerveux.** Le seuil d'excitation d'un neurone est habituellement de 15 à 20 mV environ plus positif que le potentiel de repos (soit un potentiel de −50 à −55 mV). Les stimuli hyperpolarisants ne produisent pas de potentiels d'action ; en fait, l'hyperpolarisation rend moins probable l'apparition d'un potentiel d'action parce que, en sa présence, un stimulus dépolarisant atteindra plus difficilement le seuil d'excitation.

Le potentiel d'action constitue une réaction de type **tout ou rien,** ce qui signifie que son ampleur ne dépend pas de l'intensité du stimulus dépolarisant qui l'a provoquée, dans la mesure où la dépolarisation permet d'atteindre le seuil d'excitation. Dès qu'un potentiel d'action est déclenché, le potentiel de membrane passe par une séquence prédéterminée de changements (figure 44.9a). Une importante phase de dépolarisation a d'abord lieu : la membrane subit une inversion de polarité pendant un court laps de temps, c'est-à-dire que le cytoplasme de la cellule devient localement plus positif que le milieu extracellulaire. Aussitôt après survient une phase de repolarisation abrupte : le potentiel de membrane revient à sa valeur de repos habituelle. Il peut aussi se produire une période d'hyperpolarisation pendant laquelle le potentiel de membrane devient temporairement plus négatif que le potentiel de repos. Cette hyperpolarisation résulte d'une période de perméabilité accrue de la membrane au K$^+$, qui s'avère plus longue que nécessaire. L'ensemble de ces événements dure habituellement quelques millisecondes.

Le potentiel d'action apparaît parce que les cellules excitables possèdent des canaux protéiques particuliers appelés **canaux tensiodépendants,** c'est-à-dire des canaux sensibles aux variations du potentiel électrique. Ces canaux s'ouvrent et se ferment, comme des vannes, en réponse aux variations du potentiel de membrane (ou gradient de potentiel électrique de part et d'autre de la membrane). Deux types de canaux tensiodépendants contribuent au potentiel d'action : les canaux à sodium et les canaux à potassium. La figure 44.9b montre la position des vannes de ces canaux pendant le passage d'un potentiel d'action. Les canaux à sodium tensiodépendants ont deux vannes sensibles à la différence de potentiel électrique (ou tension) de part et d'autre de la membrane : la vanne d'activation répond à la dépolarisation en s'ouvrant rapidement ; la vanne d'inactivation répond à la dépolarisation en se fermant, mais plus lentement. Au potentiel de repos, la vanne d'activation est fermée, et le canal ne permet donc pas au Na$^+$ de pénétrer dans le

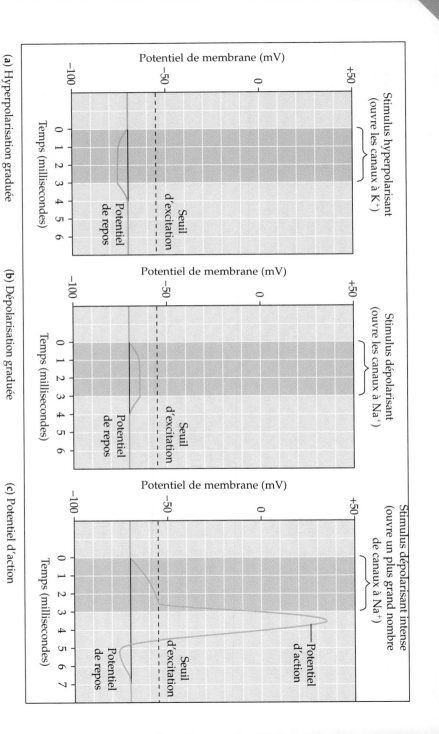

(a) Hyperpolarisation graduée

Stimulus hyperpolarisant (ouvre les canaux à K⁺)

Potentiel de membrane (mV) : +50, 0, −50, −100
Temps (millisecondes) : 0 1 2 3 4 5 6
Seuil d'excitation — Potentiel de repos

(b) Dépolarisation graduée

Stimulus dépolarisant (ouvre les canaux à Na⁺)

Potentiel de membrane (mV) : +50, 0, −50, −100
Temps (millisecondes) : 0 1 2 3 4 5 6
Seuil d'excitation — Potentiel de repos

(c) Potentiel d'action

Stimulus dépolarisant intense (ouvre un plus grand nombre de canaux à Na⁺)

Potentiel de membrane (mV) : +50, 0, −50, −100
Temps (millisecondes) : 0 1 2 3 4 5 6 7
Potentiel d'action — Seuil d'excitation — Potentiel de repos

Figure 44.8
Potentiels gradués et potentiel d'action dans un neurone. Les neurones sont stimulés par des changements du milieu extérieur qui modifient le potentiel de membrane de la cellule. Le stimulus peut hyperpolariser ou dépolariser le neurone, selon le type de canaux protéiques qu'il ouvre. (a) Si le stimulus ouvre des canaux à potassium, le neurone sera hyperpolarisé. L'ampleur de l'hyperpolarisation est graduelle et dépend de l'intensité du stimulus ; cette réaction est donc appelée potentiel gradué. (b) Si le stimulus ouvre des canaux à sodium, le neurone réagira par une dépolarisation. Dans ce cas également, l'importance de la dépolarisation dépend de l'intensité du stimulus, c'est-à-dire que la réaction est également graduée. (c) Un stimulus dépolarisant suffisamment fort conduira le potentiel de membrane à une valeur critique appelée seuil d'excitation. Cela déclenche un nouveau type de réaction appelé potentiel d'action. Contrairement à ce qui se passe dans le cas d'un potentiel gradué, l'ampleur du potentiel d'action ne dépend pas de l'intensité du stimulus déclencheur, pourvu que la dépolarisation produite par le stimulus conduise au seuil d'excitation. Le potentiel d'action constitue donc une réaction de type tout ou rien.

neurone. Sous l'effet de la dépolarisation, la vanne d'activation s'ouvre rapidement et la perméabilité au sodium augmente. Ce mécanisme provoque une entrée massive de Na⁺, qui a pour effet de dépolariser encore davantage le neurone et d'ouvrir d'autres canaux protéiques tensiodépendants, d'où une dépolarisation accrue. Ce processus de nature explosive, qui constitue un exemple de rétroactivation (voir le chapitre 36), se poursuit jusqu'à l'ouverture de tous les canaux à sodium. Toute dépolarisation qui atteint le seuil d'excitation produit une dépolarisation plus forte (le potentiel d'action). À cet instant, la rétroactivation qui provoque la dépolarisation rapide montre pourquoi le potentiel d'action, une fois déclenché, constitue une réaction de type tout ou rien.

Lors du retour du potentiel de membrane à sa valeur de repos, la phase de repolarisation rapide du potentiel d'action résulte de deux facteurs. Premièrement, la vanne d'inactivation du canal à sodium, qui réagit lentement aux changements de potentiel électrique, a le temps de se fer-

mer à la suite de la dépolarisation : la perméabilité au sodium revient à sa valeur de repos, qui est faible. Deuxièmement, les canaux à potassium tensiodépendants s'ouvrent sous l'effet de la dépolarisation, ce qui permet aux ions K⁺ de sortir rapidement de la cellule pour rétablir en partie la charge interne négative du neurone au repos (figure 44.9). La vanne qui commande le canal à potassium réagit à la dépolarisation en s'ouvrant, tout comme la vanne d'activation des canaux à sodium, mais, contrairement à cette dernière, elle réagit assez lentement aux variations du potentiel de membrane. À la fin d'un potentiel d'action, il y a donc une période pendant laquelle la perméabilité au sodium est revenue à son niveau de repos, alors que la perméabilité au potassium reste plus élevée. Une hyperpolarisation résulte de l'excès des sorties de potassium à ce moment-là. Notez qu'à cette étape du potentiel d'action, les vannes d'activation et d'inactivation du canal à sodium sont toutes deux fermées (figure 44.9b). Si un deuxième stimulus dépolarisant survient à cet instant, il ne pourra pas déclencher un autre potentiel d'action, parce que les vannes d'inactivation n'auront pas

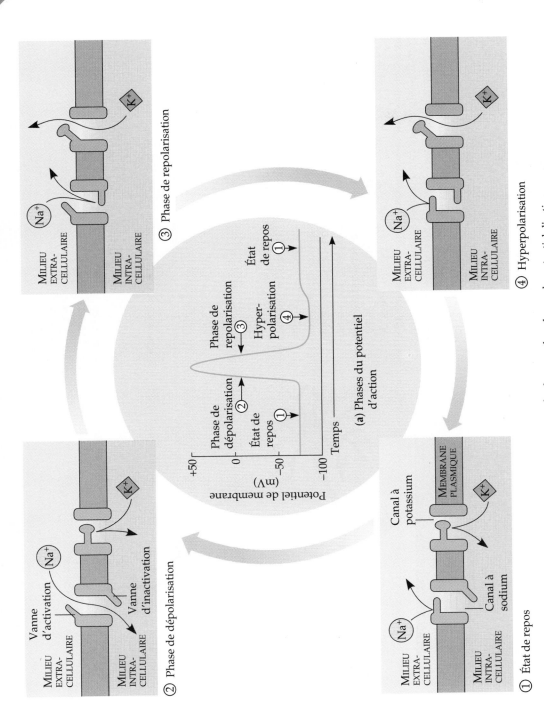

① État de repos

② Phase de dépolarisation

③ Phase de repolarisation

④ Hyperpolarisation

Vanne d'activation (Na+)

Vanne d'inactivation

Canal à sodium

Canal à potassium

MEMBRANE PLASMIQUE

MILIEU EXTRA-CELLULAIRE

MILIEU INTRA-CELLULAIRE

Potentiel de membrane (mV)

+50
0
−50
−100

Temps

État de repos ①

Phase de dépolarisation ②

Phase de repolarisation ③

Hyperpolarisation ④

(a) Phases du potentiel d'action

(b) Rôle des canaux protéiques tensiodépendants au cours de chacune des phases du potentiel d'action

Figure 44.9
Phases du potentiel d'action et rôle des canaux protéiques tensiodépendants au cours de ces phases. (a) Le potentiel d'action peut se diviser en quatre phases pendant lesquelles les vannes tensiodépendantes qui règlent l'ouverture des canaux à sodium et à potassium se trouvent dans différentes positions. **(b)** ① À l'état de repos, aucun des canaux n'est ouvert. ② Pendant la phase de dépolarisation du potentiel d'action, les vannes d'activation des canaux à sodium s'ouvrent, mais les canaux à potassium restent fermés. ③ Pendant la phase de repolarisation du potentiel d'action, les vannes d'inactivation ferment les canaux à sodium, et les canaux à potassium s'ouvrent. ④ Pendant l'hyperpolarisation, les canaux à sodium se sont fermés, mais les canaux à potassium demeurent ouverts parce que leurs vannes, qui réagissent assez lentement, n'ont pas encore eu le temps de s'ajuster à la repolarisation de la membrane. Après moins d'une ou deux millisecondes, l'état de repos est rétabli et le système est prêt à répondre au stimulus suivant.

encore eu le temps de se rouvrir. On appelle **période réfractaire** l'intervalle de temps pendant lequel le neurone reste insensible à la dépolarisation ; cette période détermine la fréquence maximale du déclenchement des potentiels d'action dans un neurone. Le tableau 44.1 présente un résumé des réponses produites par les canaux tensiodépendants au cours de la dépolarisation.

Si le potentiel d'action constitue une réponse de type tout ou rien dont l'amplitude (la variation) ne dépend pas de l'intensité du stimulus, comment le système nerveux distingue-t-il les stimuli forts de ceux qui sont plus faibles tout en suffisant à déclencher des potentiels d'action ? Les stimuli forts produisent une plus grande *fréquence* de potentiels d'action que les stimuli faibles ; si un stimulus est intense, alors le neurone « fait feu » de façon répétée et fournit des potentiels d'action à des intervalles aussi courts que le permet la période réfractaire. Dans le système nerveux, l'intensité du stimulus est donc indiquée par le nombre de potentiels d'action par seconde, et non par leur amplitude.

Propagation du potentiel d'action

La stimulation d'un neurone intervient habituellement au niveau des dendrites ou du corps du neurone, et le potentiel d'action qui en résulte se propage le long de

l'axone jusqu'à l'autre extrémité de la cellule. Comment le potentiel d'action se transmet-il? Lorsqu'un potentiel d'action survient à une extrémité du neurone, sa forte dépolarisation provoque la dépolarisation de la région voisine au-dessus du seuil d'excitation, ce qui déclenche un nouveau potentiel d'action à cet endroit. Par conséquent, la région suivante de la cellule parviendra également au seuil d'excitation, et ainsi de suite (figure 44.10). À chaque point le long de l'axone, les canaux tensiodépendants suivront la séquence décrite à la figure 44.9, reproduisant chaque fois l'enchaînement des variations de potentiel électrique qui constituent le potentiel d'action. Le potentiel d'action ne se déplace pas, il est plutôt répété tout au long de la membrane. Ainsi, les courants ioniques qui se produisent localement à travers la membrane plasmique font naître un influx qui se déplace dans une direction qui leur est perpendiculaire, c'est-à-dire le long de l'axone.

Lorsque le potentiel d'action (ou influx nerveux) se propage le long de l'axone, qu'est-ce qui empêche l'entrée de Na$^+$ d'exciter à nouveau la région située *derrière* le potentiel, et de provoquer un retour de la vague de dépolarisation vers le corps du neurone en même temps que cette vague progresse dans la direction normale? Rappelez-vous que le potentiel d'action est suivi d'une période réfractaire, au cours de laquelle les vannes d'inactivation des canaux à sodium sont fermées, si bien qu'aucun potentiel d'action ne peut être déclenché. Lorsqu'une vague de dépolarisation passe par un point donné sur l'axone, elle ne peut donc produire un potentiel d'action derrière ce point, mais seulement vers l'avant. Par conséquent, l'axone constitue normalement une voie à sens unique pour la transmission des influx nerveux.

Vitesse de propagation du potentiel d'action

Le diamètre de l'axone fait partie des facteurs qui influent sur la vitesse de propagation du potentiel d'action le long de l'axone: plus l'axone a un grand diamètre, plus la transmission est rapide. Ce phénomène résulte du fait que la résistance à un courant électrique est inversement proportionnelle à la surface de la section transversale du «fil» conducteur. Dans un axone épais, la dépolarisation produite par un potentiel d'action à un endroit donné peut effectivement s'étendre plus loin le long de l'axone et générer un nouveau potentiel d'action à

Tableau 44.1 Résumé des réactions des canaux à sodium et à potassium tensiodépendants au cours d'une dépolarisation

Canal	Vanne	État de repos de la vanne	Réaction de la vanne à la dépolarisation	Vitesse de la réaction
Na$^+$	Activation	Fermée	S'ouvre	Rapide
Na$^+$	Inactivation	Ouverte	Se ferme	Lente
K$^+$	Activation	Fermée	S'ouvre	Lente

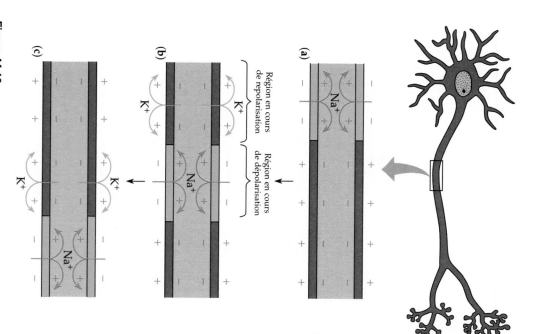

Figure 44.10
Propagation du potentiel d'action. Pendant que les ions sodium traversent la membrane pour entrer dans la cellule, la dépolarisation qui en résulte s'étend à la région de la membrane située immédiatement devant l'influx. La dépolarisation de ce segment d'axone produit alors à cet endroit un potentiel d'action qui dépolarise à son tour le segment suivant de l'axone. C'est ainsi que le potentiel d'action (influx nerveux) se déplace le long de l'axone. La repolarisation s'effectue grâce à la sortie d'ions potassium derrière l'influx.

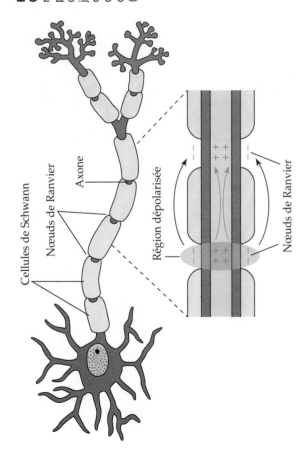

Figure 44.11
Conduction saltatoire. Dans un axone myélinisé, la dépolarisation résultant d'un potentiel d'action à la hauteur d'un nœud de Ranvier s'étend, à l'intérieur de l'axone, jusqu'au nœud suivant (flèches rouges), où elle déclenche un nouveau potentiel d'action. Le potentiel d'action « saute » donc d'un nœud à l'autre le long de l'axone (flèches noires).

Cellules de Schwann

Nœuds de Ranvier

Axone

Région dépolarisée

Nœuds de Ranvier

---

une plus grande distance que dans un axone plus fin. La vitesse de transmission va de quelques centimètres par seconde dans des axones très fins à environ 100 mètres par seconde dans les axones géants de certains Invertébrés, dont les Calmars et les Homards (voir l'encadré, p. 987). Ces axones géants, qui atteignent parfois 1 mm de diamètre, entrent en jeu dans les réactions comportementales qui requièrent une grande vitesse, comme le coup de queue grâce auquel une Écrevisse ou un Homard menacés échappent à un danger.

Les Vertébrés ont développé un autre mécanisme qui leur permet d'accélérer la transmission des potentiels d'action. Rappelez-vous que de nombreux axones sont myélinisés dans les systèmes nerveux des Vertébrés, c'est-à-dire qu'ils sont enveloppés d'une couche isolante formée par les membranes déposées par les cellules gliales (voir les figures 44.3 et 44.6). La gaine de myéline comporte de petits intervalles le long de l'axone, appelés **nœuds de Ranvier**, qui se situent entre les cellules gliales successives. Les canaux protéiques tensiodépendants qui génèrent le potentiel d'action sont regroupés dans ces régions de l'axone. De plus, le liquide extracellulaire n'entre en contact avec la membrane de l'axone qu'à la hauteur des nœuds de Ranvier, si bien que le flux d'ions entre l'intérieur et l'extérieur de l'axone ne peut se produire qu'à ces endroits. Pour toutes ces raisons, le potentiel d'action ne se propage pas de façon continue le long de l'axone, il « saute » d'un nœud à l'autre à travers les régions isolées de la membrane situées entre les nœuds (figure 44.11). Ce mécanisme, appelé **conduction saltatoire** (du latin *saltare* « sauter ») a pour effet d'accélérer la transmission de l'influx nerveux.

Nous avons vu que la stimulation d'une dendrite d'un neurone peut déclencher un potentiel d'action qui se propage le long de l'axone jusqu'à l'extrémité de la cellule. Mais dans une voie nerveuse, comment l'influx passe-t-il d'un neurone à l'autre ? Pour comprendre la communication nerveuse, nous allons maintenant étudier la synapse, c'est-à-dire la zone de contact entre les neurones.

COMMUNICATION ENTRE LES CELLULES : LA SYNAPSE

La synapse est une jonction d'un type très particulier qui régit la communication entre les neurones. On trouve aussi des synapses entre les cellules réceptrices spécifiques (vue, odorat, ouïe, goût) et les neurones sensitifs, ainsi qu'entre les neurones moteurs et les cellules musculaires ou glandulaires qu'ils commandent. Ici, nous nous intéresserons aux synapses situées entre les neurones, c'est-à-dire à celles qui, dans une voie nerveuse, acheminent habituellement les messages de la terminaison d'un axone jusqu'à une dendrite ou au corps du neurone suivant. La cellule d'où vient le message porte le nom de **cellule présynaptique**, et la cellule qui reçoit le message est appelée **cellule postsynaptique**. Il existe deux types de synapses : la synapse électrique et la synapse chimique.

Synapse électrique

Une **synapse électrique** permet aux potentiels d'action de passer directement de la cellule présynaptique à la cellule postsynaptique. Ces cellules communiquent par des jonctions ouvertes (voir la figure 7.35c), c'est-à-dire des canaux intercellulaires qui permettent aux courants ioniques locaux d'un potentiel d'action de circuler d'une cellule à l'autre, sans retard et sans perte d'intensité du message nerveux. Dans le système nerveux central des Vertébrés, les synapses électriques synchronisent l'activité des neurones qui doivent assurer des mouvements rapides et stéréotypés. Par exemple, les synapses électriques présentes dans l'encéphale de certains Poissons entrent en jeu dans le réflexe du mouvement de queue grâce auquel l'Animal échappe à ses prédateurs. Cependant, chez les Vertébrés et la plupart des Invertébrés, les synapses chimiques sont beaucoup plus nombreuses que les synapses électriques.

Synapse chimique

Dans une **synapse chimique**, un espace étroit, la fente synaptique, sépare la cellule présynaptique de la cellule

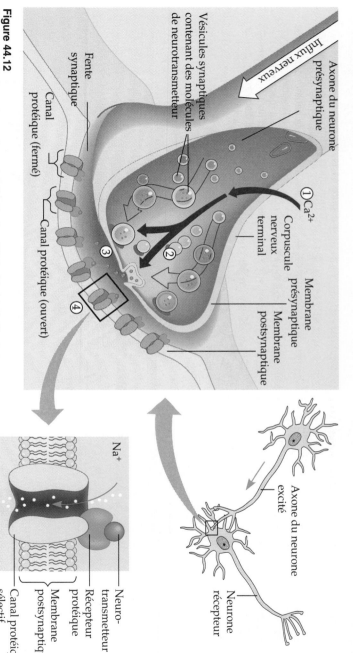

Figure 44.12
Synapse chimique. Lorsqu'un potentiel d'action (flèche blanche) dépolarise un corpuscule nerveux terminal, ① il déclenche une entrée de Ca^{2+} qui ② provoque la fusion des vésicules synaptiques avec la membrane présynaptique. ③ En fusionnant avec la membrane, les vésicules synaptiques libèrent des molécules de neurotransmetteur dans la fente synaptique. Ces molécules traversent la fente par diffusion et se lient à des récepteurs protéiques situés sur la membrane postsynaptique. ④ Ces récepteurs commandent des canaux protéiques sélectifs; la liaison du neurotransmetteur à ses récepteurs spécifiques ouvre les canaux protéiques. Le courant ionique ainsi créé modifie le potentiel électrique de la membrane postsynaptique. Le potentiel de membrane atteint alors le seuil de déclenchement du potentiel d'action (synapse excitatrice, comme dans l'exemple illustré ici), ou bien la membrane se trouve hyperpolarisée (synapse inhibitrice). ⑤ Dans un cas comme dans l'autre, les molécules de neurotransmetteur sont rapidement dégradées par des enzymes ou absorbées par un autre neurone, ce qui a pour effet de refermer les canaux protéiques et de mettre fin à la réaction synaptique.

postsynaptique. À cause de cette fente, les cellules ne sont pas couplées électriquement et un potentiel d'action en provenance de la cellule présynaptique ne peut pas se transmettre directement à la membrane de la cellule postsynaptique. Par contre, le signal électrique du potentiel d'action qui arrive à la terminaison axonale (plus précisément au corpuscule nerveux terminal) déclenche une succession d'événements qui le convertissent en un signal chimique; ce dernier traverse la synapse et est ensuite reconverti en signal électrique dans la cellule postsynaptique.

Pour comprendre le fonctionnement d'une synapse chimique, il est essentiel d'examiner son organisation. Du côté présynaptique de la fente, on trouve le corpuscule nerveux terminal, c'est-à-dire le renflement à l'extrémité de l'une des ramifications de l'axone présynaptique (figure 44.12). Dans le cytoplasme de ce corpuscule se trouvent de nombreux petits sacs appelés **vésicules synaptiques.** Chacune de ces vésicules renferme des milliers de molécules d'un **neurotransmetteur,** une substance jouant le rôle de messager intercellulaire qui est libérée dans la fente synaptique. On a découvert un grand nombre de neurotransmetteurs différents dans le système nerveux des Animaux. La majorité des neurones

ne sécrètent qu'un type de neurotransmetteur. Cependant, le même neurone peut *recevoir* des stimuli chimiques en provenance de neurones qui sécrètent les autres types de neurotransmetteurs.

Le neurone libère son neurotransmetteur dans la synapse lorsque l'influx nerveux qui se propage le long de l'axone atteint le corpuscule nerveux terminal et dépolarise la **membrane présynaptique,** c'est-à-dire la surface du corpuscule nerveux terminal qui fait face à la fente synaptique. Les ions calcium jouent un rôle essentiel dans cette conversion de l'influx électrique en message chimique. Sous l'effet de la dépolarisation de la membrane présynaptique, le Ca^{2+} pénètre massivement dans la cellule en empruntant les canaux tensiodépendants. Stimulées par l'augmentation soudaine de la concentration cytoplasmique de Ca^{2+}, les vésicules synaptiques fusionnent avec la membrane présynaptique et déversent le neurotransmetteur dans la fente synaptique par exocytose (voir le chapitre 8). Des milliers de vésicules peuvent réagir simultanément au même potentiel d'action. Le neurotransmetteur diffuse à travers la fente synaptique vers la **membrane postsynaptique,** c'est-à-dire la membrane plasmique du corps du neurone ou d'une dendrite se trouvant de l'autre côté de la synapse.

La membrane postsynaptique est spécialisée dans la réception des messages chimiques. Des protéines jouant le rôle de récepteurs spécifiques pour les neurotransmetteurs font saillie à la surface de cette membrane. Ces récepteurs sont associés à des canaux protéiques sélectifs dont l'ouverture et la fermeture permettent de régir les flux ioniques à travers la membrane postsynaptique. Ces canaux portent le nom de **canaux chimiodépendants**, car leur ouverture dépend de la liaison d'une substance chimique, le **ligand**, avec le récepteur protéique associé au canal. Un récepteur donné est adapté à un certain type de neurotransmetteur (le ligand) et, lorsqu'il se lie à lui, la vanne du canal protéique s'ouvre, laissant certains ions, comme Na^+, K^+ ou Cl^-, traverser la membrane. Les canaux chimiodépendants de la membrane postsynaptique sont donc sensibles aux messages chimiques, mais pas au potentiel d'action lui-même. Les mouvements d'ions causés par la liaison du neurotransmetteur à ses récepteurs modifient le potentiel de membrane de la cellule postsynaptique. Selon le type de récepteurs et les canaux protéiques spécifiques qu'ils commandent, les neurotransmetteurs peuvent soit exciter cette membrane en rapprochant son potentiel du seuil d'excitation, soit l'hyperpolariser et exercer ainsi une action inhibitrice sur la cellule postsynaptique. Dans un cas comme dans l'autre, le message chimique est rapidement annulé par des enzymes qui dégradent le neurotransmetteur en composés chimiques plus petits pouvant être recyclés par la cellule présynaptique. Par exemple, l'acétylcholine, un neurotransmetteur, est rapidement dégradée par la cholinestérase, une enzyme présente dans la fente synaptique et sur la membrane postsynaptique.

Notez que l'une des fonctions importantes de la synapse est de ne permettre la transmission des influx que dans une seule direction le long de la voie nerveuse. Seules les terminaisons situées à l'extrémité des axones contiennent des vésicules synaptiques, si bien que les neurotransmetteurs ne peuvent provenir que de la membrane présynaptique. De plus, seule la membrane postsynaptique possède des récepteurs, de sorte qu'elle seule peut recevoir des messages chimiques issus d'un autre neurone. La synapse assure une autre fonction importante, soit l'intégration de l'information composée de messages excitateurs et inhibiteurs.

Intégration des processus synaptiques

Un même neurone reçoit des informations provenant de ses nombreux voisins par l'intermédiaire de milliers de synapses, dont certaines sont excitatrices et d'autres, inhibitrices (figure 44.13). Le déclenchement d'un potentiel d'action dans ce neurone dépend de sa capacité d'intégrer ces informations multiples.

Les synapses excitatrices et inhibitrices ont des effets opposés sur le potentiel de membrane de la cellule postsynaptique. Dans une synapse excitatrice, les récepteurs commandent un type de canaux chimiodépendants qui permet au Na^+ d'entrer dans la cellule et au K^+ d'en sortir. Comme la force motrice du Na^+ est supérieure à celle du K^+ (rappelez-vous que les gradients de potentiel électrique et de concentration poussent tous deux le Na^+ à pénétrer dans la cellule), l'ouverture de ces canaux produit un flux net de charges positives vers l'intérieur de la cellule. Par conséquent, la cellule se dépolarise et le potentiel de membrane se rapproche du seuil d'excitation, ce qui augmente la probabilité du déclenchement d'un potentiel d'action par la cellule postsynaptique. Le phénomène électrique provoqué par la liaison du neurotransmetteur spécifique au récepteur est appelé **potentiel postsynaptique excitateur, ou PPSE.**

Dans une synapse inhibitrice, la liaison entre les molécules d'un nouveau neurotransmetteur et la membrane postsynaptique produit une hyperpolarisation : les canaux chimiodépendants spécifiques à ce neurotransmetteur s'ouvrent et accroissent la perméabilité de la membrane au K^+, lequel sort aussitôt de la cellule, ou au Cl^-, que son important gradient de concentration fait aussitôt pénétrer dans le cytoplasme (voir la figure 44.7), ou encore à ces deux ions simultanément. Ces flux ioniques portent le potentiel de membrane à une valeur plus négative que le potentiel de repos, ce qui rend la production d'un potentiel d'action plus difficile. C'est pour cette raison que le changement de potentiel électrique associé au message chimique d'une synapse inhibitrice est nommé **potentiel postsynaptique inhibiteur, ou PPSI.** Le fait qu'un neurotransmetteur donné fasse apparaître un PPSE ou un PPSI dépend du type de récepteurs et de canaux chimiodépendants présents sur la membrane postsynaptique.

Le PPSE et le PPSI sont tous deux des potentiels gradués dont l'amplitude dépend du nombre de molécules de neurotransmetteur qui se lient aux récepteurs de la membrane postsynaptique. La variation du potentiel électrique, qu'il s'agisse d'une hyperpolarisation ou d'une dépolarisation locales, ne dure que quelques millisecondes, parce que les neurotransmetteurs sont dégradés par des enzymes peu après leur libération dans la synapse. En outre, l'effet électrique produit sur la cellule postsynaptique décroît au fur et à mesure qu'on s'éloigne de la synapse. Pour que la cellule postsynaptique soit activée, les courants ioniques locaux dus au PPSE doivent être assez forts pour que la dépolarisation de la membrane dans la région du cône d'implantation atteigne le seuil d'excitation, soit habituellement −50 mV environ. Le cône d'implantation est la zone de départ du potentiel de pointe, c'est-à-dire la région où les vannes des canaux tensiodépendants spécifiques au Na^+ s'ouvrent pour générer un potentiel d'action lorsqu'un stimulus dépolarise la membrane jusqu'au seuil d'excitation.

Un PPSE unique dû à une seule synapse, même proche du cône d'implantation, ne suffit habituellement pas à déclencher un potentiel d'action. Cependant, plusieurs corpuscules nerveux terminaux agissant simultanément sur la même cellule postsynaptique, ou un nombre moins important de ces corpuscules libérant leur neurotransmetteur par rafales, peuvent avoir un effet cumulatif sur le potentiel de membrane à la hauteur du cône d'implantation. Cette addition des potentiels postsynaptiques porte le nom de **sommation** (figure 44.14).

Il existe deux types de sommation : la **sommation temporelle** et la sommation spatiale. Dans la **sommation temporelle**, les messages chimiques en provenance d'un ou plusieurs corpuscules nerveux terminaux sont si rapprochés dans le temps que chaque potentiel postsynaptique s'ajoute au précédent avant même que la membrane

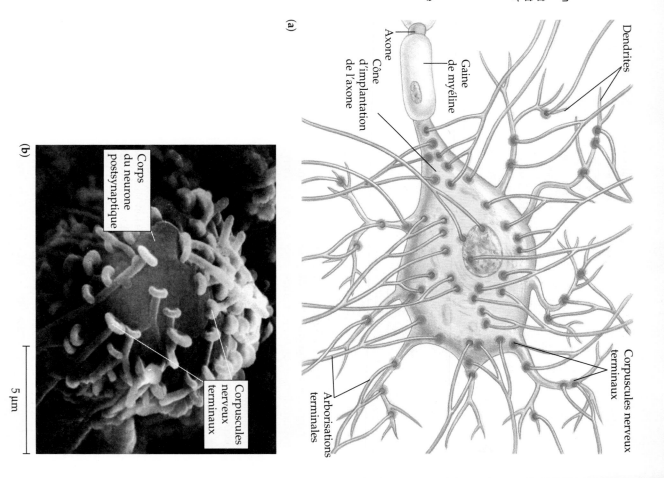

Figure 44.13
Intégration de messages synaptiques multiples. (a) Chaque neurone, particulièrement dans le système nerveux central, reçoit des messages provenant de milliers de synapses, certaines étant excitatrices (en vert) et d'autres, inhibitrices (en rouge). À tout instant, un potentiel d'action apparaît à la hauteur du cône d'implantation si l'effet combiné des courants ioniques produits par les synapses excitatrices et inhibitrices entraîne une dépolarisation suffisante pour conduire la membrane de cette région au seuil d'excitation. Ce mécanisme d'intégration de messages multiples d'excitation et d'inhibition par addition de leurs effets individuels est appelé sommation. (b) Cette micrographie montre les nombreux corpuscules nerveux terminaux qui sont reliés à une seule cellule postsynaptique (MEB).

(a)

Dendrites

Axone

Gaine de myéline

Cône d'implantation de l'axone

Corpuscules nerveux terminaux

Arborisations terminales

(b)

Corps du neurone postsynaptique

Corpuscules nerveux terminaux

5 µm

ait retrouvé son potentiel de repos (figure 44.14b). Dans la **sommation spatiale**, plusieurs corpuscules nerveux terminaux, qui font habituellement partie de neurones présynaptiques différents, stimulent la cellule post-synaptique en même temps, de sorte que leurs effets sur le potentiel de membrane s'additionnent (figure 44.14c).

En se renforçant mutuellement par sommation temporelle ou spatiale, les courants ioniques associés à plusieurs PPSE peuvent dépolariser le cône d'implantation jusqu'au seuil d'excitation, activant ainsi le neurone (en déclenchant un potentiel d'action). Les PPSI sont également l'objet d'une sommation : ils s'additionnent pour hyperpolariser la membrane et la conduire à un potentiel électrique plus bas que ne le ferait une seule libération de neurotransmetteur dans une synapse inhibitrice. De plus, il y a aussi sommation des PPSE et des PPSI, chaque ensemble contrecarrant les effets électriques de l'autre (figure 44.14d).

Le cône d'implantation est le centre d'intégration du neurone ; à chaque instant, son potentiel de membrane représente la moyenne de la dépolarisation résultant de l'ensemble des PPSE et de l'hyperpolarisation causée par l'ensemble des PPSI. (Bien entendu, les synapses situées près du cône d'implantation ont un effet disproportionné sur le potentiel de membrane du centre d'intégration, si on les compare à celles qui sont plus éloignées.) Chaque fois que les PPSE dépassent suffisamment les PPSI pour que le potentiel de membrane à la hauteur du cône d'implantation atteigne le seuil d'excitation, un potentiel d'action est généré et l'influx nerveux est transmis le long de l'axone jusqu'à la synapse suivante. Quelques millisecondes plus tard, après la période réfractaire, le neurone s'active de nouveau si la somme des messages synaptiques suffit déjà à dépolariser la membrane du cône d'implantation jusqu'au seuil d'excitation. Autrement, le potentiel de membrane à la hauteur du cône

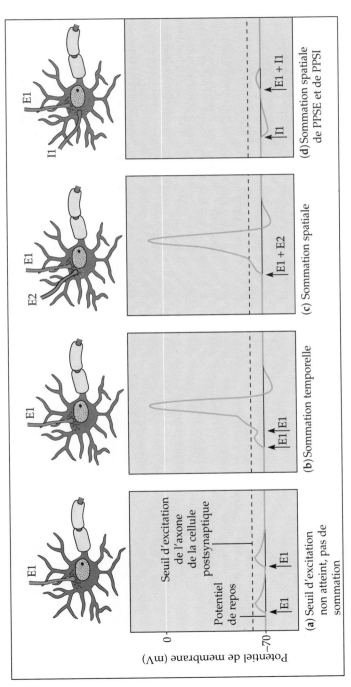

Figure 44.14
Sommation des potentiels postsynaptiques. (a) En général, un seul PPSE ne suffit pas à dépolariser la membrane postsynaptique jusqu'au seuil d'excitation, si bien qu'aucun potentiel d'action n'est généré au cône d'implantation de l'axone. Des PPSE successifs ne subissent pas de sommation s'ils ne se chevauchent pas dans le temps. Sur le graphique qui décrit les variations du potentiel de membrane à la hauteur du cône d'implantation, la flèche indique le moment d'arrivée de l'influx nerveux à une synapse excitatrice, désignée par E1. **(b)** La sommation temporelle survient lorsqu'une deuxième libération de neurotransmetteur atteint la membrane postsynaptique, alors que la membrane est encore partiellement dépolarisée à la suite de la stimulation précédente. Des PPSE qui, pris séparément, seraient insuffisants, peuvent déclencher un potentiel d'action par sommation temporelle s'ils se succèdent assez rapidement pour se renforcer mutuellement. **(c)** Il y a sommation spatiale si deux ou plusieurs cellules présynaptiques libèrent leur neurotransmetteur simultanément, ce qui

produit un changement de potentiel électrique cumulatif plus important que chacun des PPSE. Ici, deux synapses excitatrices, E1 et E2, additionnent leurs effets et dépolarisent la cellule postsynaptique jusqu'au seuil d'excitation. **(d)** Les PPSE et les PPSI subissent aussi une sommation mais, bien entendu, ils déplacent le potentiel de membrane dans des directions opposées. Dans ce cas, l'effet d'une synapse inhibitrice, I1 diminue la dépolarisation causée par la synapse excitatrice E1.

d'implantation, qui résulte de la somme des PPSE et des PPSI, peut présenter un voltage plus bas que le seuil d'excitation, ou même se trouver hyperpolarisé, de sorte que le neurone se trouve alors temporairement inactif.

Nous avons mentionné plus haut que les potentiels d'action constituent des réactions de type tout ou rien. Nous voyons ici que la circulation de ces influx nerveux dépend de la capacité du neurone d'intégrer une information quantitative reçue sous forme de messages excitateurs et inhibiteurs multiples, dont chacun résulte de la liaison spécifique d'un neurotransmetteur à un récepteur de la membrane postsynaptique.

Neurotransmetteurs et récepteurs

Les spécialistes des neurosciences commencent à peine à comprendre les mécanismes chimiques du système nerveux. On connaît une vingtaine de molécules différentes qui jouent le rôle de neurotransmetteurs, et des douzaines d'autres pourraient bien s'ajouter à la liste. Une substance donnée fait partie des neurotransmetteurs d'un certain type de synapse si elle remplit les trois conditions suivantes :

1. La substance doit se trouver dans les vésicules synaptiques de la cellule présynaptique, laquelle libère la substance lorsqu'elle reçoit la stimulation appropriée ; la substance doit avoir un effet sur le potentiel de membrane de la cellule postsynaptique.

2. La substance doit provoquer un PPSE ou un PPSI lorsqu'on l'injecte expérimentalement dans la synapse au moyen d'une micropipette.

3. La substance doit être éliminée rapidement de la synapse, soit par dégradation enzymatique, soit par absorption par une cellule, ce qui permet à la membrane postsynaptique de revenir à son potentiel de repos.

Au fur et à mesure que les méthodes analytiques de la neurochimie s'amélioreront, il est probable qu'un grand nombre de nouvelles substances répondront à ces critères d'appartenance aux neurotransmetteurs.

L'**acétylcholine** est l'un des neurotransmetteurs les plus répandus tant chez les Invertébrés que chez les Vertébrés (tableau 44.2). Chez les Vertébrés, l'acétylcholine est libérée par la terminaison de l'axone moteur dans la jonction neuromusculaire, c'est-à-dire la synapse entre un neurone moteur et une cellule du muscle

Tableau 44.2 Exemples de neurotransmetteurs

Neurotransmetteur	Structure	Effets produits	Sites de sécrétion
Acétylcholine	$H_3C-C-O-CH_2-CH_2-N^+-(CH_3)_3$ avec $=O$	Excitation des muscles squelettiques chez les Vertébrés; excitation ou inhibition des effecteurs viscéraux	Système nerveux central; système nerveux périphérique; jonctions neuromusculaires chez les Vertébrés
Amines biogènes Noradrénaline	HO — $CH-CH_2-NH_2$; OH	Excitation ou inhibition	Système nerveux central; système nerveux périphérique
Dopamine	HO — $CH_2-CH_2-NH_2$	Excitation en général; parfois, inhibition dans les ganglions sympathiques	Système nerveux central; système nerveux périphérique
Sérotonine	structure (indole) HO ... $N-CH$ ... $CH_2-CH_2-NH_2$	Inhibition en général	Système nerveux central
Acides aminés Acide gamma-aminobutyrique	$H_2N-CH_2-CH_2-CH_2-COOH$	Inhibition en général	Système nerveux central; neurotransmetteur inhibiteur dans les jonctions neuromusculaires chez les Invertébrés
Glycine	H_2N-CH_2-COOH	Inhibition en général	Système nerveux central
Acide glutamique	$H_2N-CH-CH_2-CH_2-COOH$; $COOH$	Excitation en général	Système nerveux central; neurotransmetteur excitateur dans les jonctions neuromusculaires chez les Invertébrés
Neuropeptides Mét-enképhaline	Tyr-Gly-Gly-Phe-Met	Inhibition en général	Système nerveux central
Substance P	Arg-Pro-Lys-Pro-Gln-Gln-Phe-Phe-Gly-Leu-Met	Excitation	Système nerveux central; système nerveux périphérique

squelettique; la libération de ce neurotransmetteur dépolarise la cellule musculaire postsynaptique. Dans d'autres cas, l'acétylcholine a un effet inhibiteur. Par exemple, elle ralentit la fréquence cardiaque chez les Vertébrés et les Mollusques. Rappelez-vous que cette versatilité des neurotransmetteurs dépend des divers types de récepteurs qui se trouvent sur les différentes cellules postsynaptiques.

Les **amines biogènes** sont des neurotransmetteurs dérivés d'acides aminés. La tyrosine, un acide aminé, produit une famille d'amines biogènes appelée catécholamines. Ce groupe comprend l'**adrénaline**, la **noradrénaline** et la **dopamine**. L'acide aminé tryptophane synthétise une autre amine biogène, la **sérotonine**. Dans la plupart des cas, les amines biogènes sont des neurotransmetteurs du système nerveux central. Cependant, la noradrénaline joue aussi un rôle dans une subdivision du système nerveux périphérique, le système nerveux autonome, dont nous parlerons bientôt. La dopamine et la sérotonine sont répandues dans l'encéphale et ont un effet sur le sommeil, l'humeur, l'attention et l'apprentissage. Certaines maladies mentales sont associées à des déséquilibres dans les concentrations de ces neurotransmetteurs; par exemple, une production excessive de dopamine constitue l'un des facteurs d'apparition de la schizophrénie. Certaines drogues psychotropes, dont le LSD et la mescaline, provoquent apparemment des hallucinations en se liant aux récepteurs spécifiques à certaines amines biogènes.

On sait que trois acides aminés, la **glycine**, l'**acide glutamique** et l'**acide gamma-aminobutyrique** agissent comme neurotransmetteurs dans le système nerveux central. L'acide gamma-aminobutyrique, dont on pense qu'il est le neurotransmetteur dans la plupart des synapses inhibitrices de l'encéphale, produit des PPSI en augmentant la perméabilité de la membrane postsynaptique au chlorure. La concentration de cet acide dans l'encéphale est des centaines de fois plus élevée que celle de tout autre neurotransmetteur.

Plusieurs **neuropeptides,** qui sont des chaînes relativement courtes d'acides aminés, sont probablement des neurotransmetteurs. Les **endorphines** et les **enképhalines,** sont des neuropeptides qui jouent le rôle d'analgésiques naturels : elles diminuent la perception de la douleur par le système nerveux central. Elles ont été découvertes en 1970 par des neurochimistes qui étudiaient le mécanisme de la dépendance à l'opium. Candace Pert et Solomon Snyder, de l'Université Johns Hopkins, ont trouvé des récepteurs spécifiques aux opiacés, c'est-à-dire à la morphine et à l'héroïne, sur des neurones de l'encéphale (voir l'entretien qui précède la première partie du manuel). Il semblait étrange que les Humains possèdent des récepteurs adaptés à des substances végétales (le Pavot). Des recherches subséquentes ont permis de montrer que ces drogues se lient à ces récepteurs en imitant l'action des endorphines, des analgésiques naturels fabriqués par l'encéphale lors de stress physiques ou émotionnels (pendant le travail d'une femme enceinte, par exemple). En plus de réduire la douleur, les endorphines diminuent la production d'urine (en influant sur la sécrétion d'ADH ; voir le chapitre 41), ralentissent la respiration, provoquent l'euphorie et exercent d'autres effets psychiques par l'intermédiaire de voies spécifiques de l'encéphale. L'adénohypophyse libère également une endorphine, une hormone qui agit sur des régions particulières de l'encéphale. Nous voyons ici à l'œuvre les chevauchements entre le système nerveux et le système endocrinien.

Un neurotransmetteur peut agir sur la cellule postsynaptique par l'un ou l'autre de deux mécanismes généraux. L'acétylcholine et les acides aminés neurotransmetteurs se lient à des récepteurs et modifient la perméabilité de la membrane postsynaptique à des ions spécifiques en provoquant soit une dépolarisation (PPSE), soit une hyperpolarisation (PPSI). Par contre, les amines biogènes et les neuropeptides ont habituellement un effet plus durable parce qu'ils influent sur le métabolisme de la cellule postsynaptique. En se liant à leurs récepteurs spécifiques, ces neurotransmetteurs activent une enzyme qui sécrète un second messager à l'intérieur de la cellule ; il s'agit souvent de l'AMP cyclique, soit la même molécule qui joue le rôle de second messager dans de nombreuses réactions de cellules cibles à des hormones (voir le chapitre 41).

Il nous faut insister ici sur le fait que l'effet d'un neurotransmetteur dépend de la fonction associée à son récepteur spécifique. On a effectué un nombre considérable de recherches sur le récepteur de l'acétylcholine qui se trouve dans les synapses excitatrices, c'est-à-dire à l'endroit où l'acétylcholine dépolarise la membrane postsynaptique. Ce récepteur est une protéine transmembranaire constituée de cinq sous-unités polypeptidiques. Cette protéine a la forme d'un anneau dont le puits central conduit probablement à un canal dans lequel le Na^+ et le K^+ peuvent passer. On ne sait pas encore par quel mécanisme la liaison de l'acétylcholine au récepteur protéique ouvre le canal chimiodépendant.

Réseaux nerveux et ganglions

Nous venons d'étudier le fonctionnement des neurones, qui sont les unités constitutives du système nerveux. Mais un système nerveux comprend des millions de ces unités, voire des centaines de milliards chez les Humains, dont l'activité doit être coordonnée. Tous les systèmes nerveux présentent certains principes d'organisation communs.

Les neurones constituent des réseaux, ou groupements, à l'intérieur desquels l'information suit des voies spécifiques en passant d'un neurone à l'autre. La figure 44.15 présente les trois grands types de réseaux (**réseaux convergents, réseaux divergents et réseaux à action prolongée**).

Les corps des neurones ne sont pas répartis uniformément dans le système nerveux, ils forment des groupes fonctionnels appelés **ganglions.** Les ganglions qui se trouvent dans l'encéphale sont souvent appelés **noyaux** (qu'il ne faut pas confondre avec le noyau d'une cellule individuelle). Ces amas de cellules permettent à une partie du système nerveux, de coordonner des activités sans mettre en jeu l'ensemble du système. Cette centralisation de la régulation nerveuse constitue l'un des éléments clés de l'évolution du système nerveux, tant chez les Invertébrés que chez les Vertébrés.

SYSTÈMES NERVEUX DES INVERTÉBRÉS

Bien que le fonctionnement des neurones présente une uniformité remarquable dans l'ensemble du règne animal, les systèmes nerveux ont une grande diversité de structure. Le type de système nerveux le plus simple se trouve chez l'Hydre, un Cnidaire (figure 44.16a). Le **réseau nerveux** des Cnidaires est un système diffus dépourvu de régulation centrale. Comme la plupart des synapses du réseau sont électriques, les influx circulent dans les deux sens et toute stimulation à un point donné de l'Hydre se propage et provoque des mouvements dans l'ensemble de l'organisme. Les autres Cnidaires et les Cténaires montrent les premiers signes de centralisation. Chez les Méduses, des amas de neurones situés à la marge de l'ombrelle (et associés à des structures sensorielles élémentaires) ainsi que des voies nerveuses encerclant l'ombrelle permettent à l'Animal d'effectuer des tâches comme la nage, qui nécessitent une coordination plus complexe de l'ensemble de l'organisme.

Les Cnidaires et les Cténaires ne sont pas les seuls Animaux à posséder de tels réseaux nerveux modifiés. Le système nerveux des Échinodermes ressemble à celui des Méduses (figure 44.16b). Chez l'Étoile de mer, par exemple, des nerfs radiaires parcourent chacun des bras à partir d'un anneau nerveux entourant le disque central. Les ramifications des nerfs radiaires forment un réseau nerveux aux multiples connexions semblable au réseau nerveux de

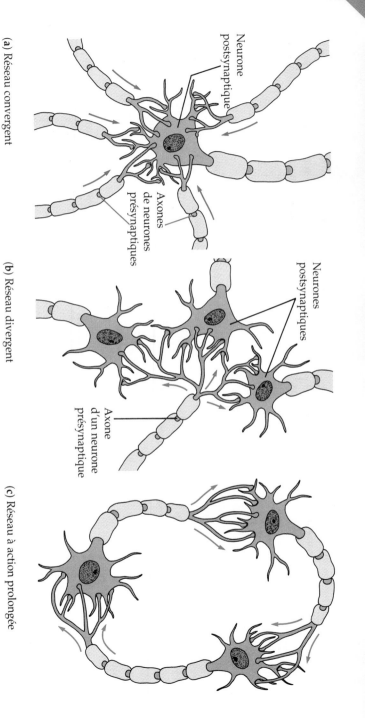

(a) Réseau convergent

Neurone postsynaptique

Axones de neurones présynaptiques

(b) Réseau divergent

Neurones postsynaptiques

Axone d'un neurone présynaptique

(c) Réseau à action prolongée

Figure 44.15
Trois types de réseaux nerveux. (a) Dans les réseaux convergents, l'information issue de plusieurs neurones présynaptiques atteint un seul neurone postsynaptique. Les réseaux convergents permettent de regrouper l'information provenant de plusieurs sources, comme la vue, le toucher et l'ouïe, afin d'identifier un objet présent dans le milieu extérieur. **(b)** Dans les réseaux divergents, l'information venant d'un même neurone est répartie entre plusieurs neurones postsynaptiques. Ce type de réseau permet d'acheminer une information issue d'une source unique, tel l'œil, à plusieurs régions de l'encéphale. **(c)** Certains neurones font partie de réseaux cycliques à action prolongée, dans lesquels le message revient à son point de départ. On pense que ces réseaux jouent un rôle dans la mémorisation.

l'Hydre. Ce système assure la coordination du mouvement, quel que soit le bras qui le guide.

Les Cnidaires et les Échinodermes présentent une symétrie radiaire et sont souvent sédentaires. Les Animaux à symétrie bilatérale et dont le mode de vie est plus actif tendent à avoir des organes des sens et de la nutrition placés au pôle antérieur, soit la tête. On appelle **céphalisation** cette tendance évolutive qui a regroupé les organes sensoriels et de la nutrition vers l'avant, c'est-à-dire vers la partie qui, lorsque l'Animal se déplace, a le plus de chances d'entrer la première en contact avec de la nourriture ou de percevoir des stimuli avertissant d'un danger (voir le chapitre 29). Parallèlement à la céphalisation, l'agrandissement des ganglions antérieurs, qui reçoivent l'information sensorielle et commandent les organes de la nutrition, a mené à l'apparition des premiers cerveaux.

Les Plathelminthes (Vers plats) sont les Animaux les plus simples montrant deux indices de céphalisation: un « cerveau » (ganglions cérébraux) et un ou plusieurs troncs nerveux qui servent de voies de passage à l'information, le tout formant un système nerveux central (figure 44.16c). Le cerveau du Ver plat, relativement simple, contient un grand nombre d'interneurones assez gros assurant la coordination de la plupart des fonctions nerveuses en acheminant les messages en provenance des structures sensorielles de la tête aux muscles du corps. Deux ou plusieurs troncs nerveux partent du cerveau vers l'arrière, et constituent habituellement un système en forme d'échelle dans lequel des commissures transversales relient les troncs nerveux principaux. Ce

système nerveux élémentaire permet par exemple au Ver plat de percevoir une forte intensité lumineuse et de se réfugier dans un abri plus sombre et plus sûr, comme sous une pierre.

Chez les autres Invertébrés, on remarque une centralisation de plus en plus élaborée du système nerveux. Contrairement au système nerveux diffus et en forme d'échelle que l'on observe chez les Vers plats, les Annélides et les Arthropodes présentent un cordon nerveux ventral bien défini ainsi qu'un cerveau facilement reconnaissable au pôle antérieur (figure 44.16d et e). Les cordons nerveux de ces Animaux segmentés forment souvent des ganglions dans chaque segment afin de coordonner les mouvements de ce dernier. Leur cerveau est beaucoup plus gros et plus complexe que celui des Vers plats. Cependant, certains des ganglions segmentaires ne comportent que quelques grosses cellules.

Les Mollusques fournissent un bon exemple de la corrélation entre la complexité du système nerveux et l'habitat, le mode de vie ainsi que le statut phylogénétique de l'espèce. Chez les Mollusques sessiles ou lents tels que les Palourdes, la céphalisation est peu poussée, voire absente, et les organes sensoriels sont rudimentaires. Leur système nerveux central consiste en une chaîne de ganglions qui encercle l'organisme. Par contre, les Céphalopodes possèdent le système nerveux le plus perfectionné de tous les Invertébrés, égalant même de ce point de vue certains Vertébrés. Le cerveau volumineux de la Pieuvre, associé à de gros yeux formant des images et à des axones géants à transmission rapide, est bien adapté au mode de vie de ce prédateur. Dans

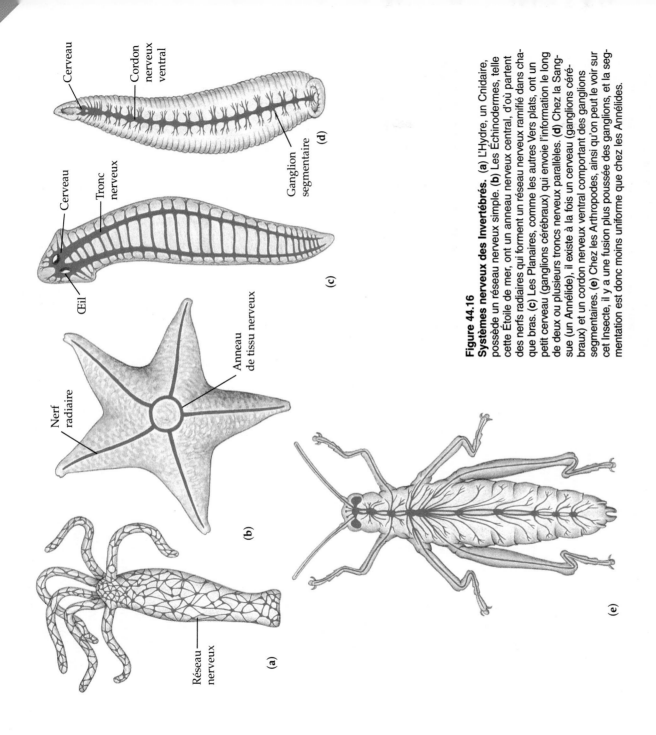

Figure 44.16
Systèmes nerveux des Invertébrés. **(a)** L'Hydre, un Cnidaire, possède un réseau nerveux simple. **(b)** Les Échinodermes, telle cette Étoile de mer, ont un anneau nerveux central, d'où partent des nerfs radiaires qui forment un réseau nerveux ramifié dans chaque bras. **(c)** Les Planaires, comme les autres Vers plats, ont un petit cerveau (ganglions cérébraux) qui envoie l'information le long de deux ou plusieurs troncs nerveux parallèles. **(d)** Chez la Sangsue (un Annélide), il existe à la fois un cerveau (ganglions cérébraux) et un cordon nerveux ventral comportant des ganglions segmentaires. **(e)** Chez les Arthropodes, ainsi qu'on peut le voir sur cet Insecte, il y a une fusion plus poussée des ganglions, et la segmentation est donc moins uniforme que chez les Annélides.

des expériences de laboratoire, la Pieuvre a montré qu'elle peut apprendre à reconnaître des motifs visuels et à accomplir certaines tâches. L'apprentissage et la mémorisation font probablement partie de la vie quotidienne de la Pieuvre lorsqu'elle interagit avec son milieu naturel.

SYSTÈME NERVEUX DES VERTÉBRÉS

Étant donné la complexité du système nerveux des Vertébrés, il est commode de le diviser en parties aux fonctions différentes (figure 44.17). On opère une première distinction entre le système nerveux central, ou s'effectue le traitement de l'information, et le système nerveux périphérique, qui achemine l'information à destination ou en provenance du système nerveux central, des cellules sensorielles et musculaires ainsi que des glandes.

Système nerveux périphérique

Le système nerveux périphérique comprend en fait deux ensembles distincts de cellules. Le **système nerveux sensitif,** ou **afférent,** se compose de neurones qui acheminent l'information issue des récepteurs sensoriels *vers le* système nerveux central ; le **système nerveux moteur,** ou **efférent,** conduit l'information *en provenance* du système nerveux central vers les cellules effectrices.

Le système nerveux périphérique de l'Humain comporte 12 paires de nerfs crâniens qui prennent naissance dans l'encéphale et innervent les organes de la tête et du tronc, ainsi que 31 paires de nerfs rachidiens qui sortent de la moelle épinière et innervent l'ensemble de l'organisme. La plupart des nerfs crâniens et tous les nerfs rachidiens contiennent à la fois des neurones sensitifs et moteurs ; parmi les nerfs crâniens, quelques-uns ne remplissent que des fonctions sensorielles (les nerfs olfactifs et optiques, par exemple).

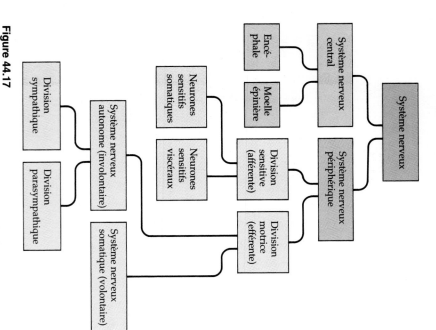

Figure 44.17
Divisions du système nerveux des Vertébrés.

Le système nerveux assure deux fonctions primordiales : il commande les réactions au milieu externe et coordonne les fonctions des organes internes (c'est-à-dire qu'il maintient l'homéostasie). Le système nerveux sensitif contribue aux deux fonctions : il achemine les stimuli qui proviennent du milieu externe et assure le contrôle du milieu interne. Le système nerveux moteur comprend deux divisions distinctes correspondant à ces deux fonctions. Les neurones moteurs du **système nerveux somatique** conduisent les messages aux muscles squelettiques, principalement en réponse à des stimuli externes. On considère souvent le système nerveux somatique comme volontaire parce qu'il est soumis à une régulation consciente, mais en fait, une importante partie des mouvements des muscles squelettiques résulte de réflexes. Un **réflexe** est une réaction automatique à un stimulus, déclenchée par la moelle épinière ou la région inférieure de l'encéphale. De son côté, le **système nerveux autonome** assure la régulation du milieu interne en commandant les muscles lisses et cardiaque ainsi que les organes des systèmes digestif, cardiovasculaire, excréteur et endocrinien. Cette régulation est généralement involontaire.

Le système nerveux autonome comporte deux divisions distinctes du point de vue anatomique, physiologique et chimique. Il s'agit des **systèmes nerveux sympathique** et **parasympathique** (figure 44.18). Lorsque des nerfs des systèmes nerveux sympathique et parasympathique innervent le même organe, ils ont souvent des effets antagonistes. En général, la division parasympa-

thique favorise les mécanismes qui permettent de gagner ou d'économiser de l'énergie, comme la digestion et le ralentissement du pouls. La division sympathique augmente les dépenses d'énergie et prépare l'individu à l'action en accélérant le pouls et l'activité métabolique, ainsi qu'en activant les fonctions connexes.

Les systèmes nerveux somatique et autonome agissent souvent de concert. En réaction à un refroidissement, par exemple, l'hypothalamus commande au système nerveux autonome de contracter les vaisseaux sanguins superficiels afin de réduire les pertes de chaleur, et il ordonne simultanément au système nerveux somatique de déclencher des frissons.

Système nerveux central

Le système nerveux central, ou SNC, forme le lien intégrateur entre les fonctions sensorielle et motrice du système nerveux périphérique. Le SNC se compose d'un groupe de structures à symétrie bilatérale situées dans deux organes principaux. La **moelle épinière**, qui est logée à l'intérieur de la colonne vertébrale (ou rachis), le long du cou et du dos, reçoit l'information provenant de la peau et des muscles et transmet les commandes motrices. L'**encéphale**, localisé à l'extrémité supérieure de la moelle épinière, renferme les centres qui assurent une intégration plus complexe de l'homéostasie, de la perception, du mouvement et (au moins chez l'Humain) de l'intellect et des émotions. Le système nerveux central est recouvert d'un ensemble de trois enveloppes de tissu conjonctif, les **méninges**, soit de l'extérieur vers l'intérieur : la dure-mère, l'arachnoïde et la pie-mère.

Dans le système nerveux central, les axones qui acheminent les influx nerveux se situent dans des faisceaux bien définis auxquels leur gaine de myéline confère une couleur blanche. Cette **matière blanche** constitue la partie interne de l'encéphale et comprend les voies menant aux corps des neurones localisés dans la **matière grise**. Cette disposition est inversée dans la moelle épinière, où la substance blanche entoure la substance grise.

Les systèmes nerveux de tous les Vertébrés possèdent des cavités. Les cavités de l'encéphale, ou **ventricules**, contiennent un liquide et communiquent avec une étroite et longue cavité, le **canal central de la moelle épinière** (ou canal de l'épendyme). Le **liquide céphalorachidien**, formé dans l'encéphale par filtration du sang, remplit ces cavités. L'une des fonctions les plus importantes de ce liquide consiste à protéger l'encéphale contre les chocs. Le liquide céphalorachidien assure aussi des fonctions circulatoires : il apporte des nutriments, des hormones et des leucocytes aux différentes régions du SNC. Il circule normalement à travers les ventricules et le canal central de la moelle épinière, puis se déverse dans les villosités arachnoïdiennes qui drainent le liquide céphalorachidien par les capillaires veineux.

Moelle épinière La moelle épinière, représentée en coupe transversale à la figure 44.19, a deux fonctions principales : elle assure l'intégration des réponses simples à certains types de stimuli et elle transmet l'information à destination et en provenance de l'encéphale. L'intégration par la moelle épinière prend habituellement la forme d'un réflexe, c'est-à-dire d'une réaction

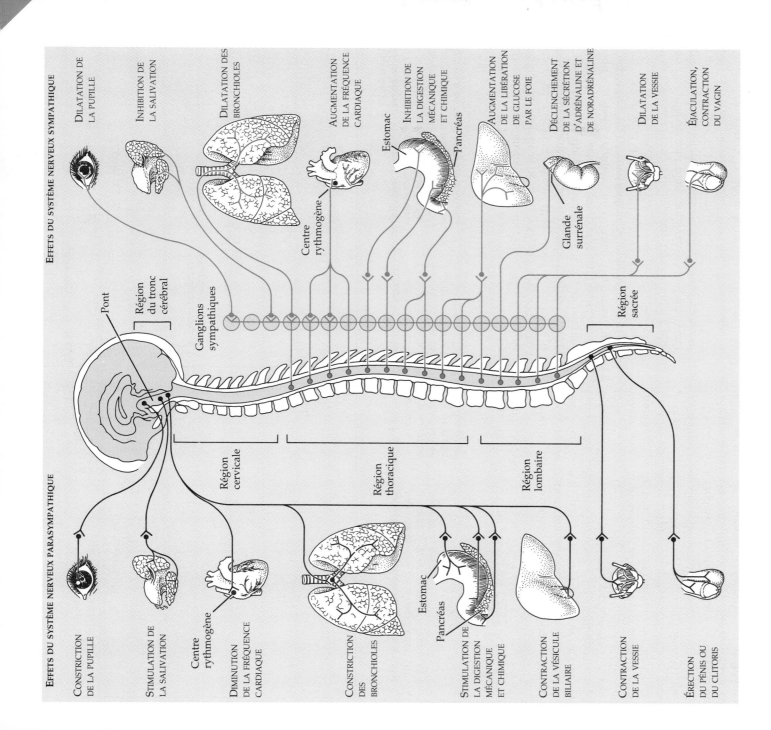

DILATATION DE LA PUPILLE

INHIBITION DE LA SALIVATION

DILATATION DES BRONCHIOLES

AUGMENTATION DE LA FRÉQUENCE CARDIAQUE

Estomac

Pancréas

INHIBITION DE LA DIGESTION MÉCANIQUE ET CHIMIQUE

AUGMENTATION DE LA LIBÉRATION DE GLUCOSE PAR LE FOIE

DÉCLENCHEMENT DE LA SÉCRÉTION D'ADRÉNALINE ET DE NORADRÉNALINE

Glande surrénale

DILATATION DE LA VESSIE

ÉJACULATION, CONTRACTION DU VAGIN

Pont

Région du tronc cérébral

Centre rythmogène

Ganglions sympathiques

Région sacrée

Région cervicale

Région thoracique

Région lombaire

CONSTRICTION DE LA PUPILLE

STIMULATION DE LA SALIVATION

Centre rythmogène

DIMINUTION DE LA FRÉQUENCE CARDIAQUE

Estomac

Pancréas

CONSTRICTION DES BRONCHIOLES

STIMULATION DE LA DIGESTION MÉCANIQUE ET CHIMIQUE

CONTRACTION DE LA VÉSICULE BILIAIRE

CONTRACTION DE LA VESSIE

ÉRECTION DU PÉNIS OU DU CLITORIS

Figure 44.18

Système nerveux autonome. Les systèmes nerveux sympathique et parasympathique diffèrent, du point de vue anatomique et chimique. Sur le plan anatomique, les divisions du système nerveux autonome se distinguent par les points d'origine de leurs nerfs. Les nerfs du système nerveux sympathique sortent de la partie supérieure et centrale de la moelle épinière (les régions thoracique et lombaire). Les nerfs parasympathiques ont leur origine aux extrémités supérieure et inférieure du système nerveux central : ils sont issus de certains nerfs crâniens et de la région sacrée de la moelle épinière.

La plupart des voies nerveuses autonomes comportent une chaîne de deux neurones, mais la disposition et l'emplacement de leur jonction diffèrent. Les nerfs sympathiques ont habituellement des axones présynaptiques courts formant des synapses avec le corps des deuxièmes neurones à la hauteur des ganglions sympathiques, facilement reconnaissables et situés près de la moelle épinière ; le neurotransmetteur libéré dans ces synapses est l'acétylcholine. Les longs axones des cellules postsynaptiques partent des ganglions sympathiques et se ramifient pour atteindre les organes cibles, où le

neurotransmetteur libéré par les corpuscules des terminaisons axonales sympathiques est habituellement la noradrénaline. Les axones présynaptiques des nerfs parasympathiques sont ordinairement beaucoup plus longs que ceux des nerfs sympathiques, et les synapses avec les deuxièmes neurones ne se trouvent le plus souvent près ou dans les organes cibles. Le neurotransmetteur relâché par les neurones parasympathiques est l'acétylcholine, tant dans l'organe cible que dans la synapse entre les deux neurones de la chaîne.

Chapitre 44 : Régulation et systèmes nerveux chez les Animaux **1003**

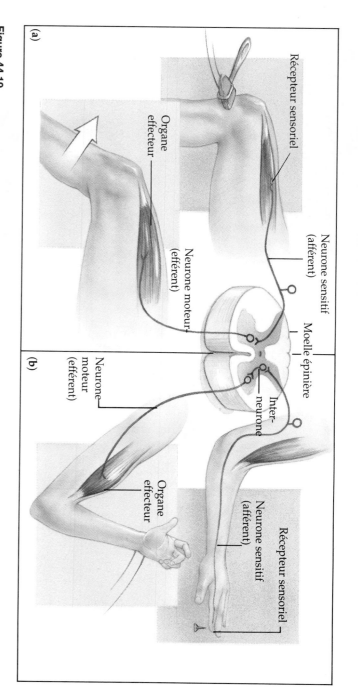

(a)

Récepteur sensoriel

Neurone sensitif (afférent)

Organe effecteur

Neurone moteur (efférent)

Moelle épinière

Inter-neurone

(b)

Neurone moteur (efférent)

Organe effecteur

Neurone sensitif (afférent)

Récepteur sensoriel

Figure 44.19
Moelle épinière et réflexes médullaires.
La matière grise (région en forme de papillon) située au centre de la moelle épinière contient le corps des neurones moteurs et des interneurones. La substance blanche externe se compose d'axones moteurs et sensitifs. Le corps des neurones sensitifs se situe dans les ganglions, à l'extérieur de la moelle épinière. **(a)** Le réflexe rotulien d'étirement est un réflexe médullaire simple où n'entrent en jeu que deux neurones. **(b)** La plupart des autres réflexes font intervenir au moins un inter-neurone qui assure la coordination entre la perception du stimulus et l'émission de la commande motrice.

inconsciente et prédéterminée à un stimulus donné. Le réflexe rotulien illustre le type de réflexe le plus simple qui fait intervenir deux neurones seulement (figure 44.19a).

Lorsqu'un mécanorécepteur situé dans le quadriceps détecte un étirement du ligament rotulien (en réaction au coup de marteau du médecin, par exemple), un neurone sensitif achemine cette information le long de la cuisse jusqu'à la moelle épinière, où il forme directement une synapse avec un neurone moteur. Si le stimulus est assez fort, un potentiel d'action est généré dans le neurone moteur, ce qui provoque la contraction du quadriceps et un mouvement brusque de la jambe vers l'avant. La plupart des réflexes sont plus complexes et font intervenir un ou plusieurs interneurones entre les neurones sensitif et moteur (figure 44.19b). De plus, des ramifications de la voie nerveuse peuvent faire parvenir le message à d'autres segments de la moelle épinière ou à l'encéphale,

ce qui provoque des réponses plus complexes et à plus grande échelle.

Évolution de l'encéphale chez les Vertébrés L'apparition de comportements complexes chez les Vertébrés relève en grande partie de la complexité accrue de l'encéphale. Celui des Vertébrés est d'abord apparu sous la forme d'une succession de trois renflements à l'extrémité antérieure de la moelle épinière (figure 44.20). Ces trois régions, le **prosencéphale**, le **mésencéphale** et le **rhombencéphale**, sont présentes chez tous les Vertébrés. Dans les encéphales les plus complexes, ces régions comportent encore des subdivisions, ce qui augmente la capacité d'intégration des activités complexes.

Il existe trois tendances évidentes dans l'évolution de l'encéphale des Vertébrés (figure 44.21). Premièrement, la taille relative du cerveau (hémisphères cérébraux)

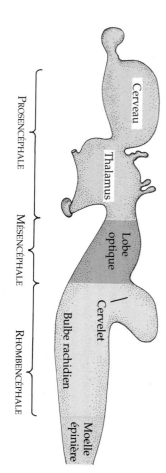

PROSENCÉPHALE   MÉSENCÉPHALE   RHOMBENCÉPHALE

Cerveau

Thalamus

Lobe optique

Cervelet

Bulbe rachidien

Moelle épinière

Figure 44.20
Schéma général d'un encéphale de Vertébré et de ses régions.

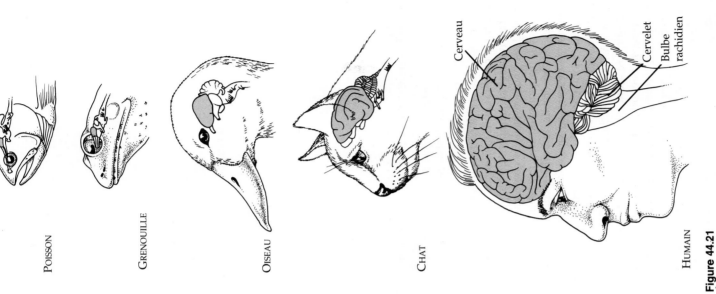

POISSON

GRENOUILLE

OISEAU

CHAT

Cerveau

Cervelet
Bulbe
rachidien

HUMAIN

Figure 44.21
Évolution du cerveau chez les Vertébrés. On reconnaît facilement trois tendances principales : un accroissement de la taille totale du cerveau (hémisphères cérébraux) par rapport à celle du corps, une compartimentation des fonctions et un développement de plus en plus prononcé du prosencéphale (couleur or), en particulier chez les Mammifères.

s'accroît dans certaines lignées évolutives. La taille du cerveau est à peu près proportionnelle à la masse corporelle chez les Poissons, les Amphibiens et les Reptiles, mais elle augmente de façon remarquable chez les Oiseaux et les Mammifères. Un Rongeur pesant 100 g aurait un cerveau beaucoup plus gros qu'un Lézard de 100 g, mais le cerveau de ce Lézard aurait approximativement la même taille que celui d'un Poisson de 100 g.

La seconde tendance évolutive consiste en la comparaison des fonctions. Les trois premières divisions demeurent, mais elles comportent elles-mêmes des subdivisions qui assurent des fonctions précises. Dans le rhombencéphale, par exemple, le cervelet prend une grande importance dans la coordination des mouvements. L'une des subdivisions du prosencéphale, appelée diencéphale, contient le thalamus, l'hypothalamus et d'autres groupes de cellules, alors qu'une autre de ses subdivisions, le télencéphale, comprend le cortex cérébral, qui joue un rôle primordial dans l'apprentissage et la mémorisation. Au fur et à mesure que ces régions particulières se complexifient, les divisions originelles entre les trois renflements deviennent floues. Il est difficile de distinguer nettement le mésencéphale, le rhombencéphale et la partie inférieure du prosencéphale chez les adultes, bien que les trois renflements ressortent clairement chez les embryons en cours de développement.

La troisième tendance réside dans la complexité et le perfectionnement croissants du prosencéphale. Lorsque les Amphibiens et les Reptiles ont effectué la transition entre les milieux aquatique et terrestre, les fonctions de la vue et de l'ouïe ont pris une importance de plus en plus grande dans le mésencéphale et le rhombencéphale, et la sélection naturelle a joué en faveur d'un agrandissement de ces régions. Au-delà de cet aspect, cependant, des comportements de plus en plus complexes sont apparus parallèlement à l'accroissement d'une importante région du prosencéphale, les **hémisphères cérébraux** (cerveau). Chez les Mammifères en particulier, la complexité du comportement est associée à la taille relative des hémisphères cérébraux et à la présence de replis, ou circonvolutions, qui augmentent la surface externe des hémisphères. Comme le corps des neurones se trouve dans le cortex cérébral (couche externe des hémisphères cérébraux), la performance du cerveau dépend davantage de l'aire de son cortex que de son volume global. Bien que son cortex soit inférieur à 5 mm d'épaisseur, le cortex du cerveau humain représente plus de 80 % de sa masse totale. Le cortex cérébral des Marsupiaux, comme l'Opossum, présente très peu de replis, alors que celui des Chats et des autres Mammifères placentaires en comporte beaucoup plus. Le cortex cérébral des Primates et des Cétacés (Baleines et Dauphins, par exemple) présente une taille et une complexité largement supérieures à ce que l'on observe chez n'importe quel autre Vertébré. En fait, la surface du cortex cérébral du Dauphin (par rapport à la taille du corps) n'est inférieure qu'à celle du cortex humain.

L'encéphale humain La masse de l'encéphale humain (1,35 kg) en fait l'un des plus gros organes de notre corps. À en juger par sa consistance molle, presque flasque, on a du mal à imaginer le nombre de cellules qu'il contient et la complexité de sa structure et de ses fonc-

tions. Comme nous l'avons vu plus haut, l'encéphale se forme à partir de trois renflements primaires situés à l'extrémité antérieure de la moelle épinière. Ces renflements, à leur tour, se différencient en plusieurs structures distinctes aux fonctions précises (figure 44.22). Une partie

Figure 44.22
Encéphale humain. Cette coupe sagittale médiane montre les principales structures de l'encéphale. Le rhombencéphale régit l'homéostasie et assure la coordination des mouvements alors que le mésencéphale joue le rôle de centre de relais de l'information. Le prosencéphale est hautement développé chez les Mammifères : le diencéphale est un centre de relais et d'homéostasie, et le télencéphale, le centre de traitement de l'information.

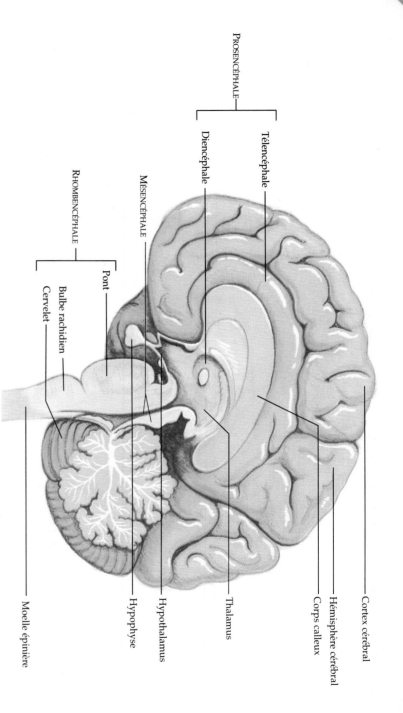

du rhombencéphale et le mésencéphale constituent à eux deux le **tronc cérébral** et ils coiffent la moelle épinière.

Le rhombencéphale comprend trois parties qui interviennent dans l'homéostasie, la coordination des mouvements et la transmission des messages. Les régions inférieures de l'encéphale, apparaissent comme des renflements du rhombencéphale au sommet de la moelle épinière. Le **bulbe rachidien** et le **pont** situé juste au-dessus. Le bulbe rachidien contient les centres qui commandent plusieurs fonctions viscérales (autonomes et homéostatiques), dont la respiration, l'activité cardiaque et capillaire, la déglutition, le vomissement et la digestion. Le pont intervient aussi dans certaines de ces activités, puisqu'il comprend des noyaux (ganglions) qui assurent par exemple la régulation des centres de la respiration situés dans le bulbe rachidien. Tous les faisceaux d'axones qui acheminent l'information sensorielle vers les régions supérieures de l'encéphale et les commandes motrices qui en proviennent traversent le rhombencéphale, si bien que la transmission de l'information représente l'une des fonctions les plus importantes du bulbe rachidien et du pont. Le rhombencéphale participe également à la coordination des mouvements corporels de grande envergure, comme la marche. La plupart des axones descendants, qui transmettent à la moelle épinière les messages commandant le mouvement issus du mésencéphale et du prosencéphale, traversent le bulbe rachidien en changeant de côté. Par conséquent, le côté droit de l'encéphale régit une grande partie des mouvements effectués du côté gauche, et vice versa.

La principale fonction du **cervelet**, la troisième partie du rhombencéphale, consiste à coordonner les mouvements. Cette excroissance partiellement sphérique et pourvue de nombreuses circonvolutions, localisée sur la face dorsale du rhombencéphale, est encastrée derrière les hémisphères et en partie au-dessous d'eux. Le cervelet reçoit des informations sensorielles relatives à la position des articulations et à la longueur des muscles, ainsi que des messages venant des voies de l'équilibre (oreille interne) et de la vision. Il reçoit également des messages en provenance des voies motrices, qui lui indiquent les actions commandées par les hémisphères cérébraux. Le cervelet utilise ces informations pour assurer la coordination inconsciente des mouvements et de l'équilibre. Si une partie du corps bouge, le cervelet coordonnera les autres parties afin d'assurer un mouvement sans à-coups et de maintenir l'équilibre. La coordination des mouvements des yeux et de la main offre un exemple de fonction du cervelet. En cas de dommage au cervelet, les yeux peuvent suivre la main en mouvement, mais ils ne s'arrêteront pas en même temps qu'elle.

La partie supérieure du tronc cérébral, le mésencéphale, renferme les centres de perception et d'intégration de plusieurs types d'information sensorielle. Le mésencéphale joue aussi le rôle de centre de projection en envoyant des messages sensitifs codés par l'intermédiaire de neurones qui se rendent dans des régions précises du prosencéphale. Les **tubercules quadrijumeaux supérieurs** et **inférieurs**, des bosses situées sur la face dorsale du tronc cérébral, sont les zones les plus

importantes du mésencéphale ; les premiers coordonnent les mouvements de la tête et des yeux, tandis que les seconds mettent en communication les récepteurs auditifs et les aires auditives. Les tubercules quadrijumeaux supérieurs ont leur équivalent chez les Vertébrés non mammaliens ; sous forme de gros lobes optiques, ils constituent les seuls centres de la vision. Chez les Mammifères, la vision est intégrée au niveau du prosencéphale, et les tubercules quadrijumeaux supérieurs ne font que coordonner les réflexes visuels tout en remplissant des fonctions limitées dans le domaine de la perception. Certains des principaux noyaux du mésencéphale font partie de la **formation réticulée**, qui régit entre autres l'état de la vigilance (dont nous parlerons plus loin).

Le prosencéphale assure le traitement le plus complexe des informations. Les réseaux denses des centres d'intégration et des voies sensitives et motrices permettent l'élaboration de modèles et d'images ainsi que l'existence de fonctions associatives telles que la mémorisation, l'apprentissage et les émotions. Quant aux deux grandes divisions du prosencéphale, la partie inférieure, ou **diencéphale**, comporte deux centres d'intégration : le thalamus et l'hypothalamus. La partie supérieure, ou **télencéphale**, comprend les hémisphères cérébraux (cerveau), qui constituent le centre d'intégration le plus perfectionné du SNC.

À l'intérieur du diencéphale, le principal centre d'intégration est le **thalamus,** un centre de relais important pour l'information sensorielle qui se dirige vers les hémisphères cérébraux. Le thalamus comporte un grand nombre de noyaux différents, dont chacun est consacré à un type précis d'information sensorielle. L'information provenant de tous les organes des sens est triée dans le thalamus et dirigée vers les centres supérieurs appropriés du cerveau, où elle se soumet à une interprétation et à une intégration plus sophistiquées. Le thalamus reçoit également des messages issus des hémisphères cérébraux et des zones de l'encéphale qui commandent les émotions et l'éveil, ce qui en fait un important centre de communication qui régit l'accès aux hémisphères cérébraux.

Bien que l'hypothalamus ne pèse que quelques grammes, il constitue l'un des sites les plus importants dans la régulation de l'homéostasie. Nous avons déjà vu que l'hypothalamus était la source de deux ensembles d'hormones, les hormones neurohypophysaires et les hormones d'inhibition et de libération destinées à l'adénohypophyse (voir le chapitre 41). Il renferme aussi le thermostat de l'organisme, les centres de régulation de la faim et de la nutrition, de la soif et de l'équilibre hydrique ainsi que les centres de nombreuses autres fonctions vitales élémentaires. Cette région joue également un rôle dans la réponse sexuelle et les comportements d'accouplement, dans la réaction agressive ou de fuite (d'alarme) ainsi que dans le plaisir.

Les centres du plaisir de l'hypothalamus tirent leur nom des réactions que l'on a observées à la suite de stimulations effectuées sur des Animaux de laboratoire, bien qu'on ne puisse pas vraiment savoir si un Rat ressent ce que les Humains interprètent comme des sensations agréables. Cependant, soumis à l'implantation d'électrodes dans les centres du plaisir, l'Animal presse sans cesse la même barre pour recevoir des chocs électriques dans cette région, refusant de manger, de boire ou de s'accoupler.

En dessous du cortex cérébral (la partie principale du télencéphale) se trouve un amas de noyaux appelés noyaux gris centraux. Il s'agit d'importants centres de régulation motrice qui jouent le rôle de commutateurs pour les influx en provenance des aires prémotrices et motrices primaires. En cas de dommage aux noyaux gris centraux, la personne atteinte peut devenir passive et demeurer immobile, parce que les ganglions ne permettent plus le passage des influx nerveux en direction des muscles. La maladie de Parkinson se caractérise par une dégénérescence des cellules qui pénètrent dans les noyaux gris centraux.

Le **cortex cérébral** est la partie la plus volumineuse et la plus complexe de l'encéphale humain, et aussi celle qui a subi le plus de changements au cours de l'évolution. Le cortex humain, qui possède un très grand nombre de replis, a une surface de 0,5 m² et comporte cinq lobes dont quatre sont apparents (figure 44.23). Comme le reste de l'encéphale, le cortex cérébral présente une symétrie bilatérale et les deux hémisphères cérébraux sont liés par une épaisse bande de fibres appelée **corps calleux.** Le cortex comporte à la fois des aires sensitives et motrices, qui interviennent dans le traitement direct de l'information, et des aires associatives, qui intègrent l'information provenant de plusieurs sources. La figure 44.23 montre certaines des principales aires fonctionnelles du cortex.

Les aires sensitives et motrices primaires sont bilatérales. L'aire somesthésique primaire reçoit les influx générés par la stimulation des récepteurs du toucher, de la pression et de la douleur, qui sont dispersés dans l'ensemble de l'organisme. L'aire motrice primaire du cortex envoie des influx aux divers muscles squelettiques. Le cortex sensitif et moteur constitue une mosaïque de régions qui correspondent à différentes parties du corps. La proportion du cortex sensitif ou moteur qui est consacrée à une certaine partie du corps dépend de l'importance que revêt l'information sensorielle ou motrice pour cette partie. Par exemple, la part du cortex consacrée à la communication motrice et sensitive avec les mains est plus grande que celle qui correspond à l'ensemble du torse. Les influx qui parviennent des récepteurs aux régions spécifiques de l'aire somesthésique primaire du cortex cérébral nous permettent d'associer la douleur, le toucher, la pression, la chaleur ou le froid avec les parties du corps qui reçoivent ces stimuli. Cependant, l'intégration des autres sens (vue, ouïe, odorat et goût) s'effectue dans d'autres régions du cortex.

Intégration et fonctions supérieures de l'encéphale

L'intégration des influx nerveux s'effectue à tous les niveaux du système nerveux humain. Le type d'intégration le plus simple est le réflexe médullaire illustré à la figure 44.19 ; l'intégration la plus complexe permet au cortex cérébral de créer des œuvres d'art ou de faire des découvertes scientifiques. L'activité cérébrale présente quatre aspects particulièrement intéressants : l'éveil et le sommeil, les émotions, la latéralisation du cerveau (fonctions différentielles des hémisphères gauche et droit) et la mémoire.

Figure 44.23
Cortex cérébral. La surface du cortex cérébral peut être divisée en quatre lobes bien visibles sur cette illustration, chacun assurant des fonctions précises. Le cinquième lobe, appelé lobe insulaire, est caché à l'intérieur du pli qui sépare les lobes temporal et pariétal.

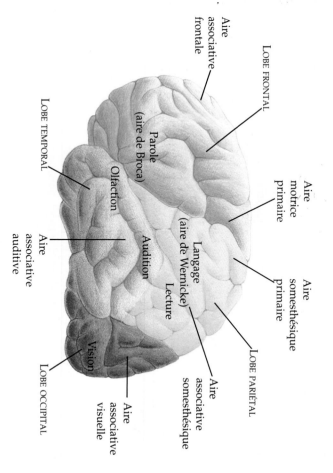

LOBE FRONTAL · Aire associative frontale · Aire motrice primaire · Parole (aire de Broca) · Aire somesthésique primaire · LOBE PARIÉTAL · Langage (aire de Wernicke) · Lecture · Aire associative somesthésique · LOBE TEMPORAL · Olfaction · Audition · Aire associative auditive · Vision · LOBE OCCIPITAL · Aire associative visuelle

Éveil et sommeil Comme le savent ceux qui ont assisté à un cours pendant une chaude journée de printemps, l'attention et la vigilance varient d'un moment à l'autre. L'éveil est un état de conscience du monde extérieur. Le contraire de l'éveil est le sommeil, pendant lequel l'individu continue de recevoir des stimuli sans en avoir conscience. Les mécanismes de l'éveil et du sommeil sont assez bien élucidés, mais les chercheurs n'ont pas encore résolu la question de savoir pourquoi nous dormons. Tous les Oiseaux et les Mammifères dorment et ont un cycle caractéristique sommeil-éveil, qui est peut-être généré par l'hypothalamus.

Pendant le sommeil et l'éveil, le cerveau produit des types différents d'activité électrique, que l'on peut enregistrer sous forme d'**électroencéphalogramme**, ou **EEG**. D'une façon générale, moins l'activité mentale est intense, plus les ondes cérébrales de l'EEG sont synchrones. Lorsque la personne est étendue au calme, les yeux fermés, on remarque surtout des *ondes alpha*. Si le sujet ouvre les yeux ou entreprend de résoudre un problème complexe, les *ondes bêta* plus rapides apparaissent, ce qui indique une désynchronisation des régions du cerveau. Le sommeil produit un troisième type d'ondes, les *ondes delta*, qui sont assez lentes et extrêmement synchrones.

Cependant, le sommeil est un processus dynamique et l'EEG d'une personne endormie est loin d'être constant. On peut diviser en deux types principaux les mouvements que l'on observe pendant le sommeil. Dans le premier type, on remarque des ondes delta lentes et profondes. À d'autres moments, l'EEG est désynchronisé et rappelle celui de l'état de veille ; les yeux parcourent alors de façon active le champ visuel derrière les paupières, c'est pourquoi on parle de sommeil paradoxal. La plupart des rêves surviennent au cours du sommeil paradoxal. On a accordé aux rêves, comme au sommeil, une valeur magique ou prophétique, mais leur véritable fonction reste inconnue. Généralement, les deux types de sommeil alternent, chaque cycle durant 90 minutes et comprenant de 20 à 30 minutes de sommeil paradoxal.

Le sommeil et l'éveil sont régis par plusieurs centres situés dans les hémisphères cérébraux et le tronc cérébral. La formation réticulée joue un rôle primordial dans la détermination des états d'éveil et de conscience. La formation réticulée s'étend entre le bulbe rachidien et le thalamus ; cette structure se compose d'un groupe de 90 noyaux distincts (ganglions cérébraux) que doivent traverser presque tous les prolongements neuronaux qui se rendent au cortex cérébral. La formation réticulée est essentiellement un filtre sensoriel qui sélectionne l'information dirigée vers le cortex. Plus le cortex reçoit de messages, plus la personne est vigilante et concentrée. Mais l'état d'éveil n'est pas simplement un phénomène global ; certains ensembles d'informations peuvent être ignorés (« coupure » de stimuli) pendant que l'encéphale traite activement d'autres messages. Certains centres spécifiques assurent également la régulation du sommeil et de l'éveil. Le pont et le bulbe rachidien contiennent des noyaux dont la stimulation provoque le sommeil, mais il existe dans le mésencéphale un centre responsable de l'éveil. On a émis l'hypothèse que la sérotonine était le neurotransmetteur des centres générateurs du sommeil. Le fait de boire du lait avant d'aller se coucher pourrait favoriser le sommeil parce que le lait contient de grandes quantités de tryptophane, l'acide aminé à partir duquel la sérotonine est synthétisée.

Émotions Ce qui nous fait rire, pleurer, aimer et nous battre a fait l'objet de nombreuses spéculations de nature biologique et philosophique. Certains pensent que nos émotions déterminent notre expression faciale, d'autres suggèrent que la contraction des muscles faciaux stimule les centres de l'émotion dans l'encéphale. Selon certaines théories, les émotions résultent de la rétroaction fournie par les organes et les muscles au système nerveux central. Il est difficile d'étudier les émotions expérimentalement parce que, même si un Animal de laboratoire semble *éprouver* une émotion, nous ne pouvons pas affirmer qu'il la *ressent* de la même façon que nous.

En dépit de ces incertitudes, nous savons d'ores et déjà qu'une bonne partie des émotions humaines dépend d'interactions entre le cortex cérébral et un groupe de noyaux situés dans la partie inférieure du prosencéphale, le **système limbique.** De la même façon que la formation réticulée choisit les informations qui agissent sur l'éveil et le sommeil, le système limbique sélectionne certaines réactions émotionnelles et comportementales. Pour traiter des cas d'agressivité extrême, on a détruit par voie chirurgicale le corps amygdaloïde, qui fait partie du système limbique ; mais l'état de docilité ainsi obtenu ne représente pas nécessairement une guérison et peut avoir de graves effets sur d'autres fonctions cérébrales.

Cerveau gauche et cerveau droit Contrairement aux aires motrices et sensitives primaires, les aires associatives du cortex cérébral (voir la figure 44.23) ne présentent pas une symétrie bilatérale ; chaque côté du cerveau commande des fonctions différentes. La parole, le langage et le calcul, par exemple, dépendent de l'hémisphère gauche alors que l'hémisphère droit regroupe les capacités artistiques et la perception spatiale. Nous devons une grande partie de nos connaissances sur cette **latéralisation** du cerveau aux travaux de Roger Sperry, lauréat du prix Nobel, et de ses collaborateurs, qui effectuent des recherches sur des patients au cerveau «dédoublé». Certaines formes d'épilepsie touchent les réseaux à action prolongée et font passer des décharges électriques massives entre les hémisphères cérébraux par l'intermédiaire du corps calleux. Il est possible de traiter ces patients en sectionnant chirurgicalement le corps calleux. Contrairement aux résultats auxquels on pourrait s'attendre, cette mesure extrême ne semble pas affecter le comportement de façon évidente, mais elle a a des effets subtils sur les fonctions cérébrales du patient.

Une personne dont le corps calleux a été sectionné peut paraître parfaitement normale dans la plupart des situations, mais certaines expériences fournissent des renseignements précieux sur la latéralisation. Un patient qui tient une clé dans la main gauche, les yeux ouverts, pourra facilement nommer cet objet. Cependant, si on lui bande les yeux, il reconnaîtra la clé et saura s'en servir pour actionner une serrure (et il pourra peut-être la décrire), mais il sera parfaitement incapable de la nommer. Le centre de la parole se trouve dans l'hémisphère gauche, mais l'information sensorielle venant de la main gauche traverse le cerveau et entre dans l'hémisphère droit. Si le corps calleux n'effectue pas la commutation entre les deux côtés du cerveau, la conscience de la taille, de la texture et de la fonction de l'objet ne peut pas être transférée de l'hémisphère droit à l'hémisphère gauche. Le message sensitif et la réponse orale sont donc dissociés.

Langage et parole Deux aires de l'hémisphère gauche du cortex cérébral jouent un rôle essentiel dans le stockage de l'information reliée à la parole (voir la figure 44.23). L'**aire de Wernicke** est le site de stockage de l'information relative au contenu d'un discours, et permet d'agencer les mots appartenant à un vocabulaire appris afin de former des phrases sensées et respectant les règles de grammaire. L'**aire de Broca** contient l'information nécessaire à la production du discours. L'aire de Wernicke indique «ce qu'il faut dire» à l'aire de Broca, puis cette dernière programme le cortex moteur pour qu'il fasse bouger la langue, les lèvres et les autres muscles de la phonation afin d'articuler les mots. (À la figure 2.6, la tomographie par émission de positrons vous montre ces aires «en action».) Les dommages infligés à l'une ou l'autre de ces aires entraînent différents types d'aphasie, c'est-à-dire l'altération du langage. Le patient souffrant de l'aphasie de Wernicke prononce de longues suites de mots et de syllabes dépourvues de sens. L'aphasie de Broca provoque une perte de la facilité d'élocution, mais il en reste au moins une partie.

Mémoire La mémoire, essentielle à l'apprentissage, est la capacité d'emmagasiner et d'avoir accès à l'information relative aux expériences passées. La mémoire humaine passe par deux étapes. La **mémoire à court terme** reflète la perception sensorielle immédiate d'un objet ou d'une idée et intervient avant le stockage de l'image. Elle permet de composer un numéro de téléphone après l'avoir vérifié, mais sans le regarder directement. Si vous appelez souvent le même numéro, il sera stocké dans la **mémoire à long terme** et vous pourrez vous en souvenir plusieurs semaines après l'avoir lu. Le transfert d'information de la mémoire à court terme à la mémoire à long terme est facilité par la répétition, par un état émotionnel favorable (on apprend mieux lorsqu'on est attentif et motivé) et par l'association de la nouvelle information avec des éléments déjà appris et emmagasinés dans la mémoire à long terme (il est beaucoup plus facile d'apprendre à jouer à un nouveau jeu de cartes si on a déjà acquis un bon «sens des cartes» en jouant à d'autres jeux).

En ce qui concerne les capacités d'apprentissage et de mémorisation, il semble que le cerveau fasse la distinction entre les faits et les compétences. Lorsqu'on a acquis une connaissance factuelle en apprenant par cœur des dates, des noms, des définitions de mots, les aires du cerveau ou d'autres informations, il est possible d'accéder à ce type de souvenir de façon consciente et spécifique dans la base de données que constitue la mémoire à long terme. On peut même se souvenir d'images visuelles, tel le visage d'un ami. Par contre, la mémorisation d'une compétence fait habituellement appel à des activités motrices qui sont apprises par répétition sans que l'on se souvienne consciemment d'une information précise. Vous vous livrez à des activités motrices apprises, comme marcher, attacher vos lacets, faire de la bicyclette ou écrire, sans vous souvenir de façon consciente de chacune des étapes nécessaires pour effectuer ces tâches correctement. Lorsqu'une compétence est apprise, il s'avère difficile de l'oublier. Ainsi, un golfeur du dimanche qui pratique depuis des années un coup malhabile de son cru a beaucoup plus de mal à apprendre un coup impeccable qu'un simple débutant. On sait combien il est difficile de se débarrasser de mauvaises habitudes.

Grâce à des recherches effectuées sur des Animaux de laboratoire et sur des Humains frappés d'amnésie (perte de mémoire), les spécialistes des neurosciences ont commencé à cartographier les principales voies de l'encéphale qui interviennent dans la mémorisation (figure 44.24). Dans la voie de la mémoire des faits, l'information sensorielle passe des aires sensitives du cortex cérébral à l'**hippocampe** et au **corps amygdaloïde**, deux composantes du système limbique qui jouent aussi un rôle dans

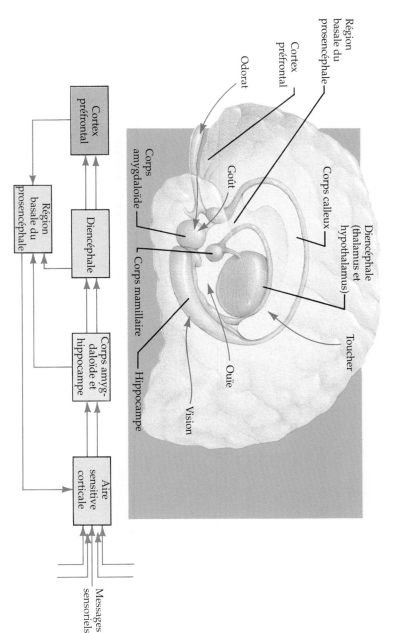

Figure 44.24
Une voie possible pour la mémorisation.
Selon ce modèle, l'information reçue par les aires sensitives du cortex cérébral est acheminée par le corps amygdaloïde et l'hippocampe jusqu'au diencéphale (thalamus et hypothalamus), qui transmet à son tour les influx aux régions du prosencéphale appelées cortex préfrontal et région basale du prosencéphale. Grâce aux connexions nerveuses multiples qui la relient au cortex sensitif, la région basale complète le circuit de mémorisation en ramenant les influx dans l'aire sensitive où le message sensoriel a été perçu pour la première fois. Il est possible que ce mécanisme contribue au stockage de cette expérience dans le cortex cérébral.

les émotions. L'hippocampe et le corps amygdaloïde transmettent alors ces influx à d'autres régions du prosencéphale, formant ce qui semble être un circuit de mémorisation. Le circuit est complété par une aire d'intégration appelée région basale du prosencéphale, qui possède de nombreuses connexions nerveuses avec les aires sensitives du cortex et renvoie les influx dans les aires sensitives du cortex et renvoie les influx dans la région même où la perception sensorielle a eu lieu la première fois. Peut-être le retour de l'influx provoque-t-il dans le cortex sensitif des modifications chimiques ou structurales qui emmagasinent l'événement sous forme d'un souvenir tel qu'une image visuelle, un son particulier ou un parfum que nous associons à une certaine personne ou à une certaine circonstance. La mémorisation des compétences emprunte une autre voie nerveuse.

Au cours de ce siècle, le physiologiste Karl Lashley a passé plusieurs décennies à chercher ce qu'il appelait l'engramme, c'est-à-dire le fondement physique de la mémoire. Cependant, comme un dommage partiel infligé à une aire du cortex cérébral ne détruit pas les souvenirs individuels, il a fini par conclure que la trace du souvenir n'était pas précisément localisée dans le système nerveux. Au contraire, il semble que les souvenirs soient emmagasinés à l'intérieur d'une aire associative donnée du cortex avec une certaine redondance.

De nombreux spécialistes des neurosciences s'intéressent aux modifications cellulaires intervenant dans la mémoire et l'apprentissage. Selon une hypothèse, les remaniements structuraux des dendrites ont une fonction dans l'apprentissage. Ainsi, sous l'effet du message nerveux, une cellule postsynaptique du cerveau absorbe du calcium, ce qui active des enzymes qui agissent sur le cytosquelette et modifient la forme des dendrites de façon à faciliter le passage des prochains messages dans cette synapse.

Avec ses milliards de neurones, l'encéphale humain est trop complexe pour servir de modèle dans l'étude des phénomènes fondamentaux de la mémoire et de l'apprentissage qui, finalement, sont peut-être très semblables chez divers Animaux. C'est la raison pour laquelle les spécialistes des neurosciences se penchent sur les systèmes nerveux beaucoup plus simples de certains Invertébrés. Le Lièvre de mer (*Aplysia dactylomela*, embranchement des Mollusques) ne possède que 20 000 neurones environ, mais il fait preuve de plusieurs formes de plasticité comportementale (apprentissage). Par exemple, ces Animaux finissent par ignorer les stimuli provenant d'un contact léger répété, ce qui constitue un type primitif d'apprentissage appelé habituation (figure 44.25). On peut aussi les conditionner à fournir une réaction plus forte que la normale en présence d'un léger contact qui a été associé à un autre stimulus, comme une décharge électrique sur la queue. Cet apprentissage résulte de modifications des propriétés des canaux protéiques dans les synapses situées entre les neurones sensitifs et moteurs du système nerveux central de l'*Aplysia*. Le conditionnement

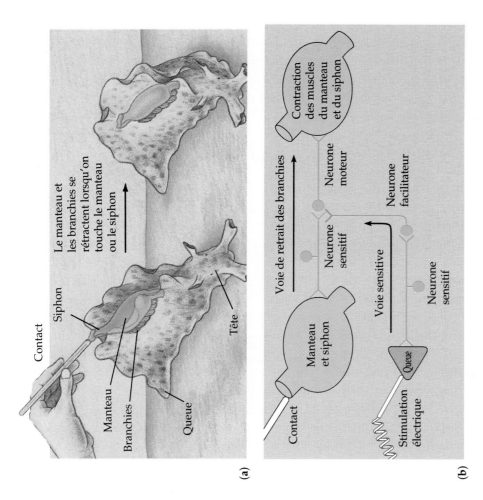

(a)

Contact

Le manteau et les branchies se rétractent lorsqu'on touche le manteau ou le siphon

Siphon

Manteau

Branchies

Queue

Tête

(b)

Contact

Manteau et siphon

Voie de retrait des branchies

Neurone sensitif

Neurone moteur

Contraction des muscles du manteau et du siphon

Voie sensitive

Neurone facilitateur

Queue

Neurone sensitif

Stimulation électrique

Figure 44.25

Une voie d'apprentissage chez le Lièvre de mer (*Aplysia dactylomela*). (a) Le manteau, pourvu d'un siphon qui permet à l'eau de glisser sur les branchies, dépasse normalement de la surface dorsale de ce Mollusque. Si on touche le manteau ou le siphon, on déclenche un réflexe de retrait du manteau qui a pour but de le protéger. Si on touche le manteau de façon répétée, la réaction de retrait s'affaiblit progressivement ; il s'agit d'un type d'apprentissage simple nommé habituation. **(b)** On peut aussi rendre le Lièvre de mer plus sensible à des stimuli tellement faibles que, normalement, ils ne provoquent pas le réflexe de retrait. Si on stimule la queue de l'Animal

avant de toucher son manteau, le réflexe de retrait est plus fort. Si on répète plusieurs fois cette double stimulation, l'amplification du retrait reste évidente des semaines durant lorsqu'on touche le manteau *sans* stimuler la queue. Ce mécanisme d'apprentissage simple fait intervenir un neurone facilitateur qui émet un influx en cas de stimulation de la queue. Ce neurone sécrète un neurotransmetteur (la sérotonine) qui agit sur le transport de Ca²⁺ vers l'intérieur de la terminaison axonale, facilitant ainsi la transmission synaptique entre le neurone sensitif et le neurone moteur du réflexe de retrait des branchies. Lorsque l'on touche la queue et qu'un influx atteint la terminaison du neu-

rone sensitif du siphon par l'intermédiaire du neurone facilitateur, la quantité de Ca²⁺ qui pénètre dans le neurone sensitif par des canaux protéiques spécifiques est plus élevée que d'habitude. Il en résulte une libération plus abondante de neurotransmetteur par le neurone sensitif, ce qui amplifie la réaction de retrait. Grâce à l'étude des voies d'apprentissage qui font intervenir quelques neurones seulement chez les Invertébrés, les spécialistes des neurosciences découvriront peut-être des mécanismes fondamentaux également présents dans les systèmes nerveux plus complexes des Humains et des autres Vertébrés.

Que la mémoire fasse intervenir des modifications dans les synapses individuelles ou qu'elle fasse appel à quelque mécanisme qu'il reste encore à découvrir, le raffinement et la complexité des systèmes nerveux demeurent l'un des sujets d'étude les plus intéressants et les plus stimulants de la biologie moderne.

(« l'entraînement ») augmente la quantité de calcium qui pénètre dans la terminaison axonale des neurones sensitifs, de sorte que chaque potentiel d'action libère une plus grande quantité de neurotransmetteur. Une synapse individuelle pourrait donc « apprendre » à partir des expériences passées.

Chapitre 44 : Régulation et systèmes nerveux chez les Animaux **1011**

RÉSUMÉ DU CHAPITRE

1. Bien que le système nerveux s'apparente au système endocrinien sur le plan fonctionnel, il se caractérise par une communication plus rapide, une régulation plus précise et un éventail de réactions plus large.

2. Les trois principales fonctions du système nerveux sont la perception sensorielle, l'intégration et l'émission d'influx moteurs vers les cellules effectrices.

Cellules du système nerveux (p. 983-986)

1. Les cellules du système nerveux comprennent les neurones, qui acheminent les influx, et les cellules de soutien, qui maintiennent, isolent et protègent les neurones.

2. Les dendrites du neurone, qui ont la forme de fibres, conduisent l'information vers le corps du neurone, et l'axone transmet les influx qui en proviennent. L'axone part du cône d'implantation et se termine par de nombreuses ramifications. Les terminaisons axonales situées à l'extrémité de l'axone libèrent des neurotransmetteurs dans les synapses afin d'acheminer les messages nerveux vers les dendrites ou les corps d'autres neurones, ou vers d'autres effecteurs.

3. Le système nerveux central se compose de l'encéphale et de la moelle épinière. Le système nerveux périphérique comporte des neurones sensitifs qui acheminent l'information provenant des milieux interne et externe jusqu'au système nerveux central ; il comprend aussi des neurones moteurs transmettant aux organes effecteurs l'information issue de l'encéphale ou de la moelle épinière. Les interneurones, ou neurones d'association, du système nerveux central assurent l'intégration des messages sensitifs et des commandes motrices.

4. Les cellules gliales (qui soutiennent les neurones du système nerveux central) comprennent, entre autres, les astrocytes et les oligodendrocytes. Les astrocytes recouvrent les capillaires de l'encéphale et contribuent à former la barrière hématoencéphalique ; les oligodendrocytes enveloppent et isolent certains neurones dans une gaine de myéline. Dans le système nerveux périphérique, la gaine de myéline qui entoure l'axone provient des cellules de soutien appelées cellules de Schwann.

Transmission de l'influx nerveux le long d'un neurone (p. 986-993)

1. Le potentiel de membrane d'un neurone au repos résulte de la répartition inégale des ions, en particulier du sodium et du potassium, de part et d'autre de la membrane ; le cytoplasme est chargé négativement par rapport au milieu extracellulaire. Le potentiel de repos est maintenu par les différences de perméabilité membranaire aux ions et par la pompe à Na$^+$-K$^+$.

2. Un stimulus qui agit sur la perméabilité de la membrane aux ions peut dépolariser ou hyperpolariser la membrane par rapport au potentiel de repos. Ce changement local de potentiel électrique (tension) est appelé potentiel gradué, et son amplitude est proportionnelle à l'intensité du stimulus.

3. Le potentiel d'action (l'influx nerveux) est une dépolarisation rapide et temporaire de la membrane du neurone. Une dépolarisation locale atteignant le seuil d'excitation ouvre des canaux à sodium tensiodépendants, et le flux rapide de Na$^+$ vers le cytoplasme donne au potentiel de membrane une valeur positive. Le potentiel est ramené à sa valeur de repos par l'ouverture tardive des canaux à potassium tensiodépendants et par la fermeture des canaux à Na$^+$. Le potentiel d'action est suivi d'une période réfractaire correspondant au moment où les canaux à sodium tensiodépendants sont fermés.

4. L'apparition d'un potentiel d'action — une réponse de type tout ou rien — crée une variation de potentiel électrique qui a toujours la même amplitude pour un neurone donné. La fréquence des potentiels d'action varie selon l'intensité du stimulus.

5. Lorsqu'un potentiel d'action a été engendré dans un axone, l'importante dépolarisation qui en résulte se propage le long de l'axone en déclenchant un potentiel d'action dans la région axonale voisine. C'est ainsi qu'une vague de dépolarisation atteint l'extrémité de l'axone.

6. La vitesse de transmission d'un influx nerveux est fonction du diamètre de l'axone. Chez les Vertébrés, la transmission des influx nerveux est accélérée par la conduction saltatoire, c'est-à-dire par la propagation des potentiels d'action par sauts, d'un nœud de Ranvier à l'autre, le long d'un axone myélinisé.

Communication entre les cellules : la synapse (p. 993-999)

1. Les synapses entre neurones assurent la propagation des influx de l'axone d'un neurone présynaptique à une dendrite ou au corps du neurone postsynaptique.

2. Les synapses électriques se composent de jonctions ouvertes qui permettent le passage direct d'un potentiel d'action entre deux neurones.

3. Dans une synapse chimique, la dépolarisation provoque la fusion de vésicules synaptiques avec la membrane présynaptique, et la libération du neurotransmetteur qu'elles contiennent dans la fente synaptique. Le neurotransmetteur (ligand) diffuse et se lie aux récepteurs protéiques, associés aux canaux chimiodépendants de la membrane postsynaptique. L'ouverture sélective de ces canaux protéiques commandés chimiquement peut avoir pour effet de rapprocher le potentiel de membrane du seuil d'excitation (PPSE) ou d'hyperpolariser la membrane (PPSI). Le neurotransmetteur est rapidement dégradé par des enzymes.

4. L'apparition ou l'absence de potentiel d'action dans une cellule postsynaptique résulte de la sommation temporelle ou spatiale des PPSE et des PPSI à la hauteur du cône d'implantation de l'axone.

5. L'acétylcholine est le neurotransmetteur le plus commun chez les Invertébrés et les Vertébrés. On a identifié d'autres neurotransmetteurs : les amines biogènes (adrénaline, noradrénaline et dopamine), plusieurs acides aminés et certains neuropeptides comme les endorphines, qui ressemblent aux opiacés.

6. Des groupes de neurones peuvent interagir et ainsi acheminer l'information dans des voies particulières appelées réseaux. Les corps des neurones forment des groupes fonctionnels nommés ganglions ou noyaux.

Systèmes nerveux des Invertébrés (p. 999-1001)

1. Chez les Invertébrés, le système nerveux présente une variation considérable, du réseau nerveux diffus des Cnidaires au système nerveux hautement centralisé des Céphalopodes, qui possèdent un cerveau volumineux permettant un apprentissage relativement complexe.

Système nerveux des Vertébrés (p. 1001-1011)

1. Le système nerveux périphérique comprend le système nerveux sensitif, ou afférent, et le système nerveux moteur, ou efférent. Le premier conduit l'information provenant des récepteurs sensoriels jusqu'au système nerveux central ; le second transmet les commandes issues du système nerveux central aux glandes et aux muscles effecteurs.

2. Le système nerveux moteur comporte une portion somatique, qui achemine les commandes aux muscles squelettiques, et une portion autonome, qui assure la régulation des fonctions viscérales et largement automatiques des muscles lisses et cardiaque.

3. Le système autonome est subdivisé en systèmes nerveux parasympathique et sympathique, qui diffèrent sur les plans anatomique, fonctionnel et chimique, et dont les effets sur les organes cibles sont habituellement antagonistes.

4. Le système nerveux central (SNC), constitué de l'encéphale et de la moelle épinière, assure la liaison entre les subdivisions sensitive et motrice du système nerveux périphérique.

5. La moelle épinière permet un grand nombre de réflexes qui intègrent les messages sensitifs et les commandes motrices. Elle renferme aussi des faisceaux de neurones qui acheminent l'information à destination de l'encéphale et en provenance de ce dernier.

6. Le développement et la diversification de l'encéphale de tous les Vertébrés s'effectuent à partir de trois régions : le prosencéphale, le mésencéphale et le rhombencéphale.

7. L'encéphale des Vertébrés a subi divers changements évolutifs, dont trois en accroissement : sa taille relative, la complexité de ses fonctions et la complexité du prosencéphale, en particulier au niveau du cortex cérébral.

8. L'encéphale humain se développe à partir des trois régions primaires, qui se différencient en structures spécialisées.

9. Dans le rhombencéphale, le bulbe rachidien et le pont collaborent pour commander plusieurs fonctions homéostatiques, comme la respiration et la digestion. Le bulbe rachidien et le pont acheminent également l'information sensorielle et motrice entre la moelle épinière et les centres supérieurs de l'encéphale.

10. Le cervelet, situé dans le rhombencéphale, coordonne le mouvement et l'équilibre en intégrant les messages sensitifs et moteurs inconscients.

11. Le mésencéphale reçoit, intègre et transmet l'information sensorielle au prosencéphale.

12. Le prosencéphale est le siège du traitement nerveux le plus complexe ; en effet, les centres d'intégration principaux se trouvent dans le thalamus, l'hypothalamus et les hémisphères cérébraux.

13. Le thalamus répartit les influx nerveux vers des aires spécifiques du cortex cérébral, qui constitue la matière grise des hémisphères cérébraux. Les fonctions de l'hypothalamus vont de la production d'hormones à la régulation de la température corporelle, de la faim, de la soif, de la réponse sexuelle et de la réaction d'alarme.

14. Le cortex se subdivise en aires sensitives et motrices distinctes, qui traitent directement l'information, ainsi qu'en aires associatives où se produit l'intégration.

15. Le sommeil et l'éveil sont commandés par plusieurs aires des hémisphères cérébraux et du tronc cérébral, la plus importante étant la formation réticulée, qui filtre les messages sensitifs envoyés au cortex.

16. Chez l'Humain, on pense que les émotions naissent d'interactions entre le cortex cérébral et le système limbique, un groupe de noyaux (ganglions) situé dans la partie inférieure du prosencéphale.

17. Les aires associatives situées de part et d'autre du cortex cérébral régissent des fonctions différentes. Les sites de la parole, du langage et des capacités analytiques se trouvent dans l'hémisphère gauche, alors que la perception spatiale et les capacités artistiques dépendent surtout du côté droit. Les faisceaux nerveux du corps calleux assurent la liaison entre les deux hémisphères et permettent au cerveau de fonctionner comme un tout.

18. Les aires de Wernicke et de Broca commandent divers aspects du langage et de la parole.

19. Chez l'Humain, la mémoire se compose d'une mémoire à court terme et d'une mémoire à long terme. Il semble que la mémorisation et le souvenir des faits diffèrent de la mémoire des compétences. L'hippocampe et le corps amygdaloïde, deux composantes du système limbique, font partie de circuits cérébraux fermés qui entrent en jeu dans la mémorisation. Il est possible que les souvenirs soient emmagasinés sous forme de modifications chimiques ou structurales des neurones du cortex sensitif.

20. On a souvent recours à des organismes simples comme le Lièvre de mer pour étudier les mécanismes de la mémoire et de l'apprentissage. Chez ce Mollusque, on a pu relier un apprentissage simple à des modifications des canaux protéiques présents dans les synapses entre les neurones sensitifs et moteurs.

AUTO-ÉVALUATION

1. Lorsqu'un stimulus dépolarise la membrane d'un neurone, lequel des phénomènes énumérés ci-dessous se produit ?
   a) Le Na⁺ sort de la cellule par diffusion.

   b) Le potentiel d'action devient voisin de zéro.

   c) Le potentiel de membrane passe du potentiel de repos à un potentiel électrique qui est plus proche du seuil d'excitation.

   d) La dépolarisation est une réaction de type tout ou rien.

   e) Il y a stimulation de la pompe à Na⁺-K⁺.

2. Habituellement, les potentiels d'action ne se propagent que dans une direction le long d'un axone parce que :
   a) les nœuds de Ranvier ne conduisent les influx que dans une direction.

   b) une courte période réfractaire empêche la dépolarisation dans la direction d'où vient l'influx.

   c) le potentiel de membrane à la hauteur du cône d'implantation est plus élevé que celui qui se produit à l'extrémité de l'axone.

   d) les ions ne peuvent parcourir l'axone que dans une direction.

   e) les canaux tensiodépendants ne s'ouvrent que dans une direction.

3. L'effet *immédiat* de la dépolarisation de la membrane présynaptique d'un axone est :
   a) l'ouverture dans cette membrane de canaux tensiodépendants spécifiques au calcium.

   b) la fusion des vésicules synaptiques avec la membrane.

   c) l'apparition d'un potentiel d'action dans la cellule postsynaptique.

   d) l'ouverture de vannes commandées chimiquement, qui permet au neurotransmetteur de se déverser dans la fente synaptique.

   e) l'apparition d'un PPSE ou d'un PPSI dans la cellule postsynaptique.

4. Les anesthésiants atténuent la douleur en bloquant le passage des influx nerveux. Laquelle ou lesquelles des trois substances chimiques énumérées ci-dessous pourraient avoir l'effet d'un anesthésiant ?
   a) Une substance chimique qui bloque les canaux à sodium tensiodépendants dans les membranes.

   b) Une substance chimique qui ouvre les canaux à potassium tensiodépendants.

   c) Une substance chimique qui bloque le récepteur des canaux chimiodépendants pour un neurotransmetteur spécifique.

d) a, b et c.
e) Seulement b et c.

5. La matière grise est:
   a) formée de trois couches protectrices appelées méninges.
   b) située dans la partie externe de la moelle épinière.
   c) située seulement dans le cerveau.
   d) composée du corps des neurones.
   e) située dans les ventricules de l'encéphale des Vertébrés.

6. Parmi les structures ou les régions suivantes, laquelle *n'*est *pas* associée avec sa véritable fonction?
   a) Aire de Broca – filtrage de l'information entre la moelle épinière et l'encéphale; assure la régulation de la veille et du sommeil.
   b) Bulbe rachidien – centre de régulation de l'homéostasie.
   c) Cervelet – coordination inconsciente du mouvement et de l'équilibre.
   d) Corps calleux – faisceau de fibres reliant les hémisphères cérébraux gauche et droit.
   e) Hypothalamus – production d'hormones et régulation de la température, de la faim et de la soif.

7. Parmi les affirmations suivantes, laquelle s'applique *effectivement* au réflexe de retrait du manteau chez le Lièvre de mer?
   a) L'Animal apprend ce comportement.
   b) Si l'on stimule le siphon de façon répétée pendant un court laps de temps, le réflexe de retrait devient plus fort.
   c) Le Lièvre de mer peut apprendre à associer la stimulation de la queue à une stimulation du siphon.
   d) On a démontré que ce réflexe faisait intervenir un acte de pensée conscient de la part du Lièvre de mer.
   e) Même au premier essai, la stimulation de la queue déclenche le réflexe de retrait, remplaçant ainsi la stimulation du siphon.

8. Les récepteurs de neurotransmetteur se trouvent:
   a) à l'extrémité des axones.
   b) sur la membrane des axones, aux nœuds de Ranvier.
   c) sur la membrane postsynaptique.
   d) sur la membrane des vésicules postsynaptiques.
   e) sur la membrane présynaptique.

9. Le réseau nerveux caractérise le système nerveux des:
   a) Annélides.   d) Cnidaires.
   b) Vertébrés.   e) Vers plats.
   c) Insectes.

10. Tous les phénomènes électriques ci-dessous, qui surviennent dans les neurones, sont des événements gradués, *à l'exception*:
    a) du PPSE.
    b) du PPSI.
    c) du potentiel d'action.
    d) de la dépolarisation provoquée par un stimulus.
    e) de l'hyperpolarisation provoquée par un stimulus.

QUESTIONS À COURT DÉVELOPPEMENT

1. Établissez trois différences fondamentales entre les systèmes endocrinien et nerveux.
2. Décrivez la structure fonctionnelle du neurone.
3. Expliquez la genèse et la propagation d'un influx nerveux dans un neurone.
4. Dressez un schéma de concepts qui porte sur les principales divisions et subdivisions du système nerveux des Vertébrés et qui en précise les fonctions.
5. Dans un tableau, donnez la fonction de chacune des parties de l'encéphale de la liste qui suit; de plus, précisez la région d'appartenance (prosencéphale, mésencéphale, rhombencéphale) de chaque partie: bulbe rachidien, cervelet, cortex cérébral, formation réticulée, hypothalamus, pont, thalamus, tubercules quadrijumeaux.

RÉFLEXION-APPLICATION

1. Décrivez plusieurs mécanismes d'action grâce auxquels les médicaments qui agissent comme stimulants pourraient intervenir dans la synapse afin d'accroître l'activité du système nerveux.

2. Décrivez le rôle du calcium dans la transmission des influx nerveux.

SCIENCE, TECHNOLOGIE ET SOCIÉTÉ

Durant neuf ans, Nancy Cruzan est restée dans le coma après avoir subi des dommages irréversibles au cerveau à la suite d'un accident de la route. Sa famille souhaitait qu'on la laisse mourir, mais les autorités n'ont pas permis à l'hôpital de cesser de la maintenir en vie artificiellement. Une longue bataille juridique s'en est suivie, qui a pris fin en 1990 avec le jugement de la cour suprême des États-Unis: toute personne a le droit de refuser un traitement médical, mais l'État peut demander une preuve formelle des volontés du patient. Nancy Cruzan est morte douze jours après que les médecins ont arrêté l'apport de nutriments qui la maintenait en vie. Quelle procédure voudriez-vous que l'on suive dans cette situation? Qui devrait parler au nom du patient? Lorsque cela est possible, incombe-t-il au médecin de demander au patient d'exprimer sa volonté? Qu'est-ce qui constitue la preuve des volontés d'un patient? Si un patient souhaite qu'on interrompe le traitement, l'hôpital ou le médecin peuvent-ils refuser?

LECTURES SUGGÉRÉES

« La mémoire », *La Recherche*, n° 267, juillet-août 1994. (Un numéro spécial sur la mémoire traitant, entre autres, de la plasticité des synapses, de l'anatomie et du vieillissement de la mémoire.)

« Le sommeil », *Science & Vie*, hors série, n° 185, décembre 1993. (Un dossier comportant des articles sur la physiologie et les maladies du sommeil.)

Eschalier, A., « Les antidépresseurs contre la douleur », *Pour la Science*, n° 200, juin 1994. (Modes d'action des antidépresseurs dans l'inhibition de la transmission des messages de la douleur.)

Kandel, E. et R. Hawkins, « Les bases biologiques de l'apprentissage », *Pour la Science*, n° 181, novembre 1992. (Rôle de l'acide glutamique et des récepteurs postsynaptiques dans l'apprentissage.)

Kennedy, H. et C. Dehay, « Cortex cérébral: le poids des gènes », *La Recherche*, n° 263, mars 1994. (Comment se construit le cortex cérébral chez l'embryon.)

LeDoux, J., « Émotions, mémoire et cerveau », *Pour la Science*, n° 202, août 1994. (Rôle du corps amygdaloïde dans la réaction de la peur.)

Melzack, R., « Les membres fantômes », *Pour la Science*, n° 176, juin 1992. (Pourquoi le cerveau enregistre-t-il une douleur en provenance d'un membre amputé depuis un certain temps?)

Métier-Di Nunzio, C., « Coup du lapin: la moelle épinière restaurée? » *Science & Vie*, n° 928, janvier 1995. (Lésions de la moelle épinière devenues réversibles à la suite d'une intervention précoce sur des Rats de laboratoire.)

Raichle, M., « La visualisation de la pensée », *Pour la Science*, n° 200, juin 1994. (Identification des aires corticales qui gouvernent la pensée grâce aux nouvelles techniques d'imagerie du cerveau.)

Schalchli, L., « Du réflexe à la conscience », *Science & Vie*, hors série, n° 187, juin 1994. (Description de l'organisation du système nerveux.)

Schalchli, L., « Organes sous surveillance: une logistique nerveuse », *Science & Vie*, hors série, n° 187, juin 1994. (Article à propos des régulations involontaires exercées par le système nerveux autonome.)

Sinding, C., « Cerveau et hormones: une logistique sanguine », *Science & Vie*, hors série, n° 187, juin 1994. (Le système neuroendocrinien vu comme un système d'intégration de l'information.)

Récepteurs sensoriels

Vision

Ouïe et équilibre

Goût et odorat

Mouvement chez les animaux : introduction

Types de squelettes et leur rôle dans le mouvement

Muscles

Au crépuscule, les antennes du Papillon de nuit mâle détectent la phéromone sécrétée par une femelle et apportée par le vent. Le mâle s'envole alors et suit la piste odorante pour rejoindre la femelle. Soudain, grâce aux capteurs de vibrations situés sur son abdomen, l'Insecte perçoit les déclics ultrasoniques émis par une Chauve-Souris qui s'approche à une vitesse alarmante. La Chauve-Souris se sert de son sonar pour repérer le Papillon de nuit, qui représente sa nourriture préférée. Par réflexe, le système nerveux du Papillon de nuit modifie les commandes motrices envoyées aux muscles des ailes et fait décrire à l'Insecte une spirale vers le bas qui lui permet de s'esquiver. La Chauve-Souris modifie sa trajectoire en conséquence afin d'intercepter la proie convoitée (figure 45.1). Le résultat de cette interaction dépend de l'aptitude du prédateur et de la proie à percevoir les stimuli extérieurs importants et à effectuer les mouvements coordonnés appropriés. Bien que les interactions qui se produisent à chaque instant entre un Animal et son milieu n'atteignent pas toujours la dimension dramatique que nous venons de décrire, la détection et le traitement de l'information sensorielle ainsi que la transmission de commandes motrices constituent les bases physiologiques du comportement animal.

Nous avons vu au chapitre 44 la façon dont le système nerveux transmet et intègre l'information sensorielle et motrice. Nous allons maintenant étudier les types de stimuli captés et produits par ce système de coordination, qui détermine tant d'aspects du comportement animal. Nous nous pencherons dans un premier temps sur les récepteurs sensoriels qui perçoivent l'information provenant du milieu, puis nous examinerons la structure et la fonction des muscles, les effecteurs moteurs qui produisent le mouvement en réponse à cette information. Notre étude des mouvements du corps nous permettra d'aborder les divers types de squelettes.

RÉCEPTEURS SENSORIELS

Les amputés se plaignent souvent de douleurs ou d'engourdissement dans des membres «fantômes» qui n'existent plus. Pour comprendre ce phénomène, il nous faut distinguer la sensation de la perception.

Sensation et perception

Comme vous l'avez appris au chapitre 44, l'information circule dans le système nerveux sous forme de potentiels d'action. Un potentiel d'action généré par la lumière qui atteint l'œil est de même nature qu'un potentiel d'action créé dans l'oreille par les vibrations de l'air; cependant,

Figure 45.1
Le comportement animal résulte de l'évolution. La Chauve-Souris localise ses proies au moyen d'un sonar; le Papillon de nuit perçoit les ultrasons émis par la Chauve-Souris et esquive son prédateur. Chez le prédateur comme chez la proie, les comportements se sont raffinés au cours de l'évolution. Dans ce chapitre, vous allez étudier les adaptations sensorielles et motrices qui interviennent dans le comportement animal.

nous faisons facilement une distinction entre la stimulation lumineuse et la stimulation sonore. Cette distinction dépend de la région de l'encéphale qui reçoit le message. Par exemple, l'oreille convertit en influx nerveux les vibrations de l'air que nous appelons sons. Les neurones sensitifs acheminent ces influx, nommés **sensations,** jusqu'à une région précise du cortex cérébral, sous forme de potentiels d'action. Lorsque le cerveau prend conscience de ces sensations, il les interprète et nous procure la **perception** des sons. D'autres types d'information sont envoyés à d'autres régions de l'encéphale et donnent naissance à des perceptions différentes. Ce qui importe donc, c'est l'endroit où parvient l'influx et non ce qui l'a provoqué.

Par conséquent, si l'on pouvait croiser les neurones provenant de vos yeux avec ceux de vos oreilles, vous percevriez l'éclair du flash d'un appareil photo comme une détonation, et un concert vous apparaîtrait comme des éclats de lumière. Vous avez probablement déjà vu des éclairs en vous frottant les yeux, ce qui illustre le même principe. La friction fournit une énergie suffisante pour faire naître des potentiels d'action dans les neurones sensitifs des nerfs optiques. Le stimulus est constitué par la pression, mais la perception est une tache de lumière, parce que cette seule perception peut être générée par la région de l'encéphale qui reçoit ces sensations. Dans le cas de la douleur ressentie dans un membre fantôme, les nerfs sectionnés qui acheminaient les influx issus d'un membre amputé restent parfois en vie et réagissent à une irritation ; ils peuvent encore transmettre des sensations à l'encéphale et provoquer une perception. La douleur qui en résulte est tout aussi réelle que la douleur éprouvée par une personne chez qui les nerfs d'un bras présent sont irrités. Mais comment le système sensoriel fait-il naître les sensations ?

Fonction générale des récepteurs sensoriels

Les sensations et les perceptions qu'elles engendrent dans le cerveau trouvent leur origine dans l'excitation des **récepteurs sensoriels,** des structures qui transmettent les informations relatives aux modifications survenant dans les milieux externe et interne de l'Animal. Les récepteurs se composent habituellement de neurones modifiés qui se situent, seuls ou en groupes avec d'autres types de cellules, à l'intérieur d'organes sensoriels tels que les yeux et les oreilles. Ils assurent une fonction précise, soit la réaction à divers stimuli, dont la chaleur, la lumière, la pression et les substances chimiques. Tous ces stimuli représentent des formes d'énergie. D'une façon générale, la fonction des cellules réceptrices consiste à convertir l'énergie des stimuli en énergie électrochimique, c'est-à-dire en potentiels d'action, et à faire parvenir ces derniers au système nerveux. On peut diviser ce processus en cinq fonctions communes à toutes les cellules réceptrices : la réception, la conversion, l'amplification, la transmission et l'intégration.

Réception À l'échelle de la cellule, la réception est la capacité d'absorption de l'énergie représentée par un stimulus. Sur chaque sorte de récepteur, se trouve une région spécifiquement adaptée à l'absorption d'un certain type d'énergie. Les cellules sensorielles de l'œil humain, par exemple, possèdent des membranes qui contiennent une molécule de pigment photosensible.

Conversion La transformation de l'énergie du stimulus en activité électrochimique, autrement dit en influx nerveux, est appelée conversion. L'arrivée d'un stimulus influe sur la perméabilité de la cellule réceptrice, ce qui agit sur son potentiel de membrane et modifie le nombre de potentiels d'action envoyés au système nerveux central par l'intermédiaire des voies sensitives. Dans certains cas, un stimulus comme une pression peut étirer la membrane et augmenter le flux ionique de façon globale. Dans d'autres cas, des molécules réceptrices spécifiques présentes sur la membrane d'une cellule réceptrice ouvrent ou ferment les vannes des canaux protéiques sélectifs en présence du stimulus. Nous étudierons des exemples précis de conversion sensorielle plus loin dans ce chapitre.

Amplification L'énergie du stimulus s'avère souvent trop faible pour parvenir au système nerveux ; elle doit subir une amplification. L'amplification du message survient parfois dans les structures annexes d'un organe sensoriel complexe ; ainsi, l'amplification des ondes sonores est multipliée par 20 avant d'atteindre les récepteurs de l'oreille interne. L'amplification fait parfois partie du mécanisme de conversion même. Un potentiel d'action transmis de l'œil à l'encéphale représente une énergie environ 100 000 fois supérieure à celle des quelques photons qui lui ont donné naissance.

Transmission Lorsque l'énergie du stimulus a été convertie en variations du potentiel de membrane de la cellule réceptrice, ces modifications doivent parvenir au système nerveux. Dans certains cas, par exemple les « récepteurs de la douleur », le récepteur est lui-même un neurone sensitif qui achemine les potentiels d'action jusqu'au système nerveux central. D'autres récepteurs sont des cellules distinctes qui transmettent les stimuli chimiques aux neurones sensitifs par l'intermédiaire de synapses. Dans un cas comme dans l'autre, au cours de la conversion, le récepteur réagit au stimulus par une modification graduée du potentiel de membrane, appelée **potentiel récepteur.** (Nous avons vu au chapitre 44 qu'un potentiel gradué est une modification du potentiel électrique existant de part et d'autre de la membrane, et que cette modification est proportionnelle à l'intensité du stimulus.) Si le récepteur joue aussi le rôle de neurone sensitif, l'intensité du potentiel récepteur influe également sur la fréquence des potentiels d'action qui se rendent au système nerveux central sous forme de sensations. Dans le cas de cellules réceptrices distinctes, l'intensité du stimulus et du potentiel récepteur agit sur la quantité de neurotransmetteur libérée par le récepteur dans la synapse formée avec le neurone sensitif, ce qui détermine alors la fréquence des potentiels d'action engendrés par le neurone sensitif. De nombreux neurones sensitifs engendrent spontanément des influx espacés, de sorte qu'un stimulus n'a pas vraiment pour effet de déclencher ou d'interrompre la production de potentiels d'action : il module plutôt leur fréquence. Ainsi, le système nerveux central offre une sensibilité non seulement à la présence ou à l'absence de stimulus, mais aussi aux variations d'intensité de ce dernier.

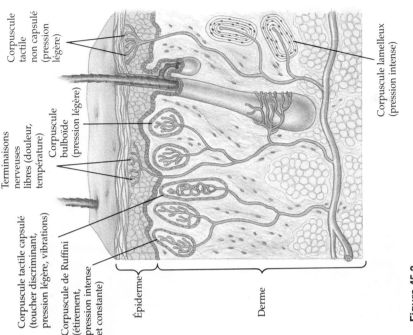

Corpuscule tactile non capsulé (pression légère)

Corpuscule lamelleux (pression intense)

Terminaisons nerveuses libres (douleur, température)

Corpuscule bulboïde (pression légère)

Corpuscule de Ruffini (étirement, pression intense et constante)

Corpuscule tactile capsulé (toucher discriminant, pression légère, vibrations)

Épiderme

Derme

Figure 45.2
Récepteurs de la peau. Nous décrivons dans le présent chapitre, les récepteurs sensoriels illustrés ici. Tous ces récepteurs tactiles sont en fait des dendrites modifiées qui, dans certains cas, se trouvent enfermées dans une capsule de tissu conjonctif.

Intégration Le traitement de l'information se met en place dès sa réception. L'intégration des messages en provenance des récepteurs se réalise par sommation des potentiels gradués, comme dans le système nerveux (voir le chapitre 44).

La cellule réceptrice effectue un type d'intégration appelé **adaptation sensorielle**, laquelle consiste en une diminution de la sensibilité en cas de stimulation continue (ne pas confondre avec le terme *adaptation* utilisé dans le contexte de l'évolution). Sans adaptation sensorielle, vous sentiriez chacun des battements de votre cœur et chaque fibre des vêtements sur votre corps. Les récepteurs sélectionnent l'information qu'ils envoient au système nerveux central, et l'adaptation rend moins probable la transmission d'un stimulus continu.

La sensibilité des récepteurs constitue un autre aspect important de l'intégration sensorielle. Le seuil d'excitation d'une cellule réceptrice varie selon les conditions. Par exemple, le seuil d'excitation des récepteurs du glucose présents dans la bouche d'un Humain ou sur les pattes d'une Mouche varie selon l'état de nutrition général et la quantité de glucose dans le régime alimentaire.

L'intégration de l'information sensorielle s'effectue à tous les niveaux à l'intérieur du système nerveux, et les processus cellulaires dont nous venons de parler n'en représentent que les premières étapes. Les récepteurs complexes tels que les yeux sont le siège de niveaux d'intégration plus élevés au moment où les messages convergent vers les nerfs sensitifs, puis le système nerveux central poursuit le traitement de tous les messages qu'il reçoit.

Types de récepteurs

Selon leur emplacement, on classe les divers types de récepteurs sensoriels en deux grands groupes : les **extérocepteurs**, qui reçoivent l'information en provenance du milieu extérieur (lumière, son, toucher), et les **intérocepteurs**, qui fournissent des renseignements sur le milieu interne. On classe également les récepteurs en fonction du type d'énergie que représente la stimulation. En nous basant sur ce critère, nous allons étudier cinq types de récepteurs : les mécanorécepteurs, les chimiorécepteurs, les récepteurs d'ondes électromagnétiques, les thermorécepteurs et les nocicepteurs (récepteurs de la douleur).

Mécanorécepteurs Les **mécanorécepteurs** tirent leur nom du type de stimulation auxquelles ils réagissent, soit des déformations physiques dues à des phénomènes tels que la pression, le toucher, l'étirement, le mouvement et le son : ces phénomènes représentent tous des formes d'énergie mécanique. La courbure ou l'étirement de la membrane plasmique d'un mécanorécepteur augmente sa perméabilité aux ions sodium et potassium, ce qui produit une dépolarisation (potentiel récepteur).

Chez l'Humain, le sens du toucher passe par des mécanorécepteurs qui sont en fait des dendrites modifiées de neurones sensitifs. Juste sous l'épiderme se trouvent les **corpuscules de Ruffini**, qui détectent les pressions intenses et l'étirement. Les **corpuscules lamelleux** (ou corpuscules de Pacini) se situent dans les couches profondes de la peau et réagissent rapidement aux pressions intenses. Plus près de la surface se trouvent les

corpuscules **tactiles capsulés** (ou corpuscules de Meissner), les **corpuscules bulboïdes** (ou corpuscules de Krause) et les **corpuscules tactiles non capsulés** (ou disques de Merkel), qui détectent les contacts légers. La figure 45.2 montre les divers récepteurs sensoriels de la peau humaine.

Le **fuseau neuromusculaire**, ou récepteur de tension, offre un exemple d'intérocepteur qu'une déformation mécanique peut stimuler. Ce type de mécanorécepteur perçoit la longueur des muscles squelettiques. Le fuseau neuromusculaire renferme des fibres musculaires modifiées reliées à des neurones sensitifs, et il est parallèle au muscle. Lorsque le muscle s'allonge, les fibres du fuseau s'étirent également, ce qui dépolarise les neurones sensitifs et déclenche des potentiels d'action, qui sont envoyés à la moelle épinière. L'activation des neurones des fuseaux neuromusculaires fournit le message sensitif intervenant dans le réflexe rotulien dont nous avons parlé au chapitre 44.

La **cellule sensorielle ciliée** est un type de mécanorécepteur répandu qui sert à détecter le mouvement. On trouve des cellules sensorielles ciliées dans l'oreille des Vertébrés, dans les organes sensoriels de la ligne latérale chez les Poissons et les Amphibiens, où elles détectent les mouvements extérieurs (voir le chapitre 30), ainsi que dans les organes de l'équilibre chez les Arthropodes. Les « cils » sont de véritables cils spécialisés ou bien des microvillosités (excroissances cellulaires soutenues par

Figure 45.3
Chimiorécepteurs chez un Insecte. Le mâle chez le Bombyx du Mûrier (*Bombyx mori*) possède des antennes recouvertes de cils chimiosensibles qui s'avèrent extrêmement sensibles au bombykol, une phéromone sexuelle femelle. (Chacun des filaments des antennes plumeuses que l'on voit ici porte en fait des centaines de cils olfactifs trop petits pour être visibles sur cette photographie.) Le comportement des mâles se modifie de façon évidente dès qu'une cinquantaine seulement des 50 000 récepteurs présents sur les antennes entrent en contact avec une molécule de bombykol par seconde.

des microfilaments ; voir le chapitre 37). Les dépassent de la surface de la cellule sensorielle ciliée et se situent soit dans un compartiment interne, comme dans l'oreille interne humaine, soit dans le milieu externe, comme dans l'eau d'un étang. Lorsque les cils fléchissent dans une direction, ils étirent la membrane cellulaire et augmentent sa perméabilité aux ions sodium et potassium, d'où une augmentation de la fréquence des influx produits par un neurone sensitif. Si les cils s'incurvent dans la direction opposée, la perméabilité aux ions diminue, ce qui diminue le nombre de potentiels d'action dans le neurone sensitif. Grâce à cette spécificité, les cellules sensorielles ciliées peuvent détecter la direction du mouvement ainsi que sa force et sa vitesse. Plus loin dans ce chapitre, nous parlerons du rôle des cellules sensorielles ciliées dans l'audition et l'équilibre.

Chimiorécepteurs Les **chimiorécepteurs** comprennent à la fois des récepteurs généraux, qui fournissent des renseignements sur la concentration totale de solutés dans une solution, et des récepteurs spécifiques qui réagissent à certains types précis de molécules. Les osmorécepteurs de l'encéphale des Mammifères, par exemple, sont des récepteurs généraux qui détectent les variations de la concentration totale de solutés dans le sang et qui stimulent la sensation de soif en cas d'augmentation de l'osmolarité (voir le chapitre 40). Les osmorécepteurs présents sur les pattes des Mouches domestiques réagissent aux solutions diluées de presque toute substance. La plupart des Animaux possèdent des récepteurs spécifiques aux molécules importantes, y compris au glucose, au dioxygène, au dioxyde de carbone et aux acides aminés. Dans tous ces exemples, la molécule qui constitue le stimulus se fixe à la cellule réceptrice en se liant à un site spéci-

fique de la membrane, et elle modifie la perméabilité de cette dernière. Deux autres groupes de chimiorécepteurs possèdent une spécificité intermédiaire. Les **récepteurs gustatifs** (du goût) et **olfactifs** (de l'odorat) réagissent à des *catégories* de substances chimiques apparentées. Les Humains classent souvent ces catégories sous les termes de sucré, aigre, salé ou amer. (Nous reparlerons plus en détail du goût et de l'odorat ultérieurement dans ce chapitre.) L'un des chimiorécepteurs les plus sensibles et les plus spécifiques connus se trouve dans les antennes du mâle chez le Bombyx du Mûrier (figure 45.3); il sert à détecter la phéromone sexuelle femelle appelée bombykol.

Récepteurs d'ondes électromagnétiques Les rayonnements électromagnétiques sont une forme d'énergie pouvant correspondre à différentes longueurs d'onde; la lumière visible, l'électricité et le magnétisme en constituent les manifestations (voir le chapitre 10). Les **photorécepteurs**, qui détectent le rayonnement que nous appelons lumière visible, se situent le plus souvent dans les yeux. Les Serpents possèdent des récepteurs à infrarouge extrêmement sensibles, capables de discerner la chaleur corporelle des proies qui se tiennent devant un fond plus froid (figure 45.4a). Certains Poissons produisent des courants électriques et ont recours à des électrorécepteurs spécifiques pour localiser des objets tels que des proies, qui modifient ces courants électriques. L'Ornithorynque, un Monotrème (voir le chapitre 30), possède sur son bec des électrorécepteurs grâce auxquels il peut probablement détecter les champs électriques créés par les muscles de ses proies, comme les Crustacés, les Grenouilles et les petits Poissons. Certains éléments suggèrent que certains Animaux migrateurs ont recours aux

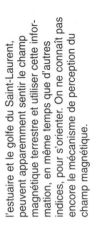

(b)

(a)

Figure 45.4

Récepteurs d'ondes électromagnétiques spécialisés. (a) Les Serpents à sonnettes et les autres Vipéridés, comme cette espèce asiatique, possèdent une paire de récepteurs à infrarouge, un de chaque côté de la tête entre l'œil et la narine. La sensibilité de ces organes leur permet de détecter le rayonnement infrarouge émis par une Souris

chaude située à un mètre de distance. Le Serpent déplace sa tête d'un côté et de l'autre jusqu'à ce que les deux détecteurs perçoivent le rayonnement avec la même intensité, ce qui lui indique que la Souris se trouve droit devant. **(b)** Certains Animaux migrateurs tels ces Bélugas (*Delphinapterus leucas*), que l'on observe fréquemment dans

l'estuaire et le golfe du Saint-Laurent, peuvent apparemment sentir le champ magnétique terrestre et utiliser cette information, en même temps que d'autres indices, pour s'orienter. On ne connaît pas encore le mécanisme de perception du champ magnétique.

lignes du champ magnétique de la Terre afin de s'orienter (figure 45.4b). Bien que l'on ignore encore la nature de ces magnétorécepteurs, on a trouvé de la magnétite, un minerai ferreux, dans le crâne de plusieurs espèces. (Des chercheurs ont récemment découvert de la magnétite dans des crânes humains, mais aucune preuve ne permet à ce jour d'associer ces dépôts avec un sens du champ magnétique.)

Thermorécepteurs Les **thermorécepteurs** réagissent à la chaleur ou au froid et ils interviennent dans la régulation thermique en mesurant les températures superficielle et interne de l'organisme. Les terminaisons dendritiques libres de certains neurones sensitifs constituent les thermorécepteurs de la peau (voir la figure 45.2). Toutefois, on considère généralement que le thermostat principal de l'organisme des Mammifères se compose de thermorécepteurs internes situés dans l'hypothalamus de l'encéphale.

Récepteurs de la douleur Presque tous les Animaux connaissent la douleur, bien que l'on ne puisse préciser les perceptions vraiment associées chez eux à une stimulation des récepteurs de la douleur. La perception de la douleur revêt une très grande importance parce que ce stimulus déclenche une réaction négative visant, par exemple, à éviter le danger. Les rares individus qui naissent sans sensation de douleur s'infligent un grand nombre de coupures et de brûlures. Ils peuvent même mourir des suites de certains problèmes tels qu'une rupture de l'appendice, parce qu'ils ne ressentent pas la douleur qui en résulte et ne sont pas conscients du danger.

Un type de terminaisons dendritiques libres appelées **nocicepteurs** détecte la douleur (voir la figure 45.2). Divers groupes de récepteurs de la douleur réagissent à la chaleur excessive, à la pression ou à certaines classes particulières de substances chimiques libérées par les tissus endommagés ou enflammés. L'histamine et les acides font partie des substances chimiques qui déclenchent la douleur. Les prostaglandines accroissent la sensation de douleur en sensibilisant les récepteurs (c'est-à-dire en abaissant leur seuil d'excitation). L'aspirine diminue la sensation de douleur en inhibant la synthèse des prostaglandines. Les neurones nocicepteurs acheminent les influx jusqu'à la moelle épinière et forment des synapses avec les voies nerveuses qui se rendent à l'encéphale.

Nous avons vu que l'on peut classer les récepteurs selon le type d'énergie qui les active. Dans de nombreux cas, un nombre important de cellules réceptrices du même type sont regroupées dans des organes sensoriels complexes, qui permettent de détecter des stimuli extérieurs particuliers. Nous allons maintenant nous pencher sur la structure et la fonction des organes sensoriels de la vue, de l'ouïe, de l'équilibre, du goût et de l'odorat.

VISION

Vision chez les Invertébrés

La plupart des Invertébrés peuvent détecter la lumière grâce à des récepteurs pourvus de pigments qui absorbent les ondes lumineuses. L'**ocelle** des Planaires constitue l'un

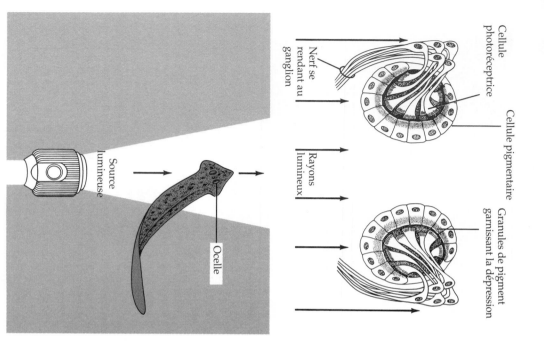

Figure 45.5
Les ocelles et le comportement d'orientation chez les Planaires. Sur la tête de la Planaire se trouvent deux ocelles munis de photorécepteurs qui envoient des influx nerveux aux ganglions. La paroi de la dépression formée par l'ocelle se compose de cellules pigmentaires qui cachent les photorécepteurs. La lumière ne peut atteindre les photorécepteurs que si elle pénètre par l'ouverture de la dépression, située sur le côté de la tête et légèrement vers l'avant. Les ganglions comparent la fréquence des influx nerveux issus des deux ocelles et commandent au corps de se déplacer jusqu'à ce que les sensations provenant des deux côtés soient de même intensité et aussi faibles que possible. Cette réaction d'orientation fait en sorte que la Planaire s'éloigne directement de la source lumineuse afin de se cacher sous une roche ou quelque autre abri sombre qui la protégera des prédateurs.

des récepteurs visuels les plus simples. Ces structures renseignent l'Animal sur l'intensité de la lumière et sur sa direction, sans former véritablement d'image. Les cellules réceptrices se situent dans une dépression formée par une couche de cellules pigmentaires de couleur foncée qui arrêtent la lumière. Pour pénétrer dans la dépression et stimuler les photorécepteurs, la lumière doit s'infiltrer par une ouverture localisée sur un côté de la dépression dépourvu de cellules pigmentaires (figure 45.5). L'ouverture de l'un des ocelles est orientée vers la gauche et légèrement vers l'avant, et celle de l'autre ocelle vers la droite et l'avant. La lumière d'une zone déterminée du milieu ne

peut donc entrer que dans l'ocelle situé du même côté. Les ganglions comparent la fréquence des influx nerveux issus des deux ocelles, et la Planaire se déplace de façon à ce que les sensations atteignent la même intensité et soient aussi faibles que possible. Il s'ensuit que l'Animal s'éloigne directement de la source de lumière jusqu'à ce qu'il atteigne un endroit sombre, sous une roche ou un autre objet; il s'agit d'une adaptation comportementale grâce à laquelle la Planaire évite d'être repéré par ses prédateurs.

Chez les Invertébrés, deux grands types d'yeux véritables formant des images sont apparus: l'œil composé et l'œil simple (à cristallin unique). Les **yeux composés** se retrouvent chez les Insectes et les Crustacés (embranchement des Arthropodes) et certains Polychètes (embranchement des Annélides). L'œil composé comprend des détecteurs de lumière appelés **ommatidies** (les «facettes» de l'œil), dont le nombre peut s'élever jusqu'à plusieurs milliers. Chaque ommatidie, pourvue d'une cornée et d'un cristallin, reçoit la lumière provenant d'une minuscule portion du champ visuel (figure 45.6). Les différences d'intensité lumineuse atteignant les nombreuses ommatidies produisent une image en mosaïque. Bien que cette image ne soit pas aussi nette que celle qui se forme dans l'œil humain, l'œil composé détecte plus facilement le mouvement; il s'agit là d'une adaptation importante pour les Insectes volants et les petits Animaux constamment menacés par des prédateurs. L'avantage présenté par l'œil composé relève en partie de la récupération (retour à l'état de repos) rapide des photorécepteurs. L'œil humain peut distinguer des éclairs se succédant à une fréquence d'environ 50 éclairs par seconde; c'est la raison pour laquelle les images individuelles d'un film de cinéma, qui se suivent à un rythme encore plus rapide, semblent se fondre et créent l'illusion d'un mouvement continu. Les yeux composés de certains Insectes récupèrent assez vite à la suite d'une stimulation pour détecter les variations d'intensité d'une lampe émettant 330 éclairs par seconde. Si un tel Insecte regardait un film, il distinguerait une suite d'images fixes. Les Insectes ont aussi une excellente perception des couleurs, et certains d'entre eux (y compris les Abeilles) voient dans le domaine du spectre électromagnétique situé dans l'ultraviolet, qui nous est invisible. Nous ne pouvons nous référer à notre propre monde sensoriel dans l'étude du comportement animal; en effet, les Animaux n'ont pas tous la même sensibilité.

Des études récentes montrent que les yeux composés de certains Crabes et Éphémères peuvent former une véritable image continue en cas de luminosité diffuse. Chaque ommatidie possède de 2 à 4 cristallins qui agissent comme un prisme et un miroir parabolique; les cristallins de plusieurs ommatidies concentrent ainsi sur un seul photorécepteur la lumière captée, ce qui a pour effet d'accroître la sensibilité de l'œil à la lumière. En cas de luminosité plus intense, ces yeux à superposition semblent fonctionner comme des yeux composés ordinaires.

L'**œil simple** (à cristallin unique) constitue le second type d'œil présent chez les Invertébrés; on le trouve chez les Méduses, les Polychètes, les Araignées et de nombreux Mollusques. Son mode de fonctionnement ressemble à celui d'un appareil photo. Un cristallin unique concentre la lumière sur la rétine, composée d'une

Cellule photoréceptrice

Cellule pigmentaire

Nerf se rendant au ganglion

Rayons lumineux

Granules de pigment garnissant la dépression

Source lumineuse

Ocelle

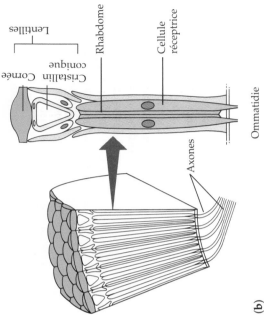

Cornée
Cristallin conique
Lentilles

Rhabdome

Cellule
réceptrice

Ommatidie

Axones

(b)

Figure 45.6
Yeux composés. (a) Yeux à facettes d'un Taon, photographiés au microscope photonique stéréoscopique. **(b)** La cornée et le cristallin conique de chaque ommatidie agissent comme des lentilles concentrant la lumière à travers une structure appelée rhabdome, un empilement de plaques pigmentaires enfermé dans un cercle de cellules réceptrices. L'image consiste en une mosaïque de points formée par les différentes intensités lumineuses que captent les nombreuses ommatidies.

(a)

double couche de cellules réceptrices photosensibles. Les yeux des Humains et des autres Vertébrés appartiennent à ce type, mais leur évolution a suivi un déroulement différent de celui des yeux simples chez les Invertébrés.

Vision chez les Vertébrés

L'œil humain, représenté à la figure 45.7, peut percevoir un nombre presque infini de couleurs, former des images

d'objets situés à des kilomètres et réagir à la présence d'un seul photon de lumière. Rappelez-vous cependant que c'est le cerveau qui « voit ». Pour comprendre la vision, il nous faut donc étudier dans un premier temps comment l'œil des Vertébrés génère ces influx jusqu'aux centres de la vision situés dans le cerveau, où s'effectue la perception visuelle.

Figure 45.7
Structure de l'œil chez les Vertébrés.
Dans cette section longitudinale d'un œil, le corps vitré, de consistance gélatineuse, n'est représenté que dans la moitié inférieure du globe oculaire.

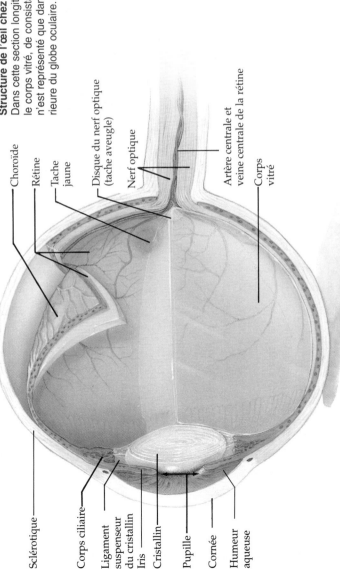

Choroïde
Rétine
Tache jaune
Disque du nerf optique (tache aveugle)
Nerf optique
Artère centrale et veine centrale de la rétine
Corps vitré

Sclérotique
Corps ciliaire
Ligament suspenseur du cristallin
Iris
Cristallin
Pupille
Cornée
Humeur aqueuse

Structure et fonction de l'œil chez les Vertébrés

Chez les Vertébrés, l'œil (ou globe oculaire) se compose d'une couche externe blanche et résistante formée de tissu conjonctif, la **sclérotique**, et d'une fine couche pigmentaire interne, la **choroïde**. Sur le devant de l'œil, la sclérotique devient la **cornée**, une tunique transparente par laquelle la lumière pénètre dans l'œil et qui agit comme une lentille fixe. La partie antérieure de la choroïde constitue l'**iris**, en forme de beignet et qui confère sa couleur à l'œil. En changeant de dimension, l'iris règle la quantité de lumière entrant dans la **pupille**, l'ouverture visible au centre de l'iris. Située immédiatement à l'intérieur de la choroïde, la rétine constitue la couche la plus interne du globe oculaire. Les cellules photoréceptrices proprement dites se trouvent dans cette partie de l'œil. L'information provenant des photorécepteurs quitte l'œil au niveau du disque du nerf optique, où le nerf optique s'attache à l'œil. Comme le disque du nerf optique ne comporte pas de photorécepteurs, cet endroit situé dans la partie inférieure et à l'extérieur de la rétine forme une tache aveugle, c'est-à-dire que la lumière dirigée sur cette partie de la rétine n'est pas détectée.

Le **cristallin** et le **corps ciliaire** divisent l'œil en deux chambres, l'une entre le cristallin et la cornée, et l'autre, beaucoup plus grande, derrière le cristallin et à l'intérieur du globe oculaire même. Le corps ciliaire produit constamment l'**humeur aqueuse**, un liquide transparent semblable à de l'eau qui remplit la cavité antérieure de l'œil. Lorsque les conduits qui permettent l'écoulement de l'humeur aqueuse sont bouchés, un glaucome peut apparaître, c'est-à-dire une élévation de la pression qui comprime la rétine et peut entraîner la cécité. Le **corps vitré**, une substance gélatineuse, occupe toute la cavité postérieure et représente la plus grande partie du volume de l'œil. L'humeur aqueuse et le corps vitré agissent comme des lentilles liquides qui concentrent en partie la lumière sur la rétine. Le cristallin lui-même est un disque protéique transparent qui assure la mise au point d'une image sur la rétine. De nombreux Poissons effectuent la mise au point en déplaçant le cristallin vers l'avant ou vers l'arrière, comme le mécanisme d'un appareil photo. Chez les Humains et les autres Mammifères, cependant, la mise au point se traduit par des changements de *forme* du cristallin. Lorsqu'on regarde un objet éloigné, le cristallin est plat. Pour faire la mise au point sur un objet rapproché, il devient presque sphérique ; ce mécanisme est appelé **accommodation** (figure 45.8).

Conversion du stimulus au niveau de l'œil Lorsque le cristallin forme une image lumineuse sur la rétine, comment les cellules rétiniennes transforment-elles les stimuli en sensations (c'est-à-dire en potentiels d'action qui transmettent au cerveau l'information relative au milieu) ? La rétine humaine comprend environ 125 millions de **bâtonnets** et 6 millions de **cônes**, deux types de photorécepteurs qui tirent leur nom de leur forme. Ils représentent 70 % des récepteurs de notre organisme, ce qui souligne l'importance des yeux et de l'information visuelle dans la perception que les Humains ont de leur environnement.

Les bâtonnets et les cônes assurent des fonctions différentes dans la vision, et leur nombre relatif dans la rétine reflète en partie l'activité plutôt diurne ou nocturne d'un Animal. Les bâtonnets s'avèrent plus sensibles à la lumière mais ils ne distinguent pas les couleurs ; ils permettent la vision nocturne, mais seulement en noir et blanc. La stimulation des cônes requiert davantage de lumière, et ces photorécepteurs n'interviennent donc pas dans la vision nocturne ; par contre, ils permettent de discerner les couleurs pendant le jour. La vision des couleurs existe chez toutes les classes de Vertébrés, mais non chez toutes les espèces. En général, les Poissons, les Amphibiens, les Reptiles et les Oiseaux voient très bien les couleurs ; les Mammifères en revanche ne possèdent pas ce type de vision, à l'exception d'un petit nombre d'espèces dont font partie les Humains et les autres Primates. La plupart des Mammifères sont nocturnes, et la présence d'un nombre maximal de bâtonnets dans la rétine représente une adaptation qui procure à ces Animaux habituellement nocturnes, ont une excellente vision de nuit. Les Chats par exemple, des Animaux nocturnes, perçoivent probablement un monde pastel durant la journée. Dans l'œil humain, la plus grande densité de bâtonnets se trouve dans les régions périphériques de la rétine ; la **tache jaune**, qui

(b) Vision éloignée

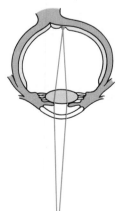

Figure 45.8

Mise au point dans un œil de Mammifère. Le cristallin dévie la lumière et la concentre sur la rétine. Plus le cristallin est épais, plus l'angle de réfraction (déviation) de la lumière augmente. Le cristallin a une forme presque sphérique lorsque la mise au point s'effectue sur des objets rapprochés, et beaucoup plus plate pour un objet éloigné. Les muscles ciliaires régissent la forme du cristallin. **(a)** Dans la vision rapprochée, les muscles ciliaires se contractent et tirent les bords de la choroïde de l'œil en direction du cristallin, ce qui détend les ligaments suspenseurs du cristallin. Sous l'effet de cette réduction de tension, le cristallin, qui est élastique, devient plus épais et plus arrondi ; il dévie alors plus la lumière, si bien qu'une image des objets proches se forme sur la rétine. Cet ajustement du cristallin pour la vision rapprochée est appelé accommodation. **(b)** Dans la vision éloignée, les muscles ciliaires se relâchent et permettent à la choroïde de se détendre, ce qui étire le ligament suspenseur du cristallin. Cette tension confère au cristallin une forme plus aplatie, et l'image de l'objet lointain se forme sur la rétine. Notez que les muscles ciliaires sont détendus dans la vision éloignée et contractés dans la vision rapprochée.

(a) Vision rapprochée (accommodation)

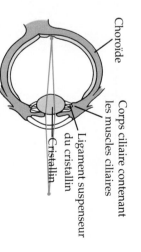

Choroïde

Corps ciliaire contenant les muscles ciliaires

Ligament suspenseur du cristallin

Cristallin

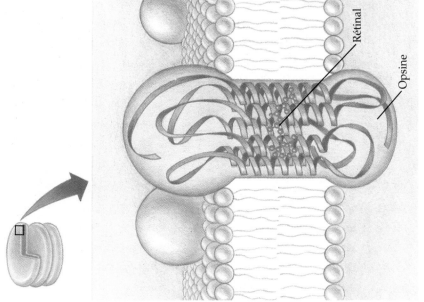

Rétinal

Opsine

(b) Rhodopsine, le pigment visuel des bâtonnets

Figure 45.9

Photorécepteurs de la rétine. (a) La rétine comprend deux types de photorécepteurs, qui sont tous deux des neurones modifiés. Les bâtonnets, très sensibles à la lumière, assurent la vision nocturne en noir et blanc ; les cônes, moins sensibles à la lumière, permettent la vision des couleurs pendant le jour. Chaque bâtonnet et chaque cône comporte un segment externe partiellement enfoncé dans une couche de cellules épithéliales pigmentaires, de couleur foncée. Le segment externe s'unit par une courte tige à un segment interne, lui-même relié au corps du neurone. Les axones des bâtonnets et des cônes forment des synapses avec d'autres neurones de la rétine appelés cellules bipolaires. Le segment externe du bâtonnet ou du cône renferme un empilement de membranes repliées constituant des disques. Les pigments visuels qui détectent la lumière parvenant sur la rétine se trouvent incorporés à ces membranes empilées. **(b)** Chaque pigment visuel se compose d'une molécule, le rétinal (dérivé de la vitamine A), qui absorbe la lumière et qui se lie à une protéine appelée opsine. Chaque type de photorécepteur comprend un type d'opsine différent, qui détermine le spectre d'absorption du rétinal. Dans les bâtonnets, on appelle rhodopsine l'ensemble du complexe pigmentaire (rétinal et le type d'opsine considéré), qui est illustré ici. Notez que l'opsine présente plusieurs régions d'hélice alpha (voir le chapitre 5) qui s'étalent sur l'ensemble de la membrane. Au cœur de l'opsine se trouve le rétinal, qui absorbe la lumière.

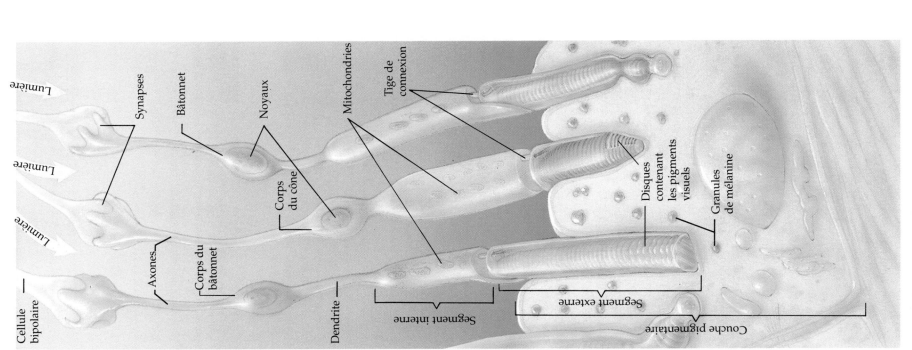

Cellule bipolaire

Synapses

Bâtonnet

Noyaux

Mitochondries

Tige de connexion

Corps du cône

Axones

Corps du bâtonnet

Dendrite

Lumière

Lumière

Lumière

Lumière

Disques contenant les pigments visuels

Granules de mélanine

Segment interne

Segment externe

Couche pigmentaire

(a) Bâtonnets et cônes, les photorécepteurs de la rétine

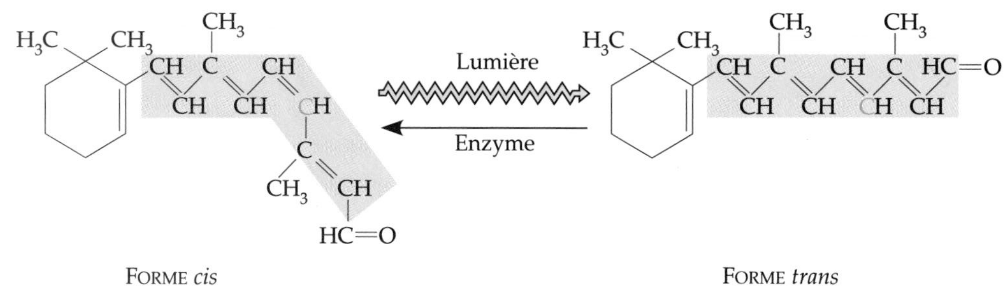

Figure 45.10

Effet de la lumière sur le rétinal. Le rétinal existe sous deux formes, qui sont des isomères. Au cours de l'absorption de lumière, le pigment passe de l'isomère *cis* à l'isomère *trans*. Lorsque le photorécepteur ne reçoit plus de stimulus lumineux, des enzymes ramènent le rétinal à l'état *cis*. Cette réaction photochimique modifie la forme du rétinal, ce qui produit un changement de conformation de l'opsine, la protéine à laquelle le rétinal se lie. Dans le photorécepteur, ce phénomène déclenche une chaîne de réponses métaboliques qui font varier le potentiel électrique de part et d'autre de la membrane plasmique, produisant un potentiel récepteur (dans ce cas, il s'agit en fait d'une hyperpolarisation et non d'une dépolarisation).

FORME *cis*

FORME *trans*

Enzyme

Lumière

forme le centre du champ visuel, n'en comporte aucun (voir la figure 45.7). La nuit, si vous regardez une étoile pâle, vous ne la discernerez pas très bien; votre vision s'améliorera si vous la regardez de côté, en dirigeant ainsi le rayon lumineux vers les régions de la rétine qui comprennent le plus grand nombre de bâtonnets. Cependant, on obtient la meilleure vision diurne en regardant directement l'objet considéré, parce que la tache jaune possède la plus forte densité de cônes, soit 150 000 récepteurs de couleur par mm². Chez certains Oiseaux, on trouve plus d'un million de cônes au mm², ce qui permet à des espèces comme les Éperviers de repérer des Souris et d'autres petites proies à très haute altitude. La rétine de l'œil, à l'instar de toutes les structures biologiques, présente des variations qui reflètent des adaptations évolutives.

Chaque bâtonnet et chaque cône comporte un segment externe qui renferme un empilement de membranes repliées formant des disques, dans lesquels sont incorporés des pigments visuels (figure 45.9a). La lumière est absorbée effectivement par le rétinal, une molécule synthétisée à partir de la vitamine A. Le rétinal se lie à une protéine membranaire appelée **opsine**. La structure des opsines varie d'un type de photorécepteur à l'autre, et la capacité d'absorption lumineuse du rétinal dépend du type d'opsine avec lequel il se combine. Les bâtonnets possèdent leur propre type d'opsine dont la molécule, lorsqu'elle comprend sa partie rétinal, est nommée **rhodopsine** (figure 45.9b). Lorsque la rhodopsine absorbe de la lumière, le rétinal change de configuration et se dissocie de l'opsine. Cette réaction photochimique est appelée décoloration de la rhodopsine. Dans l'obscurité, des enzymes redonnent sa conformation originelle au rétinal, qui se recombine à l'opsine pour former la rhodopsine (figure 45.10). Si la lumière intense persiste, la rhodopsine reste décolorée et les bâtonnets ne peuvent plus fournir de réponse; les cônes entrent alors en jeu. Si vous venez d'un milieu très éclairé et pénétrez dans un endroit sombre, par exemple lorsque vous entrez dans un cinéma l'après-midi, vous vous retrouvez presque aveugle; le peu de lumière ne suffit pas à stimuler les cônes, et les bâtonnets, dont la rhodopsine est décolorée, mettent quelques minutes au moins pour redevenir fonctionnels.

La vision des couleurs dépend de la présence de trois sous-groupes de cônes dans la rétine; chacun des sous-groupes possède son propre type d'opsine qui s'associe au rétinal pour former des pigments visuels appelés collectivement **photopsines**. Ces photorécepteurs sont nommés cônes rouges, cônes verts et cônes bleus, selon la couleur que leur type de photopsine absorbe le mieux. Les spectres d'absorption de ces pigments se recouvrent, et la perception de teintes intermédiaires résulte de la stimulation différentielle de deux types de cônes, ou des trois. Par exemple, lorsque les cônes rouges et verts sont stimulés en même temps, nous percevons du jaune ou de l'orange, selon la population de cônes qui reçoit la plus forte stimulation. L'insuffisance ou l'absence de l'un des types de cônes ou de plusieurs d'entre eux provoque le daltonisme (un trouble qui affecte plus souvent les hommes que les femmes parce qu'il s'agit d'un caractère lié au sexe; voir le chapitre 14).

La conversion de l'énergie lumineuse en potentiels d'action ne s'effectue pas seulement dans les photorécepteurs, elle est aussi assurée par d'autres catégories de neurones présents dans la rétine. La réponse chimique du rétinal à la lumière déclenche une chaîne complexe de phénomènes métaboliques qui ont pour effet de faire varier le potentiel de membrane du bâtonnet ou du cône. Les photorécepteurs ne déclenchent pas les potentiels d'action eux-mêmes. La différence de potentiel électrique produite par la lumière de part et d'autre de la membrane représente un potentiel récepteur localisé qui, comme tous les potentiels récepteurs, constitue une réponse graduée proportionnelle à l'intensité du stimulus. La membrane n'est pas dépolarisée. En fait, la lumière a pour effet d'hyperpolariser la membrane en causant une diminution de sa perméabilité aux ions sodium. Il s'ensuit que la cellule réceptrice libère une quantité moins importante de neurotransmetteur en présence de lumière que dans l'obscurité. Dans le cas des cellules avec lesquelles les bâtonnets et les cônes forment des synapses, c'est en fait la *diminution* du signal chimique provenant des photorécepteurs qui indique que les photorécepteurs ont reçu une stimulation lumineuse. Les axones des bâtonnets et des cônes communiquent par l'intermédiaire de synapses avec des neurones appelés **cellules bipolaires**, qui forment à leur tour des synapses

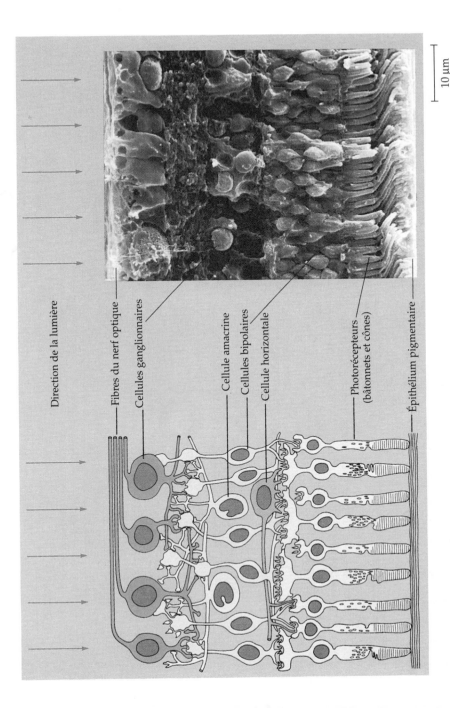

Direction de la lumière

Fibres du nerf optique

Cellules ganglionnaires

Cellule amacrine

Cellules bipolaires

Cellule horizontale

Photorécepteurs (bâtonnets et cônes)

Épithélium pigmentaire

10 µm

Figure 45.11

Rétine humaine. La lumière doit traverser plusieurs couches de cellules relativement transparentes pour atteindre les bâtonnets et les cônes. Ces photorécepteurs communiquent avec les cellules ganglionnaires par l'intermédiaire des cellules bipolaires. Les axones des cellules ganglionnaires envoient les sensations visuelles (potentiels d'action) au cerveau. La relation existant entre les bâtonnets ou les cônes, les cellules bipolaires et les cellules ganglionnaires est multiple : chaque cellule bipolaire reçoit de l'information en provenance de plusieurs bâtonnets ou de cônes, et chaque cellule ganglionnaire en reçoit de plusieurs cellules bipolaires. Les cellules horizontales et amacrines transportent l'information en divers endroits de la rétine afin d'intégrer les messages. Tous les bâtonnets ou les cônes qui envoient de l'information à une même cellule ganglionnaire forment le champ récepteur de cette cellule. Plus le champ récepteur est large (plus une cellule ganglionnaire reçoit de messages d'un grand nombre de bâton-

nets ou de cônes), moins l'image est nette, parce qu'il est plus difficile de savoir exactement où la lumière a atteint la rétine. Les cellules ganglionnaires de la tache jaune possèdent des champs récepteurs très petits, de sorte que l'acuité visuelle est très forte dans cette zone. (MEB tirée de *Tissues and Organs : A Text-Atlas of Scanning Electron Microscopy*, de Richard G. Kessel et Randy H. Kardon, W. H. Freeman and Company, copyright © 1979.)

avec les **cellules ganglionnaires** (figure 45.11). D'autres catégories de neurones présents dans la rétine, les **cellules horizontales** et les **cellules amacrines**, assurent l'intégration de l'information avant son acheminement au cerveau. Les axones des cellules ganglionnaires conduisent ensuite les sensations au cerveau, sous forme de potentiels d'action.

Intégration visuelle Le traitement de l'information visuelle commence dans la rétine même. Les messages provenant des bâtonnets et des cônes peuvent emprunter soit une voie directe, soit une voie indirecte (voir la figure 45.11). Dans la voie directe, l'information passe directement des cellules réceptrices aux cellules bipolaires, puis aux cellules ganglionnaires. Les cellules horizontales et amacrines assurent l'intégration latérale des messages visuels. Les cellules de la voie indirecte acheminent les messages d'un bâtonnet ou d'un cône à d'autres cellules réceptrices et à plusieurs cellules bipo-

laires ; les cellules amacrines répartissent l'information issue d'une cellule bipolaire à plusieurs cellules ganglionnaires. Lorsqu'un bâtonnet ou un cône stimule une cellule horizontale de la voie indirecte, cette cellule stimule à son tour les récepteurs voisins mais inhibe les récepteurs plus éloignés ainsi que les cellules bipolaires qui ne reçoivent pas de lumière ; en conséquence, le point lumineux paraît plus brillant et la zone non éclairée qui l'entoure semble encore plus sombre. Cette sorte d'intégration, appelée **inhibition latérale**, rend les contours plus nets et améliore le contraste de l'image. La figure 45.12 présente un type d'intégration rétinienne basé sur l'inhibition latérale. L'inhibition latérale est reproduite au niveau des interactions entre les cellules amacrines et ganglionnaires, et elle se répète à tous les stades du traitement de l'information visuelle.

Les axones des cellules ganglionnaires forment les nerfs optiques, qui transmettent au cerveau les sensations venant des yeux. Les nerfs optiques qui quittent les yeux

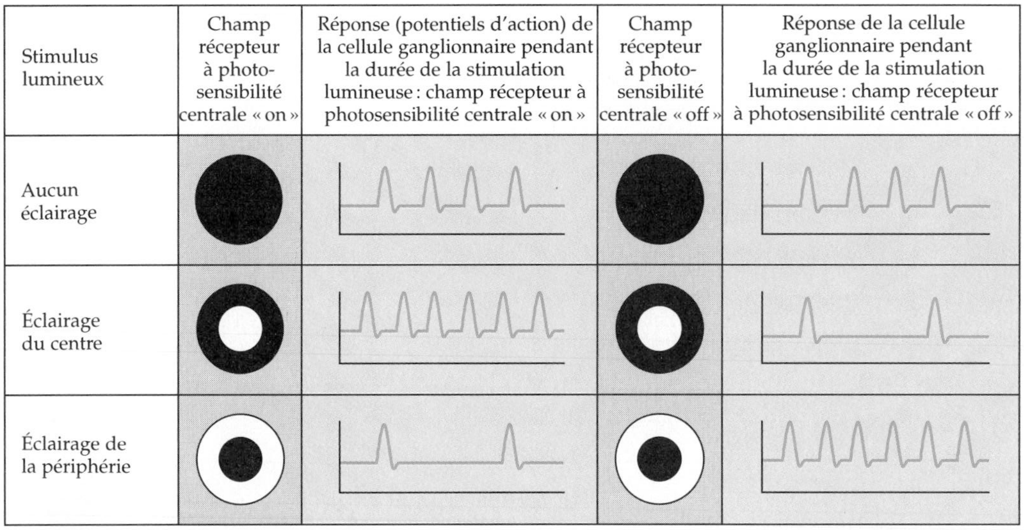

Stimulus lumineux	Champ récepteur à photo-sensibilité centrale «on»	Réponse (potentiels d'action) de la cellule ganglionnaire pendant la durée de la stimulation lumineuse : champ récepteur à photosensibilité centrale «on»	Champ récepteur à photo-sensibilité centrale «off»	Réponse de la cellule ganglionnaire pendant la durée de la stimulation lumineuse : champ récepteur à photosensibilité centrale «off»
Aucun éclairage				
Éclairage du centre				
Éclairage de la périphérie				

Figure 45.12
Intégration visuelle dans la rétine des Vertébrés. La rétine se divise en champs récepteurs visuels, dont chacun regroupe les nombreux photorécepteurs qui sont reliés à la même cellule ganglionnaire. Les potentiels d'action cheminent dans les axones de la cellule ganglionnaire pour se rendre au cerveau, et leur fréquence résulte de l'intégration des messages provenant des récepteurs qui composent le champ récepteur correspondant. Les cellules bipolaires, horizontales et amacrines constituent le réseau d'intégration du champ récepteur. Même dans l'obscurité, la cellule ganglionnaire génère des potentiels d'action à une fréquence constante. Si l'ensemble du champ récepteur est illuminé de façon uniforme, la fréquence de base de la décharge de la cellule ganglionnaire change peu. Par contre, lorsqu'une partie du champ visuel est éclairée, on observe une modification de la fréquence des potentiels d'action que la cellule ganglionnaire envoie au cerveau. Il existe deux types de champs récepteurs, les champs récepteurs à photosensibilité centrale «on» et les champs récepteurs à photosensibilité centrale «off». Une cellule ganglionnaire qui possède un champ récepteur à photosensibilité centrale «on» est stimulée lorsqu'on dirige un faisceau de lumière sur le centre du champ récepteur, et elle est inhibée si seule la région périphérique du champ est éclairée. Une cellule ganglionnaire qui possède un champ récepteur à photosensibilité centrale «off» a une réaction exactement inverse : un faisceau de lumière dirigé sur le centre du champ produit une inhibition, mais la cellule est stimulée si on éclaire la périphérie du champ. Les cellules ganglionnaires à photosensibilité centrale «on» réagissent le plus fortement en présence de points lumineux sur fond sombre, tandis que les cellules à photosensibilité centrale «off» réagissent mieux à des taches foncées sur fond clair. Une grande partie de l'information visuelle envoyée par la rétine au cerveau repose sur ce renforcement des taches lumineuses et sombres.

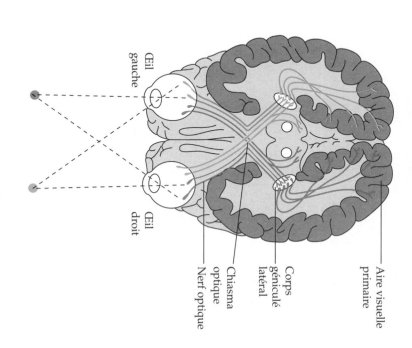

Figure 45.13
Voies nerveuses de la vision. Les objets qui se trouvent dans le champ visuel gauche sont «vus» par le côté droit du cerveau, et les objets du champ visuel droit sont projetés dans le côté gauche du cerveau. (Ce diagramme présente une vue inférieure de l'encéphale.) Les corps géniculés latéraux, des ganglions situés dans le thalamus, acheminent les sensations à l'aire primaire du cortex.

Œil gauche

Œil droit

Nerf optique

Chiasma optique

Corps géniculé latéral

Aire visuelle primaire

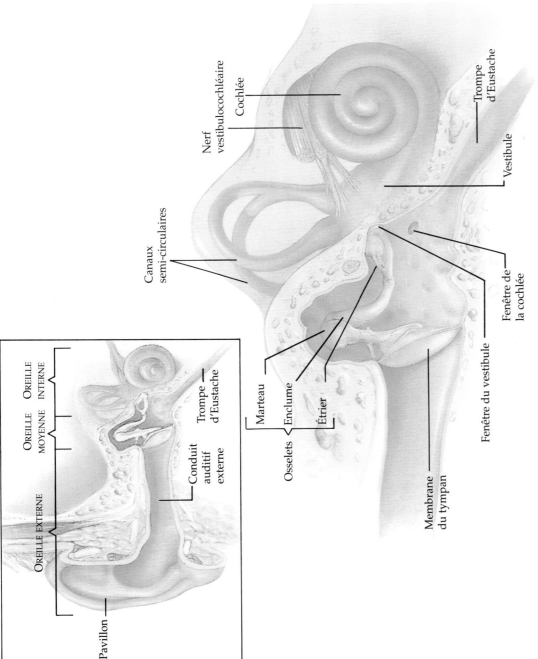

Figure 45.14
Structure de l'oreille humaine. Les cellules sensorielles ciliées, qui constituent les véritables récepteurs sensoriels de l'oreille, se situent à l'intérieur du labyrinthe formé par les canaux et les conduits de l'oreille interne. La cochlée renferme des cellules sensorielles ciliées qui interviennent dans l'audition. Dans le vestibule et les conduits semi-circulaires se trouvent les cellules sensorielles ciliées qui procurent le sens de l'équilibre.

se croisent à la hauteur du **chiasma optique**, situé près du centre de la base du cortex cérébral. Les faisceaux nerveux du chiasma optique sont disposés de telle sorte que le stimulus perçu dans la partie gauche du champ visuel des deux yeux est transmis au côté droit du cerveau, et que le stimulus vu à la droite du champ visuel rejoint le côté gauche du cerveau (figure 45.13). La plupart des axones des cellules ganglionnaires mènent aux **corps géniculés latéraux** du thalamus. Les neurones des corps géniculés latéraux se rendent à l'**aire visuelle primaire** du lobe occipital des hémisphères cérébraux. D'autres interneurones acheminent l'information à d'autres centres, situés ailleurs dans le cortex, où les messages visuels subissent un traitement et une intégration plus poussés.

L'image issue du champ visuel, et qui se compose de points, est transmise à l'aire visuelle primaire par l'intermédiaire de neurones en fonction de sa position sur la rétine, mais l'information qui parvient au cerveau est extrêmement déformée. On ignore comment cet ensemble codé de points, de lignes et de mouvements est

converti en perception et aboutit à la reconnaissance d'objets ; il nous reste beaucoup à apprendre sur la façon dont nous « voyons » véritablement.

OUÏE ET ÉQUILIBRE

Chez la plupart des Animaux, les sens de l'ouïe et de l'équilibre sont associés. Ces deux sens font intervenir des mécanorécepteurs qui renferment des cellules sensorielles ciliées ; ces dernières font naître des potentiels d'action lorsque leurs cils sont fléchis par des particules qui se déposent ou par un liquide en mouvement. Chez les Mammifères et la plupart des autres Vertébrés terrestres, les organes sensoriels de l'ouïe et de l'équilibre sont regroupés dans l'oreille.

Oreille des Mammifères

L'oreille humaine se compose de deux organes sensoriels distincts, l'organe de l'audition, ou de l'ouïe, et l'organe

de l'équilibre. Ces deux mécanismes sensoriels font intervenir des cellules sensorielles ciliées enfermées dans des conduits remplis de liquide.

L'oreille proprement dite se divise en trois régions (figure 45.14). L'**oreille externe** comporte le **pavillon**, situé à l'extérieur du corps, et le **conduit auditif externe** ; ces deux structures concentrent les ondes sonores et les dirigent vers la **membrane du tympan**, qui se trouve dans l'**oreille moyenne**. À cet endroit, les vibrations sont transmises par trois petits os (le **marteau**, l'**enclume** et l'**étrier**), et atteignent l'**oreille interne** par l'intermédiaire de la **fenêtre du vestibule**, une membrane située sous l'étrier. L'oreille moyenne s'ouvre aussi sur la **trompe d'Eustache**, un conduit relié au pharynx qui équilibre la pression de l'air entre l'oreille moyenne et l'atmosphère (ce qui vous permet de vous « déboucher » les oreilles lorsque vous changez d'altitude, par exemple). L'oreille interne comprend un labyrinthe de conduits et de canaux situés dans l'os temporal du crâne. Une membrane enveloppe les conduits dans lesquels un liquide se déplace en réponse aux sons ou aux mouvements de la tête.

La région de l'oreille interne qui intervient dans l'audition est un organe complexe de forme enroulée appelé **cochlée** (du latin « escargot »). La cochlée occupe une partie de la cavité du labyrinthe osseux, à l'intérieur de l'os temporal. La cochlée comporte deux grandes chambres, la rampe vestibulaire, dans la partie supérieure, et la rampe tympanique, en dessous ; le conduit cochléaire, plus petit, se trouve entre les deux

(figure 45.15). Les rampes vestibulaire et tympanique contiennent un liquide appelé **périlymphe**, et le conduit cochléaire est rempli d'un autre liquide, l'**endolymphe**. Sur le plancher du conduit cochléaire, ou **membrane basilaire**, se situe l'**organe spiral** (ou organe de Corti). L'organe spiral renferme les cellules réceptrices proprement dites de l'oreille ; il s'agit de cellules sensorielles ciliées dont les cils dépassent dans le conduit cochléaire. La pointe de certains de ces cils se rattache à la membrana tectoria, qui surplombe l'organe spiral comme une étagère. Nous allons maintenant étudier la relation entre l'anatomie complexe de l'oreille et la fonction de l'audition.

Mécanisme de l'audition L'oreille convertit l'énergie des ondes de pression qui se propagent dans l'atmosphère en influx nerveux, que le cerveau perçoit comme un son. Les objets en vibration, comme des cordes de guitare que l'on pince ou les cordes vocales d'une personne qui parle, créent des ondes de pression dans l'air environnant. Ces ondes font vibrer la membrane du tympan à la même fréquence que le son. La fréquence est le nombre de vibrations par seconde et se mesure en hertz (Hz). Les mouvements des trois osselets de l'oreille moyenne amplifient ce phénomène mécanique et le transmettent à la fenêtre du vestibule, une membrane située à la surface de la cochlée. Les vibrations de la fenêtre du vestibule produisent des ondes de pression dans le liquide qui occupe la cochlée.

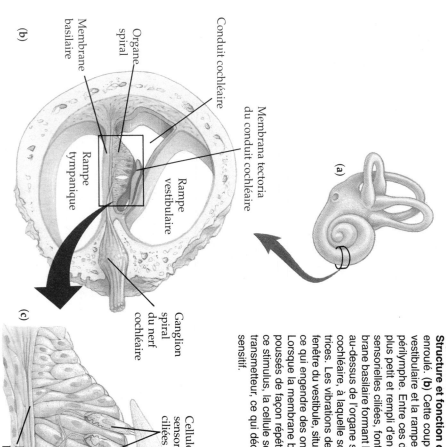

(a)

(b)

Conduit cochléaire

Membrana tectoria du conduit cochléaire

Organe spiral

Membrane basilaire

Rampe vestibulaire

Rampe tympanique

Ganglion spiral du nerf cochléaire

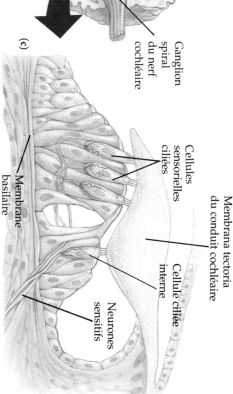

(c)

Membrana tectoria du conduit cochléaire

Cellules sensorielles ciliées

Cellule ciliée interne

Neurones sensitifs

Membrane basilaire

Figure 45.15
Structure et fonction de la cochlée. (a) La cochlée est un long tube enroulé. (b) Cette coupe transversale montre trois cavités. La rampe vestibulaire et la rampe tympanique contiennent un liquide nommé périlymphe. Entre ces deux conduits serpente le conduit cochléaire, plus petit et rempli d'endolymphe. Les cellules réceptrices, des cellules sensorielles ciliées, font partie de l'organe spiral, qui repose sur la membrane basilaire formant le plancher du conduit cochléaire. (c) Suspendue au-dessus de l'organe spiral se trouve la membrana tectoria du conduit cochléaire, à laquelle sont reliés de nombreux cils des cellules réceptrices. Les vibrations de la membrane du tympan sont transmises à la fenêtre du vestibule, située à la surface de la cochlée (voir la figure 45.14), ce qui engendre des ondes de pression dans le liquide de la cochlée. Lorsque la membrane basilaire vibre, les cils de l'organe spiral sont poussés de façon répétée vers la membrana tectoria. Sous l'effet de ce stimulus, la cellule sensorielle ciliée se dépolarise et libère un neurotransmetteur, ce qui déclenche un potentiel d'action dans un neurone sensitif.

La cochlée transforme en potentiels d'action l'énergie du liquide en mouvement. En vibrant contre la fenêtre du vestibule, l'étrier crée une onde de pression qui parcourt le liquide cochléaire et pénètre dans la rampe vestibulaire (figure 45.16). Cette onde contourne la pointe de la cochlée et suit la rampe tympanique, puis se dissipe en atteignant la **fenêtre de la cochlée.** Les ondes de pression qui traversent la rampe vestibulaire exercent une pression de haut en bas sur la membrane basilaire. Lorsque la membrane basilaire vibre sous l'effet des ondes de pression, elle exerce alternativement une pression et une traction sur les cellules sensorielles ciliées qui sont reliées à la membrana tectoria du conduit cochléaire. Cette « flexion » des cils déforme la membrane plasmique de la cellule réceptrice, ce qui la rend plus perméable au sodium. La dépolarisation qui en résulte augmente la quantité de neurotransmetteur libérée par la cellule sensorielle ciliée, ainsi que la fréquence des potentiels d'action dans le neurone sensitif avec lequel la cellule sensorielle ciliée forme une synapse. Ce neurone transmet les sensations au cerveau par l'intermédiaire du nerf vestibulocochléaire.

La détection du son s'effectue par l'augmentation de la fréquence des influx dans le neurone auditif, mais comment la qualité de ce son est-elle déterminée? L'intensité et la hauteur constituent deux des caractères importants d'un son. L'**intensité** est déterminée par l'**amplitude**, ou hauteur, de l'onde sonore. Plus un son a une forte amplitude, plus le liquide présent dans la cochlée vibrera de façon énergique, plus les cellules sensorielles ciliées seront déformées, et plus les neurones sensitifs produiront un grand nombre de potentiels d'action. La **hauteur** dépend de la **fréquence** des ondes sonores et s'exprime habituellement en hertz. Les ondes courtes et à haute fréquence produisent des sons aigus tandis que les ondes longues et de basse fréquence correspondent à des sons graves. Les Humains jeunes et en bonne santé peuvent entendre des sons entre 20 à 20 000 Hz ; les Chiens détectent des sons d'une fréquence de 40 000 Hz, et les Chauves-Souris émettent et perçoivent des sons d'une hauteur encore plus élevée (2000 à 120 000 Hz), grâce auxquels elles localisent des objets par sonar (voir la figure 45.1).

La cochlée distingue les différentes hauteurs parce que la membrane basilaire n'est pas uniforme sur toute sa longueur. L'extrémité proximale, située près de la fenêtre du vestibule, est relativement étroite et rigide alors que l'extrémité distale, qui se trouve près de la pointe, est plus large et plus flexible (voir la figure 45.16). Chaque région de la membrane basilaire répond plus particulièrement à une certaine fréquence ; la région qui vibre le plus à un instant donné envoie le plus grand nombre de potentiels d'action le long du nerf vestibulocochléaire. Mais la perception même de la hauteur dépend de la cartographie du cerveau. Les neurones sensitifs issus de la voie auditive sont reliés à des régions auditives précises du cortex cérébral en fonction de la région de la membrane basilaire qui a émis le signal. Lorsqu'un site donné de l'aire auditive primaire est stimulé, on perçoit un son d'une certaine hauteur.

Équilibre chez les Mammifères Chez les Humains et la plupart des autres Mammifères, l'organe de l'équilibre se

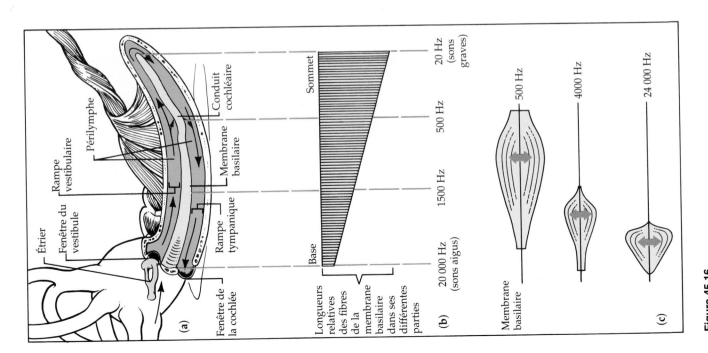

Figure 45.16
Comment la cochlée reconnaît la hauteur du son. (a) Les vibrations de l'étrier contre la fenêtre du vestibule impriment un mouvement au liquide de la cochlée (représentée déroulée dans ce schéma), ce qui crée des ondes de pression de même fréquence que les ondes sonores qui ont pénétré dans l'oreille. Ces ondes suivent la rampe vestibulaire, atteignent la pointe de la cochlée et reviennent à la base de cette dernière en longeant la rampe tympanique. L'énergie mise en cause fait vibrer de haut en bas le conduit cochléaire ainsi que sa membrane basilaire et l'organe spiral (voir la figure 45.15). **(b)** La membrane basilaire est parcourue dans le sens de la largeur par des fibres de longueur variable : elles sont plus courtes près de la base de la membrane et plus longues à la pointe. Selon leur longueur, ces fibres sont « accordées » pour vibrer à une certaine fréquence. **(c)** Les ondes de pression qui parcourent la cochlée produisent donc des oscillations plus prononcées en un certain point de la membrane basilaire que dans les autres régions, qui ne sont pas « accordées » à cette fréquence.

Figure 45.17
Conduits semi-circulaires et équilibre.
À la base de chaque conduit semi-circulaire se trouve un renflement appelé ampoule, qui contient un amas de cellules sensorielles ciliées. Les cils de ces cellules sont entourés d'une masse gélatineuse appelée cupule. Lorsque la tête tourne, l'inertie empêche l'endolymphe présente dans les conduits d'accompagner le mouvement, de sorte que le liquide exerce une pression sur la cupule et fléchit les cellules sensorielles ciliées.

L'inflexion augmente la fréquence des influx nerveux des neurones sensitifs proportionnellement à la vitesse de la rotation. Ce mécanisme récepteur subit une adaptation rapide si la rotation se poursuit à vitesse constante. Peu à peu, l'endolymphe commence à épouser le mouvement de la tête, et la pression exercée sur la cupule diminue. Cependant, si la rotation cesse brusquement, le liquide continue de tourner dans les conduits semi-circulaires et stimule à

nouveau les cellules sensorielles ciliées. C'est ce nouveau stimulus qui cause l'étourdissement. Le saccule et l'utricule contiennent des cellules sensorielles ciliées qui détectent l'effet de la gravitation sur de petites particules appelées otolithes. L'encéphale sait ainsi où se trouvent le haut et le bas et il est informé de toute accélération linéaire due à un mouvement.

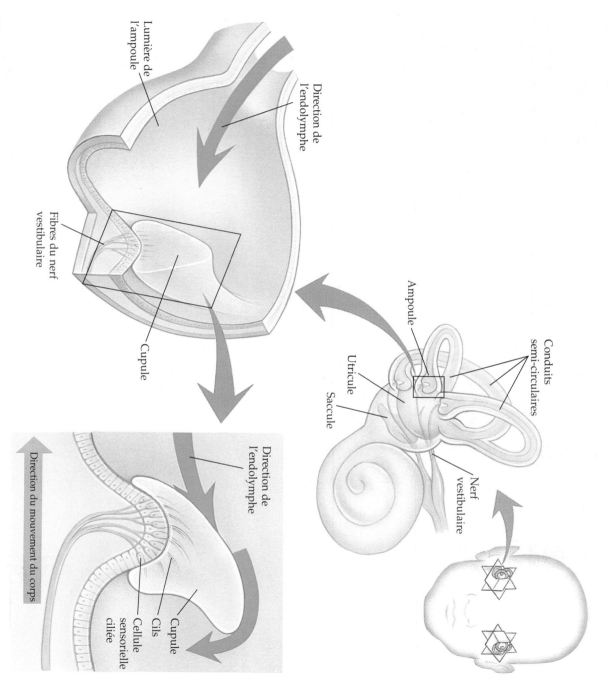

direction. Les cellules sensorielles ciliées sont regroupées en amas et leurs cils sont entourés d'une substance gélatineuse qui contient de nombreuses petites particules de trioxocarbonate de calcium nommées otolithes (« pierres des oreilles »). Comme ce matériau est plus lourd que l'endolymphe de l'utricule et du saccule, la gravitation attire constamment les cils des cellules réceptrices vers le bas, ce qui produit une suite continue de potentiels d'action dans les neurones sensitifs de la branche vestibulaire du nerf vestibulocochléaire. Lorsque la position de la tête change par rapport au champ gravitationnel (lorsque

situe également dans l'oreille interne. Derrière la fenêtre du vestibule se trouve le vestibule (voir la figure 45.14), qui contient deux chambres, l'**utricule** et le **saccule**. Les trois **conduits semi-circulaires**, qui forment le reste de l'organe de l'équilibre, prennent naissance dans l'utricule.

Chez les Humains et la majorité des autres Mammifères, les sensations relatives à la position du corps sont générées de façon très semblable aux sensations sonores. Les cellules sensorielles ciliées de l'utricule et du saccule répondent aux changements de position de la tête par rapport à la gravitation, ainsi qu'au mouvement dans une

dans un tube, glissant ainsi sur les mécanorécepteurs (figure 45.18). Les unités réceptrices, ou **neuromastes,** ressemblent aux structures appelées ampoules dans les conduits semi-circulaires. Chaque neuromaste renferme un amas de cellules sensorielles ciliées dont les cils s'enfoncent dans une capsule gélatineuse appelée cupule. Lorsque la pression de l'eau en mouvement fléchit la cupule, les cellules sensorielles ciliées transforment l'énergie en potentiels d'action, qui cheminent dans un nerf jusqu'à l'encéphale. Grâce à cette information, le Poisson perçoit son propre mouvement dans la masse d'eau, ou bien la direction et la vitesse des courants à la surface de son corps. Les organes sensoriels de la ligne latérale détectent aussi les mouvements d'eau ou les vibrations créées par d'autres objets en mouvement, y compris les proies et les prédateurs.

Comme les autres Vertébrés, les Poissons possèdent des oreilles internes situées au voisinage de l'encéphale. Ces oreilles internes, ainsi que les organes sensoriels de la ligne latérale, leur permettent d'entendre les sons. Il n'y a pas de cochlée, mais on retrouve un utricule et des conduits semi-circulaires, qui sont des structures homologues à celles de l'équilibre dans les oreilles humaines. Ces chambres abritent des cils sensoriels stimulés par le mouvement d'otolithes, qui sont de minuscules granules. Contrairement au système auditif des Mammifères, l'oreille interne du Poisson ne communique pas avec l'extérieur de l'organisme. Les vibrations sonores qui voyagent dans l'eau se propagent à travers le squelette de la tête et atteignent les oreilles internes, mettant ainsi les otolithes en mouvement et stimulant les cellules sensorielles ciliées. La vessie natatoire, remplie d'air (voir le chapitre 30), vibre aussi en présence d'ondes sonores et contribue peut-être à la transmission du son en direction de l'oreille interne. Certains Poissons, dont les Barbottes et les Cyprinidés, possèdent une série d'os portant le nom d'**appareil de Weber,** qui transmet les vibrations de la vessie natatoire à l'oreille interne. Les ondes sonores stimulent également les cellules sensorielles ciliées de la ligne latérale, mais seulement si la fréquence du son est assez basse. Grâce à la présence des oreilles internes, les Poissons peuvent percevoir les fréquences plus élevées.

Les organes sensoriels de la ligne latérale ne fonctionnent que dans l'eau. Chez les Vertébrés terrestres, l'oreille interne est devenue l'organe principal de l'audition et de l'équilibre. Certains Amphibiens possèdent une ligne latérale au stade de têtards, mais pas au stade adulte, lorsqu'ils vivent sur terre. Chez une Grenouille terrestre ou un Crapaud, les vibrations sonores qui se propagent dans l'air sont transmises à l'oreille interne par un tympan et un seul osselet (rappelez-vous que l'oreille des Mammifères renferme trois osselets). On a découvert récemment que les poumons des Grenouilles vibraient aussi en présence d'un son et que ces vibrations se propageaient au tympan par l'intermédiaire de la trompe d'Eustache. Une petite poche latérale du saccule joue le rôle d'organe principal de l'audition chez la Grenouille, et cette excroissance du saccule, au cours de l'évolution des Mammifères, a donné naissance à la structure plus élaborée que représente la cochlée. Les Oiseaux possèdent aussi une cochlée mais chez eux, comme chez les

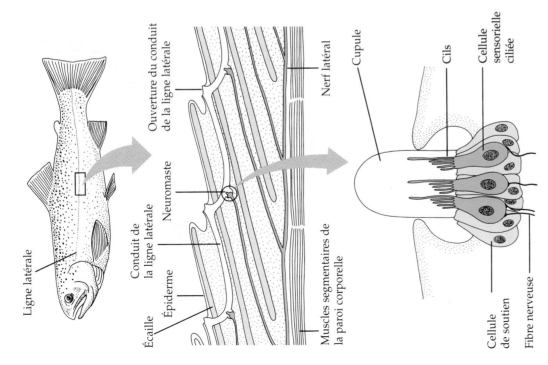

Ligne latérale
Écaille
Épiderme
Conduit de la ligne latérale
Neuromaste
Ouverture du conduit de la ligne latérale
Nerf latéral
Muscles segmentaires de la paroi corporelle
Fibre nerveuse
Cupule
Cils
Cellule sensorielle ciliée
Cellule de soutien

Figure 45.18
Organe sensoriel de la ligne latérale chez le Poisson. L'eau qui passe dans cet organe fléchit les cellules sensorielles ciliées, lesquelles transforment cette énergie en potentiels d'action envoyés à l'encéphale. Cet organe sensoriel de la ligne latérale permet au Poisson de percevoir les courants, les ondes de pression produites par les objets en mouvement et les sons à basse fréquence qui se propagent dans l'eau.

l'on penche la tête vers l'avant, par exemple), la force exercée sur la cellule sensorielle ciliée se modifie et la cellule accroît (ou diminue) sa production de neurotransmetteur. Pour déterminer la position de la tête, l'encéphale interprète les changements d'influx ainsi créés par les neurones sensitifs. Les conduits semi-circulaires, disposés selon les trois plans de l'espace, détectent les mouvements de rotation de la tête grâce à un mécanisme similaire (figure 45.17).

Ouïe et équilibre chez les autres Vertébrés

De chaque côté du corps de la plupart des Poissons et des Amphibiens aquatiques, on retrouve les **organes sensoriels de la ligne latérale** (voir le chapitre 30). Ces organes comprennent des mécanorécepteurs qui détectent le mouvement au moyen d'un mécanisme semblable à celui de l'oreille interne. L'eau qui entoure l'Animal pénètre dans la ligne latérale par de nombreux pores et circule

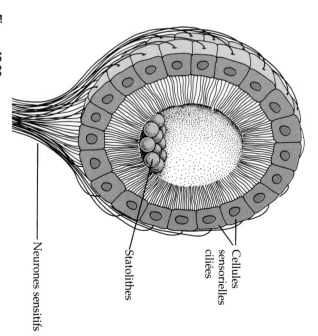

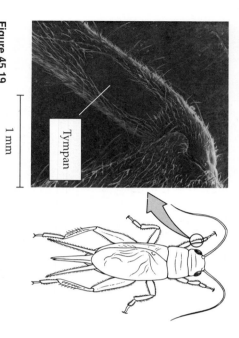

Figure 45.19
Oreille d'un Insecte. Le tympan, situé ici sur la patte antérieure d'un Grillon, vibre en présence d'ondes sonores (MEB). Cette vibration stimule les mécanorécepteurs fixés à l'intérieur du tympan.

Amphibiens et les Reptiles, le son circule du tympan à l'oreille interne par l'intermédiaire d'un seul osselet, l'étrier.

Organes sensoriels de l'audition et de l'équilibre chez les Invertébrés

Beaucoup d'Invertébrés perçoivent les sons. C'est chez les Arthropodes que l'on a le plus étudié les organes de l'audition. Par exemple, les poils sensoriels du corps de nombreux Insectes vibrent en réponse à des ondes sonores de certaines fréquences, selon la rigidité et la longueur des poils. Ces derniers sont souvent adaptés aux fréquences émises par d'autres organismes. Grâce aux poils sensoriels fins qui garnissent leurs antennes, les Moustiques mâles détectent les battements des ailes des femelles en vol, ce qui leur permet de trouver une partenaire sexuelle ; un diapason que l'on fait vibrer à la même fréquence que les ailes d'une femelle de Moustique attire aussi les mâles. Chez certaines Chenilles, les poils corporels vibratiles servent à détecter le bourdonnement des ailes des Guêpes prédatrices, ce qui permet à la Chenille d'entendre venir le danger. De nombreux Insectes possèdent aussi des « oreilles » localisées, situées le plus souvent sur leurs pattes (figure 45.19). Un tympan est tendu au-dessus d'une chambre aérienne interne. Les ondes sonores font vibrer ce tympan, stimulant des cellules réceptrices fixées à l'intérieur et produisant ainsi des influx nerveux qui sont transmis au cerveau. Certains Papillons de nuit peuvent percevoir des fréquences assez élevées pour détecter les sons émis par les Chauves-Souris qui se servent de l'écholocation, et la perception de ces sons déclenche chez l'Insecte une manœuvre d'esquive, c'est-à-dire qu'il change brusquement de direction.

Chez la plupart des Invertébrés, des mécanorécepteurs appelés **statocystes** jouent un rôle dans l'équilibre (figure 45.20). Un type répandu de statocyste comporte une chambre qui contient des **statolithes**, c'est-à-dire des grains de sable ou d'autres granules denses. Sous l'effet

de la gravitation, les statolithes se déposent au point le plus bas de la chambre et stimulent les cellules sensorielles ciliées qui se trouvent à cet endroit. (Ce mode de fonctionnement ressemble à celui du saccule et de l'utricule de l'oreille interne des Vertébrés, que l'on considère effectivement comme des types spécialisés de statocystes.) Chez les Invertébrés, les statocystes se situent à divers endroits. Par exemple, de nombreuses Méduses possèdent des statocystes au bord de l'« ombrelle », ce qui apporte des informations à l'Animal quant à la position de son corps. Les Homards et les Écrevisses ont des statocystes à la base de leurs antennules. Dans certaines expériences, on a fait nager des Écrevisses sur le dos en remplaçant les statolithes par des particules métalliques que l'on pouvait attirer vers l'extrémité des statocystes au moyen d'aimants.

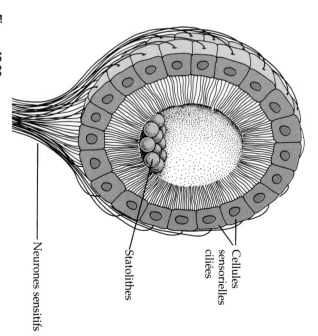

Figure 45.20
Statocyste d'un Invertébré. La chute des statolithes au point le plus bas de la chambre déforme les cellules sensorielles ciliées situées à cet endroit et procure ainsi au cerveau des indications sur la position du corps.

Neurones sensitifs

Statolithes

Cellules sensorielles ciliées

GOÛT ET ODORAT

Les sens du goût et de l'odorat reposent sur l'existence de chimiorécepteurs qui détectent certaines substances spécifiques présentes dans le milieu. Chez les Animaux terrestres, le goût permet de distinguer certaines substances chimiques sous forme de solution, et l'odorat sert à discerner les substances chimiques volatiles transportées par l'air. Cependant, ces sens de nature chimique sont habituellement très apparentés et il n'existe pas de véritable distinction entre eux dans les milieux aquatiques.

Divers Animaux ont recours à leurs organes de détection chimique pour trouver des partenaires sexuels, reconnaître un territoire marqué au moyen d'une substance chimique ou se repérer pendant leur migration (figure 45.21). De nombreuses espèces, en particulier les Insectes sociaux, communiquent aussi par voie chimique. Au chapitre 50, vous verrez comment l'organisation

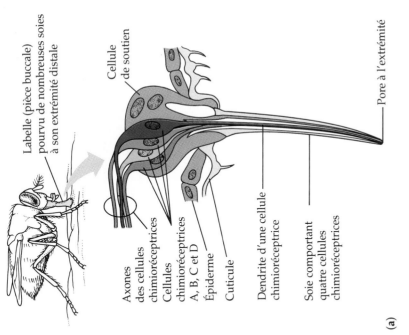

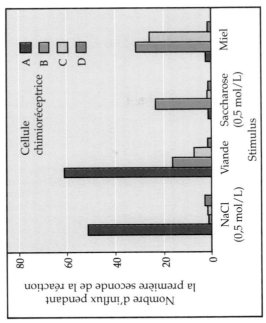

Figure 45.21
Les Saumons se dirigent grâce à leur odorat. Plusieurs espèces de Saumons du Pacifique effectuent une fois dans leur vie le voyage qui les conduit des ruisseaux où ils éclosent à la mer, en passant par des rivières et des fleuves comme le Columbia ; puis ils reviennent au ruisseau où ils sont nés pour y frayer. Pendant leur séjour en mer, les Saumons originaires de plusieurs bassins fluviaux se regroupent en bancs et se nourrissent ensemble dans le golfe d'Alaska. Au bout de quelques années, les Saumons parvenus à la maturité sexuelle se séparent en groupes de même origine géographique et entreprennent la migration de retour, qui les ramène à leur ruisseau d'origine. Pendant la première partie de ce voyage, il se peut que les Saumons s'orientent d'après la position du Soleil. Mais dès qu'ils parviennent dans la région de la rivière qui mène à leur ruisseau d'origine, leur sens aiguisé de l'odorat entre en jeu. L'eau qui descend de chaque ruisseau dans la rivière porte une odeur qui lui est propre et qui émane des Végétaux, du sol et des autres éléments écologiques de ce ruisseau particulier. Il semble que cette odeur s'imprègne dans la mémoire du jeune Saumon avant sa migration vers la mer. Des années plus tard, durant le voyage de retour, le Saumon se fie à ces indices chimiques à chaque fourche de la rivière. Après avoir affronté des rapides, parfois sur des centaines de kilomètres, le Poisson parvient enfin à son lieu de naissance, où il fraie à son tour, puis meurt.

(a)

Figure 45.22
Sens du goût chez une Mouche de la viande. (a) Les soies (poils) gustatives des pattes et des pièces buccales contiennent chacune quatre cellules chimioréceptrices dont les dendrites s'étendent jusqu'au pore situé à l'extrémité de la soie. **(b)** Chaque cellule chimioréceptrice est désignée par une lettre. Chaque cellule chimioréceptrice s'avère particulièrement sensible à un type précis de substance ; par exemple, la cellule chimioréceptrice B réagit le mieux aux glucides. Cependant, cette spécificité est relative ; chaque cellule peut répondre, dans une certaine mesure, à un large éventail de stimuli chimiques. N'importe quelle source de nourriture présente dans la nature stimule probablement plusieurs cellules chimioréceptrices. Apparemment, le cerveau intègre la fréquence des influx qui lui parviennent par les axones des quatre classes de cellules chimioréceptrices, et il se trouve en mesure de reconnaître un grand nombre de sensations gustatives.

sociale d'une ruche ou d'une fourmilière se base sur une communication de nature chimique. Chez tous les Animaux, le goût et l'odorat jouent un rôle important dans le comportement d'alimentation. Par exemple, l'Hydre, un Cnidaire, se met à déglutir dès que ses chimiorécepteurs détectent du glutathion, un composé libéré par ses proies lorsqu'elle les capture avec ses tentacules. Vous pourrez observer ce comportement vous-même en laboratoire si vous versez un peu de glutathion dans l'eau où se trouve une Hydre.

Chez les Insectes, les récepteurs du goût se trouvent à l'intérieur de poils sensoriels appelés **soies**, situés sur les

pattes et les pièces buccales. Ces Animaux se servent de leur sens du goût pour choisir leurs aliments. Une certaine partie gustative renferme plusieurs cellules chimioréceptrices, dont chacune s'avère particulièrement sensible à un certain type de stimulus chimique comme le sucré ou le salé. Grâce à l'intégration des sensations (influx nerveux) provenant de ces diverses cellules réceptrices, le cerveau semble en mesure de reconnaître un très grand nombre de goûts différents (figure 45.22). Les Insectes peuvent aussi détecter les substances chimiques présentes dans l'air au moyen de leurs soies olfactives, localisées habituellement sur leurs antennes (voir la figure 45.3).

Chez les Humains et les autres Mammifères, les sens du goût et de l'odorat, qui sont de nature chimique, sont associés et semblables du point de vue fonctionnel. Dans les deux cas, une petite molécule doit se dissoudre dans un liquide pour entrer en contact avec la cellule réceptrice et la stimuler. Cette molécule s'associe à la cellule réceptrice en se liant à une protéine spécifique située sur la membrane de la cellule, ce qui provoque une dépolarisation de la membrane et la libération d'un neurotransmetteur.

Les cellules réceptrices du goût (ou cellules gustatives) sont regroupées en **bourgeons du goût** disséminés sur plusieurs régions de la langue et de la bouche. La plupart des bourgeons du goût se trouvent à la surface de la langue ou sont associés à des papilles qui font saillie sur la langue. Bien que leur structure ne nous permette pas de reconnaître les différents types de cellules gustatives, nous distinguons quatre sensations gustatives primaires (sucré, acide, salé et amer), détectées chacune par une région différente de la langue. Ces sensations primaires relèvent de la forme et de la charge des molécules (la structure en anneau du glucose pour le sucré, par exemple, ou l'ion sodium positif pour le salé) qui se lient à chaque type de cellule gustative. Comme dans le cas des cellules gustatives chez les Insectes, les informations sensorielles quittent les bourgeons du goût et se rendent au cerveau par l'intermédiaire des

neurones sensitifs, représentent une stimulation différentielle des diverses classes de récepteurs. Bien que chacune des cellules gustatives soit plus sensible à un certain type de substance, elle peut en fait répondre à un large éventail de substances chimiques. À chaque bouchée de nourriture et chaque gorgée de boisson, le cerveau intègre les différentes informations provenant des bourgeons du goût, et une sensation gustative complexe prend naissance.

Le sens olfactif des Mammifères leur permet de détecter certaines substances chimiques présentes dans l'atmosphère. Les cellules olfactives garnissent la partie supérieure de la cavité nasale et, par l'intermédiaire de leurs axones, envoient des influx directement au bulbe olfactif de l'encéphale (figure 45.23). Les extrémités réceptrices de ces cellules comportent des cils qui baignent dans la couche de mucus recouvrant la cavité nasale. Lorsqu'une substance odorante parvient à cette région par diffusion, elle se lie aux molécules réceptrices spécifiques qui se trouvent sur les cils olfactifs, ce qui dépolarise les cellules olfactives. Les Humains peuvent distinguer des milliers d'odeurs différentes, mais elles résultent probablement de la combinaison de quelques odeurs primaires analogues aux goûts primaires de la gustation.

Bien que les récepteurs et les voies nerveuses du goût et de l'odorat soient indépendantes, il existe quand même des interactions entre ces deux sens. En fait, une bonne part de ce que nous attribuons au goût dépend de l'odorat. Si le système olfactif est bouché, à la suite d'un rhume par exemple, les sensations du goût sont considérablement réduites.

Tout au long de cette présentation des mécanismes sensoriels, nous avons constaté que l'arrivée des informations sensorielles dans le système nerveux déclenchait des mouvements particuliers et produisait un certain comportement chez l'Animal. La fuite de la Planaire qui s'éloigne de la lumière, l'esquive du Papillon de nuit qui entend le sonar d'une Chauve-Souris, les mouvements de

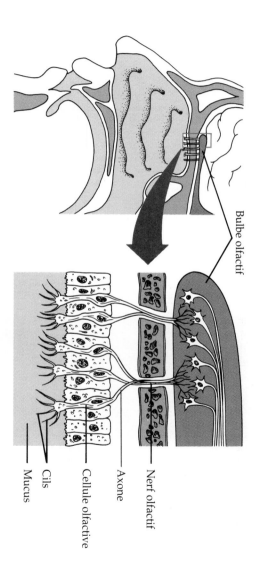

Figure 45.23
Odorat chez l'Humain. La liaison spécifique de molécules aux cils des cellules réceptrices de l'épithélium de la région olfactive déclenche des influx nerveux, qui sont envoyés directement au bulbe olfactif de l'encéphale par l'intermédiaire des axones des cellules olfactives.

Bulbe olfactif

Nerf olfactif

Axone

Cellule olfactive

Cils

Mucus

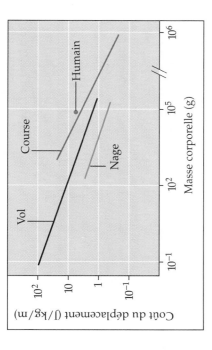

Figure 45.24
Coût du déplacement. Ce graphique permet de comparer le coût du déplacement, en joules par kilogramme de masse corporelle par mètre de distance parcourue, pour des Animaux spécialisés dans la nage, le vol et la course. Notez que les deux axes représentent des échelles logarithmiques. La nage est le mode de transport le plus efficace dans le cas des Animaux nageurs. Si l'on voulait comparer la consommation d'énergie par *minute* et non par *mètre*, on constaterait que les Animaux qui volent dépensent plus d'énergie que les Animaux nageurs ou les Animaux marcheurs pendant le même intervalle de temps. Cependant, les Oiseaux et les Insectes volants sont généralement rapides, et la course nécessite donc une plus grande dépense d'énergie par *mètre* que le vol. Pour marcher ou courir, l'Animal doit lutter contre la gravitation et la friction ; en outre, il doit sans cesse faire accélérer ses membres à partir d'une vitesse nulle, et il lui faut dépenser une énergie considérable pour vaincre l'inertie. Par ailleurs, les Animaux plus gros se déplacent de façon plus efficace que les espèces plus petites spécialisées dans le même mode de déplacement. Par exemple, un Cheval consomme moins d'énergie par kilogramme de masse corporelle qu'un Chat parcourant la même distance. (Bien entendu, la consommation d'énergie *totale* est plus importante chez l'Animal le plus gros.) Si vous comparez les extrêmes de masse corporelle, sur l'axe des x de ce graphique, vous pouvez constater qu'un gros Animal qui court dépense en déplacement plus d'énergie qu'un Poisson ou un Oiseau de petite taille.

déglutition chez l'Hydre lorsqu'elle perçoit le goût du glutathion, ainsi que la capacité d'orientation du Saumon qui, grâce à son odorat, reconnaît le ruisseau où il doit aller frayer, autant d'exemples qui ont illustré nos propos. Dans la suite du chapitre, nous allons nous pencher sur les mécanismes moteurs qui rendent possibles ces réponses chez les Animaux, c'est-à-dire la façon dont ils utilisent leurs muscles et leur squelette pour se déplacer.

MOUVEMENT CHEZ LES ANIMAUX : INTRODUCTION

Le mouvement est propre au monde animal. Pour se procurer de la nourriture, tout Animal doit se déplacer à travers son milieu ou amener ce même milieu à lui. Les Animaux sessiles ne se déplacent pas, mais ils font onduler des tentacules préhensiles afin de capturer des proies, ou font battre des cils de façon à créer des courants, ce qui leur permet d'attirer et de piéger de petites particules de nourriture (voir le chapitre 37). Cependant, la plupart des Animaux sont mobiles et consacrent une partie importante de leur temps et de leur énergie à chercher activement de la nourriture, à échapper au danger et à tenter de trouver des partenaires sexuels.

Les modes de locomotion animale varient. Plusieurs embranchements animaux comprennent des espèces qui se déplacent au moyen de la nage. Sur terre et dans les sédiments du fond de la mer et des lacs, les Animaux rampent, marchent, courent ou sautillent. Les organes du vol ne sont apparus que dans quelques classes, chez les Insectes (embranchement des Arthropodes) et chez les Reptiles, les Oiseaux et les Mammifères (embranchement des Cordés).

Quel que soit leur mode de déplacement, les Animaux doivent exercer une force suffisante sur leur environnement pour vaincre la friction et la gravitation. L'importance relative de ces deux sources de résistance dépend du type de milieu. Comme la plupart des Animaux ont une flottabilité relativement bonne, les espèces qui nagent ont moins de difficulté à vaincre la gravitation que celles qui doivent se déplacer sur terre ou dans les airs. Par contre, l'eau est un milieu de plus grande masse volumique que l'air, et la résistance au mouvement (friction) représente une entrave importante pour les Animaux aquatiques. L'évolution a doté de nombreux Animaux nageurs rapides d'une forme élancée et fusiforme (en forme de torpille). Sur terre, un Animal qui marche ou qui court doit s'avérer capable de supporter sa propre masse et de vaincre la gravitation mais, du moins à vitesse modérée, l'air présente une résistance relativement faible. Pour pouvoir se déplacer dans un tel milieu, un squelette solide qui offre un soutien constitue un atout plus important que le fait de posséder une forme aérodynamique. À chaque pas, lorsqu'il court ou marche, l'Animal doit aussi vaincre l'inertie en faisant accélérer l'une de ses pattes à partir d'une vitesse nulle. Il s'agit là d'une des principales raisons pour lesquelles les Animaux coureurs consomment davantage d'énergie par mètre parcouru que les Animaux de même taille spécialisés dans la nage ou le vol (figure 45.24). Chez un Animal qui vole, le squelette ne s'oppose pas directement à la gravitation, mais cette dernière pose un important problème d'un autre

ordre : afin de permettre le vol, les ailes doivent créer une poussée suffisante pour vaincre complètement la force de gravitation. Dans chacune de ces situations, on remarque chez les organismes la présence de formes extérieures, d'appendices spécialisés et d'autres adaptations morphologiques, qui représentent autant de solutions apportées par l'évolution aux problèmes spécifiques que pose le mouvement.

Des processus fondamentaux communs à tous les Animaux rendent possibles ces diverses formes de mouvements. À l'échelle cellulaire, tout mouvement animal découle d'un ou de deux mécanismes élémentaires de contraction, lesquels dépendent du déplacement de filaments de protéines glissant les uns sur les autres. Au chapitre 7, nous avons étudié deux structures qui participent à la motilité cellulaire, les microtubules et les microfilaments. Les microtubules sont à l'origine du battement des cils et des ondulations des flagelles. Les microfilaments jouent un rôle essentiel dans le mouvement amiboïde, et ils constituent également les éléments contractiles des cellules musculaires. Dans le présent chapitre, nous nous intéresserons à la contraction musculaire, mais rappelez-vous que le seul travail d'un muscle ne suffit pas à produire le mouvement chez un Animal. La nage, la reptation, la course et le vol peuvent prendre

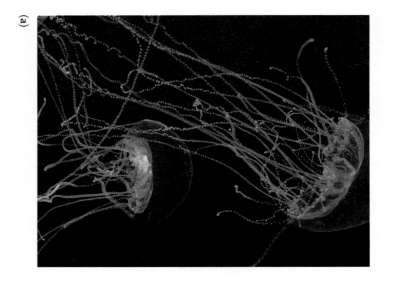

(a)

Figure 45.25
Trois types de squelettes. (a) Chez les Cnidaires, comme ces Méduses, les mouvements s'effectuent à l'aide d'un hydrosque-lette. L'hydrosquelette, qui consiste en un liquide sous pression contenu dans un compartiment de l'organisme, se retrouve égale-ment chez les Plathelminthes, les Némathelminthes et les Annélides. **(b)** De nombreux Invertébrés, dont les Arthropodes, possèdent un exosquelette qui leur fournit protection et support. Ici, un Puceron se tient à côté de son vieil exosquelette dont il s'est débarrassé grâce à un mécanisme appelé mue (MEB). **(c)** Les Vertébrés figurent parmi les Animaux dotés d'un endo-squelette. Sur cette photographie d'un embryon de Chauve-Souris, les structures colorées en rouge sont des tissus osseux en cours d'ossification (durcissement par dépôt de sels de calcium) et les structures en bleu sont du cartilage.

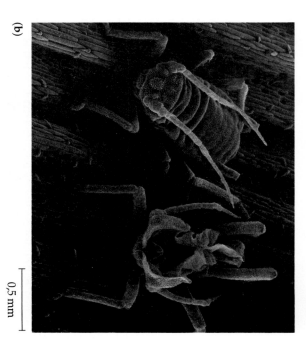

(b)

0,5 mm

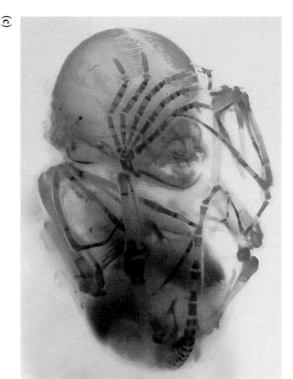

(c)

place parce que les muscles exercent leur force sur un squelette d'un type donné.

TYPES DE SQUELETTES ET LEUR RÔLE DANS LE MOUVEMENT

Le squelette assure trois fonctions : le soutien, la protec-tion et le mouvement. La plupart des Animaux terrestres s'affaisseraient sous leur propre masse s'ils n'avaient pas de squelette pour les soutenir. Un Animal aquatique même ne serait qu'une masse informe sans une structure pour lui donner sa configuration. De nombreuses espèces possèdent un squelette rigide qui protège leurs tissus mous. Chez les Vertébrés, par exemple, le crâne recouvre l'encéphale, et les côtes forment une cage autour du cœur, des poumons et des autres organes internes. De plus, le squelette participe au mouvement puisqu'il procure aux muscles un point d'appui ferme. Il existe trois principaux types de squelettes : les hydrosquelettes, les exosquelettes et les endosquelettes (figure 45.25).

Hydrosquelette

Un **hydrosquelette** se compose d'un liquide maintenu sous pression dans un compartiment fermé de l'orga-nisme. Ce type de squelette se retrouve chez la plupart des Cnidaires, des Plathelminthes, des Némathelminthes et des Annélides (voir le chapitre 29). Ces Animaux bougent et se déplacent en se servant de leurs muscles afin de modifier la forme de compartiments remplis de liquide. L'Hydre, par exemple, peut s'allonger en fermant la bou-che et en resserrant sa cavité gastrovasculaire centrale au moyen des cellules contractiles de sa paroi corporelle. Comme il est difficile de comprimer l'eau, la réduction du diamètre de la cavité provoque son allongement. Chez les Planaires, le liquide interstitiel maintenu sous pression joue le rôle d'hydrosquelette principal. Pour se déplacer, les Vers plats (Plathelminthes) contractent les muscles de leur paroi corporelle et exercent ainsi des forces localisées sur cet hydrosquelette. Les Vers ronds (Némathelminthes) sont capables de retenir sous pression le liquide présent dans leur cavité corporelle (un pseudocœlome, voir le

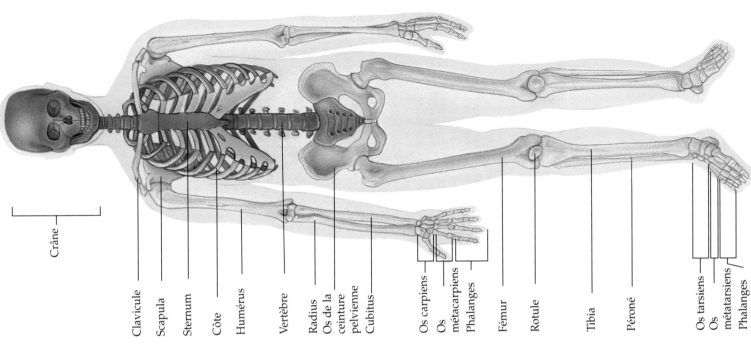

Crâne

Clavicule
Scapula
Sternum
Côte
Humérus

Vertèbre

Radius
Os de la ceinture pelvienne
Cubitus

Os carpiens
Os métacarpiens
Phalanges

Fémur

Rotule

Tibia

Péroné

Os tarsiens
Os métatarsiens
Phalanges

Figure 45.26
Squelette humain. Le squelette axial est représenté en vert et le squelette appendiculaire, en jaune doré.

conque de ces deux matériaux (figure 45.26). Le squelette des Mammifères comporte plus de 200 os, certains fusionnés et d'autres reliés par des articulations pourvues de ligaments, qui offrent une certaine liberté de mouvement. Du point de vue anatomique, on distingue

chapitre 29), et l'action des muscles longitudinaux produit ainsi des mouvements vigoureux. Chez les Vers de terre, le liquide cœlomique sert d'hydrosquelette. La cavité cœlomique est divisée par des cloisons situées entre les segments, et le Ver peut ainsi modifier la forme de chacun des segments séparément au moyen de ses muscles circulaires et longitudinaux. Les hydrosquelettes ne fournissent aucune protection, et ils n'offriraient aucun soutien à un Animal terrestre de grande taille.

Exosquelette

L'**exosquelette** est une enveloppe rigide déposée à la surface du corps de l'Animal. Par exemple, la plupart des Mollusques sont enfermés dans une coquille calcaire sécrétée par le manteau, c'est-à-dire un prolongement de la paroi corporelle en forme d'enveloppe. Au fur et à mesure que l'Animal grossit, il agrandit le diamètre de la coquille en élargissant la marge extérieure. Les Palourdes et les autres Bivalves ferment leur coquille, qui est articulée, en actionnant les muscles situés à l'intérieur de cet exosquelette.

L'exosquelette articulé que l'on retrouve le plus souvent chez les Arthropodes est une **cuticule**, c'est-à-dire une enveloppe inerte sécrétée par l'épiderme. Les muscles sont fixés aux excroissances et aux plaques situées sur la face interne de la cuticule. Environ 30 à 50 % de la cuticule se compose de **chitine**, un polysaccharide semblable à la cellulose (voir le chapitre 5). Une matrice protéique enrobe les fibrilles de chitine, qui forment ainsi un matériau composite analogue à la fibre de verre, alliant la solidité à la flexibilité. Aux endroits où il faut que la cuticule soit la plus importante, la cuticule est durcie par l'ajout de composés organiques appelés quinones, qui établissent des liens transversaux entre les protéines de l'exosquelette. Chez certains Crustacés comme les Crabes et les Homards, certaines parties de l'exosquelette sont aussi renforcées par la présence de sels de calcium. Par contre, à la hauteur des articulations des pattes, où la cuticule doit rester mince et flexible, on ne trouve que de petites quantités de sels inorganiques et peu de liens entre les protéines. Une fois constitué, l'exosquelette d'un Arthropode ne peut pas s'agrandir ; régulièrement, à chaque poussée de croissance, l'Animal s'en sépare (mue) et le remplace par un revêtement plus grand.

Endosquelette

Un **endosquelette** se compose d'éléments de soutien rigides, tels des os, que les tissus mous de l'Animal entourent. La structure des Éponges est renforcée par des spicules rigides constituées de matériaux inorganiques, ou par des fibres plus souples faites de protéines. Les Échinodermes sont pourvus d'un endosquelette, soit un ensemble de plaques rigides situées sous la peau. Ces ossicules comprennent des cristaux de sels de magnésium et de calcium, et les plaques sont habituellement liées entre elles par des fibres de protéine. Le squelette des Oursins est formé d'ossicules étroitement reliés, mais chez les Étoiles de mer, les liens entre les ossicules sont plus lâches, ce qui permet à l'Animal de modifier la forme de ses bras.

L'endosquelette des Cordés se compose de tissu cartilagineux, de tissu osseux ou d'une combinaison quel-

chez les Vertébrés le squelette axial et le squelette appendiculaire ; le premier inclut le crâne, la colonne vertébrale et la cage thoracique, et le squelette appendiculaire comprend les os des membres ainsi que les ceintures scapulaire et pelvienne, qui relient les membres au squelette axial. On peut identifier plusieurs types d'articulations dans le seul membre antérieur d'un Vertébré (figure 45.27).

Outre leur fonction de soutien à l'organisme, les os du squelette des Vertébrés agissent comme des leviers lors de la contraction des muscles auxquels ils sont reliés.

MUSCLES

Nous avons vu que le mouvement animal se produit parce que les muscles, grâce à leur travail, exercent une force sur un type de squelette. L'action d'un muscle con-

siste *toujours* en une contraction ; les muscles ne peuvent s'étirer que de façon passive. Pour déplacer une partie du corps dans des directions opposées, il faut que les muscles soient rattachés au squelette par paires antagonistes, c'est-à-dire que chacun d'eux exerce sa force en sens contraire de l'autre (figure 45.28). Par exemple, la flexion de notre bras s'effectue grâce à la contraction du biceps brachial, l'articulation trochléenne du coude jouant le rôle de point d'appui d'un levier. Pour étendre le bras, nous relâchons le biceps brachial pendant que le triceps brachial, situé du côté opposé, se contracte. Mais comment la contraction musculaire se produit-elle exactement ? Vous savez que, pour comprendre le fonctionnement d'un organe, il faut connaître sa structure. Dans cette section, nous allons examiner la structure et le mécanisme de la contraction des muscles squelettiques chez les Vertébrés, puis nous comparerons ce modèle de base avec d'autres types de muscles.

Figure 45.27
Types d'articulations synoviales présents dans le squelette des Vertébrés. Dans une articulation synoviale, les os s'unissent par l'intermédiaire d'une cavité remplie de liquide. Le membre antérieur des Vertébrés possède de nombreuses articulations synoviales que l'on peut classer en six types. Les flèches indiquent les mouvements autorisés dans chaque cas.

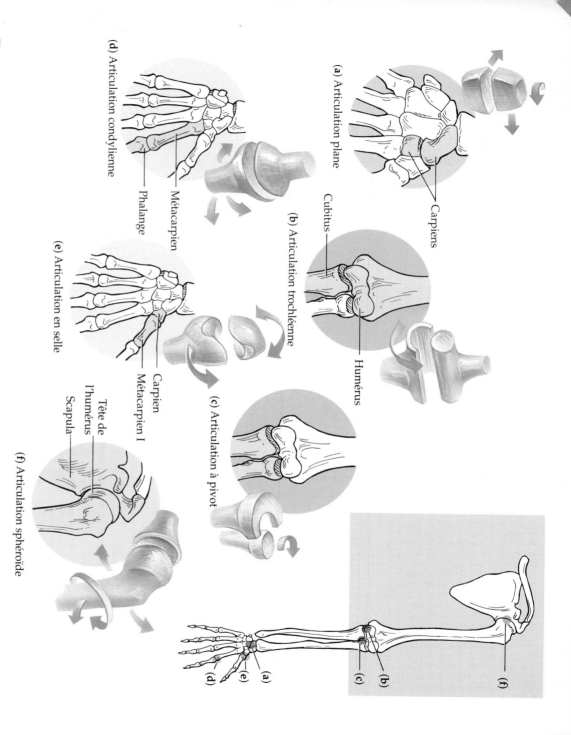

(a) Articulation plane — Carpiens

(b) Articulation trochléenne — Cubitus, Humérus

(c) Articulation à pivot

(d) Articulation condylienne — Métacarpien, Phalange

(e) Articulation en selle — Carpien, Métacarpien I

(f) Articulation sphéroïde — Tête de l'humérus, Scapula

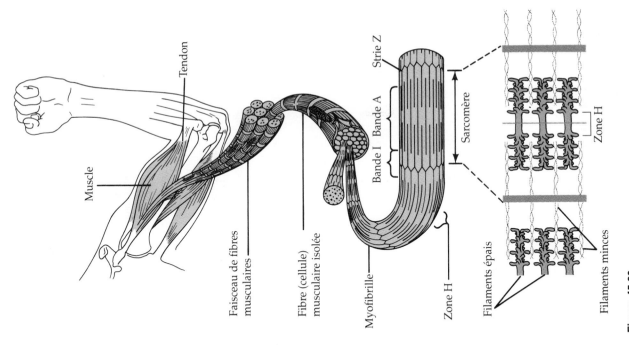

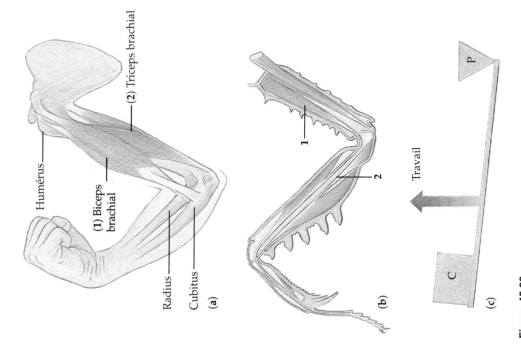

Figure 45.28
Travail conjoint des muscles et du squelette pour produire le mouvement. Les muscles se contractent de façon active, mais ils ne s'allongent qu'à la suite d'un étirement passif. En général, les muscles antagonistes génèrent des mouvements de sens contraire, et chacun exerce un effet opposé à l'autre. Ce principe vaut aussi bien dans le cas d'un endosquelette que d'un exosquelette. **(a)** Chez les Humains, la contraction du biceps brachial (muscle 1) élève l'avant-bras, et celle du triceps brachial (muscle 2) l'abaisse. **(b)** Chez un Insecte, le muscle 2 élève la patte en se contractant, et le muscle 1 l'abaisse. Bien que la contraction du muscle 1 produise des effets opposés chez les Humains et les Insectes, les deux systèmes musculosquelettiques fonctionnent selon le même principe physique. **(c)** Lors de l'élévation du membre, le squelette agit comme un levier et l'articulation joue le rôle de pivot (P), le membre représentant la charge (C). Lorsque le muscle exerce une force entre le pivot et la charge, le levier monte en tournant autour du pivot. Par leur contraction, les muscles des Humains et des Insectes produisent des résultats différents, parce qu'ils n'ont pas la même position par rapport au squelette.

Structure et physiologie des muscles squelettiques chez les Vertébrés

Les **muscles squelettiques** des Vertébrés, qui sont rattachés aux os et produisent le mouvement, se caractérisent par un emboîtement d'unités parallèles de plus en plus petites (figure 45.29). Un muscle squelettique consiste en un faisceau de longues fibres disposées dans le sens de sa longueur. Chaque fibre est une cellule unique munie de nombreux noyaux, ce qui montre qu'elle résulte de la

fusion d'un grand nombre de cellules embryonnaires. Chaque fibre est un assemblage de **myofibrilles** placées dans le sens de la longueur. Les myofibrilles comprennent elles-mêmes deux types de **myofilaments.** Les **filaments minces** se composent de deux brins d'actine et d'un brin de protéine régulatrice enroulés les uns autour des autres, alors que les **filaments épais** sont des ensembles décalés de molécules de myosine.

Les muscles squelettiques présentent des stries à cause de la disposition régulière des myofilaments qui crée un motif de répétition de bandes claires et sombres

Figure 45.29
Structure du muscle squelettique. Le muscle squelettique est relié par des tendons aux os qu'il déplace. Le muscle se compose de faisceaux de fibres (cellules) musculaires multinucléées, dont chacune comprend un assemblage de myofibrilles. Chaque myofibrille comporte des filaments épais et des filaments minces dont l'alignement régulier forme les sarcomères, c'est-à-dire les unités délimitées par des stries Z à chacune de leurs extrémités.

Figure 45.30
Théorie de la contraction musculaire par glissement des filaments. (a) L'alternance de bandes claires et foncées dans ce muscle strié de Grenouille permet de distinguer la disposition régulière des filaments minces et épais (MET). Comme vous pouvez le voir sur ce diagramme, les extrémités des bandes A comprennent les régions de recouvrement des filaments épais et minces, alors que la zone H ne contient que des filaments épais. Les bandes I ne comprennent que des filaments minces. La partie sombre située au centre de chaque bande I, appelée strie Z, est reliée aux filaments minces. Le sarcomère est l'ensemble de la structure qui se trouve entre deux stries Z successives. **(b)** Contraction d'un sarcomère: le muscle se contracte lorsque les filaments épais et minces glissent les uns sur les autres. Le sarcomère se raccourcit, bien que les filaments individuels restent de même longueur.

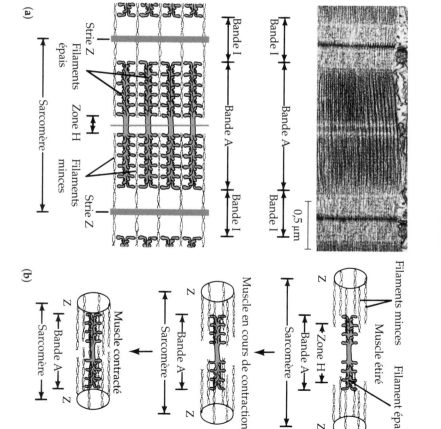

(a)

0,5 µm

Bande I | Bande A | Bande I

Bande I | Bande A | Bande I

Strie Z — Filaments épais — Zone H — Filaments minces — Strie Z

Sarcomère

(b)

Filaments minces — Filament épais

Muscle étiré
Z — Zone H — Z
Z — Bande A — Z
Sarcomère

Muscle en cours de contraction
Z — Bande A — Z
Sarcomère

Muscle contracté
Z — Bande A — Z
Sarcomère

(figure 45.30a). Chaque élément de cette répétition constitue un **sarcomère**, soit l'unité structurale fondamentale du muscle. L'alignement des extrémités du sarcomère, appelées **stries Z**, des myofibrilles voisines forme des bandes visibles au microscope photonique. Les filaments minces sont reliés aux stries Z et se prolongent vers le centre du sarcomère, tandis que les filaments épais se trouvent au centre du sarcomère. Au repos, les filaments minces et épais ne se recouvrent pas complètement; on nomme **bande I** la partie, située au bord du sarcomère, qui ne comprend que des filaments minces. On appelle **bande A** la large région correspondant à la longueur des filaments épais. Les filaments minces ne traversent pas entièrement le sarcomère, de sorte que la **zone H**, localisée au centre de la bande A, ne contient que des filaments épais. Cette disposition des filaments épais et minces nous permet de comprendre comment le sarcomère se contracte, de même que l'ensemble du muscle.

Mécanisme de la contraction musculaire
Lorsqu'un muscle se contracte, chaque sarcomère raccourcit, c'est-à-dire que la distance entre deux stries Z voisines diminue (figure 45.30b). Dans le sarcomère contracté, la longueur des bandes A ne change pas, mais les bandes I raccourcissent et la zone H disparaît. On peut expliquer ce phénomène par la **théorie de la contraction par glissement des filaments**. Selon ce modèle, ni les filaments minces ni les filaments épais ne changent de longueur pendant la contraction; ils glissent les uns sur les autres dans le sens de la longueur de sorte que le recouvrement des filaments minces et épais augmente. Si la zone de recouvrement s'accroît, alors la longueur occupée seulement par des filaments minces (la bande I) et celle occupée seulement par des filaments épais (la zone H) doivent diminuer.

Le glissement des filaments est produit par l'interaction des molécules d'actine et de myosine, qui composent les filaments minces et épais. La molécule de myosine comporte un «axe», une longue région fibreuse dotée d'une «tête» sphérique pointant vers le côté. L'axe constitue la partie par laquelle les molécules de myosine individuelles s'assemblent pour former le filament épais. La tête de myosine peut se lier à l'ATP et l'hydrolyser en ADP et en phosphate inorganique. Une partie de l'énergie dégagée par le clivage de l'ATP est transférée à la myosine, qui change de forme et adopte une configuration à haute énergie (figure 45.31). Cette forme de myosine chargée d'énergie se lie à un site spécifique situé sur l'actine en formant un **pont d'union**. L'énergie emmagasinée est alors libérée et la tête de myosine revient à sa configuration de basse énergie. Ce relâchement modifie l'angle de liaison de la tête de myosine sur son axe; lorsque la myosine se replie sur elle-même, elle est liée, et elle exerce une tension sur le filament mince auquel elle est liée, et elle le tire vers le centre du sarcomère. La liaison entre la myosine à basse énergie et l'actine se rompt lorsqu'une nouvelle molécule d'ATP se lie à la tête de myosine. La tête libre, qui décrit le même cycle à plusieurs reprises, peut alors dissocier le nouvel ATP et retrouver sa configuration de haute énergie, puis s'associer à un nouveau site de liaison situé sur une autre molécule d'actine, plus loin le long du filament mince. Chacune des quelque 350 têtes présentes sur un filament épais forme environ 5 ponts d'union par seconde, provoquant ainsi le glissement des filaments l'un sur l'autre.

En général, les cellules musculaires contiennent assez d'ATP pour alimenter quelques contractions. Elles entreposent aussi du glycogène dans des colonnes situées entre les myofibrilles, mais la plus grande partie de l'énergie

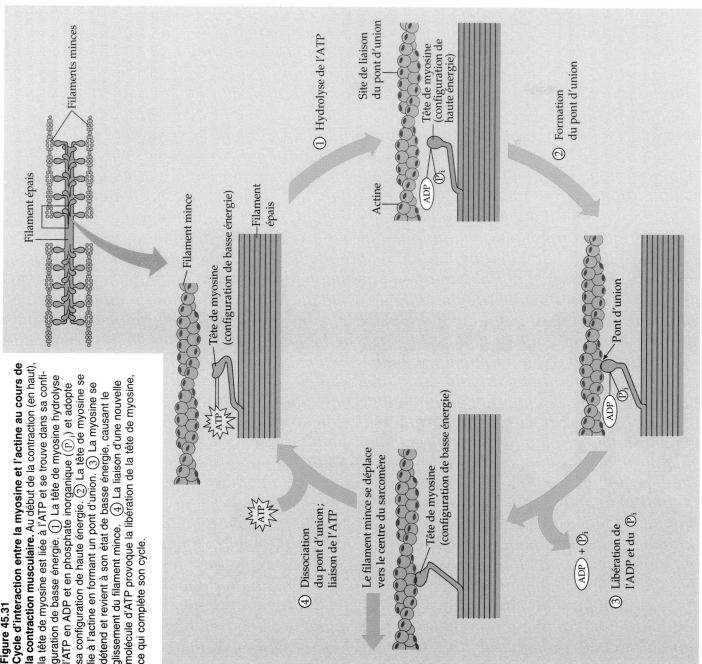

Figure 45.31
Cycle d'interaction entre la myosine et l'actine au cours de la contraction musculaire. Au début de la contraction (en haut), la tête de myosine est liée à l'ATP et se trouve dans sa configuration de basse énergie. ① La tête de myosine hydrolyse l'ATP en ADP et en phosphate inorganique (Ⓟ~i~) et adopte sa configuration de haute énergie. ② La tête de myosine se lie à l'actine en formant un pont d'union. ③ La myosine se détend et revient à son état de basse énergie, causant le glissement du filament mince. ④ La liaison d'une nouvelle molécule d'ATP provoque la libération de la tête de myosine, ce qui complète son cycle.

Filaments minces

Filament épais

Filament mince

Tête de myosine (configuration de basse énergie)

Filament épais

① Hydrolyse de l'ATP

Actine

Site de liaison du pont d'union

Tête de myosine (configuration de haute énergie)

ADP Ⓟ~i~

② Formation du pont d'union

Pont d'union

ADP Ⓟ~i~

③ Libération de l'ADP et du Ⓟ~i~

ADP + Ⓟ~i~

Tête de myosine (configuration de basse énergie)

Le filament mince se déplace vers le centre du sarcomère

④ Dissociation du pont d'union; liaison de l'ATP

ATP

Tête de myosine (configuration de basse énergie)

ATP

Filament mince

nécessaire pour entretenir des contractions musculaires répétées est emmagasinée dans des substances appelées **phosphagènes.** La **phosphocréatine,** le phosphagène des Vertébrés, peut ajouter un groupement phosphate à l'ADP pour produire de l'ATP.

Couplage excitation-contraction   Un muscle squelettique ne se contracte qu'à la suite d'une stimulation par un neurone moteur. Lorsque le muscle est au repos, les sites de liaison de l'actine, destinés à la myosine, sont recouverts par un filament de tropomyosine, une protéine de régulation. La position de la tropomyosine sur le filament mince est déterminée par un autre ensemble

de protéines régulatrices, le **complexe de troponine** (figure 45.32). Pour qu'il y ait contraction, les sites de liaison des ponts d'union sur l'actine doivent être découverts. Cela se produit lorsque des ions calcium se lient à la troponine et modifient l'interaction entre la troponine et la tropomyosine. La liaison de Ca^{2+} modifie la forme de l'ensemble du complexe tropomyosine-troponine et expose les sites de liaison de l'actine pour la myosine. En présence de calcium, le glissement des filaments minces et épais devient possible et le muscle se contracte. Lorsque la concentration interne de calcium diminue, les sites de liaison de l'actine sont recouverts et la contraction cesse.

Figure 45.32
Régulation de la contraction musculaire.
Le filament mince comporte deux brins d'actine enroulés en forme d'hélice. **(a)** Lorsque le muscle est au repos, une longue molécule linéaire de tropomyosine couvre les sites de liaison destinés à la myosine, qui sont essentiels à la formation de ponts d'union. **(b)** Lorsqu'un autre complexe protéique, la troponine, se lie aux ions calcium, les sites de liaison de l'actine sont découverts, les ponts d'union avec la myosine peuvent se former, et la contraction se produit.

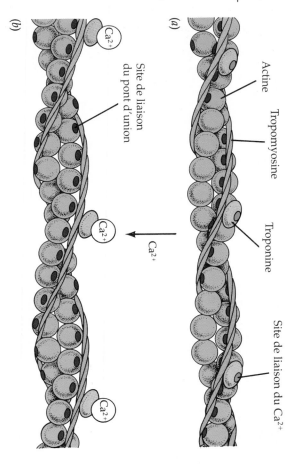

(a)

Actine

Tropomyosine

Troponine

Site de liaison du pont d'union

Ca^{2+}

(b)

Site de liaison du Ca^{2+}

La concentration de calcium dans le cytoplasme de la cellule musculaire se trouve sous la régulation du **réticulum sarcoplasmique**, un réticulum endoplasmique spécialisé (figure 45.33). La membrane du réticulum sarcoplasmique transporte activement le calcium cytoplasmique vers l'intérieur du réticulum, qui représente donc un site d'entreposage intracellulaire de calcium. Le stimulus qui provoque la contraction du muscle squelettique est un potentiel d'action venant du neurone moteur qui communique avec la cellule musculaire par une synapse. Nous avons vu au chapitre 44 que les terminaisons axonales du neurone moteur libèrent de l'acétylcholine dans la jonction neuromusculaire, ce qui dépolarise

la cellule musculaire postsynaptique et déclenche un potentiel d'action dans la cellule musculaire. Ce potentiel d'action constitue le signal de la contraction. Il se propage jusque dans les profondeurs de la cellule musculaire en suivant les replis de la membrane plasmique, les **tubules transverses**. Aux endroits où les tubules transverses entrent en contact avec le réticulum sarcoplasmique, le potentiel d'action modifie la perméabilité du réticulum et provoque la libération des ions calcium. Les ions calcium se lient à la troponine, ce qui permet au muscle de se contracter. La contraction prend fin lorsque le réticulum sarcoplasmique retire le calcium du cytoplasme et que le complexe tropomyosine-troponine,

Figure 45.33
Réticulum sarcoplasmique et tubules transverses. Le réticulum sarcoplasmique est un réseau de membranes pouvant emmagasiner et libérer les ions calcium qui déclenchent la contraction musculaire. Les tubules transverses sont des prolongements de la membrane plasmique de la fibre musculaire et permettent le passage du signal de contraction (potentiel d'action).

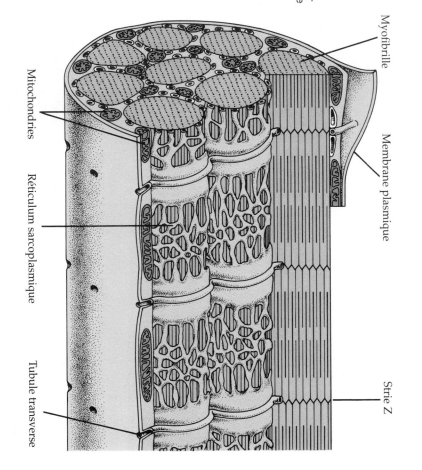

Myofibrille

Membrane plasmique

Strie Z

Tubule transverse

Réticulum sarcoplasmique

Mitochondries

rones moteurs, dont chacun se trouve en communication avec son propre bassin de fibres musculaires réparties dans l'ensemble du muscle. Une unité motrice comprend un seul neurone moteur et toutes les fibres musculaires qu'il régit. Lorsque le neurone moteur envoie un message, toutes les fibres musculaires de l'unité motrice correspondante se contractent simultanément. La force de la contraction ainsi produite dépendra donc du nombre de fibres musculaires avec lesquelles ce neurone moteur est en contact. Dans la plupart des muscles, le nombre de fibres musculaires présentes dans chaque unité motrice varie grandement; certains neurones moteurs ne commandent que quelques cellules musculaires, alors que d'autres en régissent des centaines. Le système nerveux peut donc ajuster la force de contraction de l'ensemble du muscle en déterminant à la fois le nombre et la taille des unités motrices qui seront activées à un instant donné. La tension d'un muscle peut augmenter de façon progressive par l'activation d'un nombre croissant de neurones moteurs commandant ce muscle: ce mécanisme est appelé **recrutement** des neurones moteurs. Selon le nombre de neurones moteurs recrutés par votre système nerveux pour effectuer un travail, vous pouvez soulever une fourchette ou un objet beaucoup plus lourd comme votre manuel de biologie.

Certains muscles, en particulier ceux grâce auxquels nous restons debout et maintenons notre posture, sont presque toujours partiellement contractés. Cependant, une contraction prolongée produit une fatigue musculaire, causée par l'épuisement de l'ATP, la diminution des gradients ioniques nécessaires au passage normal des influx (voir le chapitre 44) et l'accumulation d'acide lactique (voir le chapitre 9). Le mécanisme suivant permet d'éviter la fatigue des muscles de la posture: le système nerveux active tour à tour les différentes unités motrices qui constituent le muscle, de sorte que des unités motrices différentes se relaient afin de maintenir une contraction prolongée.

Fibres musculaires à contraction rapide et à contraction lente Nous avons vu que, au niveau de la fibre musculaire squelettique, le potentiel d'action ne représente que le déclencheur de la contraction; la véritable durée de la contraction dépend de l'intervalle de temps pendant lequel la concentration cytoplasmique de calcium reste élevée. De ce point de vue, toutes les fibres des muscles squelettiques ne sont pas identiques. Selon la durée de leur secousse, on distingue les fibres à contraction lente et les fibres à contraction rapide. Une fibre à contraction lente possède moins de réticulum sarcoplasmique qu'une fibre à contraction rapide, et le calcium reste donc plus longtemps dans le cytoplasme. Pour cette raison, la secousse de la fibre à contraction lente dure environ cinq fois plus longtemps que celle d'une fibre à contraction rapide. Les fibres à contraction lente sont aussi spécialisées pour mettre à profit un approvisionnement régulier en énergie; elles sont bien irriguées, comprennent de nombreuses mitochondries et une protéine d'entreposage du dioxygène, la **myoglobine**. La myoglobine, le pigment rouge-brun présent dans la viande foncée, a plus d'affinité pour l'oxygène que l'hémoglobine, de sorte qu'elle peut retirer efficacement le dioxygène du sang. On retrouve souvent les fibres à contraction lente

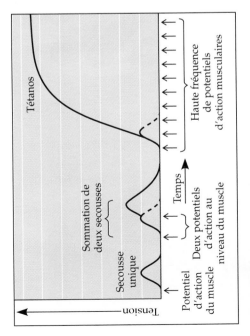

Figure 45.34
Sommation temporelle des contractions des cellules musculaires. Ce graphique permet de comparer la tension fournie par un muscle en réponse à un potentiel d'action unique, à deux potentiels d'action et à une succession de potentiels d'action. Les traits pointillés montrent la réponse qui se serait produite dans le cas d'un seul potentiel d'action.

sous l'effet de la baisse de concentration de calcium, couvre à nouveau les sites de liaison de l'actine pour la myosine.

Contraction graduée de muscles entiers La stimulation par un neurone moteur d'une seule fibre musculaire produit une secousse de type tout ou rien appelée secousse musculaire (figure 45.34). Cependant, l'expérience nous apprend que l'action d'un muscle entier tel que le biceps brachial est graduée, et que nous pouvons faire varier l'étendue et la force de la contraction. Le système nerveux peut générer une contraction graduée du muscle entier en modifiant la fréquence des potentiels d'action dans les neurones moteurs qui régissent le muscle. Un potentiel d'action unique produira une augmentation de la tension d'une durée de 100 millisecondes ou moins. Si un second potentiel d'action survient avant que la réponse au premier ait pris fin, alors les tensions s'ajouteront l'une à l'autre et la réponse résultante sera plus importante (voir la figure 45.34). Si une succession de potentiels d'action parvient à une cellule musculaire, la tension atteindra un maximum qui dépendra de la fréquence de la stimulation. Par ailleurs, si cette fréquence est assez élevée, les secousses fusionneront en une contraction uniforme et continue appelée **tétanos** (à ne pas confondre avec la maladie du même nom). Les potentiels d'action des neurones moteurs se présentent habituellement sous forme de salves rapides et, par leur sommation, les tensions ainsi obtenues produisent une contraction continue qui ressemble davantage au tétanos qu'à des soubresauts de secousses musculaires distinctes.

Le système nerveux peut aussi générer une contraction graduée dans un muscle entier en mettant à profit le fait que les cellules musculaires sont regroupées en **unités motrices**. Dans un muscle de Vertébré, chaque cellule est innervée par un seul neurone moteur, mais chaque neurone moteur peut former des synapses avec un grand nombre de cellules musculaires (figure 45.35). Un muscle individuel peut être commandé par des centaines de neu-

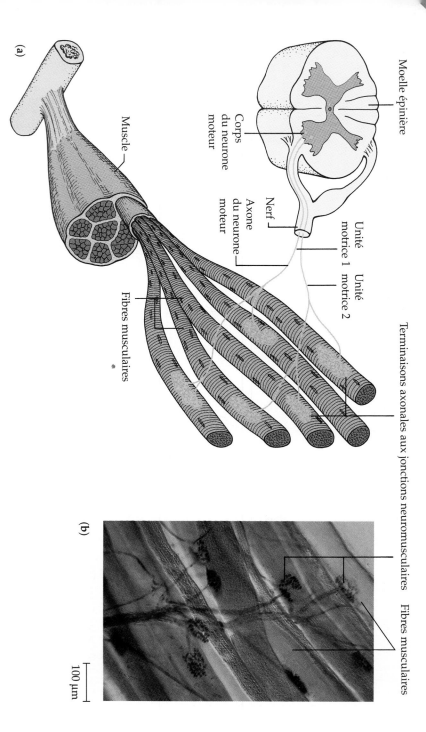

Figure 45.35
Unités motrices. Habituellement, un neurone moteur ramifié innerve plusieurs fibres musculaires réparties dans l'ensemble du muscle. Tout ce système contractile (le neurone et les fibres qu'il commande) est appelé unité motrice. Le recrutement d'unités motrices supplémentaires permet d'accentuer une contraction musculaire.
(b) Sur cette micrographie, vous pouvez voir un axone ramifié unique qui forme des synapses avec plusieurs fibres musculaires d'une même unité motrice (MP).

Moelle épinière

Corps du neurone moteur

Axone du neurone moteur

Nerf

Unité motrice 1   Unité motrice 2

Muscle

Fibres musculaires

Terminaisons axonales aux jonctions neuromusculaires   Fibres musculaires

100 µm

dans les muscles du maintien de la posture, car elles peuvent soutenir des contractions prolongées. Les fibres musculaires à contraction rapide servent aux contractions soudaines et puissantes. Dans certains cas, comme dans les muscles du vol chez les Oiseaux, elles peuvent subir de longues périodes de contractions répétées sans fatigue.

Autres types de muscles

Il existe de nombreux types de muscles dans le règne animal mais, comme nous l'avons déjà remarqué, ils ont tous en commun le même mécanisme fondamental de contraction, soit le glissement de filaments d'actine et de myosine les uns sur les autres. Au chapitre 36, nous avons vu que, outre les muscles squelettiques, les Vertébrés possèdent également des muscles lisses et un muscle cardiaque.

Chez les Vertébrés, le **muscle cardiaque** ne se trouve qu'à un endroit, c'est-à-dire le cœur. À l'instar du muscle squelettique, le muscle cardiaque est strié. Les principales différences entre les muscles squelettiques et cardiaque tiennent à leurs propriétés électriques et membranaires. Les points de contact entre les cellules du muscle cardiaque comprennent des régions spécialisées appelées **disques intercalaires** (voir la figure 36.5), à la hauteur desquelles des jonctions ouvertes établissent un couplage électrique direct entre les cellules. Ainsi, lorsqu'un potentiel d'action est généré dans une partie du cœur, il se

propage à toutes les cellules du muscle cardiaque, et l'ensemble du cœur se contracte (voir le chapitre 38). Dans les cellules musculaires squelettiques, le potentiel d'action et la contraction ne se déclenchent qu'à la suite d'un signal issu d'un neurone moteur ; pour leur part, les cellules musculaires cardiaques peuvent générer leurs propres potentiels d'action en l'absence de tout message venant du système nerveux. La membrane plasmique d'une cellule musculaire cardiaque présente des **canaux rythmogènes**, qui produisent une dépolarisation rythmique ; cette dépolarisation déclenche des potentiels d'action et le « battement » des cellules musculaires cardiaques, même si on les isole du cœur et qu'on les place dans une solution physiologique. En outre, les potentiels d'action des cellules musculaires cardiaques durent jusqu'à vingt fois plus longtemps que ceux des cellules musculaires squelettiques. Dans une cellule de muscle squelettique, le potentiel d'action ne sert qu'à déclencher la contraction et n'influe nullement sur sa durée ; au contraire, dans une cellule cardiaque, la longueur du potentiel d'action exerce un effet important sur la durée de la contraction.

Les **muscles lisses** ne présentent pas les stries que l'on peut observer sur les muscles squelettiques et cardiaque, parce que leurs filaments d'actine et de myosine ne sont pas tous disposés de façon régulière le long de la cellule. Au contraire, les filaments peuvent avoir une disposition en spirale à l'intérieur des cellules des muscles lisses. Les

muscles lisses possèdent moins de myosine que les muscles squelettiques et cardiaque, et la myosine n'est pas associée à des filaments d'actine spécifiques. Du fait de sa structure, le muscle lisse ne peut guère exercer une force aussi grande que les muscles squelettiques et cardiaque, mais il s'avère capable de se contracter sur une échelle de longueurs beaucoup plus étendue. En outre, les muscles lisses ne possèdent pas de système de tubules transverses, et leur réticulum sarcoplasmique n'est pas très développé. Pendant le potentiel d'action, les ions calcium doivent pénétrer dans le cytoplasme par la membrane plasmique et la quantité de calcium qui parvient aux filaments est assez faible. Les contractions sont relativement lentes, mais la capacité de régulation est plus élevée que dans les autres types de muscles. On trouve les muscles lisses surtout dans les parois des organes creux, comme ceux du système digestif, et dans les vaisseaux sanguins.

Les muscles lisses déplacent les substances présentes dans les organes creux grâce à une alternance de contractions et de relâchements.

* * *

Dans ce chapitre, nous avons étudié les récepteurs et les muscles séparément, mais ils constituent en fait les deux extrémités d'un même système intégré. Le comportement d'un Animal, qui représente une composante fondamentale de son interaction avec le milieu, est le produit d'un système nerveux qui assure le lien entre certaines sensations et certaines réponses. La huitième partie de ce manuel traite du comportement dans le contexte plus large de l'écologie, soit l'étude de l'interaction entre les organismes et leur milieu.

RÉSUMÉ DU CHAPITRE

Le comportement animal dépend de la capacité du système nerveux d'intégrer les messages en provenance des récepteurs sensoriels, qui lui apportent des indications sur les milieux interne et externe, et de traduire cette information en réponses appropriées dans les muscles et les autres effecteurs.

Récepteurs sensoriels (p. 1015-1019)

1. Les sensations sont des potentiels d'action qui circulent le long des neurones et qui sont interprétés par différentes régions de l'encéphale comme des perceptions.

2. Les récepteurs sensoriels sont habituellement des neurones modifiés qui détectent et transmettent les stimuli extérieurs.

3. La réception est la capacité, au niveau d'une cellule réceptrice spécialisée, d'absorber l'énergie propre à un stimulus.

4. La conversion est la transformation de l'énergie d'un stimulus en potentiels de membrane et en potentiels d'action.

5. L'énergie du stimulus peut être amplifiée par des structures annexes des organes sensoriels ou par conversion.

6. La transmission des potentiels récepteurs au système nerveux s'effectue soit sous forme de potentiels d'action (lorsque le récepteur est un neurone sensitif), soit par la libération d'un neurotransmetteur, qui produit alors des potentiels d'action lorsque le neurone sensitif avec lequel la cellule réceptrice fait synapse.

7. L'intégration de l'information commence dans le récepteur par les processus de sommation, d'adaptation et de variation de sensibilité du récepteur. L'intégration et le traitement se poursuivent dans le système nerveux central.

8. On peut classer les récepteurs sensoriels selon le type d'énergie par lequel ils sont stimulés.

9. Les mécanorécepteurs répondent à des stimuli tels que la pression, le toucher, l'étirement, le mouvement et le son.

10. Les chimiorécepteurs réagissent soit à la concentration totale des solutés, soit à la présence de molécules particulières.

11. Les récepteurs d'ondes électromagnétiques détectent l'énergie qui leur parvient sous forme de rayonnements de différentes longueurs d'onde.

12. Il existe divers types de thermorécepteurs qui mesurent les températures superficielle et interne de l'organisme.

13. Les nocicepteurs détectent la douleur; il s'agit de divers récepteurs sensibles aux excès de température, de pression ou à certaines catégories particulières de substances chimiques.

Vision (p. 1019-1027)

1. Les récepteurs de lumière et les capacités visuelles des Invertébrés varient grandement; ils comprennent l'ocelle photosensible des Planaires, l'œil composé formant des images (présent chez les Insectes et les Crustacés) et l'œil simple, ou à cristallin unique (chez certaines Méduses et Araignées ainsi que chez de nombreux Mollusques).

2. L'œil des Vertébrés comporte trois couches concentriques: la sclérotique externe (qui devient la cornée transparente dans sa partie antérieure), la choroïde (une couche pigmentaire intermédiaire qui comprend l'iris entourant la pupille) et la rétine (la partie la plus interne qui contient les cellules photoréceptrices).

3. La conversion des messages lumineux est effectuée par des photorécepteurs spécialisés appelés bâtonnets et cônes; ces cellules renferment du rétinal, qui absorbe la lumière et se lie à une forme d'opsine.

4. Lorsque les bâtonnets et les cônes absorbent de la lumière, leur membrane s'hyperpolarise et ils libèrent de moins grandes quantités de neurotransmetteur. Cette modification du message chimique est transmise aux cellules bipolaires, puis aux cellules ganglionnaires; les axones de ces dernières, situés dans le nerf optique, acheminent les potentiels d'action au cerveau. Avant que l'information soit envoyée au cerveau, les cellules horizontales et amacrines procèdent à une intégration de cette information, par exemple par une inhibition latérale qui accentue les contrastes.

5. La plupart des axones des nerfs optiques rejoignent les corps géniculés latéraux du thalamus, à partir desquels des neurones cheminent jusqu'à l'aire visuelle primaire du lobe occipital.

Ouïe et équilibre (p. 1027-1032)

1. Chez les Mammifères et la plupart des Vertébrés terrestres, les mécanorécepteurs à cellules sensorielles ciliées de l'ouïe et de l'équilibre se trouvent à l'intérieur de l'oreille.

2. L'oreille externe comprend le pavillon et le conduit auditif externe. La membrane du tympan communique avec les osselets à trois petits os de l'oreille moyenne; ceux-ci amplifient les vibrations et, par l'intermédiaire de la fenêtre du vestibule, les transmettent au liquide qui remplit la cochlée,

une structure de forme enroulée. Les ondes de pression font vibrer la membrane basilaire et l'organe spiral, qui est fixé au-dessus et contient les cellules sensorielles ciliées. La flexion des cils contre la membrana tectoria du conduit cochléaire dépolarise les cellules sensorielles ciliées et produit des potentiels d'action dans le nerf vestibulocochléaire, qui se rend au cerveau.

L'intensité du son est fonction de l'amplitude de l'onde, qui produit une plus ou moins grande flexion des cellules sensorielles ciliées. La hauteur du son dépend de la fréquence des ondes. Chacune des régions de la membrane basilaire vibre plus fort en présence d'une fréquence donnée et transmet son message à une région spécifique de l'aire auditive primaire.

4. L'appareil vestibulaire de l'oreille interne, qui comprend l'utricule, le saccule et trois conduits semi-circulaires, joue un rôle dans l'ouïe et l'équilibre.

5. Chez les Poissons et les Amphibiens aquatiques, la détection des courants est assurée par les organes sensoriels de la ligne latérale, qui contiennent des amas de cellules réceptrices ciliées.

6. De nombreux Arthropodes perçoivent les sons par l'intermédiaire de poils corporels vibratiles et de tympans associés à des cellules réceptrices. La plupart des Invertébrés détectent leur position dans l'espace au moyen de statocystes.

Goût et odorat (p. 1032-1035)

1. Le goût et l'odorat dépendent tous deux de la stimulation de cellules chimioréceptrices, qui est due à la liaison de molécules. Les cellules olfactives tapissent la partie supérieure de la cavité nasale, et leurs axones s'étendent jusqu'au bulbe olfactif de l'encéphale.

2. Chez les Mammifères, les cellules gustatives sont regroupées en bourgeons du goût, qui réagissent à diverses formes de molécules. Les cellules olfactives tapissent la partie supérieure de la cavité nasale, et leurs axones s'étendent jusqu'au bulbe olfactif de l'encéphale.

3. Les soies qui contiennent les récepteurs du goût se situent sur les pattes et les pièces buccales chez les Insectes.

Mouvement chez les Animaux: introduction (p. 1035-1036)

1. Le squelette assure le soutien, la protection et le mouvement.

2. Chez les Animaux, le mouvement résulte du glissement de filaments de protéines les uns sur les autres ; il peut s'agir soit des microtubules des cils et des flagelles, soit des microfilaments qui permettent le mouvement amiboïde et la contraction musculaire.

Types de squelettes et leur rôle dans le mouvement (p. 1036-1038)

1. Un hydrosquelette, que l'on retrouve chez la plupart des Cnidaires, Plathelminthes, Némathelminthes et Annélides, se compose de liquide maintenu sous pression dans un compartiment fermé de l'organisme.

2. Les exosquelettes, qui caractérisent la majorité des Mollusques et des Arthropodes, sont des revêtements rigides qui recouvrent le corps de l'Animal.

3. Les endosquelettes, qui sont propres aux Éponges, aux Échinodermes et aux Cordés, sont des éléments de soutien rigides incorporés à l'intérieur du corps de l'Animal.

Muscles (p. 1038-1045)

1. Les muscles, qui se présentent souvent par paires antagonistes, produisent le mouvement en agissant sur le squelette par leurs contractions.

2. Les muscles squelettiques des Vertébrés comprennent un faisceau de cellules musculaires, dont chacune contient des myofibrilles, lesquelles se composent de filaments minces d'actine et de filaments épais de myosine.

3. La contraction commence lorsque les influx issus d'un neurone moteur atteignent la membrane de la cellule musculaire par l'intermédiaire de l'acétylcholine, qui est libérée dans la jonction neuromusculaire. Les potentiels d'action se rendent jusqu'à l'intérieur de la cellule en suivant les tubules transverses, et ils stimulent la libération de calcium à partir du réticulum sarcoplasmique. Le calcium se lie au complexe troponine-tropomyosine localisé sur les filaments minces, ce qui découvre les sites de liaison destinés à la myosine et qui se trouvent sur l'actine. Il se forme des ponts d'union, et la flexion des têtes de myosine déplace les filaments minces vers le centre du sarcomère. L'énergie nécessaire au mouvement des têtes de myosine est fournie par l'ATP, qui est hydrolysé par la myosine.

4. Une unité motrice comprend un neurone moteur ramifié et les fibres musculaires qu'il innerve. Les contractions plus vigoureuses résultent du recrutement de plusieurs unités motrices.

5. Une secousse musculaire résulte d'un stimulus isolé. Les stimuli qui sont reçus à une fréquence plus élevée subissent une sommation pour produire une contraction graduée. Le tétanos est une contraction régulière et continue qui survient lorsque les neurones moteurs fournissent une salve de potentiels d'action.

6. Le muscle cardiaque, qui compose uniquement le cœur, comprend des cellules musculaires striées et ramifiées que des disques intercalaires relient électriquement. Les cellules du muscle cardiaque peuvent générer des potentiels d'action en l'absence de tout message nerveux.

7. Les contractions des muscles lisses sont lentes mais peuvent être maintenues longtemps.

AUTO-ÉVALUATION

1. Parmi les types de récepteurs suivants, lequel n'est pas associé avec la catégorie à laquelle il appartient?
   a) Cellule sensorielle ciliée — mécanorécepteur.
   b) Fuseau neuromusculaire — mécanorécepteur.
   c) Récepteur du goût — chimiorécepteur.
   d) Bâtonnet — récepteur d'ondes électromagnétiques.
   e) Nocicepteur — récepteur de la pression profonde.

2. L'hydrosquelette apparaît dans tous les embranchements suivants, sauf chez:
   a) les Cnidaires.   d) les Échinodermes.
   b) les Némathelminthes.   e) les Plathelminthes.
   c) les Annélides.

3. Parmi les affirmations suivantes, qui concernent l'œil des Vertébrés, laquelle est incorrecte?
   a) Le corps vitré règle la quantité de lumière qui traverse la pupille.
   b) La cornée transparente est un prolongement de la sclérotique.
   c) La tache jaune est le centre du champ visuel et ne contient que des cônes.
   d) Le muscle ciliaire permet l'accommodation.
   e) La rétine se trouve immédiatement du côté intérieur de la choroïde et contient des cellules photoréceptrices.

4. L'utricule et le saccule:
   a) interviennent dans l'intégration latérale des informations visuelles.
   b) sont des aires visuelles du cortex.
   c) font partie de l'appareil vestibulaire, qui détecte la position de la tête.

d) sont des conduits semi-circulaires qui détectent la rotation de la tête.
e) sont des organes de l'équilibre présents chez les Insectes et les Crustacés.

5. Lorsque vous passez d'un endroit brillamment éclairé à une pièce obscure, lequel des phénomènes suivants se produit?
a) Les photopsines de vos cônes sont décolorées.
b) Vos bâtonnets deviennent hyperpolarisés.
c) Les cellules photoréceptrices libèrent de moins grandes quantités de neurotransmetteur.
d) L'inhibition latérale produite par vos cellules horizontales prend fin.
e) Votre rhodopsine est encore dissociée en rétinal et opsine, et vos cônes ne sont pas fonctionnels.

6. La conversion des ondes sonores en potentiels d'action se produit:
a) à l'intérieur de la membrana tectoria du conduit cochléaire lorsqu'elle est stimulée par les cellules sensorielles ciliées.
b) lorsque les cellules sensorielles ciliées sont déformées au contact de la membrana tectoria du conduit cochléaire, ce qui provoque une dépolarisation et une libération de molécules de neurotransmetteur, qui stimulent les neurones sensitifs.
c) lorsque la membrane basilaire devient plus perméable au sodium et se dépolarise, ce qui produit un potentiel d'action dans un neurone sensitif.
d) lorsque la membrane basilaire vibre à différentes fréquences, réagissant ainsi aux variations de l'intensité des sons.
e) à l'intérieur de l'oreille moyenne, lorsque les vibrations sont amplifiées par le marteau, l'enclume et l'étrier.

7. Dans la contraction musculaire, la fonction du calcium consiste à:
a) dissocier les ponts d'union en tant que cofacteur de l'hydrolyse de l'ATP.
b) se lier à la troponine pour modifier sa forme, de sorte que le filament d'actine soit découvert.
c) transmettre le potentiel d'action par l'intermédiaire de la jonction neuromusculaire.
d) propager le potentiel d'action par les tubules transverses.
e) rétablir la polarisation de la membrane plasmique après le passage d'un potentiel d'action.

8. Le tétanos est :
a) la contraction partielle et continue des principaux muscles de la posture.
b) la contraction de type tout ou rien d'une fibre musculaire isolée.
c) une contraction vigoureuse résultant de la sommation de nombreuses unités motrices.
d) le résultat de la sommation des impulsions, qui produit une contraction musculaire régulière et continue.
e) l'état de fatigue musculaire résultant de l'épuisement de l'ATP et de l'accumulation d'acide lactique.

9. Parmi les affirmations suivantes concernant les cellules musculaires cardiaques, laquelle est *vraie* ?
a) Leurs filaments d'actine et de myosine ne sont pas disposés de façon régulière.
b) Elles n'ont pas un réticulum sarcoplasmique aussi étendu que les cellules des muscles lisses, et elles se contractent donc plus lentement.
c) Elles sont reliées par des disques intercalaires, qui permettent aux potentiels d'action de se propager à toutes les cellules du cœur.

d) Leur potentiel de repos est plus positif que le seuil d'excitation des potentiels d'action.
e) Elles ne se contractent que si elles sont stimulées par des neurones.

10. Lequel des événements suivants se produit lorsqu'un muscle squelettique se contracte?
a) Les bandes A raccourcissent.
b) Les bandes I raccourcissent.
c) Les stries Z s'écartent les unes des autres.
d) Les filaments d'actine se contractent.
e) Les filaments épais se contractent.

QUESTIONS À COURT DÉVELOPPEMENT

1. Expliquez la différence entre la sensation et la perception. Donnez deux exemples.
2. Décrivez le trajet de la lumière depuis son entrée dans l'œil jusqu'à sa transformation en influx dans le nerf optique.
3. À partir de la liste suivante, trouvez l'ordre des structures traversées par une onde sonore depuis le pavillon de l'oreille jusqu'au cerveau. Conduit auditif externe, conduit cochléaire, enclume, étrier, fenêtre de la cochlée, fenêtre du vestibule, marteau, membrana tectoria du conduit cochléaire, membrane basilaire, membrane du tympan, nerf cochléaire, organe spiral, rampe tympanique, rampe vestibulaire.
4. Expliquez le mécanisme de la contraction musculaire depuis l'arrivée du potentiel d'action d'un neurone moteur jusqu'à la relaxation musculaire.

RÉFLEXION-APPLICATION

Comparez la vision et l'ouïe en ce qui concerne le type de récepteurs, la conversion, l'amplification, la transmission et les caractéristiques de l'intégration.

SCIENCE, TECHNOLOGIE ET SOCIÉTÉ

Avez-vous déjà senti vos oreilles siffler après avoir écouté pendant un certain temps de la musique à fort volume sur une chaîne stéréo ou dans un concert? L'intensité dépasse parfois 90 décibels, ce qui suffit à altérer l'ouïe de façon permanente. Pensez-vous que les gens connaissent les dangers auxquels ils s'exposent dans ces circonstances? Le cas échéant, que devrait-on faire pour les avertir ou les protéger?

LECTURES SUGGÉRÉES

Bensimon, D. et J.-M. Flesselles, « La contraction musculaire à la loupe », *La Recherche*, n° 259, novembre 1993. (Description de diverses techniques visant à mesurer la force musculaire à l'échelle moléculaire.)

Chabre, M., « La chimie de la sensation lumineuse », *Science & Vie*, hors série, n° 186, mars 1994. (Un article à propos des réactions chimiques qui convertissent la lumière en message électrique.)

Freeman, W., « La physiologie de la perception », *Pour la Science*, n° 162, avril 1991. (Article qui montre, en se basant sur l'olfaction, comment le cerveau transforme les messages sensoriels en perceptions conscientes.)

Pujol, R., « Le traitement du son dans l'oreille interne », *Pour la Science*, n° 154, août 1990. (Réactions mécaniques et chimiques dans le codage et la transmission du son par les récepteurs cochléaires.)

Saglio, P., « La communication chimique chez les poissons », *La Recherche*, n° 248, novembre 1992. (Article qui porte sur la physiologie du goût et de l'odorat.)

Suga, N., « Le système sonar des chauves-souris », *Pour la Science*, n° 154, août 1990. (Grâce à leur système sonar, les Chauves-Souris captent des informations très précises sur leur environnement.)

ENTRETIEN AVEC ARIEL LUGO

En 1989, l'ouragan Hugo atteignit Porto Rico, mais El Yunque, la plus haute montagne de l'île, détourna l'œil de la tempête vers la mer. La ville de San Juan et son million d'habitants furent épargnés. Le phénomène affermit le caractère sacré de la montagne. El Yunque est aussi le site de la Caribbean National Forest ; seule forêt tropicale du US National Forest System, l'endroit constitue un important terrain de recherche pour les écologistes du milieu tropical, qui lui donnent le nom de Luquillo.

Professeur Lugo, qu'est-ce qui vous a amené à l'écologie tropicale ?

Mon père était botaniste et il profitait de ses expéditions pour ne traîner avec lui dans l'île entière, mais je ne m'intéressais absolument pas à la botanique quand j'étais enfant. Comme tout Portoricain, je voulais devenir médecin. Je suis allé à l'université, je me suis présenté aux entrevues avec les responsables de la faculté de médecine, j'ai subi les examens et, juste avant d'entamer mes études, j'ai pris un été de vacances. Pendant cet été-là, j'ai été engagé par Howard T. Odum, qui occupait à l'époque le poste de directeur du Marine Sciences Institute, au Texas. Nous étions en 1964, et la guerre froide atteignait son point culminant. Le gouvernement des États-Unis irradiait des écosystèmes dans tout le pays afin de déterminer lesquels survi-

vraient après une éventuelle explosion atomique. Le gouvernement a donc décidé d'irradier un système tropical, et Odum était le directeur du projet. Il m'a offert un emploi d'été. J'ai passé tout l'été à transporter des briques au sommet de la montagne pour jalonner les sentiers. C'est à ce moment que j'ai pris ma décision : je n'irais pas à la faculté de médecine. Je serais écologiste. La décision fut d'autant plus facile à prendre que j'avais obtenu une très mauvaise note en embryologie. Lors de l'entrevue probatoire, le médecin m'a dit : « Vous avez un D en embryologie. Vous rendez-vous compte que vous devez réussir le cours d'embryologie au premier semestre ? » Je détestais l'embryologie. Mais, en réalité, c'est Howard Odum et le projet de la forêt tropicale qui m'ont amené à l'écologie.

Experimental Forest. Je me suis rendu à Porto Rico pour rencontrer Ariel Lugo, le directeur de l'Institute of Tropical Forestry, une division du USDA Forest Service. Après avoir obtenu ses diplômes de premier et de deuxième cycle à l'Université de Porto Rico, Ariel Lugo fit ses études de doctorat à l'Université de la Caroline du Nord. Il occupa un poste de professeur de biologie à l'Université de la Floride, puis il se joignit au USDA Forest Service et retourna dans son île natale. Pour nous préparer à notre rencontre avec le professeur Lugo, mon éditeur et moi-même avons parcouru El Yunque pendant une journée en compagnie d'un guide du Forest Service. Notre promenade fut trop brève pour faire de nous des spécialistes de la forêt tropicale, mais elle nous a tout de même permis de comprendre l'engouement des Portoricains pour leur montagne de même que l'importance des écosystèmes que sont les forêts tropicales. Dans un monde préoccupé par la déforestation dans les pays tropicaux, Ariel Lugo se fait le conciliateur des divers groupes de pression qui s'intéressent à l'avenir des forêts tropicales. Dans l'entrevue qui suit, Ariel Lugo explique pourquoi l'aménagement des forêts tropicales constitue un problème si complexe, et il justifie son optimisme face aux possibilités de réhabilitation des forêts tropicales dégradées.

Pourquoi les forêts tropicales sont-elles si importantes et pourquoi leur destruction inquiète-t-elle tant les écologistes ?

Premièrement, les forêts tropicales sont importantes parce qu'elles représentent la moitié des forêts du monde. Elles régulent la plupart des cycles des nutriments, le cycle de l'eau et la stabilité du climat. Deuxièmement, les forêts tropicales font vivre près d'un cinquième de la population mondiale. La majorité des gens pauvres de ce monde vit à proximité des forêts tropicales et, par conséquent, des tas de gens ont besoin d'elles pour assurer leur survie quotidienne. Troisièmement, les forêts tropicales abritent la majeure partie de la biodiversité. Une fois que les forêts ont pris une valeur à vos yeux, que ce soit à cause de la biodiversité, de la régulation du climat ou de la subsistance des gens pauvres, vous ne pouvez qu'être horrifié par la déforestation. À l'heure actuelle, nous perdons 17 millions d'hectares de forêts tropicales par année.

Quelles sont les raisons de la déforestation dans les pays tropicaux ?

Certaines personnes pensent que des exploitants cupides abattent les arbres pour récolter du bois de construction. Or, la récolte de bois de construction n'est en réalité qu'un facteur secondaire de la déforestation. La déforestation a surtout pour objet de compenser la perte des terres agricoles. Les gens ont besoin de se nourrir. Pour se nourrir, ils doivent couper les arbres et ensemencer. Mais la plupart des gens ignorent que l'agriculture est sans avenir dans les pays tropicaux parce qu'elle est mal organisée. Dans certaines régions tropicales de l'Amérique latine et de l'Afrique, de 50 à 100 % de la déforestation a pour objectif de contrebalancer la dégradation des terres agricoles mal aménagées. La principale raison de la déforestation est donc la satisfaction des besoins alimentaires de l'être humain.

La déforestation a aussi des causes politiques. Le problème s'est beaucoup atténué ces temps derniers ; il n'en reste pas moins que les auteurs de la déforestation peuvent encore réaliser des bénéfices dans beaucoup de pays tropicaux, parce qu'une parcelle couverte de forêt tropicale prend de la valeur une fois déboisée. Et ces attitudes sont très difficiles à modifier parce qu'elles

s'enracinent dans les stratégies d'aménagement du territoire de certains pays tropicaux. Le problème de la déforestation est vraiment très complexe.

Qu'est-ce qui oppose les aspects sociaux, économiques et écologiques de l'aménagement du territoire dans les pays tropicaux ?

Chaque secteur de la société a son plan pour la forêt tropicale. D'abord et avant tout, il y a les indigènes. Des millions de gens vivent dans les forêts tropicales, et ils ont bien entendu des projets pour la forêt qui constitue leur habitat et assure leur survie. Mais, à bord d'un avion, un écologiste survole la forêt, voit toute cette verdure et se dit : « Ah ! c'est ici que je vais protéger la biodiversité ! Nous ne toucherons pas à cette forêt, et cela compensera pour ce que nous avons fait dans le reste du monde. » Les écologistes de ce genre veulent protéger la forêt, non pas pour le bien des gens qui y vivent mais pour racheter des torts causés ailleurs. À bord du même avion, il y a un entrepreneur qui voit dans la forêt l'une des dernières réserves intactes de bois de construction. Et il se dit : « Ah ! je vais m'enrichir en coupant et en vendant ces arbres ! » Et puis l'avion peut aussi transporter toutes sortes d'autres gens, des représentants du gouvernement par exemple. Pour le gouvernement, l'avenir du pays réside dans les vastes étendues de la forêt tropicale. Les États-Unis ont assuré leur avenir en abattant leurs forêts. À une certaine époque de l'histoire des États-Unis, une bonne partie de l'énergie provenait du bois. Eh bien, dans les pays tropicaux pauvres, la *majeure* partie de l'énergie provient du bois. Et le bois provient de la forêt tropicale. Alors les villageois et les citadins qui utilisent encore du charbon considèrent la forêt tropicale comme une source de combustible. Pour les gouvernements, la forêt est aussi une région à développer. Dans l'histoire, beaucoup de gouvernements ont concédé à des colons de grandes étendues de forêt tropicale. « Établissez-vous dans la forêt, disaient-ils. Nous construirons des routes, nous fournirons l'infrastructure. Développons notre pays ! » Vous voyez, on peut aussi considérer la forêt comme un espace où ériger des villes, où favoriser le développement économique.

Chaque segment de la société voit la forêt à sa manière et parle de son point de vue. La gageure consiste à harmoniser ou à intégrer toutes ces visées légitimes. Mais qui s'en chargera ? Qui coordonnera le développement de manière à satisfaire les indigènes, à protéger cette ressource, à maintenir les équilibres climatiques, à développer certaines régions, à organiser l'agriculture et à produire du bois ? À mon sens, cela demande la gestion, de nombreux compromis, beaucoup de réflexion, de la bonne volonté et une grande volonté politique. Mais l'heure de ce genre de discussion n'est pas encore venue. Dans la controverse au sujet des tropiques, nous parlons de développement durable, mais les parties intéressées restent encore isolées.

Et pendant ce temps, la déforestation s'accélère. Quelles en sont les conséquences, tant à l'échelle locale que mondiale ?

La déforestation est nuisible localement, parce que la forêt perd sa valeur en perdant son couvert. Nous devons admettre que la déforestation est parfois nécessaire ; nous ne pouvons être puristes au point d'interdire complètement l'abattage. Mais lorsque la déforestation s'effectue sans planification, de manière anarchique, des espèces disparaissent, la productivité diminue, et le sol et l'eau se dégradent. Ces effets régionaux fragmentent le territoire. Et quand on fragmente le territoire, on dérègle la nature, on désynchronise les écosystèmes.

D'effet local en effet local, on parvient au niveau mondial. J'ai mentionné que les forêts tropicales sont si étendues qu'elles concourent à réguler le climat, les cycles des nutriments, de l'eau, des gaz, etc. La déforestation à grande échelle perturbe le cycle des nutriments. Par exemple, si la quantité de carbone contenue dans les forêts tropicales était libérée tout d'un coup, la quantité de CO_2 atmosphérique doublerait presque. Cela n'arrivera jamais, mais cela vous donne une idée. Mais la conséquence de la déforestation qui me préoccupe le plus est le gaspillage. En détruisant inconsidérément une ressource qui a tant de valeur, nous gaspillons une richesse qui pourrait servir à améliorer le bien-être des gens.

Est-ce à dire que la déforestation ralentirait si les gens mesuraient la valeur économique et sociale de la forêt tropicale ?

Dans certains cas, oui. Nous devons comprendre que le territoire a la capacité de produire de la richesse. Or, nous pouvons faire naître cette richesse de plusieurs façons. Nous pouvons laisser la forêt intacte ou nous pouvons recouvrir le sol d'asphalte. Personnellement, je crois que nous devons absolument nous assurer que les nouvelles vocations données au territoire sont durables et lui conservent sa valeur. Bien souvent, personne ne profite des changements de vocation du territoire, sauf sur papier. Le pays tout entier peut y perdre, parce qu'à long terme les désavantages du nouvel usage sont susceptibles de dépasser la valeur ajoutée sur papier.

Le monde est de plus en plus petit. Nous devons comprendre chaque hectare de terre sur la planète et essayer d'en faire le meilleur usage possible. Et nous nous apercevrons qu'il ne faut pas toucher à certaines régions parce qu'elles sont absolument nécessaires à notre survie. Nous constaterons par contre qu'il faut exploiter d'autres régions. Pourquoi nous abstiendrions-nous de produire de la nourriture là où les sols sont riches et propices à l'agriculture? Ce serait aberrant de ne pas cultiver ces sols, mais encore plus aberrant d'essayer de cultiver les sols les plus pauvres et de construire des maisons sur les sols les plus riches. À mesure que nous donnerons une morale écologique, nous appendrons à utiliser les ressources de manière judicieuse et efficace.

Vous avez parlé de l'importance d'un aménagement durable du territoire. Qu'entendez-vous par là?

J'entends qu'il faut exploiter la productivité du territoire sans l'épuiser par notre cupidité. Comment notre génération peut-elle aménager les écosystèmes, bénéficier de leur productivité et les transmettre à la génération suivante sans lui faire porter le fardeau de la dégradation? C'est cela que j'entends par maintien de la productivité. Le degré d'atteinte de cet objectif dépend de chaque société. Je crois que les attentes et les besoins varient d'une société à l'autre, et que certaines sociétés en demandent plus que d'autres à la nature.

Y a-t-il un espoir de restaurer les forêts tropicales dans les régions qui ont été déboisées?

Il y a beaucoup d'espoir. Je donne toujours l'exemple de Porto Rico. La moitié de la réserve où je travaille, la Luquillo Experimental Forest, servait à l'agriculture il n'y a pas si longtemps. Lorsque le Forest Service a acheté ces terres dans les années trente, quarante et cinquante, la première chose que nous devions faire était de déplacer les fermiers sans nous les aliéner. Nous avons dit : « D'accord, vous pouvez faire de l'agriculture ici, mais nous vous demandons de planter des arbres entre les rangs de culture et d'en prendre soin. Et quand ces arbres auront grandi, nous allons vous trouver une terre de mêmes dimensions à l'extérieur de la forêt. » C'est l'entente que nous avons prise. Et ça a très bien marché.

Dans certaines régions, les gens sont partis et la nature a repris sa place. Ailleurs, là où les gens ont planté des arbres et en ont pris soin, la forêt a poussé sans problème. Et aujourd'hui, nous avons une belle forêt ; en certains endroits, elle est composée d'espèces naturelles et, ailleurs, elle est constituée des espèces qui ont été plantées il y a moins de cinquante ans. L'essentiel est d'obtenir une forêt, et on peut rétablir la diversité. En fait, lorsque les arbres sont devenus adultes et que le Forest Service a proposé de les couper, dix mille personnes ont manifesté! Elles ne voulaient pas que nous coupions la forêt « vierge ». Quand la réhabilitation est si bien faite que les gens défendent la forêt comme une forêt naturelle, alors qu'elle résulte d'une planification, je crois qu'il s'agit là d'un important indice de succès.

Dans la forêt tropicale, qu'est-ce qui distingue les effets des ouragans et des autres perturbations naturelles des effets de l'activité humaine?

L'ouragan Hugo, en 1989, a été si fort qu'il a arraché toutes les feuilles dans la forêt de Luquillo. Or, l'étude de ses effets nous a révélé que le taux de mortalité des arbres avait en fait été relativement faible, soit inférieur à 20 %. Le taux de mortalité des arbres est de 1 à 2 % par année quand il n'y a pas d'ouragan.

Nous découvrons peu à peu que les ouragans sont la principale force structurante de la forêt. La forêt traverse un cycle de soixante ans en moyenne, qui commence par le passage d'un ouragan avec ses vents et ses pluies, puis qui comprend soixante ans de repousse. Et pendant ce cycle, les espèces dominantes peuvent changer complètement. Nous voyons changer les espèces, la vitesse de croissance, la densité des arbres, la taille des arbres et la densité du bois. La mesure de ces changements nous enseigne que la forêt peut assimiler l'énergie de l'ouragan. Autrement dit, l'ouragan paraît à première vue destructeur, mais il est en réalité constructif, parce qu'il augmente la productivité de la forêt ; il rajeunit la forêt.

Alors, me direz-vous, comment les effets de cette perturbation naturelle se comparent-ils à ceux des activités humaines? Eh bien, il n'y a pas de comparaison possible! La nature peut prévoir les ouragans, car ils sont cycliques. Cela signifie que la vie peut s'adapter à ces perturbations périodiques. Je peux vous prouver que les populations animales ont connu un accroissement phénoménal après un ouragan ; en d'autres termes, les Animaux possèdent des adaptations comportementales, les populations ont une dynamique qui leur permet de réagir de manière appropriée. L'activité humaine, en revanche, est imprévisible parce que les Humains agissent impulsivement, à courte vue ou sans raison. Il est bien plus difficile pour la nature de s'adapter à l'activité humaine qu'aux phénomènes météorologiques.

Cette notion d'adaptation aux catastrophes périodiques s'écarte-t-elle de la conception selon laquelle la forêt tropicale est un écosystème particulièrement fragile et vulnérable?

Absolument. En ce moment, les écologistes du milieu tropical parlent beaucoup des

Mais que faire dans les cas où le territoire a été gravement endommagé, quand il a été vraiment dévasté par la machinerie lourde? Un territoire aussi détérioré peut-il être récupéré? Eh bien, nous avons ici même à Porto Rico des exemples qui montrent que c'est possible. Le passage des bouteurs détruit parfois des espèces indigènes qui n'ont pas les adaptations nécessaires pour survivre à un tel traumatisme. Il faut alors importer une espèce exotique, une espèce fixatrice d'azote qui peut croître dans les pires conditions. Celle que nous utilisons ici est une espèce d'*Albizzia*, et on en trouve partout sur l'île. Partout où le Highway Department est passé avec des bouteurs, *Albizzia* arrive à la rescousse et produit cette magnifique forêt au bord des autoroutes. Voilà une espèce exotique qui nous rappelle chaque jour que l'on peut trouver des espèces forestières pour réhabiliter les territoires les plus dévastés.

Mais l'histoire ne s'arrête pas là. Une fois qu'*Albizzia* s'est implantée, elle accumule la matière organique, elle modifie le sol et elle fait de l'ombre ; alors les Oiseaux font leur apparition et disséminent des graines partout. Nous avons démontré qu'en une période de trente ans on peut ajouter en moyenne une espèce indigène par année dans les plantations d'arbres exotiques. Les espèces indigènes croissent, font de l'ombre à *Albizzia* et celle-ci disparaît. Au bout d'un certain temps, on se retrouve avec une forêt indigène. C'est pourquoi nous croyons qu'il existe des outils écologiques qui permettent de gérer

la succession et de restaurer la forêt tropicale, même sur des territoires gravement endommagés. Le problème, je l'ai mentionné tout à l'heure, est de se donner la volonté politique et sociale de le faire. Sommes-nous prêts à aménager le territoire de façon rationnelle? Si on a les outils, il ne reste plus qu'à avoir la possibilité de les utiliser.

vides, comme ceux que crée l'abattage des arbres. Pour moi, cela représente un gigantesque pas en avant, à cause du rapport entre destruction et reconstruction. L'ouragan Hugo a passé sur un important centre de recherche, la forêt de Luquillo, l'ouragan Andrew a passé sur les Everglades National Park, où de nombreux scientifiques l'ont étudié, et enfin l'ouragan Iniki a passé à Hawaï. Tout d'un coup, les scientifiques se sont éveillés à ces formidables impacts naturels. De même, nous connaissons mieux El Niño, qui perturbe le climat partout au monde. Un phénomène que nous croyions être chaotique est en fait structuré : il déclenche des incendies à Bornéo et il fait bien d'autres choses. Nous mettons tout cela en rapport et nous nous disons : « Voilà encore une manifestation d'un des cycles de la Terre. » Je crois que ce changement de mentalité va favoriser la gestion des écosystèmes. Une fois que l'on commence à accepter les catastrophes comme partie intégrante de la nature, l'étape suivante consiste à gérer cette autre catastrophe qu'est l'intervention humaine.

Dans un de vos articles, vous avez écrit : « Nous ne pouvons plus étudier la nature dans le vide social ». Pouvez-vous préciser votre pensée ?

Je vais vous raconter une anecdote qui en dit long. Autrefois, les scientifiques qui voulaient étudier la nature s'isolaient dans une réserve quelconque, loin de tout. Mon ami Hans Klinge, un grand écologiste allemand, avait l'habitude de passer une saison entière à marquer ses parcelles de végétation en Amazonie, puis une autre saison à récolter. La dernière fois qu'il y est allé, l'une des parcelles était devenue un champ agricole. Cette anecdote nous enseigne qu'il est fini le temps où nous pouvions nous isoler pour faire nos recherches, puis publier et nous estimer satisfaits. Maintenant, pour aller travailler au Brésil, il faut avoir un permis des Brésiliens. Nous ne pouvons plus apporter nos échantillons au musée d'une université comme nous le faisions avant. Nous devons obtenir des pièces justificatives au Brésil, nous devons avoir des collègues brésiliens, nous devons prononcer une conférence au Brésil, nous devons apprendre le portugais, nous devons publier dans les revues scientifiques brésiliennes. De toute évidence, nous avons l'obligation d'expliquer notre travail et ce qu'il apportera à l'amélioration des conditions de vie.

Ces temps-ci, les scientifiques sont très fortement incités à réaliser des travaux utiles. Au USDA Forest Service, par exemple, nous gérons une importante ressource. De partout nous viennent les incitations à la conscience sociale, à l'intégration dans la société. J'irai plus loin. Je pense que si la société vous paie, vous devez expliquer ce que vous faites et vous assurer que c'est utile. Dans les pays tropicaux, les besoins humains sont immenses ; beaucoup de forces s'opposent au sujet de la forêt tropicale, parce que le climat futur de la planète est en jeu, la biodiversité est en jeu, la vie quotidienne de millions de gens est en jeu.

La science doit se pratiquer dans ce contexte. Je ne veux pas dire par là que je suis contre la science fondamentale ; bien au contraire, je ne fais aucune distinction entre science fondamentale et science appliquée. Je crois que cette distinction est artificielle. J'estime qu'il y a une bonne science et une mauvaise science ; la bonne science est toujours utile et nous devrions être capables de l'expliquer.

Professeur Lugo, vous avez dit au début de l'entretien que vous étiez devenu écologiste sous l'influence de Howard Odum. Maintenant que vous jouez vous-même le rôle de mentor, quels conseils donnez-vous aux étudiants qui songent à une carrière en écologie, et particulièrement en écologie tropicale ?

Le meilleur conseil que je puisse donner aux étudiants, quels que soient leurs intérêts, est de suivre tous leurs cours de sciences et, puisque nous devons être socialement responsables, d'apprendre une deuxième ou une troisième langue. Odum m'a fait suivre tous les cours de sciences pures, de mathématiques, de physique, de chimie, en plus des cours de biologie. Selon moi, ce sont ces cours qui m'ont permis de réussir en écologie, car l'écologie est une science d'intégration pluridisciplinaire. Il ne faut pas tenter de se spécialiser trop tôt, parce que cela risque de nous confiner à une école de pensée. Je crois qu'il faut simplement s'efforcer de devenir un bon scientifique. Une fois qu'on est devenu un bon scientifique, on peut se forger une carrière. J'ajouterais que, pour réussir en sciences aujourd'hui, il faut savoir communiquer ; il est essentiel de savoir écrire et s'exprimer oralement. Les professeurs ne disent pas cela aux étudiants en sciences. Pourtant, fussiez-vous le meilleur scientifique du monde, si vous êtes incapable de rendre compte de votre travail par l'écriture et par la parole, vous n'arriverez à rien.

CHAMP DE L'ÉCOLOGIE
BIOMES TERRESTRES
BIOMES DULCICOLES
BIOMES MARINS
DIVERSITÉ ÉCOLOGIQUE DE LA BIOSPHÈRE
RÉACTIONS DES ORGANISMES À LA VARIATION ÉCOLOGIQUE

Figure 46.1
Chez nous. Ce lever de Terre, photographié par les astronautes de la mission Apollo, a dévoilé à l'humanité la saisissante finitude de sa planète. Cette prise de conscience a donné son impulsion au mouvement écologiste, qui a pris son essor au cours des années 1980. En tant que science fondamentale, l'écologie se penche sur la distribution et sur l'abondance des organismes, non sans révéler les effets de l'activité humaine et des technologies modernes sur l'environnement. Le présent chapitre est une introduction à l'étude de l'écologie ; il traite en particulier des divers milieux physiques de la biosphère ainsi que des adaptations qui y sont apparues. Nous poursuivrons notre étude de l'écologie dans les trois chapitres suivants, qui porteront sur les interactions entre les organismes.

L'**écologie** (du grec *oikos* « maison » et *logos* « étude ») est l'étude scientifique des interactions entre les organismes d'une part et entre les organismes et leur milieu d'autre part, dans les conditions naturelles. Bien qu'elle se définisse en peu de mots, l'écologie est une science complexe et captivante dont l'importance pratique ne cesse de croître. Penchons-nous de plus près sur les mots clés de notre définition.

En tant que domaine d'étude *scientifique*, l'écologie procède par la méthode hypothéticodéductive, c'est-à-dire qu'elle recourt à des observations et à des expériences pour vérifier des explications hypothétiques des phénomènes écologiques (voir le chapitre 1). Comme nous le verrons plus loin, la recherche écologique est confrontée aux extraordinaires difficultés posées par la complexité des questions, la diversité des sujets et l'étendue des périodes et des espaces nécessaires à la réalisation des études. En outre, l'écologie est un domaine pluridisciplinaire qui fait appel à diverses disciplines telles la chimie, la géologie, la physique et les mathématiques. Par ailleurs, les questions écologiques sont indissociables du propos des autres domaines de la biologie, dont la génétique, l'évolution, la physiologie et l'éthologie.

Au sens écologique, le *milieu* se compose de facteurs **abiotiques** (ou facteurs physicochimiques), tels que la température, la lumière, l'eau et les nutriments, et de facteurs **biotiques**, soit toutes les interactions entre les organismes, directes ou indirectes, immédiates ou différées. Dans son milieu, un organisme rencontre d'autres organismes susceptibles de lui disputer la nourriture et les autres ressources, de le pourchasser ou de modifier les conditions physiques et chimiques qui l'entourent. Nous le verrons plus loin, l'importance respective des divers facteurs écologiques se trouve au cœur même de nombreuses études écologiques... et des controverses qu'elles suscitent.

Notre définition de l'écologie comporte un autre terme important: *interactions*. Les organismes subissent l'influence de leur milieu mais, par leur présence et leurs activités, ils influent aussi sur lui, parfois profondément. Par leur métabolisme, les microorganismes d'un lac réduisent la teneur en oxygène de l'eau et abaissent son pH pendant la nuit. En grandissant, les arbres réduisent l'éclairement du sol d'une forêt, et il arrive parfois qu'ils compromettent ainsi la croissance de leurs propres rejetons. Au cours de notre étude de l'écologie, nous verrons bien d'autres exemples de l'influence réciproque entre les organismes et leur milieu.

Le mot « écologie » a pris dans le langage populaire une seconde signification. Il désigne le courant de pensée qui, né dans les années 1960, dénonce les effets de

l'activité humaine sur les équilibres naturels. Bien que les deux acceptions du terme ne doivent pas être confondues, il existe manifestement un lien étroit entre la science de l'écologie et l'inquiétude du public face à la dégradation du milieu. Aujourd'hui, le monde entier parle d'« écologie ». Les photographies de la planète prises depuis les engins spatiaux nous ont montré que la Terre est un minuscule refuge dans l'immensité de l'espace et non pas un terrain sans limite pour l'activité humaine (figure 46.1). Les précipitations acides, les famines aggravées par une exploitation inconsidérée du territoire et par l'accroissement démographique, le nombre sans cesse croissant d'espèces disparues ou en voie d'extinction par suite de la destruction des habitats, la pollution des sols et des cours d'eau par les déchets toxiques : autant d'exemples des problèmes qui affligent la planète que nous partageons avec des millions d'autres formes de vie. La science de l'écologie nous fournit les connaissances nécessaires pour comprendre et résoudre ces problèmes. Ariel Lugo (voir l'entretien qui précède le chapitre) et la plupart des autres écologistes admettent qu'ils ont la responsabilité d'informer les législateurs et le grand public des conséquences des décisions prises en matière d'environnement. Ces décisions ont des ramifications morales, économiques et politiques qui ressortirent clairement des débats tenus au Sommet de la Terre organisé par les Nations Unies en 1992 à Rio de Janeiro. De telles considérations dépassent la portée du présent ouvrage, mais les chapitres de cette partie souligneront les nombreux rapports entre l'écologie fondamentale et les questions environnementales.

Dans ce chapitre, nous abordons l'écologie en définissant son champ d'étude et en décrivant les grands schèmes écologiques. Nous examinerons aussi les facteurs abiotiques importants, le climat en particulier, ainsi que les adaptations des organismes à ces facteurs. Les facteurs biotiques, c'est-à-dire les interactions entre les organismes, feront l'objet des trois chapitres suivants.

CHAMP DE L'ÉCOLOGIE

Objets d'étude de l'écologie

L'écologie est un domaine extrêmement vaste qu'on pourrait définir succinctement comme l'*étude de la distribution et de l'abondance des organismes*. Quels facteurs déterminent les endroits où l'on trouve les espèces et quels facteurs régissent leur nombre en ces endroits ? Ces questions s'appliquent à des niveaux d'organisation de plus en plus vastes, qui vont des interactions entre les individus et le milieu abiotique jusqu'à la dynamique des écosystèmes.

L'**autécologie,** ou écologie physiologique, se penche sur les aspects comportementaux, physiologiques et morphologiques des réactions d'un organisme aux conditions physicochimiques de son milieu. Les limites de tolérance des organismes aux stress écologiques déterminent en bout de ligne l'endroit où ils peuvent vivre.

Au-dessus de l'individu, on trouve la **population,** c'est-à-dire un groupe d'individus de même espèce vivant dans une aire géographique donnée à un moment

précis. L'écologie des populations étudie principalement les facteurs qui influent sur la taille et la composition des populations, et nous en traiterons au chapitre 47.

Une **communauté** se compose de tous les organismes qui habitent dans une aire donnée ; il s'agit d'un assemblage de populations de différentes espèces. À ce niveau, l'analyse porte sur les effets de la prédation, de la compétition et des autres interactions entre organismes sur la structure et l'organisation de l'ensemble.

Par-delà le niveau de la communauté, l'écologie s'intéresse à l'**écosystème,** l'ensemble formé par les facteurs abiotiques et par la communauté d'une aire donnée. À ce niveau, l'écologie étudie des questions comme le flux de l'énergie et les cycles biogéochimiques qui prennent place parmi les divers composants biotiques et abiotiques.

L'écologie étudie les plus hauts niveaux de la hiérarchie de l'organisation biologique (voir le chapitre 1). Le réseau d'interactions qui forme le cœur des phénomènes écologiques est ce qui fait de cette branche de la biologie un domaine si intéressant.

L'écologie, science expérimentale

Par nécessité, les Humains ont toujours porté un vif intérêt aux autres organismes et à leur milieu. Les chasseurs-cueilleurs de la préhistoire devaient apprendre à trouver en abondance le gibier et les Plantes comestibles. L'observation et la description des organismes dans leur habitat naturel devinrent une fin en soi pour les naturalistes, d'Aristote à Darwin. La méthode descriptive est toujours fertile, et l'histoire naturelle demeure le fondement de l'écologie.

Bien que l'écologie ait longtemps été une science descriptive, la plupart des écologistes modernes sont d'habiles expérimentateurs aptes à répondre aux exigences particulières d'une recherche qui s'effectue sur de longues périodes et dans de grands espaces. Prenons à titre d'exemple une question en apparence simple : Quel est l'effet de la consommation de glands par les Écureuils sur la distribution et l'abondance des Chênes ? Songez aux éléments qu'il faut mettre en place pour répondre expérimentalement à cette question : un vaste territoire d'où l'on peut retirer les Écureuils, un autre vaste territoire en guise de témoin et une longue période d'observation. En dépit des difficultés inhérentes à de telles expériences, un nombre croissant d'écologistes imaginatifs vérifient des hypothèses en laboratoire et manipulent expérimentalement des populations et des communautés sur le terrain. Par exemple, un chercheur a introduit des Bigorneaux dans des étangs à marées contenant des Algues afin d'étudier l'effet de ces herbivores sur les populations d'Algues. Un autre écologiste a éliminé tous les Insectes qui vivaient sur de petites îles pour étudier la recolonisation par des populations d'Insectes du continent (figure 46.2).

Beaucoup d'écologistes élaborent des modèles mathématiques pour formuler et résoudre des questions écologiques. Ils représentent les variables importantes et leurs relations hypothétiques par des équations mathématiques. Ils peuvent ensuite étudier les interactions possibles entre les variables, généralement à l'aide de l'ordinateur. Cette méthode est fort engageante, car elle

permet aux écologistes de simuler d'ambitieuses expériences parfois impossibles à réaliser sur le terrain. Bien entendu, l'utilité de ces simulations dépend de l'exactitude des données sur lesquelles les modèles reposent, et l'obtention des données demande encore beaucoup de travail sur le terrain. Nous étudierons des modèles simples d'accroissement de la population au chapitre 47.

Les écologistes ont accompli des progrès remarquables grâce à la recherche descriptive, aux expériences en laboratoire et sur le terrain et à la modélisation mathématique ; ils ont ainsi fait ressortir les relations complexes qui unissent les organismes et leur milieu biotique et abiotique. Bien souvent, il faut répondre au cas par cas à des questions comme « Qu'est-ce qui détermine le nombre d'espèces d'Oiseaux d'une forêt ? ». Mais cette complexité fait de l'écologie une science extraordinairement dynamique et stimulante. Les écologistes discutent d'un éventail de sujets et ne cessent d'émettre des idées. Certaines prévalent pendant un certain temps puis sont remplacées, pour mieux revenir plus tard, parfois modifiées. Ce questionnement continuel est le moteur de la science.

Écologie et évolution

Bien que la discipline ait été inconnue au XIXe siècle, Darwin pratiquait l'écologie. Il trouva des preuves de l'évolution dans la distribution géographique des organismes et dans leurs merveilleuses adaptations au milieu. Il s'aperçut aussi que les interactions immédiates des organismes avec leur milieu pouvaient avoir des effets prolongés, à cause de la sélection naturelle. En d'autres mots, les épisodes éphémères qui se jouent dans le cadre de ce que nous appelons parfois le *temps écologique* se répercutent sur l'échelle plus longue du *temps évolutif*. Par exemple, les Faucons ont un effet sur le patrimoine génétique d'une population de Mulots, car ils restreignent le succès reproductif de certains individus. Cette interaction prédateur-proie peut avoir pour effet à long terme d'augmenter dans la population de Mulots le nombre d'individus possédant une coloration qui les camoufle.

Un autre des liens entre l'écologie et l'évolution se matérialise dans les effets de l'histoire géologique sur la distribution actuelle des espèces. Ainsi, la dérive des continents qui a suivi la fragmentation de la Pangée a joué un rôle dans l'absence de Mammifères placentaires indigènes en Australie (voir le chapitre 23).

Un concept évolutionniste sert de trame aux chapitres sur l'écologie : la distribution et l'abondance des organismes résultent de changements évolutifs à long terme autant que des interactions continuelles avec le milieu. Nous allons maintenant étudier la distribution et l'abondance des organismes à l'échelle de la planète. Pour ce faire, nous partirons à la découverte des principaux paysages de la Terre.

BIOMES TERRESTRES

La partie de la Terre où l'on trouve la vie est appelée **biosphère** ; autrement dit, la biosphère englobe l'ensemble des écosystèmes de la planète. Il s'agit d'une couche relativement mince composée des mers, des lacs et des cours d'eau, du sol jusqu'à une profondeur de quelques mètres ainsi que de l'atmosphère jusqu'à une altitude de quelques kilomètres. Les organismes occupent la biosphère à deux échelles : l'une mondiale et l'autre régionale. Cette constatation a entraîné une bonne partie de la recherche fondamentale en écologie.

Il existe des ressemblances entre les communautés d'une zone géographique et entre celles de régions éloignées de la Terre. Ainsi, les forêts de Conifères forment une large bande qui s'étend sur l'Amérique du Nord, l'Europe et l'Asie. On trouve de grands déserts un peu partout sur le globe. On appelle **biomes** les écosystèmes terrestres ou aquatiques caractéristiques de grandes zones biogéographiques qui sont soumises à un climat particulier. Bien que plusieurs biomes terrestres soient nommés d'après la végétation qui y prédomine, chaque biome se caractérise aussi par des microorganismes, des Mycètes et des Animaux qui lui sont adaptés. Contrairement aux forêts, par exemple, les prairies sont peuplées par de grands Mammifères herbivores.

Figure 46.2
L'écologie, science expérimentale. L'écologie tire son origine de l'histoire naturelle, c'est-à-dire de l'observation des organismes dans leur milieu naturel. Depuis une trentaine d'années, cependant, l'écologie a pris un caractère expérimental. Ici, une équipe de chercheurs prépare une expérience visant à vérifier une hypothèse relative à la colonisation des îles par les Insectes et d'autres Animaux. Dans les Keys de la Floride, les scientifiques ont enfermé dans des tentes de plastique de petites îles couvertes de mangrove (on voit ici l'échafaudage qui soutenait la tente). Ensuite, ils ont exterminé par fumigation la faune des petits Invertébrés. Une fois la tente retirée, les chercheurs purent étudier la recolonisation. (Voir le chapitre 48 pour une description détaillée de cette recherche.)

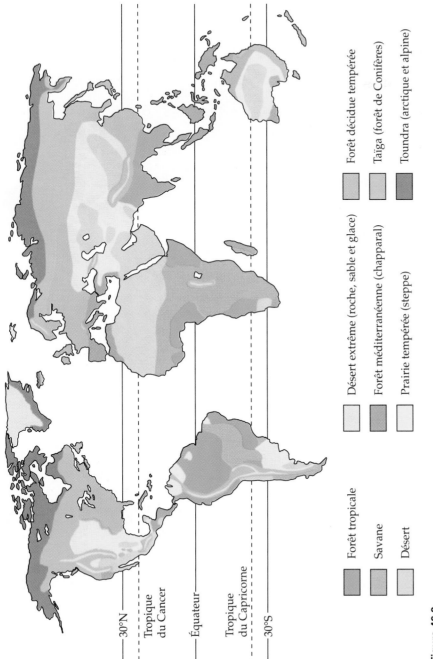

Figure 46.3
Distribution des principaux biomes terrestres. Bien que les biomes terrestres aient sur cette carte des frontières nettes, ils s'interpénètrent en réalité, parfois sur des étendues relativement vastes. Les tropiques correspondent aux régions de faible latitude délimitées par le tropique du Cancer et le tropique du Capricorne.

Légende :
- Forêt tropicale
- Savane
- Désert
- Désert extrême (roche, sable et glace)
- Forêt méditerranéenne (chapparal)
- Prairie tempérée (steppe)
- Forêt décidue tempérée
- Taïga (forêt de Conifères)
- Toundra (arctique et alpine)

La composition en espèces des biomes varie d'un endroit à l'autre. Dans la forêt de Conifères d'Amérique du Nord, par exemple, on trouve l'Épinette rouge (*Picea rubens*) en abondance dans l'Est mais elle n'existe pas dans les autres régions, où ce sont l'Épinette noire (*Picea mariana*) et l'Épinette blanche (*Picea glauca*) qui dominent. Les végétations désertiques d'Afrique et d'Amérique du Nord se ressemblent superficiellement mais elles se composent en réalité de familles végétales différentes. De telles « équivalences écologiques » peuvent résulter de l'évolution convergente (voir le chapitre 23).

Il n'existe pas de moyen infaillible de délimiter et de classer les biomes, et les écologistes ont toujours employé pour ce faire des méthodes différentes. En outre, les biomes s'interpénètrent généralement, sans frontières nettes. Si la zone d'interpénétration est vaste, on peut la considérer comme un biome distinct (voir plus loin la section portant sur la savane). La carte de la figure 46.3 présente les principaux biomes. Les photographies des pages suivantes donnent un aperçu des différents biomes, mais aucune illustration ne saurait traduire avec exactitude la variabilité propre à chacun.

Un biome, en fait, présente une forte discontinuité et comprend plusieurs communautés. Les biomes se reconnaissent généralement aux communautés qui s'établissent par suite d'une succession écologique (l'ensemble

des changements que subit la structure d'une communauté dans le temps), un sujet que nous aborderons au chapitre 48. La majeure partie de l'est des États-Unis fait partie de la forêt tempérée, mais l'activité humaine n'a laissé qu'un infime pourcentage de la forêt naturelle. En fait, les écologistes appellent « biome urbain » et « biome agricole » les endroits, fort nombreux dans le monde, où le développement naturel des communautés a subi de profondes altérations (figure 46.4).

Nous pouvons maintenant nous demander *pourquoi* tel ou tel biome s'établit dans une certaine région. Il semble que l'établissement d'un biome dépende principalement du climat, et en particulier de la température et des précipitations. D'autres facteurs, telle la géologie, influent sur l'abondance des nutriments minéraux et sur la structure du sol, lesquels déterminent à leur tour la végétation. Après avoir décrit les principaux biomes terrestres et aquatiques, nous analyserons les variations mondiales, régionales et locales du milieu physique. Pour l'instant, nous allons étudier les principaux biomes terrestres, et voyager pour ce faire de l'équateur vers les pôles.

Forêt tropicale

Divers types de **forêts tropicales** croissent entre 23,5° de latitude et l'équateur. La température moyenne (environ

23 °C) et la photopériode (environ 12 heures) y varient peu au cours de l'année. Les précipitations, par contre, y sont variables et déterminent, plus que la température et la photopériode, la végétation. Dans les terres basses où la saison sèche est longue et où les précipitations sont rares en général, les **forêts tropicales épineuses** prédominent. Les Végétaux qui composent ces forêts sont des arbustes et des arbres hérissés d'épines ainsi que des Plantes succulentes (qui contiennent un suc, c'est-à-dire une réserve de liquide). Dans les régions où il existe une saison sèche et une saison des pluies, les **forêts tropicales décidues** sont répandues. Les arbres et les arbustes perdent leurs feuilles pendant la longue saison sèche (lorsque la quantité d'eau perdue par transpiration serait supérieure à la quantité d'eau absorbée) et bourgeonnent pendant les fortes pluies ou les moussons. La luxuriante **forêt tropicale humide** croît dans les régions proches de l'équateur, où les précipitations sont abondantes (supérieures à 250 cm par année) et où la saison sèche ne dure que quelques mois.

La forêt tropicale humide est la communauté où l'on trouve la plus grande diversité biologique ; on y compte autant d'espèces végétales et animales que dans tous les autres biomes terrestres réunis (figure 46.5). On peut en effet dénombrer dans un hectare (10 000 m²) jusqu'à 300 espèces d'arbres, dont certaines atteignent de 50 à 60 m de hauteur. Étant donné la taille et la densité des arbres, la concurrence pour la lumière constitue une forte pres-

sion de sélection dans les communautés végétales de la forêt tropicale humide.

Bien que la forêt tropicale dans son ensemble soit extrêmement dense, les individus de nombreuses espèces végétales sont largement dispersés et disséminent leur pollen par l'entremise d'Animaux avec lesquels ils vivent en mutualisme. Les Animaux jouent aussi un rôle important dans la dissémination des fruits et des graines. Les Animaux sont en majorité arboricoles : les Singes, les Oiseaux, les Insectes, les Serpents, les Chauves-Souris et même les Grenouilles trouvent gîte et nourriture dans les arbres. La chaleur est propice à la présence de nombreux Animaux ectothermes (poïkilothermes) ; on compte plus d'espèces d'Amphibiens et de Reptiles dans la forêt tropicale humide que dans tout autre biome.

Les effets de l'activité humaine sur la forêt tropicale humide soulèvent à l'heure actuelle bien des inquiétudes. Dans l'entretien qui précède le chapitre, Ariel Lugo fait état de la déforestation dans les pays tropicaux et explique les moyens de réhabiliter les forêts tropicales. La destruction de la forêt tropicale progresse à un rythme alarmant. La forêt est déjà disparue plus qu'à moitié et, d'après les estimations, il n'en restera plus rien à la fin du siècle. Nous avons plus que des raisons esthétiques de déplorer cette perte ; en effet, la destruction des forêts tropicales humides est susceptible de modifier profondément le climat mondial et d'entraîner l'extinction d'un très grand nombre d'espèces (voir le chapitre 49).

Savane

La **savane** est une vaste étendue herbeuse où l'on trouve des arbres clairsemés (figure 46.6). La savane couvre d'immenses régions tropicales et subtropicales du centre de l'Amérique du Sud, du centre et du sud de l'Afrique et de l'Australie. Il y a généralement trois saisons distinctes dans ces régions : une saison fraîche et sèche, une saison chaude et sèche et une saison chaude et pluvieuse, dans l'ordre. Le sol est parfois fertile mais, dans la plupart des cas, il est rendu poreux par le drainage rapide de l'eau. Les sols poreux comprennent seulement une mince couche d'humus, la riche matière organique partiellement décomposée.

Malgré son apparente simplicité, la savane s'avère riche en espèces. Les arbres et les arbustes décidus sont dispersés dans le paysage ouvert, car les incendies fréquents et les grands Mammifères herbivores détruisent une bonne partie des jeunes plants. La végétation prédominante se compose de Plantes herbacées incluant plusieurs Graminées. Certaines Plantes herbacées sont pollinisées par le vent, tandis que d'autres produisent des fleurs éclatantes qui attirent les Insectes pollinisateurs, en grand nombre pendant l'été.

Les savanes tropicales des différents continents abritent quelques-uns des plus grands herbivores du monde, dont la Girafe, le Zèbre, l'Antilope, le Buffle et le Kangourou. Les Animaux fouisseurs, qui nichent et s'abritent dans des terriers, se trouvent en abondance aussi et comprennent les Souris, les Taupes, les Spermophiles, les Écureuils, les Serpents, les Vers et les Arthropodes. Les Animaux de la savane s'activent surtout pendant la saison des pluies et beaucoup d'entre eux sont nocturnes. Durant la saison sèche, lorsque la végétation se fait rare,

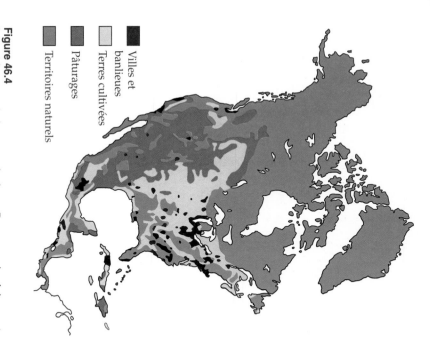

Figure 46.4
Les « **biomes urbains et agricoles** ». Beaucoup de régions ont été perturbées par l'activité humaine. Dans les « biomes urbains et agricoles », les communautés naturelles ont été remplacées par des habitations, des industries, des terres cultivées et des pâturages. Il reste relativement peu d'habitats intacts sur la planète.

■ Villes et banlieues
□ Terres cultivées
▨ Pâturages
▨ Territoires naturels

Figure 46.5
La forêt tropicale humide. Le couvert de forêt tropicale humide laisse peu de lumière atteindre le sol. La forêt montrée ici se situe à Montserrat, une île des Antilles. Lorsqu'il se crée une ouverture, à la suite notamment de la chute d'un arbre, d'autres arbres et des Plantes grimpantes ligneuses appelées Lianes se mettent à croître rapidement et à se faire concurrence pour la lumière et l'espace. Un grand nombre d'arbres géants sont couverts de Plantes épiphytes (des Plantes fixées sur d'autres Plantes et non dans le sol) telles que les Orchidées et les Broméliacées, et ils ont de larges bases formant piliers qui suppléent à la faible profondeur des racines.

beaucoup de petits Animaux entrent en estivation ou se nourrissent de graines et de débris végétaux.

Le terme *savane* désigne également les régions de chevauchement entre la forêt et la prairie. On trouve par exemple une savane en Amérique du Nord, dans la zone d'interpénétration entre la forêt et la prairie tempérées, dans une bande qui s'étend grosso modo du Minnesota à l'est du Texas. Là, les conditions climatiques et les caractéristiques des communautés sont à mi-chemin entre celles de la forêt et celles de la prairie.

Désert

Les **déserts** (figure 46.7) sont les plus secs des biomes terrestres ; ils se caractérisent par des précipitations faibles et imprévisibles (moins de 30 cm par année). Il existe des déserts froids et des déserts chauds (avec des températures de plus de 60 °C à la surface du sol pendant le jour), et l'amplitude diurne est généralement prononcée dans ces derniers. On trouve des déserts chauds dans le sud-ouest des États-Unis, sur la côte ouest de l'Amérique du Nord et au Moyen-Orient. Les

Figure 46.6
La savane. Cette savane du Kenya, au pied du mont Kilimandjaro, est peuplée de grands herbivores et de leurs prédateurs. La croissance des Plantes herbacées, pendant la saison des pluies, fournit aux Animaux une nourriture abondante. Toutefois, les grands Mammifères herbivores doivent chercher de plus verts pâturages et des points d'eau pendant les sécheresses saisonnières.

Figure 46.7
Le désert. Le désert de Sonora dans le sud de l'Arizona se caractérise par la présence de Cierges géants d'Amérique (*Cereus giganteus*) et d'arbustes profondément enracinés. Parmi les adaptations évolutives des Plantes désertiques, on trouve une série de structures protectrices, telles les épines des Cactus et les substances toxiques contenues dans les feuilles des arbustes, qui repoussent les Mammifères et les Insectes. Beaucoup de Plantes désertiques sont de type CAM; cette adaptation métabolique diminue les pertes d'eau en milieu aride (voir le chapitre 10).

déserts froids se situent à l'ouest des Rocheuses, dans l'est de l'Argentine et en Asie centrale. Les déserts les plus secs, ceux où les précipitations annuelles moyennes sont inférieures à 2 cm (les précipitations sont nulles certaines années) sont l'Atacama au Chili, le Sahara en Afrique et les déserts du centre de l'Australie.

La densité de la végétation désertique est largement déterminée par la fréquence et la quantité des précipitations. Les déserts les plus secs reçoivent si peu de pluie que la croissance de Plantes vivaces s'y avère impossible. Dans les déserts moins arides, la végétation dominante est clairsemée, et elle se compose d'arbustes et de Cactus résistants à la sécheresse et de Plantes succulentes qui emmagasinent l'eau dans leurs tissus. Grâce à leurs «plis», par exemple, les Cierges géants d'Amérique se dilatent après avoir absorbé de l'eau. Les périodes de précipitations (comme la fin de l'hiver dans le désert de Sonora au sud-ouest des États-Unis) sont marquées par des floraisons soudaines et spectaculaires de Plantes annuelles.

Les Animaux granivores, tels que les Fourmis, les Oiseaux et les Rongeurs, se trouvent en abondance dans les déserts, et ils se nourrissent des petites graines produites en grande quantité par les Végétaux. Les Reptiles tels les Lézards et les Serpents sont d'importants prédateurs des granivores. Comme les Plantes désertiques, la plupart des Animaux du désert sont bien adaptés à la sécheresse et aux températures extrêmes. Beaucoup d'Animaux ne s'activent que pendant les mois les plus frais de l'année. Les autres sont nocturnes et passent la journée dans des terriers, à l'abri de la chaleur, de la sécheresse et de la lumière. Les Animaux diurnes sont

généralement de couleur très claire, et leur peau réfléchit la lumière solaire. En outre, la plupart des Animaux désertiques font preuve d'admirables adaptations physiologiques à l'aridité. Certaines Souris, par exemple, ne boivent jamais et tirent toute l'eau dont elles ont besoin de la dégradation métabolique de leur nourriture. Par ailleurs, les Crapauds pieds-en-bêche se reproduisent dans des points d'eau temporaires, et les rejetons subissent leurs deux métamorphoses en moins de deux semaines.

Forêt méditerranéenne

Les régions côtières qui se situent entre 30° et 40° de latitude, à proximité de courants marins frais, se caractérisent souvent par des hivers doux et pluvieux et par des étés longs, chauds et secs. La formation végétale de ces régions est **la forêt méditerranéenne** (ou chaparral), et elle se compose de peuplements denses d'arbustes épineux à feuilles persistantes (figure 46.8). Elle se trouve dans la région méditerranéenne (où elle fut décrite pour la première fois) ainsi que le long des côtes de la Californie, du Chili, du sud-ouest de l'Afrique et du sud-ouest de l'Australie. Les Plantes de ces diverses régions ne sont pas apparentées mais, tels l'Eucalyptus de l'Australie et le Chêne vert de la Californie, elles présentent des similitudes morphologiques et physiologiques. Dans la forêt méditerranéenne, les Plantes annuelles abondent pendant l'hiver et au début du printemps, périodes où les précipitations sont les plus fortes.

La forêt méditerranéenne est adaptée à des incendies périodiques. Beaucoup d'arbustes emmagasinent des

périodiques.

Figure 46.8
La forêt méditerranéenne. Les Plantes de la forêt méditerranéenne, ligneuses et sèches, sont adaptées aux incendies périodiques allumés par la foudre et par l'Humain. Les feux de broussailles sont fréquents en été et en automne dans les vallées densément peuplées, comme cette vallée du sud de la Californie. Grâce aux réserves de nourriture emmagasinées dans leurs racines, les Plantes repoussent plus rapidement que ne se réparent les dommages matériels.

réserves de nourriture dans leur système racinaire résistant au feu, ce qui leur permet de repousser rapidement et d'utiliser les nutriments devenus disponibles grâce au feu. En outre, de nombreuses espèces végétales ont une reproduction asexuée ou produisent des graines qui ne germent qu'après avoir été exposées au feu.

Parmi les Animaux typiques de la forêt méditerranéenne, citons les Cerfs, les Oiseaux frugivores, les Lézards, les Serpents et les Rongeurs qui mangent les graines des Plantes annuelles.

Prairie tempérée

Les **prairies tempérées** ont quelques caractéristiques en commun avec la savane tropicale, mais elles se situent dans des régions où les hivers sont relativement froids. Les prairies tempérées comprennent les veldts d'Afrique du Sud, les pusztas de Hongrie, les pampas d'Argentine et d'Uruguay, les steppes de Russie ainsi que les plaines du centre de l'Amérique du Nord (figure 46.9).

La persistance de toutes les prairies repose sur des sécheresses saisonnières, des incendies occasionnels et la présence de grands Mammifères herbivores ; ces facteurs empêchent l'implantation d'arbustes et d'arbres ligneux. Le sol des prairies est gras et riche en nutriments, et les racines des Plantes herbacées vivaces s'enfoncent souvent très profondément. La quantité de précipitations annuelles influe sur la hauteur de la végétation ; en Amérique du Nord, on trouve une « prairie d'herbes hautes » dans les régions humides et une « prairie d'herbes basses » dans les régions sèches.

L'aire des prairies s'est étendue après la retraite des glaciers, à la fin de la dernière glaciation, lorsque les climats se sont réchauffés et asséchés dans le monde entier. Cette expansion fut accompagnée de la prolifération des grands Mammifères herbivores comme le Bison d'Amérique du Nord, les Gazelles, les Zèbres et les Rhinocéros du veldt africain ainsi que les Chevaux sauvages et les Antilopes des steppes d'Asie. Les herbivores sont pourchassés par de grands carnivores tels les Lions et les Loups. Les prairies tempérées sont aussi habitées par des populations denses de Rongeurs fouisseurs tels que les Chiens de prairie (*Cynomys ludovicianus*) et d'autres petits Mammifères.

Forêt décidue tempérée

Les **forêts décidues tempérées** se situent dans les régions de latitude moyenne où l'humidité se révèle suffisante à la croissance de grands arbres, soit dans le sud du Québec, la majeure partie de l'est des États-Unis, en Europe centrale et dans l'est de l'Asie. Les forêts tempérées se caractérisent par la présence d'arbres feuillus (figure 46.10).

Dans les forêts décidues tempérées, les températures sont très froides en hiver et chaudes en été (de −30 à 30 °C), et la saison de végétation dure de cinq à six mois. Les précipitations sont relativement fortes et distribuées uniformément dans l'année, mais l'eau du sol gèle temporairement au pire de l'hiver. Les forêts décidues tempérées connaissent un cycle annuel : les arbres perdent leurs feuilles en automne, entrent en dormance pendant l'hiver et bourgeonnent au printemps. Bien que la déforliation nécessite de l'énergie et des nutriments, les sols relativement riches des régions tempérées fournissent les nutriments nécessaires à la feuillaison printanière. Les

vitesses de décomposition sont plus lentes dans les forêts tempérées que dans les forêts tropicales ; le sol des forêts tempérées est donc recouvert d'une épaisse couche de feuilles mortes qui renferment une bonne partie des nutriments du biome.

Plus ouverte et moins haute que la forêt tropicale, la forêt tempérée comprend plusieurs strates de végétation, dont un ou deux étages d'arbres, un sous-étage d'arbustes et une strate herbacée. La composition en espèces des forêts tempérées varie d'une partie du monde à l'autre ; parmi les arbres dominants, on compte le Chêne, le Bouleau, le Caryer, le Hêtre et l'Érable. L'Humain a profondément modifié les forêts tempérées : il en a coupé les arbres pour obtenir du bois et pour pratiquer l'agriculture, et il a introduit des parasites et des maladies. Il ne reste plus aujourd'hui que de rares parcelles de la forêt originale.

Étant donné la diversité et l'abondance des ressources alimentaires et des habitats qu'elle contient, la forêt décidue tempérée abrite une multitude d'espèces animales. Les microorganismes, les Insectes et les Araignées vivent en grand nombre dans le sol ou dans la couche de feuilles, ou se nourrissent des feuilles et des arbustes du sous-étage. La forêt accueille aussi de nombreuses espèces d'Oiseaux et petits Mammifères et, là où l'empiètement humain ne les a pas éliminés, des Loups, des Lynx, des Renards, des Ours et des Couguars.

Figure 46.9
La prairie tempérée. Autrefois, le centre de l'Amérique du Nord était en majeure partie couvert de prairies tempérées semblables à cette prairie du Dakota du Sud où vivaient d'immenses troupeaux de Bisons et d'autres herbivores. Comme le sol de la prairie est riche et profond, cet habitat constitue un terrain propice à l'agriculture. La plupart des prairies de l'Amérique du Nord ont été converties en terres agricoles (voir la figure 46.4).

Taïga

La **taïga**, aussi appelée forêt de Conifères ou forêt boréale, couvre une large bande qui s'étend en Amérique du Nord, en Europe et en Asie, jusqu'à la limite méridionale de la toundra arctique (figure 46.11). Elle occupe la majeure partie du territoire québécois. On trouve aussi la taïga sous des latitudes plus tempérées, dans les zones froides de grande altitude, notamment dans la région montagneuse de l'ouest de l'Amérique du Nord. La taïga se caractérise par des hivers longs et froids et par des étés courts et pluvieux, parfois chauds. Les précipitations peuvent être considérables et prennent surtout la forme de neige. Le sol de la taïga est généralement mince, pauvre et acide. Il se forme lentement, car il est exposé au froid et recouvert d'aiguilles de Conifères qui se décomposent lentement. Néanmoins, la végétation croît rapidement pendant les longs jours de l'été (jusqu'à 18 heures d'ensoleillement sous ces latitudes).

Les peuplements de Conifères se composent typiquement d'une seule espèce ou de quelques-unes tout au plus, soit des Épinettes, des Pins, des Sapins ou des Pruches, et ils sont si denses que peu de végétation pousse dans le sous-bois. De rares feuillus comme le Bouleau, le Saule, l'Aune et le Peuplier croissent dans les habitats particulièrement humides ou perturbés.

Les accumulations de neige, qui peuvent atteindre plusieurs mètres chaque hiver, ont d'importantes conséquences écologiques. La neige isole le sol avant les grands froids et l'empêche ainsi de geler en permanence. Les Souris et les autres petits Mammifères se creusent des tunnels dans la neige au niveau du sol ; ils restent actifs tout l'hiver et continuent à se nourrir de débris végétaux.

Les populations animales de la taïga comprennent principalement des granivores comme les Écureuils, les Geais et les Cassenoix, des herbivores comme les Insectes qui mangent les feuilles et le bois, et de grands herbivores

Figure 46.10
La forêt décidue tempérée. Les peuplements denses de feuillus sont la marque distinctive des forêts décidues tempérées. Les feuillus perdent leurs feuilles à l'automne, selon un processus déclenché par la baisse des températures et par la photopériode (voir le chapitre 35). Ils entrent alors en dormance, cet état de vie ralentie qui constitue une adaptation des feuillus face à la pénurie d'eau occasionnée par l'hiver. Beaucoup de Mammifères de la forêt décidue tempérée entrent en hibernation pendant l'hiver et certaines espèces d'Oiseaux migrent vers des climats plus chauds.

Figure 46.11

Figure 46.11
La Taïga. La taïga, comme cette forêt de Sapins du Parc national de Banff, en Alberta, est dominée par des peuplements denses et uniformes de Conifères. La taïga reçoit de grandes quantités de neige pendant l'hiver. Grâce à la forme conique des Conifères, la neige ne peut s'accumuler sur les branches. Lorsqu'une chute de neige abondante brise des branches ou abat des arbres, les vides ainsi créés laissent entrer la lumière jusqu'au sol, ce qui favorise la croissance d'arbres et d'arbustes feuillus.

comme le Cerf, l'Orignal, le Caribou, le Lièvre, le Castor et le Porc-épic. Parmi les prédateurs de la taïga, citons l'Ours grizzli, le Loup, le Lynx et le Carcajou. Beaucoup de Mammifères de la taïga possèdent un épais pelage hivernal qui les protège contre le froid ; certains hibernent jusqu'au printemps.

Les forêts de Conifères côtières, comme les forêts humides tempérées et les forêts de Séquoias de la côte ouest de l'Amérique du Nord, ressemblent à la taïga, car elles sont dominées par des peuplements denses d'une seule espèce ou de quelques espèces au plus. Cependant, la proximité de l'océan rend ces forêts singulières beaucoup plus chaudes et plus humides que la taïga. Malheureusement, les Humains les détruisent à un rythme alarmant, et les peuplements anciens sont fortement menacés.

Toundra

La limite septentrionale de la végétation se situe dans la **toundra arctique** ; là, la végétation se réduit à de petits arbustes et à des Plantes en coussinet (figure 46.12). La toundra arctique encercle le pôle Nord et s'étend au sud jusqu'aux forêts de Conifères de la taïga c'est-à-dire jusqu'à environ 55° de latitude au Québec. Des communautés semblables, composant la **toundra alpine**, se trouvent en montagne au-delà de la limite des arbres. La toundra arctique et la toundra alpine ont des faunes similaires, et leurs flores comportent 40 % d'espèces communes. Néanmoins, les deux milieux présentent des différences importantes.

Dans la toundra arctique, le climat est très froid et les jours d'hiver sont courts. Les couches profondes du sol sont gelées en permanence et forment le **pergélisol** ; seule une couche superficielle d'une épaisseur d'environ 1 m dégèle pendant l'été. Par conséquent, les racines des Plantes ne peuvent s'enfoncer profondément. Les précipitations sont aussi faibles dans la toundra que dans certains déserts ; pourtant, le gel permanent, le froid et une

faible vaporisation font que le sol est toujours saturé, ce qui restreint davantage la diversité végétale. La toundra est parsemée d'arbustes vivaces nains, de Carex, de Plantes herbacées, de Mousses et de Lichens. La croissance et la reproduction végétales se produisent soudainement pendant les courts étés, durant lesquels l'ensoleillement est presque continu.

Les Animaux de la toundra arctique sont protégés contre le froid par leur graisse et leur fourrure, et beaucoup d'entre eux se réfugient dans des terriers. Comme de nombreuses espèces d'Oiseaux migrent, et particulièrement les Oiseaux de rivage et les Oiseaux aquatiques, la faune s'avère beaucoup plus riche en été qu'en hiver. Les Animaux ectothermes sont rares, exception faite des Moucherons et des Moustiques en été. Beaucoup d'Arthropodes traversent leurs premiers stades de croissance pendant l'hiver, car les formes immatures résistent mieux au froid que les adultes. La toundra arctique abrite de nombreux Mammifères herbivores, tels le Bœuf musqué et le Caribou en Amérique du Nord ainsi que le Renne en Europe et en Asie, auxquels s'ajoutent le Lièvre et le Lemming, dont l'abondance est cyclique. Les prédateurs les plus répandus sont le Renard arctique, le Loup, le Harfang des neiges et, près des côtes, l'Ours polaire.

La toundra alpine se trouve à toutes les latitudes, même sous les tropiques, pourvu que l'altitude soit assez grande. La toundra alpine tropicale est confinée aux sommets les plus hauts, où les températures nocturnes sont inférieures au point de congélation. Contrairement à ce qui se produit dans la toundra arctique, la photopériode est constante et oscille autour de 12 heures tout au long de l'année. La végétation de la toundra alpine présente un taux lent mais constant de photosynthèse et de croissance, tandis que celle de la toundra arctique connaît une période brève mais intense de productivité.

BIOMES DULCICOLES

La vie a commencé dans l'eau, et elle y a évolué pendant presque trois milliards d'années avant que des Végétaux et des Animaux montent sur la terre ferme et se diversifient dans les habitats terrestres. Aujourd'hui encore, des habitats aquatiques occupent la majeure partie de la biosphère. Certains facteurs physicochimiques distinguent les biomes dulcicoles des biomes marins et déterminent les communautés de ces habitats. Par exemple, la salinité de l'eau est généralement inférieure à 1 % dans les biomes dulcicoles, mais d'environ 3 % dans les biomes marins. Toutefois, le concept exposé dans la dernière section du chapitre vaut pour ces deux biomes : dans les milieux aquatiques où les facteurs abiotiques se ressemblent, on trouve habituellement des adaptations et des communautés semblables. La carte de la figure 46.13 présente les principaux biomes dulcicoles et marins de la Terre.

Les biomes dulcicoles se trouvent étroitement reliés aux biomes terrestres qui les entourent ou les bordent. Les cours d'eau sont formés par les eaux de ruissellement ; les étangs et les lacs résultent de l'accumulation des eaux de ruissellement dans des bassins fermés. Les caractéristiques propres à un biome dulcicole dépendent des modalités de l'écoulement des eaux ainsi que du climat. Bien que nous nous limitions ici à l'étude des étangs, des lacs et des cours d'eau, il existe plusieurs autres biomes dulcicoles importants, tels les marais et les marécages. (Il peut vous sembler étonnant d'associer les étangs, les lacs et les marais avec les biomes. Rappelez-vous que les écosystèmes terrestres ou aquatiques caractéristiques de grandes zones biogéographiques composent les biomes. Par ailleurs, les biomes peuvent s'interpénétrer et présenter une discontinuité. Ainsi, dans cette optique, l'ensemble des lacs et des étangs de la taïga forme un petit biome inclus dans un autre plus vaste.)

Étangs et lacs

L'aire des étendues d'eau douce varie entre quelques mètres carrés et des milliers de kilomètres carrés ; les

petites étendues d'eau douce dormante sont appelées **étangs** et les grandes, **lacs** (figure 46.14). Dans presque tous les étangs et les lacs, sauf les moins profonds, on observe une stratification verticale des variables physicochimiques importantes. Comme nous le verrons plus loin, la lumière est rapidement absorbée par l'eau et par les microorganismes qu'elle contient, tant et si bien que l'intensité lumineuse diminue avec la profondeur. On distingue ainsi une **zone euphotique**, où l'illumination suffit à la photosynthèse, et une **zone aphotique**, privée de lumière. La température de l'eau est stratifiée aussi, particulièrement pendant l'été dans les étangs et les lacs profonds des régions tempérées. L'eau de surface est réchauffée par l'énergie thermique jusqu'à la limite de pénétration de la lumière, mais l'eau profonde reste froide. La couche superficielle uniformément chaude et la couche profonde uniformément froide sont séparées par une mince couche, la **thermocline**, où le gradient thermique est abrupt.

La distribution des communautés végétales et animales dans les étangs et les lacs dépend de la profondeur de l'eau et de son éloignement du rivage. Les Plantes aquatiques enracinées et flottantes abondent dans la **zone littorale** formée de eaux chaudes, peu profondes et bien éclairées qui se situent à proximité du rivage ; certaines de ces Plantes ont des tiges et des feuilles émergées. La communauté littorale est très diversifiée dans la plupart des lacs, et elle comprend de nombreuses espèces d'Algues, des Diatomées notamment, des Escargots, des Palourdes ainsi que des Insectes, des Crustacés, des Poissons et des Amphibiens herbivores ou carnivores. Chez beaucoup d'Insectes, tels que les Libellules et les Moucherons, les œufs et les larves se développent dans l'eau. Les Insectes volants adultes terminent leur cycle de développement dans l'air et sur le sol, et ils ne retournent dans l'eau que pour pondre. Les Reptiles aquatiques et semi-aquatiques comme les Tortues et les Serpents, les Oiseaux de rivage comme les Canards et les Cygnes ainsi que certains Mammifères se nourrissent de Végétaux et d'Animaux de la zone littorale.

Figure 46.12
La toundra. À cause du pergélisol, du froid extrême et des vents forts, cette toundra arctique située au bord de la baie d'Hudson au Canada (photographiée en automne) est dépourvue d'arbres et de haute végétation. La toundra couvre une grande partie de l'Arctique, soit 20 % des terres émergées. Les vents et le froid façonnent des communautés végétales semblables, composant la toundra alpine, sur les très hauts sommets à toutes les latitudes, y compris les tropiques.

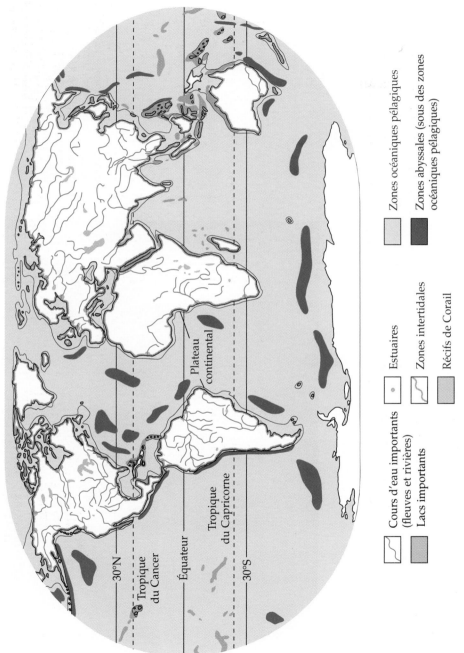

Figure 46.13
Distribution des principaux biomes aquatiques. Les caractéristiques des biomes aquatiques sont déterminées par les propriétés physiques et chimiques de l'eau. Les cours d'eau sont formés par les eaux de ruissellement qui s'écoulent dans un lit jusqu'à une autre étendue d'eau. Les lacs résultent de l'accumulation des eaux dans

Légende :
- Cours d'eau importants (fleuves et rivières)
- Lacs importants
- Estuaires
- Zones intertidales
- Récifs de Corail
- Zones océaniques pélagiques
- Zones abyssales (sous des zones océaniques pélagiques)

des bassins fermés. Les estuaires, enfin, correspondent aux embouchures des fleuves. Les océans, dont la salinité est généralement élevée, renferment divers biomes marins. Les communautés intertidales s'établissent sur les rivages périodiquement inondés par la marée. Les récifs de Corail s'édifient dans les eaux tropicales peu profondes des plateaux continentaux. Les communautés pélagiques se trouvent en pleine mer (au-dessus des plateaux continentaux et en eaux profondes). Les communautés benthiques, enfin, vivent sur le fond des étendues d'eau. La carte indique l'emplacement des zones abyssales, où habitent les communautés benthiques des grands fonds.

Les eaux superficielles, libres et bien éclairées, qui se situent loin du rivage forment la **zone limnétique** ; elles contiennent du phytoplancton formé d'Algues et de Cyanobactéries. Chez ces organismes, les taux de photosynthèse et de reproduction augmentent rapidement au cours du printemps et restent élevés en été. Le zooplancton, constitué principalement de Rotifères et de petits Crustacés, se nourrit de phytoplancton. Le zooplancton est à son tour consommé par les petits Poissons qui, eux, servent de nourriture aux gros Poissons, aux Reptiles semi-aquatiques ainsi qu'aux Oiseaux et aux Mammifères carnivores.

Les petits organismes de la zone limnétique ont une courte durée de vie, et leurs restes s'enfoncent dans la **zone profonde** privée de lumière. Ces **détritus** sont décomposés par des microorganismes et par d'autres organismes qui consomment de l'oxygène au cours de leur respiration cellulaire. En été, les eaux profondes sont plus froides que les eaux superficielles en contact avec l'atmosphère. La différence de masse volumique empê-

che ces deux eaux de se mêler. Les décomposeurs de la zone profonde peuvent donc en retirer une bonne partie de l'oxygène si bien qu'à la fin d'un été productif, la vie y devient difficile pour les espèces peu tolérantes. De plus, la décomposition libère de grandes quantités de minéraux des détritus, mais ces nutriments restent au fond et n'alimentent pas le phytoplancton de la zone limnétique. Dans les régions tempérées, les eaux lacustres se mêlent deux fois par année, ce qui permet de suppléer aux carences nutritives : la zone profonde reçoit de l'oxygène, et la zone limnétique s'enrichit en nutriments. Nous traiterons de ces renouvellements périodiques plus loin.

Selon leur production de matière organique, les lacs se divisent en deux catégories. Les **lacs oligotrophes** sont profonds et pauvres en nutriments, et le phytoplancton de leur zone limnétique n'est pas très productif (voir la figure 46.14). Leurs eaux sont claires et, comme la zone limnétique produit peu de détritus, leurs eaux profondes contiennent beaucoup d'oxygène tout au long de l'année. Les **lacs eutrophes**, d'un autre côté, sont peu

Figure 46.14
Les étangs et les lacs. Le Crater Lake, en Oregon aux États-Unis a tout l'éclat d'un lac oligotrophe. La rareté des nutriments limite la productivité du phytoplancton dans les eaux libres de la zone limnétique. Par conséquent, l'eau est claire et riche en oxygène ; les Poissons et les Invertébrés y abondent.

profonds et présentent une forte teneur en nutriments. Par conséquent, leur phytoplancton s'avère très productif, leurs eaux sont troubles et la réserve d'oxygène de leur zone profonde est susceptible de s'épuiser au cours de l'été. Les lacs oligotrophes peuvent s'eutrophiser avec le temps, à mesure que le ruissellement y apporte des minéraux et des sédiments. Malheureusement, l'activité humaine accélère ce processus naturel. Le ruissellement provenant des pelouses et des champs fertilisés ainsi que le déversement de déchets fournissent aux lacs des quantités excessives d'azote et de phosphore, des nutriments propices à la croissance du phytoplancton et des Végétaux. Cette pollution entraîne souvent une prolifération des Algues, une production excessive de détritus et un épuisement des réserves d'oxygène. L'eutrophisation d'origine humaine corrompt l'eau et nuit à la valeur esthétique des lacs (voir le chapitre 49).

Cours d'eau

Les **cours d'eau** (fleuves, rivières ou ruisseaux) sont des masses d'eau qui s'écoulent continuellement dans une même direction (figure 46.15). À l'origine d'un ruisseau (une source ou la fonte des neiges), l'eau est froide et claire, et elle transporte peu de sédiments et de nutriments minéraux. Le lit est généralement étroit, et un courant rapide s'écoule sur un substrat rocheux. En aval d'une rivière, après l'adjonction d'affluents, la teneur en sédiments (provenant de l'érosion) et en nutriments augmente, et l'eau se trouble. À l'embouchure, le lit d'un fleuve s'élargit, et la sédimentation continuelle rend son substrat limoneux.

De nombreux facteurs influent sur le débit, la turbidité et la teneur en nutriments et en oxygène des cours d'eau. Là où l'eau est peu profonde et s'écoule rapidement au-dessus d'un fond accidenté, il se forme des **rapides** ; là où l'eau est profonde et s'écoule lentement au-dessus d'un fond lisse, les **mares** s'avèrent nombreuses ; enfin, là où l'eau est profonde et s'écoule rapidement au-dessus d'un

fond lisse, on trouve des **courants**. La teneur en nutriments des cours d'eau dépend largement du terrain et de la végétation qu'ils traversent. Les feuilles mortes tombées de peuplements denses ajoutent des quantités substantielles de matière organique dans l'eau, et l'érosion du lit rocheux augmente la concentration de nutriments inorganiques. Les eaux des cours d'eau turbulents s'oxygènent sans cesse, tandis que celles des fleuves, généralement chaudes et troubles, contiennent peu d'oxygène. La température de l'eau varie selon l'altitude et la latitude, et le débit fluctue de saison en saison, au gré des précipitations et de la fonte des neiges.

Les communautés biologiques des cours d'eau sont bien différentes de celles des étangs et des lacs. Beaucoup de cours d'eau rapides ne contiennent pas de grandes communautés stationnaires de plancton, car les petits organismes qui le composent se font entraîner par le courant. Les chaînes alimentaires reposent alors sur la photosynthèse effectuée par les Algues fixées à l'aide d'un crampon et par les Plantes aquatiques enracinées. Dans les cas où une dense végétation riveraine bloque la lumière nécessaire à la photosynthèse, la matière organique apportée par le ruissellement constitue la principale source de nourriture pour les consommateurs. La forte concentration de limon près des embouchures des fleuves accroît la turbidité et rend la photosynthèse difficile, voire impossible.

Étant donné les énormes variations du milieu physique que nous venons de décrire, la composition des communautés animales se modifie entre la source d'un cours d'eau et l'embouchure d'un fleuve. En amont, où l'eau est froide et claire et l'oxygène abondant, vivent des espèces de Poissons peu tolérantes comme les Truites. En aval, où l'eau est trouble et plus chaude généralement, on trouve des espèces tolérantes comme les Barbottes et les Carpes. Les communautés benthiques (habitant sur le fond) changent elles aussi, et beaucoup d'espèces d'Insectes ne se trouvent que dans les segments du cours d'eau qui leur

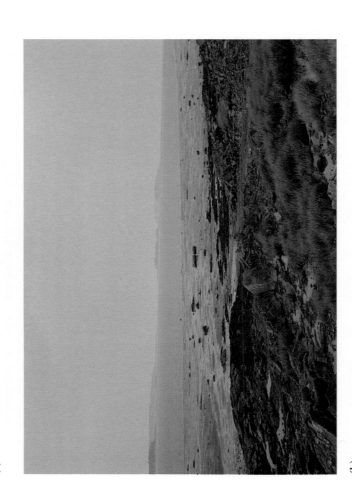

Figure 46.15
Les fleuves. Les fleuves sont formés par la confluence de ruisseaux et de rivières. **(a)** Cette photographie montre le confluent du Rio Negro et du plus grand fleuve du monde, l'Amazone, au Brésil. À cause de leurs courants, les eaux relativement claires du Rio Negro restent séparées des eaux troubles de l'Amazone. Le mélange s'effectue en aval et donne les eaux sombres et limoneuses du bas Amazone. **(b)** Le fleuve Saint-Laurent, au Canada, traverse la partie méridionale du Québec sur près de 1500 km. Il comporte une grande diversité d'écosystèmes, notamment des rapides, des lacs, des embouchures d'affluents, des plaines de débordement, des marécages et des archipels. Cette photographie montre la berge et une partie de l'Archipel de Kamouraska, qui baigne en eau saumâtre.

offrent des conditions propices. Enfin, certains grands fleuves sont habités aussi par des Tortues, des Serpents ainsi que, dans les régions tropicales, par des Crocodiles et des Dauphins.

Les Animaux qui peuplent les cours d'eau possèdent des adaptations évolutives qui empêchent le courant incessant de les emporter. Grâce à leur forme aplatie, beaucoup de petits Animaux peuvent s'agripper temporairement aux pierres. Le dessous ou la face aval des pierres fournit à de nombreuses espèces d'Insectes un petit habitat relativement calme. D'autres espèces préfèrent les mares aux eaux turbulentes.

BIOMES MARINS

Les biomes marins se trouvent dans les océans, lesquels couvrent près des trois quarts de la surface terrestre. La vaporisation de l'eau de mer est la source de presque toutes les précipitations de la planète, et les températures océaniques ont un effet marqué sur le climat et les vents. En outre, les Algues marines produisent une partie substantielle de l'oxygène atmosphérique, et elles consomment d'énormes quantités de dioxyde de carbone. La salinité des milieux marins varie beaucoup dans le temps et dans l'espace, mais elle se chiffre en moyenne à 3 %.

Chapitre 46 : L'écologie : distribution et adaptation des organismes **1065**

Figure 46.16

Zones de l'océan. On divise le milieu marin en zones d'après trois critères physiques : l'illumination (zones euphotique et aphotique), la distance de la côte et la profondeur de l'eau (zones intertidale, néritique et océanique) et la distinction entre eau libre et fond (zones pélagique et benthique). La zone abyssale est la zone benthique des océans les plus profonds. Les écologistes emploient souvent deux désignations pour exprimer l'emplacement d'un biome ; par exemple, ils parlent de la zone océanique pélagique.

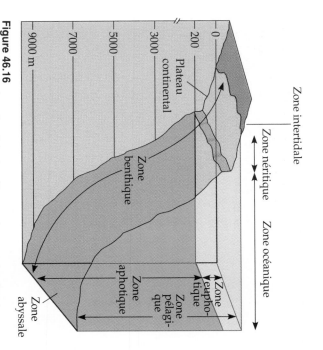

Comme celle des communautés lacustres, la distribution des communautés marines est fonction de la profondeur et de la proximité du rivage (figure 46.16). À l'instar des lacs, les océans comprennent une zone aphotique et, au-dessus, une zone euphotique riche en phytoplancton, en zooplancton et en Poissons. Étant donné que l'eau absorbe la lumière et que l'océan est très profond, l'obscurité règne dans la majeure partie de l'océan ; la seule lumière provient de rares Poissons et Invertébrés luminescents. La zone de contact peu profonde entre la terre et l'eau est appelée **zone intertidale**. Plus loin, au-dessus du plateau continental, siège la **zone néritique** aux eaux peu profondes. Au-delà du plateau continental s'étend la **zone océanique**, qui atteint de très grandes profondeurs. L'eau libre, quelle qu'en soit la profondeur, forme la **zone pélagique**, au fond de laquelle s'étend la **zone benthique**.

L'Humain se livre à une exploitation systématique des ressources marines ; confondant immensité et invulnérabilité, il déverse ses déchets dans l'océan. Cette conduite a n'est pas sans conséquences : les Poissons se raréfient, les Baleines, les Dauphins et les autres Mammifères marins sont en voie d'extinction, et beaucoup de littoraux sont pollués. Dans la présente section, nous étudierons cinq biomes marins tels qu'ils se présentent à l'état naturel.

Estuaires

La partie terminale d'un fleuve, sensible aux marées et aux courants marins est un **estuaire** ; beaucoup d'estuaires sont bordés de vasières ou de marais salants étendus.

Figure 46.17

Les estuaires. Cette photographie aérienne de la baie de Chesapeake révèle l'interpénétration entre les embouchures des fleuves et le milieu marin. Malheureusement, les rives de la baie de Chesapeake sont densément peuplées et fortement industrialisées ; les polluants qui, transportés par quatre fleuves, pénètrent dans la baie en ont éliminé de nombreuses espèces végétales et animales. L'activité humaine inconsidérée a dégradé ce qui constituait autrefois une source abondante de Poissons et d'autres richesses.

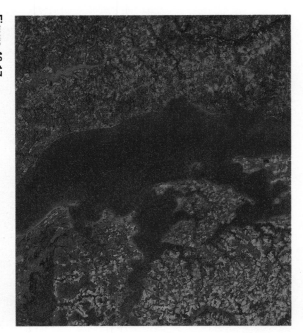

(figure 46.17). La salinité varie dans l'espace et dans le temps, suivant le cycle quotidien des marées. Enrichis par les nutriments provenant des fleuves, les estuaires font partie des milieux les plus productifs de la Terre.

Les Plantes herbacées des marais salants, les Algues et le phytoplancton sont les principaux producteurs des estuaires. Le milieu est aussi habité par des Vers, des Huîtres, des Crabes et des Poissons comestibles. Beaucoup d'Invertébrés et de Poissons marins se reproduisent dans les estuaires ou s'y arrêtent dans leur migration vers les habitats dulcicoles situés en amont. Les estuaires constituent des aires de nutrition pour de nombreux Vertébrés semi-aquatiques, pour les Oiseaux de rivage en particulier.

Bien que les estuaires soient peuplés par une multitude d'espèces de grande valeur économique, leurs rives offrent des emplacements propices au développement commercial et résidentiel. Malheureusement, c'est dans les estuaires qu'aboutissent les polluants déversés en amont. Presque tous les estuaires ont été comblés et aménagés, et il subsiste très peu d'habitats estuariens intacts. Devant cet état de fait, et avec un certain retard, de nombreux pays ont instauré des mesures de protection de leurs estuaires et de leurs autres milieux aquatiques.

Zones intertidales

La zone intertidale, située au point de contact entre la terre ferme et la mer, est tour à tour submergée et émergée (figure 46.18). Par conséquent, les communautés intertidales se trouvent exposées à d'importantes fluctuations des nutriments et de la température. Par-dessus

Figure 46.18
La zone intertidale. Cette photographie d'une zone intertidale rocheuse, prise à marée basse, montre la stratification verticale des organismes. La densité des organismes dans chacune des trois strates est à peu près proportionnelle au temps d'immersion. Les organismes de la zone intertidale supérieure sont fréquemment exposés à l'air et au soleil ; ils possèdent de nombreuses adaptations qui leur évitent de trop se réchauffer et de se déshydrater.

tout, les organismes intertidaux subissent la force mécanique des vagues qui menace toujours de les déloger de leurs habitats.

La zone intertidale est rocheuse et stratifiée verticalement. La plupart des organismes possèdent des adaptations structurales qui leur permettent de s'attacher au substrat dur. La zone intertidale supérieure, qui n'est submergée que lors des marées les plus hautes, contient quelques espèces d'Algues, d'Escargots et de Balanes que dévorent les Crabes et les Oiseaux de rivage. La zone intertidale intermédiaire est généralement submergée à marée haute et elle émerge à marée basse. Elle sert d'habitat à une variété d'Algues, d'Éponges, d'Anémones de mer, de Bryozoaires, de Balanes, de Moules, d'Escargots herbivores et carnivores, de Crabes, d'Oursins, d'Étoiles de mer et de petits Poissons. Les organismes qui vivent dans les étangs à marées s'exposent à des variations considérables de la salinité, car la vaporisation diminue le volume d'eau à marée basse. Le fond de la zone intertidale n'émerge que lors des marées les plus basses. Comme la zone néritique que'elle précède, la zone intertidale inférieure est peuplée d'une extraordinaire variété d'Invertébrés et de Poissons qui s'abritent sous le couvert dense formé par les Algues abondantes et productives.

Sur les substrats sablonneux (plages) ou vaseux, les strates de la zone intertidale sont moins nettes. L'action des vagues agite les particules de vase et de sable, et on trouve peu d'Algues et de Plantes. Beaucoup d'Animaux, tels les Vers, les Palourdes et les Crustacés prédateurs, s'enfouissent dans le sable ou dans la vase et se nourrissent à marée montante. Ils sont dévorés par des nécrophages et des prédateurs comme les Crabes et les Oiseaux de rivage.

Récifs de Corail

Dans la zone néritique des eaux tropicales chaudes, les **récifs de Corail** forment un biome caractéristique et bien visible. Les courants et les vagues y renouvellent sans cesse les réserves de nutriments, et suffisamment de lumière atteint le fond pour permettre la photosynthèse.

Les récifs de Corail sont constitués par des Cnidaires qui sécrètent un squelette externe de calcaire. D'aspect variable, ce squelette forme un substrat sur lequel croissent d'autres Coraux et des Algues (figure 46.19). Bien que le Corail se nourrisse d'organismes microscopiques et de particules de débris organiques, la photosynthèse réalisée par les Dinoflagellés symbiotiques lui est essentielle. Des microorganismes, des Invertébrés et des Poissons extrêmement divers vivent parmi les Coraux et les Algues, faisant des récifs l'un des biomes les plus diversifiés et les plus productifs de la Terre. Les herbivores prédominants sont les Escargots, les Oursins et les Poissons, et ils sont à leur tour consommés par les Pieuvres, les Étoiles de mer et les Poissons carnivores.

Bien que certains récifs de Corail couvrent d'immenses étendues peu profondes, ils font partie de milieux fragiles très vulnérables à la pollution et à l'activité humaine, notamment à la cueillette. Les Coraux n'échappent pas non plus aux prédateurs indigènes ou introduits comme l'Acanthaster (*Acanthaster planci*), une Étoile de mer qui a proliféré dans plusieurs régions. Les communautés coralliennes sont très anciennes, elles se développent très lentement, et elles ne pourront plus supporter bien longtemps la dégradation que leur fait subir l'Humain.

Biome océanique pélagique

La majeure partie des eaux de l'océan se situe loin du rivage, dans le **biome océanique pélagique**, où elle est

sans cesse agitée par les courants. Ces eaux sont généralement pauvres en nutriments, mais elles s'enrichissent périodiquement de minéraux soulevés par la remontée d'eaux profondes. Les eaux pélagiques sont le plus souvent froides, bien que leur température varie quelque peu suivant la latitude et la profondeur.

Le phytoplancton croît et se reproduit rapidement dans la zone euphotique du biome océanique, laquelle se limite aux 200 premiers mètres de profondeur. Ce plancton est à l'origine de près de la moitié de l'activité photosynthétique réalisée sur la Terre. Le zooplancton, constitué de Protozoaires, de Vers, de Copépodes, de Krill, de Méduses, ainsi que les larves d'Invertébrés et certains Poissons évoluent au gré des courants et se nourrissent de phytoplancton. La plupart des organismes planctoniques possèdent des structures qui leur permettent de flotter dans la zone euphotique : des épines où s'accrochent des bulles, des gouttelettes de lipides, des capsules gélatineuses et des vessies natatoires.

Figure 46.19
Les récifs de Corail. Cette photographie prise aux îles Fidji montre la diversité des Algues et des Animaux qui peuplent les récifs de Corail. Les Algues libres et celles qui vivent en symbiose avec le Corail effectuent la photosynthèse pendant le jour, mais le Corail en tant que tel allonge ses polypes pendant la nuit pour capturer le plancton. Les autres Invertébrés et les Poissons suivent aussi un rythme circadien, s'activant le jour ou la nuit.

Le biome océanique pélagique comprend aussi le necton, l'ensemble des Animaux qui nagent librement et qui peuvent se déplacer à l'encontre des courants pour chercher leur nourriture. Les Calmars, les Poissons, les Tortues et les Mammifères marins se nourrissent de plancton ou s'entredévorent. Beaucoup de ces Animaux vivent à de grandes profondeurs dans la zone euphotique, mais d'autres s'alimentent dans la zone euphotique. Certains Poissons, par exemple, possèdent de très grands yeux qui leur permettent de voir dans la pénombre ou des organes luminescents qui attirent leurs semblables et les proies. Beaucoup d'Oiseaux pélagiques, tels les Pétrels, les Sternes, les Albatros et les Fous, capturent des Poissons à la surface de l'eau. De nombreux Animaux marins migrent : ils suivent les ressources alimentaires ou font la navette entre leur aire de reproduction estivale et leur aire de nutrition hivernale.

Benthos

Au fond de l'océan, sous la zone néritique et la zone pélagique, siègent les communautés d'organismes formant le **benthos**. Comme dans les lacs, une abondante quantité de nutriments atteint le fond de l'océan sous forme de détritus. La zone benthique des eaux côtières peu profondes peut être amplement éclairée, mais la lumière et la température déclinent abruptement à mesure que s'accroît la profondeur. Le fond lui-même est constitué de sable ou de sédiments très fins composés de limon et, en pleine mer, de coquilles de microorganismes morts.

Les communautés benthiques néritiques sont extrêmement productives ; elles comprennent des Bactéries, des Mycètes, des Algues, des Éponges, des Anémones de mer, des Vers, des Palourdes, des Crustacés, des Étoiles de mer, des Oursins et des Poissons. La composition spécifique de ces communautés varie en fonction de la distance du rivage, de la profondeur de l'eau et de la nature du fond. Beaucoup d'organismes vivent enfouis dans des substrats mous.

Les communautés benthiques des grands fonds occupent la **zone abyssale**, qui se caractérise par des eaux froides (environ 4 °C), une pression extrême, une obscurité quasi totale et une faible concentration en nutriments. Cette zone contient cependant de l'oxygène, et on y trouve une communauté diversifiée d'Invertébrés et de Poissons. Les scientifiques ont découvert récemment un assemblage singulier d'organismes à proximité des sources thermales d'origine volcanique, dans les dorsales océaniques (figure 46.20). Dans ce milieu sombre, chaud et pauvre en oxygène, les principaux producteurs ne sont pas des organismes photosynthétiques mais bien des Bactéries chimioautotrophes (voir le chapitre 25). Ces Bactéries sont consommées par les Polychètes géants, les Arthropodes, les Échinodermes et les petits Poissons.

DIVERSITÉ ÉCOLOGIQUE DE LA BIOSPHÈRE

Au cours de notre bref voyage dans la biosphère, nous avons souligné les caractères physiques distinctifs des

Figure 46.20
La communauté benthique. La faune benthique occupe le fond de l'océan, de la zone intertidale jusqu'à la zone abyssale. La composition spécifique du benthos varie suivant la profondeur de l'eau. On voit ici une communauté qui vit près d'une source thermale, à 2500 m de profondeur, et qui fut découverte à la fin des années 1970. Les communautés de ce genre se trouvent dans les zones d'expansion des fonds océaniques, où le magma surchauffe l'eau (voir le chapitre 23). Une douzaine d'espèces de Bactéries répertoriées près des sources sont des producteurs chimioautotrophes qui obtiennent leur énergie en oxydant le H_2S produit au contact de l'eau chaude et du sulfate dissous (SO_4^{2-}). Parmi les Animaux de ces communautés, on trouve des Vers tubicoles géants atteignant parfois plus de 1 m de long. Il semble que ces Vers se nourrissent de Bactéries chimioautotrophes qui vivent en symbiose par la suite (symbiontes). Beaucoup d'autres Invertébrés, dont des Arthropodes et des Échinodermes, abondent aux alentours des sources thermales.

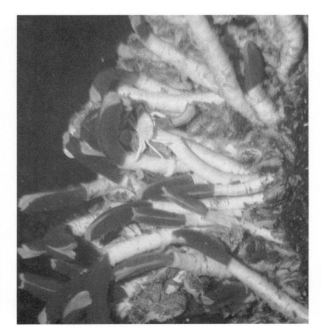

Figure 46.21
La parcellisation du paysage. L'intersection d'une forêt, d'un lac et d'une rivière constitue un bon exemple de la parcellisation de la biosphère à l'échelon local. Si nous pouvions prendre des plans de plus en plus rapprochés de ce territoire, nous observerions une variation écologique encore plus considérable. Vous voyez ici un paysage typique de la taïga québécoise.

divers biomes terrestres, dulcicoles et marins. La biosphère est une mosaïque d'habitats où les facteurs abiotiques (tels que la température, les précipitations et la lumière) déterminent la distribution des organismes. La parcellisation de la biosphère se manifeste à l'échelon mondial, comme le montre la carte de la figure 46.3, mais aussi à l'échelon local, comme le révèle la figure 46.21. Dans la présente section, nous étudierons d'abord quelques facteurs abiotiques importants, puis nous analyserons l'effet de leurs interactions sur la distribution des biomes dans le monde. Nous nous pencherons enfin sur les variations mondiales, régionales et saisonnières du milieu physique. Il est important de garder à l'esprit que le milieu physique varie à la fois dans l'espace et dans le temps. Les fluctuations journalières et annuelles des facteurs abiotiques peuvent atténuer ou, au contraire, accentuer, les différences entre deux régions de la Terre.

Facteurs abiotiques importants

Température La température constitue un important facteur de la distribution des organismes ; en effet, elle influe sur les processus biologiques, et la plupart des organismes s'avèrent incapables de réguler précisément

leur température corporelle. Les cellules se rompent si l'eau qu'elles contiennent gèle, et les protéines de la plupart des organismes se dénaturent à des températures de plus de 45 °C. Seuls les organismes dotés d'adaptations exceptionnelles réussissent à conserver un métabolisme suffisamment actif à des températures très hautes ou très basses. Mais même entre 0 et 45 °C, la plupart des réactions biochimiques et des processus physiologiques s'accélèrent sous l'effet de la chaleur. La température interne d'un organisme est influencée par les échanges thermiques avec le milieu (voir le chapitre 40), et la plupart des êtres vivants ne peuvent conserver une température corporelle variant de plus de quelques degrés en deçà ou au-delà de la température ambiante. Les Mammifères et les Oiseaux, qui sont endothermes (homéothermes), font exception à la règle mais, même pour ces Animaux, il existe un intervalle thermique idéal, variable selon les espèces.

Eau Comme chacun le sait, l'eau est essentielle à la vie, mais son abondance varie fortement. Les organismes dulcicoles et marins vivent immergés, mais ils sont sujets au déséquilibre hydrique si la concentration des solutés intracellulaires n'égale pas la concentration des

solutés de l'eau environnante. Quant aux organismes terrestres, ils doivent combattre constamment la déshydratation.

Lumière La lumière solaire fournit l'énergie qui anime presque tous les écosystèmes, bien que seuls les Végétaux et les autres organismes photosynthétiques utilisent cette source d'énergie directement. L'intensité lumineuse ne représente pas le principal facteur limitant de la croissance végétale dans beaucoup de milieux terrestres, mais l'ombre créée par le couvert d'une forêt provoque une compétition farouche dans le sous-étage. Dans les milieux aquatiques, l'intensité et la qualité de la lumière limitent la distribution des organismes photosynthétiques. Chaque mètre d'eau de profondeur absorbe environ 45 % de la lumière rouge et environ 2 % de la lumière bleue qui la traversent. Par conséquent, la photosynthèse se produit en grande partie près de la surface. De plus, les organismes photosynthétiques eux-mêmes absorbent une partie de la lumière, réduisant ainsi l'illumination des eaux sous-jacentes.

La lumière influe sur la physiologie, le développement et le comportement des nombreuses espèces végétales et animales qui sont sensibles à la photopériode. La durée du jour et de la nuit est un déclencheur plus fiable que la température pour les événements saisonniers tels que la floraison et la migration (voir les chapitres 35 et 50).

Vent Le vent accentue les effets de la température sur les organismes, car il accroît la perte de chaleur due à la vaporisation et à la convection (facteur de refroidissement éolien). Il contribue également aux pertes d'eau en augmentant la vaporisation chez les Animaux et la transpiration chez les Végétaux. De plus, le vent a des effets marqués sur la morphologie des Végétaux. Ainsi, il inhibe la croissance des branches sur le côté des arbres qui lui font face ; les branches du côté opposé, quant à elles, croissent normalement, ce qui donne aux arbres l'aspect de drapeaux dans le vent (voir la figure 31.3).

Roches et sol La structure physique, le pH et la composition minérale des roches et du sol limitent la distribution des Végétaux et des Animaux herbivores, contribuant ainsi à la parcellisation des biomes terrestres. Dans les cours d'eau, la nature du substrat influe sur la composition chimique de l'eau, laquelle détermine à son tour les Végétaux et les Animaux qui peuplent les habitats aquatiques. Dans les zones benthiques et intertidales, par ailleurs, la structure du substrat conditionne les types d'organismes qui pourront se fixer ou s'enfouir.

Perturbations périodiques Les catastrophes comme les incendies, les ouragans, les tornades et les éruptions volcaniques dévastent des communautés entières. Après une perturbation, le territoire est colonisé à nouveau ou repeuplé par les survivants, mais la structure de la communauté subit au cours de ce renouvellement une série de changements (que nous étudierons en détail au chapitre 48). Certaines perturbations, telles les éruptions volcaniques, sont si rares et si imprévisibles dans le temps et dans l'espace que les organismes n'ont jamais pu s'y adapter. Le feu également est imprévisible, mais il survient fréquemment dans certaines communautés, et beaucoup de Végétaux se sont adaptés à cette perturbation périodique, comme nous l'avons vu plus haut dans la section portant sur la forêt méditerranéenne. Et, comme Ariel Lugo l'a souligné dans l'entretien qui précède le chapitre, les ouragans périodiques s'avèrent bénéfiques pour certaines forêts tropicales.

Climat et distribution des biomes

Les importants facteurs abiotiques que nous venons d'énumérer ont une influence directe sur la biologie des organismes. Les quatre premiers, la température, l'eau, la lumière et le vent, constituent les principaux éléments du **climat**, c'est-à-dire des conditions météorologiques propres à un endroit. On peut discerner l'effet du climat sur la distribution des biomes en construisant un climatogramme, c'est-à-dire une représentation graphique des températures et des précipitations mesurées dans une région donnée et exprimées en moyennes annuelles. La figure 46.22, par exemple, présente le climatogramme de quelques-uns des principaux biomes d'Amérique du Nord. Notez que les forêts de Conifères reçoivent presque autant de précipitations que les forêts tempérées, mais que les températures sont plus basses dans les premières que dans les secondes. Les prairies, en revanche, sont généralement plus sèches que les deux types de forêts, mais moins encore que les déserts.

Il existe une corrélation entre les moyennes annuelles de température et de précipitations et les biomes que l'on trouve dans les différentes régions. Cependant, il faut toujours se garder de confondre une *corrélation* avec une *causalité*. Bien que notre climatogramme prouve indirectement que la température et les précipitations influent sur la distribution des biomes, il n'établit pas de façon indiscutable que ces variables gouvernent l'emplacement géographique des biomes. Seule une analyse détaillée de la tolérance à l'eau et à la température de chacune des espèces d'un biome pourrait confirmer l'effet limitatif de ces variables.

Notre climatogramme indique que des facteurs autres que la température et les précipitations moyennes ont aussi un rôle à jouer dans la distribution des biomes ; vous remarquerez en effet que les biomes se chevauchent. Par exemple, il existe en Amérique du Nord des régions où la combinaison de la température et des précipitations est propice à la forêt tempérée ; il existe aussi des régions où ces variables ont les mêmes valeurs mais où l'on trouve soit une forêt de Conifères, soit une prairie. Comment s'explique cette divergence ? Rappelez-vous qu'un climatogramme est basé sur des *moyennes* annuelles et qu'il ne tient pas compte des variations climatiques, qui peuvent revêtir autant d'importance. Certaines régions, par exemple, reçoivent des précipitations régulières, tandis que d'autres en reçoivent la même quantité mais en une seule saison. Un phénomène semblable peut se produire avec la température. D'autres facteurs enfin, telle la géologie, influent grandement sur l'abondance des minéraux et sur la structure du sol, deux conditions déterminantes pour la composition de la végétation.

Gardons ces considérations complexes à l'esprit et penchons-nous de plus près sur les climats du monde ainsi que sur les variations locales et saisonnières du

Figure 46.22

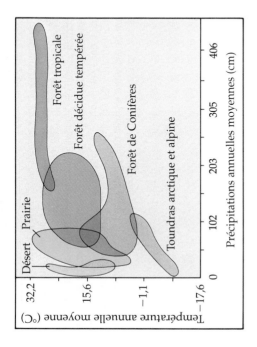

Figure 46.22
Climatogramme de quelques-uns des principaux biomes d'Amérique du Nord. Les régions colorées du graphique représentent les températures et les précipitations annuelles moyennes de quelques-uns des principaux biomes d'Amérique du Nord. Toutefois, le climatogramme ne prouve qu'indirectement l'importance de ces facteurs pour la distribution des biomes. L'existence de régions de chevauchement, par exemple, indique que ces variables ne suffisent pas à elles seules à expliquer la distribution observée.

milieu physique. Cette étude nous permettra de mieux comprendre la distribution géographique des biomes.

Climats du monde

Les climats sont largement déterminés par l'apport d'énergie solaire et par le mouvement de la Terre dans l'espace. La moitié environ de l'énergie solaire qui atteint les couches supérieures de l'atmosphère est absorbée avant d'atteindre la Terre; certaines longueurs d'onde de la lumière (y compris les rayons ultraviolets biocides) sont mieux absorbées que d'autres par les molécules d'oxygène et d'ozone. Une bonne partie de l'énergie qui parvient à la Terre est absorbée par le sol, l'eau et les organismes, et une autre partie est réfléchie dans l'atmosphère. L'atmosphère, le sol et l'eau de la biosphère se réchauffent en absorbant les rayons solaires; ce processus est à l'origine des phénomènes qui causent les fortes variations du climat entre l'équateur et les pôles, soit les différences de température, les mouvements cycliques de l'air et la vaporisation de l'eau.

Étant donné que, d'une part, le rayonnement solaire est d'autant plus intense qu'il est direct et que, d'autre part, la Terre est ronde, l'intensité lumineuse varie selon la latitude (figure 46.23). De plus, la Terre est inclinée sur son axe de 23,5° par rapport au plan de son orbite autour du Soleil; l'intensité du rayonnement solaire varie donc selon les saisons dans les hémisphères Nord et Sud (figure 46.24). Comme la Terre tourne autour du Soleil, l'angle des rayons change quotidiennement presque partout dans le monde; mais l'inclinaison de la Terre est fixe, et seuls les **tropiques** (les régions situées entre 23,5° de latitude Nord et 23,5° de latitude Sud) reçoivent toujours les rayons solaires à angle droit. Par conséquent, c'est dans les tropiques que le rayonnement solaire se trouve le plus abondant et le moins variable. De fait, la photopériode et la température moyenne fluctuent relativement peu dans les tropiques. L'amplitude de la variation saisonnière de l'ensoleillement et de la température augmente constamment à mesure qu'on s'approche des pôles; les régions polaires ont des hivers longs et froids comprenant une période d'obscurité continuelle, et des étés courts comprenant une période d'ensoleillement ininterrompu.

L'intensité du rayonnement solaire près de l'équateur déclenche une circulation d'air autour du globe et crée par le fait même les précipitations et les vents qui influent sur la distribution de certains biomes (figure 46.25). Sous l'effet de la chaleur qui règne dans les tropiques, l'eau se vaporise depuis la surface terrestre; des masses d'air chaud et humide s'élèvent dans l'atmosphère et se dirigent vers les pôles. Ces masses d'air libèrent la majeure partie de leur contenu en eau et provoquent d'abondantes précipitations. Par conséquent, le climat tropical se caractérise par des températures élevées, un ensoleillement intense et des précipitations abondantes; il favorise la croissance d'une végétation luxuriante dans les forêts et l'édification des récifs de Corail dans les mers (voir les figures 46.3 et 46.13). Les masses d'air circulant à grande altitude, une fois asséchées, redescendent vers la Terre aux environs de 30° de latitude Nord et de latitude Sud; elles absorbent l'humidité du sol et créent un climat aride propice à la formation des déserts (voir la figure 46.3). Une partie de l'air descendant s'écoule vers les pôles à faible altitude, établissant dans les latitudes intermédiaires une seconde zone de circulation d'air qui dépose d'abondantes précipitations (moindres cependant que celles des tropiques) là où les masses d'air s'élèvent à nouveau, c'est-à-dire autour de 60° de latitude. Les grandes étendues de forêt de Conifères (taïga) dominent le paysage dans les latitudes humides et froides. Une troisième zone de circulation transporte une partie de l'air ascendant froid et sec vers les pôles; là, l'air redescend et retourne vers l'équateur, absorbant de l'humidité et créant les climats secs et froids de l'Arctique et de l'Antarctique. Bien que la toundra arctique reçoive très peu de précipitations, l'eau ne peut pénétrer dans le pergélisol, et elle forme des flaques sur la mince couche d'humus pendant l'été.

Facteurs locaux et saisonniers agissant sur le climat

L'hydrographie et la topographie créent une discontinuité climatique à l'échelle régionale, et les détails du paysage engendrent une variation climatique à l'échelle locale. Bien que les climats du monde expliquent en partie la distribution géographique de certains biomes (la

forêt tropicale humide, le désert, la taïga et la toundra), les variations régionales et locales du climat et du sol influent sur la répartition de communautés et d'espèces moins largement distribuées que les biomes.

Les courants marins se répercutent sur le climat des côtes, car ils réchauffent ou refroidissent les masses d'air maritimes avant qu'elles ne passent au-dessus des continents (figure 46.26). La vaporisation de l'eau est plus forte au-dessus des océans qu'au-dessus de la terre ferme, et les régions côtières reçoivent généralement plus de pluie que les régions intérieures de même latitude. Les forêts tempérées humides et les peuplements de Séquoias de la côte du Pacifique n'existeraient pas sans la fraîcheur et l'humidité produites par le courant froid de la Californie qui coule du nord au sud le long de la côte ouest de l'Amérique du Nord. De même, le courant chaud du Gulf

Stream tempère le climat de la côte ouest des îles britanniques ; cette région est plus chaude que la Côte-Nord ou la Gaspésie, au Québec, qui se situent pourtant plus au sud, mais qui subissent l'influence d'un courant froid, le courant du Labrador.

Comme le savent tous les villégiateurs, les océans et les grandes étendues d'eau intérieures ont sur le climat des milieux terrestres voisins un effet modérateur qui suit un cycle journalier. Pendant les beaux jours d'été, la terre ferme est plus chaude que les lacs et les océans ; l'air situé au-dessus du sol se réchauffe et s'élève, et une brise fraîche souffle de l'eau vers la terre ferme. La nuit, au contraire, l'eau est plus chaude que la terre ferme. L'air, au-dessus des lacs et des océans et crée une circulation qui attire l'air froid du sol vers l'eau et le remplace par de l'air chaud. Or, la proximité de l'eau ne modère pas

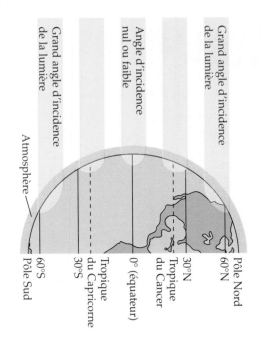

Grand angle d'incidence de la lumière

Angle d'incidence nul ou faible

Grand angle d'incidence de la lumière

Atmosphère

Pôle Nord
60°N
30°N
Tropique du Cancer
0° (équateur)
Tropique du Capricorne
30°S
60°S
Pôle Sud

Figure 46.23
Rayonnement solaire et latitude. Comme la lumière solaire frappe l'équateur perpendiculairement, il y parvient plus de chaleur et de lumière par unité d'aire que sous les autres latitudes. Au nord et au sud de l'équateur, la lumière solaire atteint la surface courbe de la Terre obliquement, la lumière solaire atteint la surface trajet solaire dans l'atmosphère, après avoir parcouru un plus long ment solaire crée les différences de température et d'intensité lumineuse entre les latitudes, et elle établit les courants d'air verticaux représentés à la figure 46.25b.

Figure 46.24
Cause des saisons. Au cours du voyage annuel de la Terre autour du Soleil, l'inclinaison de la planète sur son axe cause les variations saisonnières de température et d'intensité lumineuse. Le solstice de décembre, le moment où le pôle Nord est le plus éloigné du Soleil, marque le début de l'hiver dans l'hémisphère Nord. La photopériode est courte, et le rayonnement solaire incident forme un angle ouvert, ce qui explique les faibles températures des jours courts de l'hiver. En revanche, le solstice de décembre correspond au début de l'été dans l'hémisphère Sud, car le pôle Sud est alors incliné vers le Soleil. Le Soleil est à son point culminant dans le ciel pour cet hémisphère ; les jours sont longs et il fait chaud. Au solstice de juin, le pôle Nord est incliné vers le Soleil et le pôle Sud en est éloigné, et les saisons changent dans les deux hémisphères. Aux équinoxes de mars et de septembre, aucun des deux pôles n'est incliné vers le Soleil, et toutes les parties de la Terre ont 12 heures d'ensoleillement et 12 heures d'obscurité.

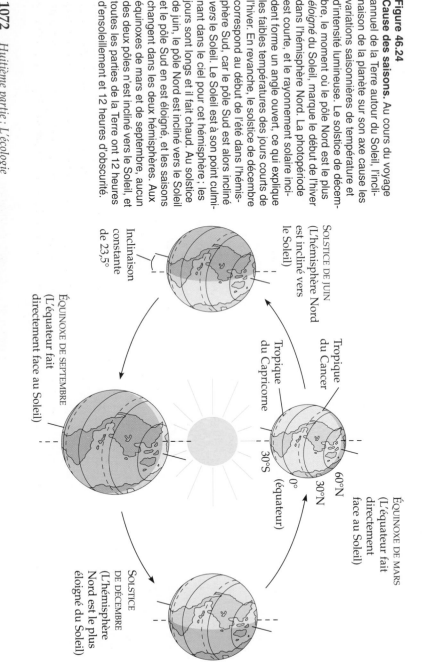

SOLSTICE DE JUIN
(L'hémisphère Nord est incliné vers le Soleil)

Tropique du Cancer

Tropique du Capricorne

Inclinaison constante de 23,5°

ÉQUINOXE DE SEPTEMBRE
(L'équateur fait directement face au Soleil)

ÉQUINOXE DE MARS
(L'équateur fait directement face au Soleil)

60°N
30°N
0° (équateur)
30°S

SOLSTICE DE DÉCEMBRE
(L'hémisphère Nord est le plus éloigné du Soleil)

Figure 46.25
Circulation de l'air, précipitations et vents dans le monde.

(a) Les couches inférieures de l'atmosphère sont réchauffées par le rayonnement solaire et par la surface terrestre. L'air se dilate, sa masse volumique diminue, et il s'élève. À l'équateur, l'air chaud ascendant crée une zone de vents faibles et changeants appelée zone des calmes équatoriaux. Les masses d'air chaud ascendant se dilatent et, comme l'énergie thermique se distribue à l'intérieur d'un volume accru, elles se rafraîchissent en poursuivant leur ascension. L'air froid retient moins de vapeur d'eau que l'air chaud, et les masses d'air ascendant déversent de grandes quantités de pluie sur les tropiques. L'air asséché s'écoule vers les deux pôles à grande altitude, se refroidissant davantage à mesure qu'il s'éloigne de l'équateur. Sa masse volumique augmente, il descend et il absorbe l'humidité du sol, ce qui explique l'existence de bandes d'aridité autour de 30° de latitude. (b) Le mouvement de l'air chauffé crée trois grandes zones de circulation d'air de part et d'autre de l'équateur. Dans chacune de ces zones, l'air ascendant (en bleu) libère de l'humidité sous forme de précipitations, et l'air descendant (en gris) absorbe de l'humidité et crée de l'aridité. Les premières zones de circulation d'air, représentées en (a), se terminent lorsqu'une partie de l'air qui descend à 30° de latitude retourne vers l'équateur, aussi à faible altitude, formant dans les latitudes moyennes des zones de circulation d'air qui absorbent de l'eau puis la libèrent lorsque l'air s'élève autour de 60° de latitude. Les troisièmes zones de circulation transportent de l'air frais et sec vers les pôles ; là, l'air descend et retourne vers l'équateur. Au point de rencontre entre les différentes zones de circulation, leur air se mêle, ce qui occasionne un mélange constant des gaz dans les couches inférieures de l'atmosphère. (c) L'air qui circule dans les couches inférieures des zones de circulation, près de la surface terrestre, crée des vents prévisibles. Mais comme la Terre tourne sur son axe, le sol près de l'équateur se déplace plus rapidement que le sol près des pôles ; les vents dévient des trajets verticaux représentés en (b), et ils soufflent vers l'est et vers l'ouest. Dans les régions tropicales et subtropicales, des vents rafraîchissants appelés alizés soufflent d'est en ouest. Dans la zone tempérée, au contraire, les vents dominants soufflent d'ouest en est.

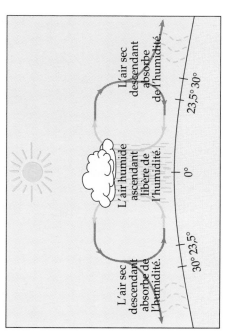

(a) Circulation de l'air et précipitations à l'équateur

L'air sec descendant absorbe de l'humidité.

L'air humide ascendant libère de l'humidité.

L'air sec descendant absorbe de l'humidité.

30° 23,5°   0°   23,5° 30°

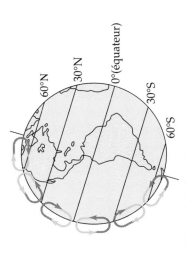

60°N
30°N
0° (équateur)
30°S
60°S

(b) Circulation générale de l'air

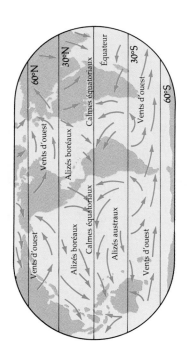

60°N
Vents d'ouest
30°N
Alizés boréaux
Calmes équatoriaux
Équateur
Alizés austraux
Vents d'ouest
30°S
60°S

Vents d'ouest
Alizés boréaux
Calmes équatoriaux
Vents d'ouest

(c) Direction des vents à l'échelle planétaire

toujours le climat. En été, dans les régions de climat « méditerranéen » (qui comprennent la côte du centre et du sud de la Californie), les brises de mer fraîches et sèches se réchauffent au contact de la terre ferme ; elles absorbent l'humidité et créent les étés chauds et secs caractéristiques de la forêt méditerranéenne.

Les montagnes exercent aussi un effet marqué sur le rayonnement solaire, la température locale et les précipitations. Dans l'hémisphère Nord, les versants sud des montagnes reçoivent plus de soleil que les versants nord et sont par conséquent plus chauds et plus secs. Dans les montagnes de l'ouest de l'Amérique du Nord, on trouve de l'Épinette et d'autres Conifères sur les versants nord, mais une végétation arbustive et résistante à la sécheresse sur les versants sud. De plus, quelle que soit la latitude, la

température de l'air diminue d'environ 6 °C par tranche de 1000 m d'altitude, de même qu'elle diminue avec la latitude. Dans la zone tempérée boréale, par exemple, on subit en s'élevant de 1000 m le même changement de température qu'en parcourant 880 km vers le nord. C'est l'une des raisons qui explique la ressemblance entre les communautés des montagnes et celles des zones de moindre altitude éloignées de l'équateur (figure 46.27). À l'approche d'une montagne, l'air chaud et humide s'élève et refroidit, et il libère son humidité sur le versant exposé au vent. Sur le versant à l'abri du vent, l'air frais et sec descend, absorbe l'humidité et produit de la sécheresse. Les déserts sont généralement situés au pied du versant à l'abri du vent des chaînes de montagne ; tel est le cas du désert du Grand Bassin et du désert Mojave dans l'ouest

Chapitre 46 : L'écologie : distribution et adaptation des organismes **1073**

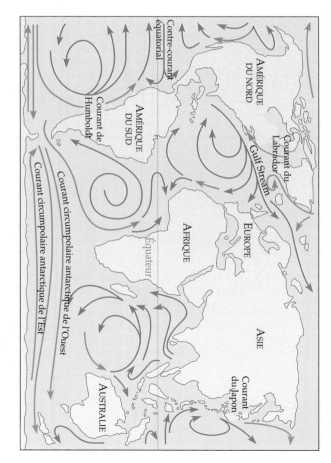

Figure 46.26
Les courants marins. Les courants marins sont engendrés par la rotation de la Terre, les vents dominants, les différences de température de l'eau et la position géographique des continents. En pleine mer, les courants principaux circulent dans le sens des aiguilles d'une montre dans l'hémisphère Nord, et dans le sens contraire dans l'hémisphère Sud. Les continents et les autres masses d'importance font dévier les courants est-ouest près de l'équateur, poussant l'eau chaude (en rouge) vers les pôles. Une fois rafraîchis près des pôles, les courants froids (en bleu) retournent vers l'équateur.

de l'Amérique du Nord, du désert de Gobi en Asie et des petits déserts qui caractérisent les parties sud-ouest de certaines îles des Antilles.

Non seulement la succession des saisons modifie-t-elle la photopériode, le rayonnement solaire et la température dans le monde entier, mais elle provoque aussi des variations écologiques locales. Étant donné que l'angle d'incidence des rayons varie, les ceintures d'air humide et d'air sec situées de part et d'autre de l'équateur changent quelque peu de latitude au cours de l'année; par conséquent, les régions situées aux environs de 20° de latitude, où croissent les forêts décidues tropicales, connaissent une saison sèche et une saison des pluies bien délimitées. En outre, les changements saisonniers des vents font varier les courants marins, causant parfois une remontée des eaux de fond froides et riches en nutriments qui fournit de la nourriture aux organismes de la zone euphotique pélagique. Les étangs et les lacs sont aussi extrêmement sensibles aux changements saisonniers de la température, tant et si bien que leurs eaux se mélangent au printemps et à l'automne (figure 46.28). Ce renouvellement amène l'eau oxygénée de la surface vers le fond, et l'eau riche en nutriments du fond vers la surface. Ces changements cycliques des propriétés physicochimiques des lacs s'avèrent essentiels à la survie et à la croissance de tous les organismes de l'écosystème.

En deçà de l'échelon local, les variations climatiques déterminent enfin des microclimats. Ainsi, les écologistes parlent souvent du microclimat du sol d'une forêt ou du dessous d'une roche. Plusieurs phénomènes influent sur les microclimats en produisant de l'ombre, en réduisant la vaporisation de l'eau du sol et en diminuant les effets du vent. Dans les forêts, les arbres tempèrent souvent le microclimat du milieu qu'ils abritent. En général, les zones déboisées subissent de plus grandes variations de température que l'intérieur des forêts, à cause de la plus grande absorption d'énergie solaire et des vents établis par le réchauffement et le refroidissement rapide du sol nu; de même, la vaporisation s'avère plus importante dans les clairières qu'en pleine forêt. Les terres basses sont habituellement plus humides que les terres hautes, et les forêts s'y composent d'espèces différentes. S'il vous est déjà arrivé de soulever une bûche ou une grosse pierre dans les bois, vous avez constaté que des organismes (comme des Salamandres, des Vers et des Insectes) vivent dans ce microhabitat, à l'abri des extrêmes de température et d'humidité. Dans tous les milieux de la Terre, on trouve ainsi des différences subtiles entre les facteurs physicochimiques qui influent sur la distribution des organismes.

RÉACTIONS DES ORGANISMES À LA VARIATION ÉCOLOGIQUE

Bien que nous puissions expliquer la distribution des biomes par les variations climatiques mondiales et régionales, il est important de se rappeler que les biomes et leurs communautés se composent d'individus adaptés au milieu dans lequel ils vivent. La sélection naturelle a produit diverses adaptations aux valeurs extrêmes de la température, de la lumière et des autres facteurs abiotiques. Les organismes de l'Arctique et de l'Antarctique tolèrent des températures de –70 °C, tandis que les organismes du désert supportent des températures supérieures à 45 °C. On trouve des organismes dans les eaux de salinité presque nulle (eaux de fonte des neiges) et dans les lacs salés où la concentration de sel est plusieurs fois supérieure à celle de l'eau de mer. Néanmoins, aucun organisme ne peut tolérer toute l'étendue des conditions écologiques existant sur la Terre, et la distribution géographique d'une population dépend en partie de sa capacité de tolérer un sous-ensemble particulier de conditions. Pour faire face aux contraintes de leur milieu, les organismes ont acquis toutes sortes de structures et de mécanismes physiologiques, dont nous avons traité dans la sixième partie (pour les Végétaux) et dans la septième partie (pour les Animaux). Dans la présente section, nous étudierons les

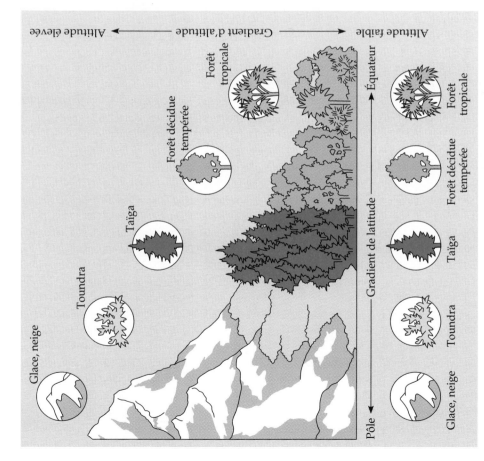

Figure 46.27
Effets de l'altitude et de la latitude. La distribution altitudinale des biomes dans les tropiques correspond à la distribution des biomes le long des latitudes. Autrement dit, que l'on aille du niveau de la mer vers les sommets ou de l'équateur vers un pôle, on rencontre la même suite de biomes, car la variation de température est analogue le long des deux gradients géographiques.

principaux types d'adaptations sous l'angle des variations du milieu physicochimique.

Les organismes interagissent avec un ensemble de facteurs abiotiques qui composent le milieu dans lequel ils vivent. Un organisme survit et se reproduit dans la mesure où il tolère la totalité des variables écologiques rencontrées. Par exemple, beaucoup d'organismes aquatiques ectothermes supportent une faible concentration d'oxygène à basse température mais non pas à haute température, car leur métabolisme atteint alors sa vitesse la plus rapide. Pour surmonter les contraintes du milieu, les organismes sont généralement équipés d'adaptations imparfaites qui représentent des compromis évolutifs (voir le chapitre 21). Ainsi, le halètement et la transpiration abaissent la température corporelle des Animaux quand il fait chaud, mais ces mécanismes peuvent aussi entraîner un déficit hydrique.

Homéostasie et allocation énergétique

Au chapitre 36, nous avons défini l'*homéostasie* comme l'état de stabilité du milieu interne maintenu en dépit des variations du milieu externe. Beaucoup d'Animaux et de Végétaux atteignent l'homéostasie au moyen de mécanismes comportementaux et physiologiques (figure 46.29). Chez ces organismes, qu'on pourrait appeler **organismes à milieu interne stable**, les mécanismes homéostatiques atténuent les effets des fluctuations de la température, de l'humidité, de l'intensité lumineuse et de plusieurs autres

facteurs physicochimiques du milieu. Les Copépodes, par exemple, qui vivent dans des milieux où la concentration de sel est élevée mais variable, conservent une salinité interne stable grâce à l'osmorégulation (voir le chapitre 40). Chez d'autres organismes, et particulièrement chez ceux qui vivent dans des milieux relativement stables, les conditions internes fluctuent au gré des conditions externes, mais à l'intérieur d'un intervalle étroit de tolérance. Il s'agit d'**organismes à milieu interne variable**. Beaucoup d'Invertébrés marins, par exemple, vivent dans des milieux de salinité très stable. Ils sont totalement incapables d'osmorégulation et, si on les place dans un milieu de salinité variable en deçà d'une certaine limite, ils perdent ou absorbent de l'eau pour s'y conformer.

La régulation comportementale et physiologique nécessite une dépense d'énergie et, dans certains milieux, le coût de la régulation dépasse les bénéfices de l'homéostasie. Un Lézard de la forêt qui, pour les besoins de sa thermorégulation, doit parcourir de longues distances (et s'exposer ainsi à des prédateurs) afin de trouver un endroit ensoleillé améliorerait ses chances de survie et de reproduction en laissant simplement sa température corporelle s'ajuster à celle de la forêt. Beaucoup d'espèces ont un milieu interne variable dans certaines conditions mais peuvent présenter un milieu interne stable dans d'autres (figure 46.29b). Ces deux états représentent les extrémités d'un continuum de réactions possibles au changement du milieu. Rares sont les organismes qui

Chapitre 46 : L'écologie : distribution et adaptation des organismes **1075**

possèdent un milieu interne toujours stable ou toujours variable.

Pour étudier les réactions des organismes à leur milieu, les écologistes les considèrent sous l'angle de l'allocation énergétique. Chaque organisme possède une quantité limitée d'énergie qu'il peut dépenser pour se nourrir, échapper à ses prédateurs, affronter les fluctuations de son milieu (homéostasie), croître et se reproduire. On peut comparer l'allocation énergétique à un compte de chèques au solde limité assorti d'une marge de crédit modeste; les découverts prolongés sont interdits. Par conséquent, l'énergie dépensée pour l'homéostasie ne peut servir à d'autres fonctions. Après avoir pourvu à la régulation de son milieu interne, la Sauterelle, un Insecte ectotherme modérément actif, possède encore 30% de l'énergie qu'elle a assimilée, un «solde» qu'elle peut affecter à la croissance et à la reproduction. Le solde passe à 2,5% pour un endotherme très actif comme la Belette, qui consomme presque toute l'énergie ingérée pour conserver sa chaleur et s'activer, et à 0,5% pour un Oiseau tel le Troglodyte. Pour ces deux derniers organismes, l'activité intense et l'endothermie compor-

tent apparemment des avantages évolutifs qui contrebalancent les inconvénients du coût de régulation élevé.

En matière d'énergie, les priorités d'allocation sont reliées à la distribution des organismes et à leurs mécanismes homéostatiques. Les organismes à milieu interne variable qui vivent dans des milieux très stables peuvent consacrer une grande partie de leur énergie à la croissance et à la reproduction. Toutefois, leur intolérance au changement écologique limite considérablement leur distribution géographique. Les organismes à milieu interne stable, en revanche, qui consacrent une grande proportion de leur énergie à s'ajuster au changement écologique, croissent et se reproduisent moins efficacement, mais ils sont capables de le faire dans des milieux plus variés.

Les organismes réagissent aux variations spatiales et temporelles par des adaptations dont le temps d'activation est plus ou moins long. Les adaptations comportementales ont des effets presque instantanés et elles sont réversibles, tandis que les adaptations physiologiques se déclenchent et se modifient en des périodes allant de quelques secondes à quelques semaines. Les adaptations

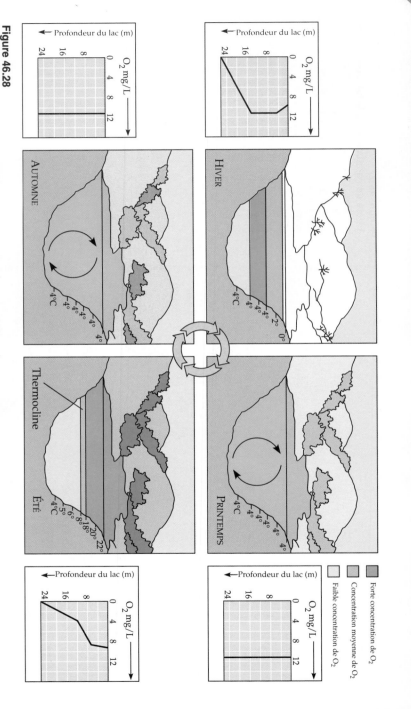

Figure 46.28
Renouvellement des eaux lacustres. Les eaux d'un lac se mélangent deux fois par année, lorsque l'eau de la couche superficielle atteint 4 °C. À cette température, l'eau a une masse volumique maximale, et elle s'enfonce sous les couches plus chaudes ou plus froides. En hiver, les eaux les plus froides du lac (0 °C) se trouvent immédiatement en dessous de la couche de glace superficielle; l'eau se réchauffe à mesure qu'augmente la profondeur, et sa température se tient habituellement autour de 4 °C dans le fond. Au printemps, le Soleil fait fondre la glace et amène la température de la couche superficielle à 4 °C. L'eau de cette couche s'enfonce à travers les couches froides sous-jacentes, et la stratification thermique établie pendant l'hiver disparaît. En l'absence de stratification thermique, les vents printaniers mélangent les eaux; les eaux profondes reçoivent de l'oxygène et la zone euphotique, des nutriments. Pendant l'été, une stratification thermique réapparaît: l'eau chaude de la surface est séparée de l'eau froide du fond par la thermocline. À l'automne, l'eau de la couche superficielle refroidit rapidement et elle s'enfonce; les eaux du lac se mélangent à nouveau, jusqu'à ce que la surface gèle. La stratification thermique hivernale est alors réinstaurée.

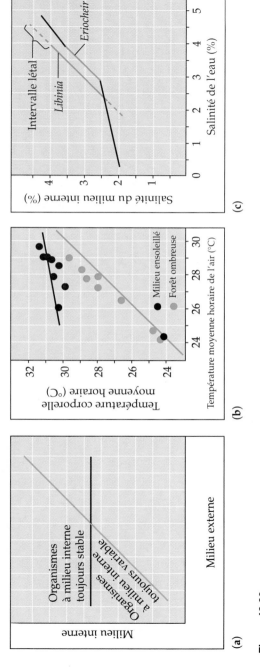

(a)

(b)

(c)

Figure 46.29

Stabilité et variabilité du milieu interne. (a) Face aux fluctuations d'une variable du milieu externe, le milieu interne de certains organismes reste stable, et celui d'autres organismes varie. Le graphique représente les deux réactions de manière théorique : il existe très peu d'organismes à milieu interne toujours stable et d'organismes à milieu interne toujours variable. **(b)** Beaucoup d'espèces ont un milieu interne stable dans certaines conditions et un milieu interne variable dans d'autres. *Anolis cristatellus*, un petit Lézard de Porto Rico, effectue une thermorégulation par un déplacement en direction d'un milieu où il peut s'exposer au Soleil (points noirs), mais il laisse varier sa température dans les forêts ombreuses (points bleus). **(c)** Les Crabes du genre *Libinia* exercent peu de régulation physiologique sur leur osmolarité interne dans l'intervalle étroit de salinité où ils vivent. S'ils sont exposés en laboratoire à une salinité inférieure ou supérieure, leur milieu interne varie et ils meurent. En revanche, les Crabes du genre *Eriocheir* sont incapables d'osmorégulation à certaines salinités mais ils s'en montrent capables à des salinités inférieures et supérieures. Par conséquent, leur aire de distribution est moins limitée que celle des Crabes du genre *Libinia*, et ils peuvent alterner entre des habitats dulcicoles et des habitats marins.

morphologiques s'établissent au cours de la vie des individus ou entre les générations. Les changements génétiques adaptatifs sont encore plus lents et ils s'instaurent en une ou plusieurs générations.

Réactions comportementales

Au sens de réactions musculaires à des stimuli, les réactions comportementales sont le propre des Animaux. Les mécanismes comportementaux ont tellement d'influence sur les interactions entre les Animaux et leur milieu que nous les étudierons en détail au chapitre 50. Nous en traiterons ici du point de vue écologique.

Devant un changement défavorable du milieu, beaucoup d'Animaux commencent par changer d'endroit. Ce déplacement est relativement localisé. Pendant l'été, par exemple, les Truites descendent au fond des lacs pour fuir la chaleur de la couche d'eau superficielle. Beaucoup d'Animaux du désert échappent à la chaleur en se cachant dans des terriers et, en période d'activité, ils gardent une température corporelle à peu près constante en allant et venant entre l'ombre et le soleil (voir le chapitre 40). Certains Animaux parcourent de grandes distances en réaction à des stimuli externes tels que les changements de la température et de la photopériode associés au passage des saisons. Beaucoup d'Oiseaux migrateurs, et notamment les Canards, les Oies et les Hirondelles, passent l'hiver en Amérique du Sud et en

Amérique centrale, et ils reviennent dans le Nord en été pour s'y reproduire.

Certains Animaux sont capables de modifier un facteur de leur milieu immédiat en adoptant un comportement coopératif. Les Abeilles, par exemple, rafraîchissent l'intérieur de leur ruche en battant des ailes à l'unisson. Quand il fait froid, elles calfeutrent la ruche pour conserver la chaleur produite par leur activité. Beaucoup de petits Mammifères passent l'hiver serrés les uns contre les autres dans leurs terriers : ce mécanisme comportemental diminue les pertes de chaleur en réduisant la surface corporelle exposée à l'air froid.

Réactions physiologiques

Les réactions physiologiques au changement écologique sont généralement plus lentes que les réactions comportementales. Si vous déménagiez de Halifax, au niveau de la mer, à Banff, à 1800 m d'altitude, votre organisme serait exposé à une diminution de la pression de l'oxygène et il produirait plus de globules rouges ; cette réaction s'effectuerait en une période de quelques jours à quelques semaines. Cependant, il existe des réactions physiologiques beaucoup plus rapides. Ainsi, l'exposition au froid intense provoque en quelques secondes la constriction des vaisseaux sanguins cutanés, une réaction qui réduit les pertes de chaleur.

Régulation et homéostasie sont les deux traits distinctifs de l'adaptation physiologique. Néanmoins, tous les

organismes, que leur milieu interne reste stable ou non, fonctionnent avec un maximum d'efficacité dans certaines conditions écologiques. On peut étudier en laboratoire la réaction d'un organisme en modifiant des conditions écologiques en modifiant un unique facteur abiotique, telle la température, et en mesurant un aspect de la performance de l'organisme. Les courbes de tolérance, ou de performance, ainsi obtenues ont la forme d'une cloche ; la performance maximale se situe en regard de la condition optimale, et les extrémités de la courbe correspondent aux limites de tolérance de l'organisme à la variable écologique. Les deux courbes de la figure 46.30 représentent l'effet de la température sur la vitesse de nage des Poissons dorés (*Carassius auratus*). Les limites de tolérance constituent d'importants déterminants de la distribution géographique des organismes, bien que les interactions biologiques puissent empêcher une espèce d'occuper un habitat auquel elle est physiologiquement adaptée (voir le chapitre 48).

Les réactions physiologiques à la variation écologique comprennent aussi l'**acclimatation,** soit un déplacement de la courbe de performance dans la direction du changement écologique. Les Poissons dorés acclimatés à l'eau froide nagent plus vite à basse température que les Poissons dorés acclimatés à l'eau chaude (voir la figure 46.30). L'acclimatation est un processus graduel qui s'étale sur des jours ou des semaines, et la capacité d'acclimatation est généralement reliée à l'intervalle des conditions écologiques rencontré dans la nature. Les organismes qui vivent sous des climats très chauds, par exemple, ne s'acclimatent pas au froid extrême.

Réactions morphologiques

Face au changement écologique, les organismes peuvent avoir des réactions qui, liées au développement ou à la croissance, modifient leur anatomie interne ou externe. Beaucoup de changements structuraux sont irréversibles, mais certains Animaux subissent des modifications morphologiques saisonnières. La fourrure ou le plumage de beaucoup de Mammifères et d'Oiseaux épaissit pendant l'hiver ; la couleur du pelage change aussi avec les saisons, de sorte que l'Animal se confond avec la neige en hiver et avec la végétation en été.

En général, la plasticité morphologique des Végétaux est plus grande que celle des Animaux ; cette propriété compense quelque peu l'immobilité des Végétaux (voir le chapitre 31). Un remarquable exemple de plasticité morphologique nous est fourni par la Sagittaire, une Plante qui peut croître sur la terre ferme, complètement immergée ou encore à demi immergée, les racines dans l'eau et les feuilles à l'air libre. La morphologie des feuilles de cette Plante varie selon le milieu où elles poussent. Les feuilles immergées sont flexibles et ploient au gré des courants ; dénuées de cuticule, elles absorbent les minéraux de l'eau. Les Sagittaires qui poussent sur la terre ferme ont un système racinaire élaboré ; leurs feuilles sont rigides et recouvertes d'une épaisse cuticule qui réduit les pertes d'eau.

Adaptation et temps évolutif

Les diverses réactions comportementales, physiologiques et morphologiques que nous venons d'examiner sont des mécanismes déployés par les individus dans le temps écologique. Or, il est important de se rappeler que ces réactions se produisent à l'intérieur du champ des adaptations forgées par la sélection naturelle dans le temps évolutif. Par exemple, toutes les Plantes modifient l'ouverture de leurs stomates (voir le chapitre 32) ; cette réaction physiologique prévient la dessiccation dans les conditions où la quantité d'eau perdue par transpiration serait supérieure à la quantité d'eau absorbée. Chez les Plantes du désert, la capacité d'ajuster l'ouverture des stomates en réaction au manque d'eau se superpose à plusieurs autres adaptations anatomiques et physiologiques qui se sont accumulées au fil de l'évolution des Plantes en milieu aride. Les stomates de certaines Plantes sont situés dans des cavités, à l'abri des vents chauds et secs qui accélèrent la transpiration. En outre, les nombreuses Plantes désertiques de type CAM (voir le chapitre 10) ferment leurs stomates pendant le jour.

La gamme des réactions d'un individu au changement écologique est elle-même le fruit de l'évolution ; à la suite de cette constatation, la distinction se brouille entre les adaptations à court terme réalisées dans le temps écologique et les adaptations réalisées dans le temps évolutif. Lorsqu'un Animal endotherme comme un Mammifère maintient une température corporelle constante au moyen de réactions physiologiques, il emploie des mécanismes homéostatiques qui sont des adaptations acquises par voie de sélection naturelle.

En adaptant les organismes à leur milieu immédiat, la sélection naturelle pose des contraintes à la distribution des populations. Les Lombrics, par exemple, ont une respiration cutanée : l'oxygène diffuse à travers leur peau humide. Or, cette solution au problème de l'échange gazeux confine les Lombrics aux sols humides. Des graines de Pin que le vent emporte du bord du Grand Canyon jusqu'au fond du précipice, 2000 m plus bas, où les conditions sont beaucoup plus chaudes et sèches qu'en haut, ont peu de chances de germer et de croître. Les organismes cantonnés par leurs adaptations à un type de milieu ne peuvent survivre s'ils sont dispersés dans un milieu étranger ou si leur milieu immédiat se modifie au-delà de leurs limites de tolérance. Par ailleurs, l'absence d'une espèce en un endroit quelconque n'implique pas nécessairement que la survie de l'espèce en ce lieu soit impossible. Il n'y aurait pas de Pins au bord du Grand Canyon si l'espèce n'avait pas réussi à s'y implanter à un moment ou à un autre de son évolution. Par conséquent, la présence d'une espèce en un lieu repose sur deux conditions : l'espèce doit atteindre ce lieu et, une fois arrivée, elle doit pouvoir y survivre et s'y reproduire. Nous mesurerons l'importance de ces conditions pour la distribution géographique des organismes au chapitre 48. Dans le chapitre 47, nous nous pencherons sur les processus qui influent sur la composition et sur la taille des populations.

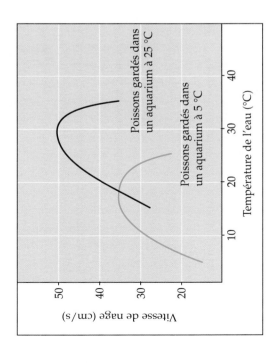

Figure 46.30
Courbes de tolérance et acclimatation. Les Poissons dorés (*Carassius auratus*), comme tous les Animaux ectothermes, ont un fonctionnement physiologique optimal à une certaine température, mais ils peuvent tolérer un certain intervalle thermique. Dans cet exemple, la vitesse de nage, qui varie selon la température, sert d'indicateur du bien-être global des Poissons. Les Poissons dorés vivent normalement à des températures comprises entre 25 et 30 °C, mais la température optimale et l'intervalle de tolérance se modifient quelque peu lorsque les Poissons s'acclimatent à une température de 5 °C. L'acclimatation est un processus lent, et les Poissons ne survivraient pas à un changement radical de la température de l'eau. L'acclimatation ne se fait pas sans compromis. Notez que, à 15 °C, les Poissons acclimatés à l'eau froide nagent plus vite que les Poissons acclimatés à l'eau chaude ; en revanche, ils nagent beaucoup plus lentement à 25 °C.

RÉSUMÉ DU CHAPITRE

Champ de l'écologie (p. 1053-1054)

1. L'écologie est l'étude scientifique de la distribution et de l'abondance des organismes, telles qu'elles sont déterminées par les interactions des organismes entre eux et avec les facteurs abiotiques de leur milieu.

2. L'écologie étudie des niveaux d'organisation de plus en plus vastes : l'individu, les populations, les communautés, l'écosystème et le biome.

3. Les phénomènes écologiques sont inextricablement liés à l'évolution. La distribution et l'abondance des organismes dépendent non seulement du milieu immédiat, mais aussi de leur évolution.

Biomes terrestres (p. 1054-1061)

1. Les biomes sont de grands assemblages d'écosystèmes semblables.

2. On trouve des forêts tropicales près de l'équateur, où la photopériode et la température sont presque constantes mais où les précipitations varient selon le lieu et la saison. La forêt tropicale humide est le biome terrestre le plus riche en espèces.

3. La savane est une prairie tropicale où l'on trouve des arbres clairsemés. Les précipitations y déterminent une saison sèche et une saison des pluies. Les incendies y surviennent fréquemment. Les grands herbivores et les petits Animaux fouisseurs y abondent.

4. Les déserts sont des biomes arides caractérisés par des extrêmes de température et de très faibles précipitations.

5. La forêt méditerranéenne se compose d'arbustes épineux à feuilles persistantes et adaptés au feu ; elle se trouve généralement le long des côtes où les hivers sont doux et pluvieux et les étés, longs, chauds et secs.

6. Les prairies tempérées s'étendent dans les régions relativement froides où le sol est riche et épais. Les incendies et les sécheresses périodiques inhibent la croissance d'arbres et d'arbustes ligneux.

7. Les forêts décidues tempérées croissent dans les latitudes moyennes, où l'humidité favorise la croissance de grands

arbres feuillus. Ces arbres connaissent un cycle annuel de défoliation et de feuillaison.

8. La taïga, aussi appelée forêt boréale ou forêt de Conifères, se caractérise par des hivers longs, froids et neigeux et par des étés courts.

9. La toundra se trouve à la limite septentrionale de la végétation et à grande altitude. À cause du vent et du froid, les formes végétales se limitent à des arbustes rabougris et à des Plantes en coussinet.

Biomes dulcicoles (p. 1062-1065)

1. Les biomes dulcicoles sont étroitement associés aux biomes terrestres qui les entourent ou les bordent.

2. Les lacs et les étangs présentent généralement une stratification verticale : l'intensité lumineuse, la température et la structure des communautés varient entre les eaux superficielles et les eaux profondes. Le phytoplancton et le zooplancton constituent les principales sources de nourriture pour le reste de la communauté. Les lacs sont classés d'après leur teneur en nutriments et leur productivité.

3. Les communautés dulcicoles des cours d'eau se modifient considérablement entre la source et l'embouchure. En amont, on trouve des organismes adaptés à l'eau claire et froide et à un substrat rocheux. En aval vivent des organismes qui tolèrent l'eau trouble et chaude.

Biomes marins (p. 1065-1068)

1. Les océans, qui couvrent près des trois quarts de la surface terrestre, se divisent en zones. Le degré de pénétration de la lumière détermine une zone euphotique et une zone aphotique ; la distance de la côte et la profondeur déterminent une zone intertidale, une zone néritique et une zone océanique. Les eaux libres forment la zone pélagique. Le fond de l'océan correspond à la zone benthique. Dans les parties les plus profondes, caractérisées par l'obscurité, le froid et une forte pression, la zone benthique prend le nom de zone abyssale.

2. Un estuaire est la zone de transition entre un fleuve et l'océan dans lequel il se jette. Un estuaire a une salinité très variable, mais il est extrêmement productif et contient

Diversité écologique de la biosphère (p. 1068-1074)

1. La biosphère est une mosaïque de milieux où les facteurs abiotiques déterminent la distribution et l'abondance des organismes. Les facteurs abiotiques sont la température, la quantité et la qualité de l'eau, l'intensité lumineuse, le vent, le sol et les perturbations occasionnelles comme le feu.

2. Les climats et les saisons sont déterminés par l'apport d'énergie solaire et par la rotation de la Terre autour du Soleil. Le rayonnement solaire réchauffe l'atmosphère et la surface terrestre de manière inégale ; par conséquent, il se forme des zones de circulation d'air, et la température et les précipitations varient selon la latitude. Ces variations déterminent la distribution géographique des principaux biomes.

3. L'hydrographie et la topographie ont une influence sur les climats régionaux et locaux. Les océans et les lacs tempèrent le climat des côtes, et les montagnes influent sur la température et sur les précipitations. Dans la zone tempérée, les eaux des lacs se mélangent deux fois par année. Les détails du paysage déterminent des microclimats.

Réactions des organismes à la variation écologique (p. 1074-1079)

1. Bien que la sélection naturelle ait produit une vaste gamme d'adaptations à la diversité écologique de la biosphère, la plupart des espèces tolèrent seulement un intervalle relativement étroit de variations écologiques.

2. On peut diviser les organismes en deux grandes catégories : ceux dont le milieu interne est stable et ceux dont le milieu interne se conforme aux conditions externes.

3. Le principe de l'allocation énergétique veut que chaque organisme dispose d'une quantité limitée d'énergie pour réagir aux variables physicochimiques et pour accomplir tous ses autres processus. La sélection naturelle a produit différentes façons d'utiliser l'allocation énergétique, généralement reliées à la stabilité du milieu dans lequel vivent les organismes.

4. Face aux variations défavorables de leur milieu, les Animaux peuvent avoir une réaction comportementale consistant à se déplacer vers un endroit plus favorable.

5. Les réactions physiologiques comprennent les mécanismes de régulation visant le maintien de l'homéostasie. L'acclimatation modifie les limites de tolérance des organismes et les températures auxquelles leur fonctionnement est optimal.

6. Le plumage ou le pelage de certains Oiseaux et de certains Mammifères subissent des changements morphologiques saisonniers. Beaucoup de Plantes présentent une plasticité morphologique qui compense l'immobilité propre aux Végétaux.

7. Les réactions comportementales, physiologiques et morphologiques opèrent dans l'instant présent du temps écologique. Cependant, elles se produisent à l'intérieur du champ des adaptations que la sélection naturelle a forgées au cours du temps évolutif.

3. La zone intertidale est un biome stratifié verticalement que l'eau de mer inonde périodiquement. Les organismes de la zone intertidale sont attachés au substrat rocheux. Ceux de la zone intertidale supérieure sont fréquemment exposés à l'air et au soleil ; ils possèdent des adaptations qui empêchent de trop se réchauffer et de se dessécher.

4. Les récifs de Corail se trouvent dans les eaux tropicales chaudes, peu profondes et riches en nutriments. Les squelettes des Cnidaires forment des structures complexes où s'abritent des Invertébrés et des Poissons très diversifiés.

5. Le biome océanique pélagique comprend la majeure partie du plein océan ; le phytoplancton et le zooplancton en occupent les couches supérieures.

6. Les communautés benthiques se nourrissent principalement de détritus qui proviennent de la zone pélagique. Près des sources thermales, les Bactéries chimioautotrophes servent de nourriture à des Vers géants et à d'autres Invertébrés.

de très nombreux organismes aquatiques et semi-aquatiques.

AUTO-ÉVALUATION

1. Lequel des énoncés suivants découle directement du principe de l'allocation énergétique ?
a) Le nombre d'organismes qui peuvent vivre dans un territoire est déterminé par la quantité d'énergie disponible dans ce territoire.
b) Les réactions physiologiques aux changements écologiques peuvent repousser les limites de tolérance des organismes.
c) La quantité totale d'énergie que possède un organisme est répartie entre la reproduction, l'obtention de nourriture et l'adaptation face aux changement de l'environnement.
d) Les organismes qui consomment beaucoup d'énergie pour croître et se reproduire sont capables de survivre dans une gamme étendue de milieux.
e) Les organismes utilisent la majeure partie de leur énergie pour maintenir leur homéostasie.

2. Lequel des énoncés suivants est *faux* ?
a) On peut mesurer expérimentalement les limites de tolérance et les représenter graphiquement par une courbe.
b) Les limites de tolérance déterminent les milieux où les organismes peuvent vivre.
c) L'acclimatation peut, dans certains cas, élargir les limites de tolérance.
d) Les limites de tolérance sont plus larges chez les organismes à milieu interne stable que chez les organismes à milieu interne variable.
e) Les organismes vivant dans des milieux stables ont les limites de tolérance les plus larges.

3. Laquelle des associations suivantes est *inexacte* ?
a) Savane – températures froides, précipitations uniformes.
b) Toundra – froid extrême, pergélisol, étés courts.
c) Forêt méditerranéenne – hivers doux et pluvieux, étés chauds et secs.
d) Prairies tempérées – climat relativement froid, sécheresses périodiques.
e) Forêts tropicales – photopériode et température presque constantes.

4. Les forêts décidues tempérées et la taïga se distinguent principalement par :
a) les espèces d'arbres dominantes.
b) la qualité du sol.
c) les précipitations.
d) la latitude où elles se trouvent.
e) la diversité des espèces.

5. Laquelle des associations suivantes est *inexacte* ?
a) Zone néritique – eaux peu profondes au-dessus du plateau continental.
b) Zone abyssale – zone benthique la plus profonde.
c) Zone pélagique – eaux libres.

QUESTIONS À COURT DÉVELOPPEMENT

1. Définissez les concepts suivants et situez-les les uns par rapport aux autres : biome, communauté, écosystème, milieu.

2. Décrivez un des biomes qui caractérisent le Québec.

3. Expliquez le phénomène de brassage des eaux d'un lac de la zone tempérée et précisez son utilité.

4. Expliquez l'importance des facteurs abiotiques dans la diversité écologique de la biosphère.

5. Nommez et décrivez les phénomènes qui sont à l'origine des différents climats de la planète.

RÉFLEXION-APPLICATION

1. Dans quel biome terrestre l'établissement d'enseignement où vous étudiez est-il situé ? Décrivez l'effet de cinq caractéristiques de cet établissement sur le microclimat local.

2. Décrivez cinq facteurs abiotiques qui influent sur un arbre de la forêt décidue tempérée. Comment l'arbre réagit-il aux variations journalières de ces facteurs ?

SCIENCE, TECHNOLOGIE ET SOCIÉTÉ

1. Il existait près de Lawrence, au Kansas, une parcelle de la prairie tempérée encore intacte. On y trouvait une grande biodiversité. On y observait notamment deux espèces végétales en voie d'extinction. Les militants écologistes demandaient que l'endroit soit transformé en réserve, et ils entreprirent de lever des fonds à cette fin. En 1990, le propriétaire du terrain commença à le labourer, décrétant qu'il entendait faire ce qu'il voulait avec son bien. Il en avait d'ailleurs le droit, car il n'existe pas aux États-Unis de lois fédérales qui protègent les espèces en voie d'extinction dans les propriétés privées. Quelles valeurs s'affrontent dans cette situation ? Selon vous, comment devrait-on résoudre de tels conflits ?

2. Pendant l'été 1988, d'énormes incendies de forêt détruisirent une grande partie du parc national de Yellowstone, aux États-Unis. Le gouvernement américain pratique une politique de non-intervention face aux incendies naturels : il les laisse suivre leur cours, à moins qu'ils ne menacent les populations humaines. Comme les incendies du parc de Yellowstone avaient été allumés par la foudre, les pompiers les laissèrent se propager et s'éteindre d'eux-mêmes, se contentant de protéger les gens. Cette attitude souleva la colère du public : le service des parcs fut accusé de laisser un trésor naturel se consumer. Les scientifiques du service des parcs maintinrent la politique de non-intervention. Croyez-vous que c'était là la meilleure décision à prendre ? Pourquoi ?

LECTURES SUGGÉRÉES

Alexandre, D.-Y., « La survie des forêts tropicales », *La Recherche*, n° 244, juin 1992. (Un article exposant une conception nouvelle de la gestion et de la protection des forêts tropicales qui disparaissent graduellement au profit de l'agriculture.)

Bellaiche, G., « Entre rivages et abysses », *Science & Vie*, hors série, n° 176, septembre 1991. (Description et richesse de la plate-forme continentale.)

Blasco, F., « Les mangroves », *La Recherche*, n° 231, avril 1991. (L'importance des mangroves, des écosystèmes de la zone intertidale, pour la biodiversité et la protection des côtes contre l'érosion.)

Borde, V., « La forêt joue cartes sur table », *La Recherche*, n° 259, novembre 1993. (La « géomatique », un instrument de gestion et d'aménagement des forêts au Québec.)

Bougeault, P., « Le vent qui souffle à travers la montagne... », *Science & Vie*, hors série, n° 174, mars 1991. (Influence des montagnes sur la circulation de l'air et sur le climat régional.)

Chapitre 46 : L'écologie : distribution et adaptation des organismes **1081**

---

d) Zone aphotique – zone où la lumière pénètre.

e) Zone intertidale – eaux peu profondes près du littoral.

6. Les fleurs d'eau (proliférations d'Algues microscopiques) se produisent généralement :
   a) en amont d'un cours d'eau.
   b) en aval d'un cours d'eau.
   c) dans un lac ou un étang.
   d) dans la zone intertidale d'un océan.
   e) dans la zone benthique d'un océan.

7. En général, les déserts sont situés dans les latitudes où :
   a) l'air sec descend.
   b) l'air humide descend.
   c) l'air sec monte.
   d) l'air ascendant crée une zone de calmes équatoriaux.
   e) les masses d'air sont stationnaires.

8. Le biome où la saison de végétation est la plus courte est :
   a) la forêt tropicale humide.
   b) la savane.
   c) la taïga.
   d) la forêt décidue.
   e) la prairie tempérée.

9. Imaginez qu'une catastrophe cosmique ébranle la Terre avec tellement de force que son axe devienne perpendiculaire à son plan de rotation autour du Soleil. Ce changement aurait-il pour effet prévisible :
   a) d'abolir l'alternance entre le jour et la nuit.
   b) de modifier la longueur de l'année.
   c) de rafraîchir l'équateur.
   d) d'éliminer les variations saisonnières dans les latitudes boréales et australes.
   e) d'éliminer les courants marins.

10. Marie-Andrée voyageait à bord d'un avion qui a survolé successivement une forêt décidue tempérée, une prairie et un désert puis qui a atterri dans un aéroport construit dans un chaparral. Marie-Andrée est allée de :
    a) New York à Denver.
    b) New York à Los Angeles.
    c) Denver à Los Angeles.
    d) Washington à Phoenix.
    e) Seattle à Washington.

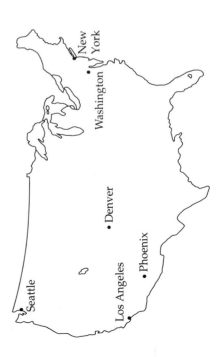

Forget, P.-M., « Les forêts tropicales en sursis », *La Recherche*, n° 270, novembre 1994. (La biodiversité des forêts tropicales menacée par l'activité humaine.)

Francheteau, J., « Les paysages profonds », *La Recherche*, n° 256, juillet-août 1993. (L'exploration des zones abyssales remet en cause notre compréhension de la dynamique de la Terre.)

Goulding, M., « Les forêts inondables d'Amazonie », *Pour la Science*, n° 187, mai 1993. (Adaptations originales de nombreuses espèces qui peuplent en partie la forêt tropicale d'Amérique du Sud.)

Guillemot, H., « Les secrets du climat dans le relief des océans », *Science & Vie*, n° 900, septembre 1992. (Cartographie par satellite de la surface des océans afin de mieux comprendre leur influence sur le climat.)

Guillemot, H., « Quand le climat « chaote » », *Science & Vie*, n° 905, février 1993. (D'après une étude des échantillons de glace du Groenland qui couvrent 200 000 ans, la dynamique du climat serait naturellement chaotique voire imprévisible.)

Parker, D.-E., C. K. Folland et F. Becker, « Peut-on mesurer la température terrestre ? », *La Recherche*, n° 243, mai 1992. (Limite des mesures traditionnelles et avantage des mesures satellitaires dans la détection d'un éventuel réchauffement planétaire.)

Rassoulzadegan, F., « Le grand large : un désert peuplé de microbes », *Science & Vie*, hors série, n° 176, septembre 1991. (Malgré leur pauvreté en sels nutritifs, les eaux de la zone océanique abritent tout un réseau de microorganismes.)

Schnitzler-Lenoble, A. et R. Carbiener, « Les forêts-galeries d'Europe », *La Recherche*, n° 255, juin 1993. (Les forêts décidues tempérées, le long du Rhin et du Danube, se révèlent d'une richesse biologique exceptionnelle.)

Sibuet, M., « Le bestiaire abyssal », *Science & Vie*, hors série, n° 176, septembre 1991. (Description sommaire de la faune riche et variée des fosses abyssales.)

Trabaud, L. et D. Gillon, « Les écosystèmes renaissent de leurs cendres », *La Recherche*, n° 234, juillet-août 1991. (Le rôle des feux dans la dynamique de la forêt méditerranéenne.)

DENSITÉ ET DISTRIBUTION

DÉMOGRAPHIE

ÉVOLUTION DES CYCLES BIOLOGIQUES

MODÈLES D'ACCROISSEMENT DÉMOGRAPHIQUE

RÉGULATION DE LA TAILLE DES POPULATIONS

ACCROISSEMENT DE LA POPULATION HUMAINE

M atin et soir, le journal et le bulletin d'informations font état des problèmes locaux et mondiaux qui menacent notre bien-être ou qui provoquent des conflits entre les individus et entre les nations. Les médias font le point sur le réchauffement planétaire, les précipitations acides, les déchets toxiques, les déversements de pétrole, les accidents dans les centrales nucléaires et tous les autres symptômes de dégradation de la biosphère. Les conflits entre l'Occident et le Moyen-Orient sont aggravés par la demande de pétrole. Les images consternantes d'enfants victimes de la famine nous rappellent la piètre qualité de vie qui est le lot de millions de gens. Plus près de chez nous, les commissions scolaires se demandent s'il est judicieux de parler de contraception aux adolescents sexuellement actifs. Ces problèmes en apparence sans lien ont un dénominateur commun : l'accroissement incessant de la population humaine dans un monde où les ressources sont limitées, voire presque épuisées. L'explosion démographique constitue de nos jours le phénomène biologique le plus important. Nous sommes environ 5,6 milliards sur la planète, et nous avons besoin d'énormes quantités de matières et d'espace pour nous loger, pour produire notre nourriture et pour éliminer nos déchets. Nous nous sommes répandus partout sur la Terre, nous avons rendu l'environnement inhabitable pour de nombreuses autres espèces et, aujourd'hui, nous risquons d'en faire autant pour nous-mêmes (figure 47.1).

Pour comprendre vraiment le problème de l'accroissement démographique humain, nous devons considérer les principes généraux de l'écologie des populations. Aucune population ne peut s'accroître indéfiniment. D'autres espèces animales connaissent parfois des explosions démographiques, mais leurs populations s'effondrent tôt ou tard. Par ailleurs, beaucoup de populations restent relativement stationnaires et subissent seulement des accroissements et des diminutions mineurs. L'écologie des populations, le sujet du présent chapitre, a pour tâche de mesurer et d'expliquer les variations de la taille et de la composition des populations. L'étude des populations facilite de nombreuses activités humaines, telles que la lutte contre les parasites des cultures, la prévision des prises de Poissons, le maintien des populations de microorganismes utilisées en biotechnologie (voir le chapitre 19) et la protection des rares milieux naturels encore intacts.

On peut étudier les populations sous divers angles. Au chapitre 21, nous avons considéré les populations comme des groupes d'individus d'une même espèce capables de se reproduire entre eux. D'un point de vue plus écologique, nous pouvons définir une population

Figure 47.1

L'accroissement de la population humaine détruit inévitablement l'habitat d'autres espèces. Les bouteurs géants ont aplani cette colline située dans ce qui reste du chaparral de Los Angeles afin de faire place à un ensemble immobilier. L'étude de l'explosion démographique humaine est une application de l'écologie des populations, le sujet du présent chapitre.

Tableau 47.1 Densités de population représentatives

Organismes	Densité
Diatomées	5 000 000/m³
Arthropodes du sol	5000/m²
Balanes (adultes)	2000/m²
Arbres	50 000/km²
Mulots	25 000/km²
Souris sauteuses des bois	600/km²
Cerfs	4/km²
Humains	
Pays-Bas	346/km²
Canada	2/km²

Source: C. J. Krebs, *Ecology*, 3e éd., New York, Harper & Row, 1985.

comme un groupe d'individus de la même espèce qui occupent simultanément le même territoire, qui consomment les mêmes ressources et qui sont influencés par les mêmes facteurs écologiques. Par conséquent, l'écologie des populations recoupe l'autécologie et l'écologie des communautés (ou synécologie); ainsi, la taille d'une population peut être influencée par la tolérance des individus au froid de même que par la prédation. En fait, la dynamique d'une population est généralement conditionnée par un réseau complexe de facteurs. Au cours de notre analyse de la structure et de l'accroissement des populations, gardez le principe suivant à l'esprit: Les caractéristiques d'une population sont déterminées par les interactions entre les individus et leur milieu, tant elles sont sujettes à la sélection naturelle. Nous reprendrons plus loin notre exposé sur la population humaine. Pour l'instant, nous allons examiner quelques-unes des méthodes de description et d'analyse des populations en général.

DENSITÉ ET DISTRIBUTION

Toute population a une taille (un certain nombre de membres) et des limites géographiques. Pour étudier la dynamique des populations, les écologistes commencent par définir les limites appropriées aux organismes observés et aux questions posées. Un écologiste peut mesurer tantôt les variations de la taille d'une population de Balanes dans un étang à marées de la Nouvelle-Angleterre, tantôt les fluctuations du nombre de Caribous dans toute la partie septentrionale du Québec. Quelle que soit l'échelle retenue par les chercheurs, toute population présente deux importantes caractéristiques: une densité et une distribution. La **densité de population** est le nombre d'individus par unité d'aire ou de volume, par exemple le nombre d'individus par kilomètre carré de forêt

(tableau 47.1). La **distribution** est le mode de répartition des individus à l'intérieur des limites géographiques de la population.

Mesure de la densité

Dans de rares cas, on détermine la taille et la densité d'une population en en comptant tous les individus. Par exemple, on peut compter les arbres d'une espèce dans un territoire boisé de dimensions modestes ou les Étoiles de mer dans un étang à marées. Du haut des airs, on peut parfois dénombrer avec exactitude les troupeaux de grands Mammifères, notamment de Bisons et d'Éléphants. Dans la plupart des cas, cependant, il s'avère inutile ou impossible de compter tous les individus d'une population. Les écologistes utilisent alors diverses techniques d'échantillonnage pour estimer la densité et la taille des populations. Ainsi, pour estimer le nombre de Plantes herbacées d'une érablière, ils comptent les individus compris dans quelques parcelles représentatives de dimensions appropriées. L'exactitude des estimations augmente avec le nombre et la dimension des parcelles étudiées.

Il arrive que les écologistes estiment la taille d'une population en se fondant sur des indicateurs indirects, tels les nids (figure 47.2), les terriers, les excréments et les pistes. La **technique de capture-recapture**, décrite dans l'encadré présenté à la page suivante, est une méthode d'échantillonnage communément utilisée pour estimer les populations d'Animaux sauvages.

Modes de distribution

L'**aire de distribution géographique** d'une population est le territoire où existe cette population. À l'intérieur de l'aire de distribution géographique, la densité de population peut présenter des variations locales considérables. En effet, les parties de l'aire de distribution ne constituent pas toutes des habitats appropriés; de plus, les membres

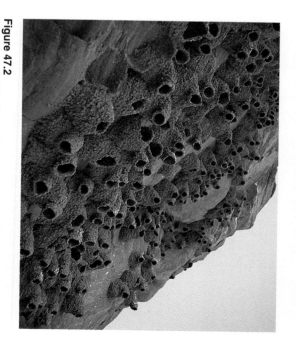

Figure 47.2
Recensement indirect d'une population d'Hirondelles de rivage (*Riparia riparia*). On peut estimer le nombre d'Oiseaux qui nichent dans cette colonie en comptant les ouvertures des nids de boue.

Techniques : Estimation par capture-recapture de la taille d'une population

Les scientifiques installent des pièges ou des filets à l'intérieur des limites de la population à l'étude, ils marquent les Animaux capturés à l'aide d'étiquettes, de bagues, de colliers ou de taches de teinture, puis ils les libèrent. Ils attendent quelques jours ou quelques semaines pour laisser aux Animaux marqués le temps de se mêler avec les membres non marqués de la population, puis ils remettent les pièges ou filets en place. Le rapport entre le nombre d'Animaux marqués et le nombre d'Animaux non marqués dans la seconde série de captures donne une estimation de la taille de la population entière. S'il n'y a pas eu de naissances, de morts, d'immigration et d'émigration, l'équation simple qui suit sert à estimer la taille de la population :

$$N = \frac{\text{nombre d'Animaux capturés et marqués} \times \text{nombre d'Animaux capturés la seconde fois}}{\text{nombre d'Animaux marqués recapturés}}$$

Supposons par exemple que l'on capture 50 Bécasseaux sanderling (*Calidris alba*) dans des filets, qu'on les bague (figure a) et qu'on les libère. Deux semaines plus tard, on capture 100 Bécasseaux (figure b). Si 10 de ces 100 Bécasseaux sont bagués, on estime que 10 % des Bécasseaux de la population sont bagués. Puisque 50 Bécasseaux ont été bagués initialement, on estime par conséquent que la population entière comprend environ 500 Oiseaux. Notez que l'on suppose qu'un individu marqué a autant de chances d'être capturé qu'un individu non marqué. Or, cette supposition est plus ou moins valable : un Animal qui a été capturé une fois, par exemple, est susceptible d'éviter les pièges par la suite.

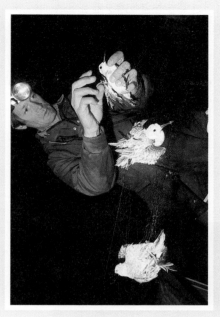

(a)

(b)

de la population gardent entre eux une certaine distance (figure 47.3). La distribution, dont le mode varie de façon continue, est dite **en agrégats** si les individus forment des regroupements, **uniforme** si les individus sont répartis également, et **aléatoire** si la distance entre les individus est imprévisible.

L'agrégation peut résulter de l'hétérogénéité écologique, c'est-à-dire du fait que les ressources sont concentrées dans des parcelles de l'aire de distribution. Les Végétaux forment des agrégats dans certains sites parce que les conditions du sol et les autres facteurs écologiques varient localement ; et même si les graines sont disséminées au hasard, la germination et la croissance sont optimales dans les zones où règnent les meilleures conditions. Par exemple, le Genévrier de Virginie (*Juniperus virginiana*) croît en agrégats sur les affleurements calcaires, où le sol est moins acide qu'aux alentours. À l'intérieur de leur aire de distribution, les Animaux se

déplacent vers les microhabitats qui satisfont le mieux leurs besoins. Dans la forêt, par exemple, beaucoup d'Insectes et de Salamandres se regroupent sous les bûches, où l'humidité reste toujours élevée. On trouve beaucoup d'herbivores là où abondent les Plantes dont ils se nourrissent. L'agrégation des Animaux est aussi reliée à leur comportement social ou sexuel. Ainsi, chez les Insectes éphémères comme les Tipulidés, la formation de nuées résulte d'un comportement qui accroît les chances de reproduction.

La distribution uniforme découle souvent de l'antagonisme entre les individus de la population. Chez les Végétaux, par exemple, la présence d'ombre ainsi que la concurrence pour l'eau et les minéraux peuvent mener à une distribution uniforme (figure 47.4a) ; en outre, certains Végétaux sécrètent des substances chimiques qui inhibent la germination et la croissance autour d'eux. Dans les populations animales, une distribution uniforme

Figure 47.3
Modes de distribution à l'intérieur de l'aire géographique d'une population.
À l'intérieur de leur aire géographique, les individus d'une population présentent soit une distribution en agrégats, soit une distribution uniforme, mais rarement une distribution aléatoire. Les individus sont aussi distribués selon un mode particulier à l'intérieur de chaque agrégat.

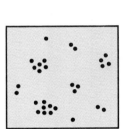

Distribution en agrégats

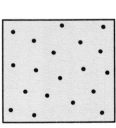

Distribution uniforme

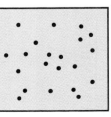

Distribution aléatoire

peut résulter de la concurrence pour une ressource ou de l'établissement de territoires individuels d'alimentation, de reproduction, de nidification ou de repos (figure 47.4b). Nous traiterons de la territorialité plus loin dans le chapitre ainsi qu'au chapitre 50, en même temps que d'autres aspects de l'écologie comportementale.

La distribution aléatoire s'observe en l'absence d'attirances ou de répulsions marquées entre les individus d'une population. Dans les forêts, par exemple, les arbres sont parfois distribués au hasard. En règle générale, cependant, les distributions aléatoires n'apparaissent pas fréquemment dans la nature ; la plupart des populations présentent au moins une tendance soit vers la distribution en agrégats, soit vers la distribution uniforme.

DÉMOGRAPHIE

Les variations de la taille d'une population sont reliées à la vitesse respective des processus d'adjonction et de soustraction d'individus. Les premiers sont la natalité (que nous assimilerons ici à toutes les formes de reproduction) et l'immigration, c'est-à-dire l'arrivée d'individus provenant d'autres régions. Les seconds sont la

Figure 47.4
Exemples de distribution uniforme. (a) La distribution uniforme de ces buissons dans leur habitat désertique réduit la concurrence pour l'eau. **(b)** Ces Manchots royaux (*Aptenodytes patagonica*), photographiés sur l'île de la Géorgie du Sud, près de l'Antarctique, présentent une distribution uniforme associée à l'établissement de territoires de reproduction très petits. **(c)** Les Humains adoptent souvent une distribution uniforme, comme en témoigne cette scène croquée sur une plage de Sydney, en Australie.

(a)

(b)

(c)

Figure 47.5

Taille des organismes et temps de génération. Le temps de génération est bref chez les petits organismes, qui atteignent rapidement la maturité sexuelle. Il augmente en fonction de la taille, parce que les grands organismes mettent plus de temps que les petits à atteindre la taille à laquelle ils se reproduisent.

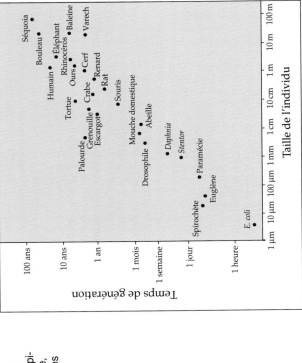

mortalité et l'émigration. Dans le présent chapitre, nous nous attarderons aux facteurs qui déterminent les taux de natalité et de mortalité.

L'étude des statistiques biométriques qui influent sur la taille des populations est appelée **démographie**. Habituellement, les taux de natalité et de mortalité varient parmi les sous-groupes d'une population, car ils dépendent en particulier de l'âge et du sexe. Il s'ensuit que la taille future d'une population est reliée à la structure par âge et à la répartition par sexe, deux des principaux facteurs démographiques.

Structure par âge et répartition par sexe

Lorsque les individus d'une population ne meurent pas aussitôt après avoir atteint la maturité et après s'être reproduits, les générations se chevauchent. La coexistence des générations détermine la **structure par âge** d'une population, c'est-à-dire le nombre d'individus de chaque âge (voir la figure 47.21). Afin de représenter graphiquement la structure par âge, on construit une pyramide des âges.

Chaque groupe d'âge a un taux de natalité et un taux de mortalité caractéristiques. Souvent, les individus jeunes et les individus âgés sont plus vulnérables que les individus d'âge moyen qui, eux, allient la vigueur de la jeunesse à l'expérience de la maturité en matière de recherche de nourriture et de fuite face aux prédateurs. En outre, le taux de natalité, c'est-à-dire le nombre de rejetons produits en une période donnée, est souvent plus élevé chez les individus d'âge moyen que dans les autres groupes (voir le tableau 47.21). Chez les Otaries à fourrure (*Callorhinus ursinus*), par exemple, les femelles de 10 ans engendrent environ deux fois plus de rejetons pendant la saison de reproduction qu'un nombre égal de femelles de 5 ou de 18 ans. Chez l'Humain, le taux de mortalité est au plus haut pendant la première année de vie et pendant la vieillesse ; le taux de natalité, d'autre part, atteint son point culminant chez la femme de 20 ans.

En général, une population qui comprend un fort pourcentage d'individus en âge de procréer (ou un peu plus jeunes) s'accroît plus rapidement qu'une population composée en majeure partie d'individus âgés. (Nous verrons plus loin les conséquences de ce phénomène dans la population humaine.)

Le **temps de génération**, c'est-à-dire la période moyenne comprise entre la naissance des individus et celle de leurs rejetons, constitue un autre facteur démographique important relié à la structure par âge. Chez un grand nombre d'organismes, le temps de génération est proportionnel à la taille (figure 47.5). Toutes choses étant égales par ailleurs, plus le temps de génération est bref, plus l'accroissement démographique est rapide (à condition, bien entendu, que le taux de natalité dépasse le taux de mortalité). La raison du phénomène est simple : les ajouts attribuables aux naissances s'accumulent rapidement lorsque les individus atteignent la maturité sexuelle en une courte période.

L'accroissement démographique subit aussi l'influence de la **répartition par sexe**, la proportion d'individus de chaque sexe. Généralement, le nombre de femelles est directement relié au nombre de naissances prévisibles, mais le nombre de mâles a moins d'importance car, chez beaucoup d'espèces, chaque mâle s'accouple avec plusieurs femelles. Dans les troupeaux de Caribous (*Rangifer tarandus caribou*), par exemple, il y a moins de mâles en âge de se reproduire que de femelles, mais cela n'a aucun effet notable sur le nombre de naissances, parce que chaque mâle possède un « harem » de femelles. Les Bernaches du Canada (*Branta canadensis*), au contraire, forment des couples monogames durables, et toute diminution du nombre de mâles influe sur le taux de natalité. Les responsables de la gestion de la faune tiennent compte de ces considérations démographiques. En matière de chasse au Cerf de Virginie (*Odocoileus virginianus*), par exemple, les limites de prises sont plus élevées pour les mâles que pour les femelles, parce que chaque mâle s'accouple avec plusieurs femelles.

Chapitre 47 : L'écologie des populations **1087**

Tableau 47.2 Table de survie d'une population de la Balane *Balanus glandula**

Âge (années)	Nombre d'individus au début de l'intervalle	Proportion de survivants dans la cohorte initiale au début de l'intervalle	Nombre de morts pendant l'intervalle	Taux de mortalité	Fécondité (nombre moyen d'œufs produits par femelle) pendant l'intervalle
0	142	1,000	80	0,563	0
1	62	0,437	28	0,452	4 600
2	34	0,239	14	0,412	8 700
3	20	0,141	(4,5)	0,225	11 600
4	(15,5)	0,109	(4,5)	0,290	12 700
5	11	(0,078)	(4,5)	0,409	12 700
6	(6,5)	(0,046)	(4,5)	0,692	12 700
7	2	0,014	0	0,000	12 700
8	2	0,014	2	1,000	12 700
9	0	—	—	—	—

*Les nombres entre parenthèses ont été interpolés d'après des courbes de survie.
Source : J. H. Connell, « A Predator-Prey System in the Marine Intertidal Region. I. *Balanus glandula* and Several Predatory Species of *Thais* »,
Ecological Monographs, vol. 40, p. 49-78, 1970.

Tables et courbes de survie

Lorsque l'assurance-vie fut inventée, il y a environ un siècle, les compagnies d'assurance durent déterminer l'espérance de vie moyenne des personnes d'un âge donné. Elles établirent pour ce faire des tables de survie. Les écologistes ont adapté cette méthode à l'étude des populations.

Pour dresser une table de survie, on peut suivre la destinée d'une **cohorte**, un groupe d'individus du même âge, de la naissance jusqu'à la mort (tableau 47.2). La donnée essentielle à la construction de la table est simplement le nombre d'individus toujours vivants après des périodes successives. Cette méthode ne s'applique manifestement qu'à un très petit nombre d'espèces. En revanche, on peut aussi compiler l'âge au décès d'un échantillon d'individus puis travailler à rebours jusqu'à leur naissance.

Dans le tableau 47.2, les quatre colonnes du milieu ne constituent en fait que des manières différentes d'exprimer la même réalité : la mortalité varie en fonction de l'âge au cours d'une période correspondant à la longévité maximale ; l'intervalle des âges dans ce tableau est de un an. Nous constatons, par exemple, que le taux de mortalité pendant un intervalle d'âge donné équivaut simplement à la proportion d'individus, vivants au début de l'intervalle, qui sont morts pendant l'année. La dernière colonne du tableau montre la **fécondité** par âge, le nombre moyen d'œufs produits par une femelle d'un âge donné.

On peut représenter graphiquement une partie des données contenues dans une table de survie en traçant une **courbe de survie**, c'est-à-dire en indiquant le nombre de survivants d'une cohorte en fonction de l'âge (figure 47.6). Il existe trois grands types de courbes de survie. Une courbe de type I a un segment initial relativement plat qui correspond à des valeurs élevées, puis elle s'infléchit abruptement. Elle est obtenue lorsque le

taux de mortalité est faible chez les jeunes et les adultes mais élevé chez les individus âgés. L'Humain et de nombreux autres grands Mammifères qui produisent un nombre relativement faible de rejetons mais qui leur prodiguent beaucoup de soins ont une courbe de survie de type I. À l'inverse, une courbe de type III a un segment initial fortement descendant, puis elle s'aplatit à un niveau qui correspond à ses valeurs faibles. Cette courbe caractérise les populations à fort taux de mortalité chez

les jeunes et chez les individus âgés. L'Humain et de nombreux autres grands Mammifères qui produisent un nombre relativement faible de rejetons mais qui leur prodiguent beaucoup de soins ont une courbe de survie de type I. À l'inverse, une courbe de type III a un segment initial fortement descendant, puis elle s'aplatit à un niveau qui correspond à ses valeurs faibles. Cette courbe caractérise les populations à fort taux de mortalité chez les jeunes mais faible chez les individus âgés. De nombreux organismes qui produisent un grand nombre de descendants mais leur prodiguent peu ou pas de soins présentent une telle courbe de survie : les Huîtres en sont un exemple, car elles libèrent des millions d'œufs, mais les larves qui en sont issues sont très vulnérables à la prédation.

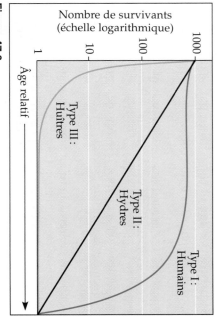

Figure 47.6
Courbes de survie. Ce graphique montre trois courbes de survie idéales chez divers organismes. Dans les pays industrialisés, les Humains présentent une courbe de type I (à gauche), c'est-à-dire une forte espérance de vie (sauf en bas âge) jusqu'à la vieillesse. À l'opposé, certains organismes comme les Huîtres ont une courbe de type III, avec un taux de mortalité très élevé au stade larvaire mais faible à l'âge adulte. La courbe de type II est intermédiaire. Notez que l'axe des y est logarithmique et que l'axe des x est relatif, si bien que l'on peut comparer sur un même graphique des espèces dont l'espérance de vie varie grandement.

Nombre de survivants
(échelle logarithmique)

1000
100
10
1

Type I : Humains
Type II : Hydres
Type III : Huîtres

Âge relatif

sèdent un ensemble complexe d'adaptations. La sélection naturelle s'exerce sur la totalité de ces caractères, sur l'organisme entier. Par conséquent, il est généralement difficile d'isoler les avantages évolutifs associés à chaque caractéristique du cycle biologique. Il existe néanmoins des cas manifestes où les caractéristiques du cycle biologique sont dictées par d'autres composants évolutifs. Chez les Mammifères, par exemple, les modalités de la reproduction sont incompatibles avec la production de milliers de rejetons chaque année.

Trois grandes caractéristiques du cycle biologique déterminent le nombre de rejetons qu'une femelle peut engendrer au cours de son existence. Rappelons que nous nous attardons au cas des femelles parce que c'est leur capacité de reproduction qui sous-tend habituellement l'accroissement d'une population. Étant donné les contraintes de l'allocation énergétique, les trois caractéristiques clés énumérées ci-dessous font l'objet de compromis dans la nature.

1. *Taille des portées.* La taille des portées (le nombre de rejetons engendrés à chaque reproduction) varie, car les organismes consomment différemment l'énergie réservée à la reproduction. Généralement, les portées nombreuses se composent d'œufs ou de jeunes de petite taille ; par conséquent, chaque rejeton entre dans la vie avec une petite allocation énergétique. Les portées formées d'un grand nombre de rejetons de petite taille sont caractéristiques des organismes ayant une courbe de survie de type III. À l'opposé, les rejetons issus des petites portées sont plus grands, et chacun a de bonnes chances d'atteindre l'âge adulte, comme l'indiquent les courbes de types I et II. Chez beaucoup d'organismes, dont certains Poissons qui pondent des grands nombres d'œufs, la taille des portées s'accroît à mesure que l'Animal vieillit et grossit. Chez d'autres organismes, la taille des portées varie selon les saisons au sein d'une même population (figure 47.7).

2. *Nombre de reproductions au cours de la vie.* Certains organismes, tels le Saumon du Pacifique et les Plantes annuelles, ne se reproduisent qu'une fois au cours de leur vie ; d'autres, au contraire, dont de nombreuses espèces animales et végétales, se reproduisent fréquemment. Un organisme qui se reproduit une fois seulement a l'avantage d'investir toute son allocation énergétique dans la production de rejetons ; cependant, il n'a pas l'occasion de se reproduire à nouveau. En revanche, les organismes qui se reproduisent plusieurs fois au cours de leur vie fragmentent leur énergie entre le maintien des conditions internes, la croissance et la reproduction ; les individus robustes ont la possibilité de survivre, d'atteindre une taille appréciable et de se reproduire à nouveau.

3. *Âge à la première reproduction.* Chez les femelles qui se reproduisent plusieurs fois, l'âge au moment de la reproduction est déterminant pour la fécondité. Encore une fois, la question se ramène à l'équilibre de l'allocation énergétique. La femelle qui utilise une partie de son énergie pour se reproduire à un âge inférieur à la moyenne garde peu d'énergie pour le maintien des conditions internes et la croissance, et elle diminue ses chances de produire ultérieurement

les jeunes et à faible mortalité chez les rares individus qui ont survécu à un certain âge critique. Ce type de courbe décrit des populations qui, tels de nombreux Poissons et Invertébrés marins, produisent un très grand nombre de rejetons mais qui s'en occupent peu ou pas du tout. Une Huître, par exemple, libère des millions d'œufs, mais la plupart des larves sont dévorées ou meurent. Cependant, les rares individus qui survivent assez longtemps pour se fixer à un substrat approprié et pour sécréter une coquille rigide ont une espérance de vie relativement longue. Une courbe de type II se situe à mi-chemin entre les deux autres types ; elle correspond à un taux de mortalité constant au cours de la durée de vie d'une population. On obtient ce type de courbe pour certaines Plantes annuelles, divers Invertébrés comme les Hydres, quelques espèces de Lézards et des Rongeurs comme les Écureuils. Beaucoup d'espèces, évidemment, ont des courbes intermédiaires ou plus complexes que les courbes I, II et III. Chez les Oiseaux, par exemple, le taux de mortalité est souvent élevé parmi les individus les plus jeunes (comme dans la courbe de type III), mais plutôt constant parmi les adultes (comme dans la courbe de type II). Certains Invertébrés, tel le Crabe, ont une courbe « en escalier » : le taux de mortalité s'élève pendant les périodes de mue (durant lesquelles les Animaux s'avèrent vulnérables), puis il diminue (pendant les périodes où l'exosquelette est rigide).

Le taux de survie constitue un important facteur des variations de la taille des populations dans le temps. Nous allons étudier maintenant quelques autres phénomènes qui influent sur la dynamique des populations.

ÉVOLUTION DES CYCLES BIOLOGIQUES

La naissance, la reproduction et la mort, les jalons du **cycle biologique** de tout organisme, influent sur le succès reproductif des individus ainsi que sur l'accroissement des populations dans le temps écologique. Le cycle biologique, comme la plupart des caractéristiques des organismes, est le fruit de la sélection naturelle agissant dans le temps évolutif. Étant donné que les pressions de la sélection naturelle varient, les cycles biologiques sont divers aussi. Les Saumons du Pacifique, par exemple, éclosent en amont d'un cours d'eau, puis ils migrent vers la pleine mer et atteignent là leur maturité. Ils retournent plusieurs années plus tard vers leur cours d'eau natal, y frayent une seule fois, produisent des millions de petits œufs et meurent. À l'opposé, certains Lézards pondent quelques gros œufs au cours de leur deuxième année de vie et récidivent plusieurs années de suite. Le cycle biologique des Végétaux est tout aussi variable que celui des Animaux. Certaines espèces de Chênes ne se reproduisent pas avant leur vingtième année mais, au cours du siècle qui suit, ils produisent annuellement un très grand nombre de grosses graines. Les fleurs annuelles du désert germent, croissent, produisent beaucoup de petites graines et meurent durant le mois qui suit les pluies printanières. Et, ce qui ne simplifie rien, les caractéristiques importantes du cycle biologique varient entre les populations, voire entre les individus d'une population.

Qu'est-ce qui explique la variation des cycles biologiques ? Tous les Végétaux et tous les Animaux pos-

des portées nombreuses. Par ailleurs, la femelle qui se reproduit tardivement consacre beaucoup d'énergie au maintien des conditions internes et à la croissance. Cette «stratégie» augmente son potentiel de reproduction, mais la confronte au risque de mourir avant de produire des rejetons. Les modèles mathématiques laissent croire qu'une première reproduction tardive maximise la fécondité si les portées des femelles âgées sont beaucoup plus nombreuses que celles des femelles jeunes et si les chances d'atteindre un âge avancé sont bonnes. La situation est fort différente pour les Humains, comme nous le verrons plus loin.

L'adaptabilité, bien entendu, ne se mesure pas au nombre de rejetons produits mais au nombre de rejetons qui survivent assez longtemps pour se reproduire à leur tour. Les caractéristiques héréditaires du cycle biologique qui favorisent la fécondité à long terme deviennent ainsi de plus en plus fréquentes dans une population. Si nous voulions mettre au point un cycle biologique qui maximise la fécondité, nous prendrions une population d'individus qui commencent à se reproduire en bas âge, qui ont des portées nombreuses et qui se reproduisent

plusieurs fois au cours de leur vie. Or, la sélection naturelle ne peut maximiser toutes ces variables simultanément, car les organismes ont une allocation énergétique limitée qui oblige aux compromis. Il se peut par exemple que la production d'une multitude de rejetons vulnérables donne moins de descendants que la production de quelques rejetons bien protégés et qui s'avèrent capables de livrer une concurrence vigoureuse pour des ressources limitées parmi une population déjà dense.

Dans les années 1960, les écologistes des populations cherchaient à définir les forces évolutives qui avaient façonné les cycles biologiques très divers observés dans la nature. Ils classèrent donc les espèces en deux catégories : les **espèces opportunistes** (pionnières ou peu spécialisées) et les **espèces spécialisées** (tableau 47.3). Les **espèces opportunistes**, généralement de petite taille, produisent un grand nombre de rejetons en une seule reproduction (figure 47.8a). Typiquement, le taux de survie des rejetons de ces espèces est faible, et la taille de leurs populations fluctue énormément ; beaucoup meurent sans avoir pu se reproduire lorsque les conditions sont défavorables. Pour les populations qui se reproduisent dans un milieu variable, mais beaucoup meurent sans avoir pu se reproduire, dans des conditions défavorables. Pour les

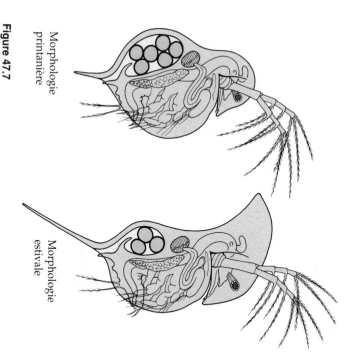

Morphologie printanière

Morphologie estivale

Figure 47.7
Variation saisonnière du cycle biologique due à à la prédation.
Le Crustacé dulcicole *Daphnia retrocurva* présente une variation saisonnière marquée de sa morphologie et de la taille des portées. Au printemps, le phytoplancton dont se nourrit *Daphnia* abonde et les prédateurs se font rares. Dans ces conditions favorables, les individus prennent une forme ronde et leur cavité incubatrice contient six œufs. En été, toutefois, le zooplancton qui se nourrit de *Daphnia* est abondant. Les individus qui se développent à ce moment de l'année possèdent des «casques» et de longues épines caudales qui repoussent les prédateurs. Ces changements morphologiques, cependant, compriment la chambre incubatrice de telle sorte qu'elle ne peut plus contenir que trois œufs. On présume que les individus casqués survivent plus longtemps et produisent plus de rejetons que ne le feraient les individus arrondis. Apparemment, la sélection naturelle a sacrifié la taille des portées à la survie et à la possibilité de produire au moins quelques œufs.

Tableau 47.3 Caractéristiques des espèces opportunistes et des espèces spécialisées

Caractéristiques	Espèces opportunistes (pionnières ou peu spécialisées)	Espèces spécialisées
Mécanismes homéostatiques	Limités	Souvent perfectionnés
Temps de maturation	Court	Long
Durée de vie	Brève	Longue
Taux de mortalité	Souvent élevé	Généralement faible
Nombre de jeunes produits par reproduction	Élevé	Restreint
Nombre de reproductions au cours de la vie	Généralement une	Souvent plusieurs
Âge à la première reproduction	Précoce	Avancé
Taille des petits ou des œufs	Petite	Grande
Soins parentaux	Nuls	Souvent considérables

Source : E. R. Pianka, *Evolutionary Ecology*, 4e éd., New York, Harper & Row, 1987.

(b) Une espèce spécialisée

(a) Une espèce opportuniste

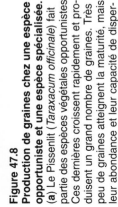

Figure 47.8
Production de graines chez une espèce opportuniste et une espèce spécialisée.
(a) Le Pissenlit (*Taraxacum officinale*) fait partie des espèces végétales opportunistes. Ces dernières croissent rapidement et produisent un grand nombre de graines. Très peu de graines atteignent la maturité, mais leur abondance et leur capacité de dispersion sont telles que quelques-unes au moins germent et se reproduisent à leur tour.
(b) Certaines espèces végétales, comme ce Cocotier (*Cocos nucifera*), sont spécialisées : elles produisent un nombre modéré de très grosses graines. L'endosperme volumineux fournit des nutriments à l'embryon (l'équivalent végétal des soins parentaux), et cette adaptation favorise le succès d'une proportion relativement forte de rejetons. Chez les espèces animales, on observe des compromis semblables entre la taille des portées et la quantité de nutriments fournis à chaque rejeton.

espèces opportunistes qui vivent dans un milieu relativement instable, la sélection naturelle a privilégié la quantité de la progéniture par rapport à la survie de l'individu et à la vigueur des rejetons. Il arrive fréquemment que ces organismes profitent des possibilités offertes par le milieu et se dispersent dans des habitats ouverts ou perturbés ; grâce à leur maturation et à leur reproduction rapides, ils y forment des populations nombreuses bien qu'éphémères. Les Plantes annuelles du désert et les mauvaises herbes qui poussent dans les jardins ou les plates-bandes offrent de bons exemples d'espèces opportunistes.

À l'opposé, les **espèces spécialisées**, généralement de grande taille, se développent lentement et produisent à répétition un petit nombre de rejetons vigoureux qui ont de bonnes chances d'atteindre l'âge adulte (figure 47.8b). Comme ces espèces possèdent des mécanismes homéostatiques plus perfectionnés que ceux des espèces opportunistes, elles s'avèrent moins vulnérables aux fluctuations du milieu. Par conséquent, la taille de leurs populations varie moins radicalement, et elle oscille autour d'une valeur d'équilibre (nous traiterons de ce sujet plus en détail dans la section suivante). Bien que la fécondité de ces espèces puisse varier d'année en année, la sélection naturelle a favorisé dans leur cas la production de rejetons vigoureux qui ont la possibilité de s'établir parmi une population bien adaptée.

La notion d'espèces opportunistes et d'espèces spécialisées connut un succès rapide, non seulement parce qu'elle intégrait d'importants concepts mais aussi parce qu'elle donnait lieu à des hypothèses vérifiables. Beaucoup d'études réalisées sur le terrain et en laboratoire confirment que les caractéristiques du cycle biologique sont influencées par la stabilité du milieu et par la capacité de supporter la variation écologique. Toutefois, il ne faut pas perdre de vue que les deux catégories représentent les extrêmes d'un continuum ; beaucoup de populations se situent entre les deux, tant du point de vue de leur cycle biologique que du point de vue des influences subies. Parmi les études les plus révélatrices menées sur le sujet, certaines comparent des espèces étroitement apparentées ou des populations de la même espèce dont le cycle biologique varie selon les milieux. Par exemple, les populations du Pissenlit varient entre l'opportunisme et la spécialisation, suivant le degré de détérioration de leurs habitats. Les populations de Pissenlits vivant dans les pelouses fréquemment tondues tendent à être plus petites et plus fécondes que les populations poussant dans les zones intactes (tableau 47.4).

Comme tant d'autres concepts écologiques élaborés depuis 20 ou 30 ans, la distinction entre espèces opportunistes et espèces spécialisées est aujourd'hui considérée comme simpliste. La gravité et la fréquence des fluctuations écologiques importantes varient considérablement, et aucune classification simple des cycles biologiques ne peut rendre compte de l'éventail des réactions biologiques. Récemment, quelques écologistes ont avancé que le stress figure au nombre des caractéristiques écologiques

qui façonnent le cycle biologique. À leurs yeux, un milieu stressant n'est pas tant un milieu fluctuant qu'un milieu où règnent perpétuellement des conditions difficiles, comme le froid extrême ou la pénombre. Dans un tel milieu, on s'attend à trouver des organismes qui croissent lentement, qui se reproduisent rarement et qui engendrent chaque fois un petit nombre de rejetons. Or, ces caractéristiques sont semblables à celles des espèces spécialisées qui possèdent des mécanismes homéostatiques pour se protéger contre les fluctuations écologiques. Nous avons vu également que les interactions entre les espèces, et notamment la prédation, influent sur le cycle biologique de manière variable, même au sein d'une population (voir la figure 47.7). De plus en plus, les écologistes admettent qu'une population peut présenter un mélange de caractéristiques opportunistes et de caractéristiques spécialisées; dans les milieux intacts, un réseau complexe de facteurs détermine le cycle biologique le plus favorable.

Maintenant que nous avons analysé quelques-unes des modalités de la survie, de la maturation et de la reproduction, nous allons examiner les effets qu'exercent ces phénomènes sur l'accroissement démographique et voir quels facteurs régissent la taille des populations.

MODÈLES D'ACCROISSEMENT DÉMOGRAPHIQUE

Abordons la notion d'accroissement démographique en citant deux exemples. Une Bactérie qui se reproduit par scissiparité toutes les 20 minutes dans des conditions de laboratoire idéales produit deux Bactéries au bout de 20 minutes, quatre au bout de 40 minutes, et ainsi de suite. Si le processus se poursuivait pendant 36 heures, la population bactérienne serait si nombreuse qu'elle formerait une couche de 30 cm autour de la Terre. À l'autre extrême, un Éléphant femelle donne naissance à six rejetons seulement au cours de ses 100 ans d'exis-

tence. Darwin a calculé qu'il suffirait de 750 ans à un couple d'Éléphants pour produire une population de 19 millions d'individus. Or, l'accroissement n'est jamais indéfini, pas plus en laboratoire que dans la nature. Une population dont la taille initiale est faible dans un milieu favorable peut s'accroître rapidement pendant un certain temps, mais divers facteurs, dont l'épuisement des ressources, font qu'elle se stabilise inévitablement.

Comme nous l'avons mentionné au chapitre 46, il est souvent difficile d'appliquer les méthodes expérimentales aux recherches écologiques et de prévoir les conséquences des changements dans les systèmes écologiques. Les modèles mathématiques, dans la mesure où ils reposent sur des postulats exacts, représentent un moyen de surmonter ces difficultés. La modélisation permet aux écologistes d'étudier l'interaction des variables et de prévoir les effets du changement de certaines d'entre elles. Les écologistes des populations en particulier, qui s'intéressent principalement à des variations de nombres et de taux, font grand usage des modèles mathématiques, en dépit de la complexité de l'instrument. Nous nous contenterons ici d'exposer quelques notions fondamentales de la modélisation mathématique; les deux modèles simples que nous présentons s'appliquent aux populations dont les générations se chevauchent.

Accroissement démographique exponentiel

Imaginons une population hypothétique composée de quelques individus vivant dans un milieu idéal. Rien n'entrave l'obtention de l'énergie, la croissance et la reproduction pour ces organismes, hormis leurs propres limites physiologiques. La taille de la population augmente chaque fois qu'un organisme naît ou immigre, et elle diminue chaque fois qu'un organisme meurt ou émigre. Afin de simplifier nos calculs, nous ne tiendrons pas compte de l'immigration et de l'émigration (mais la rigueur exigerait qu'on le fasse). L'équation descriptive suivante exprime la variation de la taille de la population au cours d'une période donnée:

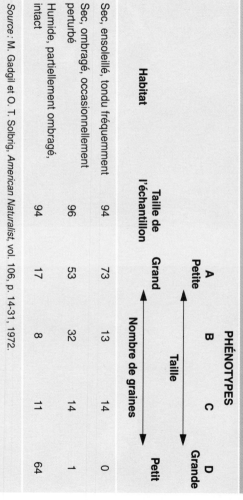

Tableau 47.4 Pourcentage de Pissenlits de quatre phénotypes dans trois populations du Michigan

Habitat	Taille de l'échantillon	PHÉNOTYPES A Petite — Grande	B	C	D Grande — Petit
Sec, ensoleillé, tondu fréquemment	94	73	13	14	0
Sec, ombragé, occasionnellement perturbé	96	53	32	14	1
Humide, partiellement ombragé, intact	94	17	8	11	64

Source : M. Gadgil et O. T. Solbrig, *American Naturalist,* vol. 106, p. 14-31, 1972.

Variation de la taille de la population pendant la période	=	Naissances survenues pendant la période	−	Morts survenues pendant la période

Les modèles mathématiques constituent des moyens simples de généraliser les idées que nous exprimons avec des mots. Si N = taille de la population et t = temps, alors ΔN = variation de la taille de la population et Δt = période considérée (appropriée à la longévité et au temps de génération de l'espèce). Nous pouvons donc récrire comme suit l'équation descriptive présentée ci-dessus : $\Delta N/\Delta t = B - D$, où B = nombre absolu de naissances survenues dans la population pendant la période et D = nombre absolu de morts.

Les populations ont des tailles différentes, et nous voulons formuler un modèle mathématique général qui puisse s'appliquer à n'importe quelle population. Par conséquent, nous allons exprimer les naissances et les morts sous forme de taux moyens pour la période. Par exemple, une population de 1000 individus qui connaît 34 naissances par année a un taux de natalité (b) de $^{34}/_{1000}$, ou 0,034. Si nous connaissons les taux de natalité et de mortalité, nous pouvons prévoir le nombre de naissances et de décès dans une population de n'importe quelle taille. Si nous savons par exemple que le taux de natalité annuel est de 0,034 et que la taille de la population est de 500 (au lieu de 1000), nous utilisons la formule $B = bN$ pour prévoir le nombre absolu de naissances dans la population : 17 par année. Pour vérifier si vous comprenez bien ce calcul, répondez à la question suivante : Combien de naissances prévoyez-vous dans une population de 700 individus ou dans une population de 1700 individus où $b = 0,05$ par année? De même, le taux de mortalité (d) nous permet de prévoir le nombre de morts dans une population de n'importe quelle taille. Si $d = 0,016$ par année, nous pouvons estimer à 16 le nombre annuel de morts dans une population de 1000 individus. En utilisant la formule $D = dN$, prévoyez le nombre annuel de morts si $d = 0,01$ par année dans des populations de 500, de 700 et de 1700 individus. Pour les populations observées dans la nature ou en laboratoire, nous pouvons calculer les taux de natalité et de mortalité à l'aide d'estimations de tailles et d'une table de survie comme celle du tableau 47.2.

Nous pouvons donc récrire l'équation exprimant l'accroissement démographique, en utilisant cette fois les taux de natalité et de mortalité au lieu des nombres absolus de naissances et de morts :

$$\Delta N/\Delta t = bN - dN$$

Une dernière simplification s'impose. Étant donné que les écologistes des populations s'intéressent aux variations globales de la taille des populations, ils expriment par r la différence entre le taux de natalité et le taux de mortalité ($r = b - d$). Cette valeur, le taux d'accroissement démographique, indique si une population s'accroît (valeur positive de r) ou décroît (valeur négative de r). Une **croissance démographique nulle** se produit lorsque les taux de natalité et de mortalité sont égaux et que r est égal à 0. Il survient encore des naissances et des morts dans la population, mais leurs nombres s'annulent.

(Nous verrons plus loin dans le chapitre l'importance que revêt la croissance démographique nulle pour la population humaine ; nous étudierons aussi les facteurs qui l'empêchent.)

En considérant le taux d'accroissement démographique, nous récrivons l'équation comme suit :

$$\Delta N/\Delta t = rN$$

Soulignons enfin que la plupart des écologistes emploient la notation du calcul différentiel pour exprimer l'accroissement démographique sous forme de taux d'accroissement instantanés :

$$dN/dt = rN$$

Si vous ne connaissez pas le calcul différentiel, ne vous laissez pas intimider par cette dernière équation ; c'est essentiellement la même que la précédente, sauf que la période est très courte.

La population que nous avons évoquée au début de la section vit dans des conditions idéales. Elle s'accroît au taux maximal, car tous ses membres ont accès à une nourriture abondante et se reproduisent autant que leur capacité physiologique le permet. Ce taux maximal d'accroissement, appelé **taux intrinsèque d'accroissement**, est représenté par le symbole r_{max}. L'accroissement démographique qui prend place dans ces conditions est appelé **accroissement démographique exponentiel** :

$$dN/dt = r_{max} N$$

Cette équation donne une courbe en J (figure 47.9a). Bien que le taux intrinsèque d'accroissement soit constant pendant que la population s'accroît, une grande population s'adjoint en fait plus de nouveaux individus par unité de temps qu'une petite population (la pente de la courbe montrée à la figure 47.9a devient plus prononcée avec le temps). En effet, l'accroissement dépend de N autant que de r_{max}, et les grandes populations connaissent plus de naissances (et de morts) que les petites populations ayant pourtant le même taux (tableau 47.5).

Les espèces opportunistes décrites à la section précédente traversent souvent des périodes d'accroissement démographique exponentiel ; étant donné que leur taux d'accroissement tend vers r_{max}, on les appelle parfois espèces à **sélection r**. Ces espèces, rappelons-le, ont un temps de génération bref et un potentiel de reproduction élevé ; le temps de génération et r_{max} sont inversement proportionnels chez une grande variété d'espèces (figure 47.10).

Accroissement démographique logistique

Plus notre population hypothétique s'accroît, plus les ressources qui lui sont nécessaires diminuent. Beaucoup de populations n'ont accès qu'à une quantité limitée de ressources ; lorsqu'elles s'accroissent, la part revenant à chacun de leurs membres rétrécit. Par conséquent, le nombre d'individus qui peuvent occuper un habitat est limité. Les écologistes appellent **capacité limite du milieu** le nombre maximal d'individus d'une population stable qui peuvent vivre dans un milieu au cours d'une période relativement longue. La capacité limite, ou K, est une propriété du milieu, et elle varie dans le temps et dans l'espace en fonction de l'abondance des ressources.

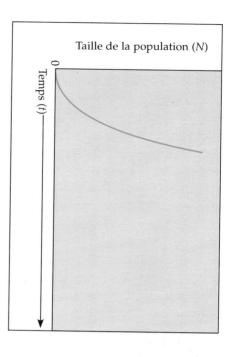

**Figure 47.9
Prévision de l'accroissement démographique au moyen du modèle exponentiel et du modèle logistique.**

(a) Accroissement démographique exponentiel. Le modèle exponentiel de l'accroissement démographique exponentiel prévoit un accroissement sans fin dans des conditions idéales où les ressources sont illimitées.

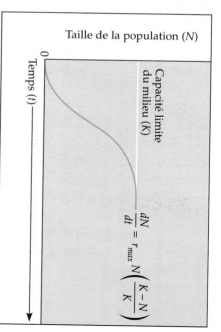

(b) Accroissement démographique logistique. Le modèle logistique de l'accroissement démographique suppose que le milieu ne peut admettre plus qu'un certain nombre d'individus. Ce nombre est appelé capacité limite du milieu, ou K. Selon ce modèle, le taux d'accroissement démographique diminue à mesure que la taille de la population s'approche de la capacité limite du milieu.

$$\frac{dN}{dt} = r_{max} N \left(\frac{K - N}{K} \right)$$

Ainsi, la capacité limite du milieu pour les Troglodytes des forêts (*Troglodytes troglodytes*) ou d'autres Oiseaux chanteurs est élevée dans les habitats luxuriants où les Insectes abondent, mais faible dans les habitats pauvres en nourriture.

La surpopulation et l'épuisement des ressources peuvent avoir un effet marqué sur le taux d'accroissement démographique. Si les individus n'obtiennent pas les ressources en quantités suffisantes pour se reproduire, le taux de natalité décline. S'ils ne peuvent consommer suffisamment d'énergie pour satisfaire leurs besoins, le taux de mortalité augmente. Une diminution de *b*, une augmentation de *d* ou les deux font diminuer *r*.

Nous pouvons modifier notre modèle mathématique pour lui faire exprimer les variations que subit *r* à mesure que la taille de la population s'approche de la capacité limite du milieu (à mesure que N s'approche de K). Le modèle de l'**accroissement démographique logistique** tient compte de l'effet de la densité de population sur *r*, lequel varie alors entre r_{max} (conditions idéales) et 0 (atteinte de la capacité limite du milieu). Pour comprendre ce modèle, songez au milieu comme à un bécher. Le volume total du bécher est analogue à la capacité limite du milieu, la quantité de liquide que le bécher contient à un

Tableau 47.5 Accroissement exponentiel d'une population hypothétique dont le taux intrinsèque d'accroissement est constant et se chiffre à 0,05 par année*

Année	N	ΔN
1	10 000	500
2	10 500	525
3	11 025	551
4	11 576	578
5	12 154	608
6	12 762	638
7	13 400	670
8	14 070	704
9	14 774	739
10	15 513	776

*La taille initiale de la population (N) est de 10 000, au nombre entier près. Notez que ΔN augmente à mesure que N s'accroît, même si le taux intrinsèque d'accroissement (r_{max}) est constant.

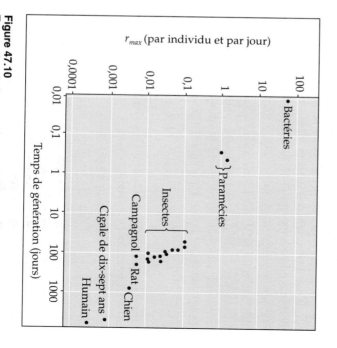

**Figure 47.10
Temps de génération et taux maximal d'accroissement (r_{max}).** Les petits organismes qui se développent rapidement tendent à avoir un temps de génération court et un r_{max} élevé. Les gros organismes, qui se développent lentement, ont généralement un temps de génération long et un r_{max} faible. Notez qu'ici r_{max} est exprimé par individu et par jour, même pour les grands Animaux.

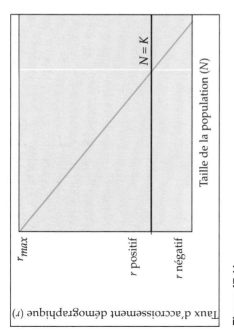

Figure 47.11
Diminution du taux d'accroissement démographique (r) accompagnant l'augmentation de la taille de la population (N). Le modèle logistique de l'accroissement démographique suppose que r diminue lorsque N augmente. Quand N est proche de 0, r égale r_max, et la population s'accroît rapidement, Mais quand N s'approche de K, r s'approche de 0 et la population s'accroît lentement. Si N est supérieur à K, r est négatif, et la population décroît. (Le modèle logistique ne prévoit pas cette condition, mais on observe quelquefois dans les populations réelles des périodes où N dépasse K.)

Tableau 47.6 Variations de r et de ΔN dans une population hypothétique en accroissement logistique où K est de 1000 et où le taux intrinsèque d'accroissement (r_max) est constant et se chiffre à 0,05 par année*

N	(K − N)/K	r	ΔN
20	0,98	0,049	+1
100	0,90	0,045	+5
250	0,75	0,038	+9
500	0,50	0,025	+13
750	0,25	0,013	+9
1000	0,00	0,000	0

*ΔN est arrondi au nombre entier près.

moment donné est analogue à la taille actuelle de la population, et la vitesse à laquelle vous remplissez le bécher est analogue au taux d'accroissement démographique. Lorsque le bécher est vide ou presque vide, vous pouvez y verser du liquide rapidement sans craindre un débordement. Mais quand le bécher est presque plein, vous devez verser le liquide lentement. De même, lorsque la taille d'une population est inférieure à la capacité limite du milieu, l'accroissement démographique est rapide ; quand N est proche de K, par contre, l'accroissement démographique est lent.

Mathématiquement, nous pouvons construire le modèle logistique en ajoutant au modèle exponentiel une expression qui réduit la valeur de r quand N augmente (figure 47.11). Si la taille maximale de la population est K, l'expression (K − N) indique le nombre d'individus qui peuvent s'ajouter dans le milieu, et l'expression (K − N)/K exprime le pourcentage de K qui admet encore un accroissement démographique. En multipliant r_max par (K − N)/K, nous réduisons la valeur de r à mesure que N augmente :

$$\frac{dN}{dt} = r_{max} N \left(\frac{K − N}{K} \right)$$

Le tableau 47.6 présente les valeurs de r et de N pour différentes tailles d'une population hypothétique qui s'accroît conformément au modèle logistique. Notez que, lorsque la valeur de N est faible, celle de (K − N)/K est élevée, et r ne diminue pas beaucoup ; mais quand la valeur de N est élevée et que les ressources diminuent, la valeur de (K − N)/K est faible, et r est de beaucoup inférieur à r_max. Comme dans le modèle exponentiel, la population cesse de croître lorsque b égale d et que r égale 0, dans ce cas-ci quand N égale K. Le modèle logistique pro-

duit une courbe en forme de S (voir la figure 47.9b). L'accroissement se fait le plus rapidement lorsque la population a une taille intermédiaire, c'est-à-dire lorsque les individus reproducteurs sont nombreux mais que l'espace et les autres ressources sont encore abondants. Le taux d'accroissement démographique diminue radicalement quand N s'approche de K.

Les espèces spécialisées décrites à la section précédente sont susceptibles de s'accroître conformément au modèle logistique. En général, un temps de génération long et des portées réduites limitent le potentiel de reproduction, et les populations des espèces spécialisées fluctuent beaucoup moins que celles des espèces opportunistes. Étant donné que leurs populations se stabilisent aux alentours de la capacité limite du milieu, les espèces spécialisées sont parfois qualifiées d'espèces à **sélection K**. La capacité limite du milieu peut être déterminée par des facteurs autres que les ressources alimentaires, bien que l'abondance de l'énergie soit probablement le déterminant le plus répandu de K. Les autres facteurs limitants sont l'abondance des sites de nidification spécialisés (comme dans le cas de la Chouette rayée (*Strix varia*) et d'autres organismes nichant dans des trous), des perchoirs (comme dans le cas des Chauves-Souris) et des gîtes où se mettre à l'abri des prédateurs.

Sur le plan biologique, le modèle logistique implique que l'accroissement de la densité de population réduit les ressources mises à la disposition des individus et que la rareté des ressources limite l'accroissement démographique. De fait, le modèle logistique représente un modèle de la **compétition intraspécifique**, c'est-à-dire de la concurrence existant entre deux individus ou plus d'une espèce pour la même ressource limitée. À mesure qu'augmente la taille de la population, la compétition se corse, et r décline proportionnellement à l'intensité de la compétition. Beaucoup de Vertébrés et quelques Invertébrés s'approprient un espace physique bien délimité dont ils interdisent l'accès aux autres individus (figure 47.12). Ce comportement, appelé **territorialité**, réduit la compétition intraspécifique pour la nourriture et les sites de nidification, mais l'espace où établir un territoire devient alors la ressource qui fait l'objet d'une compétition.

L'accumulation des déchets métaboliques toxiques constitue un autre facteur de la capacité limite du milieu.

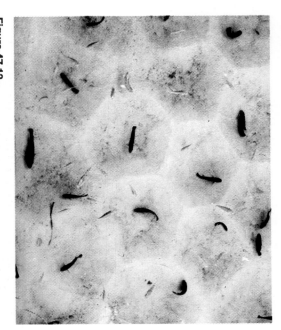

Figure 47.12
Territorialité chez les Poissons. Ces Cichlidés élevés en bassin ont des territoires bien définis (les dépressions hexagonales creusées dans le sable). La territorialité réduit la compétition intraspécifique, car elle confère l'usage exclusif de ses ressources. Bien entendu, l'espace ou établir un territoire constitue en soi une ressource, et ces Poissons se livrent une concurrence farouche pour l'espace à l'intérieur de leur milieu artificiel.

L'équation logistique décrit-elle bien l'accroissement des populations ? En laboratoire, l'accroissement des populations de certains petits Animaux, tels les Coléoptères et les Crustacés, et de microorganismes, telles les Paramécies, les Levures et les Bactéries, suit des courbes plus ou moins sigmoïdes (figure 47.13a et b). Toutefois, les populations expérimentales croissent dans un milieu constant où il n'y a ni prédation ni compétition, et ces conditions idéales n'existent pas dans la nature. Et même dans des conditions de laboratoire, les populations ne se stabilisent pas toutes à une nette capacité limite du milieu ; la plupart dévient de manière imprévisible de la courbe sigmoïde.

Les écologistes ont rarement l'occasion d'observer l'accroissement de populations spécialisées dans la nature, car ils ne sont pas sur place lorsque ces populations commencent à augmenter. Néanmoins, les études d'organismes introduits dans de nouveaux habitats ou de populations qui reprennent après avoir été décimées par la maladie ou la chasse confirment généralement le concept sous-jacent au modèle logistique (figure 47.13c).

Certains postulats sur lesquels repose le modèle logistique ne s'appliquent manifestement pas à toutes les populations. Ainsi, le modèle veut que, même dans une population restreinte, chaque ajout d'un individu ait le même effet négatif sur le taux d'accroissement ; autrement dit, *toute* augmentation de N réduit la valeur de $(K - N)/K$. Certaines populations, en réalité, subissent l'**effet Allee** (nommé en l'honneur du chercheur qui l'a découvert), à savoir que la survie et la reproduction sont difficiles quand la taille de la population est trop faible. Par exemple, une Plante isolée subit l'assaut du vent et risque la déshydratation alors qu'elle serait protégée à l'intérieur d'un agrégat. Certains Oiseaux de mer ont besoin de se réunir en grand nombre dans leur aire de reproduction pour obtenir la stimulation sociale néces-

Dans les cultures de microorganismes, par exemple, les sous-produits du métabolisme s'accumulent à mesure que la population s'accroît, et les organismes s'empoisonnent dans leur milieu confiné. Pendant la fermentation alcoolique, le métabolisme des Levures produit de l'éthanol ; la teneur en alcool du vin est généralement inférieure à 13 %, soit la concentration maximale d'éthanol que les Levures peuvent tolérer.

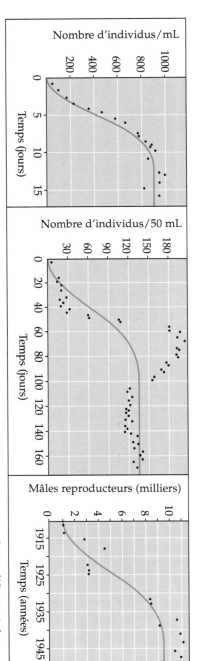

(a) Une population de *Paramecium aurelia* en culture.

(b) Une population de *Daphnia* en culture.

(c) Une population d'Otaries à fourrure (*Callorhinus ursinus*) vivant sur l'île Saint-Paul, en Alaska

Figure 47.13
Exemples d'accroissements démographiques logistiques. Dans chacun de ces graphiques, les données réelles sont représentées par des points noirs, et la courbe sigmoïde idéale est tracée en bleu. **(a)** L'accroissement d'une population de *Paramecium aurelia* dans de petites cultures est presque conforme au modèle logistique quand le milieu est régulièrement enrichi en nutriments et débarrassé des déchets toxiques. **(b)** De même, l'accroissement d'une population de *Daphnia* dans une petite culture est à peu près conforme au modèle logistique. Notez toutefois que cette population s'est accrue si rapidement qu'elle a dépassé la capacité limite de son milieu artificiel, puis qu'elle est revenue à une taille relativement stable. **(c)** Sur l'île Saint-Paul, en Alaska, le nombre d'Otaries à fourrure mâles possédant des « harems » a diminué du fait de la chasse jusqu'en 1911. Après l'interdiction de la chasse, la population a augmenté radicalement, et elle oscille aujourd'hui autour d'une valeur d'équilibre qui correspond probablement à la capacité limite de l'île pour cette espèce.

Figure 47.14
Fous de Bassan (*Morus bassanus*). Environ 25 000 couples nicheurs de Fous de Bassan occupent les corniches de l'île Bonaventure, située au large de Percé, au Québec. Le nombre de sites de nidification y est limité, comme en témoigne la proximité des nids.

saire à la reproduction (voir la figure 47.14). Les protecteurs de la faune pensent que les populations de Rhinocéros, des Animaux solitaires, sont devenues si petites que plusieurs individus ne peuvent se trouver un partenaire pendant la saison de reproduction. Dans des cas comme ceux-là, l'abondance des individus a, jusqu'à un certain point, un effet multiplicateur sur l'accroissement démographique. De plus, une petite population risque l'élimination par un événement fortuit ainsi qu'une diminution de la valeur adaptative consécutive à l'endogamie (voir le chapitre 21).

Le modèle logistique suppose aussi que les populations s'approchent à une vitesse régulière de la capacité limite du milieu. Dans de nombreuses populations, toutefois, il s'écoule un certain temps avant que les désavantages de l'accroissement ne se fassent sentir. Quand une ressource importante comme la nourriture, par exemple, devient limitante pour une population, la reproduction diminue, mais le taux de natalité ne décline pas immédiatement, parce que les organismes utilisent leurs réserves d'énergie pour continuer pendant une courte période à produire des œufs. La population peut alors dépasser la capacité limite du milieu. À la longue, la mortalité excède la natalité, et la population passe sous la capacité limite du milieu ; même si la reproduction reprend, les nouveaux individus n'apparaissent qu'après un certain délai. À cause de ces délais, semble-t-il, beaucoup de populations oscillent autour de la capacité limite du milieu ou la dépassent au moins une fois avant d'atteindre une taille stable (voir la figure 47.13b).

Enfin, et nous le verrons dans la section suivante, les populations ne restent pas nécessairement au seuil où la densité devient un facteur important ; bien souvent, elles n'atteignent même pas ce seuil. Chez beaucoup d'Insectes et de petits organismes opportunistes et prolifiques qui sont sensibles aux fluctuations du milieu, les variables physiques comme la température et l'humidité réduisent la population bien avant que les ressources ne deviennent limitantes. La notion de capacité limite du milieu ne suffit pas à décrire les variations du nombre de ces organismes.

Grosso modo, le modèle logistique constitue un bon point de départ pour l'étude de l'accroissement démographique et pour l'élaboration de modèles plus complexes. Bien qu'il décrive fort peu de populations réelles avec exactitude, il repose sur des notions qui, moyennant quelques modifications, s'appliquent à de nombreuses populations. Et comme toutes les bonnes hypothèses, il a donné lieu à une série d'expériences et de discussions ; certaines l'ont confirmé et d'autres l'ont contredit mais, toutes, elles ont éclairé l'écologie des populations en général.

RÉGULATION DE LA TAILLE DES POPULATIONS

Le modèle exponentiel et le modèle logistique diffèrent beaucoup. Le premier ne prévoit pas de limite à l'accroissement démographique, tandis que le second suppose que l'accroissement diminue à mesure qu'augmente la densité.

Les écologistes ont longtemps cherché quels sont les principaux facteurs de régulation de l'accroissement démographique. À une certaine époque, les écologistes des populations se divisaient en deux camps : ceux qui penchaient pour les facteurs dépendants de la densité et ceux qui optaient pour les facteurs indépendants de la densité. Aujourd'hui, les écologistes conviennent que l'importance respective de ces facteurs varie selon que les espèces sont opportunistes ou spécialisées et selon les conditions immédiates avec lesquelles les populations doivent composer ; en outre, ils admettent que les deux types de facteurs agissent conjointement sur les populations.

Facteurs dépendants de la densité

Un **facteur dépendant de la densité** est un facteur dont l'effet s'intensifie à mesure que la population s'accroît. Lorsque la densité de population est élevée, les facteurs dépendants de la densité touchent un pourcentage accru d'individus, et ils s'exercent aussi avec plus de force sur chacun. Comme nous l'avons indiqué plus haut dans notre explication du modèle logistique, les facteurs dépendants de la densité réduisent le taux d'accroissement en diminuant la reproduction et en augmentant la mortalité.

Le manque de ressources peut influer sur la taille future des populations nombreuses en réduisant radicalement la reproduction (figure 47.15). Il arrive fréquemment, par exemple, que les ressources alimentaires limitent la fécondité des Oiseaux chanteurs ; à mesure que la densité de population des Oiseaux s'accroît dans un habitat, chaque femelle pond de moins en moins d'œufs. Le surpeuplement a le même effet sur la production de graines chez les Végétaux. Néanmoins, le manque de ressources n'a pas toujours l'effet simple et graduel que prévoit l'équation logistique. Les Fous de Bassan (*Morus bassanus*), par exemple, sont des Oiseaux de mer

Figure 47.15
Diminution de la fécondité associée à une forte densité de population. (a) Le nombre moyen de graines produites par le Grand Plantain (*Plantago major*), une petite Plante verte très commune dans tout le Québec, diminue proportionnellement à la densité de la population. Dans l'expérience représentée ci-contre, le taux de germina-tion et la proportion de Plantes fécondes diminuent aussi à mesure qu'augmente la densité, mais le taux de mortalité augmente. **(b)** La taille moyenne des couvées diminue à mesure qu'augmente la densité de popula-tion chez une espèce forestière, la Mésange charbonnière (*Parus major*), un Oiseau chanteur vivant en Angleterre. Ce phéno-mène réduit le taux de natalité dans les grandes populations.

Figure 47.16
Diminution de la vigueur et du taux de survie associée à une forte densité de population. (a) La masse moyenne de l'Amaranthe réfléchie (*Amaranthus retro-flexus*), une grande Plante annuelle qui pousse partout au Québec en terrain cultivé, diminue radicalement à mesure que la densité de population augmente. Les Plantes sont moins robustes que les gran-des, et elles ont moins de chances de survi-vre et de se reproduire. **(b)** Le pourcentage de « vers de farine » (*Tribolium confusum*) qui atteignent la maturité dans un élevage en laboratoire diminue lorsque la densité de population est forte ; par conséquent, le nombre d'adultes baisse dans la génération suivante.

qui nichent sur des îles rocheuses, plus ou moins à l'abri des prédateurs ; le nombre de sites de nidification appro-priés s'avère limité sur ces îles, et un certain nombre de couples seulement a la possibilité de nicher et de se reproduire (voir la figure 47.14). Jusqu'à une certaine taille de population, la plupart des Oiseaux peuvent trou-ver un site de nidification approprié ; au-delà de cette taille, cependant, rares sont les Oiseaux qui réussissent à se reproduire.

La densité de population se répercute sur la santé et sur les chances de survie des Végétaux et des Animaux (figure 47.16). En effet, une situation de surpopulation restreint la disponibilité des ressources nutritives pour chaque individu de la population ; il en résulte, chez bon nombre d'individus, un affaiblissement physiologique qui les laisse en proie aux maladies virales, bactériennes et parasitaires. Les Plantes cultivées à forte densité ten-dent à être plus petites et moins robustes que les Plantes cultivées à faible densité. Les petites Plantes ont moins de chances de survivre, et celles qui survivent produisent peu de fleurs, de fruits et de graines, un phénomène bien

connu des jardiniers amateurs, qui éclaircissent leur pota-ger pour obtenir le meilleur rendement possible. De même, il arrive fréquemment que la mortalité soit élevée dans les populations animales denses. Dans les études de laboratoire, par exemple, le pourcentage de « vers de farine » qui éclosent et qui atteignent l'âge adulte, chez les Coléoptères du genre *Tribolium*, diminue de façon constante à mesure que la densité passe de modérée à forte.

La prédation constitue aussi un important facteur dépendant de la densité pour certaines populations. En effet, un prédateur trouve et capture un nombre croissant de proies lorsque la densité de population des proies augmente. Mais l'augmentation du nombre de captures ne constitue pas en soi un facteur dépendant de la den-sité, car le prédateur peut éliminer le même pourcentage de la population de proies. Beaucoup de prédateurs, cependant, changent leur préférence. Pendant un certain temps, ils se mettent à pourchasser une espèce particuliè-rement répandue parce qu'il est rentable de le faire du point de vue énergétique (voir l'exposé sur les stratégies

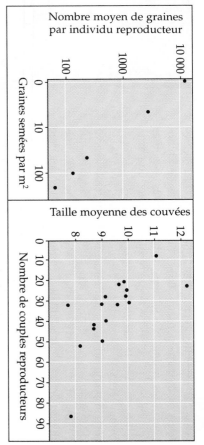

(a) Grand Plantain — Nombre moyen de graines par individu reproducteur

(b) Mésange charbonnière — Taille moyenne des couvées

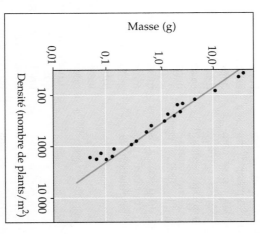

(a) Amaranthe réfléchie — Masse (g)

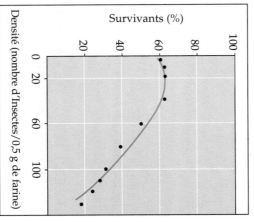

(b) « Vers de farine » — Survivants (%)

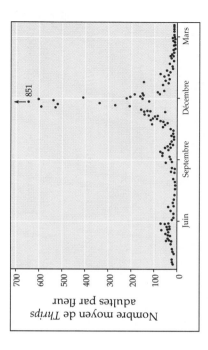

Figure 47.17
Facteurs indépendants de la densité et taille des populations. En Australie, les populations d'Insectes du genre *Thrips* se nourrissent et s'abritent dans les fleurs, et elles s'accroissent rapidement au printemps. Cependant, elles diminuent brusquement avant d'atteindre la capacité limite du milieu, au cours de l'été sec, moment où la plupart des fleurs meurent. (Rappelez-vous que l'été commence à la fin de décembre dans l'hémisphère Sud.)

de recherche de nourriture au chapitre 50). Puis, les prédateurs changent de type de proie lorsque cette dernière devient plus abondante que la précédente. On appelle ce phénomène **effet de bascule.** Les Truites, par exemple, se nourrissent pendant quelques jours d'une espèce d'Insectes qui émerge de son stade larvaire aquatique, puis elles changent de proie quand une autre espèce d'Insectes devient abondante. Lorsqu'une population de proies s'accroît, les prédateurs peuvent se nourrir principalement de cette espèce et consommer un pourcentage accru d'individus ; cela peut constituer un facteur de régulation dépendant de la densité pour la population de proies. Dans la zone intertidale rocheuse, par exemple, la prédation par les Étoiles de mer limite le nombre de Moules, leurs proies favorites. Les interactions qui, comme celle-là, ont lieu au niveau de la communauté ont un effet marqué sur la taille des populations, et nous y reviendrons au chapitre 48.

Chez certaines espèces animales, ce sont des facteurs intrinsèques, et non les facteurs extrinsèques que nous venons de présenter, qui semblent régir la taille des populations. Une population de Souris à pattes blanches (*Peromyscus leucopus*, que l'on trouve dans l'extrême-sud du Québec) vivant dans une petite parcelle passe de quelques individus à 30 ou 40 ; à ce stade, la reproduction décline jusqu'à ce que la population cesse d'augmenter. Bien que ce changement soit manifestement associé à une augmentation de la densité, il se produit même en cas d'abondance de la nourriture et des gîtes, les ressources les plus nécessaires aux Souris. Par l'intermédiaire de mécanismes encore inconnus, les fortes densités provoquent un syndrome de stress caractérisé par des changements hormonaux qui retardent la maturation sexuelle et atrophient les organes génitaux et inhibent la reproduction.

Quoique de nombreuses études aient démontré les effets prévus de la densité de population sur la reproduction, la croissance et le taux de survie des populations végétales et animales, il s'avère difficile de prouver l'action des facteurs dépendants de la densité dans la nature. Toutes choses étant égales par ailleurs, il faut démontrer que les augmentations de la densité entraînent une diminution de la taille des populations et que les diminutions de la densité sont suivies par des périodes d'accroissement démographique. Comme toujours en écologie, d'autres facteurs, y compris le milieu abiotique et les interactions entre les populations (voir le chapitre 48), varient énormément dans le temps et dans l'espace. Le fait que la taille de nombreuses populations naturelles et expérimentales semble fluctuer autour de la capacité limite du milieu (voir la figure 47.13) prouve de façon convaincante (bien qu'indirecte) l'action des facteurs dépendants de la densité.

Facteurs indépendants de la densité

La fréquence et l'effet des **facteurs indépendants de la densité** ne découlent pas de la taille des populations ; ces facteurs touchent un certain pourcentage d'individus, peu importe la taille de la population. Les facteurs indépendants de la densité les plus répandus et les plus importants sont de nature climatique. Un gel automnal, par exemple, tue un certain pourcentage d'Insectes dans une population. De toute évidence, la date du premier gel et la température atteinte n'ont aucun rapport avec la densité de la population d'Insectes.

Les facteurs indépendants de la densité réduisent la taille de certaines populations naturelles avant que l'épuisement des ressources ou d'autres facteurs dépendants de la densité n'aient fait sentir leurs effets. Tel semble être le cas pour la population de petits Insectes du genre *Thrips* (ordre des Thysanoptères) vivant en Australie (figure 47.17). Ces Insectes, qui mesurent en moyenne 1,5 mm de long, se nourrissent du pollen et des fleurs de Plantes de la famille des Rosacées, dont les Pommiers, et ils peuvent devenir des parasites redoutables. La taille de la population de *Thrips* est étroitement reliée au nombre de fleurs, lequel est à son tour corrélé avec les saisons. La population d'Insectes est relativement faible durant l'hiver, mais elle s'accroît rapidement au printemps, quand les fleurs s'ouvrent et que la chaleur accélère le développement et la reproduction des Insectes. L'été, cependant, est extrêmement sec, et les fleurs ne subsistent qu'en de rares endroits abrités. Pendant la période printanière favorable, la population de *Thrips* s'accroît de manière quasi exponentielle ; mais dès le début de l'été, la mortalité adulte est telle que la population s'effondre, bien avant que les facteurs dépendants de la densité n'exercent leurs effets et que la population n'atteigne la capacité limite du milieu. Quelques individus survivent dans les fleurs qui restent, et ils provoquent un nouvel accroissement démographique au retour des conditions favorables. Il est fort probable que les populations de nombreuses autres espèces, en particulier de petits organismes, soient principalement limitées à certains moments par des facteurs indépendants de la densité.

Les phénomènes écologiques plus sporadiques que les changements saisonniers du climat peuvent aussi influer sans égard à la densité sur les populations. Ainsi, les incendies et les ouragans surviennent assez fréquemment dans quelques parties du monde pour avoir un impact

important sur certaines populations. Les éruptions volca-niques, par contre, sont si rares qu'elles ne constituent pas des mécanismes de régulation des populations, en dépit de leurs effets dévastateurs.

Interaction des facteurs de régulation

À long terme, beaucoup de populations restent relative-ment stables et, croit-on, proches de la capacité limite du milieu déterminée par des facteurs dépendants de la den-sité. Or, des fluctuations à court terme dues à des facteurs indépendants de la densité viennent se superposer à cette stabilité générale. Des chercheurs ont compté les Hérons, des Oiseaux de grande taille, pendant 30 ans dans deux régions de l'Angleterre. Le scénario fut le même aux deux endroits: les populations sont restées stables tout au long de la période, mais subirent des déclins marqués à la suite d'hivers exceptionnellement froids.

Dans certains cas, les facteurs dépendants de la den-sité et indépendants de la densité interagissent. Dans les régions très froides qui reçoivent beaucoup de neige, au Québec par exemple, un grand nombre de Cerfs de Virgi-nie meurent de faim pendant l'hiver, et il en disparaît d'autant plus que l'hiver est rigoureux; le froid aug-mente les besoins en énergie (et, par conséquent, les besoins alimentaires), et l'épaisseur de la couche de neige interdit l'accès à la nourriture. Or, la situation des Cerfs de Virginie est aussi dépendante de la densité: chaque membre d'une grande population reçoit une part réduite du peu de nourriture disponible.

L'importance relative des facteurs dépendants de la densité et indépendants de la densité varie également selon les saisons. Il semble que cette interaction complexe influe notamment sur les populations de Colins de Vir-ginie (*Colinus virginianus*). L'aire de distribution de ces Oiseaux s'étend du Mexique jusqu'au sud du Wisconsin, où l'hiver est parfois rigoureux. Le nombre d'Oiseaux vivants à la fin de l'hiver est largement déterminé par l'épaisseur de la couche de neige, un facteur indépendant de la densité. Si la neige est peu abondante, jusqu'à 80 % de la population peut survivre; si la couche de neige est épaisse, au contraire, la proportion de survivants passe à 20 %. Mais quoi qu'il arrive pendant l'hiver, la taille de la population à la fin de l'été reste constante d'année en année. En effet, les adultes qui ont survécu à un hiver dif-ficile ont un fort taux de reproduction, car chacun d'eux a accès à des ressources abondantes. Même la population de *Thrips* évoquée plus haut pour illustrer l'effet des fac-teurs indépendants de la densité est probablement régu-lée pendant une partie de l'année par un facteur dépendant de la densité: les fleurs de l'été constituent une ressource limitée qui restreint le nombre de survi-vants. La plupart des populations sont sans doute régies par une combinaison de facteurs dépendants de la den-sité et de facteurs indépendants de la densité.

Cycles démographiques

Certaines populations d'Insectes, d'Oiseaux et de Mam-mifères fluctuent avec une régularité déconcertante. Beaucoup d'espèces de Mulots et de Lemmings de l'Arc-tique, par exemple, présentent des cycles démographi-ques de 3 à 4 ans, tandis que le Lièvre d'Amérique (*Lepus americanus*) a un cycle de 10 ans. Bien que nous soyons

mieux informés sur les cycles eux-mêmes que sur leurs causes, les hypothèses ne manquent pas.

Selon une première hypothèse, la surpopulation régule les populations cycliques en agissant sur le système endo-crinien des organismes. Le stress provoqué par une forte densité de population cause des perturbations hormo-nales qui ont pour conséquences de réduire la fécondité, d'augmenter l'agressivité et d'induire les émigrations massives montrées dans les documentaires. Cependant, nous ne savons pas si de tels changements surviennent fréquemment chez les nombreuses espèces animales dont les populations sont cycliques.

Selon une deuxième hypothèse, la réaction aux fac-teurs dépendants de la densité est précédée d'un délai qui amène les populations à osciller largement autour de la capacité limite du milieu. Autrefois, beaucoup d'écologistes expliquaient par ce mécanisme la corré-lation entre le cycle du Lièvre d'Amérique et celui du Lynx du Canada (*Felis canadensis*), estimant que le facteur dépendant de la densité à l'œuvre dans ce cas était la pré-dation (figure 47.18). Toutefois, des recherches récentes indiquent que le Lynx n'est pas le principal facteur de régulation de la population de Lièvres. Il semblerait plu-tôt qu'une forte densité de Lièvres entraîne une détério-ration des Végétaux dont ces Animaux se nourrissent. Des études ont en effet démontré que certains Végétaux perdent leur valeur nutritive quand ils sont endommagés par les herbivores et qu'ils produisent un surcroît de substances défensives. Par conséquent, il est probable que la densité de population des Lièvres soit régie non pas tant par la prédation que par des changements cycli-ques des Végétaux ou, peut-être, par la diminution d'une autre ressource.

Le cycle démographique le plus étonnant est sans doute celui des Cigales de dix-sept ans (ou Cigale pério-dique, *Magicicada septendecim*), des Insectes dont le cycle biologique dure 17 ans et qui émergent du sol en nombre considérable (parfois jusqu'à 600/m²). Leur long cycle biologique constitue peut-être une adaptation qui leur évite le type d'interaction prédateur-proie prévisible que nous venons de décrire pour le Lièvre et le Lynx. Toute-fois, les populations de Cigales sont régulées localement par un Mycète dont les spores peuvent rester vivantes dans le sol pendant les 17 ans d'intervalle entre les pullu-lements de Cigales. Il ne fait aucun doute que les causes des cycles varient entre les espèces, voire entre les popu-lations de la même espèce. Jusqu'à présent, il n'existe pas d'explication satisfaisante à ce phénomène.

ACCROISSEMENT DE LA POPULATION HUMAINE

La population humaine s'accroît de manière exponen-tielle depuis des siècles. Du reste, c'est probablement la seule population de grands Animaux à avoir gardé si longtemps un accroissement exponentiel. L'explosion de notre population est la principale cause de la dégradation de l'environnement, et nous ne pourrons résoudre les problèmes écologiques sans freiner radicalement notre accroissement démographique.

La population humaine a augmenté assez lentement jusqu'en 1650 environ; à cette époque, elle comptait environ

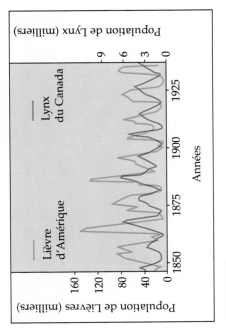

Population de Lièvres (milliers)

160 — 120 — 80 — 40 — 0

Lièvre d'Amérique

Lynx du Canada

1850   1875   1900   1925

Années

9 — 6 — 3 — 0

Population de Lynx (milliers)

Figure 47.18
Cycles démographiques du Lièvre d'Amérique et du Lynx du Canada. Les écologistes croyaient autrefois que les fluctuations que les fluctuations de population des Lièvres, suivies par des variations correspondantes de la densité de population des Lynx, provenaient de façon indirecte que ces populations de proies et de prédateurs se régulaient réciproquement. (Les chiffres sont fondés sur le nombre de peaux vendues par les trappeurs à la Compagnie de la baie d'Hudson.) Cependant, les populations de Lièvres d'Amérique vivant sur des îles d'où les Lynx sont absents présentent des cycles semblables. Il se peut que les effondrements périodiques de la population de Lièvres soient associés à des changements des Végétaux dont ces Animaux se nourrissent et que ces changements soient dus à la surconsommation. Les cycles démographiques du Lynx du Canada, quant à eux, sont peut-être causés par les fluctuations de population des Lièvres. L'évolution des hypothèses relatives à l'interaction Lièvres-Lynx montre bien qu'il faut se garder d'ériger de simples corrélations en liens de cause à effet. Dans la plupart des cas, l'accroissement démographique repose probablement sur une multitude de facteurs interdépendants qu'il est difficile d'isoler sans recourir à l'expérimentation directe.

500 millions d'individus (figure 47.19). Elle a doublé au cours des deux siècles qui suivirent, puis elle a doublé à nouveau entre 1850 et 1930. En 1975, elle avait doublé encore et se chiffrait à plus de quatre milliards de personnes. Au début de 1995, la population humaine comprenait environ 5,6 milliards de personnes, et elle s'accroît de 80 millions d'individus par année. En trois ans seulement, l'équivalent de la population des États-Unis s'ajoute à la population mondiale. Si le taux d'accroissement actuel se maintient, il y aura huit milliards d'habitants sur la planète en l'an 2017.

L'accroissement de la population humaine est fondé sur les mêmes paramètres que l'accroissement des populations animales et végétales, soit les taux de natalité et de mortalité. Lorsque l'agriculture a remplacé la chasse et la cueillette, il y a environ 10 000 ans, le taux de natalité a augmenté et le taux de mortalité a diminué. Depuis la révolution industrielle, l'accroissement exponentiel est dû principalement à une baisse du taux de mortalité, et particulièrement du taux de mortalité infantile, même dans les pays les moins industrialisés (figure 47.20). Grâce à l'amélioration de la nutrition, des soins médicaux et de l'hygiène, un pourcentage croissant de nouveau-nés survivent assez longtemps pour mettre des enfants au monde à leur tour. Et comme le taux de natalité est encore relativement élevé dans la plupart des pays en voie de développement, le taux d'accroissement démographique augmente.

Nous sommes capables de mesurer le taux d'accroissement démographique, mais il est difficile de déterminer la capacité limite de la Terre pour l'Humain. Nous savons que, pour des raisons relatives à l'énergie, les milieux

peuvent admettre plus d'herbivores que de carnivores (voir le chapitre 49). Or, les habitudes alimentaires varient largement, et il semble peu probable que les

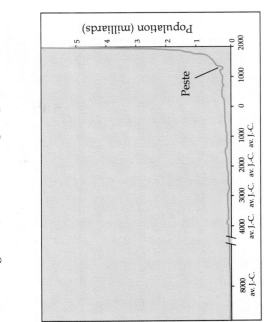

Population (milliards)

5 — 4 — 3 — 2 — 1 — 0

Peste

8000   4000   3000   2000   1000   0   1000   2000
av. J.-C.   av. J.-C. av. J.-C. av. J.-C. av. J.-C.

Figure 47.19
Accroissement de la population humaine. La population humaine s'est accrue presque continuellement au cours des temps historiques, mais elle est montée en flèche depuis la révolution industrielle. Aucune autre population n'a connu un accroissement si constant, et la population humaine devra un jour plafonner ou décliner. Il reste à savoir si la stabilisation démographique résultera d'une diminution du taux de natalité ou d'une mortalité massive ; la question doit être sérieusement considérée par les responsables des politiques démographiques.

habitants des pays riches renoncent à la consommation de viande. Le problème de la définition de K se complique du fait que la capacité limite a changé au cours de l'évolution culturelle (voir le chapitre 30). Les progrès de l'agriculture et des techniques ont fait augmenter K à deux reprises au cours de l'histoire humaine, et les détracteurs de la limitation démographique croient qu'une avancée technologique quelconque permettra à la population humaine de s'accroître puis de plafonner.

Actuellement, le taux d'accroissement démographique mondial se compose des taux des différents pays (tableau 47.7). Dans certains pays industrialisés, telle la Suède, les taux de natalité et de mortalité s'équilibrent et l'accroissement démographique est presque nul. Mais la population humaine dans son ensemble continue de s'accroître, car le taux de natalité dépasse de beaucoup le taux de mortalité dans presque tous les pays, et en particulier dans les pays en développement.

Le taux d'accroissement démographique présent et futur d'un pays est fortement déterminé par la pyramide des âges (figure 47.21). La Suède, par exemple, a une population stable parce que les groupes d'âge y sont uniformément représentés; les individus en âge de procréer ou plus jeunes ne sont pas surreprésentés dans la population. À l'opposé, la pyramide des âges du Mexique est très large dans sa partie inférieure; cela signifie que le Mexique compte un très grand nombre de jeunes qui grandiront et qui, en mettant des enfants au monde, prolongeront l'explosion démographique. La figure 47.21 montre que la pyramide des âges du Québec est relativement uniforme, sauf pour un renflement qui correspond au «baby boom» survenu après la Deuxième Guerre

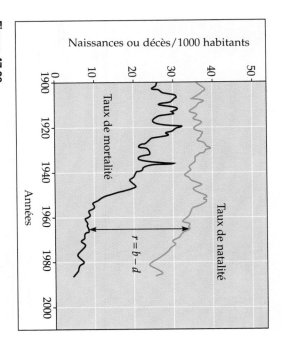

Figure 47.20
Variations des taux de natalité et de mortalité au Sri Lanka.
Au Sri Lanka, les programmes de planification familiale et l'amélioration des soins médicaux ont entraîné une diminution des taux de natalité et de mortalité. Néanmoins, le taux d'accroissement démographique (r, la différence entre le taux de natalité et le taux de mortalité en un moment quelconque) a augmenté après 1940. Pour que la population devienne stationnaire, le taux de natalité devra diminuer davantage que le taux de mortalité.

Axes de la figure : Naissances ou décès/1000 habitants — Taux de mortalité — Taux de natalité — Années — $r = b - d$ — (0, 10, 20, 30, 40, 50 ; 1900, 1920, 1940, 1960, 1980, 2000)

Tableau 47.7 Taux d'accroissement démographique, 1985-1990

Pays	r
Afrique	
Éthiopie	0,020
Kenya	0,042
Ouganda	0,035
Amérique du Nord et Amérique centrale	
Honduras	0,032
Mexique	0,022
États-Unis	0,008
Amérique du Sud	
Brésil	0,021
Paraguay	0,029
Uruguay	0,008
Asie	
Chine	0,014
Japon	0,004
Mongolie	0,031

Source : World Resources Institute, Programme des Nations Unies pour l'environnement et Programme des Nations Unies pour le développement, *Ressources mondiales, 1990-1991,* 1990.

mondiale. Même si les hommes et les femmes nés pendant les 20 années du «baby boom» ont moins de deux enfants en moyenne, ils sont si nombreux que le taux de natalité global du Québec dépasse encore le taux de mortalité. Par ailleurs, l'immigration contribue dans une faible proportion à l'accroissement de la population. Néanmoins, le taux d'accroissement global du Québec est relativement faible: il est légèrement supérieur à 1% par année, tandis que le taux d'accroissement mondial se chiffre à 1,7%.

L'accroissement de la population humaine a ceci de particulier qu'il peut être limité par les programmes gouvernementaux de planification familiale. Dans les nombreux pays où elles ont accès à l'éducation et au marché du travail, les femmes reportent le mariage et la procréation. Les taux d'accroissement démographiques s'en trouvent considérablement réduits (rappelez-vous que le temps de génération et le taux d'accroissement démographique sont inversement proportionnels, comme le montre la figure 47.10). Pour vous représenter ce phénomène, imaginez deux populations humaines dans lesquelles les femmes ont chacune trois enfants. Elles ont leur premier enfant à l'âge de 15 ans dans une des populations et à 30 ans dans l'autre. À l'âge de 30 ans, les femmes de la première population commencent à avoir des petits-enfants, tandis que les femmes de la seconde accouchent de leur premier enfant. À l'âge de 60 ans, les femmes de la première population ont beaucoup d'arrière-arrière-petits-enfants (qui commencent 15 ans plus tard), mais les femmes de la seconde population sont à peine grand-mères.

Bien que ce soit pour des raisons différentes, il est aussi difficile de prévoir la taille future des populations humaines que celle des populations animales et végétales. Les progrès techniques ont sans aucun doute augmenté la capacité limite de la Terre pour les Humains, mais aucune population ne peut croître indéfiniment. La capacité limite de la Terre et les circonstances dans lesquelles elle est atteinte suscitent des inquiétudes et des débats. Idéalement, la population humaine devrait atteindre la capacité limite sans à-coups puis plafonner. Cela se fera lorsque le taux de natalité et le taux de mortalité seront égaux, et une diminution du premier vaudrait mieux qu'une augmentation du second. Si la population se trouve à fluctuer autour de K, il faudra s'attendre à des périodes d'accroissement suivies de périodes de mortalité massive semblables à celles que provoquent les épidémies, les famines locales et les conflits armés internationaux. Quoi qu'il en soit, la population humaine devra un jour cesser de s'accroître. Contrairement aux autres organismes, nous avons le choix du moyen qui permettra d'arrêter notre croissance démographique: nous pouvons opter pour les changements sociaux amenés par une décision individuelle ou par une intervention gouvernementale, ou pour une augmentation de la mortalité due au manque de ressources et à la dégradation de l'environnement. Toutefois, selon certaines études publiées par l'Unicef, il semble que la réduction du taux de natalité dans une population dépende principalement de la survie des enfants et de l'éducation des filles. Pour le meilleur ou pour le pire, le sort de notre espèce et du reste de la biosphère est entre nos mains.

*   *   *

Nous venons de voir que la dynamique des populations change au cours du temps écologique et du temps évolutif, à la suite d'interactions entre les facteurs physiques et les organismes. Au chapitre suivant, nous étudierons plus en détail l'interaction des organismes au sein des communautés.

FIGURE 47.21 (PAGE 1103)

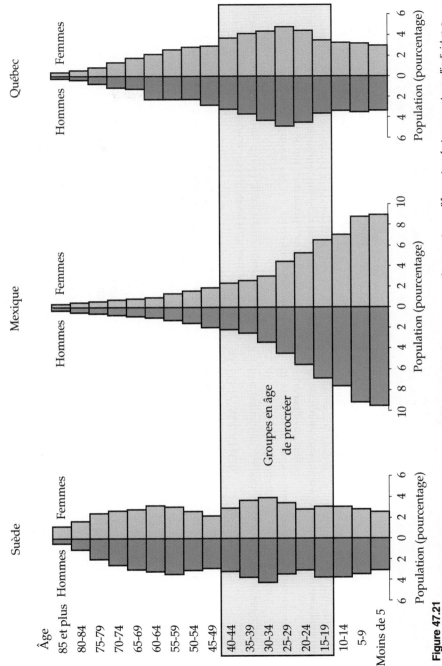

Figure 47.21
Pyramides des âges de la Suède, du Mexique et du Québec. La proportion d'individus compris dans les différents groupes d'âge (données de 1986) a une importance déterminante pour le potentiel d'accroissement démographique. Le Mexique, par exemple, compte une grande proportion d'individus jeunes et susceptibles de procréer dans un avenir proche. En Suède, au contraire, la population se distribue uniformément entre tous les groupes d'âge, et un fort pourcentage d'individus a dépassé l'âge de la procréation. Au Québec, la pyramide des âges est relativement uniforme, sauf pour un renflement correspondant au «baby boom» de l'après-guerre.

RÉSUMÉ DU CHAPITRE

L'écologie des populations est l'étude des fluctuations des populations et des facteurs qui influent sur la dynamique des populations.

Densité et distribution (p. 1084-1086)

1. Une population est un groupe d'individus de la même espèce qui occupent une aire géographique précise et qui présentent une densité et une distribution caractéristiques.

2. La densité de population est le nombre d'individus par unité d'aire ou de volume. La distribution est la répartition des individus dans l'espace; elle est en agrégats, uniforme ou aléatoire, selon les facteurs écologiques ou sociaux qui s'exercent sur la population.

Démographie (p. 1086-1089)

1. La démographie est l'étude des statistiques biométriques qui influent sur la taille et l'accroissement des populations.

2. La structure par âge influe sur l'accroissement d'une population, car les différents groupes d'âge ont des capacités de reproduction et des probabilités de mortalité différentes.

3. Les tables de survie indiquent la destinée d'une cohorte d'organismes nouveau-nés; il s'agit d'une compilation des taux de mortalité, du nombre de survivants restant dans chaque groupe d'âge et de la fécondité moyenne.

4. Les courbes de survie représentent le nombre de survivants d'une cohorte en fonction de l'âge; suivant que le taux de mortalité est élevé chez les individus jeunes, élevé chez les individus âgés ou constant dans les groupes d'âge, les courbes de survie sont du type III, I ou II respectivement.

Évolution des cycles biologiques (p. 1089-1092)

1. La sélection naturelle a causé l'apparition de divers cycles biologiques; les stratégies associées à chaque cycle biologique maximisent le succès reproductif.

2. La taille des portées, le nombre de reproductions au cours de la vie et l'âge à la première reproduction constituent trois caractéristiques importantes du cycle biologique. La sélection naturelle fait en sorte qu'il s'effectue des compromis énergétiques entre ces trois caractéristiques.

3. Les populations d'espèces opportunistes, qui vivent généralement dans des milieux variables, commencent à se reproduire en bas âge et engendrent beaucoup de rejetons à la fois. La taille de ces populations fluctue beaucoup en fonction du milieu.

4. Les populations d'espèces spécialisées produisent peu de rejetons à la fois, mais chacun a de bonnes chances de survie.

5. La plupart des populations ont des caractéristiques des espèces opportunistes et des caractéristiques des espèces spécialisées. L'influence relative des deux types de caractéristiques varie selon les conditions écologiques.

Modèles d'accroissement démographique (p. 1092-1097)

1. Le modèle de l'accroissement démographique exponentiel $(dN/dt = r_{max}N)$ constitue un bon outil d'étude du potentiel d'accroissement explosif d'une population. Ce modèle veut qu'une population s'accroisse d'autant plus qu'elle est nombreuse. L'accroissement exponentiel ne se maintient jamais très longtemps dans les populations.

2. Le modèle de l'accroissement démographique logistique $(dN/dt = r_{max}N[K − N]/K)$, plus réaliste que le précédent, tient compte de la capacité limite du milieu (K), c'est-à-dire du nombre maximal d'individus qui peuvent vivre dans un milieu donné. Ce modèle produit une courbe sigmoïde (en forme de S) indiquant que l'accroissement démographique diminue à mesure que la population s'approche de la capacité limite du milieu.

3. Peu de populations se conforment exactement au modèle logistique, mais beaucoup présentent un taux d'accroissement maximal lorsque leur taille est intermédiaire.

Régulation de la taille des populations (p. 1097-1100)

1. La taille des populations est régie par des facteurs dépendants de la densité et, dans certains cas, par des facteurs indépendants de la densité.

2. Les facteurs dépendants de la densité ont pour effet à mesure que la densité de population augmente, à cause de l'augmentation de la compétition intraspécifique, de la prédation ou des maladies. L'équation logistique exprime l'effet des facteurs dépendants de la densité, lesquels finissent par stabiliser les populations autour de la capacité limite du milieu.

3. Les facteurs indépendants de la densité, tels les phénomènes climatiques, réduisent d'une certaine proportion la taille des populations, quelle que soit leur densité. Ces facteurs se superposent souvent à des facteurs dépendants de la densité.

4. Il est difficile d'isoler les facteurs écologiques de régulation démographique. En effet, les facteurs dépendants et indépendants de la densité se superposent, et les relations de cause à effet sont rarement manifestes.

5. Certaines populations ont un cycle remarquablement régulier qui peut résulter des effets physiologiques de la surpopulation ou des délais précédant les réactions aux facteurs dépendants de la densité.

Accroissement de la population humaine (p. 1100-1103)

1. L'accroissement de la population humaine est exponentiel depuis des siècles; à compter de la révolution industrielle, il a été maintenu par l'amélioration de la nutrition, des soins médicaux et de l'hygiène. Le taux d'accroissement démographique varie entre les pays, en raison de facteurs écologiques, culturels et historiques.

2. La pyramide des âges est un important indicateur de l'accroissement démographique.

3. L'explosion démographique humaine a entraîné une dégradation de l'environnement.

AUTO-ÉVALUATION

1. Une population qui présente une distribution uniforme:
   a) se répand et élargit son aire de distribution.
   b) vit dans un milieu où les ressources sont réparties de manière hétérogène.
   c) est formée d'individus qui se font concurrence pour une ressource, l'eau et les minéraux chez les Végétaux et les sites de nidification chez les Animaux.
   d) est formée d'individus entre lesquels il n'y a ni attirances ni répulsions marquées.
   e) a une faible densité.

2. Lors du dénombrement par capture-recapture d'une population de Truites dans un lac, 40 Poissons ont été capturés, marqués et libérés. À l'étape de la seconde pêche, 45 Poissons ont été capturés, et 9 d'entre eux étaient marqués. À combien estimez-vous la taille de la population de Truites?
   a) 90   d) 800
   b) 200   e) 1800
   c) 360

3. L'expression $(K - N)/K$ influe sur dN/dt de telle manière que :
a) l'accroissement démographique est fort quand N est petit.
b) quand N approche de K, r_{max} (taux intrinsèque d'accroissement) augmente.
c) quand N est égal à K, la population stagne.
d) quand K est faible, les facteurs dépendants de la densité ont peu d'influence.
e) quand N approche de K, le taux de natalité est proche de zéro.

4. La capacité limite du milieu pour une population est :
a) le nombre d'individus compris dans la population.
b) atteinte lorsque la mortalité dépasse la natalité.
c) inversement proportionnelle à r_{max}.
d) le nombre d'individus qui peuvent vivre dans un habitat.
e) établie à huit milliards pour la population humaine.

5. On obtient une courbe de survie de type III pour une espèce :
a) où la mortalité est constante au cours de la durée de vie.
b) qui fournit beaucoup de soins à ses rejetons.
c) qui produit beaucoup de rejetons mais qui leur fournit peu de soins.
d) où le taux de mortalité est faible chez les jeunes.
e) à sélection K.

6. Une population dont le taux d'accroissement est relativement faible :
a) a beaucoup de rejetons petits à chaque reproduction.
b) vit dans un milieu très variable.
c) a un court temps de génération et commence à se reproduire en bas âge.
d) produit des rejetons peu nombreux mais vigoureux.
e) est régulée par des facteurs indépendants de la densité.

7. L'exemple des cycles démographiques du Lièvre d'Amérique et de son prédateur, le Lynx du Canada indique :
a) que les populations de proies et de prédateurs régulent réciproquement leurs tailles.
b) que les deux espèces ont évolué parallèlement puisque leurs cycles biologiques sont reliés.
c) qu'il ne faut pas conclure à une relation de cause à effet sans avoir procédé à une observation et à une expérimentation rigoureuses.
d) que les deux populations sont régulées par des facteurs indépendants de la densité.
e) que la population de Lièvres est à sélection r, tandis que la population de Lynx est à sélection K.

8. La taille actuelle de la population humaine est d'environ :
a) 2 millions.
b) 3 milliards.
c) 4 milliards.
d) 6 milliards.
e) 10 milliards.

9. Soit cinq populations humaines qui, sur le plan démographique, diffèrent *uniquement* par leur structure par âge. La population qui s'accroîtra le plus au cours des 30 prochaines années est celle qui a la plus forte proportion de membres dans le groupe :
a) des 10 à 20 ans.
b) des 20 à 30 ans.
c) des 30 à 40 ans.
d) des 40 à 50 ans.
e) des 50 à 60 ans.

10. Laquelle des caractéristiques suivantes n'appartient *pas* à la population humaine des pays industrialisés?
a) Taille des portées relativement faible.
b) Plusieurs reproductions possibles au cours de la vie.
c) Cycle biologique opportuniste.
d) Courbe de survie de type I.
e) Pyramide des âges étroite dans sa partie inférieure.

QUESTIONS À COURT DÉVELOPPEMENT

1. Comment les facteurs démographiques, tels que la structure d'âge, la fécondité par âge, la répartition par sexe et le temps de génération, influent-ils sur le taux d'accroissement d'une population?

2. Comparez les espèces opportunistes et les espèces spécialisées d'après cinq caractéristiques.

3. a) Qu'est-ce que la compétition intraspécifique?
b) Quel modèle mathématique permet d'en tenir compte? Précisez les variables pertinentes.
c) Comment les individus d'une population en viennent-ils à réduire la compétition intraspécifique?

4. Dressez un schéma de concepts qui montre comment s'effectue la régulation d'une population.

RÉFLEXION-APPLICATION

Une biologiste étudie une population de Poissons appelés Cichlidés dans un lac d'Afrique de 120 ha (1 ha = 10 000 m²). Elle constate que les Poissons vivent uniquement dans des roselières dispersées qui représentent un quart de l'aire du lac. Elle capture 185 Poissons, les marque et les libère. Deux jours plus tard, elle attrape 208 Poissons, dont 35 marqués. Quel est le nombre approximatif de Cichlidés dans le lac? Quelle est la densité de la population de Cichlidés (en individus par hectare)? Quel est le mode de distribution des Poissons? Interprétez la densité de population.

SCIENCE, TECHNOLOGIE ET SOCIÉTÉ

Bien des gens considèrent l'accroissement démographique rapide des pays en développement comme le principal problème écologique de l'heure. D'autres pensent que l'accroissement démographique des pays industrialisés, bien que moindre, constitue une menace plus grave pour l'environnement. Quels problèmes résultent de l'accroissement démographique : (a) dans les pays en développement? (b) dans les pays industrialisés? Selon vous, quel phénomène s'avère le plus dangereux?

LECTURES SUGGÉRÉES

Barbault, R., *Écologie des peuplements : structure, dynamique et évolution*, Paris, Masson, 1992. (Un ouvrage qui intègre la compréhension de la dynamique des écosystèmes et la recherche en écologie des populations.)

Danchin, E. et coll., «La régulation des populations de mouettes tridactyles», *La Recherche*, n° 256, juillet-août 1993. (Succès reproductif et contexte social, deux facteurs déterminants de la reproduction chez les Mouettes tridactyles.)

Frontier, S. et D. Pichod-Viale, *Écosystèmes : structure, fonctionnement et évolution*, Paris, Masson, 1993. (Le chapitre 5 approfondit l'étude de la dynamique des populations.)

Joly, P., «La compétition chez les têtards», *La Recherche*, n° 264, avril 1994. (Rôle joué par une Algue parasite dans le ralentissement de la croissance de certains têtards au profit des autres.)

Kaufman, M. B., «Sont-ils trop nombreux?», *Biosphère*, vol. 8, n° 4, juillet-août 1992. (Suivi d'une population de Chèvres-Antilopes japonaises depuis la quasi-extinction jusqu'à la surpopulation.)

Keyfitz, N., «Croissance démographique : qui peut en évaluer les limites?», *La Recherche*, n° 264, avril 1994. (À propos des conséquences de la surpopulation humaine, deux visions fort différentes : celle des biologistes et celle des économistes.)

DEUX CONCEPTIONS DE LA COMMUNAUTÉ

INTERACTIONS DES POPULATIONS

STRUCTURE DES COMMUNAUTÉS : CARACTÉRISTIQUES ET DYNAMIQUE

SUCCESSION ÉCOLOGIQUE

ASPECTS BIOGÉOGRAPHIQUES DE LA DIVERSITÉ

BIOLOGIE DE LA CONSERVATION : LEÇONS DE L'ÉCOLOGIE DES COMMUNAUTÉS ET DE LA BIOGÉOGRAPHIE

L a prochaine fois que vous vous promènerez dans un champ, dans un bois ou même dans un parc, essayez d'observer les interactions des espèces. Vous verrez peut-être des Oiseaux qui nichent dans les arbres, des Abeilles qui pollinisent des fleurs, des Champignons qui croissent sur les troncs, des Araignées qui capturent des Insectes dans leurs toiles et des Fougères qui poussent à l'ombre des branches. Il ne s'agit là que de quelques-unes des innombrables interactions qui prennent place sur la scène d'un écosystème. Un organisme vit dans un milieu constitué des facteurs physiques et chimiques présentés au chapitre 46, des autres individus de sa population et des autres espèces occupant le territoire. Les espèces qui vivent assez près les unes des autres pour avoir la possibilité d'interagir forment une **communauté** (figure 48.1).

Dans le présent chapitre, nous traiterons des divers types d'interactions biotiques qui se produisent dans les populations, et nous tenterons de répondre à la question fondamentale de l'écologie des communautés : Quels sont les principaux facteurs qui structurent une communauté et, plus précisément, qui déterminent sa composition spécifique ainsi que l'abondance relative et absolue de ses espèces constituantes ? L'étude des communautés est un domaine actif de la recherche écologique ; elle pose autant de questions qu'elle suscite de controverses.

DEUX CONCEPTIONS DE LA COMMUNAUTÉ

Pourquoi trouve-t-on certaines espèces ensemble dans une communauté ? Au cours des années 1920 et 1930, les écologistes H. A. Gleason et F. E. Clements donnèrent deux réponses divergentes à la question, en se fondant principalement sur des observations relatives à la distribution des Végétaux. Le concept de Gleason, centré sur les besoins spécifiques, veut que la communauté soit un assemblage fortuit d'espèces qui occupent le même territoire simplement parce qu'elles ont les mêmes besoins physiques (abiotiques), en matière notamment de température, de précipitations et de sol. Le concept de Clements, centré sur les interactions spécifiques, stipule que la communauté est un assemblage d'espèces étroitement et inéluctablement unies par des interactions biotiques qui font de la communauté un tout et, à la limite, un « superorganisme ». Cette conception de la communauté repose sur le fait qu'on trouve toujours certaines espèces végétales ensemble. Ainsi, les forêts de feuillus du nord-est des États-Unis comprennent presque immanquablement des espèces de Chênes, d'Érables, de Bouleaux et de

Figure 48.1
Les interactions des populations façonnent les communautés. Les communautés se caractérisent par les interactions de leurs populations constituantes. Dans cette scène photographiée au Kenya, les Vautours de Rüppell (*Gyps rueppelli*) attendent que le Lion (*Panthera leo*) ait fini son repas pour se jeter sur les restes. En lisant le présent chapitre, vous apprendrez quels sont les effets des interactions telles que la prédation, la compétition et la symbiose sur la structure des communautés.

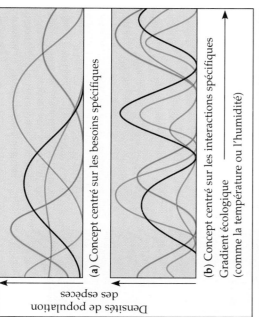

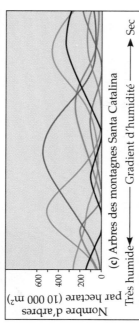

(a) Concept centré sur les besoins spécifiques

(b) Concept centré sur les interactions spécifiques

Gradient écologique
(comme la température ou l'humidité)

Densités de population des espèces

(c) Arbres des montagnes Santa Catalina

Très humide — Gradient d'humidité — Sec

Nombre d'arbres par hectare (10 000 m²)

600 400 200 0

Figure 48.2
Deux conceptions de la communauté. Pour comparer et évaluer les deux concepts, nous pouvons utiliser des graphiques montrant les distributions des espèces le long de gradients écologiques abiotiques comme ceux de la température ou de l'humidité. Chaque courbe des graphiques représente l'abondance d'une espèce. **(a)** Le concept centré sur les besoins spécifiques veut que les espèces soient distribuées de façon indépendante le long de gradients et qu'une communauté soit simplement un assemblage d'espèces qui occupent par hasard le même territoire. **(b)** Le concept centré sur les interactions spécifiques veut que les communautés soient des groupements discontinus d'espèces particulières, très interdépendantes et presque toujours coexistantes. **(c)** La distribution des espèces d'arbres à une certaine altitude des montagnes Santa Catalina de l'Arizona est conforme au concept centré sur les besoins spécifiques. Chaque espèce d'arbres a le long du gradient une distribution indépendante qui semble reliée à sa tolérance à l'humidité ; les espèces qui vivent côte à côte en un point quelconque du gradient ont des besoins physicochimiques semblables. Étant donné que la végétation varie de manière continue le long du gradient, il est impossible de tracer des limites claires entre les communautés.

Hêtres ainsi qu'un ensemble particulier d'arbustes et de Plantes grimpantes.

Nous pouvons employer la méthode hypothético-déductive pour évaluer le bien-fondé de ces concepts contradictoires. Les deux décrivent très différemment la distribution que devraient présenter les espèces végétales le long d'un gradient de variables écologiques telles que l'altitude et la température. Le concept centré sur les besoins spécifiques prévoit que les communautés devraient généralement être dépourvues de limites géographiques nettes, car chaque espèce a une distribution qui lui est propre le long du gradient écologique. Autrement dit, chaque espèce est distribuée selon ses intervalles de tolérance aux facteurs abiotiques qui varient le long du gradient, et les communautés végétales changent de manière continue le long du gradient, s'adjoignant ou perdant des espèces (figure 48.2a). Selon le concept centré sur les interactions spécifiques, par contre, les espèces devraient être regroupées en communautés distinctes à l'intérieur de limites précises, car la présence ou l'absence d'une espèce en particulier est largement déterminée par la présence ou l'absence d'autres espèces avec lesquelles elle interagit (figure 48.2b).

Dans la plupart des cas, et notamment dans les grandes régions caractérisées par des gradients écologiques, la composition des communautés végétales semble varier de manière continue, et chaque espèce est distribuée de façon plus ou moins indépendante (figure 48.2c). Cette continuité confirme que les communautés végétales sont des associations relativement lâches dépourvues de limites distinctes. Toutefois, lorsqu'un facteur déterminant du milieu physique change soudainement, les communautés adjacentes sont séparées par des limites d'autant plus claires que le changement est abrupt. Au Québec, par exemple, beaucoup de Graminées introduites d'Europe ont remplacé les Plantes indigènes ; cependant, les fleurs indigènes persistent dans des zones bien délimitées où la présence de serpentine accroît la concentration du sol en magnésium (figure 48.3). Le concept centré sur les besoins spécifiques explique ce type de discontinuité sans présupposer que certaines espèces végétales se trouvent dans le même territoire à cause de relations inéluctables dans la communauté.

Les deux concepts ne s'appliquent pas nécessairement aux Animaux d'une communauté, lesquels sont parfois reliés plus étroitement que les Végétaux aux autres organismes. Les Courlans (*Aramus guarauna*) par exemple, des Oiseaux à long bec des marécages de la Floride, se nourrissent principalement d'une espèce d'Escargots. Ces Oiseaux trouvent leur nourriture très efficacement grâce à leurs adaptations évolutives, mais leur distribution géographique est limitée par celle de leurs proies. Les Écureuils gris (*Sciurus carolinensis*), présents dans l'extrême-sud du Québec et l'est des États-Unis, au contraire, ont un régime alimentaire beaucoup plus varié. Bien qu'ils se trouvent dans toutes sortes d'habitats, dont les forêts où les Pins abondent, ils sont surtout répandus dans les forêts décidues à maturité, de Chênes et de Caryers par exemple.

On voit donc qu'il s'avère difficile de formuler des affirmations simples, exactes et généralisables pour expliquer la coexistence de certaines espèces dans les communautés. Les distributions de tous les organismes sont probablement influencées jusqu'à un certain point par des gradients abiotiques et par des interactions avec les autres espèces.

INTERACTIONS DES POPULATIONS

Bien que la distribution géographique de nombreuses espèces soit largement déterminée par leurs adaptations aux facteurs écologiques abiotiques, tous les organismes sont influencés par leurs interactions biotiques avec les individus vivant dans leur entourage immédiat. Au chapitre 47, nous avons étudié une de ces interactions, la

compétition intraspécifique. Ici, nous nous pencherons sur les **interactions interspécifiques**, les relations entre les populations d'espèces différentes vivant ensemble dans une communauté. Vous constaterez que ces interactions peuvent avoir des effets favorables, défavorables ou neutres sur une ou plusieurs des populations en cause. Mais avant de les décrire, nous les situerons dans le contexte de l'évolution.

Coévolution

Tout comme les caractéristiques physicochimiques du milieu constituent d'importants facteurs de l'adaptation par voie de sélection naturelle, les interactions interspécifiques sont sujettes au changement évolutif. Dans certains cas, l'adaptation d'une espèce au changement évolutif. Dans cet autre cas, l'adaptation d'une espèce à la présence d'une autre a un fondement évolutif relativement clair. Par exemple, il semble que la sélection naturelle ait favorisé les Phalènes du Bouleau (*Biston betularia*) qui se confondent avec les Lichens (voir la figure 20.10).

Dans son sens le plus large, le terme **coévolution** désigne l'adaptation évolutive qui se produit chez deux espèces à la suite de leurs influences réciproques. Un changement subi par une espèce exerce une pression de sélection sur l'autre espèce, et la contre-adaptation acquise par la seconde influe à son tour sur la sélection des individus de la première. La coévolution a surtout été étudiée à travers les relations prédateur-proie et la symbiose. Nous avons donné un exemple général de coévolution au chapitre 27, celui des relations entre certaines espèces d'Angiospermes et leurs pollinisateurs exclusifs.

Dans bien des cas, il est difficile d'établir qu'un changement évolutif subi par une espèce a constitué une pression de sélection et entraîné un changement évolutif chez l'autre. À titre d'exemple, examinons une relation qui illustre probablement la coévolution et qui révèle aussi les difficultés posées par la reconstitution de l'histoire évolutive. Les Plantes grimpantes du genre *Passiflora* sont protégées contre la plupart des Insectes herbivores par des composés toxiques contenus dans leurs feuilles et leurs pousses. Cependant, les larves des Papillons du genre *Heliconius* tolèrent ces composés, car leurs enzymes digestives les dégradent. Cette contre-adaptation a permis aux larves de *Heliconius* de devenir des spécialistes de Plantes que peu d'Insectes peuvent consommer (figure 48.4).

En outre, une adaptation comportementale des Papillons favorise la survie des larves. Les œufs de *Heliconius* sont jaune clair, et les femelles évitent généralement de pondre sur les feuilles de Passiflore qui portent déjà des points jaunes. Comme un petit nombre de larves éclôt sur chaque feuille, il semble que ce comportement réduit la compétition intraspécifique pour la nourriture. Une infestation de larves de *Heliconius* peut dévaster un plant de Passiflore, et nous sommes en mesure de supposer que ces Insectes exercent une forte pression de sélection en faveur de l'apparition de défenses supplémentaires chez les Plantes.

Les feuilles de certaines espèces de Passiflores portent des taches jaunes bien visibles qui ressemblent à des œufs de *Heliconius*; cette adaptation semble détourner vers d'autres Plantes les Papillons en quête d'un site de ponte. Or, les taches jaunes sont en fait des nectaires (glandes sécrétant du nectar), et elles attirent les Fourmis et les Guêpes qui dévorent les œufs et les larves de *Heliconius*. Il a aussi été démontré que la simple présence de Fourmis sur une feuille dissuade un *Heliconius* d'y pondre. Les adaptations qui paraissent à première vue constituer des réactions coévolutives entre deux espèces seulement peuvent en fait résulter de relations entre plusieurs espèces de la communauté. Il s'avère difficile de mesurer l'importance de chaque pression de sélection, et la coévolution simplement conçue comme un phénomène d'adaptation-contre-adaptation entre deux espèces suffit rarement à décrire les interactions dans les communautés.

Figure 48.4
Relations évolutives entre une Plante et un Insecte. (a) La Passiflore (*Passiflora*) produit des substances toxiques qui protègent ses feuilles contre les Insectes herbivores. Une contre-adaptation est apparue chez *Heliconius*, un Papillon : les larves peuvent se nourrir des feuilles parce que leurs enzymes digestives dégradent les composés toxiques. **(b)** Les femelles de certaines espèces de *Heliconius* évitent de pondre sur les feuilles de Passiflore qui portent déjà des amas d'œufs jaunes. Ce comportement réduit la compétition intraspécifique sur les feuilles et permet aux rejetons d'obtenir une nourriture suffisante. **(c)** Ces nectaires jaunes semblables à des œufs croissent sur les feuilles de certaines espèces de Passiflores. L'expérience démontre que les femelles de *Heliconius* évitent de pondre sur les feuilles parsemées de taches jaunes. Les nectaires attirent aussi les Insectes, et notamment des Fourmis, qui se nourrissent des œufs et des larves de Papillon.

(a)

(b)

(c)

En dépit des difficultés associées à l'établissement des liens de cause à effet dans l'évolution des relations écologiques complexes, les biologistes conviennent que l'adaptation des organismes aux autres espèces d'une communauté représente une caractéristique fondamentale du vivant. Autrement dit, les interactions des espèces dans le temps écologique se traduisent souvent en adaptations dans le temps évolutif. Notre étude des principales interactions interspécifiques, la prédation, la compétition et la symbiose, nous en donnera d'ailleurs quelques exemples.

Prédation

Dans toutes les communautés, la prédation constitue la plus manifeste des relations entre les populations (voir la figure 48.1). Généralement, le prédateur et la proie appartiennent à des espèces différentes, bien que le cannibalisme s'observe chez de nombreux Animaux. Dans le langage courant, le terme prédateur désigne un Animal qui en dévore un autre, et le terme proie désigne l'Animal dévoré. Ici, nous employons le terme **prédateur** pour désigner tant un Animal carnivore qu'un herbivore, et le terme **proie** pour désigner aussi bien un Animal qu'une Plante. Au chapitre 47, nous avons vu que la prédation peut causer une régulation dépendante de la densité dans les populations de prédateurs et de proies. Dans la présente section, nous décrirons brièvement quelques-unes des adaptations des prédateurs, et nous nous attarderons aux divers mécanismes de défense de leurs proies.

L'obtention de nourriture se trouve facilitée chez les prédateurs par des adaptations aussi évidentes que fami-

lières. Grâce à leurs sens aiguisés, les prédateurs repèrent et identifient les proies potentielles ; avec leurs serres, leurs dents, leurs crochets, leurs aiguillons et leur venin, ils capturent, immobilisent et mastiquent leurs prises. Les Crotales et d'autres Vipéridés ont près des yeux des organes thermosensibles, les fossettes faciales, avec lesquels ils repèrent les proies ; ces organes leur permettent de détecter des variations de températures aussi faibles que 0,003 °C. Ils tuent les Oiseaux et les Mammifères de petite taille en leur injectant des neurotoxines à travers leurs crochets. Beaucoup d'Insectes herbivores ont sur les pattes des chimiorécepteurs qui détectent les Plantes appropriées, et ils possèdent des pièces buccales adaptées au déchiquetage de la végétation. Les prédateurs qui pourchassent leurs proies sont généralement rapides et agiles, tandis que ceux qui tendent des embuscades se camouflent dans leur milieu. Comme les proies ont eu au cours du temps évolutif maintes confrontations avec leurs prédateurs, elles ont acquis un éventail de mécanismes de défense.

Défenses des Végétaux contre les herbivores

Les Végétaux, qui ne peuvent fuir les herbivores, ont acquis divers moyens mécaniques et chimiques de se protéger contre les Animaux. Les épines éloignent les grands herbivores vertébrés ; les cristaux microscopiques cachés dans les tissus de certains Végétaux de même que les crochets et les piquants des feuilles découragent même certains petits Insectes.

Beaucoup de Végétaux produisent des substances chimiques répulsives ou nocives appelées **composés**

Chapitre 48 : L'écologie des communautés **1109**

secondaires. Il s'agit de sous-produits métaboliques d'une importante voie biochimique, comme la glycolyse ou le cycle de Krebs (voir le chapitre 9). Les botanistes ont longtemps été déroutés par l'abondance et la concentration des composés secondaires, et ils n'ont découvert que récemment leur rôle de mécanismes de défense.

Un bon nombre de poisons, de drogues et de médicaments bien connus sont des composés secondaires qui servent vraisemblablement d'armes chimiques contre les herbivores : la strychnine, produite par les Plantes du genre *Strychnos* ; la morphine, extraite du Payot ; la nicotine, dérivée du Tabac ; la mescaline, provenant du Cactus appelé Peyotl (*Lophophora williamsii*). Les saveurs de la cannelle, du clou de girofle et de la menthe proviennent aussi de composés secondaires. Les tanins, qui servent au traitement des cuirs, sont des composés secondaires fort abondants, particulièrement dans le Chêne. Certains Végétaux produisent même des composés secondaires qui sont analogues aux hormones des Insectes et qui perturbent le développement chez certains des Insectes qui en absorbent.

Les défenses spécifiques d'une population de Végétaux peuvent exercer une pression de sélection et provoquer l'apparition de contre-adaptations dans les populations d'herbivores. Ces contre-adaptations peuvent alors neutraliser les défenses des Végétaux et permettre aux générations subséquentes d'herbivores de dévorer les descendants de la population végétale initiale. Ensuite, il se peut que les Végétaux acquièrent des défenses supplémentaires. Les écologistes étudient généralement les produits de telles interactions coévolutives une fois qu'est apparue une série de contre-adaptations, comme nous l'avons montré avec l'exemple de *Passiflora* et *Heliconius*. Bien que les défenses d'une Plante limitent le nombre d'espèces herbivores susceptibles de la dévorer, les herbivores doivent manger pour se reproduire, et la pression de sélection exercée à l'encontre des défenses de la Plante s'intensifie. Par conséquent, aucune défense végétale ne fournit une protection éternelle.

Défenses des Animaux contre les prédateurs

Pour échapper à leurs prédateurs, les Animaux emploient des défenses passives, qui consistent notamment à se cacher, ou des défenses actives, telles que la fuite ou le combat. Le combat est plus risqué et moins répandu que la fuite, bien que certains Mammifères herbivores de grande taille défendent leurs jeunes avec acharnement contre les prédateurs comme le Lion. Beaucoup d'Animaux, par ailleurs, s'en remettent à la coloration adaptative, un moyen de défense observé dans des contextes variés.

Le camouflage, ou **homochromie**, représente la défense passive par excellence (figure 48.5). Un Animal camouflé n'a qu'à rester immobile sur un substrat approprié pour éviter d'être détecté. Le cas de la Phalène du Bouleau (que nous avons étudié au chapitre 20) est un exemple classique d'apparition de l'homochromie à la suite de la sélection exercée par les prédateurs. Le camouflage repose non seulement sur une similitude de couleurs, mais aussi de formes, comme le montre la figure 48.6.

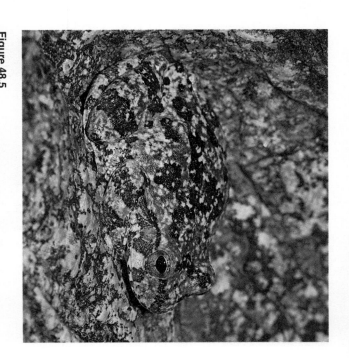

Figure 48.5
Le camouflage. Grâce à l'homochromie, la Rainette (arénicolore) (*Hyla arenicolor*) se confond avec son arrière-plan de granite.

La coloration adaptative peut aussi prendre la forme de taches qui évoquent des yeux ou une tête. Il semble que ces motifs de diversion effraient momentanément les prédateurs (figure 48.7) ou les incitent à frapper des parties non vitales.

Certains Animaux faciles à repérer possèdent des défenses mécaniques ou chimiques (figure 48.8). La plupart des prédateurs se découragent face aux défenses bien connues du Porc-épic d'Amérique (*Erethizon dorsatum*) et de la Mouffette rayée (*Mephitis mephitis*). Certains Insectes acquièrent des défenses chimiques passivement, en accumulant dans leurs tissus les toxines de la Plante qu'ils dévorent. Les Monarques (*Danaus plexippus*), par exemple, renferment des poisons cardiaques tirés de l'Asclépiade (*Asclepias sp.*) qu'ils mangent au cours de leur stade larvaire ; fait étonnant, les poisons résistent aux métamorphoses et subsistent chez les adultes. Les poisons s'avèrent inoffensifs pour le Monarque, mais répulsifs ou nocifs pour la plupart des autres Animaux. Les Oiseaux qui dévorent des Monarques régurgitent leurs proies et apprennent rapidement à éviter cette espèce.

Beaucoup d'Animaux qui possèdent des défenses mécaniques ou chimiques efficaces arborent des couleurs vives qui avertissent les prédateurs de se tenir à l'écart (figure 48.9). La **coloration d'avertissement** semble adaptative, car les prédateurs apprennent rapidement à éviter les proies nocives extrêmement voyantes.

Le mimétisme Un prédateur ou une proie peut tirer un avantage considérable du **mimétisme**, le phénomène par lequel une espèce présente une ressemblance superficielle avec une autre espèce, le **modèle**. Chez les proies, le mimétisme défensif consiste fréquemment en l'imitation d'un modèle protégé par une coloration d'avertissement.

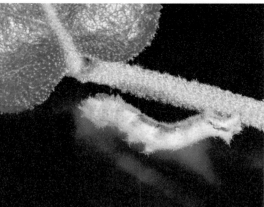

Figure 48.6
Le camouflage et les saisons : étude expérimentale d'une adaptation remarquable.
La larve (la chenille) de *Nemoria arizonia*, un Papillon de nuit vivant dans le sud-ouest des États-Unis, a deux formes saisonnières. Les chenilles qui éclosent au printemps se nourrissent de chatons, les fleurs mâles des Chênes, et elles prennent une forme et une couleur semblables à celles des chatons (à gauche). En été, les chatons sont disparus, et les chenilles qui éclosent alors se nourrissent de feuilles. Ces chenilles « d'été » prennent une forme qui ressemble à celle des tiges (à droite). En laboratoire, les chenilles nourries de chatons prennent la forme de chatons, et les chenilles nourries de feuilles prennent la forme de tiges ; c'est donc le régime alimentaire qui détermine la morphologie des chenilles. (Les deux chenilles apparaissant dans ces photographies proviennent des mêmes parents mais ont reçu des régimes alimentaires différents.) Dans la nature, chaque forme de la chenille lui permet de se camoufler dans la végétation dont elle se nourrit ; il semble que cette adaptation évolutive cache les chenilles aux yeux de prédateurs comme les Oiseaux.

Le **mimétisme batésien** est l'imitation d'une espèce au goût désagréable (espèce nocive) par une espèce au goût agréable (espèce inoffensive). Il existe par exemple dans le désert de Kalahari, en Afrique australe, une espèce de Lézards dont les jeunes imitent les motifs et la posture d'un Coléoptère à coloration d'avertissement qui projette un liquide acide pour se défendre (figure 48.10). Quand les Lézards deviennent plus gros que leurs modèles, ils adoptent l'homochromie. De même, de nombreux Serpents inoffensifs imitent les motifs rouges, blancs et noirs du Serpent corail venimeux. Pour que le mimétisme batésien soit efficace, cependant, les modèles doivent être plus nombreux que les mimes ; autrement, les prédateurs apprendraient que les Animaux ayant une certaine coloration sont comestibles et non pas de mauvais goût (ou nocifs).

Le **mimétisme müllérien** est une ressemblance entre deux espèces à coloration d'avertissement ou au goût désagréable. Il semble que cette forme de mimétisme avantage les deux espèces, car les prédateurs apprennent rapidement à éviter toutes les proies présentant un certain aspect.

Diverses formes de mimétisme s'observent également chez les prédateurs. Par exemple, la langue de la Tortue-Alligator (*Macroclemys temmincki*) ressemble à un Ver qui se tortille et attire ainsi les petits Poissons ; ceux qui essaient de gober l'« appât » se trouvent eux-même pris en étau entre les mâchoires puissantes de la Tortue.

Compétition interspécifique

Lorsque, dans une communauté, deux espèces ou plus font usage des mêmes ressources limitantes, elles sont sujettes à la **compétition interspécifique**. La compétition

Figure 48.7
La coloration de diversion. Des motifs semblables à de gros yeux ornent les ailes postérieures d'*Automeris io*. Le Papillon remue ses ailes antérieures pour les découvrir, et il profite de l'étonnement ainsi provoqué chez les prédateurs pour s'échapper.

(a)

(b)

Figure 48.8
Protection mécanique et chimique contre les prédateurs. (a) Le Porc-épic a un moyen de défense mécanique : ses piquants acérés. **(b)** Le Coléoptère bombardier (*Stenaptinus insignis*) asperge ses prédateurs avec une substance toxique.

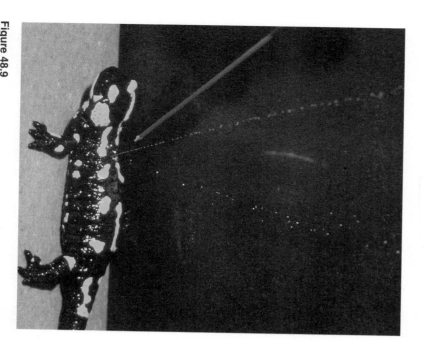

Figure 48.9
La coloration d'avertissement. La Salamandre ensatina (*Ensatina eschscholtzi*) est un Amphibien qui éjecte une neuro-toxine des glandes de son dos. Ses motifs voyants constituent un avertissement pour les prédateurs potentiels, qui apprennent rapidement à éviter les Animaux aussi vivement colorés.

se manifeste de différentes façons dans des conditions naturelles ; on l'appelle **compétition par interférence** lorsqu'elle prend la forme de combats ou de sécrétions particulières, et **compétition par exploitation** lorsqu'elle naît de la consommation ou de l'utilisation de ressources semblables. Les effets dépendants de la densité de la compétition interspécifique sont semblables à ceux de la compétition intraspécifique, dont nous avons traité au chapitre 47 : à mesure qu'augmente la densité de population, chaque individu a accès à une part décrois-sante des ressources limitantes. Par conséquent, les taux de mortalité augmentent, les taux de natalité diminuent, et l'accroissement démographique ralentit. Dans la compétition interspécifique, cependant, l'accroissement démographique d'une espèce peut être limité par la den-sité de l'espèce concurrente autant que par la sienne pro-pre. Si, par exemple, quelques espèces d'Oiseaux d'une forêt se nourrissent d'une population limitée d'Insectes, la densité de chaque espèce est susceptible d'entraver l'accroissement démographique des autres. De même, les espèces peuvent entrer en compétition pour les sites de nidification, les gîtes et toute autre ressource peu abondante.

Le principe d'exclusion compétitive Au début du siècle, deux biologistes et mathématiciens, A. J. Lotka et V. Volterra, modifièrent chacun de leur côté le modèle de l'accroissement démographique logistique (voir le chapitre 47) de manière à lui faire exprimer les effets de la compétition interspécifique. Les deux scientifiques stipulèrent que deux espèces ayant des besoins sem-blables ne peuvent cohabiter : une espèce s'accapare

(a)

(b)

Figure 48.10
Le mimétisme batésien. Le mimétisme batésien est l'imitation, par une espèce au goût agréable (et inoffensive), de l'apparence d'une espèce au goût désagréable (ou nocive) protégée par une coloration d'avertissement. **(a)** Les jeunes d'un Lézard inoffensif, *Heliobolus lugubris*, imitent la couleur et la posture de **(b)** *Anthia*, un Coléoptère qui asperge les prédateurs potentiels d'un liquide nauséabond.

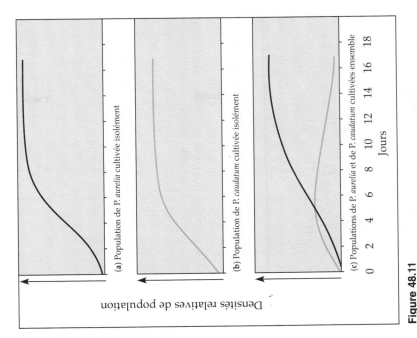

(a) Population de *P. aurelia* cultivée isolément

(b) Population de *P. caudatum* cultivée isolément

(c) Populations de *P. aurelia* et de *P. caudatum* cultivées ensemble

Densités relatives de population

Jours
0   2   4   6   8   10   12   14   16   18

Figure 48.11
Compétition entre des populations expérimentales de *Paramecium.* Dans des cultures distinctes contenant des quantités constantes de nourriture sous forme de Bactéries, les populations de **(a)** *P. aurelia* et de **(b)** *P. caudatum* atteignent toutes deux la capacité limite du milieu. **(c)** Lorsque les deux espèces sont cultivées conjointement, *P. aurelia* se nourrit plus efficacement que *P. caudatum* et l'élimine de la culture.

inévitablement les ressources, se multiplie et élimine l'autre de la communauté. Le moindre avantage reproductif mène tôt ou tard à l'élimination du compétiteur inférieur et à l'accroissement de la densité du compétiteur supérieur.

En 1934, l'écologiste russe G. F. Gause entreprit de vérifier cette hypothèse en laboratoire, et il étudia les effets de la compétition interspécifique entre deux espèces étroitement apparentées du Protozoaire *Paramecium, P. aurelia* et *P. caudatum* (figure 48.11). Il cultiva les deux espèces isolément en leur fournissant des conditions constantes et un apport alimentaire régulier; les deux populations de *Paramecium* s'accrûrent et plafonnèrent à un niveau correspondant apparemment à la capacité limite du milieu. Gause cultiva aussi les deux espèces ensemble : *P. caudatum* disparut de la boîte de Pétri, sans doute parce que ce Protozoaire s'avérait incapable de soutenir la compétition avec *P. aurelia*. L'expérience de Gause confirmait l'hypothèse voulant que deux espèces ayant des besoins semblables ne peuvent cohabiter. Cette incompatibilité reçut le nom de **principe d'exclusion compétitive,** et elle fut prouvée par des expériences réalisées ultérieurement avec d'autres espèces animales.

Bien que le principe d'exclusion compétitive soit le plus souvent confirmé par les expériences de laboratoire, les communautés naturelles sont infiniment plus complexes que les milieux artificiels. Les écologistes ont longtemps, et parfois vigoureusement, débattu l'importance de la compétition dans la nature, mais ils ne recourent que depuis peu aux expériences sur le terrain pour étayer leurs points de vue. Jusqu'à récemment, la plupart des études sur la compétition fournissaient des preuves indirectes : les écologistes observaient l'utilisation que les espèces faisaient des ressources en la présence ou en l'absence de compétiteurs potentiels. Avant de présenter les preuves indirectes de l'importance de la compétition, nous devons expliquer comment les écologistes définissent et expriment l'utilisation des ressources dans des conditions naturelles.

La niche écologique

L'ensemble des conditions dans lesquelles vit et se perpétue la population constitue la **niche écologique**. La niche écologique représente plus que l'habitat : il s'agit en fait de l'utilisation globale que la population fait des ressources biotiques et abiotiques de son milieu. Par exemple, la niche écologique d'une population de Parulines à poitrine baie (*Dendroica castanea*), dont l'aire de nidification occupe la partie sud du Québec, comporte, entre autres, les variables suivantes : l'intervalle de température que la population tolère, la taille des arbres où elle perche, la hauteur du nid dans l'arbre, le moment de la journée où elle s'active ainsi que le type d'Insectes qu'elle dévore. Comme vous le constatez, plusieurs variables caractérisent la niche écologique ; on peut les regrouper selon trois axes fondamentaux : un axe spatial déterminant les variables physicochimiques, dont le climat ; un axe trophique, représentant les types de proies recherchées ; un axe temporel, concernant le mode d'utilisation dans le temps de l'espace et de la nourriture (rythme circadien, cycle saisonnier).

Le terme **niche écologique fondamentale** désigne les ressources qu'une population peut utiliser théoriquement dans des circonstances idéales. Dans les faits, toute population participe à un réseau d'interactions avec des populations d'autres espèces ; les contraintes biologiques, comme la compétition, la prédation et l'absence d'une ressource utilisable, peuvent forcer la population à occuper une portion seulement de sa niche fondamentale. Les ressources qu'une population utilise réellement forment sa **niche écologique réelle**. La figure 48.12 montre la différence entre la niche écologique fondamentale et la niche écologique réelle de deux espèces de Balanes.

Nous pouvons maintenant reformuler le principe d'exclusion compétitive et avancer que deux espèces peuvent coexister dans une communauté si leurs niches écologiques sont identiques. Toutefois, des espèces écologiquement semblables peuvent cohabiter s'il existe au moins une différence déterminante entre leurs niches.

Évaluation de l'importance de la compétition dans la nature

Si la compétition est une force aussi puissante que le suggère le principe d'exclusion compétitive, elle devrait être plutôt rare dans les communautés naturelles. Après tout, les compétiteurs les plus faibles disparaîtraient s'ils n'acquéraient jamais la capacité d'utiliser des ressources autres que celles que convoitent les espèces plus prospères. La question pose un dilemme intellectuel et pratique aux écologistes, car il est difficile de démontrer l'existence et l'importance d'une force (la compétition) qui, du fait même de sa nature, ne peut s'exercer pendant de longues périodes. Bien qu'il soit impossible d'observer directement l'évolution d'une communauté, beaucoup d'écologistes insistent sur l'importance de la compétition passée ; ils disposent d'ailleurs de plusieurs séries de données prouvant indirectement que la compétition passée représente un facteur déterminant des relations écologiques actuelles.

Premièrement, il semble toujours exister une différence entre les niches écologiques des espèces semblables qui cohabitent dans une communauté. Autrement dit, les espèces sympatriques ne font pas tout à fait le même usage de la nourriture et des autres ressources. Ce phénomène, appelé **partage des ressources**, est largement

démontré, particulièrement chez les Animaux. Plusieurs espèces de petits Lézards arboricoles du genre *Anolis*, par exemple, se trouvent ensemble dans la même communauté. En un site de la République dominicaine, sept espèces d'*Anolis* vivent à proximité les unes des autres, se nourrissant de petits Arthropodes qui atterrissent dans leurs territoires. Cependant, chaque espèce perche en des endroits particuliers (figure 48.13), et cette différence, croit-on, réduit la compétition. De plus, chaque espèce possède des caractéristiques morphologiques, telle la taille ou la longueur des pattes, qui l'adaptent à son microhabitat. Il semble donc que la sélection naturelle a favorisé la spécialisation pour différents perchoirs chez ces Lézards sympatriques. Des modes semblables de partage des ressources s'observent dans d'autres communautés d'*Anolis* vivant dans les régions tropicales d'Amérique.

Une seconde série de données prouvant indirectement l'importance de la compétition nous vient des comparaisons d'espèces étroitement apparentées dont les populations sont sympatriques en certains endroits et allopatriques ailleurs. Les populations allopatriques ont des morphologies semblables et utilisent les mêmes ressources, tandis que les populations sympatriques

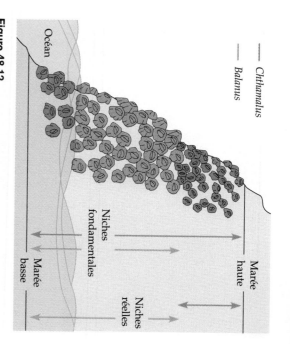

Figure 48.12
Niche fondamentale et niche réelle. *Balanus balanoides* et *Chthamalus stellatus* sont deux espèces de Balanes qui vivent sur les mêmes rochers de la côte écossaise. Ces rochers émergent à marée basse. La distribution des Balanes est stratifiée : *Balanus* occupe les strates inférieures du rivage, tandis que *Chthamalus* se trouve sur les strates supérieures. Les larves des deux Balanes se fixent au hasard sur les rochers, mais les formes adultes sessiles de *Balanus* ne survivent pas sur les strates supérieures des rochers ; apparemment, elles ne résistent pas à la dessiccation. Par conséquent, la niche fondamentale et la niche réelle de *Balanus* sont identiques. Bien que *Chthamalus* se trouve sur les strates supérieures, elle se répandit sur les strates inférieures lorsque l'écologiste américain Joseph H. Connell élimina la population de *Balanus* qui s'y trouvait. Il semble donc que, sans la compétition de *Balanus*, *Chthamalus* pourrait survivre sur des strates inférieures. Par conséquent, sa niche réelle ne représente qu'une fraction de sa niche fondamentale. Connell constata même au cours de son expérience que la population de *Chthamalus* envahissait, détachait et écrasait la population de *Balanus*.

Marée haute

Marée basse

Niches fondamentales

Niches réelles

Océan

── *Chthamalus*
── *Balanus*

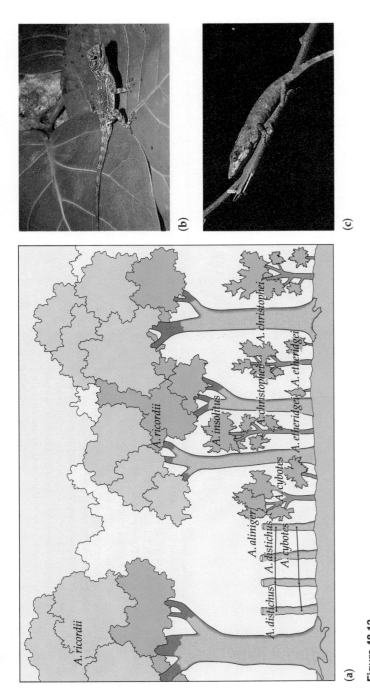

(a)

(b)

(c)

Figure 48.13

Partage des ressources entre des Lézards d'une même communauté. (a) Sept espèces de Lézards du genre *Anolis* vivent à proximité les unes des autres à La Palma, en République dominicaine. Chaque espèce perche dans un microhabitat particulier, caractérisé par un certain ensoleillement et par la taille de la végétation. **(b)** *A. distichus*, par exemple, perche sur les poteaux de clôture et sur les autres surfaces exposées au Soleil (comme cette feuille). **(c)** *A. insolitus*, quant à lui, a l'habitude de percher sur des branches ombragées. Il est probable que le partage des ressources réduit la compétition interspécifique et permet aux membres des communautés de coexister à l'intérieur d'une petite aire géographique.

présentent des disparités morphologiques et exploitent des ressources différentes. Les becs et, croit-on, les régimes alimentaires des Pinsons des Galápagos que nous avons décrits au chapitre 20 fournissent un bon exemple de **déplacement du phénotype** (figure 48.14). Les populations allopatriques de *Geospiza fuliginosa* et de *G. fortis* ont des becs semblables, mais les populations sympatriques ont des becs différents. Apparemment, cette différence permet à deux espèces de manger des graines de tailles différentes et, par le fait même, d'éviter la compétition.

Bien que les études portant sur le partage des ressources et le déplacement du phénotype donnent des résultats convaincants, elles ne prouvent pas véritablement l'importance de la compétition. En effet, elles ne démontrent pas que la densité de population d'une espèce subissait l'influence de celle d'une autre espèce au moment où les deux espèces se trouvaient en compétition. Or, les expériences contrôlées menées sur le terrain pourraient fort bien apporter une preuve. Dans une étude classique, Joseph H. Connell manipula les densités de deux espèces de Balanes (voir la figure 48.12) qui occupent ordinairement des strates différentes de la zone intertidale rocheuse. Comme les vagues délogent les organismes mobiles de cette communauté, les espèces sessiles se font vraisemblablement concurrence pour les sites de fixation. Après que Connell eut retiré *Balanus* des strates inférieures, où elle était la plus abondante,

Chthamalus réussit à s'y répandre. Cette expérience simple, de même que les observations directes de la compétition par interférence entre les espèces, démontra que *Balanus* a le dessus sur *Chthamalus* là où leurs niches écologiques fondamentales se chevauchent. Des expériences semblables sur le terrain laissent croire que la compétition interspécifique est intense dans certaines circonstances et qu'elle a des effets différents sur les espèces en cause.

Interactions symbiotiques

La prédation et la compétition ne sont pas les seuls modes d'interaction des espèces. Deux espèces, un **hôte** et un **symbionte**, peuvent en effet former des associations étroites désignées par le terme **symbiose.** Il existe trois types d'interactions symbiotiques. Le **parasitisme** est une interaction nuisible pour l'hôte du parasite ; le **commensalisme** est une interaction avantageuse pour un des organismes et neutre pour l'autre ; le **mutualisme** est une association profitable pour les deux organismes. (Le terme *symbiose* est fréquemment employé comme synonyme de mutualisme.) Dans la nature, ces types d'interactions ne se distinguent pas toujours clairement. Puisque le parasitisme, le commensalisme et le mutualisme, à l'instar de la compétition et de la prédation, influent sur les densités de population, nous devons les classer parmi les déterminants de la composition et de la structure des communautés.

Le parasitisme On peut considérer le parasitisme comme un cas particulier de prédation, en ce sens que le parasite se nourrit aux dépens de son hôte et lui porte préjudice. Généralement, les parasites sont plus petits que leurs hôtes, et ils absorbent les nutriments de leurs liquides organiques. Les parasites qui vivent à l'intérieur des tissus de leurs hôtes, comme le Ténia et les Protozoaires qui causent le paludisme, sont appelés **endoparasites** ; ceux qui font pour se nourrir un court séjour sur la face externe de leurs hôtes, comme les Moustiques et les Pucerons, sont appelés **ectoparasites**.

De même que pour les prédateurs, la sélection naturelle favorise les parasites les plus habiles à repérer et à consommer leur nourriture. Beaucoup d'endoparasites trouvent leurs hôtes passivement. Le Nématode *Ascaris*, par exemple, est un endoparasite de l'intestin humain ; il produit une grande quantité d'œufs qui passent du système digestif de la personne infectée au milieu externe. Dans les régions où l'hygiène s'avère insuffisante, d'autres personnes ingèrent les œufs par mégarde et deviennent infectées à leur tour. Par ailleurs, beaucoup d'ectoparasites ont, pour repérer leurs hôtes, des adaptations élaborées. Certaines Sangsues aquatiques, par exemple, détectent les mouvements de leurs hôtes potentiels dans l'eau, puis elles les identifient d'après la chaleur et la composition chimique de leur peau.

En revanche, la sélection naturelle a favorisé l'apparition de moyens de défense chez les hôtes potentiels. Certains des composés secondaires qui s'avèrent toxiques pour les herbivores le sont aussi pour les parasites comme les Mycètes et les Bactéries. Les Vertébrés, quant à eux, ont développé un système immunitaire qui les protège contre une grande variété de parasites internes (voir le chapitre 39). Beaucoup de parasites, des microorganismes en particulier, se sont adaptés à certains hôtes et, dans bien des cas, à une seule espèce. La coévolution a fait en sorte que les interactions aussi spécifiques

soient généralement stables, et l'hôte ne meurt pas tout d'un coup (auquel cas le parasite serait également éliminé).

Un exemple révélera la rapidité avec laquelle la sélection naturelle peut stabiliser une relation hôte-parasite. Dans les années 1940, l'Australie était infestée par des centaines de millions de Lapins (la descendance des 12 couples importés un siècle plus tôt). En 1950, les autorités australiennes introduisirent le Virus de la myxomatose dans la population de Lapins (*Oryctolagus cuniculus*) pour tenter de la limiter. Le Virus eut tôt fait de se répandre et élimina 99,8 % des Lapins infectés. Cependant, la seconde exposition au Virus ne décima que 90 % des Lapins restants et la troisième n'en tua que 50 % environ. Aujourd'hui, le Virus n'a plus qu'un effet modéré sur l'hôte, et la population de Lapins atteint encore des niveaux excessifs. Il semble que la sélection a favorisé les hôtes qui, grâce à leur génotype, s'avéraient les plus aptes à résister au parasite. Simultanément, une sélection a favorisé les souches les moins virulentes du Virus, transmises par les hôtes survivants. Par conséquent, la sélection naturelle a stabilisé la relation hôte-parasite.

Le commensalisme Il existe peu d'exemples de commensalisme absolu, car rares sont les interactions biologiques où l'un des partenaires n'a aucune influence sur l'autre. Certains considèrent comme commensales les espèces qui se fixent à d'autres, telles les Algues qui croissent sur les carapaces des Tortues aquatiques et les Balanes qui s'attachent aux Baleines. En fait, ces espèces supposées commensales peuvent entraver la liberté de mouvement de leur hôte, les rendre moins aptes à obtenir leur nourriture et à fuir les prédateurs et, par le fait même, compromettre leur succès reproductif. Quoi qu'il en soit, il semble que l'association entre les Hérons garde-bœufs et le bétail constitue un exemple de commensalisme véritable (figure 48.15). Les Hérons accompagnent

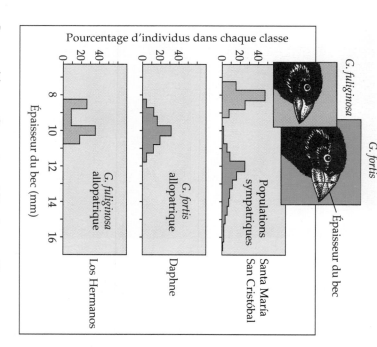

Figure 48.14
Déplacement du phénotype. Alors que les populations allopatriques de compétiteurs potentiels ont des morphologies semblables et utilisent des ressources équivalentes, les populations sympatriques présentent des divergences morphologiques et consomment des ressources différentes. Deux espèces de Pinsons des Galápagos sont allopatriques sur les îles Daphne et Los Hermanos ; là, elles ont des becs semblables et, croit-on, mangent des graines de même taille. Sur les îles Santa María et San Cristóbal, en revanche, les deux espèces sont sympatriques ; *Geospiza fuliginosa* a alors un petit bec, et *G. fortis*, un gros bec. On pense que de tels changements évolutifs de la morphologie sont reliés au partage des ressources, les deux espèces qui nous intéressent ici se sont adaptées à la consommation de graines de tailles différentes.

Figure 48.15
Commensalisme entre un Oiseau et un Mammifère. Le Héron garde-bœufs (*Bubulcus ibis*) se nourrit des Insectes que les grands herbivores, tel ce Buffle (*Syncerus caffer*) photographié en Tanzanie, font lever de la végétation. La relation est bénéfique pour l'Oiseau et, semble-t-il, n'apporte ni bénéfice ni préjudice au Mammifère. Bien entendu, il est toujours possible que la relation ait pour le Buffle un avantage encore inconnu.

Figure 48.16
Mutualisme entre les Acacias et les Fourmis. Certains Acacias d'Amérique centrale et d'Amérique du Sud, tel *Acacia cornigera*, portent des épines creuses où s'introduisent des Fourmis porte-aiguillon (*Pseudomyrmex ferruginea*). Les Fourmis se nourrissent des nectaires et des corps de Belt, les extrémités renflées et riches en protéines des feuilles. L'association est bénéfique pour les Acacias, car les Fourmis attaquent tout ce qui touche à leur source de nourriture. Elles piquent les autres Insectes, elles éliminent les spores fongiques et les débris, et elles rasent tous les Végétaux autour des Acacias. Une série d'expériences réalisées dans les années 1960 démontra que la relation en est bien une de mutualisme. Les arbres expérimentaux dont les chercheurs avaient empoisonné les Fourmis moururent, incapables, apparemment, de résister aux herbivores et de soutenir la concurrence pour la lumière et l'espace avec la végétation environnante.

le bétail, qui fait lever les Insectes et les autres petits Animaux de la végétation. Étant donné que les Oiseaux augmentent leur apport alimentaire en suivant le bétail, il est clair qu'ils bénéficient de l'association. Il s'avère difficile, cependant, de déterminer si la relation comporte des avantages ou des inconvénients pour le bétail. Étant donné que le commensalisme ne profite qu'à une des deux espèces, toute modification évolutive de la relation ne peut provenir que du bénéficiaire.

Le mutualisme Contrairement au commensalisme, le mutualisme dépend de l'apparition d'adaptations chez les deux espèces associées, car la modification de l'une peut influer sur la survie et la reproduction de l'autre. Dans les chapitres précédents, nous avons décrit plusieurs adaptations mutualistes : la fixation de l'azote par des Bactéries dans les nodosités des Légumineuses ; la digestion de la cellulose par des microorganismes dans l'intestin des Termites et des Ruminants ; la photosynthèse par les Algues unicellulaires dans les tissus du Corail ; l'échange de nutriments dans les mycorhizes, les associations de Mycètes avec des racines ; la pollinisation des Angiospermes par des Animaux. La figure 48.16 montre un autre exemple intéressant de mutualisme : la relation entre des Acacias et des Fourmis qui s'attaquent aux Insectes herbivores.

Beaucoup de relations mutualistes dérivent probablement d'interactions prédateur-proie ou hôte-parasite. Certaines Angiospermes, par exemple, possèdent des adaptations qui attirent les Animaux susceptibles de les polliniser ou de disséminer leurs graines ; il s'agit peut-être là de contre-adaptations à la consommation du pollen et des graines par les herbivores. Les pollinisateurs qui parviennent à consommer le nectar épargnent le pollen, et les Animaux qui mangent les fruits disséminent les graines. Une Plante qui tire un bénéfice du sacrifice de matières organiques autres que le pollen et les graines augmente son succès reproductif, et les adaptations au mutualisme se répandent dans la population de Plantes.

STRUCTURE DES COMMUNAUTÉS : CARACTÉRISTIQUES ET DYNAMIQUE

Bien que les écologistes aient élucidé certaines interactions écologiques, ils se heurtent encore à l'inextricable réseau que forment ces relations dans les communautés. Depuis un siècle, les connaissances sur la dynamique des communautés ont énormément progressé ; cependant, les écologistes n'ont pas encore découvert un ensemble de principes universels qui puisse expliquer les caractéristiques de toute communauté et définir l'influence qu'exercent sur elles les diverses relations entre les populations. Néanmoins, nous tenterons de faire le point sur le sujet.

Caractéristiques des communautés

Les populations présentent des caractéristiques qui, telles la densité et la distribution, ne se retrouvent pas chez l'individu. De même, les communautés possèdent des propriétés émergentes exclusives à ce niveau d'organisation biologique. Ces propriétés résultent de la composition spécifique des communautés et des relations entre les populations.

Structure de la végétation et Animaux associés L'aspect global d'une communauté terrestre est dicté par la végétation (figure 48.17). Qu'est-ce qui y prédomine, les arbres, les arbustes ou les Plantes herbacées ? La végétation comporte-t-elle plusieurs strates ? La végétation détermine largement la composition en espèces animales d'une communauté. Les grands Animaux brouteurs, par exemple, ne se trouvent que dans les prairies et les savanes, et les Oiseaux qui nichent dans les arbres vivent seulement dans les habitats boisés. En général, une végétation stratifiée fournit un éventail de microhabitats que peuvent occuper diverses espèces animales (voir la figure 48.13). La végétation à une seule strate, par contre, se prête moins bien au partage des ressources entre plusieurs espèces animales.

La structure trophique Les observations les plus élémentaires d'une communauté naturelle fournissent des renseignements sur le régime alimentaire des espèces qui y vivent. L'ensemble des relations alimentaires, ou **structure trophique** (du grec *trophê* « nourriture »), est déterminé par les interactions prédateur-proie et hôte-parasite ; or, l'étude de la structure trophique révèle aussi des interactions qui peuvent s'assimiler à une compétition pour la nourriture. Nous le verrons plus loin, les relations trophiques se répercutent sur les autres caractéristiques de la communauté. De plus, la structure trophique d'une communauté est reliée à la circulation de l'énergie et des nutriments entre les Végétaux, les herbivores, les carnivores, les nécrophages et les décomposeurs. Comme le flux de l'énergie et les cycles biogéochimiques comportent des éléments abiotiques, tels l'air, l'eau et le sol, nous en traiterons en même temps que des écosystèmes, soit au chapitre 49.

Richesse spécifique, abondance relative et diversité spécifique Les communautés se caractérisent par leur **richesse spécifique** (le nombre d'espèces qu'elles comportent) et par l'**abondance relative** de leurs espèces (le nombre d'individus compris dans chaque espèce). L'abondance relative des espèces a un effet considérable sur le caractère général d'une communauté. Imaginons par exemple deux communautés qui comprennent chacune 100 organismes, disons des arbres, répartis entre quatre espèces (A, B, C et D). L'abondance relative des espèces est la suivante dans les deux communautés :

Communauté 1 : 25A 25B 25C 25D
Communauté 2 : 97A 1B 1C 1D

Si nous explorons la communauté 1, nous remarquons dès l'abord la présence de quatre espèces. Mais si nous explorons la communauté 2, nous voyons presque seulement des arbres de l'espèce A, et nous n'apercevons que rarement des individus des espèces B, C et D. Bien que les deux communautés aient la même richesse spécifique (elles contiennent le même nombre d'espèces), les quatre espèces sont représentées plus uniformément dans la communauté 1 que dans la communauté 2. La plupart des gens diraient spontanément que la communauté 1 est la plus diversifiée. De fait, le terme **diversité spécifique**, dans le vocabulaire des écologistes, réfère aux deux composantes de la diversité : la richesse spécifique et l'abondance relative des espèces.

Il existe plusieurs façons de calculer l'indice de diversité à partir de la richesse spécifique et de l'abondance relative des espèces. Comme bien d'autres sujets abordés dans ce chapitre, cependant, l'indice de diversité est matière à controverse. Les écologistes ne s'entendent pas quant à la formule qui réalise le juste équilibre entre les deux mesures. Ils ne sont même pas tous persuadés que la variation de la diversité spécifique jette un quelconque éclairage sur les facteurs structurants des communautés. La controverse naît du fait que l'abondance relative d'une espèce ne constitue pas nécessairement une mesure de son importance dans les interactions qui caractérisent une communauté. En effet, la taille et l'activité des organismes jouent aussi un rôle déterminant. Un grand prédateur, par exemple, est susceptible d'influer sur les populations de nombreuses autres espèces, même s'il n'est pas particulièrement abondant.

La stabilité La stabilité, pour une communauté, représente la capacité de résister au changement et de recouvrer sa composition initiale après une perturbation. La stabilité dépend à la fois du type de la communauté et de la nature de la perturbation. Après un incendie, par exemple, une prairie retrouve beaucoup plus rapidement qu'une forêt sa composition spécifique initiale. Nous le verrons bientôt, le sujet de la stabilité fournit l'un des meilleurs exemples des revirements d'opinion qui font de l'écologie un domaine de recherche dynamique.

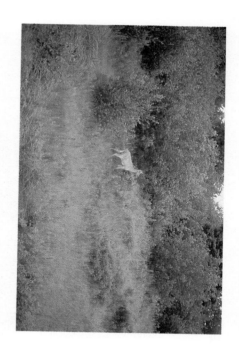

Figure 48.17
Strates de végétation. Deux strates de végétation se côtoient et s'interpénètrent à l'orée d'une forêt : une strate herbacée et une strate arbustive. Dans ce site de la région de l'Estrie au Québec, les Cerfs de Virginie (*Odocoileus virginianus*) profitent ainsi d'une nourriture variée.

Influence des interactions sur les caractéristiques des communautés

Lors de notre étude des biomes, au chapitre 46, nous avons énuméré les facteurs abiotiques qui conditionnent la nature de la végétation dans les différentes parties du monde. Mais quels facteurs déterminent les caractéristiques des communautés? Pourquoi certaines communautés sont-elles diversifiées et d'autres, non? Pourquoi trouve-t-on des communautés stables et des communautés qui se remettent péniblement des perturbations? Les écologistes ne possèdent pas de réponses générales à ces questions complexes. Cependant, l'écologie des communautés est un domaine de recherche fort actif, et des études rigoureuses nous font entrevoir l'influence qu'ont les relations entre populations sur les caractéristiques des communautés.

Influence de la compétition Dans les années 1960 et 1970, beaucoup d'écologistes supposaient que la compétition représentait un important facteur limitant de la diversité des espèces dans les communautés. Ces écologistes s'appuyaient sur les nombreux cas de différences entre les niches et de partage des ressources entre les espèces sympatriques. Ils prétendaient que le partage des ressources ne suffisait pas à empêcher l'extinction des compétiteurs les moins bien nantis et que la compétition limitait le nombre d'espèces cohabitantes. Or, la seule façon fiable de démontrer l'impact de la compétition interspécifique est de prouver qu'une augmentation de la densité d'une espèce provoque une diminution de la densité de son compétiteur présumé. Et dans la nature, bien entendu, la situation se complique du fait que beaucoup d'espèces peuvent se faire simultanément concurrence.

Par conséquent, de nombreux écologistes réalisèrent sur le terrain des expériences qui consistaient à soustraire ou à ajouter des compétiteurs et à observer les effets de ces manipulations sur les autres espèces. L'étude sur les Balanes que nous avons présentée plus haut est un excellent exemple de cette méthode expérimentale (voir la figure 48.12). Les écologistes étudièrent des habitats et des organismes très divers. Ils constatèrent l'existence de la compétition dans la majorité des cas examinés, ce qui les amena à penser qu'il s'agissait effectivement d'une force structurante importante. Ils admirent cependant que la compétition interspécifique ne débouchait pas toujours sur l'exclusion compétitive et que des espèces concurrentes peuvent quelquefois cohabiter, quoique en densités réduites.

Lorsque vous évaluez des données de recherche, n'oubliez pas que les écologistes, comme les autres scientifiques, étudient des situations aptes à fournir des résultats concluants. Il est raisonnable de supposer que les auteurs des études sur la compétition ont choisi des sujets susceptibles d'entretenir des relations compétitives. Par conséquent, leurs données surestiment peut-être l'importance de la compétition. Bien que nous puissions conclure que la compétition est un facteur de l'abondance relative de nombreuses espèces, voire de la diversité spécifique de nombreuses communautés, personne n'est en mesure de préciser son degré d'importance.

L'étude de la compétition souffre d'une autre lacune: peu de recherches ont été réalisées au sujet des nombreuses espèces d'Insectes herbivores, des organismes opportunistes et sujets à l'action des facteurs indépendants de la densité (voir le chapitre 47). On ne s'attend pas que la compétition soit importante dans l'écologie des espèces qui approchent rarement de la capacité limite du milieu, et peu d'études ont conclu à une compétition marquée chez de telles espèces. Les populations d'herbivores en général ne sont pas régulées par leurs ressources alimentaires, et les études indiquent que la compétition affecte moins ces populations que les populations de Végétaux et de carnivores.

Bien des écologistes se refusent encore à voir dans la compétition le principal facteur structurant des communautés. Comme on peut difficilement démontrer que deux espèces sont effectivement en compétition, il est encore plus complexe de déceler les événements marquants qui ont eu cours dans leur passé évolutif. En outre, répétons-le, la compétition n'affecte que les populations qui approchent de la capacité limite du milieu et dans des cas où les ressources sont limitantes. Enfin, les écologistes amassent de plus en plus de données prouvant que la prédation et d'autres forces influent beaucoup sur les communautés.

Influence de la prédation Dans les expériences de laboratoire simples qui consistent à réunir une espèce de prédateur et une espèce de proie privée de tout refuge, la première dévore la seconde puis meurt de faim (figure 48.18). Si ce scénario se jouait fréquemment dans la nature, les prédateurs réduiraient toujours la diversité spécifique des communautés. Mais tel n'est pas le cas: les prédateurs ont des effets complexes sur la structure des communautés. Ils poussent rarement leurs proies et, ce faisant, leur propre espèce à l'extinction, car les proies possèdent des moyens de défense (que nous avons décrits précédemment). De même, certains prédateurs changent de ressource alimentaire lorsque la population d'une proie diminue. La prédation modérée peut même *contribuer* à maintenir la présence de certaines espèces de proies: elle leur évite de dépasser la capacité limite du milieu et de subir, en contrecoup, une décroissance démographique qui les amènerait au bord de l'extinction locale (figure 48.19).

Le principal effet d'un prédateur sur la structure d'une communauté consiste sans doute à tempérer la compétition entre les espèces de proies. La prédation intense peut réduire la densité d'un compétiteur très prospère et ainsi permettre aux compétiteurs faibles de subsister. Dans les années 1960, Robert Paine fut l'un des premiers biologistes à brosser un tableau clair de cette interaction complexe. Paine élimina le prédateur dominant, une Étoile de mer (*Pisaster ochraceus*), de sites expérimentaux situés dans la zone intertidale de l'État de Washington. La proie préférée de *Pisaster ochraceus*, la Moule *Mytilus californianus*, dépassa en nombre beaucoup d'autres organismes qui se faisaient concurrence pour l'espace sur les rochers. *Mytilus californianus* devint un compétiteur dominant dans le milieu artificiellement privé de prédateurs, et la richesse spécifique de la communauté passa de 15 à 8. À la suite de cette recherche et de nombreuses autres expériences sur le terrain effectuées ultérieurement, les écologistes conclurent qu'il existe des prédateurs, appelés **superprédateurs**, qui exercent un important effet régulateur sur les autres

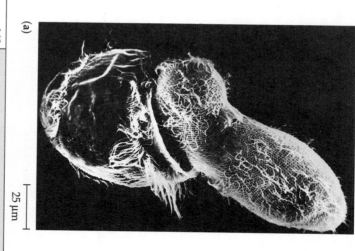

(a)

25 µm

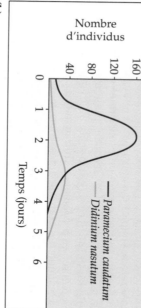

(b)

Nombre
d'individus

160
120
80
40
0

0 1 2 3 4 5 6

Temps (jours)

— *Paramecium caudatum*
— *Didinium nasutum*

Figure 48.18
Dynamique prédateur-proie en laboratoire. (a) Le Cilié *Didinium nasutum* (au bas de la photographie) dévore un autre Cilié, *Paramecium caudatum* (MEB). **(b)** Lorsque les deux espèces sont cultivées ensemble, *Didinium* consomme toute la population de *Paramecium* puis s'éteint faute de nourriture. Les communautés naturelles, cependant, présentent beaucoup plus de complexité que les cultures expérimentales ; dans la nature, les relations prédateur-proie ont un effet contraire : elles concourent à stabiliser la diversité spécifique.

espèces de la communauté. Les superprédateurs favorisent la diversité spécifique dans une communauté, car ils réduisent la densité des compétiteurs forts et empêchent ainsi l'exclusion compétitive des compétiteurs faibles.

Influence de la parcellisation écologique Nous avons indiqué au chapitre 46 que tous les milieux forment des agrégats hiérarchisés dans le temps et dans l'espace. Ainsi, la teneur en minéraux du sol varie localement en fonction de la composition chimique de la roche mère. De même, l'humidité du sol varie en fonction de la topographie : les terres basses sont généralement plus humides que les terres hautes. Si différentes espèces sont adaptées à chaque ensemble de conditions locales, la parcellisation écologique facilite le partage des ressources entre les compétiteurs potentiels et elle favorise la diversité spécifique. La distribution de certaines Plantes basses des forêts de l'Indiana, par

exemple, est régulée par la tolérance des jeunes plants au calcium et à la matière organique. Comme ces facteurs varient localement, on trouve des Cerisiers tardifs (*Prunus serotina*) dans certaines parcelles et deux espèces de Violettes dans d'autres. Si la concentration du calcium et de la matière organique était uniforme dans les forêts, l'une des espèces prendrait vraisemblablement le dessus sur les autres, et la diversité spécifique de la communauté diminuerait. Bien entendu, la parcellisation des milieux a un impact différent selon la taille et la longévité des organismes. Les caractéristiques locales du sol ont peut-être une énorme influence sur la distribution des petits Végétaux, mais elles n'ont sûrement pas beaucoup d'effet sur les grands Mammifères qui les mangent.

Importance relative des facteurs déterminants Nous venons de le voir, la compétition, la prédation, la symbiose et les composants physicochimiques qui créent la parcellisation écologique ont des effets considérables sur les caractéristiques des communautés. Qui plus est, il arrive que tous ces facteurs biotiques et abiotiques interagissent. La recherche des facteurs déterminants de la structure et de la diversité des communautés n'en devient que plus complexe. Enfin, il est extrêmement difficile de dégager les facteurs évolutifs qui ont produit les relations écologiques que nous étudions aujourd'hui.

La recherche effectuée sur le choix du site de nidification chez deux espèces d'Oiseaux d'Amérique du Nord occupant les mêmes arbres montre à quel point l'importance relative des facteurs déterminants s'avère difficile à préciser. Ces espèces sont la Paruline des buissons (*Oporornis tolmiei*) et le Cardinal à tête noire (*Pheucticus melanocephalus*) ; la première niche dans les branches basses, et la seconde, dans les branches hautes. À première vue, on croit être en présence d'un cas de partage des ressources. Mais Thomas Martin a démontré récemment que la prédation constitue probablement le facteur fondamental de la ségrégation des nids. Les prédateurs, en effet, ont plus de difficulté à repérer les petits de ces Oiseaux dans des nids éparpillés que dans des nids regroupés. Autrement dit, le partage des sites de nidification a pour but de réduire la prédation et non pas la compétition interspécifique.

Par conséquent, des études minutieuses concluent que les communautés sont structurées par les multiples relations entre les organismes et le milieu biotique et abiotique. Chaque interaction prend plus ou moins d'importance pour les différentes communautés, voire pour les éléments d'une même communauté. On peut par exemple imaginer une communauté où la diversité des herbivores est limitée par les prédateurs qui passent d'une proie à l'autre, et où la diversité des prédateurs est à son tour déterminée par la compétition pour la nourriture. D'autres formes d'interactions peuvent influer sur de nombreuses espèces à des degrés divers. Étant donné la complexité des réseaux formés dans les communautés, rares sont les communautés naturelles dont nous comprenions bien toutes les relations importantes, dans leur état présent comme dans leur évolution.

L'écologie des communautés se heurte à un dernier écueil : la structure d'une communauté peut changer, parfois même en un laps de temps relativement court.

Les perturbations écologiques et les activités des organismes peuvent déstabiliser une structure existante et favoriser l'émergence d'une structure nouvelle. Nous nous penchons sur ce sujet dans la section suivante.

SUCCESSION ÉCOLOGIQUE

Les modifications de la composition et de la structure des communautés sont surtout manifestes après qu'une perturbation (une inondation, un incendie, l'avancée ou le retrait d'un glacier, une éruption volcanique ou l'activité humaine) a rasé la végétation. Le territoire perturbé est ensuite colonisé par diverses espèces qui, graduellement, cèdent leur place à d'autres. Les changements de la composition spécifique d'une communauté au cours du temps écologique constituent la **succession écologique.** Selon l'écologie des communautés traditionnelle, les communautés traversent un enchaînement de stades prévisibles appelés **séries** et atteignent ultimement un état relativement stable appelé **climax.**

Le processus de la **succession primaire** débute dans un territoire stérile encore dépourvu de sol, comme une île volcanique nouvellement formée ou le till laissé par le retrait d'un glacier. Après le retrait d'un glacier, comme celui de Glacier Bay, en Alaska, le sol nu est occupé d'abord par des Mousses et des Lichens, puis par des Saules nains. Après 50 ans environ, des Aulnes forment des peuplements denses. Ils sont remplacés par des Épinettes de Sitka, auxquelles se joignent des Pruches. La forêt, devenue relativement stable, correspond alors à ce que nous appelons taïga (voir le chapitre 46). Le tout dure environ 200 ans (figure 48.20).

On appelle **succession secondaire** le processus qui prend place après une perturbation qui a détruit la végétation mais laissé le sol intact. La succession secondaire a souvent pour effet de ramener le territoire à son état original. La succession a été beaucoup étudiée dans la région américaine du Piedmont. Si un champ agricole est laissé à l'abandon dans cette région, une communauté de Plantes herbacées forme la première série ; elle est suivie, dans l'ordre, par des formes arbustives et des Pins. Après les Pins vient une communauté climacique dominée par les Chênes et les Caryers, la végétation qui occupait le site avant qu'il ne soit déboisé à des fins agricoles. Comme la succession qui se déroule dans les tills, le processus dure environ deux siècles.

Beaucoup d'écologistes estimaient autrefois que toutes les communautés vivant dans des conditions écologiques semblables atteignaient inévitablement le climax et demeuraient dans cet état presque indéfiniment. Or, la notion de communauté climacique est trop simple pour rendre compte de l'infinie variabilité de la nature. Depuis la publication de certaines recherches sur les causes de la succession, les écologistes ont une vision plus nuancée des communautés et de leur développement.

Causes de la succession

Dans la plupart des cas, divers facteurs interdépendants déterminent le déroulement de la sélection. Les séries initiales sont typiquement formées d'espèces opportunistes à sélection r ; ces espèces sont de bonnes colonisatrices, car elles ont une forte fécondité et d'excellents mécanismes de dissémination. Ces espèces dites pionnières ne soutiennent pas la concurrence dans les communautés bien établies ; toutefois, elles colonisent sans répit de nouveaux territoires avant que des compétiteurs n'aient l'occasion de s'y établir. Par ailleurs, la tolérance aux facteurs abiotiques d'un territoire dénudé a aussi une influence sur la composition spécifique des communautés dans les premiers stades de la succession. Beaucoup d'espèces spécialisées à sélection K peuvent coloniser un territoire, mais elles ne prospéreront pas si elles y rencontrent l'extrême de leurs limites de tolérance. (Rappelez-vous que les facteurs abiotiques importants varient localement et qu'on peut trouver une mosaïque de compositions spécifiques à l'intérieur des limites d'une communauté ; prenons l'exemple des versants nord et sud d'une montagne.) Enfin, les variations

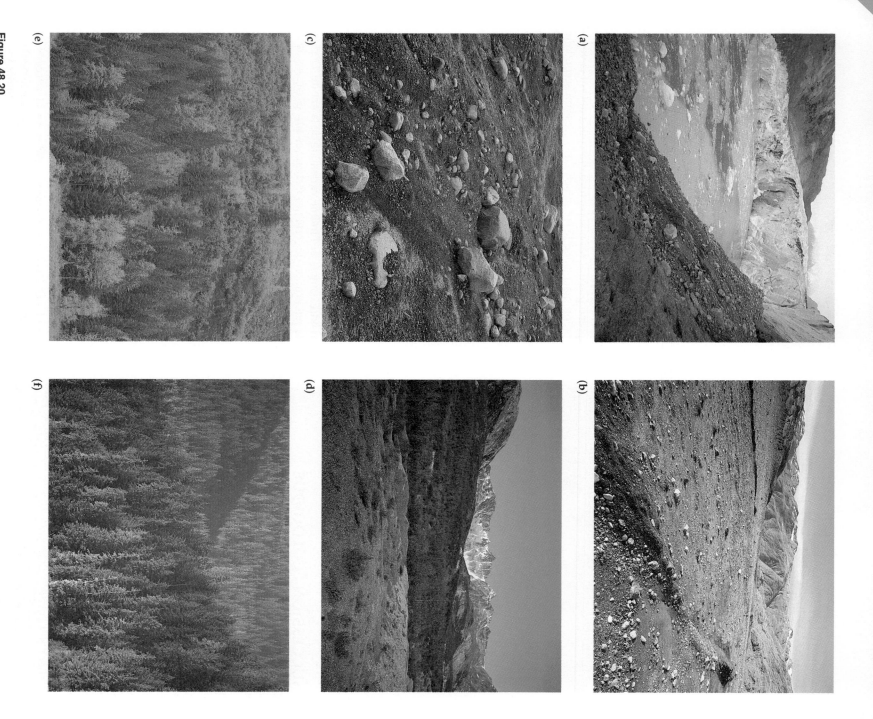

Figure 48.20

Succession après le retrait d'un glacier. Ces photographies montrent les différents stades de la succession : **(a)** le retrait du glacier ; **(b)** le sol dénudé après le retrait ; **(c)** le stade des Mousses et des Lichens ; **(d)** les peuplements d'Aulnes et de Peu-

pliers sur les pentes ; **(e)** l'arrivée des Épinettes dans la forêt d'Aulnes et de Peupliers ; **(f)** la forêt d'Épinettes et de Pruches. Les écologistes reconstituent le déroulement de la succession en étudiant des territoires parvenus à différents stades.

Ces photographies ont été prises à différents endroits, bien entendu, car les changements qu'elles représentent s'étalent en réalité sur 200 ans.

des taux de croissance et des temps de maturation des espèces pionnières constituent aussi des facteurs importants. Si les graines d'une Plante herbacée annuelle et d'un arbre colonisent en même temps une communauté, la Plante herbacée dominera en premier parce que sa croissance est plus rapide et son temps de génération plus court que ceux de l'arbre. L'impact écologique des arbres ne commencera à se faire sentir que lorsque les arbres seront devenus relativement grands.

Beaucoup de changements que subit la structure d'une communauté au cours de la succession résultent de la présence même des organismes. Ces changements sont dits **autogènes**. Il peut s'agir d'interactions biotiques directes, dont l'**inhibition** (ou amensalisme) de certaines espèces à la suite de la compétition par exploitation, de la compétition par interférence ou des deux. Or, la présence d'organismes influe aussi sur le milieu abiotique, car elle modifie les conditions locales. Les Aulnes, par exemple, abondent au cours d'un stade intermédiaire de la succession sur un till, et la décomposition de leurs feuilles mortes abaisse le pH du sol. Ce changement favorise l'implantation de l'Épinette et de la Pruche, qui ont besoin d'un sol acide. Le processus par lequel un groupe d'organismes « prépare le terrain » pour les espèces typiques de la série suivante est appelé **facilitation**. Il arrive que les changements qui facilitent l'apparition d'une série rendent le milieu inhabitable pour les espèces qui les ont elles-mêmes causés.

L'inhibition et la facilitation peuvent jouer au cours de toutes les étapes de la succession. Par exemple, l'Érigéron du Canada (*Erigeron canadensis*), les Verges d'or (*Solidago sp.*) et les Graminées sont les premières espèces à coloniser les terres agricoles abandonnées. Pendant un an ou deux, ces Plantes inhibent les espèces moins tolérantes en leur faisant de l'ombre et en s'accaparant l'eau du sol. Puis l'Érigéron du Canada et les autres espèces pionnières meurent et se décomposent ; elles enrichissent le sol en matière organique, augmentent son humidité et facilitent ainsi l'implantation d'autres espèces plus exigeantes. Selon les régions, les Conifères ou les feuillus qui dominent les communautés dans les stades ultérieurs de la succession ont besoin de beaucoup de lumière ; leur croissance devient auto-inhibitrice, dans la mesure où les arbres matures jettent de l'ombre sur le sol et empêchent la croissance des jeunes. En même temps, les Conifères et les feuillus continuent d'ajouter de la matière organique au sol, et leur ombre conserve l'humidité de la litière ; ils favorisent de la sorte la germination et la croissance des espèces arborescentes qui les suivront. Au stade du climax, les conditions écologiques sont telles que les espèces qui terminent la succession peuvent subsister. Ainsi, la forêt de Chênes et de Caryers qui représente le stade climacique de la succession dans les champs agricoles abandonnés produit l'ombre et l'humidité propices à la croissance des rejetons de ces espèces, tout en inhibant la plupart des espèces typiques des stades précédents.

Certains écologistes, répétons-le, ont remis en question la notion traditionnelle de communauté climacique. D'abord, bien des communautés sont régulièrement perturbées par des facteurs **allogènes** (« d'origine extérieure ») au cours de la succession. Comme nous l'avons vu au chapitre 46, les prairies et les savanes ont besoin des incendies pour se maintenir. Sans le feu, les prairies des régions les plus humides deviendraient des forêts. Mais à quoi nous sert-il de dire que la forêt constitue la communauté climacique des prairies si la forêt ne se développe jamais ? Les incendies périodiques stabilisent les prairies à un stade antérieur au climax typique. Des chercheurs ont aussi démontré que ce qui semble représenter une communauté climacique ne reste pas stable très longtemps. En étudiant le pollen conservé dans les sédiments lacustres, les écologistes déterminent quelle a été la composition d'une communauté au cours d'une période de milliers, voire de millions d'années. Ils ont ainsi découvert que des espèces d'arbres avaient été abondantes dans les forêts d'Amérique du Nord, avaient disparu pendant des centaines d'années, puis étaient réapparues. On ne connaît pas encore les raisons de ces changements.

Perturbations d'origine humaine

Les perturbations d'origine humaine dérèglent les successions écologiques partout au monde. De grands peuplements de feuillus et de Conifères matures ont été réduits à des parcelles dispersées en Amérique du Nord comme en Europe. Les immenses prairies d'Amérique du Nord ont servi au développement agricole.

Dans une communauté que l'on a perturbée puis laissée en friche, les premiers stades de la succession secondaire, caractérisés par des mauvaises herbes et des arbustes, persistent pendant des années. C'est ce qui se produit dans les forêts qui subissent une « coupe à blanc », sur les terres agricoles à l'abandon et dans les terrains vacants périodiquement déboisés. La majeure partie du territoire des États-Unis, autrefois recouverte de communautés matures, présente un fouillis de communautés aux stades initiaux de la succession.

La perturbation d'origine humaine ne se limite pas à l'Amérique du Nord et à l'Europe, pas plus qu'elle ne constitue un problème récent. Les forêts tropicales humides ont été décimées à un rythme effréné pour la production de bois de construction et le pâturage. En Afrique, des siècles de surpâturage et d'exploitation agricole anarchique ont transformé les prairies à rythme saisonnier en étendues stériles, désertiques parfois, et cette détérioration n'est sans doute pas étrangère aux famines qui frappent le continent.

Équilibre des communautés et diversité spécifique

La conception traditionnelle de succession écologique veut que la diversité spécifique atteigne un équilibre dans la communauté climacique. Au cours de la succession, les espèces à sélection *K*, fortes compétitrices, remplacent les espèces pionnières à sélection *r* à mesure que les densités de population s'accroissent et que la végétation modifie le territoire. Une fois que les espèces à sélection *K* longévives sont établies, le taux de remplacement des espèces diminue. Malgré un certain renouvellement des espèces les moins dominantes de la communauté climacique, l'ajout de nouvelles espèces pionnières est contrebalancé par des extinctions localisées. Ce modèle de la dynamique des communautés fait ressortir l'importance

des relations entre les populations. Il pose que la prédation, la compétition et la symbiose s'intensifient et varient au cours de la succession, favorisant ainsi la diversité; effectivement, la diversité spécifique augmente généralement au cours de la succession. Le modèle énonce aussi que la succession atteint le climax lorsque le réseau d'interactions biotiques devient si dense que la communauté atteint le point de saturation. Aucune espèce ne peut plus s'y insérer, à moins que l'extinction localisée d'espèces ne libère des ressources. C'est du reste ce qui se produit dans les îles et dans les autres territoires géographiquement isolés, pour des raisons que nous examinerons plus loin.

À l'opposé, certains écologistes estiment que les communautés changent continûment. Selon eux, la composition et la richesse spécifiques se modifient tout au long de la succession, même au cours du prétendu stade climacique. Ce modèle de la dynamique des communautés insiste sur l'importance des facteurs les moins prévisibles, telles la dispersion des populations et les perturbations. Le déroulement de la succession peut varier, par exemple, en fonction de l'espèce qui a colonisé un territoire en premier. Les perturbations graves comme les incendies, les ouragans et les glissements de terrain peuvent empêcher une communauté d'atteindre son climax, car la destruction de la végétation ramène le territoire aux premiers stades de la succession. Les tenants de ce modèle appellent **polyclimax** l'état d'une communauté composée d'une mosaïque imprévisible de parcelles à différents stades de la succession. Ils estiment que l'hétérogénéité écologique locale contribue au caractère polyclimacique de nombreuses communautés, car les différents habitats sont occupés par différentes espèces.

D'après ces écologistes, les perturbations représentent des déterminants majeurs de la composition et de la diversité spécifiques. Si les perturbations sont majeures et fréquentes, la communauté comprend seulement de bonnes espèces pionnières typiques des stades initiaux de la succession. Dans les cas de perturbations mineures et rares, alors la communauté se compose d'espèces très compétitives caractéristiques des derniers stades de la succession. Selon l'**hypothèse des perturbations modérées**, la diversité spécifique atteint un maximum lors de perturbations mineures et rares, car les organismes typiques des différents stades de la succession sont alors présents. Les études portant sur la diversité spécifique dans les forêts tropicales humides apportent des preuves à l'appui de cette hypothèse. Les forêts tropicales sont parsemées de petites clairières formées par la chute d'arbres et de la végétation qu'ils supportent. Dans ces territoires perturbés, l'immigration et l'extinction se succèdent à un rythme rapide, et les espèces propres aux différents stades de la succession coexistent à l'intérieur d'un périmètre relativement petit.

Diversité et stabilité des communautés

Dans les années 1960, beaucoup d'écologistes pensaient que la diversité spécifique et les interactions biotiques qu'elle occasionnait favorisaient la stabilité des communautés. Mais comment définir la stabilité des communautés? Certains chercheurs l'assimilaient à la stabilité des communautés et d'autres, à l'*homéostasie*, c'est-à-dire à la *résistance* au changement et d'autres, à l'*homéostasie*, c'est-à-dire à la capacité de recouvrer l'état initial après une perturbation.

Les travaux de Robert Paine, que nous avons évoqués plus haut, soulignent la complexité de la question. Les communautés intertidales sont extrêmement diversifiées et, en l'absence de perturbation, elles semblent conserver leurs caractéristiques pendant de longues périodes. Mais l'élimination d'une seule espèce, le superprédateur *Pisaster ochraceus*, modifie du tout au tout la composition et la diversité d'une telle communauté. Quelques modèles mathématiques élaborés dans les années 1970 prédisaient même que l'augmentation de la diversité causait une *diminution* de la stabilité, soit exactement le contraire de ce que certains croyaient 10 ans plus tôt. Certains écologistes rejetèrent ces modèles en alléguant qu'ils reposaient sur des postulats irréalistes.

De nos jours, la plupart des écologistes conviennent qu'il n'existe pas de relation simple entre la diversité et la stabilité. Le débat continue cependant de faire rage, non sans rappeler, à l'occasion, le fameux problème de la Poule et de l'œuf. Devrions-nous, par exemple, considérer la forte diversité de la forêt tropicale humide comme une *cause* de la *stabilité* ou comme le *résultat* d'une certaine part d'*instabilité*? Après plusieurs décennies de recherche, ces questions demeurent sans réponse.

ASPECTS BIOGÉOGRAPHIQUES DE LA DIVERSITÉ

La **biogéographie** est l'étude de la distribution présente et passée des espèces ainsi que des flores et de faunes entières. Pour cerner les propriétés des communautés, les biogéographes analysent les phénomènes tant locaux que mondiaux d'un point de vue historique.

Les biogéographes s'intéressent traditionnellement à l'identité des espèces qui forment les communautés plutôt qu'aux propriétés émergentes des communautés elles-mêmes. Ainsi, ils analysent du point de vue évolutif la composition spécifique des forêts tropicales d'Amérique du Sud et d'Afrique, des communautés qui ont de nombreuses propriétés générales mais peu d'espèces en commun. Il y a plus de 100 ans, les biogéographes constatèrent que les espèces se répartissaient entre des régions biogéographiques dont les frontières, souvent diffuses, étaient associées au tracé de la dérive des continents (figure 48.21). Par conséquent, la distribution actuelle des espèces est liée dans une très large mesure à leur passé évolutif lointain autant qu'aux interactions modernes des éléments biotiques et abiotiques du milieu. Nous avons abordé les aspects historiques de la dérive des continents dans les chapitres 20 et 23. Bien que la dérive des continents et ses effets sur la distribution des espèces fassent encore l'objet de recherches, certains biogéographes appliquent depuis quelque temps les principes de l'écologie des communautés à l'analyse des distributions géographiques. La rencontre des deux domaines de recherche s'avère fructueuse: chacun apporte à l'autre autant qu'il reçoit. Nous nous pencherons ici sur quatre sujets connexes qui ont attiré l'attention des écologistes au cours des 30 dernières années.

Limites des aires de distribution

Qu'est-ce qui détermine l'aire de distribution d'une espèce? La réponse à cette question constitue une donnée

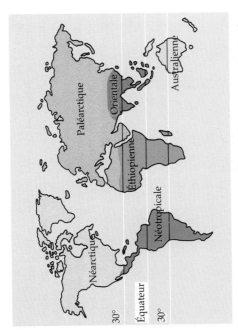

Figure 48.21
Les régions biogéographiques. La dérive des continents et les barrières comme les déserts et les chaînes de montagnes divisent la faune et la flore en grandes régions. La région australienne est la seule à avoir des limites nettes ; les autres se chevauchent en des zones où leurs taxons respectifs coexistent.

fondamentale de toute étude réalisée en écologie des communautés et en biogéographie. Trois raisons peuvent faire qu'une espèce a aujourd'hui une certaine aire de distribution : (1) l'espèce ne s'est jamais dispersée au-delà de ses limites actuelles ; (2) des pionniers se sont dispersés au-delà des limites actuelles mais n'ont pas survécu ; 3) l'aire de distribution a rapetissé au cours du temps évolutif.

Les paléontologues et les biogéographes ont découvert des cas auxquels s'applique la troisième explication. Par exemple, des fossiles prouvent que des espèces proches des Éléphants et des Chameaux modernes habitaient autrefois l'Amérique du Nord et que des extinctions locales ont réduit leurs aires de distribution. Il est plus difficile de départager les cas des deux premières catégories ; en effet, trouver une aiguille dans une botte de foin n'est rien à côté de découvrir quelques pionniers qui se sont dispersés dans une nouvelle aire et qui s'y sont éteints. Mais les expériences de transplantation, qui consistent à retirer une espèce végétale ou animale de son aire et à l'implanter dans un milieu semblable, fournissent des renseignements utiles. Si la transplantation réussit, on peut penser que l'espèce ne s'est jamais dispersée à l'extérieur de son aire actuelle. Si la transplantation échoue, on est en mesure de croire que l'espèce n'a pas élargi son aire parce qu'elle était incapable de tolérer certaines conditions abiotiques ou de soutenir la concurrence avec les autres espèces. À Porto Rico, des chercheurs ont transplanté quelques Lézards de l'espèce *Anolis cristatellus* des terres basses chaudes à une forêt fraîche située en altitude. Les Animaux n'ont pas survécu plus de quelques semaines ; il semble qu'ils n'aient pas pu conserver une température corporelle assez élevée pour capturer et digérer leur nourriture. Par conséquent, cette espèce n'occupe pas les forêts situées en altitude, car elle n'est pas adaptée au milieu physique de cet habitat.

Clines mondiaux et diversité spécifique

Les écologistes savent depuis longtemps que la diversité spécifique présente des clines (des variations graduelles) correspondant aux grands gradients géographiques. En Amérique du Nord, par exemple, le nombre d'espèces d'Oiseaux terrestres augmente constamment de l'Arctique vers les tropiques (figure 48.22). Bien qu'il existe des clines semblables pour la plupart des autres grands groupes d'organismes, tels les microorganismes, les Angios-

permes, les Reptiles et les Mammifères, certains taxons font exception à la règle. La diversité des Oiseaux de rivage appelés Bécasseaux est maximale dans l'Arctique et celle des Conifères, dans la zone tempérée. De même, la diversité des organismes terrestres à une latitude donnée décroît en fonction de l'augmentation de l'altitude, et la diversité de la faune benthique marine augmente en fonction de l'augmentation de la profondeur.

Comment s'expliquent les gradations de la diversité spécifique ? Les clines associés à la latitude s'avèrent les plus manifestes et les plus marqués, si bien que les écologistes se sont mis à la recherche d'explications universelles pour la diversité des communautés tropicales. Ils ont formulé plusieurs hypothèses. (1) Certains croient que les communautés tropicales sont très anciennes et qu'elles subissent peu de perturbations naturelles majeures. La spéciation y est rapide et fréquente, et les interactions des populations sont plus complexes et plus nombreuses que dans la zone tempérée. (2) Les régions tropicales subissent en général des perturbations modérées et la parcellisation écologique y est plus étendue qu'ailleurs ; par conséquent, des espèces végétales très diversifiées s'offrent aux communautés animales. (3) La stabilité et la prévisibilité du climat tropical permettent à de nombreux organismes de se spécialiser et d'occuper des niches étroites. Une compétition réduite et un partage des ressources maximal favorisent la diversité spécifique. (4) L'intensité du rayonnement solaire accroît l'activité photosynthétique des Végétaux, et les autres organismes ont ainsi accès à des ressources abondantes. (5) Dans le même ordre d'idées, la complexité structurale des forêts tropicales crée des microhabitats très divers que les Animaux et les autres Végétaux peuvent se partager. (6) Enfin, certains écologistes croient que la diversité, en un sens, se nourrit d'elle-même, car la prédation et la symbiose empêchent toute domination dans une communauté diversifiée.

Si certaines de ces hypothèses s'appliquent à des groupes d'organismes ou à des communautés en particulier, toutes sont presque impossibles à vérifier ou à rejeter définitivement. La question des clines de la diversité spécifique que est trop vaste pour être élucidée par des expériences simples, en laboratoire ou sur le terrain. Dans la plupart des circonstances, il est probable qu'un ensemble d'hypothèses prévaut parmi celles que nous venons d'énumérer.

Ces hypothèses, cependant, ne conviennent pas au gradient de diversité des communautés benthiques

océaniques. Quelques écologistes supposent que, malgré la faible productivité des communautés benthiques océaniques, leur très grande stabilité a favorisé de nombreuses relations coévolutives. Néanmoins, aucun chercheur n'a réussi à établir une relation de *cause à effet* entre la stabilité écologique et la diversité spécifique.

Biogéographie insulaire

Étant donné leur isolement et leurs petites dimensions, les îles constituent d'excellents sites pour l'étude des facteurs de la diversité spécifique. Par «îles» nous entendons non seulement les terres émergées dans l'océan, mais aussi les enclaves du milieu terrestre comme les lacs et les pics montagneux. Dans les années 1960, les écologistes américains Robert MacArthur et E. O. Wilson formulèrent une théorie générale de la biogéographie insulaire qui leur permettait de définir les facteurs de la diversité spécifique dans une île présentant un ensemble donné de caractéristiques physiques. L'étude des îles peut nous aider à comprendre quelques-unes des interactions qui prennent place dans les systèmes plus complexes.

Soit une île océanique nouvellement formée située à une certaine distance du continent d'où partiront les espèces pionnières. Deux facteurs conditionnent le nombre d'espèces qui habiteront l'île : le taux d'immigration et le taux d'extinction. Ces facteurs sont eux-mêmes influencés par deux variables importantes : les dimensions de l'île et la distance qui la sépare du continent. En règle générale, le taux d'immigration est faible dans les petites îles, car les colonisateurs potentiels ont plus de difficulté à «trouver» une petite île qu'une grande île. Ainsi, les Oiseaux que le vent emporte ont certainement moins de chances d'atterrir par hasard sur une petite île

que sur une grande. En outre, le taux d'extinction est plus élevé dans les petites îles que dans les grandes. Dans les petites îles, les espèces pionnières trouvent peu de ressources et d'habitats à se partager, et la probabilité de l'exclusion compétitive y est plus forte que dans les grandes îles. Quant à la distance entre l'île et le continent, elle importe dans la mesure où le taux d'immigration est nécessairement plus élevé dans une île rapprochée que dans une île lointaine.

Le taux d'immigration et le taux d'extinction sont aussi influencés par le nombre d'espèces présentes dans l'île en un moment quelconque. Le taux d'immigration diminue à mesure qu'augmente le nombre d'espèces insulaires, car il devient de plus en plus probable qu'un nouvel arrivant quelconque appartienne à une espèce déjà représentée. Parallèlement, le taux d'extinction augmente, car la probabilité d'exclusion compétitive s'accroît. Ces relations sont schématisées à la figure 48.23, où les taux d'immigration et d'extinction sont représentés en fonction du nombre d'espèces présentes dans l'île. Le modèle cherche à démontrer qu'un équilibre sera atteint lorsque le taux d'immigration équivaudra au taux d'extinction. Le nombre d'espèces vivant dans l'île lors de l'atteinte du point d'équilibre est corrélé avec les dimensions de l'île et la distance qui la sépare du continent. La théorie de la biogéographie insulaire stipule que le nombre d'espèces vivant dans une île où le taux d'immigration égale le taux d'extinction est directement proportionnel à la taille de l'île et inversement proportionnel à la distance qui la sépare du continent. (Bien entendu, un équilibre est toujours dynamique ; l'immigration et l'extinction se poursuivent, et la composition spécifique varie quelque peu dans le temps.) Cette théorie vaut

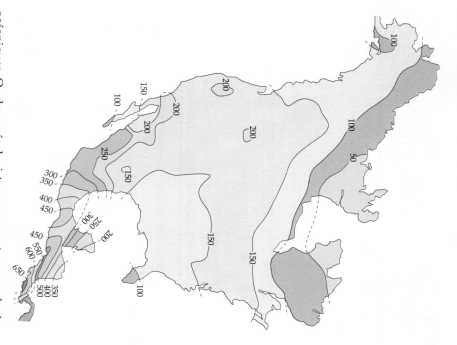

Figure 48.22
Densité spécifique des Oiseaux d'Amérique du Nord. Les biogéographes schématisent les gradients de la densité spécifique au moyen de cartes «topographiques» montrant combien d'espèces occupent différentes aires géographiques. La carte ci-haut révèle qu'on trouve une cinquantaine d'espèces d'Oiseaux dans l'extrême-nord du Québec mais plus de 600 dans certaines régions tropicales d'Amérique centrale.

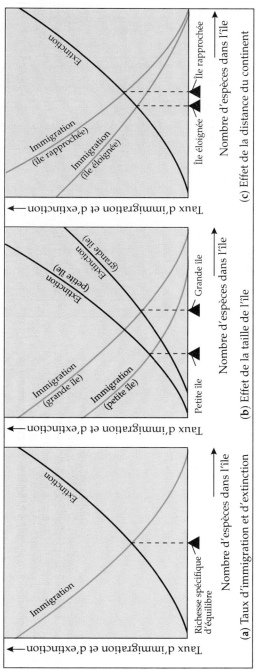

Figure 48.23

Théorie de la biogéographie insulaire. (a) La richesse spécifique d'équilibre (triangle noir) sur une île représente une égalité entre les taux d'immigration et d'extinction. **(b)** Dans les grandes îles, le taux d'immigration est plus élevé et le taux d'extinction, plus faible que dans les petites îles, et la richesse spécifique d'équilibre est supérieure. **(c)** Bien que le taux d'extinction ne soit pas relié à la distance du continent, le taux d'immigration est plus élevé dans les îles rapprochées que dans les îles lointaines, et la richesse spécifique d'équilibre est supérieure.

généralement pour une période relativement courte, celle où la colonisation est le processus déterminant de la composition spécifique ; à plus long terme, les changements évolutifs des espèces insulaires et la spéciation commencent à modifier la composition spécifique et la structure de la communauté.

L'observation et l'expérimentation révèlent que la richesse spécifique atteint effectivement un équilibre dans les nouvelles îles. En 1883, par exemple, une éruption volcanique extermina presque tous les organismes sur l'île de Krakatau, en Indonésie ; trente-cinq ans plus tard, l'avifaune avait atteint un équilibre d'environ 30 espèces. Les études de MacArthur et de Wilson sur la diversité des Amphibiens et des Reptiles dans les archipels, et notamment dans les Antilles, confirment que la richesse spécifique est proportionnelle à la taille de l'île (figure 48.24). Les dénombrements indiquent aussi que le nombre d'espèces est d'autant plus faible que l'île se trouve éloignée du continent.

À la fin des années 1960, Wilson et Daniel Simberloff entreprirent de vérifier la théorie de la biogéographie insulaire dans des petites îles de mangrove situées au large de la pointe méridionale de la Floride (voir la figure 46.2). Ils recouvrirent 6 îles d'environ 12 m de diamètre chacune de tentes de plastique et ils exterminèrent tous les Arthropodes par fumigation. L'insecticide qu'ils utilisèrent, le bromure de méthyle, se décompose rapidement, et les îles furent recolonisées par des Arthropodes venus du continent. Au bout d'environ un an, toutes les îles avaient retrouvé une richesse spécifique d'équilibre, les îles les plus éloignées de la côte étant les moins riches en espèces. Bien que la richesse spécifique d'équilibre de chaque île eût peu changé, la composition spécifique différait. Elle avait été influencée par les hasards de la dispersion des Arthropodes. Cette expérience fut au nombre de celles qui portèrent les théoriciens de l'écolo-

gie à pondérer le déterminisme de leurs prévisions ; la structure et la dynamique des communautés, en effet, s'avèrent beaucoup moins prévisibles que les écologistes ne le croyaient autrefois.

BIOLOGIE DE LA CONSERVATION : LEÇONS DE L'ÉCOLOGIE DES COMMUNAUTÉS ET DE LA BIOGÉOGRAPHIE

L'empiètement humain sur les communautés naturelles se faisant chaque jour plus alarmant, les citoyens et les gouvernements s'efforcent de conserver ce qui reste de la diversité biologique. Au Sommet de la Terre, tenu à Rio de Janeiro en 1992 sous les auspices des Nations Unies, les États-Unis furent le seul des 172 pays participants à refuser de signer le Traité sur la biodiversité. Partout dans le monde, on s'efforce de protéger les autres formes vivantes pour différentes raisons : leur valeur esthétique, les produits utiles que nous pourrions éventuellement tirer d'espèces encore inconnues (voir le chapitre 27) et le bien même de la biosphère, menacée par la dégradation continuelle de l'air, de l'eau et du sol (voir le chapitre 49). Malheureusement, il est difficile de mettre en œuvre des mesures de conservation efficaces tant que la limitation des naissances rencontre une opposition religieuse et culturelle et tant que l'Humain fait face à des difficultés économiques. Les conservationnistes stricts ont beau s'opposer à tout développement dans les aires de nature sauvage, la réalité politique est telle qu'aucun gouvernement ne se pliera à leur volonté.

Quelles leçons de l'écologie des communautés et de la biogéographie pouvons-nous appliquer à la conservation pour préserver autant que possible la biodiversité ? À l'heure actuelle, les mesures de conservation se ramènent

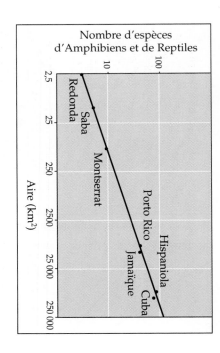

Figure 48.24
Richesse spécifique et taille des îles. Ce graphique montre que le nombre d'espèces d'Amphibiens et de Reptiles vivant dans les Antilles est étroitement relié à la taille des îles. Les grandes îles abritent plus d'espèces que les petites, car les habitats y sont plus diversifiés; les espèces peuvent ainsi se partager les ressources et éviter l'exclusion compétitive.

essentiellement à la création de réserves naturelles, des zones que les gouvernements tentent de soustraire au développement et à la pollution en vue de protéger des espèces et des communautés. Les réserves naturelles sont des îlots intacts dans une mer d'habitats inviables pour les organismes protégés. Les responsables de leur aménagement se réfèrent de plus en plus aux enseignements de la biogéographie insulaire; leur objectif consiste à déterminer à l'avance les espèces qui pourraient être protégées dans une réserve compte tenu de ses caractéristiques. Le graphique de la figure 48.24, par exemple, indique que le nombre d'espèces qu'une réserve peut abriter est directement relié à ses dimensions. Dans les grandes réserves, les risques d'exclusion compétitive sont moins élevés que dans les petites; et les très grandes réserves peuvent même admettre des prédateurs qui, tant que leur densité reste relativement faible, concourent à stabiliser les populations.

Idéalement, nous devrions protéger de vastes étendues relativement intactes. Or, un écologiste a calculé qu'en protégeant 10 % seulement d'une communauté, on peut sauvegarder jusqu'à 50 % des espèces qui l'habitaient. Bien entendu, il s'avère essentiel de bien connaître les besoins des espèces que l'on souhaite protéger. L'espace n'est pas le moindre de ces besoins, particulièrement pour les grands prédateurs. Au Sri Lanka, par exemple, il faudrait prévoir 5000 km² d'habitat vierge pour entretenir une population viable de 500 Léopards et

le double du terrain pour le même nombre de Tigres. La question de l'espace se complique encore du fait que beaucoup d'Oiseaux et de Mammifères occupent seulement le centre d'une parcelle d'habitat propice; par conséquent, la périphérie des réserves ne sert pas à leur conservation, bien qu'elle puisse être habitée par d'autres espèces.

Beaucoup d'écologistes se demandent s'il vaut mieux aménager une grande réserve ou un groupe de petites réserves dont l'aire totale équivaudrait à celle d'une grande. Si l'on est en mesure de prévoir que toutes les petites réserves auront la même composition spécifique, alors il faut probablement opter pour la grande réserve. Mais si la communauté à protéger est hétérogène et que différentes espèces occupent différentes zones, alors on protégerait plus d'espèces dans plusieurs petites réserves que dans une seule grande. Cette solution aurait par ailleurs l'avantage d'éviter la propagation des épidémies.

Les écologistes et les responsables de l'aménagement fau-nique doivent aussi planifier judicieusement la réparti-tion des petites réserves dans l'espace. La proximité des réserves augmente les chances de recolonisation après l'extinction locale d'une espèce. De même, la présence de corridors protégés entre les réserves peut favoriser la propagation des espèces. L'aménagement des réserves naturelles suscite encore bien des questionnements. Le dynamisme de ce domaine de recherche fait ressortir l'étroitesse du lien entre science et société.

RÉSUMÉ DU CHAPITRE

Une communauté est un ensemble d'espèces qui vivent assez près les unes des autres pour avoir la possibilité d'interagir.

Deux conceptions de la communauté (p. 1106-1107)
Beaucoup d'espèces végétales semblent distribuées de manière indépendante; de nombreuses espèces animales, en revanche, sont reliées à d'autres espèces. Dans la plupart des cas, la présence d'une espèce dans une communauté est due à une combinaison de facteurs tels que la tolérance aux facteurs abiotiques et les interactions biologiques.

Interactions des populations (p. 1107-1117)
1. La coévolution se traduit par une série d'influences réciproques entre deux espèces.
2. La prédation a d'importantes conséquences sur l'évolution des prédateurs et des proies.
3. Les Végétaux se protègent contre les herbivores au moyen de défenses mécaniques et chimiques.
4. Les Animaux échappent à la prédation au moyen de la fuite, de l'homochromie, des motifs de diversion qui détournent le prédateur et de défenses mécaniques ou chimiques parfois signalées par la coloration d'avertissement.

Aspects biogéographiques de la diversité (p. 1124-1126)

1. La biogéographie est l'étude de la distribution présente et passée des espèces. Les principales régions biogéographiques sont associées au tracé de la dérive des continents.

2. Trois raisons peuvent faire qu'une espèce a aujourd'hui une certaine aire de distribution : elle ne s'est jamais dispersée au-delà, elle s'est dispersée en d'autres lieux mais n'y a pas survécu ou l'aire de distribution a rapetissé. Dans certains cas, les expériences de transplantation permettent aux écologistes de déterminer laquelle des deux premières raisons est la bonne.

3. Les clines biogéographiques de la diversité spécifique sont probablement dus à une combinaison de facteurs.

4. Selon la théorie générale de la biogéographie insulaire, la richesse spécifique d'une île atteint un point d'équilibre dynamique, caractérisé par l'égalité des taux d'immigration et d'extinction. La théorie veut en outre que la richesse spécifique soit directement proportionnelle à la taille de l'île et inversement proportionnelle à la distance qui la sépare du continent.

Biologie de la conservation : leçons de l'écologie des communautés et de la biogéographie (p. 1127-1128)

1. L'aménagement des réserves naturelles repose souvent sur les principes de la biogéographie insulaire.

AUTO-ÉVALUATION

1. La structure trophique d'une communauté est constituée par :
   a) la forme de végétation dominante.
   b) le superprédateur.
   c) les relations alimentaires.
   d) les effets de la coévolution.
   e) la richesse spécifique.

2. Selon le principe d'exclusion compétitive :
   a) deux espèces ne peuvent pas cohabiter.
   b) l'extinction et l'émigration sont les seuls résultats possibles de la compétition.
   c) la compétition intraspécifique fait que les individus les mieux adaptés prospèrent.
   d) deux espèces ne peuvent pas avoir la même niche réelle dans un habitat.
   e) le partage des ressources permet à une espèce d'utiliser toutes les ressources de sa niche fondamentale.

3. Dans une communauté, un superprédateur a pour effet :
   a) d'exclure par compétition tous les autres prédateurs.
   b) de maintenir la diversité spécifique, car il élimine l'espèce de proies la plus abondante.
   c) d'augmenter l'abondance relative des espèces de proies les plus compétitives.
   d) de favoriser la coévolution des prédateurs et des proies.
   e) d'empêcher la diversité spécifique d'atteindre l'équilibre.

4. Lequel des énoncés suivants *n'est pas* conforme au modèle selon lequel les communautés n'atteignent jamais l'équilibre?
   a) Les événements fortuits comme la dispersion et les perturbations sont des facteurs déterminants de la diversité spécifique.
   b) Certaines perturbations peuvent accroître la diversité spécifique.

---

5. Le mimétisme batésien est une ressemblance entre une espèce au goût agréable (ou inoffensive) et une espèce au goût désagréable (ou nocive); le mimétisme müllérien est une ressemblance entre des espèces au goût désagréable (ou nocives).

6. La compétition interspécifique s'avère un facteur important de la densité des espèces dans certaines communautés.

7. Selon le principe d'exclusion compétitive, deux espèces qui se font concurrence pour les mêmes ressources limitantes ne peuvent cohabiter. Bien que ce principe ait été démontré en laboratoire, il n'est pas certain qu'il soit à l'œuvre dans les communautés naturelles.

8. La niche écologique représente l'ensemble des conditions dans lesquelles vit et se perpétue une population. Des espèces écologiquement semblables peuvent cohabiter s'il existe au moins une différence déterminante entre leurs niches.

9. Le partage des ressources et le déplacement du phénotype prouvent indirectement l'importance de la compétition passée.

10. Les relations symbiotiques, soit le parasitisme, le commensalisme et le mutualisme, sont d'importantes interactions biotiques dans les communautés.

Structure des communautés : caractéristiques et dynamique (p. 1117-1120)

1. Les communautés présentent d'importantes caractéristiques : la végétation dominante, la structure trophique, la richesse spécifique, l'abondance relative des espèces et la stabilité.

2. La compétition constitue probablement un déterminant important de la structure des communautés, car elle réduit la densité des espèces; cependant, elle ne débouche pas inévitablement sur l'exclusion compétitive.

3. Les superprédateurs limitent la densité des compétiteurs forts et favorisent ainsi la diversité spécifique.

4. La parcellisation écologique favorise la diversité spécifique, car différentes espèces sont adaptées à chaque ensemble de conditions locales.

5. Il est difficile de définir les déterminants de la structure des communautés, car les populations interagissent de façon complexe.

Succession écologique (p. 1121-1124)

1. La succession écologique est le changement que subit la composition spécifique d'une communauté au cours du temps écologique. Le processus est appelé succession primaire s'il commence dans un territoire encore dépourvu de sol; il est appelé succession secondaire s'il prend place après une perturbation qui a détruit la végétation mais laissé le sol intact.

2. L'inhibition est le phénomène par lequel les espèces en place empêchent la croissance d'autres espèces ou même celle de leur propre descendance.

3. La facilitation est le phénomène par lequel les espèces caractéristiques d'un stade de la succession favorisent la croissance des espèces du stade suivant.

4. Les perturbations ont des effets variables sur les communautés; suivant leur gravité et leur durée, elles stabilisent la structure des communautés, déclenchent la succession ou modifient son cours.

5. Certains écologistes croient que les communautés sont en perpétuelle mutation; selon eux, la composition et la richesse spécifiques changent à tous les stades de la succession, même dans la communauté climacique. Cette absence d'équilibre est probablement due, entre autres facteurs, à la dispersion et aux perturbations.

c) Même dans une communauté climacique, la composition et la richesse spécifiques continuent de changer.

d) La succession atteint le climax lorsque le réseau d'interactions biotiques devient si dense que seule l'extinction d'une espèce permet à une nouvelle espèce de s'y ajouter.

e) Suivant les espèces qui colonisent un territoire, le déroulement de la succession varie.

5. Les expériences de transplantation prouvent que:
a) les transplantations échouent toujours.
b) la dérive des continents explique la distribution géographique des espèces.
c) la théorie de la biogéographie insulaire est valide.
d) les superprédateurs maintiennent la structure des communautés.
e) certaines espèces sont capables de vivre à l'extérieur de leur aire de distribution normale.

6. Un exemple d'homochromie nous est fourni par:
a) la couleur verte d'une Plante.
b) les motifs voyants d'une Grenouille tropicale.
c) les rayures d'une Mouffette.
d) les taches des Papillons de nuit qui se posent sur les Lichens.
e) les couleurs éclatantes d'une fleur pollinisée par un Insecte.

7. Un exemple de mimétisme müllérien nous est fourni par:
a) la ressemblance entre un Papillon et une feuille.
b) la ressemblance entre deux Grenouilles venimeuses.
c) la présence de taches semblables à des yeux sur un Méné.
d) la ressemblance entre un Coléoptère et un Scorpion.
e) la ressemblance entre la langue d'un Poisson carnivore et un Ver.

8. Laquelle des associations suivantes est *fausse*?
a) Canada — région paléarctique.
b) États-Unis — région néarctique.
c) Brésil — région néotropicale.
d) Afrique du Sud — région éthiopienne.
e) Inde — région orientale.

9. Pour s'assurer que deux espèces ont coévolué, il faut idéalement établir que:
a) les deux espèces sont apparues presque en même temps.
b) l'extinction locale d'une espèce compromet la survie de l'autre.
c) chaque espèce influe sur la densité de population de l'autre.
d) chaque espèce possède des adaptations qui ont suivi *spécifiquement* des changements évolutifs subis par l'autre.
e) les deux espèces sont adaptées au même ensemble de conditions écologiques.

10. Selon la théorie de la biogéographie insulaire, la richesse spécifique est maximale dans une île:
a) petite et éloignée du continent.
b) grande et éloignée du continent.
c) grande et proche du continent.
d) petite et proche du continent.
e) immédiatement après une perturbation.

QUESTIONS À COURT DÉVELOPPEMENT

1. Quelles sortes de défenses les Plantes ont-elles développé contre les prédateurs? Donnez des exemples.

2. Définissez les formes de compétition qui existent dans une communauté et le principe d'exclusion qui s'y rattache.

3. Dressez un schéma de concepts qui présente les facteurs importants de la structure d'une communauté.

4. a) Qu'est-ce qu'une succession écologique?
   b) Décrivez-en une, en précisant les facteurs qui contribuent au processus.

RÉFLEXION ET APPLICATION

1. Une écologiste qui étudie les Plantes du désert délimite deux parcelles identiques qui comprennent quelques plants d'Armoise tridentée (*Artemisia tridentata*) et un grand nombre de petites fleurs annuelles. Elle s'aperçoit que cinq espèces de fleurs sont représentées en nombres semblables dans les deux parcelles. Elle clôture l'une des parcelles pour en interdire l'accès aux Rats-Kangourous (*Dipodomys sp.*), l'herbivore le plus répandu dans la région. Deux ans plus tard, quatre espèces de fleurs ont disparu de la parcelle clôturée, mais une espèce s'est multipliée énormément. Aucun changement notable ne s'est produit dans la parcelle témoin. Décrivez ce qui s'est produit en utilisant la terminologie appropriée et en faisant référence aux principes expliqués dans le chapitre.

2. L'écologiste Craig Heller, de l'Université Stanford, a étudié les populations de Tamias dans les montagnes de la Californie. Il a découvert que le Tamia mineur (*Eutamias minimus*) vit dans les peuplements d'Armoise tridentée, tandis que le Tamia jaune (*Eutamias amoenus*) vit à plus haute altitude, dans les zones où se mêlent l'Armoise et le Pin pignon (*Pinus edulis*). Il a aussi constaté qu'en l'absence du Tamia jaune, le Tamia mineur occupe les deux zones. Et si le Tamia mineur est absent, la distribution du Tamia jaune ne change pas. Expliquez ce phénomène en vous référant aux principes de l'écologie des communautés.

SCIENCE, TECHNOLOGIE ET SOCIÉTÉ

1. En 1986, un navire vida ses ballasts près de Détroit aux États-Unis, et la Moule zébrée d'Europe fut introduite dans les Grands Lacs. Depuis, elle s'est multipliée si rapidement

qu'elle atteint une densité de 20 000 individus par mètre carré sur certains substrats. Elle obstrue les prises d'eau des centrales électriques et des stations d'épuration, encrasse la coque des navires et submerge les bouées. Sa prolifération n'est pas sans rappeler celle du Lapin en Australie. Quelle est la cause de ce genre d'explosion démographique ? Selon vous, quels sont les effets biologiques de la prolifération des Moules zébrées sur les communautés aquatiques des Grands Lacs ? Comment résoudriez-vous le problème ? Comment pourrait-on le prévenir ?

2. En 1935, l'Alaska était le seul État américain où la chasse et le trappage n'avaient pas éliminé les Loups. Les Loups devinrent alors une espèce protégée et des individus venus du Canada s'établirent dans les Rocheuses et au nord des Grands Lacs. Les conservationnistes souhaitent accélérer le processus en réintroduisant des Loups dans le parc national de Yellowstone. Les éleveurs de la région s'y opposent, craignant que les Loups ne s'attaquent à leur bétail. Pour quelles raisons les conservationnistes ont-ils choisi le parc national de Yellowstone ? Quels pourraient être les effets de la réintroduction du Loup sur les communautés du parc ? Comment pourrait-on rassurer les éleveurs ?

LECTURES SUGGÉRÉES

Barbault, R., *Écologie des peuplements : structure, dynamique et évolution*, Paris, Masson, 1992. (Un ouvrage qui intègre la compréhension de la dynamique des écosystèmes et qui traite des interactions biotiques dans les chapitres 5 à 10.)

Barbault, R., *Écologie générale : structure et fonctionnement de la biosphère*, Paris, Masson, 1990. (La troisième partie de l'ouvrage étudie les interactions des populations.)

DeVries, P., « Les chenilles chantantes », *Pour la Science*, n° 182, décembre 1992. (Mutualisme entre Fourmis et chenilles stimulé par des signaux acoustiques et chimiques.)

Diouris, M. et coll., « La chimie bactérienne au service des mollusques », *La Recherche*, n° 240, février 1992. (Symbiose entre Bactéries et Lucilines, des Bivalves du littoral qui se nourrissent du carbone fixé par les Bactéries.)

El Hicheri, K., « La lucilie bouchère ne menace plus l'Afrique », *La Recherche*, n° 248, novembre 1992. (Description d'une lutte biologique contre un Insecte parasite.)

Frontier, S. et D. Pichod-Viale, *Écosystèmes : structure, fonctionnement et évolution*, Paris, Masson, 1993. (Le chapitre 4 présente une étude approfondie des interactions des populations.)

Jolivet, P., « Plantes et fourmis : le mutualisme brisé », *La Recherche*, n° 233, juin 1991. (Un Coléoptère en compétition avec des Fourmis pour les nids s'ingère dans la relation mutualiste entre Fourmis et Plantes au détriment des deux dernières.)

Pernollet, J.-C., « Les élicitines, alliées des plantes contre les parasites », *La Recherche*, n° 261, janvier 1994. (Symbiose entre Plantes et Mycètes qui sécrètent des élicitines, des toxines stimulatrices des défenses végétales.)

Pilorge, T., « Après Rio, le déluge ? », *Science & Vie*, n° 899, août 1992. (Au Sommet de la Terre de Rio, la convention sur la biodiversité aurait fait fausse route.)

Pilorge, T., « Le papillon, la fourmi et la guêpe », *Science & Vie*, n° 925, octobre 1994. (Un article à propos d'un Papillon et d'une Guêpe qui pratiquent le parasitisme des nids chez les Fourmis.)

NIVEAUX TROPHIQUES ET RÉSEAUX ALIMENTAIRES

FLUX DE L'ÉNERGIE

CYCLES BIOGÉOCHIMIQUES

INGÉRENCE DE L'ÊTRE HUMAIN DANS LES ÉCOSYSTÈMES

IMPACT DES ÊTRES VIVANTS SUR LA BIOSPHÈRE

U n **écosystème** est un ensemble dynamique formé par les organismes potentiellement interactifs d'une communauté et les facteurs abiotiques avec lesquels ils interagissent. Comme celles des populations et des communautés, les limites d'un écosystème ne sont pas précises. Il existe des écosystèmes minuscules, un terrarium de laboratoire par exemple, et des écosystèmes très vastes, tels les lacs et les forêts. Certains écologistes considèrent même la biosphère comme un écosystème composé de tous les écosystèmes locaux de la Terre.

L'écosystème est l'un des plus hauts niveaux de l'organisation biologique, et il est le siège de processus qu'on ne peut pleinement comprendre à des niveaux inférieurs : le flux de l'énergie et les cycles biogéochimiques. L'énergie pénètre dans la plupart des écosystèmes principalement sous forme de lumière solaire ; elle est convertie en énergie chimique par les organismes autotrophes, transmise aux hétérotrophes dans les composés organiques de la nourriture et dissipée sous forme de chaleur. Les éléments chimiques comme le carbone et l'azote circulent de manière cyclique entre les composants biotiques et abiotiques de l'écosystème. Les organismes photosynthétiques tirent ces éléments de l'air, du sol et de l'eau sous forme inorganique, et ils les incorporent dans des molécules organiques que d'autres organismes peuvent alors consommer. Les éléments retournent dans l'air, dans le sol et dans l'eau sous forme inorganique après avoir participé au métabolisme de Végétaux, d'Animaux et d'autres organismes qui, tels les Bactéries et les Mycètes, décomposent les déchets organiques et les organismes morts. Le flux de l'énergie et les cycles biogéochimiques sont liés, car les deux reposent sur le transfert de substances associé aux relations alimentaires existant dans l'écosystème. Contrairement à la matière, l'énergie ne peut être recyclée ; un écosystème doit donc recevoir un apport continuel d'énergie d'une source externe (le Soleil). Dans le présent chapitre, nous décrirons le flux de l'énergie et les cycles biogéochimiques dans les écosystèmes, et nous étudierons quelques-unes des conséquences de l'ingérence humaine dans ces processus (figure 49.1).

NIVEAUX TROPHIQUES ET RÉSEAUX ALIMENTAIRES

Tout écosystème présente une **structure trophique**, un ensemble de relations alimentaires qui détermine la circulation de l'énergie et celle de la matière dans les cycles biogéochimiques (voir le chapitre 48). Selon leur principale source de nourriture, les espèces d'une communauté

Figure 49.1
Ingérence déprédatrice de l'Humain dans les écosystèmes.
La destruction d'une forêt tropicale au Guatemala n'est qu'un des nombreux exemples de la dégradation que l'Humain fait subir aux écosystèmes. La coupe à blanc détruit la végétation et les habitats des Animaux ; la combustion du bois vaporise les nutriments contenus dans les arbres et envoie d'énormes quantités de dioxyde de carbone dans l'atmosphère. Dans le présent chapitre, vous étudierez la dynamique des écosystèmes et vous découvrirez les effets qu'ont sur elle l'explosion démographique humaine et les techniques modernes.

ou d'un écosystème se répartissent en **niveaux trophiques**. Tous les niveaux trophiques dépendent de celui des organismes autotrophes, appelés **producteurs**. La plupart des producteurs sont des organismes photosynthétiques qui, à l'aide de l'énergie lumineuse, synthétisent les glucides et d'autres composés organiques qui serviront de combustible à leur respiration cellulaire et de matériaux à leur croissance. Tous les autres organismes d'un écosystème sont des consommateurs, des hétérotrophes qui se nourrissent directement ou indirectement de produits photosynthétiques. Les herbivores, qui se nourrissent de Végétaux ou d'Algues, sont des **consommateurs primaires**. Le niveau trophique suivant est celui des **consommateurs secondaires**, des carnivores qui se nourrissent d'herbivores. Ces carnivores sont à leur tour dévorés par des **consommateurs tertiaires et quaternaires**, parfois appelés supercarnivores. Certains consommateurs, les **détritivores**, se nourrissent de déchets organiques comme les excréments, les feuilles mortes et les restes d'organismes appartenant à tous les niveaux trophiques.

Les Végétaux sont les principaux producteurs dans la plupart des écosystèmes terrestres. Dans les petits cours d'eau, la majeure partie de la matière organique utilisée par les consommateurs provient aussi de Végétaux terrestres dont les débris, entraînés par le ruissellement, atteignent l'eau (voir le chapitre 46). Dans la zone limnétique des lacs et en haute mer, les principaux autotrophes sont les Protistes photosynthétiques et les Cyanobactéries, qui forment le phytoplancton ; dans la partie littorale peu profonde des écosystèmes dulcicoles et marins, les Algues pluricellulaires et les Plantes aquatiques sont les producteurs les plus abondants. Dans la zone aphotique de la haute mer, cependant, la plupart des organismes se nourrissent du phytoplancton mort et des détritus qui viennent de la zone euphotique. Les communautés qui vivent près des sources thermales, au fond de l'océan, font exception à la règle (voir la figure 46.20). Les producteurs de ces écosystèmes particuliers sont les Bactéries chimioautotrophes qui obtiennent leur énergie en oxydant le sulfure d'hydrogène. Ces écosystèmes sont donc alimentés par l'énergie géothermique plutôt que par l'énergie solaire.

Les consommateurs primaires des milieux terrestres, les herbivores, sont des Insectes, des Escargots, des Mammifères herbivores ainsi que des Oiseaux. Dans les écosystèmes aquatiques, le phytoplancton est consommé par le zooplancton, qui se compose de Protistes hétérotrophes, de petits Invertébrés (des Crustacés et, dans l'océan, des larves d'espèces benthiques).

Les consommateurs secondaires des milieux terrestres sont notamment les Araignées, les Grenouilles, les Oiseaux insectivores et les Mammifères carnivores qui, tel le Lion, se nourrissent d'herbivores comme les Antilopes. Dans les habitats aquatiques, beaucoup de Poissons se nourrissent de zooplancton et sont à leur tour dévorés par d'autres Poissons. Dans la zone benthique des océans, les Invertébrés qui consomment des Algues servent de proies à d'autres Invertébrés, telles les Étoiles de mer.

La matière organique qui compose les organismes d'un écosystème est recyclée, décomposée et renvoyée dans le milieu abiotique sous des formes que les Végétaux peuvent assimiler. Les détritivores, qui se nourrissent de matière organique morte, sont parfois appelés décomposeurs, un terme qui exprime l'importance de leur rôle dans le processus de recyclage. Les détritivores les plus importants dans la plupart des écosystèmes sont les Bactéries et les Mycètes, qui vivent généralement à la surface de leur nourriture. Ces organismes sécrètent des enzymes qui dégradent la matière organique, puis ils absorbent les produits de la décomposition ; il existe même des Bactéries et des Mycètes capables de digérer la cellulose. Les Lombrics et les nécrophages comme les Écrevisses, les Blattes et les Vautours font également partie des détritivores, mais chez eux, la digestion de la matière organique s'effectue sur le plan interne. En fait, tous les hétérotrophes, l'Humain y compris, dégradent la matière organique et libèrent des produits inorganiques comme le dioxyde de carbone et l'ammoniac dans leur milieu. Les détritivores se caractérisent par le fait que la matière dont ils se nourrissent est morte au moment où ils la trouvent. Les détritivores constituent un lien important entre les producteurs et les consommateurs secondaires et tertiaires d'un écosystème. Une Écrevisse, par exemple, se nourrit des détritus végétaux au fond d'un lac, puis elle est dévorée par un Achigan. Dans la forêt, les Oiseaux dévorent des Lombrics qui se sont nourris de la litière.

Le transfert de la nourriture entre les niveaux trophiques est appelé **chaîne alimentaire** (figure 49.2). Peu d'écosystèmes ne comportent qu'une seule chaîne alimentaire sans ramifications. En général, on trouve plusieurs consommateurs primaires qui se nourrissent de la même espèce végétale, et un consommateur primaire peut manger plusieurs espèces végétales. Les chaînes alimentaires se ramifient dans tous les niveaux trophiques. Les Grenouilles, par exemple, sont des consommateurs secondaires ; elles mangent plusieurs espèces d'Insectes qui peuvent aussi servir de proies à diverses espèces d'Oiseaux. En outre, certains consommateurs s'alimentent à différents niveaux trophiques. Un Grand-duc d'Amérique (*Bubo virginianus*), par exemple, mange des consommateurs primaires comme les Mulots ainsi que des consommateurs de niveau supérieur comme les Mouffettes rayées (*Mephitis mephitis*). Les omnivores, dont l'Humain, mangent des producteurs aussi bien que des consommateurs de différents niveaux. Par conséquent, les relations alimentaires d'un écosystème forment généralement des **réseaux alimentaires** élaborés (figure 49.3).

FLUX DE L'ÉNERGIE

Tous les organismes ont besoin d'énergie pour croître, se régénérer, se reproduire et, dans certains cas, se déplacer. Les producteurs utilisent l'énergie lumineuse pour synthétiser des molécules organiques riches en énergie dont la dégradation peut subséquemment servir à produire de l'ATP (voir le chapitre 10). Les consommateurs se procurent leurs combustibles organiques de deuxième (voire de troisième ou de quatrième) main. Par voie de conséquence, c'est l'intensité de l'activité photosynthétique qui établit l'allocation énergétique de l'écosystème tout entier.

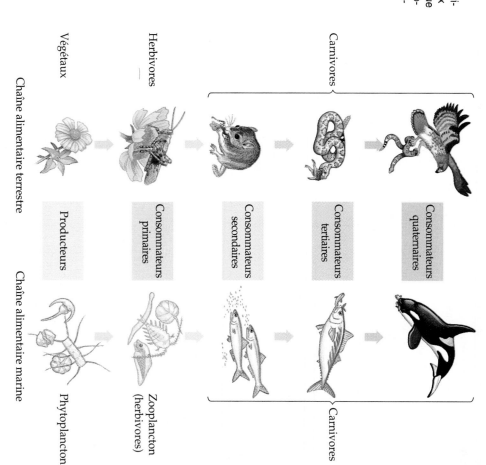

Figure 49.2
Chaîne alimentaire terrestre et chaîne alimentaire marine. L'énergie et les nutriments sont transmis à travers les niveaux trophiques d'un écosystème à mesure que les organismes s'alimentent. Les détritivores, malgré leur importance dans les écosystèmes, ne sont pas représentés dans cette figure.

Végétaux — Herbivores — Carnivores — Consommateurs quaternaires

Chaîne alimentaire terrestre

Producteurs — Consommateurs primaires — Consommateurs secondaires — Consommateurs tertiaires

Phytoplancton — Zooplancton (herbivores) — Carnivores

Chaîne alimentaire marine

Allocation énergétique mondiale

Chaque jour, la Terre reçoit 10^{22} J (joules) d'énergie sous forme de rayonnement solaire. Comme nous l'expliquions au chapitre 46, l'intensité du rayonnement solaire qui atteint la Terre et son atmosphère varie suivant la latitude, de telle sorte que les tropiques sont la partie de la planète qui en reçoit le plus. Le rayonnement solaire est en grande partie absorbé, réfracté ou réfléchi par l'atmosphère, en un schéma asymétrique déterminé par le couvert nuageux et la quantité de poussière contenue dans l'air. Il s'ensuit que le rayonnement solaire qui frappe la surface terrestre présente des variations régionales considérables (figure 49.4). Ces variations influent sur l'activité photosynthétique des différents écosystèmes.

La plus grande part du rayonnement solaire qui atteint la biosphère tombe sur des terrains dénudés et des étendues d'eau qui absorbent ou réfléchissent l'énergie. Une petite fraction du rayonnement atteint les chloroplastes des Algues et des Végétaux, et seule une fraction de cette fraction a une longueur d'onde appropriée à la photosynthèse (voir le chapitre 10). Seulement 1 % environ de la lumière visible qui atteint les chloroplastes des Végétaux et des Algues se fait convertir en énergie chimique par photosynthèse, et ce rendement varie en fonction de divers facteurs, dont le type de Plante et l'intensité lumineuse. Malgré tout, les producteurs fabriquent envi-

ron 170 milliards de tonnes de matière organique par année, une quantité véritablement impressionnante.

Productivité primaire

Le taux auquel les organismes autotrophes d'un écosystème convertissent l'énergie lumineuse en énergie chimique (en composés organiques) est appelé **productivité primaire**. La productivité totale des autotrophes équivaut à la **productivité primaire brute** (voir l'encadré de la page 1138). L'énergie chimique n'est pas toute emmagasinée sous forme de matière organique dans les Végétaux en croissance, car ceux-ci en utilisent une partie pour leur respiration cellulaire (il s'agit des coûts de régulation dont nous parlions au chapitre 46). Si l'on soustrait l'énergie utilisée pour la respiration (R) de la productivité primaire brute (PPB), on obtient la **productivité primaire nette** (PPN) :

$$PPN = PPB - R$$

Nous pouvons mettre cette équation en parallèle avec celle de la photosynthèse et de la respiration :

Photosynthèse
$$6\,CO_2 + 6\,H_2O \xrightleftharpoons{} C_6H_{12}O_6 + 6\,O_2$$
Respiration

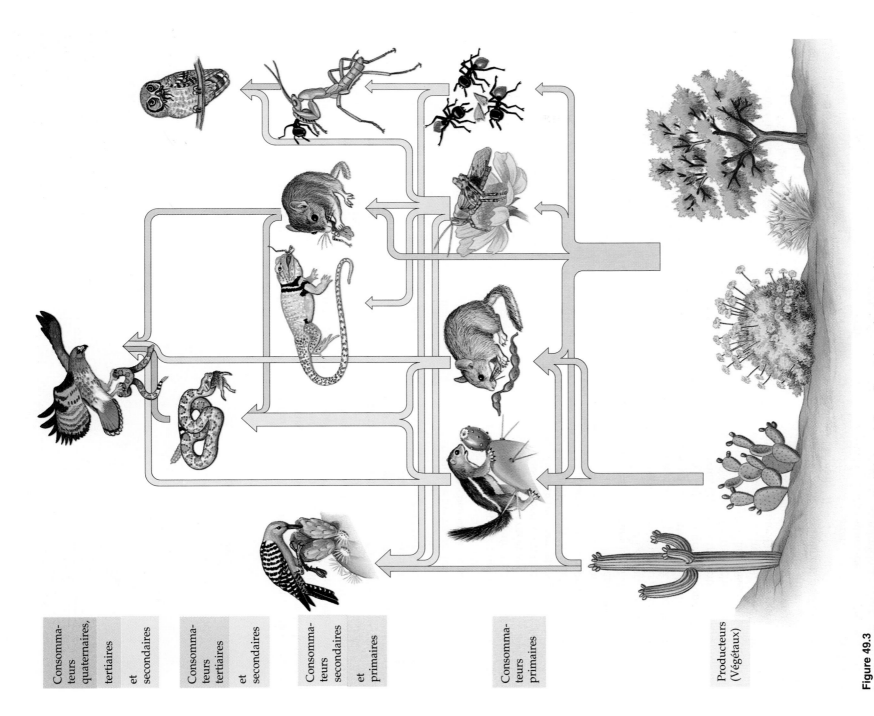

Figure 49.3
Le réseau alimentaire. Ce diagramme simplifié des relations alimentaires qui ont cours dans le désert de Sonora, dans le sud-ouest des États-Unis, ne montre pas toutes les espèces des niveaux trophiques. Les détritivores, qui se nourrissent d'organismes morts de chaque niveau, n'y apparaissent pas non plus. La couleur des flèches indique le niveau trophique des différentes espèces.

Consomma-
teurs
quaternaires,
tertiaires
et
secondaires

Consomma-
teurs
tertiaires
et
secondaires

Consomma-
teurs
secondaires
et
primaires

Consomma-
teurs
primaires

Producteurs
(Végétaux)

Figure 49.4
Moyennes annuelles du rayonnement solaire à la surface de la Terre. La quantité d'énergie solaire (J/cm²/an) qui atteint la Terre varie suivant la latitude, les conditions atmosphériques locales et le relief. L'énergie solaire reçue par un écosystème est un facteur limitant de la productivité photosynthétique. Rappelez-vous que les chiffres présentés ici sont des moyennes et que la variabilité saisonnière du rayonnement solaire augmente de l'équateur vers les pôles (voir le chapitre 46).

La productivité primaire brute résulte de la réaction qui s'effectue de gauche à droite (la photosynthèse); la productivité primaire nette est la différence entre le rendement de la photosynthèse et la consommation de combustible organique symbolisée par la réaction qui s'effectue de droite à gauche. En termes plus simples, la productivité primaire nette correspond à l'accumulation de matière organique que nous appelons croissance végétale.

La productivité primaire nette est une mesure importante, car elle représente la quantité d'énergie chimique que les consommateurs d'un écosystème pourront utiliser. Dans la plupart des cas, il reste de 50 à 90 % de la productivité primaire brute sous forme de productivité primaire nette une fois que les producteurs ont comblé leurs besoins énergétiques. La proportion PPN/PPB est généralement faible pour les producteurs de grande taille qui, comme les arbres, possèdent une structure élaborée.

Nous pouvons exprimer la productivité primaire sous forme de quantité d'énergie par unité d'aire par unité de temps (J/m²/an par exemple) ou de **biomasse** de végétation ajoutée à l'écosystème par unité de surface et par unité de temps (g/m²/an). La biomasse est généralement exprimée sous forme de masse sèche de matière organique, car les molécules d'eau ne contiennent pas une énergie transformable en matière organique et la teneur en eau des Végétaux varie beaucoup. Il ne faut pas confondre la productivité primaire d'un écosystème avec la biomasse des Végétaux présents à un moment donné, ou **biomasse mesurable**; la productivité primaire représente la *vitesse* à laquelle la végétation synthétise de la *nouvelle* biomasse. Une forêt a une faible productivité et une très grande biomasse, tandis qu'une prairie a une forte productivité mais une faible biomasse; dans une prairie, en effet, beaucoup de Plantes sont annuelles ou dévorées par les herbivores et il n'y a pas d'accumulation de végétation.

La productivité varie selon les écosystèmes, et chacun d'entre eux contribue plus ou moins à la productivité totale de la Terre (figure 49.5). Les forêts tropicales humides font partie des écosystèmes terrestres les plus productifs et, comme elles couvrent une grande partie de la Terre, elles contribuent beaucoup à la productivité totale de la planète. Les estuaires et les récifs de Corail sont également très productifs, mais ils sont peu étendus et leur

contribution à la productivité totale est relativement faible. Malgré leur faible productivité par unité de surface, les océans contribuent plus que tout autre écosystème à la productivité totale, car ils sont extrêmement vastes.

Les facteurs qui limitent la productivité varient d'un écosystème à l'autre; dans un même écosystème, ils varient d'une saison à l'autre. La productivité des écosystèmes terrestres est généralement corrélée avec les précipitations, la température et l'intensité lumineuse. L'irrigation, par exemple, a pour but d'accroître la productivité dans les habitats où le manque d'eau limite l'activité photosynthétique; de même, on fournit aux Plantes cultivées en serre de la chaleur et de la lumière en plus de l'eau. La productivité des écosystèmes terrestres augmente à mesure qu'on approche de l'équateur, car les précipitations, la chaleur et la lumière sont plus abondantes dans les régions tropicales qu'ailleurs (voir le chapitre 46).

Les nutriments minéraux limitent aussi la productivité de nombreux écosystèmes terrestres. Nous avons vu au chapitre 33 que certains nutriments sont absolument essentiels aux Végétaux; quelques-uns en grandes quantités et d'autres en quantités infimes. Les proportions varient d'une espèce à l'autre, de même que la concentration des nutriments varie dans le sol et dans l'eau. La productivité primaire résulte de l'absorption de nutriments si un des nutriments n'est pas assez abondant. Ce nutriment est alors appelé **nutriment limitant**. L'ajout de nutriments autres que le nutriment limitant ne stimule pas la productivité, car ces nutriments sont déjà présents en quantités suffisantes. En revanche, l'ajout du nutriment limitant fait reprendre la croissance, et celle-ci se poursuit jusqu'à ce qu'un autre nutriment (ou le même) devienne limitant à son tour. Dans bien des écosystèmes, le principal nutriment limitant est l'azote ou le phosphore; les Végétaux ont besoin de grandes quantités de ces deux éléments, mais ils sont relativement peu abondants dans les milieux naturels. Il semble aussi que le dioxyde de carbone soit un facteur limitant de la productivité. L'augmentation de la concentration de ce nutriment autour d'une Plante peut en accroître la productivité; parfois, cependant, l'augmentation est faible, car un autre nutriment devient limitant à son tour. Nous verrons plus loin que l'être humain a perturbé les écosystèmes terrestres et aquatiques en déréglant l'équilibre des nutriments.

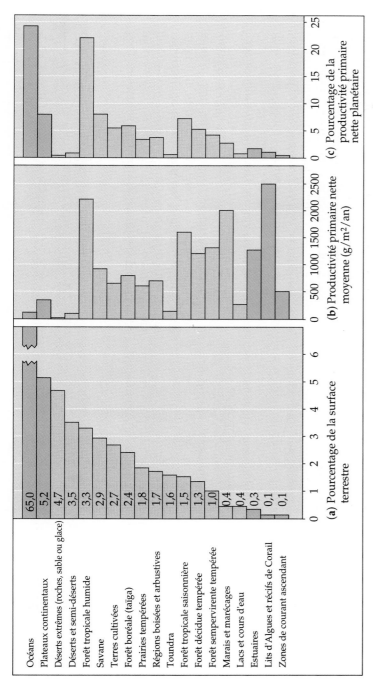

Figure 49.5
Productivité des biomes et des écosystèmes. (a) L'étendue et **(b)** la productivité par unité de surface des biomes et des écosystèmes déterminent leur contribution à **(c)** la productivité primaire totale. Les océans et les forêts tropicales humides contribuent beaucoup à la productivité de la planète, les premiers parce qu'ils sont très vastes et les secondes parce qu'elles sont très productives.

(a) Pourcentage de la surface terrestre

(b) Productivité primaire nette moyenne (g/m²/an)

(c) Pourcentage de la productivité primaire nette planétaire

Dans les mers, la productivité atteint généralement un maximum dans les eaux peu profondes situées près des continents et des récifs de Corail. Là, l'abondance de nutriments, de lumière et de chaleur favorise la croissance des Algues. En haute mer, l'intensité lumineuse et la température influent sur la productivité des communautés de phytoplancton. La productivité diminue à mesure qu'augmente la profondeur, car l'eau et le plancton absorbent la lumière. La productivité primaire par unité d'aire est relativement faible en haute mer, car certains nutriments inorganiques, et particulièrement l'azote et le phosphore, sont peu abondants près de la surface. À grande profondeur, où les nutriments abondent, la lumière est trop faible pour la photosynthèse. Les communautés de phytoplancton sont surtout productives là où les courants ascendants apportent de l'azote et du phosphore à la surface. Le phénomène est manifeste dans les mers antarctiques qui, malgré le froid et la faible intensité lumineuse, sont aussi très productives que la plupart des mers tropicales. Les écosystèmes chimioautotrophes situés près des sources thermales sont aussi très productifs, mais ces rares communautés contribuent peu à la productivité marine.

Dans les écosystèmes dulcicoles comme en haute mer, l'intensité lumineuse et ses variations ont une influence déterminante sur la productivité. De même, les variations de la température de l'eau causent des fluctuations saisonnières marquées de la productivité dans les régions tempérées. L'insuffisance des nutriments minéraux limite

la productivité des écosystèmes dulcicoles tout comme celle des océans, mais le renouvellement semestriel des eaux lacustres enrichit les couches superficielles bien éclairées (voir le chapitre 46).

Transferts d'énergie et pyramides écologiques

Le taux auquel les consommateurs d'un écosystème (les herbivores, les carnivores et les détritivores) convertissent l'énergie chimique de leur nourriture en biomasse est appelé **productivité secondaire**.

La productivité décline à chaque transfert d'énergie dans la hiérarchie trophique. Cette diminution est une conséquence des lois de la thermodynamique. La quantité d'énergie demeure constante (première loi), mais les organismes convertissent inévitablement une partie de l'énergie qu'ils consomment en chaleur, et cette chaleur se dissipe dans l'écosystème (deuxième loi) (voir le chapitre 6). Par conséquent, l'énergie chimique emmagasinée sous forme de biomasse par la productivité primaire nette n'est pas toute convertie en productivité secondaire.

Dans la plupart des écosystèmes, les herbivores mangent seulement une petite fraction de la matière végétale, et ils ne digèrent pas tous les composés organiques qu'ils ingèrent. Les chenilles, par exemple, ne digèrent et n'assimilent que la moitié environ de la matière organique qu'elles dévorent, et elles rejettent les déchets non assimilables sous forme d'excréments. Une chenille qui

TECHNIQUES : MESURE DE LA PRODUCTIVITÉ PRIMAIRE BRUTE DANS LES HABITATS AQUATIQUES

Pour mesurer la productivité des minuscules organismes qui forment le phytoplancton, les écologistes ont inventé une technique ingénieuse : ils comparent les variations de la concentration molaire volumique de dioxygène dans un échantillon de phytoplancton illuminé et dans un échantillon de phytoplancton gardé dans l'obscurité.

On remplit une bouteille transparente et une bouteille opaque avec de l'eau prise à la même profondeur. On ferme les bouteilles et on les suspend à la profondeur d'où l'eau a été prélevée pendant un certain temps, un jour le plus souvent. (On présuppose que les communautés de phytoplancton contenues dans les bouteilles sont semblables et représentatives des communautés libres vivant dans la zone d'où on a prélevé l'eau.) Ensuite, on retire les bouteilles de l'eau, et on mesure la concentration molaire volumique de dioxygène. On compare les résultats à la concentration molaire volumique initiale de dioxygène que l'on a mesurée au début de l'expérience dans la même profondeur.

Comme il n'y a pas eu de photosynthèse dans la bouteille opaque, la concentration molaire volumique de dioxygène y a diminué par suite de la respiration du phytoplancton. La différence fournit une estimation de la respiration. La concentration molaire volumique de dioxygène a cependant augmenté dans la bouteille transparente, car la quantité de dioxygène produite par la photosynthèse excède la quantité utilisée pour la respiration. L'augmentation correspond à la quantité de dioxygène produite par photosynthèse qui reste *après* la respiration. La technique ne mesure pas directement la quantité de dioxygène qui a été utilisée pour la respiration dans la bouteille transparente. Si les taux de respiration sont comparables dans les deux bouteilles, la diminution de la concentration molaire volumique de dioxygène dans la bouteille opaque devrait donner une estimation de la quantité utilisée pour la respiration dans la bouteille transparente. Par conséquent, la différence entre les concentrations molaires volumiques de dioxygène des deux bouteilles équivaut à la quantité totale de dioxygène produite par photosynthèse dans la bouteille transparente. Cette technique peut servir à déterminer la productivité primaire brute, d'après l'équation chimique de la photosynthèse :

$$6 CO_2 + 6 H_2O \rightleftharpoons C_6H_{12}O_6 + 6 O_2$$

La technique ne rend pas compte des faibles changements de la concentration molaire volumique de dioxygène; par conséquent, elle n'est pas appropriée aux eaux improductives comme celles de la haute mer. La technique la plus fréquemment utilisée actuellement, beaucoup plus exacte, emploie le traceur radioactif ^{14}C. On ajoute un trioxocarbonate ($^{14}CO_3$) marqué avec cet isotope dans une bouteille contenant un échantillon d'eau, on laisse reposer la bouteille à la profondeur d'où l'eau a été prélevée ou dans des conditions de lumière et de température semblables, à bord d'un navire. Le phytoplancton assimile le marqueur sous forme de $^{14}CO_2$, et il l'incorpore aux produits de la photosynthèse. Après la période d'attente, qui ne dure qu'une heure environ, on récupère le plancton par filtration et on mesure sa radioactivité à l'aide d'un instrument appelé compteur à scintillation (voir le chapitre 2). Comme la radioactivité est proportionnelle à la quantité de carbone retenu par les Algues, elle permet une estimation de la productivité primaire nette.

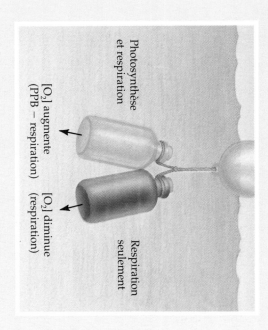

Photosynthèse et respiration

$[O_2]$ augmente
(PPB – respiration)

Respiration seulement

$[O_2]$ diminue
(respiration)

---

consomme 200 J de feuilles assimile seulement 100 J d'énergie. En règle générale, les deux tiers environ de la matière organique absorbée par les herbivores servent de combustible à la respiration cellulaire, au cours de laquelle les molécules nutritives sont dégradées en déchets inorganiques et en chaleur. Le reste de la matière organique absorbée par les herbivores est susceptible d'augmenter la biomasse du niveau trophique. Notre chenille utilise donc 67 des 100 J assimilés pour sa respiration cellulaire et les 33 J restants pour sa croissance. Seule l'énergie chimique que les herbivores emmagasinent sous forme de tissus (ou de descendants) peut servir de nourriture aux consommateurs secondaires. En un sens, nous venons de surestimer la conversion de la productivité primaire en productivité secondaire, car nous n'avons pas tenu compte de la production primaire que la chenille n'a

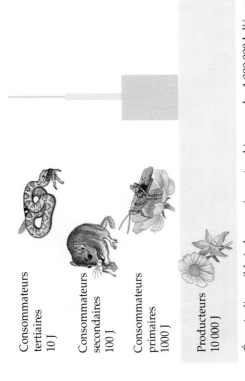

Consommateurs
tertiaires
10 J

Consommateurs
secondaires
100 J

Consommateurs
primaires
1000 J

Producteurs
10 000 J

Énergie disponible à chaque niveau trophique sur les 1 000 000 J d'énergie solaire reçus au cours d'une période donnée

Figure 49.6
Pyramide de productivité. Dans cet exemple d'écosystème, 10 % de l'énergie disponible à chaque niveau trophique est convertie en nouvelle biomasse au niveau suivant. Notez que les producteurs convertissent 1 % seulement de l'énergie solaire qui leur parvient. Dans les écosystèmes réels, la diminution de productivité associée au transfert de l'énergie entre les niveaux trophiques varie suivant leur composition spécifique ; en moyenne, la proportion d'énergie transférée est de l'ordre de 10 %.

pas consommée. Dans une prairie réelle, par exemple, les Insectes ne convertissent qu'environ 4 % de la production primaire nette en production secondaire.

Les carnivores convertissent la nourriture en biomasse de manière plus efficace que ne le font les herbivores, car la viande est plus digestible que la végétation. Toutefois, beaucoup de consommateurs secondaires utilisent plus des deux tiers de l'énergie assimilée pour la respiration cellulaire, et la quantité d'énergie chimique mise à la disposition du niveau trophique suivant s'en trouve considérablement diminuée. Les endothermes (homéothermes), en particulier, consacrent une part importante de l'énergie assimilée au maintien d'une température élevée.

L'efficacité écologique est le rapport entre la productivité nette d'un niveau trophique et la productivité nette du niveau inférieur. L'efficacité écologique varie beaucoup d'un organisme à l'autre, mais on l'estime habituellement à 10 %. Autrement dit, 90 % environ de l'énergie disponible à un niveau trophique ne se rend jamais au niveau suivant. On peut représenter ces pertes successives au moyen d'un diagramme appelé **pyramide de productivité**, où les niveaux trophiques prennent la forme de blocs empilés sur les producteurs. La taille de chaque bloc est proportionnelle à la productivité (par unité de temps) du niveau trophique qu'il représente. La plupart des pyramides de productivité ont une base étendue, car 10 % seulement de l'énergie disponible à un niveau est transférée au niveau supérieur (figure 49.6).

La diminution de la quantité d'énergie disponible à chaque niveau trophique a une importante conséquence écologique que l'on peut représenter à l'aide d'une **pyramide des biomasses** ; dans ce diagramme, la taille de chaque bloc est proportionnelle à la biomasse mesurable (la

masse sèche totale des organismes) d'un niveau trophique à un moment donné. La biomasse représente l'énergie chimique emmagasinée dans la matière organique d'un niveau trophique. En général, la pyramide des biomasses rétrécit considérablement entre les producteurs de la base et les carnivores du sommet (figure 49.7a), étant donné l'inefficacité des transferts d'énergie entre les niveaux trophiques. Certains écosystèmes aquatiques, cependant, ont une pyramide des biomasses inversée où la biomasse des consommateurs primaires est supérieure à celle des producteurs. Dans la Manche, par exemple, la masse du zooplancton est cinq fois plus grande que celle du phytoplancton (figure 49.7b). En effet, le phytoplancton est consommé si rapidement qu'il ne devient jamais abondant. Il a en revanche un fort *taux de renouvellement* : il croît, se reproduit et est consommé rapidement. Néanmoins, la pyramide des énergies de l'écosystème reste à l'endroit, car la productivité du phytoplancton dépasse celle du zooplancton.

La perte d'énergie dans les chaînes alimentaires limite radicalement la biomasse totale des carnivores qui peuvent vivre dans un écosystème. Un millième seulement de l'énergie chimique fixée par photosynthèse parvient à un consommateur tertiaire comme un Faucon ou un Requin. C'est pourquoi les réseaux alimentaires comprennent rarement plus de cinq niveaux trophiques. Les Lions, les Aigles et les Épaulards n'ont pas de prédateurs autres que l'Humain, car leur biomasse ne suffirait pas à nourrir les organismes d'un autre niveau trophique. La biomasse, ne l'oubliez pas, représente la masse sèche totale des Animaux d'un niveau trophique ; comme les superprédateurs ont en général une grande taille, la faible biomasse au sommet d'une pyramide écologique se trouve répartie entre un petit nombre d'individus. Ce phénomène ressort clairement dans une **pyramide des**

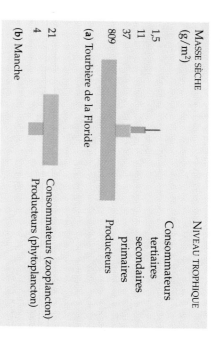

MASSE SÈCHE (g/m²)	NIVEAU TROPHIQUE
1,5	Consommateurs tertiaires
11	Consommateurs secondaires
37	Consommateurs primaires
809	Producteurs

(a) Tourbière de la Floride

21	Consommateurs (zooplancton)
4	Producteurs (phytoplancton)

(b) Manche

Figure 49.7
Pyramides des biomasses mesurables. Les nombres indiquent la masse sèche (g/m²) totale des organismes d'un niveau trophique. **(a)** Comme la plupart des pyramides des biomasses, celle d'une tourbière située à Silver Springs, en Floride, révèle une diminution marquée de la biomasse à chaque niveau trophique. **(b)** Dans certains écosystèmes aquatiques, et notamment dans la Manche, une petite biomasse mesurable de producteurs (phytoplancton) sert de nourriture à une grande biomasse mesurable de consommateurs primaires (zooplancton), car le phytoplancton se reproduit et est consommé très rapidement.

nombres, un diagramme où la taille des blocs est proportionnelle au nombre d'organismes occupant les niveaux trophiques (figure 49.8). Les populations de superprédateurs, au sommet, sont généralement très petites, et les individus sont dispersés dans leur habitat. Lors d'une perturbation de leur écosystème, les superprédateurs sont donc très vulnérables à leur extinction et aux risques évolutifs liés à une faible taille de population (voir le chapitre 21).

Le concept qui sous-tend les pyramides des productivités et des biomasses s'applique aussi à la population humaine. La consommation de viande représente un moyen relativement inefficace d'exploiter la productivité photosynthétique. Un Humain obtient beaucoup plus d'énergie en mangeant des céréales (en tant que consommateur primaire) qu'en faisant passer la même quantité de céréales par un autre niveau trophique en la donnant à manger à un herbivore pour ensuite se nourrir de sa viande. L'agriculture pourrait alimenter bien plus de gens si nous étions tous végétariens. Mais, bien entendu, il faut plus que de l'énergie dans un régime alimentaire sain (voir le chapitre 37).

CYCLES BIOGÉOCHIMIQUES

Alors que l'énergie solaire est inépuisable, les réserves d'éléments chimiques sont limitées, car les météorites qui tombent occasionnellement sur la Terre représentent les seules sources extraterrestres de matière. Par conséquent, la vie sur la Terre repose sur le recyclage des éléments chimiques essentiels. Les organismes empruntent leurs atomes aux autres composants de la biosphère. Un organisme vivant absorbe des nutriments et rejette des déchets destinés au recyclage. Puis, quand l'organisme meurt, les détritivores dégradent ses molécules complexes et renvoient des composés simples, ou parfois des éléments purs comme l'azote (N_2), dans l'atmosphère, l'eau ou le sol. La décomposition reconstitue les réserves de nutriments inorganiques que les autotrophes utilisent pour fabriquer de la nouvelle matière organique. Étant donné que les cycles des nutriments font intervenir des composants biotiques et abiotiques des écosystèmes, ils sont aussi appelés **cycles biogéochimiques**. L'eau constitue un important véhicule des substances dans certains cycles biogéochimiques, et elle parcourt elle-même un cycle appelé **cycle de l'eau** (figure 49.9).

Le déroulement des cycles biogéochimiques diffère suivant l'élément transporté et la structure trophique des écosystèmes. Nous pouvons cependant classer les cycles biogéochimiques en deux catégories. Le carbone, l'oxygène, le soufre et l'azote, d'une part, circulent dans l'atmosphère à l'état gazeux, et leur cycle se réalise à l'échelle mondiale. Ainsi, une partie des atomes de carbone et d'oxygène qu'une Plante retire de l'air sous forme de dioxyde de carbone peut avoir été libérée dans l'atmosphère par la respiration d'un Animal vivant loin de la Plante. D'autre part, certains autres éléments tels le phosphore, le potassium et le calcium ont une mobilité réduite, et leurs cycles sont localisés, au moins à court terme. Ces éléments se trouvent surtout dans le sol ; les décomposeurs les y renvoient non loin de l'endroit où les racines des Plantes les ont absorbés.

Avant d'étudier quelques cycles en détail, penchons-nous sur un modèle général du recyclage des nutriments qui montre les principaux réservoirs d'éléments et les processus de transfert entre les réservoirs (figure 49.10). Il existe quatre réservoirs de nutriments, ou compartiments, définis par deux caractéristiques : leur contenu (matière organique ou inorganique) et la disponibilité de

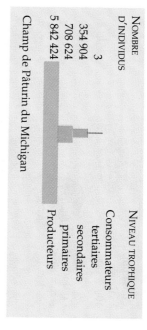

NOMBRE D'INDIVIDUS	NIVEAU TROPHIQUE
3	Consommateurs tertiaires
354 904	Consommateurs secondaires
708 624	Consommateurs primaires
5 842 424	Producteurs

Champ de Pâturin du Michigan

Figure 49.8
Pyramide des nombres. Comme les prédateurs ont généralement une grande taille, la petite biomasse du sommet de la chaîne alimentaire se trouve répartie entre un nombre relativement faible d'individus. Cette pyramide des nombres représente un champ de Pâturin du Michigan ; trois carnivores seulement peuvent vivre dans cet écosystème qui repose sur la productivité de près de six millions de Plantes.

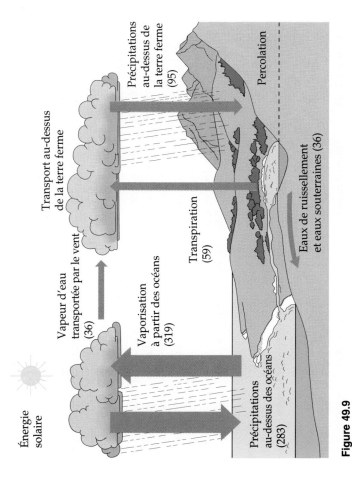

Figure 49.9
Cycle de l'eau. Au-dessus des océans, il se vaporise plus d'eau qu'il n'en tombe sous forme de précipitations. Les vents poussent la vapeur d'eau vers la terre ferme. Là, la différence entre les précipitations et la vaporisation alimente les réseaux hydrographiques superficiels et souterrains. Ces réseaux se déversent dans les océans, et le cycle recommence. La vapeur d'eau provient de la vaporisation au-dessus des océans et de la transpiration des Végétaux au-dessus de la terre ferme. Les nombres qui apparaissent dans ce diagramme expriment les quantités d'eau en exagrammes (10^{18}g) par année.

Labels dans la figure :
- Énergie solaire
- Transport au-dessus de la terre ferme
- Vapeur d'eau transportée par le vent (36)
- Précipitations au-dessus de la terre ferme (95)
- Vaporisation à partir des océans (319)
- Transpiration (59)
- Percolation
- Eaux de ruissellement et eaux souterraines (36)
- Précipitations au-dessus des océans (283)

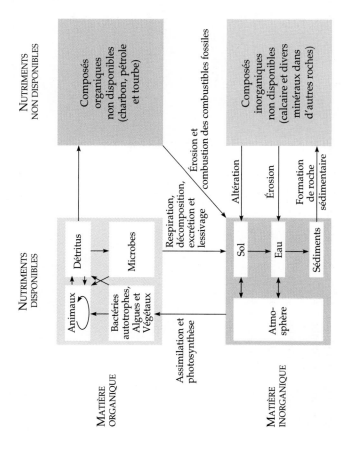

Figure 49.10
Modèle général du recyclage des nutriments. La plupart des nutriments circulent entre quatre réservoirs, ou compartiments. Le diagramme indique les mécanismes qui transportent les nutriments d'un compartiment à l'autre.

Labels dans la figure :
- Nutriments DISPONIBLES
- Nutriments NON DISPONIBLES
- Composés organiques non disponibles (charbon, pétrole et tourbe)
- Composés inorganiques non disponibles (calcaire et divers minéraux dans d'autres roches)
- Érosion et combustion des combustibles fossiles
- Matière organique
- Matière inorganique
- Animaux
- Détritus
- Microbes
- Bactéries autotrophes, Algues et Végétaux
- Respiration, décomposition, excrétion et lessivage
- Altération
- Érosion
- Formation de roche sédimentaire
- Sol
- Eau
- Sédiments
- Atmosphère
- Assimilation et photosynthèse

leur contenu pour les organismes. Le premier compartiment de matière organique contient les organismes eux-mêmes ; il s'agit des nutriments disponibles pour les consommateurs. Le second compartiment de matière organique comprend les organismes « fossilisés » (charbon, pétrole et tourbe), dont les nutriments ne sont pas directement disponibles. La matière est passée du compartiment organique vivant au compartiment organique fossilisé il y a des millions d'années, quand les organismes furent ensevelis sous des couches de sédiments.

Le premier compartiment de matière inorganique se compose des éléments, des ions et des molécules qui sont dissous dans l'eau et présents dans le sol et dans l'air. Les organismes assimilent cette matière directement et, peu de temps après, la renvoient dans son compartiment par la respiration, l'excrétion et la décomposition. Le second compartiment de matière inorganique est formé par le calcaire et par les minéraux des autres roches. Bien que les organismes ne puissent pas puiser directement dans ce compartiment, les nutriments sont lentement mis à leur disposition par l'altération et l'érosion. De même, la matière organique non disponible passe dans le compartiment de matière inorganique disponible par suite de l'érosion et de la combustion des réserves fossiles.

Il est beaucoup plus simple de décrire les cycles biogéochimiques en termes théoriques que de suivre le parcours des éléments sur le terrain. Non seulement les écosystèmes sont-ils formidablement complexes, mais ils échangent entre eux une partie de leur matière. Un étang, par exemple, a des limites nettes, mais plusieurs processus lui ajoutent ou lui soustraient des nutriments. Il reçoit des minéraux dissous dans les eaux de pluie ou de ruissellement et des nutriments contenus dans le pollen et les feuilles mortes. De plus, le carbone, l'oxygène et l'azote circulent entre l'étang et l'atmosphère. Les Oiseaux se nourrissent de Poissons ou de larves aquatiques d'Insectes qui ont tiré leurs nutriments de l'étang, et ils excrètent une partie des nutriments sur la terre ferme, loin de l'étang. Il est encore plus difficile d'étudier les entrées et les sorties des éléments dans les écosystèmes terrestres. Néanmoins, les écologistes ont réussi à le faire dans quelques écosystèmes à l'aide de traceurs radioactifs.

Pour montrer à quel point les cycles biogéochimiques sont variables et complexes, nous étudierons ceux du carbone, de l'azote et du phosphore. Efforcez-vous de mettre chacun de ces cycles en rapport avec le modèle général présenté à la figure 49.10. Rappelez-vous que la description de ces trois cycles a pour but d'illustrer des processus généraux. Chaque nutriment a un cycle propre, et peut devenir limitant dans un écosystème.

Cycle du carbone

Dans le cycle du carbone, les processus réciproques de la photosynthèse et de la respiration cellulaire font le lien entre l'atmosphère et les milieux terrestres (figure 49.11). Les autotrophes (principalement les Végétaux) absorbent le dioxyde de carbone de l'atmosphère par les stomates de leurs feuilles et l'incorporent à la matière organique de leur propre biomasse ; une partie de cette matière organique devient ensuite la source de carbone des hétérotrophes (consommateurs). La respiration des autotrophes mêmes et des hétérotrophes renvoie finalement le dioxyde de carbone dans l'atmosphère.

Bien que la concentration atmosphérique de dioxyde de carbone soit relativement faible (0,03 % environ), les Végétaux en consomment beaucoup, et le carbone est recyclé rapidement. Chaque année, les Végétaux retirent environ un septième du dioxyde de carbone de l'atmosphère, et ils en renvoient presque autant par leur respiration. Une certaine quantité de carbone reste hors du cycle pendant de longues périodes, à la suite notamment de son incorporation dans le bois et dans d'autres matières organiques durables. Ce carbone retourne dans l'atmosphère sous forme de dioxyde de carbone, sous l'action de la décomposition et de la combustion. Certains processus maintiennent le carbone hors de son cycle pendant des millions d'années. Dans certains milieux, les déchets organiques s'accumulent beaucoup plus rapidement que les décomposeurs ne les dégradent. Là où les conditions ont été propices, ils ont formé les gisements de charbon et de pétrole (les combustibles fossiles) qui constituent le compartiment de matière organique non disponible.

La concentration atmosphérique de dioxyde de carbone varie légèrement au cours de l'année. Dans l'hémisphère Nord, elle atteint son plus bas niveau pendant l'été et son plus haut niveau pendant l'hiver. En effet, l'hémisphère Nord comprend plus de terres émergées et, par le fait même, plus de végétation que l'hémisphère Sud. L'activité photosynthétique atteint son point culminant pendant l'été, et la concentration atmosphérique de dioxyde de carbone diminue. Pendant l'hiver, la végétation rejette plus de dioxyde de carbone qu'elle n'en utilise pour la photosynthèse, et la concentration atmosphérique de ce gaz augmente (voir la figure 49.19).

À cette fluctuation saisonnière se superpose une augmentation continuelle de la concentration de dioxyde de carbone due à la combustion des combustibles fossiles. À l'échelle des temps géologiques, il s'agit du retour dans l'atmosphère du dioxyde de carbone qui en fut retiré par photosynthèse il y a des millions d'années. Depuis lors, cependant, le cycle du carbone a trouvé un nouvel équilibre. Aujourd'hui, l'Humain perturbe cet équilibre, et nous verrons plus loin les conséquences possibles de son action.

Dans les milieux aquatiques, où il y a aussi respiration et photosynthèse, le recyclage du carbone se complique du fait que le dioxyde de carbone interagit avec l'eau et le calcaire. Le dioxyde de carbone dissous réagit avec l'eau et forme de l'acide carbonique (H_2CO_3). L'acide carbonique réagit à son tour avec le calcaire ($CaCO_3$), qui est abondant dans l'eau et particulièrement dans l'océan, et il forme des ions hydrogénocarbonate et des ions trioxocarbonate :

$$H_2O + CO_2 \rightleftharpoons H_2CO_3$$

$$\underset{\text{Hydrogénocarbonate}}{H_2CO_3 + CaCO_3 \rightleftharpoons Ca(HCO_3)_2 \rightleftharpoons Ca^{2+} + 2\,HCO_3^-}$$

$$\underset{\text{Trioxocarbonate}}{2\,HCO_3^- \rightleftharpoons 2\,H^+ + 2\,CO_3^{2-}}$$

À mesure que les organismes aquatiques utilisent le dioxyde de carbone pour la photosynthèse, l'équilibre de

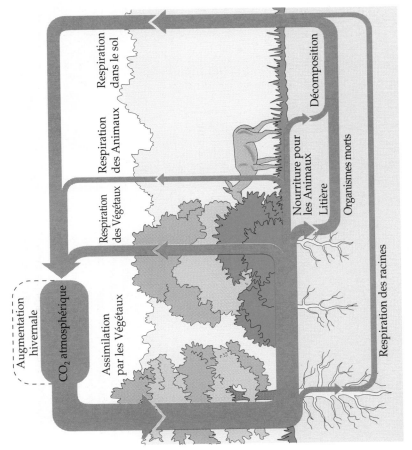

Figure 49.11
Le cycle du carbone. Les processus réciproques de la photosynthèse et de la respiration cellulaire sont à l'origine des transformations et des mouvements du carbone. Les variations de la distribution des Végétaux produisent des fluctuations saisonnières de la concentration atmosphéri-

Labels in figure: Augmentation hivernale · CO₂ atmosphérique · Assimilation par les Végétaux · Respiration des Végétaux · Respiration des Animaux · Respiration dans le sol · Décomposition · Nourriture pour les Animaux · Litière · Organismes morts · Respiration des racines

que de dioxyde de carbone (voir le texte principal). À l'échelle mondiale, la quantité de dioxyde de carbone renvoyée dans l'atmosphère par la respiration est presque égale à la quantité prélevée par la photosynthèse. Néanmoins, la concentration atmosphérique de dioxyde de carbone

augmente constamment, à cause de la combustion du bois et des combustibles fossiles. Dans les écosystèmes aquatiques, le dioxyde de carbone atmosphérique se trouve en équilibre dynamique avec d'autres composés inorganiques, dont trioxo-carbonates (—CO₃).

la série de réactions penche vers la gauche, et les trioxocarbonates sont reconvertis en dioxyde de carbone. Par conséquent, les trioxocarbonates servent de réservoir de dioxyde de carbone. Les autotrophes aquatiques peuvent aussi utiliser directement le trioxocarbonate dissous comme source de carbone. Globalement, la quantité de carbone contenue dans les divers composés inorganiques de l'océan, à part les sédiments, est environ 50 fois plus grande que la quantité présente dans l'atmosphère. Étant donné que l'océan joue le rôle de «tampon»: il absorbe une partie du dioxyde de carbone ajouté dans l'atmosphère par l'emploi des combustibles fossiles.

Les réactions inorganiques du dioxyde de carbone dans l'eau et son absorption par le phytoplancton marin,

Cycle de l'azote

L'atmosphère terrestre se compose de près de 80 % d'azote moléculaire (N₂). Seuls quelques procaryotes ont la capacité de fixer le diazote atmosphérique; l'ammoniac (NH₃) qu'ils produisent à partir du diazote est ensuite utilisé pour la synthèse de composés organiques azotés comme les acides aminés. De fait, les procaryotes constituent des chaînons essentiels du cycle de l'azote (figure 49.12).

Dans les écosystèmes terrestres, le diazote est fixé par les Bactéries libres du sol et par les Bactéries symbiotiques (*Rhizobium*) qui vivent dans les nodosités de certains Végétaux (voir le chapitre 33). Quelques Cyanobactéries fixent le diazote dans les écosystèmes aquatiques. Les organismes fixateurs de diazote libèrent l'ammoniac qui n'a pas servi à leurs besoins métaboliques, le mettant ainsi à la disposition des autres organismes. Par ailleurs, les éclairs fixent de petites quantités de diazote dans l'atmosphère. Enfin, la production industrielle d'engrais fixe une quantité non négligeable de diazote; les engrais forment une part importante des matières azotées présentes dans le sol et dans l'eau des régions agricoles (et causent des problèmes écologiques dont nous traiterons plus loin).

Bien que les Végétaux puissent utiliser l'ammoniac directement, la majeure partie de l'ammoniac du sol sert de source d'énergie à des Bactéries aérobies; ces Bactéries oxydent l'ammoniac en nitrite (NO₂⁻), puis en nitrate (aussi appelé trioxonitrate, NO₃⁻), dans un processus appelé **nitrification**. Les Végétaux assimilent le nitrate et l'incorporent à des composés organiques comme les acides aminés et les protéines. Les Animaux ne peuvent assimiler que de l'azote organique, en mangeant des Végétaux ou d'autres Animaux. Certaines Bactéries tirent

l'oxygène nécessaire à leur métabolisme du nitrate plutôt que de l'oxygène moléculaire. À la suite de ce processus de **dénitrification**, une certaine quantité de nitrate est reconvertie en azote moléculaire et renvoyée dans l'atmosphère.

Beaucoup de Bactéries et d'eucaryotes décomposent l'azote organique en ammoniac, un processus appelé **ammonification**. Les détritivores, en particulier, renvoient ainsi de grandes quantités d'azote dans le sol.

Globalement, la majeure partie de l'azote recyclé dans les écosystèmes provient des composés azotés contenus dans le sol et dans l'eau et non pas de l'azote moléculaire atmosphérique. Bien que la fixation de l'azote ait fortement contribué au réservoir d'azote disponible, elle ne fournit qu'une petite partie de l'azote assimilé chaque année par la végétation. Néanmoins, de nombreuses espèces végétales doivent s'associer à des Bactéries fixatrices d'azote pour obtenir ce nutriment essentiel sous une forme assimilable. La quantité d'azote moléculaire renvoyée dans l'atmosphère par la dénitrification est aussi relativement faible. L'essentiel de l'azote assimilé provient du nitrate produit par l'ammonification et la nitrification de composés organiques.

Cycle du phosphore

À certains égards, le cycle du phosphore est plus simple que les cycles du carbone et de l'azote. En effet, ce cycle ne passe pas par l'atmosphère, car il existe peu de gaz contenant du phosphore. En outre, le phosphore ne se présente que sous une seule forme inorganique importante, les phosphates (aussi appelé trioxophosphate, PO_4^{3-}), des composés que les Végétaux absorbent et utilisent pour la synthèse organique. L'altération des roches enrichit graduellement le sol en phosphates (figure 49.13). Après avoir été incorporé à des molécules biologiques par les producteurs, le phosphore est transmis aux consommateurs sous forme organique. Les Animaux et les décomposeurs le renvoient dans le sol, les premiers en excrétant des phosphates, et les seconds en décomposant les détritus. L'humus et les particules du sol se lient aux phosphates (voir le chapitre 33), de telle sorte que le cycle du phosphore se trouve localisé. Toutefois, le phosphore est lessivé dans la nappe phréatique et passe lentement des écosystèmes terrestres à l'océan. L'érosion prononcée accélère cet écoulement mais, dans la plupart des écosystèmes, l'altération des roches compense les pertes. Les phosphates qui aboutissent dans l'océan s'accumulent lentement dans les sédiments, et s'incorporent aux roches ; ils retournent dans les écosystèmes terrestres à la suite de phénomènes géologiques qui soulèvent le fond océanique ou abaissent le niveau de la mer. Le cycle du phosphore a donc deux chronologies bien distinctes. La majeure partie du phosphore circule localement entre le sol, les Végétaux et les consommateurs, dans le temps écologique. Parallèlement, une partie du phosphore quitte et réintègre les milieux terrestres dans le temps géologique. Il en va de même pour les autres nutriments qui n'ont pas de réservoir atmosphérique.

Variations du temps de recyclage des nutriments

Les nutriments essentiels comme le phosphore sont beaucoup moins concentrés dans le sol de la forêt tropicale humide que dans celui de la forêt tempérée. Cela semble paradoxal à première vue, car la forêt tropicale a généralement une très forte productivité. En réalité, la matière

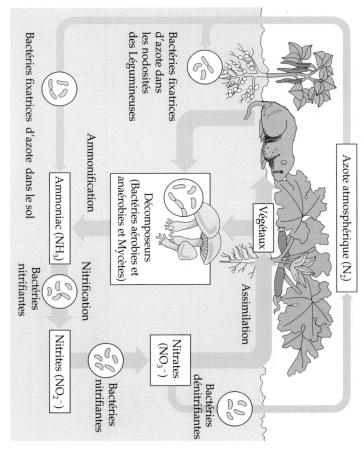

Figure 49.12
Le cycle de l'azote. La majeure partie de l'azote qui circule dans les réseaux alimentaires est absorbée par les Végétaux sous forme de nitrate. Ce nitrate provient surtout de la nitrification de l'ammoniac dégagé par la décomposition de la matière organique. La quantité de diazote prélevée à la quantité d'azote recyclé localement dans le sol et dans l'eau.

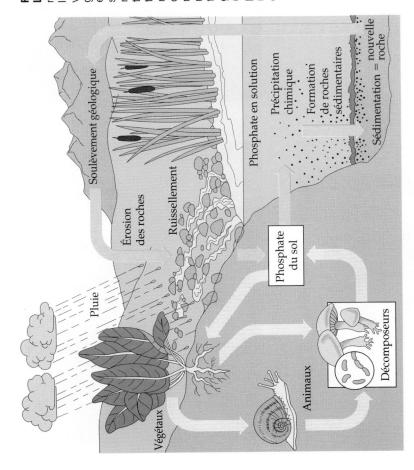

Figure 49.13
Le cycle du phosphore. Le phosphore, qui n'a pas de forme gazeuse, est recyclé localement (flèches jaunes), suivant des taux qui varient d'un écosystème à l'autre. En règle générale, les pertes légères que le lessivage entraîne dans les écosystèmes terrestres sont compensées par l'altération des roches. Dans les écosystèmes aquatiques, tout comme dans les écosystèmes terrestres, le phosphore est recyclé à travers les réseaux alimentaires. Une certaine quantité de phosphore en solution précipite et sédimente avant que les processus biotiques n'aient le temps de la récupérer. Après de très longues périodes, les phénomènes géologiques tels que le soulèvement (flèches dorées) renvoient le phosphore perdu dans les écosystèmes. Il en va de même pour de nombreux autres nutriments qui n'ont pas de réservoir atmosphérique.

Labels dans la figure :
Soulèvement géologique
Pluie
Érosion des roches
Ruissellement
Végétaux
Animaux
Décomposeurs
Phosphate du sol
Phosphate en solution
Précipitation chimique
Formation de roches sédimentaires
Sédimentation = roche
nouvelle roche

---

organique se décompose rapidement dans les régions tropicales, en raison de la chaleur et des précipitations abondantes. De plus, l'immense forêt tropicale absorbe les nutriments dès que les détritivores les rendent assimilables. Étant donné la rapidité de la décomposition, une faible proportion (de 1 à 2 %) de la matière organique s'accumule sur le sol, et presque tous les nutriments de l'écosystème se trouvent dans la végétation. Dans les forêts tempérées, en revanche, la décomposition s'effectue lentement, et les matériaux en décomposition représente de 5 à 20 % de la matière organique de l'écosystème. Une bonne partie des nutriments présents dans les forêts tempérées sont donc dans les détritus et dans le sol, et ils peuvent y demeurer longtemps avant que les Végétaux ne les assimilent. Par conséquent, la faible concentration de certains nutriments dans le sol des forêts tropicales humides est attribuable à un temps de recyclage court et non pas à la rareté des éléments dans l'écosystème. Le taux de décomposition, la biomasse mesurable, la composition chimique locale du sol et la fréquence des incendies sont au nombre des facteurs qui influent sur le temps de recyclage des nutriments dans les écosystèmes.

INGÉRENCE DE L'ÊTRE HUMAIN DANS LES ÉCOSYSTÈMES

La population humaine a connu récemment un accroissement vertigineux. Du fait de son activité et de ses moyens techniques, elle a altéré d'une façon ou d'une autre le fonctionnement d'un grand nombre de communautés et d'écosystèmes. Là où elle n'a pas tout détruit, elle a néanmoins perturbé la structure trophique, le flux de l'énergie et les cycles biogéochimiques. Les conséquences écologi-

ques de l'action humaine sont plus que locales ou régionales : elles se font sentir au niveau mondial. Les précipitations acides, par exemple, dont nous avons traité en détail au chapitre 3, tombent à des centaines, voire à des milliers de kilomètres des cheminées qui ont émis les substances polluantes. Nous présenterons ici quelques-uns des nombreux autres problèmes que l'activité humaine engendre dans les écosystèmes.

Destruction des habitats et crise de la biodiversité

L'être humain a envahi une très forte proportion des écosystèmes naturels, comme l'indique la figure 46.4. La destruction de la végétation est nécessaire au développement agricole, industriel et immobilier, mais elle constitue à n'en pas douter le principal facteur local de dégradation des milieux naturels. La coupe à blanc rase de vastes étendues forestières. Il reste relativement peu d'habitats intacts sur la Terre, et les écologistes calculent que plus de 75 % des forêts originelles ont été abattues ou gravement dégradées. Aux États-Unis, par exemple, il reste 15 % seulement de la forêt primaire (en Alaska principalement) et moins de 1 % de la prairie d'herbes hautes ; les statistiques sont encore plus sombres pour les forêts d'Europe, de Chine et d'Australie. Depuis quelques années, les écologistes attirent l'attention du public sur la destruction de la forêt tropicale, l'un des écosystèmes les plus productifs. Certains estiment que si le taux actuel de déboisement se maintient (environ 500 000 km² par année au total), il ne restera presque plus rien de cet écosystème dans 10 ou 20 ans.

Le développement et l'exploitation forestière ne sont certes pas les seules activités humaines nuisibles aux écosystèmes. La guerre a des conséquences écologiques aussi

(a)

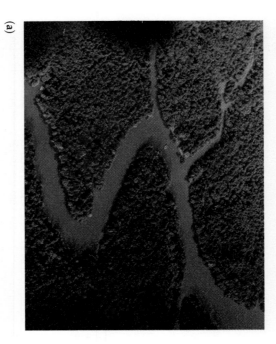

Figure 49.14
Effets écologiques de la guerre. Les conflits armés dévastent non seulement des écosystèmes mais aussi des territoires entiers. **(a)** La pulvérisation de défoliant (agent orange) pendant la guerre du Vietnam a détruit en peu de temps de vastes étendues de la forêt tropicale. Les photographies du haut montrent la même forêt tropicale du Vietnam avant et après la défoliation. L'un des composants de l'agent orange est cancérogène. **(b)** Dans cette photographie du Koweït prise par satellite à la fin de la guerre du Golfe, en 1991, les points orangés sont des puits de pétrole enflammés. Ces incendies ont obscurci le ciel, déposé une épaisse couche de suie visqueuse sur les environs et gaspillé un précieux combustible fossile.

dramatiques qu'étendues (figure 49.14). Pendant la guerre du Vietnam, par exemple, l'armée américaine a utilisé de grandes quantités de défoliants chimiques pour détruire la végétation dans laquelle l'ennemi se dissimulait. Plus près de nous encore, à la fin de la guerre du Golfe, l'armée iraquienne a ravagé le Koweït. Des déversements de pétrole ont pollué les écosystèmes du golfe Persique ; les incendies de puits de pétrole ont obscurci le ciel et laissé une couche de suie sur la région. Même en temps de paix, les déplacements de véhicules et de troupes, l'utilisation de machines polluantes, la production de toxines et de matières radioactives, bref tout ce qui sert à préparer un conflit éventuel, dévastent les écosystèmes.

La destruction généralisée des habitats naturels, et notamment celle de la forêt tropicale, a ceci de particulièrement inquiétant qu'elle provoque la disparition de nombreuses espèces. Au Sommet de la Terre, tenu en 1992 à Rio de Janeiro sous les auspices des Nations Unies, l'assemblée fit grand cas de la **crise de la biodiversité** ; seuls les États-Unis refusèrent de signer un traité visant à protéger la diversité des espèces. La sauvegarde des espèces menacées s'avère une tâche difficile, peu importent les circonstances, car les écologistes ne sont pas en mesure de préciser la taille minimale que doivent avoir les populations et les habitats à protéger. On peut difficilement protéger les espèces migratrices qui passent l'hiver dans un pays et se reproduisent dans un autre ;

(b)

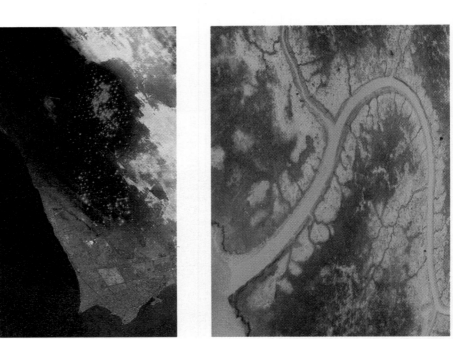

l'efficacité des mesures de conservation mises en place pour ces espèces repose sur la concertation internationale et sur la protection scrupuleuse des habitats dans les deux pays. Certaines espèces d'Oiseaux chanteurs d'Amérique du Nord, par exemple, ont connu une décroissance démographique de l'ordre de 1 à 6 % entre 1978 et 1987, en raison de la destruction de leur aire de reproduction, dans le Nord, et de leur aire d'hivernage, dans les tropiques. La protection des forêts d'Amérique du Nord et du Sud ne suffira pas à sauver ces espèces de l'extinction. Personne ne peut préciser la gravité de la crise de la biodiversité, car les taxinomistes n'ont répertorié qu'une fraction des espèces existantes. Des millions d'espèces animales et végétales restent probablement à découvrir. Triste ironie, l'activité humaine extermine des espèces, dont certaines encore inconnues, susceptibles de fournir des produits utiles.

Effets de la déforestation sur les cycles biogéochimiques : la forêt expérimentale de Hubbard Brook

Non seulement la déforestation élimine-t-elle les arbres et les Animaux qui leur sont associés, mais elle perturbe les cycles biogéochimiques. Depuis 1963, une équipe de scientifiques étudie les cycles des nutriments dans un écosystème forestier, la forêt expérimentale de Hubbard

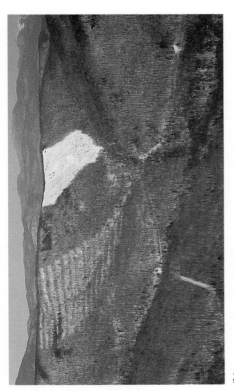

(a)

(b)

Figure 49.15
Étude du cycle des nutriments dans la forêt expérimentale de Hubbard Brook : un exemple de recherche écologique à long terme. (a) Les chercheurs firent construire des barrages de béton en travers des ruisseaux qui drainaient les bassins ; ils purent ainsi mesurer les sorties d'eau et de nutriments minéraux. Comme ces petits barrages étaient posés sur un substrat rocheux imperméable, toute l'eau qui s'écoulait des vallées devait les traverser. **(b)** Les chercheurs déboisèrent complètement certains bassins pour étudier les effets de la coupe à blanc sur le drainage et le cycle des nutriments. Ils laissèrent tous les débris sur place et s'efforcèrent de ne pas perturber le sol.

Brook située dans les White Mountains du New Hampshire, aux États-Unis. Il s'agit d'une forêt décidue presque mature qui s'étend sur quelques vallées ; chacune est drainée par un ruisseau tributaire de Hubbard Brook. Le substrat rocheux, imperméable, est proche de la surface, et chaque vallée constitue un bassin hydrographique dont la seule issue est un ruisseau.

Les chercheurs commencèrent par établir le bilan minéral de six vallées ; ils mesurèrent pour ce faire les apports et les pertes de quelques nutriments essentiels. Ils recueillirent l'eau de pluie en différents endroits pour mesurer la quantité d'eau et de minéraux dissous qui entrait dans l'écosystème. Pour calculer les pertes d'eau et de minéraux, ils construisirent un barrage de béton en forme de V dans le ruisseau situé au fond de chaque vallée (figure 49.15a). Environ 60 % de l'eau entrée sous forme de pluie et de neige sortait de l'écosystème par le ruisseau ; le reste des pertes résultait de la transpiration des végétaux et de la vaporisation.

Les études préliminaires confirmèrent que les cycles qui se déroulent à l'intérieur d'un écosystème terrestre mature conservent la majeure partie des nutriments minéraux. Les apports et les pertes de minéraux s'équivalaient, et elles étaient relativement faibles comparativement aux quantités recyclées dans l'écosystème. Ainsi, la quantité de calcium qui sortait d'une vallée par son ruisseau ne dépassait que d'environ 0,3 % la quantité ajoutée par l'eau de pluie, et cette perte minime était probablement compensée par la décomposition chimique du substrat rocheux. Au cours de la plupart des années, la forêt connut en fait de faibles gains de quelques nutriments minéraux, dont des composés azotés.

En 1966, les chercheurs déboisèrent complètement une vallée de 15,6 ha pour étudier les effets de la déforestation sur les cycles des nutriments (figure 49.15b). Pendant trois ans, ils comparèrent les entrées et les sorties d'eau et de minéraux du bassin expérimental déboisé à celles d'un bassin témoin. Faute d'arbres pour absorber l'eau du sol, le ruissellement augmenta de 30 à 40 %. Les pertes de minéraux furent énormes. La concentration de calcium dans le ruisseau quadrupla, et celle du potassium fut multipliée par 15. Pis encore, la concentration de nitrate fut multipliée par 60 (figure 49.16). Non seulement l'écosystème perdait-il un nutriment minéral essentiel, mais l'eau du ruisseau en devenait impropre à la consommation.

Des études semblables menées dans d'autres forêts expérimentales ont corroboré les conclusions de l'étude de Hubbard Brook : la déforestation perturbe à la fois le drainage et le recyclage des nutriments. Ces études relèvent d'un ambitieux programme de **recherche écologique à long terme** ; elles visent à révéler la dynamique des écosystèmes naturels et à déterminer les effets de l'activité humaine.

Effets de l'agriculture sur les cycles des nutriments

L'activité humaine a souvent pour effet de retirer des nutriments d'une partie de la biosphère et de les introduire ailleurs. Ce détournement perturbe l'équilibre naturel des deux régions. Pour cultiver le sol, par exemple, on élimine la végétation naturelle d'un territoire. Le sol se passe d'engrais pendant un certain temps, car il contient des réserves de nutriments organiques et inorganiques. Cependant, une partie considérable des nutriments quitte le territoire sous forme de biomasse plutôt que d'y subir un recyclage. Après une période qui varie

Figure 49.16
Perte de nitrate dans un bassin déboisé de la forêt expérimentale de Hubbard Brook. Les eaux de ruissellement provenant d'un bassin déboisé contenaient 60 fois plus de nitrate que les eaux de ruissellement provenant d'un bassin boisé.

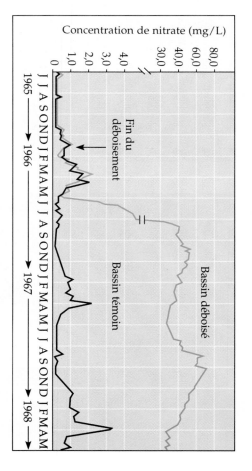

grandement d'un milieu à l'autre, il faut ajouter des nutriments au sol. Au début de la colonisation des prairies d'Amérique du Nord, par exemple, les agriculteurs obtinrent de bonnes récoltes pendant plusieurs années, car les grandes réserves de matière organique du sol continuaient de fournir des nutriments par l'intermédiaire de la décomposition. À l'opposé, les terres agricoles des tropiques ne sont productives qu'un ou deux ans. Partout où l'on pratique la culture intensive, la réserve de nutriments naturels finit par s'épuiser, et il faut ajouter des engrais. La production des engrais synthétiques utilisés aujourd'hui représente un considérable investissement d'argent et d'énergie (voir le chapitre 33).

Beaucoup des nutriments ajoutés en milieu agricole sont rapidement détournés vers les écosystèmes aquatiques. Certains nutriments, dont le phosphate, sont perdus pour les écosystèmes terrestres une fois qu'ils entrent dans les écosystèmes aquatiques. Normalement, le taux de déperdition est faible, car le lessivage agit lentement. Mais les nutriments contenus dans les engrais se retrouvent bientôt dans les excréments humains et animaux, ils entrent dans les eaux de ruissellement des champs et dans les eaux usées et ils aboutissent dans les cours d'eau et les lacs. Une personne qui mange un morceau de brocoli à Montréal consomme des nutriments qui se trouvaient peu de temps auparavant dans le sol de l'Ontario ; quelques jours plus tard, une partie de ces nutriments s'écoule vers la mer dans les eaux du fleuve Saint-Laurent, après être passée dans un système digestif humain et dans une station d'épuration locale. Dans les écosystèmes aquatiques, les nutriments favorisent la croissance des Algues, un problème dont nous traiterons plus loin. Les scientifiques cherchent actuellement des moyens de récupérer les nutriments dans les stations d'épuration et de les recycler dans les écosystèmes terrestres. L'idée d'ajouter des excréments humains dans le sol où sont cultivés les aliments rencontre une certaine opposition dans le public. Pourtant, les progrès techniques réalisés dans le domaine du traitement des eaux usées permettraient de recycler les nutriments sans nuire à la santé humaine. Étant donné les problèmes écologiques auxquels nous faisons face, il est clair que nous devons nous mettre au point des moyens ingénieux et réalistes d'interagir avec le reste de la biosphère.

Accélération de l'eutrophisation des lacs

Le caractère et la composition chimique des lacs changent naturellement (voir le chapitre 46). Dans un jeune lac oligotrophe, la productivité primaire est relativement faible, car les nutriments nécessaires au phytoplancton sont peu abondants. Peu à peu, les eaux de ruissellement ajoutent dans le lac des nutriments qui sont absorbés par les producteurs puis continuellement recyclés dans les réseaux alimentaires. Par conséquent, la productivité globale augmente, et le lac devient **eutrophe** (d'un mot grec qui signifie « bien nourri »). Dans des conditions naturelles, les lacs finissent par atteindre un équilibre : les gains de nutriments sont compensés par les pertes dues aux exportations et à la sédimentation. L'eutrophisation naturelle cause rarement problème. Un lac naturel « riche », où la croissance des Algues et des Végétaux reste modérée, présente habituellement une valeur esthétique et récréative.

Malheureusement, l'activité humaine a provoqué dans presque tous les écosystèmes dulcicoles ce qu'il convient d'appeler une *eutrophisation culturale*. Les cours d'eau et les lacs sont surchargés de nutriments inorganiques provenant des égouts domestiques et industriels, du lessivage des engrais, et des déchets organiques de l'élevage. La densité des organismes photosynthétiques s'y est accrue de manière explosive (figure 49.17). Les parties les moins profondes sont encombrées d'Algues qui entravent la navigation de plaisance et la pêche. Les fréquentes proliférations d'Algues augmentent la concentration de dioxygène pendant le jour et l'abaissent pendant la nuit. Quand les Algues meurent, la matière organique s'accumule au fond des lacs, et le métabolisme des décomposeurs consomme le dioxygène des eaux profondes. Tous ces phénomènes compromettent la survie de certains organismes. En 1960, par exemple, l'eutrophisation du lac Érié avait causé la perte d'espèces de Poissons à valeur commerciale, tels le Doré bleu (*Stizostedion vitreum glaucum*), le Grand Corégone (*Coregonus clupeaformis*) et le Touladi (*Salvelinus namaycush*). Depuis lors, les règlements relatifs au déversement de déchets dans le lac sont devenus plus sévères, et quelques populations de Poissons ont connu un regain ; plusieurs des espèces indigènes de Poissons et d'Invertébrés n'ont cependant pu être sauvées.

Figure 49.17
Eutrophisation expérimentale d'un lac.
Les bassins de ce lac ont été séparés par un écran de plastique, et celui de gauche a été fertilisé avec des sources inorganiques de carbone, d'azote et de phosphore. Deux mois plus tard, le bassin de gauche était recouvert d'Algues, comme le montre la photographie. Le bassin de droite, qui n'avait reçu que du carbone et de l'azote, est resté intact. Le phosphore était donc le nutriment limitant, et son ajout a provoqué une explosion démographique chez les Algues.

Présence de substances toxiques dans les chaînes alimentaires

L'Humain produit une extraordinaire variété de substances toxiques, et notamment des milliers de produits synthétiques qui n'ont jamais existé à l'état naturel. Il déverse ces substances dans la nature, sans s'inquiéter des conséquences écologiques de ce geste. Beaucoup de ces poisons résistent à la dégradation naturelle et demeurent dans les écosystèmes pendant des années, voire des décennies. Certaines des substances introduites dans les écosystèmes sont relativement inoffensives, mais elles sont parfois converties en produits toxiques par des réactions chimiques avec d'autres substances et par le métabolisme des microorganismes. Par exemple, on a déversé beaucoup de mercure, un sous-produit de la fabrication du plastique, dans les fleuves et dans la mer sous une forme insoluble. Les Bactéries qui vivent dans la vase le convertissent en méthylmercure, un composé soluble extrêmement toxique qui s'accumule dans les tissus des organismes.

Les organismes absorbent les substances toxiques en même temps que l'eau et les nutriments. Ils en métabolisent et en excrètent certaines mais en accumulent d'autres dans leurs tissus. Comme la biomasse d'un niveau trophique quelconque est produite à partir de la biomasse beaucoup plus grande du niveau inférieur, la concentration tissulaire des toxines augmente à chaque échelon des chaînes alimentaires, en un processus appelé **bioamplification**. Par conséquent, les organismes carnivores subissent le plus gravement les méfaits des composés toxiques libérés dans le milieu.

Le cas du DDT constitue un bon exemple de bioamplification. Cet insecticide rémanent, dont l'utilisation est aujourd'hui interdite aux États-Unis et au Canada, servait à éliminer les Insectes piqueurs et les Insectes parasites des cultures. Transporté dans l'eau loin des endroits d'épandage, il a vite causé un problème d'envergure mondiale. Comme le DDT est soluble dans les lipides, il

s'accumule dans les tissus adipeux des Animaux, et sa concentration s'amplifie d'un niveau trophique à l'autre (figure 49.18). Les chercheurs ont trouvé des traces de DDT dans les tissus de la plupart des organismes examinés ; dans plusieurs pays, ils en ont même décelé dans le lait maternel des femmes. L'un des premiers indices des effets écologiques du DDT fut le déclin des populations d'Aigles et de Pélicans, des superprédateurs qui occupent le sommet de chaînes alimentaires. L'accumulation de DDT (et de DDE, un produit de sa dégradation partielle) dans les tissus des Oiseaux entrave la calcification des coquilles d'œuf. Les Oiseaux brisent leurs œufs en les couvant, et leur taux de reproduction diminue de façon catastrophique.

De nos jours, le pire problème écologique provient des radio-isotopes émis par les réacteurs nucléaires et les déchets radioactifs. L'accident qui s'est produit en 1986 à la centrale nucléaire de Tchernobyl, en Ukraine, a libéré un nuage de matière radioactive qui a contaminé les cultures et les écosystèmes naturels situés sur le trajet des vents. Autour de Tchernobyl, l'incidence des anomalies congénitales chez les Animaux de ferme et celle du cancer de la thyroïde, de la leucémie et des cataractes chez les Humains ont monté en flèche depuis la catastrophe. Des accidents nucléaires mineurs surviennent fréquemment aux États-Unis. Un désastre qui aurait pu être pire que celui de Tchernobyl a été évité de justesse en 1979 à la centrale de Three Mile Island, en Pennsylvanie. Les contaminants nucléaires restent dangereux pendant des années, car les isotopes radioactifs ayant une longue période persistent dans les écosystèmes et sont sujets, comme les autres matières toxiques, à la bioamplification.

Pollution de l'atmosphère

Beaucoup d'activités humaines produisent des déchets gazeux, et nous croyions autrefois que nous pouvions impunément les relâcher dans l'immensité de l'atmosphère. Aujourd'hui, évidemment, nous savons que

l'atmosphère n'est pas plus infinie que les océans et que l'activité humaine en modifie fondamentalement la composition et les interactions avec le reste de la biosphère. L'augmentation de la concentration de dioxyde de carbone et la dégradation de la couche d'ozone constituent deux des principaux problèmes engendrés dans l'atmosphère par l'activité humaine.

Émissions de dioxyde de carbone Depuis la révolution industrielle, la concentration atmosphérique de dioxyde de carbone n'a pas cessé d'augmenter, à cause de l'utilisation des combustibles fossiles et de la combustion du bois associée à la déforestation (voir la figure 49.1). À l'aide de diverses méthodes, on a estimé que la concentration atmosphérique moyenne de dioxyde de carbone était d'environ 274 ppm avant 1850. En 1958, on commença à prendre des mesures très précises dans une station située à Hawaï ; cette concentration était alors de 316 ppm (mg/L) (figure 49.19). À l'heure actuelle, la concentration atmosphérique de dioxyde de carbone dépasse 351 ppm, ce qui représente une augmentation de 11 % pour les 30 dernières années. Si les émissions de dioxyde de carbone continuent d'augmenter au taux actuel, la concentration de ce gaz aura doublé entre le début de la révolution industrielle et 2075.

L'accroissement de la productivité végétale est une des conséquences prévisibles de l'augmentation de la concentration de dioxyde de carbone. En effet, l'augmentation de la concentration de dioxyde de carbone dans les milieux expérimentaux tels que les serres a pour effet d'intensifier la croissance de la plupart des Plantes. Mais comme les Plantes de type C_3 sont plus limitées que les Plantes de type C_4 par la disponibilité du dioxyde de carbone (voir le chapitre 10), l'augmentation de la concentration du dioxyde de carbone pourrait, à l'échelle mondiale, de favoriser la propagation des espèces de type C_3 dans les habitats terrestres autrefois plus propices aux Plantes de type C_4. Le phénomène aurait d'importantes répercussions sur l'agriculture. Le Maïs, par exemple, une Plante de type C_4 qui constitue la principale culture céréalière des États-Unis, pourrait se faire remplacer par le Blé et le Soja, des Plantes de type C_3 dont le rendement dépasserait celui du Maïs dans un milieu riche en dioxyde de carbone. Cependant, personne ne peut préciser les effets graduels et complexes qu'aura l'augmentation de la concentration de dioxyde de carbone sur la composition spécifique des communautés naturelles.

L'influence possible de l'augmentation de la concentration atmosphérique de dioxyde de carbone sur le bilan thermique de la Terre complique la formulation de prévisions quant aux effets à long terme de ce phénomène. Comme nous le disions plus haut, la majeure partie du rayonnement solaire qui atteint la planète est réfléchie dans l'espace. Bien que le dioxyde de carbone et la vapeur d'eau atmosphériques laissent passer la lumière visible, ils interceptent, absorbent et renvoient sur la Terre une bonne part des rayons infrarouges préalablement réfléchis par cette dernière. Une plus grande partie de la cha-

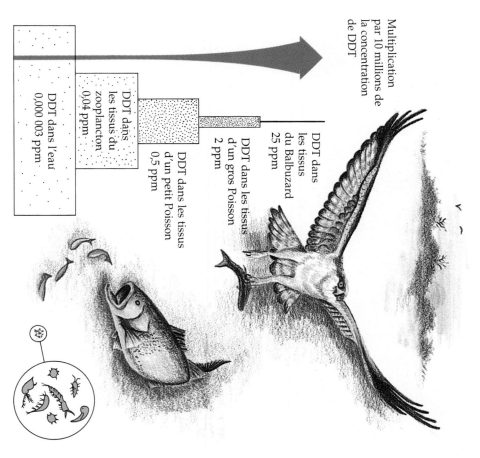

Figure 49.18
Bioamplification du DDT dans une chaîne alimentaire. La concentration de DDT s'est multipliée par environ 10 millions dans une chaîne alimentaire de Long Island Sound, aux États-Unis. De 0,000 003 parties par million (ppm, 1 ppm équivaut à 1 mg/L) dans l'eau de mer, elle passait à 25 ppm dans les tissus d'un Oiseau pêcheur, le Balbuzard (*Pandion haliætus*).

Multiplication par 10 millions de la concentration de DDT

DDT dans l'eau 0,000 003 ppm

DDT dans les tissus du zooplancton 0,04 ppm

DDT dans les tissus d'un petit Poisson 0,5 ppm

DDT dans les tissus d'un gros Poisson 2 ppm

DDT dans les tissus du Balbuzard 25 ppm

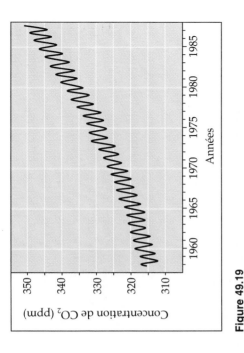

Figure 49.19
Augmentation de la concentration atmosphérique de dioxyde de carbone de 1958 à 1988. En plus des fluctuations saisonnières normales, le graphique révèle une augmentation constante de la concentration atmosphérique globale de dioxyde de carbone. Les mesures ont été prises à Hawaï, dans une région relativement isolée et exempte de pollution, qui ne subit pas les variations à court terme enregistrées près des grands centres urbains. L'échelle verticale du diagramme fait paraître l'augmentation plus importante qu'elle ne l'est en réalité. Elle est évaluée à environ 11 % en 30 ans.

leur solaire se trouve ainsi emprisonnée. Sans cet effet de serre, la température moyenne de l'air à la surface terrestre serait seulement de –18 °C environ. Certains écologistes s'inquiètent de l'effet que peut avoir sur la température l'augmentation marquée de la concentration atmosphérique de dioxyde de carbone.

Les scientifiques n'ont pas encore précisé quel sera cet effet. Quelques modèles mathématiques prévoient que le doublement de la concentration envisagé pour la fin du siècle prochain pourrait entraîner une augmentation de 3 à 4 °C de la température moyenne. Une hausse de 1,3 °C seulement rendrait le monde beaucoup plus chaud qu'il ne l'a jamais été en 100 000 ans. Le scénario le plus pessimiste veut que le réchauffement soit maximal près des pôles ; la fonte des glaces polaires élèverait le niveau de la mer de 250 cm. Si cela se produisait, de grandes villes comme New York, Miami, Los Angeles, et beaucoup d'autres zones densément peuplées, comme les Pays-Bas et une partie du Bangladesh, seraient inondées. En outre, la tendance au réchauffement modifierait la distribution géographique des précipitations et assécherait les grandes zones agricoles du centre des États-Unis et de l'ex-Union soviétique. Néanmoins, les modèles mathématiques divergent quant aux modalités des changements que subirait chaque région. Les paléoécologistes emploient une stratégie différente pour prédire les conséquences des changements futurs de la température : ils étudient les effets qu'ont eus sur les communautés végétales les périodes passées de réchauffement et de refroidissement.

La combustion du charbon, du gaz naturel, de l'essence, du bois et des autres combustibles organiques essentiels à la vie moderne libère forcément du dioxyde de carbone. Le réchauffement planétaire en cours à la suite de l'émission de dioxyde de carbone dans l'atmosphère pose un problème dont les conséquences sont incertaines, et les solutions, complexes. Au Sommet de la Terre de 1992, les dirigeants des pays industrialisés ont signé un traité par lequel ils s'engagent à stabiliser les émissions de dioxyde de carbone d'ici la fin du siècle. Mais étant donné l'importance que revêt la combustion dans nos sociétés de plus en plus industrialisées, la mise en œuvre des mesures prévues dans le traité reposera sur la concertation internationale et sur des changements radicaux tant dans les modes de vie que dans les procédés industriels.

Dégradation de la couche d'ozone Une couche de molécules d'ozone (O_3) protège la vie contre les effets nocifs du rayonnement ultraviolet ; la couche d'ozone se situe dans la stratosphère, à une altitude variant entre 17 et 25 km. L'ozone absorbe la majeure partie des rayons ultraviolets et les empêche ainsi d'atteindre les organismes de la biosphère. Les études par satellite de l'atmosphère révèlent que l'épaisseur de la couche d'ozone diminue depuis 1975, et que la dégradation s'accentue.

La recherche a démontré que la destruction de l'ozone atmosphérique résulte principalement de l'accumulation de chlorofluorocarbures (CFC), des substances utilisées dans les appareils réfrigérants, comme pulseurs dans les aérosols et dans certains procédés industriels. Quand les produits de décomposition de ces substances parviennent dans la stratosphère, le chlore qu'ils contiennent réagit avec l'ozone et le réduit en oxygène moléculaire (O_2). Ensuite, d'autres réactions chimiques libèrent le chlore, qui réagit avec d'autres molécules d'ozone en un cycle catalytique sans fin. L'effet du phénomène est surtout visible au-dessus de l'Antarctique, où le froid favorise ces réactions atmosphériques. Les scientifiques ont découvert le « trou dans la couche d'ozone » au-dessus de l'Antarctique en 1985 et, depuis, ils ont constaté qu'il s'ouvre et se referme selon un cycle annuel. Toutefois, la destruction de l'ozone et les dimensions du trou ont augmenté constamment depuis quelques années, et le trou s'étend quelquefois jusqu'au-dessus des régions méridionales de l'Australie, de la Nouvelle-Zélande et de l'Amérique du Sud. Dans les latitudes moyennes plus peuplées, la concentration d'ozone a subi une diminution variant entre 2 et 10 % au cours des 20 dernières années.

La dégradation de la couche d'ozone pourrait avoir de graves conséquences pour la vie sur la Terre. Certains scientifiques prévoient une augmentation des cataractes et des cancers de la peau chez les Humains ; ils s'attendent aussi à ce que les cultures et les communautés naturelles, et particulièrement le phytoplancton à l'origine d'une forte proportion de la productivité primaire (voir la figure 49.5) subissent des dommages difficiles à préciser. Le danger que pose la dégradation de la couche d'ozone est tel que de nombreux pays mettront fin d'ici 10 ans à la production de chlorofluorocarbures. Malheureusement, même si l'on cessait aujourd'hui d'utiliser les chlorofluorocarbures, les molécules de chlore déjà présentes dans l'atmosphère continueraient à influer sur les concentrations stratosphériques d'ozone pendant au moins un siècle.

Introduction d'espèces exotiques

Au chapitre 48, nous avons mentionné que les expériences de transplantation servent à déterminer les raisons

qui font que les espèces se limitent à telle ou telle aire géographique. Or, la plupart des expériences de transplantation ne sont pas réalisées par des écologistes mais bien par des voyageurs qui transportent sans le savoir des graines ou des Insectes, ou par des individus qui importent volontairement des Végétaux ou des Animaux exotiques à des fins agricoles ou autres. En général, les espèces transplantées ne survivent pas à l'extérieur de leur aire de distribution normale. Il existe cependant des exemples de transplantations réussies. Au XIXᵉ siècle, des Étourneaux sansonnets (*Sturnus vulgaris*) et des Moineaux domestiques (*Passer domesticus*) d'Europe ont été importés dans le nord-est des États-Unis ; les deux espèces abondent aujourd'hui dans les villes et les campagnes de presque toute l'Amérique du Nord. La Carpe, un Poisson d'eau douce originaire de Chine, fut introduite à peu près en même temps dans les environs de New York. À présent, elle a envahi la plupart des lacs et des cours d'eau sauf dans les provinces maritimes et en Alberta.

Il faut s'attendre, dans la majorité des transplantations du Canada, que les nouvelles espèces causent des torts aux espèces indigènes. Nous avons mentionné au chapitre 48 le cas des Lapins introduits en Australie. La Spongieuse (*Lymantria dispar*) fut importée aux États-Unis par un naturaliste européen qui essayait de croiser des espèces de vers à soie. En 1869, quelques individus s'échappèrent de la résidence du scientifique, près de Medford, au Massachusetts ; depuis lors, la Spongieuse se répand vers le sud et défolie de vastes étendues de forêt. L'importation d'Abeilles africanisées par des apiculteurs brésiliens, en 1956, fut un autre fiasco. Ces Abeilles, des hybrides de l'Abeille commune d'Europe (*Apis mellifera*) et d'une variété africaine, sont fort agressives et il arrive que tout un essaim attaque des Humains ou du bétail. Au cours des 30 dernières années, les Abeilles hybrides se sont répandues en Amérique du Sud, en Amérique centrale et au Mexique, et elles ont même fait des apparitions aux États-Unis. L'aire de distribution normale de l'espèce était limitée par des barrières géographiques, et notamment par l'océan Atlantique. La propagation vers le nord des Fourmis piqueuses (*Solenopsis invicta*), qui furent accidentellement introduites du Brésil au sud des États-Unis dans les années 1940, pose un problème semblable (figure 49.20).

Depuis quelque temps, les écologistes s'inquiètent des conséquences de la libération dans les milieux naturels et agricoles d'organismes génétiquement modifiés. Grâce au génie génétique moderne, en effet, les scientifiques peuvent maintenant transférer le matériel génétique d'une espèce à une autre. Ces transferts facilitent la mise au point de cultures résistantes aux herbicides ou aux parasites, et il y a déjà quelques années que l'on met à l'essai des Plantes transgéniques appartenant à la famille de la Tomate.

Nous avons traité au chapitre 19 des problèmes écologiques que la modification génétique des cultures risque d'entraîner, mais il vaut la peine de les rappeler ici. Certains écologistes craignent que les caractères introduits ne transforment en parasites les cultures elles-mêmes si jamais elles débordaient des champs où on les produit. De plus, les Plantes transgéniques pourraient se croiser avec des Plantes naturelles et les rendre aptes à envahir des ter-

ritoires où elles ne pousseraient pas normalement. Par exemple, si une mauvaise herbe acquiert accidentellement un gène qui contient le code de la résistance aux herbicides, il faudrait alors trouver des mécanismes pour limiter sa propagation. De même, la présence dans les cultures de gènes qui confèrent une résistance aux Insectes pourrait accélérer chez les parasites la coévolution de mécanismes propres à surmonter les défenses des Plantes. À l'heure actuelle, on ne peut prévoir les conséquences à long terme que pourraient avoir sur les communautés et les écosystèmes les transferts accidentels de gènes, mais il est possible d'imaginer l'apparition d'une « super mauvaise herbe » susceptible d'écraser ses concurrents dans les milieux naturels. L'introduction de la résistance aux Insectes dans les cultures et son transfert accidentel aux autres espèces végétales pourrait aussi influer sur la dynamique des populations d'Insectes herbivores et de leurs prédateurs. Il est encore trop tôt pour mesurer les dangers potentiels de l'introduction d'organismes transgéniques dans les milieux naturels, mais la question ne manquera sûrement pas de susciter recherches et débats.

IMPACT DES ÊTRES VIVANTS SUR LA BIOSPHÈRE

Certains scientifiques estiment que les organismes contribuent à *réguler* la biosphère et à la maintenir à l'intérieur de limites propices à la vie. Le concept porte le nom d'hypothèse Gaïa, du nom de la déesse grecque personnifiant la Terre.

Selon l'hypothèse Gaïa, formulée en 1979 par le scientifique britannique James Lovelock, les êtres vivants façonnent le climat et l'atmosphère terrestres. Ainsi, la transpiration des forêts tropicales produit des nuages qui influent sur le climat mondial. La photosynthèse et les cycles biogéochimiques ont produit des concentrations atmosphériques d'oxygène beaucoup plus élevées que celles qu'on trouverait sur une planète inhabitée ; du reste, la proportion de dioxygène dans l'atmosphère est comprise entre 15 et 25 % depuis 200 millions d'années. Outre la photosynthèse et la respiration, la libération de méthane (CH_4) par certaines Bactéries et par les innombrables Termites a contribué à réguler la concentration de dioxygène. En effet, le méthane réagit avec le dioxygène et forme du dioxyde de carbone et de l'eau. On croit même que les Termites ont produit environ la moitié du méthane contenu dans l'atmosphère. Il est aussi possible que les organismes modèrent les fluctuations de dioxyde de carbone atmosphérique. Les proliférations occasionnelles de phytoplancton marin, par exemple, retirent vraisemblablement d'énormes quantités de dioxyde de carbone de l'atmosphère.

Pour bien des écologistes, l'hypothèse Gaïa, dans sa forme originelle, n'est rien de plus qu'une variante à couleur mystique de la notion de « superorganisme » inventée par Clements (voir le chapitre 48). L'hypothèse Gaïa veut que la biosphère possède un métabolisme propre qui contre les fluctuations du milieu physique. Ce concept implique que l'évolution est coordonnée, et il est incompatible avec notre vision des mécanismes de l'évolution. Récemment, quelques tenants de l'hypothèse Gaïa ont avancé que la régulation est une conséquence

(a)

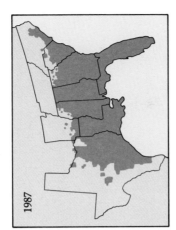

1953

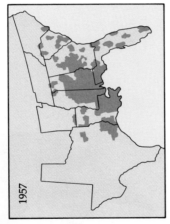

1957

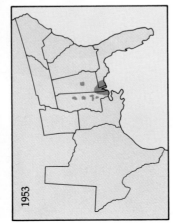

1987

(b)

Propagation de Solenopsis invicta.
(a) Les Fourmis *Solenopsis invicta* peuvent infliger une piqûre douloureuse, et elles tendent à attaquer en grand nombre. Dans le sud des États-Unis, plus de 70 000 personnes sont traitées chaque année à la suite de piqûres infligées par ces Fourmis. La photographie montre une femelle ailée et une ouvrière beaucoup plus petite. (b) *Solenopsis invicta* fut accidentellement importée du Brésil aux États-Unis dans les années 1940, vraisemblablement dans la cale d'un navire accosté à Mobile, en Alabama. L'aire de distribution de l'espèce s'est étendue depuis lors, comme le montre la série de cartes.

naturelle des mécanismes de compensation inhérents aux écosystèmes. La plupart des scientifiques conviendraient probablement que les organismes ont des effets marqués sur le milieu et qu'il existe aussi certains processus de rétroaction.

Ainsi nuancée, l'hypothèse Gaïa devient une métaphore des liens qui unissent tous les composants de la nature. L'étude des écosystèmes révèle clairement que les processus qui se déroulent en un endroit peuvent influer sur les organismes qui vivent ailleurs. C'est pourquoi il s'avère difficile de prévoir les répercussions qu'aura le comportement de notre espèce, la seule à posséder des industries et des techniques, dans la biosphère. Chose certaine, il reste très peu d'écosystèmes vierges, si tant est qu'il en existe encore (figure 49.21). En outre, le taux actuel d'extinction est 50 fois plus élevé qu'il ne l'a jamais été depuis 100 000 ans, et les disparitions résultent de l'invasion des habitats naturels par l'être humain.

Reconnaissant que la crise écologique mondiale est liée aux interactions complexes des divers composants de la biosphère, l'Ecological Society of America, la plus grande association d'écologistes professionnels au monde, a adopté récemment un nouveau programme de recherche, la **Sustainable Biosphere Initiative** (Programme pour une biosphère durable). L'objectif du programme consiste à acquérir les connaissances écologiques nécessaires à la gestion, à la conservation et au développement judicieux des ressources de la Terre. On prévoit d'effectuer des recherches sur les rapports entre le climat et les processus écologiques, sur la diversité biologique et sur son rôle dans le maintien des processus écologiques ainsi que sur les moyens de maintenir la productivité des écosystèmes naturels et artificiels. La réussite du programme nécessitera une réorientation de la recherche scientifique, l'élaboration de méthodes interdisciplinaires et un apport de fonds substantiels. L'envergure du programme dépasse celle de tous les projets scientifiques jamais entrepris en Amérique. Mais comme le destin de la vie elle-même est en jeu, on ne saurait surestimer son importance.

L'état de la planète laisse songeur. Afin de nous aider à composer avec cette réalité, essayons de tirer une leçon de l'organisation et du fonctionnement des écosystèmes : chaque organisme a un impact sur l'écosystème dont il fait partie et vice-versa. Chaque individu, au quotidien, a la capacité d'agir dans le sens de l'équilibre de l'écosystème. Il devient impérieux de passer le message à ses proches afin de les sensibiliser à ces questions. Quant aux problèmes environnementaux qui prennent des dimensions régionales, nationales ou planétaires, la clé se trouve manifestement au niveau politique. Le jour où la qualité de l'environnement deviendra une priorité politiquement rentable, tous les espoirs seront permis.

Figure 49.21
Dommages causés par l'activité humaine à un écosystème sauvage. Le 24 mars 1989, un superpétrolier s'est échoué dans les eaux claires de Prince William Sound, en Alaska, y déversant plus de 40 millions de litres de pétrole brut. Les Loutres de mer furent au nombre des victimes. Cette catastrophe écologique nous a rappelé, non sans brutalité, que les tentacules des techniques modernes s'étendent extrêmement loin. Nous conduisons nos automobiles dans les rues de Montréal, de Toronto et de New York, mais les répercussions de la demande de pétrole se font sentir jusqu'en Alaska.

RÉSUMÉ DU CHAPITRE

1. L'écosystème est l'un des plus hauts niveaux de l'organisation biologique. Il est formé par les organismes d'une communauté et les facteurs abiotiques avec lesquels ils interagissent.

2. Le flux de l'énergie et les cycles biogéochimiques sont deux processus interdépendants qui reposent sur le transfert des substances associé aux relations alimentaires.

Niveaux trophiques et réseaux alimentaires (p. 1132-1133)

1. Le parcours du flux de l'énergie et des cycles biogéochimiques est dicté par la structure trophique des communautés.

2. Les producteurs sont les organismes autotrophes qui assurent la subsistance de tous les organismes d'une communauté.

3. Les organismes hétérotrophes sont des consommateurs. Les herbivores sont des consommateurs primaires qui se nourrissent des autotrophes. Les carnivores sont des consommateurs secondaires qui se nourrissent des herbivores. Les carnivores qui se nourrissent d'autres carnivores sont des consommateurs tertiaires. Les détritivores se nourrissent des déchets organiques et des organismes morts de tous les niveaux trophiques.

4. Dans la plupart des écosystèmes, les principaux producteurs sont les autotrophes photosynthétiques ; quelques communautés marines doivent leur subsistance à l'énergie géothermique qu'exploitent les Bactéries chimioautotrophes.

5. Une chaîne alimentaire est le parcours que suit la nourriture entre les producteurs et les consommateurs des divers niveaux. La plupart des relations alimentaires naturelles forment des réseaux, car les consommateurs s'alimentent à plus d'un niveau trophique ou se nourrissent de diverses espèces d'un même niveau.

Flux de l'énergie (p. 1133-1140)

1. Les autotrophes n'utilisent pour la photosynthèse qu'une faible proportion de l'énergie solaire qui atteint la Terre.

2. La productivité primaire est la vitesse à laquelle les autotrophes convertissent l'énergie solaire en énergie chimique. Elle détermine l'allocation énergétique des écosystèmes.

3. Seule la productivité primaire nette, c'est-à-dire la différence entre la productivité primaire brute et l'énergie utilisée par les producteurs pour la respiration, est mise à la disposition des consommateurs.

4. Les hétérotrophes des divers niveaux convertissent la productivité primaire nette en de nouvelles formes de biomasse. La productivité secondaire diminue à chaque niveau trophique. En règle générale, 10 % seulement de l'énergie chimique disponible à un niveau trophique apparaît au niveau supérieur.

Cycles biogéochimiques (p. 1140-1145)

1. Les cycles des nutriments, ou cycles biogéochimiques, font intervenir des composants biotiques et abiotiques des écosystèmes.

2. Les cycles biogéochimiques se produisent à l'échelle mondiale ou locale, suivant la mobilité des éléments dans le milieu ; cette mobilité est elle-même reliée à la nature chimique des éléments et au parcours qu'ils suivent dans la structure trophique de l'écosystème.

3. Les nutriments circulent dans quatre compartiments définis par leur contenu (matière organique ou inorganique) et par la disponibilité ou la non-disponibilité de leur contenu pour les organismes.

4. Le cycle du carbone repose sur la réciprocité de la photosynthèse et de la respiration cellulaire. Les producteurs convertissent le dioxyde de carbone inorganique en molécules organiques ; les consommateurs dégradent ces molécules en dioxyde de carbone, que les autotrophes réutilisent. Dans

les milieux aquatiques, le dioxyde de carbone est présent en équilibre dynamique avec l'eau et le calcaire.

5. Au cours du cycle de l'azote, certains procaryotes convertissent d'abondantes quantités de diazote atmosphérique en ammoniac, que d'autres Bactéries convertissent en nitrites et en nitrates. Les Végétaux absorbent l'ammoniac et les nitrates, et ils les convertissent en protéines qui entrent dans les chaînes alimentaires. Les détritivores décomposent les déchets azotés en ammoniac, qui peut être réutilisé par les Végétaux ou recouvert en nitrites ou en nitrates. Les Bactéries dénitrifiantes renvoient l'azote du sol dans l'atmosphère sous la forme d'azote moléculaire.

6. Le cycle du phosphore ne comprend pas d'étape atmosphérique. Dans le temps écologique et à l'échelle locale, les Végétaux absorbent le phosphore sous forme de phosphates et le transfèrent aux consommateurs ; l'excrétion animale et les décomposeurs renvoient le phosphore dans le sol. Dans le temps géologique, le phosphore suit un cycle sédimentaire qui passe par l'altération des roches, le lessivage du phosphore dans la mer et son incorporation aux sédiments marins. Ultérieurement, les sédiments émergent et subissent à leur tour une altération.

7. La proportion d'un nutriment existant sous une forme particulière et son temps de recyclage sous cette forme varient d'un écosystème à l'autre. Dans les régions tropicales, par exemple, les nutriments sont rapidement décomposés et réintégrés à la biomasse.

Ingérence de l'être humain dans les écosystèmes (p. 1145-1153)

1. L'altération locale et régionale de la structure trophique, du flux de l'énergie et des cycles biogéochimiques peut avoir des conséquences écologiques mondiales.

2. L'activité humaine a détruit de nombreux habitats et provoqué une crise de la biodiversité.

3. La recherche écologique à long terme menée à Hubbard Brook, dans le New Hampshire, a démontré que l'abattage d'une forêt décidue mature augmente le ruissellement, entraîne des pertes considérables de nutriments minéraux et détruit l'équilibre naturel.

4. L'agriculture retire des nutriments des écosystèmes et nécessite l'emploi de grandes quantités d'engrais. Les nutriments consommés par les Humains et les Animaux sont déversés dans les milieux aquatiques.

5. Le déversement de déchets riches en nutriments dans les habitats aquatiques accélère l'eutrophisation, et l'augmentation de la biomasse épuise le dioxygène.

6. Les déchets toxiques sont des substances nocives qui persistent longtemps dans les écosystèmes. La bioamplification de certaines de ces substances dans les chaînes alimentaires a des effets étendus.

7. La combustion du bois et des combustibles fossiles a causé une augmentation de la concentration atmosphérique de dioxyde de carbone. Certains scientifiques croient que cette augmentation aura des effets sur le climat et entraînera notamment un réchauffement important. L'émission de chlorofluorocarbones a dégradé la couche d'ozone située dans la stratosphère.

8. L'introduction d'espèces exotiques a causé des torts à de nombreux écosystèmes et communautés. On ne connaît pas encore les conséquences de l'introduction d'organismes génétiquement modifiés.

Impact des êtres vivants sur la biosphère (p. 1153-1154)

1. L'hypothèse Gaïa veut que le climat et les milieux naturels soient régulés par les organismes vivants.

2. Que l'hypothèse Gaïa soit fondée ou non, l'étude des écosystèmes a démontré que les composants biotiques et abiotiques de la biosphère sont unis par des liens complexes.

3. Les écologistes entreprennent un gigantesque programme de recherche, la Sustainable Biosphere Initiative, pour recueillir des données de base sur le fonctionnement des écosystèmes.

AUTO-ÉVALUATION

1. Laquelle des associations suivantes est *inexacte* ?
   a) Cyanobactérie – producteur.
   b) Sauterelle – consommateur primaire.
   c) Zooplancton – consommateur secondaire.
   d) Aigle – consommateur tertiaire.
   e) Mycète – détritivore.

2. Une pyramide de productivité révèle que :
   a) la moitié seulement de l'énergie d'un niveau trophique est transmise au niveau suivant.
   b) la majeure partie de l'énergie d'un niveau trophique est incorporée à la biomasse du niveau suivant.
   c) l'énergie perdue sous forme de chaleur ou lors de la respiration cellulaire correspond à 10 % de l'énergie disponible à chaque niveau trophique.
   d) les consommateurs primaires ont la plus grande efficacité écologique.
   e) la consommation d'herbivores nourris de céréales est un moyen inefficace de se procurer l'énergie emmagasinée par la photosynthèse.

3. Le rôle des détritivores dans le cycle de l'azote consiste à :
   a) convertir l'azote moléculaire en ammoniac.
   b) libérer l'ammoniac des composés organiques et, ce faisant, à le renvoyer dans le sol.
   c) dénitrifier l'ammoniac et renvoyer l'azote moléculaire dans l'atmosphère.
   d) convertir l'ammoniac en nitrate que les Végétaux pourront absorber.
   e) incorporer l'azote à des acides aminés et à des composés organiques.

4. Laquelle des conclusions suivantes n'a pas été obtenue dans l'étude de Hubbard Brook ?
   a) La majeure partie des minéraux est recyclée dans un écosystème forestier.
   b) Dans un bassin naturel, les apports et les pertes de minéraux s'équilibrent.
   c) La déforestation augmente le ruissellement.
   d) La concentration de nitrate augmente dangereusement dans les cours d'eau qui drainent un territoire déboisé.
   e) Après la déforestation, la croissance de jeunes plants rétablit rapidement les cycles biogéochimiques.

5. L'augmentation de la concentration atmosphérique de dioxyde de carbone est due principalement à une augmentation de :
   a) la productivité primaire.
   b) la production de méthane par les Termites et certaines Bactéries.
   c) l'absorption des rayons infrarouges réfléchis par la Terre.
   d) la combustion du bois et l'utilisation des combustibles fossiles.
   e) la respiration cellulaire dans la population humaine.

6. Lequel des phénomènes suivants est une conséquence de la bioamplification ?
   a) Les prédateurs qui occupent les niveaux trophiques supérieurs sont les plus touchés par les déchets toxiques.
   b) Le DDT s'est répandu dans tous les écosystèmes et a contaminé presque tous les organismes.
   c) L'effet de serre atteindra son maximum aux pôles.

d) La biosphère a la capacité de réguler les milieux et de s'adapter aux perturbations.

e) Beaucoup de nutriments sont retirés des terres agricoles et détournés vers les écosystèmes aquatiques.

7. Lequel des écosystèmes ou biomes suivants a la plus faible productivité primaire par mètre carré?

a) Un marais salant.

b) La haute mer.

c) Un étang à marées.

d) Une prairie.

e) Une forêt tropicale.

8. Les concentrations de nutriments minéraux sont relativement faibles dans le sol des forêts tropicales humides, car:

a) la biomasse mesurable est faible.

b) les microorganismes qui recyclent les minéraux ne sont pas très abondants dans le sol des forêts tropicales.

c) la décomposition des déchets organiques et la réassimilation des minéraux par les Végétaux sont rapides.

d) les cycles des nutriments sont relativement lents dans le sol des forêts tropicales.

e) la chaleur détruit les nutriments.

9. Au cours du cycle de l'azote, les Bactéries qui renvoient l'azote moléculaire dans l'atmosphère sont appelées:

a) Bactéries fixatrices d'azote.

b) Bactéries dénitrifiantes.

c) Bactéries nitrifiantes.

d) Bactéries ammonifiantes.

e) *Rhizobium* et vivent dans les nodosités.

10. Lequel des énoncés suivants est *faux*?

a) Au-dessus des océans, la vaporisation est supérieure aux précipitations, et les vents transportent la vapeur d'eau vers les milieux terrestres.

b) Les précipitations sont supérieures à la vaporisation au-dessus de la terre ferme.

c) La majeure partie de l'eau qui se vaporise des océans y retourne par suite du ruissellement.

d) La transpiration est un important facteur de la perte d'eau due à la vaporisation dans les écosystèmes terrestres.

e) La vaporisation est supérieure aux précipitations au-dessus des océans.

QUESTIONS À COURT DÉVELOPPEMENT

1. Dressez un schéma de concepts qui intègre le flux de l'énergie et de la matière.

2. Décrivez le cycle du carbone.

3. Décrivez trois ingérences néfastes de l'Humain dans la dynamique des écosystèmes.

RÉFLEXION-APPLICATION

1. On estime généralement que les herbivores nuisent aux populations de Végétaux. Toutefois, l'étude d'une communauté naturelle où le Crustacé herbivore *Daphnia pulex* se nourrit d'Algues a démontré que *Daphnia* a aussi sur les populations d'Algues un effet stimulant qui compense presque exactement les torts qu'elle leur cause. D'après ce que vous savez au sujet du cycle de l'azote, expliquez le mécanisme par lequel *Daphnia* stimule la croissance des Algues.

2. Imaginez que vous venez d'être choisi(e) pour occuper le poste de biologiste dans l'équipe de concepteurs de la station orbitale ECOS. On vous charge de sélectionner les organismes qui feront de la station un écosystème autonome où vous devrez vivre pendant deux ans en compagnie de cinq autres personnes. Décrivez les principales fonctions que les organismes devraient accomplir. Énumérez les types d'organismes que vous choisiriez et expliquez votre choix.

3. Pourquoi interdit-on, au Québec, la pêche avec utilisation de Méné ou de Sangsue comme appât? Développez les arguments qui touchent la dynamique des écosystèmes.

SCIENCE, TECHNOLOGIE ET SOCIÉTÉ

1. La concentration atmosphérique de dioxyde de carbone augmente, et la température mondiale s'est élevée au cours des 100 dernières années. La plupart des scientifiques ne s'entendent pas quant à la relation entre ces deux phénomènes. La plupart d'entre eux croient en l'existence de l'effet de serre et disent qu'il faut agir maintenant pour éviter des changements écologiques profonds. D'autres affirment qu'il est trop tôt pour conclure et que nous devons recueillir des données supplémentaires avant de passer à l'action. Telle est la position qui dominait chez les délégués des États-Unis au Sommet de la Terre de 1992. Étant donné l'opposition des États-Unis, les dispositions relatives à l'élimination de sources précises de dioxyde de carbone furent rayées de l'entente sur le réchauffement planétaire. Quels avantages et quels inconvénients y a-t-il à agir immédiatement pour ralentir le réchauffement planétaire? Quels avantages et quels inconvénients y a-t-il à attendre jusqu'à ce que les données soient plus complètes?

2. Longtemps, les solutions apportées aux problèmes écologiques ont été fragmentaires, une loi antipollution ici, un projet de recyclage là. Pendant ce temps, l'inégalité entre les pays, l'épuisement des ressources et la pollution ont augmenté. Aujourd'hui, les citoyens et les gouvernements adhèrent de plus en plus au concept du développement durable; ce développement permettrait à chaque génération d'hériter de la précédente des ressources naturelles relativement stable. Le Worldwatch Institute, un organisme à vocation écologique, respecté, estime que nous devons mettre en place un mode de développement durable d'ici l'an 2030 si nous voulons éviter un désastre économique et écologique. Pour atteindre cet objectif, nous devons agir dès maintenant. Quels sont les aspects du développement actuellement réalisé qui sont non durables? Que pouvons-nous faire pour favoriser le développement durable et quels sont les principaux obstacles que nous rencontrerons? Qu'est-ce que le développement durable changera dans notre vie?

LECTURES SUGGÉRÉES

Bader, J.-M., «Les UV et la vie», *Science & Vie*, n° 896, mai 1992. (Effets de différentes catégories de rayons UV sur les êtres vivants.)

Barbault, R., *Écologie générale: structure et fonctionnement de la biosphère*, Paris, Masson, 1990. (Le chapitre 3 de la première partie de l'ouvrage explique les cycles biogéochimiques; la quatrième partie étudie la structure et le fonctionnement des écosystèmes.)

Brénugat, V., «Le CO2 au rebut», *Science & Vie*, n° 900, septembre 1992. (Hypothèses d'enfouissement du CO2 industriel dans les profondeurs du sol et de l'océan.)

Cheneval, J.-P., «La toxicité des lessives», *La Recherche*, n° 250, janvier 1993. (Polémique à propos des phosphates, des produits de remplacement et des tensio-actifs courants.)

Denis-Lempereur, J., «Les plus gros pollueurs de la planète», *Science & Vie*, n° 902, novembre 1992. (Établissement d'une liste, chiffres à l'appui, des principaux pays responsables de diverses pollutions.)

Dorozynski, A., «50 000 espèces en moins chaque année», *Science & Vie*, n° 908, mai 1993. (Les conséquences néfastes de la destruction d'écosystèmes sur la biodiversité.)

Dorozynski, A., «Les radiations nous font vieillir», *Science & Vie*, n° 898, juillet 1992. (Résultats de recherches menées à Tchernobyl sur les effets des radiations ionisantes.)

Dubrana, D., « Mort aux CFC : oui, mais après ? », *Science & Vie*, n° 912, septembre 1993. (À l'approche de l'échéance de l'an 2000, il n'y a toujours pas de substitut valable pour remplacer les chlorofluorocarbones.)

Dubrana, D., « Trou d'ozone : pas de panique », *Science & Vie*, n° 911, août 1993. (Article tenant des propos moins alarmistes sur la question du trou dans la couche d'ozone et qui met en évidence l'impact du volcanisme et des océans sur l'altération de cette couche.)

Fontan, J., « La pollution atmosphérique sous les tropiques », *La Recherche*, n° 253, avril 1993. (La contribution des feux en provenance de la zone intertropicale sur la pollution atmosphérique globale.)

Frontier, S. et D. Pichod-Viale, *Écosystème : structure, fonctionnement et évolution*, Paris, Masson, 1993. (Les chapitres 2, 3, 4 et 6 traitent de la structure et du fonctionnement des écosystèmes.)

Garnier, J. et coll., « La Seine, un écosystème fragile », *La Recherche*, n° 228, janvier 1991. (Mise en évidence du rôle important des processus biologiques dans le bilan d'O_2 de la Seine.)

Germain, J. R., « Le crépuscule du caviar », *Science & Vie*, n° 904, janvier 1993. (Les Esturgeons de la mer Caspienne menacés de disparition à cause de la pollution.)

Hougart, J.-M. et coll., « Des bactéries pour la lutte anti-moustique », *La Recherche*, n° 252, mars 1993. (Un nouveau moyen de lutte biologique contre un Moustique devenu un fléau.)

Kempf, H., « La dioxine n'est plus ce qu'elle était... », *Science & Vie*, n° 906, mars 1993. (Les Américains cherchent à réhabiliter cette substance réputée hautement toxique ; l'article illustre aussi la façon dont la dioxine dérègle le métabolisme cellulaire.)

La Recherche, n° 243, mai 1992. (Un numéro complet consacré à l'effet de serre.)

Petit-Maire, N. et J. Marchand, « La Camargue au XXIe siècle », *La Recherche*, n° 234, juillet-août 1991. (Anticipation des conséquences, sur les côtes françaises, d'une élévation de 50 cm du niveau de la mer due à l'effet de serre.)

Québec, ministère de l'Environnement, *État de l'environnement au Québec*, Montréal, Guérin, 1992. (Un ouvrage de référence riche en informations et en données nous permettant de suivre l'évolution environnementale au Québec.)

Ramade, F., *Précis d'écotoxicologie*, Paris, Masson, 1992. (Le chapitre 1 aborde la pollution de la biosphère et le chapitre 3, les effets des polluants sur les écosystèmes.)

Shear, W. A., « Les premiers écosystèmes terrestres », *La Recherche*, n° 248, novembre 1992. (L'émergence et l'organisation des premiers écosystèmes terrestres à la lumière des fossiles d'Arthropodes.)

Tiberti, M., « La Méditerranée bientôt mer tropicale ? », *Science & Vie*, n° 907, avril 1993. (Étude du rapport entre l'augmentation de l'effet de serre et celle de la température des eaux profondes de la Méditerranée.)

Tiberti, M., « Mer Noire, mer maudite », *Science & Vie*, n° 903, décembre 1992. (Crainte d'une émission massive de méthane et de sulfure d'hydrogène en provenance de l'une des mers les plus polluées.)

APPROCHE ÉVOLUTIONNISTE DE L'ÉCOLOGIE COMPORTEMENTALE
CAUSES IMMÉDIATES ET CAUSES ULTIMES
COMPOSANTES INNÉES DU COMPORTEMENT
APPRENTISSAGE ET COMPORTEMENT
RYTHMES COMPORTEMENTAUX
MOUVEMENT
ALIMENTATION
INTERACTIONS SOCIALES
COMPORTEMENT LIÉ À LA REPRODUCTION
COMMUNICATION
ÉGOCENTRISME ET ALTRUISME
COGNITION ANIMALE
SOCIOBIOLOGIE HUMAINE

Qui n'a pas au moins une fois écouté le babil d'un bébé couché dans son berceau? Peu de gens savent que des milliers de jeunes Animaux, et particulièrement d'Oiseaux chanteurs, ont un comportement semblable. Contrairement aux vocalisations des Humains et des Oiseaux adultes, les sons incohérents des bébés et des oisillons ne semblent pas adressés à un auditeur en particulier. Pourquoi, alors, les jeunes soliloquent-ils? Même quand il n'y a personne pour l'écouter, le jeune a un auditeur: lui-même. Peu à peu, semble-t-il, il apprend à faire correspondre ses vocalisations à des modèles sonores innés. Ce processus s'apparente à l'apprentissage d'une mélodie d'après une partition. La partition indique la façon de jouer la mélodie, mais le musicien a besoin de s'entendre jouer pour exécuter la pièce correctement. Quelque part dans le cerveau, il existe une partition, un réseau de neurones qui dicte le caractère des vocalisations enfantines. Les premiers sons qu'émettent les bébés et les oisillons sont graduellement remplacés par une myriade de sons appris. Le jeune entend ses congénères (les membres de son espèce), et il commence à imiter leurs chants, tout comme il a reproduit ses modèles sonores innés.

Le chant des Oiseaux fournit une excellente introduction à l'étude du comportement, car les biologistes comprennent de mieux en mieux son développement, ses fonctions et ses effets, de l'échelle des molécules à celle des populations. Malheureusement, on ne peut en dire autant de beaucoup d'autres comportements complexes. Les chercheurs s'intéressent au chant des Oiseaux parce qu'on peut l'analyser par les méthodes expérimentales modernes, mais aussi parce qu'il présente plusieurs ressemblances étonnantes avec la parole humaine. L'étude du chant des Oiseaux est devenue un modèle pour la recherche sur le comportement animal, car elle fait ressortir une très importante généralisation: le comportement subit l'influence de facteurs innés et de facteurs acquis (figure 50.1). Même si les jeunes Animaux possèdent des modèles neuronaux innés, ils doivent apprendre à produire les sons.

Avant d'entrer dans le détail des chants d'Oiseaux et des autres comportements, nous devons définir le comportement et expliquer comment les biologistes l'étudient. Si vous cherchez la définition du mot **comportement** dans un dictionnaire, vous trouverez vraisemblablement quelque chose comme «actions accomplies par un organisme en réponse à des stimuli». Le comportement consiste pour une grande part en une activité musculaire observable, les actions de la définition. Or, un oisillon qui entend chanter un adulte peut fort bien ne présenter aucune activité musculaire, mais emmagasiner dans son cerveau le souvenir

Figure 50.1
Pourquoi cet Oiseau chante-t-il? La virtuosité vocale de ce Vacher à tête brune (*Molothrus ater*) repose sur un mélange d'instinct et d'apprentissage, d'hérédité et d'expérience. Les Vachers mâles ont un vaste répertoire. Pourquoi la sélection naturelle a-t-elle favorisé la diversité plutôt que l'uniformité? Dans le présent chapitre, nous verrons comment les biologistes qui étudient le comportement animal répondent à une telle question. Nous adopterons le point de vue de l'écologie comportementale, la discipline qui cherche dans l'évolution l'explication du comportement animal.

du chant. Quoi que ce souvenir soit susceptible de modifier le fonctionnement cérébral de l'oisillon, la réponse musculaire observable viendra plus tard, lorsque l'oisillon commencera à imiter le chant qu'il a en mémoire. Si, par conséquent, nous considérons non seulement ce qu'un Animal fait mais aussi la manière dont il le fait, notre définition recouvre à la fois les actions observables et leurs aspects non mécaniques.

L'étude du comportement animal est indubitablement l'une des branches les plus anciennes de la biologie. Pour l'Humain préhistorique, il était vital de connaître le comportement des Animaux. En apprenant les habitudes des Animaux, les premiers Humains augmentaient leurs chances de manger et diminuaient les risques d'être mangés. L'étude du comportement animal améliorait donc la valeur adaptative de nos ancêtres.

APPROCHE ÉVOLUTIONNISTE DE L'ÉCOLOGIE COMPORTEMENTALE

Le lien entre l'adaptabilité darwinienne et l'étude du comportement animal existe encore, mais il a changé. Alors que les premiers Humains amélioraient leur *propre* adaptabilité (valeur adaptative) en étudiant le comportement animal, les biologistes contemporains axent leurs recherches sur l'adaptabilité de leurs sujets animaux. Le principe est simple : comme la sélection naturelle s'exerce sur les innombrables variations engendrées par la mutation et la recombinaison, nous nous attendons à ce que les organismes possèdent des caractères qui maximisent leur représentation génétique dans la génération suivante (voir le chapitre 20). En vertu de ce principe, nous nous attendons également à ce que les Animaux aient des comportements qui maximisent leur adaptabilité. Le comportement alimentaire, par exemple, devrait accroître son efficacité (le gain énergétique net), et le choix d'un mâle ou d'une femelle devrait tendre à garantir la production de descendants sains.

Un comportement optimal ne se développe que si les gènes exercent une influence. S'il n'y avait pas d'influence génétique, en effet, le comportement ne serait pas sujet à la sélection naturelle et ne pourrait pas évoluer. De fait, les gènes exercent une forte influence sur beaucoup de comportements (figures 50.1 et 50.2). Même les comportements appris reposent sur les gènes qui créent un système nerveux réceptif à l'apprentissage. La discipline qui présuppose que les Animaux améliorent leur adaptabilité par le comportement optimal est appelée **écologie comportementale**, et elle guide l'étude du comportement animal depuis le milieu des années 1970. L'écologie comportementale présente beaucoup d'attrait, car elle est heuristique, c'est-à-dire qu'elle mène à la formulation de questions et de prévisions. Or, qu'est-ce que la science sinon la formulation de questions et de prévisions ?

Supposons que vous vous intéressez au fait que beaucoup d'Oiseaux chanteurs ont un répertoire composé de chants divers. Certains de ces chants semblent de prime abord identiques, mais l'analyse des spectres sonores révèle clairement leurs différences (figure 50.3). Si vous employez les méthodes de l'écologie comportementale, vous formulez quelques hypothèses vérifiables qui commencent toutes par ces mots : « Un répertoire étendu améliore l'adaptabilité parce que… » (Rappelez-vous que l'on formule les hypothèses comme des explications possibles.) Vous pouvez supposer qu'un bon répertoire améliore l'adaptabilité parce qu'il rend les mâles âgés et expérimentés attrayants pour les femelles. Il faut donc que : (1) les mâles étendent leur répertoire en vieillissant, de sorte que l'étendue du répertoire constitue un indice fiable de l'âge ; (2) les femelles préfèrent s'accoupler avec des mâles qui ont un vaste répertoire. Par conséquent, votre hypothèse comprend deux prévisions nettement vérifiables. Pour vérifier la première, vous pouvez déterminer s'il existe une corrélation entre l'âge des mâles et l'étendue de leur répertoire. Si cette corrélation n'existe pas, votre hypothèse est réfutée, ce qui vous apporte une information, peut-être, mais est décevant. (Dans les faits, la corrélation existe chez certaines espèces d'Oiseaux chanteurs.) Ensuite, vous pouvez déterminer si les femelles sont plus stimulées par un répertoire étendu que par un répertoire limité. Pour ce faire, vous pouvez soumettre des enregistrements de chants de mâles à des femelles que vous aurez rendues réceptives aux chants par l'administration d'hormones femelles. Les femelles réceptives expriment leurs préférences en prenant la position de l'accouplement, même en l'absence de mâles. La figure 50.4 montre une autre façon de mesurer les réactions des femelles. Finalement, tout votre travail peut donner lieu à une explication sur le plan de l'évolution : la valorisation d'un répertoire étendu chez les Oiseaux augmente la fréquence d'accouplement des femelles avec des mâles expérimentés, ce qui augmente leur succès reproductif.

Supposons maintenant que vous n'employez pas les méthodes de l'écologie comportementale dans votre recherche sur les répertoires. Faute d'une méthode heuristique qui produit des hypothèses et des prévisions vérifiables, vous feriez probablement des observations sur de nombreux aspects du chant des Oiseaux. Vous recueilleriez peut-être des données intéressantes, mais vous n'*expliqueriez* pas le comportement. Par ailleurs, vous pourriez supposer que les répertoires n'ont aucun rapport avec l'adaptabilité mais que les Oiseaux mâles préfèrent tout simplement la variété à la répétition. La méthode à utiliser pour vérifier une telle hypothèse n'est pas évidente, ce qui montre encore la nécessité de se laisser guider par les principes de l'évolution pour étudier le comportement.

L'évolution, le fil conducteur de ce manuel, transpire donc dans l'écologie comportementale constituant le thème central du présent chapitre.

CAUSES IMMÉDIATES ET CAUSES ULTIMES

Devant un comportement, nous pouvons nous poser deux types de questions. Si nous nous demandons *pourquoi* l'Animal a ce comportement, nous nous interrogeons sur la **cause ultime** du comportement, c'est-à-dire sur la raison fondamentale pour laquelle il existe. Dans l'étude du comportement animal, les questions portant sur les causes ultimes sont liées à l'évolution : nous voulons savoir pourquoi la sélection naturelle a favorisé un

Figure 50.2
Fondements génétiques du comportement : une étude de cas. Quelques espèces de Perruches africaines aux couleurs vives, appelées Inséparables, construisent des nids en forme de coupe dans les cavités des arbres. Les femelles utilisent pour ce faire des rubans de végétation (ou, en laboratoire, des bandes de papier) qu'elles découpent avec leur bec. **(a)** Les femelles des Inséparables de Fischer (*Agapornis fischeri*) découpent des bandes relativement longues et les transportent une par une dans leur bec. **(b)** Les femelles des Inséparables à face rose (*A. roseicollis*) découpent des bandes courtes qu'elles transportent plusieurs à la fois en les plaçant sous les plumes de leur croupion. Il s'agit là d'un comportement complexe, car les femelles doivent tenir les bandes correctement, les enfoncer fermement et les recouvrir de leurs plumes. **(c)** Les deux espèces étroitement apparentées ont été expérimentalement croisées. Les femelles hybrides avaient un comportement qui se situait à mi-chemin entre ceux des espèces parentales. Elles formaient des bandes de longueur moyenne et, plus étonnant encore, elles les manipulaient de manière intermédiaire. Généralement, elles tentaient de les fixer à leur croupion. Dans certains cas, elles tournaient la tête et commençaient à enfouir les bandes sous leurs plumes, mais elles ne les lâchaient pas. Dans d'autres cas, elles manipulaient ou inséraient les bandes de manière incorrecte ou les laissaient carrément tomber. Elles étaient à peu près incapables de transporter les bandes de cette façon. Avec le temps, elles apprirent à les porter dans leur bec. **(d)** Quelques années plus tard, les femelles tournaient encore la tête vers le croupion avant de s'envoler avec une bande dans le bec. Ces observations démontrent que les différences phénotypiques entre les comportements des deux espèces reposent sur des différences génotypiques. Elles révèlent également que l'expérience peut modifier le comportement inné ; en effet, les Oiseaux hybrides ont appris à transporter les bandes.

comportement et non un autre. L'approche évolutionniste est la caractéristique première de l'écologie comportementale. Les hypothèses qui visent à trouver le pourquoi des choses prennent toujours la forme d'explications ultimes ; en écologie comportementale, elles veulent que le comportement maximise l'adaptabilité. Par ailleurs, il arrive souvent que nous interrogions sur la *manière* dont un Animal accomplit un comportement. Lorsque nos questions commencent par le mot «comment», nous cherchons une **cause immédiate**. Chercher une cause immédiate, dans l'étude du comportement animal, c'est tenter de comprendre les mécanismes sous-jacents à un comportement. Il peut s'agir du stimulus externe qui déclenche un comportement ainsi que du fonctionnement des systèmes nerveux, musculaire et endocrinien de l'Animal.

Dans une large mesure, les chapitres de la septième partie de l'ouvrage portent sur les causes immédiates de

la physiologie et du comportement des Animaux ; ce chapitre présente également quelques causes immédiates. Bien que l'écologie comportementale s'intéresse davantage à la signification évolutive d'un comportement qu'à son exécution, ses adeptes ont besoin de connaître les causes immédiates. En restreignant l'éventail des comportements soumis à la sélection naturelle, les causes immédiates limitent les comportements que nous nous attendons à observer. Ainsi, un écologiste du comportement qui étudie un Oiseau chanteur ne s'aviserait pas d'avancer, au moins dans son hypothèse initiale, que l'odeur représente un facteur important du choix des partenaires. Pour qu'une telle hypothèse se vérifie, il faudrait que les Oiseaux puissent sentir leur partenaire éventuel à distance, alors que le sens de l'odorat est peu développé chez la plupart des Oiseaux. Les causes premières ont leur importance en écologie comportementale, mais elles ont aussi un intérêt intrinsèque. Par exemple,

(a) Nids faits de longues bandes transportées dans le bec

Inséparables de Fischer

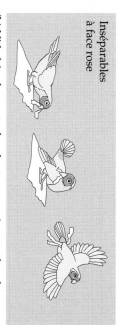

(b) Nids faits de courtes bandes transportées sous les plumes du croupion

Inséparables à face rose

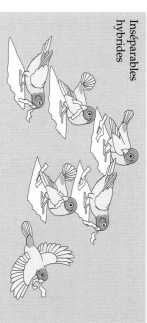

(c) Nids faits de bandes de longueur intermédiaire que les femelles tentent en vain de transporter sous les plumes de leur croupion lors de la première saison de reproduction

Inséparables hybrides

(d) Rotation de la tête seulement au cours des saisons de reproduction ultérieures

Inséparables hybrides

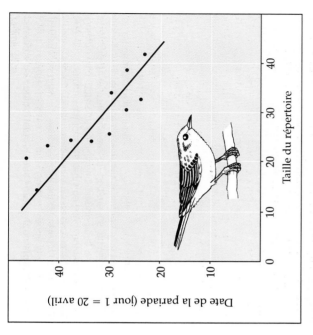

Figure 50.4
Les femelles chez les Rousserolles des joncs (*Acrocephalus schœnobaenus*) préfèrent les mâles qui ont un répertoire étendu. Chez les Rousserolles des joncs d'Europe, les mâles qui ont un répertoire étendu attirent les femelles plus tôt, au cours de la saison de reproduction, que les mâles qui ont un répertoire limité. Comme les premières femelles à choisir un mâle procèdent à leur sélection parmi les individus au répertoire étendu, il est probable qu'elles préfèrent les répertoires étendus. Les mâles au répertoire étendu sont avantagés, car la reproduction précoce tend à donner de meilleurs résultats que la reproduction tardive.

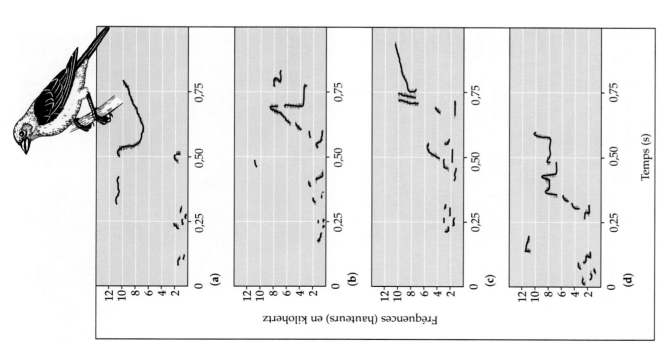

Figure 50.3
Répertoire d'un Oiseau chanteur. Les sonagrammes sont des graphiques qui illustrent la fréquence d'un son (perçue comme la hauteur) en fonction du temps. Ces quatre sonagrammes représentent les chants d'un mâle chez le Vacher à tête brune. Le chant en (a) est le seul que nous pourrions distinguer des autres à l'audition ; sans doute les Oiseaux les perçoivent-ils très distinctement. Les Vachers ont généralement de trois à six chants, mais d'autres espèces en ont des dizaines, voire des centaines.

les processus mentaux qui vous permettent de lire cette page, de comprendre l'information et de l'emmagasiner dans votre mémoire constituent l'un des sujets les plus passionnants de la science.

Revenons à la distinction entre causes immédiates et causes ultimes, et illustrons-la par l'exemple du Crapet arlequin (*Lepomis macrochirus*), un poisson qui, comme bien d'autres Animaux, se reproduit au printemps et au

début de l'été. La cause ultime de ce comportement est que la reproduction donne de meilleurs résultats (est plus adaptative) au printemps. La chaleur de l'eau et l'abondance de la nourriture favorisent la croissance des jeunes. Les Poissons qui se reproduiraient à un autre moment seraient désavantagés du point de vue de la sélection naturelle. La cause immédiate du comportement est que l'augmentation de la photopériode stimule le corps pinéal des Poissons (voir le chapitre 41). En effet, on peut stimuler la reproduction chez les Crapets arlequins et chez beaucoup d'autres Animaux en prolongeant expérimentalement leur période quotidienne d'exposition à la lumière. Ce stimulus provoque des changements nerveux et hormonaux qui déclenchent la nidification et d'autres comportements de reproduction. L'augmentation de la photopériode a en soi peu de signification du point de vue de l'adaptation. Mais comme la photopériode représente l'indice le plus fiable de la date de reproduction, la sélection a favorisé un mécanisme immédiat fondé sur l'augmentation de la durée de l'éclairement diurne.

Pour en finir avec la distinction entre causes immédiates et causes ultimes, revenons à notre étude des répertoires et à l'idée que certains Oiseaux préfèrent la variété à l'uniformité en matière de chant. Un chercheur ingénieux pourrait peut-être concevoir une expérience montrant que les Oiseaux trouvent plus agréable d'émettre des chants variés qu'un chant monotone. Cependant, il aurait tort d'affirmer que la gratification a causé l'apparition des répertoires. Un écologiste du comportement lui rétorquerait que si une telle gratification existe

Figure 50.5
Exemple de comportement inné : un Coucou vide le nid où il vient d'éclore. Le Coucou gris (*Cuculus canorus*) d'Europe parasite les nids : les femelles pondent dans les nids d'une autre espèce. Quelques heures après sa naissance, le jeune Coucou jette méthodiquement tous les œufs de l'hôte hors du nid. Si le Coucou éclôt après un ou plusieurs des oisillons de l'hôte, il les chassera de leur nid également. Comme les jeunes Coucous n'ont pu apprendre ce comportement auprès d'un autre individu, on en déduit qu'il est inné.

effectivement, elle constitue une cause immédiate, mais non une cause ultime. Autrement dit, le plaisir rend les mâles plus susceptibles de varier leurs chants, mais la valeur adaptative du répertoire n'est aucunement liée au plaisir. Par conséquent, le comment et le pourquoi du comportement animal sont reliés au point de vue de l'évolution : les mécanismes immédiats produisent des comportements qui se développent en fin de compte parce qu'ils augmentent l'adaptation d'une quelconque manière.

COMPOSANTES INNÉES DU COMPORTEMENT

Avant l'avènement de l'écologie comportementale, l'étude du comportement animal était l'apanage de l'*éthologie*. Cette discipline a vu le jour dans les années 1930, grâce aux travaux de naturalistes qui cherchaient à comprendre comment les Animaux se conduisaient dans leur habitat naturel. Entre autres découvertes, les éthologistes constatèrent que les Animaux pouvaient exécuter de nombreux comportements sans jamais les avoir observés. Autrement dit, beaucoup de comportements sont innés (figure 50.5). Bien que ces comportements présentent des avantages évidents, la manière dont ils sont accomplis indique que les Animaux en ignorent la signification. Ces résultats et bien d'autres sont le fruit des travaux de Konrad Lorenz, Niko Tinbergen et Karl von Frisch, des éthologistes qui, en 1973, reçurent le prix Nobel de physiologie et de médecine pour leurs découvertes. Ces scientifiques cherchèrent peu à expliquer le comportement des Animaux, mais les descriptions détaillées qu'ils en donnèrent ont fourni à l'écologie comportementale le matériau dont elle avait besoin pour faire de l'étude du comportement une discipline véritablement expérimentale.

Comportements stéréotypés

Le plus fondamental des concepts de l'éthologie classique est celui de **comportement stéréotypé**, un comportement inné qui se déroule toujours de la même manière. Dès qu'un Animal a commencé à exécuter un comportement stéréotypé, il le termine même si d'autres stimuli lui parviennent et même si l'activité devient inopportune. Un stimulus sensoriel externe appelé **déclencheur** ou **stimulus signal** déclenche un comportement stéréotypé. Nous pouvons donc considérer un comportement stéréotypé comme la capacité innée de détecter un certain stimulus, associée à un modèle comportemental inné ; le stimulus déclenche l'activité motrice inhérente au modèle qui s'exprime alors entièrement. Dans bien des cas, une caractéristique d'une autre espèce constitue le déclencheur. Par exemple, certains Papillons de nuit plient leurs ailes et se posent au sol en réaction aux ultrasons qu'émettent les Chauves-Souris prédatrices (voir le chapitre 45).

Pour illustrer l'effet des déclencheurs sur le comportement social, on cite l'exemple classique du mâle chez l'Épinoche à trois épines (*Gasterosteus aculeatus*). Ce Poisson attaque les mâles qui entrent dans son territoire. L'abdomen rouge de l'intrus constitue le déclencheur du comportement agressif. L'Épinoche mâle n'attaque pas les intrus dépourvus d'abdomen rouge mais fonce sur tout ce qui porte du rouge, même s'il s'agit d'un leurre (figure 50.6). Tinbergen, qui fut le premier à rendre compte du phénomène, commença à s'y intéresser après avoir observé que ses Poissons réagissaient agressivement au passage d'un chariot rouge devant leur aquarium.

Les rapports entre les parents et leurs petits se caractérisent souvent par des comportements stéréotypés, et ceux des Oiseaux ont fait l'objet de très nombreuses études. Chez beaucoup d'espèces d'Oiseaux, les oisillons encore

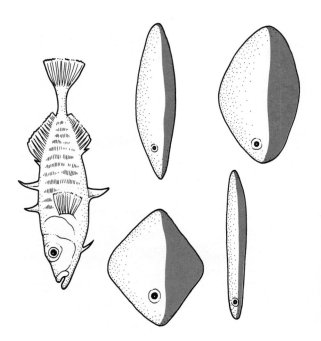

Figure 50.6
Déclencheurs de comportements stéréotypés. Chez le mâle de l'Épinoche à trois épines, un stimulus simple déclenche le comportement agressif. Le leurre réaliste sans abdomen rouge, montré au haut de la figure, ne provoque aucune réaction. Tous ceux qui portent du rouge à la partie inférieure suscitent de fortes réactions.

Figure 50.7
Une Oie cendrée récupère un de ses œufs. L'Oie se tient debout, tend le cou et fait délicatement rouler l'œuf jusque dans le nid avec la face inférieure de son bec. L'Oie exécute de la tête des mouvements latéraux de va-et-vient qui empêchent l'œuf de rouler de côté.

aveugles réagissent instantanément à l'arrivée du parent au nid en levant la tête, en ouvrant le bec et en pépiant bruyamment. L'atterrissage du parent transmet au nid une vibration qui devient le déclencheur du comportement des oisillons. Plus tard, lorsque leurs yeux se développent, la vision du parent suscite le même comportement, mais les stimuli déclencheurs spécifiques demeurent élémentaires ; des modèles rudimentaires de parents font aussi bien l'affaire. De même, le comportement du parent dépend d'un déclencheur plutôt simple : un bec grand ouvert.

Il arrive qu'un Oiseau qui niche sur le sol, comme l'Oie cendrée (*Anser anser*), pousse accidentellement un de ses œufs hors du nid. La vision d'un objet grossièrement sphérique à proximité du nid amène l'Oie à exécuter une série de mouvements particuliers qui ont pour but de faire rouler l'objet jusque dans le nid (figure 50.7). Ce comportement complexe a une valeur adaptative manifeste et se déroule de la façon suivante : l'Oie cendrée se dresse et se place entre l'œuf et le nid ; puis, elle fait rouler l'œuf sous elle en direction du nid, en déplaçant son bec d'un côté à l'autre pour éviter que l'œuf roule hors de sa portée. Deux observations ou expérimentations confirment le caractère stéréotypé de ce comportement complexe. Si un œuf roule hors de sa portée (ou si on le lui enlève) en cours de récupération, l'Oie cesse de déplacer la tête à gauche et à droite mais poursuit son mouvement du cou qui rappelle celui d'une pelle mécanique, comme si elle ramenait encore l'œuf. Elle ne « remarque » l'absence de l'œuf qu'après s'être assise, et elle recommence alors sa manœuvre de récupération. Si on retire l'œuf à nouveau, l'Oie recommence encore. De même, si on place une poignée de porte ou un petit jouet

près du nid, l'Oie entreprend de ramener l'objet. Il lui arrive de rejeter le jouet après avoir tenté de le couver, mais elle couve longuement la poignée de porte lisse et arrondie.

Le déclencheur du comportement protecteur des Dindes est le pépiement qu'émettent les petits. Les femelles ne tiennent pas compte d'eux si on les place sous une épaisse cloche de verre qui amortit les sons mais laisse les petits bien visibles. Chose plus étonnante encore, une femelle sourde tue ses petits, car elle ne peut percevoir le déclencheur de son comportement maternel. Les dindonneaux dont les pépiements sont inaudibles déclenchent probablement une réaction de prédation chez leur mère.

Figure 50.8
Rousserolle effarvatte (*Acrocephalus scirpaceus*) nourrissant un jeune Coucou. Le Coucou provient d'un œuf pondu dans le nid de la Rousserolle, et il a expulsé tous les petits de son hôte (voir la figure 50.5). Même si le Coucou ne ressemble en rien à un de ses petits, la Rousserolle le nourrit, car le déclencheur du comportement est simplement une bouche béante. Les Rousserolles ne distinguent pas leurs petits de ceux des autres, mais ils reconnaissent leurs œufs et rejettent les œufs étrangers. Les œufs de Coucou ont évolué en conséquence, et ils sont presque identiques à ceux de nombreux hôtes.

Vous comprenez maintenant que les Animaux agissent de manière automatique dans beaucoup de situations. Si une Épinoche traitait l'information comme le fait un Humain, elle se rendrait vite compte que les leurres montrés à la figure 50.6 ne sont pas de véritables rivaux, malgré leur ventre rouge. Contrairement à la majorité des Animaux, l'Humain réagit à une situation globale, et il fonde ses actions sur de multiples données. Les expériences classiques dont nous venons de donner quelques exemples laissent supposer que les Animaux n'agissent pas, au moins dans les cas décrits, de manière réfléchie ou intelligente. Par « action intelligente », nous entendons une action qui fait suite à l'intégration de données diverses et à la prise d'une décision. En ce qui concerne les comportements stéréotypés, les Animaux agissent ni plus ni moins comme des robots. Or, il existe des comportements stéréotypés chez l'Humain. Les nourrissons ferment vigoureusement les mains en réaction à un stimulus tactile. De même, ils sourient face à des stimuli aussi simples qu'un son et qu'une représentation rudimentaire d'un visage composée de deux taches noires sur un cercle blanc.

Dans tous ces cas, les réactions adaptatives à des stimuli particuliers ont été favorisées par la sélection naturelle. En modifiant expérimentalement les déclencheurs, les éthologistes présentent aux Animaux des situations à peu près impossibles dans la nature. Si des objets ovoïdes se trouvaient fréquemment à proximité des nids d'Oies, la sélection naturelle aurait vraisemblablement produit un mécanisme de discrimination qui permettrait aux Oies de reconnaître leurs œufs. De tels mécanismes exis-

tent effectivement chez nombre d'Oiseaux. Certaines espèces, par exemple, sont capables de distinguer leurs œufs de ceux des parasites des nichées comme les Coucous. Ces parasites pondent dans les nids d'une autre espèce, et leurs petits causent souvent la mort de ceux des hôtes (voir la figure 50.5). Du point de vue du succès reproductif (adaptabilité), il y a un grand avantage pour les hôtes à reconnaître l'œuf du Coucou et à le rejeter hors du nid (figure 50.8). Nous voyons ici que la sélection naturelle peut favoriser des mécanismes comportementaux complexes et précis en présence d'une forte pression de sélection. Pourtant, les Animaux manifestent ce qui nous apparaît comme une grossière incompétence devant les situations nouvelles. Ainsi, les Oies récupèrent des objets autres que leurs œufs, une situation peu probable dans l'habitat naturel.

Le côté mécanique du comportement stéréotypé se manifeste particulièrement chez les Animaux qui, telles certaines Guêpes fouisseuses étudiées au XIXᵉ siècle par le naturaliste Jean-Henri Fabre, semblent capables de répéter à l'infini une activité instinctive. La femelle construit un nid dans le sol, y place un Grillon qu'elle a paralysé et pond un œuf. La larve qui sortira de l'œuf dévorera le Grillon. L'activité de la Guêpe comprend une série de comportements fortement stéréotypés. Elle place le Grillon à une distance précise (environ 2,5 cm) du nid, elle entre dans le nid et y reste pendant un bref instant, apparemment pour en faire une dernière inspection, puis en sort pour aller chercher le Grillon. Si un observateur déplace un peu le Grillon pendant que la Guêpe est à l'intérieur du nid, la Guêpe le cherche à sa sortie et, après

l'avoir retrouvé, le remet à sa place initiale, près de l'entrée. Elle rentre ensuite dans le nid pour une autre inspection, même si elle vient tout juste d'en faire une, et ressort quelques instants plus tard. Si le Grillon a encore été déplacé, la Guêpe recommence le cycle et ce, au moins 40 fois. Elle ne montre aucun signe de fatigue ni la moindre volonté de faire cesser le manège du scientifique par un changement de comportement. La Guêpe ne peut franchir l'étape de l'inspection qu'en trouvant immédiatement le Grillon près du nid à sa sortie.

Nature des déclencheurs

L'expérimentation a révélé aux éthologistes qu'une ou deux caractéristiques simples déclenchent généralement les comportements stéréotypés. Dans bien des cas, la plus évidente (ou l'unique) caractéristique d'une situation devient le déclencheur ; par exemple, les ultrasons des Chauves-Souris sont les déclencheurs manifestes du comportement prudent des Papillons de nuit. Dans d'autres cas, il semble que les Animaux ont choisi certaines caractéristiques parmi une kyrielle de possibilités. Un Goéland argenté (*Larus argentatus*) qui apporte de la nourriture à son oisillon penche la tête et remue son bec orné d'une tache rouge. L'oisillon donne des coups de bec sur la tache rouge pour amener l'adulte à régurgiter la nourriture. Divers stimuli peuvent provoquer le comportement de l'oisillon, et notamment une proéminence à l'extrémité d'un rectangle (simulant la nourriture à l'extrémité du bec). Néanmoins, des études rigoureuses ont démontré que le déclencheur est une tache rouge qui oscille horizontalement à l'extrémité d'un objet allongé et orienté verticalement. Nous nous attendons à ce que la sélection naturelle favorise les caractéristiques qui ont une forte probabilité d'être associées à l'activité ou à l'objet pertinents. Or, en présence de nombreuses caractéristiques possibles, le choix de celle qui deviendra le déclencheur comporte probablement une part de hasard.

Il existe d'étroites corrélations entre la sensibilité d'un Animal aux stimuli en général et les déclencheurs spécifiques auxquels il réagit. Les Grenouilles, par exemple, possèdent des cellules rétiniennes particulièrement sensibles au mouvement, et c'est le mouvement d'un objet qui déclenche la projection de la langue chez les Grenouilles en train de s'alimenter. Une Grenouille meurt de faim au milieu de Mouches mortes ou immobiles ; par ailleurs, elle attaque la première qui bouge. Il arrive que l'exagération du stimulus produise une amplification de la réaction. Plus les oisillons ouvrent grand le bec, plus leurs parents les nourrissent. Et comme les oisillons ouvrent le bec d'autant plus largement qu'ils ont faim, les plus affamés ont ainsi plus de chances d'être nourris. Cet aspect des déclencheurs ressort d'expériences simples lors desquelles on présente aux Animaux un *stimulus supranormal*, c'est-à-dire un stimulus artificiel qui provoque une réaction plus forte que celle que suscite n'importe quel stimulus naturel. Une Oie cendrée tente de faire rouler un ballon de volley-ball dans son nid, et un Oiseau des rivages, l'Huîtrier d'Amérique (*Haematopus palliatus*) essaie de couver une réplique géante de son œuf.

Certains éthologistes ont avancé que la simplicité des déclencheurs évite aux Animaux de perdre leur temps à traiter ou à intégrer des stimuli disparates. Il vaudrait peut-être mieux expliquer le phénomène par les limites des modèles de comportement innés. Le réseau neurosensoriel qui permet aux Grenouilles de détecter le mouvement est probablement moins complexe que l'appareil qui permettrait la discrimination rapide entre une Mouche et un objet de taille semblable. Quoi qu'il en soit, les stimuli simples sont généralement efficaces dans l'univers sensoriel habituel des Animaux, même s'ils ne le sont pas dans l'univers expérimental que les éthologistes construisent.

APPRENTISSAGE ET COMPORTEMENT

L'apprentissage, que l'on définit scientifiquement comme la modification du comportement par l'expérience, influe même sur les comportements stéréotypés. Avant de présenter les diverses formes de l'apprentissage, nous ferons un bref exposé de la controverse née de l'opposition entre l'instinct et l'apprentissage.

Instinct et apprentissage

Pendant que les premiers éthologistes, pour la plupart des Européens, observaient les Animaux dans la nature, les psychologues américains étudiaient l'apprentissage chez quelques espèces élevées en captivité, les Rats blancs de laboratoire par exemple. Les psychologues s'émerveillaient des modifications que l'apprentissage pouvait imprimer au comportement, tandis que les éthologistes s'étonnaient de la part d'inné dans le comportement animal. L'affrontement inévitable prit la forme d'une *controverse de l'inné et de l'acquis* au cours de laquelle le débat porta essentiellement sur l'influence prédominante de l'inné sur l'acquis et vice versa.

La majorité des biologistes contemporains convient que tout comportement résulte d'influences génétiques et d'influences extérieures. Même un comportement aussi simple et automatique que le réflexe rotulien n'est pas complètement déterminé par les gènes. Bien que vous n'ayez qu'à apprendre à tendre la jambe lorsqu'un médecin percute votre genou, ce comportement subit l'influence du milieu. Si, enfant, vous aviez souffert de carences nutritives, votre réflexe rotulien serait anormal. De même, il existe une part d'apprentissage dans les comportements animaux stéréotypés, qui sont pourtant innés. La plupart des comportements stéréotypés, en effet, s'améliorent avec le temps, à mesure que les Animaux apprennent à les exécuter de manière plus efficace. L'instinct a-t-il un rôle à jouer dans tout comportement ? Vous pourriez répondre que certaines habiletés, et notamment l'utilisation des langues humaines, sont totalement apprises. Il faut admettre que la connaissance du français ou de l'espagnol n'a pas de fondement génétique, mais la capacité d'apprendre une langue quelconque provient d'un cerveau complexe qui se développe dans un milieu particulier, conformément aux directives d'un génome humain.

Même si l'on admet que tout comportement est un mélange d'apprentissage et d'instinct, ou d'influences extérieures et génétiques, on a encore avantage à cerner

les aspects du comportement qui semblent principalement dus à l'un ou à l'autre. L'objectif ne consiste pas à comparer les résultats pour établir laquelle des influences paraît la plus importante. Départager l'influence des gènes et celle du milieu sur un comportement donné nous aide à comprendre les variations de ce comportement parmi les individus d'une espèce. La Mouche du vinaigre (Drosophila melanogaster), par exemple, a un cycle typique d'activité de 24 heures. Il arrive cependant qu'on trouve un individu qui présente un cycle de 19 heures. À la suite des croisements expérimentaux, on attribue cette exception à la présence d'allèles différents à un certain locus. Bien que la différence entre les Mouches ayant un cycle de 19 heures et celles ayant un cycle de 24 heures soit génétiquement déterminée, nous ne pouvons conclure que tous les autres aspects des cycles d'activité le sont aussi. Nous avons indiqué plus haut que l'utilisation d'une langue en particulier constitue une variation comportementale entièrement apprise d'une capacité innée de l'Humain. Il existe de nombreux phénomènes analogues chez les Animaux, dont celui des vocalisations. Les différentes populations de nombreuses espèces d'Oiseaux chanteurs ont chacune leur chant. Les mâles, en effet, apprennent à chanter comme les autres mâles, généralement au début de leur vie, et cette forme d'apprentissage est propice aux variations occasionnelles qui créent les « dialectes ». Les Oiseaux qui émigrent tôt au cours de leur vie apprennent le dialecte de leur nouvelle population, tout comme les jeunes immigrants français apprennent à parler comme des Québécois. Dans les deux cas, les différences génétiques ont une influence faible ou nulle. Dans notre exposé sur les différentes formes d'apprentissage, nous présenterons d'autres comportements pour lesquels nous tirons avantage à évaluer la part des influences génétiques et celle des influences extérieures.

Apprentissage et maturation

Certains comportements qui sont clairement innés, en ce sens que l'individu n'a pas à les apprendre d'un de ses congénères pour les accomplir, s'améliorent avec le temps. Cependant, l'augmentation de la rapidité d'exécution ou de l'efficacité du comportement ne relève pas nécessairement de l'apprentissage. En effet, le comportement peut s'améliorer par suite du développement du système neuromusculaire, un processus appelé **maturation**. On dit dans le langage courant que les Oiseaux « apprennent » à voler, et on voit effectivement les oisillons voleter maladroitement, comme s'ils s'exerçaient. Or, des chercheurs ont fait porter à des oisillons, jusqu'à l'âge où ils auraient normalement volé, des appareils de contention qui les empêchaient de battre des ailes. Lorsque les chercheurs ont libéré les Oiseaux, ils se sont immédiatement mis à voler normalement. Les chercheurs en ont déduit que l'amélioration reposait sur la maturation neuromusculaire et non sur l'apprentissage.

Nous avons mentionné plus haut que les jeunes Goélands picotent la tache rouge sur le bec de leurs parents. Les oisillons naissants picotent indifféremment une variété d'objets, mais les oisillons âgés d'une ou deux semaines réagissent mieux à des modèles réalistes d'un bec adulte. S'agit-il là d'un exemple de maturation ou d'apprentissage ? Les expériences qui consistent à faire élever des Mouettes à tête noire (Larus atricilla) par des Goélands argentés et vice versa révèlent qu'il s'agit bel et bien d'apprentissage. Une jeune Mouette à tête noire qui a été élevée par un Goéland argenté, et vice versa, réagit plus fortement au bec de son parent adoptif qu'à celui d'un adulte de sa propre espèce. On voit donc que l'apprentissage peut modifier un comportement fondamentalement instinctif.

Habituation

L'habituation, une forme élémentaire d'apprentissage, consiste en une diminution de la sensibilité aux stimuli sans importance ou à ceux qui ne fournissent pas de rétroaction appropriée. Les exemples d'habituation sont légion. Une Hydre (Hydra pirardi) cesse de se contracter si les courants la dérangent trop fréquemment. L'Écureuil gris (Sciurus carolinensis), comme bien d'autres Animaux, reconnaît les cris d'alarme que poussent ses congénères menacés par un prédateur, mais il cesse de réagir aux appels s'ils ne sont pas suivis par une attaque réelle. Beaucoup d'espèces d'Orchidées ressemblent à des femelles d'Abeilles ou de Guêpes. Les mâles pollinisent ces fleurs en tentant de s'accoupler avec elles (ce qui justifie le mimétisme), mais ils ne reçoivent pas tous les stimuli d'une copulation normale. Les mâles finissent par apprendre que les fleurs ne sont pas de véritables femelles et cessent d'y réagir. L'habituation a une valeur adaptative évidente ; ainsi, pour un Insecte, tenter de copuler toute la journée avec des fleurs ne favorise pas beaucoup son succès reproductif.

Empreinte

L'un des cas les plus intéressants d'interdépendance de l'apprentissage et de l'instinct est celui de l'**empreinte**, la seule forme d'apprentissage qui a captivé les éthologistes. Vous avez sans doute vu, au moins en images, des canetons ou des oisons suivre leur mère à la queue leu leu. Ce comportement nous paraît adaptatif, car l'adulte sait mieux que les jeunes où trouver de la nourriture, comment éviter les prédateurs, bref, se débrouiller dans le monde. Mais comment les jeunes reconnaissent-ils ce qu'ils doivent suivre ? Dans son étude la plus célèbre, Konrad Lorenz laissa à une Oie cendrée quelques-uns de ses œufs et plaça les autres dans un incubateur. Les jeunes élevés par l'Oie eurent un comportement normal, c'est-à-dire qu'ils suivirent leur mère et, une fois devenus adultes, interagirent et s'accouplèrent avec d'autres Oies cendrées. Les oisons couvés en incubateur passèrent les premières heures de leur vie avec Lorenz et non avec leur mère. Ils suivaient fidèlement le chercheur et ne reconnaissaient ni leur mère ni les autres adultes de leur espèce (figure 50.9). Devenus adultes, ces individus préféraient encore la compagnie de Lorenz et d'autres Humains à celle de leurs congénères, et il leur arrivait même de tenter de s'accoupler avec des Humains.

Apparemment, la reconnaissance de la mère ou des congénères n'est pas innée chez les Oies cendrées. Ces Oiseaux réagissent et s'identifient au premier objet qu'ils rencontrent, pour peu qu'il possède certaines caractéristiques simples. La capacité de réagir de ces Oiseaux fait partie de l'inné et le monde extérieur fournit le stimulus

L'empreinte se distingue des autres formes d'apprentissage par deux caractéristiques. La première correspond à la **période critique**, le laps de temps pendant lequel l'apprentissage peut se produire. La seconde consiste en l'irréversibilité de l'apprentissage. Lorenz découvrit, par exemple, que les Oies qu'il isolait complètement de tout objet mobile pendant les deux premiers jours de leur vie, soit la période critique, ne subissaient aucune empreinte par la suite. On a longtemps cru que l'empreinte concernait uniquement les très jeunes Animaux et que la période critique était très brève. Mais on sait aujourd'hui qu'un processus d'apprentissage semblable a lieu chez les Animaux adultes et que la durée de la période critique peut varier. Ainsi, tout comme les oisillons envers leurs parents, les adultes reconnaissent leurs petits à la suite d'une empreinte. Pendant les deux jours qui suivent l'éclosion, les Goélands argentés adultes acceptent et même défendent un oisillon étranger introduit dans leur territoire de nidification. Après l'empreinte, qui repose probablement sur des signes variables comme les notes des cris des petits, les adultes tuent et dévorent tout oisillon étranger.

Par l'empreinte, les jeunes apprennent à reconnaître non seulement ceux qui s'occuperont d'eux, mais aussi l'espèce à laquelle ils appartiennent et la sorte d'Oiseaux avec laquelle ils devront s'accoupler. L'empreinte sexuelle se produit généralement plus tard que l'empreinte parentale, et au cours d'une période critique plus longue. Lors d'une étude sur deux espèces de Bruants étroitement apparentées, par exemple, les jeunes mâles d'une espèce furent élevés d'abord avec des membres de leur espèce puis, pendant les quelques semaines de la période critique d'empreinte sexuelle, avec des membres de l'autre espèce. Lorsque ces mâles furent mis en contact avec des femelles de leur propre espèce, ils s'accouplèrent de mauvais gré. Mais ils copulaient volontiers avec les femelles de l'autre espèce, même s'ils n'avaient pas vu de membre de cette espèce depuis huit ans. L'identification à la deuxième espèce avait fait l'objet d'une empreinte permanente. On reconnaît aujourd'hui que la période critique et l'irréversibilité, bien que caractéristiques de l'empreinte, ne sont pas absolues. Ainsi, certains des Bruants élevés avec une autre espèce finirent par s'accoupler avec des femelles de leur propre espèce.

Apprentissage du chant chez les Oiseaux : une étude sur l'empreinte

Nous avons commencé ce chapitre par une brève description de l'apprentissage du chant chez les Oiseaux, un sujet qui a fait l'objet de recherches approfondies. La capacité de chanter est en partie innée et en partie acquise et, chez de nombreuses espèces d'Oiseaux, son acquisition s'apparente de près à un processus d'empreinte. Attardons-nous donc à l'apprentissage du chant chez les Oiseaux afin d'illustrer quelques aspects du comportement animal présentés jusqu'ici.

Beaucoup d'études sur l'apprentissage du chant ont porté sur des espèces répandues d'Amérique du Nord. Il y a 30 ans, des expériences menées avec les Bruants à couronne blanche (*Zonotrichia leucophrys*) ont démontré que les mâles élevés en isolement dans des caissons insonorisés développaient des chants anormaux. Toutefois, les

Figure 50.9
L'empreinte. Par suite de l'empreinte, les oisons prenaient Konrad Lorenz pour leur mère.

d'empreinte, c'est-à-dire l'objet vers lequel les Oiseaux dirigeront leur réaction. Le principal stimulus d'empreinte, pour les oisons de Lorenz, était le mouvement d'un objet éloigné d'elles. Bien que l'effet s'accentuât quand l'objet émettait un son, il n'était pas nécessaire que le son ressemble à celui d'une Oie. Lorenz s'aperçut que les Oiseaux pouvaient prendre pour leur « mère » une boîte contenant une horloge sonore.

On connaît aujourd'hui beaucoup d'autres exemples d'empreinte. Les Saumons, on le sait, éclosent dans des cours d'eau et migrent ensuite vers la pleine mer, où ils atteignent la maturité (voir la figure 45.21). Certaines espèces de Saumons restent en mer plusieurs années. Néanmoins, comme l'a révélé le marquage de milliers de jeunes, chaque individu retourne dans son cours d'eau d'origine pour y frayer. Il doit non seulement trouver l'embouchure du fleuve approprié mais, en remontant, il doit également repérer le bon tributaire à chaque confluent. La recherche a montré de manière concluante que cette capacité repose sur une empreinte olfactive. Les jeunes Saumons expérimentalement exposés à une substance appelée morpholine s'engagent dans un cours d'eau, lors du frai, si on y déverse de la morpholine. Dans des conditions normales, les Poissons s'imprègnent de l'odeur complexe propre à leur lieu de naissance et, même après un long séjour au loin, ils restent capables de la reconnaître et de se diriger vers elle.

Figure 50.10
Chants de Bruants à couronne blanche élevés dans trois conditions. (a) Les mâles qui entendaient des enregistrements du chant de leur espèce avant l'âge de 50 jours ont connu des expériences analogues à celles qu'ils auraient vécues dans la nature, et ils ont appris à chanter normalement quelques mois plus tard. (b) Les mâles isolés ont été élevés dans des caissons insonorisés, de telle sorte qu'ils n'ont jamais entendu le chant de leur espèce. (c) Les mâles de la troisième catégorie ont été rendus sourds *après* avoir entendu des enregistrements de leurs congénères, mais *avant* de commencer à s'exercer au chant.

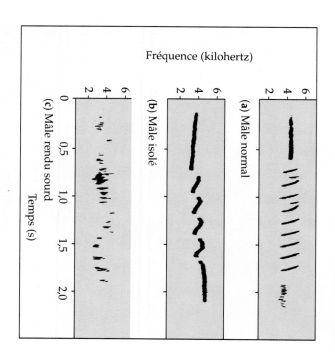

Fréquence (kilohertz)

(a) Mâle normal

(b) Mâle isolé

(c) Mâle rendu sourd

Temps (s)

individus âgés de 10 à 50 jours qui entendaient des enregistrements de Bruants à couronne blanche normaux chantaient normalement quelques mois plus tard. Pour prouver que les Bruants apprenaient quelques chants aux souvenirs des chants enregistrés, les chercheurs rendirent des Oiseaux sourds après leur avoir fait entendre les enregistrements. Les chants des Oiseaux sourds devenaient encore plus simples et plus anormaux que ceux des Oiseaux isolés (figure 50.10). L'apprentissage du chant dépend donc de deux processus chez le Bruant à couronne blanche. Premièrement, l'Oiseau doit enregistrer un modèle de chant en écoutant un adulte; deuxièmement, il doit apprendre à reproduire ce modèle en s'écoutant chanter. Les jeunes mâles élevés dans des caissons insonorisés et exposés à des enregistrements après l'âge de 50 jours chantaient comme les Oiseaux qui n'avaient jamais entendu leurs congénères. Autrement dit, ils n'étaient réceptifs à l'apprentissage des chants enregistrés que pendant une période critique; on considère donc l'apprentissage du chant comme un type d'empreinte. Les expériences ont aussi révélé l'existence d'influences innées: les jeunes Bruants à couronne blanche qui entendaient des enregistrements d'autres espèces de Bruants pendant la période critique n'adoptaient pas les chants de ces espèces. Leurs gènes les prédisposaient à l'apprentissage du chant de leur propre espèce.

Des expériences récentes ont montré que le phénomène est encore plus complexe. On a placé des Bruants à couronne blanche, âgés de plus de 50 jours et ayant connu l'isolement, avec des adultes chanteurs d'une autre espèce, et ils ont appris le chant de ces Oiseaux. Un adulte chanteur constitue un stimulus beaucoup plus fort qu'un enregistrement, car un stimulus puissant peut surmonter la tendance innée à acquérir uniquement le chant du Bruant à couronne blanche. Nous constatons une fois de

plus que l'expérience peut modifier une tendance innée. En outre, l'expérience a démontré que la période critique se prolonge si l'expérience provient d'un véritable Oiseau plutôt que d'un enregistrement. L'apprentissage des vocalisations chez l'Humain s'effectue aussi au cours d'une période critique. Il est bien connu que, jusqu'à l'adolescence, l'Humain apprend très facilement les langues étrangères. Évidemment, la période critique n'est pas limitée de manière rigide. Les adultes peuvent apprendre une langue étrangère, mais il leur faut habituellement plus de temps et plus d'efforts qu'aux enfants pour la parler couramment.

Les modalités de l'apprentissage du chant varient entre les espèces d'Oiseaux. Le Bruant chanteur (*Melospiza melodia*), étroitement apparenté au Bruant à couronne blanche, apprend à chanter normalement même si on l'élève dans l'isolement total. Cependant, les mâles acquièrent un répertoire plus étendu s'ils peuvent apprendre des variantes auprès d'autres individus. Les Moqueurs polyglottes (*Mimus polyglottos*) ont un répertoire d'au moins 150 chants, parmi lesquels on trouve des imitations fidèles de chants d'autres Oiseaux, de cris d'Animaux et même de sonneries de téléphone. Apparemment, l'étendue du répertoire a une valeur adaptative telle pour les Moqueurs polyglottes que leur génome n'impose pratiquement pas de restriction à l'éventail des chants qu'ils peuvent apprendre. On croyait, il y a quelques années encore, que tous les Oiseaux devaient s'écouter pour apprendre à chanter. Mais on a découvert que le Moucherolle phébi (*Sayornis phœbe*) rendu sourd au début de sa vie, bien avant qu'il ne commence à chanter, apprend à chanter normalement. On s'explique mal la diversité des modalités d'apprentissage du chant. La diversité elle-même laisse supposer que l'apprentissage du chant consiste, chez de nombreux groupes d'Oiseaux, en un système comportemental flexible et sensible aux différentes pressions de sélection.

Conditionnement classique

Beaucoup d'Animaux en viennent à associer un stimulus à un autre par un processus appelé **apprentissage associatif**. Le **conditionnement classique** est une forme d'apprentissage associatif découvert par le physiologiste russe Ivan Pavlov au tournant du siècle. Pavlov faisait saliver des Chiens en leur pulvérisant de la viande en poudre dans la gueule. (La salivation est une réaction physiologique et non comportementale.) Juste avant ce traitement, Pavlov leur faisait entendre la sonnerie d'une cloche ou le tic-tac d'un métronome. Au bout d'un certain temps, les Chiens salivaient dès qu'ils entendaient le son, un stimulus qu'ils avaient appris à associer avec le stimulus normal. Des expériences semblables ont été réalisées avec d'autres Animaux et ont révélé que l'accroissement de la sensibilité perceptive résulte dans bien des cas d'un conditionnement classique. Chez les jeunes Goélands, par exemple, la réaction provoquée par une tache rouge l'est finalement par l'adulte entier.

Conditionnement opérant

Le **conditionnement opérant**, aussi appelé apprentissage par essais et erreurs, est une autre forme d'apprentissage associatif qui influe directement sur le comportement. Dans le conditionnement opérant, l'Animal apprend à associer l'un de ses propres comportements à une récompense ou à une punition, puis il tend à répéter ou à éviter ce comportement. Le psychologue américain B. F. Skinner a mené l'expérience de laboratoire la plus connue sur le conditionnement opérant. L'expérience consiste à placer un Rat ou un autre Animal dans une cage (une « boîte de Skinner ») où, en appuyant sur certains leviers, il obtient une ration de nourriture. Au début, l'Animal appuie sur les leviers au hasard, mais il a tôt fait d'apprendre lesquels fournissent de la nourriture. Le dressage, qui consiste à récompenser un Animal chaque fois qu'il présente le comportement désiré, repose en grande partie sur le conditionnement opérant. Au bout d'un certain temps, l'Animal manifeste le comportement quand il en reçoit l'ordre, même s'il n'obtient pas toujours de récompense.

Le conditionnement opérant est fort répandu dans la nature. Beaucoup d'Animaux apprennent rapidement à associer la consommation d'un aliment à une sensation gustative agréable ou désagréable, et ils modifient leur comportement en conséquence. Rappelez-vous que, du fait de la sélection naturelle, la saveur agréable ou désagréable d'un aliment est liée à sa valeur nutritive. Comme dans le cas de l'empreinte, les gènes influent donc sur le résultat du conditionnement opérant. Un exemple intéressant de conditionnement opérant fut observé en Angleterre au début des années 1950. Certaines Mésanges (*Parus sp.*) apprirent à percer du bec le bouchon de papier des bouteilles de lait laissées aux portes des maisons et à boire le lait. Il semble qu'une Mésange ait découvert que le fait de becqueter lui valait une récompense s'il le faisait sur les bouteilles de lait.

Apprentissage par l'observation

Beaucoup de Vertébrés observent le comportement d'autres individus et acquièrent ainsi d'importants renseignements. L'habitude de becqueter les bouteilles de lait se répandit si rapidement chez les diverses espèces de Mésanges d'Angleterre qu'on ne peut douter d'un phénomène d'**apprentissage par l'observation**. Cette forme d'apprentissage permet l'établissement de nouvelles traditions et leur transmission aux générations subséquentes. Ce type d'apprentissage caractérise de nombreuses espèces d'Oiseaux qui apprennent d'abord leur chant par l'écoute du chant d'Oiseaux adultes.

Jeu

Beaucoup de Mammifères et quelques Oiseaux ont un comportement que le mot **jeu** décrit parfaitement. Ce comportement n'a pas de but extérieur apparent, mais il comprend des mouvements étroitement associés à des comportements utilitaires. De nombreux prédateurs, et notamment les Félidés et les Canidés, jouent à se poursuivre et à se battre entre congénères. Bien que les Animaux s'infligent rarement de morsures douloureuses, leurs mouvements ressemblent à ceux qu'ils exécutent pour capturer et tuer leurs proies. La plupart du temps, les Animaux se mettent à jouer en l'absence de stimuli externes susceptibles d'attirer leur attention. Cependant, le jeu comporte fréquemment des risques de blessure ou de devenir une proie facile pour un prédateur.

Le jeu, manifestement, demande de l'énergie, et les risques encourus en augmentent encore le prix. Quelle valeur adaptative ce comportement en apparence si futile peut-il avoir en définitive ? Selon l'« hypothèse de l'expérience », le jeu permet aux Animaux de perfectionner des comportements qui deviendront utiles dans des circonstances réelles. Il est vrai que le jeu s'observe surtout chez les jeunes Animaux. Pourtant, les mouvements accomplis s'améliorent peu au cours des premières séances ludiques. Selon l'« hypothèse de l'exercice », par ailleurs, le jeu est adaptatif parce qu'il maintient une condition musculaire et cardiovasculaire optimale. Autrement dit, les Animaux jouent pour la même raison que les Humains font des exercices aérobiques. L'hypothèse de l'exercice suppose aussi que ce sont surtout les jeunes Animaux qui jouent, parce qu'ils n'ont pas à se livrer à des activités utiles pendant que leurs parents s'occupent d'eux (figure 50.11).

Compréhension soudaine

La **compréhension soudaine** (*insight*) est la capacité d'exécuter un nouveau comportement de manière adéquate dès le premier essai. (Certains scientifiques croient qu'il s'agit d'un raisonnement plus que d'un apprentissage.) Si un Chimpanzé (*Pan troglodytes*) se trouve dans une cage contenant des boîtes et une banane suspendue hors de sa portée, il « réfléchit » à la situation et finit par empiler les boîtes pour atteindre la nourriture. La compréhension soudaine s'observe surtout chez les Mammifères, et particulièrement chez les Primates mais, d'une situation ou d'une espèce à l'autre, son degré varie considérablement. Bien que la majorité des Animaux semble pratiquement incapable de compréhension soudaine (figure 50.12), des études récentes réalisées sur les Abeilles laissent croire qu'il en existe une forme chez les Invertébrés, comme nous le verrons dans la section portant sur la cognition animale.

Mécanismes immédiats et ultimes de l'apprentissage

Même si les Animaux nous semblent souvent effectuer des actions complexes, leur comportement se compose en grande partie d'actions relativement stéréotypées ; ces actions sont déterminées par des stimuli simples et modifiées de manière superficielle par des formes élémentaires d'apprentissage. Néanmoins, les capacités limitées des Animaux sont fort efficaces dans des circonstances normales. La capacité d'apprendre est un produit de l'évolution, une adaptation qui favorise la survie et le succès reproductif. De toute évidence, l'apprentissage subit la sélection naturelle car, pour une large part, le code génétique détermine l'instant de son déroulement et les stimuli qui le provoquent. Malheureusement, on connaît mal les mécanismes internes immédiats de l'apprentissage et on commence à peine à relier des formes simples d'apprentissage à des modifications biochimiques et physiologiques internes (voir le chapitre 44).

Maintenant que nous avons examiné l'interaction de l'inné et de l'acquis dans le comportement, nous pouvons étudier quelques adaptations comportementales apparues dans le règne animal.

RYTHMES COMPORTEMENTAUX

Les Animaux ont toutes sortes de comportements cycliques : ils se nourrissent le jour et dorment la nuit (ou vice versa), se reproduisent à chaque printemps, migrent au printemps et à l'automne, etc. Qu'est-ce qui détermine le moment où un Écureuil dort et celui où il s'éveille ? Les causes immédiates des rythmes ont longtemps fait l'objet d'expériences compliquées. La cause ultime des rythmes est généralement évidente, puisque la plupart des Animaux exécutent leurs comportements au moment où ils peuvent exploiter sûrement et avantageusement les ressources de leur niche écologique. Toutefois, comme bien d'autres aspects du comportement, les causes immédiates des cycles ne sont ni aussi évidentes ni aussi simples qu'elles le paraissent. Nous avons déjà traité des rythmes circadiens (journaliers) des Végétaux (voir le chapitre 35). Dans le règne animal, il existe de tels rythmes régis par divers indices du milieu. Mais qu'arriverait-il au comportement cyclique d'un Animal placé dans un milieu où rien ne le renseignerait sur le temps ? Le comportement cyclique est-il chronométré de manière exogène (externe), endogène (interne) ou des deux ?

De nombreux chercheurs ont tenté de mesurer l'importance respective des mécanismes immédiats endogènes et exogènes dans le comportement cyclique des Animaux. Ils ont découvert que beaucoup de rythmes circadiens dépendent d'une composante endogène, appelée *horloge biologique* qui, faute de coïncider exactement avec le temps réel, doit s'assortir d'un signal exogène appelé *synchronisateur*. La lumière est sans aucun doute le principal synchronisateur des rythmes circadiens. Ainsi, le Polatouche (*Glaucomys sp.*, ou Écureuil volant) d'Amérique du Nord commence normalement à s'activer à la tombée de la nuit et s'arrête à l'aube. Mais si un Polatouche est exposé à une lumière ou à une obscurité constantes, son activité reste rythmique pendant un mois environ. La durée de chaque cycle (composé d'une période d'activité et d'une période d'inactivité) étant légèrement inférieure à 24 heures, l'horaire d'un Animal exposé à des conditions constantes se désynchronise graduellement par rapport au monde extérieur. Au bout d'un certain temps, l'Animal expérimental s'active pendant que les Animaux en liberté sont inactifs et vice versa (figure 50.13). Par ailleurs, la clarté et l'obscurité ont peu d'influence sur le cycle d'activité de certains autres Animaux. Les Crabes violonistes (*Uca musica*) vivant dans la zone intertidale se nourrissent activement à marée basse et se réfugient dans leurs terriers à marée haute. Si on expose les Crabes à des conditions expérimentales de marée basse constantes, leur activité se règle sur le cycle de 12,4 heures des marées.

Figure 50.11
Comportement ludique. Selon les écologistes du comportement, les combats ludiques auxquels se livrent les jeunes Lions persistent en dépit de l'énergie qu'ils consomment et des risques qu'ils comportent, parce que le jeu a une valeur adaptative. La répétition d'un comportement de survie comme la capture d'une proie et le maintien d'une bonne condition physique sont deux des bénéfices possibles du jeu.

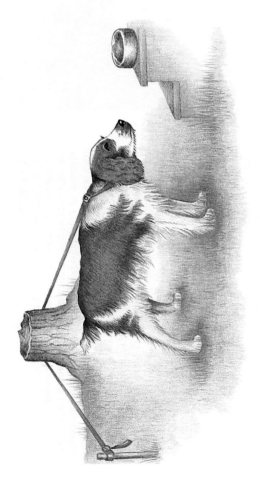

Figure 50.12
Absence de compréhension soudaine.
Ce Chien se montre incapable de compréhension soudaine : il ne peut évaluer la situation et atteindre la nourriture à la pre-

mière tentative. Cependant, il y accédera finalement par essais et erreurs. À partir de ce moment, il sera capable de résoudre rapidement les problèmes semblables.

Pour étudier les rythmes circadiens chez l'Humain, les chercheurs ont placé dans de confortables logements souterrains des sujets qui, privés de tout indice temporel, pouvaient littéralement vivre à leur rythme. Dans des conditions constantes, l'horloge biologique de l'Humain semble avoir une période d'environ 25 heures, mais la variation individuelle reste considérable. Dans le monde réel, l'Humain, comme d'autres Animaux, se fie à des signes extérieurs (des synchronisateurs) pour donner à ses cycles une durée de 24 heures.

On ignore l'importance des signaux endogènes dans les cycles comportementaux de longue durée. Chez beaucoup d'espèces, et notamment chez le Crapet arlequin, les **comportements circannuels** comme la reproduction et l'hibernation reposent en partie au moins sur des modifications physiologiques et hormonales directement reliées à des facteurs exogènes tels que la photopériode. On connaît mal les facteurs endogènes, en raison surtout des difficultés que comporte l'étude du sujet. Pour tirer la question au clair, en effet, il faudrait placer des Animaux dans des conditions constantes pendant non plus des jours mais des années. Quelques études à long terme portant sur les Écureuils indiquent que la formation de réserves de graisse associée à l'hibernation se produit régulièrement dans un milieu constant, mais on ignore presque tout des mécanismes de régulation endogènes d'autres phénomènes circannuels et particulièrement des comportements.

On ne sait rien non plus des facteurs internes immédiats des cycles courts, qui comportent manifestement des composantes endogènes. Certains croient qu'il s'agit d'une horloge biochimique, dérivée peut-être d'interactions moléculaires périodiques. Jusqu'ici, cependant, nul n'a proposé de modèle satisfaisant et vérifiable expérimentalement.

MOUVEMENT

Le mouvement est un autre aspect du comportement animal qui fait l'objet d'une longue tradition expérimentale. De même que pour les rythmes, les chercheurs se sont surtout attardés aux causes immédiates du mouvement, et particulièrement aux mécanismes qu'utilisent les Animaux pour détecter les déclencheurs externes du mouvement et y réagir. Les causes ultimes de nombreux mouvements orientés apparaissent évidentes. Chaque espèce est adaptée à un certain milieu, et elle se comporte généralement de manière à se rapprocher de ce milieu, souvent à un moment précis de l'année.

Les Animaux se guident sur différents signes extérieurs pour aller d'un endroit à l'autre. Une **cinèse**, la forme la plus élémentaire de mouvement, est une modification du degré d'activité en réponse à un stimulus. L'activité des Cloportes s'intensifie dans les milieux secs et diminue dans les milieux humides, un comportement simple qui a pour effet de maintenir ces Animaux dans les milieux humides. Une cinèse n'est pas un mouvement orienté : les Animaux ne cherchent pas à s'approcher ou à s'écarter de certaines conditions mais, comme ils se font moins actifs dans un milieu favorable, ils ont tendance à y demeurer. Une **taxie**, en revanche, est un mouvement orienté plus ou moins automatique qui rapproche ou écarte un organisme d'un stimulus. Après s'être nourries, les larves des Mouches domestiques, par exemple, sont animées d'une phototaxie négative ; elles s'écartent automatiquement de la lumière. On pense que cette réaction simple fait en sorte que les Mouches restent cachées aux yeux des prédateurs. Les Truites présentent une rhéotaxie positive (du grec *reô* «couler») ; elles nagent ou s'orientent automatiquement vers l'amont, ce qui leur évite d'être emportées par le courant.

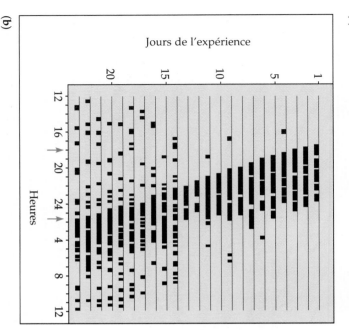

(b)

Jours de l'expérience

Heures

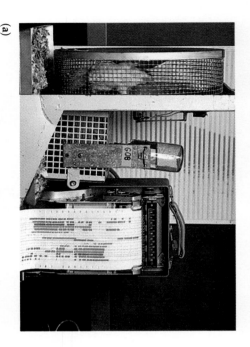

(a)

Figure 50.13
Cycle d'activité d'un Polatouche. (a) Le Polatouche est un Animal nocturne dont l'activité atteint son point culminant pendant les heures qui suivent le coucher du Soleil. Des chercheurs ont enfermé un Polatouche pendant 23 jours dans une cage contenant une roue reliée électroniquement à un dispositif d'enregistrement (constitué d'un rouleau de papier qui se dévidait à vitesse constante sous la pointe d'une plume). Chaque fois que l'Animal se mettait à courir, la plume marquait le papier, et les chercheurs ont obtenu le graphique montré en **(b)**. Les lignes horizontales épaisses correspondent aux périodes d'activité du Polatouche. Le graphique démontre clairement que l'activité est cyclique mais que la période d'activité maximale se décale légèrement de jour en jour. Dans des conditions constantes, le cycle du Polatouche durait 24 heures et 21 minutes. Après 23 jours, par conséquent, le cycle d'activité se trouvait décalé d'environ huit heures par rapport au lever et au coucher du Soleil (c'est-à-dire 23 fois 21 minutes, soit 483 minutes, ou 8 heures). Les flèches roses indiquent le début de la période d'activité soutenue au cours du jour 1 et du jour 23 de l'expérience. Dans des conditions normales, l'alternance de la clarté et de l'obscurité aurait réglé l'horloge biologique sur un cycle de 24 heures. Les horloges biologiques sont des mécanismes endogènes, mais le comportement cyclique doit se synchroniser avec les évènements importants du milieu extérieur.

Le mouvement saisonnier qu'effectuent les Animaux sur des distances relativement longues est appelé **migration**. Généralement, les Animaux migrateurs comme les Oiseaux, les Baleines, quelques espèces de Papillons et certains Poissons font chaque année un aller-retour entre deux régions. Mais comment les Pluviers dorés (*Pluvialis dominica*), par exemple, se dirigent-ils au cours du trajet de plus de 13 000 km qui les mène de leur aire de nidification, dans l'Arctique, au sud-est de l'Amérique du Sud ? Il existe même des populations de Pluviers dorés qui passent l'hiver dans l'archipel d'Hawaï, un minuscule groupe d'îles perdu dans l'immensité de l'océan (figure 50.14).

Les Animaux migrateurs trouvent leur chemin de trois façons. Le *pilotage* consiste à aller d'un repère topographique familier à un autre jusqu'à la destination. Le pilotage sert surtout aux courts trajets, et il n'est d'aucune utilité pendant la nuit ou au-dessus des océans. L'*orientation* consiste à situer les points cardinaux par rapport au Soleil ou à certains repères magnétiques et à suivre un cap sur une

certaine distance ou jusqu'à la destination. Enfin, le processus le plus complexe, la *navigation*, consiste pour l'Animal à établir sa position actuelle par rapport à d'autres positions de référence et à situer les points cardinaux (orientation). Si vous retrouviez dans un lieu inconnu et qu'on vous disait que votre demeure se trouve franc nord, vous utiliseriez l'orientation et, à l'aide d'une boussole, marcheriez en ligne droite jusque chez vous. Mais la boussole ne vous servirait pas si personne ne vous disait quelle direction prendre ; pour trouver le bon chemin, vous devriez encore déterminer votre position par rapport à votre demeure. La figure 50.15 montre la distinction entre l'orientation et la navigation.

Quelles informations les Animaux utilisent-ils pour l'orientation et la navigation ? À leur grand étonnement, les écologistes du comportement ont découvert que certaines espèces d'Oiseaux et d'autres Animaux agissent comme les marins d'antan et scrutent le ciel. Le Soleil (pour les espèces qui se déplacent le jour) et les étoiles (pour celles qui se déplacent la nuit) constituent un réfé-

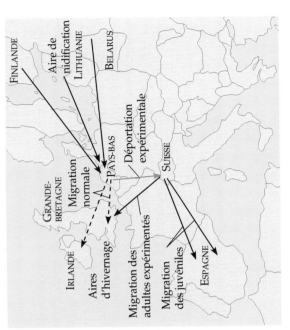

Figure 50.14
Les routes migratoires du Pluvier doré. Le Pluvier doré de la côte Ouest trouve son chemin au-dessus de l'océan entre l'Arctique et Hawaï ou les Marquises. Le Pluvier doré qui niche dans les Territoires du Nord-Ouest, au Canada, migre jusqu'en Amérique du Sud pour hiverner.

Aire de nidification du Pluvier doré des Territoires du Nord-Ouest

Aire de nidification du Pluvier doré de la côte Ouest

Aires d'hivernage

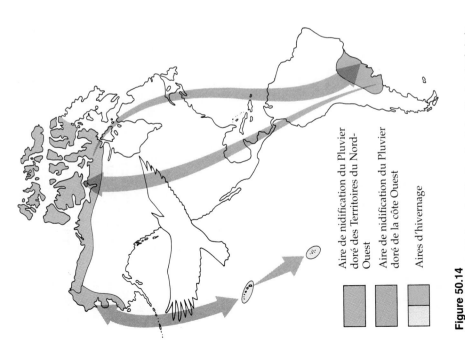

Figure 50.15
Orientation et navigation chez l'Étourneau sansonnet juvénile et chez l'adulte. On a capturé environ 11 000 Étourneaux sansonnet aux Pays-Bas, alors qu'ils migraient depuis leur aire de nidification située dans le nord-est de l'Europe. Après avoir été déportés en Suisse et libérés, les jeunes, qui n'avaient jamais fait le trajet auparavant, continuèrent à voler vers l'ouest et le sud-ouest et se retrouvèrent en Espagne. Les adultes, qui tous avaient déjà fait le voyage au moins une fois, volèrent vers le nord-ouest, un cap inusité qui les mena à leur aire d'hivernage, c'est-à-dire en Grande-Bretagne, en Irlande et dans le nord de la France. Les deux groupes d'Oiseaux étaient capables de s'orienter, mais seuls les adultes naviguèrent véritablement, car ils déterminèrent la position de leur destination par rapport à l'endroit où ils avaient été transportés.

rentiel fiable, quoique difficile à interpréter, afin de déterminer la direction à suivre.

Pour naviguer d'après le Soleil et les constellations, il faut posséder un dispositif interne qui compense les mouvements de rotation et de translation de la Terre. Imaginez que vous entreprenez un jour une longue marche et que, pour vous orienter, vous gardez le Soleil à votre gauche. Le matin, vous allez vers le sud mais, le soir, vous vous dirigez vers le nord; vous avez décrit un arc de cercle. La nuit, la position apparente des étoiles change également à cause de la rotation de la Terre. L'Oiseau migrateur appelé Passerin indigo (*Passerina cyanea*) n'a pas besoin d'un mécanisme de compensation car, comme les navigateurs d'autrefois, il s'oriente sur l'étoile Polaire, qui reste relativement fixe dans le ciel nocturne. Beaucoup d'Oiseaux migrateurs, par contre, utilisent une forme d'horloge interne. Ainsi, l'Étourneau sansonnet (*Sturnus vulgaris*) change de cap au rythme constant de 15° par heure si on lui présente expérimentalement un « Soleil » immobile. On ne connaît pas les modalités de ce comportement. L'Étourneau sansonnet doit résoudre un problème très complexe, car le mouvement apparent du Soleil n'est pas constant et atteint sa vitesse maximale autour de midi. En outre, la position

apparente des objets célestes change à mesure que l'Étourneau sansonnet avance sur sa route migratoire.

L'obscurcissement expérimental du ciel simulant des conditions nuageuses amène certaines espèces d'Oiseaux à voleter dans toutes les directions ou à interrompre la migration. D'autres espèces, en revanche, se dirigent avec précision sous les nuages ou même dans le brouillard. On a aujourd'hui de bonnes raisons de croire que certains Oiseaux s'orientent d'après le champ magnétique de la Terre. On peut modifier expérimentalement le cap de certaines espèces en modifiant le champ magnétique qui les environne. On connaît mal les mécanismes de détection du champ magnétique chez les Oiseaux, mais on a trouvé de la magnétite (le minerai ferreux utilisé dans les premières boussoles) dans la tête de quelques Oiseaux. On en a aussi trouvé dans l'abdomen d'Abeilles et dans des Bactéries qui s'orientent par rapport au champ magnétique. Il se pourrait que la détection du magnétisme soit un mécanisme d'orientation répandu dans le règne animal et qu'il nous ait échappé jusqu'à maintenant parce que nous en sommes dépourvus. Les chercheurs ont bien découvert de la magnétite dans des crânes humains, mais il n'existe aucune autre donnée prouvant l'existence d'une perception du magnétisme chez l'Humain.

ALIMENTATION

L'alimentation, faut-il le préciser, est un comportement essentiel à la survie et au succès reproductif. Mais qu'est-ce qui détermine l'alimentation d'un Animal? Voilà l'une des questions que les écologistes du comportement se posent le plus fréquemment. Les Animaux ont toutes sortes de façons de se nourrir, et leurs comportements alimentaires sont étroitement liés à leur morphologie. Les organismes qui se nourrissent de matières en suspension, par exemple, ne se comportent pas comme les prédateurs actifs. En outre, l'alimentation est entourée de considérations écologiques et évolutives extrêmement importantes ; les habitudes alimentaires sont une composante fondamentale de la niche écologique d'un Animal, et elles peuvent changer en fonction de la compétition interspécifique. Dans la présente section, nous étudierons quelques aspects de l'alimentation sous l'angle du comportement.

Les Animaux omnivores peuvent théoriquement choisir parmi des aliments très divers. Les Goélands, par exemple, mangent des organismes vivants ou morts, aquatiques ou terrestres, végétaux ou animaux. La chenille du Monarque (*Danaus plexippus*), par contre, est un herbivore spécialisé qui se nourrit uniquement de Laiterons (*Sonchus sp.*). Les spécialistes possèdent généralement des adaptations morphologiques et comportementales qui les rendent extrêmement habiles à trouver leur unique aliment Les omnivores ne se procurent aucun de leurs aliments de manière aussi efficace, mais ils peuvent se rabattre sur autre chose si une de leurs sources de nourriture disparaît.

La plupart des omnivores n'attrapent pas leurs aliments au hasard. Lorsqu'un aliment abonde, ils en font leur principale, voire leur seule source de nourriture. On dit qu'ils ont une **image d'appétence**, une représentation de l'objet désiré analogue à celle que nous nous faisons nous-mêmes quand nous cherchons quelque chose. Lorsque vous cherchez un produit dans votre garde-manger, vous jetez un regard rapide sur les tablettes. Vous ne vous donnez pas la peine de lire les étiquettes : vous cherchez simplement un emballage d'une certaine taille et d'une certaine couleur. Si l'aliment que recherche l'Animal devient rare par rapport à d'autres, l'Animal se forme une nouvelle image d'appétence. L'image d'appétence permet à un Animal de combiner pour un temps l'efficacité du spécialiste et la souplesse de l'omnivore.

Comme bien d'autres aspects des choix qu'effectuent les Animaux en matière d'alimentation, ces revirements ont suscité un intérêt considérable auprès des écologistes du comportement. Les *stratégies d'alimentation optimales*, notamment, font l'objet de nombreuses recherches depuis quelques années. Nous nous attendons à ce que la sélection naturelle favorise les Animaux dont les stratégies d'alimentation procurent des bénéfices maximaux à des coûts minimaux (les bénéfices se comptant habituellement en kilojoules gagnés). Or, il arrive que certains facteurs, telle l'obtention de nutriments particuliers, prennent plus d'importance que l'obtention d'énergie. Les coûts de l'alimentation sont l'énergie nécessaire au repérage, à la capture et à l'ingestion de la nourriture, le risque d'être attaqué par un prédateur pendant l'alimentation et le temps soustrait à l'accomplissement d'autres activités vitales, telle la recherche d'un partenaire.

Un Animal doit faire beaucoup de compromis pour optimiser ses stratégies d'alimentation. Entre une grosse proie éloignée et une petite proie rapprochée, il choisira la seconde malgré sa moindre valeur énergétique, parce que sa capture demande moins d'énergie. En outre, la capture et la manipulation de la grosse proie prennent à l'Animal un temps qu'il pourrait consacrer à la poursuite d'autres proies. Par exemple, l'Achigan à petite bouche (*Micropterus dolomieui*), que l'on trouve dans le sud de l'Ontario et l'extrême sud du Québec, consomme des petits Poissons comme les Ménés et des Écrevisses. L'absence de préférence laisse croire que les coûts associés à la capture de chaque type de proies s'équilibrent, autrement dit, que les Ménés constituent des proies optimales dans certaines circonstances et les Écrevisses, dans d'autres. Les Ménés contiennent plus d'énergie utilisable par unité de masse (les Écrevisses sont recouvertes d'un exosquelette difficile à digérer), mais leur poursuite demande plus d'énergie. Les Écrevisses, bien que plus faciles à attraper, résistent agressivement à la capture. L'Achigan à petite bouche doit aussi faire des compromis dictés par l'abondance relative et la taille de ses deux sortes de proies.

Se fondant sur des facteurs semblables, les écologistes du comportement élaborent des hypothèses quant aux stratégies d'alimentation qu'un Animal emploiera dans un ensemble donné de conditions. Lorsque leurs prévisions se réalisent, ils comprennent un peu mieux les facteurs qui déterminent le comportement d'un Animal. Dans le cas contraire, les chercheurs ont gagné même avancé, car ils savent qu'ils doivent considérer d'autres facteurs. En matière de stratégies optimales d'alimentation, les prévisions des chercheurs sont souvent d'ordre quantitatif ; elles reposent sur des mesures directes des kilojoules qu'un Animal doit dépenser pour se procurer tel ou tel aliment et des kilojoules qu'il obtient en le consommant. Nombre d'études ont montré que les Animaux tendent à modifier leur comportement de façon à maintenir à un niveau élevé le rapport entre leur consommation d'énergie et leur dépense d'énergie. Ils y parviennent fort bien. L'Achigan à petite bouche réussit à pondérer toutes les variables pertinentes et à s'alimenter de manière très efficace, passant des Ménés aux Écrevisses et vice versa lorsque les conditions l'y poussent. Nous ne savons pas exactement comment les Animaux s'y prennent. Nous supposons que la capacité est en grande partie innée, mais qu'elle est aussi influencée par l'expérience.

Le cas du Crapet arlequin est un bon exemple de la façon dont les Animaux maximisent le rapport entre l'énergie absorbée et l'énergie dépensée. Le Crapet arlequin se nourrit de petits Crustacés appelés Daphnies ; il choisit généralement les grosses proies, car elles fournissent beaucoup d'énergie. Cependant, il choisit de petites proies si les grosses sont trop éloignées (figure 50.16a). L'hypothèse des stratégies d'alimentation optimales veut que la proportion de proies de chaque taille varie selon la densité globale de Daphnies. On suppose que le Crapet arlequin se montre peu sélectif lorsque la densité des proies est très faible, car il doit dévorer toutes les proies qu'il rencontre pour satisfaire ses besoins énergétiques.

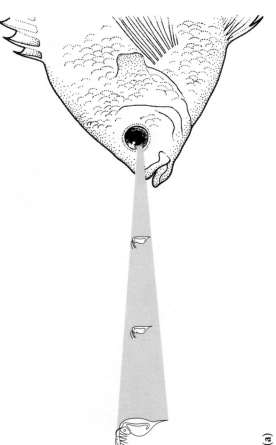

Figure 50.16
Alimentation du Crapet arlequin juvénile.

(a) Le Crapet arlequin ne se nourrit pas au hasard, mais tend à choisir les Daphnies (*Daphnia sp.*) les plus grosses. Il semble se fonder sur la taille apparente de ses proies. Devant plusieurs proies potentielles, le Poisson poursuit celle qui paraît la plus grosse. Il ne s'occupe pas de la petite proie (faible en énergie) située à une distance moyenne de lui. En revanche, il capture la petite proie la plus proche de lui, car il dépense alors moins d'énergie. La capture de la grosse proie éloignée demande beaucoup d'énergie mais en fournit aussi beaucoup; c'est pourquoi le Crapet peut préférer cette proie à une petite proie située à une distance moyenne ou faible de lui. **(b)** En se fondant sur l'hypothèse des stratégies optimales d'alimentation, les chercheurs supposent que le Crapet arlequin dévore toutes les proies qu'il trouve, quelle que soit leur taille, quand leur densité est faible. Lorsque la densité des proies est élevée, par contre, le Crapet arlequin peut maximiser le rapport entre la dépense et l'apport d'énergie en ne capturant que de grosses proies. L'expérience dont nous rendons compte ici a démontré que les Crapets arlequins n'ont pas été sélectifs lorsque la densité des proies était faible. À forte densité, ils ont préféré les grosses proies, quoique de manière moins nette que prévu.

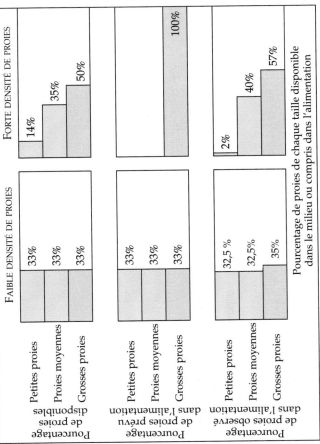

Pourcentage de proies de chaque taille disponible dans le milieu ou compris dans l'alimentation

(b)

On présume aussi de meilleurs bénéfices pour le Crapet arlequin qui se concentre sur les gros Crustacés quand leur densité est forte. Lors des expériences, les Crapets arlequins sont effectivement devenus sélectifs quand la densité des proies était forte, mais pas au point d'atteindre l'efficacité maximale théorique (figure 50.16b). Par ailleurs, les jeunes Crapets arlequins s'alimentaient de manière efficace, mais pas autant que les adultes qui, apparemment, jugeaient mieux de la distance et de la taille. Les chercheurs n'ont pas établi si la compétence des Poissons adultes était due uniquement à la maturation (à celle des organes visuels en particulier) ou si elle résultait aussi de l'apprentissage.

INTERACTIONS SOCIALES

En termes généraux, le **comportement social** se définit comme l'ensemble des rapports qu'entretiennent deux

Animaux ou plus, habituellement de la même espèce. Puisque les membres d'une population occupent la même niche écologique, les risques de conflit sont élevés, particulièrement au sein des espèces dont la densité se maintient normalement près de la capacité limite du milieu. Le comportement social semble parfois prendre une forme coopérative; tel est le cas lorsqu'un groupe atteint un but plus efficacement que ne le ferait un individu seul (figure 50.17). Même dans un comportement qui exige une coopération et qui semble avantageux pour les associés, comme l'accouplement, chaque individu se conduit de manière à maximiser ses propres bénéfices, quitte à nuire à l'autre. Dans cette section, nous étudierons les interactions sociales compétitives, dans lesquelles cet aspect «égoïste» du comportement apparaît le plus clairement. Plus loin, nous examinerons le comportement altruiste.

(a)

(b)

Figure 50.17
La chasse coopérative. (a) Ces Chiens chasseurs d'Afrique, ou Lycaons (*Lycaon pictus*), s'en prennent à un Gnou beaucoup plus gros qu'eux. **(b)** Cette file de Pélicans blancs d'Amérique (*Pelecanus erythrorhynchos*) suit un banc de Poissons. À cause du comportement coopératif des Pélicans, les Poissons ont peu de chances de s'échapper en contournant les Oiseaux. Bien que tous les associés tirent parti de la coopération, chaque individu se comporte de manière à maximiser ses propres bénéfices.

Affrontement

Un **comportement d'affrontement** survient entre deux compétiteurs qui se disputent par la menace une ressource pour l'alimentation ou la reproduction. Les affrontements prennent rarement la forme de combats réels ; la plupart du temps, les opposants se menacent par des postures et des vocalisations qui les font paraître redoutables. Au bout d'un certain temps, l'un des adversaires adopte une attitude d'apaisement ou une posture de soumission et se rend. L'affrontement prend en général la forme d'un **rituel**, c'est-à-dire de gestes symboliques, et les opposants s'en sortent le plus souvent sans trop de mal (figure 50.18). Pour manifester leur agressivité, les Chiens et les Loups montrent les dents, lèvent les oreilles et la queue, se hérissent, se tiennent sur les pattes postérieures et regardent leurs adversaires dans les yeux ; toutes ces actions les font paraître gros et féroces. L'Animal qui capitule lisse sa fourrure, baisse la queue et détourne les yeux ; cette attitude d'apaisement clôt la confrontation. Bien qu'il arrive que les Animaux s'infligent des blessures, la sélection naturelle fait généralement en sorte que le conflit se calme dès qu'il y a un vainqueur, car un combat violent pourrait nuire tant au gagnant qu'au perdant. Habituellement, les interactions subséquentes des deux mêmes Animaux se soldent rapidement en faveur du vainqueur du premier affrontement. Le comportement d'affrontement ritualisé est très répandu dans le règne animal.

Hiérarchie sociale

Si des Poules étrangères se trouvent réunies, elles se disputent et se donnent des coups de bec. Graduellement, le groupe établit une **hiérarchie sociale** plus ou moins linéaire. La Poule alpha (au premier rang de la hiérarchie) commande à toutes les autres, se contentant souvent de les menacer. La Poule bêta (au deuxième rang de la hiérarchie) domine toutes les autres sauf la Poule alpha, et ainsi de suite jusqu'à la Poule oméga, celle qui occupe le dernier rang. La Poule dominante jouit d'un avantage évident, puisque son accès aux ressources comme la nourriture est assuré. Le système a aussi ses avantages pour les Poules inférieures, qui ne perdent pas d'énergie à livrer des combats inutiles.

Étant donné que les Loups doivent coopérer pour tuer de grosses proies, ils forment généralement des meutes. Dans chaque meute s'établit une hiérarchie des

Figure 50.18
Combat ritualisé entre deux Crotales. Les Crotales tentent mutuellement de se terrasser, mais ils n'utilisent jamais leurs crochets venimeux pour y parvenir.

mâles et une hiérarchie des femelles. Par exemple, la femelle dominante (ou alpha) régit l'accouplement des autres femelles. Quand la nourriture abonde, la femelle dominante s'accouple et permet aux autres d'en faire autant. Dans le cas contraire, elle restreint l'activité sexuelle des autres femelles, assurant ainsi à ses propres petits une nourriture suffisante. On observe fréquemment une hiérarchie chez les espèces grégaires ; en plus des exemples cités, mentionnons les Babouins, les Insectes sociaux (Abeilles, Fourmis, Termites), les Bovins laitiers et les Caribous qui vivent dans la partie septentrionale du Québec.

Territorialité

Un **territoire** est l'espace qu'un individu s'approprie et qu'il interdit à ses congénères. L'Animal s'y nourrit, s'y reproduit ou y élève ses petits. Un territoire est généralement un lieu fixe dont les dimensions varient selon les espèces, les fonctions de ce territoire et les ressources disponibles. Les couples de Bruants chanteurs, par exemple, occupent un territoire d'environ 3000 m², où ils accomplissent toutes leurs activités pendant les quelques mois de leur saison de reproduction. Certains Oiseaux de mer, tels les Fous de Bassan (*Morus bassanus*), s'accouplent et nichent dans un territoire de 1 à 2 m² environ et se nourrissent à l'extérieur (figure 50.19). Les Otaries à fourrure (*Callorhinus ursinus*) n'utilisent leurs petits territoires que pour s'accoupler, tandis que les Écureuils roux (*Tamiasciurus hudsonicus*) se constituent de vastes territoires apparemment adaptés à leurs habitudes alimentaires. Beaucoup d'Animaux n'ont de territoire que pendant la saison de reproduction et forment des groupes sociaux le reste du temps.

Il convient de distinguer le territoire de l'espace vital, c'est-à-dire l'espace où un Animal évolue et qui, généralement, n'est pas défendu. Chez certaines espèces, comme le Bruant chanteur en saison de reproduction, le territoire et l'espace vital se superposent ; chez d'autres espèces, par contre, le territoire est beaucoup plus petit. La distinction entre territoire et espace vital n'est pas toujours claire. Par exemple, les espaces vitaux des Écureuils gris (*Sciurus carolinensis*) se chevauchent considérablement, car un individu n'en défend qu'une partie contre ses compétiteurs.

Les Animaux établissent et défendent leur territoire par un comportement d'affrontement et, une fois installés, il est difficile de les déloger. Pourquoi les occupants d'un territoire ont-ils le dessus ? Selon les écologistes du comportement, un Animal déjà familiarisé avec un territoire a plus à perdre qu'un intrus et se bat avec plus d'acharnement. Les occupants d'un territoire font continuellement valoir leur statut : telle est la principale raison d'être du chant des Oiseaux, du jacassement des Écureuils roux et du marquage à l'urine des Lynx du Canada (*Felis canadensis*). Ces derniers font partie des Animaux qui patrouillent leur territoire et le délimitent par des sécrétions odorantes de nature glandulaire, fécale ou urinaire (figure 50.20). La plupart des Animaux ne défendent leur territoire que contre leurs congénères ; un Bruant chanteur admet qu'un Bruant à couronne blanche dans son territoire, car les deux espèces ont des niches écologiques

Figure 50.19
Territoires. Les Fous de Bassan nichent à portée de bec les uns des autres et défendent par des cris et des coups de bec leur territoire qui s'étend sur 1 à 2 m² environ. Cette population réside sur l'île Bonaventure, en Gaspésie (Québec).

différentes et sont peu susceptibles d'entrer en concurrence directe (voir le chapitre 48). En outre, l'occupant d'un territoire repousse ses congénères pour conserver l'exclusivité des ressources qui s'y trouvent.

Bien que la hiérarchie sociale et la territorialité soient apparues par suite des avantages qu'elles confèrent aux individus, ces principes d'organisation ont d'importants effets sur une population. En effet, ils tendent à stabiliser la densité. Si tous les membres d'une population se répartissaient également les ressources, la « juste part » que chaque individu recevrait serait probablement insuffisante et la population connaîtrait des chutes occasionnelles. La hiérarchie et la territorialité font généralement en sorte que quelques individus au moins obtiennent une quantité appropriée de ressources. Il arrive souvent, du reste, que les territoires s'agrandissent quand une ressource comme la nourriture vient à manquer. De plus, il existe habituellement des individus de rang inférieur ou dépourvus de territoire qui attendent de gravir un échelon ou de s'accaparer un territoire au moment où l'un des individus bien nantis tombe malade, se fait vieux ou meurt. Par conséquent, les populations demeurent relativement stables d'année en année.

COMPORTEMENT LIÉ À LA REPRODUCTION

Les écologistes du comportement accordent le plus grand intérêt à tous les aspects du comportement lié à la reproduction. En effet, lorsque les chercheurs sont capables de dénombrer la progéniture d'un individu, cela revient pratiquement à établir son succès reproductif. Les autres comportements mesurables, les stratégies optimales d'alimentation, par exemple, ne sont pas aussi fortement corrélés avec le succès reproductif.

Parade nuptiale

La plupart des Animaux n'ont sans doute pas conscience de l'importance que revêt la reproduction et, contrairement aux Humains, ils ne sont pas non plus continuellement attirés par le sexe opposé. Les Animaux ont fortement tendance à considérer tout congénère comme un concurrent potentiel qu'il vaut mieux repousser. Chez beaucoup d'espèces sociales également, les individus évitent d'entrer en contact les uns avec les autres. Comment, alors, peuvent-ils se reproduire ? Chez nombre d'Animaux, les individus de sexe opposé doivent se livrer à un rituel élaboré, propre à leur espèce, avant de s'accoupler. Ce comportement complexe, appelé *parade nuptiale*, se compose d'un enchaînement d'actions stéréotypées déclenchées une à une par une posture ou par une action du mâle ou de la femelle, lesquelles provoquent à leur tour l'action appropriée chez l'autre individu. Cette séquence d'événements rassure chaque Animal non seulement sur les intentions de l'autre mais également sur son identité, son sexe et sa condition physiologique.

Chez certaines espèces, la parade nuptiale permet aussi au mâle, à la femelle ou aux deux de choisir parmi un ensemble de candidats pour former un couple. Les femelles se montrent en général plus exigeantes que les mâles, car elles investissent davantage dans la reproduction. Le temps et les ressources qu'un individu doit consacrer à la production d'un petit constituent l'**investissement parental**. Les ovules sont généralement plus gros et bien plus coûteux à produire que les spermatozoïdes. La différence de taille entre les gamètes mâle et femelle est beaucoup moins grande chez les Mammifères placentaires que chez les autres Animaux, mais la gestation représente pour les femelles un investissement de temps et d'énergie considérable. Le choix d'un mâle de piètre

qualité peut s'avérer pour elles une erreur coûteuse. Les mâles, pour leur part, s'accouplent habituellement autant qu'ils le peuvent. Ils se font concurrence pour les femelles, parfois en tentant de les impressionner. Par conséquent, la parade nuptiale des mâles comporte plus de figures que celle des femelles ; souvent, en fait, seuls les mâles font la cour. Les caractères sexuels secondaires ressortent davantage chez les mâles que chez les femelles ; il n'est que de songer au plumage des Oiseaux et aux bois des Cervidés. L'avantage reproductif lié à la capacité d'attraction et de formation d'un couple est appelé *sélection sexuelle*, et nous en avons traité au chapitre 21.

Chez certaines espèces, comme le Caribou (*Rangifer tarandus caribou*), seule la compétition détermine, parmi les individus de même sexe (généralement les mâles), ceux qui s'accoupleront. Chez d'autres espèces, les individus (généralement les femelles) choisissent activement l'autre membre du couple. Ce comportement a deux causes immédiates. Si, premièrement, l'individu de sexe opposé prodigue des soins parentaux, il y a avantage à élire celui qui semble le plus compétent. Le mâle de la Sterne pierregarin (ou Sterne commune, *Sterna hirundo*) offre du Poisson à la femelle pendant la parade nuptiale. Il indique ainsi à la femelle sa capacité de nourrir une éventuelle progéniture. Les femelles de certaines espèces préfèrent les mâles dont la cour est la plus frénétique et la plus énergique ou ceux qui possèdent les caractères sexuels secondaires les plus marqués. Il se peut en effet que ces caractéristiques soient de bons indicateurs de la vigueur et de la santé de l'individu qui les exprime.

Deuxièmement, les femelles de certaines espèces choisissent un mâle en vertu de son patrimoine génétique. Ce critère est déterminant surtout chez les espèces dont les mâles ne s'occupent pas des petits et ne participent à la

Figure 50.20
Délimitation du territoire au moyen de marqueurs chimiques. (a) Ce Guépard mâle (*Acinonyx jubatus*) vivant dans le parc national de Serengeti, en Tanzanie, urine sur des pierres. L'odeur indiquera aux autres mâles de ne pas s'aventurer dans son territoire. **(b)** Un Guépard mâle renifle une pierre sur laquelle un autre mâle a uriné. Grâce à leur odorat aiguisé, les Guépards distinguent leur odeur de celle des autres.

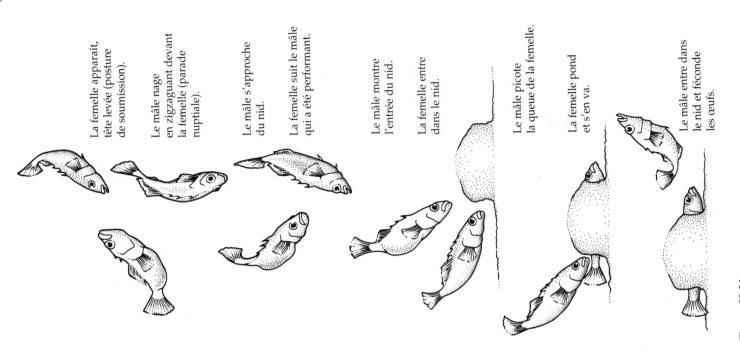

La femelle apparaît, tête levée (posture de soumission).

Le mâle nage en zigzaguant devant la femelle (parade nuptiale).

Le mâle s'approche du nid.

La femelle suit le mâle qui a été performant.

Le mâle montre l'entrée du nid.

La femelle entre dans le nid.

Le mâle picote la queue de la femelle.

La femelle pond et s'en va.

Le mâle entre dans le nid et féconde les œufs.

Figure 50.21

Parade nuptiale de l'Épinoche à trois épines. Les mâles sont fortement territoriaux et ils défendent âprement l'espace où ils ont construit un nid en forme de tunnel. Si une femelle gravide (qui porte des œufs) s'approche, son abdomen proéminent déclenche une nage en zigzag chez le mâle. La femelle se rapproche; le mâle va vers le nid et y enfonce son museau. La femelle se glisse dans le nid. Le mâle lui picote la queue; ce comportement stimule la femelle à la ponte. Après la ponte, elle sort du nid par devant. Le mâle entre dans le nid et arrose les œufs de son sperme; tout de suite après, il chasse agressivement la femelle de son territoire.

reproduction que par la copulation. Les mâles de nombreuses espèces d'Oiseaux et d'Insectes accomplissent leur parade nuptiale en groupe dans un petit espace appelé lek. Les femelles font des visites au lek et choisissent un mâle parmi ceux qui s'y trouvent pour copuler uniquement. Aucun autre contact ne s'établit entre le mâle et la femelle par la suite. Une femelle a intérêt à s'accoupler avec un mâle qui possède des caractéristiques avantageuses, car la vigueur de sa progéniture dépend aussi bien de ses gènes que de ceux du mâle. Elle choisira donc le mâle qui montre le plus d'énergie et qui possède les caractères sexuels secondaires les plus marqués. La bonne qualité des mâles réside en grande partie dans la résistance aux agents pathogènes et aux parasites qui découle de leur matériel génétique (voir la figure 21.12). Même dans le cas où la femelle recherche d'abord la compétence parentale du mâle, le patrimoine génétique peut également compter.

Souvent, il est très difficile de déterminer lequel de ces deux critères est le plus important pour les femelles; dans certains cas, même, on ne peut établir si le succès d'un mâle résulte de ses capacités de compétiteur ou du choix de la femelle. La parade nuptiale de l'Épinoche à trois épines, un Poisson dont nous avons traité plus haut, est l'un des rituels d'accouplement les mieux connus (figure 50.21). Bien que la parade nuptiale soit constituée de déclencheurs et de comportements stéréotypés, elle ne se déroule pas toujours sans encombre. Souvent, la femelle commence à suivre un mâle puis se met à hésiter, surtout à la limite de territoires voisins. Elle peut interrompre tout à coup la série d'actions, en particulier parce qu'elle est simultanément courtisée par d'autres mâles. En fin de compte, elle s'accouplera avec l'un d'eux. Il semble évident, dans ce cas-ci, que la femelle fait un choix. Ce choix repose sur les caractères sexuels secondaires du mâle, sa parade nuptiale et sa motivation à défendre son territoire. Le mâle le plus performant a de bonnes chances de posséder un riche territoire et la meilleure compétence parentale; ce dernier critère est le plus important, car seuls les Épinoches mâles s'occupent des jeunes. Il faut bien noter que le mot «choix» ne signifie pas ici une décision consciente. Si un certain comportement favorise le succès reproductif d'un individu, sa fréquence dans une population résulte de la sélection naturelle.

Les rituels, tant ceux de la parade nuptiale que du comportement d'affrontement, dérivent probablement d'actions qui avaient autrefois une portée plus concrète, comme en témoigne l'exemple des mâles chez *Hilara sartor*, une variété de Mouches de la famille des Empididés. Les mâles tissent une boule de soie qu'ils transportent en essaim. Les femelles qui cherchent un mâle s'approchent de l'essaim. Elles choisissent un mâle, acceptent son présent et partent copuler avec lui. Le comportement d'autres espèces de la famille des Empididés nous éclaire sur l'origine de ce rituel. Les mâles de certaines espèces prédatrices apportent aux femelles des Insectes morts qu'elles dévorent pendant l'accouplement, ce qui, croit-on, distrait les femelles et les empêche d'attaquer et de dévorer les mâles. Les mâles d'autres espèces transportent l'Insecte mort dans un ballon de soie, peut-être pour mieux l'immobiliser ou pour le faire paraître plus gros. Chez *Hilara sartor*, les Mouches se

nourrissent de nectar et non d'Insectes et le rituel a pris la forme d'une offrande autrefois associée à la nourriture.

Systèmes sexuels

Les relations entre mâles et femelles varient de manière considérable dans le règne animal. Chez beaucoup d'espèces, l'accouplement est **aléatoire**, et les liens entre mâles et femelles ne sont ni forts ni durables. Les espèces qui forment des couples durables adoptent le système **monogame** (les deux mêmes individus forment le couple), ou le système **polygame** (un individu s'accouple avec plusieurs autres). La polygamie prend le plus souvent la forme de la **polygynie** (un mâle s'accouple avec plusieurs femelles), un système qui s'explique par l'absence d'investissement parental mâle dont nous avons traité plus haut. Il existe cependant des cas de **polyandrie** (une femelle s'accouple avec plusieurs mâles). Parmi les espèces monogames, citons le Castor (*Castor canadensis*) et le Loup gris (*Canis lupus*) ; chez les mâles qui pratiquent la polygynie, on trouve le Raton-laveur (*Procyon lotor*) et la Mouffette rayée (*Mephitis mephitis*) ; parmi les femelles polyandres, mentionnons le Lynx roux (*Felis rufus*), l'Ours polaire (*Ursus maritimus*) et le Lièvre d'Amérique (*Lepus americanus*).

Les besoins des petits sont un important facteur de l'évolution des systèmes sexuels. La plupart des oisillons n'ont aucune autonomie et leurs besoins nutritifs sont tels qu'un seul parent ne peut y pourvoir. Les mâles ont alors avantage, afin de favoriser la survie de leur progéniture, à aider une seule femelle. Pour cette raison, sans doute, la plupart des Oiseaux sont monogames. Chez les Oiseaux comme chez certains Canards dont les petits deviennent autonomes très tôt après la naissance, la monogamie perd son importance. Les mâles maximisent alors leur succès reproductif en approchant plusieurs femelles et, de fait, la polygynie est relativement répandue parmi ces espèces. Dans le cas des Mammifères, le lait de la femelle constitue la seule nourriture des petits. Les mâles n'interviennent pas auprès des femelles et des petits, sauf pour les protéger ; le cas échéant, ils entretiennent habituellement un harem.

La *certitude de paternité* est un autre des facteurs qui déterminent le système sexuel et les soins parentaux. Les petits ou les œufs d'une femelle contiennent hors de tout doute les gènes de la femelle. Mais il existe toujours une possibilité, même chez les Animaux habituellement monogames, que les rejetons proviennent d'un mâle autre que le mâle coutumier de la femelle. Cette possibilité s'est concrétisée dans une population de Carouges à épaulettes (*Agelaius phoeniceus*) étudiée par des chercheurs qui utilisaient l'empreinte génétique pour identifier les pères des petits (voir Techniques à la page 1181). La certitude de paternité est relativement faible chez la plupart des espèces à fécondation interne, parce qu'un long délai sépare l'accouplement et la parturition (ou la ponte). Telle est peut-être la raison pour laquelle les soins des petits relèvent très rarement des mâles chez les Oiseaux et les Mammifères. En revanche, la certitude de paternité est forte chez les espèces à fécondation externe, où la ponte et l'accouplement se font simultanément. Voilà peut-être pourquoi, parmi les espèces de Poissons et d'Amphibiens à fécondation externe, les soins parentaux, s'ils existent, proviennent autant des mâles que des femelles. Les résultats suivants confirment l'hypothèse relative à la certitude de paternité : les mâles s'occupent des jeunes dans seulement 2 (7 %) des 28 familles de Poissons et d'Amphibiens à fécondation interne, mais dans 61 (69 %) des 89 familles à fécondation externe. Beaucoup d'espèces de Poissons, même celles où les soins parentaux relèvent exclusivement du mâle, sont polygames, c'est-à-dire que plusieurs femelles pondent dans un nid construit par un seul mâle. Il est important de souligner que l'expression « certitude de paternité », telle que l'emploient les écologistes du comportement, ne signifie pas que les mâles prennent conscience des facteurs qui interviennent dans leur comportement. Le comportement parental corrélé avec la certitude de paternité existe parce que la sélection naturelle l'a favorisé au fil des générations.

COMMUNICATION

Dans leurs interactions sociales et leurs parades nuptiales, les Animaux transmettent de l'information. La transmission intentionnelle mais pas consciemment, intentionnelle d'information entre individus est la définition usuelle de la communication en écologie du comportement. Le chant des Oiseaux mâles transmet une information : « Ceci est mon territoire. Défense d'entrer ! » Si on fait jouer un enregistrement d'un Oiseau mâle dans le territoire d'un autre mâle, celui-ci s'agite, s'approche du haut-parleur et parfois même l'attaque. Un intrus a non seulement passé outre à ses avertissements, il a revendiqué le territoire. Ce procédé simple est si infaillible que certains ornithologues amateurs y recourent pour débusquer et observer des Oiseaux qui resteraient autrement cachés. Le « truc » de l'enregistrement fait ressortir une importante notion. Nous convenons habituellement qu'il y a eu communication quand l'action d'un « émetteur » produit un changement détectable dans le comportement d'un autre individu, le « récepteur ». Le chant des Oiseaux est une communication parce qu'il provoque une réponse.

La plupart des éthologistes croyaient que les systèmes de communication évoluent de manière à maximiser la quantité et la précision de l'information. Les écologistes du comportement voient les choses autrement. S'appuyant sur des concepts évolutionnistes fondamentaux, ils soutiennent qu'un comportement de communication apparaît parce qu'il favorise l'adaptabilité de l'émetteur et non celle des récepteurs. Les Lucioles du genre *Photinus* se reconnaissent à la séquence caractéristique d'éclairs qu'émettent les femelles en réponse aux éclairs des mâles. Or, les femelles du genre *Photuris* émettent la même série d'éclairs que les femelles *Photinus*. Elles tuent et dévorent les mâles *Photinus* qui, leurrés, viennent à leur rencontre. Les cas de mimétisme semblables, où la communication est adaptative pour l'émetteur mais néfaste pour le récepteur, sont très répandus dans la nature.

Les Animaux bernent aussi leurs congénères. Chez certains Mammifères, les mâles qui viennent de prendre

TECHNIQUES : LA BIOLOGIE MOLÉCULAIRE AU SERVICE DE L'ÉTUDE DU COMPORTEMENT

La biologie moléculaire a fait progresser tous les domaines de la biologie, y compris l'écologie du comportement. Nous rendons compte ici d'une étude qui visait à identifier, au moyen de l'empreinte génétique, les pères d'oisillons nés dans une population de Carouges à épaulettes (figure a). La constitution de l'empreinte génétique se faisait par la technique d'analyse des fragments de restriction décrite au chapitre 19.

Chez la plupart des espèces d'Oiseaux, les systèmes sexuels sont fixes ; un mâle et quelques femelles cohabitant dans le territoire du mâle constituent la cellule typique. En comptant les oisillons dans le ou les nids contenus dans les territoires, on peut théoriquement comparer le succès reproductif de différents mâles. Les écologistes du comportement ont parfois utilisé cette méthode pour comparer les effets qu'avaient des variations comportementales sur l'adaptabilité de différents Oiseaux d'une population. Le problème, avec les Oiseaux, est qu'il arrive aux femelles de s'accoupler avec des mâles des territoires voisins. Bien que les mâles surveillent leurs femelles pendant la période féconde, leur vigilance est imparfaite. Dans les années 1970, des biologistes du US Fish and Wildlife Service tentèrent de limiter les populations de Carouges à épaulettes, car ces Oiseaux causaient des dommages aux cultures. Plutôt que de tuer les Oiseaux, les biologistes ont vasectomisé les mâles. Mais, à leur grande surprise, ils constatèrent qu'au moins 50 % des œufs contenus dans le territoire de chaque mâle vasectomisé avaient été fécondés, vraisemblablement par des mâles voisins encore féconds. Les chercheurs supposèrent que la vasectomie avait pu altérer le comportement des mâles et accroître la fréquence des copulations extraterritoriales. Il était cependant toujours plausible que la copulation extraterritoriale fût rare chez les femelles appariées à des mâles non vasectomisés.

La question ne fut tranchée qu'en 1990, quand une équipe de chercheurs publia les résultats d'une analyse de paternité qu'elle avait réalisée au moyen de l'empreinte génétique dans une population de Carouges. L'analyse de l'ADN contenu dans des échantillons de sang d'oisillons et d'adultes révéla que 45 % des nids contenaient au moins un petit engendré par un mâle autre que le propriétaire du territoire. L'empreinte génétique permit même aux chercheurs d'identifier les mâles qui s'étaient aventurés hors de leur territoire et qui avaient copulé chez leurs voisins. Dans la figure b, les taches vertes représentent les territoires des mâles. Les fractions expriment le nombre d'oisillons engendrés par un mâle par rapport au nombre total de petits trouvés dans son territoire. Les flèches indiquent la provenance

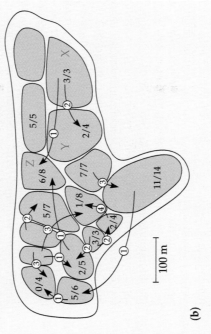

(a)

(b)

des mâles étrangers et le nombre d'oisillons qu'ils ont alors produit. Le mâle X a engendré les trois jeunes nés dans son territoire et trois des jeunes nés dans les territoires de ses voisins Y et Z. Un nombre relativement élevé de copulations extraterritoriales se sont produites dans les territoires des mâles qui possèdent plus de femelles que la moyenne. Les mâles associés à beaucoup de femelles ne peuvent peut-être pas les surveiller toutes de manière efficace.

Au cours des dernières années, les études fondées sur l'empreinte génétique ont montré que les copulations extraterritoriales surviennent fréquemment chez de nombreuses espèces d'Oiseaux qu'on croyait monogames.

la tête d'un groupe social tuent les jeunes qui naissent trop tôt pour être d'eux. Sans petits à nourrir, les femelles ovulent précocement, ce qui permet au nouveau mâle dominant de se reproduire. Chez un Singe d'Asie appelé Entelle (*Presbytis entellus*), les femelles qui se trouvent dans les premiers stades de la gestation invitent de nouveaux mâles à copuler avec elles. Elles mettent bas juste avant le moment où les petits de ces mâles naîtraient. Les mâles, dupés, traitent les petits comme s'ils étaient les leurs. Précisons que l'Entelle n'a pas conscience de modifier son comportement de manière à maximiser son adaptabilité. Les femelles qui incitent de nouveaux mâles à copuler possèdent simplement un avantage sélectif sur les femelles qui n'ont pas ce comportement.

Le mode sensoriel utilisé pour transmettre l'information est une importante considération dans la communication sur le plan de l'évolution. Les Animaux transmettent de l'information au moyen de signaux visuels, auditifs, chimiques (olfactifs), tactiles et électriques. Le genre de signal utilisé est étroitement lié au mode de vie de l'Animal. Les Mammifères étant pour la plupart nocturnes, les signaux visuels sont relativement inefficaces pour eux. Mais les signaux olfactifs et auditifs se propagent aussi bien dans l'obscurité que dans la clarté, et ce sont les plus courants chez les Mammifères (voir la figure 50.20). Les Oiseaux, au contraire, sont presque tous diurnes, et ils emploient principalement des signaux visuels et auditifs. Ils n'émettent presque jamais de signaux olfactifs, probablement parce qu'ils peuvent voler plus vite que les signaux chimiques ne se propagent. (On voit mal la valeur adaptative d'un système où l'émetteur arriverait avant son message.) Contrairement à la majorité des Mammifères, l'Humain est diurne et utilise la même communication visuelle et auditive que les Oiseaux. Par conséquent, nous détectons les chants et les couleurs vives avec lesquels les Oiseaux communiquent entre eux. Cela explique peut-être la grande popularité de l'observation des Oiseaux. Si l'Humain possédait l'odorat aiguisé des autres Mammifères, le reniflement de toute la gamme des signaux chimiques, le reniflement de Mammifères aurait peut-être autant d'adeptes que l'observation d'Oiseaux.

Les Animaux qui communiquent par l'odeur produisent des signaux chimiques appelés **phéromones**. La sécrétion de phéromones est particulièrement répandue parmi les Mammifères et les Insectes, et elle est fréquemment liée à la reproduction (voir le chapitre 41). Par exemple, les femelles chez les Bombyx (*Bombyx mori*, Papillon nocturne dont la larve fabrique de la soie) émettent une phéromone que les mâles peuvent sentir à plusieurs kilomètres de distance. Une fois que les Papillons sont réunis, les phéromones déclenchent les comportements de la parade nuptiale. Chez les Fourmis, par ailleurs, les éclaireuses sécrètent des phéromones qui guident les autres Fourmis vers la nourriture trouvée.

Les Abeilles possèdent l'un des systèmes de communication les plus complexes, tout au moins chez les Invertébrés. Pour que la communauté s'alimente avec un maximum d'efficacité, les ouvrières doivent indiquer à leurs congénères les endroits où se trouvent des fleurs, une source de nourriture qui varie dans le temps et dans l'espace. Comment les Abeilles communiquent-elles? Le zoologiste autrichien Karl von Frisch, lauréat du prix Nobel avec Lorenz et Tinbergen, étudia la question dans les années 1940. Il constata que les Abeilles se regroupent autour d'une ouvrière (éclaireuse) qui revient à la ruche. L'éclaireuse effectue alors une «danse», sur un des rayons de la ruche, qui indique l'emplacement de la nourriture. Si ce lieu se situe à moins de 50 m environ de la ruche, l'Abeille fait une «ronde»: elle se déplace latéralement en décrivant de petits cercles (figure 50.22a). Souvent, l'éclaireuse régurgite un peu de nectar pour le faire goûter à ses compagnes. Les ouvrières, excitées, partent explorer les environs. Bien que la ronde n'indique pas la direction, la dégustation du nectar aide probablement les Abeilles à repérer la sorte de fleur dont il provient.

Si la nourriture se trouve plus loin, les Abeilles ont besoin d'informations supplémentaires. Dans la ruche, l'éclaireuse qui revient de loin exécute une «danse frétillante en 8», toujours sur un des rayons de la ruche positionnés perpendiculairement à la façade: elle décrit une ellipse dans une direction, vers la droite par exemple, puis décrit une autre ellipse dans la direction opposée, vers la gauche; les deux ellipses sont adjacentes et forment une même figure en 8 (figure 50.22b). Fait étonnant, cette danse indique à la fois la direction et la distance. L'angle que forme le segment commun aux deux ellipses (le milieu du 8) avec la verticale reproduit l'angle horizontal que forme l'emplacement de la nourriture par rapport à la direction du Soleil. Si le milieu du 8 et la verticale forment un angle de 30° vers la gauche, les ouvrières se dirigeront à 30° à gauche du Soleil sur le plan horizontal. Si l'éclaireuse trace le milieu du 8 directement vers le haut de la ruche et perpendiculairement au sol, les ouvrières mettent le cap directement vers le Soleil; si elle trace ce segment directement vers le bas, les ouvrières s'orientent en direction opposée au Soleil. L'Abeille exprime la distance de la nourriture par les frétillements de son abdomen pendant qu'elle décrit le milieu du 8. Une vitesse de 40 oscillations par seconde correspond à une distance d'environ 100 m, tandis qu'une vitesse de 18 oscillations par seconde signifie environ 1000 m (les fréquences intermédiaires indiquant des distances intermédiaires). L'éclaireuse régurgite aussi du nectar dans cette situation, de sorte que ses congénères «savent» quoi chercher, à quelle distance et dans quelle direction.

ÉGOCENTRISME ET ALTRUISME

Les Animaux se comportent la plupart du temps de manière égocentrique, c'est-à-dire qu'ils agissent dans leur intérêt propre, au détriment de celui des autres. Un Oiseau qui s'approprie un territoire prive ses congénères de cet espace et, si l'habitat vient à manquer, les empêche ainsi de se reproduire. Même chez les espèces peu enclines au comportement d'affrontement, la plupart des adaptations qui profitent à un individu nuisent indirectement aux autres. Par exemple, celui qui possède des stratégies d'alimentation plus efficaces laisse moins de nourriture pour les autres. On comprend facilement la fréquence de l'égocentrisme si l'on admet que la sélection naturelle façonne le comportement. La sélection favorise les comportements qui maximisent le succès reproductif

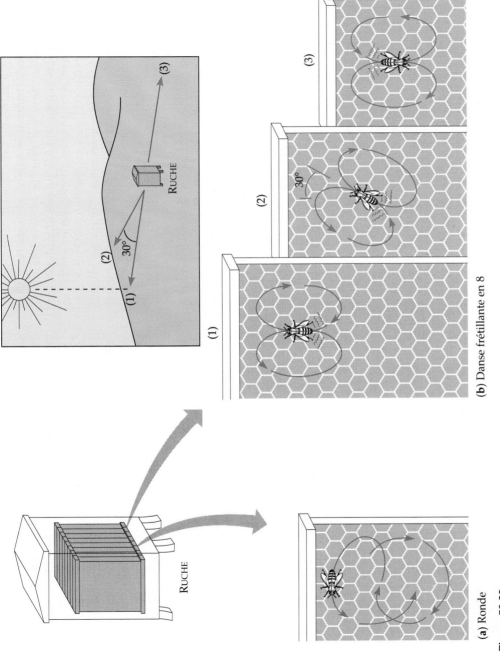

(a) Ronde

(b) Danse frétillante en 8

Figure 50.22
Communication chez les Abeilles. Dans une ruche, les rayons sont placés perpendiculairement à la façade et servent de pistes de danse aux éclaireuses. **(a)** La ronde indique que la nourriture est proche. **(b)** La danse frétillante en forme de 8 indique que la nourriture est éloignée. La fréquence des oscillations que l'Abeille imprime à son abdomen pendant la danse exprime la distance. L'angle du segment central du 8 par rapport à la façade de la ruche correspond à la direction. (1) Si l'Abeille trace le centre du 8 verticalement en montant, la nourriture se trouve dans la même direction que le Soleil. (2) S'il forme un angle de 30° à droite par rapport à la verticale, la nourriture se situe à 30° à droite du Soleil. (3) Si l'Abeille le trace vers le bas de la ruche, la nourriture se trouve à l'opposé du Soleil.

d'un individu, sans égard aux torts que ces comportements occasionnent à un autre individu, à une population locale ou même à une espèce entière.

Comment, alors, expliquer les manifestations d'altruisme? Il arrive que les Animaux accomplissent des actions qui compromettent leur propre bien-être mais bénéficient aux autres. Considérons l'exemple du Spermophile de Belding (*Citellus beldingi*), un Rongeur qui vit dans les régions montagneuses de l'ouest des États-Unis et qui est pourchassé par les Coyotes (*Canis latrans*) et les Faucons (*Falco sp.*). Si un prédateur arrive, un Spermophile émet un cri d'alarme aigu, et les autres se cachent dans leurs terriers. Des observations minutieuses ont confirmé que le cri augmente le risque de capture, car il révèle la position de son émetteur. Comment le fait d'aider des compétiteurs potentiels peut-il augmenter l'adaptabilité d'un Animal? On se dit que le Spermophile ferait mieux de se tenir coi et de laisser le prédateur s'en prendre à d'autres membres de la population.

Les sociétés d'Abeilles fournissent un exemple classique de comportement altruiste. Les ouvrières sont stériles, mais elles travaillent pour le compte d'une reine unique qui, elle, est féconde. De plus, elles piquent les intrus, défendant la ruche au prix de leur vie. Le Pic à face blanche (*Picoides borealis*), une espèce menacée du sud-est des États-Unis, manifeste aussi un intéressant comportement altruiste. Chaque territoire est occupé par un couple qui niche dans une cavité d'un vieux Pin. Le mâle et la femelle cohabitent avec deux à quatre individus plus jeunes qu'eux qui ne s'accouplent pas mais qui participent à presque tous les autres aspects de la reproduction. Ils défendent le territoire, creusent la cavité, couvent les œufs et nourrissent les oisillons.

Comment un comportement, qui n'augmente pas le succès reproductif de l'individu altruiste et qui le réduit même dans certains cas, peut-il apparaître? La sélection naturelle favorise les caractères anatomiques, physiologiques et *comportementaux* qui augmentent le succès

reproductif, et le succès reproductif assure la propagation des gènes qui détiennent le code de ces caractères. Des parents qui sacrifient leur bien-être pour engendrer et aider des petits augmentent leur propre adaptabilité, car ils maximisent leur représentation génétique dans la population. Mais pourquoi un individu aiderait-il des parents proches autres que ses petits ? Comme les parents et les petits, les frères et sœurs ont la moitié de leurs gènes en commun. Par conséquent, il peut être avantageux pour un Animal d'aider directement ses frères et sœurs.

Dans les années 1960, W. D. Hamilton, alors étudiant en Angleterre, se rendit compte que les Animaux pouvaient augmenter leur représentation génétique dans la génération suivante en aidant de manière « altruiste » des parents proches autres que leurs descendants. De cette constatation naquit le concept de **valeur adaptative particulière**, qui se définit comme l'effet global qu'a un individu sur la prolifération de ses gènes en produisant une descendance *et* en fournissant une aide qui permet à ses parents proches de se reproduire aussi.

Le *coefficient de parenté*, c'est-à-dire la proportion de gènes communs à deux individus issus des mêmes ancêtres, est une importante mesure quantitative de la valeur adaptative particulière. La figure 50.23 explique comment calculer ce coefficient, mais on devine sans mal que celui des frères et sœurs est plus élevé que celui des cousins (0,5 contre 0,125), et que celui des parents est plus élevé avec leurs petits qu'avec les petits de leurs petits (0,5 contre 0,25). On s'attend à ce que la probabilité d'aide soit directement proportionnelle au coefficient de parenté. En effet, l'individu altruiste a plus de chances de propager ses gènes dans la génération suivante en aidant un de ses frères qu'un de ses cousins. Ce mécanisme d'accroissement de la valeur adaptative particulière est appelée **sélection parentale**. Sa contribution à la valeur adaptative particulière varie d'une espèce à l'autre. La sélection parentale est rare ou inexistante chez les espèces non sociales et chez celles qui sont si dispersées que les individus ne vivent jamais à proximité de parents proches. Pour ces espèces, la valeur adaptative particulière d'un Animal équivaut essentiellement à sa valeur adaptative individuelle, c'est-à-dire à son succès reproductif propre.

Le généticien britannique J. B. S. Haldane a pressenti les concepts de valeur adaptative particulière et de sélection parentale quand il a lancé en plaisantant qu'il donnerait sa vie pour deux de ses frères ou huit de ses cousins. Aujourd'hui, nous dirions que deux frères ou huit cousins équivaut, pour ce qui est de la représentation génétique, à deux enfants. Cela, bien entendu, à condition que le potentiel de reproduction soit le même pour tous les individus. Nous supposons donc que Haldane avait autant de chances que chacun de ses frères et de ses cousins d'avoir un nombre donné d'enfants. Dans la réalité, cependant, les potentiels de reproduction different. Un individu stérile devrait théoriquement donner sa vie pour un frère, voire pour un cousin fécond, faute de quoi sa valeur adaptative particulière est nulle. Même en présence d'individus féconds, les différences entre les potentiels de reproduction peuvent contribuer à la sélection parentale. Imaginons par exemple une situation où un Animal possède un territoire tandis que son frère en est

dépourvu. L'Animal sans territoire augmente plus sa valeur adaptative particulière en aidant son frère qu'en tentant, en dépit des probabilités, de se trouver un territoire. Pour prévoir si un individu aidera les membres de sa parenté, les écologistes du comportement ont inventé une formule qui combine le coefficient de parenté, le coût de l'altruisme et les avantages qu'en tire le bénéficiaire. (Bien entendu, les Animaux n'utilisent pas cette formule, et ils ne planifient pas non plus l'augmentation de leur valeur adaptative particulière.)

Si la sélection parentale explique l'altruisme, alors les comportements désintéressés que nous observons devraient avoir lieu entre parents proches. C'est effectivement ce qui se produit, mais selon des modalités complexes. Chez les Spermophiles de Belding comme chez la plupart des Mammifères, les femelles s'établissent à proximité de leur lieu de naissance, tandis que les mâles s'en éloignent. Par conséquent, seules les femelles sont susceptibles de vivre près d'individus étroitement apparentés, et presque tous les signaux d'alarme proviennent de femelles (figure 50.24). Toutefois, une femelle qui n'a plus de parents proches donne rarement des signaux d'alarme. Dans le cas des Abeilles, les ouvrières sont stériles, et tout ce qu'elles font pour le bénéfice de la ruche entière profite au seul membre permanent fécond, la reine. Les aides du Pic à face blanche et de nombreuses autres espèces d'Oiseaux (dont la Corneille d'Amérique) sont habituellement des descendants du couple aidé ou des frères et sœurs d'un des deux parents. Il s'agit aussi d'individus qui n'ont pas réussi à s'approprier un territoire. Pour ces Oiseaux, l'aide apportée aux parents proches ne représente pas nécessairement un gros sacrifice. Il arrive même que les aides héritent du territoire à la mort de leurs occupants, ce qui s'avère pour eux le meilleur moyen d'obtenir un territoire dans un milieu surpeuplé. Cela signifie peut-être que, dans certains cas, l'altruisme s'explique par l'avantage qu'il procure à l'individu et non par la sélection parentale.

Il arrive que les Animaux manifestent de l'altruisme envers des individus non apparentés. On voit des Babouins qui aident un congénère dans un combat et des Loups qui offrent de la nourriture à des individus qui n'appartiennent pas à leur famille. Ce comportement est adaptatif dans la mesure où l'individu altruiste en bénéficie ultérieurement. On traduit cet échange d'aide par l'expression **altruisme réciproque** et on l'invoque fréquemment pour expliquer l'altruisme chez l'Humain. L'altruisme réciproque est rare chez les Animaux ; il ne s'observe que chez les espèces qui forment des groupes sociaux assez stables pour que les individus aient de nombreuses occasions d'échanger de l'aide. Vraisemblablement, tout comportement qui semble altruiste augmente d'une quelconque manière la valeur adaptative. Certains écologistes concluent donc que l'altruisme *véritable* n'existe pas, sauf peut-être chez l'Humain.

COGNITION ANIMALE

Un dictionnaire définit le mot *cognition* comme le « processus par lequel un organisme acquiert la conscience des événements et des objets de son environnement ». Or, des questions simples mais cruciales se posent :

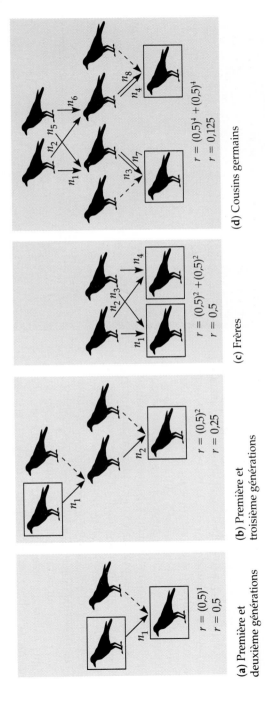

(a) Première et
deuxième générations

$r = (0,5)^1$
$r = 0,5$

(b) Première et
troisième générations

$r = (0,5)^2$
$r = 0,25$

(c) Frères

$r = (0,5)^2 + (0,5)^2$
$r = 0,5$

(d) Cousins germains

$r = (0,5)^4 + (0,5)^4$
$r = 0,125$

Figure 50.23
Calcul du coefficient de parenté. Dans chacun de ces quatre exemples, nous indiquons le coefficient de parenté des deux Corneilles apparaissant dans des cases. Le coefficient de parenté, r, est la proportion du génome d'un individu qui est identique, par suite de l'hérédité, au génome d'un autre individu. En termes plus concrets, c'est la probabilité qu'un allèle donné soit identique chez deux individus, du fait qu'il a été hérité d'ancêtres communs. Les flèches pleines indiquent les liens de parenté (n) qui entrent dans le calcul du coefficient de parenté entre

les Oiseaux considérés. Les flèches pointillées symbolisent les liens qu'on peut négliger dans le calcul. Il est important de se rappeler que, à cause de la méiose, la probabilité de transmission d'un allèle est de 0,5 à chaque nouvelle génération. Le coefficient de parenté correspond à $0,5^n$, où n représente le nombre de générations. Par conséquent, en **(a)**, le coefficient de parenté entre les individus apparaissant dans des cases (première et deuxième générations) est de 0,5 ($0,5^n$, où $n = 1$, parce qu'il n'existe qu'une seule génération d'un

individu à l'autre). Si nous avions plutôt décidé de calculer le coefficient de parenté avec l'autre parent, nous aurions aussi obtenu 0,5. En **(b)**, entre la première et la troisième génération, on obtient un coefficient de parenté de 0,25. En **(c)** et en **(d)**, la transmission des allèles des ancêtres communs aux individus indiqués peut prendre plus d'une voie. Dans ces cas-là, nous devons additionner toutes les valeurs de $0,5^n$ pour calculer le coefficient de parenté global.

Les Animaux autres que l'Humain sont-ils capables de cognition? Ont-ils *conscience* d'eux-mêmes et du monde qui les entoure? Éprouvent-ils de la douleur, du plaisir et de la tristesse comme nous? À l'heure actuelle, nous n'avons aucun moyen de répondre à ces questions ni de comprendre le psychisme des créatures autres que nous-mêmes. Nous savons, bien sûr, que les autres Animaux se comportent parfois comme des ordinateurs programmés, et qu'ils n'ont certainement pas la capacité d'intégrer l'information (de «penser») comme nous le faisons. Mais est-ce une question de degré ou est-ce que les Humains se distinguent fondamentalement des autres Animaux? Étant donné les difficultés inhérentes au sujet, la plupart des chercheurs ont adopté un point de vue mécaniste fondé sur le **behaviorisme**; ils décrivent le comportement comme un enchaînement de stimuli et de réponses ou, comme le veut une tendance récente, en employant des termes empruntés au vocabulaire de l'informatique («programmé» par exemple). Néanmoins, bien des gens qui ont longuement côtoyé des Animaux domestiques ou sauvages se refusent à ne voir dans ces organismes que des robots perfectionnés.

Donald Griffin, de l'Université Princeton, se fait l'un des plus ardents défenseurs de l'**éthologie cognitive**, une école de pensée qui estime que la conscience est à l'œuvre dans le comportement des autres Animaux. Griffin soutient que si les autres Animaux ont des comportements qui nous semblent reposer sur une conscience semblable à la nôtre, alors il est peut-être justifié de supposer qu'ils

possèdent aussi cette conscience. Dans ses études biens connues sur le terrain, Jane Goodall a rapporté des cas de prise de décision cognitive chez les Chimpanzés. Griffin suppose que cette capacité se retrouve dans de nombreuses branches de l'arbre phylogénétique. Selon lui, la cognition découle de la sélection naturelle et, comme beaucoup d'autres fonctions animales importantes, elle forme un *continuum* phylogénétique qui remonte au début de l'histoire évolutive. James Gould, un autre scientifique de Princeton, a indiqué que les Abeilles sont capables de constituer et d'utiliser des «cartes mentales» des zones où elles butinent. Il note que ce genre de fonction cognitive est généralement considéré comme une forme de pensée. En dernière analyse, les découvertes que nous ferons à propos de la cognition animale modifieront peut-être profondément nos rapports avec les autres Animaux ainsi que notre perception de nous-mêmes.

SOCIOBIOLOGIE HUMAINE

En 1975, E. O. Wilson, de l'Université Harvard, publia un ouvrage intitulé *Sociobiology*, dans lequel il décrivait les systèmes sociaux de diverses espèces animales. Il y montrait que le comportement social est le fruit de l'évolution, autrement dit que les caractéristiques comportementales, comme les caractères anatomiques et physiologiques, sont l'expression de gènes que la sélection naturelle a perpétués. Telle est la prémisse de l'écologie

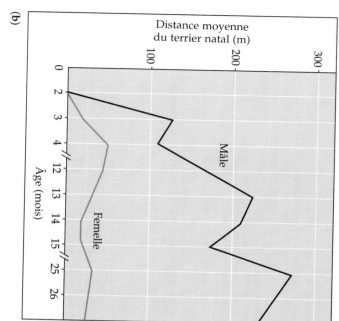

Distance moyenne du terrier natal (m)

Mâle

Femelle

Âge (mois)

Figure 50.24
Expression de l'altruisme chez les mâles et les femelles.
(a) En jetant un cri d'alarme, ce Spermophile avertit ses congénères d'un danger, de l'approche d'un prédateur par exemple. Presque tous les cris d'alarme sont émis par des femelles. **(b)** Le graphique explique les différences entre les Spermophiles mâles et les Spermophiles femelles en matière de comportement altruiste. Une fois sevrés, les mâles s'établissent loin de leur lieu de naissance, tandis que les femelles restent à proximité. Par conséquent, les femelles sont plus susceptibles que les mâles de côtoyer des parents proches, et elles augmentent leur valeur adaptative particulière en les prévenant du danger.

du comportement; du reste, cette discipline moderne est née avec le livre de Wilson. Dans le dernier chapitre de son livre, Wilson s'interroge sur les racines évolutives de certains comportements sociaux de l'Humain. Wilson a

ravivé la controverse de l'inné et de l'acquis et, 20 ans après son émergence, la sociobiologie fait encore l'objet d'un débat enflammé.

Analysons ce débat à l'aide d'un exemple précis, l'évitement de l'inceste. Cet évitement a une valeur adaptative, car la consanguinité peut accroître la fréquence de certains troubles génétiques. Beaucoup d'Oiseaux et de Mammifères évitent manifestement l'inceste. De même, presque toutes les sociétés humaines ont des lois ou des tabous qui interdisent les relations sexuelles et le mariage entre un frère et une sœur. Est-ce qu'il existe pour l'inceste une aversion innée que nous partageons avec les autres espèces, ou est-ce que nous acquérons ce comportement au cours de notre socialisation? Les tenants de l'« acquis » répondraient que les tabous culturels seraient superflus si l'aversion était innée. Selon eux, l'évitement de l'inceste est un comportement appris, et la stigmatisation sociale rattachée à l'inceste vient de l'expérience: les gens qui enfreignent le tabou ont plus de chances que les autres d'engendrer des enfants anormaux. Certains sociobiologistes, d'un autre côté, diraient qu'un comportement qui s'observe dans diverses cultures a forcément une part d'inné. Il découle de cet argument que le tabou est simplement un mécanisme immédiat qui renforce un comportement adaptatif.

Certains sociobiologistes citent l'exemple des kibboutz d'Israël pour prouver que la répulsion innée de l'Humain envers l'inceste est plus forte que les pressions culturelles qui l'encouragent. Dès leur naissance, les enfants des kibboutz passaient le plus clair de leur temps dans des garderies; ils avaient donc des relations fraternelles avec tous les autres enfants de la communauté. Dans les premiers kibboutz, les parents encourageaient leurs enfants à épouser des membres de la communauté. Mais une étude menée auprès de plus de 5000 personnes a révélé que ces mariages étaient extrêmement rares, en dépit des désirs des parents et des dirigeants des kibboutz. Apparemment, les gens qui ont vécu côte à côte pendant leur enfance ont peu d'attrait sexuel les uns envers les autres une fois devenus adultes. (Dans la plupart des situations, évidemment, les individus qui cohabitent tout au long de leur enfance sont frères et sœurs ou proches parents.)

Selon certains sociobiologistes, dont Wilson, les composantes culturelles et génétiques du comportement social se renforcent mutuellement. Si la plupart des membres d'une société ont la même répulsion innée à l'égard de l'inceste, l'aversion est susceptible de se traduire dans des lois et des tabous. La stigmatisation sociale, à son tour, joue le rôle de facteur écologique de sélection et elle amplifie la composante évolutive du comportement. La société rejette ou emprisonne les individus incestueux, diminuant ainsi leur succès reproductif. Selon ces scientifiques, les gènes et la culture sont intégrés dans la nature humaine.

La gamme des comportements sociaux possibles est peut-être circonscrite par notre potentiel génétique, mais cela ne veut pas dire que les gènes déterminent rigidement le comportement, loin de la. La sociobiologie ne nous ramène pas au rang de robots sortis d'un moule génétique unique et inflexible. Les caractères anatomiques varient énormément entre les individus, et il devrait en être autant du comportement. Et bien que nos génoty-

Figure 50.25
Les gènes et la culture font la nature humaine. L'enseignement prodigué aux jeunes par les plus âgés est l'un des principaux modes de transmission de la culture. Selon les sociobiologistes, l'enseignement est une tendance innée et adaptative qui est apparue au cours de l'évolution.

pes soient immuables, notre système nerveux, lui, est plastique. Le passage du génotype au phénotype est influencé par le milieu pour les caractères physiques et, dans une mesure plus grande encore, pour les caractères comportementaux. Le comportement humain est sans doute plus malléable que celui de tout autre Animal. Au cours de notre évolution récente, nous avons construit des sociétés qui, avec leurs gouvernements, leurs lois, leurs valeurs culturelles et leurs religions, permettent certains comportements et en interdisent d'autres, même s'ils ont le potentiel d'augmenter l'adaptabilité d'un individu. Ce sont peut-être nos institutions sociales et culturelles qui nous différencient vraiment du reste du monde vivant ; il se pourrait fort bien que ces institutions soient

la seule caractéristique qui ne s'inscrive pas dans le *continuum* entre l'Humain et les Animaux (figure 50.25).

* * *

L'étude du comportement est au carrefour des disciplines biologiques ; c'est le point de rencontre entre la biochimie, la génétique, la physiologie, l'évolutionnisme et l'écologie. En outre, l'étude du comportement, et particulièrement du comportement social, fait le lien entre la biologie, les sciences sociales et les sciences humaines. En étudiant la vie en général, nous ne pourrons faire autrement que d'approfondir notre connaissance de nous-mêmes.

RÉSUMÉ DU CHAPITRE

La plupart des comportements animaux ont des composantes innées et des composantes acquises.

Approche évolutionniste de l'écologie comportementale (p. 1159)

La prémisse de l'écologie comportementale stipule que les Animaux se comportent de manière à augmenter leur adaptabilité (leur succès reproductif). L'écologie comportementale utilise l'approche hypothéticodéductive.

Causes immédiates et causes ultimes (p. 1160-1162)

1. On établit les causes immédiates du comportement animal en déterminant les stimuli qui provoquent les comportements et en décrivant les modalités des réponses.

2. On établit les causes ultimes du comportement animal en expliquant pourquoi la sélection naturelle a favorisé un comportement donné.

Composantes innées du comportement (p. 1162-1165)

1. Un comportement stéréotypé est un comportement inné qui se déroule toujours de la même façon et qui se poursuit jusqu'à son terme après avoir été provoqué par un stimulus externe appelé déclencheur. Les déclencheurs sont des stimuli qui jouent le rôle de signaux de communication entre individus d'une même espèce.

2. Les déclencheurs sont en général des stimuli simples (visuel, auditif, tactile, olfactif) associés à l'activité ou à l'objet pertinents.

Apprentissage et comportement (p. 1165-1170)

1. L'apprentissage peut modifier le comportement. L'amélioration d'un comportement peut cependant résulter de la maturation plutôt que de l'apprentissage.

2. L'habituation est une forme élémentaire d'apprentissage qui consiste en une diminution de la sensibilité aux stimuli sans importance.

3. L'empreinte, que Konrad Lorenz découvrit en observant des oisons, est une forme d'apprentissage qui se réalise au cours d'une période critique et qui comprend une part importante d'inné.

4. Les études portant sur l'apprentissage du chant chez les Oiseaux ont révélé l'interdépendance des composantes innées et acquises de l'apprentissage.

5. L'apprentissage associatif consiste à associer deux stimuli. Le conditionnement classique est une forme d'apprentissage associatif.

6. Le conditionnement opérant, ou apprentissage par essais et erreurs, est une forme d'apprentissage associatif dont un grand nombre d'Animaux sont capables.

7. L'apprentissage par l'observation consiste à imiter le comportement d'autres individus de la population.

8. La compréhension soudaine est la capacité d'exécuter un comportement de manière adéquate dès le premier essai dans une situation nouvelle.

Rythmes comportementaux (p. 1170-1171)

1. Divers comportements cycliques sont régis par des horloges endogènes, elles-mêmes réglées par des signaux exogènes.

2. Les comportements circannuels, comme la reproduction et l'hibernation, semblent régis principalement par des changements physiologiques et hormonaux, eux-mêmes influencés par des facteurs exogènes tels que la photopériode.

Mouvement (p. 1171-1174)

1. Une cinèse est une modification du degré d'activité qui, en réponse à un stimulus, provoque un mouvement non orienté. Une taxie est un mouvement automatique qui rapproche ou écarte un organisme d'un stimulus.

2. Les Animaux migrateurs se dirigent au moyen de mécanismes complexes appelés pilotage, orientation et navigation. Certaines espèces d'Oiseaux migrateurs se guident sur le Soleil et les étoiles. D'autres détectent vraisemblablement le champ magnétique de la Terre.

Alimentation (p. 1174-1175)

1. Les Animaux ont toutes sortes d'habitudes alimentaires et, par conséquent, diverses stratégies d'alimentation.

2. En matière d'alimentation, les Animaux sont omnivores ou spécialisés. Même les omnivores n'attrapent pas leur nourriture au hasard ; ils se forment une image d'appétence qu'ils peuvent changer si l'aliment recherché vient à manquer.

3. L'hypothèse des stratégies d'alimentation optimales veut que les Animaux modifient leur comportement alimentaire de manière à maximiser l'apport d'énergie et à minimiser les dépenses d'énergie.

Interactions sociales (p. 1176-1178)

1. Le comportement social est l'ensemble des rapports qu'entretiennent deux Animaux ou plus, généralement de la même espèce.

2. Le comportement d'affrontement apparaît entre deux compétiteurs qui se disputent une ressource limitée comme un aliment, un territoire ou un partenaire sexuel. Ce comportement, fait de manifestations d'agressivité et de soumission, est fortement ritualisé.

3. On trouve chez certains Animaux des hiérarchies sociales qui dictent les privilèges de chaque individu.

4. La territorialité est un comportement qui consiste, pour un Animal, à interdire une partie fixe de son domaine à ses congénères au moyen d'un comportement d'affrontement.

Comportement lié à la reproduction (p. 1178-1180)

1. La parade nuptiale est un comportement complexe dont les modalités varient d'une espèce à l'autre. Elle se compose d'une série d'actions stéréotypées et de déclencheurs qui renseignent chaque Animal sur les intentions, l'identité, le sexe et la condition physiologique de l'autre.

2. Au cours de la parade nuptiale, un Animal peut choisir parmi un ensemble de candidats possibles.

3. Certaines portions de la parade nuptiale dérivent probablement d'un comportement d'affrontement ; les aspects ritualisés de la parade nuptiale et du comportement d'affrontement dérivent probablement d'actions qui avaient autrefois une portée concrète.

4. L'investissement parental est constitué du temps et des ressources qu'un Animal doit consacrer à la réussite de la reproduction. Il détermine en partie les systèmes sexuels.

5. Les systèmes sexuels varient considérablement dans le règne animal. Ils comprennent l'accouplement aléatoire, la monogamie et la polygamie. La polygamie prend plus fréquemment la forme de la polygynie que de la polyandrie.

Communication (p. 1180-1183)

1. Les Animaux communiquent entre eux au moyen de leurs sens. Beaucoup d'espèces communiquent par des signaux olfactifs, et notamment par des phéromones.

2. Les Abeilles ont un système de communication intraspécifique élaboré, que Karl von Frisch a longuement étudié. Les danses qu'exécutent les éclaireuses indiquent la distance de la nourriture et son orientation par rapport à la ruche.

Égocentrisme et altruisme (p. 1183-1185)

1. Le comportement altruiste, qui consiste pour un Animal à aider un congénère en dépit des risques encourus, s'explique par la sélection parentale, c'est-à-dire le mécanisme génétiquement programmé qui pousse les Animaux à prendre soin de ceux qui possèdent les mêmes gènes qu'eux et à augmenter ainsi leur valeur adaptative particulière.

2. La plupart du temps, l'altruisme prend place entre deux individus étroitement apparentés. L'altruisme réciproque entre des individus sans lien de parenté est avantageux dans la mesure où il produit des bénéfices immédiats ou futurs.

Cognition animale (p. 1185-1186)

1. Comme il s'avère impossible de comprendre le psychisme des Animaux autres que nous-mêmes, la plupart des chercheurs emploient pour étudier la cognition animale une approche mécaniste fondée sur le behaviorisme.

2. Les partisans de l'éthologie cognitive considèrent la cognition comme une fonction animale normale qui résulte, comme les autres caractères, de la sélection naturelle.

Sociobiologie humaine (p. 1186-1187)

1. Dans le dernier chapitre de *Sociobiology*, publié en 1975, E. O. Wilson proposait d'étudier le comportement social de l'Humain à la lumière de l'évolution. Cette idée a provoqué un débat enflammé dans la communauté scientifique.

2. Selon les sociobiologistes, la plasticité du comportement humain se traduit par une gamme de comportements sociaux circonscrits, mais non pas rigidement déterminés, par notre patrimoine génétique.

AUTO-ÉVALUATION

1. Les Abeilles détectent des couleurs et des odeurs que nous sommes incapables de percevoir. Mais elles ont une ouïe peu développée, contrairement à de nombreux Insectes. Lequel des énoncés suivants est le plus conforme au point de vue de l'écologie comportementale?
   a) Les Abeilles sont trop petites pour avoir de bonnes oreilles.
   b) L'audition ne doit pas contribuer beaucoup à l'adaptabilité des Abeilles.
   c) Si une Abeille pouvait entendre, son minuscule cerveau serait submergé par l'information auditive.
   d) Ce phénomène est un exemple de comportement stéréotypé.
   e) Si les Abeilles pouvaient entendre, le bruit de la ruche les distrairait de leur travail.

2. La controverse de l'inné et de l'acquis porte sur:
   a) la distinction entre les causes immédiates et les causes ultimes du comportement.
   b) le rôle des gènes dans l'apprentissage.
   c) l'existence de pensées et de sentiments conscients chez les Animaux.
   d) la part des connaissances inscrites dans les gènes et celle de l'apprentissage dans le comportement animal.
   e) l'importance des soins donnés aux petits.

3. Lequel des énoncés suivants *ne s'applique pas* aux comportements stéréotypés?
   a) Ce sont des comportements instinctifs qui se déroulent toujours de la même façon.
   b) Ils ne semblent pas favoriser l'adaptation.
   c) Ils sont déclenchés par des stimuli du milieu et, une fois commencés, ils se déroulent jusqu'à leur terme.
   d) Ils sont souvent déclenchés par un ou deux stimuli simples associés à l'objet ou à l'organisme pertinents.
   e) Un stimulus supranormal provoque souvent une réponse plus forte que la normale.

4. Le retour des Saumons à leur cours d'eau natal à l'époque du frai constitue un exemple:
   a) d'empreinte olfactive.
   b) de compréhension soudaine.
   c) d'apprentissage associatif.
   d) de conditionnement opérant.
   e) d'habituation.

5. Chaque matin, Patricia allume la lumière puis nourrit les Poissons de son aquarium. Au bout d'un certain temps, les Poissons s'approchent de la surface chaque fois que Patricia allume, qu'elle leur donne ou non de la nourriture. Cette situation est un cas:
   a) d'habituation.
   b) de phototaxie positive.
   c) d'empreinte.
   d) d'apprentissage associatif.
   e) d'apprentissage par l'observation.

6. Lequel des énoncés suivants *ne s'applique pas* au comportement d'affrontement?
   a) Il s'observe surtout entre membres d'une même espèce.
   b) Il peut servir à la prise et à la défense d'un territoire.
   c) Il est souvent ritualisé et ne cause de torts graves ni au vainqueur ni au perdant.
   d) C'est un comportement propre aux mâles.
   e) Il peut servir à établir une hiérarchie sociale.

7. Lequel des comportements suivants laisse croire à l'existence d'horloges internes chez les Animaux?
   a) Certains Oiseaux détectent les variations du champ magnétique de la Terre.
   b) Un Crabe qui s'est éloigné du rivage peut quand même détecter les marées.
   c) L'activité d'un Polatouche gardé dans l'obscurité ne suit plus un cycle de 24 heures.
   d) Beaucoup d'Animaux s'activent à l'aube et s'arrêtent au coucher du Soleil.
   e) Les Rats gardés dans la clarté constante présentent un rythme quotidien d'activité.

8. La sociobiologie dit essentiellement que:
   a) le comportement humain est rigidement prédéterminé par l'hérédité.
   b) l'Humain ne peut pas apprendre à modifier son comportement social.
   c) de nombreux aspects du comportement social ont des racines évolutives.
   d) le comportement social de l'Humain est comparable à celui des Abeilles.
   e) le milieu a plus d'influence que les gènes sur le comportement humain.

9. La diminution de la sensibilité aux stimuli sans importance est appelée:
   a) conditionnement.
   b) empreinte.
   c) habituation.
   d) compréhension soudaine.
   e) pensée critique.

10. Une Abeille qui a trouvé de la nourriture revient à la ruche. Elle exécute une danse frétillante en 8 dont le segment central est orienté vers la gauche et à l'horizontale. Cela signifie que la nourriture se situe:
    a) à 90° à gauche de la ruche.
    b) à 90° à gauche de la ligne qui relie la ruche au Soleil.
    c) dans la direction opposée, soit directement à droite de la ruche.
    d) au-dessus de la ruche et un peu à gauche.
    e) très près de la ruche.

QUESTIONS À COURT DÉVELOPPEMENT

1. Distinguez les concepts suivants: empreinte, conditionnement classique, conditionnement opérant, compréhension soudaine.

2. a) Pourquoi le comportement d'affrontement existe-t-il au sein d'individus de la même espèce?
   b) Quels mécanismes restreignent la violence au cours de ces affrontements?

3. Quels sont les avantages et les désavantages que le statut d'omnivore ou de spécialiste procure à un Animal?

4. Comment le concept d'adaptabilité s'applique-t-il au comportement lié à la reproduction et au comportement altruiste?

RÉFLEXION-APPLICATION

1. La Bergeronnette (*Motacilla sp.*), un Oiseau d'Europe, est insectivore. L'hiver, quand la nourriture se fait rare, une Bergeronnette peut se constituer un territoire et capturer alors une moyenne de 20 Insectes par heure. Elle peut aussi se joindre à une bande qui se disperse dans la campagne. Dans une bande, une Bergeronnette mange en moyenne

3. Chez plusieurs espèces de Goélands, les individus nichent très près les uns des autres, sur des îles au sommet plat. Les Goélands argentés (*Larus argentatus*) espacent beaucoup leurs nids. Les Mouettes tridactyles (*Rissa tridactyla*) nichent à flanc de falaise. Suggérez des expériences qui vous permettraient de déterminer si ces Oiseaux subissent une empreinte envers leurs œufs ou leurs petits. Selon vous, lesquels de ces Oiseaux subissent une empreinte envers leurs œufs? envers leurs petits? Dites pourquoi.

2. Dès sa première sortie, une Abeille décrit un cercle autour de la ruche avant de partir à la recherche de nourriture. Si on empêche une Abeille de voir la ruche à sa sortie ou si on retire la ruche pendant l'absence de l'Abeille, l'Insecte est incapable de la retrouver. C'est pourquoi les apiculteurs ne déplacent leurs ruches que pendant la nuit, quand toutes les Abeilles sont à l'intérieur. Quel aspect de ce « vol d'orientation » semble inné? Quel aspect relève de l'apprentissage?

2. 25 Insectes par heure. Commentez les deux comportements du point de vue des stratégies optimales d'alimentation. Selon vous, pourquoi les Bergeronnettes ne se trouvent-elles pas toujours en bandes?

SCIENCE, TECHNOLOGIE ET SOCIÉTÉ

1. Les chercheurs s'intéressent beaucoup aux jumeaux identiques qui ont été élevés séparément dès la naissance. Jusqu'à présent, les données obtenues laissent croire que les jumeaux ont beaucoup plus de points communs que ne le croyaient les chercheurs. Leur personnalité, leurs manières d'être, leurs habitudes et leurs intérêts se ressemblent. Selon vous, à quelle question générale les chercheurs espèrent-ils répondre en étudiant des jumeaux qui ont été élevés séparément? Pourquoi les jumeaux font-ils de bons sujets pour ce genre de recherche? Que vous suggèrent les résultats obtenus? Quels dangers ce genre de recherche recèle-t-il? Quels abus pourrait-on commettre si on n'évaluait pas de façon critique ces études et si on les citait à la légère pour défendre une certaine politique sociale?

2. Il arrive aux Chimpanzés, aux Fourmis, aux Lions et aux Loups d'attaquer des groupes de congénères et de tuer des individus. L'Humain, cependant, est le seul Animal qui livre des guerres massives et organisées. Qu'est-ce que l'étude du comportement animal nous apprend au sujet de l'agressivité et de la violence humaines? Est-ce que l'Humain est plus agressif que les autres Animaux? Est-ce que les Animaux ont des moyens de maîtriser leur agressivité que nous ne possédons pas? Quel est le rôle des techniques dans nos guerres? L'étude du comportement animal peut-elle nous être d'une quelconque utilité pour comprendre la question de la guerre? Argumentez.

LECTURES SUGGÉRÉES

Alten, M., « Pied-à-terre en pleine mer », *Biosphère*, vol. 10, n° 3, mai-juin 1994. (Rituel de reconnaissance et territorialité chez le Fou de Bassan.)

Bader, J.-M., « La biochimie de la violence », *Science & Vie*, n° 925, octobre 1994. (Découverte d'un indice biochimique de la transmission héréditaire des comportements violents chez l'Humain et certains Animaux.)

Baril, G., « L'été de l'oie des neiges », *Québec Science*, vol. 32, n° 10, juillet-août 1994. (Écologie comportementale de l'Oie blanche.)

Bourdial, I., « Le toilettage: un anti-stress », *Science & Vie*, n° 902, novembre 1992. (Description de l'organisation sociale des Chevaux et de la fonction sociale du rituel de toilettage.)

Chadwick, D., « Pas bécasse du tout! », *Biosphère*, vol. 8, n° 4, juillet-août 1992. (Comportement parental de la Bécassine des marais et comportement pour dérouter les prédateurs.)

Evans, H. et K. O'Neill, « Les guêpes tueuses d'abeilles », *Pour la Science*, n° 168, octobre 1991. (Écologie comportementale à propos de la prédation chez les femelles et de l'affrontement des mâles parmi les Guêpes appartenant au genre *Philanthus*.)

Healy, S. D., « La mémoire et l'adaptation animale », *La Recherche*, n° 267, juillet-août 1994. (Mise en lumière du rôle adaptatif de la mémoire et de l'apprentissage par l'étude du comportement animal.)

Jouneau, C., « Ces gènes qui rythment nos jours », *La Recherche*, n° 269, octobre 1994. (Au cœur d'une horloge biologique, les gènes rythment le comportement des êtres vivants.)

Kirchner, W. et W. Towne, « Des robots parlent aux abeilles », *Pour la Science*, n° 202, août 1994. (Mise en évidence du rôle des informations sonores dans le langage des Abeilles.)

Lefèvre, A., « Le sommeil des animaux », *Science & Vie*, hors série, n° 185, décembre 1993. (Comparaison des périodes de sommeil et de vigilance, ainsi que des postures pendant le sommeil des Vertébrés.)

Lessem, D., « Des fourmis et des hommes », *Biosphère*, vol. 7, n° 1, janvier-février 1991. (À propos de E. O. Wilson, père de la sociobiologie, et de son étude de l'organisation sociale chez les Fourmis.)

Lynch, W., « Grande ourse et petits ours », *Biosphère*, vol. 10, n° 6, novembre-décembre 1994. (Pour approfondir nos connaissances sur le comportement de l'Ours polaire.)

Metier-DiNunzio, C., « Qu'est-ce qui fait pondre la femelle du grillon? », *Science & Vie*, n° 896, mai 1992. (Étude des mécanismes sous-jacents aux comportements complexes, telle la gestuelle élaborée, qui conduisent à la ponte chez la femelle du Grillon.)

Mignot, E. et M. Taffi, « La vie au rythme de la lumière », *Science & Vie*, hors série, n° 186, mars 1994. (La lumière, le plus important synchronisateur des fonctions biologiques.)

Phillips, K., « Ces amours insolites », *Biosphère*, vol. 10, n° 2, mars-avril 1994. (Diverses particularités comportementales chez des Grenouilles.)

Pilorge, T., « De la lumière dans les ténèbres », *Science & Vie*, hors série, n° 186, mars 1994. (À propos des signaux de communication employés par les Animaux vivant dans l'obscurité.)

Roy, T. De, « L'éveil de la pluie », *Biosphère*, vol. 9, n° 2, mars-avril 1993. (Rituel de combat chez les mâles et comportement frénétique des Tortues des Galápagos à l'arrivée de la pluie.)

Stokes, D. W., *Nos Oiseaux: tous les secrets de leur comportement*, tomes I, II et III, Montréal, Éditions de l'Homme, 1989. (Description du comportement par espèce sur la communication, le territoire, la parade nuptiale, la nidification, l'élevage des jeunes et la migration.)

Chapitre 1

1. c
2. c
3. b
4. a
5. b
6. c
7. c
8. a
9. b
10. b

Chapitre 2

1. b
2. a
3. b
4. c
5. d
6. a
7. c
8. c
9. d
10. c

Chapitre 3

1. a
2. c
3. c
4. d
5. (a) centrioles ; contribueraient à l'organisation des microtubules dans les cellules animales. (b) mitochondrie ; respiration cellulaire. (c) noyau ; régulation génétique de la cellule. (d) appareil de Golgi ; entreposage, affinage, triage et sécrétion des produits cellulaires. (e) chloroplaste ; photosynthèse. (f) réticulum endoplasmique rugueux ; synthèse des membranes et des protéines sécrétoires.
6. d
7. b
8. e
9. c
10. e

Chapitre 4

1. b
2. c
3. d
4. d
5. a
6. b
7. a, c, d
8. d
9. d
10. b

Chapitre 5

1. d
2. c
3. d
4. a
5. a, b, d, e
6. b
7. e
8. a
9. b
10. b, d

Chapitre 6

1. b
2. c
3. b
4. b
5. d
6. a
7. c
8. c
9. d
10. c

Chapitre 7

1. a
2. c
3. c
4. d
5. b
6. c
7. d
8. c
9. c
10. c

Chapitre 8

1. b
2. c
3. a
4. a
5. c
6. a
7. fructose
8. glucose
9. vers la cellule
10. b

Chapitre 9

1. d
2. b
3. c
4. d
5. a
6. a
7. b
8. b
9. b
10. b

Chapitre 10

1. d
2. b
3. d
4. b
5. b
6. c
7. c
8. a
9. a
10. d

Chapitre 11

1. c
2. b
3. d
4. e
5. c
6. a
7. a
8. c
9. c

Chapitre 12

1. d
2. b
3. d
4. d

5. c
6. a
7. d
8. a
9. c
10. b

Chapitre 13

Problèmes de génétique

1. a) $1/64$; b) $1/64$; c) $1/8$; d) $1/32$

2. Le caractère de l'albinisme est récessif ; celui du noir est dominant.

Parents	Gamètes	Petits
$NN \times nn$	N et n	Tous Nn
$nn \times Nn$	n et $1/2$ N, $1/2$ n	$1/2$ Nn, $1/2$ nn

3. Dominance incomplète ; les hétérozygotes sont gris. L'accouplement d'un Coq gris avec une Poule noire devrait donner un nombre à peu près égal de poussins gris et de poussins noirs.

4. Le croisement de la F_1 est $AARR \times aarr$. Le génotype de la progéniture est $AaRr$; le phénotype est axiale-rose. Le croisement de la F_2 est $AaRr \times AaRr$. Les génotypes de la progéniture sont 4 $AaRr$; 2 $AaRr$; 2 $AARr$; 2 $aaRr$; 2 $Aarr$; 1 $AARR$; 1 $AArr$; 1 $aarr$. Les phénotypes sont 6 axiale-rose ; 3 axiale-rouge ; 3 axiale-blanche ; 2 terminale-rose ; 1 terminale-blanche ; 1 terminale rouge.

5. a) $GGFf \times GGFf$, $Ggff$ ou $ggFf$
   b) $ggFf \times ggFf$
   c) $GGFF \times$ n'importe lequel des 9 génotypes possibles
   d) $GgFf \times GgFf$
   e) $GgFf \times GgFf$

6. Homme $I^A i$; femme $I^B i$; enfant ii. Les génotypes des autres enfants sont : $1/4$ $I^A I^B$, $1/4$ $I^A i$, $1/4$ $I^B i$.

7. Quatre

8. a) $3/4 \times 3/4 \times 3/4 \times 3/4 = 27/64$
   b) $1 - 27/64 = 37/64$
   c) $1/4 \times 1/4 \times 1/4 = 1/64$
   d) $1 - 1/64 = 63/64$

9. a) $1/256$ b) $1/16$ c) $1/256$ d) $1/64$ e) $1/128$

10. Il s'agit de croiser l'individu aux oreilles courbées avec un individu aux oreilles droites et de lignée pure. Si le caractère oreilles courbées est dominant, il apparaîtra dans la progéniture. S'il est récessif, aucun petit n'aura les oreilles courbées. Si on croise les petits aux oreilles courbées entre eux et que

toute la progéniture a les oreilles courbées, il s'agit d'une lignée pure.

11. a) 1 b) $^1/_{32}$ c) $^1/_8$ d) $^1/_2$

12. $^1/_9$

13. $^1/_{16}$, si les deux parents sont hétérozygotes pour le gène de la nouvelle maladie.

14. Récessif: Georges = Aa, Hélène = aa, Sandrine = AA ou Aa, Louis = aa, Paul = Aa, Marie = aa, Anne = Aa, Michel = Aa, Daniel = Aa, Alain = Aa, Line = AA ou Aa, Charlotte = aa, Christophe = AA ou Aa

15. $^1/_4$

Chapitre 14
1. b
2. b
3. a
4. b
5. d
6. b
7. a

Problèmes de génétique
1. 0; $^1/_2$; $^1/_{16}$
2. Récessif. Si la maladie était dominante, au moins un des deux parents de l'enfant atteint serait lui-même atteint. Une fille qui aurait la maladie devrait avoir hérité d'un allèle récessif provenant de chacun de ses parents. Cela se produit très rarement, puisque les garçons atteints meurent au début de l'adolescence.
3. $^1/_4$ pour chaque fille ($^1/_2$ que l'enfant soit une fille × $^1/_2$ que l'enfant soit homozygote récessif; $^1/_2$ pour le premier fils.
4. 17%
5. 6%. Phénotype sauvage (hétérozygote pour les ailes normales et les yeux rouges) × homozygote récessif ayant des ailes vestigiales et les yeux pourpres.
6. Entre G et A, 12%; entre A et R, 5%.
7. Les deux enfants seraient aveugles; les enfants du fils souffriraient d'engourdissement et les enfants de la fille seraient aveugles.

Chapitre 15
1. c
2. c
3. d
4. d
5. b
6. c
7. b
8. d
9. a
10. d

Chapitre 16
1. a
2. d
3. b
4. d
5. c
6. a
7. a
8. b
9. e
10. b

Chapitre 17
1. a
2. e
3. d
4. b
5. d
6. c
7. e
8. d
9. a
10. c

Chapitre 18
1. c
2. a
3. d
4. a
5. e
6. a
7. e
8. c
9. b
10. b

Chapitre 19
1. b
2. b
3. c
4. b
5. e
6. c
7. e
8. c
9. b
10. b

Chapitre 20
1. a
2. b
3. c
4. c
5. d
6. d
7. c
8. b
9. b
10. b

Chapitre 21
1. b
2. d
3. c
4. a
5. a
6. d
7. a
8. b
9. a
10. c

Chapitre 22
1. b
2. b
3. b
4. a
5. d
6. c
7. e
8. d
9. d
10. b

Chapitre 23
1. d
2. b
3. a
4. e
5. c
6. b
7. a
8. d
9. c
10. b

Chapitre 24
1. e
2. e
3. b
4. c
5. a
6. d
7. b
8. a
9. e
10. b

Chapitre 25
1. c
2. c
3. c
4. b
5. b
6. a
7. e
8. c
9. a
10. b

Chapitre 26
1. b
2. c
3. e
4. c
5. c
6. a
7. b
8. b
9. c
10. b

Chapitre 27
1. c
2. a
3. a
4. b
5. a
6. d
7. a
8. b
9. a
10. c

Chapitre 28
1. c
2. b
3. c
4. d
5. a
6. a
7. e
8. a
9. b
10. b

Chapitre 29
1. e
2. e
3. b
4. c
5. a
6. d
7. b
8. a
9. e
10. b

Chapitre 30
1. b
2. c
3. c
4. b
5. c
6. a
7. b
8. c
9. e
10. c

Chapitre 31
1. e
2. b
3. a
4. c
5. d
6. c
7. b
8. d
9. c
10. b

(Chapitre 31, suite)
5. b
6. a
7. c
8. d
9. a
10. d

Chapitre 32
1. e
2. a
3. c
4. d
5. a
6. c
7. b
8. c
9. e
10. b

Chapitre 33
1. b
2. b
3. e
4. d
5. d
6. c
7. b
8. b
9. b
10. b

Chapitre 34
1. d
2. b
3. c
4. a
5. b
6. e
7. a
8. c
9. e
10. b

Chapitre 35
1. b
2. a
3. b
4. d
5. b
6. a
7. b
8. b
9. c
10. c

Chapitre 36
1. b
2. c
3. c
4. d
5. d
6. e
7. b
8. b
9. c
10. c

Chapitre 37
1. b
2. b
3. c
4. c
5. d
6. d
7. c
8. d
9. b
10. b

Chapitre 38
1. c
2. b
3. d
4. c
5. b
6. c
7. b
8. a
9. a
10. c

Chapitre 39
1. d
2. b
3. d
4. c
5. a
6. d
7. b
8. b
9. b
10. c

Chapitre 40
1. c
2. d
3. a
4. e
5. e
6. a
7. b
8. c
9. b
10. d

Chapitre 41
1. c
2. a
3. e
4. d
5. c
6. b
7. e
8. c
9. c
10. c

Chapitre 42
1. d
2. b
3. a
4. b
5. c
6. d
7. a
8. c
9. d
10. b

Chapitre 43
1. a
2. b
3. d
4. c
5. b
6. c
7. c
8. a
9. d
10. a

Chapitre 44
1. c
2. b
3. a
4. d
5. d
6. a
7. c
8. c
9. d
10. c

Chapitre 45
1. e
2. d
3. a
4. c
5. e
6. b
7. b
8. d
9. c
10. b

Chapitre 46
1. c
2. e
3. a
4. a
5. d
6. c
7. a
8. c
9. d
10. b

Chapitre 47
1. c
2. b
3. c
4. d
5. c
6. e
7. c
8. d
9. a
10. c

Chapitre 48
1. c
2. d
3. b
4. d
5. e
6. d
7. b
8. a
9. d
10. c

Chapitre 49
1. c
2. e
3. b
4. e
5. d
6. a
7. b
8. c
9. b
10. c

Chapitre 50
1. b
2. d
3. b
4. a
5. d
6. d
7. e
8. c
9. c
10. b

Cet appendice présente la taxinomie des groupes d'organismes identifiés au fil de ce manuel. Il ne prétend pas constituer une taxinomie de l'ensemble des êtres vivants.

Règne des Monères*

Archæbactéries

Bactéries méthanogènes

Bactéries halophiles extrêmes

Bactéries thermoacidophiles

Eubactéries

Cyanobactéries

Bactéries anaérobies phototrophes

Bactéries chimioautotrophes

Pseudomonas

Bactéries aérobies fixatrices d'azote

Spirochètes

Bactéries formant des endospores

Entérobactéries

Rickettsies et Chlamydias

Mycoplasmes

Actinomycètes

Myxobactéries

Embranchement des Zoomastigophores (Zooflagellés)

Embranchement des Ciliophores (Ciliés)

Embranchement des Pyrrhophytes (Dinoflagellés)

Embranchement des Chrysophytes (Algues dorées)

Embranchement des Bacillariophytes (Diatomées)

Embranchement des Euglénophytes

Embranchement des Chlorophytes (Algues vertes)

Embranchement des Phéophytes (Algues brunes)

Embranchement des Rhodophytes (Algues rouges)

Embranchement des Myxomycètes

Embranchement des Acrasiomycètes

Embranchement des Oomycètes

Embranchement des Chytridiomycètes

Règne des Protistes

Embranchement des Rhizopodes (Amibes)

Embranchement des Actinopodes (Héliozoaires, Radiolaires)

Embranchement des Foraminifères

Embranchement des Apicomplexes

Règne des Végétaux

Sous-règne des Invasculaires

Embranchement des Bryophytes

Classe des Muscinées (Mousses)

Classe des Hépaticinées (Hépatiques)

Classe des Anthocérotinées (Anthocérotes)

Sous-règne des Vasculaires

Embranchement des Ptéridophytes (Plantes sans graines)

Classe des Psilotinées (Psilotes)

Classe des Lycopodinées (Lycopodes)

Classe des Équisétinées (Prêles)

Classe des Filicinées (Fougères)

Embranchement des Spermatophytes (Plantes à graines)

Sous-embranchement des Gymnospermes

Classe des Conifères

Classe des Cycadinées (Cycas)

*L'absence de consensus autour de la taxinomie des Monères conduit à une énumération des groupes de Bactéries plutôt qu'à une taxinomie basée sur l'embranchement.

Classe des Ginkgoïnées (Ginkgos)

Classe des Gnétinées (Gnètes)

Sous-embranchement des Angiospermes (Plantes à fleurs)

Classe des Dicotylédones (Dicotyles)

Classe des Monocotylédones (Monocotyles)

Règne des Mycètes

Embranchement des Zygomycètes

Embranchement des Ascomycètes

Embranchement des Basidiomycètes

Embranchement des Deutéromycètes

Règne des Animaux*

PARAZOAIRES

Embranchement des Spongiaires (Éponges)

EUMÉTAZOAIRES

RADIAIRES

Embranchement des Cnidaires

Classe des Hydrozoaires (Hydres)

Classe des Scyphozoaires (Méduses)

Classe des Anthozoaires (Anémones, Coraux)

Embranchement des Cténaires (Cydippes)

ARTIOZOAIRES

ACCELOMATES

Embranchement des Plathelminthes (Vers plats)

Classe des Turbellariés (Planaires)

Classe des Trématodes (Douves, Bilharzies)

Classe des Cestodes (Ténias)

Embranchement des Némertes (Vers rubanés)

PSEUDOCELOMATES

Embranchement des Rotifères

Embranchement des Némathelminthes (Vers ronds)

SCHIZOCELOMATES (PROTOSTOMIENS)

Embranchement des Mollusques

Classe des Polyplacophores (Chitons)

Classe des Gastéropodes (Escargots, Limaces)

Classe des Bivalves (Lamellibranches)

Classe des Céphalopodes (Calmars, Pieuvres)

Embranchement des Annélides

Classe des Oligochètes (Vers de terre)

Classe des Polychètes (Néréis, Sabelles)

Classe des Hirudinées (Sangsues)

Embranchement des Arthropodes

Classe des Arachnides (Araignées, Scorpions)

Classe des Diplopodes (Millipèdes)

Classe des Chilopodes (Centipèdes)

Classe des Insectes

Classe des Crustacés (Homards, Crabes)

ENTÉROCELOMATES (DEUTÉROSTOMIENS)

Embranchement des Phoronidiens

Embranchement des Bryozoaires

Embranchement des Brachiopodes

Embranchement des Échinodermes

Classe des Astérides (Étoiles de mer)

Classe des Ophiurides (Ophiures)

Classe des Échinides (Oursins)

Classe des Crinoïdes (Lis de mer)

Classe des Holothurides (Concombres de mer)

Classe des Concentricycloïdes

Embranchement des Cordés

Sous-embranchement des Procordés

Classe des Céphalocordés (Amphioxus)

Classe des Urocordés (Tuniciers)

Sous-embranchement des Vertébrés

Classe des Agnathes (Lamproies, Myxines)

Classe des Chondrichthyens (Raies, Requins)

Classe des Ostéichthyens (Poissons osseux)

Classe des Amphibiens

Classe des Reptiles

Classe des Oiseaux

Classe des Mammifères

*Comme il n'y a pas de consensus à propos des subdivisions du règne animal qui se situent entre le règne et les embranchements, il s'avère difficile de leur donner un rang taxinomique. Considérez que les termes en majuscules comprennent les subdivisions qui suivent.

Grandeurs	Unités et abréviations	Équivalents dans le système international d'unités
Longueur	Kilomètre (km)	= 1000 ou 10^3 mètres
	Mètre (m)	= 100 ou 10^2 centimètres
	Centimètre (cm)	= 1000 millimètres
	Millimètre (mm)	= 0,01 ou 10^{-2} mètre
	Micromètre (μm)	= 0,001 ou 10^{-3} mètre
	Nanomètre (nm)	= 10^{-6} mètre
	Angström (Å)	= 10^{-9} mètre
		= 10^{-10} mètre
Aire	Mètre carré (m^2)	= 10 000 centimètres carrés
	Centimètre carré (cm^2)	= 100 millimètres carrés
Masse	Tonne métrique (t)	= 1000 kilogrammes
	Kilogramme (kg)	= 1000 grammes
	Gramme (g)	= 1000 milligrammes
	Milligramme (mg)	= 10^{-3} gramme
	Microgramme (μg)	= 10^{-6} gramme
Volume (solides)	Mètre cube (m^3)	= 1 000 000 centimètres cubes
	Centimètre cube (cm^3)	= 10^{-6} mètre cube
	Millimètre cube (mm^3)	= 10^{-9} mètre cube
Volume (liquides et gaz)	Kilolitre (kL)	= 1000 litres
	Litre (L)	= 1000 millilitres
	Millilitre (mL)	= 0,001 ou 10^{-3} litre
		= 1 centimètre cube
	Microlitre (μL)	= 10^{-6} litre
Temps	Seconde (s)	= 1/60 minute = 1/3600 heure
	Milliseconde (ms)	= 0,001 ou 10^{-3} seconde
Énergie	Kilojoule (kJ)	= 1000 ou 10^3 joules
	Joule (J)	
Puissance	Kilowatt (kW)	= 1000 ou 10^3 watts
	Watt (W)	= 1 joule par seconde
Pression	Kilopascal (kPa)	= 1000 ou 10^3 pascals
	Pascal (Pa)	
Tension (différence de potentiel)	Volt (V)	
	Millivolt (mV)	= 0,001 ou 10^{-3} volt
Courant	Ampère (A)	
	Milliampère (mA)	= 0,001 ou 10^{-3} ampère
	Microampère (μA)	= 10^{-6} ampère
	Picoampère (pA)	= 10^{-12} ampère
Fréquence	Kilohertz (kHz)	
	Hertz (Hz)	
Température	Degré Celsius (°C)	0 K = −273 °C
	Degré Kelvin (K)	

La schématisation de concepts permet l'organisation des connaissances d'une manière qui facilite la compréhension et l'apprentissage. Un schéma de concepts est un diagramme montrant l'organisation des concepts particuliers à un domaine d'étude et les liens entre ces idées. Les concepts y sont présentés dans des cadres de différentes dimensions disposés selon un réseau hiérarchique et reliés par des traits qui illustrent les liens les unissant. Le schéma de concepts contribue à structurer la compréhension d'un sujet et à rendre celui-ci plus pertinent. La valeur du schéma de concepts réside dans le travail de réflexion nécessaire à son élaboration.

La biologie est une science riche et diversifiée, où la compréhension des concepts et des principes exige une masse d'informations et la maîtrise d'une terminologie spécialisée. Les élèves mettent souvent l'accent sur la mémorisation des détails, mais ils oublient d'acquérir une vision d'ensemble. Il faut au contraire grouper les détails au sein de concepts plus larges, qui seront reliés à d'autres concepts et groupes de concepts, puis, enfin, à des principes organisateurs. *Biologie* facilite le travail de l'étudiant qui veut créer des schémas de concepts en revenant souvent aux thèmes qui sous-tendent l'étude de la biologie : la hiérarchie de l'organisation structurale, l'émergence, la corrélation entre la structure et la fonction, et l'évolution. Chaque chapitre de ce manuel est basé sur quelques idées ou principes directeurs, soutenus par des exemples et des explications. L'élève doit s'efforcer de comprendre l'organisation de ces idées et de structurer ses connaissances d'une manière qui lui permette ensuite d'intégrer les détails du chapitre. Le schéma de concepts est un bon moyen d'atteindre ces objectifs.

Avant d'élaborer un schéma de concepts sur un certain sujet, vous devez d'abord découvrir les concepts, ou idées, les plus importants. Ce processus vous aidera déjà à mettre de l'ordre dans les détails issus des principes organisateurs. Vous devez ensuite établir l'importance relative de ces concepts clés (lesquels sont les plus larges,

lesquels sont subordonnés à d'autres), les disposer dans un réseau et nommer les liens entre les concepts. Le schéma de concepts est une sorte de photographie de votre compréhension d'un sujet au moment où vous l'avez établi. Mais la compréhension augmente et se modifie à mesure qu'on accroît ses connaissances et son expérience dans un domaine. On se fait une image plus riche ; on peut établir davantage de liens entre les concepts et relier les idées d'une manière plus signifiante. La connaissance n'est pas statique : elle croît et se développe. À mesure que votre compréhension d'un sujet se développe, votre schéma de concepts évolue : parfois il se simplifie, parfois il se ramifie davantage.

La structure du schéma de concepts dépend du contexte. En effet, un même ensemble de concepts peut être organisé de différentes manières selon l'accent qu'on veut y mettre. Vous trouverez sur la page ci-contre deux schémas de concepts établis à partir du premier chapitre de ce manuel, qui porte sur les thèmes pour l'étude des êtres vivants. Remarquez comment le schéma de concepts change selon qu'on effectue un survol de la biologie ou qu'on se penche sur un thème spécifique. Étudiez ces schémas ; explorez les liens qui y sont établis. Ces schémas ne représentent qu'une des manières dont on peut structurer les idées du chapitre 1. Il n'y a pas de bon ou de mauvais schéma de concepts, car le schéma de concept est une représentation de la compréhension d'une personne. Il existe toutefois des schémas de concepts plus ou moins exacts et valables, et c'est en discutant des vôtres avec d'autres élèves que vous évaluerez votre compréhension d'un sujet.

Rappelez-vous que la valeur du schéma de concepts réside dans son élaboration, dans le travail d'étude des concepts, d'établissement des liens et d'organisation que chacun fait pour acquérir une compréhension originale du domaine fascinant qu'est la biologie.

Martha Taylor
Cornell University

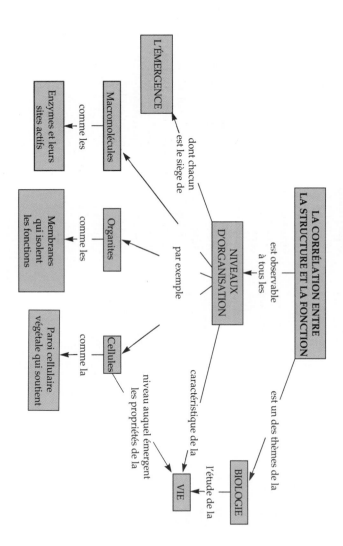

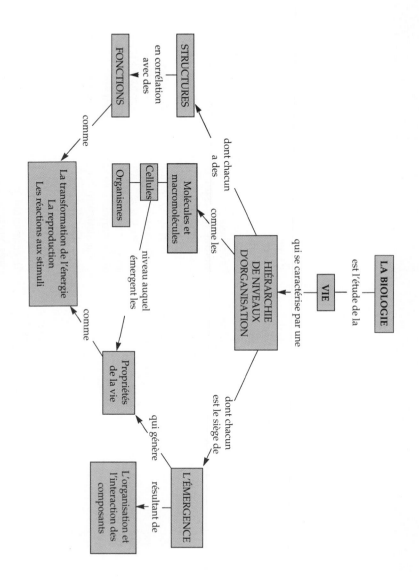

TABLEAU PÉRIODIQUE DES ÉLÉMENTS

LÉGENDE

Numéro atomique — Masse atomique (g/mol) **(3)**
Masse volumique à 300 K (g/cm³) **(1)**
Électronégativité selon Pauling
Nombre d'oxydation **(2)**

3	6,941
0,53	
0,98	**Li** — Symbole
1	
[He]2s¹ — Configuration électronique	
Lithium — Nom	

(1) Les entrées portant un astérisque réfèrent à la phase gazeuse à 273 K et 101 kPa et sont données en g/L.

(2) Le nombre correspondant à l'état le plus stable est indiqué en caractère gras.

(3) Basée sur le carbone-12; ( ) indique l'isotope le plus stable ou le mieux connu.

Tableau périodique des éléments (chart).

Aux conditions ambiantes,
les éléments en **noir** sont **solides**,
en bleu sont **liquides**,
en rouge sont **gazeux**.

Les éléments en gris sont **synthétiques**.

TABLEAU DES PROPRIÉTÉS PÉRIODIQUES DES ÉLÉMENTS

LÉGENDE

Exemple de case : 3 — 6,941 — Li — 0,123 / 0,205 / 13,1 / 453,7 / 1615 / 3,6 — 3,00 / 146 / 0,108 / 0,847

- Numéro atomique
- Masse atomique
- Symbole
- Rayon covalent (nm)
- Rayon atomique (nm) **(1)**
- Volume atomique (cm³/mol) **(2)**
- Température de fusion (K)
- Température d'ébullition (K)
- Capacité thermique massique (J/g·K) **(3)**
- Chaleur de fusion (kJ/mol) **(4)**
- Chaleur de vaporisation (kJ/mol) **(5)**
- Conductibilité électrique ($10^6/\Omega \cdot cm$) **(6)**
- Conductibilité thermique (W/cm·K) **(7)**

(1) Valeur d'après la mécanique quantique pour l'atome libre.
(2) À 300 K pour les solides et les liquides. Les valeurs pour les gaz se rapportent au liquide à la température d'ébullition.
(3) À 300 K.
(4) À la température de fusion.
(5) À la température d'ébullition.
(6) Généralement à 293 K.
(7) À 300 K.

Groupe	Numéro atomique	Symbole	Masse atomique	Rayon covalent (nm)	Rayon atomique (nm) (1)	Volume atomique (cm³/mol) (2)	Température de fusion (K)	Température d'ébullition (K)	Capacité thermique massique (J/g·K) (3)	Chaleur de fusion (kJ/mol) (4)	Chaleur de vaporisation (kJ/mol) (5)	Conductibilité électrique ($10^6/\Omega \cdot cm$) (6)	Conductibilité thermique (W/cm·K) (7)
IA	1	H	1,008	0,032	0,079	14,4	14,02	20,27	14,30	0,06	0,45	—	0,002
VIIIB	2	He	4,003	0,093	0,049	—	0,095	4,21	5,19	—	0,08	—	0,002
IA	3	Li	6,941	0,123	0,205	13,1	453,7	1615	3,6	3,00	146	0,108	0,847
IIA	4	Be	9,012	0,090	0,140	5,0	1560	2745	1,82	12,2	292	0,313	2,00
IIIB	5	B	10,81	0,082	0,117	4,6	2300	4275	102	50,2	490	10^{-12}	0,270
IVB	6	C	12,011	0,077	0,091	4,58	4100	4470	0,71	—	356	0,0006	1,29
VB	7	N	14,007	0,075	0,075	17,3	63,1	77,4	1,04	0,360	2,79	—	0,0003
VIB	8	O	15,999	0,073	0,065	14,0	50,4	90,2	0,92	0,223	3,41	—	0,0003
VIIB	9	F	18,998	0,072	0,057	17,1	53,5	85,0	0,82	0,255	3,27	—	0,0003
VIIIB	10	Ne	20,179	0,071	0,051	16,7	24,6	27,1	0,904	0,332	1,73	—	0,0005
IA	11	Na	22,990	0,154	0,223	23,7	371,0	1156	1,23	2,60	97,0	0,210	1,41
IIA	12	Mg	24,305	0,136	0,172	14,0	922	1363	1,02	8,95	127	0,226	1,56
IIIB	13	Al	26,982	0,118	0,182	10,0	933,2	2793	0,90	10,8	293	0,377	2,37
IVB	14	Si	28,086	0,111	0,146	12,1	1685	3540	0,71	50,6	384	3×10^{-12}	1,48
VB	15	P	30,974	0,106	0,123	17,0	317,3	550	0,77	0,657	12,1	10^{-17}	0,002
VIB	16	S	32,06	0,102	0,109	15,5	388,4	717,8	0,71	1,72	—	5×10^{-24}	0,003
VIIB	17	Cl	35,453	0,099	0,097	22,7	172,2	239,1	0,48	3,20	10,2	—	0,00009
VIIIB	18	Ar	39,948	0,098	0,088	28,5	83,8	87,3	0,520	1,19	6,45	—	0,0002
IA	19	K	39,098	0,203	0,277	45,5	336,4	1032	0,75	2,33	79,9	0,139	1,02
IIA	20	Ca	40,08	0,174	0,223	29,9	1112	1757	0,63	8,54	154	0,298	2,00
IIIA	21	Sc	44,966	0,144	0,209	15,0	1812	3104	0,6	14,1	314	0,018	0,158
IVA	22	Ti	47,90	0,132	0,200	10,64	1943	3562	0,52	15,4	421	0,023	0,219
VA	23	V	50,942	0,122	0,192	8,78	2175	3682	0,49	20,9	460	0,049	0,307
VIA	24	Cr	51,996	0,118	0,185	7,23	2130	2945	0,45	16,9	344	0,077	0,937
VIIA	25	Mn	54,938	0,117	0,179	1,39	1517	2335	0,48	12,0	226	0,0070	0,00782
VIIIA	26	Fe	55,847	0,117	0,172	7,1	1809	3135	0,44	13,8	350	0,099	0,802
VIIIA	27	Co	58,933	0,116	0,167	6,7	1768	3201	0,42	16,2	376	0,172	1,00
VIIIA	28	Ni	58,70	0,115	0,162	6,59	1726	3187	0,44	17,5	370	0,143	0,907
IB	29	Cu	63,546	0,117	0,157	7,1	1358	2836	0,38	13,0	300	0,596	4,01
IIB	30	Zn	65,38	0,125	0,153	9,2	692,7	1180	0,39	7,32	115	0,166	1,16
IIIB	31	Ga	69,72	0,126	0,181	11,8	302,9	2478	0,37	5,59	259	0,068	0,406
IVB	32	Ge	72,59	0,122	0,152	13,6	1210	3107	0,32	36,9	331	$1,4 \times 10^{-8}$	0,500
VB	33	As	74,922	0,120	0,133	13,1	—	876(subl)	0,33	—	34,8	0,0345	0,500
VIB	34	Se	78,96	0,116	0,122	16,45	494	958	0,32	6,69	37,7	10^{-12}	0,0204
VIIB	35	Br	79,904	0,114	0,112	23,5	265,9	332,2	0,473	5,29	15,4	—	0,00122
VIIIB	36	Kr	83,80	0,112	0,103	38,9	115,8	119,8	0,248	1,64	9,03	—	0,00009
IA	37	Rb	85,468	0,216	0,298	55,9	312,6	961	0,363	2,19	72,2	0,078	0,582
IIA	38	Sr	87,62	0,191	0,245	33,7	1041	1650	0,30	8,30	144	0,076	0,353
IIIA	39	Y	88,906	0,162	0,227	19,8	1799	3611	0,30	11,4	363	0,017	0,172
IVA	40	Zr	91,22	0,145	0,216	14,1	2125	4682	0,27	16,9	502	0,024	0,227
VA	41	Nb	92,906	0,134	0,208	10,87	2740	5017	0,26	26,4	682	0,069	0,537
VIA	42	Mo	95,94	0,130	0,201	9,4	2890	4912	0,25	32,0	598	0,187	1,38
VIIA	43	Tc	(98)	0,127	0,195	8,5	2473	4538	0,21	24,0	660	0,067	0,506
VIIIA	44	Ru	101,07	0,125	0,189	8,3	2523	4423	0,238	24,0	595	0,137	1,17
VIIIA	45	Rh	102,906	0,125	0,183	8,3	2236	3970	0,242	21,5	493	0,211	1,50
VIIIA	46	Pd	106,4	0,128	0,179	8,9	1825	3237	0,24	17,6	357	0,095	0,718
IB	47	Ag	107,868	0,134	0,175	10,3	1234	2436	0,235	11,3	251	0,630	4,29
IIB	48	Cd	112,41	0,148	0,171	13,1	594,2	1040	0,23	6,19	99,6	0,138	0,968
IIIB	49	In	114,82	0,144	2,00	15,7	429,8	2346	0,23	3,26	232	0,116	0,816
IVB	50	Sn	118,69	0,141	0,172	16,3	505,1	2876	0,227	7,03	296	0,092	0,666
VB	51	Sb	121,75	0,140	0,153	18,23	904	1860	0,21	19,9	77,1	0,029	0,243
VIB	52	Te	127,60	0,136	0,142	20,5	722,6	1261	0,20	17,5	52,6	2×10^{-6}	0,0235
VIIB	53	I	126,904	0,133	0,132	25,74	386,7	458,4	0,214	7,82	20,8	8×10^{-16}	0,0045
VIIIB	54	Xe	131,30	0,131	0,124	37,3	161,4	165,0	0,158	2,30	12,6	—	0,00006
IA	55	Cs	132,905	0,235	0,334	71,07	301,6	944	0,24	2,09	67,7	0,0489	0,359
IIA	56	Ba	137,33	0,198	0,278	39,24	1002	2171	0,204	7,75	142	0,030	0,184
IIIA	57	La	138,906	0,169	0,274	20,73	1193	3730	0,19	6,20	414	0,0126	0,135
IVA	72	Hf	178,49	0,144	0,216	13,6	2500	4876	0,14	24,1	575	0,0312	0,230
VA	73	Ta	180,948	0,134	0,209	10,90	3287	5731	0,14	31,6	743	0,076	0,575
VIA	74	W	183,85	0,130	0,202	9,53	3680	5828	0,13	35,4	824	0,189	1,74
VIIA	75	Re	186,207	0,128	0,197	8,95	3453	5869	0,13	33,2	715	0,054	0,479
VIIIA	76	Os	190,2	0,126	0,192	8,49	3300	5285	0,13	31,8	746	0,109	0,876
VIIIA	77	Ir	192,22	0,127	0,187	8,54	2716	4701	0,130	26,1	604	0,197	1,47
VIIIA	78	Pt	195,09	0,130	0,183	9,10	2045	4100	0,13	19,6	510	0,097	0,716
IB	79	Au	196,966	0,134	0,179	10,2	1338	3130	0,128	12,6	334	0,452	3,17
IIB	80	Hg	200,59	0,149	0,176	14,82	234,3	630	0,139	2,30	59,2	0,010	0,0834
IIIB	81	Tl	204,37	0,148	0,208	17,2	577	1746	0,13	4,14	164	0,062	0,461
IVB	82	Pb	207,2	0,147	0,181	18,17	600,6	2023	0,13	4,80	178	0,048	0,353
VB	83	Bi	208,980	0,146	0,163	21,3	544,5	1837	0,12	11,3	105	0,0087	0,0787
VIB	84	Po	(209)	0,146	0,153	22,23	527	1235	—	—	—	0,022	0,20
VIIB	85	At	(210)	0,145	0,143	—	575	610	—	—	—	—	0,017
VIIIB	86	Rn	(222)	—	0,134	50,5	202	211	0,09	2,89	16,4	—	0,00004
IA	87	Fr	(223)	—	—	—	300	950	—	—	—	0,03	0,15
IIA	88	Ra	226,025	—	—	45,20	973	1809	—	—	—	—	0,186
IIIA	89	Ac	227,028	—	—	22,54	1323	3473	—	—	—	—	0,12
IVA	104	Unq	(261)	—	—	—	—	—	—	—	—	—	0,23
VA	105	Unp	(262)	—	—	—	—	—	—	—	—	—	0,58
VIA	106	Unh	(263)	—	—	—	—	—	—	—	—	—	—
VIIA	107	Uns	(262)	—	—	—	—	—	—	—	—	—	—
VIIIA	108	Uno	—	—	—	—	—	—	—	—	—	—	—
VIIIA	109	Uun	(266)	—	—	—	—	—	—	—	—	—	—

Numéro atomique	Symbole	Masse atomique	Rayon covalent (nm)	Rayon atomique (nm) (1)	Volume atomique (cm³/mol) (2)	Température de fusion (K)	Température d'ébullition (K)	Capacité thermique massique (J/g·K) (3)	Chaleur de fusion (kJ/mol) (4)	Chaleur de vaporisation (kJ/mol) (5)	Conductibilité électrique ($10^6/\Omega \cdot cm$) (6)	Conductibilité thermique (W/cm·K) (7)
58	Ce	140,12	0,165	0,270	20,67	1071	3699	0,19	5,46	414	0,0112	0,114
59	Pr	140,908	0,165	0,267	20,8	1204	3785	0,19	6,89	297	0,015	0,125
60	Nd	144,24	0,164	0,264	20,6	1289	3341	0,19	7,14	273	0,016	0,165
61	Pm	(145)	0,163	0,262	22,39	1204	3785	—	—	—	—	0,179
62	Sm	150,4	0,162	0,259	19,95	1345	2064	0,20	8,63	166	0,0096	0,133
63	Eu	151,96	0,185	0,256	28,9	1090	1870	0,18	9,21	144	0,012	0,139
64	Gd	157,25	0,161	0,254	19,9	1585	3539	0,23	10,0	359	0,0074	0,106
65	Tb	158,925	0,159	0,251	19,2	1630	3496	0,18	10,8	331	0,0089	0,111
66	Dy	162,50	0,159	0,249	19,0	1682	2835	0,17	11,1	230	0,011	0,107
67	Ho	164,930	0,158	0,247	18,7	1743	2968	0,16	12,2	241	0,012	0,162
68	Er	167,26	0,157	0,245	18,4	1795	3136	0,17	19,9	261	0,012	0,143
69	Tm	168,934	0,156	0,242	18,1	1818	2220	0,16	16,8	191	0,015	0,168
70	Yb	173,04	0,174	0,240	24,79	1097	1467	0,15	7,66	129	0,035	0,349
71	Lu	174,967	0,156	0,225	17,78	1936	3668	0,15	18,6	356	0,018	0,164
90	Th	232,038	0,165	—	19,9	2028	5061	0,12	16,1	514	0,065	0,540
91	Pa	231,036	—	—	15,0	—	—	—	12,3	—	0,053	0,47
92	U	238,029	0,142	—	12,59	1405	4407	0,12	8,52	477	0,038	0,276
93	Np	237,048	—	—	11,62	910	—	0,12	5,19	—	0,0082	0,063
94	Pu	(244)	—	—	12,32	913	3503	0,13	2,84	344	0,0067	0,0674
95	Am	(243)	—	—	17,86	1268	2880	0,11	4,4	—	0,022	0,1
96	Cm	(247)	—	—	18,28	1340	—	—	15,0	—	—	0,1
97	Bk	(247)	—	—	—	—	—	—	—	—	—	0,1
98	Cf	(251)	—	—	—	900	—	—	—	—	—	0,1
99	Es	(252)	—	—	—	—	—	—	—	—	—	0,1
100	Fm	(257)	—	—	—	—	—	—	—	—	—	0,1
101	Md	(258)	—	—	—	—	—	—	—	—	—	0,1
102	No	(259)	—	—	—	—	—	—	—	—	—	0,1
103	Lr	(260)	—	—	—	—	—	—	—	—	—	0,1

Aux conditions ambiantes,
les éléments en **noir** sont **solides**,
en bleu sont **liquides**,
en rouge sont **gazeux**.

Les éléments en gris sont **synthétiques**.

Voici certains termes de la nouvelle nomenclature en chimie avec leur équivalent dans la nomenclature classique. (Cette liste a été établie à l'aide de *La Nomenclature pour la chimie organique*, publiée par l'Ordre des chimistes en 1992, et des règles fixées par l'Union internationale de chimie pure et appliquée.)

Nouvelle nomenclature

acide butanoïque

acide éthanoïque

acide méthanoïque

acides carboxyliques

anneau porphyrinique

but-1-ène

but-2-ène

chlorure d'hydrogène

concentration molaire volumique (c)

dernier niveau énergétique

diacylglycérol

diazote (N_2)

dihydrogène (H_2)

dihydroxy-1,3 propanone

dihydroxy-2,3 propanal

dioxyde de carbone (CO_2)

dioxyde de dihydrogène (H_2O_2)

dioxygène (O_2)

disaccharides

éthanal

éthane-1,2-diyle

éthanethiol

éthanol

glycoprotéines

homogentisate

ion hydrogénotrioxocarbonate (HCO_3^-)

ion hydrogénotrioxocarbonate (HCO_3^-)

ion oxonium (H_3O^+)

masse atomique moyenne

masse

masse molaire atomique

masse volumique

méthanol

mol/L

mole (mol)

Nomenclature classique

acide butyrique*

acide acétique*

acide formique*

acides organiques

noyau tétrapyrrolique

butène-1

butène-2

acide chlorhydrique

molarité

couche de valence

diglycéride

azote (N_2)

hydrogène (H_2)

dihydroxyacétone*

glycéraldéhyde*

gaz carbonique (CO_2)

peroxyde d'hydrogène

oxygène (O_2)

diholosides, osides

acétaldéhyde*

éthylène*

mercaptoéthanol

alcool éthylique

protéoglycanes

alcaptone

ion bicarbonate

ion hydrogénocarbonate*

ion hydronium

masse atomique, nombre de masse

poids

masse moléculaire

densité

alcool méthylique

M

mole (M)

Nouvelle nomenclature

monoacylglycérol
monosaccharides
nombre d'oxydation
numéro atomique
particules élémentaires
phosphatidylcholine
phosphoglycérolipides
polysaccharides
propanetriol-1,2,3
propanone
proton
saccharose
tétraoxophosphate (PO$_4$$^{3-}$)
tétraoxosulfate (SO$_4$$^{2-}$)
triacylglycérol
trioxonitrate (NO$_3$$^-$)
ubiquinone
unité de masse atomique (u)

Nomenclature classique

monoglycéride
oses
état d'oxydation, valence
nombre atomique
particules subatomiques
lécithine*
phospholipides
polyosides, polyholosides
glycérol*
acétone*
ion hydrogène
sucrose
phosphate*
sulfate*
triglycéride, graisse*
nitrate*
quinone, coenzyme Q
dalton

* Terme encore employé dans le langage courant.

Acclimatation Réaction physiologique d'adaptation des Animaux au changement d'un facteur du milieu sur une période de plusieurs jours ou semaines.

Accommodation Changement de forme du cristallin en fonction de la proximité ou de l'éloignement d'un objet.

Accroissement démographique logistique Modèle démographique qui tient compte de l'effet de la densité de population sur la capacité limite du milieu.

Acétyl-CoA Composé qui entre dans le cycle de Krebs de la respiration cellulaire aérobie; constitué d'un fragment de pyruvate lié à la coenzyme A.

Acétylcholine Un des neurotransmetteurs les plus répandus tant chez les Invertébrés que chez les Vertébrés; chez les Vertébrés, elle est libérée dans la jonction neuromusculaire et permet la dépolarisation de la cellule musculaire postsynaptique; elle peut également avoir un effet inhibiteur.

Acide Composé qui augmente la concentration de protons (H^+) dans une solution.

Acide abscissique Hormone végétale qui inhibe généralement la croissance, favorise la dormance et aide la Plante à résister aux conditions défavorables.

Acides aminés Molécules organiques portant un groupement carboxyle et un groupement amine. Les acides aminés sont les monomères des protéines.

Acide gras Chaîne carbonée à laquelle est ajouté un groupement carboxyle. Les acides gras sont plus ou moins longs et dotés de liaisons doubles dont le nombre et la position varie; trois acides gras liés à une molécule de glycérol forment une graisse (triacylglycérol).

Acide gras insaturé Acide gras dans lequel il y a une ou plusieurs liaisons doubles entre les atomes de carbone de la chaîne hydrocarbonée. Ces liaisons limitent le nombre d'atomes d'hydrogène pouvant s'unir à la chaîne.

Acide gras saturé Acide gras dans lequel tous les atomes de carbone de la chaîne hydrocarbonée sont unis par des liaisons simples, ce qui maximise le nombre d'atomes d'hydrogène pouvant s'unir à la chaîne.

Acide nucléique antisens Molécule d'ADN ou d'ARN monocaténaire synthétique qui s'apparie avec les molécules clés d'ARNm du Virus et en bloque la traduction.

Acide urique Déchet azoté sous forme de précipité excrété par les Escargots, les Insectes, les Oiseaux et certains Reptiles.

Accélomate Animal doté d'un corps compact, sans cavité entre le tube digestif et l'enveloppe externe.

Actine Protéine globulaire dont les molécules forment des chaînes; une hélice de deux chaînes d'actine forme chaque microfilament des cellules musculaires.

Adhérence Attraction mutuelle entre des molécules de substances différentes.

ADN complémentaire (ADNc) Molécule d'ADN bicaténaire porteuse d'un gène artificiel sans introns.

ADN ligase Enzyme reliant les fragments d'Okazaki entre eux pour former un seul brin d'ADN.

ADN polymérase Enzyme catalysant l'élongation d'un nouveau brin d'ADN à la hauteur d'une fourche de réplication.

ADN primase Enzyme qui fabrique l'amorce d'ARN nécessaire à la duplication de l'ADN.

ADN recombiné Combinaison in vitro de gènes en provenance de diverses sources (souvent d'espèces différentes).

Adrénaline Hormone élaborée en réponse à une situation de stress.

Aérobie strict Organisme qui utilise le dioxygène pour la respiration cellulaire; ne peut vivre sans dioxygène.

Agent oxydant Accepteur d'électrons dans une réaction d'oxydoréduction.

Agent réducteur Donneur d'électrons dans une réaction d'oxydoréduction.

Agnathe Membre d'une classe de Vertébrés sans mâchoires; les Lamproies et les Myxines en constituent les espèces actuelles.

Agriculture intégrée Méthodes de culture basées sur la conservation des ressources et l'équilibre de l'environnement.

Ajustement induit Transformation structurale du site actif d'une enzyme lui permettant d'épouser encore mieux le contour du substrat; provoqué par l'entrée du substrat dans le site actif.

Aldéhyde Molécule organique dotée d'un groupement carbonyle à l'extrémité d'une chaîne carbonée.

Algue Protiste semblable aux Végétaux qui utilise la photosynthèse.

Allèle dominant Allèle qui s'exprime pleinement dans l'apparence d'un organisme lorsque les deux allèles diffèrent.

Allèle récessif Allèle qui n'a pas d'effet notable sur l'apparence d'un organisme lorsque les deux allèles diffèrent.

Allèles Deux formes possibles d'un même gène.

Allocation énergétique Principe selon lequel chaque organisme possède une quantité limitée d'énergie qu'il peut dépenser pour se nourrir, échapper à ses prédateurs, affronter les fluctuations de son milieu (homéostasie), croître et se reproduire.

Allométrie Croissance plus rapide ou plus lente de certaines parties du corps par rapport aux autres; influe sur la forme d'un organisme.

Allopolyploïde Se dit des espèces formées d'hybrides polyploïdes issus de deux espèces.

Alternance des générations Cycle de développement dans lequel coexistent une forme diploïde pluricellulaire, le spo-

rophyte, et une forme haploïde pluricellulaire, le gamétophyte ; caractéristique des Végétaux.

Altruisme réciproque Comportement altruiste entre individus non apparentés. Ce comportement est adaptatif dans la mesure où l'individu altruiste en tire des bénéfices ultérieurement.

Amidon Polysaccharide de réserve des Végétaux, formé entièrement de glucose.

Aminoacyl-ARNt synthétase Enzyme spécifique qui lie un acide aminé à l'ARNt correspondant.

Amniocentèse Procédé d'évaluation de l'état du fœtus qui consiste à prélever un échantillon de liquide dans la cavité amniotique.

Amniotes Vertébrés dont les embryons se trouvent enfermés dans une poche pleine de liquide formée par une enveloppe membraneuse appelée amnios.

Amorce Court segment d'ARN servant à rendre l'ADN polymérase fonctionnelle.

AMP cyclique (AMPc) Adénosine monophosphate cyclique, un dérivé de l'ATP.

Amplificateur Séquence régulatrice non codante supplémentaire qui peut se trouver à des milliers de bases de distance du promoteur et qui exerce une forte influence sur la transcription du gène correspondant.

Amplification génique Réplication sélective résultant en un grand nombre de copies d'un même gène.

Amylase salivaire Enzyme digestive contenue dans la salive et qui hydrolyse le glycogène et l'amidon.

Anaérobie facultatif Organisme qui peut fabriquer de l'ATP par fermentation ou par respiration cellulaire aérobie, suivant qu'il trouve ou non du dioxygène dans son environnement.

Anaérobie strict Organisme qui ne peut survivre dans une atmosphère contenant du dioxygène. Une substance comme le sulfate ou le nitrate est le dernier accepteur d'électrons de la chaîne de transport d'électrons qui produit leur ATP.

Analogie Ressemblance structurale entre des espèces qui ne sont pas apparentées ; attribuable à l'évolution convergente.

Androgènes Hormones synthétisées par les testicules, la principale hormone de ce groupe étant la testostérone ; stimulent la formation et le maintien du système reproducteur mâle et l'apparition des caractères sexuels secondaires à la puberté.

Aneuploïdie État d'un individu dont les cellules possèdent un nombre anormal de chromosomes.

Angiosperme Plante à fleurs qui porte des graines à l'intérieur d'un compartiment protecteur appelé ovaire.

Anion Ion de charge négative.

Annexes embryonnaires Couches de tissu qui se forment à l'extérieur de l'embryon et qui contribuent à la suite du développement de l'embryon dans l'œuf : sac vitellin, amnios, chorion et allantoïde.

Anse du néphron Longue boucle aplatie du tubule rénal formée d'une partie descendante et d'une partie ascendante.

Antérieur Se dit de l'extrémité antérieure (tête) d'un Animal à symétrie bilatérale.

Anthère Sac de pollen, à l'extrémité d'une étamine, à l'intérieur duquel les grains de pollen contenant les spermatozoïdes se forment dans la fleur d'une Angiosperme.

Antibiotique Substance chimique qui tue les Bactéries ou entrave leur croissance en intervenant dans les processus de transcription ou de traduction.

Anticodon Triplet de bases d'un ARN de transfert qui se lie au codon complémentaire de l'ARNm en obéissant aux règles d'appariement des bases.

Anticorps monoclonaux Préparations pures d'anticorps identiques qui possèdent une spécificité pour un seul antigène.

Anticorps Protéine libérée par les lymphocytes B et se liant spécifiquement à un antigène.

Antigène Substance étrangère qui provoque une réaction immunitaire.

Apoplaste Chez les Plantes, l'ensemble extracellulaire non vivant des parois cellulaires et des interstices qu'elles délimitent.

Appareil ambulacraire Chez les Échinodermes, réseau de canaux hydrauliques ramifiés en prolongements érectiles appelés pieds ambulacraires, qui servent à la locomotion, à la capture de proies et aux échanges gazeux.

Appareil de Golgi Organite des eucaryotes, constitué d'un empilement de membranes qui affinent, entreposent et expédient les produits du réticulum endoplasmique.

Appareil juxtaglomérulaire Tissu spécialisé situé dans le voisinage de l'artériole glomérulaire afférente qui apporte le sang au glomérule ; participe à l'augmentation de la pression artérielle par la sécrétion de rénine.

Apprentissage associatif Processus par lequel certains Animaux en viennent à associer un stimulus à un autre.

Archæbactérie Ancienne lignée de procaryotes, représentée aujourd'hui par quelques groupes de Bactéries vivant dans des milieux extrêmement hostiles ; certains taxinomistes accordent aux Archæbactéries leur propre règne, séparément des autres Bactéries.

Archentéron Cavité tapissée d'endoderme formée au cours de la gastrulation dans le tube digestif d'un Animal.

ARN de transfert (ARNt) Type de molécule d'ARN ayant pour fonction de transférer vers le ribosome les acides aminés provenant de la réserve du cytoplasme pendant la synthèse d'un polypeptide.

ARN messager (ARNm) Type d'ARN synthétisé selon les directives fournies par l'ADN ; s'attache à des ribosomes du cytoplasme et spécifie la structure primaire d'une protéine.

ARN nucléaire hétérogène (ARNnh) Molécule d'ARN de très grande taille comportant la transcription de tous les introns et exons. Nom plus technique de l'ARN prémessager.

ARN polymérase Enzyme qui écarte les deux brins d'ADN et lie les nucléotides de l'ARN au fur et à mesure que leurs bases s'apparient le long de la matrice d'ADN.

ARN ribosomique (ARNr) Type de molécule d'ARN entrant dans la composition du ribosome.

Arpentage chromosomique Technique permettant de retrouver l'ordre des multiples fragments d'ADN qui résultent du traitement des très longues molécules d'ADN de chromosomes eucaryotes par des enzymes de restriction.

Artères Vaisseaux sanguins qui acheminent le sang du cœur vers les organes.

Artérioles Ramifications des artères en minuscules vaisseaux qui donnent naissance aux capillaires.

Artériosclérose Maladie cardiovasculaire caractérisée par une perte d'élasticité des artères.

Artiozoaires Membres de la ramification des Eumétazoaires qui possèdent une symétrie bilatérale.

Biomasse Masse sèche de matière organique issue des organismes d'un écosystème.

Biome Ensemble d'écosystèmes variés caractéristique d'une grande zone biogéographique : nommé d'après la végétation qui y prédomine et se caractérisant par les organismes qui y sont adaptés.

Biopsie des villosités chorioniques Technique qui consiste à aspirer une petite quantité de tissu fœtal en provenance des replis (villosités) du chorion, une annexe embryonnaire qui constitue une partie du placenta.

Biosphère Partie de la Terre où l'on trouve la vie ; englobe l'ensemble des écosystèmes de la planète.

Biotechnologie Ensemble des techniques qui utilisent des organismes ou leurs composants en vue de réaliser des transformations pratiques, notamment dans les secteurs de la santé et de l'alimentation.

Blastocele Cavité remplie de liquide entourée d'un épithélium simple dans les premiers stades du développement embryonnaire.

Blastopore Ouverture de l'archentéron au stade gastrula, qui donne naissance à la bouche chez les Protostomiens et à l'anus chez les Deutérostomiens.

Blastula Stade du développement embryonnaire correspondant à une sphère creuse.

Boîte TATA Région du promoteur nommée ainsi à cause de la forte concentration de thymine (T) et d'adénine (A).

Bol alimentaire Masse de nourriture en forme de boule préparée par la bouche avant la déglutition.

Bourgeon axillaire Pousse embryonnaire située à l'intersection d'une feuille et de la tige.

Bourgeon terminal Tissu embryonnaire à l'extrémité d'une pousse, comprenant des feuilles en développement et une série de nœuds et d'entre-nœuds.

Bourgeonnement Type de reproduction asexuée dans lequel un nouvel individu se forme à partir d'une excroissance ou de la scissiparité d'un autre organisme.

Bouturage Mécanisme de reproduction asexuée dans lequel la Plante mère se sépare en parties qui reforment des Plantes entières.

Branchies Structures constituant la surface respiratoire de la plupart des Animaux aquatiques.

Brin directeur Brin d'ADN complémentaire continu synthétisé par l'ADN polymérase dans le sens obligatoire, c'est-à-dire 5' → 3'.

Brin discontinu Synthèse par segments d'un nouveau brin d'ADN au cours de laquelle la polymérase doit suivre la matrice en s'éloignant de la fourche de réplication.

Bryophyte Mousses, Hépatiques et Anthocérotes ; groupe d'Invasculaires qui vivent sur la terre ferme, mais auquel il manque de nombreuses adaptations terrestres caractéristiques des Vasculaires.

Bulbe rachidien Renflement du rhombencéphale au sommet de la moelle épinière qui contient les centres commandant plusieurs fonctions viscérales.

Cadre de lecture Façon d'ordonner les nucléotides d'une molécule d'ARNm dans le bon sens et selon les bons groupements.

Calmoduline Protéine intracellulaire à laquelle se lient les ions calcium lorsqu'ils jouent le rôle de seconds messagers dans l'action hormonale.

Cambium libéroligneux Cylindre continu de cellules méristématiques entourant le xylème et la moelle ; produit le xylème secondaire et le phloème secondaire.

Asque Appareil sporifère macroscopique situé à l'extrémité de l'ascocarpe dans les hyphes dicaryotiques ; caractéristique de l'embranchement des Ascomycètes.

ATP (adénosine-triphosphate) Nucléoside triphosphate contenant de l'adénine ; libère de l'énergie libre lorsque ses liaisons phosphate sont hydrolysées. Cette énergie alimente les réactions endergoniques dans les cellules.

ATP synthétase Complexe protéique qui fabrique l'ATP.

Autopolyploïde Type d'espèce polyploïde qui double son nombre de chromosomes et qui passe ainsi à l'état tétraploïde. Les tétraploïdes mutants peuvent ensuite s'autoféconder ou s'accoupler avec d'autres tétraploïdes.

Autosomes Tous les chromosomes à l'exception des chromosomes sexuels.

Autotrophie Mode de nutrition permettant d'obtenir des molécules de nourriture sans manger d'autres organismes. Les autotrophes utilisent l'énergie provenant du Soleil ou de l'oxydation de substances inorganiques pour élaborer leurs molécules organiques à partir de molécules inorganiques.

Auxines Catégorie d'hormones végétales, y compris l'acide indolacétique, qui ont différents effets tels que la réaction phototropique par la stimulation de l'élongation des cellules, la stimulation de la croissance secondaire et le développement des pousses des feuilles et du fruit.

Auxotrophe Mutant biochimique incapable de survivre sur un milieu minimal.

Avantage de l'hétérozygote Mécanisme du maintien de la variation chez les populations d'eucaryotes qui vient du fait que les individus hétérozygotes pour un locus donné obtiennent plus de succès reproductif que les deux types d'homozygotes.

Axone Type de prolongement qui conduit les messages en provenance du corps du neurone.

Bactérie Microorganisme unicellulaire, aussi appelé procaryote, qui ne possède pas de véritable noyau. Les Bactéries se divisent en deux catégories, selon une différence dans leur paroi cellulaire déterminée par la coloration de Gram.

Bande de Caspary Anneau de cire imperméable à l'eau qui entoure les cellules endodermiques chez les Plantes et empêche l'eau et les solutés de pénétrer passivement dans la stèle à travers la paroi cellulaire.

Banque génomique Ensemble de milliers de clones dont chacun porte des copies d'un certain segment de génome étranger.

Barrière hématoencéphalique Mécanisme limitant l'entrée de la plupart des substances dans le SNC, ce qui permet une régulation précise du milieu chimique extracellulaire.

Base Composé qui réduit la concentration de protons (H^+) dans une solution.

Baside Appareil reproducteur qui produit les spores sexuées sur les lamelles des Mycètes ; cette structure donne son nom à l'embranchement des Basidiomycètes.

Bâtonnet Type de photorécepteur de la rétine chez les Vertébrés ; permet la vision nocturne ou en noir et blanc.

Bile Mélange de sels biliaires contenu dans la vésicule biliaire et qui aident à la digestion et à l'absorption des graisses dans le duodénum.

Bioamplification Processus selon lequel la concentration tissulaire des toxines augmente à chaque échelon d'une chaîne alimentaire.

Biogéographie Étude de la distribution géographique des espèces.

Cambium subérophellodermique Tissu méristématique de forme cylindrique chez les Plantes, qui produit des cellules de liège afin de remplacer l'épiderme au cours de la croissance secondaire.

Canaux chimiodépendants Canaux protéiques dont l'ouverture dépend de la liaison d'une substance chimique, le ligand, avec le récepteur protéique associé au canal.

Canaux tensiodépendants Canaux protéiques d'une cellule excitable sensibles aux différences de potentiel électrique.

CAP Protéine activatrice du catabolisme qui accélère la transcription d'un opéron en s'unissant au promoteur et en facilitant la liaison de l'ARN polymérase.

Capillaires Vaisseaux sanguins microscopiques formant des réseaux qui pénètrent dans tous les tissus pour permettre des échanges.

Capside Coque de protéines qui renferme le génome viral.

Capsule glomérulaire rénale Réceptacle sphérique et creux situé à l'extrémité du néphron qui reçoit le filtrat du sang.

Caractère apomorphe Caractère dérivé, c'est-à-dire homologie, apparu après qu'une ramification a divergé dans un arbre phylogénétique.

Caractère plésiomorphe Caractère primitif que possédait un ancêtre lointain.

Caractère quantitatif Dans une population, caractère qui présente une variation continue.

Carnivore Relatif aux Animaux qui se nourrissent d'autres Animaux.

Carte cytologique Carte qui montre la position précise des gènes sur les chromosomes.

Cartilage Variété de tissu conjonctif contenant de nombreuses fibres collagènes enchâssées dans une substance fondamentale constituée de chondroïtine-sulfate.

Cartographie de restriction Méthode permettant de déterminer le degré de similitude entre les génomes ou les gènes de deux espèces en comparant l'électrophorèse des fragments de restriction de l'ADN des deux espèces.

Caryogamie Fusion des noyaux de deux cellules; constitue l'un des stades de la syngamie.

Caryotype Chromosomes (nombre diploïde), présentés par paires d'homologues et disposés des plus courts aux plus longs aux plus longs, sauf pour les chromosomes sexuels.

Cation Ion de charge positive car il a perdu un ou plusieurs électrons.

Cause immédiate Désigne les mécanismes sous-jacents à un comportement.

Cause ultime Désigne la raison fondamentale pour laquelle un comportement existe.

Cavité gastrovasculaire Compartiment doté d'une seule ouverture qui sert à la fois de bouche et d'anus.

Cellule compagne Type de cellule végétale qui communique avec une cellule d'un tube criblé par l'intermédiaire de nombreux plasmodesmes, et dont le noyau et les ribosomes peuvent être utilisés par une ou plusieurs cellules criblées adjacentes.

Cellule cible Cellule portant des récepteurs spécifiques pour un messager particulier, par exemple une hormone.

Cellule des parenchymes Type de cellule végétale peu différencié responsable de la majeure partie du métabolisme, et qui synthétise et emmagasine des substances organiques; se différencie en atteignant la maturité.

Cellule diploïde Cellule contenant deux jeux haploïdes de chromosomes dont les gènes représentent les lignées paternelle et maternelle.

Cellule du collenchyme Type de cellule végétale flexible qui compose des cylindres ou des fibres textiles et fournit ainsi un support aux jeunes parties de la Plante sans inhiber la croissance.

Cellule du mésophylle Type de cellule de la feuille faisant partie du principal tissu photosynthétique d'une feuille.

Cellule du sclérenchyme Type de cellule végétale rigide, généralement sans protoplaste, dotée d'une paroi secondaire épaisse composée de lignine à maturité; constitue un tissu de soutien.

Cellule sensorielle ciliée Type de mécanorécepteur qui sert à détecter le mouvement.

Cellule somatique Toute cellule autre qu'un spermatozoïde ou un ovule.

Cénocyte Masse cytoplasmique plurinucléée qui résulte de divisions répétées du noyau, sans division cytoplasmique.

Centre organisateur des microtubules *Voir* centrosome.

Centre réactionnel Site de molécules spécialisées de chlorophylle *a* dans les amas de pigments d'un photosystème participant aux réactions photochimiques de la photosynthèse.

Centriole Chacune des deux structures présentes au centre des cellules animales; composé de neuf triplets de microtubules disposés en cercle. Les centrioles concourent probablement à l'assemblage des microtubules.

Centromère Région spécialisée du chromosome qui unit les deux chromatides sœurs en leur milieu.

Centrosome Masse présente dans le cytoplasme de tous les eucaryotes qui joue un rôle important dans la division cellulaire; également appelé centre organisateur des microtubules.

Céphalisation Évolution d'une tête (extrémité antérieure) dotée d'organes sensoriels et d'un encéphale hautement développé responsable de l'intégration sensorielle; caractéristique des Animaux à symétrie bilatérale, surtout des Vertébrés.

Céphalocordé Cordé sans colonne vertébrale, représenté par les Amphioxus, de minuscules Animaux marins.

Cervelet Partie du rhombencéphale ayant pour principale fonction de coordonner les mouvements.

Chaîne alimentaire Ordre selon lequel s'effectue le transfert de la nourriture entre les niveaux trophiques.

Chaîne de transport d'électrons Molécules insérées dans la membrane interne des mitochondries qui synthétisent de l'ATP au moyen d'une descente exergonique d'électrons. Les membranes thylakoïdiennes des chloroplastes possèdent également des chaînes de transport d'électrons.

Chaîne polypeptidique Polymère composé d'un grand nombre d'acides aminés unis par des liaisons peptidiques.

Chaleur Valeur représentant le transfert énergétique entre deux corps de différentes températures.

Chaleur spécifique Nombre de joules requis pour élever de 1°C la température de 1 g d'une substance.

Champs morphogénétiques Organisation des cellules en structures précises à trois dimensions; étape essentielle dans la formation de l'organisme et de ses parties individuelles pendant le développement.

Chiasma Région en forme de X représentant le croisement des chromatides homologues.

Chimie organique Étude scientifique des substances qui contiennent du carbone (composés organiques).

Chimioautotrophe Organisme produisant ses composés organiques sans l'aide de la lumière; il obtient son énergie en oxydant des substances inorganiques comme le soufre et l'ammoniac.

Chimiohétérotrophe Organisme qui doit consommer des molécules organiques afin de se procurer énergie et carbone.

Chimiorécepteur Type de récepteur fournissant des renseignements sur la concentration totale de solutés dans une solution ou réagissant à un type précis de molécules.

Chimiosmose Capacité de certaines membranes d'utiliser l'énergie chimique pour le transport des protons et d'utiliser ensuite l'énergie emmagasinée dans le gradient de protons pour effectuer le travail cellulaire, y compris la synthèse d'ATP.

Chitine Polysaccharide structural d'un acide aminé présent chez de nombreux Mycètes et dans l'exosquelette de tous les Arthropodes.

Chlorophylle Pigment vert contenu dans les chloroplastes des Végétaux. La chlorophylle a absorbe l'énergie lumineuse qui alimente la synthèse des molécules nutritives.

Chloroplaste Organite présent chez les Végétaux et chez les Algues eucaryotes qui absorbe la lumière du Soleil et l'utilise pour la synthèse des composés organiques à partir du dioxyde de carbone et de l'eau.

Cholestérol Stéroïde constituant un composant essentiel de la membrane des cellules animales, de même que le précurseur à partir duquel la plupart des autres stéroïdes sont synthétisés.

Chondroblaste Cellule indifférenciée qui élabore une partie de la chondroïtine-sulfate et du collagène d'un cartilage.

Chromatides sœurs Formes répliquées d'un chromosome qui sont unies par le centromère et se sépareront pendant la mitose et de la méiose II.

Chromatine Masse de matériel génétique composé d'ADN et de protéines observée entre les périodes de division chez les eucaryotes.

Chromosome Association de gènes présente dans le noyau de tous les eucaryotes et particulièrement visible au cours de la mitose et de la méiose. Les chromosomes sont composés d'ADN et de protéines.

Chromosomes homologues Chromosomes d'une même paire; ont la même longueur, présentent un même arrangement de bandes et leur centromère est situé au même endroit.

Chromosomes sexuels Chromosomes X et Y, qui déterminent le sexe de l'individu.

Chylifère Minuscule vaisseau lymphatique situé au centre de chaque villosité de la muqueuse intestinale.

Chyme acide Bol alimentaire mélangé au suc gastrique dans l'estomac.

Cil Court appendice de la cellule spécialisé pour la locomotion; composé de neuf doublets de microtubules formant un anneau autour de deux microtubules non jumelés et engainé dans un prolongement de la membrane plasmique.

Cinèse Modification du degré d'activité en réponse à un stimulus; forme la plus élémentaire du mouvement animal.

Cladisme École de taxinomie qui classe les organismes d'après l'ordre d'émergence des ramifications dans un arbre phylogénétique sans tenir compte du degré de divergence morphologique.

Cladogenèse Formation d'une ou de plusieurs espèces nouvelles à partir d'une espèce mère qui continue d'exister; aussi appelée évolution divergente.

Cline Type de variation à l'intérieur d'une espèce; se définit comme le changement graduel d'un caractère le long d'un axe géographique.

Cloaque Ouverture commune des systèmes digestif, urinaire et reproducteur chez tous les Vertébrés, à l'exception de la plupart des Mammifères.

Clonage génique Production de copies multiples d'un gène.

Clone Groupe d'organismes génétiquement semblables.

Cochlée Organe complexe en forme de spirale situé dans l'oreille interne; intervient dans l'audition.

Code à triplets Circulation d'information entre le gène et la protéine sous la forme d'une série de mots composés de trois nucléotides.

Codominance Forme d'hérédité dans laquelle les deux allèles se manifestent entièrement et de manière indépendante dans le phénotype.

Codon Triplet de nucléotides d'un ARN messager.

Codon d'arrêt Triplet de bases spécifiques ne codant pas pour des acides aminés, mais servant de signal d'arrêt de la traduction.

Coefficient de sélection Différence entre la valeur adaptative de deux phénotypes qui représente une mesure relative de la sélection exercée contre le génotype inférieur.

Coenzyme Molécule organique qui joue le rôle de cofacteur. La plupart des vitamines sont des coenzymes dans des réactions métaboliques importantes.

Coévolution Adaptation évolutive qui se produit chez deux espèces à la suite de leurs influences réciproques.

Cofacteur Substance non protéique nécessaire au fonctionnement d'une enzyme. Le cofacteur peut se lier fortement au site actif de façon permanente ou il peut s'y lier faiblement et de façon réversible en même temps que le substrat.

Cohésion Association des molécules d'une substance, généralement au moyen de liaisons hydrogène.

Coiffe 5' Forme modifiée de la guanine (G), la 7-méthylguanosine (m^7G) triphosphate qui s'ajoute à l'une des extrémités d'une molécule d'ARN prémessager pendant la maturation.

Commensalisme Relation symbiotique dont seul le symbionte retire des avantages, sans toutefois nuire à l'hôte ni l'aider de manière significative.

Communauté Ensemble d'espèces qui vivent assez près les unes des autres pour avoir la possibilité d'interagir.

Complément Ensemble d'au moins 20 protéines plasmatiques qui, une fois activées, accentuent les réactions inflammatoire et immunitaire.

Complexe d'épissage Ensemble de petites ribonucléoprotéines nucléaires qui interagit avec les extrémités d'un intron d'ARN. Il libère l'intron, puis unit les deux exons adjacents.

Complexe majeur d'histocompatibilité (CMH) Ensemble de molécules antigéniques natives tolérées par le système immunitaire d'un individu.

Complexe synaptonémique Ensemble de protéines qui rapprochent les deux chromosomes au cours d'une synapse.

Comportement stéréotypé Comportement inné qui se déroule toujours de la même manière.

Composé Combinaison de deux ou plusieurs éléments dans des proportions définies.

Compréhension soudaine (*insight*) Capacité d'exécuter un comportement de manière adéquate dès le premier essai dans une situation nouvelle.

Concentration molaire volumique Mesure de la concentration des solutions aqueuses, exprimée en moles de soluté par litre de solution.

Concept de reconnaissance Définition de l'espèce fondée sur les mécanismes de reconnaissance des partenaires; suppose que les adaptations reproductives d'une espèce se traduisent en caractères qui maximisent le succès reproductif avec des membres de la même population; se distingue de la définition biologique de l'espèce.

Conditionnement classique Type d'apprentissage associatif au cours duquel un Animal établit un lien entre un nouveau stimulus et le stimulus habituel.

Conditionnement opérant Type d'apprentissage associatif qui influe directement sur le comportement; aussi appelé apprentissage par essais et erreurs.

Conduction saltatoire Transmission accélérée de l'influx nerveux le long d'un axone myélinisé pendant laquelle le potentiel d'action ne se déplace pas de façon continue, mais « saute » plutôt d'un nœud à l'autre par-dessus les régions isolées de la membrane situées entre les nœuds.

Conduits semi-circulaires Trois tubes situés dans l'oreille interne et qui forment une partie de l'organe de l'équilibre.

Cône Type de photorécepteur de la rétine chez les Vertébrés; permet de discerner les couleurs pendant le jour.

Conformation Structure tridimensionnelle d'une protéine, déterminée par la séquence linéaire des acides aminés qui forment une chaîne polypeptidique.

Conjugaison Mécanisme de recombinaison génétique qui se solde par le transfert de matériel génétique entre deux Bactéries temporairement liées.

Consanguin Relatif à l'union de deux parents proches (par exemple, un frère et une sœur ou des cousins germains).

Consommateurs primaires Animaux herbivores qui se nourrissent de Végétaux ou d'Algues et qui constituent le deuxième niveau trophique d'une chaîne alimentaire.

Consommateurs secondaires Niveau trophique des Animaux carnivores qui se nourrissent des herbivores.

Coopérativité Mécanisme d'interaction des sous-unités d'une protéine selon lequel un changement de la conformation d'une des sous-unités sera transmis à toutes les autres sous-unités.

Convection Processus par lequel l'air ou un liquide plus réchauffé à la surface d'un corps se dilate et tend à s'éloigner de ce corps, laissant la place à l'air ou au liquide plus froid.

Cordé Membre d'un embranchement varié d'Animaux qui possèdent une corde dorsale, un tube nerveux dorsal creux, des fentes branchiales et, au stade embryonnaire, une queue postanale.

Corde dorsale Premier support axial de l'embryon constitué à partir du mésoderme dorsal situé juste au-dessus de l'archentéron.

Corépresseur Petite molécule organique qui collabore avec un répresseur pour inactiver un opéron dans un système régulateur.

Corps calleux Épaisse bande de fibres reliant les deux hémisphères cérébraux.

Corps jaune Après l'ovulation, reste du tissu folliculaire ovarien qui se transforme en une masse compacte capable d'élaborer de la progestérone et une quantité considérable d'œstrogènes.

Corps pinéal Petite glande endocrine située près du centre de l'encéphale chez les Mammifères; sécrète la mélatonine, une hormone qui assure la régulation des fonctions associées à la luminosité et à la photopériode.

Corpuscule basal Structure identique à un centriole qui organise et ancre à la cellule l'assemblage de microtubules d'un cil ou d'un flagelle.

Corpuscule de Barr Masse compacte constituée du chromosome X inactif.

Cortex cérébral Partie la plus volumineuse et la plus complexe de l'encéphale humain et aussi celle qui a subi le plus de changements au cours de l'évolution; comporte à la fois des aires sensitives et motrices, qui interviennent dans le traitement direct de l'information, et des aires associatives qui intègrent l'information en provenance de plusieurs sources.

Cotransport Couplage de la diffusion «descendante» d'une substance au transport «ascendant» d'une seconde substance se déplaçant contre son gradient de concentration.

Cotylédons Une (Monocotylédones) ou deux (Dicotylédones) feuilles primaires chez l'embryon d'Angiosperme.

Courant de masse Mouvement de l'eau créé par la différence de pression entre deux endroits.

Courbe de survie Représentation graphique du nombre de survivants d'une cohorte dans une table de survie en fonction de l'âge.

Cœlomate Animal doté d'un cœlome complètement entouré de tissus provenant du mésoderme, dont les couches se relient dorsalement et ventralement pour former les mésentères.

Cœlome Cavité remplie de liquide et complètement entourée de tissus provenant du mésoderme.

Crête Repli de la membrane interne de la mitochondrie qui renferme la chaîne de transport d'électrons et les enzymes catalysant la synthèse de l'ATP.

Crêtes adaptatives État d'équilibre d'une population où les fréquences alléliques maximisent l'adaptation moyenne des membres d'une population.

Croisement de contrôle Croisement d'un homozygote récessif et d'un individu ayant un phénotype dominant, mais dont on ne connaît pas le génotype.

Croisement dihybride Croisement de variétés parentales présentant deux caractères différents.

Croisement monohybride Type de croisement qui permet de suivre l'hérédité d'un seul caractère.

Croissance définie Type de croissance caractéristique des Animaux, dans laquelle l'organisme cesse de croître dès qu'il atteint une certaine taille.

Croissance indéfinie Type de croissance caractéristique de la plupart des Végétaux, qui dure toute leur vie.

Croissance primaire Croissance amorcée par les méristèmes apicaux de la racine ou de la pousse de la Plante.

Croissance secondaire Élargissement progressif des racines et des pousses chez plusieurs Plantes, en particulier chez les Dicotylédones herbacées et les Plantes vivaces.

Cuticule (1) Couche de substance cireuse à la surface des feuilles et des tiges; adaptation à la vie terrestre qui permet à la Plante d'éviter le dessèchement. (2) Exosquelette chez un

Dénaturation Processus au cours duquel la protéine se déroule et perd sa conformation native, devenant ainsi biologiquement inactive. La dénaturation se produit dans des conditions extrêmes de pH, de concentration de sel et de température.

Dendrite Type de prolongement qui achemine les messages vers le corps du neurone.

Densité de population Nombre d'individus par unité d'aire ou de volume.

Dépolarisation Réduction du gradient électrique de part et d'autre d'une membrane.

Dérive génétique Modification aléatoire d'un petit patrimoine génétique due à des erreurs d'échantillonnage dans la propagation des allèles.

Desmosome Type de jonction entre les cellules animales qui ajoute une grande résistance aux tissus.

Déterminant antigénique Zone localisée à la surface de l'antigène reconnue par un anticorps.

Déterminants cytoplasmiques Substances localisées que renferment les blastomères et qui fixent très tôt la destinée des différentes régions de l'embryon au cours de la suite du développement, en agissant probablement sur l'expression génique.

Détritivores Consommateurs se nourrissant de déchets organiques comme les excréments, les feuilles mortes et les restes d'organismes appartenant à tous les niveaux trophiques.

Détritus Déchets organiques.

Deutérostomien Membre de l'une de deux lignées évolutives de Cœlomates, qui comprend les Échinodermes et les Cordés ; se caractérise par une segmentation radiaire et indéterminée, la formation du cœlome par entérocœlie et le développement de l'anus à partir du blastopore.

Deuxième principe de la thermodynamique Principe selon lequel tout échange ou transformation d'énergie augmente l'entropie de l'Univers. Dans la plupart des transformations énergétiques, au moins une partie de l'énergie se convertit en chaleur ; dans les réactions spontanées, l'énergie libre du système diminue également.

Développement à régulation Type de développement au cours duquel les cellules conservent leur totipotence.

Développement en mosaïque Type de développement au cours duquel chacune des cellules ne peut former que certaines parties de l'embryon.

Diaphragme Muscle plat et large formant le plancher de la cavité thoracique ; participe à la respiration.

Diastole Période de la révolution cardiaque pendant laquelle les oreillettes ou les ventricules sont relâchés.

Dicaryon Hyphe cloisonné de certains Mycètes qui possède deux noyaux haploïdes distincts par cellule.

Dicotylédones Subdivision des Angiospermes dont les membres possèdent deux feuilles embryonnaires, appelées cotylédons.

Différenciation cellulaire Divergence dans la structure et la fonction des cellules au fur et à mesure de leur spécialisation pendant le développement d'un organisme pluricellulaire ; relève de la régulation de l'expression génique.

Diffusion Tendance qu'ont les substances (ions ou molécules) à se déplacer d'une zone où elles sont plus concentrées vers une zone où elles sont moins concentrées.

Diffusion facilitée Diffusion à travers une membrane biologique de molécules polaires et d'ions liés à des protéines de

---

Arthropode ; constitué de couches de protéines et de chitine dont la composition varie selon leur fonction.

Cyanobactéries Bactéries photosynthétiques, productrices de dioxygène (auparavant appelées Algues bleu-vert).

Cycle cellulaire Cycle de la vie d'une cellule qui se divise ; composé des phases M, G_1, S et G_2.

Cycle de Calvin Seconde des deux étapes de la photosynthèse (suit les réactions photochimiques) ; comprend la fixation du CO_2 atmosphérique et la réduction du carbone fixé en glucides.

Cycle de développement Suite d'étapes de la reproduction d'un organisme qui se répètent à chaque génération.

Cycle de Krebs Cycle biochimique de huit étapes qui se déroule dans la matrice mitochondriale et termine la dégradation du glucose en dioxyde de carbone ; second stade de la respiration cellulaire aérobie.

Cycle lytique Cycle de réplication virale qui aboutit à la mort de la cellule hôte.

Cycle menstruel Cycle reproducteur caractéristique des Primates femelles à la fin duquel l'endomètre se désagrège s'il n'y a pas eu implantation d'un œuf fécondé.

Cycle œstral Cycle reproducteur caractéristique des Mammifères femelles, sauf chez les Primates, à la fin duquel l'endomètre est réabsorbé par l'utérus sans production de saignement.

Cycles biogéochimiques Circulation cyclique des nutriments dans un écosystème faisant intervenir des composants biotiques et abiotiques.

Cyclose Mouvement du cytoplasme de la cellule végétale.

Cytochrome Protéine contenant du fer ; composante de la chaîne de transport d'électrons des mitochondries et des chloroplastes.

Cytocinèse Division du cytoplasme pour former deux cellules sœurs immédiatement après la mitose.

Cytokinines Catégorie d'hormones végétales qui retardent la sénescence et agissent de concert avec les auxines pour stimuler la division cellulaire, influer sur la différenciation et régir la dominance apicale.

Cytoplasme Toute la région comprise entre l'enveloppe nucléaire et la membrane qui entoure la cellule.

Cytosol Portion semi-liquide du cytoplasme.

Cytosquelette Réseau de microtubules, de microfilaments et de filaments intermédiaires qui parcourt le cytoplasme et accomplit diverses fonctions de soutien et de transport.

Datation radioactive Méthode utilisée pour situer l'origine des roches et des fossiles dans une chronologie absolue au moyen de la demi-vie des isotopes radioactifs.

Débit cardiaque Volume sanguin que le ventricule gauche éjecte par minute dans la circulation systémique.

Déclencheur (stimulus signal) Stimulus sensoriel externe qui amorce un comportement stéréotypé.

Décomposeurs Mycètes et Bactéries saprophytes qui absorbent des nutriments à partir de matière organique morte, tels que les cadavres, les débris de Végétaux et les déchets d'organismes vivants, et les convertissent en formes inorganiques.

Délétion Perte de gènes à la suite du bris d'un chromosome.

Demi-vie Nombre d'années nécessaires à la désintégration de la moitié de la quantité initiale d'une substance.

Démographie Étude des statistiques biométriques qui influent sur la taille des populations.

transport ; s'effectue suivant le gradient de concentration des substances.

Digestion Processus de dégradation de la nourriture en molécules suffisamment petites pour être absorbées par l'organisme.

Dimorphisme sexuel Polymorphisme basé sur les différences entre les caractères sexuels secondaires des mâles et des femelles.

Dioïque Se dit d'une espèce végétale qui présente des fleurs staminées et des fleurs pistillées sur des individus distincts.

Disaccharide Glucide formé de deux monosaccharides unis au cours d'une réaction de condensation.

Disques imaginaux Îlots de cellules destinées à former divers organes lorsque la larve se métamorphosera en Insecte adulte.

Distribution Mode de répartition des individus à l'intérieur des limites géographiques de la population.

Diversité spécifique Désigne la richesse spécifique et l'abondance relative des espèces d'une communauté.

Domaine (1) Région structurale et fonctionnelle d'un polypeptide codée par un exon spécifique ; région globulaire d'une protéine dotée d'une structure tertiaire. (2) Catégorie taxinomique située au-dessus du règne ; les trois domaines sont les Archaebactéries, les Eubactéries et les Eucaryotes.

Dominance complète Forme d'hérédité dans laquelle il est impossible de distinguer le phénotype d'un hétérozygote de celui d'un homozygote dominant.

Dominance apicale Concentration de croissance à l'extrémité de la pousse d'une Plante, où un bourgeon terminal inhibe en partie la croissance d'un bourgeon axillaire.

Dominance incomplète Forme d'hérédité dans laquelle les hybrides de la F₁ ont un phénotype qui se situe entre ceux des deux variétés parentales.

Dorsal Se dit de la moitié supérieure (ou postérieure) d'un Animal à symétrie bilatérale.

Double fécondation Processus de fécondation chez les Angiospermes, dans lequel deux spermatozoïdes s'unissent à deux cellules du sac embryonnaire pour former le zygote et l'endosperme.

Double circulation Réseau de vaisseaux sanguins constitué d'une circulation pulmonaire et d'une circulation systémique qui assurent un vigoureux débit sanguin à tous les organes.

Double hélice Terme décrivant la forme de l'ADN natif : deux chaînes de polynucléotides enroulées en spirale autour d'un axe imaginaire.

Duplication Aberration chromosomique résultant de l'ajout d'un fragment chromosomique sur l'un des deux chromosomes homologues à la suite de l'enjambement.

Dynéine Très grosse protéine motrice formant les bras latéraux des doublets de microtubules des cils et des flagelles.

Ecdysone Hormone stéroïde qui déclenche la mue chez les Insectes et qui favorise l'apparition des caractéristiques de l'adulte.

Échange à contre-courant Processus très efficace de transfert des gaz respiratoires dans lequel le sang circule dans les capillaires en direction opposée à celle de l'eau dans les branchies.

Échange de cations Mécanisme par lequel la Plante peut absorber des minéraux chargés positivement lorsque les protons du sol viennent déloger ces minéraux des particules d'argile.

Échelle Celsius Échelle de température (degré Celsius ou °C). Au niveau de la mer, l'eau gèle à 0 °C et bout à 100 °C.

Échelle de pH Échelle de 0 à 14 qui exprime la concentration de protons dans une solution (−log[H⁺]).

Écologie Étude scientifique des interactions entre les organismes et entre les organismes et leur milieu dans les conditions naturelles.

Écologie comportementale Discipline qui présuppose que les Animaux améliorent leur adaptabilité par le comportement optimal. Elle est heuristique, c'est-à-dire qu'elle mène à la formulation de questions et de prévisions.

Écorce Région de la racine située entre la stèle et l'épiderme et composée de tissus fondamentaux.

Écosystème Ensemble dynamique formé par les organismes potentiellement interactifs d'une communauté et par les facteurs abiotiques avec lesquels ils interagissent.

Ectoderme Feuillet embryonnaire le plus externe (des trois) chez l'Animal ; donne naissance à la couche externe de l'Animal et, dans certains cas, au système nerveux central, à l'oreille interne et au cristallin de l'œil.

Ectotherme Animal qui, tels le Reptile, le Poisson ou l'Amphibien, doit utiliser l'énergie extérieure et des adaptations comportementales pour régir sa température corporelle.

Effet d'étranglement Dérive génétique résultant de la réduction de la taille d'une population, généralement causée par un désastre, de telle sorte que la population survivante n'est plus représentative de la population initiale en ce qui concerne la composition génétique.

Effet de position Désigne l'influence que subit l'expression d'un gène en fonction de sa position par rapport aux gènes voisins.

Effet de serre Phénomène par lequel la chaleur du rayonnement infrarouge émis par la Terre se trouve emprisonnée par le dioxyde de carbone atmosphérique.

Effet fondateur Dérive génétique résultant de l'établissement d'une colonie par un petit nombre d'individus.

Effet hydrophobe Type de liaison chimique faible se formant lorsque des molécules insolubles dans l'eau se rassemblent pour s'éloigner de l'eau.

Efficacité écologique Rapport entre la productivité nette d'un niveau trophique et celle du niveau inférieur.

Électrocardiogramme (ECG) Enregistrement graphique de l'activité électrique du cœur.

Électrolytes Sels inorganiques présents dans le plasma sous forme d'ions dissous.

Électronégativité Tendance relative d'un atome à attirer vers lui les électrons d'une liaison chimique.

Électrons de valence Électrons présents dans la couche électronique périphérique ; électrons qui participent aux réactions chimiques de l'atome.

Électrophorèse sur gel Technique permettant de séparer les acides nucléiques ou les protéines en fonction de leur taille, de leur charge électrique ou d'autres particularités physiques.

Électroporation Technique qui consiste à appliquer une courte impulsion électrique dans une solution contenant des cellules, ce qui provoque l'apparition temporaire d'ouvertures dans la membrane plasmique par lesquelles l'ADN peut passer.

Élément Substance impossible à décomposer en d'autres substances plus simples.

Élément essentiel Élément chimique dont une Plante a besoin pour croître à partir de l'état de graine et compléter son cycle de développement.

Éléments de vaisseau Cellules spécialisées, courtes et élargies, dont les extrémités mises bout à bout forment des tubes continus qui assurent la circulation de la sève brute.

Embranchement Catégorie taxinomique ; l'embranchement se divise en classes.

Embryoblaste Amas de cellules faisant saillie à une extrémité de la cavité du blastocyste et qui donnera naissance ultérieurement à l'embryon proprement dit et à quelques-unes des annexes embryonnaires.

Empreinte Type d'apprentissage qui se réalise au cours d'une période critique et qui comprend une part importante d'inné.

Empreinte génomique Hypothèse selon laquelle certains gènes reçoivent à chaque génération une empreinte différente selon qu'ils se trouvent chez un individu mâle ou femelle.

Endocytose Entrée de macromolécules par l'entremise de vésicules formées à même la membrane plasmique.

Endocytose par récepteur interposé Transport de substances vers l'intérieur de la cellule au moyen de vésicules membraneuses tapissées de protéines dont les sites récepteurs spécifiques font face au liquide extracellulaire.

Endoderme (1) Chez la Plante, couche la plus interne de l'écorce dans les racines ; couche cylindrique de cellules qui constitue la barrière entre l'écorce et la stèle. (2) Chez l'Animal, feuillet embryonnaire le plus profond (des trois) ; tapisse l'archentéron et donne naissance au foie, au pancréas, aux poumons et à la muqueuse du tube digestif.

Endomètre Revêtement interne et richement vascularisé de l'utérus destiné à l'implantation et à la nutrition de l'embryon.

Endorphines Hormones produites par certains neurones de l'encéphale qui inhibent la perception de la douleur.

Endosperme Tissu nutritif formé par l'union d'un spermatozoïde et de deux noyaux polaires pendant la double fécondation, et qui fournit les nutriments nécessaires à l'embryon au cours de son développement dans les graines des Angiospermes.

Endosquelette Support interne qui se compose d'éléments de soutien rigides, tels des os, entourés des tissus mous d'un Animal.

Endothélium Variété d'épithélium pavimenteux simple constituant la tunique interne d'un vaisseau sanguin.

Endotherme Animal qui tire la majeure partie de sa chaleur corporelle de son propre métabolisme.

Endotoxine Composante de la membrane externe de certaines Bactéries à Gram négatif, responsable des symptômes généraux de la fièvre et de la douleur.

Énergie d'activation Investissement d'énergie nécessaire pour déclencher une réaction chimique ; également appelée énergie libre d'activation.

Énergie cinétique Énergie du mouvement, directement proportionnelle à la vitesse de ce mouvement. La matière en mouvement transfère une partie de son énergie à d'autre matière.

Énergie libre Quantité d'énergie (G) calculée d'après l'entropie (S) et l'énergie totale d'un système (H). Le changement de l'énergie libre d'un système est calculé à l'aide de l'équation $G = \Delta H - T\Delta S$, où T représente la température absolue.

Énergie potentielle Énergie que la matière emmagasine grâce à sa structure interne ou à sa position par rapport à d'autres objets.

Enjambement Mécanisme d'échange de gènes entre chromosomes homologues. Après cet échange, les chromosomes individuels portent une combinaison de gènes hérités des deux parents.

Enképhalines Hormones produites par certains neurones de l'encéphale qui inhibent la perception de la douleur.

Entre-nœud Segment de tige d'une Plante entre chaque point d'attache des feuilles (nœud).

Entropie Mesure du désordre, symbolisée par S.

Enveloppe nucléaire Chez les eucaryotes, membrane qui entoure le noyau et sépare son contenu du cytoplasme.

Enzyme inductible Enzyme dont la synthèse se trouve stimulée par la présence de métabolites particuliers.

Enzyme répressible Enzyme dont la synthèse est inhibée par un métabolite.

Enzymes Protéines servant de catalyseurs, des agents chimiques qui changent la vitesse d'une réaction sans que la réaction n'agisse sur eux.

Enzymes de restriction Protéines catalytiques qui reconnaissent et découpent l'ADN.

Épicotyle Chez les graines d'Angiospermes, partie de l'axe embryonnaire située au-dessus des cotylédons.

Épiderme (1) Tissu de revêtement des organes jeunes chez les Plantes. (2) Enveloppe externe chez les Animaux.

Épigenèse Notion de l'apparition progressive des formes d'un embryon.

Épiglotte Rabat cartilagineux qui bloque l'ouverture de la trachée au cours de la déglutition.

Épissage de l'ARN Opération de découpage et de recollage de l'ARN prémessager pendant la maturation.

Épistasie Phénomène par lequel un gène situé sur un locus donné agit sur l'expression phénotypique d'un autre gène.

Épithélium simple Tissu épithélial comportant une seule couche de cellules.

Épithélium stratifié Tissu épithélial comportant plusieurs couches de cellules.

Équilibre chimique Situation d'une réaction chimique réversible lorsque les deux réactions s'effectuent à la même vitesse.

Équilibre de Hardy-Weinberg Stabilité des fréquences des allèles et des génotypes dans une population, génération après génération ; équilibre du patrimoine génétique de la population.

Équivalence génomique Présence des mêmes gènes dans toutes les cellules d'un organisme.

Érythrocytes Cellules sanguines contenant de l'hémoglobine qui sert au transport du dioxygène dans le système circulatoire ; aussi appelés globules rouges.

Espèce Groupe de populations qui ont le potentiel de s'accoupler dans la nature.

Étamine Pièce fertile mâle de la fleur, productrice de pollen et composée d'un filet et d'une anthère.

Éthylène Seule hormone végétale sous forme gazeuse, responsable de la maturation des fruits, de l'inhibition de la croissance, de l'abscission des feuilles et de la sénescence.

Eubactérie Lignée de procaryotes qui comprend les Cyanobactéries et toutes les Bactéries contemporaines, à l'exception des Archaebactéries.

Eucaryote Type de cellules renfermant un noyau contenu dans une enveloppe nucléaire et des organites entourés d'une membrane; caractéristique des Protistes, des Végétaux, des Mycètes et des Animaux.

Euchromatine Type de chromatine moins compacte que l'hétérochromatine et disponible à la transcription.

Eumétazoaires Subdivision du règne animal qui comprend tous les Animaux sauf les Éponges.

Euryhalin Relatif à un Animal pouvant survivre aux fluctuations radicales d'osmolarité de l'eau environnante.

Eutrophe Relatif aux eaux riches en matières nutritives qui supportent une forte productivité et un fort taux de recyclage des nutriments.

Évolution Processus qui a transformé la vie sur terre depuis les tout débuts jusqu'à la diversité d'aujourd'hui.

Évolution convergente Développement de ressemblances entre des espèces issues de lignées évolutives distinctes qui occupent des niches écologiques semblables ou auxquelles la sélection naturelle a donné des adaptations analogues.

Évolution en mosaïque Évolution à des rythmes différents des différentes caractéristiques d'un organisme.

Évolution phylétique Apparition d'une nouvelle espèce par suite de la transformation d'une lignée continue d'organismes; aussi appelée anagenèse.

Excrétion Processus servant à débarrasser un organisme de ses déchets métaboliques azotés.

Exocytose Sécrétion de macromolécules par fusion de vésicules de sécrétion avec la membrane plasmique.

Exon Segment d'ADN codant situé à l'intérieur de la séquence codante d'un gène.

Exosquelette Revêtement solide à la surface d'un Animal, comme les coquilles des Mollusques ou les cuticules des Arthropodes, qui protège l'Animal et fournit des points d'attache aux muscles.

Exotoxine Protéine toxique sécrétée par une cellule bactérienne et qui produit des symptômes, même en l'absence de la Bactérie.

Facteur de croissance Substance régulatrice qui doit être présente dans l'environnement extracellulaire (milieu de culture ou Animal) de certains types de cellules pour qu'elles croissent et se développent normalement.

Facteur de terminaison Protéine se liant directement au codon d'arrêt dans le site A du ribosome.

Facteur F Plasmide (F) comportant environ 25 gènes, dont la plupart interviennent dans la production de pili sexuels. De temps à autre, ce plasmide s'intègre au chromosome bactérien principal.

Facteurs abiotiques Facteurs environnementaux physicochimiques, tels que la température, la lumière, l'eau et les nutriments.

Facteurs biotiques Facteurs environnementaux relatifs aux interactions entre les organismes, directes ou indirectes, immédiates ou différées.

Facteurs d'élongation Protéines participant à l'étape de la traduction au cours de laquelle les acides aminés sont ajoutés un à un à la suite du premier.

Facteurs d'initiation Protéines jouant un rôle essentiel dans l'agencement de tous les éléments qui participent à la traduction.

Facteurs de transcription Protéines aidant les ARN polymérases à chercher les régions promotrices le long des molécules d'ADN.

Fécondation Union des gamètes.

Fermentation Catabolisme anaérobie des nutriments organiques qui ne fait pas appel à une chaîne de transport d'électrons ni à la phosphorylation oxydative; produit de l'éthanol ou du lactate.

Feuillet plissé bêta (β) Sorte de structure secondaire des protéines dans laquelle la chaîne polypeptidique se plisse en accordéon; maintenue par des liaisons hydrogène entre les feuillets parallèles.

Fibre collagène Faisceau de plusieurs fibrilles constituées d'une protéine, le collagène.

Fibre élastique Long fil composé d'une protéine appelée élastine ne résistant pas à l'étirement.

Fibres Type de cellules composées de lignine qui renforcent le xylème des Angiospermes et fournissent un soutien mécanique; cellules du sclérenchyme, minces et fuselées, organisées habituellement en faisceaux.

Fibres réticulées Fibres ramifiées formant un réseau compact qui lie le tissu conjonctif aux tissus adjacents.

Fibrine Forme active du fibrinogène, une protéine plasmatique; s'agglutine en filaments formant le caillot.

Fibroblastes Cellules dispersées dans la trame fibreuse du tissu conjonctif lâche et qui sécrètent les ingrédients protéiques des fibres extracellulaires.

Fibronectines Glycoprotéines de la matrice extracellulaire auxquelles adhèrent les cellules embryonnaires migratrices et qui guident ces dernières le long d'un certain itinéraire.

Filament intermédiaire Élément du cytosquelette de diamètre supérieur à celui des microfilaments mais inférieur à celui des microtubules.

Fixation de l'azote Incorporation de dioxyde de carbone atmosphérique aux molécules organiques déjà présentes dans le chloroplaste.

Fixation de l'azote Transformation, par certains procaryotes, du diazote atmosphérique en composés azotés que les Plantes peuvent utiliser directement.

Flaccidité État de la cellule végétale qui baigne dans un milieu isotonique, où il n'y a pas de diffusion nette de l'eau vers l'intérieur de la cellule.

Flagelle Long appendice de la cellule spécialisé pour la locomotion; composé de neuf doublets de microtubules formant un anneau autour de deux microtubules non jumelés et engainé dans un prolongement de la membrane plasmique.

Fleur complète Fleur pourvue de sépales, de pétales, d'étamines et de pistil.

Fleur incomplète Fleur dépourvue de sépales, de pétales, d'étamines ou de pistil.

Flux génétique Modification du patrimoine génétique due à l'immigration et à l'émigration ou au transfert de gamètes entre les populations.

Force protonmotrice Énergie potentielle présente sous la forme d'un gradient électrochimique produit par le passage de protons à travers les membranes biologiques au cours de la chimiosmose.

Forêt décidue tempérée Biome situé dans les régions de latitude moyenne où l'humidité se révèle suffisante à la croissance de grands arbres.

Forêt méditerranéenne Forêt composée de peuplements denses d'arbustes épineux à feuilles persistantes se retrouvant dans les régions côtières qui se situent entre 30° et 40° de latitude, à proximité de courants marins frais; se caractérise souvent par des hivers doux et pluvieux et par des étés longs, chauds et secs.

Gènes de structure Gènes codant pour des polypeptides.

Gènes homéotiques Gènes régulateurs commandant la destinée des groupes de cellules au cours du développement embryonnaire.

Gènes liés Gènes localisés sur le même chromosome.

Gène lié au sexe Gène situé sur un chromosome sexuel.

Génétique Étude scientifique de l'hérédité et de la variation.

Génétique des populations Étude scientifique de la variation génétique au sein des populations.

Génon Instruction minimale figurant dans l'ADN sous la forme d'un mot composé de trois nucléotides et destinée à la synthèse d'une chaîne polypeptidique.

Génotype Constitution génétique de l'individu pour un ou plusieurs caractères.

Genre Catégorie taxinomique située au-dessus de l'espèce ; désigné par le premier mot du nom latin de l'espèce.

Géotropisme Réaction d'une Plante ou d'un Animal par rapport à la gravitation.

Gibbérellines Catégorie d'hormones végétales qui stimulent la croissance de la tige et des feuilles, déclenchent la germination des graines, mettent un terme à la dormance des bourgeons et, de concert avec l'auxine, stimulent le développement du fruit.

Glande endocrine Glande produisant des hormones qu'elle libère directement dans la circulation sanguine sans l'intermédiaire de canaux.

Glandes surrénales Glandes endocrines coiffant les reins chez les Mammifères. Chaque glande surrénale comprend deux portions : la corticosurrénale, ou portion externe, et la médullosurrénale, ou portion interne de la surrénale.

Glomérule Amas de capillaires artériels associés à la capsule glomérulaire rénale.

Glucides Classe de composés organiques qui comprend les monosaccharides (un seul monomère), les disaccharides (liaison de deux monomères) et les polysaccharides (polymère). Aussi appelés sucres.

Glycocalyx Couche duveteuse et légèrement adhésive présente à la surface des cellules animales. Le glycocalyx comprend tous les glucides rattachés aux glycoprotéines et aux glycolipides de la membrane plasmique ainsi que des glycoprotéines sécrétées par la cellule et qui demeurent près de la surface cellulaire.

Glycogène Polysaccharide de réserve très ramifié emmagasiné dans les cellules du foie et des muscles des Animaux ; équivalent de l'amidon des Végétaux.

Glycolyse Dégradation d'une mole de glucose en deux moles de pyruvate. La glycolyse est la voie métabolique qui existe dans toutes les cellules ; premier stade de la fermentation et de la respiration cellulaire aérobie.

Gonades Organes qui élaborent les gamètes chez les Animaux.

Gonadotrophines Désignent les hormones (FSH et LH) qui augmentent l'activité des gonades mâles et femelles, c'est-à-dire les testicules et les ovaires.

Gradient électrochimique Gradient de diffusion d'un ion qui combine l'influence de la force électrique (le potentiel de membrane) et celle de la force chimique (le gradient de concentration).

Gradualisme Principe en vertu duquel le changement profond de l'état de la Terre résulterait de processus lents mais continus.

Grain de pollen Gamétophyte mâle immature qui se développe à partir de l'intérieur des anthères des étamines dans une fleur.

Forêt tropicale humide Communauté la plus complexe ; située dans les régions proches de l'équateur, où les précipitations sont abondantes ; on y compte autant d'espèces végétales et animales que dans tous les autres biomes terrestres réunis.

Formule développée Forme de notation représentant au moyen de traits les liaisons covalentes entre les atomes d'une molécule.

Formule moléculaire Forme de notation indiquant seulement la quantité de chaque atome dans une molécule.

Fossiles Débris ou empreintes d'organismes très anciens qui se sont conservés dans les roches.

Fourche de réplication Région en forme de Y, située à chaque extrémité d'un œil de réplication et où les nouveaux brins d'ADN subissent une élongation.

Fractionnement cellulaire Décomposition d'une cellule visant à isoler les principaux organites au moyen de la centrifugation.

Fragmentation Type de reproduction asexuée dans lequel le corps d'un Animal se dissocie en plusieurs morceaux devenant chacun un adulte complet.

Fragments d'Okazaki Segments d'ADN du brin discontinu nouvellement synthétisé.

Fragments de restriction Portions d'ADN obtenues à l'aide d'enzymes de restriction.

Fruit Ovaire mature de la fleur qui protège les graines et facilite leur dissémination.

Fruit composé Fruit, tel un ananas, qui se développe à partir d'une inflorescence, un groupe de fleurs serrées les unes contre les autres.

Fruit multiple Fruit provenant d'une seule fleur possédant plusieurs ovaires distincts.

Fruit simple Fruit issu d'un seul ovaire.

Fuseau de division Ensemble de fibres constituées de microtubules associés à des protéines ; régit les déplacements des chromosomes au cours de la division cellulaire chez les eucaryotes.

Gaine de myéline Couche isolante issue des cellules de Schwann entourant l'axone de nombreux neurones.

Gamétange Organe reproducteur chez les Bryophytes, composé d'anthéridies (chez les mâles) et d'archégones (chez les femelles) ; enveloppe protectrice de cellules stériles dans laquelle les gamètes sont formés les gamètes.

Gamète Chacune des cellules reproductrices.

Gamétophyte Forme haploïde pluricellulaire chez les organismes qui subissent l'alternance de générations ; produit par mitose des gamètes haploïdes dont la fusion et la croissance vont donner le sporophyte.

Ganglion Groupe fonctionnel de corps de neurones dans le système nerveux central.

Gastrine Hormone libérée par la paroi gastrique lorsqu'elle est stimulée par certaines substances contenues dans les aliments ; entraîne une sécrétion accrue de suc gastrique.

Gastrula Embryon à plusieurs feuillets.

Gastrulation Réorganisation importante des cellules de la blastula et apparition des feuillets embryonnaires.

Gène Unité d'information héréditaire située sur les chromosomes et composée d'ADN.

Génération F₁ Première génération filiale.

Génération F₂ Deuxième génération filiale.

Génération P Génération parentale.

Graine Adaptation des Plantes terrestres qui se compose d'un embryon accompagné d'une réserve nutritive, le tout recouvert d'une enveloppe protectrice.

Graisses Macromolécules formées d'une petite molécule de glycérol associée avec un à trois acides gras; aussi appelées triacylglycérols.

Granum (grana au pluriel) Empilement de membranes thylakoïdiennes à l'intérieur du chloroplaste. Les grana jouent un rôle dans les réactions photochimiques de la photosynthèse.

Groupement amine Groupement fonctionnel formé d'un atome d'azote lié à deux atomes d'hydrogène; peut jouer le rôle de base dans une solution en acceptant un proton qui lui donnera une charge de +1.

Groupement carbonyle Groupement fonctionnel présent dans les aldéhydes et les cétones. Il se compose d'un atome de carbone lié à un atome d'oxygène par une liaison double.

Groupement carboxyle Groupement fonctionnel présent dans les acides organiques. Il se compose d'un atome d'oxygène lié par une liaison double à un atome de carbone, lui-même lié à un groupement hydroxyle.

Groupement hydroxyle Groupement fonctionnel constitué d'un atome d'hydrogène lié à un atome d'oxygène par une liaison covalente polaire. Les molécules possédant ce groupement sont hydrosolubles; on les appelle alcools.

Groupement phosphate Groupement fonctionnel qui joue un rôle important dans le transfert d'énergie.

Gymnosperme Vasculaire qui porte des graines nues, c'est-à-dire non enfermées dans un compartiment spécialisé.

Habituation Forme élémentaire d'apprentissage consistant en une diminution de la sensibilité aux stimuli sans importance ou ne fournissant pas de rétroaction appropriée.

Haploïde Se dit d'une cellule qui n'a qu'un seul jeu de chromosomes.

Hélicase Enzyme qui intervient dans l'angle de la fourche de réplication afin de dérouler la double hélice et de séparer les deux brins.

Hélice alpha (α) Enroulement délicat constituant une sorte de structure secondaire des protéines; produit par des liaisons hydrogène à intervalles réguliers.

Hémisphères cérébraux (cerveau) Régions dorsales gauche et droite du prosencéphale des Vertébrés; centres d'intégration de la mémoire, de l'apprentissage et des autres fonctions complexes associées au système nerveux central.

Hémocytoblaste Cellule souche de la moelle osseuse qui donne naissance à n'importe quel type de cellule sanguine.

Hémoglobine Protéine contenant du fer qui fixe le dioxygène dans les érythrocytes.

Hémolymphe Liquide biologique dans lequel baignent directement les organes internes chez les Invertébrés.

Hémophilie Affection héréditaire de la coagulation sanguine attribuable à un caractère récessif lié au sexe; caractérisée par un saignement excessif après la moindre lésion.

Herbivore Animal qui se nourrit de Végétaux.

Hérédité Mode de transmission des caractères d'une génération à la suivante.

Hérédité polygénique Effet cumulatif de deux gènes ou plus sur un même caractère phénotypique.

Hermaphrodite Individu qui possède un système reproducteur mâle et un système reproducteur femelle, c'est-à-dire qu'il produit des spermatozoïdes et des ovules.

Hétérochromatine Type de chromatine interphasique visible au microscope photonique.

Hétérochronie Ensemble des changements évolutifs, touchant la chronologie ou la vitesse du développement.

Hétérocyste Cellule différenciée qui contient le complexe enzymatique fixateur d'azote chez certaines Cyanobactéries filamenteuses.

Hétéromorphes Dans le cycle de développement de tous les Végétaux contemporains, état dans lequel le gamétophyte et le sporophyte sont d'apparence différente.

Hétérosporée Plante dont le sporophyte produit deux types de spores qui se développent en gamétophytes unisexués, soit mâles soit femelles.

Hétérotrophie Mode de nutrition des organismes qui obtiennent des molécules organiques en mangeant des proies ou des résidus organiques.

Hétérozygote Individu qui possède une paire d'allèles différents pour un caractère donné.

Hibernation Type de torpeur durant laquelle la température corporelle d'un Animal est maintenue à un niveau inférieur à la normale pendant plusieurs semaines durant les mois d'hiver.

Histamine Médiateur chimique libéré par les cellules lésées qui cause une vasodilatation au cours de la réaction inflammatoire.

Histones Chez les eucaryotes, petites protéines assurant le premier niveau de condensation de l'ADN dans la chromatine.

Homéoboîte Séquence spécifique d'ADN intervenant dans le développement embryonnaire.

Homéostasie État d'équilibre dynamique d'un organisme; maintien de la stabilité du milieu interne.

Homochromie Défense animale passive qui repose sur seulement une similitude de couleurs, mais aussi de formes; un Animal camouflé n'a qu'à rester immobile sur un substrat approprié pour éviter d'être détecté.

Homogamie Forme d'accouplement non aléatoire; consiste pour les individus à choisir des partenaires qui leur ressemblent par certains caractères phénotypiques.

Homologie Similitude morphologique résultant d'une ascendance commune.

Homosporée Plante chez laquelle un seul type de spore se développe en un gamétophyte bisexué possédant à la fois l'organe femelle et l'organe mâle.

Homozygote Individu qui possède une paire d'allèles identiques pour un caractère donné.

Hormone Un des nombreux messagers chimiques circulant dans tous les organismes pluricellulaires. Les hormones sont formées dans des cellules spécialisées, circulent dans les liquides biologiques et coordonnent les différentes parties de l'organisme en interagissant avec les cellules cibles.

Hormone antidiurétique (ADH) Hormone importante pour l'osmorégulation et élaborée par l'hypothalamus.

Hormone juvénile Hormone sécrétée par les corps allates chez les Insectes; favorise la persistance des caractéristiques larvaires.

Hybridation Croisement entre deux variétés d'organismes apparentés.

Hybridation ADN-ADN Comparaison du génome entier des espèces au moyen de la mesure de l'étendue des liaisons hydrogène entre deux brins simples d'ADN provenant d'espèces différentes.

Hybridation moléculaire Technique aussi appelée hybridation *in situ* qui produit l'appariement d'une sonde d'ADN radioactif avec les séquences complémentaires qui se trou-

Inhibiteur compétitif Substance qui inhibe l'activité d'une enzyme en s'introduisant dans son site actif à la place du substrat auquel elle ressemble.

Inhibiteur non compétitif Substance qui inhibe l'activité d'une enzyme en se liant à une partie de l'enzyme éloignée du site actif, ce qui déforme la molécule d'enzyme de telle manière qu'elle ne peut plus se lier au substrat.

Inhibition de contact Inhibition de la division cellulaire causée par l'entassement des cellules animales normales ; joue un rôle dans la régulation de la division cellulaire.

Insuline Hormone produite par les îlots pancréatiques ; abaisse la glycémie, fait augmenter la quantité de glycogène entreposée dans le foie et stimule la synthèse de protéines.

Interféron Messager chimique libéré par les cellules infectées par un Virus ; aide les autres cellules à résister au Virus.

Interleukine Médiateur chimique glycoprotéique sécrété par une cellule pour renforcer l'action des cellules avoisinantes du système immunitaire.

Interneurones Cellules nerveuses intégratrices des messages sensitifs et moteurs du système nerveux.

Introgression Transfert interspécifique d'allèles se produisant lorsqu'un hybride fécond produit des descendants avec un membre d'une des espèces parentales.

Intron Segment d'ADN non codant situé à l'intérieur de la séquence codante d'un gène.

Invagination Processus pendant lequel les cellules embryonnaires s'aplatissent légèrement et forment une plaque qui s'incurve vers l'intérieur.

Inversion Aberration chromosomique qui survient lorsque, après une cassure, un fragment chromosomique se rattache à son chromosome d'origine, mais à l'envers.

Invertébré Animal sans colonne vertébrale ; les Invertébrés représentent 95 % des Animaux.

Ion Atome (ou molécule) chargé, parce qu'il a gagné ou perdu des électrons.

Isogamie État dans lequel un gamète mâle et un gamète femelle sont indifférenciables sur le plan morphologique.

Isolement reproductif prézygotique Isolement qui empêche l'accouplement entre les espèces ou entrave la fécondation des ovules si des membres d'espèces différentes s'accouplent.

Isolement reproductif postzygotique Mécanismes qui, après la fécondation d'un ovule par un spermatozoïde d'une autre espèce, empêche le zygote hybride de devenir un adulte viable et fécond.

Isomères Composés possédant la même formule moléculaire mais présentant des propriétés différentes. Il existe des isomères de structure et des stéréoisomères, dont font partie les isomères optiques et les isomères géométriques.

Isotope Une des formes atomiques d'un élément, chacune possédant un nombre différent de neutrons et, par conséquent, une masse différente.

Jonction ouverte Jonction entre les cellules animales qui forme un canal reliant le cytoplasme de cellules adjacentes.

Jonction serrée Jonction entre les cellules animales qui empêche le liquide extracellulaire de traverser une couche de cellules.

Joule Unité utilisée pour quantifier toute énergie.

Kinétochore Région spécialisée du centromère qui attache les chromatides sœurs aux fibres du fuseau de division.

Lac eutrophe Lac peu profond présentant une forte teneur en nutriments et un phytoplancton très productif.

---

vent sur des chromosomes intacts placés sur une lame de microscope.

Hybridome Cellule hybride obtenue techniquement par la fusion de deux cellules ; sert à fabriquer des anticorps monoclonaux.

Hydrocarbures Molécules organiques formées de carbone et d'hydrogène seulement.

Hydrophile Désigne une substance ayant une affinité pour l'eau.

Hydrophobe Désigne une substance qui ne se dissout pas dans l'eau et n'a aucune affinité pour elle.

Hydrosquelette Soutien fourni par un liquide sous pression dans un compartiment fermé d'un organisme.

Hyperpolarisation Accroissement du gradient électrique de part et d'autre d'une membrane.

Hyphe Filament qui compose l'appareil végétatif d'un Mycète.

Hypocotyle Axe embryonnaire d'une Plante, au-dessous du point d'attache des cotylédons, qui se termine dans la radicule.

Hypophyse Glande endocrine située à la base de l'hypothalamus et constituée de deux parties : la neurohypophyse et l'adénohypophyse. La neurohypophyse entrepose et sécrète deux hormones peptidiques fabriquées par l'hypothalamus. L'adénohypophyse fabrique et sécrète ses propres hormones destinées à la régulation de nombreuses fonctions d'un organisme.

Hypothalamus Région du diencéphale jouant un rôle capital dans l'intégration des systèmes endocrinien et nerveux et dans le maintien de l'homéostasie ; sécrète les hormones de la neurohypophyse et des hormones de régulation de l'adénohypophyse.

Hypothèse de l'origine autogène Hypothèse selon laquelle les cellules eucaryotes ont évolué par spécialisation de membranes internes issues à l'origine de la membrane plasmique d'un procaryote.

Hypothèse de l'origine endosymbiotique Hypothèse selon laquelle les cellules eucaryotes ont eu pour précurseurs des consortiums symbiotiques de cellules procaryotes qui vivaient au sein de procaryotes plus gros.

Immunité à médiation cellulaire Type d'immunité qui repose sur l'action directe de cellules plutôt que sur celle des anticorps.

Immunité acquise Capacité du système immunitaire de se rappeler les antigènes qu'il a rencontrés et d'y réagir promptement et efficacement lors d'expositions ultérieures.

Immunité humorale Réaction aux antigènes étrangers qui entraîne la production d'anticorps par le système immunitaire.

Immunoglobulines (anticorps) Protéines qui reconnaissent spécifiquement les Virus, Bactéries et autres envahisseurs de l'organisme et qui s'attaquent à eux.

Inducteur Métabolite spécifique qui inactive un répresseur.

Induction Capacité d'un groupe de cellules d'influer sur le développement d'un autre groupe de cellules.

Information de positionnement Signaux destinés aux gènes responsables du développement ; indiquent la position de chaque cellule par rapport aux autres dans une structure embryonnaire.

Ingestion Mode de nutrition hétérotrophe dans lequel d'autres organismes ou des détritus sont ingérés, en entier ou en morceaux.

Lac oligotrophe Lac profond aux eaux claires. Il est pauvre en nutriments et son phytoplancton n'est pas très productif.

Lamelle moyenne Mince couche riche en polysaccharides adhésifs appelés pectines située entre les parois primaires des jeunes cellules végétales adjacentes.

Larve Forme sexuellement immature qui vit à l'état libre dans quelques cycles de développement animaux ; sa morphologie, ses besoins nutritifs et son habitat différent parfois de ceux de l'Animal adulte.

Leucocytes (globules blancs) Éléments figurés du sang dont la fonction collective consiste à lutter contre les infections.

Levures Mycètes unicellulaires qui vivent en milieu humide ; se reproduisent par voie asexuée, par simple division cellulaire ou par bourgeonnement des cellules parentales.

Liaison covalente Liaison chimique forte entre deux atomes qui partagent une ou plusieurs paires d'électrons de valence.

Liaison covalente non polaire Type de liaison covalente dans laquelle les électrons se répartissent également entre deux atomes de même électronégativité.

Liaison covalente polaire Liaison covalente entre deux atomes d'électronégativité différente. Les électrons de la liaison sont attirés davantage par l'atome le plus électronégatif, ce qui rend celui-ci légèrement négatif et l'autre atome légèrement positif.

Liaison hydrogène Liaison chimique faible se produisant lorsqu'un atome d'hydrogène déjà lié par covalence à un atome électronégatif subit l'attraction d'un autre atome électronégatif.

Liaison ionique Liaison chimique produite par l'attraction entre des ions de charges opposées.

Liaison peptidique Liaison covalente entre deux acides aminés formée au moyen d'une réaction de condensation.

Lichen Organisme formé par la relation symbiotique entre une Algue photosynthétique et un Mycète.

Ligament Bande de tissu conjonctif fibreux qui relie des os, des cartilages et des viscères.

Ligand Terme générique désignant toute molécule qui se lie spécifiquement à un site récepteur d'une autre molécule.

Lignée pure Caractéristique d'un individu n'engendrant que des descendants de la même variété.

Lignine Matériau rigide enchâssé dans la matrice de cellulose de la paroi des cellules chez les Vasculaires ; assure le soutien chez les espèces vivant sur la terre ferme, ce qui constitue une adaptation importante.

Lipides Classe de composés insolubles dans l'eau dont font partie les graisses, les phosphoglycérolipides et les stéroïdes.

Liquide interstitiel Milieu interne dans lequel baignent les cellules d'un Animal.

Locus Emplacement exact d'un gène sur un chromosome.

Loi de Hardy-Weinberg Loi qui veut que, de génération en génération, les fréquences alléliques restent constantes dans le patrimoine génétique d'une population subissant seulement les effets de la recombinaison.

Loi de ségrégation Partage des allèles entre des gamètes distincts.

Longueur d'onde Distance qui sépare les crêtes des ondes électromagnétiques.

Lumière visible Segment du spectre électromagnétique que l'œil humain interprète comme des couleurs ; bande des longueurs d'onde comprise entre 380 et 720 nm.

Lymphe Liquide du système lymphatique dont la composition est à peu près la même que celle du liquide interstitiel.

Lymphocytes T auxiliaires Leucocytes jouant un rôle clé dans la stimulation de l'immunité humorale et de l'immunité à médiation cellulaire.

Lysogénisation Cycle de réplication du génome viral sans destruction de l'hôte.

Lysosome Sac membraneux rempli d'enzymes hydrolytiques présent dans le cytoplasme des eucaryotes.

Lysozyme Enzyme antimicrobienne contenue dans la salive, les larmes et les sécrétions des muqueuses.

Macromolécule Molécule organique géante constituée de milliers d'atomes, se formant généralement par réaction de condensation. Les glucides, les lipides, les protéines et les acides nucléiques sont des macromolécules.

Macrophages Cellules amiboïdes du système immunitaire qui abondent dans les tissus conjonctif et lymphatique ; englobent par phagocytose les Bactéries et les débris de cellules mortes ; jouent un rôle important dans la présentation des antigènes aux lymphocytes au cours de la réaction immunitaire.

Maladie auto-immune Dérèglement du système immunitaire qui se tourne contre lui-même.

Manteau Épaisse tunique de tissu chez les Mollusques ; recouvre la masse viscérale et peut sécréter une coquille.

Marsupiaux Mammifères, tels que le Koala, le Kangourou ou l'Opossum, dont les jeunes terminent leur développement embryonnaire dans une poche ventrale maternelle appelée marsupium.

Masse atomique moyenne Somme des protons et des neutrons contenus dans le noyau de chaque isotope d'un élément ; s'écrit au moyen d'un exposant à la gauche du symbole de l'élément.

Matière Tout ce qui occupe un espace et possède une masse.

Matrice Réseau de fibres enchâssé dans une substance fondamentale homogène qui est soit liquide, soit gélatineuse, soit solide.

Matrice mitochondriale Compartiment de la mitochondrie situé dans l'espace délimité par la membrane interne ; renferme les enzymes et les substrats nécessaires au cycle de Krebs.

Maturation de l'ARN Remaniement de l'ARNm avant sa sortie du noyau.

Mécanorécepteur Type de récepteur qui réagit à une stimulation se traduisant par une déformation physique du récepteur due à des phénomènes tels que la pression, le toucher, l'étirement, le mouvement et le son.

Méduse Version flottante, aplatie et renversée de la structure corporelle des Cnidaires. L'autre forme est le polype.

Mégapascals (MPa) Unité de pression équivalant à une pression de 10 atmosphères environ.

Méiose Division cellulaire en deux étapes des organismes à reproduction sexuée qui produit des cellules filles non identiques et contenant deux fois moins de chromosomes que la cellule mère.

Membrane basale Couche compacte de matériau extracellulaire sur laquelle reposent les cellules situées à la base d'un épithélium.

Membrane plasmique Enveloppe extérieure de la cellule qui régit la composition chimique de celle-ci.

Menstruation Saignement débutant le cycle menstruel ; résulte de la dégénérescence de l'endomètre.

Méristème Tissu végétal qui demeure embryonnaire tout au long de la vie d'une Plante, ce qui permet une croissance indéfinie.

Méristème apical Tissu végétal embryonnaire situé à l'extrémité des racines et dans les bourgeons des pousses, qui fournit à la Plante les cellules nécessaires à la croissance en longueur.

Méristèmes latéraux Cambium libéroligneux et cambium subérophellodermique, des formations cylindriques de cellules en division qui s'étendent en périphérie dans les racines et les différentes pousses et qui sont responsables de la croissance secondaire.

Mésentères Feuillets de tissu conjonctif reliant de nombreux organes suspendus dans des cavités remplies de liquide.

Mésoderme Feuillet embryonnaire intermédiaire qui donne naissance à la corde dorsale, à la musqueuse du cœlome, aux muscles, au squelette, aux gonades, aux reins et à la plus grande partie du système circulatoire.

Mésophylle Tissus fondamentaux de la feuille, situés entre l'épiderme supérieur et l'épiderme inférieur ; spécialisés dans la photosynthèse.

Métamère Bloc de mésoderme situé de chaque côté de la corde dorsale de l'embryon chez les Cordés.

Métabolisme Ensemble des réactions biochimiques d'un organisme, composé des voies cataboliques et anaboliques.

Métabolisme basal Nombre de kilojoules requis à un Animal au repos pour qu'il puisse soutenir ses fonctions vitales pendant une période donnée.

Métamorphose Changement radical qui permet à l'Animal d'acquérir sa forme adulte sexuellement mature.

Métamorphose incomplète Type de développement de certains Insectes, comme les Sauterelles, dans lequel le corps de la larve ressemble à un adulte en plus petit et en proportions différentes. Une série de mues amène le jeune à ressembler de plus en plus à l'adulte jusqu'à ce qu'il atteigne sa taille définitive.

Métanéphridie Type de tubule excréteur chez les Annélides, doté d'ouvertures internes appelées néphrostomes (qui accumulent les liquides biologiques) ainsi que d'ouvertures externes appelées néphridiopores.

Métastase Propagation des cellules cancéreuses à des sites distincts de la tumeur originale.

Méthylation de l'ADN Addition de groupements méthyle ($-CH_3$) aux bases de l'ADN après la synthèse de ce dernier.

Microévolution Modification du patrimoine génétique d'une population au cours des générations.

Microfilament Cylindre composé d'actine présent dans le cytoplasme de presque toutes les cellules eucaryotes ; fait partie du cytosquelette et joue un rôle dans la contraction musculaire.

Microscope électronique Microscope qui fait passer un faisceau d'électrons à travers la préparation, ce qui permet d'obtenir un pouvoir de résolution mille fois plus élevé que celui du microscope photonique. Le microscope électronique à transmission (MET) est utilisé pour étudier la structure interne de coupes très minces de cellules. Le microscope électronique à balayage (MEB) est utilisé pour étudier les détails très fins de la surface d'une cellule.

Microscope photonique (MP) Instrument d'optique muni de lentilles qui réfractent (dévient) la lumière de façon à grossir l'image projetée dans l'œil.

Microtubule Tube rectiligne composé de tubuline, une protéine globulaire ; présent dans le cytoplasme de tous les eucaryotes de même que dans les cils, les flagelles et le cytosquelette.

Microvillosité Un des très nombreux appendices microscopiques situé à la surface des cellules épithéliales d'une villosité intestinale.

Milieu de culture complet Milieu minimal auquel on a ajouté les 20 acides aminés et quelques autres nutriments.

Milieu minimal Substrat constitué d'agar, d'un mélange de sels inorganiques, de saccharose et de biotine (une vitamine).

Mimétisme Phénomène par lequel un Animal d'une espèce présente une ressemblance superficielle avec une autre espèce.

Mimétisme batésien Imitation d'une espèce au goût désagréable (espèce nocive) par une espèce au goût agréable (espèce inoffensive).

Mimétisme müllérien Ressemblance entre deux espèces à coloration d'avertissement ou au goût désagréable.

Mitochondrie Organite des eucaryotes qui constitue le site de la respiration cellulaire.

Mitose Mécanisme de division cellulaire des eucaryotes qui comprend une phase de croissance (l'interphase) et cinq phases de division : la prophase, la prométaphase, la métaphase, l'anaphase et la télophase. Les chromosomes répliqués sont répartis également entre les cellules filles.

Modèle de la mosaïque fluide Modèle le plus acceptable de la structure des membranes. D'après ce modèle, la membrane est une mosaïque constituée d'une double couche fluide de phosphoglycérolipides dans laquelle flottent des protéines.

Modèle semi-conservateur Modèle de réplication de l'ADN selon lequel la molécule mère reste intacte et une molécule entièrement nouvelle se forme.

Moelle Noyau du cylindre central conducteur dans les racines des Monocotylédones, composé de cellules parenchymateuses et entouré d'un anneau de tissus conducteurs ; tissus fondamentaux en situation interne par rapport aux faisceaux libéroligneux dans les tiges des Dicotylédones.

Moisissure Mycète à croissance rapide qui se reproduit de façon asexuée.

Mole Quantité d'une substance dont la masse (en grammes) est la somme des masses molaires atomiques de cette substance.

Molécule polaire Molécule (comme la molécule d'eau) qui possède des charges opposées à chacun de ses pôles.

Molécules d'adhérence cellulaire Substances présentes à la surface des cellules et qui contribuent à un regroupement sélectif des cellules embryonnaires.

Monocotylédones Subdivision des Angiospermes dont les membres ne possèdent qu'une feuille embryonnaire, appelée cotylédon.

Monoculture Culture d'une espèce unique variété de Plante sur de grandes étendues de terre arable.

Monoïque Se dit d'une espèce végétale qui présente des fleurs staminées et des fleurs pistillées sur un même individu.

Monomère Unité structurale de base des polymères.

Monophylétique Se dit d'un taxon si un ancêtre unique a donné naissance à toutes les espèces de ce taxon et à aucune espèce appartenant à un autre taxon.

Monosaccharide Glucide le plus simple, qui peut jouer un rôle par lui-même ou comme monomère dans un disaccharide ou un polysaccharide ; possède habituellement une formule moléculaire qui est un multiple de CH_2O.

Monosomique Relatif à l'aneuploïdie résultant de la présence d'un seul chromosome d'une paire d'homologues dans le zygote.

Monotrème Mammifère qui pond des œufs ; l'Ornithorynque et les Échidnés en sont les seuls représentants.

Morphogenèse Mouvement des cellules et réorganisation des tissus qui donnent sa structure tridimensionnelle au jeune embryon.

MPF (*maturation promoting factor*) Complexe protéique qui permet à la cellule de passer de la fin de l'interphase (G_2) à la mitose. Le MPF actif se compose de deux protéines, la *cdc2* et la cycline.

Mue Processus qui permet à un Arthropode de se débarrasser de son exosquelette pour croître et en sécréter un nouveau, plus grand.

Multiplication végétative Clonage des espèces végétales par reproduction asexuée.

Muqueuse Tissu épithélial qui revêt la paroi intérieure du tube digestif et des voies respiratoires ; ses cellules sécrètent une solution visqueuse nommée mucus qui lubrifie la surface et la garde humide.

Muscles squelettiques Tissus rattachés aux os et produisant le mouvement chez les Vertébrés ; se caractérisent par un emboîtement d'unités parallèles de plus en plus petites.

Muscles lisses Tissus musculaires ne présentant pas les stries que l'on peut observer sur les muscles squelettiques et cardiaque, parce que leurs filaments d'actine et de myosine ne sont pas tous disposés de façon régulière le long de la cellule.

Mutagenèse Apparition de mutations.

Mutagènes Agents physiques et chimiques provoquant des mutations.

Mutation Modification de l'ADN.

Mutation faux-sens Substitution d'un codon par un autre désignant un acide aminé différent.

Mutation homéotique Mutation chez les gènes régis par l'information de positionnement, qui provoque la présence anormale d'une partie du corps là où une autre devrait se trouver.

Mutation non-sens Substitution d'un codon d'arrêt à un codon désignant un acide aminé, ce qui interrompt prématurément la traduction.

Mutation ponctuelle Modification chimique touchant un seul nucléotide ou quelques nucléotides d'un même gène.

Mutualisme Relation symbiotique dont le symbionte et l'hôte tirent tous deux profit.

Mycélium Réseau d'hyphes chez un Mycète.

Mycorhizes Association par mutualisme entre les racines végétales et les Mycètes.

Myofibrille Sous-unité d'une fibre musculaire ; constituée de myofilaments d'actine et de myosine.

Myoglobine Protéine musculaire qui met en réserve le dioxygène.

Myopathie de Duchenne Maladie à transmission liée au sexe se caractérisant par un type progressif et létal de dystrophie musculaire (affaiblissement progressif des muscles et perte de la coordination).

Myosine Protéine formant des microfilaments ; interagit avec les microfilaments d'actine pour produire la contraction de la cellule.

NAD+ Nicotinamide adénine dinucléotide (oxydée) ; coenzyme présente dans toutes les cellules, qui aide les enzymes à transférer les électrons pendant les réactions d'oxydoréduction du métabolisme.

Néphron Unité fonctionnelle du rein des Vertébrés.

Neurone (ou cellule nerveuse) Unité fonctionnelle du tissu nerveux spécialisée exclusivement dans l'émission et la conduction d'influx.

Neurones moteurs Cellules nerveuses qui acheminent les influx issus du SNC jusqu'aux cellules effectrices.

Neurones sécrétoires Cellules hypothalamiques spécialisées dans la synthèse et la libération d'hormones et dans la transmission d'influx nerveux.

Neurones sensitifs Cellules nerveuses qui transmettent au système nerveux central l'information relative aux milieux externe et interne provenant des récepteurs sensoriels.

Neurotransmetteur Substance jouant le rôle de messager intercellulaire dans une synapse.

Niche écologique réelle Ressources qu'une population utilise réellement.

Niche écologique Ensemble des conditions dans lesquelles vit et se perpétue une population.

Niche écologique fondamentale Ressources qu'une population peut utiliser théoriquement dans des circonstances idéales.

Niveaux trophiques Répartition des espèces d'une communauté ou d'un écosystème selon leur principale source de nourriture.

Nodosité Renflement de la racine où a lieu la fixation de l'azote chez certaines Légumineuses comme les Pois ou les Haricots ; se compose de cellules végétales renfermant des bactéroïdes avec des Bactéries symbiotiques.

Non-disjonction Absence de séparation des chromosomes homologues ou des chromatides sœurs durant la méiose.

Norme de réaction Étendue des possibilités phénotypiques d'un génotype sur lesquelles le milieu peut exercer son influence.

Nœuds Points d'attache des feuilles le long de la tige d'une Plante.

Nœud de Ranvier Zone d'interruption de la gaine de myéline le long de l'axone.

Nœud sinusal Région spécialisée du cœur, située dans la paroi de l'oreillette droite, qui règle la fréquence de contraction.

Nucléoïde Région dense où se trouve l'ADN du chromosome bactérien condensé ; n'est pas délimitée par une membrane.

Nucléole Structure spécialisée du noyau composée de chromosomes et site de synthèse des ribosomes.

Nucléoside Molécule organique contenant une base azotée associée à un pentose.

Nucléosome Unité de base de la condensation de l'ADN qui consiste en un ADN enroulé autour d'une particule de protéines.

Nucléotide Constituant d'un acide nucléique composé d'une base azotée liée à un glucide à cinq atomes de carbone, lui-même uni à un groupement phosphate.

Numéro atomique Nombre de protons présents dans le noyau d'un atome ; unique à chaque élément, il s'écrit au moyen d'un indice à la gauche du symbole de l'élément.

Nutriment essentiel Substance chimique dont un Animal a besoin et qu'il ne peut fabriquer lui-même.

Œil composé Œil à facettes multiples des Insectes et des Crustacés, qui comprend plusieurs milliers de lentilles con-

...vergentes (ommatidies) ; particulièrement utile pour la détection du mouvement.

Œstrogènes Hormones synthétisées par les ovaires ; jouent un rôle dans le maintien du système reproducteur femelle et l'apparition des caractères sexuels secondaires à la puberté.

Œstrus Période d'activité sexuelle marquée par une augmentation de la température corporelle chez la plupart des Mammifères qui ne s'accouplent qu'au moment de l'ovulation.

Œuf amniotique Œuf à coquille renfermant du liquide amniotique qui permet à certains Vertébrés d'accomplir leur cycle de développement sur la terre ferme.

Ommatidie Détecteur de lumière, pourvu d'une cornée et d'un cristallin, constituant une unité d'un œil composé.

Omnivore Animal qui se nourrit d'autres Animaux et de Végétaux.

Oncogènes Gènes viraux directement impliqués dans le déclenchement des phénomènes cancéreux dans les cellules.

Ontogenèse Développement embryonnaire d'un individu.

Oogamie État dans lequel le gamète mâle et le gamète femelle diffèrent, par exemple quand un petit spermatozoïde flagellé féconde un gros ovule non mobile.

Opérateur Segment d'ADN situé à l'intérieur du promoteur ou entre le promoteur et les gènes de structure qui commande l'accès de l'ARN polymérase aux gènes de structure.

Opéron Ensemble formé par des gènes de structure, un opérateur et un promoteur.

Oreillette Cavité cardiaque qui reçoit le sang retournant au cœur.

Organe spiral Structure située sur la membrane basilaire qui renferme les cellules réceptrices proprement dites de l'oreille.

Organe Centre de fonction spécialisé composé de différents tissus disposés selon une organisation précise.

Organe sensoriel de la ligne latérale Organe composé de mécanorécepteurs qui comprennent des pores et des unités réceptrices (neuromastes) le long de chaque côté du corps chez les Poissons et les Amphibiens aquatiques ; détecte les mouvements d'eau causés par l'Animal lui-même ou par d'autres objets en mouvement.

Organes vestigiaux Types de structures homologues atrophiées ayant pour l'organisme une utilité secondaire ou nulle.

Organisme transgénique Organisme qui contient les gènes d'une autre espèce.

Organogenèse Formation des organes à partir des trois feuillets embryonnaires au début du développement.

Origine de réplication Région d'une molécule d'ADN où commence la réplication.

Os Tissu conjonctif minéralisé.

Oscillation Relâchement des règles d'appariement des bases azotées entre un ARNt et un codon d'ARNm.

Osmolarité Concentration molaire volumique totale de soluté exprimée en moles de soluté par litre de solution.

Osmorégulateur Animal possédant une osmolarité différente de celle de son environnement. Il doit soit éliminer l'excès d'eau s'il vit dans un environnement hypotonique, soit faire entrer constamment de l'eau pour compenser la perte osmotique s'il habite un environnement hypertonique.

Osmorégulation Processus servant au maintien de l'équilibre hydrique et électrolytique.

Osmose Diffusion de l'eau à travers une membrane sélectivement perméable.

Ostéoblaste Cellule qui sécrète une matrice de collagène et des sels qui durcissent la matrice osseuse.

Ostéon Unité structurale de l'os compact adulte.

Ostracoderme Agnathe disparu ; Animal pisciforme qui était recouvert d'une armure de plaques osseuses.

Ovaire (1) Chez les fleurs, partie du carpelle dans laquelle se développent les ovules qui contiennent les oosphères. (2) Chez les Animaux, structure qui produit les gamètes femelles et les hormones de la reproduction.

Ovipare Se dit d'un type de développement dans lequel les femelles pondent des œufs qui vont éclore en dehors de leur corps.

Ovovivipare Se dit d'un type de développement dans lequel les femelles retiennent les œufs dans l'utérus jusqu'à l'éclosion.

Ovule Structure qui se développe dans l'ovaire d'une Plante et qui renferme le gamétophyte femelle.

Oxydation Perte d'électrons par une substance participant à une réaction d'oxydoréduction.

Paléontologie Étude scientifique des fossiles.

Pangée Mégacontinent qui s'est formé à la fin du Paléozoïque lorsque les mouvements des plaques ont réuni tous les continents.

Paraphylétique Se dit d'un taxon qui n'englobe pas toutes les espèces dérivées de l'ancêtre commun.

Parasite Organisme qui puise ses nutriments dans les liquides biologiques de ses hôtes vivants.

Parasitisme Relation symbiotique dont le symbionte (parasite) tire profit aux dépens de l'hôte, en vivant soit à l'intérieur de l'hôte (endoparasite) soit à l'extérieur de l'hôte (ectoparasite).

Parazoaires Subdivision du règne animal constitué par les Éponges.

Paroi cellulaire Paroi de la cellule végétale composée de fibres de cellulose enchâssées dans une matrice amorphe faite d'autres polysaccharides et de protéines. La paroi primaire est mince et flexible, alors que la paroi secondaire est résistante et plus rigide (elle est le principal constituant du bois).

Parthénogenèse Mode de reproduction dans lequel les femelles donnent naissance à des petits à partir d'œufs non fécondés.

Parturition Accouchement.

Patrimoine génétique d'une population Ensemble des gènes que possède une population à un moment donné.

Pédomorphose Persistance chez un organisme adulte de structures qui étaient strictement juvéniles chez son ancêtre.

PEP carboxylase Enzyme qui ajoute le dioxyde de carbone au phosphoénolpyruvate (PEP) au cours du cycle de Calvin de la photosynthèse.

Pepsine Enzyme gastrique qui hydrolyse les protéines.

Pepsinogène Forme inactive de la pepsine.

Peptidoglycane Type de polymère situé dans la paroi cellulaire des Bactéries ; se compose de glucides modifiés reliés transversalement par de courts polypeptides.

Peptidyl transférase Enzyme qui fait partie intégrante de la grosse sous-unité ribosomique et qui, pendant la traduction, catalyse la formation d'un lien peptidique entre le polypeptide dépassant du site P et l'acide aminé nouvellement arrivé dans le site A.

Perception Interprétation des sensations par le cerveau.

Péricarpe Paroi dure et ligneuse de l'ovaire à maturité chez une Plante, appelé fruit.

Péricycle Couche de cellules située à l'intérieur de l'endoderme d'une racine, qui peut se transformer en méristème et commencer de nouveau à se diviser.

Périderme Couche protectrice qui remplace l'épiderme de la Plante pendant la croissance secondaire, composée du liège et du cambium subérophellodermique.

Période réfractaire Intervalle de temps pendant lequel le neurone reste insensible à la dépolarisation.

Péristaltisme Ondes rythmiques produites par la contraction des muscles lisses forçant les aliments à avancer dans le tube digestif.

Perméabilité sélective Propriété des membranes biologiques qui permet à certaines substances de les traverser plus facilement que d'autres.

Peroxysome Compartiment contenant des enzymes qui transfèrent l'hydrogène de divers substrats au dioxygène; produit puis dégrade du peroxyde d'hydrogène.

Pétiole Queue d'une feuille, qui relie la feuille à un nœud de la tige.

Petit ARN nucléaire (ARNpn) L'ARN d'une particule RNPpn.

Petites ribonucléoprotéines nucléaires (RNPpn) Petites particules, localisées dans le noyau cellulaire et constituées de molécules d'ARN et de protéines, jouant un rôle clé dans l'épissage de l'ARN.

Phage Virus infectant des Bactéries; aussi appelé Bactériophage.

Phagocytose Ingestion de particules suite à la formation de pseudopodes par la cellule.

Phase G₁ Première période de croissance du cycle cellulaire; partie de l'interphase qui précède la synthèse de l'ADN.

Phase G₂ Deuxième période de croissance du cycle cellulaire; partie de l'interphase qui suit la synthèse de l'ADN.

Phénétique École de taxinomie ne faisant aucun présupposé phylogénétique; elle détermine les affinités taxinomiques en se fondant uniquement sur les ressemblances et les différences mesurables.

Phénotype Apparence de l'individu pour un ou plusieurs caractères.

Phénotype mutant Phénotype résultant d'une mutation de l'allèle du phénotype sauvage.

Phénotype sauvage Phénotype normal ou le plus répandu pour un caractère dans les populations naturelles.

Phéromones Messagers chimiques dont le mode d'action ressemble beaucoup à celui des hormones et qui servent à la communication entre les individus d'une même espèce animale.

Phloème Portion du tissu vasculaire composée de cellules vivantes disposées dans des tubes allongés; achemine le saccharose et les autres nutriments organiques dans l'ensemble de la Plante.

Phosphoglycérolipides Lipides qui constituent la couche interne des membranes biologiques. Ils se composent d'une partie polaire hydrophile et d'une queue non polaire hydrophobe.

Phosphorylation au niveau du substrat Mode de synthèse de l'ATP dans lequel une enzyme transfère un groupement phosphate d'un substrat à l'ADP.

Phosphorylation oxydative Mode de synthèse de l'ATP à l'aide du transfert exergonique d'électrons des nutriments au dioxygène.

Photoautotrophe Organisme qui utilise la lumière comme source d'énergie pour synthétiser des glucides, des lipides et des protéines à partir de dioxyde de carbone.

Photohétérotrophe Organisme qui utilise la lumière pour produire de l'ATP, mais qui doit se procurer son carbone sous forme organique.

Photon Quantum, quantité discrète, d'énergie lumineuse.

Photopériodisme Réaction physiologique à la durée de l'éclairement diurne; par exemple floraison chez les Plantes.

Photophosphorylation Production d'ATP par l'ajout d'un groupement phosphate à l'ADP au moyen de la force proton-motrice générée par les membranes thylakoïdiennes du chloroplaste au cours des réactions photochimiques de la photosynthèse.

Photophosphorylation cyclique Production d'ATP au cours du transport cyclique d'électrons.

Photophosphorylation non cyclique Production d'ATP au cours du transport non cyclique d'électrons.

Photorespiration Voie métabolique qui consomme de l'oxygène, ne produit pas d'ATP et réduit le rendement de la photosynthèse; provoquée par la chaleur, la sécheresse et l'ensoleillement. Dans ces conditions, les stomates se ferment et la concentration de dioxygène dans la feuille est supérieure à la concentration de dioxyde de carbone.

Photosynthèse Conversion de l'énergie lumineuse en énergie chimique emmagasinée dans des glucides et d'autres molécules organiques; présente chez les Végétaux, les Algues et certains procaryotes.

Photosystème Unité photoréceptrice de la membrane thylakoïdienne du chloroplaste constituée par l'antenne, la chlorophylle *a* du centre réactionnel et l'accepteur primaire d'électrons.

Phototropisme Croissance de la pousse d'une Plante en direction de la lumière ou dans la direction opposée.

Phylogenèse Histoire évolutive d'une espèce ou d'un groupe d'espèces apparentées.

Phytochrome Pigment qui joue un rôle dans de nombreuses réactions des Plantes à la lumière.

Pili Appendices de surface chez certaines Bactéries, qui permettent l'adhérence ainsi que le transfert de l'ADN au moment de la conjugaison.

Pinocytose Type d'endocytose par lequel la cellule absorbe des gouttelettes de liquide extracellulaire contenues dans des minuscules vésicules.

Pistil Pièce fertile femelle de la fleur, constituée d'un stigmate, d'un style et d'un ovaire; se compose d'un ou de plusieurs carpelles.

Placenta Structure située dans l'utérus de la femelle en gestation qui assure l'alimentation du fœtus vivipare grâce à l'apport de sang maternel; formé par la muqueuse utérine et les membranes embryonnaires.

Placentaires Groupe de Mammifères, y compris l'Humain, dont les jeunes se développent complètement dans l'utérus, où un placenta les relie à leur mère.

Placoderme Membre d'une classe disparue de Vertébrés pisciformes dotés de mâchoires et porteurs d'une armure.

Plancton Organismes le plus souvent microscopiques qui dérivent passivement ou nagent faiblement près de la surface des océans, des étangs et des lacs.

tent pas de ribosomes) et des régions rugueuses (parsemées de ribosomes).

Réticulum sarcoplasmique Réticulum endoplasmique spécialisé d'une cellule musculaire squelettique qui règle la concentration de calcium dans le cytoplasme.

Rétinal Molécule synthétisée à partir de la vitamine A qui absorbe la lumière.

Rétro-inhibition Mécanisme de rétroaction qui a tendance à changer la valeur d'une variable dans le sens contraire à celui du changement initial.

Rétroactivation Mécanisme de rétroaction qui a tendance à changer la valeur d'une variable dans le même sens que le changement initial.

Rhodopsine Pigment visuel constitué d'opsine et de rétinal et qui absorbe la lumière dans un bâtonnet.

Ribosome Organite synthétisé dans le noyau ; composé de deux sous-unités qui assemblent les protéines dans le cytoplasme.

Ribozyme Molécule d'ARN enzymatique ; catalyse les réactions au cours de l'épissage de l'ARN.

Richesse spécifique Nombre d'espèces que comporte une communauté.

Roches sédimentaires Roches formées par le sable et la boue déposés au fond des mers, des lacs et des marais, souvent riches en fossiles.

RuDP carboxylase Enzyme qui catalyse la première étape (liaison de CO_2 au RuDP, ou ribulose diphosphate) du cycle de Calvin.

Rythme circadien Cycle physiologique d'une période de 24 heures environ présent chez tous les organismes eucaryotes, même en l'absence de signaux extérieurs.

Sac embryonnaire Gamétophyte femelle chez les Angiospermes, formé par la croissance et la division de la mégaspore en une structure pluricellulaire dotée de huit noyaux haploïdes.

Saprophyte Organisme qui agit comme décomposeur en puisant ses nutriments dans les débris organiques.

Sarcomère Unité structurale fondamentale du muscle squelettique.

Savane Vaste étendue herbeuse tropicale où l'on trouve des arbres clairsemés et de gros herbivores. Il y a généralement trois saisons distinctes dans les savanes : une saison fraîche et sèche, une saison chaude et sèche et une saison chaude et pluvieuse.

Scissiparité Mode de division cellulaire qui permet aux procaryotes (aux Bactéries) de se reproduire ; chaque cellule fille reçoit une copie de l'unique chromosome parental.

Sclérites Cellules du sclérenchyme assez courtes et de forme irrégulière ; présentes dans la coquille des noix et l'enveloppe des graines, disséminées dans les parenchymes de certaines Plantes.

Scutellum Feuille embryonnaire très mince dont la surface étendue lui permet d'absorber les nutriments pendant la germination ; présent chez les Monocotylédones comme le Maïs. Aussi appelé cotylédon.

Second messager Messager chimique, comme des ions calcium ou l'AMP cyclique, qui transmet un message hormonal de la surface d'une cellule au milieu cytoplasmique.

Segmentation Succession rapide de divisions cellulaires qui transforme le zygote en une sphère creuse au début du développement embryonnaire.

Radio-isotope Isotope dont le noyau se désintègre spontanément en émettant des particules et de l'énergie.

Réaction d'oxydoréduction Réaction chimique associée au transfert d'un ou plusieurs électrons d'un réactif à un autre ; aussi appelée réaction rédox.

Réaction de condensation Processus de synthèse des macromolécules au moyen de la liaison de monomères après le retrait de molécules d'eau.

Réaction exergonique Réaction chimique spontanée s'accompagnant d'une libération nette d'énergie libre.

Réaction endergonique Réaction chimique non spontanée qui absorbe l'énergie libre de son environnement.

Réaction immunitaire primaire Prolifération sélective de lymphocytes menant à la formation de clones de cellules effectrices contre un antigène.

Réaction immunitaire secondaire Réponse rapide et de longue durée du système immunitaire lorsqu'un organisme rencontre un même antigène quelque temps plus tard.

Réactions photochimiques Étapes de la photosynthèse qui se déroulent dans les membranes thylakoïdiennes du chloroplaste et convertissent l'énergie solaire en énergie chimique (ATP et NADPH + H$^+$) en produisant du dioxygène.

Récepteur sensoriel Structure qui transmet les informations relatives aux modifications survenant dans le milieu externe et interne d'un Animal.

Recombinaison génétique Processus conduisant à l'apparition de descendants qui présentent les caractères hérités des deux parents selon de nouvelles combinaisons.

Recombinant Individu présentant une combinaison de caractères qui diffère de celle des parents.

Réduction Gain d'électrons par une substance participant à une réaction d'oxydoréduction.

Réflexe Réaction automatique à un stimulus, déclenchée par la moelle épinière ou la région inférieure de l'encéphale.

Régénération (1) Type de reproduction asexuée qui produit deux ou plusieurs organismes là où il n'y en avait qu'un. (2) Remplacement des parties d'un organisme perdues à la suite d'une blessure.

Région nucléoïde Région d'une cellule procaryote composée d'un enchevêtrement dense de fibres d'ADN.

Règne Catégorie taxinomique la plus vaste.

Répresseur Protéine capable d'inactiver un opéron.

Reproduction asexuée Mode de reproduction dans lequel un individu unique crée des descendants qui lui sont génétiquement identiques.

Reproduction sexuée Mode de reproduction dans lequel les individus engendrés reçoivent de leurs deux parents une combinaison de gènes qui est unique ; il crée habituellement une plus grande variation que la reproduction asexuée.

Réseau alimentaire Ensemble de chaînes alimentaires interreliées d'un écosystème.

Respiration cellulaire aérobie Voie catabolique la plus répandue et la plus efficace pour la production d'ATP ; ses réactifs sont le dioxygène et les combustibles organiques.

Respiration cellulaire anaérobie Forme de respiration cellulaire particulière à quelques groupes de Bactéries qui vivent dans des environnements anaérobie comme le sol. Elle nécessite une chaîne de transport d'électrons ; ses derniers accepteurs d'électrons sont le sulfate et le nitrate.

Réticulum endoplasmique (RE) Labyrinthe membraneux des eucaryotes qui est en continuité avec la membrane nucléaire externe ; comprend des régions lisses (qui ne por-

Segmentation déterminée Type de développement embryonnaire chez les Protostomiens, qui définit très tôt le sort de chaque cellule embryonnaire.

Segmentation holoblastique Division complète de zygotes renfermant peu de vitellus.

Segmentation indéterminée Type de développement embryonnaire chez les Deutérostomiens, dans lequel chaque cellule produite dès le début de la segmentation possède la capacité de devenir un embryon complet.

Segmentation méroblastique Division incomplète d'un zygote riche en vitellus.

Segmentation radiaire Type de développement embryonnaire chez les Deutérostomiens, dans lequel la division cellulaire qui transforme le zygote en une sphère de cellules s'effectue parallèlement ou perpendiculairement à l'axe vertical, ce qui aligne des rangées de cellules les unes au-dessus des autres.

Segmentation spirale Type de développement embryonnaire chez les Protostomiens, dans lequel la division cellulaire qui transforme le zygote en une sphère de cellules s'effectue en diagonale par rapport à l'axe vertical, si bien que des cellules de chaque étage se trouvent dans les sillons séparant les cellules d'étages adjacents.

Sélection artificielle Procédé qui consiste à croiser les organismes possédant les caractères qu'on désire perpétuer.

Sélection clonale Processus au cours duquel les lymphocytes B et T sensibilisés par un antigène produisent de nombreuses cellules identiques pouvant détruire spécifiquement cet antigène.

Sélection dépendant de la fréquence Diminution du succès reproductif d'une forme à la suite de sa propagation excessive dans la population ; cause de polymorphisme équilibré.

Sélection directionnelle Sélection naturelle qui favorise les individus déviant de la moyenne pour un caractère.

Sélection diversifiante Sélection naturelle qui favorise les phénotypes extrêmes aux dépens des phénotypes intermédiaires.

Sélection K Caractérise les espèces dont la population se stabilise aux alentours de la capacité limite du milieu.

Sélection naturelle Augmentation de la fréquence de certains allèles et diminution de la fréquence d'autres allèles dues à l'inégalité du succès reproductif ; l'évolution résulte de la modification des fréquences alléliques.

Sélection parentale Mécanisme d'accroissement de la valeur adaptative particulière qui explique le comportement altruiste entre individus apparentés.

Sélection r Caractérise les espèces ayant un temps de génération bref et un potentiel de reproduction élevé.

Sélection sexuelle Sélection basée sur la variation des caractères sexuels secondaires qui accroît le dimorphisme sexuel.

Sélection spécifique Théorie selon laquelle les espèces qui survivent le plus longtemps et qui engendrent le plus grand nombre d'espèces déterminent la direction des grandes tendances évolutives.

Sélection stabilisante Sélection naturelle qui favorise les phénotypes intermédiaires en éliminant les phénotypes extrêmes.

Sénescence Vieillissement ; suite de changements irréversibles dans un organisme qui aboutissent à la mort.

Sensation Influx nerveux acheminé par un neurone sensitif jusqu'à une région précise du cortex cérébral.

Sépales Verticille de feuilles modifiées chez les Angiospermes qui entoure et protège le bouton floral.

Séquence d'insertion Transposon le plus simple comportant un gène unique qui code pour la transposase, une enzyme catalysant la transposition.

Séquence signal Groupe d'environ 20 acides aminés qui constitue habituellement la première partie du polypeptide en formation et qui permet au ribosome de se lier à un site récepteur localisé sur la membrane du réticulum endoplasmique.

Seuil d'excitation Niveau de dépolarisation devant être atteint pour le déclenchement d'un potentiel d'action.

Sida Syndrome d'immunodéficience acquise causé par le VIH (un Rétrovirus).

Sillon de division Invagination de la surface cellulaire à l'endroit occupé précédemment par la plaque équatoriale ; signale le début de la cytocinèse.

Site A (aminoacyle ou accepteur) Site de liaison du ribosome qui soutient l'ARNt portant le prochain acide aminé à ajouter à la chaîne polypeptidique en formation.

Site actif Partie de la molécule d'enzyme qui se lie au substrat au moyen de liaisons chimiques faibles.

Site allostérique Site récepteur spécifique de la molécule d'enzyme éloigné du site actif. Des molécules se lient au site allostérique, ce qui modifie la conformation du site actif et le rend plus ou moins réceptif au substrat.

Site de restriction Séquence d'ADN reconnue par une enzyme de restriction.

Site P (peptidyle) Site de liaison du ribosome qui soutient l'ARNt portant la chaîne polypeptidique en formation.

Soluté Substance dissoute dans une solution.

Solution Liquide formé d'un mélange homogène de deux ou plusieurs substances.

Solution aqueuse Solution dans laquelle l'eau est le solvant.

Solution hypertonique Solution plus concentrée qu'une autre, qui est une solution hypotonique.

Solutions isotoniques Solutions qui contiennent une concentration égale de soluté.

Solvant Agent dissolvant d'une solution. L'eau est le solvant le plus polyvalent.

Somite Bande de mésoderme située de chaque côté de la corde dorsale de l'embryon.

Sommation Addition des potentiels postsynaptiques.

Sommation spatiale Addition des potentiels postsynaptiques provenant de neurones présynaptiques différents et qui stimulent la cellule postsynaptique en même temps.

Sommation temporelle Addition des potentiels postsynaptiques si rapprochés dans le temps que chaque potentiel suit le précédent avant même que le temps que la membrane ait retrouvé son potentiel de repos.

Sonde Molécule d'acide nucléique marquée avec des isotopes radioactifs qui forme spécifiquement des liaisons hydrogène avec un gène recherché.

Spéciation allopatrique Mode de spéciation qui se produit lorsqu'une population est isolée par une barrière géographique.

Spéciation sympatrique Émergence de nouvelles espèces à l'intérieur de l'aire de distribution de populations mères ; l'isolement reproductif résulte d'un changement génétique qui établit un mécanisme d'isolement entre les mutants et la population mère.

Spéciation Formation de nouvelles espèces au cours de l'évolution.

Spectre d'absorption Graphique qui représente la capacité d'absorption d'un pigment en fonction de la longueur d'onde.

Spectre d'hôtes Gamme limitée de cellules hôtes qu'une sorte de Virus peut infecter et parasiter.

Spectre électromagnétique Ensemble du spectre de rayonnement, dont les longueurs d'onde varient de 10^{-5} à 10^{-3} nm (pour les rayons gamma) à plus de 1 km (pour certaines ondes radio).

Sperme Liquide éjaculé par le mâle et qui contient les spermatozoïdes en plus de diverses sécrétions provenant des trois ensembles de glandes du système reproducteur.

Sphincter Muscle circulaire qui entoure un orifice.

Sporange Structure des Mycètes et des Végétaux à l'intérieur de laquelle se produisent la méiose et le développement des spores haploïdes.

Spores Cellules haploïdes produites par méiose chez le sporophyte.

Sporophylle Feuille productrice de spores, spécialisée dans la reproduction.

Sporophyte Forme diploïde pluricellulaire chez les organismes qui subissent l'alternance des générations ; résulte de la fusion des gamètes et produit par méiose des spores haploïdes qui vont donner le gamétophyte.

Statocyste Mécanorécepteur jouant un rôle dans l'équilibre chez la plupart des Invertébrés.

Statolithe (1) Grain d'amidon qui se dépose dans la partie inférieure des cellules végétales sous l'effet de la gravitation. (2) Chez les Animaux, granule de sable ou de calcaire qui, sous l'effet de la gravitation, stimule les cellules sensorielles ciliées d'un statocyste.

Stèle Cylindre central conducteur situé dans les racines et dans lequel le xylème et le phloème se développent.

Sténohalin Relatif à un Animal ne pouvant pas supporter des variations importantes dans l'osmolarité externe.

Stéréo-isomères Molécules qui sont l'image inversée l'une de l'autre.

Stéroïdes Lipides caractérisés par un squelette carboné formé de quatre cycles accolés auxquels sont attachés divers groupements fonctionnels.

Stigmate (1) Extrémité gluante du pistil qui reçoit le pollen dans une fleur. (2) Minuscule pore à la surface du corps de l'Insecte qui s'ouvre sur le système trachéen.

Stimuline Hormone ayant pour cible une autre glande endocrine.

Stomate Complexe pluricellulaire épidermique, constitué d'un pore, l'ostiole, entouré par des cellules stomatiques dans l'épiderme des feuilles et des tiges ; permet les échanges gazeux entre l'air ambiant et l'intérieur de la cellule.

Stroma Liquide où baignent les thylakoïdes dans le chloroplaste ; participe à la synthèse de molécules organiques à partir du dioxyde de carbone et de l'eau.

Stromatolithe Formation rocheuse composée de plusieurs couches sédimentaires superposées, en forme de dôme, où l'on a trouvé les formes de vie les plus anciennes, soit des organismes procaryotes âgés de 3,4 milliards d'années.

Structure primaire Niveau de la structure d'une protéine qui correspond à sa séquence d'acides aminés.

Structure quaternaire Structure particulière d'une protéine complexe déterminée par un agencement caractéristique de ses sous-unités, ou chaînes polypeptidiques.

Structure secondaire Ensemble des motifs formés par le repliement et l'enroulement de la chaîne polypeptidique d'une protéine ; produite par des liaisons hydrogène entre les liaisons peptidiques.

Structure tertiaire Ensemble des contorsions irrégulières d'une protéine dues aux liaisons entre les chaînes latérales associées à l'effet hydrophobe, aux liaisons ioniques, aux liaisons hydrogène et aux ponts disulfure.

Structure trophique Ensemble des relations alimentaires dans une communauté naturelle.

Structures homologues Structures similaires chez des espèces différentes à cause d'une ascendance commune.

Style Corps mince du pistil qui débouche sur l'ovaire.

Substance cancérogène Substance chimique pouvant provoquer le cancer en déclenchant des mutations qui modifient l'expression de certains gènes.

Substrat Réactif sur lequel une enzyme agit.

Suc gastrique Sécrétions digestives qui se mélangent avec les aliments dans l'estomac.

Succession écologique Phénomène de changement de la composition spécifique d'une communauté au cours du temps écologique.

Succession primaire Succession écologique débutant dans un territoire stérile encore dépourvu de sol.

Succession secondaire Succession écologique débutant après une perturbation qui a détruit la végétation mais laissé le sol intact.

Suçoir Chez les Mycètes parasites, le prolongement d'un hyphe qui absorbe les nutriments en pénétrant dans les tissus de l'hôte, tout en demeurant à l'extérieur des membranes cellulaires de l'hôte.

Superprédateur Prédateur qui exerce un effet régulateur marqué sur les autres espèces de la communauté.

Symbionte L'organisme le plus petit dans une relation symbiotique, qui vit dans ou sur l'hôte.

Symbiose Relation écologique entre des organismes appartenant à des espèces différentes qui vivent en contact direct les uns avec les autres.

Symétrie bilatérale Caractérise un corps divisé en deux côtés égaux mais opposés selon un plan central longitudinal.

Symétrie radiaire Caractérise un corps dont les parties sont disposées comme les rayons d'une roue ; présente chez les Cnidaires et les Échinodermes.

Symplaste Chez les Plantes, ensemble du cytoplasme des cellules mises en réseau par des plasmodesmes entre les cellules.

Synapse Processus d'appariement des chromosomes homologues ; endroit où, dans une voie nerveuse, un neurone se trouve en communication avec un autre neurone ou une cellule effectrice.

Synapse chimique Zone de communication entre deux neurones ou entre un neurone et une cellule effectrice dans laquelle le message est véhiculé par des neurotransmetteurs.

Synapse électrique Zone de communication cellulaire par des jonctions ouvertes qui permet aux potentiels d'action de passer directement de la cellule présynaptique à la cellule postsynaptique.

Synapsidé Prédateur reptilien qui a subi une évolution au cours du Permien et qui a donné naissance à plusieurs lignées, y compris les Thérapsidés qui ressemblaient aux Mammifères.

Syndrome de Klinefelter Présence d'un chromosome X surnuméraire chez un homme (XXY).

Syndrome de Turner Absence d'un chromosome sexuel chez la femme.

Syndrome du chromosome X fragile. Affection attribuable à un chromosome X anormal dont l'extrémité est reliée à l'ensemble du chromosome X par un mince fil.

Syndrome triplo-X Caractérise les sujets de sexe féminin atteints de trisomie X (XXX).

Syngamie Union des gamètes.

Systématique Étude de la diversité biologique qui a notamment pour objet de reconstituer la phylogenèse des espèces.

Système à cellule-flamme Système excréteur tubulaire le plus simple, présent chez les Vers plats ; ce système régule le contenu du liquide interstitiel.

Système caulinaire Partie aérienne de la Plante qui comprend une ou plusieurs tiges, les feuilles et les fleurs.

Système circulatoire clos Système dans lequel le sang circule uniquement dans des vaisseaux.

Système circulatoire ouvert Système dans lequel les organes internes baignent directement dans le sang ; il n'existe pas de distinction entre le sang et le liquide interstitiel.

Système de l'organisme Ensemble de plusieurs organes possédant chacun une fonction spécifique mais qui doivent fonctionner de manière coordonnée.

Système limbique Groupe de noyaux situés dans la partie inférieure du prosencéphale et qui participent aux émotions.

Système lymphatique Système de vaisseaux et de ganglions distincts du système circulatoire et qui retourne des liquides et des protéines au sang.

Système nerveux moteur (efférent) Ensemble des neurones qui conduisent l'information en provenance du système nerveux central vers les cellules effectrices.

Système nerveux autonome Partie du système nerveux qui assure la régulation du milieu interne en commandant les muscles lisses et cardiaque ainsi que les organes des systèmes digestif, cardiovasculaire, excréteur et endocrinien.

Système nerveux parasympathique Partie du système nerveux autonome qui a pour effet de favoriser les mécanismes permettant de gagner ou d'économiser de l'énergie, comme la digestion et le ralentissement de la fréquence cardiaque.

Système nerveux périphérique Ensemble des nerfs qui transmettent les messages moteurs et sensitifs entre le système nerveux central et le reste de l'organisme.

Système nerveux sensitif (afférent) Ensemble des neurones qui acheminent l'information issue des récepteurs sensoriels vers le système nerveux central.

Système nerveux somatique Partie du système nerveux dont les neurones moteurs conduisent les messages aux muscles squelettiques, principalement en réponse à des stimuli externes.

Système nerveux sympathique Partie du système nerveux autonome qui a pour effet d'augmenter les dépenses d'énergie et qui prépare l'individu à l'action en accélérant la fréquence cardiaque et l'activité métabolique.

Système nerveux central Complexe structural composé de l'encéphale et de la moelle épinière ; site de l'intégration.

Système trachéal Système assurant les échanges gazeux chez les Insectes, composé de tubes ramifiés tapissés de chitine qui s'infiltrent dans le corps et acheminent le dioxygène directement aux cellules.

Systole Période de la révolution cardiaque pendant laquelle les oreillettes ou les ventricules sont contractés.

Table de survie Ensemble de données servant à déterminer l'espérance de vie moyenne des individus d'un âge donné.

Taïga Forêt de Conifères ou forêt boréale située dans des régions qui se caractérisent par des hivers longs et froids et par des étés courts et pluvieux, parfois chauds.

Tampon Substance composée d'acides et de bases qui réduit au minimum les changements du pH lorsque des acides ou des bases sont ajoutés à la solution.

Taux intrinsèque d'accroissement Taux maximal d'accroissement d'une population représenté par le symbole r_{max}.

Taxie Mouvement orienté et plus ou moins automatique qui rapproche ou écarte un organisme d'un stimulus.

Taxinomie Science dont l'objet consiste à nommer et à classifier les êtres vivants.

Taxinomie évolutive classique École de taxinomie et de phylogenèse qui considère à la fois l'homologie globale et l'enchaînement des bifurcations au cours de l'évolution.

Taxon Rang taxinomique identifié, quel qu'en soit le niveau.

Température Mesure de l'énergie cinétique *moyenne* des molécules d'un corps exprimant la tendance relative de la chaleur à s'échapper de ce corps.

Temps de génération Période moyenne comprise entre la naissance des individus et celle de leurs petits.

Tendon Bande de tissu conjonctif fibreux qui attache un muscle à un os.

Tension superficielle Force résultant de la cohésion qui restreint au minimum le nombre de molécules à la surface d'un liquide. L'eau possède une tension superficielle élevée à cause des liaisons hydrogène entre les molécules de sa surface.

Terminaisons axonales Ramifications de l'axone qui transmettent l'information à d'autres cellules.

Testicules Gonades mâles dans lesquelles sont formés les spermatozoïdes et synthétisés les androgènes.

Tétrapode Vertébré possédant deux paires de membres, comme les Amphibiens, les Reptiles, les Oiseaux et les Mammifères.

Thalamus Centre d'intégration situé à l'intérieur du diencéphale ; sert de relais pour l'information sensorielle qui se dirige vers les hémisphères cérébraux.

Thécodonte Reptile issu des Cotylosauriens au cours du Permien ; ancêtre des Dinosaures, des Crocodiliens et des Oiseaux.

Théorie chromosomique de l'hérédité Théorie selon laquelle les gènes mendéliens sont situés sur les chromosomes, ces derniers subissant les phénomènes de ségrégation et d'assortiment indépendant.

Théorie de l'équilibre ponctué Théorie selon laquelle l'évolution s'effectue par bouffées de changement relativement rapide plutôt que par divergence graduelle des espèces.

Théorie synthétique de l'évolution Théorie globale de l'évolution qui intègre les découvertes et les principes de nombreux domaines, dont la paléontologie, la taxinomie, la biogéographie et la génétique des populations ; aussi appelée néodarwinisme.

Thérapsidé Membre d'une lignée de Reptiles issus des Synapsidés au cours du Permien ; a donné naissance aux Mammifères.

Thermocline Mince couche d'un lac où le gradient thermique est abrupt ; sépare la couche superficielle uniformément chaude et la couche profonde uniformément froide.

Thermodynamique Étude du travail effectué par un système et de la chaleur qu'il échange avec son environnement.

Transduction Transfert d'ADN d'une Bactérie à une autre par l'intermédiaire de Virus ; dans la transduction généralisée, la recombinaison génétique s'effectue entre le matériel génétique de deux cellules sans transfert sélectif, tandis que dans la transduction localisée, le transfert sélectif se produit à partir de l'ADN situé près du site d'incorporation du prophage.

Transformation (1) Conversion d'une cellule animale normale en cellule cancéreuse. (2) Mécanisme par lequel une cellule assimile du matériel génétique externe.

Translocation Aberration chromosomique résultant de l'ajout d'un fragment chromosomique sur un chromosome non homologue à la suite d'un bris.

Transpiration Vaporisation du surplus d'eau d'une Plante.

Transport actif Mouvement d'une substance à travers une membrane biologique contre son gradient de concentration ou son gradient électrochimique ; exige une dépense d'énergie métabolique et des protéines de transport.

Transport cyclique d'électrons Transport d'électrons au cours des réactions photochimiques de la photosynthèse qui ne fait intervenir que le photosystème I et n'engendre que de l'ATP ; il ne produit ni $NADPH + H^+$ ni dioxygène.

Transport non cyclique d'électrons Transport d'électrons au cours des réactions photochimiques de la photosynthèse qui fait intervenir les deux photosystèmes et produit de l'ATP, du $NADPH + H^+$ et du dioxygène ; les électrons passent continuellement de l'eau au $NADP^+$.

Transport passif Diffusion d'une substance à travers une membrane biologique.

Triploblastique Qui possède trois feuillets embryonnaires : l'endoderme, le mésoderme et l'ectoderme. La plupart des Eumétazoaires sont triploblastiques.

Triploïdie État d'un individu possédant trois jeux chromosomiques complets ($3n$).

Tétraploïdie État d'un individu possédant quatre jeux chromosomiques complets ($4n$).

Trisomique Relatif à l'aneuploïdie résultant de la présence de trois copies du même chromosome dans le zygote.

Tronc cérébral Partie du système nerveux constituée du mésencéphale et d'une partie du rhombencéphale et qui coiffe la moelle épinière.

Trophoblaste Épithélium externe qui entoure la cavité centrale du blastocyste et qui constituera la portion fœtale du placenta.

Tropismes Réactions de croissance qui rapprochent ou éloignent des organes végétaux entiers des stimuli à cause d'une différence dans le taux d'élongation des différentes cellules.

Tube criblé Succession de cellules criblées dans le phloème.

Tube de Malpighi Organe excréteur typique des Arthropodes, dont le contenu se déverse dans le tube digestif et qui permet d'éliminer les déchets métaboliques du sang ; joue un rôle dans l'osmorégulation.

Tube digestif complet Tube s'étendant de la bouche à l'anus. Un tube digestif incomplet ne possède qu'une ouverture.

Tubule rénal collecteur Conduit qui reçoit le filtrat de nombreux tubules rénaux.

Tumeur bénigne Masse de cellules cancéreuses logées à l'intérieur d'un tissu.

Tumeur maligne Tumeur cancéreuse ; tumeur dont les cellules ont des surfaces atypiques et peuvent compter un nombre anormal de chromosomes ou un métabolisme perturbé.

Thermorégulation Processus servant à maintenir la température interne à l'intérieur des limites vitales.

Thigmotropisme Réaction d'orientation consécutive au contact chez une Plante.

Thylakoïde Sac membraneux aplati situé à l'intérieur du chloroplaste qui convertit l'énergie lumineuse en énergie chimique.

Thymus Glande endocrine située dans le thorax, à l'arrière du sternum ; sécrète plusieurs messagers, dont la thymosine, stimulant le développement et la différenciation des lymphocytes T du système immunitaire.

Thyréotrophine (TSH) Hormone produite par l'adénohypophyse qui stimule la sécrétion d'hormones par la glande thyroïde.

Tissu Ensemble de cellules dotées d'une structure et d'une fonction communes.

Tissu adipeux Forme spécialisée de tissu conjonctif lâche qui emmagasine les graisses (triacylglycérols) dans les cellules adipeuses dispersées dans sa matrice.

Tissu conjonctif Tissu possédant une population peu abondante de cellules dispersées dans une matrice extracellulaire et dont le rôle consiste surtout à fixer et à soutenir les autres tissus.

Tissu conjonctif lâche Tissu dont les fibres s'entrelacent de manière espacée et qui sert à fixer un épithélium aux tissus sous-jacents et à envelopper les organes pour les maintenir en place.

Tissu de revêtement Enveloppe protectrice des Végétaux ; composé habituellement d'une seule couche serrée de cellules de l'épiderme qui recouvrent et protègent toutes les parties d'un jeune plant formées par la croissance primaire.

Tissu épithélial Un ou plusieurs feuillets de cellules très rapprochées qui tapissent la surface externe du corps ainsi que les organes et les cavités internes.

Tissus conducteurs Tissus formés par le xylème et le phloème répartis dans toute la Plante, qui assurent respectivement le transport de la sève brute et de la sève élaborée.

Tissus fondamentaux Tissus composés essentiellement de cellules des parenchymes qui constituent la majeure partie de la jeune Plante ; comblent l'espace entre les tissus de revêtement et les tissus conducteurs.

Totipotente Se dit de toute cellule qui a la capacité de former toutes les parties d'un Animal.

Toundra Biome situé à la limite septentrionale de la végétation (toundra arctique) ou en montagne au-delà de la limite des arbres (toundra alpine) ; la végétation s'y réduit à des arbustes rabougris et à des Plantes en coussinet.

Tout ou rien Type de réponse dans lequel l'ampleur du potentiel d'action ne dépend pas de l'intensité du stimulus dépolarisant qui l'a provoqué.

Trachée Tube aérien renforcé d'anneaux de cartilage qui s'étend du larynx aux bronches.

Trachées Minuscules tubes aériens qui se ramifient dans tout le corps de l'Insecte et qui permettent les échanges gazeux.

Trachéide Élément du xylème qui assure la circulation de la sève brute et une fonction de soutien ; composé de longues cellules minces aux extrémités fuselées dont les parois sont durcies par la lignine.

Traduction Synthèse d'un polypeptide, dirigée par l'ARNm, se déroulant dans les ribosomes.

Transcriptase inverse Enzyme typique des Rétrovirus qui transcrit de l'ADN à partir de leur matrice d'ARN.

Transcription Synthèse d'ARN sous la direction de l'ADN.

Turgescence État des cellules végétales lorsqu'elles sont hypertoniques par rapport à la solution située à l'extérieur de leur membrane plasmique.

Unité de transcription Chez les eucaryotes, ARNm représentant un seul gène.

Unité motrice Regroupement de cellules musculaires soumises à l'action d'un neurone moteur.

Urée Déchet azoté sous forme soluble excrété par les Mammifères et la plupart des Amphibiens adultes.

Uretère Conduit dans lequel se déverse l'urine formée dans les reins ; débouche dans la vessie.

Urètre Conduit sortant de la vessie qui mène l'urine vers l'extérieur du corps.

Urocordé Cordé sans colonne vertébrale, appelé communément Tunicier ; Animal sessile marin.

Utérus Organe du système reproducteur femelle dans lequel ont lieu la fécondation et/ou le développement embryonnaire chez les Animaux.

Vaccin Variante ou dérivé inoffensif d'agents pathogènes qui stimule le système immunitaire afin de le préparer à se défendre contre le véritable agresseur.

Vacuole contractile Organite qui expulse l'excès d'eau chez beaucoup de Protistes d'eau douce.

Vagin Cavité à paroi mince qui permet le passage du bébé lors de l'accouchement et qui reçoit les spermatozoïdes au cours des rapports sexuels.

Valeur adaptative Contribution d'un génotype à la génération suivante par rapport à celle des autres génotypes pour le même locus.

Variation Possession de caractères individuels qui permet à un organisme d'avoir une apparence quelque peu différente de celle de ses parents.

Variation neutre Diversité génétique qui ne semble pas conférer un avantage sélectif à certains individus plutôt qu'à d'autres.

Vecteurs de clonage Plasmides ou Virus utilisés comme transporteurs pour faire passer l'ADN recombiné des éprouvettes aux cellules dans lesquelles ils peuvent se reproduire, clonant par la même occasion les gènes qu'ils portent.

Veines Vaisseaux sanguins qui ramènent le sang au cœur.

Veinules Minuscules vaisseaux sanguins qui recueillent le sang à la sortie des lits capillaires.

Ventral Se dit de la moitié inférieure (ou abdomen) d'un Animal à symétrie bilatérale.

Ventricule (1) Cavité cardiaque qui propulse le sang hors du cœur. (2) Une des cavités de l'encéphale contenant du liquide céphalorachidien qui communiquent avec le canal central de la moelle épinière.

Vertébrés Cordés dotés d'une colonne vertébrale ; comprennent les Mammifères, les Oiseaux, les Reptiles, les Amphibiens et diverses classes de Poissons.

Vésicule séminale Partie du système reproducteur mâle qui entrepose les spermatozoïdes chez les Invertébrés et qui produit la majeure partie du sperme chez les Vertébrés.

Vésicules de transition Vésicules qui transportent des matières du réticulum endoplasmique à l'appareil de Golgi.

Vésicules synaptiques Nombreux petits sacs contenus dans le cytoplasme du corpuscule nerveux terminal renfermant des milliers de molécules de neurotransmetteur.

Vigueur hybride Vigueur des hybrides issus du croisement de deux variétés endogames.

VIH Virus de l'immunodéficience humaine qui cause le sida.

Viroïdes Minuscules molécules d'ARN nu qui sont des agents pathogènes des Végétaux.

Virus oncogène Virus pouvant causer le cancer chez les Animaux.

Virus tempéré Virus qui peut se répliquer sans entraîner la mort de la cellule hôte.

Virus virulent Virus qui se multiplie en suivant un cycle lytique.

Vitalisme Doctrine suivant laquelle les phénomènes de la vie témoignent d'une force vitale et ne se réduisent pas aux lois physicochimiques.

Vivipare Se dit d'un type de développement dans lequel les jeunes naissent vivants après avoir été nourris dans l'utérus par le sang provenant du placenta.

Voie anabolique Voie métabolique qui consomme de l'énergie pour élaborer des molécules complexes à partir de précurseurs plus simples.

Voie catabolique Voie métabolique qui libère de l'énergie en décomposant des molécules complexes en composés plus simples.

Volume systolique Quantité de sang expulsée par le ventricule gauche chaque fois qu'il se contracte.

Xylème Chez les Végétaux, portion du tissu conducteur en forme de tube, non vivante, qui transporte l'eau et les minéraux des racines aux feuilles.

Zone abyssale Partie du fond de l'océan qui se caractérise par des eaux froides, une pression extrême et une obscurité quasi totale.

Zone aphotique Zone de l'océan située sous la zone euphotique ; la photosynthèse y est impossible à cause de l'absence de lumière.

Zone benthique Fond des biomes aquatiques.

Zone euphotique Zone de surface de l'océan, où l'illumination suffit à la photosynthèse.

Zone intertidale Zone de contact peu profonde entre la terre et l'eau.

Zone néritique Zone peu profonde de l'océan située au-dessus du plateau continental.

Zone océanique Zone très profonde de l'océan située au-delà du plateau continental.

Zone pélagique Zone de l'océan située au-delà du plateau continental, où l'eau libre atteint souvent de très grandes profondeurs.

Zone quiescente Région située au cœur de la zone de division cellulaire dans la racine d'une Plante, et qui se compose de cellules du méristème qui se divisent très lentement.

Zygote Œuf fécondé qui résulte de l'union des gamètes.

Zymogène Forme inactive des enzymes protéolytiques.

PHOTOGRAPHIES

Pages liminaires *Entretiens* : Première et deuxième parties : Rolland Renaud. Troisième partie : Pedro Perez. Quatrième et cinquième parties : Annalisa Kraft. Sixième partie : Alain McGlaughlin. Septième partie : Rolland Renaud. Huitième partie : Alain McGlaughlin. *Table des matières* : Première partie : Oxford Molecular Biophysics Laboratory/SPL/Photo Researchers, Inc. Deuxième partie : © Dr Jeremy Burgess/Science Photo Library/Photo Researchers, Inc. Troisième partie : © Dr Ram Verma/Photo Take, Inc. Quatrième partie : © A. Kerstitch/Visuals Unlimited. Cinquième partie : © Stephen J. Krasemann/Photo Researchers, Inc. Sixième partie : © John D. Cunningham/Visuals Unlimited. Septième partie : © Frans Lanting/Minden Pictures. Huitième partie : © L. L. T. Rhoades/Animals Animals.

Chapitre 1 1.1a : © 1984 Rick Friedman/Black Star. 1.1b : © Alain McGlaughlin. 1.1c : University of California, San Francisco. 1.1d : avec la gracieuseté du Dr Ariel Lugo. 1.2a : © Robert Fletterick. 1.2b, d : © Dr Jeremy Burgess/SPL/Photo Researchers, Inc. 1.2c : © John Shaw/Tom Stack and Associates. 1.2f : *Aspens, Northern New Mexico*. Ansel Adams Publishing Rights Trust © 1992. 1.3a : © Jane Burton/Bruce Coleman, Inc. 1.3b : © Esao Hashimoto/Animals Animals. 1.3c : © Michael Fogden/Bruce Coleman, Inc. 1.3d : © David C. Fritts/ Animals Animals. 1.3e : © Gunter Ziesler/Peter Arnold, Inc. 1.3f : © G. C. Kelley, 1986/Photo Researchers, Inc. 1.3g : © Breck P. Kent/Animals Animals. 1.4a : M. W. Steer et E. H. Newcomb, University of Wisconsin, Madison/BPS. 1.4b : © J. J. Cardamone, Jr., University of Pittsburgh/BPS. 1.5 : N. L. Max, University of California/BPS. 1.6a : © Frans Lanting/Minden Pictures. 1.6b : © Janice Sheldon. 1.6c : © Don Fawcett/Science Source/Photo Researchers, Inc. 1.6d : avec la gracieuseté de N. Simeonescu. 1.9a : © Manfred Kage/Peter Arnold, Inc. 1.9b : © D. P. Wilson/Photo Researchers, Inc. 1.9c : Patti Murray/Animals Animals. 1.9d © Michael Fogden/Earth Scenes. 1.9e : © Gunter Ziesler/Peter Arnold, Inc., 1.10a : © Biophoto Associates/Photo Researchers, Inc. 1.10b : © John Walsh/Photo Researchers, Inc. 1.10c.2 : © Photo Researchers, Inc. 1.11 : © Kevin Schafer. 1.12 : Artist : George Richmond; Photographer : Larry Burrows/Life Magazine © Time Warner, Inc. 1.13a : © E. S. Ross, California Academy of Sciences. 1.13b : © K. G. Preston Mafham/Animals Animals. 1.13c : © P. et

W. Ward/Animals Animals. 1.14 © Helen Rodd. 1.15a © Hayden Mattingly.

Entretien de la première partie Rolland Renaud.

Chapitre 2 2.1 : © Herbert Schwind/Okapia 1989/Photo Researchers, Inc. 2.3a-c : Stephen Frisch. 2.4 : © Grant Heilman. 2.6 : avec la gracieuseté de M. E. Raichle. 2.7 : © Jack Bostract 1988. 2.16 : Stephen Frisch. 2.18 : © Anglo Australian Telescope Board 1987. Techniques : © Kevin Schafer. Tiré de M. C. Rattazzi et al., *Am. J. Human Genet.*, 28:143-154, 1976.

Chapitre 3 3.1 : W. Reid Thompson, Cornell University. 3.3 à gauche : © Linda Hopson/Visuals Unlimited. 3.3 à droite : R. G. Kessel et C. Y. Shih, *Scanning Electron Microscopy in Biology*, New York : Springer-Verlag, 1974, p. 147. 3.4a : © G. I. Bernard/Animals Animals. 3.5 : 3.4b : © Hans Pfetschinger/Peter Arnold, Inc. John Biever © *Sports Illustrated*, Time, Inc. 3.7 : © Flip Nicklin 1990. 3.11 : © Silvestris/Natural History Photographic Agency. 3.12 : Robert F. Sisson, © National Geographic Society.

Chapitre 4 4.1 : © Graphics Systems Research, IBM UK Scientific Centre. 4.2 : © The Bettman Archive. 4.3 : © Roger Ressmeyer/Starlight. 4.7 : avec la gracieuseté de Howard Green, Harvard Medical School ; tiré de H. Green et M. Meuth, *Cell* 3(1974):127-133. 4.9 à droite : © W. J. Weber/Visuals Unlimited. 4.9 à gauche : © Stephen J. Krasemann/Photo Researchers, Inc. 4.10 : © J. H. Robinson/Photo Researchers, Inc.

Chapitre 5 5.1 : © Syd Greenberg/Photo Researchers, Inc. 5.2a : © Dr Linus Pauling. 5.2b : avec la gracieuseté de l'University of California, Riverside. 5.8a : © E. H. Newcomb, University of Wisconsin, Madison/BPS. 5.8b : © Rodewald, University of Virginia/BPS. 5.10 : avec la gracieuseté de Eva Frei et R. D. Preston, Lees, England. 5.11 : © F. Collett/Photo Researchers, Inc. 5.12 : © Frans Lanting/Photo Researchers, Inc. 5.13a : avec la gracieuseté de Katherine Luby-Phelps, Center for Fluorescence Research in Biomedical Science, Carnegie Mellon University. 5.13b : avec la gracieuseté de Mark S. Ladinsky et J. Richard McIntosh, University of Colorado. 5.13b : © Lara Hartley. 5.15 : © Ed Reschke. 5.19 : © CNRI/SPL/Photo Researchers, Inc. 5.22a, b : M. Murayama, Murayama Research Laboratory/BPS. 5.24 : F. Vollrath, *Nature* 340(1989):306. 5.29a-c : avec la gracieuseté de Frederic M. Richards, Yale University. 5.29d : avec la gracieuseté de l'University of California, Riverside.

Chapitre 6 6.1 : © Ken Lucas/BPS. 6.3 : © Eunice Harris 1987/Photo Researchers, Inc.

6.4a : Local Color Painting, San Francisco, CA/Bruce Nelson. 6.4b, c : Christine Case, Skyline College. 6.5a : © John D. Cunningham/Visuals Unlimited. 6.5b : Barbara J. Miller/BPS. 6.14a, c : avec la gracieuseté de Thomas Steitz. 6.17 : © Paul Chesley, Photographers/Aspen. 6.20 : © R. Rodewald, University of Virginia/BPS. Question à court développement 3 : © J. M. Rowland/Robert et Linda Mitchell.

Entretien de la deuxième partie Rolland Renaud.

Chapitre 7 7.1 : Mark S. Ladinsky et J. Richard McIntosh, University of Colorado. 7.4a, b : W. L. Dentler. 7.6b : S. C. Hold, University of Texas Health Center/BPS. 7.8a : avec la gracieuseté de J. David Robertson. 7.11a : L. Orci et A. Perrelet, *Freese-Etch Histology*, Heidelberg : Springer-Verlag, 1975. 7.11d : A. C. Faberge, *Cell Tiss. Res.* 151(1974):403, Springer-Verlag, 1974. 7.12 : © D. W. Fawcett/Photo Researchers, Inc. 7.13 : avec la gracieuseté de Lan Bo Chen, Harvard Medical School. 7.14 : J. F. King, University of California School of Medicine/BPS. 7.15 : G. T. Cole, University of Texas, Austin/BPS. 7.16a : R. Rodewald, University of Virginia/BPS. 7.16b : avec la gracieuseté de Daniel Friend. 7.18 : avec la gracieuseté de E. H. Newcomb. 7.20 : © S. E. Frederick et E. H. Newcomb, *J. Cell Biol.* 43(1969):343. Reproduit avec la permission de The Rockefeller University Press. Fourni par E. H. Newcomb. 7.21 : avec la gracieuseté de Daniel Friend. 7.22 : avec la gracieuseté de W. P. Wergin et E. H. Newcomb, University of Wisconsin, Madison/BPS. 7.23 : Micrographie produite par Dr John E. Heuser, Washington University School of Medicine, St. Louis, MO. 7.24 : avec la gracieuseté de Mark S. Ladinsky et J. Richard McIntosh, University of Colorado. 7.26a : avec la gracieuseté de Leah Haimo et Cathy Thaler, University of California, Riverside. 7.26b : avec la gracieuseté de Katherine Luby-Phelps, Center for Fluorescence Research in Biomedical Science, Carnegie Mellon University. 7.27 : avec la gracieuseté de Kent McDonald. 7.28 : avec la gracieuseté de D. D. Kunkel, University of Washington/BPS. 7.30a : © Photo Researchers, Inc. 7.30b : avec la gracieuseté de W. L. Dentler, University of Kansas/BPS. 7.30c : avec la gracieuseté de William L. Dentler, University of Kansas. 7.32a : Micrographie produite par Dr John E. Heuser, Washington University School of Medicine, St. Louis, MO. 7.32b : *J. Cell Biol.* 94(1982):425, Hirokawa Nobutaka. Reproduit

avec la permission de The Rockefeller University Press. 7.33 à droite : © G. F. Leedale/Photo Researchers, Inc. 7.34a : © Douglas J. Kelly, *J. Cell Biol.* 28(1966):51. Reproduit avec la permission de The Rockefeller University Press. 7.34b : L. Orci et A. Perrelet, *Freeze-Etch histology.* Heidelberg : Springer-Verlag, 1975. 7.34c : C. Peracchia et A. F. Dulhunty, *J. Cell Biol.* 70(1976):419. Reproduit avec la permission de The Rockefeller University Press. 7.35 : Boehringer Ingelheim International GmbH, photo © Lennart Nilsson, *The Body Victorious,* Delacourte Press, Dell Publishing Co., Inc. Auto-évaluation 7a : © Biophoto Associate/Photo Researchers, Inc. Auto-évaluation 7b : © K. R. Porter/Photo Researchers, Inc. Auto-évaluation 7c : © D. W. Fawcett/Photo Researchers, Inc. Auto-évaluation 7d : © Biophoto Associates/Photo Researchers, Inc. Auto-évaluation 7e : Kathryn Platt-Aloia et William W. Thomson. Auto-évaluation 7f : © D. W. Fawcett/Photo Researchers, Inc. T7.1 en haut à gauche : © Biophoto Associates/Photo Researchers, Inc. T7.1 au milieu à gauche : © Ed Reschke. T7.1 en bas à gauche, au milieu et en haut à droite : © David M. Phillips /Visuals Unlimited. T7.1 en bas à droite : avec la gracieuseté des Drs Richard McIntosh, University of Colorado. T7.2 à gauche : Mark S. Ladinsky et J. Richard McIntosh, University of Colorado. T7.2 au centre : avec la gracieuseté de Frank Solomon et J. Dinsmore, Massachusetts Institute of Technology. T7.2 à droite : Mark S. Ladinsky et J. Richard McIntosh, University of Colorado.

Chapitre 8 8.1 : D. W. Deamer et P. B. Armstrong, University of California, Davis. 8.4 : avec la gracieuseté de J. David Robertson. 8.16a, b : © Cabisco/Visuals Unlimited. 8.17a, b : © Jim Strawser/Grant Heilman. 8.24a, b : © Dr Volker Herzog, *J. Cell Biol.* 70(1976):698. Reproduit avec la permission de The Rockefeller University Press. 8.25 : H. S. Pankratz, Michigan State University. 8.25 : © D. W. Fawcett/Photo Researchers, Inc. 8.25 (2 photos) : M. M. Perry et A. B. Gilbert, *J. Cell Sci.* 39(1979):257. Copyright 1979 by The Company of Biologists Ltd. 8.26 : J. V. Small et Gottfried Rinnerthaler, *Scientific American,* Octobre 1985, p. 111. Méthodes : avec la gracieuseté du Dr Philippa Claude, University of Wisconsin Primate Center.

Chapitre 9 9.1 : © Stephen Dalton/Photo Researchers, Inc. 9.14 : © Keith R. Porter/Photo Researchers, Inc. 9.17b : A. Tzagoloff, *Mitochondria,* New York: Plenum, 1982. 9.19a : © Michael Fogden/Bruce Coleman, Inc. 9.19b : Hayward et Lyman, *Mammalian Hibernation III.* Kenneth C. Fisher, éd. New york : Elsevier, 1967. 9.19c : avec la gracieuseté du Dr Meeuse, University of Washington, Seattle. 9.22a : Egyptian Expedition of The Metropolitan Museum of Art, Rogers Fund, 1915. 9.22b : Obester Winery, Half Moon Bay, CA. Photo de Kevin Schafer. Auto-évaluation 1 : avec la gracieuseté de John A. Richardson, Southern Illinois University, Carbondale.

Chapitre 10 10.1 : avec la gracieuseté de National Optical Astronomy Observatories. 10.2a : © Gary Braasch/AllStock, Inc. 10.2b : © Harold Door. 10.2c, d : © Tom Adams/Peter Harold Door.

Arnold, Inc. 10.2e : P. W. Johnson et J. McN. Sieburth, University of Rhode Island/BPS. 10.4a : E. H. Newcomb, University of Wisconsin, Madison/BPS, 10.4b : H. S. Pankratz, Michigan State University/BPS. 10.4c : N. J. Lang, University of California, Davis.BPS. 10.19 à gauche : © John D. Cunningham/Visuals Unlimited. 10.19 à droite : © Helen Marcus 1981/Photo Researchers, Inc.

Chapitre 11 11.2a : © Biophoto Associates/Photo Researchers, Inc. 11.2b : C. R. Wyttenbach, University of Kansas/BPS. 11.2c : © J&L Weber/Peter Arnold, Inc. 11.4b : G. F. Bahr, Armed Forces Institute of Pathology. 11.6a-g : Ed Reschke. 11.7b : avec la gracieuseté de Matthew Schibler, tiré de *Protoplasma* 137(1987):29-44. 11.7a : avec la gracieuseté de Jeremy Pickett-Heaps, University of Melbourne. 11.10 : © David M. Phillips/Visuals Unlimited. 11.11b : E. H. Newcomb, University of Wisconsin, Madison/BPS. 11.12 (7 photos) : J. R. Waaland, University of Washington. Auto-évaluation : Carolina Biological Supply. Méthodes : avec la gracieuseté du Dr Gunter Albrecht-Buehler, Northwestern University.

Entretien de la troisième partie Pedro Perez.

Chapitre 12 12.1 : Expédition de Henri Lhote. 12.2 : R. D. Campbell, University of California, Irvine/BPS. 12.6a : © Runk/Schoenberger/Grand Heilman. 12.6b : © Stan Elems/Visuals Unlimited. Methods Box : © SIU/Visuals Unlimited et © Dept. of Clinical Cytogenetics, Adden-Brookes Hospital, Cambridge/Science Photo Library/Photo Researchers, Inc.

Chapitre 13 13.1 : avec la gracieuseté de Bettmann Archives. 13.9 (4 photos) : Science Education Resources Pty. Ltd., Victoria, Australia. 13.14 à gauche : © Stan Goldblatt/Photo Researchers, Inc. 13.14 à droite : © Gilbert Grant/Photo Researchers, Inc. 13.16 : © Roger Ressmeyer/Starlight. Problèmes de génétique : Patricia Speciale ; photographe : Norma JubinVille.

Chapitre 14 14.1 : Tiré de Peter Lichter et David Ward, *Science* 247 (5 janvier 1990), couverture. 14.3a,b : © Darwin Dale. 14.12 : © Ron Kimball. 14.15a : © Science Photo Library/Photo Researchers, Inc. 14.15b : © Bob Daemmrich/Stock, Boston. 14.18 : © Barry L. Runk/Grant Heilman, Inc.

Chapitre 15 15.1 : Tiré de J. D. Watson, *The Double Helix,* New York: Atheneum, 1968, p. 215. © 1968 par J. D. Watson. 15.3 : © Lee D. Simon/Photo Researchers, Inc. 15.5a : Cold Spring Harbor Archives. 15.5b : Tiré de J. D. Watson, *The Double Helix,* New York: Atheneum, 1968, p. 215. © 1968 par J. D. Watson. 15.10b : Tiré de D. J. Burks et P. J. Stambrook, *J. Cell Biol.* 77(1978):762. Reproduit avec la permission de The Rockefeller University Press. 15.18 : avec la gracieuseté de J. M. Murray, Department of Anatomy, University of Pennsylvania.

Chapitre 16 16.1 : avec la gracieuseté de Y. Menadue et James B. Reid, University of Tasmania. 16.6 : Keith Wood. 16.10c : Institut de Biologie Moléculaire et Cellulaire, Strasbourg. 16.16b : B. Hamkalo et O. L. Miller, Jr. 16.18 : O. L. Miller, Jr, B. A. Hamkalo et C. A. Thomas, Jr., *Science* 169 (24 juillet 1970):392. Copyright 1970 par the American Association for the Advancement of Science.

Chapitre 17 17.2 : Visuals Unlimited. 17.3a, b : Robley C. Williams, University of California, Berkeley/BPS. 17.3c : John J. Cardamone, Jr., University of Pittsburgh/Biological Photo Service. 17.3d : R. C. Williams, University of California, Berkeley/BPS. 17.12 : avec la gracieuseté de Charles C. Brinton, Jr. et Judith Carnehan. 17.17 :

Chapitre 18 18.1 : avec la gracieuseté de M. B. Roth et J. Gall. 18.2a en haut : S. C. Holt, University of Texas Health Science Center, San Antonio/BPS. 18.2a en bas : A. L. Olins, University of Tennessee/BPS. 18.2b : avec la gracieuseté de Barbara Hamkalo. 18.2c : avec la gracieuseté de J. R. Paulsen et U. K. Laemmli, *Cell.* 18.2d : G. F. Bahr, Armed Forces Institute of Pathology. 18.3 : avec la gracieuseté de O. L. Miller, Jr., Dept. of Biology, University of Virginia. 18.11 : avec la gracieuseté de J. M. Amabis.

Chapitre 19 19.1 : Nina Winter. 19.11 : Cellmark Diagnostics. Méthodes : Damon Biotech, Inc.

Entretien de la quatrième partie Annalisa Kraft.

Chapitre 20 20.2 : avec la gracieuseté de Charles H. Phillips. 20.4 : John Cancalosi/Tom Stack & Associates. 20.5 : Tom Till. 20.6b : Erwin & Peggy Bauer. 20.7a : Frans Lanting/Minden Pictures. 20.7b : Alan Root/Bruce Coleman, Inc. 20.8a : C. A. Morgan/Peter Arnold, Inc. 20.8b : Rudi Kuiter *Discover Magazine.* 20.9 : John Coldwell/Grant Heilman, Inc. 20.10a, b : Breck P. Kent/Animals Animals. 20.11a : Larry Brown, University of Wyoming, *J. of Mammalogy* 46(1965):464. 20.13 : Philip Gingerich 1991 *Discover Magazine.* 20.15a : Lennart Nilsson, *A Child is Born,* Dell Publishing Company. 20.15b : Willis Mathews, *Ency. of Descriptive Embryology,* 4e éd. New York: MacMillan Publishing Co.

Chapitre 21 21.1 : © J. Antonovics/Visuals Unlimited. 21.2a : David Cavagnaro. 21.2b : Produit à partir de transparents du USAF DMSP (U.S. Air Force Defence Meteorological Satellite Program) conservés pour NOAA/NESDIS dans les archives de l'University of Colorado, CIRES/National Snow and Ice Data Center. 21.5 : © Anup Shah/Animals Animals. 21.6 : avec la gracieuseté de E. D. Brodie III, University of California, Berkeley. 21.9 : avec la gracieuseté de Thomas B. Smith, San Francisco State University. 21.10 © Animals Animals/OSF/J. A. L. Cooke. 21.12 : Richard Kolar, San Diego Zoo.

Chapitre 22 22.1 : © Erwin & Peggy Bauer. 22.3 : avec la gracieuseté de Ernst Mayr,

Museum of Comparative Zoology, Harvard University. 22.4a: © L. L. T. Rhodes/Tony Stone Worldwide. 22.4b en haut: © Don et Pat Valenti/Tom Stack & Associates. 22.4b en bas: © John Shaw/Tom Stack & Associates. 22.6: © Joe McDonald/Visuals Unlimited. 22.7: Robert Lee/Photo Researchers, Inc. 22.8a: © Bob McKeever 1981/Tom Stack & Associates. 22.8b: © Mike Andrews/Animals Animals. 22.11: © David Cavagnaro. 22.13: avec la gracieuseté de J. D. Thompson. 22.14: avec la gracieuseté de Kenneth Kaneshiro. Autoévaluation: © Russell C. Hansen.

Chapitre 23 23.1: © Doug Lee. 23.2a: © Barbara J. Miller/BPS. 23.2b: © Margo Crabtree. 23.2c: © Tom Till. 23.2d, f: © Manfred Kage/Peter Arnold, Inc. 23.2e: © W. H. Hodge/Peter Arnold, Inc. 23.4a, b: © John Shaw/NHPA. 23.5: © Jane Burton/Photo Researchers, Inc. 23.10b: © Kevin Schafer. 23.10c: © Sygma. 23.16 (2 photographies): © Tom McHugh/Photo Researchers, Inc. 23.17 (3 photographies): © Erwin & Peggy Bauer. 23.18a: David Giannasi, The University of Georgia. 23.18b: © Tom McHugh/Photo Researchers, Inc.

Entretien de la cinquième partie Annalisa Kraft.

Chapitre 24 24.1: © Jagga Gudlaugnd. 24.2: S.M. Awramik, University of California/BPS. 24.4a: avec la gracieuseté de John Stoltz. 24.4b, c: S. M. Awramik, University of California/BPS. 24.6: Sidney Fox, University of Miami/BPS. 24.9a, b: avec la gracieuseté de David Deamer, *Scientific American* 264(février 1991):124.

Chapitre 25 25.1: © Science Photo Library/Photo Researchers, Inc. 25.2a-c: © David M. Phillips/Visuals Unlimited. 25.3: S. Abraham et E. H. Beachey, VA Medical Center, Memphis/BPS. 25.4: avec la gracieuseté de J. Adler. 25.5a, b: R. M. Macnab et M. K. Ornston, *J. Mol. Biol.* 112(1977):1-20. 25.6a: avec la gracieuseté de S. W. Watson © *Journal of Bacteriology*, American Society of Microbiology. 25.6b: N. J. Lang, University of california, Davis/BPS. 25.7: © Janice Sheldon/Photo 20-20. 25.8: Helen E. Carr/BPS. 25.11: © V. Paulson/BPS. T25.1.1: avec la gracieuseté de Tom Cross. T25.1.2: J. R. Waaland, University of Washington/BPS. T25.1.3: P. W. Johnson et J. McN. Sieburth, University of Rhode Island/BPS. T25.1.4: H. S. Pankratz, Michigan State University/BPS. T25.1.5: Michael Gabridge, University of Illinois/BPS. T25.1.6: K. Stephens, Stanford University/BPS. T25.1.7: H. S. Pankratz et R. L. Uffen, Michigan State University/BPS. T25.1.8: CNRI/SPL/Photo Researchers, Inc. Méthodes: Christine L. Case, Skyline College.

Chapitre 26 26.1: J. R. Waaland, University of Washington/BPS. 26.3: © Peter Parks-OSF/Animals Animals. 26.4a, b: © Eric Grave/Photo Researchers, Inc. 26.5a: © Manfred Kage/Peter Arnold, Inc. 26.5b: © Paolo Koch/Photo Researchers, Inc. 26.6 mortaise: Masamichi Aikawa, *Science* 137(janvier 1990): 403. 26.7 et 26.8a: © Eric Grave/Photo Researchers, Inc. 26.7b: © Roland Birke/Peter Arnold, Inc. 26.8b: © Manfred Kage/Peter Arnold Inc. 26.8c: © M. Abbey/Visuals Unlimited. 26.10a: © Biophoto Associates/Photo Researchers, Inc. 26.10b: © Eric Grave/Photo Researchers, Inc. 26.11: J. R. Waaland, University of Washington/BPS. 26.12a: © Biophoto Associates/Photo Researchers, Inc. 26.12b: avec la gracieuseté de Fred Rhoades. 26.14a: © Manfred Kage/Peter Arnold, Inc. 26.14b: succession du Dr J. Metzner/Peter Arnold Inc. 26.14c: © M. I. Walker/Science Source. 26.15.1: avec la gracieuseté de W. L. Dentler, University of Kansas. 26.16: BPS. 26.17: © Maurice Dube. 26.18: © Lawrence Naylor/Photo Researchers, Inc. 26.19 et 26.20a: © J. Robert Waaland, University of Washington/BPS. 26.20b: © D. P. Wilson et Eric et David Hosking/Photo Researchers, Inc. 26.20c: © Gary R. Robinson/Visuals Unlimited. 26.21.1: Ray Simons/Photo Researchers, Inc. 26.21.2: © R. Calentine/Visuals Unlimited. 26.22: © David Scharf/Peter Arnold, Inc. 26.23: © Fred Rhoades/Western Washington University. 26.24: J. R. Waaland, University of Washington/BPS.

Chapitre 27 27.1: © Grant Heilman. 27.4: © Stephen Kraseman/DRK Photo. 27.5.1: © James W. Richardson/Visuals Unlimited. 27.6: © John Shaw/Tom Stack & Associates. 27.8: © Rod Planck/Tom Stack & Associates. 27.10: © Dale et Marian Zimmerman/Bruce Coleman, Inc. 27.11: © Robert et Linda Mitchell. 27.12: © E. S. Ross. 27.13: © Glenn Oliver/Visuals Unlimited. 27.13 mortaise: © Walter H. Hodge/Peter Arnold Inc. 27.14: © Milton Rand/Tom Stack & Associates. 27.15a: © James Castner. 27.15b: © Runk/Schoenberger/Grant Heilman Photography. 27.15c: © Michael Fogden/Bruce Coleman, Inc. 27.15d: © C. P. Hickman/Visuals Unlimited. 27.16: James W. Behnke. 27.17: © Dr William M. Harlow/Photo Researchers, Inc. 27.18a: © John Shaw/Tom Stack & Associates. 27.18b: © W. H. Hodge/Peter Arnold, Inc. 27.21: © John Colwell/Grant Heilman. 27.23a: © D. Wilder. 27.23b: © Thomas C. Boyden. 27.23c: Merlin D. Tuttle, Bat Conservation International. 27.24a: © Lara Hartley. 27.24b: © G. Prance/Visuals Unlimited. 27.25: © John Bennett.

Chapitre 28 28.1: © John D. Cunningham/Visuals Unlimited. 28.2.1 et 28.2.2: © Fred Rhoades/Western Washington University. 28.4.1 et 2: © Ed Reschke/Peter Arnold, Inc. 28.5a: © Fred Rhoades/Western Washington University. 28.5b: © Jacana/Photo Researchers, Inc. 28.5c: © J. L. Lepore/Photo Researchers, Inc. 28.6.1: © E. R. Degginger/Animals Animals. 28.7a: © Kerry T. Givens/Tom Stack & Associates. 28.7b: © Frans Lanting. 28.7c: © A. Davies/Bruce Coleman, Inc. 28.8.1: © Biophoto Associates/Photo Researchers, Inc. 28.9: © Jack Bostrack/Visuals Unlimited. 28.9 inset: © M. F. Brown/Visuals Unlimited. 28.10: N. Allin et G. L. Barron, University of Guelph/BPS. 28.11: © Fred Rhoades/Western Washington University. 28.13a, b: © Bruce Iverson. 28.14: © Runk/Schoenberger/Grant Heilman. 28.15: © Mark Wicklaus/Western Washington University.

Chapitre 29 29.1: © Anne Wertheim/Animals Animals. 29.7: © Andrew J. Martinez/Photo Researchers, Inc. 29.11a: © Fred McConnaughey/Photo Researchers, Inc. 29.11b: © Robert Brons/BPS. 29.11c:©Chuck Davis. 29.11d: © Chris Huss/Ellis Wildlife collection. 29.12.1: © Robert Brons/BPS. 29.13: © Fred Bavendam/Peter Arnold, Inc. 29.14: © Bill Wood/Bruce Coleman, Inc. 29.17: © William C. Jorgensen/Visuals Unlimited. 29.18: © William H. Amos/Bruce Coleman, Inc. 29.19a, b: © L. S. Stepanowicz/Photo Researchers, Inc. 29.21: © Jeff Foott/Tom Stack & Associates. 29.22: © James M. Cribb/Bruce Coleman, Inc. 29.23a: © Kevin Schafer. 29.23b: © Chris Huss. 29.24: © James M. Cribb/Bruce Coleman, Inc. 29.26a: © Tom McHugh/Steinhart Aquarium/Photo Researchers, Inc. 29.26b: © Fred Bavendam/Peter Arnold, Inc. 29.26c: © Douglas Faulkner/Photo Researchers, Inc. 29.28a: © Sea Studios. 29.28b: © Kjell Sandved/Sandved et Coleman. 29.28c: © Robert et Linda Mitchell. 29.30: © Cliff B. Frith/Bruce Coleman, Inc. 29.31: © Ronald F. Thomas/Bruce Coleman. 29.32: © Milton H. Tierney, Jr./Visuals Unlimited. 29.33a: © Robert et Linda Mitchell. 29.33b: © Paul Skelcher/Rainbow. 29.33c: © David Scharf. 29.35a, b: © Robert et Linda Mitchell. 29.36: © Stephen Dalton/Animals Animals. 29.38 en haut (2); en bas, au centre et à droite: © John Shaw/Tom Stack & Associates. 29.38 en bas à gauche: © Frans Lanting/Minden Pictures. 29.39a: © Marty Snyderman. 29.39b: © Flip Nicklin. 29.39c: C. R. Wyttenbach, University of Kansas/BPS. 29.40a: © Colin Milkins/Oxford Scientific Films/Animals Animals. 29.40b: © Fred Bavendam/Peter Arnold, Inc. 29.41a: © Jeff Rotman/Peter Arnold, Inc. 29.41b: © Dave Woodward/Tom Stack & Associates. 29.41c: © Marty Snyderman. 29.41d: © Carl Roessler/Animals Animals. 29.41e: © Jeff Rotman/Peter Arnold, Inc. 29.45a: avec la gracieuseté du Prof. K. G. Grell, Tubingen. 29.46a: © Carole Hickman/South Australian Museum. 29.46b: S. Conway Morris.

Chapitre 30 30.1 © Biophoto Associates/Photo Researchers, Inc. 30.4a: © Scott Johnson/Animals Animals. 30.6a: © Hervé Berthoule/Jacana/Photo Researchers, Inc. 30.6b: © Tom McHugh. 30.8a: © Tom McHugh/Photo Researchers, Inc. 30.8b: © Dave B. Fleetham/Visuals Unlimited. 30.9a: © E. R. Degginger/Bruce Coleman, Inc. 30.9b: © J. M. Labat/Jacana/Photo Researchers, Inc. 30.11: © Steve Martin/Tom Stack & Associates. 30.14a: © Zig Leszcynski/Animals Animals. 30.14b: © M. P. L. Fogden/Bruce Coleman, Inc. 30.14c: © R. Andrew Odum/Peter Arnold, Inc. 30.15a-c: © Hans Pfletschinger/Peter Arnold, Inc. 30.17a: © John Gerlack/Tom Stack & Associates. 30.17b: © John R. MacGregor/Peter Arnold, Inc. 30.17c: © R. Andrew Odum/Peter Arnold, Inc. 30.17d: © Patricia Caulfield/Photo Researchers, Inc. 30.18: © Stephen Dalton/Animals Animals. 30.19: © Kevin Schafer. 30.21a: © John Henry Dick, Academy of Natural Sciences, Philadelphia/Vireo. 30.21b: © G. Neuchterlein, Academy of Natural Sciences, Philadelphia/Vireo. 30.21c: © Bob et Clara Calhoun/Bruce Coleman, Inc. 30.21d: © Art Wolfe. 30.22: © Gunter Ziesler/Peter Arnold, Inc. 30.24a

Chapitre 44 44.1: © John Stevens 1991/FPG. 44.3b: © Manfred Kage/Peter Arnold, Inc. 44.6b: avec la gracieuseté de G. L. Scott, J. A. Feilbach et T. A. Duff. 44.13b: Dr E. R. Lewis, ERL-EECS, University of California, Berkeley, Méthodes: © William Thompson.

Chapitre 45 45.1: © Russell C. Hansen. 45.3: OSF/Animals Animals. 45.4a: © R. Andrew Odum/Peter Arnold, Inc. 45.4b: © Russ Kinne/Photo Researchers, Inc. 45.6a: Janice Sheldon. 45.19: tiré de *Fundamentals of Entomology*, 3e éd., by Richard J. Elzinga (1987). Reproduit avec la permission de Prentice-Hall Inc. 45.21: © Joe Monroe/Photo Researchers, Inc. 45.25a: P. Parks/OSF/Animals Animals. 45.25b: © Biophoto Associates/Photo Researchers, Inc. 45.25c: © James Hanken/Photo Researchers, Inc. 45.30 en haut à gauche: avec la gracieuseté de Clara Franzini-Armstrong. 45.35b: © Eric Grave/Photo Researchers, Inc.

Entretien de la huitième partie Alain McGlaughlin.

Chapitre 46 46.1: avec la gracieuseté de la NASA. 46.2: avec la gracieuseté de Dan Simberloff. 46.5: © H. A. Miller/Visuals Unlimited. 46.6: © Jonathan Scott/Planter Earth Pictures. 46.7: © Charlie Ott/Photo Researchers, Inc. 46.8: © John D. Cunningham/ Visuals Unlimited. 46.9: © Tom McHugh/ Photo Researchers, Inc. 46.10: © John Shaw. 46.11: © Lars Egede-Nissen/BPS. 46.12: © B. S. Cushing/Visuals Unlimited. 46.14: Bruce F. Molnia/Terraphotographics. 46.15a: J. Allan Cash Ltd. 46.15b: avec la gracieuseté de Richard Mathieu. 46.17: Landsat/U. S. Geological Survey. 46.18: © Chris Huss. 46.19: © David Hall, 1984/Photo Researchers, Inc. 46.20: © Dudley Foster, Woods Hole Oceanographic Institution. 46.21: © Stephen Kraseman/Photo Researchers, Inc.

Chapitre 47 47.1: © Frank M. Hanna/Visuals Unlimited. 47.2: © Victor H. Hutchinson/ Visuals Unlimited. 47.4a: © Robert P. Carr/ Bruce Coleman, Inc. 47.4b: Frans Lanting/ Minden Pictures. 47.4c: © Bill Bachman/ Photo Researchers, Inc. 47.8a: © R. Calentine/ Visuals Unlimited. 47.8b: © Max et Bea Humm/Visuals Unlimited. 47.12: avec la gracieuseté de George W. Barlow, University of California, Berkeley. 47.14: avec la gracieuseté de Richard Mathieu. 47.18 à gauche: © Alan Carey/Photo Researchers, Inc. Méthodes: © Frans Lanting.

Chapitre 48 48.1: © Sven-Olof Lindblad/ Photo Researchers, Inc. 48.3: avec la gracieuseté de Paul Hertz. 48.4a-c: © L. E. Gilbert, University of Texas, Austin/BPS. 48.5: © C. Allan Morgan/Peter Arnold, Inc. 48.6a, b: Erick Greene, *Science* 243(3 février 1989):644, fig. 1. Copyright 1989 by the American Association for the Advancement of Science. 48.7: © John L. Tveten. 48.8a: © Stephen Kraseman/Peter Arnold, Inc. 48.8b: © Tom Eisner et Daniel Aneshansley. 48.9: © E. D. Brodie, Jr., *Scientific American* 263(juillet 1990):28. 48.10a, b: R. Huey, *Science* 195(1977):201-203. 48.13b: © 1985 Joseph T. Collins/Photo Researchers, Inc. 48.13c: Kevin deQueiroz, National Museum of Natural History. 48.15: © Stephen Krasemen/Photo Researchers, Inc. 48.16:

© Robert et Linda Mitchell. 48.17 et 48.18: avec la gracieuseté de Richard Mathieu. 48.18a: © Dr Gregory A. Antipa. 48.20a-f: Tom Bean.

Chapitre 49 49.1: © David Hiser/Photographers Aspen. 49.14a: Matthew Meselson, Harvard University. 49.14: © Earth Observation Satellite Co, Lanham, Maryland/Science Photo Library/Photo Researchers, Inc. 49.15: © John D. Cunningham/Visuals Unlimited. 49.15: fournie par le Dr Robert Pierce/U. S. Department of Agriculture, Northeastern Experimental Forest Station, Durham, NH. 49.17: D. W. Schindler, *Science* 184(24 mai 1974):897, fig. 1. 49.20: © Walter R. Tschinkel, *Discover Magazine*. 49.21: UPI/ Bettmann News Photos.

Chapitre 50 50.1: © Animals Animals. 50.5: © Ian Wyllie/Survival Anglia. 50.8: © John Burton/Bruce Coleman. 50.9: Lincoln P. Brower. 50.11: © Ted Kerasote/Photo Researchers, Inc. 50.11: © E. R. Degginger/Animals Animals. 50.13a: avec la gracieuseté de Pat DeCoursey, University of South Carolina. 50.17a: © Bruce Davidson/Animals Animals. 50.17b: © Breck P. Kent/Animals Animals. 50.19: © Jean-Michel Labat/Jacana/Photo Researchers, Inc. Méthodes: E. R. Degginger/ Animals Animals.

BPS = Biological Photo Service

ILLUSTRATIONS

Entretien avec Michel Chrétien: Figure. Tiré de *Drugs and the Brain*, de Solomon H. Snyder. © 1986 by Scientific American Books, Inc. Reproduit avec la permission de W. H. Freeman and Company.

Figure 3.11a. Québec (Province). Ministère de l'environnement, 1993, *État de l'environnement au Québec*, 1992, Montréal, Guérin, 560 p. **Figure 3.11b.** Environnement Canada, *L'Odyssée des pluies acides*, ministère des Approvisionnements et services Canada, 1981.

Figure 4.7. Matthews et van Holde, *Biochemistry*, © 1990 by Benjamin/Cummings Publishing Co. (Redwood City: Benjamin/ Cummings, 1990) Figure 9.2a, p. 301. **Figure 4.8.** Adapté de Becker et Deamer, *The World of the Cell*, 2e éd., © 1991 by Benjamin/Cummings Publishing Co. (Redwood City: Benjamin/Cummings, 1991) Figure 2.6, p. 20.

Figure 5.10. Adapté de K. D. Johnson, D. L. Rayle et H. L. Wedberg, *Biology: An introduction*, © 1984 by Benjamin/Cummings Publishing Co. (Redwood City: Benjamin/ Cummings, 1984), p. 21. **Figure 5.14.** Tiré de *Biology: The Science of Life*, 3e éd., de Robert A. Wallace, Gerald P. Sanders et Robert J. Ferl. Copyright © 1991 by HarperCollins Publishers. Reproduit avec permission. **Figures 5.26a et 5.27c, d.** © Irving Geis.

Figure 6.2. B. Alberts, D. Bray, J. Lewis, M. Raff, K. Roberts, J. D. Watson, *Molecular Biology of the Cell*, 2e éd. (New York: Garland Publishing, 1989).

Figure 7.3 Tiré de R. Hook, *Micrographia*, 1965. **Figure 7.8.** Adapté de Matthews et van Holde, *Biochemistry*, © 1990 by Benjamin/ Cummings Publishing Co. (Redwood City:

Benjamin/Cummings, 1990). **Figure 7.15.** Adapté de Marieb, *Human Anatomy and Physiology*, 2e éd., © 1992, by Benjamin/Cummings Publishing Co. (Redwood City: Benjamin/Cummings, 1992). **Figure 7.26.** Tiré de *Journal of Cell Biology*, 1988, 107:1785, T. Schroer, B. Schnapp, T. S. Reese, M. P. Sheetz. © Cell Press. **Figure 7.28.** Adapté de Marieb, *Human Anatomy and Physiology*, © 1989 by Benjamin/Cummings Publishing Co. (Redwood City: Benjamin/Cummings) Figure 3.18, p. 81. **Figure 7.32.** Adapté de B. Alberts, D. Bray, J. Lewis, M. Raff, K. Roberts, J. D. Watson, *Molecular Biology of the Cell*, 2e éd. (New York: Garland Publishing, 1989). Figure 11.55.

Figure 9.6. Adapté de B. Alberts, O. Bray, J. Lewis, M. Raff, K. Roberts, J. D. Watson, *Molecular Biology of the Cell*, 2e éd. (New York: Garland Publishing, 1989). **Figure 9.9.** Adapté de Matthews et van Holde, *Biochemistry*, © 1990, by Benjamin/Cummings Publishing Co. (Redwood City: Benjamin/Cummings, 1989) Figure 13.2, p. 435. **Figure 9.19.** Adapté de Matthews et van Holde, *Biochemistry*, © 1990 by Benjamin/Cummings Publishing Co. (Redwood City: Benjamin/Cummings, 1989) Figure 15.19, p. 526.

Figure 10.17. Adapté de B. Alberts, O. Bary, J. Lewis, M. Raff, K. Roberts, J. D. Watson, *Molecular Biology of the Cell*, 2e éd. (New York: Garland Publishing, 1989) Figure 7.43.

Méthodes 11.1. Adapté de R. I. Freshney, *Culture of Animal Cells: A Manual of Basic Technique*, 2e éd. © 1989 John Wiley & Sons, Inc. Reproduit avec la permission de Wiley-Liss, une filiale de John Wiley and Sons, Inc. **Figure 11.8.** Adapté de *Journal of Cell Biology* 1987:104.9 et 1988:106:1185, G. J. Gorbsky, P. J. Sammak, G. Borisy avec la permission de The Rockefeller University Press et des auteurs. **Figure 11.9c.** © Scientific American Inc., George V. Kelvin. **Figure 11.13.** Adapté de B. Alberts, O. Bray, J. Lewis, M. Raff, K. Roberts, J. D. Watson, *Molecular Biology of the Cell*, 2e éd. (New York: Garland Publishing, 1989). **Figure 11.16a.** Adapté de « What Controls the Cell Cycle », Andrew W. Murray et Marc W. Kirschner, *Scientific American*, mars 1991, p. 62. **Figure 11.16b.** Adapté de B. Alberts, O. Bray, J. Lewis, M. Raff, K. Roberts, J. D. Watson, *Molecular Biology of the Cell*, 2e éd. (New York: Garland Publishing, 1989) Figure 13.15.

Figure 15.1. Tiré de *An Introduction of Genetic Analysis*, 4e éd., David T. Suzuki et al., © 1976, 1981, 1986, 1989 by W. H. Freeman and Co. Reproduit avec permission. **Figure 15.6.** Becker et Deamer, *World of the Cell*, 2e éd. © 1991 by Benjamin/Cummings Publishing Co. (Redwood City: Benjamin/Cummings, 1991). **Figure 15.15.** B. Alberts, O. Bray, J. Lewis, M. Raff, K. Roberts, J. D. Watson, *Molecular Biology of the Cell*, 2e éd. (New York: Garland Publishing, 1989).

Figure 16.1. B. Alberts, O. Bray, J. Lewis, M. Raff, K. Roberts, J. D. Watson, *Molecular Biology of the Cell*, 2e éd. (New York: Garland Publishing, 1989).

Figure 17.1. Watson, Hopkins et al., *Molecular Biology of the Gene*, 4e éd., © 1987 by Benjamin/Cummings Publishing Co. (Redwood

City : Benjamin/Cummings, 1987). **Figure 17.3.** Tortora, Funke, Case, *Microbiology : An Introduction*, 4e éd., © 1991 by Benjamin/Cummings Publishing Co. (Redwood City : Benjamin/Cummings, 1991) **Figure 17.4.** B. Alberts, O. Bray, J. Lewis, M. Raff, K. Roberts, J. D. Watson, *Molecular Biology of the Cell*, 2e éd. (New York : Garland Publishing, 1989). **Figure 17.8.** Darnell, Lodish, Baltimore, *Molecular Cell Biology*, 2e éd., Scientific American Books, W. H. Freeman and Company, 1990. **Figure 17.14.** B. Alberts, O. Bray, J. Lewis, M. Raff, K. Roberts, J. D. Watson, *Molecular Biology of the Cell*, 2e éd. (New York : Garland Publishing, 1989).

Figure 19.1. Becker et Deamer, *World of the Cell*, 2e éd., © 1991 by Benjamin/Cummings Publishing Co. (Redwood City : Benjamin/Cummings, 1991). **Figure 19.2.** Tortora, Funke, Case, *Microbiology : An Introduction*, 4e éd. (Redwood City : Benjamin/Cummings Publishing Co. (Redwood City : Benjamin/Cummings, 1991).

Figure 20.12. Adapté d'une illustration de Jason Kuffer, « Natural Selection and Darwin's Finches », par Peter R. Grant, p. 86, © octobre 1991 by Scientific American, Inc. Tous droits réservés. **Figure 20.16.** Biruta Hansen, © 1986 *Discover Magazine*.

Figure 24.9. B. Alberts, O. Bray, J. Lewis, M. Raff, K. Roberts, J. D. Watson, *Molecular Biology of the Cell*, 2e éd. (New York : Garland Publishing, 1989) p. 10, 1989. **Figure 24.10.** John Ryan, « Closing the Gap Between Proteins and DNA », *Science*, 29 juin 1990, p. 1609, 1991.

Méthodes 23.1. Richard Cowen, *History of Life*, Blackwell Scientific Publications, 1990, p. 37, figure 2.4. Reproduit avec la permission de Blackwell Scientific Publications, Inc. **Figure 23.13.** Raup, D., « Extinction : Bad Genes or Bad Luck ? », *New Scientist*, 14 septembre 1991.

Figure 25.9. Adapté de Woese et al. *Proceedings of the National Academy of Sciences*, vol. 87, p. 4578, juin 1990.

Figure 30.5. Harland, W. B., Cox, A. V., Llewellyn, P. C., Pickton, C. A. G., Smith, A. G., Walters, R., *A Geologic Time Scale* (Cambridge : Cambridge University Press, 1982). **Figure 30.31.** Tiré d'une illustration de Laurie Grace, « The Recent African Genesis of Humans », A. C. Wilson, R. L. Cann, © avril 1992 by *Scientific American* ; illustration de Joe Lertola, « The Emergence of Modern Humans », C. B. Stringer, © décembre 1990 by *Scientific American, inc.* Tous droits réservés. **Figures 31.15 et 31.22.** B. Alberts, O. Bray, J. Lewis, M. Raff, K. Roberts, J. D. Watson, *Molecular Biology of the Cell*, 2e éd. (New York : Garland Publishing, 1989) p. 1174.

Figure 33.11. Reproduit avec la permission de *Annual Review of Plant Physiology and Plant Molecular Biology*, vol. 39 © 1988 by Annual Reviews Inc.

Figure 34.19. B. Alberts, O. Bray, J. Lewis, M. Raff, K. Roberts, J. D. Watson, *Molecular Biology of the Cell*, 2e éd. (New York : Garland Publishing, 1989). **Figure 34.20.** B. Alberts, O. Bray, J. Lewis, M. Raff, K. Roberts, J. D. Watson, *Molecular Biology of the Cell*, 2e éd. (New York : Garland Publishing, 1989).

Figure 39.9. Tortora, Funke, Case, *Microbiology : An Introduction*, 4e éd. © 1992 by Benjamin/Cummings Publishing Co. (Redwood City : Benjamin/Cummings, 1992) **Figure 39.17.** Adapté de Lennart Nilsson, Jan Lindberg, *The Body Victorious*, DeLacorte Press, 1987, p. 27.

Figure 40.16. Adapté de Marshall et Hughes, *Physiology of Mammals and Other Vertebrates*, 2e éd. (Cambridge : Cambridge University Press, 1980). **Figure 40.22.** Eckert and Randall, *Animal Physiology*, 3e éd., figure 16.21, p. 575, W. H. Freeman and Company, 1988).

Figure 43.4. B. Alberts, O. Bray, J. Lewis, M. Raff, K. Roberts, J. D. Watson, *Molecular Biology of the Cell*, 2e éd. (New York : Garland Publishing, 1989) Figure 4.35. **Figure 43.20b.** B. Alberts, O. Bray, J. Lewis, M. Raff, K. Roberts, J. D. Watson, *Molecular Biology of the Cell*, 2e éd. (New York : Garland Publishing, 1989) p. 902, figure 16.29A.

Figure 44.3. Marieb, *Human Anatomy and Physiology*, 2e éd., © 1992, by Benjamin/Cummings Publishing Co. (Redwood City : Benjamin/Cummings, 1992) p. 344, figure 11.3. **Figure 44.4.** Adapté de B. B. Boycott, L. Peichl, H. Wassle, *Proceedings of the Royal Society of London B*, 203(1978) :229. **Figure 44.9.** Tiré de Matthews, G., *Cellular Physiology of Nerve & Muscle*, Blackwell Scientific Publications, 1986. **Figure 44.22.** D'après A. S. Romer, P. S. Parsons, *The Vertebrate Body*, 6e éd. (Philadelphia : W. B. Saunders, 1986) p. 569.

Figure 45.34. Tiré de Matthews, G., *Cellular Physiology of Nerve & Muscle*, Blackwell Scientific Publications, 1986.

Figure 46.29b. *Science* 184 :1001-1003, Raymond B. Huey. © 1974 by the American Association for the Advancement of Science.

Figure 47.3. Tiré de *Evolutionary Ecology*, 3e éd., de E. R. Pianka, © 1983 by Harper & Row Publishers. Reproduit avec la permission de HarperCollins. **Figure 47.5.** John Tyler Bonner, *Size and Cycle*, Princeton University Press, 1965, p. 17. **Figure 47.14b.** *Journal of Animal Ecology*, vol. 34, p. 622, 1965. Blackwell Scientific Publications. **Figure 47.15a.** Adapté de J. L. Harper, *Population Biology of Plants*, Academic Press, 1977, p. 180. **Figure 47.15b.** *Journal of Animal Ecology*, vol. 50, p. 141 haut

gauche du graphique 3, 1981, T. S. Bellows, Jr. Blackwell Scientific Publications. **Figure 47.16.** Andrewartha et Birch, *The Distribution and Abundance of Animals*, p. 572, University of Chicago Press © 1954. **Figure 47.20.** Illustration de James Egleson, « The Human Population », E. S. Deevy, Jr., © septembre 1960 by Scientific American. Tous droits réservés.

Figure 48.13. A. S. Rand et E. E. Williams, « The anoles of La Palma : Aspects of their ecological relationships », *Breviora* n° 327, 1969. **Figure 48.14.** Adapté de David Lambert Lack, *Darwin's Finches* (Cambridge : Cambridge University Press, 1947) p. 57, figure 9 et p. 82, figure 17. **Figure 48.22.** McArthur et Wilson, *The Theory of Island Biogeography*, Princeton University Press, 1967, p. 8.

Figure 49.4. Tiré de *Ecology and Field Biology*, 3e éd., par Robert Leo Smith. © 1990 by Robert Leo Smith. Reproduit avec la permission de HarperCollins Publishers. **Figure 49.4.** Tiré de « Solar Radiation at the Earth's Surface », *Solar Energy* 5 :95-98. © 1961, H. E. Landsberg, avec la permission de Pergamon Press Ltd., Headington Hill Hall, Oxford OX3 0BW, UK. **Figure 49.7.** Tiré de *Ecology*, 2e éd., par R. E. Ricklefs. © 1988 by Chiron Press. Reproduit avec la permission de W. H. Freeman and Company. **Figure 49.8.** P. Colinvaux, *Ecology*, Copyright © 1986 John Wiley & Sons. Reproduit avec la permission de John Wiley & Sons, Inc. **Figure 49.8.** E. P. Odum, *Fundamentals of Ecology* (Philadelphia : W. B. Saunders, 1959) p. 62. **Figure 49.10.** Adapté de R. E. Ricklefs, *Ecology*, 3e éd., W. H. Freeman and Company, 1990, p. 213, figure 12.3.

Figure 49.12. Tiré de « Effects of Forest Cutting and Herbicide Treatment on Nutrient Budgets in the Hubbard Brook Watershed Ecosystem », par G. E. Likens et al. *Ecological Monographs*, 1970, 40. Copyright 1966 by Ecological Society of America. Reproduit avec permission. **Figure 49.18.** Tiré de *Living in the Environment* by G. Tyler Miller, 2e éd. Copyright 1979, Wadsworth Publishing Co., p. 87. Tous droits réservés. **Figure 49.20b.** Tom Moore, © 1986 *Discover Magazine*.

Méthodes 50.1. Gibbs, Lisle et al., « Realized Reproductive Successes of polygynous Red-Winged Balkbirds Revealed by Markers », *Science* Vol. 250, novembre/décembre 1990, p. 1394-1397. **Figure 50.4.** N. Tinbergen, *The Study of Instinct*, Oxford University Press, 1951. **Figure 50.4.** Adapté de C. K. Catchpool, *Behaviour* 74 :148-155, E. J. Brill Leiden p. 153, figure 1. **Figure 50.10.** Avec la gracieuseté de Masakazu Konishi. **Figure 50.23.** Adapté de Grier, J., *Biology of Animal Behavior*. (St. Louis : Times-Mirror Publishing/ C. V. Mosby, 1984) Figure 8.15. **Figure 50.24.** K. E. Holekamp, *Behavioral Ecology and Sociobiology*, 1984, 16 :21-30.

INDEX

A

Abcission des feuilles, 765, 766f
Aberrations chromosomiques, 290
maladies chez l'Humain, 292
Abondance relative, 1118
Absorption, 583
Accepteur primaire d'électrons, 207
Acclimatation, 1078
aux températures, 902
Accommodation, 1022
Accouchement, 950, 950f
Accouplement
aléatoire, 1180
non aléatoire, 444
Accroissement
démographique
exponentiel et logistique, 1092-1097
population humaine, 1100, 1101f, 1102t
taux intrinsèque (r_{max}), 1093, 1095f
Acétyl-CoA, 182, 182f
Acétylcholine, 998, 998t
Acide(s), 46, 71
abcissique, 759t, 763
aminés, 59, 74, 75f, 77, 79f
essentiels, 811, 812f
hormones dérivées, 909, 912
carboxyliques, 58
nucléique(s), 83
désoxyribonucléique, voir ADN
formique, 59f
gamma-aminobutyrique, 998t, 999
glutamique, 998t, 999
gras
essentiels, 812
insaturés, 71, 72f
saturés, 71, 72f
ribonucléique, voir ARN
urique, 894
Acelomates, 601, 602t, 608
Acrasiomycètes, 551, 553f, 554t
Acrosome, 946
ACTH, voir Corticotrophine
Actine, 137, 141, 143f
contraction musculaire, 1040, 1041f
Actinomycètes, 526t
Actinopodes, 537, 537t, 538f
Actinoptérygiens, 644
Activine, 974
Activité enzymatique, facteurs influant
sur l', 104
Adaptation(s)
algues marines au cours de l'évolution, 547
au milieu, 427f
de thermorégulation, 896, 898f
des organismes, 1052
évolutive(s), 6f, 11, 14f
des systèmes digestifs (Vertébrés), 808

réduisant la transpiration, 710
Mammifères marins, 845, 846f
nutritives propres à certains Végétaux, 729
respiratoires, 837, 838, 839
sélection naturelle et, 426
sensorielle, 1017
structurale chez les Plantes, 675, 676f, 712f
temps évolutif et, 1078
Adénohypophyse, 918, 919t
Adénosine diphosphate, voir ADP
Adénosine monophosphate, voir AMP
cyclique, voir AMPc
Adénosine triphosphate, voir ATP
Adénylate cyclase, 913, 913f
ADH, voir Hormone antidiurétique
Adhérence, 41
cellulaire, molécules d', 974
de l'eau, 707
ADN, 4, 6f, 8, 8f, 17, 83, 86f, 244
agencement physique, 378
amplification, 378
amplification par PCR, 399
ancien, analyse, 493, 494f
brin d', voir Brin d'ADN
cartographie de restriction, 492, 493f
complémentaire (ADNc), 397, 397f
double hélice (modèle de Watson et Crick),
300f, 303, 304, 305f
hybridation, 492
insertion dans les cellules, 394
matériel génétique des cellules et, 302
méthylation, 378
monocaténaire, protéines fixatrices, 312
niveaux supérieurs de condensation, 373
polymérases, 309
protéines et, 86
recombiné, 390, 393f
remaniement, 380f
réparation par excision-synthèse, 313, 313f
réplication, 245, 306, 307f, 308, 308f, 309f,
313f
satellite, 375
séquençage, 492
synthèse et séquençage, 399, 400
transformation des Bactéries par l', 301, 301f,
viral, 302
ADNc, voir ADN complémentaire
ADP (adénosine diphosphate), 98, 99f
Adrénaline, 925, 998
Aérobies, 527t
stricts, 192, 522
Affrontement, 1176, 1176f
Agent(s)
oxydant, 175
réducteur, 175
Agnathes, 638t, 640, 640f
Agrégats, distribution en, 1085
Agriculture, Angiospermes et, 578
Agriculture, manipulations génétiques, 410
Agriculture intégrée, 725, 725f
Air, circulation, 1071, 1073f

Aire
de Broca, 1009
de distribution géographique, 1084, 1086f
de Wernicke, 1009
visuelle primaire, 1027
Albumen, 739
Alcools, 58
Aldéhydes, 58
Aldostérone, 891
Aleurone, 743
Algues, 534, 539, 543t
adaptation au cours de l'évolution, 547
brunes, 543t, 548, 549f, 550f
caractéristiques, 541, 543t
dorées, 542, 543t, 544f
origine de la diversité, 549
rouges, 543t, 549, 551f, 595
vertes, 543t, 545, 546f, 547f, 548f, 561, 595
diminution de la fréquence, 450, 451t
symboles, 269
Allergies, 869, 870f
Allocation énergétique, 1076
homéostasie et, 1075
mondiale, 1134
Allométrie, 1134
Allopolyploïdes, 465, 466f
Alternance de générations, 249, 249f,
546, 548f, 560f, 735
Altruisme, 1182, 1186f
réciproque, 1184
Alvéoles, 841
Alvéoles (glandes mammaires), 940
Ames, test de, 339
Amibes, 537
Amibocytes, 604
Amidon, 66, 68f, 69f, 70f
Amine(s), 59
biogènes, 998, 998t
groupement, 59, 60f
Aminoacyl-ARNt synthétase, 326, 327f
Aminopeptidase, 804
Ammoniac, 893
Ammonification, 1144
Ammonites, 615
Amniocentèse, 275, 276f, 953
Amnios, 966
Amniotes, 965
Amorçage de la synthèse de l'ADN, 311, 312f
AMP, 366
cyclique (AMPc), 366, 912, 913
second messager, 912, 912f
AMPc, voir AMP cyclique

Alimentation
Animaux, 1174
optimale, stratégie, 1174, 1175f
Allantoïde, 966
Allee, effet, 1096
Allèle(s), 260
dominant, 261, 268
multiples, 269, 269f
récessif, 261

Amphibiens, 638f, 645, 646f, 647f
Amplification, 900
thermorégulation, 900
Amplification, 773, 911
génique, 378, 381f
Amplification (cellules réceptrices), 1016
Amplitude du son, 1029
Amylase salivaire, 800
Amyloplastes, 136
Anaérobies, 527t
facultatifs, 192, 522
stricts, 192
Anagenèse, 456, 457f
Analogie, 490, 491, 492f
Analogues des bases, 338f
Analyse des lignées cellulaires, 971
Anaphase, 224, 227f, 229f, 231f
Anatomie
comparée, 431
d'une Fleur, 735, 736f
végétale, 670, 674, 676
Androgènes, 926, 940
Aneuploïdie, 290
monosomique, 291
Angelman, syndrome d', 295
Angiosperme, 572, 574f, 576, 576f, 577, 578f
cycle de développement, 735, 735f, 738f
morphologie de base, 676, 677f
reproduction
asexuée, 744-747
sexuée, 734-744
Angiotensinogène, 891
Anhydrobiose, 879, 879f
Animaux
alimentation, 1174
anhydrobiose et, 879
aquatiques, respiration, 837
communication, 1180
complexes, surface et échanges internes, 789, 789f
d'eau douce, osmorégulation, 878, 878f
défenses des, 1110, 1110f, 1111f
développement, 956
échanges gazeux, 835
euryhalins, osmorégulation, 876f, 879
infections virales, 352
manipulations génétiques, 410
marins, osmorégulation, 877, 878f
méiose et mitose, comparaison, 252, 253f
mouvement, 1035
nutrition, 794
origine et diversification, 630
primitifs, 630f, 631, 631f
régulation chimique, 907
sténohalins, 879
système endocrinien, 907, 917
terrestres, osmorégulation, 879, 880f
Anion, 35, 35f
Anisogamie, 546
Anneau contractile, 225
Anneaux de Balbiani, 383, 383f
Annélides, 615, 615f, 616f
Annexes embryonnaires, 966, 966f, 967f
Anoures, 647
Anse du néphron, 885, 887
Antennes, 620
Anthère, 575
Anthéridie, 562
Anthocérotes, 562t, 563
Anthocérotinées, voir Anthocérotes
Anthropoïdes, 659, 661
Antibiotiques, 521
Anticodon, 325
Anticorps, 855, 856, 856f, 857f
fonctionnement, 862
monoclonaux, 863, 864

Antigène(s), 854, 856f, 857
cellule présentatrice, 860, 861f
site de fixation, 857
T dépendants et indépendants, 861, 861f
Anus, 798
Aorte, valve, 822
de Golgi, 130f, 131
Apex minal, 679
Apicomplexes, 537t, 538, 540f
Apodes, 647
Apomixie, 744
Appareil
ambulacraire, 628
de Weber, 1031
juxtaglomérulaire, 891
Appendice vermiforme, 807
Appétence, image d', 1174
Apprentissage
associatif, 1169
chant (Oiseaux), 1167, 1168
comportement et, 1165
définition, 1165
instinct et, 1165
maturation et, 1165
mécanismes immédiats et ultimes, 1170
par observation, 1169
voie, 1011, 1011f
Arachnides, 619f, 620, 620f
Arbre évolutif, 433, 435f
Arbre phylogénétique, 490
Archées, 522, 523, 524f
Archégone, 562
Archentéron, 600, 962
Archives géologiques, 431, 474, 474f, 475
ARN, 36, 83
brin d', 324
cellulaire, types principaux, 334f
de transfert (ARNt), 324, 325, 326f, 334t
épissage, 333, 334f, 335f
exportation, 381
maturation, 319, 332, 334f, 381
chez les eucaryotes, 332
prémessager, 333
messager (ARNm), 128, 319, 334t, 762
épissage, 333, 334f, 335f
synthèse, 762
nucléaire
hétérogène (ARNnh), 333
petit (ARNpn), 333, 334t
polymérase, 322, 323
prémessager, 332, 333f
épissage, 335f
réplication abiotique, 509f, 510
ribosomique (ARNr), 326, 334t
synthèse de l', 318
transcription, 318, 322, 323f, 324, 324f
virus à, 351
ARNm, voir ARN messager
ARNnh, voir ARN nucléaire
ARNpn, voir ARN nucléaire
ARNr, voir ARN ribosomique
ARNt, voir ARN de transfert
Arpentage chromosomique, 405, 406
Arrangements chromosomiques, 253, 253f
Artère(s), 820
rénale, 883
Artériole(s), 820
glomérulaires afférente et efférente, 885
Artériosclérose, 834
Arthropodes, 617f, 618, 618f
classification, 619
phylogenèse, 619
Articulations synoviales (Vertébrés), 1038, 1038f
Artiozoaires, 599, 602f, 608, 610, 611, 627

Ascocarpe, 587
Ascomycètes, 587, 587f, 588f, 595f
Ascospores, 588
Aspiration, ingestion, 795, 796f
Asques, 587
Assortiment indépendant des caractères
loi mendélienne, 264, 266, 266f
recombinaison des gènes non liés, 284, 285f
Astrocytes, 985
Athéromes, 834
Athérosclérose, 834, 934f
Atmosphère, 37
pollution, 1149
Atome(s), 3, 24, 26, 27f
configuration électronique, 31, 32f
couche périphérique, 31
de carbone central et asymétrique, 57
propriétés chimiques, 31
ATP (adénosine triphosphate), 98, 99f, 189f, 913
couplage chimiosmotique à la synthèse de l', 186
synthèse de l', 186, 212f
synthétase, 186
travail cellulaire et, 186
Atriopeptides natriurétiques, 891
Attaque membranaire, complexe d', 867
Audition, voir aussi Oreille ou Ouïe
mécanismes, 1028
organes sensoriels (Invertébrés), 1032
Australopithèques, 662
Autécologie, 1053
Auto-assemblage, 347
Autopolyploïdie, 465, 466f
Autoréplication, 512
Autosomes, 248
Autotolérance, 860
Autotrophie, 199
Auxines, 759, 759f, 760, 760f
Auxotrophes, 317
Avantage de l'hétérozygote, 448
Avogadro, nombre d', 46
Axes embryonnaires, 969, 969f
Axones, 984
Azote
assimilation par les Végétaux, 725, 726f
cycle, 1143, 1144f
fixation, 412, 522, 527t
par les Végétaux, 726, 727f

B

Bacillariophytes, 543, 543t, 545f
Bactérie(s), 344f, 515f, voir Procaryotes
aérobies fixatrices d'azote, 527t
anaérobies phototrophes, 527t
dénitrifiantes, 726
exploitation, 529, 530f
fixatrices d'azote, 726, 726f
génétique des, 344
halophiles extrêmes, 523, 523f
histoire, 515
maladies et, 528
méthanogènes, 523
opportunistes, 528
recombinaison génétique, 356
symbiotiques, 528
thermoacidophiles, 523
transcription et traduction couplée, 332, 332f
transfert de gènes, 356
transformation par l'ADN, 301, 301f
Bactéroïdes, 726
Baculum, 938
Bakanae, 761
Balbiani, anneaux de, 383, 383f

Bande(s)
A, 1040
de Caspary, 705
I, 1040
préprophasique, 749, 750f
Banque génomique, 397, 397f
Barr, corpuscule de, 290
Barrière hématoencéphalique, 985
Barrières mécaniques, 951
Bascule, effet de, 1099
Bases, 46
analogues et paires de, 336, 337f, 338, 338f, substitution et mutation d'une paire, 336, 337f
Baside, 589
Basidiocarpes, 589
Basidiomycètes, 588, 589f, 590f
Bâtonnets, 1022
Beadle et Tatum, 317
Behaviorisme, 1185
Benthos, 1066, 1068, 1069f
Besoins
minéraux chez les Humains, 814t, 815
nutritionnels, 808
vitamines chez les Humains, 812, 813t
Bêta-oxydation, 193
Bile, 803
Bindine, 957
Binôme, 489
Bioamplification, 1149, 1150f
Biodiversité
crise de la, 1145, 1146
Biogéographie, 430, 462, 487, 1124, 1125f, 1127
de la macroévolution, 484
insulaire, 1125, 1127f
Biologie
de la conservation, 1127
moléculaire, 316, 433, 435f
au service du comportement, 1181
végétale, 674, 675f
Biomasse, 1136
mesurable, 1136
pyramide, 1139
Biome(s) 4, 1136, 1137f
agricoles, 1056
américains du nord, 1071f
aquatiques, 1063f
distribution, 1070
dulcicoles, 1062
marins, 1065, 1066f, 1067f, 1068f, 1069f
océanique pélagique, 1067
terrestres, 1054, 1055f
urbains, 1056
Biophilie, 2, 3f
Biopsie des villosités chorioniques, 275, 953
Biosphère, 4, 1068
impact des êtres vivants sur la, 1152, 1154f
Biosynthèse, 193
Biotechnologie, 391, 404
Bivalves, 613f, 614, 614f
Blastocele, 961
Blastocyste, 948, 967
Blastodisque, 965
Blastomères, 960
Blastopore, 602, 962
Blastula, 599, 961
Blocages rapide et lent de la polyspermie, 958
Boîte TATA, 323
Bol alimentaire, 800
Bordure en brosse, 804t, 806, 887
Bouchon vitellin, 963
Bourgeon(s)
axillaire, 679
du goût, 1034
terminal, 679, 690f

Bourgeonnement, 931
Bouturage, 744
Brachiation, 657
Brachiopodes, 627, 627f
Branchies, 836, 836f, 837f
Brin(s) d'ADN
ajout d'un nucléotide, 309, 310f
antiparallèles, 309, 310f
directeur, 311f
discontinu, synthèses intermittente et coordonnée, 311f
élongation, 309
structure chimique, 303, 304f
Brin d'ARN, 324
Broca, aire de, 1009
Bronches, 841
Bronchioles, 841
Bruits cardiaques, 822
Bryophytes, 562, 562t
Bryozoaires, 627
Bulbe
écailleux, 679
rachidien, 1006
tuniqué, 679

C
Ca²¹, libération de, 958, 959f
Cadre de lecture, 321
décalage, 336
Cæcum, 807
Cal, 744
Calcémie, régulation hormonale (Mammifères), 923f
Calcitonine, 922, 923f
Calmoduline, 773
Calvin, cycle de, voir Cycle de Calvin
Cambium
libéroligneux, 693, 694f
subérophellodermique, 694
Camouflage, 1110, 1110f, 1111f
Canal central de la moelle épinière, 1002
Canaux
chimiodépendants, 995
protéiques à fonction active, 989, 992t
rythmogènes, 1044
sélectifs, 700
tensiodépendants, 989, 991f, 992t
Cancer, 850, 850f
colo-rectal, processus de développement, 385f
expression génique et, 384
Virus et, 353
CAP, 366, 368f
Capacité limite du milieu, 1093
Capacité vitale, 842
Cape cervicale, 952
Capillaires, 820, 828, 829f
péritubulaires, 885
Capside, 345
Capsule glomérulaire rénale, 885
Capture-recapture, estimation par, 1084, 1085
Caractère(s)
apomorphes, 495
plésiomorphe, 494
Caractère(s) héréditaire(s), 259, 260f, 261f
loi mendélienne d'assortiment indépendant des, 265, 266, 266f
plurifactoriels, 271
quantitatifs, 270
récessifs liés au sexe, 290f
Carbone, 53, 55, 57
cycle, 1142, 1143f
dioxyde de, 844, 846f, 1150, 1151f
fixation du, 203, 212
séparé, 59

Carbonifère, forêts du, 568
Carboxypeptidases (A et B), 804
Carence en minéraux, 720, 721f
Carence nutritionnelle, 811
Carnivores, 794, 807f, 808
Caroténoïdes, 205
Carpelles, 575
Cartes
cytologiques, 287
des territoires présomptifs, 971, 972f
génétiques, 285, 287f, 288f
Cartilage, 785
Cartographie de restriction de l'ADN, 492, 493f
Cartographie RFLP, 403f
Caryogamie, 585
Caryotype, 246, 247
Cascade de réactions enzymatiques, 914, 914f
Cascade enzymatique et MPF, 235f
Caspary, bande de, 705
Cassette, mécanisme de la, 379, 379f
Catabolisme, 192t, 194f
aérobie, 192
anaérobie, 192
des molécules non glycosidiques, 193
protéine activatrice du, 366, 368f
Catastrophisme, 422, 423
Catécholamines, 925, 925f
Cation, 35, 35f
échange de, 724
Cause
immédiate, 1160
ultime, 1159
Cavitation, 708
Cavité(s)
abdominale, 787
buccale, 799, 804t
gastrovasculaire(s), 605, 797, 798f, 819
intestin grêle, 804t
orale, 799
palléale, 612
thoracique, 787
CCK, voir Cholécystokinine
cdc2, 233
Cécilies, 647
Cellulase, 410
Cellule(s), 3
action hormonale sur les, 910
alpha, 923
amacrines, 1025
aneuploïde
monosomique, 291
trisomique, 290
animale(s), 124f, 125
cytocinèse, 230f
fibroplaste, 116f
glycocalyx, 144
jonctions intercellulaires, 145f
membrane plasmique, 156f
pénétration de particules et de macromolécules, 169f
phases de la mitose, 226f, 227f
bêta, 923
bipolaires, 1024
cancéreuses, 235, 237f, 850f
changements morphologiques, 973f
cibles, 773, 908
cils et flagelles d'une, 140, 140f, 141f, 142f
communication entre les, 993
compagnes, 683f, 685
compartimentation, 123
criblées, 683f, 685
culture, 234
de la gaine fasciculaire, 215
de Schwann, 984

de soutien, 985
de transfert, 713
dérivées, 686
des parenchymes, 682
déterminée, 975
dimensions comparées, 117f
diploïdes, 248
division, 221, 222f, 223f, 224, 229
anormale, 235, 237f
du collenchyme, 683f, 684
du mésophylle, 215
du sclérenchyme, 683f, 684
du xylème, évolution, 574
effectrices, 983
équilibre hydrique, 161, 162, 162f
eucaryote, 7, 7f, 10, 13f, 122
chromosomes, 223f
membranes, 129
rendement en ATP de la respiration
aérobie, 189f
structures et fonctions, 146t
excitables, 987
flasques, 162, 163f
fractionnement, 120f, 121
ganglionnaires, 1025
gliales, 985
haploïde, 248
horizontales, 248
initiales, 686
des rayons, 693
fusiformes, 693
insertion d'ADN, 394
interstitielles, 937
lyse, 868
matériel génétique, 302
mémoires, 860
mobilité, 170f
musculaires, contraction, 1043, 1043f
nerveuse, 787, 787f
noyau, 126f, 127
paroi, 143, 144f, 162
présentatrice d'antigènes, 860, 861f
postsynaptique, 993
présynaptique, 993
procaryote, 7, 7f, 9, 121f, 122, voir aussi
Procaryotes
programmation par l'ADN viral, 302
réceptrices, 1016
reproductrices, 221
sanguines, 830, 832f
sans paroi, 161
sécrétoires, 686
sensorielle ciliée, 1017
somatiques, 246
spécialisées dans la circulation de la sève,
683f, 684, 684f, 685
stomatiques, 691
surface, 143, 516
taille, 121f, 123
techniques d'étude, 117
totipotentes, 970
turgescente, 162, 163f
végétale(s), 125, 125f, 681, 682f
circulation de l'information, 772, 775f
cytocinèse, 230f
mitose, 231f
orientation de la croissance, 749, 751f
paroi, 144f
transport
diffusion de l'eau, 703f
modèle chimiosmotique, 701f
types, 682, 683f
vacuole, 133, 133f
Cellulose, 67, 70f

Centre(s)
de thermogenèse, 896
de thermolyse, 897
organisateur des microtubules, 139
réactionnel, 207
respiratoire, 843
Centrifugeuse, 121
Centrioles, 139, 139f
Centromère, 223
Centrosome, 137f, 139
Céphalisation, 599, 1000
Céphalocordés, 636
Céphalopodes, 614, 614f
Certitude de paternité, 1180
Cerveau, 1004f, voir aussi Encéphale
évolution chez les Vertébrés, 1005, 1005f
gauche et droit, 1009
humain, 1006, 1006f
Cervelet, 1006
Cestodes, 609
Cétones, 58
Chaîne(s)
alimentaire(s), 1133, 1134f
substances toxiques, 1149, 1150f
carbonées, 55, 57f
de transport d'électrons, 177f, 178, 184, 185f
origine, 524, 525f
latérale, 75f, 77
polypeptidiques, 76f, 77
Chaleur
de l'eau, 41
de vaporisation, 43
métabolique, 188f
production et transfert entre les organismes
et leur milieu, 894, 896
spécifique, 42
Champignons, voir Mycètes comestibles
Champs morphogénétiques, 751, 752, 976,
977f, 979f
Changements autogènes, 1121
Chélicères, 620
Chéloniens, 650, 650f
Chiasma optique, 1027
Chiasmas, 253
Chimie, 24, 24f
organique, 53, 54f
Chimioautotrophes, 522, 526t
Chimiohétérotrophes, 522
Chimiorécepteurs, 1018, 1018f
Chimiosmose, 186, 187f, 210, 211f, 701
origine, 524
Chimiotaxie positive, 851
Chitine, 69, 71f, 1037
Chlamydia, 527t
Chlorophylle (a et b), 200, 204, 205, 206,
207f, 208f
Chlorophytes, 543t, 545, 546f, 547f, 548f
Chloroplastes, 135, 136, 136f, 200, 210, 211f
Chlorose, 720
Choanocytes, 604
Choanoflagellés, 630, 630f
Cholécystokinine (CCK), 803
Cholestérol, 74, 74f
Chondrichthyens, 638f, 641, 642f
Chondroblastes, 785
Chondrocytes, 785
Chorion, 275, 966
Choroïde, 1022
Chromatides sœurs, 223
Chromatine, 127, 222
niveaux de condensation, 374f
vraie, 375
Chromoplastes, 136
Chromosomes, 127, 244, 280f
aberrations, 290

association à un gène, 282
autosomes, 248
bactérien, réplication, 356f
d'une cellule eucaryote, 223, 372f
homologues, 246
modification
de la structure, 292, 292f
du nombre, 291
non-disjonction, 290, 291f
séparation pendant l'anaphase, 229f
sexuels, 248
chez l'Humain, anomalies du nombre, 294f
hérédité liée au sexe et, 287

X
fragile, syndrome du, 295
inactivation, 289, 291f
Chrysophytes, 542, 543t, 544f
Chylomicrons, 807
Chyme acide, 802
Chymotrypsine, 804
Chytridiomycètes, 552, 554t, 555f, 595
Cibles, cellules, 773, 908
Ciblage des protéines, 331, 332f
Cils, 140, 140f, 141f, 142f
Ciliés, 537t, 539, 541f
Ciliophores, 537t, 539, 541f
Cinèse, 1171
Circulation, 818, voir aussi Systèmes
circulatoires
double, 821
fœtale, 949f
grande, 821
petite, 821
pulmonaire, 821
sanguine, 825, 826f, 828f
systémique, 821
Vertébrés, 820
Citernes, 129
Cladisme, 494
Cladogénèse, 456, 457f
Classes, 489
Clathrine, 167
Climat, 1070, 1071, 1071f
Climax, 1124
Clines, 446, 447f
mondiaux et diversité spécifique, 1125, 1126f
Clitellum, 616
Clitoris, 940
Cloaque, 642, 936
Clonage de gènes, 391, 393, 394, 395f, 398f
vecteur de, 394
Clonage in vitro, 746, 747f
Clone, 245, 858
CMH de classe I et II, 860, 865
Cnidaires, 604, 605f, 606f
Cnidoblastes, 605, 605f
Cnidocytes, 605
Coagulation, 832, 833f
Cochlée, 1028, 1028f, 1029f
Code
à triplets, 320f
génétique, 319, 321f, 322
dictionnaire du, 321f
Codominance, 268
Codon(s), 320, 327
d'arrêt, 330
reconnaissance du, 327
Coefficient de sélection, 450
Cœlentérés, 601
Cœlomates, 601
Cœlome, 601, 602, 602f, 603f
Coenzyme, 105
Cœur, 822
excitation, 824, 824f
Coévolution, 577, 1108, 1109f

Cofacteurs, 105
Cognition animale, 1184
Cohésion de l'eau, 41, 707
Cohorte, 1088
Coiffe 5, 687
Col utérin, 940
Coléoptile, 741
Coléorhize, 741
Collagène, 785, 785f
Collenchyme, 684
Collier de perles, 373
Colonies bactériennes, culture, 520, 521f
Coloration d'avertissement, 1110, 111f, 1112f
Coloration de Gram, 517
Commensalisme, 528, 1115, 1116, 1117f, 1121
Communauté(s), 1053, 1106f
  benthique, 1069
  biologique, 4
  caractéristiques, 1117, 1118
  conceptions, 1106, 1107f
  diversité spécifique et équilibre des, 1123, 1124
  dynamique, 1119, 1120f
  écologie, 1106, 1127
  limite claire entre des, 1107, 1108f
  structure, 1117
  richesse et diversité spécifiques, abondance relative, 1118
  stabilité, 1118
  trophique, 1118
  végétation et Animaux associés, 1117
Communication chez les Animaux, 1180, 1183f
Compétition
  importance, 1114
  influence sur les caratéristiques des communautés, 1119
  interspécifique, 1111
  intraspécifique, 1095
  par exploitation, 1112
  par interférence, 1112
Complément, 852
  système du, 866
  voies d'activation, 866-867, 868f
Complexe
  d'attaque membranaire, 867
  d'épissage, 333, 335f
  majeur d'histocompatibilité, *voir* CMH
  synaptonémique, 254
Comportement(s)
  animal, 1015, 1015f, 1158
  apprentissage et, 1165
  biologie moléculaire et, 1181
  causes
    immédiate, 1160
    ultime, 1159
  chez les Oiseaux, 1160-1165, 1167, 1172, 1173f
  circannuels, 1171
  composantes innées, 1162, 1162f
  d'affrontement, 1176, 1176f
  d'orientation, 1020f
  définition, 1158
  fondement génétique, 1159, 1160f
  inné, 1162, 1162f
  instinct et, 1165
  ludique, 1169, 1170f
  reproduction, 1177
  rythmes de, 1170, 1172f
  social, 1175, 1176f
  stéréotypés, 1162, 1163f, 1164f
Composé(s), 26, 26f
  ionique, 44, 45f
  organiques, 53, 54f, 511, 511f
  secondaires, 1110

Compréhension soudaine (comportement animal), 1169, 1171f
Concentration,
  gradient de, 159
  molaire volumique, 46, 104
Concept de reconnaissance, 467
Conception, 947
Condensation, réaction de, 65
Conditionnement
  classique, 1169
  opérant, 1169
Condom, 951
Conduction saltatoire, 993, 993f
Conduit(s)
  auditif externe, 1028
  déférent et éjaculateur, 937
  semi-circulaires, 1030, 1030f
Cônes, 1022
Configuration électronique d'un atome, 31, 32f
Conidies, 588
Conifères, 562t, 571, 571f, 572t, 1060
Conjugaison, 357, 521, 539, 542f, 545
  et recombinaison, 360f
  facteur F et, 359
  interruption de la, 359
Consanguinité, 273
Conseil génétique, 274
Consommateurs, 1133
Continents, dérive des, 484, 485f, 487f
Continuité, loi, 825
Contraceptifs, 951, 952
Contraception, 951
  orale, 952
Contraction
  cellules musculaires, sommation temporelle,1043, 1043f
  graduée de muscles entiers, 1043
  musculaire (par glissement des filaments), mécanisme moléculaire, 1040
  myosine-actine, cycle d'interaction au cours, 1040, 1041f
  régulation, 1042
  théorie, 1040, 1040f
  rapide et lente, fibres musculaires, 1043
Contrôle, croisement de, 263, 263f
Convection, 894
Conversion (cellules réceptrices), 1016
  processus, 773, 911
Coopération moléculaire, origine, 510, 510f
Coopérativité, 106, 106f
Corail, récifs de, 1067, 1068f
Corde dorsale, 635, 963
Cordes vocales, 841
Cordés, 629, 635, 636f, 639f
Corépresseur, 364
Cornée, 1022
Corps
  amygdaloïde, 1010
  calleux, 1007
  ciliaire, 1022
  du neurone, 984
  géniculés latéraux, 1027
  jaune, 919t, 939
  pinéal, 919f, 927
  vitré, 1022
Corpuscule(s)
  basal, 140
  bulboïdes, 1017
  de Barr, 290
  de Krause, 1017
  de Meissner, 1017
  de Pacini, 1017
  de Ruffini, 1017
  lamelleux, 1017

rénal, 885
  tactiles capsulés et non capsulés, 1017
Cortex, 885
  cérébral, 1007, 1008f
Corti, organe de, 1028
Corticostéroïdes, 925
Corticosurrénale, 919t, 925
Corticotrophine (ACTH), 921
Cotransport, 166, 167f, 701
Cotylédons, 577
Cotylosauriens, 648
Couche(s)
  électroniques, 30
  périphérique d'un atome, 31
Couches tissulaires, 787, 787f
Couplage
  chimiosmotique, 186f
  énergétique, 92
  excitation-contraction, 1041
Courant de masse, 702
  de la sève élaborée dans le phloème, 714
Courants, 1064, 1074f
Courbe(s)
  de dissociation, 844, 845f
  de survie de population, 1088, 1088f
  de tolérance et acclimatation, 1078, 1079f
Cours d'eau, 1064, 1065f
Crampon, 547
Crétacé, crise du, 650
Crête(s), 136
  adaptatives, 468
  épidermique, 978
  neurale, 964
Cribles, 685
Cristallin, 1022
Crocodiliens, 650, 650f
Croisement
  bactérien, 357, 359f
  de contrôle, 263, 263f
  dihybride, 264, 265f
  génétique, 259, 259f
  monohybride, 260
  trihybride, 266
Croissance
  acidodépendante, hypothèse, 760
  d'une tumeur maligne, 235, 237f
  définition, 748
  démographique nulle, 1093, *voir aussi* Démographie
  facteurs de (PDGF), 230
  orientation (cellules végétales), 751f
Croissance (Végétaux), 686f
  définie, 686
  indéfinie, 686
  primaire, 685f, 686, 692f, 695f
    des pousses, 689, 692f, 695f
    des racines, 687
  secondaire, 686, 693
    des racines, 694
    des tiges, 693, 693f, 695f
Croissance (Vertébrés), 907, 907f
  facteurs de, 910
  hormone, 918
Croissant gris, 969
Crossoptérygiens, 644
Crustacés, 626, 626f
Cryodécapage, 154
Cryofracture, 154
Cténaire, 607f, 608
Culture
  cellulaire, 234
  hydroponique, 719, 720, 722f
  nature humaine et, 1187, 1187f
  rendement protéique, amélioration, 728
Cuticule, 559, 618

Cuvier, Georges, 422
Cyanobactéries, 521, 525, 526t
Cycle(s)
azote, 1143, 1144f
biogéochimiques, 1140, 1146
et procaryotes, 528
biologiques, évolution, 1089, 1090f
carbone, 1142, 1143f
cellulaire, 224, 224f
définition, 246
d'un organisme sexué, 246, 248, 249f
de développement
de Calvin, 203, 203f, 212, 214f
d'interaction myosine-actine, 1040, 1041f
d'élongation de la traduction, 329f
de réplication des Virus, 347f
à enveloppe, 351f
animaux, 350
estral, 941
menstruel, 941
ovarien, 942
reproducteur, 932, 942, 943f
Cycline, 233
Cydippe, 607f, 608
Cytochromes, 184, 185f
Cytocinèse, 223, 225, 227f, 230f, 231f
Cytokinines, 759f, 761
Cytologie, 121
Cytoplasme, 122
Cytosol, 122
Cytosquelette, 137, 137f, 138f, 138t
orientation de l'expansion cellulaire et, 749, 751f

D

Darwin, Charles, 10, 13f, 420, 433, 757
Darwinisme, 421, 424, 426
Datation
absolue, 477
radioactive, 477, 479
relative, 475
Davson et Danielli, modèle de, 152, 153f
DDT, 1149, 1150f
Débit cardiaque, 823, 824
Décalage du cadre de lecture, 336
Déchéance des hybrides, 460t, 461
Déchets azotés, 893, 893f
Déclencheur (stimulus), 1162, 1163f
nature des, 1165
Défenses de l'organisme
non spécifiques, 850, 866
spécifiques, 854, 866
Déforestation, effets, 1146, 1147f, 1148f
Déglutition, 801f
Délétion(s), 292, 336
Demi-vie, 477
Démographie, 1086
accroissement, 1092-1097, 1094f, 1094t, 1095t, 1095f, 1096f
Dénaturation, 83, 83f
Dendrites, 984
Dénitrification, 1144
Densité de population, 1084, 1084t, 1084f
facteur dépendant, 1097
fécondité, diminution, 1097, 1098f
Dents, 799, voir aussi Dentition
Dentition, 807f, 808
Déplacement, coût, 1035, 1035f
Déplacement du phénotype, 1115, 1116f
Dépolarisation, 989, 992t
Dérive
des continents, 484, 485f, 487f
génétique, 442, 443
Descendance modifiée, 426
Déserts, 1057, 1058f
Désoxyribose, 84
Déterminants
antigéniques, 856f, 857
cytoplasmiques, 969, 970, 970f
Détermination, 975
Détritivores, 1133
Détritus, 537, 1063
Deutéromycète, 591, 591f
Deutérostomiens, 603f, 627
Développement
à régulation, 971
animal, régulation, 907, 907f
chez les Végétaux, 748-753
cycles, voir Cycles de développement
chez l'embryon humain, 967, 967f
chez les Animaux, 956, 956f
définition, 748
en mosaïque, 971
mécanismes généraux, 968, 969f
modulaire des pousses végétales, 692, 692f
modes, 934
Oiseaux, 965, 965f, 966f

Diabète
de type I, 923
de type II, 924
Diagnostic
de maladies, génie génétique et, 405
prénatal, 275, 276f
Diaphragme (contraception), 951, 653, 842
Diastole, 822
Dicaryon, 585
Dicotylédone(s), 676, 677f, 679, 693f
embryon, 740, 740f
Dictionnaire du code génétique, 321f
Diencéphale, 1007
Différenciation, 957, 974
cellulaire, 372, 748, 750
régulation, 761
zone, 688
Diffusion, 158
d'un soluté, 159, 159f, 161f, 164f
facilitée, 159, 162, 164f
simple, 159
Digestion, 795
cavités gastrovasculaires, 797, 798f
intracellulaire, 796, 797f
régulation, 803, 803f
Ruminants, 808, 809f
tube digestif, 798, 799f
Dimorphisme sexuel, 451
Dinoflagellés, 542, 543t, 544f
Dinosaures, 649
Dioxyde de carbone, 844, 846f, 1150, 1151f
Dioxygène, 843
Dipeptidases, 804
Diploblastiques, 601
Diploïde, 448, 448f
Dipneustes, 644
Disaccharidases, 66, 68f, 803
Disomie uniparentale, 296
Dispositif intra-utérin (DIU), 952
Disposition modulaire des pousses, 692
Disque(s)
embryonnaire, 967
imaginaux, 975
intercalaires, 1044
Dissociation, courbe, 844, 845f
Distribution de population, 1084
aires, 1124
aléatoire, 1085, 1086f
en agrégats, 1085, 1086f
uniforme, 1085, 1086f
Divergence, spéciation par, 467
Diversité
animale, 598
aspects biogéographiques, 1124
biologique, 421
des communautés, 1124
des Végétaux, 579
écologique, 1068
génétique, 444f
métabolique (Algues), 549
métabolique (Bactéries), 515, 521
moléculaire, 53
origine, 524
spécifique, 1118
Division cellulaire, 221, 221f, 222f, 223f, 224, 229
anormale, 235, 237f
cytosquelette et plan de, 749, 750f
des Végétaux, 561, 562f
fuseau de, 224, 228f
mitotique, 292
régulation, 761
rôle dans la morphogenèse, 748
sillon de, 225
clines mondiaux et, 1125, 1126f
équilibre des communautés et, 1123
DIU, 952
Domaines, 225, 335, 523, 524f
Dominance
complète, 268
incomplète, 267, 267f
Dominance apicale, 679
régulation, 761, 762f
Dopamine, 998, 998t
Dormance des graines, 742
Dosage biologique, 763
Double hélice, 86, 88f, 300f, 303, 304, 305f
Douleur, récepteurs de la, 1019
Down, syndrome de, 293, 293f, 294f
Drosophila (expériences de Morgan), 280, 282f, 283f, 284f, 285f, 286f, 287f
Duchenne, myopathie de, 289
Duodénum, 803
Duplication, 292
Durée critique de la nuit (floraison), 769, 770f
Dynamique
prédateur-proie, 1119, 1120f
structure des communautés, 1117
Dynéine, 141

E

Eau(x)
adhérence, 707
chaleur de l', 41
cohésion, 707
conservation par un rein de Mammifère, 889
cours d', 1064, 1065f
cycle de l', 1140, 1141f
diffusion de l', 160, 161f, 162f, 703f
dilatation de l', 43, 44f, 45f
du sol, disponibilité, 1069
facteur abiotique, 1069
lacustres, 1074, 1076f
molécules d', 34, 40, 41f, 46, 202
propriétés, 41, 46t
température, 41, 42
transport, 41, 42f, 705
ECG, *voir* Électrocardiogramme
Échange(s)
à contre-courant, 838, 838f
capillaire, 828
de cations, 724
gazeux, 818, 835
internes des Animaux complexes, 789, 789f
O₂-CO₂ 843, 844f
Échangeur thermique à contre-courant, 897, 900f
Échinodermes, 627, 628f, 629f
Échographie, 953
Écologie, 1052-1079
comportementale, 1159
des communautés, 1106, 1127
des populations, 1083, 1083f
évolution et, 1054
Écorce, 689
Écosystème(s), 174f, 1053
définition, 1132
dynamique des, 1132
ingérence de l'Humain, 1132f, 1145
productivité, 1136, 1137f
Ectoderme, 600, 962, 968t
Ectoparasites, 1116
Ectothermes, 648, 895, 895f
EEG, *voir* Électroencéphalogramme
Effecteur, 985f
Effet(s)
aspirant de la transpiration, 706, 707f
d'étranglement, 443, 443f, 444f
de bascule, 1099
de la déforestation, 1146, 1147f, 1148f
de position, 292
de serre, 1151
du milieu sur la morphologie des Végétaux, 675, 676f
écologiques de la guerre, 1146, 1146f
fondateur, 443
hydrophobe, 81
réversibles des lumières rouge et infrarouge sur la réaction photopériodique, 771, 772f
EGf, *voir* Croissance (Vertébrés), facteurs de
Égocentrisme, 1182
Éjaculation, 937
Électroencéphalogramme (EEG), 1008
Électrolytes, 830
Électronégativité, 34
Électrons, 27, 30f, 35f
de valence, 31
transport d', 177f, 178, 184, 185f, 524, 525f
cyclique et non cyclique, 208, 209, 209f, 210f, 32f
configuration électronique des 18 premiers, 32f

définition, 26
essentiels (nutrition des Plantes), 719, 720, 721t
majeurs et mineurs, 719
essentiels à la vie, 26, 26f, 27f
génétiques transposables, 362, 363f
Élongation, 327
cellulaire, 229f
auxine et, 759
zone, 688
de brin d'ADN, 309
de brin d'ARN, 324
de la traduction, 327, 329f
des tiges, 762
facteurs, 327
Embranchements, 489
Embryoblaste, 967
Embryologie comparée, 432, 434f
Embryologie des Amniotes, 965
Embryon
axes, 969, 969f
Dicotylédones, 740, 740f
distribution de la protéine bicoïde, 979, 979f
humain, 967, 967f
polarité, 968
protection, 935
Émergence, 4
Éminence médiane, 921
Émotions, 1009
Empreinte, 1166, 1167f, 1167
Empreintes génomiques, 295, 295f
par récepteur interposé, 167
Émulsion, 805
Encéphale, 1002, 1004f, 1005f, *voir aussi* Cerveau
fonctions supérieures, 1008
humain, 1006, 1006f
intégration, 1008
Enclume, 1028
Endocrinologie, 908
Endocytose, 166, 168f, 170f
par récepteur interposé, 167
Endoderme, 600, 689, 705, 962, 968t
Endogamie, 444
Endomètre, 940
Endoparasites, 1116
Endorphines, 921, 999
Endosperme, 577, 739, 740
Endospores, 526t
Endosquelettes, 1037
Endothélium, 825
Endothermes, 895, 895f
Endotoxines, 529
Énergie, 30, 173, 173f, 174f
et la vie, 96
cinétique, 41, 92, 93f
conversion par les mitochondries et les chloroplastes, 135
d'activation et enzymes, 102f
électromagnétique, 204
flux de l', 1133
homéostasie et allocation d', 1075
libre, 95, 96, 97f
d'activation, 100
nourriture, source, 809
potentielle, 30, 91, 92f
transfert, 1137
Enjambement, 255, 255f, 285
Enképhaline(s), 921, 999
Entérobactéries, 526t
Entérocœlie, 602
Entéropeptidase, 805
Entomologie, 621
Entre-nœuds, 679
Entropie, 93, 94f

Enveloppes, 345
Virus à, 350
Enveloppe nucléaire, 126f, 127
Environnement
interaction des organismes avec leur, 8
perturbation de l', 48
réaction des Végétaux face à leur, 756, 756f
Enzyme(s), 100, 102, 102f, 103f, 104f, 105f, 106f, 107f
activité, 915
de restriction, 349, 391, 393f
hypothèse un gène-une, 318f
inductibles, 364
lipolytiques, 805
répressibles, 364, 365f
Épicotyle, 741
Épidermes, 685
Épididyme, 937
Épigenèse, 957
Épiglotte, 800
Épissage de l'ARN, 333, 334f, 335f
Épistasie, 269, 270f
Épithélium
cubique, 784
de transport, 880, 887, 888f
pavimenteux (simple et stratifié), 784
prismatique, 784
simple, 783
stratifié, 784
Équilibre(s), 1027, 1031
conduits semi-circulaires et, 1030, 1030f
de Hardy-Weinberg, 441, 444
des communautés, 1123
hydrique, 161, 162, 162f, 880, 880f
ponctué, théorie, 469
potentiel de l', 988
sens de l', 1027
Vertébrés, 1031
Mammifères, 1029
Équisitinées, 562t, 567, 568t
Équivalence génomique, 975
Ergot du seigle, 594, 595f
Érosion, 725
Érythrocytes, 830
Érythropoïétine, 831
Espèce(s), 439, 457, 489, *voir aussi* Spéciation
à sélection r et K, 1093, 1095, 1095f
définition(s)
biologique, 457, 458, 458f
morphologique, 457
dioïque, 736
exotiques, introduction, 1151, 1153f
extinctions massives, 487, 488f
isolement des, 459, 460, 460f, 460f, 461f
monoïque, 736
opportunistes, 1090, 1090f, 1091f
origine des, 456
spécialisées, 1090t, 1091, 1091f
Estivation, 902
Estomac, 801, 801f, 804t
couches tissulaires, 787, 788f
Estuaires, 1066, 1066f
Étamines, 367f, 575, 735
Étangs, 1062, 1064f
État de transition, 101
États fondamental et excité de la molécule de pigment, 206
Éthologie cognitive, 1185
Éthylène, 759t, 764
Êtres vivants, *voir aussi* Vivant, règnes du
classification des, 9, 11f
éléments essentiels associés aux, 4, 6f
règnes de, 9, 12f
taxinomie des, 523, 524f

Étrier, 1028
Eubactéries, 523, 524f
groupes importants, 526, 527t
Eucaryote(s), *voir aussi* Cellule eucaryote
domaine des, 524f
maturation de l'ARN, 332, 334f
origine, 533, 534, 535f
structure et expression du génome, 372, 376, 377f
transcription et traduction chez les, 340f
Euchromatine, 375
Euglène, 543t, 544, 546f
Euglénophytes, 543t, 544, 546f
Eumétazoaires, 599
Euryptérides, 619, 619f
Eutrophisation des lacs, 1148, 1149f
Éveil, 1008
Évolution, 10, 13f, 420, 430, 433f, 434f, 435f, 495
adaptation des algues marines, 547
adaptative, 449
convergente, 491, 492f
culturelle, 665
des Animaux, 600f
des cellules du xylème, 574f
des cycles biologiques, 1089
des populations, 438
des Végétaux, 560, 561f
divergente, 456
divergente du Cheval, 482, 483f
écologie et, 1054
en mosaïque, 661
mécanismes, 416
phylétique, 456
rôle des introns, 334
tendances, 481, 484f
théories
de Darwin, 425, 433
de Lamarck, 423
synthétique, 438, 439
variation génétique et, 255, 255f
Excision-synthèse, réparation de l'ADN par, 313, 313f
Excitation
cardiaque, 824, 824f
-contraction, couplage, 1041
phase, 947
seuil, 989
Exclusion compétitive, principe, 1112, 1113, 1113f
Excrétion, 877, *voir aussi* Systèmes excréteurs
Exocytose, 166, 168f, 170f
Exons, 333
Exosquelette(s), 618, 1037
Exotoxines, 529
Expansion cellulaire
cytosquelette et orientation de l', 749
rôle dans la morphogenèse, 748
Expression génique
cancer et, 384
eucaryotes, 372, 381f
régulation, 381f
régulation
après la transcription, 381
eucaryotes, 381f
procaryotes, 362
rôle des petites molécules, 383
Extérocepteurs, 1017
Extinctions massives d'espèces, 487, 488f

F
Face *cis*, 132
Face *trans*, 132
Faces dorsale et ventrale (Artiozoaires), 599
Facilitation, 1123
Facteur(s)
abiotiques, 1052, 1069
allogènes (perturbation des communautés), 1123
de croissance dérivés des plaquettes (PDGF), 230
de terminaison, 330
de transcription, 324
de variation génétique, 446
dépendants de la densité, 1097, 1098f
F et la conjugaison, 359
indépendants de la densité, 1099, 1099f
locaux et saisonniers (climat), 1071
Rh, 869
Faisceaux libérioligneux, 689
Famille(s), 489
de gènes identiques de l'ARNr, 376f
Fécondation, 248
aléatoire, 255, 264f
Animaux (interne et externe), 934
définition, 957
diminution, 1097, 1098f
double (Fleurs), 739
double, 577
événements qui suivent, 948, 948f
in vitro, 953
membrane de, 958
Femme, anatomie et système reproducteur, 939, 939f
cycle reproducteur, 943f
Fenêtre
de la cochlée, 1029
du vestibule, 1028
Fentes branchiales, 636
Fermentation, 173, 190, 191f
Fertilisants, 724
Feuille(s), 679, 680f
abcission, 765, 766f
adaptations structurales, 712, 712f
anatomie, 691, 691f
modifiées, 681f
mouvements rapides, 766, 768f
tissus, 691
transpiration, 707f
Feuillet plissé bêta, 80
Feuillets
embryonnaires, 600, 962
Mammifères, tissus ou organes dérivés des, 968t
Fibre (végétale), 574
Fibre(s)
collagènes, 785, 785f
élastiques, 785
musculaires, contraction, 1043
réticulées, 785
végétales, 574, 684
Fibrine, 832
Fibrinogène, 832
Fibroblastes, 785
Fibronectines, 971
Filament(s)
d'actine, 137, 141, 143f
épais, 1039
glissement de (contraction musculaire), 1040, 1040f
intermédiaires, 137, 138f, 142

minces, 1039
Filet, 575
Filicinées, 562t, 567, 568f, 569f
Filtrat, 885
Filtration
du néphron, 885, 886f
ingestion par, 794, 795f
Fixation
de l'azote, 412, 522, 527t, 726
du Carbonifère, 568
mauvaise gestion, 579, 579f
Flagelline, 534
Fonctions biologiques, rôle des introns, 334
Forêt(s)
conifères, *voir* Conifères
décidue(s)
humide, 1056, 1057f
tempérée, 1056
tropicales, 1056
effets écologiques, 1146f, 1147f, 1148f
expérimentale de Hubbard Brook, 1146, 1147, 1148f
méditerranéenne, 1058, 1059f
tropicales, 1055, 1056, 1057f
Formation réticulée, 1007
Forme méduse, 605, 605f
Forme polype, 605, 605f
Formule
développée, 32
moléculaire, 32
Fossile(s), 422, 422f, 476f
d'Animaux primitifs, 631f
d'Arthropode, 618
de transition, 432f
formation, 475
stratigraphiques, 477
temps géologiques et, 475
Fougères, 562t, 567, 568f, 569f, 572t
Fourche de réplication, 309, 312f
Fractionnement cellulaire, 120f, 121
Fragmentation, 931
Fragments de restriction, 393
RFLP, 402-404
Fréquence
cardiaque, 823
des ondes, 1029
dimunution, 450, 451t
sélection dépendant de la, 448, 449f
Frondes, 548
Fructification, 762, *voir aussi* Fruits, développement
Fruit(s), 575, 575f
composé, 741, 743f
développement, 741, 742f, 762
maturation, 764, 765f
multiple, 741, 743f
simple, 741, 743f
types, 743f
FSH, *voir* Hormone folliculostimulante
Fuseau de division, 224, 228f
Fuseau neuromusculaire, 1017
Fusion des protoplastes, 746

G
Gaine de myéline, 984, 986f
Gamétanges, 560
Gamètes, 248, 932
fonction, 945
union des, 934
Gamétogenèse, 945
Gamétophyte(s), 546, 735, 738f
Ganglions, 999
Gastéropodes, 613, 613f
Gastrine, 802
Gastrula, 961

Gastrulation, 599, 601f, 961, 962f, 963f, 965f
Gel, électrophorèse sur, 393, 396
Gemmules, 932
Gène(s), 83, 244, 338
  analyse, 391
  association à un chromosome, 282
  clonage, 391, 393, 394, 395f, 398f
  de structure, 364
  élevage, manipulations, 410
  empreintes sur, 295
  enzymes et, 317, 318f
  eucaryote et son transcrit, structure
    moléculaire, 375, 377f
  expression, modification par le toucher,
    772, 774f
  familles
    identiques, 376f
    multigéniques, 375
    non-identiques, 375
  homéotiques, 752, 976, 976f
  immunoglobulines, 379
  liés, 283
    au sexe, 283
  locus du, 245, 280f
  manipulations, 391, 409-412
  Mendel et le concept de, 258
  métabolisme et, 317
  nature humaine et, 1187, 1187f
  perte sélective de, 378
  production de protéines et, 316
  proto-oncogènes, 384
  recherche à l'aide de sondes, 398, 398f
  régis en coordination, agencement, 378
  régulateur, 364
  suppresseurs de tumeurs, 384
  traduction, 324, 325f, 328f, 329f, 330f
  transcription, 322, 323f, 324f
  transfert chez les Bactéries, 356
  végétaux, manipulation, 411, 411f
Généalogie des Vertébrés, 635
Génération(s)
  alternance des, 249, 249f, 546, 548f, 560f
  P, F_1, F_2, 260, 260f, 261f, 262f
  temps de, 1087, 1087f
Génétique, 244
  des populations, 439, 441f, 445, 449f
  des Virus et des Bactéries, 344
  manipulations, 390
  patrimoine, 439
Génie génétique, 390
  applications médicales, 405
  appliqué aux Végétaux, succès, 411
  en recherche fondamentale, 404
  fabrication de produits géniques, 398
Génome, 221
  bactériens, réplication et mutation, 355
  flexibilité, 378
  Humain, 405
  remaniements du, 378
  procaryote, 519
  structure
    à l'échelle microscopique, 373
    à l'échelle moléculaire, 375, 377f
    viraux, 345
Genons, 320
Génotype, 263, 263f
Genre, 489
Genre humain, apparition, 660
Géométrie moléculaire, 34, 56, 56f
Géotropisme, 765, 767f
Germination, 742, 744f, 745f, 762
  graines artificielles, 746, 747f
Gestation, 947
GH, *voir* Hormone de croissance
Gibbérellines, 759f, 761, 762, 764f

GIP, *voir* Peptide inhibiteur gastrique
Gland du pénis, 938
Glande(s)
  à sel des Oiseaux, 880, 880f
  bulbo-urétrales, 938
  corticosurrénales, 919t, 925
  endocrines, 908,
    chez l'Humain, 918f
    et leurs hormones chez les Vertébrés, 919t
    et système nerveux, 927
  exocrines, 908
  mammaires humaines, 940, 940f
  médullosurrénales, 919t, 925
  parathyroïdes, 919t, 922
  salivaires, 799
  surrénales, 919t, 925, 927f
  thyroïde, *voir* Thyroïde
Globe oculaire, *voir* Œil
Globine(s) alpha et beta
  évolution, 377f
  pseudogènes de la, 376
Globules blancs, *voir* Leucocytes
Globules rouges, *voir* Érythrocytes
Glucagon, 923, 924f
Glucides, 66
  membranaires, 156
Glucocorticoïdes, 925
Glucose, 66, 67f
Glycémie, 924
Glycérol, 71
Glycine, 998t, 999
Glycocalyx, 144
Glycogène, 67, 68f
Glycolyse, 179, 192
  aérobie, 179f
  étapes de la, 180f, 181f
  origine, 524
Glycoprotéine, 131
Golgi, appareil de, *voir* Appareil de Golgi
Gonades, 919t, 926, 935
Gonadotrophine chorionique humaine
  (HCG), 950
Gonadotrophines, 921
Goût, 1032, 1033f
  bourgeons du, 1034
  récepteurs, 1018
Gradient
  de concentration, 159
  électrochimique, 164
Gradualisme, 423, 469
Grain(s) de pollen, 576, 738, 738f
Graine(s), 560, 740, 741f
  artificielles, 746, 747f
  dormance, 742
  espèces opportunistes et spécialisées,
    production, 1090, 1091, 1091f, 1092t
  montée en, 762, 764f
Graisses, 71, 72f
Gram, coloration de, 517
  positif et négatif, 517
Grana, 137
Granules corticaux, 958
Granulocytes
  basophiles, 831
  éosinophiles, 832, 852
  neutrophiles, 831, 851
Greffe(s)
  information de positionnement modifiée,
    978, 978f
  tissus, 869
Greffon, 745
Grille de Punnett, 262
Grossesse, 947
Grossissement (microscopie), 117
Groupement(s)

amine, 59, 60f
carbonyle, 58, 60f
fonctionnels, 58, 60f
hème, 185
hydroxyle, 58, 60f
phosphate, 60f, 61
thiol, 60f, 61
Groupes sanguins, 868
  du système ABO, allèles multiples, 269
GTP, 914, 913f
Guerre, effets écologiques, 1146
Guttation, 706
Gymnospermes, 560, 570, 572

H

Habitats, destruction, 1145
Habituation, 1166
Hampe florale, 734, 734f
Hardy-Weinberg
  équilibre de, 441, 444
  loi de, 439, 441f
Hauteur du son, 1029, 1029f
HCG, *voir* Gonadotrophine chorionique
  humaine
HDL, *voir* Lipoprotéines
Hélicase, 312
Hélice(s)
  alpha, 80
  double *voir* Double hélice
Héliozoaires, 537
Hémisphères cérébraux, 1005
Hémizygote, 289
Hémocyanine, 844
Hémocytoblastes, 831
Hémoglobine, 830
Hémolymphe, 819
Hémophilie, 289, 832
Hépatinicées, *voir* Hépatiques
Hépatiques, 562t, 563, 565f
Herbivores, 794, 807f, 808
Hérédité, 244
  bases chromosomiques, 281f, 285, 286f,
    288, 289f
  bases moléculaires, 300
  cytoplasmique, 296
  environnement et, 270
  extranucléaire, 297
  jeu de hasard, 263
  liée au sexe, 283, 283f
  chromosomes sexuels et, 287
  mendélienne chez l'Humain, 271
  nature statistique, 264
  polygénique, 270, 271f
  théorie chromosomique, 280
  travaux de Mendel, 258, 271
Hermaphrodisme, 604, 932
  successif, 933, 933f
Hershey et Chase, expérience de, 302, 303f
Hétérochromatine, 375
Hétérochromie, 481
Hétéromorphes, 549
Hétérosporée, 567
Hétérotrophie, 199
Hétérozygotes, 262
  avantage, 448
Hibernation, 902, 903f
Hiérarchie sociale, 1176
Hippocampe, 1010
Hirudinées, 617
Histamine, 853
Histocompatibilité, complexe majeur, *voir*
  CMH
Histones, 373
HJ, *voir* Hormone juvénile
Hodgkin, maladie de, 870

Homéoboîte, 976
Homéodomaines, 977
Homéose, 481
Homéostasie, 790, 790f, 877f
  allocation énergétique et, 1075
  régulation par les hormones, 907, 907f, 909f
Hominidés, 662f
Homme, système reproducteur, 937, 938f
Homo erectus, 663
Homo sapiens, 664
Homochromie, voir Camouflage
Homogamie, 445
Homologie, 432, 490
Homologues, 246
Homosporées, 567
Homozygote, 262
Horizons d'un sol, 722, 722f
Horloge(s)
  biologique, 768, 771, 1170
  mitotique, 233, 235, 236
  moléculaires, 493
Hormone(s), 756, 908, 914f
  adénohypophysaires, 918
  antagonistes, 909, 909f
  antidiurétique (ADH), 918
    osmorégulation, 890, 892f
  d'inhibition, 918
  hypothalamiques, 921
  de croissance (GH), 918
  de la floraison, 770, 771f
  de libération, 918
  hypothalamiques, 918, 920f, 921
  juvénile (HJ), 916
  luténisante (LH), 921
  mélanotrope (MSH), 921
  prothoracotrope (céphalique), 916
  régulation par les, 907, 907f
  stéroïdes, 908, 911, 911f, 926f
  dérivées d'acides aminés, 909, 912
  des Invertébrés, 915
  folliculostimulante (FSH), 921
  endocrines principales des Vertébrés, 919t
  activation d'une protéine fixatrice d'ADN, 384f
  chez les Insectes, 383
  chez les Vertébrés, 383
  végétale, 756
    fonctions, 757, 759t
Hôte, 528
  spectre d', 346
Humain(s)
  accroissement de la population, 1100, 1101f, 1102t
  anatomie
    féminine, 939
    masculine, 937
  ancêtres des, 657, 659f
  anomalies du nombre de chromosomes, 294f
  apparition, 660
  bases chromosomiques du sexe, 288, 289f
  écosystèmes et, 1132, 1145
  excréteur, 883, 884f
  hérédité mendélienne chez l', 271
  lignage, 272, 273f
  maladies
    liées au sexe, 289
    résultant d'aberrations chromosomiques, 292
  minéraux, besoins, 814t, 815
  odorat, 1033, 1034f
  physiologie sexuelle, 947
  sociobiologie, 1185
  squelette, 1037f
  système

  circulatoire, 822, 823f
  digestif, 799, 800f
  nerveux, 983, 983f
  reproducteur
    féminin, 939, 939f
    masculin, 937, 938f
Humeur aqueuse, 1022
Humus, 723
Hybridation, 260
  ADN-ADN, 492
  in situ, 404
Hybride(s)
  déchéance, 460t, 461
  non-viabilité, 460t, 461
  stérilité, 460t, 461
Hybridome, 863, 864
Hydathodes, 706
Hydrocarbures, 56, 57f
Hydrogène
  liaison, 35, 36f, 41f
  molécule d', 33f
Hydrolyse, 65
Hydrophile, 45
Hydrophobe, 45
Hydrosquelette, 1036
Hymen, 940
Hyperpolarisation, 989
Hypertension, 834
Hyphes, 552, 555f, 584, 585f
Hypocotyle, 741
Hypophyse, 917, 918, 919
  hormones, 920f
Hypothalamus, 917, 920f
  thermorégulation et, 897, 899f
Hypothèse(s), 12, 16
  coloniale, 630
  de l'origine autogène, 535
  de l'origine endosymbiotique, 535
    de la croissance acidodépendante, 760
    sur l'origine des eucaryotes, 535, 535f
    syncytiale, 630
  un gène-une enzyme, 318f

I
Ig, IgM, IgG, IgA, IgD, IgE, voir
  Immunoglobulines
Iléon, 805
Îlots pancréatiques, 923
Image d'appétence, 1174
Inhibition, 743
Immunité, voir aussi Système immunitaire
  à médiation cellulaire, 855, 863
  active, 855
  chez les Invertébrés, 872
  humorale, 855, 860, 862
  passive, 855
Immunoadhérence, 868
Immunodéficience, 870
Immunoglobulines (Ig : IgM, IgG, IgA, IgD,
  IgE), 379, 857, 858, 858t
  chez les Animaux, 352
  par le VIH, 871, 871f
Influx nerveux, 989
Information
  transmission, 986
  circulation dans les cellules végétales, 772,
    775f
  de positionnement, 75, 977, 978, 978f
  génétique, 7, 8f
  circulation, 319, 319f

  origine, 509, 510f
  transmission par messagers chimiques, 907,
    908f
Ingestion, 598, 794f
  du substrat, 795, 795f
  en vrac, 795, 796f
  par aspiration, 795, 796f
  par filtration, 794, 795f
Inhibiteurs enzymatiques, 105
Inhibition, 327
  de contact, 230, 233f
  latérale, 1025
Initiation, 327
Innovations évolutives, 480
Inositol triphosphate (IP_3), 915, 916f
Insectes, 621, 621f, 624f, 625f
  excrétion, 882, 883f
  hormones stéroïdes, 383
  ordres principaux, 622t, 623t
  respiration, 838
  système reproducteur, 935, 936f
Insertion(s), 336
  d'un transposon, 362f
Instinct, 1165
Insuline, 53, 53f, 923, 924f
Intégration, 1008
Interaction(s)
  des populations, 1106f, 1107
  interspécifiques, 1108
  symbiotiques, 1115
Intensité du son, 1029
Interaction(s)
  fonction des cellules réceptrices, 1017
  processus synaptiques, 995
  visuelle dans la rétine, 1026f
Intercepteurs, 1017
Interféeons, 852
Interleukine 1 et 2, 865
Intermédiaire phosphorylé, 99
Interneurones, 985
Interocepteurs, 1017
Interphase, 224, 226f
Intestin
  grêle, 802, 803, 804t, 805f, 806f
  gros, 807
Introgression, 461
Introns, 333, 334
Invagination, 962
Invasculaires, 562, 562t
Inversion, 292
Invertébrés, 598, 598f
  audition, 1032
  hormones, 915
  immunité, 872
  systèmes nerveux, 1000, 1001f
  systèmes circulatoires, 819, 820f
  systèmes reproducteurs, 935, 936f, 937f
  thermorégulation, 901, 902f
  transport interne, 819, 819f
  vision, 1019, 1020f, 1021f
Investissement parental, 1178
Involution, 963
Ion(s), 35, 35f
  hydronium, 46
  hydroxyde, 46
  transport, 164, 166f, 711
IP_3, voir Inositol triphosphate
Irradiation, 28, 30f
Irrigation, 724, 725f
Irrigation sanguine, 828
Isogamie, 545
Isolement
  écologique, 459, 460t
  éthologique, 460, 460f, 460t
  gamétique, 460, 460t
  mécanique, 460, 460t, 461f

reproductif
postzygotique, 460t, 461
prézygotique, 459, 460t
temporel, 460, 460t
Isomères, 58f
de structure, 56, 58f
géométriques, 56, 58f
optiques, 57
Isomorphes, 549
Isotopes, 28

J
Jéjunum, 805
Jeu (comportement animal), 1169, 1170f
Jonctions intercellulaires, 144, 145f
Joule, 42

K
Kaposi, maladie de, 872
Kinésine, 138f, 141, 142f
Kinétochores, 225
Klinefelter, syndrome de, 294
Koch, postulats de, 529
Krause, corpuscule de, 1017
Krebs, cycle de, 179, 182, 182f, 183f
Krill, 626, 626f
Kwashiorkor, 812

L
Lacs, 1062, 1064f
eutrophes, 1063, 1148, 1149f
oligotrophes, 1063
Lactation, 951
Lamarck, Jean-Baptiste de, 423
Lamelle moyenne, 143
Langage, 1009
Langue, 799
Larve, 599
Larynx, 841
Latéralisation, 1009
Latitude, 1071, 1072f
effets, 1073, 1075f
LDL, voir Lipoprotéines
Lecture, cadre de, 321, 336
Leghémoglobine, 727
Lenticelles, 694
Leucémie myéloïde chronique (LMC), 294
Leucocytes, 851
types principaux, 831
Leucoplastes, 136
Lèvre(s)
dorsale du blastopore, 963
petites et grandes, 940
Levures, 591
LH, voir Hormone lutéinisante
Liaison(s)
chimiques, 24, 32
covalente, 32, 33f
double, 33
non polaire, 34
polaire, 34, 34f
de l'ARN polymérase, 323
faibles, 36
formation et rupture, 101f
glycosidique, 66, 68f
hydrogène, 35, 36f,
et molécule d'eau, 40, 41f
ionique, 35, 35f
peptidique, 76f, 77, 327
phosphodiester, 86
Lichen(s), 545, 592, 592f, 593f
Liège, 694
Ligaments, 785
Ligand(s), 167, 995
Ligne latérale, organe sensoriel, 1031
Ligne primitive, 966

Lignée pure, 259
Lignées cellulaires, analyse, 971, 972f
Lignine, 689
Limons argilosablonneux, 723
Linné, Carl von, 422, 512
Lipases, 805
Lipides, 70
Lipoprotéines, 807, 834
Liquide
céphalorachidien, 1002
interstitiel, 789
LMC, voir Leucémie myéloïde chronique, 294
Lobe(s)
antérieur (adénohypophyse), 918
postérieur (neurohypophyse), 918
Locus (loci) du gène, 245, 280f, 338
Loi(s)
de Hardy-Weinberg, 439, 441f
de la continuité, 825
mendéliennes
d'assortiment indépendant des caractères, 264, 281f
de ségrégation, 260, 262, 262f, 281f
Longueur d'onde, 204
Lophophore, 627, 627f
Lophophoriens, 627, 627f
Lumière, 204
effet sur le rétinal, 1024, 1024f
et matière, interactions, 205f
facteur abiotique, 1070
infrarouge, 770, 772f
qualité, 771
réception dans un photosystème, 208f
rouge, 770, 772f
visible, 204
Lycopode aplati, 567, 567f
Lycopodinées, 562t, 566, 567f
Lymphe, 829
Lymphocytes, 832, 855, 856f
B, 856, 860
effecteurs, 856
t, 856
auxiliaires (T_A), 856, 860, 863, 865f
cytotoxiques (T_C), 852, 856, 863, 866f
infectés par le VIH, 871f
récepteurs du, 856
suppresseurs (T_S), 866
Lyse de la cellule, 868f
Lysogénisation, 349, 349f
Lysosomes, 131f, 132
Lysozyme, 851

M
Macroévolution, 474
biogéographie, 484
développement et, 480
mécanismes, 477
Macromolécule(s), 64, 64f, 65f, 66f
pénétration dans les cellules animales, 169f
transport des, 166
Macrophage(s), 758
phagocytose, 852, 852f
Maladie(s)
auto-immunes, 869
cardiovasculaires, 832
de Hodgkin, 870
de Kaposi, 872
de Tay-Sachs, 268
des jeunes plants fous, 761
génie génétique et diagnostic de, 405
héréditaires
dépistage, 275-277
dominantes, 274
récessives, 272
liées au sexe chez l'Humain, 289

plurifactorielles, 276
résultant d'aberrations chromosomiques chez l'Humain, 292
Malpighi, tubes de, 624, 882, 883f
Mammifères, 638t, 653, 654f
développement, 966
équilibre, 1029
évolution, 655
marins
adaptations, 845, 846f
thermorégulation, 897, 900f
oreille, 1027
reproduction, 936
régulation hormonale, 940
sous-classes, 655f, 656
système digestif, 799
système respiratoire, 840, 840f
terrestres, thermorégulation, 896, 897f, 898f, 899f
Mandibules, 620
Manipulations génétiques, 390
agriculture, 410
médecine légale, 409
Manteau, 612
Mares, 1064
Marqueurs chimiques, 1177, 1178f
Marsupiaux, 655f, 656
Marteau, 1028
Masse
atomique moyenne, 27
courant de, 702
moléculaire, 45
viscérale, 612
Mastocytes, 870f
Matériel génétique, 7, 8f, 302
recherche, 300
Matière(s), 24
blanche (encéphale), 1002
fécales, 807
grise (encéphale), 1002
premières sources, 811
Matrice
extracellulaire, 784, 971, 973f
mitochondriale, 136
Maturation, 1166
apprentissage et, 1166
de l'ARN, 319
chez les eucaryotes, 332
et exportation, 381
des fruits, 764
sexuelle (Mammifères), 947
Mayr, Ernst, 416, 457f
McClintock, Barbara, 362, 363f
MEB, voir Microscope
Mécanisme(s), 54
de la cassette, 379, 379f
immédiats et ultimes (apprentissage), 1170
moteurs, 1035
sensoriels, 1015
Mécanorécepteurs, 1017
Médiation cellulaire, 855, 863
Médulla, 885
Médullosurrénale, 919t, 925
Mégapascals, 701
Mégaphylles, 567
Mégaspores, 567, 738
Méiose, 224, 248, 251
et mitose chez les Animaux, comparaison, 252, 253f
et ovogenèse, corrélation, 946
phases, 251f
Meissner, corpuscule de, 1017
Mélatonine, 927
Membrane(s), 126f
artificielles, 152, 152f

basale, 783
de fécondation, 958
de filtration (néphron), 885, 886f
des thylakoïdes, 137, 213
du tympan, 1028
fluidité, 153, 155f
internes, 134, 134f
Mémoire
à court et à long terme, 1009
immunitaire, 859, 859f
Mémorisation, 1009, 1010f
Mendel, Gregor, 258, 316
loi d'assortiment indépendant des
caractères, 264, 281f
loi de ségrégation, 260, 262, 262f, 281f
Méninges, 1002
Menstruation, 941
Méristème(s)
apicaux, 686, 686f
fondamental, 688, 689
intercalaires, 689
latéraux, 686, 686f
primaires, 688
Merkel, disque de, 1017
Meselson et Stahl, 306, 308f
Mésencéphale, 1005
Mésentères, 787
Mésoderme, 601, 962, 968t
Mésoglée, 604
Mésophylle, 200, 201f, 691
Messager(s)
chimiques, 907, 908f
second, 773, 912, 912f, 916f
Messages synaptiques multiples, 995, 996f
MET, *voir* Microscope
Mét-enképhaline, 998t
Métabolisme, 91, 91f
acide crassulacéen (CAM), 217
basal, 809
organisation cellulaire et, 107
régi par les gènes, 317
régulation du, 106
vitesse, 810
Métamorphose, 599
complète et incomplète, 624, 625, 625f
Métanéphridie(s), 616, 882, 882f
Métaphase, 224, 227f
Métartérioles, 828
Métastase d'une tumeur maligne, 235, 237f
Méthode(s)
de contraception
mécanismes, 952f
naturelle, 951
hypothéticodéductive, 11, 1052
Méthylation de l'ADN, 378
Microcirculation, 828
Microévolution, 439, 442, 442t
Microfibrilles, 69, 70f
de cellulose, 751f
Microfilaments, 137, 138t, 143f
Micrographies électroniques, 119f
Microphylles, 567
Microprocesseur, 982
Microscope(s)
électronique, 117, 119f
à balayage (MEB), 120
à transmission (MET), 120
photonique (MP), 117, 118f, 119f
Microscopie, 117, 118f
Microspores, 567, 738
Microtubules, 137, 137f, 138t, 139, 139f
Microvillosités, 805
Migration, 1172, 1173f
cellulaire, 971, 973f
Milieu(x)
capacité limite du, 1093
de culture complet, 317
externe de l'Animal, 787, 788f
interne de l'Animal, 789, 789f
internes, régulation, 876
internes stable et variable, 1075, 1077f
minimal, 317
respiratoire, 836
Mime, 1110
Mimétisme, 1110
batésien, 1111, 1113f
müllérien, 1111
Minéralocorticoïdes, 925
Minéraux, 814f, 815, 816f
carences et disponibilités du sol, 720,
721f, 723, 723f
transport radial, 705, 705f
Mitochondrie(s), 8, 9f, 136, 184f, 187f, 210, 211f
conversion de l'énergie par les, 135
Mitose, 223, 226f, 231f, 232f
et méiose chez les Animaux, comparaison,
252, 253f
Mixotrophes, 534
Mobilité cellulaire, 534
Modèle(s)
chimiosmotique du transport de solutés
dans les cellules végétales, 701f
dans le mimétisme, 1110
de Davson et Danielli, 152, 153f
de l'ADN de Watson et Crick, 300f, 303,
304, 305f
de l'organisation de la membrane
thylakoïde, 213
de la mosaïque fluide, 153, 153f
de la radiation adaptative, 464
de la structure des membranes, 151, 153f
de réplication de l'ADN, 307f
mendélien, 258
monogénétique de la membrane
semi-conservateur, 306
monogénique, 664, 665f
multirégional, 664, 665f
simplifié de l'hérédité polygénique (couleur
de la peau), 271f
chez certains procaryotes, 519, 520f
photosynthétiques, 202f
modèles de la structure des, 151, 153f
plasmique, 123, 123f, 152, 153f, 156f, 158f
postsynaptique, 995
potentiel de, 164, 166f, 986, 987, 988f
présynaptique, 994
réseau intercellulaire de, 129, 134
transport ionique, 711
vitelline, 957
Moelle, 689
Moelle épinière, 1002, 1004, 1004f
Moisissure, 317, 586, 586f, 590, 591f, *voir aussi*
Mycètes
Mole, 36, 45
Molécule(s), 3, 24, 32-34, 33f
d'adhérence cellulaire, 974
d'eau, 34, 40, 41f, 46
scission, 202
motrices et cytosquelette, 138f
non glycosidiques, catabolisme des, 193
petites, rôle dans l'expression génique, 383
polaire, 40
synthétique capable d'autoréplication,
512, 512f
Mollusques, 612, 612f
Monocotylédones, 676, 677f, 679
Monoculture, 746
Monocytes, 831, 851
Monogamie, 1180
Monomère, 64
Monosaccharides, 66, 67f
Monotrèmes, 655f, 656
Montée en graines, 762, 764f
Morgan, Thomas Hunt, 280, 282f, 283f, 284f,
285f, 286f, 287f
Morphogenèse, 748, 749f, 957, 973f
Morphologie
animale, 787
végétale, 676, 676f, 677f, 678f, 680f
Mortalité humaine, 1102f
Morula, 961
Mosaïque, développement en, 971
Mosaïque fluide, modèle de la, 153, 153f
Mousses, 562, 562t, 563f, 564f, 572t
squelette, rôle dans le, 1036, 1036f
Mouvement(s)
Animaux, 1035, 1036f
aspect comportemental, 1171
Végétaux, 765, 766, 768f
issus d'une variation de turgescence, 766
morphogénétiques, 971, 973f
nyctinastiques, 767, 768f
MP, *voir* Microscope photonique
MPF, 233
MSH, 913, *voir* Hormone mélanotrope
Multiplication végétative, 744, 746f
Muqueuse(s), 784, 851, 851f
Muscinées, *voir* Mousses
Muscle(s), 1038, 1039f
cardiaque, 1044
chez les Vertébrés, 786f, 787
contraction, *voir* Contraction musculaire
cascade enzymatique et, 235
lisses, 1044
sphincter, 799
pylorique, 802
squelettiques, 1039, 1039f
Mutagène(s), 1039, 1039f
Mutagenèse, 336
Mutation(s), 245, 282f, 335, 336, 444, 446
biochimiques, 317
catégories de, 336
conséquences sur les protéines, 335
des paires de bases, 337f
faux-sens, 336
génomes bactériens, 355
homéotiques, 752, 753f
et formation d'un modèle anormal,
975, 976f
non-sens, 336
ponctuelles, 335
silencieuse, 336
spontanées, 336
Mutualisme, 726, 1115, 1117, 1117f
Mycélium, 584, 584f
Mycète(s), 583-595, 583f, 584f, 585f, 731, 731f
comestibles, 594, 595f
destructeurs, 594
imparfaits, 591
pathogènes, 594, 595f
saprophytes, 593
Mycoplasma, 123
Mycoplasmes, 527t
Mycorhizes, 593, 594f, 730, 731f
Myéline, gaine de, 984, 986f
Myofibrilles, 1039
Myofilaments, 1039
Myoglobine, 845, 1043
Myopathie de Duchenne, 289
Myosine, 141, 143f
Myotonie, 947
contraction musculaire, 1040, 1041
Myxobactéries, 527t
Myxomycètes, 551, 552f, 554t

N

NAD⁺, 176, 177f
NADH, 176
NADP⁺, 203
Natalité humaine, 1102f
Nature, échelle de la, 421
Némathelminthes, 611, 611f
Nématodes, 611, 611f
Némertes, 609, 610f
Néphron(s), 885
corticaux, 885
juxtamédullaires, 885
Neurohypophyse, 918, 919t
Neurone(s), 787, 787f
corps du, 984
définition, 983
formes, 985, 985f
influx nerveux, transmission, 986
moteurs, 985
potentiels gradués et d'action dans un, 989, 990f
sécrétoires, 917
sensitifs, 985
structure, 984, 984f
Neuropeptides, 998t, 999
Neurotransmetteurs, 909, 994, 997, 998t
Neutrons, 27
NGF, voir Croissance (Animaux), facteurs
Niches écologiques fondamentale et réelle, 1114, 1114f
Nitrate, perte de, 1148f
Non-disjonction méiotique, 191
Non-viabilité des hybrides, 460t, 461
Noradrénaline, 925, 998, 998t
Norme de réaction, 270
Nourriture, 809, 811
Nouveau-nés, dépistage des maladies héréditaires, 276
Noyaux, 27, 29f, 126f, 127
transplantation, 975, 975f
Noyaux (ganglions de l'encéphale), 999
Nucléases pancréatiques, 805
Nucléoïde, 355
Nucléoside, 86
Nucléosome, 373
Nucléotides, 84, 87f
ajout sur un brin d'ADN, 309, 310f
Numéro atomique, 27
Nutriment(s)
absorption et distribution, 805
essentiels, 811
limitant, 1136
mobilisation pendant la germination, 743, 744f
recyclage, 1140, 1141f
transport chez les Végétaux, 699
Nutrition
Animaux, 794
Végétaux, 718, 726f, 729

O

Observation, apprentissage par, 1169
Ocelle, 1019
Ocytocine, 918
Odorat, 1032, 1033f, 1034f
récepteurs, 1018
Œil, voir aussi Yeux
apparition par inductions chez les Vertébrés, 974, 974f
conversion du stimulus au niveau, 1022
mise au point dans un, 1022, 1022f
simple, 1020
Vertébrés
fonctions, 1022
structure, 1021f, 1022
Œsophage, 800
Œstrogènes, 926
Œstrus, 941
Oiseau(x), 638t, 651, 651f, 652f, 653, 654f
comportement, 1160-1165
chant, 1167, 1168f
orientation et navigation, 1172, 1173f
répertoires, 1160, 1161f
développement, 965, 965f, 966f
glandes à sel, 880, 880f
système respiratoire, 842, 842f
thermorégulation, 897, 900f
Oligochètes, 617
Oligodendrocytes, 985
Ommatidies, 1020
Omnivores, 794, 807f, 808
Oncogènes, 354, 384
Onde(s)
fréquence, 1029
longueur, 204
Ontogenèse, 432
Onychophores, 618f, 619
Oogamie, 546
Oomycètes, 551, 554t, 555f
Opérateur, 364
Opéron(s), 363, 364
lac, 365, 367f
trp, 364, 365f
Opsine, 1024
Opsonisation, 867
Orbitales électroniques, 30, 31f
Ordres, 489
Oreille, voir aussi Audition ou Ouïe
externe, 1028
interne, 1028
Insectes, 1032, 1032f
Invertébrés, 1032
Mammifères, 1027
moyenne, 1028
Oreillettes, 820
Organe(s), 4, 787
cible, 712
de Corti, 1028
dérivés des feuillets embryonnaires primitifs, 968t
endocriniens, 917, 927
génitaux externes (humains), formation, 941f
respiratoires, 835f, 836
sensoriel(s)
de l'audition (Invertébrés), 1032
de la ligne latérale (Poissons), 642, 1031, 1031f
source, 712
spiral, 1028
transplantation, 869
vestigiaux, 432
Organisateurs nucléolaires, 128
Organisation
biologique, 3
structurale hiérarchique, 4, 5f, 24, 25f
cellulaire 122
métabolisme et, 107, 107f
pluricellulaire, origine, 553
structurale, niveaux, 782
Organisme(s)
à milieux internes stable et variable, 1075
adaptation et distribution, 1052
animal, 598
défenses de l', 850, 850f, 851f, voir aussi Défenses
interaction avec leur environnement, 8
pluricellulaires, 3
réactions à la variation écologique, 1074
transgéniques, 410
unicellulaires, 3
Organites, 3, 117, 145
Organogenèse, 948, 966f, 963, 964f
Orgasme, 947
Orientation
de l'expansion cellulaire, 749, 750f, 751f
des microfibrilles de cellulose, 751f
navigation (Oiseaux), 1172, 1173f
Origines de réplication, 309, 309f
Os, 786
Oscillation, 325
spéciation par, 468, 468f
Oscule, 603
Osmolarité, 877
Osmorécepteurs, 891
Osmorégulateurs, 877
Osmorégulation, 161, 163f, 877, 878f, 880
Osmose, 160, 160f, 161f, 701, 702f
Ostéichthyens, 638t, 643, 643f, 644f, 645f
Ostéoblastes, 786
Ostéons, 786
Ostiole, 691
Ostracodermes, 640
Ouïe, 1027, 1031 voir aussi Oreille ou Audition
Ovaire(s), 575, 939, voir aussi Cycle ovarien
corps jaune, 919t, 939
coupe transversale, étapes de l'ovogenèse, 946f
follicule, 919t, 939
Ovipares, 642
Ovocyte(s)
activation, 958
fécondation, 959, 960f
Ovogenèse, 946, 946f
Ovovivipares, 642
Ovulation, 939, 942
Ovule(s), 576, 738, 932, 934f
Oxydation, nombre 33
Oxydoréduction, 174, 176f
photosynthèse et, 203
Oxygène, révolution de l', 525
Oxyhémoglobine, 844, 845f
Ozone, dégradation de la couche, 1151

P

Pacini, corpuscules de, 1017
Paires de bases
mutations, 337f
substitution, 336
Paléontologie, 422
Paludisme, 538, 540f
Pancréas, 799, 919t, 922
Pangée, 485, 487f
Parade nuptiale, 1178, 1179f
Parasitisme, 528, 1115, 1116
Parathormone, 922, 923f
Parathyroïdes, 919t, 922
Parazoaires, 599, 603
Parcellisation écologique, 1119
Parenchymes, 682

Paroi
capillaire, 828f, 829
cellulaire végétale, 144f
primaire, 143
secondaire, 143
Parole, 1009
Partage des ressources, 1114, 1115f
Parthénogenèse, 610, 932, 933f
Particules
élémentaires, 27, 27f
transport, 166
Parties ascendante et descendante du
néphron, 887
Parturition, 950, 950f
Paternité, certitude de, 1180
Patrimoine génétique, 439
Pavillon, 1028
Paysage, parcellisation, 1069, 1069f
PCR, voir Réaction en chaîne de la polymérase
PDGf, 230
Peau, 851
couleur (modèle simplifié de l'hérédité
polygénique), 271f
récepteurs de la, 1017f
Pédogenèse, 638
Pédomorphose, 480, 482f
Pénis, 937
gland du, 938
PEP carboxylase, 215
Pepsine, 801
Pepsinogène, 801, 802f
Peptidase, 516
Peptide(s)
inhibiteur gastrique (GIP), 803
Peptidoglycane, 516
Peptidyl transférase, 327
Perception, 1016
Pergélisol, 1061
Péricarpe, 741
Péricycle, 689
Périderme, 694
Période
critique (apprentissage), 1167
édiacarienne, 631, 631f
réfractaire, 991
Péristaltisme, 799
oesophagien, 801, 801f
Perméabilité sélective, 151, 157
Peroxysomes, 134f, 135
Perturbation(s)
des communautés d'origine humaine, 1123
périodiques, facteur abiotique, 1070
Pétales, 574, 735, 736f
Pétiole, 679
Petites ribonucléoprotéines nucléaires
(RNPpn), 333, 335f
PG, PGE, PGf, voir Prostaglandines
PGAL, 212
pH, incidence sur les enzymes, 104, 104f
Phage(s), 302, 346
cycles lytiques et lysogénisation, 348,
348f, 349, 349f
Phagocytes, 851
Phagocytose, 133, 166, 851, 852f
Phagolysosomes, 132f, 134
Phagosomes, 134
Pharynx, 800
Phase(s)
d'excitation, 947
de la croissance d'une pousse apicale,
692, 692f
de résolution, 947
en plateau, 947
folliculaire, 942
G_0, 232

Paroi
menstruelle, 942
ovulatoire, 942
proliférative, 942
S, 224
sécrétoire, 942
Phelloderme, 694
Phénétique, 494
Phénotype, 263, 263f
déplacement du, 1115, 1116f
effet du milieu sur le, 271
mutant, 887
sauvage, 282
Phéophytes, 543t, 548, 549f, 550f
Phéromones, 909, 1182
Phloème, 564, 676, 712
courant de masse de la sève élaborée
dans, 714
remplissage et vidange, 713, 713f
Phoronidiens, 627
Phosphagène, 1041
Phosphate
couplage d'énergie par transfert de, 99
groupement, 60f, 61
Phosphocréatine, 1041
Phosphoglycéraldéhyde (PGAL), 212
Phosphoglycérolipides, 73f, 74, 74f, 152
Phosphore, cycle, 1144, 1145f
Phosphorylation
au niveau du substrat, 178f, 179
oxydative, 179, 184, 186f
Photo-oxydation de la chlorophylle, 206
Photoautotrophes, 521
Photoautotrophie, 199
Photohétérotrophes, 522
Photons, 204
Photopériodisme, 769, 770f, 771, 772f
Photophosphorylation, 203
cyclique, 209
non cyclique, 209
Photopsines, 1024
Photorécepteurs, 1018, 1023
Photorespiration, 212
Photosynthèse, 199, 200, 201, 201f, 202f, 203f,
205f, 211, 215, 216f, 217f
origine, 524
transpiration et, 708
Photosystèmes (I et II), 207, 208, 208f
Phototropisme, 757, 757f, 758f, 765
Phylogenèse, 432, 489
des Arthropodes, 619
des Poissons et des Amphibiens, 645f
des Reptiles, 649f
Phytochrome, 770, 773f
Pied (Mollusques), 612
Pigments, 204, 206
respiratoires, 843
Pili, 357, 518, 518f
Pinocytose, 167
Pistil, 575, 735, 736f
Placenta, 948
Placentaires, 655f, 656
ordres principaux, 658t, 659t
Placodermes, 641, 641f
Placozoaires, 631, 631f
Plancton, 534
Plante(s), voir aussi Végétaux ou Croissance
(Végétaux)
adaptation structurale, 675, 676f
annuelles, 686
bisanuelles, 686
carnivores, 730, 730f
croissance (types de), 686, 686f, 687f

G_1 et G_2, 224
lutéale, 942
M, 224
menstruelle, 942
ovulatoire, 942
proliférative, 942
S, 224
sécrétoire, 942
Phelloderme, 694
Phénétique, 494
Phénotype, 263, 263f
déplacement du, 1115, 1116f
effet du milieu sur le, 271
mutant, 887
sauvage, 282
Phénotype
de jour court, 769
de jour long, 769
de type C_3, 214
de type C_4, 215
de type CAM, 215
indifférentes, 769
médicinales, 579, 580f
nutrition, 718, 719f, 726f, 729
parasites, 729, 729f
structure primaire, 685f, 687
vivaces, 687
Plantule, 743
Plaque(s)
cellulaire, 225, 230f
équatoriale, 225
tectoniques, 485, 485f, 486f
Plaquettes, 832
facteurs de croissance dérivés des (PDGF),
230
Plasma, 830
Plasmides
clonage de gènes dans un, 393, 395f
utilisation en génie génétique, 392f
R, 357-361
Plasmocytes, 856
Plasmode, 551
Plasmodesmes, 144
Plasmogamie, 585
Plasmolyse, 162
Plastes, 136
Plateau, phase en, 947
Plathelminthes, 608, 936, 937f
Pléiotropie, 269
Plis circulaires, 805
Pneumonie, 872
Processus
d'amplification, 773
de conversion, 773
Podocytes, 885
Poils absorbants, 678, 678f
Point de restriction (R), 232
Poissons, 638t
cartilagineux, 642, 642f
osmorégulation 878f
osseux, 643, 643f, 644f, 645f
phylogenèse, 645f
thermorégulation, 900, 901f
Polarisation, zone d'activité de, 978
Polarité de l'embryon, 968
Pôle
animal, 961
végétatif, 961
Pollen, grain(s) de, 576, 738, 738f
Pollinisation, 739
croisée, 576
Pollution de l'atmosphère, 1149, 1115f
Polyandrie, 1180
Polyclimax, 1124
Polygynie, 1180
Polymérase, réaction en chaîne de la, 399
Polymère, 64
Polymorphisme, 445, 446f
équilibré, 448, 449f
Polymorphismes de taille des fragments de
restriction (RFLP), 402-404, 407f
Polynucléotide, 86, 87f
Polypeptide, 317, 327, 330
synthèse, 319
Polyplacophores, 612, 612f
Polyploïdie, 291, 466f
Polyribosomes, 330, 331f
Polysaccharides, 66
de réserve, 66, 68f, 69f
structuraux, 67, 70f, 71f
Polyspermie, blocages rapide et lent, 958

Pompe(s)
à protons, 700
à sodium et à potassium, 164, 165f
électrogène, 166, 167f
Ponctuations, 684
Pont (encéphale), 1006
Pont d'union, 1040
Ponts disulfure, 81
Population(s), 4, 439, 1053
accroissement, voir Accroissement démographique
densité, 1084, 1084t, 1084f
distribution, 440f
écologie, 1083, 1083f
interaction, 1106f, 1107
polymorphe, 445
sélection naturelle, 438, 438f
survie, table et courbe, 1088, 1088t, 1088f
taille
estimation, 1084f, 1085
régulation, 1097, 1099f, 1100
Porte-greffe, 745
Position, effets de, 292
Positionnement, information, 752, 977, 978, 978f
Postulats de Koch, 529
Potassium, pompe à, 164, 165f
Potentiel(s)
d'action, 767, 989, 990f, 991f, 992, 992f
d'équilibre, 988
de membrane, 164, 166f, 986, 987, 988f
de repos, 987, 988f
gradués, 989, 990f
hydrique, 701, 702f
postsynaptiques
excitateur (PPSE), 995, 997f
inhibiteur (PPSL), 995, 997f
sommations, 996, 997f
récepteur, 1016
Pouls, 823
Poumon(s)
humain, 818f
lamellaires, 620
ventilation, 841
Vertébrés terrestres, 839
Pousses végétales
croissance primaire, 689, 690f
développement modulaire, 692, 692f
disposition modulaire, 692
modifications de phases, 692
Pouvoir de résolution, 117
PPB, PPN, voir Productivité primaire
PPSE, voir Potentiels postsynaptiques
PPSL, voir Potentiels postsynaptiques
Prader-Labhart-Willi, syndrome de, 295
Prairies tempérées, 1059, 1060f
Préadaptation, 480
Précipitations
acides, 48, 49f, 50f
atmosphériques, 1071, 1073f
Prédateurs, 1109, 1110, 1113f, 1120f
Prédation, 1109, 1119, 1120f, 1121f
cycle biologique et, 1089, 1090f
Préformation, 956
Prépuce, 938
Préservatif masculin, 951
Pression
artérielle, 827, 834
de turgescence, 703
osmotique, 161, 161f
partielle, 843
racinaire, 706
Primates, 659, 660f, 661f
évolution, 657, 657f
PRL, voir Prolactine

Procambium, 688, 689
Procaryote(s), 334f, voir aussi Bactéries ou Cellule procaryote
croissance, 520
cycles biogéochimiques et, 528
diversité, 522
métabolique, 521, 524
échange génétique, 520
fonction, 516
génome, 519
histoire, 515
importance, 528
membranes internes, 519, 520f
mobilité, 518
morphologie, 516
reproduction, 520, 521f
structure, 516
synthèse, 331
Processus
d'amplification, 911
de conversion, 911
synaptique, 995
Procordés, 636
Procréation, nouvelles techniques, 953
Producteurs (organismes autotrophes), 1133
Productivité
des biomes et des écosystèmes, 1136, 1137f
primaire, 1134
brute (PPB), 1134, 1138
nette (PPN), 1134, 1139f
secondaire, 1137
Produits, 36
géniques, fabrication, 398
Proenzymes, 805
Progestatifs, 926
Proie, 1109, 1120f
Prolactine (PRL), 921
Prométaphase, 224, 226f
Promoteurs, 323, 324f
Proopiomélanocortine, 921
Prophase, 224, 226f, 231f
Prosencéphale, 1005
Prosimiens, 659, 659f
Prostaglandines (PG, PGE, PGF), 909, 910
Prostate, 937
Protéine(s), 74, 75f, 76t, 78f, 80f, 81f, 82f, 83f, 84f
activatrice du catabolisme (CAP), 366, 368f
ADN et, 86
antimicrobiennes, 852
bicoïde, distribution, 979, 979f
ciblage, 331, 332f
conformation, 77, 78f, 83
de transport, 157, 157f, 159f, 700
de types uniport, symport, antiport, 158, 159f
fixatrices d'ADN
activation à l'aide d'une hormone stéroïde, 384f
monocaténaire, 312
régissant l'expression génique, modèles de, 382f
fonctionnelle, 330
G, 913, 913f
intramembranaires, 155, 156f, 157f
-kinase, 233, 914
lien entre génotype et phénotype, 316
mutations, conséquences sur les, 335, 337f, 338f
niveaux structuraux des, 78-83
périphériques, 156
production, 316
réceptrices, 157f
structures primaire, secondaire, tertiaire et quaternaire d'une, 78-83

synthèse des, 317, 915
comparaison chez les eucaryotes et les procaryotes, 331
tissulaires spécifiques, 974
Protérandres, 933
Protérogynes, 933
Protistes, 533, 533f, 536, 537f, 595
fongiformes, 550, 554t
Proto-oncogènes, 384
Protoanimal, 631
Protobiontes, 508, 508f
Protoderme, 688, 689
Protonéphridie, 881, 881f, 882
Protons, 27, 46
pompe à, 700
Protoplaste(s), 137, 682
fusion des, 746
Protostomiens, 603f, 611
Protozoaires, 536, 536t
Pseudocoelomates, 601, 602f, 610, 610f
Pseudocoelome, 601
Pseudogènes, 376
Pseudomonas, 527t
Pseudopodes, 137, 537
Pseudosexe, 932, 933f
Psilotinées, 562t, 566, 566f
Ptéridophytes, 562t, 566
Ptérosauriens, 649
PTH, voir Parathormone
Puits tapissés, 167
Punnett, grille de, 262
Pupille, 1022
Purines, 84
Pyramide(s)
d'âge, 1102, 1103f
des biomasses, 1139, 1140f
des nombres, 1140, 1140f
écologiques, 1137
théorique de productivité, 1139, 1139f
Pyrimidines, 84
Pyrrhophytes, 542, 543t, 544f
Pyruvate, 195f

Q
Queue
poly-A, 332
postnatale, 636

R
Rachis, 1002
Racines
adventives, 678
croissance
primaire, 687, 687f
secondaire, 694
latérales, 689, 689f
tissus primaires, 688, 688f
transport radial, 705, 705f
Radiaires, 599
Radiation(s) adaptative(s), 463, 464, 464f, 468f, 485
des Reptiles, 649
Radicule, 741
Radio-isotope, 28, 29, 29f
Radiolaires, 537
Radula, 612
Ranvier, nœuds de, 993
Rapides, 1064
Rayonnement, 895
solaire, 1071, 1072f
moyennes annuelles, 1134, 1136f
Rayons ligneux, 693
RE, voir Réticulum endoplasmique
Réabsorption du néphron, 885
Réactifs, 36
Réaction(s)

acrosomiale, 957, 958f
canaux protéiques (dépolarisation), 992t
chimiques, 36, 95, 101f
corticale, 958, 959f
en chaîne de la polymérase (PCR), 399, 401
des organismes à la variation écologique, 1074
comportementales, 1077
morphologiques, 1078
physiologiques, 1078
du cycle de Calvin, 203f
endergonique, 97
enzymatiques, cascade, 914, 914f
exergonique, 96
immunitaire, 850, 854, 867f
humorale, 860
primaire, 859, 867f
secondaire, 860, 867f
inflammatoire, 852, 854f
norme de, 270
photochimiques, 203, 203f, 204
photopériodique, 771, 772f
redox, 174
tout ou rien, 989
Recensement indirect de populations, 1084, 1084f
Récepteur(s)
antigéniques, 856
d'ondes électromagnétiques, 1018, 1019f
de la peau, 1017f
de la douleur, 1019
du lymphocyte T, 856
gustatifs, 1018
hormonal, 909
nerveux, 985f, 997
olfactifs, 1018
protéiques, 77f, 78
sensoriels, 1015, 1016
types de, 1017, 1017f
Réception (cellules réceptrices), 1016
Recherche écologique à long terme, 1147, 1147f
Récifs de corail, 1067, 1068f
Recombinaison, 447, 521
d'ADN, 390
de gènes liés, 285, 286f
de gènes non liés, 284, 285f
génétique chez les Bactéries, 356
Recombinants, 285
Reconnaissance
concept de, 467
intercellulaire, 156
Recrutement, 1043
Rectum, 808
Recyclage
chimique, 174
des nutriments, 1140, 1141f, 1144
Rédox, voir Réduction-oxydation
Réduction-oxydation, réactions, 174
Référence, valeur de, 790
Réflexe(s), 1002
spinaux, 1004f
Refroidissement par vaporisation, 43, 44f
Régénération, 604, 932
Régime alimentaire, 807f
Régions antérieure et postérieure (Artiozoaires), 599
Règne(s), 489
du vivant, voir Vivant, règnes du végétal, 559, 562t
Régulateurs chimiques locaux, 908f, 909
Régulation
allostérique, 105, 106f

artificielle de la maturation, 764, 765f
cardiaque, 824
à action prolongée, voir les Animaux, 907, 907f
contraction musculaire, 1042
d'une voie métabolique, 363, 364f
de l'adénylate cyclase, 913, 913f
de l'expression génique
après la transcription, 381
de la transcription, 381
encaryotes, 381f
procaryotes, 362
de la glycémie, 924
de la synthèse des enzymes répressibles, 365f
développement à, 971
génique négative, 365
hormonale
fonction de reproduction (Mammifères), 940, 942f
rein, 890, 892f
hormonale de la calcémie (Mammifères), 923f
milieu interne, 876
photopériodique de la floraison, 769, 770f, 772f
positive (CAP), 368f
respiration, 843
Rénine, 891
Réparation de l'ADN par excision-synthèse, 313
Répartition par sexe (démographie), 1087
Répartitions d'Oiseaux, 1160, 1161f, 1167, 1168f
Réplication
abiotique de l'ARN, 509f, 510
de l'ADN, 245, 306, 307f, 308, 308f, 309, 309f
des Virus, 345, 347, 351f, 353f
du chromosome bactérien, 356f
fourche de, 309, 312f
génomes bactériens, 355
Réponse(s)
à médiation cellulaire, 855
humorale, 855
physiologiques, 675
Repos, potentiel de, 987, 988f
Reproduction, voir aussi Systèmes reproducteurs
asexuée, 245, 245f
des Angiospermes, 744, 747
des Animaux, 931, 931f, 932, 934
sexuée, 245, 246f, 253, 253f
régulation par les hormones, 907
des Angiospermes, 734, 747
des Animaux, 931, 934
des Mammifères, 936
Reptiles, 638f, 648, 649, 650f
à apparence mammalienne, 655, 655f
origine, 648
thermorégulation, 898, 898f
Réseau(x)
alimentaires, 1133, 1135f
intracellulaire de membrane, 129, 134

cellulaire, 221
comportement lié à la, 1177, 1178f, 1179f
des Végétaux, 734-748
immunologie, 951
régulation par les hormones, 907
conservation de l'eau (Mammifères), 889, 890f
physiologie comparée, 891
régulation, 890, 892f
Rendement protéique des cultures, 728
respiration, 843
sécrétions digestives, 803, 803f
température corporelle, 894, 895f
thermique, voir Thermorégulation
Rein, 883
de transition, 129
lisse, 131
rugueux, 129, 130
Réticulum sarcoplasmique, 1042, 1042f
Rétinal, 1024, 1024f
Rétine, 1023f, 1025f
intégration visuelle, 1026f
Rétro-inhibition, 106, 107f, 790, 790f, 922
thermorégulation et, 897, 899f
Rétroactivation, 790
Révolution cardiaque, 822
RFLP, 402, 403f, 404
marqueurs, 407f
Rhizobium, 726, 728, 728f
Rhizopodes, 537, 537f, 538f
Rhodophytes, 543t, 549, 551f
Rhodopsine, 1024
Rhombencéphale, 1005
Ribonucléoprotéines nucléaires, petites (RNPpn), 333, 335f
Ribonucléoprotéines nucléaires, petites
RNPpn, voir Ribonucléoprotéines nucléaires, petites
Ribose, 84
Ribosomes, 127t, 128, 326, 328f
Ribozymes, 333
Richesse spécifique, 1118
Rickettsies, 527t
Rituel, 1176
Rhombencéphale, 1005
circadiens, 710, 768
comportementaux, 1170, 1172f
Rythme(s)
Ruffini, corpuscules de, 1017
RuDP carboxylase, 212
Rotifères, 610, 610f
Roches sédimentaires, 422, 422f
Roches, facteur abiotique, 1070
petites

métabolique cellulaire, 91, 92f
nerveux
Résonance, 59
pouvoir de, 117
Respiration, 841, voir aussi Systèmes respiratoires
convergents, 999, 1000f
divergents, 999, 1000f
à tension, 841, 841f
régulation, 843
Respiration cellulaire, 66, 91, 100f, 173, 189
aérobie, 173, 178f, 179, 189f, 192
anaérobie, 173, 192
origine, 525
oxydoréduction et, 174
régulation, 174
Ressources, partage des, 1114, 1115f
Restriction
de l'ADN, cartographie, 492, 493f
enzymes de, 349, 391, 393f
fragments de, 393, 393f, voir aussi RFLP
site de, 394
Réticulum endoplasmique (RE), 128f, 129, 129f

S
Sac(s)
alvéolaires, 818f
embryonnaire, 576, 738f, 739
vitellin, 966
Saccharase, 100
Saccule, 1030
Saisons, 1071, 1072f
camouflage et, 1110, 1111f

Sang, 786
circulation, *voir* Circulation sanguine *ou* Système circulatoire
composition, 830, 831*f*
mammalien, 830
total, 830
transport du dioxyde de carbone dans le, 845, 846*f*
Saprophages, 795
Sarcomère, 1040
Savane, 1056, 1057, 1057*f*
Schizocoelie, 602
Schwann, cellules de, 984
Scissiparité, 222, 520
Sclérenchyme, 684
Sclérites, 684
Sclérotique, 1022
Scrotum, 937
Scutellum, 741
Sécrétine, 803
Sécrétion
digestives, régulation, 803, 803*f*
du néphron, 885
suc gastrique, 801, 802*f*
Segmentation, 599, 948, 960, 960*f*, 961*f*, 964*f*, 965*f*
déterminée, 602
holoblastique, 965
indéterminée, 602
méroblastique, 965
radiaire, 602
spirale, 602
Ségrégation, loi mendélienne de, 260, 262, 262*f*, 264*f*, 265*f*
Sélection
adaptation et, 426, 427*f*
artificielle, 427, 428*f*
clonale, 858, 859*f*
coefficient de, 450
dépendant de la fréquence, 448, 449*f*
directionnelle, 451, 452*f*
diversifiante, 451, 452*f*
K, espèces à, 1095
modes de, 451, 452*f*
naturelle, 10, 14*f*, 16*f*, 420, 428, 429*f*, 430*f*, 431*f*, 438*f*, 445, 450
parentale, 1184
r, espèces à, 1093, 1095*f*
sexuelle, 451, 453*f*, 468*f*, 1178
spécifique, 482, 484*f*
stabilisante, 451, 452*f*
Sénescence, 764
retard de la, 761
Sensation, 1015
Sépales, 574, 735, 736*f*
Séquençage de l'ADN, 492
Séquence
d'insertion, 361
signal, 331
Séries, 1121
Sérotonine, 998, 998*t*
Serre, effet de, 1151
Seuil d'excitation, 989
Sève
brute, 684, 684*f*, 706
élaborée, 685, 712, 712*f*, 714, 714*f*
Sexe, *voir aussi* Système sexuel
répartition par (démographie), 1087
hérédité liée au, 283, 284*f*
hérédité liée au, 283, 283*f*, 287
recombinaison de gènes non liés, 284, 285*f*
transmission de caractères récessifs liés au, 290*f*
Sida, 351, 871
Sillon de division, 225

Singes, 659, 660*f*, 661*f*
Sinus, 819
Site
actif, 102
allostérique, 105
de restriction, 394
SNC, *voir* Système nerveux central
SNP, *voir* Système nerveux périphérique
Sociobiologie humaine, 1185
Sodium, pompe à, 164, 165*f*,
Soi et non-soi, 868
Sol(s)
Bactéries du, 726*f*
carences et disponibilités, 720, 721*f*, 723, 723*f*
érosion, 725
exploitation, 724, 725*f*
facteur abiotique, 1070
fertilisation, 724
horizons, 722, 722*f*
irrigation, 724, 725*f*
texture et composition, 722
Solute(s), 44
concentration des, 45
diffusion d'un, 159, 159*f*, 161*f*, 162, 164*f*
transport actif et passif chez les Végétaux, 700, 701*f*
Solution(s), 44
aqueuse(s), 44, 45, 49*f*
hypertonique, 160
hypotonique, 160
isotonique, 160
tampons, 47
Solvant, 44
Somatomédines, 921
Sommations temporelle et spatiale, 996, 997*f*, 1043, 1043*f*
Sommeil, 1008
Sonde d'acide nucléique, 398, 398*f*
Sorédies, 592
Sous-alimentation, 811
Spéciation, 456, 456*f*, 459*f*
allopatrique, 462, 462*f*
biogéographie, 462
mécanismes génétiques, 467
par divergence, 467
par oscillation, 468
sympatrique, 462, 465, 466
voies de, 456, 457*f*
Spécificité antigène-anticorps, fondement moléculaire, 856
Spectre
d'absorption, 204, 205*f*, 206
d'action, 205, 205*f*
d'hôtes, 346
électromagnétique, 204, 204*f*
Spectrophotomètre, 204
Spermathèque, 935
Spermatogenèse, 944*f*, 945
Spermatophytes, 562*t*, 569
Spermatozoïde, 932, 945*f*
Sperme, 937
Sphincter, 799
pylorique, muscle, 802
Spicules, 604
Spirochètes, 527*t*
Spongiaires, 603, 603*f*, 604*f*
Spongocoele, 603
Sporange, 563
Sporophylles, 566
Sporophyte(s), 249, 547, 735
Sporozoïtes, 538
Squamates, 650, 650*f*

Squelette(s)
travail pour produire le mouvement, 1038, 1039*f*
types de, 1036, 1036*f*
humain, 1037
Vertébrés, articulations synoviales, 1038, 1038*f*
Stabilité, 1118
des communautés, 1124
Stagnation évolutive, 463, 463*f*
Station verticale, 662*f*
Statocystes, 1032, 1032*f*
Statolithes, 766, 767*f*, 1032
Stèle, 689
Stéréo-isomères, 56, 58*f*
Stérilet, 952
Stérilité des hybrides, 460*t*, 461
Stéroïdes, 74, 74*f*
Stigmate, 575
Stimulus, 575
au niveau de l'oeil, conversion, 1022
d'empreinte, 1066-1067
signal, 1162
supranormal, 1165
Stipe, 548
Stomates, 200, 559, 691
ouverture et fermeture, 709, 710*f*
Stratégies d'alimentation optimale, 1174, 1175*f*
Stress, 926, 927*f*
Stries Z, 1040
Stroma, 137
Stromatolithes, 506, 506*f*
Structure(s)
analogues, 491, 492*f*
et fonctions
animales, 782, 782*f*, 783*f*
du tissu épithélial, 783, 783*f*
homologues, 432, 433*f*
hydathodes, 706
par âge (démographie), 1087, 1088*t*, 1102*f*
primaire d'une Plante, 687
secondaire d'une Plante, 693
trophique, 1118
Style, 575
Suber, 694
Substance(s)
cancérogènes, 384
morphogènes, 752, 978
non macromoléculaires, 158
P (peptides), 998*t*
toxiques dans les chaînes alimentaires, 1149, 1150*f*
Substitution d'une paire de bases, 336
Substrat
d'enzyme, 102, 103*f*, 104, 178*f*, 179
ingestion du, 795, 795*f*
Suc gastrique, 801, 802*f*
Succession écologique, 1121, 1122*f*
Suçoirs, 729
Supernova, 37, 37*f*
Superprédateurs, 1119
Surface cellulaire, 143
Surface respiratoire, 836
Survie d'une population, 1088, 1088*t*, 1088*f*
diminution, 1098, 1098*f*
Sustainable Biosphere Initiative, 1153
Symbiote, 528, 1115
Symbiose, 528, 1115
Symétrie animale, 787
radiaire et bilatérale, 599, 600, 601*f*
Synapse(s), 253, 984, 993
chimiques, 994, 994*f*
électriques, 993
Synchronisateur, 1170
Syndrome

d'Angelman, 295
d'immunodéficience acquise, 351, 870, 871, 871f
de Down, 293, 293f, 294f
de Klinefelter, 294
de Prader-Labhart-Willi, 294
de Turner, 294
du chromosome X fragile, 295
triplo-X, 294
Syngamie, 248
Synthèse
abiotique
de monomères organiques, 507, 507f
de polymères, 508
d'un polypeptide (traduction), 319
de l'ADN
amorçage, 311, 312f
de l'ARN (transcription), 318, 322, 323f
des brins directeur ou discontinu d'ADN, 310, 311f
des catécholamines, 925f
des enzymes répressibles, régulation, 365f
des protéines, 317, 915
Systématique, 489
Système(s)
à cellule-flamme, 881, 881f
ABO, groupes, 868
cardiovasculaire, 820
caulinaire, 676, 679, 692f
circulatoire (Humains), 822, 823f
circulatoire (Invertébrés)
clos, 615, 820, 820f
ouvert, 618, 819, 820f
circulatoire (Vertébrés), 820, 821f
de l'organisme, 787
digestif des Mammifères, 787, 788f, 799
digestif des Vertébrés, adaptations évolutives, 808
endocrinien (Vertébrés), 907, 917
excréteurs
Humains, 883, 884f
Insectes, 882, 883f
Vertébrés, 881, 881f
immunitaire, 850, 850f, 854
troubles, 869
lymphatique, 1009
monogame, 1180
nerveux, 4, 907
afférent, 1002
autonome, 1002, 1003f
central (SNC), 983, 1002
efférent, 1002
Humains, 983, 983f
Invertébrés, 1000, 1001f
moteur, 1002
parasympathique, 1002
périphérique (SNP), 983, 1001
sensitif, 1002
somatique, 1002
sympathique, 1002
Vertébrés, 1001, 1002f
nerveux et glandes endocrines, 927
polygame, 1180
racinaire, 676
fasciculé, 678
pivotant, 676
reproducteurs
interaction entre les différents, 903
Animaux, 935, 936f
Humains, 937, 937f, 939, 939f
respiratoire
Animaux aquatiques, 837

Insectes, 838
Mammifères, 840, 840f
Oiseaux, 842, 842f
Vertébrés terrestres, 839
sexuels, 1180
trachéal (Insectes), 624
trachéen, 839
Systole, 822

T
Tables de survie de population, 1088, 1088t
Tache jaune, 1022
Taïga, 1060, 1061f
Taille (Animal), 787
Tampons, 47
Tapis
bactériens, 506, 506f
de Mousses, 563f
Taux intrinsèque d'accroissement, 1093-1097
Taxie, 1171
Taxinomie, 422, 431, 489, 491f, 493f
des êtres vivants, 523, 524f
du règne végétal, 562f
écoles, 494
évolutive classique, 495
Taxon, 489, 490, 491f
Tay-Sachs, maladie de, 268
Tectonique des plaques, 485, 485f, 486f
Tégument, 741
Télencéphale, 1007
Télophase, 224, 227f
Température(s)
acclimatation aux, 902
ambiante, 895, 895f
corporelle, régulation, 894, 895f
de l'eau, 41, 42
facteur abiotique, 1069
incidence sur les enzymes, 104, 104f
Temps
de génération, 1087, 1087f
évolutif et adaptation, 1078
géologiques, 475, 478f
Tendances évolutives, interprétations, 481, 484f
Tendons, 785
Tension, 702
Tension superficielle, 41, 42f
TEP, voir Tomographie par émission de positrons
Terminaison, 330, 330f
Terminaisons axonales, 984
Terre
ferme, colonisation, 559, 561, 569
origine et histoire de la vie, 504, 504f, 505, 505f, 506, 511f
Territoire(s), 1177, 1177f
présomptifs, carte, 971
Territorialité, 1095, 1096f, 1177
Test de Ames, 339
Testicules, 919t, 937, 942f
Testostérone, 926, 940
Tétanos, 1043
Tétraploïdie, 291
Thalamus, 1007
Thalle, 547
Thécodontes, 649
Théologie naturelle, 421
Théorie(s), 17
cellulaire, 17
chromosomique de l'hérédité, 280
de Darwin, 425, 433
de Lamarck, 423
de l'équilibre ponctué, 469
neutraliste, 449

synthétique de l'évolution, 438, 439
Thérapie génique, 407, 407f
Thérapside, 655f
Thermodynamique, 93, 95f
Thermogenèse chimique, 896
Thermorécepteurs, 1019
Thermorégulation, 877
Amphibiens, 900
Invertébrés, 901, 902f
Mammifères
marins, 897, 900f
terrestres, 896, 897f, 898f, 899f
Oiseaux, 897, 900f
Poissons, 900, 901f
Reptiles, 898, 898f
Thermostat, 896, 899f
Théropodes, 653
Thigmomorphogenèse, 766
Thigmotropisme, 766
Thiol, groupement, 60f, 61
Thrombus, 832
Thylakoïdes, 137, 213
membrane des, 137, 213
Thymine, 919f, 927
Thymus, 919t, 927
Thyroïde, 918f, 919t, 921
Thyroxine, 922f
Tige(s), 679
croissance secondaire, 693, 693f, 694, 694f
modifiées, 679f
tissus primaires, 689, 690f
Tissu(s), 4, 783
adipeux, 785
animaux, 783
brun, 896
cartilagineux, 785
conducteur, 560, 685
conjonctif, 784, 784f
fibreux, 785
lâche, 784, 784f
couches, 787, 788f
de revêtement, 685
dérivés des feuillets embryonnaires primitifs, 968t
différenciés d'une Plante, 685, 685f
épithélial, 783, 783f
fondamentaux, 685
greffes, 869
musculaire, 786
cardiaque, 787
lisse, 787
squelettique, 787
nerveux, 787
osseux, 786
primaires
de la tige, 689, 690f
des racines, 688, 688f
végétaux, 681
feuille, 691
Tolérance, courbes de, 1078, 1079f
Tomographie par émission de positrons (TEP), 28, 28f
Tonoplaste, 133f, 134, 703
Torpeur, 902, 903f
Torsion, 613, 613f
Toundra, arctique et alpine, 1061, 1062f
Tout ou rien, réaction de type, 989
Traceurs radioactifs, 29
Trachée(s), 838, 839f, 841
Trachéides, 574, 684, 684f
Traduction, 319, 324, 325f, 328f, 329f, 330f, 332f, 340f
élongation, 327

et transcription couplées chez les Bactéries, 332f
initiation, 327, 328f
terminaison, 330, 330f
Transcriptase inverse, 351
Transcription, 318, 322, 323f, 324, 324f, 332f, 340f
et traduction couplées chez les Bactéries, 332f
facteurs de, 324
initiation, 323, 324f
régulation de l'expression génique après la, 381
terminaison, 324
unité de, 322
Transduction (recombinaison génétique), 357, 521
généralisée, 357, 358f
Transfert d'énergie, 1137
Transformation bactérienne, 301, 301f, 521
génotype, 357
Transformation d'une cellule, 235
Transition, état de, 101
Translocation, 292, 328
Transmission
cellules réceptrices, 1016
paracrine, 909
synaptique, 909
Transpiration, 691
adaptations évolutives, 710
cohésion-tension, mécanisme, 706
effet aspirant, 706, 707f
photosynthèse et, 708
régulation, 708
Transplantation
d'organes, 869
de noyaux, 975, 975f
Transport
actif, 164, 165f
des solutés chez les Végétaux, 700, 701f
d'électrons, 177f, 178, 184, 185f, 524, 525f
cyclique et non cyclique, 208, 209, 209f, 210f
d'un organe source à un organe cible, 712
de la sève élaborée dans le phloème, 712, 721f
passif, 158, 160
des solutés chez les Végétaux, 700, 701f
polaire, 760, 760f
protéines de, 700
radial dans les tissus des organes des Végétaux, 704, 704f, 705f
vertical dans une Plante, 704
Transposon(s), 361, 379
complexes, 361-362, 363f
insertion d'un, 362f
simples, 361, 362f
Travail (accouchement), 950, 950f
Travail cellulaire et ATP, 98
Trématodes, 609, 609f
Triacylglycérol, 71, 72f
Trilobites, 618f, 619
Trimestres, 948
Triplets, code à, 320f
Triploblastiques, 601

Triploïdie, 291
Trisomie
21, voir Syndrome de Down
X, voir Syndrome triplo-X
Trocophore, 612
Trompe(s)
d'Eustache, 1028
ligature des, 952
utérine, 940
Tronc
cérébral, 1006
pulmonaire, valve, 822
Trophoblaste, 967
Tropiques, 1071
Tropisme, 765
Trypsine, 804
TSH, voir Thyréotrophine
Tube(s)
criblés, 683f, 685, 712f, 714f
de Malpighi, 624
Insectes, 882, 883f
digestif complet, 610
digestif(s), 798, 799f
neural, 963
neural dorsal creux, 636
pollinique (Angiosperme), 739
Tubercules quadrijumeaux inférieurs et supérieurs, 1007
Tubule(s)
acrosomial, 957
contourné distal, 885, 888
contourné proximal, 885, 887
rénal, 885, 887, 888f
rénal collecteur, 885, 888
séminifères, 937
transverses, réticulum sarcoplasmique et, 1042, 1042f
Tumeurs
bénigne et maligne, 235, 237f
gènes suppresseurs de, 384
Turbellariés, 608, 608f
Turgescence
d'une cellule, 162, 163f
mouvements issus d'une variation de, 766
pression de, 703
Turner, syndrome de, 294
Tympan, membrane du, 1028
Type sexuel, changement, 379, 379f
Types parentaux, 284-285

U
Ultracentrifugeuse, 121
Ultrastructure cellulaire, 120
Uniformitarisme, 423
Unions consanguines, 273
Uniramiens, 620, 621f
Unité de transcription, 322
Unités motrices, 1043, 1044f
Urée, 893
Uretère, 883
Urètre, 883, 937
Urine, 883
concentration par le rein humain, 890f
isotonique et hypertonique, 889
Urocordés, 637, 637f
Urodèles, 646
Utérus, 940
Utricule, 1030

V
Vaccination, 855
Vaccins, 352, 408
Vacuole(s), 133, 133f
centrale, 134
contractiles, 134
digestives, 796, 797f

nutritives, 133
Vagin, 940
Vaisseau(x), 574
capillaires, 820, 828, 829f
chylifère, 806
éléments de, 684, 684f
sanguins, 818f, 825, 825f
vasodilatation et vasoconstriction, 896
Valence, électrons de, 31
Valeur
adaptative, 450
adaptative particulière, 1184
de référence, 790
Valves cardiaques, 822
auriculoventriculaire, 822
de l'aorte, 822
du tronc pulmonaire, 822
Valvules conniventes, 805
Vaporisation, 43, 895
Variation(s)
caractères héréditaires, 260
de turgescence, 766
démographique, 1093-1097
écologique, réaction des organismes, 1074
génétique(s), 244, 445-449, 448f
évolution et, 255, 255f
géographique, 446
neutre, 449
Vasa recta, 885
Vasculaires, 562t, 563, 565f, 566f
à graines, 569
sans graines, 566
Vasectomie, 952
Vasoconstriction, 896
Vasodilatation, 896
Vecteur de clonage, 394
Végétaux, 559, voir aussi Croissance (Végétaux) ou Plantes
adaptations nutritives de certains, 729
assimilation de l'azote, 725
Animaux associés, 1117
cellules, 681
classification, 561, 562t
composition chimique, 718
croissance, 686-695
cycle de développement, 560
défenses, 1109
développement, 748-753
aspects cellulaires, 748
diversité, 579, 579f, 580f
éléments essentiels, 721t
évolution, 560, 561f
manipulations génétiques, 410, 411f, 412
mode de reproduction, 572t
morphologie, 676, 676f
mouvements, 765
nutrition, 718, 726f, 729
régulation, 756-775
reproduction, 734-748
strates, 1118f
tissus, 681
transport, 699, 699f, 700f, 701f, 704f, 708, 712
Veine(s), 821
circulation, 826f, 827
porte hépatique, 807
rénale, 883
Veinules, 821
Ventilation, 837, 837f, 841
Ventricules, 820
encéphale, 1002
Vents, 1071, 1073f
Vernalisation, 770
Vertébrés, 635, 635f, 638, 641f
articulations synoviales dans le squelette, 1038, 1038f

caractéristiques, 638
classes, 638t
encéphale, 1004f, 1005, 1005f
glandes endocrines principales, 919t
hormones stéroïdes, 383
muscles, 786f, 787
squelettiques, 1039
ouïe et équilibre, 1027, 1031
rein, 883
sous-embranchement, 637, 638t
système circulatoire, 820, 821f
système endocrinien, 917, 919t
système nerveux, 1001, 1002f
système reproducteur, 936
systèmes digestifs, 808
terrestres, adaptations respiratoires, 839
vision, 1021, 1021f, 1026f
Vésicule(s)
biliaire, 799
de sécrétion, 131
de transition, 131
enrobée, 167
séminales, 937
synaptique, 994
Vessie, 883
natatoire, 643
Vestibule, 940
fenêtre du, 1028
Vie, *voir aussi* Vivant, règnes du
apparition de la, 37, 37f, 54
éléments
chimiques de la, 61
essentiels à la, 26
origine de la, 504, 504f, 505, 505f, 506, 511f
propriétés, processus et caractéristiques de la, 4, 6f
structure et fonction de la, 8, 9f
Vigueur hybride, 448
Vigueur, taux de, 1098, 1098f
Villosités
chorioniques, biopsie, 275, 953
intestinales, 805
Viroïdes, 354
Virus
à ARN, 351
à enveloppe, 350, 351f
animaux, 350, 350t, 352f
bactériens, 347
bactériophages, *voir* Phages
cancer et, 353
de l'immunodéficience humaine (VIH), 351, 353f
de la mosaïque du tabac (VMT), 345
découverte, 344
évolution, 354
génétique, 344
oncogènes, 353
origine, 354
réplication, 344, 344f, 345, 347f, 350, 351f
Rétrovirus, 351, 353f
structure, 345, 346f
tempérés, 349
végétaux, 354
virulent, 348
Vision
Invertébrés, 1019
Vertébrés, 1021
voies nerveuses, 1026

Vitalisme, 54
Vitamines, 812, 813t
Vitellus, 960
Vivant, règnes du, 512, 512f, 513, 516f
Vivipares, 642
VIH, 871, 871f, *voir* Virus de l'immunodéficience humaine

VMT, 345
Voie(s)
alterne et classique (activation du complément), 866-867, 868f, 870
anaboliques, 92
cataboliques, 91, 193
d'apprentissage, 1011, 1011f
mémoire, 1009, 1010f
métabolique, régulation, 363, 364f
nerveuse entre récepteur et effecteur, 985f
nerveuses de la vision, 1026f
Volume
courant, 842
résiduel, 842
systolique, 824
Vrac, ingestion en, 795, 796f

W
Walbot, Virginia, 670
Watson et Crick, modèle de l'ADN (double hélice), 300f, 303, 304, 305f
Weber, appareil de, 1031
Went, F.W., 757, 758f
Wernicke, aire de, 1009

X Y Z
Xylème, 564, 574f, 676, 684f, 706
Yeux, 1020f, *voir aussi* Œil
composés, 620, 1020, 1021f
Zone(s)
abyssale, 1068
adaptative, 485
aphotique, 1062
benthique, 1066, 1068
d'activité de polarisation, 978
d'élongation cellulaire, 688
de différenciation cellulaire, 688
de division cellulaire, 687
de l'océan, 1066, 1066f
euphotique, 1062
H, 1040
intertidale, 1066, 1067f
limnétique, 1063
littorale, 1062
néritique, 1066
océanique, 1066
profonde, 1063
quiescente, 687
Zooflagellés, 537t, 539, 540f
Zoomastigophores, 537t, 539, 540f
Zygomycètes, 585, 586f
Zygosporanges, 586
Zygote(s), 248
diploïde, 932
segmentation, 960, 960f, 961f
Zymogènes, 802, 805, 805f